# ENCYCLOPÉDIE
# DE LA MUSIQUE

Paolo II Zacchia, el Vecchio. Joueur de viole.

# ENCYCLOPÉDIE DE LA MUSIQUE

## Tome II

**FASQUELLE**

11, rue de Grenelle, Paris

L'ÉDITION ORIGINALE DU PRÉSENT OUVRAGE
LIMITÉE A 1.000 EXEMPLAIRES NUMÉROTÉS
DE 1 A 1.000 A ÉTÉ IMPRIMÉE ET RELIÉE
SPÉCIALEMENT POUR LE CLUB DES LIBRAIRES
DE FRANCE. IL A ÉTÉ TIRÉ ÉGALEMENT
100 EXEMPLAIRES HORS COMMERCE NUMÉROTÉS
DE I A C

Dépôt légal, 4ème trimestre 1959, N° 656. Imprimeur N° 3028
© 1959 Fasquelle éditeurs. Paris
Imprimé en France

*Cet ouvrage est publié sous la direction de*

# FRANÇOIS MICHEL

*en collaboration*

*avec*

**FRANÇOIS LESURE**     et     **VLADIMIR FÉDOROV**

*secrétaire central du répertoire international*       *vice-président de l'association internationale*
*des sources musicales*          *des bibliothèques musicales*

*et un comité de rédaction composé de*

Mlle Nadia BOULANGER, M. Pierre BOULEZ, † M. Constantin BRAILOIU, *maître de recherches au Centre national de la recherche scientifique,* Mlle Solange CORBIN, *docteur ès lettres,* Mlle Claudie MARCEL-DUBOIS, *maître de recherches au Centre national de la recherche scientifique,* M. Jean MATRAS, *ingénieur général de la Radio-télévision française,* M. Frank ONNEN, M. Marc PINCHERLE, *président honoraire de la société française de musicologie, président de l'académie Charles Cros,* M. Gilbert ROUGET, *attaché de recherches au Centre national de la recherche scientifique,* M. André SCHAEFFNER, *président de la société française de musicologie, chargé du département d'ethnomusicologie au musée de l'homme,* M. Pierre SOUVTCHINSKY, G. THIBAULT, *président de la société de musique d'autrefois.* Secrétaire de rédaction : M. Armand ANGLIVIEL de LA BEAUMELLE.

*avec le précieux concours et la documentation* (suite) *de*

M. Gilbert AMY, Mlle Maguy ANDRAL, M. Hugh BAILLIE, M. Guglielmo BARBLAN, M. Bernard BARDET, M. Samuel BAUD-BOVY, M. Günther BIRKNER, M. Walter BLANKENBURG, M. Jean BONFILS, M. Jean-Paul BOYER, M. George BREAZUL, M. Frédéric BRIDGMAN, M. Barry S. BROOK, M. Jacques BURDET, M. Daniel CHARLES, le R. P. Maur COCHERIL, M. Doda CONRAD, M. Edmond COSTÈRE, M. Charles L. CUDWORTH, M. Dragotin CVETKO, M. Miljenko DABO-PERANIC, M. Fedele D'AMICO, M. Xavier DARASSE, M. Norman DEMUTH, Mme Simone DREYFUS-ROCHE, M. René DUMESNIL, M. Marcel DUPRÉ, M. Kurt von FISCHER, M. Aloys FLEISCHMANN, le R. P. Marc FORET, M. Marcel FRÉMIOT, M. Jean GERGELY, M. Federico GHISI, M. André GIRARD, M. Herbert GÜNTHER, M. Jean-Philippe GUINLE, M. Pierre GUINLE, M. Dorel HANDMAN, Mme Eta HARICH-SCHNEIDER, Mme Mireille HELFFER, M. Mantle HOOD, M. Frank HOWES, M. Yves HUCHER, le R. P. Anselm HUGHES, M. Jean JACQUOT, M. H. C. Robbins LANDON, M. MA HIAO TS'IUN, M. James MAC GILLIVRAY, M. Gian Francesco MALIPIERO, le R. P. Emile MARTIN, M. Bernhard MEIER, le R. P. René MÉNARD, M. Massimo MILA, M. Federico MOMPELLIO, M. Guy MORANÇON, M. Friedrich-Heinrich NEUMANN, M. Nirschy OTT, M. Albert PALM, M. Jean PERROT, M. Nino PIRROTTA, Mme Simone PLÉ-CAUSSADE, M. Gilbert REANEY, M. Friedrich W. RIEDEL, M. Claude SAMUEL, M. Claudio SARTORI, M. Robert SIOHAN, le R. P. Angelico SURCHAMP, M. Ennemond TRILLAT, M. Albert VAN DER LINDEN, M. Georges VAN PARYS, Mme R. VERDEIL-PALIKAROVA, Mme France VERNILLAT, M. Jean VIGUÉ, M. Zdenek VYBORNY, Mme Simone WALLON, M. Robert WANGERMÉE, Mlle Emilia ZANETTI, UNIUNÉA COMPOZITORILOR DIN R. P. R. (Bucarest).

*sous le haut patronage de*

M. Igor STRAVINSKY, Mgr. Higini ANGLÉS, *directeur de l'institut espagnol de musicologie*, M. Ernest ANSERMET, M. Hans Erich APOSTEL, M. Louis ARNTZENIUS, M. Georges AURIC, *président de la Société des auteurs, compositeurs et éditeurs de musique*, M. Henry BARRAUD, *directeur des émissions musicales à la Radio-télévision française*, M. Samuel BAUD-BOVY, *directeur du conservatoire de Genève*, M. Friedrich BLUME, *président de la société internationale de musicologie*, M. Benjamin BRITTEN, M. Julien CAIN, *de l'Institut, administrateur général de la bibliothèque nationale, directeur des bibliothèques de France*, M. Pablo CASALS, M. Juan José CASTRO, M. Carlos CHAVEZ, M. Paul COLLAER, M. Aaron COPLAND, M. Luis Heitor CORREA DE AZEVEDO, *chef de la section de coopération avec les organisations non-gouvernementales à l'Unesco*, M. Luigi DALLAPICCOLA, M. DANIEL-LESUR, *directeur de la Schola cantorum*, M. René DOMMANGE, *président de la section musique du congrès international des éditeurs*, M. René DUMESNIL, M. Marcel DUPRÉ, *de l'Institut, président du comité national de la musique*, M. Henri DUTILLEUX, M. Philippe ERLANGER, *chef du service des échanges artistiques aux affaires culturelles et techniques au ministère des affaires étrangères*, M. Henry George FARMER, M. Jean FRANÇAIX, M. Pedro de FREITAS-BRANCO, M. Paul HINDEMITH, M. Jacques JAUJARD, *directeur général des arts et des lettres*, M. Zoltan KODALY, M. Paul Henry LANG, *ancien président de la société internationale de musicologie*, Mme Marguerite LONG, M. Raymond LOUCHEUR, *directeur du conservatoire de Paris*, M. Gian Francesco MALIPIERO, M. Frank MARTIN, M. Amable MASSIS, *inspecteur général de l'enseignement musical*, M. Olivier MESSIAEN, M. Werner MEYER-EPPLER, *professeur à l'université de Francfort*, M. Darius MILHAUD, M. Henri MONNET, M. Federico MOMPOU, M. René NICOLY, *président des Jeunesses musicales de France*, M. Wilfred PELLETIER, M. Goffredo PETRASSI, M. Francis POULENC, M. Georges-Henri RIVIÈRE, *directeur du musée des arts et traditions populaires, président du conseil international des musées*, M. Henri SAUGUET, M. Hermann SCHERCHEN, M. Boris de SCHLŒZER, † M. Florent SCHMITT, *de l'Institut*, M. Roger SEYDOUX, *directeur général des affaires culturelles et techniques au ministère des affaires étrangères*, le R. P. SMITS VAN WAESBERGHE, M. André SOURIS, M. Karlheinz STOCKHAUSEN, M. Heinrich STROBEL, *directeur des émissions musicales au Südwest-Rundfunk, président de la société internationale de musique contemporaine*, Mme Germaine TAILLEFERRE, M. Virgil THOMSON, M. Charles VAN DEN BORREN, *de l'académie royale de Belgique*, M. Edgar VARÈSE, M. Heitor VILLA-LOBOS.

*Harpiste-chanteur aveugle*

*(extrait des Chefs-d'œuvre de la peinture égyptienne d'André Lhote).*

## TABLEAU DES PRINCIPALES ABRÉVIATIONS
### contenues dans le présent ouvrage

| | |
|---|---|
| a. | alto |
| acad. | académie (academy) |
| acc. | accompagnement |
| accad. | accademia |
| AfMf | Archiv. für Musikforschung |
| AfMw | Archiv für Musikwissenschaft |
| Akad. | Akademie |
| adj. | adjectif |
| allem. | allemand(e)(s) |
| allg. | allgemein |
| amér. | américain(e)(s) |
| AMz | Allgemeine Musikzeitung |
| angl. | anglais(e)(s) |
| arr. | arrangement |
| art. | article |
| assoc. | association |
| autr. | autrichien(ne)(s) |
| | |
| b. | basse |
| basson. | bassoniste |
| b.c. | basse continue |
| bibl. | bibliothèque, bibliographie |
| BJ | Bach-Jahrbuch |
| Bl. | Blatt, Blätter |
| BM | British Museum |
| BN | Bibliothèque nationale |
| | |
| c. à d. | c'est-à-dire |
| catal. | catalogue |
| cath. | cathédrale |
| cf. | confer |
| ch. | chœur |
| chor. | choral(e)(s) |
| cl., clar. | clarinette |
| clav. | clavecin |
| collab. | collaboration |
| compos. | compositeur |
| cons. | conservatoire |
| | |
| DDT | Denkmäler deutscher Tonkunst |
| déd. | dédié(e)(s) |
| dict. | dictionnaire |
| dir. | directeur |
| ds | dans |
| DTB | Denkmäler der Tonkunst in Bayern |
| DTÖ | Denkmäler der Tonkunst in Œsterreich |
| DVfLG | Deutche Vierteljahrschrift f. Literaturwiss. u. Geistesgeschichte |
| | |
| éd. | édité(e)(s) ou édition(s) |
| enc. | encyclopédie (enciclopedia) |
| env. | environ |
| esp. | espagnol(e)(s) |
| Et. grég. | Études grégoriennes |
| etc. | et cetera |
| ex. | exemple(s) |
| | |
| f. | für |
| fl. | flûte(s) |
| flam. | flamand(e)(s) |
| folk. | folklorique(s) |
| franç. | français(e)(s) |
| Fs. | Festchrift |
| | |
| Ges. | Gesellschaft |
| gd | grand |
| Gesch. | Geschichte |
| gesch. | geschichtlich |
| Gsg | Gesang, Gesänge |

| | |
|---|---|
| hautb. | hautboïste |
| hist. | histoire ou historique(s) |
| hongr. | hongrois |
| htb. | hautbois |
| | |
| i. e. | id est |
| ibid. | ibidem |
| id. | idem |
| instr. | instrument ou instrumental(e)(s) |
| intern. | international(e)(s) |
| ital. | italien(ne)(s) |
| | |
| J. of the IFMS | Journal of the International folk music Society |
| Jahrb., Jb. | Jahrbuch |
| JbP | Jahrbücher d. Musikbibl. Peters |
| Jh. | Jahrhundert |
| | |
| K. | Köchel |
| Kgr.-Ber. | Kongress-Bericht |
| KM | Kirchenmusik |
| KmJb | Kirchenmusikalisches Jahrbuch |
| | |
| lat. | latin |
| Lit. | liturgie ou liturgique(s) |
| litt. | littéraire(s) |
| littéralt. | littéralement |
| loc. cit. | loco citato |
| | |
| m.A., m.a. | mort |
| M.A., m.a. | Mittelalter, moyen-âge |
| maj. | majeur |
| mezzo-sopr. | mezzo-soprano |
| Mf | Die Musikforschung |
| MfM | Monatshefte f. Musikgeschichte |
| Mg. | Musikgeschichte |
| MGG | Die Musik in Geschichte und Gegenwart |
| min. | mineur |
| ML | Music and letters |
| MQ | The Musical Quarterly |
| ms. | manuscrit |
| mss | manuscrits |
| mt. | mouvement |
| mus. | musicien(s), musical(e)(s), musicaux, musique, musicologie ou musicologique(s) |
| Mus. disc. | Musica disciplina |
| Mw. | Musikwissenchaft |
| | |
| n. | naissance |
| N.B. | Nota bene |
| nat. | national(e)(s) |
| néerl. | néerlandais(e)(s) |
| NMZ | Neue Musikzeitung |
| NZM | Neue Zeitschrift f. Musik |
| | |
| op. | opus |
| op. com. | opéra-comique |
| or. | oratorio |
| orch. | orchestre (orchestra) |
| org. | organiste |
| ouvr. | ouvrage(s) |
| | |
| p. | page |
| p. | piano |
| philh. | philharmonique |
| pian. | pianiste |
| pol. | polonais(e) |
| polyph. | polyphonique(s) |
| portug. | portugais(e) |
| ppart | plupart |
| prof. | professeur |
| ps. | psaume(s) |
| pseud. | pseudonyme |

| | |
|---|---|
| qq. | quelque |
| qqs | quelques |
| Rass. mus. | Rassegna musicale italiana |
| rééd. | réédité(e)(s) ou réédition(s) |
| relig. | religieux(se)(s) |
| Rev. grég. | Revue grégorienne |
| Rev. mus. ou | |
| RM | Revue musicale |
| Rev. de mus. | |
| ou R. de M. | Revue de musicologie |
| Riv. mus. it. | |
| ou RMI | Rivista musicale italiana |
| RSIM | Revue de la soc. intern. de mus. |
| R.T.F | Radio-télévision française |
| s. | siècle |
| s. | soprano |
| s.d. | sans date |
| s.f. | substantif féminin |
| s.l.n.d. | sans lieu ni date |
| s.m. | substantif masculin |
| scient. | scientifique |
| SIM | Bulletin français de la Société internationale de musique |
| SIMG ou Samm. der IMG | Sammelbände der internationalen Musikgesellschaft |
| SJbMw | Schweizerisches Jahrbuch f. Musikwissenschaft |
| Slg | Sammlung |
| SMZ | Schweizerische Musikzeitung |
| soc. | société (società, society) |
| sqq. | sequentibusque |
| StMw | Studien zur Musikwissenschaft |
| supplt | supplément |
| symph. | symphonie(s) ou symphonique(s) (symphony) |
| t. | ténor |
| th. | théâtre |
| théor. | théorique |
| trad. | traduit ou traduction(s) |
| transcr. | transcription(s) |
| trp. ou tromp. | trompette |
| u. | und |
| univ. | université university) |
| v. | vers |
| v. | voix |
| vcelle | violoncelle |
| vcelliste | violoncelliste |
| Verz. | Verzeichnis |
| VfMw | Vierteljahrschrift für Musik-wissenschaft |
| viol. | violon |
| violon. | violoniste |
| voc. | vocal(e)(s) |
| vol. | volume(s) |
| ZfM | Zeitschrift f. Musik |
| ZfMw | Zeitschrift für Musikwissenschaft |
| Zs. | Zeitschrift |

**F. — 1.** Nom de la note *fa* dans les pays qui utilisent la nomenclature musicale anglaise ou allemande. *Cf.* art. *fa.*

### TABLEAU DES ÉQUIVALENCES

| Anglais | Allemand | Français |
|---|---|---|
| F *flat* | *Fes* | Fa bémol |
| F *double flat* | *Feses* | Fa double-bémol |
| F *sharp* | *Fis* | Fa dièse |
| F *double sharp* | *Fisis* | Fa double-dièse |

**— 2.** Certains théoriciens allem. se servent de lettres pour désigner les accords ; ex. : accord de *F* = accord de *fa majeur,* accord de *f* = accord de *fa mineur.* **— 3.** Abréviation de *forte.*

**FA.** C'est le nom du quatrième degré de la gamme d'*ut,* dans la nomenclature guidonienne, qui a été adoptée par les pays latins. Voir également art. *clef* et *solmisation.*

**FAA Orazio.** Mus. piémontais du XVIe s. On a de lui 1 vol. de psaumes et motets de 5-8 v. (1573) et 2 livres de madrigaux à 5-6 v. (Venise 1569, 1571) dédiés à un Gonzague de Mantoue.

**FABBRI Flora.** Ballerine ital. du XIXe s., qui fut l'élève de Blasis, débuta à la *Fenice* de Venise, fit une carrière internat., après avoir épousé Louis Bretin. Voir C. Blasis, *Notes upon dancing,* Londres 1847.

**FABBRI Guerrina.** Chanteuse ital. (Ferrare 1868–Turin 21.2.1946), contralto, qui fit une carrière internationale.

**FABBRINI Giuseppe.** Mus. ital. (Sienne ?–20.11.1708), org. et maître de chapelle de la cathédrale de Sienne, qui composa des œuvres de mus. d'église, des oratorios, 6 opéras.

**FABER Benedikt.** Mus. allem. (Hilpertshausen v. 1580 ?–Cobourg v. 1630 ?), qui fut au service du duc de Saxe-Cobourg et se lia d'amitié avec Melchior Trenck, dont l'influence sur lui est sensible ; ses œuvres sont surtout des pièces de circonstance écrites pour des mariages et des *sacrae cantiones* à 4-8 v. (Cobourg 1602).

**FABER Gregor.** Mus. allem. (Lützen v. 1520–?), *magister* de l'univ. de Leipzig (1547), docteur en médecine de l'univ. de Tübingen (1554), où il était prof. de musique ; il publia un traité intitulé *Musices practicae erotematum libri* II ... (Bâle 1553). Voir H. Albrecht in MGG.

**FABER Heinrich** (*Magister Henricus Faber*). Mus. allem. (Lichtenfels ?–Ölsnitz 26.2.1552). *Magister* de l'univ. de Wittemberg (1542), recteur de l'école de la cath. de Naumburg (1544), luthérien, prof. au *Brüdernkloster* de Brunswick, recteur du *Martineum* dans la même ville (1548), cantor à Naumburg (1549), à Ölsnitz, il publia

*Compendiolum musicae pro incipientibus* (Brunswick 1548 ; le traité eut de nombreuses rééditions), *Ad musicam practicam introductio* (Montanus-Neuber, Nuremberg 1550), *Musica poetica* (ms. bibl. Hof, 1548), traités parmi lesquels on trouve des pièces à 4 et 5 v. y insérées à titre d'exemple. Voir R. Eitner, *H.F.,* in *Monatshefte f. Mus. gesch.* II, 1870–*Ein Nachtrag zu H.F.,* ibid. V, 1873 ; H. Albrecht in MGG.

**FABER Johann Christoph.** Mus. allem., qui fut peut-être au service du duc de Brunswick-Lunebourg v. 1729, auteur de compositions qui renferment des énigmes en lettres et en chiffres, mais sans grand intérêt musical. *Cf.* MGG.

**FABER Nicolaus I.** Ed. et humaniste allem. (? v. 1490–Leipzig ... 1554), qui publia les *Melodiae prudentianae* de Hordisch et Forster (1533).

**FABER Nicolaus II.** Mus. allem., chantre du duc Guillaume IV de Bavière, auteur d'un petit traité, *Musicae rudimenta* (Augsbourg 1516).

**FABER** (*Fabri*) **Stephan.** Mus. allem. (? av. 1580–Giengen 1632), qui fut de 1605 à 1632 *Präzeptor* à l'école de Giengen et publia *Cantiones aliquot sacrae trium vocum, juxta duodecim modorum seriem, tam viva voce, quam omnis generis instrumentis cantatu commodissimae...* (Nuremberg 1607). Voir G. Reichert in MGG.

**FABERT Henri** (*H. Fabre*). Ténor franç. (Savasse 19.1.1897–Marseille 22.2.1941), qui appartint à l'Opéra de Paris, où il fit de nombreuses créations.

**FABINI Eduardo.** Compos. uruguayen (Mataojo de Solís 18.5.1883–Montevideo 18.5.1950). Il se perfectionna au cons. de Bruxelles, où il travailla sous la direction du violoniste César Thompson, qu'il accompagna dans une tournée en Amérique du Sud (1903) ; en 1905, il fonda le cons. de l'Uruguay à Montevideo, ainsi que (plus tard) l' « Association de musique de chambre » ; outre ses ballets et ses autres œuvres orchestrales, ses compositions les plus marquantes sont les poèmes symphoniques *Campo* (1922, dirigé par Richard Strauss en 1923 à Buenos Aires) et *La Isla de los Ceibos* (1925), où il allie avec bonheur les procédés impressionnistes à l'idiome populaire de son pays.                                                                            D.D.

**FABIOL.** C'est une flûte à bec, à 6 trous dont deux dorsaux, instrument en bois et d'usage populaire (Espagne, Majorque).                                        M.A.

**FABO Bertalan.** Musicographe hongrois (1868–1920), l'un des précurseurs du folklore scientifique dans son pays ; son ouvrage principal, consacré à l'évolution historique de la mélodie populaire hongroise, *A magyar népdal zenei fejlődése* (1908), contient des thèses qui sont aujourd'hui périmées.

**FABRI Annibale Pio.** Mus. ital. (Bologne 1697–Lisbonne 12.8.1760). Élève de Pistocchi, il fut chanteur à Bologne, à Venise ; il eut ensuite le titre de virtuose du landgrave de Hesse-Darmstadt, puis compos. de l'académie philharmonique de Bologne ; en 1729, il fut admis à la *Royal Academy* de Londres, où il chanta dans le répertoire de Hændel ; on le trouve ensuite à Bologne où il fut élu *principe* de l'académie philharmonique, puis, avec le titre de musicien et virtuose de l'empereur Charles VI, enfin chanteur de la chapelle royale à Lisbonne (ap. 1750) ; il écrivit des oratorios (*Il Martirio di S. Polito,* 1719, *Il Martirio di S. Lanno,* 1720), des *Solfeggi per soprano,* un *Salve Regina* à 4 v. etc.

**FABRI Stefano.** C'est le nom de deux mus. ital. : — **1.** *L'Ancien,* qui publia des œuvres polyph. de mus. d'église au début du XVIIe s. et fut maître de chapelle au Vatican et à St-Jean de Latran ; — **2.** *Le Jeune* (Rome 1606–27.8 1658), qui fut élève de Nanini, maître de chapelle à St-Louis des Français, à St-Pierre et à Ste-Marie Majeure, et publia également des œuvres polyph. de mus. d'église.

**FABRIANESE Tiberio.** Mus. ital. du XVIe s., originaire de Fabriano, de qui est bien connue la *Canzon della Gallina,* à 4 v. (v. 1550), publiée dans divers recueils de l'époque ; deux de ses madrigaux se trouvent dans le *Vero terzo libro di Madrigali di div. autori a note negre* (Gardane, Venise 1549).

**FABRICIUS Jacob Christian.** Banquier danois (Aarhus 3.9.1840–Copenhague ... 6.1919), qui composa un opéra (*Skön Karen*), 2 airs de concert, 1 symphonie, des chœurs, de la mus. de chambre, des mélodies.

**FABRICIUS Petrus.** Mus. allem. (Tondern 1587–Warnitz 1651), pasteur, luthiste et astronome amateur, qui a laissé un recueil ms. de chants populaires accompagnés au luth (Bibl. de Copenhague, ms. Thott 841). Cf. MGG.

**FABRICIUS Werner.** Mus. allem. (Itzehoe 10.4.1633–Leipzig 9.1.1679). Fils d'un organiste, il fut élève de H. Scheidemann à Hambourg, étudia à l'univ. de Leipzig, fut en même temps avocat et, à partir de 1656, org. à l'église de St-Paul de cette ville, puis à celle de St-Nicolas, jouissant d'une grande autorité comme expert et comme prof. ; il est l'auteur de *Deliciae harmonicae* (Leipzig, 1656, suites de danses à 5 p.), de *Geistliche Lieder* à 1 v. et *b.c.* (1659) de *Geistliche Arien, Dialogen u. Concerten* (1662) et d'un manuel pour l'expertise des orgues (1756). Son fils – **Johann-Albert FABRICIO** (Leipzig 11.11.1668–Hambourg 30.4.1736) fut un lettré ; au nombre de ses ouvrages d'érudition, on compte une *Bibliotheca latina med. et infimae aetatis* (1712–22, 1734–46, Hambourg, 1754, Padoue), laquelle contient un lexique des écrivains médiévaux qui ont traité du chant ecclésiastique, sous le titre d'*Elenchus brevis scriptorum mediaevi latinorum de musica, cantunque ecclesiastico* : c'est une recension importante.

**FABRITIUS Albinus.** Mus. allem. (Görlitz ...–Bruck-an-der-Mur 19.12.1635). Établi en Styrie au moins depuis 1588, il fut secrétaire du couvent bénédictin de St-Lambrecht, puis commissaire pour Bruck et la vallée de la Muerz au moment de la Réaction catholique ; il est l'auteur de *Cantiones sacrae* (Graz 1595) recueil de motets où il cultive concurremment l'ancienne polyphonie et un style homophone plus moderniste. *Cf.* H. Federhofer dans MGG.

**FABRIZI Paolo.** Compos. ital. (Spolète 1809–Naples 3.3 1869). Élève de Zingarelli, de Furno, à Naples, il écrivit des œuvres de mus. d'église et quelques opéras (*Il Conte di Saverna*, 1835).

**FABRIZI Vincenzo.** Mus. ital. (Naples 1764– ?). En 1786, il appartenait à l'université de Rome comme maître de chapelle ; il composa une quinzaine d'opéras, pour Naples, Bologne, Dresde, Parme, Barcelone, Turin, Madrid, Londres, Lisbonne, Sienne, Florence, Milan, Venise, Fano, Livourne, Lucques (*I tre gobbi rivali*, 1783, *L'Amore per interesse*, 1786, *Il Convitato di pietra*, 1787, *La nobiltà villana*, *id.*) ; on trouve de ses manuscrits à Dresde, à Bologne et à Florence.

**FABRYCY Jan.** Mus. pol. du XVIIe s. né à Zywiec, qui appartint à la chapelle des rorantistes à Cracovie et mourut ap. 1665 ; il écrivit de la mus. d'église polyphonique.

**FABUENCA.** Org. esp. du XVIIe s., de qui on a conservé en ms. une pièce d'orgue.

**FACCHINETTI di MINERBI Mario.** Compos. ital. (Verceil 1898–). Élève de Busoni, d'Alfano, de Schœnberg, il a été notamment chef de chant à la *Scala* de Milan et écrit des sonates pour le piano, des mélodies, de la mus. symph., un ballet : *Histoire d'une nymphe*.

**FACCHO Agostino.** Mus. ital. du XVIIe s. de l'ordre des frères prêcheurs, organiste du dôme de Vicence, membre de l'*Accad. dei filomusi* de Bologne, qui publia des *Concerti spirituali* à 1 à 5 v. et *b.c.* (1624), des *Motetti* de 3 à 5 v. avec les litanies de la Vierge à 6 v. (1635), et un 2e livre de madrigaux à 2-5 v. et *b.c.* (1636).

**FACCIO Franco.** Chef d'orch. et compos. ital. (Vérone 8.3.1840–Monza 21.7.1891). Élève du cons. de Milan, condisciple et ami de Boito, il fut longtemps le collaborateur de ce dernier, avec qui il séjourna à Paris ; il se lia avec Rossini, Verdi, Berlioz, Gounod ; sa carrière devait être parmi les premières d'Italie ; il écrivit de nombreux opéras (*Amleto*, 1865, *I profughi fiamminghi*, 1863). Voir C. Sartori, in *RMI* 1938, A. della Corte, in *Il Musicista*, 1940.

**FACCO Jaime.** Violon. ital. (? fin du XVIIe s.–Madrid 16.2.1753). Grâce aux travaux de J. Subirá, on sait qu'il

A. FABRITIUS. Magnificat

est né vénitien, qu'il fut vingt ans maître de chapelle en Italie, qu'en 1720 il était à Madrid musicien à la cour, puis maître de musique du prince des Asturies ; il composa pour le théâtre, notamment un mélodrame, en style italien *Amor es todo invención*, *Jupiter y Amphytrión* (1721), *Loa*, et pour l'église. Voir J. Subirá, in *Anuario Musical*, III. 1948.

**FACIO Anselmo.** Mus. ital. du XVIe s., moine augustin né à Castrogiovanni en Sicile, qui écrivit un livre de motets à 5 v. (Messine 1589) et deux de madrigaux (5 v., 6 v., Venise 1601).

**FACKELTANZ.** C'est un titre que l'on trouve en usage en Allemagne, qui désigne une musique écrite pour une marche aux flambeaux (Meyerbeer, Spontini, Flotow).

**FADET.** Jongleur occitan du XIIIe s., qui vécut longtemps à la cour d'Aragon et fut célébré par Guiraut de Calanson.

**FADO.** C'est une chanson portugaise, de type citadin, qui n'est pas d'origine folklorique, mais qui est devenue populaire depuis une centaine d'années. On pense que le nom évoque le *fatum* antique, qui brise l'homme devant sa destinée, ce qui est assez conforme au caractère de la *saudade* (solitude et tristesse) portugaise. On pense aussi que les premiers *f.* se sont inspirés du *lundum* des esclaves africains transportés au Brésil, puis revenus en Europe au retour de Jean VI en 1822. Le *f.* est strophique ; il se compose d'une période de huit mesures à 2/4, divisée en deux membres symétriques ; la mélodie est très simple, mineure, avec quelques modulations en majeur ou le contraire. L'accompagnement, à la viole et à la guitare (simultanées), utilise uniquement les accords de tonique et de dominante. La vogue du *f.* est immense au Portugal ; le répertoire n'est pas imprimé et participe encore jusqu'à un certain point de l'improvisation. On l'entend dans des cafés de Lisbonne et, très souvent, dans les rues de Coïmbre, où il est constamment chanté à la guitare par les étudiants de l'université. Voir Pinto de Carvalho, *Historia do Fado*, Lisbonne 1903 ; Joao do Rio, *Fados, Cançoes e danças de Portugal*, Paris 1909 ; *Modinhas imperiais*, Sao Paulo 1930 ; Gonçalo Sampaio, *Origens do Fado*, ds *Aguia*, nos 9 et 10, 1934.                                          S.C.

*à 6 v. (bibl. univ. Graz).*

**FAEHRMANN Ernst Hans.** Org. allem. (Beicha 17.12. 1860–Dresde 29.6.1940), qui exerça à la *Johanneskirche* de Dresde et écrivit notamment 14 sonates et un concerto d'orgue, une symph., un oratorio (*Heimkehr*), des mélodies, de la mus. de piano et de ch., un *Helden-Requiem* pour soli, ch. et orchestre.

**FAGAN Gideon.** Chef d'orch. et compos. sud-africain (Somerset West 3.11.1904–), qui a dirigé de 1949 à 1952 l'orchestre de Johannesburg, arrangé des chansons populaires africaines sous le pseudonyme d'Albert Diggenhof, écrit de la mus. symphonique.

**FAGGIANELLI Joseph Charles Basile.** Chanteur franç. (Bastia 5.11.1927–), 1er prix (1954) du cons. de Paris, qui a débuté dans *Carmen* à l'Opéra-Comique et appartient à l'Opéra depuis 1954.

**FAGGIOLI Michelangelo.** Mus. ital. (Naples 1666–23.11.1733). Il est l'auteur de la première *opera-buffa* en dialecte napolitain : *La Cilla* (1707), mais la musique en est perdue.

**FAGO Nicola.** Mus. ital. (Tarente 19.1.1676 ?–Naples 18.2.1745). Il étudia au *Cons. della Pietà*, fut 1er maître de chap. au *Cons. S. Onofrio* (1704–1708) et à celui *della Pietà* ; il fut le maître de Jommelli et L. Leo ; il est l'auteur de messes, litanies, *Magnificat* pour plus. v. et instr., 4 opéras, cantates profanes et relig., 3 oratorios, tous conservés en mss, d'un style souvent archaïque. *Cf.* Faustini–Fassini, *N.F. e la sua famiglia*, Tarente 1931. Son fils — **Lorenzo F.** (Naples 1704–1793) enseigna également au *cons. della Pietà*

**FAGOT.** C'est un nom du basson (voir à ce mot), « à raison [qu'il ressemble] à deux morceaux de bois qui sont liez et fagotez ensemble » [Mersenne, 1636] (Europe, XVIe-XVIIIe s.).                                                        C.M.-D.

**FAGOTCONTRA.** Premier double-basson, le *f.* fut, selon M. Praetorius, construit par H. Schreiber à Berlin, en 1618 (Europe, XVIIIe s.).                                        C.M.-D.

**FAGOTT.** C'est le nom du basson en allemand.

**FAGOTTINO.** Mot. ital. : c'est un petit basson, proche, pour la taille, du hautbois.

**FAGOTTO.** C'est le nom ital. du basson.

**FAGOTTONE.** C'est le nom du contre-basson en italien.

**FAHRBACH (Famille).** — **1. Philipp** *sen.* (Vienne 25.10. 1815–31.3.1885), fut violon. et flûtiste, il fonda un orchestre et collabora avec J. Strauss père, auquel il succéda en 1850 ; il était également chef de musique militaire ; il composa des danses, des marches, des valses, des *pots-pourris*. Son frère – **2. Joseph** (Vienne 25.8.1804–6.6.1883) fut clarinettiste et flûtiste, notamment à la chapelle de la cour de l'archiduchesse Sophie et à l'orch. du théâtre de Vienne. Leur frère – **3. Friedrich** (Vienne 1811–Vérone 19.3.1867) fut d'abord flûtiste dans l'orch. de J. Strauss père, fonda un orch. à lui, fut chef de musique militaire, dir. de la Société philharmonique d'Ala, enfin professeur à Vérone ; il composa. Leur frère – **4. Anton** (Vienne 10.2.1819–1.12.1887) fut lui aussi flûtiste et composa. — **5. Philipp** *jun.*, fils de Philipp I (Vienne 16.12.1843–15.2.1894) fut violon., débuta à l'orch. de son père, fut 14 ans chef de musique militaire et écrivit plus de 500 compositions. Sa sœur – **6. Johanna** [*Jenny*] (Vienne 3.6.1842–19.7.1911) fut prof. de piano. — **7. Josephine**, fille de Joseph (Vienne 1831–2.12.1854), fut également prof. de piano. Son frère – **8. Wilhelm** (Vienne 8.9.1838–13-6-1866) fut chef d'orch. des théâtres de Teschen, de Bielitz, de Lemberg ; il composa notamment un opéra et 6 *Singspiele*. Leur sœur – **9. Maria Johanna** (Padoue 6.10.1843–Vienne 8.3.1866) fut chanteuse à l'Opéra de Lemberg. Leur sœur – **10. Henriette** (Vienne 22.1.1851–24.2.1923) dirigea un chœur féminin, écrivit des mélodies et des opérettes, fut prof. de musique à Vienne ; elle avait épousé le chef d'orch. F. Ehmki. Voir Ph. *F., Alt-wiener Erinnerungen*, Vienne 1935.

**FAÏER Yourii Fedorovitch.** Chef d'orch. russe (1890–). Élève pour le violon et la direction d'orch. des cons. de Kiev et de Moscou (1910–1919), 1er violon (1916–1919), 2nd chef d'orch. (1919–1923) du théâtre Bolchoï à Moscou, il dirige depuis 1923 l'orch. des ballets du même théâtre et joue un rôle important dans l'évolution du ballet soviétique en présidant à la plupart de ses nouvelles créations (*Krasnyi mak* de Glière 1927, *Bakhtchisaraïsik fontan* d'Asaf'ev 1936, *Zolouchka* et *Romeo i Joulietta* de Prokof'ev 1945, 1946, etc.) ; « prix Staline » en 1941, 1946, 1947 et 1950.

**FAIGNIENT Noé** *ou* **Noël.** Mus. flamand du XVIe s. né à Cambrai. On sait seulement qu'il fut reçu en 1561 bourgeois d'Anvers et qu'il vécut dans cette ville au moins jusqu'en 1577 ; en 1580, il était à Bois-le-Duc comme maître de chapelle d'Eric de Brunswick ; il est l'auteur d'un vol. de *Chansons, madrigales et motetz* à 4-6 v. (Laet, 1568), de *Madrigali* à 4-8 v. (Phalèse, 1595) et d'autres œuvres dans divers recueils allemands et néerlandais entre 1569 et 1640 : plusieurs d'entre elles servirent de modèles aux luthistes.

**FAIRCHILD Blair.** Compos. amér. (Belmont 23.6.1877–Paris 23.4.1933), élève de l'univ. de Harvard, de Widor, qui écrivit des œuvres chor., symph., de la mus. de chambre, des mélodies, un ballet : *Dame Libellule* (op. 44, Paris, Opéra-Comique, 1921).

**FAIRFAX Robert.** Voir à *Fayrfax*.

**FAISST Clara Mathilde.** Compos. allem. (Carlsruhe 22.6. 1872–22.11.1948), élève de Bruch et de Kahn, qui était pianiste ; elle écrivit de la mus. de chambre, des chœurs, des mélodies, des pièces pour son instrument.

**FAISST Immanuel Gottlob Friedrich.** Compos. allem. (Esslingen 13.10.1823–Stuttgart 5.6.1894). Élève de Silcher, il eut les conseils de Mendelssohn ; virtuose de l'orgue, il s'établit à Stuttgart, où il fonda (1847) une association de musique classique religieuse, une école d'orgue, des chorales, le cons. de Stuttgart (1857), où il était également organiste de la collégiale ; il écrivit un grand nombre de compositions pour l'orgue, de cantates, de quatuors vocaux, de motets, de chœurs et de mélodies ; il publia *Entwurf zu einem leichtfasslichen Unterricht in der Harmonielehre* (1845), *Tonsätzlehre f. künftige Org.* (1847), *Zur Hebung des Ges. Unterrichts in den ev. Schulen Württembergs* (Steinkopf, Stuttgart 1881), *Elementar-u.*

Chorgesangschule... (2 vol., Cotta, Stuttgart, 1880, 1882), qqs art. dans des périodiques, notamment *Beitr. z. Gesch. der Kl.–Sonate*, in *Cäcilia*, 1846 ; il assura l'édition de la *Jefte* de Carissimi.

**FAJER Youri Fedorovitch.** Chef d'orch. russe (Kiev 1890–), élève du cons. de Moscou, qui a fait carrière au *Bolchoï*, prix Staline, auteur d'un certain nombre d'articles musicologiques.

**FAJNOR Stefan.** Compos. slovaque (Brezova Pod Bradlom 16.2.1844–Vienne 26.4.1909), amateur, qui écrivit nombre de chants patriotiques, des cantates, de la mus. de piano, des danses et des marches folkloriques.

**FAKAERTI** (*Fakaerli*) **George.** C'est le pseudonyme du comp. français amateur (mais habile) *Louis-François, marquis de Chambray* (Paris 1737–Paris (?) après 1772), « Mestre-de-camp de Cavalerie, Cornette des Chevaux-légers de la garde du Roi ». On lit dans un ms. de Boisgelou (voir à ce nom) « Sgr Fakaerli... M. le Marq. de Chambray composa en 176 (*sic*) trois symf. que Beraud publia sous le nom supposé de Fakaerli (*sic*). Elles furent goûtées, et quelques amateurs, de ceux qui se piquent de faire venir à grands frais de la musique des Pays Étrangers pour en jouir les premiers avant qu'elle soit publique en France, écrivirent en Italie et en Allemagne pour se procurer quelque nouveau morceau de Fakaerli, qui étoit parfaitement inconnu en Allemagne et en Italie, car il n'existoit pas. » — Les *Annonces* du 2 juin 1766, où paraît une réclame concernant ces trois symphonies « pour 2 violons, 2 hautbois ou flûtes, 2 cors de chasse, alto et basse », aujourd'hui perdues, l'appellent le « Sgr George Fakaerli de Ratisbonne ». Il est bien possible que le marquis ait choisi ce lieu de naissance pour le personnage qu'il avait fabriqué parce qu'il se trouvait en 1757 à la bataille de Rossbach, village de Saxe, non loin de Ratisbonne, en qualité d'aide de camp du maréchal-prince de Soubise, lui-même grand amateur de musique. En effet, c'est dans l'hôtel de ce dernier, aujourd'hui les Archives nationales, qu'avaient lieu les Concerts des amateurs, fondés par Gossec. — Outre les trois symphonies publiées sous ce très étrange pseudonyme, le marquis de Chambray a écrit deux excellentes symphonies, publiées dans la série de symphonies périodiques de la Chevardière sous les numéros 16 et 18, 1761, et *une grande symphonie la 5e de M. Chambray avec flûte ou hautbois et cors ad libitum* (Bordet, Paris 1765). Nous tenons ce renseignement du *Mercure* de février 1765 ; mais la symphonie elle-même n'a pu être retrouvée, pas plus d'ailleurs que nous n'avons pu découvrir le moindre renseignement au sujet des symphonies 3 et 4 ! Le marquis a encore composé un intéressant *quintetto a flauto, violino, alto, violoncello, è basso* (*ibid.* 1771) et un *Duo François* : « Je vous revois enfin » (à 2 v. et basse, Paris 1759, gravé par Mme Leclair, dédié à son père). Son nom se retrouve aussi dans la dédicace que lui a faite Bailleux de ses six symphonies à grand orchestre (*op. XI,* 1767) et Baudron, de ses six trios pour 2 viol. et basse (*Paris, 1767, chez l'Auteur*). De toute évidence, le marquis de Chambray fut un amateur passionné qui se jeta à corps perdu dans la vie musicale de Paris, très

active à cette période. Voir La Laurencie et Saint-Foix, *Contribution à l'hist. de la symph. franç.,* ds *L'année musicale*, 1911, et B. Brook, F., *incognito symphonist, or Cutting down the Anhang,* ds *Fontes artis musicae, II,* 2 déc. 1955.                                                    B.S.B.

**FAKURST.** C'est une trompe de bois, de 50 cm. à 2,50 m. de long, formée de deux gouttières accolées, maintenues par des cercles d'osier ou recouvertes d'écorce de tilleul enroulée ; l'instrument est utilisé en Hongrie par les bergers — On dit aussi : *fakürt.*                                       M.A.

**FALA.** C'est une grande flûte traversière, en roseau, à six trous, des Indiens Aymaras (Bolivie).         M.A.

**FALAHUITA.** C'est une petite flûte traversière, en roseau (Bolivie, Indiens Aymaras) de même type que la *fala* (voir à ce mot). M.A.

**FALCHI Stanislao.** Chef d'orch. et compos. ital. (Terni 29.1.1851 – Rome 14.11.1922), qui écrivit entre autres quelques opéras, une messe de *Requiem,* de la mus. symphonique.

**FALCIDIO Giovanni-Battista.** Mus. ital., né à Cividale, auteur d'un livre de messes à 5 v. (Gardane, Venise 1570), de 2 madrigaux et d'une messe dans des livres consacrés à I. Baccusi (1570).

**FALCINELLI Rolande.** Org. franç. (Paris 12.2. 1920–). Pianiste, 1er prix du cons. de Paris (harmonie, contre-point, fugue, orgue et improvisation), prix de Rome (1942), org. du Sacré-Cœur de Montmartre (1946), prof. au cons. de Fontainebleau (1948), successeur de Marcel Dupré à la classe d'orgue du cons. et à l'orgue de St-Sulpice de Paris, elle a composé *Petit livre de prières pour orgue*

M.-C. FALCON. (Gemeentemuseum, *La Haye*).

(op. 24), *Cinq chorals d'orgue* (op. 28, Bornemann), *Rosa mystica* (op. 29, Ed. de la Schola Cantorum), des pièces de piano, un ballet-féerie : *Cecca...* (op. 22), 2 oratorios : *La Messiade* (op.10), *Louise de la Miséricorde* (op.20),1 cantate: *Pygmalion délivré, Messe de St Dominique,* des chœurs, 10 mélodies, 1 quatuor à cordes, *Poèmes-études* (orgue).

**FALCK Georg.** Mus. allem. (Rothenburg v. 1630–11.4. 1689). Org. et *cantor* à St-Jacques de Rothenburg (1652), il avait le titre de *Cantor primarius u. Organist* de la ville de Rothenburg ; son fils – **Bernhard** était également musicien : après avoir été *cantor* à Reichenweier en Alsace, il fut *cantor* en second dans son pays natal ; il publia *Unterricht f. die in der Singkunst anfahenden Schüler* (1658), *Fugae musicales in unisono pro juventute scholastica rotenburgensi* (1671, perdu), *Hymni in usum gymnasii rotenburgensi* (4 v., perdu), *Andacht-erwenckende Seelen-Cymbeln...* 4 v. (1672), *Epicedia...* 4 v. (1688) n'ont pas paru *Institutio organi, Idea boni organoedi* et *Idea boni melothetae.* Voir E. Schmidt, *Z. Gesch. des Gottdienstes u. der Km. in Rothenburg,* 1905–*Die Gesch. des ev. Gsgb der ehem. freien Reichstadt Rothenburg,* 1928.

**FALCKENHAGEN Adam.** Luthiste allem. (Gross-Döltzig 17.4.1697–Bayreuth 1761). Élève de son père, il fut prof. de clav. et de luth à Leipzig, puis musicien de la cour de Weissenfels (1721–25), et, v. 1750, à Bayreuth ; il est l'auteur de 6 sonates pour luth seul (op. 1, 1740), *Geistliche Gesänge,* avec variations pour luth (Haffner, 1746), 6 *Partite* pour luth seul (op. 2), 12 *Concerti a liuto, traverso, oboe o viol. e violoncello* (op. 3 et 4, Haffner, 1742).

**FALCO Michele (de).** Mus. ital. (Naples v. 1690–?). Élève de N. Fago, il fut ecclésiastique, maître de chapelle à l'église de San Geronimo, gouverneur de la *Congregazione dei musici* à Naples ; il fut l'un des promoteurs de la comédie musicale ; il composa des opéras : *La Lollo pisciaportelle* (1709). *Lo Masiello* (1712), *Lo'mbruoglio d'ammore* (1717), *Armida abbandonata* (1719), *Lo castiello saccheiato* (1720), *Le pazzie d'ammore* (sous le pseud. de Cola Meffiche, 1723), des oratorios et des drames sacrés. Voir Di Giacomo, in *Conservatorii* I, et C. Sartori, in *Gli Scarlatti a Napoli, RMI*, sept.-oct. 1942.

**FALCON Marie-Cornélie.** Chanteuse franç. (Paris 28.1. 1814–25.2.1897), qui appartint à l'Opéra de Paris (1832–40), où elle créa notamment le *Don Juan* de Mozart ; elle fut fort célèbre : son nom est resté à la voix de soprano dramatique, la plus étendue des voix de soprano.

**FALCONE Achille.** Mus. ital. (Cosenza v. 1550–1600), maître de chapelle à Caltagirone, de qui nous est resté un livre de madrigaux à 5 v. (Venise 1603) et qui s'est rendu célèbre par une controverse musicale qui l'opposa, à Palerme, à l'Espagnol Sébastien Raval, laquelle tourna à son désavantage. *Cf.* Casimiri, ds *Note d'archivio*, 1931.

**FALCONIERI Andrea.** Luthiste ital. (Naples 1586–1656). Il fut depuis 1610 luthiste à la cour de Parme ; en 1615, il était à Florence, ainsi qu'en 1619 ; en 1621, il était en Espagne et semble également avoir séjourné en France; en 1629, il était de retour à la cour de Parme ; de 1630 à 1637, il semble avoir eu un poste au collège de Ste-Brigitte à Gênes, tout en faisant des séjours à Modène ; de 1639 à sa mort, il fut maître de la chapelle royale à Naples ; il publia 1 liv. de villanelles à 1, 2, 3 v. « pour la guitare espagnole » (Rome 1616), 1 liv. de madrigaux à 5-10 v. (1619), 2 liv. *delle musiche* à 1, 2, 3 v. (Florence 1619, Venise *id.*), 1 liv. de *canzone, sinfonie, fantasie, capricci, brandi, correnti, volte, per violini e viole ov. altro str. a 1, 2 e 3 con il b.c.* (Naples 1650), *Sonate a 3* (Venise 1650). Voir N. Pellicelli, *Musicisti in Parma nel sec. XVII*, ds *Note d'archivio*..., Rome 1932 ; R. Giazotto, *La musica in Genova*, Gênes 1951 ; U. Prota-Giurleo, *Il teatro di corte del palazzo reale di Napoli*, 1952.

**FALCONIO (*Falconi*) Placido.** Mus. ital., qui naquit au début du XVI<sup>e</sup> s. à Asola et fut bénédictin à Brescia ; il nous a laissé *Introitus et alleluia per omnes festivitates totius anni 5 v.* (Venise 1575), *Psalmodia vespertina ... 4 v. ...* (Brescia 1579), *Turbarum voces ... 4 v.* (ibid. 1580), *Voces Christi 3 v.* (id. ibid.), *Sacra responsoria hebdomadae sanctae... 4 v.* (id. ibid.). *Threni Hieremiae Prophetae ...* (id. ibid.) ; Fétis, Eitner donnent encore de lui une passion à 5 v., des *Magnificat* dans les 8 tons, un *Magnificat* à 4 v. ; 5 motets à 4 et 5 v. sont restés manuscrits ; le P. Martini a publié également un introït à 5 v. de lui.

**FALGARONA José.** Pian. esp. (Figueras 1921–), élève de Montoriol-Tarres et de Zamacoïs, qui a écrit pour son instrument et enregistré notamment des œuvres espagnoles du XVIII<sup>e</sup> siècle.

**FALGUERA José.** Org. catalan (Tarrasa 1778–Belmont 1823 ou 1824), qui fut moine de l'Escurial, où l'on conserve de ses œuvres manuscrites (des messes, de la mus. d'église). Consulter Fray Julián Zarco, ds *Los Jerónimos de San Lorenzo el Real de l'Escorial*, 1930.

**FALKENHAGEN.** Voir art. *Falckenhagen*.

**FALL Leo.** Compos. autr. (Olomouc 2.2.1873–Vienne 16.9.1925), auteur de quelques opéras et d'une vingtaine d'opérettes (*Der fidele Bauer*, 1907, *Madame Pompadour*, 1922). Consulter A. Bauer, *150 Jahre Theater an der Wien*, Vienne 1952.

**FALLA Manuel de.** Compos. esp. (Cadix 23.11.1876–Alta Gracia, Argentine, 14.11.1946). Élève de Tragó (piano) et de Pedrell (composition) au conservatoire de Madrid, F. commença sa carrière de compositeur en écrivant des mélodies et quelques zarzuelas. L'année 1905 lui apporta une double consécration : il obtint un prix de piano et gagna le concours de la *Real Academia de Bellas Artes* de San Fernando avec son opéra en 2 actes *La vida breve* (livret de Carlos Fernández Shaw) ; l'ouvrage cependant ne fut monté à Madrid qu'en 1915, après sa présentation à Nice en 1913 et à Paris (où le musicien séjourna de 1907

à 1914), l'année suivante. Ce drame lyrique d'amour malheureux dont l'action est plutôt intérieure — ce qui ne contribue précisément pas à son intérêt scénique — peut être considéré comme l'*opus* 1 de Falla. La critique de Vuillermoz, lors de sa création à l'Opéra-Comique (SIM, fév. 1914), le présente tel qu'il est : « sans vaine littérature et sans attendrissement inutile », et réalisé avec « une simplicité de moyens qui va jusqu'à la sécheresse » (retenons cette expression, car elle pourrait caractériser toute l'œuvre de Falla). Toute cette critique serait à citer, car elle montre l'affection méritée que sut inspirer d'emblée « ce jeune musicien que Paris a si rapidement adopté », trait qui explique, du moins en partie, la position si particulière de Falla parmi les musiciens contemporains.

Ce séjour de Falla à Paris est aussi un élément-clé de son développement. De 1907 à 1914, il fréquenta Debussy, Ravel, Dukas et Albéniz : chez les trois premiers, il apprécia les qualités qui allaient à son tempérament réfléchi et raffiné — pour ne rien dire des précieux conseils qu'il reçut d'eux, en particulier de Dukas ; et, par l'influence combinée des quatre, il arriva à faire partie de cette école musicale espagnole qu'on pourrait dénommer « de Paris », à l'instar de certaine école de peinture. En tout cas, si l'empreinte des maîtres français s'est fait sentir pendant toute la carrière de Falla, guidant sa marche vers une esthétique de plus en plus pure, l'influence d'Albéniz, quoique plus étroitement limitée, transparaît franchement dans les *Quatre pièces espagnoles* (composées en 1907–1908, Durand, 1909), et presque autant dans ses *Trois mélodies* sur des poèmes de Gautier (1909).

A cette date commence la première interruption dans l'œuvre de Falla : ce n'est pas par hasard que Ravel et Dukas comptèrent parmi ses amis les plus fidèles, car il s'apparente à l'un et à l'autre par cette coquetterie de l'effort, par cet amour de la perfection et ce soin du détail aisé qui cachent une préparation dure et longue. Entre les *Trois mélodies* et les *Siete canciones populares españolas*, cinq années de labeur silencieux se sont écoulées ; le Falla qui rompt ce silence est déjà le véritable maître de son art. Partant de la chanson populaire, Falla rejoint ce domaine cher aux poètes classiques espagnols, dont certaines pages de Lope sont, au dire de Dámaso Alonso, le type le plus accompli, sans qu'on puisse dire au juste si l'on est devant un emprunt fait par le poète à la muse populaire, ou si le comble de l'art est arrivé à donner cette impression de « poésie naturelle » ; ainsi Roland-Manuel soupçonne « sans oser l'affirmer, que la *Jota*, la *Nana* et peut-être le *Polo* nous apportent moins l'écho fidèle de la voix populaire que le produit raffiné d'une exquise alchimie, et que cet accent réel, plus vraisemblable que la vérité, nous fait victimes d'une secrète imposture... » (*Manuel de Falla*, p. 38). Ce n'est donc pas un paradoxe gratuit que de parler, chez Falla, d'un périple qui revient vers la musique traditionnelle qui fut son point de départ, mais à la fin duquel on se retrouve enrichi, comme à celle de tout voyage fait à temps.

Pendant ces années de silence, Falla a eu l'occasion de faire mûrir plusieurs œuvres qu'il présentera coup sur coup : 1915, première version de *L'amour sorcier* (ballet avec chant, sur un scénario de Gregorio Martínez Sierra, écrit pour la danseuse Pastora Imperio) ; 1916, *Nuits dans les jardins d'Espagne* (impressions symphoniques pour piano et orchestre ; la première audition fut donnée à Londres par l'auteur en 1921) ; 1917, *El corregidor y la molinera* (farce en deux tableaux, d'après une nouvelle de Pedro Antonio de Alarcón, et qui, remaniée l'année suivante, deviendra *Le tricorne*, présenté à Londres en 1919). Ces trois ouvrages forment la partie centrale de l'œuvre de Falla. *L'amour sorcier* est en quelque sorte *L'oiseau de feu* du musicien espagnol, de même que *Le tricorne* correspondrait à peu près à *Pétrouchka* : on voudrait suggérer, par ces correspondances, que le musicien, de l'une à l'autre de ces œuvres, s'est détaché définitivement de ses devanciers, et se trouve, après le second ouvrage, en face d'une voie entièrement différente de celle qu'il avait suivie jusqu'alors. Si *L'amour sorcier* se rattache encore directement à l'école d'Albéniz et Granados par sa couleur spéciale, un peu mate dans son plus grand éclat, *Le tricorne* a rejoint, par-delà la nouvelle d'Alarcón, les sources traditionnelles d'où elle est issue, dans une transposition éclatante où l'on sent, autant et plus que l'ambiance espagnole, le climat spirituel du XVIIIe siècle européen. Il y a déjà du Scarlatti dans l'air, et ce dernier ballet semble bien plus proche des *Femmes de bonne humeur* que des *Goyescas*. Entre ces deux ouvrages, les *Nuits dans les jardins d'Espagne* font un discret hommage aux maîtres français qui furent les amis de Falla à Paris ; mais, fuyant l'imitation directe d'*Ibéria* ou de la *Rhapsodie espagnole*, ces impressions symphoniques (plus symphoniques qu'impressionnistes) recherchent le souple équilibre sonore des œuvres de Dukas.

Avec la *Fantasía bética* (1919) pour piano, la bitonalité fait son apparition dans l'œuvre de *F.*, montrant qu'il n'avait pas écouté d'une oreille indifférente les nouveautés apportées par Satie et par les Six. En 1920 paraît l'*Homenaje* à la mémoire de Debussy, émouvant hommage de la guitare andalouse à la musique espagnole d'un Français qui n'alla jamais en Espagne (*cf.* l'article de Falla, *Cl. Debussy et l'Espagne*, paru dans la *Revue musicale*, déc. 1920). Se montrant, en vrai classique de son pays, « *español y universal* » à la fois, Falla organise, en 1922, avec García Lorca, un festival de *cante jondo* à Grenade, ville qu'il chérissait et qu'il habita jusqu'à ce qu'il passât en 1939 en Argentine ; en même temps, il donne la dernière main au *Retablo de Maese Pedro*, adaptation scénique d'un passage du *Quichotte*, dont les fruits passeront les promesses de la *Fantasia bética*. Le *Retablo* marque un grand pas en avant sur les œuvres précédentes, tant dans sa structure harmonique que dans son orchestration : « Falla », dit Henri Collet (*Revue musicale*, janv. 1947) « avait l'horreur des redoublements. *Hace sucio*, me disait-il (cela '*fait sale*'). Tout joyeux de l'instrumentation du *Retablo*, il me disait : Vous verrez qu'avec vingt instruments je fais autant de bruit qu'avec cent. Et c'était vrai... ».

*P. Picasso. M. de Falla (1920 ; extrait du Ballet de B. Kochno).*

XVIe et XVIIe siècles : tel le *Conde Claros*, utilisé « comme le moyen musical parfait pour donner une vague sensation de mystère et pour évoquer une ambiance éloignée dans le temps et dans l'espace » (Isabel Pope, dans la *Nueva revista de filología hispánica*, VII : 402, 1953). Dans le *Concerto*, Falla emploie un *villancico* du XVIe siècle (*De los álamos vengo, madre*, de Vásquez), mais la coupe générale de l'œuvre vise à suggérer l'ambiance musicale espagnole du XVIIIe siècle, au temps du séjour de Domenico Scarlatti à Madrid. Et pourtant, nulle prétention de pastiche archaïsant dans cette œuvre capitale ; le libre langage de *F.* ne recule pas devant certaines agrégations insolites, telles les cruelles superpositions polytonales du mouvement lent.

Après le *Concerto*, Falla ne livrera que quelques pages isolées : le *Soneto a Córdoba* pour voix et harpe, qui témoigne de son adhésion au regroupement des jeunes poètes espagnols à l'occasion du tricentenaire de la mort de Don Luis de Góngora, en 1927 ; la *Fanfarra* en hommage à Arbós, en 1934 ; le *Tombeau de Dukas* en 1937 (qui, orchestré avec la *Pedrelliana* pour piano et avec l'hommage à Debussy, intégrera les *Homenajes* de

L'année suivante apporte une œuvre qui semble déplacée dans le catalogue des compositions de Falla : *Psyché*, pour voix et cinq instruments, sur un texte de G. Jean-Aubry ; la critique de R. Petit (dans la *Revue musicale*, janv. 1926), loin de témoigner un enthousiasme brûlant, décèle avec justesse « quelque fadeur » dans cette œuvre agrémentée de « quelques modulations bien faciles », et demande à son auteur « quelque chose de plus grand ». Ce « quelque chose de plus grand » était déjà sur le métier : c'était le *Concerto* pour clavecin et cinq instruments (1923-1926), présenté par l'auteur lors du festival de la SIMG à Sienne (1928). Dans le *Retablo*, Falla faisait appel aux *romances* et aux danses espagnoles des

1940) ; la *Balada de Mallorca* pour chœur mixte, hommage à Chopin dans le même esprit que son *Fuego fatuo* inédit de 1918-1919. C'est que, depuis 1928, tous les efforts du musicien tendaient à l'achèvement d'une œuvre pour *soli*, chœurs et orchestre, inspirée de l'*Atlántida* du poète catalan Verdaguer ; mais ses scrupules de créateur, l'aggravation progressive d'une constitution faible et les graves conflits d'ordre religieux et moral qui pesèrent sur son état physique, se coalisèrent pour l'empêcher de mener à bien son dernier projet. L'*Atlántida*, dit-on, est à peu près achevée, mais on sait que ce terme « achever » prend une valeur singulière chez les créateurs de la lignée d'un Dukas ou d'un Ravel, qui ignorèrent la signification de l'expression « à peu près ».

Nous voici arrivés à la partie la plus épineuse de notre tâche, où le moment est venu de nous demander quelle est la valeur exacte de Falla en tant qu'artiste créateur. Il serait aisé de s'en tirer en l'étiquetant « le plus grand musicien espagnol ». Cela, sans doute, il l'est bien ; mais qu'est-ce que cela signifie au juste ? Point n'est besoin d'intenter ici le procès de la musique espagnole contemporaine : contentons-nous du seul maître qui nous occupe.

Il est évident qu'on ne peut pas en faire l'égal des novateurs dont les inventions techniques ou esthétiques changèrent le cours de la musique occidentale : Falla n'est pas Debussy, ni Satie, ni Stravinsky, ni Schœnberg ; il resta étranger à l'emprise du dernier, et sa trajectoire s'accommoda trop de l'orbite des trois premiers pour être leur pair. Parmi les représentants des écoles nationales, il n'égale pas un Bartók, ni même le Prokofiev des bons moments. Et cependant...

La définition la plus exacte de Falla a été donnée en 1921 par Jean-Pierre Altermann : il est « le musicien le plus raffiné de l'Espagne et sans doute son plus rare artiste ». C'est dans ce terme quelque peu déchu, mal coté (pour un peu, on dirait « mal famé ») que réside sa valeur la plus haute : « artiste », et même, « rare artiste, artiste raffiné ». Falla apportait dans tous ces actes ce soin si sévère que G. Clarence décelait lors de l'enregistrement du *Concerto* (cf. *Revue Musicale*, juil. 1930) et qui le faisait travailler des heures durant le morceau qu'il devait jouer à une fête enfantine, comme musique de scène pour une représentation de marionnettes donnée par Garcia Lorca. Pour ce qui est de sa production, on aurait parfois la tentation de mettre ses ballets à côté de ces musiques dont on raffole à un certain moment, quitte à les délaisser après sans regrets : tentation fausse, et qui naît de ce que « ses richesses souvent très neuves sont simplement présentées » (J.-P. Altermann, à propos du *Tricorne*) ; car il suffit de comparer L'*amour sorcier* au *Capriccio espagnol* ou à n'importe quelle musique de ballet haute en couleurs, pour saisir la profonde différence d'esprit et de qualité qui sépare non les deux ouvrages mais les deux genres. N'empêche que Falla garde la première place pour deux œuvres : le *Retablo* et le *Concerto*. Maigre bagage, dira-t-on. Non, car il s'agit de deux œuvres qui comptent, et qui ont pour aval toute la production du musicien, qui montre que ces réussites dernières ne sont pas un don du hasard, mais le fruit d'un effort que rien n'infléchit, même pas le succès. Travail en profondeur, conditionné par un seul but complexe : plier la langue musicale de son pays aux besoins de l'époque, être en même temps fidèle à sa tradition et à son temps. La marche de Falla vers une écriture de plus en plus dépouillée, qui ne recule pas devant la cacophonie, tout en ne renonçant pas à l'incantation, le dépassement de la tonalité, les « retours » aux maîtres du passé, tout cela ne relève pas de l'imitation d'esthétiques étrangères, mais d'un besoin profond de rester fidèle à son temps, d'une oreille ouverte aux besoins du présent. Ce mystique qui se défend de composer de la musique religieuse et en même temps ne se livre pas à une intervention chirurgicale qui lui rendrait, sinon la santé, au moins le repos ; cet ardent passionné, dont les lueurs de plus en plus rares ne seront (pour le redire avec l'expression de Paul Valéry rapportée par Mathilde Pomès) que des « étincelles jaillies du silex », ne livre presque rien de son travail dans les vingt dernières années de sa vie. J'aime lui appliquer les vers du *Faust* que Debussy, malade et las, durant la guerre, choisit pour épigraphe désabusée d'une de ses dernières œuvres :

> *Qui reste à sa place*
> *Et ne danse pas,*
> *De quelque disgrâce*
> *Fait l'aveu tout bas.*

Nous savons, tous, que Falla « ne dansa pas » (dans tous les ordres de la danse) ; nous sommes tous convaincus qu'il resta à sa place, dans le sens le plus haut du mot. C'est dans cet esprit qu'il faut comprendre le désaveu de son œuvre que Falla fit dans son testament. Il se peut bien que son *Atlantide* ne soit qu'une glorieuse déconfiture : nous n'en savons rien. Mais même si elle l'est, si elle contredit cette marche ascendante de l'œuvre de Falla (*Siete canciones – Tricorne – Retablo – Concerto*), nous n'avons pas le droit de condamner son auteur, qui ne permit pas qu'une seule note de cette partition dépassât le mur de silence qu'il bâtit autour de son travail. Quoi qu'il en soit, Alberto Montelli a bien raison, qui dit que le débat autour de Falla n'est pas encore clos ; mort, il a laissé encore une dernière partition mystérieuse ouverte sur le pupitre de son piano.

**Œuvres :** pour la scène : des zarzuelas : *Limosna de amor, La casa de Tócame Roque, Los amores de Inés, El corneta de ordenes et La cruz de Malta* (avec A. Vives), un drame lyrique : *La vida breve* (1913), un ballet : *El amor brujo : Gitanería* (1915), una farsa mimica : *El corregidor y la molinera* (1917), un ballet (Diaghilev) : *El sombrero de tres picos* (1919), un opéra-comique : *El fuego fatuo* (1918–19), *El retablo de Maese Pedro* (1923) ; divers : *La Atlántida* (oratorio, soli, ch. et orch., inachevé), *Noches en los jardines de España...* (p. et orch., 1916), *El amor brujo* (arrangement pour orch., 1916), *Homenajes : Fanfare sur le nom d'Arbós*, A Claude Debussy, A Paul Dukas, *Pedrelliana* (1938) ; mus. de chambre : concerto pour clavecin (ou piano, fl., htb, cl., v., vc., 1926) ; piano : *Serenata andaluza, Vals, Capricho et Nocturno, Allegro de concert* (1903), *Cuatro piezas españolas* (P. Albeniz, 1909), *Fantasía baetica* (P.A. Rubinstein, 1919), *Homenaje a Dukas* (1936), des arrangements d'*El amor brujo* (1921), d'*El retablo del Maese Pedro*, d'*Homenaje a Debussy*, ds *Le tombeau de Debussy* (RM, Paris 1920 ) ; pour le chant : *Tus ojillos negros*, trois mélodies, *Siete canciones populares españolas* (1914), *Oracion de las madres que tienen a sus hijos en brazos* (1915), *Psyché* (avec fl., harpe, v., alto, vcelle, 1927), *Soneto a Córdoba* (avec harpe, 1932), *Balada de Mallorca* (ch. a cappella sur un thème de Chopin). — *Écrits : Claude Debussy et l'Espagne* (RM, Paris, déc. 1920), F. Pedrell (ibid., fév. 1923), *Remarques sur Ravel* (Isla, 1939), *Notes sur R. Wagner* (ds Cruz y Raya, sept. 1933), Préface à *La musique française d'aujourd'hui* de G. Jean-Aubry (ds Rev. Mus. Hisp.-Amér.), préface à l'*Enciclopedia* de J. Turina (1917) ; il collabora à des travaux publiés au sujet du folklore espagnol ; le tout a été rassemblé et publié par F. Sopeña sous le titre : *Escritos de Falla* (Madrid, 1947, rééd. Buenos Aires, 1950).

**Bibl. :** elle est devenue considérable ; on ne cite ici que les œuvres les plus importantes sur le musicien et les témoignages intéressant l'artiste et l'homme : J. Turina, *M. de F.*, ds *The Chesterian*, n.s., 7 mai 1920 ; J.-P. Altermann, *M. de F.*, ds *R. M.*, juin 1921 ; G. Jean-Aubry, « *El Retablo* » by *M. de F.*, ds *The Chesterian*, n.s., 34 oct. 1923 ; Castelnuovo-Tedesco, *M. de F.* ds *Il Pianoforte*, 17, janv. 1923 ; E. Istel, *M. de F.*, ds *M. Q.*, XII, oct. 1926 ; F. Lliurat, *El Concerto para clavicembalo y cinco instrumentos de M. de F.*, ds *Musicalia*, II, sept.-oct. 1929 ; H. Collet, *L'essor de la musique espagnole*, Paris 1930 ; G. Clarence, *L'enregistrement du Concerto de M. de F.*, ds *R. M.*, juil. 1930 ; G. Pannain, *M. de F.*, ds *Rassegna musicale*, 1930 ; J.-B. Trend, *M. de F. and the spanish music*, New York-Londres, 1930, rééd. Londres 1935 ; Roland-Manuel, *M. de F.*, Paris, 1930 (trad. esp., B. Aires, 1947) ; R. Villar, *M. de F. y su concerto da camera*, Madrid, 1932 ; M. Pomès, *A Grenade avec M. de F.*, ds *R. M.*, avr. 1934 ; G. Chase, *F.'s music for piano solo*, ds *The Chesterian*, 1940 ; G. Chase, *The music of Spain*, New York, 1941 (trad. esp., B. Aires, 1943) ; A. Sagardia, *M. de F.*, Madrid 1946 ; J. Pahissa, *Vida y obra de M. de F.*, Buenos Aires, 1947 ; H. Collet, *La mort de M. de F.*, ds *R. M.*, janv. 1947 ; A. Monticelli, *M. de F.*, ds *Rass. mus.*, 1947 ; J. Janopoulo, *M. de F. und die spanische Musik*, Zurich (v. 1952) ; R. Chalupt, *Algunas cartas de M. de F. y un cicerone granadino*, ds *Buenos Aires musical*, 1er juin 1954.                                                                                                          D.D.

**FALLAMERO Gabriele.** Luthiste ital. du XVIe s., qui publia *Il primo libro de intavolatura da liuto de motetti, ricercate, madrigali et canzonette alla napolitana, a 3 et a 4 v. per cantare et sonare* (Scotto. Venise 1584). Voir O. Chilesotti, *Lautenspieler des 16. Jh.*, Breitkopf et Härtel, Leipzig 1891 ; L. de La Laurencie, *Les luthistes*, Paris 1928.

**FALSA (Musica).** Voir art. *(musica) ficta*.

**FALSETTISTE.** Voir art. *fausset*.

**FALSO BORDONE.** Voir art. *faux-bourdon*.

**FALTIN Friedrich Richard.** Org. finlandais d'origine allem. (Dantzig 5.1.1835–Helsinki 1.6.1918). Élève de

Markull, de F. Schneider, du cons. de Leipzig, il enseigna à Wiborg (1856–69), y fonda une association symph. et chor., fut chef d'orch. au théâtre suédois et dir. des concerts symph. d'Helsinki (1869), org. de l'église St-Nicolas et dir. mus. de l'université (1870), chef d'orch. de l'Opéra finlandais (1873–83), prof. d'orgue au cons. de la même ville (1882) ; il composa 3 livres de chorals, des chœurs, des pièces d'orgue. Voir K. Flodin et O. Ehrström, *R.F.*, Helsinki 1934.

**FALVY Zoltan.** Musicologue hongrois (Budapest 1928–). Collaborateur du département de la musique de la Bibliothèque nationale Széchenyi de Budapest, il s'intéresse surtout à la musique du moyen-âge ; il a publié ds *Zenetudomanyi Tanulmanyok* : « *Sur la paléographie musicale du codex Pray* », « *L'antiphonaire de Graz* », « *Le recueil de Linus* » ; ds *Musica* (Cassel 1956) : *Beethoven-Beziehung zu Ungarn.*

**FAMINTSYNE** (*Famincyn*) **Alexandre Sergueïevitch.** Critique, musicographe et compos. russe (Kalouga 5.11.1841–Ligovo 6.7.1896). Étudiant la musique en amateur avec de Santis et J. Vogt, il abandonne en 1862 la carrière scientifique à laquelle il se destinait et part pour l'Allemagne, perfectionner avec M. Hauptmann, E. Richter, I. Mochelès, K. Riedel et M. Seifriz ses connaissances musicales ; prof. d'hist. et d'esthétique musicales au cons. de St-Pétersbourg (1865–1872), secrétaire de la Soc. imp. russe de mus. (1870–1880), il ne compose plus, après l'insuccès de son premier opéra *Sardanapal* (St-Pétersbourg 1875), qu'accidentellement (mus. de chambre, opéra *Uriel Acosta* etc.) et se consacre surtout à la critique musicale (*Mouzykal'noe obozrenie*, dont il est réd. en chef, *Mouzykal'nyi listok*, *Golos*, *Slovo* etc.), aux traductions d'ouvrages théoriques (ceux d'A. Marx, E. Richter, F. Draeseke) et à des études de musicologie (la chanson populaire, les instruments anciens) ; il fut un adversaire acharné du « Groupe des cinq » et a laissé inachevé, en ms., un dict. de la mus. russe (Bibl. publ. de Léningrad). Voir V. Fédorov ds *Encicl. d. spettacolo.*                                                                    V.F.

**FANCELLI Giuseppe.** Ténor ital. (Florence 1833–...12.1887), qui débuta à Milan dans *Guillaume Tell*, exerça ensuite à Ancône, puis à Rome, Trieste, à la *Scala* (1866) et dans le monde entier. Voir Massenet, *Mes souvenirs*, Paris 1912 ; G. Monaldi, *Cantanti celebri*, Rome 1929.

**FANCY.** C'est le nom que l'on donna en Angleterre (XVIe et XVIIe s.) à des compositions de style imitatif pour le virginal, l'orgue ou les instruments à cordes (Morley, Byrd, Gibbons, Purcell etc.). Voir art. *fantaisie.*

**FANDANGO.** C'est une danse andalouse, connue depuis le XVIIe s., de *tempo* assez lent, à 6/8, et qui prit plus tard un caractère plus allant sur le rythme

$$ \frac{3}{4} \quad \text{♩} \text{ ♫♫ } \text{♩} \mid \text{♫♫ } \text{♩} \text{ ♩} $$

Il existe des variétés régionales du *fandango* qui reçoivent une dénomination toponymique : *malagueña*, *rondeña*, *granadinas*, *murcianas* ; on rencontre encore cette danse aux Asturies et en Estr madure. On a proposé pour le mot *fandango* des étymologies arabes, mais il est à peu près sûr que ce terme est un africanisme, et il est certain que la danse ainsi nommée fut introduite en Europe par les Espagnols qui revenaient des Indes occidentales, où elle dut sa naissance aux esclaves noirs originaires de la Guinée. Le *f.* fit d'ailleurs son voyage de retour en Amérique, car certaines danses (dont la *zamacueca* du Chili et le *jarabe* mexicain) semblent dériver, au moins en partie, du *f.* espagnol ; et le mot désigne, de la Californie aux Pampas, de même qu'en Espagne, une assemblée bruyante où l'on danse et où l'on boit (il a même un sens péjoratif). Le *f.* fut populaire aux Açores, où le duc de Lauzun rencontra en 1782, dans un couvent de l'Ilha Terceira, « bonne chère, bon accueil... et un évêque qui danse admirablement le fandango ». Cette variété açorienne était neg̃ue vivante à Rio Grande do Sul au Brésil, où le mot désigne aujourd'hui la *samba* binaire, ce qui s'accorde avec le sens d'action chorégraphique mouvementée.

La vogue de cette danse fut grande et rapide. Gluck et Mozart écrivirent des *f.*, ainsi que Boccherini, dans sa période madrilène. Cazotte, dans son *Diable amoureux*, signala son caractère de danse générale : « On joue le fandango sévillan, de jeunes Égyptiennes l'exécutent avec leurs castagnettes et leurs tambours de basque ; la noce se mêle avec elles et les imite : la danse est devenue générale. »

De nos jours, Rimsky introduisit un *f. asturiano* dans son *Capriccio espagnol*, et presque tous les musiciens espagnols contemporains en ont écrits : Albéniz (*Rondeña* et *Malaga*, dans le 2e et 4e cahiers d'*Iberia*), Granados (*Baille de candil* et *Serenata del espectro* de *Goyescas*), Falla (danse de la meunière, dans *Le tricorne*), Ernesto Halffter (danse des jeunes servantes dans le ballet *Sonatina*).                                                             D.D.

**FANDANGUILLO** ou *f. gaditano* (c'est-à-dire « de Cadix »). C'est une variété de *fandango* qui implique une *salida* (introduction jouée à la guitare) et une partie vocale (soulignée par le même instrument). Le *f.*, qui n'est pas considéré comme une danse purement gitane, s'accompagne aussi aux castagnettes, à la différence des danses *flamencas* pures. Un exemple d'utilisation artistique du *f.* est le numéro initial de l'*Iberia* d'Albéniz, *Evocación.*

**FANDUR.** C'est une petite vièle, en forme de bouteille, instrument d'usage populaire, analogue au *panduri* (Europe, Caucase et Géorgie).                                     M.A.

**FANELLI Ernest.** Compos. franç. (Paris 27-6-1860– 24-11-1919). Élève d'Alcan et de Léo Delibes, il composa 1 opéra, *Séraphita*, une scène lyrique, *L'effroi du soleil*, des tableaux symphoniques pour orch., *Impressions pastorales* (id.), *Suite rabelaisienne*, *Les humoresques*, un quintette à c.

**FANFARE.** — 1. C'est un air de chasse, sonné à la trompe. Le répertoire traditionnel comporte une sonnerie pour chaque genre de chasse et pour chaque circonstance ; la *f. royale* date de Louis XV, la *petite royale* vaut pour le sanglier. La *Saint-Hubert* est une sonnerie qui va pour le 4 novembre, jour de la fête de ce saint. Le fond du répertoire est constitué par le *Recueil de fanfares pour la chasse, à une et à deux trompes*, du marquis de Dampierre (XVIIIe s.). — 2. C'est aussi un air de musique militaire (en anglais : *flourish*). — 3. Dans la musique classique, c'est un passage qui est joué par les instruments de cuivre dans le style des airs de chasse ou des sonneries militaires (Lully, *Te Deum* ; Rameau, *Hippolyte et Aricie*, *Castor et Pollux* ; Be:lioz, *Les Troyens* ; Wagner, *Tannhäuser*, *Tristan et Isolde* ; Verdi, *Aïda* etc.). — 4. On nomme encore *f.* un orchestre de cuivres aux armées, que l'on distingue de l'harmonie, parce qu'il ne comprend que des instruments métalliques à embouchure et des instruments de percussion (cavalerie, chasseurs à pied). — 5. Par extension, on a tendance à employer ce mot pour désigner tous orchestres d'instruments à vent, depuis la Garde républicaine jusqu'aux harmonies de village.

**FANG-HIANG.** C'est un jeu de lames frappées, en jade ou en métal, de forme rectangulaire, composé généralement de seize pièces de différentes épaisseurs, suspendues en deux rangs dans un cadre de bois ; on le frappe avec un marteau ; il fut d'un usage populaire sous la dynastie des Sôuei (581–618) et existe encore dans les temples de Confucius (Chine).                                     M.H.T.

**FANING Eaton.** Compos. angl. (Helston 20.5.1850– Brighton 28.10.1927), qui écrivit une symphonie, deux quatuors, un *Magnificat*, un *Nunc Dimittis*, des *anthems*, des mélodies, 3 opérettes etc.

**FANNI Giulio.** Mus. ital. du début du XVIIe s., de qui deux motets (*Trahe me post te*, *Veni in hortum meum*) sont publiés dans le recueil *Lilia sacra octo...* (Vincenti, Venise 1618).

**FANO Guido Alberto.** Pian. et compos. ital. (Padoue 18-5-1875–). Élève de Martucci, il a été dir. des cons. de Parme, de Naples, de Palerme, prof. de piano au cons. de Milan ; il a fait également une carrière de chef d'orchestre et créé à Bologne l'*Accad. Palestrina* : il a écrit une *Trilogia italica* (solo, double-ch. et orch.), de la mus. symph., de chambre, de piano, des mélodies ; il a publié *Pensieri sulla musica* (Bologne 1913), *Nella vita del ritmo* (Naples,1916), *I regi istituti musicali d'Italia* (Parme 1908), et des ouvrages sur la technique pianistique. Son fils – **Fabio** (Parme 1908–) a rédigé une thèse sur l'histoire de l'esthétique musicale ; il est pianiste et critique musical.

**FANO Michel.** Compos. franç. (Paris 1929–). Élève d'Olivier Messiaen, il s'est fait connaître par une analyse : *Wozzeck ou le nouvel opéra* (écrite en collab. avec Pierre-Jean Jouve) ; sa principale œuvre à ce jour est une sonate pour deux pianos, créée en 1954 aux concerts du Domaine musical à Paris, dont la rhétorique, proche de celle des *Structures* de Pierre Boulez ou de l'*Op. 1* de Karel Goeyvaerts, dénote le propos de généraliser, sur le plan sériel, la tentative de dissociation des qualités du son que réalisait, sur le plan modal, le *Mode de valeur et d'intensité* de Messiaen.
D.Ch.

**FANTAISIE.** La *f.* n'est pas une forme musicale précise : son nom même interdit toute définition.

FANTAISIE

*C.P.E. Bach. Versuch..., Berlin 1753.*

C'est le nom qu'ont souvent donné les compositeurs à des pièces instr. qui, proches d'une forme musicale usitée à leur époque, étaient écrites dans un style trop libre ou trop particulier pour en recevoir le nom. L'histoire de la musique nous donne des exemples de *f.* qui varient avec les peuples et les siècles. On peut cependant remarquer que la *f.* a une origine précise dans le motet et dans les chants d'église dont elle a commencé par être une imitation instrumentale (en style contrapuntique).

I. *XVI*e s. — 1. *Espagne :* La *f.*, « *fantasía* », est, soit un morceau improvisé, soit une forme de composition proche de l'improvisation, mais plus stricte, soit enfin l'activité du compositeur conforme à des règles précises comme on en trouve en 1565 dans le *Libro llamado arte de tañer fantasía aisi para teda como para vihuela y todo instrumento à 3 y 4 vozes y a mas* de Tomas de Santa María. Les principaux compositeurs de *f.* sont Don Luys Marias Milan (1535–36), Mudarra (1546), Fuenllana (1554), Venegas (1557), Cabezón (1578), qui composent surtout pour luth, *arpa, vihuela* ou guitare. Alors que Fuenllana différencie en 1554 *f.* et œuvre de contrepoint, Venegas (1557) identifie *f.* et *tiento.* A partir des œuvres théoriques de Salinas (1577), le *tiento* (transcription instrumentale de modèles vocaux) fut utilisé dans les *f.* (chez Cabezón en 1578, par exemple). A la fin du XVIe s., le *ricercare* trouva accès en Espagne (surtout dans les pièces de *vihuela* et d'orgue), et la *f.* se rapprocha du *ricercare.* Après le XVIe s., le genre est quasi inexistant en Espagne. — 2. *Italie.* La *f.* est nommée pour la première fois en 1536 dans l'*Intabolatura di liuto* de Francesco da Milano. Elle s'identifie avec le *ricercare* (imitation instrumentale en style contrapuntique de modèles vocaux). Elle n'est séparée qu'exceptionnellement du *ricercare* (chez Tiburtino, 1549). En 1590, la *fantasia senza parole* de Vecchi est très proche du *ricercare.* A la fin du siècle, le *ricercare* fut remplacé peu

à peu par des genres musicaux plus riches. On trouve à côté de la *f.*, des *capricicci, toccate* et *canzonette. F.* devient synonyme de *capriccio*, et Praetorius distingue *fantaisie-capriccio* de fugue et de *ricercare.* — 3. *France.* Les premières *f.* furent écrites pour le luth et la guitare. Adrien Le Roy publia en 1551 2 *f.* pour guitare, et Guillaume Morlaye publia, entre 1552 et 1555, 17 *f.* de son maître Albert de Rippe (de Mantoue) qui, luthiste de François Ier, fit connaître, pense-t-on, le *ricercare* à la cour. On connaît aussi des *f.* pour luth de Paladin, Bianchini et Bacfart. Les organistes de la fin du siècle ont publié des *f.* pour leur instrument : la *Fantazie sus orgue ou espinette* de Costeley et celle sur le thème de C. de Rore *Anchor che col partire,* de Nicolas de la Grotte. Le Roy et Ballard éditèrent enfin en 1578, sous le titre *Fantasiae,* des *cantiones* de Lassus. — 4. *Angleterre.* La *f.* (*fancy*) y est née dans la seconde moitié du XVIe s. Elle a commencé par être une transcription instrumentale de motets, mais, différente en cela du *ricercare* italien, au lieu d'être bâtie sur un *cantus firmus,* elle l'a été bien vite sur des motifs originaux (souvent des fragments de gamme). C'est avec W. Byrd (1543–1623) que s'accomplit l'émancipation du *cantus firmus,* mais la *f.* anglaise ne trouva son originalité qu'au début du XVIIe s.

II. *XVII*e s. — 1. *Italie :* La *f.* disparaît en Italie, dès le début du siècle. Besard, dans son *Thesaurus* (1603), s'inspire de la *fancy* pour luth anglaise. Frescobaldi, influencé par l'Espagne et peut-être les Pays-Bas, compose encore en 1608 des *f.* Après lui, le genre disparaît, remplacé par la sonate. — 2. *France.* Ce n'est qu'au début du XVIIe s. que la forme de la *f.* française devint manifeste dans les œuvres de Claude le Jeune, de Du Caurroy et de Guillet, écrites pour orgue ou violon. Ces *f.* utilisent des chansons, des chants spirituels ou même des motets. Les *f.* de « De Cousu » ou du sieur « de la Charlonière » ne sont que de simples exercices.

M. *de Fuenllana*, Orphenica Lyra, 1554.

Plus significatives sont les *f.* d'Henri Le Jeune (1642), de Métru, et celles pour orgue de Raquet. En 1686, on trouve des *f.* « *en écho* » dans les *Pièces à 1 et 2 violes* de Marin Marais. Citons encore une *f.* pour luth de Gaultier, une autre dans les *Pièces en trio* de La Barre (1700). — 3. *Angleterre*. C'est au début du XVIIᵉ s. que la *fancy* prit son essor. Les *f.* sont écrites pour 3 à 6 violes, rarement plus. William Lawes (mort en 1645) composa cependant des *f.* pour des instruments de type divers (théorbe, viole, harpe etc.). On peut diviser l'histoire de la *fancy* du XVIIᵉ s. en 3 parties : a) *de 1600 à 1625*, la *fancy* se libéra de la polyphonie (alternance de passages fugués de passages homophones) ; les thèmes d'église furent remplacés par des thèmes populaires et, vers 1600, la fancy fut influencée par le madrigal et la *canzonetta*. Les compositeurs les plus importants (Gibbons, Byrd, John Bull (1563–1628) s'adonnèrent au genre. b) *De 1625 à 1660*, il y eut une « crise » : aux *f.* raffinées de maîtres comme W. Lawes (qui domine l'époque), on préféra des œuvres plus populaires et plus légères (qui seules

furent éditées). Les principaux compositeurs de *f.* furent Ives (1600–1662), Christopher Gibbons, John Jenkins. c) *Au cours de la 3ᵉ période* (1660–1700), la *f.* fut peu à peu remplacée par la sonate (italienne et allemande). Cependant Jenkins trouva dans ses œuvres tardives une heureuse synthèse entre les éléments étrangers et les éléments purement anglais. Les *f.* de Purcell (1680), à 4 et 7 v., sont plutôt des études, mais elles font preuve d'une grande audace dans la conduite des voix. Après Purcell, la *fancy* disparut d'Angleterre. — 5. *Pays-Bas*. Dans ses 19 *f.*, Sweelinck a créé une forme propre, proche de la *toccata*, du *ricercare*, de la variation et de la *canzone*. Signalons les *f.* de Peter Cornet et d'A. van Kerckhoven (pour orgue). — 5. *Allemagne*. Les *f.* de K. Hassler (Allemagne du sud) témoignent d'emprunts au *ricercare*, celles de Scheidt sont influencées par les Anglais et par Frescobaldi. Froberger, lui, fut influencé dans ses **8** *f.* (que Bach admirait encore) par les œuvres françaises, italiennes et néerlandaises. A la fin du siècle, Pachelbel s'éloigna de l'idéal contrapuntique.
III. *XVIII*ᵉ *s.* On ne trouve plus de *f.* en Italie, d'où la sonate et la *sinfonia* l'ont éliminée. — 1. *France*. Rebel publie en 1715 et en 1729, sous le titre de *f.*, une pièce *Les caractères de la dance* et une *f.*, qui n'ont rien à voir avec le genre. Brossard assimile la *f.* au *capriccio*, alors que Rousseau les distingue eté crit en 1775 : « Un caprice peut fort bien s'écrire, mais jamais une fantaisie ». — 2. *Allemagne.* a) *avant 1750* : en Allemagne du Sud, G. Muffat insère 4 *f.* dans ses *Componimenti musicali* (1739), en utilisant le cadre de la *sinfonia* vénitienne. En Allemagne du Nord, on trouve des *f.* dans le *Monument harmonique* de Mattheson (1714). Telemann écrit après 1737, sous les influences française et vénitienne, trois douzaines de *f. pour le clavecin*. Haendel ne compose qu'une *f*. Ce sont les 15 *f.* de J.-S. Bach (aussi bien pour le clavecin que pour l'orgue) qui sont les plus intéressantes : il n'innove pas absolument (sauf dans la *f.* qui ouvre sa 3ᵉ *partita*), mais il utilise comme toujours tout ce que son époque a pu lui offrir. On devine derrière la plupart de ses *f.* une forme plus nette : la *toccata* (*f.* en *la mineur* pour clavecin) ou le prélude (*f.* et fugue en *sol mineur* pour orgue) ; dans ses œuvres pour orgue, la *f.* s'oppose à la fugue qui la suit ; la *F. chromatique et fugue* en *ré mineur* utilise le style du récitatif et évolue dans tous les tons : une telle liberté se retrouvera dans nombre de *f.* postérieures. b) *après 1750* : C. Ph. E. Bach écrit des *f. parlantes*, en employant le style récitatif de la *f. chromatique* de son père. D'autres fils de Bach écrivent des *f.* : W.F. Bach, 10 *f.* pour clavecin, J. C. Bach (1770) une (sans récitatif). Mais bientôt la *f.* subit l'influence de la sonate et du *rondo* (comme déjà chez J.-S. Bach) : elle tend à se rapprocher du *capriccio*. Le *capriccio en sol* (1788) de Haydn et sa *f.* en *ut* (1789) se ressemblent. Haydn écrit ses *f.* « dans les règles de l'art ». Chez Mozart, la *f.* pour piano en *ut mineur* (K. 475) est cyclique : elle se caractérise par la hardiesse de ses modulations, elle est plus proche de l'improvisation que de la sonate. Mozart est plus rigoureux dans ses deux admirables *f.* pour orgue mécanique (K. 594 et 608, 1790, 1791) ; il retourne aux formes de l'ouverture à la française et à la napolitaine.
IV. *XIX*ᵉ *et XX*ᵉ *s.* Durant cette période, le titre « *f.* » devient de plus en plus arbitraire. A la *f.* pour piano se joignent quelques exemples de *f.* pour orgue, ou même pour orchestre. 1. La *f. pour piano*. La *f.* de Beethoven, *op.* 77, en *sol mineur* (1810) est une sorte de pot-pourri, avec 6 thèmes sans lien entre eux : c'est une improvisation qui se termine par des variations libres ; la *f.* pour piano, chœurs *op.* 80 (1808) est aussi en forme de variations libres : c'est à la fois œuvre chorale et *concerto* ; le sous-titre *quasi una fantasia* accolé aux deux sonates de l'*op.* 27 ne se rapporte probablement qu'à la liberté de leur structure, encore qu'on trouve d'autres sonates de Beethoven tout aussi libres. — Les premières fantaisies de Schubert à 4 mains (1810, 1811, 1813) sont des essais de sonate ; son admirable « *Fantaisie du voyageur* » (1822) est une œuvre libre et cyclique, qui s'ordonne autour du célèbre *Lied Der Wanderer* : l'unité des mouvements est assurée grâce à celle du rythme. La *f.* à 4 mains de 1828 est aussi une sonate libre. Après

Schubert, la *f.* devient un titre de plus en plus arbitraire : Mendelssohn transforme une *sonate écossaise* en *f.* (en *fa dièse mineur*, *op.* 28), et Schumann voulait appeler *Grande sonate* sa prodigieuse *f. op.* 17, qui n'a rien à voir avec la sonate ni avec la *f.* (c'est une pièce passionnée et surtout poétique). La *f.*, loin d'être une sonate cyclique, redevient, dans les *Fantasiestücke* de Schumann, pièce unique. C'est l'époque des *f.* sur des airs d'opéras (dont les meilleurs furent composées par Liszt), et les compositeurs accolent volontiers le mot *f.* à un autre titre (Chopin dans sa *Fantaisie-impromptu*, Mendelssohn dans ses *Caprices* ou *f.*).

Citons encore les *Fantasien op.* 116 de Brahms, la « *f. orientale* » *Islamey* de Balakirev, les *f.* pour piano et orch. de Fauré (1918), de Debussy (1899), « concerto cyclique », enfin les *f. diverses* de Busoni et la *Fantasia bética* de Manuel de Falla (1919). 2. *La f. pour orgue*: elle s'est maintenue au XIXᵉ s. dans quelques belles œuvres qui rejoignent la tradition de Bach ; les deux *f* en *ut* (1862) et en *la* (1878) de Franck, surtout les deux *f.* et fugues de Liszt *Sur le choral du Prophète* et *Sur le nom de Bach*, ainsi que sa *Fantaisie sur un thème de Bach*. — 3. *La f. pour orchestre*: On sait que la première version (1841) de la 4ᵉ symphonie de Schumann (qui est cyclique) était une *Fantaisie symphonique*. De même, *Une nuit sur le Mont chauve* de Moussorgsky a été appelée par son auteur *fantaisie pour orchestre* ; on peut citer deux exemples d'ouvertures-fantaisies (qui sont en fait plutôt des poèmes symphoniques) : *Roméo et Juliette* de Tchaïkovsky et *Nirwana* de H. von Bülow. Voir W. Boetticher, F. Lesure, E.H. Meyer, M. Reimann, W. Kahl in MGG.                    J.Ph.G.

**FANTASIA.** Voir art. *fantaisie.*

**FANTI Napoleone Costantino.** Pian. et bibliothécaire ital. (St-Pétersbourg 21.5.1912–), qui fut élève du cons. de Vilna et a publié *Muzyka polska* (1938) ; depuis 1940, il est bibliothécaire du *Liceo mus. Martini* à Bologne.

**FANTINI Girolamo.** Trompettiste ital. (Spolète v. 1600–?) Il fut *trombettiere maggiore* du grand-duc de Toscane Ferdinand II ; le P. Mersenne dit de lui qu'il était le premier trompette guerrier de toute l'Italie et compare sa virtuosité à celle de Frescobaldi à l'orgue ; il publia *Modo per imparare a sonare di tromba tanto di guerra quanto musicalmente in organo con tromba sordina, col cimbalo e ogn'altro istrumento ; Aggiuntoui molte sonate, come balletti, brandi, capricci, serabande, correnti, passaggi e sonate con la tromba e organo insieme* (D. Vuastch, Francfort 1638). Voir Mersenne, *Harmonicorum libri 12, lib. II*, Paris 1648 – *Harmonie universelle*, V, Paris 1636 ; H. Eichborn, *G.F. ...*, ds *Monatshefte f. Mus. gesch.* XXII, 1890, et *Das alte Clarinblasen auf Trp.*, Leipzig 1894.

**FANTON Antoine** (et non Nicolas). Mus. franç. (diocèse de Saintes, v. 1700–Paris 15.5.1756), successivement maître de musique à Angoulême, à Saint-Seurin de Bordeaux (1724), à Blois (1732–45) et, depuis 1745, à la Sainte-Chapelle ; il composa plusieurs grands motets que l'on dit avoir été dans le style de ceux de Lalande et qui furent chantés avec grand succès à partir de 1748 au Concert spirituel ainsi qu'à l'Académie de Lyon, notamment un *Te Deum* « avec timbales et trompettes » (1750).                                 F.L.

**FARA Giulio.** Compos. et musicologue ital. (Cagliari 4.12.1880–), qui s'est inspiré du folklore sarde et a publié un grand nombre d'études à ce sujet à partir de 1909 : *Etnofonia e canzone popolare* (*Nuova Musica*, Florence, 1917), *Studi etnofonici* (*Critica mus.*, Florence, 1919–1922) etc. ; il a composé 1 opéra, *Elia* (en sarde, 1910), *Canzoni sarde* (Musica, Rome 1917), et édité chez Ricordi 37 *Canti di Sardegna.*

**FARABI.** Voir art. *Al-Farabi.*

**FARANDOLE** (en provençal, *farandoulo*). C'est une danse populaire provençale en forme de ronde serpentine. Voulant y voir une descendance de danse antique, on l'a comparée, au XIXᵉ s., à des danses athéniennes et crétoises (Diouloufet, 1816, Mistral, 1878) expliquant cette survivance en Provence par l'apport des Grecs sur le littoral méditerranéen. La forme même de la farandole a une répartition géographique beaucoup plus large et s'apparente aux types populaires européens ou extra-européens de danse en file. Les mouvements spiralés, p. ex. le *cacalaus* (escargot), sont caractéristiques de la *f.*, laquelle est exécutée par un nombre important de danseurs : dix, vingt, cinquante ou plus. Garçons et filles forment une longue chaîne et, se tenant par la main, dessinent diverses figures (arceaux, serpentins) s'enroulant et se déroulant selon l'impulsion donnée par le danseur, chef de file. L'un des pas de *f.* les plus célèbres est celui dit « pas de farandole d'Arles » ; d'autres pas se rapprochent de ceux des ballets classiques (ailes de pigeon, p. ex.). Les foyers réputés de la *f.* sont les pays d'Arles et d'Avignon, mais cette danse répandue dans toute la Provence et le Comtat Venaissin, y est toujours en vogue. La *f.* est parfois chantée, mais le plus souvent elle est conduite au galoubet et au tambourin ; elle est jouée sur un 6/8 rapide. La plus connue du répertoire populaire est la farandole dite de Maillane. Gounod, dans *Mireille*, et Bizet, dans *L'Arlésienne*, ont fait place à la *f.* en interprétant son rythme traditionnel. Plusieurs compositeurs français (Vincent d'Indy, Gabriel Pierné, Claude Delvincourt, Henri Casadesus, Darius Milhaud) ont introduit des *f.* dans leurs œuvres.                           C.M.-D.

**FARARA.** C'est un instrument à air, fait dans une petite tige de riz vert et décrit par Curt Sachs (ds *Les instr. de mus. de Madagascar*, Paris 1938) comme « pipeau à anche » ; il est confectionné et utilisé par les enfants de Madagascar. On dit aussi *foa.*                   M.A.

**FARAY.** Ce terme désigne, à Madagascar, divers idiophones (hochets, râcleurs en bambou, bâtons entrechoqués etc.).                               M.A.

**FARCE.** — 1. Au moyen-âge, ce mot désigna d'abord des interpolations (ou *tropes*) insérées entre deux mots d'un texte liturgique (en latin, *farsa, farcitura*). — 2. Dans le théâtre du moyen-âge et de la Renaissance, les petites scènes populaires appelées farces ou sot(t)ies laissaient une place importante à la musique : on y intercalait des chansons qui jouaient un rôle plus ou moins actif dans l'action ; on remarque ainsi, autour de 1500, une identité entre les personnages des *f.* et ceux de certaines chansons polyphoniques (*Le povre Jehan, Jean de Lagny, Colin et Colette* etc.). Il semble que les acteurs aient fait un usage particulier des pièces à 3 voix. Cf. F. Lesure ds *Mus. et poésie au XVIᵉ s.* (1954). — 3. Au XVIIIᵉ s., le mot désigna les travestissements ou de petites œuvres lyriques de caractère léger ou vulgaire.

**FARDING** (*Fardyng*). Voir art. *Farthing.*

**FARGA Onia.** Pian., viol. et compos. catalan (Barcelone 25-11-1882–). Élève d'E. Rodríguez Alcántara, de Crickboom, il a fait une carrière intern. de virtuose, fondé et dirigé l'école qui porte son nom à Barcelone, où il a formé une équipe qui participe aux fêtes de Tarascon intitulées *Coursos de la Tarasquo*, fondées par René d'Anjou en 1474 ; il a écrit 1 opéra, *La bella Lucinda*, 1 messe de *Requiem*, des sardanes, des *glosas*, des mélodies, des œuvres de mus. de chambre.

**FARGAS Antonio.** Musicologue catalan (Palma de Majorque 26.10.1813–Barcelone 17.7.1888), qui fut critique musical, polémiste et publia notamment : *Diccionario de música* (Barcelone 1852), *Observaciones, en vindicación de la ópera italiana, al ensayo biog. de R. Wagner por J. Marsillach* (Barcelone 1878), *Contestación a la contrarréplica de J. Marsillach* (id. 1879), *Influencia de la música en la sociedad* (id. 1885), *Utilidad de la música a todas las clases de la sociedad* (id. 1878).

**FARIA Luis.** Voir art. *Costa.*

**FARINA Carlo.** Mus. ital., qui naquit à Mantoue à l'extrême fin du XVIᵉ s. ou tout au début du XVIIᵉ ; de 1625 à 1629, il est à Dresde comme *Konzertmeister* à la chapelle de l'Électeur de Saxe ; en 1637, il est violoniste de la ville de Dantzig ; il publia *Libro delle pavane, gagliarde, brandi, mascherata, aria francesa, volte, balletti, sonate, canzone a 2, 3, 4 v. con il b. per* sonare (W. Seiffert, Dresde 1626), *Ander Theil ... 4 v.* (G. Berg, *ibid.*), *Il terzo libro ... 3-4 v.* (*id. ibid.*), *Il 4. Libro ... (ibid.* 1628), *Fünffte Theil ... (id. ibid.*). Voir H. Schütz, *Ges. Briefe u. Schriften*, éd. E.H. Müller, G. Bosse, Ratisbonne 1931 ; G. Hausswald in MGG.

**FARINA Guido.** Chef d'orch. et compos. ital. (Pavie 30-10-1903–). Élève de Ferroni et de Pizzetti, il a écrit des opéras : *Malizie cmorose, Sotto la croce, La dodicesima notte* (Milan 1929), *Tempo di carnevale, La finta ammalata, Liriche* (v. 1935), *Oratorio francescano*, des œuvres pour orch. de chambre, et publié des ouvrages théoriques.

**FARINEL** (*Farinelli*). — **1. François** : mus. franç. du XVIIe s., « maître joueur d'instruments », qui serait à l'origine de la famille en France. *Cf.* J. G. Prod'homme, *Les musiciens dauphinois*, dans *SIMG*, VII, 1905. Son fils (ou frère ?) – **2. Robert**, fut le père de – **3. Michel** (Grenoble ... 5.1649–?) qui fut violon., était à Lisbonne en 1668, à Paris en 1672, de 1675 à 1679 à la cour d'Angleterre ; il épousa la claveciniste Marie-Anne Cambert ; en 1679 il est, à Madrid, intendant de la musique de la reine d'Espagne (Marie-Louise d'Orléans) ; en 1688 il est *violon du roi* à Versailles, puis, en 1691, conseiller royal à Grenoble ; là, il a le poste de maître de chant du monastère de Montfleury ; en 1697, il est maître de la chapelle de St-Etienne de Toulouse ; il mourut à Grenoble ; on a conservé de lui un *Recueil de vers spirituels* (1696) et un certain nombre de compositions pour son instrument. Son frère – **4. Jean-Baptiste** (*Giovanni-Battista Farinelli*) (Grenoble 15.1.1655–Venise v. 1720) fut également violoniste, *Konzertmeister* à la cour de Hanovre (1680),

FARINELLI (*d'après une peinture d'Amiconi, cons. de Paris*).

au service de la cour d'Osnabrück (1691–95), puis de nouveau à Hanovre ; il fut anobli par le roi Georges Ier de Danemark, lequel, devenu roi d'Angleterre, le nomma son ministre-résident à Venise ; on lui doit des concertos de fl. et de la mus. de théâtre.

**FARINELLI** (*Carlo Broschi*, dit). Castrat ital. (Andria 24-1 (ou 6)-1705–Bologne 15-7-1782). Fils de S. Broschi, frère de R. Broschi, il débuta à Naples en 1720 dans *Angelica e Medoro* (Porpora-Métastase, avec lesquels il fut fort lié) ; sa carrière fut prodigieuse : on le voit à Vienne, à Venise, à Vérone, à Naples, à Parme, à Milan, à Bologne, à Munich, à Londres, à Paris, à Versailles (1736), à Madrid, où Philippe V s'éprit pour lui d'une « passion morbide » (1737) ; Ferdinand VI d'Espagne le décora en 1750 de l'ordre de Calatrava. Ce roi étant mort fou, *F.* dut quitter l'Espagne (1759) ; il rentra en Italie, et, après un séjour à Parme, un autre à Naples, il se retira à Bologne, où il fut le centre de la vie musicale et théâtrale ; Gluck, Mozart, Joseph II l'y visitèrent ; le P. Martini était à la fois son conseiller, son ami et son confesseur ; il fut enterré à l'église des Capucins. Voir Burney, *État présent de la musique en France et en Italie*, 1809–10, et *Memoirs of the life and writings of the Abate Metastasio*, 1796 ; G. Sacchi, *Vita del cav. C.B.*, Venise 1784 ; E. Scribe, *C.B.* ; J. Desastre, *C.B. Kuriose Abenteuer eines Sopranisten*, Zurich 1903 ; G. Monaldi, *Cantanti*

evirati ...*, Rome 1920 ; R. Bouvier, *F., le chanteur des rois*, Paris 1943 ; F. Walker, ... *N. Porpora*, ds *Ital. Studies*, VI, Cambridge 1951 ; A. Heriot, *The castrati in Opera*, Londres 1956.

**FARINELLI Giuseppe** (*G. Finco*, dit). Compos. ital. (Este 7.5.1769–Trieste 12.12.1836). Élève de Lionelli (Este), d'A. Martinelli (Venise), du *cons. della Pietà dei Turchini* (Naples), il vécut ensuite à Turin, à Trieste, où il eut le poste de maître de chapelle de S. Giusto ; il était considéré comme un imitateur de Cimarosa ; il composa les opéras : *Il dottorato di Pulcinella* (1792), *L'uomo indolente* (1795), *Il nuovo savio della Grecia* (1796), *Amore e dovere* (1797), *Seldano ... (id.), Antioco in Egitto* (1798), *L'amor sincero* (1799), *Annetta ...* (1800), *Bandiera d'ogni vento ... (id.), La muta per amore (id.), Una cosa strana ... (id.), Todero Fabro (id.), Il conte Rovinazzo (id.), Teresa e Claudio* (1801), *Giulietta* (1802), *Il Cid delle Spagne (id.), La pulcella di Rab ... (id.), Pamela (id.), Chi la dura la vince* (1803), *La caduta della nuova Cartagine (id.), Un effetto naturale (id.), Il Ventaglio (id.), I riti di Efeso (id.), Oro senza oro ...* (1804), *L'inganno non dura (id.), La tragedia finisce in commedia (id.), Il pranzo inaspettato (id.), Odoardo e Carlott a (id.), La vergine del sole* (1805), *Il finto sordo (id.), La locanda dell' amore (id.), Ines de Castro* (1806, en collab. avec Pavesi et Zingarelli), *Stravaganza e puntilio (id.), Attila (id.), Il testamento ... (id.), L'amico dell'uomo (id.), Climene* (1807), *Calliroe* (1808), *La finta sposa (id.), Il colpevole salvato della colpa* (1809), *L'incognita (id.), L'arrivo inaspettato* (1810), *La terza lettera ... (id.), La contadina bizzarra (id.), Non precipitare i giudizi ... (id.), Annibale in Capua (id.), Amore muto* (1811), *Idomeneo* (1812), *Ginevra degli Almieri (id.), Lauso e Lidia* (1813), *Il matrimonio per concorso (id.), Caritea regina di Spagna* (1814), *Scipione in Cartagine* (1815), *Vittorina (id.), Il vero eroismo ... (id.), Zoraide* (1816), *La chiarina (id.), Ser Durando* (1816–17), *La donna di Bessarabia* (1817), *L'osteria della posta ...* (1830), 10 cantates, des oratorios, 15 messes ; on trouve des airs de lui dans le pasticcio *Lo sprezzatore schernito* (Florence 1816) ; le duo « *No, non credo a quel che dite* » du *Mariage secret* est de lui, non de Cimarosa.

**FARITIA.** C'est un gong de l'île Nias (Indonésie) : de type à mamelon et de petite taille, ce gong est porté à la main pendant qu'on en joue ; il est généralement utilisé au cours de processions, en même temps que différents autres gongs et des tambours.                M.H.

**FARJEON Harry.** Compos. angl. (Hohokus, U.S.A., 6.5.1878–Londres 29.12.1948), qui a écrit des opérettes, des ballets, des poèmes symph., des concertos, de la mus. de chambre, de la mus. d'orgue, une messe, et publié *Art of piano pedalling* (1923).

**FARKAS Edmund.** Compos. hongr. (Jász-Monostor 1851–Kolozsvar 1.9.1912), qui écrivit des opéras hongrois (*Bayader*, 1876, *Tünderhorrds*, 1894, *Balassa Bálint*, 1897, *Tetemre Ivás*, 1900), 1 symphonie, de la mus.

d'orgue, des ballades, des quatuors, des chœurs, des mélodies.

**FARKAS Ferenc.** Compos. hongrois (Nagykanizsa 15.12.1905–). C'est un représentant très fertile et connu de la jeune école hongroise ; élève de Léo Weiner et d'Albert Siklos à l'Acad. F. Liszt à Budapest (1923–28), de Respighi au cons. Ste-Cécile de Rome (1929–31), il a occupé plusieurs postes avant d'être nommé prof. à l'Acad. F. Liszt (composition), poste qu'il occupe toujours ; il est titulaire du prix Kossuth ; compositeur éclectique, il se distingue par la grande virtuosité de son écriture, la clarté de son esprit et la netteté de ses idées musicales ; dans sa musique, il s'efforce d'atteindre la perfection pré-classique avec les moyens et le langage du folklore hongrois ; œuvres principales : « *L'armoire magique* » (op.-com.), *Csinom Palkó* (dr. lyr.), « *Les étudiants rusés* » (ballet et suite d'orch.), « *Marionnettes de Noël* » (suite d'orch.), *Symphonie* à la mémoire du 4 avril 1945, « *Au bord de la Tisza* » (chœur mixte et orch.), *Sinfonietta concertante* (p. et orch.), *Concertino* (harpe et orch.), « *15 Mars* » (suite d'orch.), pièces radioph., mus. de scène, de film, « *Corbeille à fruits* » entre autres mélodies, des chœurs, *Sérénade* (fl. et 2 viol.), *3 Burlesques*, « *Danses hongroises du XVIIe s.* », des transcriptions : « *3 Fantaisies pour luth de V. Bakfark* » (p.), « *Danse roumaine de Bihar* », *2 sonatines*, *Alla danza ungherese* (p. et violon).                          J.G.

**FARKAS Imre.** Écrivain et compos. hongrois (1879–), auteur d'opérettes souvent jouées en Hongrie dans la 1re moitié de notre siècle et appréciées pour leur sentimentalité et leur inspiration populiste (*Lavotta szerelme*, *Iglói diákok*, *Nótás kapitány* etc.).

**FARKAS Ödön.** Compos. et prof. de chant hongrois (1859–1912), qui fit ses études à l'Acad. de mus. de Budapest sous la direction de S. Nikolits et de K. Abrányi ; il se fixa à Kolozsvár, où il devint dir. du cons. ; ses œuvres principales sont des opéras : *Tündérforrás* (1893), *A vezeklők* (1894), *Bálint Balassa* (1896), *Tetemrehivás* (1900), *Kurucvilág* (1906).         J.G.

**FARMER Henry George.** Compos. et musicologue angl. (Birr, Irlande, 17.1.1882–). Élève pour le piano, le violon, l'harmonie de Vincent Sykes, org. de l'église paroissiale, dès sa jeunesse, il s'installa à Londres, où il fut violon. dans le *Zavertal's Orchestra* ; ses parents, qui le destinaient à la prêtrise (*Church of Ireland*) le persuadèrent de préparer son *B.A.* ; à la mort de son père, en 1901, il revint à la musique et fut l'élève pour l'harmonie d'Henry C. Tolking, pour le violon de Simonetti, pour le cor de F.A. Borsdorf ; il devint en 1902 premier corniste au *Zavertal's Orchestra*, se produisit à des concerts à l'*Albert Hall* et au *Queen's Hall* jusqu'en 1910, date à laquelle il devint chef d'orchestre du *Broadway Theatre*, où il écrivait mainte musique de scène, ainsi que les compositions énumérées dans le catalogue de ses œuvres ; en 1911, il forma l'*Irish Orchestra*, qui fut engagé cette année-là et la suivante aux *National Sunday League Concerts* ; il partit alors en tournée comme chef d'orchestre pour l'opérette de Leo Fall, *The eternal Waltz*, puis dirigea l'orchestre de l'*Empire Theatre* de Leeds (1912) et celui de l'*Empire Theatre* de Glasgow (1914) ; il a traduit sous le titre de *The music and the musical instruments of the Arabs* (1914) la musique arabe de Salvador Daniel ; il se spécialisa en cette matière, entra à l'université de Glasgow, y obtint son diplôme de *master of arts* et devint expert en arabe et en histoire ; depuis 1925, il a consacré la plus grande partie de son temps à l'étude des musiques arabe, persane et turque, il est devenu en ces matières l'autorité la plus compétente ; il restait cependant chef d'orchestre, créa en 1919 le *Glasgow Symphony Orchestra*, qu'il dirigea jusqu'en 1941 ; à cette date, il a fondé le *Scottish Musicians Benevolent Fund*, dont il est encore président ; il a obtenu en 1926 ses diplômes de *Ph. D.* avec son *History of arabian music*, *Litt. D.* en 1941 avec ses *Sources of arabian music* ; il a rédigé des articles sur la musique orientale pour de nombreux périodiques, encyclopédies et ouvrages collectifs, dont les plus importants sont *Collection of oriental writers of music* (6 vol.), *Historical facts for the*

*arabian musical influence*, *The organ of the Ancients* et *Sa'adyah Gaon and the influence of music* ; de 1929 à 1933, il a été le rédacteur du *Musician's Journal* ; de 1930 à 1933, il a bénéficié d'une bourse de la fondation Carnegie ; il a été chargé de cours à l'univ. de Glasgow (1932), a obtenu une bourse Leverhulme (1933-35) ; il a représenté la Grande-Bretagne au Caire en 1932, lors du congrès de musique arabe (il y présida la commission des manuscrits et d'histoire) ; il a obtenu la même année le *Glasgow University Weir memorial prize* pour ses recherches dans le domaine des études arabes ; en 1947, il a été nommé professeur de musique à l'univ. du Caire, mais dut renoncer à ses fonctions pour des raisons de santé ; il a été membre du *Scottish Advisery Committee on music* à la *B.B.C.* (1928-39) ; il est l'un des directeurs de la *Royal Scottish Academy of Music* ; il est vice-président de la *Glasgow University Oriental Society* ; l'univ. d'Edimbourg lui a conféré en 1949 le titre de *Mus. D. (honoris causa)* ; il est actuellement bibliothécaire adjoint et chargé du département de la musique à la bibliothèque de l'univ. de Glasgow.

**Œuvres :** By the Camcor (quatuor à cordes, 1905), Le *Mur des Fédérés* (élégie pour cor anglais et orch., 1910), mus. de scène pour *Arrah na pogue* (id.), pour *The Shaughran* (id.), pour *Dick Whittington* (1911), pour *The sleeping beauty* (1912), *Il compagnia della morte* (ouverture, 1911). *A song before sunrise* (id., 1912), *The Leprechaun* (ballet, 1912), *By Brosna's banks* (suite de piano), *From the slieve bloom* (id., 1915), *Thoughts* (id.).
**Écrits :** *Memoirs of the Royal Artillery Band* (1904), *Rise and development of military music* (1912), *Music and musical instruments of the Arab* (1914), *Heresy and art* (1918), *The arabian influence on musical theory* (1925), *The arabic musical mss in the Bodleian Library* (1926), *The influence of music : From arabic sources* (1926), *History of arabian music* (1929), *Historical facts for the arabian musical Influence* (1930), *Studies in oriental musical instruments* I (1931), II (1939), *The Organ of the Ancients : From eastern sources, hebrew, syriac and arabic* (1931), *An old moorish lute tutor* (1933), *Al-Farabi's arabic-latin writings on music* (1934), *Turkish instruments of music in the 17th Century* (1937), *The sources of arabian music* (1940), *Maimonides on listening to music* (1941), *Music : The priceless jewel* (1942), *Sa'adyah Gaon on the influence of music* (1943), *The minstrelsy of the arabian nights* (1945), *History of music in Scotland* (1947), *Music making in the olden days* (1950), *Handel's kettledrums and other papers on military music* (id.), *Military music* (id.), *Cavaliere Zavertal* (1951), *Oriental studies : mainly musical* (1953), *History of the Royal Artillery Band : 1762-1953* (1954) ; études sur la musique orientale publiées dans *Legacy of Islam* d'Arnold et Guillaume (1931), ds *Encyclopaedia of Islam* (1928–38, réed. et éd. Urdu), *Survey of a persian art* d'A.U. Pope, ds le dict. Grove, ds *MGG*, ds *History of Muslim philosophy* (1959), ds un grand nombre de périodiques, notamment ds le *Journal of the Royal Asiatic Society* (1925 sqq.)

**FARMER John** (I). Mus. angl. ou irlandais des XVIe-XVIIe s. qui vécut à Londres (du moins un temps, 1599) ; il fut organiste et maître de chœur avant Th. Bateson à la *Christ Church* cath. de Dublin ; il composa *Divers and sundry waies of two parts...* (Londres 1591), *The first set of english madrigals to foure voices* (Londres 1599) ; on trouve de lui 17 pièces à 4 v. ds *The whole book of songs* de Thomas East (Londres 1592), un madrigal et des pièces instrumentales ds 2 recueils de l'époque. Voir E.H. Fellows, *The english madrigal composers*, Londres 1948.

**FARMER John** (II). Compos. angl. (Nottingham 16-8-1836–Oxford 17.7.1901), qui fut professeur et organiste et composa 1 oratorio, 1 *Requiem*, 1 opéra (*Cinderella*, 1882), des mélodies etc.

**FARMER Thomas.** Mus. angl., qui mourut en 1689 ou 1690 ; d'abord musicien de rue à Londres, il entra en 1671 au service de Charles II ; en 1675 il était *musician in ordinary for the violin*, en 1679 *m.i.o.f. the private musick* ; Jacques II le confirma dans ce poste (1685) ; il publia *A consort of mus. in four parts...* (Londres 1686), *Second consort of mus. in four parts* (ibid. 1690) ; on trouve mainte chanson de lui dans des recueils de l'époque ; des *soli* de violon, des trios, des pièces à 2 viol. et b. sont conservés en mss au *British Museum*.

**FARNABY Giles.** Mus. angl. (Truro v. 1560-Londres v. 1620). On sait peu de chose de sa vie ; il vivait en 1587 à Londres : il épousa cette année-là Katherine Rane à l'église Ste-Hélène ; il eut un fils, **Richard** (qui fut lui-même compositeur et écrivit des pièces pour le virginal et pour le luth), une fille, **Philadelphia**, un autre fils, **Jov** ou **Jovus**, qui, lui aussi, semble avoir été musicien ; G. fut bachelier de musique d'Oxford (1592) ; de cet excellent compositeur il ne nous reste que ses contributions au *Whole book of psalmes* d'East (1592), des *Canzonets to foure voyces* (20 pièces à 4 v., une à 8 v., 1598), une pièce dans le psautier de Ravenscroft (1621), 52 pièces de virginal publiées dans le *Fitzwilliam Virginal Book*. Voir E.H. Fellowes, *English madrigal composers*, Londres 1948 ; E. Walker, *A history of music in England*, éd. Westrup, Oxford 1952.

**FARNETI Maria.** Sopr. ital. (Forli 1877–S. Varano 17.10.1955). Élève de Boccabadati de Pesaro, elle débuta à Turin en 1899 dans *Otello*, fit carrière à la *Fenice* de Venise, à Gênes, aux États-Unis, à Parme, à Buenos Aires, à Rome, à Barcelone, en Amérique du Sud, à Milan.

**FARON (Cantilène de saint).** On désigne ainsi deux strophes citées dans les actes de saint Faron, évêque de Meaux (mort en 672), par son successeur et biographe Hildegaire, évêque de Meaux, mort en 874. Ces vers seraient la transcription poétique d'un roman et viendraient à l'appui de la thèse de G. Paris sur l'origine populaire de l'épopée (cantilènes en langue vulgaire au début). On a donc tenté de reconstruire le roman original de ce poème en latin médiéval. L'opération ne semble pas ajouter grand chose à la surabondante autorité des cantillations de toutes sortes (latines. en langue vulgaire, religieuses etc.). La discussion de J. Chailley semble régler la question. Pour la cantillation musicale des textes didactiques, on possède de nombreux documents. Voir J. Chail!ey, *Études mus. sur la chanson de geste*, ds Rev. de mus., 1948 ; *Vie de st F.*, par Hildegaire, ds Mabillon, *Acta sanctorum ordinis sancti Benedicti*, I ; Gaston Paris, *La litt. franç. au moyen-âge*, *XIᵉ-XIVᵉ s.*, Paris 1890 ; Jean Rychner, *La chanson de geste, essai sur l'art épique des jongleurs*, Genève-Lille 1955, Soc. de publ. romanes et franç., LIII ; S. Corbin, *La cantillation des classiques latins* (en préparation).
S.C.

**FARRANT.** Famille de mus. angl. des XVIᵉ–XVIIᵉ s. – **1. Richard** (?–Windsor ou Londres 1581) fut organiste, *gentleman* de la chapelle royale sous Edouard VI, maître de chœur à la chapelle St-Georges de Windsor (1564) où il était également organiste, poste qu'il conserva jusqu'à sa mort, tout en gardant son titre à la chapelle royale ; on a conservé de lui *Morning and evening service in A minor* (Boyce, *Cathedral music*), 2 anthems : *Call to remembrance*, *Hide not Thou Thy face*, et la mélodie d'une autre : *When as we sat in Babylon*, quelques fragments, un madrigal, un air. Son fils – **2. Daniel** fut violoniste de Jacques Iᵉʳ entre 1606 et 1625 ; les archives de la cath. de Durham conservent de lui en mss des pièces d'orgue. — **3. John I** fut org. de la cath. d'Ely (1567–72), *lay clerk*, maître de chœur (1572), org. (1587–92) de la cath. de Salisbury : ses mœurs violentes lui firent perdre ces postes (il voulait tuer le doyen) ; il fut néanmoins pris comme org. à la cath. de Hereford (1593), mais il quitta son poste la même année ; on a de lui 2 pièces de clavecin (*British Museum*), 1 anthem : *O Lord almighty* (B.M. *Harl.* ms 7340), *An evening service in F* (cath. de Durham). Son fils – **4. John II** (Salisbury ... 1575–... 1618) fut choriste, org., *vicar-choral* à la cath. de Salisbury. Un autre *F.* — **5. John (III)**, dont les relations de parenté avec les autres ne sont pas éclaircies, qui vivait à la même époque qu'eux, fut org. à la *Christ Church* de Newgate à Londres ; c'est à lui qu'on doit attribuer le *Magnificat*, le *Nunc dimittis* du livre d'orgue d'A. Battan. Voir E.H. Fellowes, *English cathedral organists*, Londres 1941 — *Windsor organists*, ibid. 1940.

**FARRAR Geraldine.** Chanteuse amér. (Melrose, 28.2. 1882–), qui appartint au *Metropolitan Opera* de New-York, d'où elle s'est retirée en 1922.

**FARRENC Aristide.** Flûtiste franç. (Marseille 9.4.1794–Paris 31.1.1865). Après avoir été virtuose, il fonda une maison d'édition, puis sur les conseils de Fétis, il fit des travaux d'histoire de la musique ; il collabora à la *Biographie universelle des Musiciens*, et publia le *Trésor des pianistes* (20 vol. 1871–72), avec des notices historiques de Fétis *junior* ; il publia *Les concerts historiques de M. Fétis à Paris*, *Littérature musicale*, *Critique*, M.L.

Marie, François Couperin, M. Fétis, *L'orgue et les improvisateurs...* (1856) ; *Les livres rares et leur destinée, étude de bibliographie musicale* (Rennes, 1856) ; il composa pour son instrument. Sa femme – **Louise**, née Dumont (Paris 31-5-1804–15-9-1875), fut élève de Reicha et prof. de piano au cons. de Paris ; elle écrivit un *Traité des abréviations... employées par les clavecinistes des XVIIᵉ et XVIIIᵉ s.* (pub. posthume, 1897) et termina le *Trésor des pianistes* de son mari. Leur fille – **Victorine Louise** (Paris 23-2-1826–3-1-1855) fut pian. et compos. Voir E. Haraszti in MGG.

**FARRER José.** Org. esp. du XVIIᵉ s., qui fut organiste de la cathédrale de Solsona, et de qui la bibliothèque de Barcelone garde en manuscrit trois œuvres et une messe à 8 voix.

**FARRERAS Pedro Pascual.** Compos. catalan (Badalona ... 1775–Barcelone 16.6.1849), auteur notamment de drames musico-bibliques (*El hijo pródigo, El sacrificio de Isaac*), 8 messes, des répons, 4 *Benedictus*, des motets etc.

**FARRUCA.** C'est le nom d'une danse populaire flamenco.

**FARTHING** (*Fardyng, Farding*) **Thomas.** Mus. angl. (v. 1475–Greenwich 12.12.1520). Chanteur à la chapelle de la mère de Henry VII, la comtesse de Richmond et de Derby, il fut *gentleman* de la chapelle royale (1508), accompagna Henry VIII en France (1513, Thérouanne, Lille, Tournai) ; on le trouve encore en France en 1520, peu avant sa mort soudaine ; on garde de lui quelques œuvres vocales ; la plus grande partie de son œuvre semble avoir été perdue. Voir W.H. Grattan Flood, *Early Tudor composers*, Oxford 1925.

**FARWELL Arthur.** Compos. amér. (St-Paul 23.4.1872–New-York 20.1.1952). Élève de Norris, de Humperdinck, de Guilmant, il fonda la *Wa-Wan Press*, fut critique musical, chef du département de la musique à l'univ. de Californie ; il écrivit des œuvres chor., symph., de la mus. de chambre, de scène, des mélodies.

**FASANO Renato.** Chef d'orch. et compos. ital. (Naples 21.8.1902–), élève du cons. de Naples et du cons. B. Marcello à Venise, fondateur des *Virtuosi di Roma*, président de l'Association internationale des directeurs des conservatoires d'Europe (Unesco), auteur de *Storia e guida dell' interpretazione degli abbellimenti dall' epoca gregoriane a Verdi* (1942).

**FASCH Johann Friedrich.** Mus. allem. (Buttelstedt 15.4. 1688–Zerbst 5.12.1758). Chanteur à la chapelle du duc de Weissenfels, il fut l'élève de J. Ph. Krieger ; on le trouve ensuite à St-Thomas de Leipzig (1701), où il est l'élève de Kuhnau ; il entra en 1708 à l'univ. de la même ville, où il fonda un *Collegium musicum* : à la suite de quoi, en conflit avec Kuhnau, il dut quitter Leipzig (1711) ; il écrivit alors des opéras pour la cour de Naumburg ; en 1712, il fut l'élève de Chr. Graupner, toujours à la *Thomasschule* ; après quelques années voyageuses, il fut de 1714 à 1719 secrétaire et *Kammerschreiber* à Gera, puis org. et *Stadtschreiber* à Greiz ; en 1721, il fut au service du comte Morzin à Lukavec, en 1722, maître de chapelle de la cour à Zerbst ; il aurait refusé de se présenter contre Bach au poste de cantor à St-Thomas ; il composa une passion (1723), 14 messes, 2 *Credo*, 4 psaumes, près de 100 cantates d'église, 4 sérénades, 4 opéras : *Clomire* (1711), *Lucius Verus* (id.), *Die getreue Dido* (1712), *Margenis* (1715), un grand nombre d'œuvres instrumentales (ouvertures, concertos, sonates (à 3 ou à 4), symphonies) conservées en mss à Berlin, Bruxelles, Darmstadt, Dresde, Leipzig, Magdebourg, Paderborn, Ratisbonne, Schwerin, Upsal, Zerbst ; Bach le tenait en haute estime et copia de sa main 5 de ses suites d'orchestre. Son fils – **Christian Friedrich Karl** (Zerbst 18.11.1736–Berlin 3.8.1800) fut évidemment son élève pour le clavecin et la composition, ainsi que celui de Höckh pour le violon, celui de Hertel (à Strelitz) ; F. Benda, qui l'avait connu lorsqu'il donnait un concert à 14 ans, le recommanda à Frédéric le Grand : ce dernier l'engagea comme claveciniste de la cour (1756) ; Carl-Philipp-Emmanuel Bach était son second ; il accompagnait le roi (qui jouait de la flûte) ; il dirigea l'Opéra de Berlin de 1774 à 1776 ; il consacrait beaucoup de son

G. Fauré

Quatuor à cordes op. 121 *(cons. de Paris)*.

# Ariane et Barbe-Bleue

Moralité (à la façon des contes de Perrault)

Personne ne veut être délivré. La délivrance coûte cher, parcequ'elle est l'inconnu et que l'homme (et la femme) préfère toujours un esclavage "familier" à cette incertitude redoutable qui fait tout le poids du "fardeau de la liberté!" Et puis, le réel est qu'on ne peut délivrer personne : il faut encore se délivrer soi-même. Non seulement cela faut encore mais il n'y a que cela de possible. Et ces dames le connaissent bien (très gentiment) à cette pauvre Ariane qui l'ignorait... et qui croyait que le monde a soif de liberté alors qu'il n'aspire qu'au bien être : dès qu'on a tiré ces dames de leur cave.

temps à la composition, à l'enseignement, même à une association chorale (chez le conseiller Milow, 1790, d'où devait sortir la fameuse *Singakademie*, 1791) ; en 1796, il reçut deux fois Beethoven ; à sa mort, la *Singakademie* exécuta pour la première fois à Berlin le *Requiem* de Mozart ; il composa un oratorio : *Giuseppe riconosciuto*, un *Requiem* à 8 v., 6 cantates, 1 canon à 25 v., 1 messe à 16 v. (4 chœurs), 3 psaumes, 1 motet funèbre, des *Oden*, des *Lieder*, des pièces instrumentales (dont des sonates de clevecin), 1 symphonie etc.

**Bibl. :** *J. F. F., Autobiographie,* ds Marpurg, *Histor.-krit. Beitr.* III, 1757, ds A. Hiller, *Lebensbeschreibungen,* 1784 ; H. Riemann, *J.F. F. u. d. freie Instr.-Stil,* ds *Bl.f.Haus-u.KM,* IV, Beyer et fils, Langensalza, 1900 ; B. Engelke, *J.F. F. ...,* thèse de Leipzig, 1908 ; C.F. Zelter, *K.F.,* Berlin, 1801 ; C.v. Winterfeld, *Ueber K.F. geistl. Gesangswerke,* Berlin, 1839 ; E. Stilz, *Die berliner Kl. Sonate z. Zeit Friedrichs des Gr.,* thèse de Berlin, 1929 ; C.A. Schneider, *J.F. F. ...,* thèse de Münster 1932 ; G. Schünemann, *Die Singakad. z. Berlin 1791-1941,* Bosse, Ratisbonne, 1941 ; P. Tryphon, *Die Sinfonien von J.F. F.,* thèse de Berlin, 1954 ; A. Adrio in MGG.

**FASCIOTTI Giovanni Francesco.** Sopraniste ital., né à Bergame vers la moitié du XVIIIe s., qui fut au service de la ville de Pise, et fit une carrière théâtrale à Naples, Turin, Genève et Milan.

**FASOLA.** C'est un système de solmisation, qui fut utilisé en Angleterre et en Amérique, au XVIIe et au XVIIIe s., dans lequel on n'utilisait que les vocables *fa, sol, la, mi.*

**FASOLO.** Mus. ital., né probablement à Bergame, qui vécut dans la première moitié du XVIIe s. ; il est l'auteur de deux recueils avec accomp. de *chitarra spagnola* intitulés *Misticanza di Vigna bergamasca,* il canto della barchetta et altre cantate ed ariette* (Rome 1627) ; *Il Cirro di Madama Lucia, et una serenata in lingua lombarda, che fa la gola a carnevale doppo un ballo di tre zoppi ; con una sguazzata di colasone. Una moreschia de Schiauia 3. Et altre arie e correnti francese* (id. 1628).

**FASOLO Giovanni Battista.** Mus. ital. de la moitié du XVIIe s., originaire d'Asti, franciscain, maître de chapelle de Monreale, auteur d'un *Annuale organistico* (Venise 1645) et d'un livre d'*Arie spirituali morali e indifferenti composte... a due, a tre...* (Palerme 1659) ; on trouve quelques autres œuvres de lui dans des recueils de l'époque.

**FASSBAENDER Peter.** Chef d'orch. et compos. allem. (Aix-la-Chapelle 28.1.1869–Zürich 27.2.1920), qui dirigea à Sarrebruck, à Zurich, fut directeur du cons. de Lucerne, auteur de 4 opéras, 8 symph., 6 concertos, 3 quatuors, 2 messes, mus. de chambre, chor., de mélodies.

**FASSBAENDER Zdenka.** Sopr. allem. (Carlsruhe 12.12. 1873–Munich 14.3.1954), qui épousa Félix Mottl, exerça à l'Opéra de Munich, fut chanteuse wagnérienne, créa le *Rosenkavalier, Elektra, Ariadne auf Naxos, Frau ohne Schatten* de Richard Strauss.

**FASTOLPHE Richard.** Moine cistercien, né à York v. 1150, qui fut, à Clairvaux et à Fontaine, ami de saint Bernard ; il était préchantre ; il est l'auteur d'un *De harmonia* ou *De musica,* cité par Gesner, dans sa *Bibliothèque universelle,* et par Baleum, dans son *De scriptoribus Britanniae.*

**FASTRÉ Joseph.** Compos. belge (Flessingue 22.6.1783– Gand 13.4.1842), qui publia *De Kroonvorstin* ... (Kuyper, La Haye 1835), 6 duos pour violons, des airs variés pour flûte, violon, alto, violoncelle ou piano, 3 duos concertants pour 2 flûtes.

**FATIUS.** Voir art. *Facio A.*

**FATTORI Massimiliano.** Mus. ital., originaire d'Urbin, qui vécut vers la moitié du XVIIe s., de qui on a conservé des *Mottetti a 2 e 3 v. ... dedicati al Cardinale Sigismondo Chigi* (G. Monti, Bologne 1674).

**FATTORIN da REGGIO.** Mus. ital. du début du XVIIe s., de qui on connaît *Il primo libro di madrigali a 3 v. ...* (A. Gardane, Venise 1605), dédié à l'abbé Farnèse.

**FATTORINI Gabriele.** Mus. ital. des XVIe–XVIIe s., camaldule, qui était en 1609 maître de chapelle de la cathédrale de Faenza ; on a de lui un recueil de madrigaux à 5 v. intitulé *La cieca* (Amandino, Venise 1598), *I sacri concerti a 2 v. ...* (id. 1600–1602, 1608), *Il secundo libro*

de *'mottetti a 8 v. e b.c. per organo* (ibid. 1602), *Completorium romanum* (8 v., ibid. 1602), un deuxième livre de madrigaux à 5 v., intitulé *La rondinella* (ibid. 1604), quelques autres madrigaux insérés dans des recueils de l'époque.

**FAUCHARD Auguste Louis Joseph** (*Chanoine*). Org. et compos. franç. (Laval 1881–1957), élève de Vierne, de Guilmant, de d'Indy, qui composa pour son instr., 4 symph., *Le Mystère de Noël* (poème symph.), des chorals etc.

**FAUCONIER Antoine François.** Compos. belge (Fontaine-l'Evêque 20.11.1781–Bruxelles 4.7.1846), qui inventa le piano double, appartint au Théâtre de la Monnaie (violon), écrivit 1 ballet, de la mus. de chambre.

**FAUCONIER Constant Joseph.** Compos. belge (Fontaine-l'Evêque 6.7.1789–Thuin 16.2.1867), qui fut professeur et écrivit des messes et de la mus. instrumentale.

**FAUGUES Vincent** (*Guillermus*). Mus. de la génération d'Ockeghem et Busnois, dont le prénom apparaît différemment selon les mss, auteur de 3 messes à 3 et 4 v. (rééd. dans les *DTÖ* et par L. Feininger). *Cf.* W. Rehm in MGG.

**FAULHABER Emanuel Johann.** Mus. austro-tchèque (Vilemov 5.9.1772–Laun 9.12.1835). Il fut org. à la *Stadtkirche* de Louny (Laun) ; il était aussi luthier ; il composa 14 messes, une vingtaine de motets, des *sinfonie,* 2 concertos de clarinette. Voir R. Quoika in MGG.

**FAURE Jean-Baptiste.** Baryton et compos. franç. (Moulins 15.1.1830–Paris 9.11.1914), élève du cons. de Paris, qui exerça à l'Opéra-Comique et à l'Opéra (1861) ; il prit sa retraite en 1876, considéré comme le plus grand chanteur depuis Duprez ; il écrivit une méthode de chant : *La voix et le chant* (1886), et des mélodies. Sa femme – **Constance-Caroline Lefebvre** (Paris 21.12.1828–?), appartint également à l'Opéra-Comique. Voir H. de Curzon, *J.-B.F.,* 1923.

**FAURÉ Gabriel.** Compos. franç. (Pamiers 12.5.1845– Paris 4.11.1924). Né dans une famille très simple (son père était sous-inspecteur de l'Instruction publique), F. vécut une première enfance que rien ne préparait à la musique. Très tôt ses dons se manifestèrent spontanément, et il fit seul ses premières expériences musicales sur l'harmonium d'une chapelle voisine de l'école normale dont son père était devenu le directeur, en 1849, à Montgauzy, près de Foix. Les dons naturels de l'enfant attirèrent l'attention de quelques mélomanes de la région, et le député de l'Ariège fit obtenir une bourse au jeune prodige pour que celui-ci pût faire des études musicales sérieuses à Paris où il partit en 1853. Là il travailla le piano, l'orgue, le contrepoint, l'harmonie, l'orchestration, la composition et l'accompagnement, ainsi que le plain-chant à l'école de musique religieuse et classique Niedermeyer. Il fut un élève très moyen : ses carnets de notes sont assez médiocres ; toutefois il remporte le prix de solfège (1857), 2e prix d'harmonie (1860), le prix d'excellence de piano (1862), 1er prix de composition (1865). Notons que c'est là qu'il fut l'élève de Saint-Saëns pour le piano. C'est l'époque où il compose les premières mélodies du *Premier Recueil*.

En 1865, il quitte l'école Niedermeyer, est nommé organiste à Saint-Sauveur de Rennes, où il restera jusqu'en 1870. Puis il est pris à Notre-Dame de Clignancourt, mais la guerre l'amène, en août 1870, à s'engager dans un régiment de voltigeurs. Revenu de la guerre, il est organiste à Saint-Honoré d'Eylau, puis suppléant de Widor à Saint-Sulpice, enfin suppléant de Théodore Dubois à la Madeleine en 1877, année où il est également nommé professeur à l'école Niedermeyer où son premier élève fut André Messager. Pendant ces années, il continue de composer les mélodies du *Premier Recueil*.

En 1877, il fréquente chez la fameuse cantatrice Pauline Viardot où il retrouve également Saint-Saëns, Gounod, Flaubert, Tourguenieff. Il s'éprend de Marianne, fille de Pauline, mais les fiançailles projetées doivent être rompues, et dont Fauré conçut une peine très profonde, et dont on trouvera très romantiquement, mais très simplement trace dans sa musique de l'époque.

C'est l'époque de son voyage à Weimar, où il est présenté

à Liszt auquel il soumet l'esquisse de sa *Ballade*. En 1879, il se rend à Cologne et à Munich, d'où il revient enthousiasmé par l'art wagnérien — qui cependant n'aura jamais la moindre influence sur lui. Il s'est également rendu en Allemagne pour négocier la vente de sa *sonate pour piano et violon* (1876) à Breitkopf et Härtel, aucune maison française n'ayant voulu de cette œuvre qui, depuis, a fait une fortune singulière. 1879 est également l'année du 1ᵉʳ *quatuor avec piano* où résonne particulièrement l'écho de son aventure sentimentale malheureuse avec Marianne Viardot. 1881 voit naître la *Ballade pour piano et orchestre*, quelques mélodies du *Second Recueil*, ainsi que celle du *Poème d'un jour*, toutes œuvres représentatives de l'élégance un peu facile du Fauré première manière.

En 1883, il épouse Marie Frémiet, fille du sculpteur. C'est également l'année des premiers morceaux de piano. Pendant cette période, Fauré est toujours organiste à la Madeleine, et il gagne sa vie en donnant des leçons assez mal rétribuées. En 1885, l'Académie des beaux-arts lui décerne le prix Chartier pour ses œuvres de musique de chambre. Ce sont ensuite de nouvelles mélodies, de nouveaux morceaux de piano, le *2ᵉ quatuor avec piano*, et le *Requiem* (1887) composé à la suite de la mort de son père. 1888 et 1889 voient naître *Caligula* et *Shylock*, deux musiques de scène pour l'Odéon, ainsi que les premières mélodies du *Troisième Recueil*.

En 1891, Fauré fait un voyage à Venise, d'où il rapporte les cinq mélodies *opus* 58. En 1892, il est nommé inspecteur des conservatoires de province et compose *La bonne chanson*, qui est sa première grande réalisation. L'Institut lui décerne un nouveau prix Chartier pour la musique de chambre (1893). 1894 est l'année du 6ᵉ *nocturne*, sa première grande inspiration purement pianistique, qui sera bientôt suivie du *Thème et variations* (1896), où Fauré commence à atteindre une esthétique digne de la technique et du langage qu'il s'est créés.

C'est également en 1896 qu'il prend possession du grand orgue de la Madeleine et qu'il est nommé professeur de composition au conservatoire de Paris en remplacement de Massenet, nomination qui fera scandale chez les conservateurs, le langage fauréen, malgré ses concessions au goût bourgeois de cette société, leur paraissant beaucoup trop révolutionnaire. En 1898, il se rend à Londres pour diriger sa musique de scène pour *Pelléas et Mélisande*. Puis c'est la vaste musique de scène pour *Prométhée* (1900), laquelle est aussitôt suivie d'une autre partition de théâtre, très discrète celle-là, pour *Le voile du bonheur* de Georges Clemenceau (timidement interrogé par Fauré, le Tigre le félicita en ces termes : « Parfait ! Parfait ! On n'entend rien ! »).

En 1903, Fauré est nommé critique musical du *Figaro*, auquel il collaborera régulièrement jusqu'en 1914 (il n'y montrera ni grand courage, ni grande clairvoyance). C'est également en cette même année qu'il commence à se rendre compte qu'il devient sourd. Deux ans plus tard, il est nommé directeur du conservatoire de Paris, ce qui n'alla pas sans difficultés ni protestations véhémentes à l'égard de ce musicien (qui n'en sortait pas, qui, au surplus n'était pas prix de Rome et était considéré comme un dangereux terroriste). Ne se laissant pas intimider, Fauré y prit aussitôt des mesures administratives et artistiques qui le firent surnommer *Robespierre* et qui, par la suite, se montrèrent extrêmement salutaires. Voit ensuite le jour une de ses grandes œuvres de maturité, le 1ᵉʳ *quintette pour piano et cordes* (1906) qui rompt complètement avec la trop tendre et gracieuse musique de sa jeunesse. C'est à cette époque qu'il quitte son premier éditeur (Hamelle) pour aller chez Heugel, où il restera jusqu'en 1913. La *8ᵉ barcarolle* et le *9ᵉ nocturne* (1908) montrent que son style de piano a mûri lui aussi. En 1909, Fauré est élu à l'Institut ; il est nommé président de la *Société musicale indépendante* qui vient de se fonder en réaction contre la *Société nationale* considérée par lui comme trop étroite d'esprit. 1910 voit naître l'un de ses plus beaux cycles de mélodies, *La chanson d'Eve*, où se confirme aussi sa maturité dans le domaine vocal. C'est aussi en cette même année qu'il se voit reconduit dans ses fonctions de directeur du conservatoire pour une nouvelle durée de cinq ans.

1913 est l'année de *Pénélope*, son seul opéra ; 1917, la *2ᵉ sonate pour piano et violon*, l'une de ses grandes pages de la dernière manière dans le domaine de la libération harmonique, comme le seront l'année suivante la 1ʳᵉ *sonate pour piano et violoncelle* et le grand cycle vocal du *Jardin clos*.

Une certaine lassitude commence à se manifester dans l'activité administrative de Fauré au conservatoire : sa surdité s'est considérablement accrue ; le ministre lui demande sa démission, ce que l'on compense en lui accrochant la plaque de grand-officier de la Légion d'honneur. Fauré se retire, sans retraite, de cet établissement auquel il a donné vingt-huit ans de ses services. En 1921, il apparaît pour la dernière fois sur l'estrade comme interprète de l'une de ses œuvres. C'est aussi cette même année qu'il compose son *2ᵉ quintette pour piano et cordes*, autre très grande réalisation de sa maturité, et, l'année suivante, la *2ᵉ sonate pour piano et violoncelle*, puis *L'horizon chimérique*, et surtout le *13ᵉ nocturne*, sommet de son évolution harmonique. 1923 et 1924 voient naître son *trio pour piano et cordes* et son *quatuor à cordes*, qui sera son ultime composition.

Il meurt dans la nuit du 3 au 4 novembre 1924, à deux heures du matin, après une assez longue maladie au cours de laquelle il souffrit d'artério-sclérose, de bronchite et d'emphysème. Le corps de Fauré repose au cimetière de Passy, non loin de Messager, qui fut son élève, et de Debussy dont il ne comprit jamais vraiment le génie. Des obsèques nationales lui avaient été accordées à grand peine grâce aux interventions de Louis Barthou et de Paul Léon qui, requérant les autorisations nécessaires auprès du ministre François-Albert, se virent répondre : « Fauré ? Qui est-ce ? ».

Si artificiel que soit le procédé qui consiste à découper la vie créatrice des grands musiciens en tranches d'inspiration ou de tendances différentes, il est indéniable que cette façon de procéder s'applique assez bien à l'histoire de l'évolution fauréenne. Si les dates frontières varient suivant les exégètes de Fauré et si l'œuvre de celui-ci affecte une singulière continuité marquée seulement d'imperceptibles mutations, il n'en reste pas moins que trois grandes périodes — créatrices et stylistiques — se distinguent très nettement. On est à peu près d'accord pour déterminer une première manière qui va jusqu'à 1884, c'est-à-dire aux environs de la quarantième année de Fauré, deuxième manière, de 1884 à 1908, c'est-à-dire aux environs de sa soixante-troisième année, la dernière, jusqu'à sa mort. Ces trois périodes correspondent assez bien aux trois aspects principaux de la sensibilité fauréenne, aux trois physionomies caractéristiques de son esthétique, aux trois formes successives de son écriture musicale.

La première période correspond à la tendre ardeur d'une adolescence quelque peu prolongée ; Fauré s'y révèle d'une élégance mélodique et harmonique assez facile ; c'est un Fauré de salon qui est, dans une certaine mesure, victime de son milieu et de son époque, en dépit de certaines audaces harmoniques où s'annonce le compositeur de la maturité. Il y a un ton incontestablement personnel, mais on y sent encore les influences de Gounod, de Mendelssohn et du Schumann le plus léger. C'est le Fauré de la musique-art-d'agrément.

La seconde période traduit tout en même temps passion et maturité, lyrisme et réserve : c'est le commencement de la grandeur. C'est un Fauré qui fait un peu songer à Boldini, par bien des aspects.

La troisième période est celle de la pleine maturité et de la vieillesse. Elle est par-dessus tout empreinte d'une sérénité souveraine, d'une irréelle et méditative beauté où s'épanche tantôt la résignation d'une âme douloureuse, tantôt la radieuse exultation d'une jeunesse miraculeusement retrouvée. Fauré s'y affranchit des tics que lui donnait son milieu. Il écrit uniquement pour lui-même. Il trouve le langage de son âme, entre les tonalités fuyantes, les courants internes d'un contrepoint irrésistible et insinuant, la circulation fiévreuse d'une harmonie inquiète et modulante jusqu'à l'atonalisme, nous montrent un Fauré *essentiel*, du Fauré qui joue pleinement un rôle dans l'évolution du langage musical de son temps. Il est arrivé tout naturellement à cette dernière manière, car Fauré ne fut jamais l'homme des systèmes. Ses seules idées de base sont les suivantes : nécessité de la discipline d'école qui, à son sens, ne saurait contraindre l'expression ni faire obstacle à la manifestation d'impressions, dont la sévérité n'empêche en aucune manière que l'on se dégage ; nécessité d'une éducation fondée sur l'étude des classiques, éducation qui sans cela ne serait ni complète ni forte. Et il ajoute ailleurs : « Tous ceux qui, dans l'immense domaine de l'esprit humain, ont semblé apporter des pensées et un langage jusqu'alors inconnus, n'ont fait que traduire, à travers leur sensibilité personnelle, ce que d'autres avaient déjà pensé et dit avant eux ». C'est parce que Fauré était pénétré de ces idées mises par lui comme inconsciemment en pratique pour la formation de son style, qu'il a pu parvenir, grâce à l'apport de sa personnalité propre, au langage hautement expressif que nous connaissons dans sa troisième manière. Il faut dire aussi que c'est en raison de principes aussi sévères qu'il n'a pas toujours été aussi ouvert qu'il aurait pu aux trouvailles qui se faisaient en dehors de lui chez les grands novateurs de son temps. Il n'était pas un révolutionnaire, il avait même horreur de la révolution. Mais il n'était pas non plus un conservateur, et, tout au long de sa carrière (son incessante progression le prouve), il a été hanté par la nécessité de solliciter de plus en plus lointainement les ressources du langage musical, la nécessité de trouver de nouveaux moyens d'expression, de tirer du système tonal ce que personne n'en avait encore tiré jusqu'alors. C'est en ce sens qu'il a pu dire à Messager à la fin de sa vie ;

*Dessin de John Sargent.*

d'ornements souples, variés, fantasques. C'est ici, et il est intéressant de le noter au passage, le mécanisme inverse de celui qui, dans le domaine de l'écriture harmonique, commande le très caractéristique arpège fauréen, lequel, modulant, décoratif, n'est plus seulement destiné à éviter la platitude d'un accord ou à déterminer un rythme particulier : il est, suivant la formule de l'un de ses commentateurs, « la mélodie de l'harmonie ».

Chez Fauré, le sens de la forme, qu'il a pu cultiver et fortifier au contact des maîtres, affermit encore et cimente entre eux les éléments de ces moyens d'expression déjà si solides en eux-mêmes, et lui permet de se mouvoir avec liberté et aisance dans les cadres les plus rigidement traditionnels. A vrai dire, chez Fauré, la prétendue dualité du fond et de la forme disparaît, la forme la plus accomplie n'étant autre chose que l'expression véritable et totale de la pensée. C'est donc en serrant sa pensée comme il l'a fait tout au long de son œuvre, en la poursuivant sur les sommets où elle se réfugie volontiers, que le musicien parvient à cette perfection formelle que les cadres classiques sont toujours prêts à recevoir et à renforcer.

Fauré a touché à presque tous les genres, à l'exception du genre symphonique, pour lequel il semble évident qu'il n'était pas doué. Son œuvre pianistique est considérable. Aussi bien était-il lui-même sinon un virtuose, du moins un exécutant remarquable, au toucher, dit-on, extra-ordinairement subtil, au jeu souple et léger : se souvint-il toujours des leçons qu'il reçut tout jeune de Saint-Saëns ? leçons qu'à la fin de sa vie il aimait encore à rappeler. Cette production pianistique ne comporte pas moins d'une quarantaine de pièces ou importants recueils de morceaux, tant *Impromptus*, *Nocturnes*, *Barcarolles*, *Valses-caprices*, que *Préludes*, *Variations* etc., sans compter les parties de piano écrites pour les compositions instrumentales (sonates, quatuors etc.), orchestrales (*Ballade*, *Fantaisie*) et surtout vocales (les accompagnements de certaines mélodies peuvent figurer à plus d'un titre parmi les plus magnifiques réussites de notre littérature pianistique). Exception faite pour les œuvres

« J'ai été aussi loin qu'il était possible dans ce qui est permis ». S'il a eu un sens absolu de la discipline, il a non moins eu un sens absolu du progrès (mot que nous prenons ici dans son simple sens étymologique, et non dans celui déformé d'amélioration). C'est à ce point de vue que, malgré certaines apparences, il a été un novateur. Techniquement, il n'avait à sa disposition que les instruments harmoniques et contrapuntiques que la tradition mettait à sa portée, et, sans y ajouter le moindre explosif, il a su faire un usage entièrement nouveau de ces instruments en créant une syntaxe d'enchaînements d'accords qui, sans pourtant s'écarter de la doctrine classique, lui a permis de parler une langue que personne n'avait parlée avant lui. Il convient de remarquer que Fauré est ainsi arrivé à un système paradoxal qu'il n'était pas possible à ses successeurs de continuer sans violer les principes qu'il avait lui-même si scrupuleusement observés : c'est ce qui fait la faiblesse de son héritage dans une certaine mesure.

Il faut également signaler une source d'enrichissement assez nouvelle à son époque : c'est l'emploi imprévu et particulièrement fréquent qu'il a fait des modes anciens — modes grégoriens notamment, avec lesquels il s'était familiarisé dès l'enfance à l'école Niedermeyer. Son écriture contrapuntique, enfin, vient de cette intime observation des strictes disciplines scolastiques au service desquelles il a mis une si riche imagination et une si magistrale adresse, qu'elle semble un jaillissement spontané de la dernière manière, Fauré n'a pas apporté au graphisme proprement dit de la musique de piano des innovations bien notables en dehors de ce que la nouveauté de son discours musical le conduisait à exprimer : les arpèges, par exemple, dont a déjà signalé la particularité ci-dessus. Dans l'ensemble, et à cette réserve près, c'est tantôt à Chopin, tantôt à Mendelssohn tantôt à Schumann que son écriture se réfère (de plus ou moins loin).

Les ouvrages vocaux sont plus abondants encore. Ils constituent un volume de plus de cent mélodies qui se succédèrent à une cadence plus ou moins régulière de 1860 à 1922. Il ne s'agit pas là de *Lieder* ainsi qu'on le dit parfois très inexactement, le *Lied* étant, comme on sait, d'inspiration populaire et nationale, caractère qui est complètement étranger à l'art fauréen. L'ensemble de ces mélodies constitue l'une des parties de l'œuvre de Fauré les plus significatives, où la maîtrise du compositeur est avérée, qui le range auprès de Gounod. La personnalité du musicien l'a autorisé assez rapidement (dès le *Second Recueil* en tous cas) à se dispenser de «coller au texte» aussi intimement que feront Debussy ou Ravel, car Fauré n'a pas toujours choisi pour collaborateurs des poètes de premier rang. A côté de Verlaine, de Baudelaire, de Villiers de l'Isle-Adam, de Jean de la Ville-Mirmont, combien de mauvais Hugo, combien de Catulle-Mendès, de Samain, de Grandmougin et d'Armand Sylvestre !... Mais la déclamation fauréenne qui, comme dit Ravel, « toujours mélodique, parvient à surprendre la musique fugace du langage français, moins apparente par exemple que celle du langage italien, mais combien plus délicate et partant plus précieuse ! », éclaire avec trop d'intensité, peut-être, ces poèmes inégaux. Cependant combien cette merveilleuse prosodie, si traditionnellement négligée par les compositeurs, découvre son miraculeux emploi dans des cycles comme celui de *La bonne chanson* ou de *La chanson d'Eve* !

La fécondité de Fauré n'est pas moindre dans le domaine de la musique de chambre : deux sonates pour piano et violon, deux quatuors avec piano, deux quintettes, deux sonates pour piano et violoncelle, un trio pour piano et cordes, un quatuor à cordes, sans compter un nombre imposant de petites pièces instrumentales dont l'intérêt est sensiblement moindre.

Au même titre que dans les mélodies, ici peut-être encore davantage, c'est dans la musique de chambre que Fauré trouve le plus ample épanouissement de sa pensée et de son style, et c'est là sans nul doute qu'il va le plus loin dans l'expression de « tout ce qu'on voudrait de meilleur » (pour reprendre sa propre formule). Il a eu toute sa vie, et dès le début, cette nostalgie de « ce qui nous manque », ce sens aigu de « notre misère », « de notre néant sans remède, de l'universel malheur, de notre douleur éternelle ». Non pas que ses autres œuvres ne parviennent à exprimer avec profondeur ces sentiments désabusés : mais c'est ici, dans ces transpositions instrumentales, qu'il les transfigure pour nous les présenter dans leur quintessence. Non que l'art fauréen soit d'inspiration absolument pessimiste : la passion chaleureuse d'œuvres mineures comme la *1re sonate pour piano et violon* ou les deux *quatuors avec piano*, la jubilation radieuse du finale de la *2e sonate pour piano et violon* et de celui du *1er quintette* proclament tout l'espoir que Fauré, toujours et jusqu'à sa dernière heure, demande à la vie de réaliser pour lui. Mais en vérité il y a chez lui comme un fond ultime de pessimisme. Sans sa nature douée d'équilibre, de sagesse et de raison, sa sensibilité l'eût sans doute contraint d'être un révolté au lieu d'en faire le champion de la plus lucide des sérénités.

Assez tardivement séduit par le théâtre, Fauré lui a cependant réservé une belle part du meilleur de lui-même. Les partitions de scène de *Caligula*, de *Shylock*, de *Pelléas et Mélisande*, destinées à souligner ou à commenter les épisodes principaux de ces divers ouvrages, témoignent certes d'une certaine convention, mais ils contiennent aussi des pages pleines d'une si pure et généreuse musique que l'on a dû, afin de pouvoir l'entendre plus fréquemment, en tirer des suites de concert. Quant au drame lyrique de *Pénélope*, lequel souffre d'un livret parfois assez fâcheux, dont la platitude orchestrale continue, semble-t-il, de faire une grande part de l'insuccès, c'est là une partition qui, en dépit de ses conventions, contient des pages puissantes et touchantes. Ce n'est pas en quelques lignes que l'on peut faire le procès de *Pénélope*, ni rechercher pourquoi cet ouvrage noble et beau n'est pas complètement réussi.

Il était naturel qu'ayant été élevé à l'école de musique religieuse Niedermeyer, organiste pendant une grande partie de sa carrière, Fauré ait également enrichi l'art sacré de quelques importantes compositions. Il faut reconnaître que là il fut moins heureux. Il est vrai que ce souci d'écrire de la musique religieuse ne se manifesta chez lui que bien avant qu'il ne fût parvenu à sa troisième manière, et il convient de le regretter, car son trop célèbre *Requiem*, si fâcheusement ressassé, est, à l'exception de quelques détails isolés, une de ces œuvres « mondaines » qui ont le plus puissamment contribué à établir la renommée d'un Fauré qui n'est ni le vrai ni l'essentiel. Au contraire, sa petite *Messe basse* pour trois voix de femmes est sa meilleure réussite en ce domaine : simple, dépouillée, franche et fraîche comme une petite église de campagne, c'est une partition qui mériterait d'être mieux connue.

Nous avons déjà dit que Fauré ne s'est pas révélé particulièrement symphoniste : ses essais n'eurent pas de suite. Dans les œuvres où l'orchestre intervient (*Ballade*, *Fantaisie*, *Pénélope*), il se fit souvent aider, en tout ou en partie, par des élèves ou des amis en lesquels il avait toute confiance. Ne peut-on penser que l'expression de la pensée fauréenne ne requérait pas l'orchestre et ses fastes ? Elle se satisfait plus d'intimité profonde que d'extériorisation brillante et bruyante. C'est peut-être en partie ce fait qui expliquerait le mystère de *Pénrlope*, l'opéra demandant toujours un minimum d'extériorisation. Ce que la pensée de Fauré a à nous communiquer, elle ne le dit qu'avec une certaine réserve et une certaine pudeur, même dans les moments les plus lyriques ; elle ne se livre jamais complètement, et jamais avec l'éclat cher aux romantiques. C'est là peut-être une de ses faiblesses, mais c'est aussi une des grandeurs de l'art fauréen. Il fait dire aussi que Fauré repousse tout ce qui apporte trop de pittoresque, trop d'évocation exacte. Il a horreur de la description. Le récit le choque, et il ne craint pas pour l'éviter, de paraître quelquefois secret. Les timbres de l'orchestre ont ce pouvoir magnifique d'être souvent narratifs, et suggestifs, surtout depuis que Berlioz a fait flamboyer pour nous la palette instrumentale moderne. Fauré a pu en être effrayé. Il a préféré des moyens moins expressifs pour amplifier encore l'expression profonde, pour permettre à celle-ci de se condenser davantage. C'est pourquoi il a préféré se cantonner dans sa « chère musique de chambre », dans les timbres « abstraits » du piano ou du quatuor.

L'apport de Fauré à la musique n'a pas été uniquement celui d'une féconde création esthétique. Comme professeur et comme directeur, au conservatoire, son action a été double, tant sur les générations de compositeurs qu'il a lui-même instruites que par les réformes qu'il est parvenu à obtenir en dépit des routines administratives de l'enseignement officiel.

Charles Koechlin a raconté comment, tout en donnant à sa classe une formation faite à la fois de tradition et de liberté, il orientait les futurs musiciens vers « la musicalité basée sur une technique des plus sérieuses ». Il dit aussi combien l'exemple de Fauré lui-même leur parlait, combien son œuvre les guidait, quelle émulation « il incitait par soi-même, par la haute valeur de son art ». Et la référence de Charles Koechlin n'est pas suspecte de conservatisme : on sait avec quelle audace passionnée son attention est toujours restée tournée vers les formes les plus nouvelles, les plus déroutantes de la musique de son époque.

A propos de l'enseignement de Fauré, il est intéressant de noter que, depuis un siècle, les trois plus féconds éducateurs que le conservatoire de Paris ait connus, ont été trois organistes : Franck, Fauré, Messiaen. Rappelons les noms de quelques-uns de ses élèves : Louis Aubert, Nadia Boulanger, Roger Ducasse, Georges Enesco, Henry Février, Charles Koechlin, Paul Ladmirault, Raoul Laparra, Maurice Ravel, Florent Schmitt, pour

G. Fauré protège et nourrit les espoirs *(caricature de G. Villa). Coll. Meyer.*

ne nous arrêter qu'aux noms les plus célèbres et les plus significatifs de la liberté d'un enseignement exceptionnel. Le culte fauréen a toujours été assez mal servi, et, pour le grand public, il en est résulté une physionomie plutôt déformée de ce maître qui mérite mieux que d'être connu par quelques agréables mélodies de salon, quelques pâles nocturnes pour jeunes filles douées et pour une messe d'enterrement passablement sirupeuse. Peut-être le jour viendra-t-il où l'on fera connaître sa véritable physionomie, sa réelle carrure, en diffusant enfin ses grandes œuvres de la troisième manière, en lesquelles réside son véritable et essentiel message. Si Fauré et Debussy ne se sont jamais beaucoup estimés, ils souffrent tous deux, après leur mort, du même malentendu : la méconnaissance de leurs œuvres ultimes, qui sont les plus significatives et les plus belles. C.R.

**Œuvres :** théâtre : mus. de scène pour *Caligula* (1888) et pour *Shylock* (1889), *La Passion* (prologue, 1890), *Pelléas et Mélisande* (mus. de scène, 1898), *Prométhée* (tragédie lyrique, 1900), *Le voile du bonheur* (mus. de scène, 1901), *Pénélope* (drame lyr., 1907–13), *Masques et bergamasques* (1919) ; œuvres symph. : *Suite d'orch.* ou *symphonie* (1872–73), concerto de violon (*op.* 14, inachevé, 1878), *Ballade* (pr. orch., *op.* 19, 1881), *Symphonie en ré* (1884), *Suite d'orch.* (de Pelléas et Mélisande, *op.* 80, 1898), *Fantaisie* (p. et orch., *op.* 111, 1918), *Chant funéraire* (mus. militaire, av. G. Balay, 1921), *Andante* (arr. de l'op. 117, 1922) ; mus. de chambre : *Sonate* en la (p. et v., *op.* 13, 1876), *1er quatuor* (cordes et p., *op.* 15, 1879), *Berceuse* (p. et v., *op.* 16, *id.*), *Romance* (p. et v., *op.* 28, 1882), *Peggy* (p.·v., vcelle, *op.* 24, 1883), *2e quatuor* (cordes et p., *op.* 45, 1886), *Petite pièce* (p., vc., *op.* 49, 1889), *Sicilienne* (p., vc., *op.* 78, 1893), *Romance* (p., vc., *op.* 69 ou 63, 1894), *Andante* (p., vc., *op.* 75, *id.*), *Papillon* (p., vc., *op.* 77, 1897), *Fantaisie* (p., fl., *op.* 79, 1898), *Quintette* (cordes et p., *op.* 89, 1903–1906), *Sérénade* (p., vc., *op.* 98, 1908), *2e sonate* (p., v., *op.* 108, 1916), *1re sonate* (p., vc., *op.* 109, 1917), *2e quintette* (cordes et p., *op.* 115, 1919–21), *2e sonate* (p., vc., *op.* 117, 1921), *Trio* (p., v. et vc., *op.* 120, 1922–24), *Quatuor à cordes* (*op.* 121, 1923-24) ; piano : *3 Romances sans paroles* (*op.* 17, 1863), cadence pour le concerto de Beethoven en ré mineur (1869), *Ballade* (op. 19, 1881), *1er impromptu* (*op.* 25, 1882), *1re barcarolle* (*op.* 26, *id.*), *1re valse-caprice* (*op.* 30, 1883), *2e impromptu* (*op.* 31, *id.*), *Mazurka* (*op.* 32, *id.*), *3 nocturnes* (*op.* 33, *id.*), *3e impromptu* (*op.* 34, *id.*), *4e nocturne* (*op.* 36, 1884), *5e nocturne* (*op.* 37, *id.*), *2e valse-caprice* (*op.* 38, *id.*), *2e barcarolle* (*op.* 41, 1885), *3e barcarolle* (*op.* 42, *id.*), *4e barcarolle* (*op.* 44, 1886), *Pavane* (op. 50, 1887), *3e valse-caprice* (*op.* 59, 1891), *4e valse-caprice* (*op.* 62, 1894), *6e nocturne* (*op.* 63, *id.*), *5e barcarolle* (*op.* 66, 1895), *6e barcarolle* (*op.* 70, *id.*), *Thème et variations* (*op.* 73, 1897), *7e nocturne* (*op.* 74, *id.*), *8 pièces brèves* (*op.* 84, 1898–1902), cadence pour le concerto de Mozart en ré mineur (1902), *7e barcarolle* (*op.* 90, 1905), *1e impromptu* (*op.* 91, *id.*), *8e barcarolle* (*op.* 96, 1908), *9e nocturne* (*op.* 97, *id.*), *10e nocturne* (*op.* 99, *id.*), *9e barcarolle* (*op.* 101, 1909), *5e impromptu* (*op.* 102, *id.*), *9 préludes* (*op.* 103, 1910), *6e impromptu* (*op.* 86 bis, 1913), *11e nocturne* (*op.* 104/1) et *10e nocturne/2*, 1913), *11e barcarolle* (*op.* 105, 1914), *12e barcarolle* (*op.* 105/2, 1915), *12e nocturne* (*op.* 107, *id.*), *13e barcarolle* (*op.* 116, 1921), *13e nocturne* (*op.* 119, *id.*) ; piano à 4 mains : *Dolly* (*op.* 56, 1893–96), *6 pièces* ; harpe : *Impromptu* (*op.* 86, 1904), *Une châtelaine en sa tour* (*op.* 110, 1918) ; mus. d'église : *Messe basse* (3 v. de femmes), *Ave Maria* (*op.* 93, v. 1876–1906), *Tu es Petrus* (bar. et ch., 1884), *O Salutaris* (solo, *op.* 47/1, 1887), *Maria, mater gratiae* (duo, *op.* 47/2, 1888), *Messe de requiem* (soli, ch., org. et orch., *op.* 48, 1887–88), *Ecce fidelis servus* (s. t., bar., org. et ctbasse, *op.* 54, v. 1890), *Tantum ergo* (t. ou s., ch. à 4 v., *op.* 55, *id.*), *Ave verum* (duo, *op.* 65/1) et *Tantum ergo* (soli, 3 v. de femmes, op. 65/2, v. 1894), *Salve Regina* et *Ave Maria* (soli, op. 67, 1895), *Tantum ergo* (s. ou t., ch., 1904) ; duos, chœurs : *Cantique de Racine* (4 v., vers 1863), *Puisqu'ici bas et Tarentelle* (2 s., op. 10, 1873), *Les Djinns* (4 v., *op.* 12, 1875), *Le ruisseau* (2 v. de femmes, *op.* 22, 1881), *La naissance de Vénus* (soli, ch. et orch., *op.* 29, 1882), *Madrigal* (4 v., *op.* 35, 1884), *Pavane* (op. 50, 1887), *Hymne à Apollon* (av. harpe, fl., 2 cl., *op.* 63 bis, 1894), *Pleurs d'or* (duo, *op.* 72, v. 1896) ; mélodies : *Le papillon et la fleur* (op. 1/1, 1860), *19 mélodies* (1/2 bis, op. 8/3, 1865–75, rééd. sous le titre *20 mélodies*, Hamelle, Paris v. 1880), *Nell, Le voyageur et Automne* (*op.* 18, 1880), *Poème d'un jour* (*op.* 21, 1880), *Les berceaux, Notre amour, Le secret* (*op.* 23, 1882), *Chanson d'amour et La fée aux chansons* (op. 27, 1883), *Aurore, Fleur jetée, Le pays des rêves et Les roses d'Ispahan* (*op.* 39, 1884), *Noël et Nocturne* (op. 43, 1886), *Les présents et Clair de lune* (*op.* 46, 1887), *Larmes, Au cimetière, Spleen et La rose* (*op.* 51, 1889), *En prière* (*id.*), *5 mélodies* (*op.* 58, 1891), *La bonne chanson* (*op.* 61, 1892–93), *Prison, Espoir* (1895, plus tard op. 83), *Le parfum impérissable et Arpège* (*op.* 76, 1897), *Mélisandes Song* (1898), *Dans la forêt de septembre, La fleur qui va sur l'eau et Accompagnement* (op. 85, 1902), *Le plus doux chemin* (op. 87/1, 1904), *Le ramier* (op. 87/2, *id.*), *Le don silencieux* (*op.* 92, 1906), *La chanson d'Ève* (op. 95, 1906–10), *Vocalise* (1907), *Chanson* (op. 94, *id.*), *Le jardin clos* (op. 106, 1914–15), *Mirages* (*op.* 113, 1919), *C'est la paix* (op. 114, *id.*), *L'horizon chimérique* (op. 118, 1921) ; arrangements de Saint-Saëns : *Ouverture de La princesse jaune* (4 p.), concerto n° 4 (2 p.), *Suite pour orch.* (2 p. 8 mains), *Suite algérienne* (4 m.), *Septuor* (4 m.).

**Écrits :** Chroniques musicales du Figaro (1903–14), *Lettre à propos de la réforme de la musique religieuse* (Le monde musical, 15-12-1903), *Joachim* (Musica, av. 1906), *Lucienne Bréval, Jeanne Raunay* (*ibid.*, janv. 1908), *E. Lalo* (Le courrier musical, 15-4-1908), *André Messager* (Musica, sept. 1908), Préface à *Dogmes musicaux* de J. Huré (éd. du Monde musical, Paris 1909), *Réponse à l'enquête sur la musique moderne italienne* (Comœdia, 31-1-1910), Préface à *Nouvelle édition des œuvres classiques pour piano* (Ricordi, Milan 1910), Préface à *Décentralisation musicale* d'H. Auriol (Comœdia, 26-12-1912), Préface à *La musique française d'aujourd'hui* de G. Jean-Aubry (Perrin, Paris 1916), *Ariane et Barbe-Bleue* (Figaro, 4-5-1921), *Les Troyens* (*ibid*, 9-6-1921), *C. Saint-Saëns* (RM, fév. 1922), *Souvenirs* (*ibid.*, oct. 1922), *Hommage à E. Gigout* (Floury, Paris 1923), Préface à *Musique d'aujourd'hui* d'E. Vuillermoz (Crès, *id.*), Préface aux *Quatuors de J. de Marliave* (Alcan, *ibid.* 1925), *Lettres à une fiancée* (éd. par C. Bellaigue ds la Revue des Deux-Mondes, 15-8-1928), *Opinions musicales* (choix de critiques du Figaro, avant-propos de P.B. Gheusi, Rieder, *ibid.* 1930), *Lettres intimes* (éd. par Ph. Fauré-Fremiet, La Colombe, *ibid.* 1951).

**Bibl. :** L. Vuillemin, *G. F. et son œuvre*, Durand, Paris 1914 ; A. Bruneau, *La vie et les œuvres de G. F.*, Fasquelle, Paris 1925 ; Ch. Koechlin, *G. F.*, Alcan, Paris 1927, Plon, *ibid.*, 1949 ; Ph. Fauré-Fremiet, *G. F.*, Rieder, *ibid.* 1929 ; G. Servières, *G. F.*, Laurens, *ibid.* 1930 ; V. Jankélévitch, *G. F. ...*, Plon, *ibid.* 1938, 1951 ; G. Faure, *G. F.*, Arthaud, *ibid.* 1945 ; C. Rostand, *L'œuvre de F.*, Janin, *ibid.* 1945 ; N. Suckling, *F.*, Dent, Londres 1946 ; W. L. Landowski, *F. Chopin et G. F.*, Richard-Masse, Bruxelles-Paris 1946 ; M. Favre, *G. F. Kammermusik*, M. Niehans, Zurich 1949 ; un grand nombre d'articles ont été consacrés à *G. F.* : citons C. Saint-Saëns, *Une sonate*, ds Journal de musique, 7-4-1877 ; P. Dukas, *Prométhée*, ds Revue Hebdomadaire, 6-4-1900 ; Ch. Koechlin, *Id.*, ds Mercure de France, sept. 1901 ; E. Vuillermoz, *La musique de chambre de G. F.*, J. Saint-Jean, *La musique de piano de G. F.*, ds Musica, fév. 1909 ; Vincent d'Indy, ds Cours de composition musicale II, Durand, Paris 1909 ; Reynaldo Hahn, *G. F. ...*, Annales, 15-7-1914 ; E. Vuillermoz, M. Ravel, R. Chalupt, Ch. Kœchlin, F. Schmitt, Roger-Ducasse, A. Cortot, N. Boulanger, ds RM, numéro spécial, 1922 ; D. Milhaud, *Hommage à G. F.*, ds Mon. Intentions, janv. 1923 ; le numéro spécial du Monde musical, nov. 1924 ; R. Bernard, ds *Les tendances de la musique française moderne*, Durand, Paris 1930 ; Ch. Koechlin, *G. F., musicien dramatique*, ds La musique française, juillet 1933 ; R. Bernard, *F. vu de l'étranger*, ds la Rev. franç. de mus., janv. 1935 ; R. Dumesnil, ds *Portraits de musiciens français*, Paris 1938 ; *Le centenaire de G. F.*, RM, 1945 ; H. Malherbe, Ph. Fauré-Fremiet, Roger-Ducasse, Jacques Thibaud, L. Beydts, G. Pioch, ds *G. F.*, Publ. techn. et art., Paris 1946 ; P. Lalo, ds *De Rameau à Ravel*, A. Michel, *ibid.* 1947 ; G. Samazeuilh, ds *Mus. de mon temps*, La Renaissance du Livre, *ibid.* 1947 ; L. Aguettant. *G. F.*, ds La vie intellectuelle. nov. 1949.

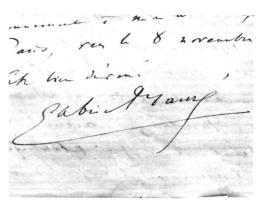

Signature de G. Fauré (cons. de Paris).

**FAUSSE-QUINTE.** Voir art. *quinte.*

**FAUSSE RELATION.** Cette locution désigne un rapport mélodique qui peut exister entre 2 notes placées à 2 voix différentes d'une polyphonie de type classique ; ce rapport peut être de deux sortes : **I.** la *f.r.* chromatique fait entendre, dans un changement harmonique chromatique, la note altérée dans une voix autre que celle qui a fait entendre la note non altérée [autrement dit, elle consiste à ne pas faire progresser celle-ci par glissement chromatique] ; les deux termes de la *f.r.* peuvent être entendus simultanément (*f.r. verticale*) ou successivement (*f.r. oblique*).

— 2. la *f.r.* de triton est, principalement dans l'enchaînement du 5<sup>e</sup> au 4<sup>e</sup> degré, le rapport de quarte augmentée qui existe entre la sensible et le 4<sup>e</sup> degré ; ce rapport, considéré comme une « dureté », est atténué dans la réalisation de l'enchaînement si l'on « camoufle » la sensible dans une voix intermédiaire.

**Historique.** La *f.r.*, considérée comme « diabolique » au moyen-âge, a été longtemps monnaie courante chez les virginalistes anglais (Byrd, Gibbons) et chez les madrigalistes italiens de la Renaissance (Marenzio, Monteverdi) ; elle devint de moins en moins fréquente dans le style pré-classique, sans être pour autant jamais éliminée de l'écriture ; bien qu'elle soit d'essence tonale, la *f.r.* peut apparaître dans des comportements polyphoniques à tendance modale.

*N.B.* — Dans le système dodécaphonique sériel, la *f.r.* d'octave a une signification strictement contraire à celle qu'implique l'harmonie tonale : elle définit le rapport d'octave juste (ou de plusieurs octaves) dans lequel se trouvent des notes appartenant à deux voix ou groupes de voix différents (ce rapport pouvant être simultané ou successif).

C'est à juste titre que l'on considère ce phénomène comme une faiblesse harmonique dans l'univers sonore dodécaphonique, qui se veut en constant renouvellement.
                                                                        G.A.

**FAUSSET.** C'est une voix masculine artificielle, aiguë, obtenue par l'obturation postérieure de la fente glottique, on l'utilise pour des effets comiques ou dans des chants d'origine populaire (*jodl*, tyrolienne); on appelle *falsettiste* ou *sopraniste* une voix d'homme naturelle, qui a le timbre et la tessiture du fausset, et qui trouve son emploi pour les parties de haute-contre.

**FAUSTINA.** Voir art. *Hasse.*

**FAUVEL** (*Roman de*). C'est un vaste ouvrage satirico-allégorique, écrit dans l'esprit des dernières parties du Roman de Renart, qui évoque la lutte de Philippe le Bel contre Boniface VIII et contre les Templiers ; rédigée v. 1310–1314, cette œuvre, diverse, est due à plusieurs collaborateurs, parmi lesquels Gervais du Bus, Chaillou de Pestain, peut-être Philippe de Vitry, et l'un des principaux précurseurs de Machaut, le poète-musicien Jehannot de Lescurel. Fauvel est un âne de couleur fauve (symbole de la fausseté), dont le nom, formant

acrostiche, réunit les principaux vices dont souffre la société : Flatterie, Avarice, Vilenie, Variété, Envie, Lâcheté. Des différents mss qui nous ont transmis le roman de F., le plus intéressant pour les musiciens est le Français 146 de la Bibliothèque nationale, édité en phototypie par Pierre Aubry (Paris 1907). Ce ms. est le seul à contenir de nombreuses interpolations musicales, monodiques et polyphoniques (132), qui sont des motets, des lais, des séquences, etc. ; elles n'ont souvent rien à voir avec le texte même, mais elles sont, pour certains, des témoins précieux de la transition entre l'*ars antiqua* et l'*ars nova*. La *musica falsa* (voir à ce mot) y est importante, la notation colorée y fait son apparition. Leo Schrade a publié une rééd. intégrale de la musique dans le 1<sup>er</sup> vol. de *Polyphonic music of the XIV th. cent.* (Oiseau-Lyre, 1956) avec un vol. de commentaires. Voir aussi : A. Langfors, *Ed. du r. de F.* (sans les interpolations musicales, S.A.T.F., Paris 1914-1919) ; P. Aubry, *Un explicit en musique du r. de F.*, Paris 1906 ; E. Dahnk, *L'hérésie de F.*, Leipzig 1935.                                                                    J.Md.

**FAUX-BOURDON.** Ce terme revêt plusieurs significations : **1.** Pour le premier sens, on constate chez les auteurs des divergences de vues : pour les uns, ce serait une technique d'improvisation sur la base d'un *cantus firmus* ; il s'agirait d'un déchant à 2 voix, parallèles, en tierces et sixtes, avec, au début et à la fin de chaque incise, des accords de quintes ou des octaves (Riemann) ; cette suite d'accords de sixtes serait l'aboutissement et la synthèse de la diaphonie hucbaldienne (voir art. *Hucbald*) et de l'harmonie du *Gymel* anglais (Chailley). *Cf.* art. *Gymel.* — Pour les autres, il s'agirait pour la partie de contraténor, non écrite, de doubler le superius à la quarte inférieure : ils en réfèrent à la messe de Saint-Jacques de Dufay. Quant à l'étymologie, pour les uns, le mot est la traduction de *falso bordone* ; les contemporains y voient alors un accord de résonance (*bordone*), c'est-à-dire un accord parfait, dans lequel la fondamentale est confiée aux voix d'hommes octaviantes (*falso-falsetto*) — Pour les autres : en Italie, la basse s'appelait bourdon ; si un contraténor vient soutenir le superius à la quarte inférieure, cela ne constitue pas une véritable basse harmonique, mais une fausse basse (*falso bordone*). Le mot *faburden*, qui apparaît en Angleterre vers 1450, a une étymologie qui se rapproche fort de la précédente : le mot *burden*, plus ancien, qui signifie voix inférieure, soutien, est précédé de *fa*, terme de solmisation, symbole de la quarte.

Le premier document connu où l'expression *f.b.* est attestée est la communion de la messe de Saint-Jacques de Dufay (Bologne, v. 1427).

S'il n'y a aucun doute sur le document, les origines et les influences en sont controversées : nous avons parlé de l'hypothèse selon laquelle le *f.b.* serait issu du *gymel* : à quoi il est objecté qu'il est bizarre de parler ici d'influence, puisque le *gymel* est un déchant à la tierce d'une teneur, alors que le *f.b.* de Dufay est une voix qui accompagne le superius à la quarte inférieure ; d'autres : les sonorités de tierces et de sixtes employées dans les déchants anglais ou dans les œuvres de Dunstable suggèrent que l'origine du *f.b.* est indubitablement anglaise. Le mot anglais *faburden* est postérieur d'une vingtaine d'années au *f.b.* continental : il n'apparaît en effet que v. 1450 dans les écrits de Power et du pseudo-Chilston, transcrit par J. Wilde, *precentor* du collège Ste-Croix à Waltham. D'autre part, les Anglais n'auraient pas été les seuls à employer les successions de sixtes : dès 1412, P. de Beldemandis, dans son traité de contre-point, reconnaît le bien-fondé des successions parallèles de consonnances « imparfaites » (tierces et sixtes). D'ailleurs Ciconia à la même époque, en sait l'emploi :

Que Dufay ait eu connaissance des œuvres de Ciconia quand il était en Italie ne fait aucun doute : on peut donc admettre que, jusqu'à plus ample informé, le *f.b.* est d'origine italienne (S. Clercx).
Pour d'autres, la mode anglaise du déchant aurait pénétré à la cour de Bourgogne, et c'est là que Dufay en aurait eu connaissance. Mais Dufay n'a jamais appartenu à la cour de Bourgogne ; ses relations avec les ducs ne sont pas antérieures à 1440 ; en admettant qu'il ait connu les musiciens de la cour de Bourgogne, on peut se faire une opinion d'après les œuvres elles-mêmes de ces derniers : J. de Templeuve, P. Fontaine ont été formés selon la tradition française de la fin du XIVe s. : on ne trouve dans leur œuvre aucune trace du déchant à l'anglaise... La compétence et l'autorité des musicologues qui ont formulé ces différentes opinions rendent le choix difficile : on pourrait peut-être faire une synthèse des divergences, qui aboutirait à dire qu'il y aurait eu en Angleterre et en Italie des recherches parallèles avec les mêmes résultats ; le déchant anglais et le *f.b.* continental seraient deux démarches différentes vers un même lieu d'arrivée : la similitude sonore.
— 2. Autre sens de *f.b.* : il s'agit d'un chant à une voix accompagné par l'orgue, lequel donne une basse dans le ton du psaume, qui reste la même pour tous les versets ; au-dessus de cette basse immuable, les différentes voix (s.a.t.b.) improvisent chacune à leur tour des mélodies ornées (appogiatures, agréments etc.). Un chanteur de la chapelle de Paul V, F. Severi, publia vers 1615 plusieurs ouvrages à l'intention de ceux à qui l'imagination ferait défaut : *Salmi passeggiati per tutte le voci nella maniera che si cantano in Roma sopra i falsi bordoni di tutti i tuoni ecclesiastici...*
— 3. Troisième sens : il s'agit d'une harmonisation à 4 v., verticale, des psaumes des vêpres du dimanche, l'antienne étant chantée en plain-chant. Cette coutume était en usage à la chapelle pontificale à la fin du XVIe s. et pénétra dans toute la catholicité et dans l'église orthodoxe ; la tradition en est encore vivante. Beaucoup regrettent le manque d'homogénéité d'une telle exécution: le mélange de plain-chant et d'harmonie profane les choque.                                                    X.D.

**Bibl. :** H. Besseler, *Der Ursprung d. F.-b.*, ds *Die Mus. forsch* I, 1948 — *Dufay, Schöpfer d. F.-b.*, ds *Acta mus.* XX, id. — *Bourdon u. F.-b.*, Leipzig 1950 — *Neue Dok. z. Leb. u. Sch. Dufays*, ds *Arch. f. Mus. wiss.* IX, 1952 — *Tonal harmonik u. Vollklang*, ds *Acta mus.* XXV, id. — *Das Neue in d. Mus. des 15.Jh.*, ibid. XXVI, 1954 — art. in MGG ; M. Bukofzer, *Gesch. d. engl. Disk. u. d. F.-b.*, Strasbourg 1936 — ds *MQ.*38, 1952 ; S. Clercx, *Aux origines du F.-b.*, ds *Rev. de Mus.* XL, déc. 1957; R. v. Ficker, *Z. Schöpf. gesch. d. F.-b.*, ds *Acta mus.*, XXIII 1951 ; H.M. Flasdieck, *Franz. F.-b. u. Frühneuengl. Faburden*, ibid. XXV, 1953 ; Th. Georgiades, *Engl. Diskanttraktate aus d. ersten Hälfte d. 15.Jh.*, Munich 1937 ; G. Kirchner, *Franz. F.-b. u. Frühneuengl. faburden*, ds *Acta mus.*, XXVI, 1954.

**FAVARA MISTRETTA Alberto.** Compos. et prof. ital. (Salemi 1.3.1863–Palerme 22.9.1923), auteur des opéras *Marcellina* (1884) et *Urania* (1918), éditeur de chansons populaires siciliennes.

**FAVART Charles-Simon.** Librettiste franç. (Paris 13.11.1710–18.5.1792). Le célèbre auteur dramatique, qui épousa M.J.B. du Ronceray, composa un grand

*C.-S. Favart et sa femme.*

nombre de livrets pour des musiciens : citons *Bastien et Bastienne* (1753), qui fut plus tard mis en musique par Mozart, *Ninette à la cour* (Duni, 1755), *Les trois sultanes* (Gibert, 1761), *Annette et Lubin* (La Borde, Martini et Blaise, 1762) ; il dut à la faveur de la marquise de Pompadour d'être nommé dir. de l'Opéra-Comique (1755), où il succédait à Monnet ; en rapports avec le comte Durazzo, intendant du théâtre impérial de Vienne, il connut par ce dernier Gluck, qui le chargea de traduire en français *Orphée et Eurydice* ; son influence sur la forme et l'évolution de l'opéra-comique français est indéniable. Voir ses *Mémoires et correspondance* (Paris 1808) ; *Théâtre de M. F. ...* (8 vol., Paris 1763, 10 vol., *ibid.* 1772) ; G. Cucuel, *Les créateurs de l'opéra-comique français*, Alcan, Paris 1914 ; A. Font, *F., l'op.-com. et la comédie-vaudeville aux XVIIe et XVIIIe s.*, 1894 ; M. Dumoulin, *F. et Mme F.* ; A.J. Desboulmiers, *Histoire du théâtre de l'Opéra-Comique*, 2 vol., Paris 1769 ; L. de La Laurencie, *Le théâtre de la Foire*, Paris 1911.

**FAVEREO** (*Faverius*) **Joannin** (*Giovannino*). Mus. ital., qui était vers 1593 second maître de chapelle de l'Electeur de Cologne, ville où il publia *Il primo libro di canzonette napolitane a 3 v.* (Greuenbruch), et semble-t-il un livre de *Cantionum mutarum* à 4 et 5 v. (Cologne 1606).

**FAVERO Mafalda.** Sopr. ital. (Portomaggiore 6.1.1905–), qui a appartenu à la *Scala* et fait une carrière internationale.

**FAVOLA** *per musica.* C'est une locution italienne, en usage au XVIIe s., qui désignait un livret de caractère légendaire ou mythologique.

**FAVRE Antoine.** Violon. franç. du XVIIIe s., qui appartint à l'Opéra et composa 2 livres de sonates pour violon (1731), 1 livre de menuets, 1 divertissement (*L'heure du berger*, Théâtre français, 1737).

**FAVRE Georges.** Compos. et musicologue franç. (Saintes 26.7.1905–), qui fit ses études au cons. de Paris avec A. Gédalge, d'Indy et P. Dukas et à la Sorbonne avec P.M. Masson ; docteur ès lettres en 1944 avec une thèse

*Peinture de du Ronceray (1760, Coll. Meyer).*

sur *Boïeldieu. Sa vie, son œuvre* (2 vol., Paris 1944–45), outre divers articles, il a publié *P. Dukas. Sa vie, son œuvre* (1948), *La musique française de piano avant 1830* (1953), *Musiciens français modernes et [contemporains]... par le disque* (2 vol., 1953–56), *R. Wagner par le disque* (1958), plusieurs ouvrages de pédagogie musicale, des harmonisations de chants populaires, de la mus. de piano et de chambre, et il a rééd. des œuvres anciennes, notamment les *Sonates pour le pianoforte* de Boïeldieu (2 vol., 1944–48).

**FAVRE Waldo.** Chef de chœur suisse (St-Pétersbourg 22.4.1895–), élève de Juon, de Brecher, de Fielitz, de Praetorius à Berlin, qui fonda la *Berliner Solisten Vereinigung* (v. 1930), a exercé à Genève, à Zurich, à Hambourg (1950), à Berlin (1952).

**FAY Etienne.** Ténor et compos. franç. (Tours 1770– Versailles 6.12.1845). Il chanta successivement aux Th. Louvois, Favart et Feydeau entre 1790 et 1800 ; il est l'auteur de 9 op.-com., dont l'un, *Julie ou Le pot de fleurs* (1805), en collab. avec G. Spontini.

**FAY Maude.** Sopr. amér. (San Francisco 8.4.1883–) qui créa *Feuersnot* et *Ariadne auf Naxos*, de Richard Strauss, et appartint au *Metropolitan Opera* (1915–16).

**FAYA.** Voir art. *La Faya.*

**FAYOLLE François.** Musicologue franç. (Paris 15.8.1774– 2.12.1852). Polytechnicien, il fut pour la musique l'élève de Perne (harmonie) et de Barni (vcelle), vécut à Londres (1815–1829), et publia, outre un grand nombre d'éditions et de travaux d'histoire littéraire, un *Dictionnaire historique des musiciens* (2 vol., 1810– 1811), qu'il signa avec Choron, mais qu'il rédigea presque entièrement à l'aide des ouvrages de Gerber et Laborde, des *Notices sur Corelli, Tartini, Gaviniès, Pugnani et Viotti* (Paris 1810), fragments d'une histoire du violon qu'il avait en préparation, *Les 4 saisons du Parnasse* (16 vol., Paris 1805–1809), *Esprit de Sophie Arnould* (Paris 1813), *Paganini et Bériot* (Paris 1831). Voir E. Haraszti dans MGG.

**FAYRFAX Robert.** Mus. angl. (Deeping Gate 23-4 [baptême] 1464–? St. Albans ? 1521). *Gentleman* de la chapelle royale en 1496, puis organiste à l'abbaye de St-Alban, *bachelor* (1501) et docteur (1504) de Cambridge, docteur d'Oxford (1511), *poor knight of Windsor* (1514), il dirigeait les chanteurs royaux au Camp du drap d'or (1520) ; il fut fort estimé de son temps ; les bibliothèques d'Eton, de Lambeth, la *Bodléienne* à Oxford, le *Caius College* et *Peter House* à Cambridge, le *British Museum* conservent ce qui nous reste de lui : 6 messes à 4 et 5 v. (*Albanus, O bone Jesus, O quam glorifica, Regali, Sponsus amat sponsam, Tecum principium*), 2 *Magnificat*, 1 ps. *Nunc dimittis*, 13 motets à 4 et 5 v., 9 chansons à 2 et 3 v., 2 pièces instr. à 3 et 4 v. ; c'est un des plus grands compositeurs de son temps. Voir Dom Anselm Hughes, ds *Musica Disciplina*, VI, 1952, et dans *Music and letters*, XXX, 1949 ; E.B. Warren, *The masses of R.F.*, thèse de l'univ. de Michigan, 1952.

**FAZZINI Giovanni Battista.** Mus. ital. né à Rome vers la moitié du XVIIIe s., qui fut maître de chapelle de Ste-Cécile, de Ste-Marguerite, de Ste-Apollonie du Transtévère, qui appartint à la chapelle papale (1774), écrivit de la musique d'église (messes à 4 et 5 v., 1 *Requiem* à 8 v. et d'autres pièces à 3 et 6 v., en partie avec accompagnement instrumental).

**FÉART Rose.** Chanteuse franç. (Lille ... 1881–... 1957), qui fut prof. au cons. de Paris et créa le rôle de Mélisande dans *Pelléas* au *Covent-Garden* à Londres.

**FEATHER Leonard G.** Compos., chef d'orch., arrangeur et publiciste anglo-amér. (Londres 13.9.1914–), qui collabore au *Melody Maker*, au *Look*, au *New-York Times*, est le conseil de Duke Ellington, lequel, comme Benny Goodman, interprète nombre des compositions de F., *Unlucky woman, Panacea, Lonesome as the night is long, Man wanted, Homeward bound, Singing off, Snafu, Long journey* ; il a publié *Inside Be-bop* et *The Encyclopedia of jazz.*

**FÉCAMP.** Voir art. *Guillaume* (de Fécamp).

**FEDE Francesco Maria.** Sopraniste, franciscain, né à Pistoia dans la 1re moitié du XVIIe s., qui appartint à la chapelle pontificale (1667) et fut maître de chapelle à Ste-Marguerite du Trastevere ; il composa des œuvres qui furent appréciées de son temps. Son frère – **Giuseppe**, né également à Pistoia dans la 1re moitié du XVIIe s., fut bénéficier de Ste-Marie Majeure, appartint à la chapelle pontificale (1662), fut maître de chapelle de St-Marcel et composa.

**FEDE Innocenzo.** Mus. ital., né à Pistoia vers la moitié du XVIIIe s., qui fut maître de chapelle à Rome (1685) de St-Jacques des Espagnols, puis de la chapelle de la reine Christine (1687) ; on connaît de lui deux oratorios, *Judith Bethuliae obsessae propugnatricis exegesis* (Rome 1685) et *La vittoria nella caduta* (ibid. 1687).

**FEDE Jean**, dit *Sohier*. Mus. franç., né à Douai, où il était en 1439 vicaire à St-Amé ; entre 1443 et 1445, il fut chapelain à la chapelle pontificale de Rome ; admis à la Sainte-Chapelle en 1449, il resta au service de Charles VII jusqu'en 1453, revint à Rome en 1466 et mourut avant 1477 ; il fut cité par Crétin à côté de Binchois et de Dunstable dans la *Déploration d'Ockeghem* ; on n'a conservé de lui que deux motets.

**FÉDÉAG.** C'est une flûte populaire (Irlande).

**FEDELI.** — **1. Carlo** dit *Saggion*, mus. ital. au service, en 1660, de la République de Venise, dont il devint le maître de concerts, et auteur de 12 *Suonate a 2 e a 3 et una a quattro con ecco* avec b.c. (Sala 1685), dédiées à son protecteur, Charles, fils du duc de Brunswick-Lunebourg. Son fils – **2. Giuseppe** dit aussi *Saggione*, fut d'abord au service de l'électeur Frédéric-Auguste de Saxe, puis se rendit à Paris, où il publia un livre de sonates (1715), un *Recueil d'airs français dans le goût italien, sérieux et à boire* à 1-3 v. (1728) et qqs airs dans des recueils de Ballard ; il aurait été élève de Vivaldi. Son frère – **3. Ruggiero** (Venise v. 1655–Cassel fin janv. 1722) appartint à la chapelle de St-Marc de Venise de 1673 à 1677 ; on le trouve en 1681 à Bayreuth, dans l'entourage du margrave, en 1688 à Dresde ; en 1691, il est à la cour de Berlin, en 1695, à celle de Hanovre, en 1700, à Cassel, comme maître de chapelle : sa musique, à l'italienne, est la dernière du genre qui ait eu droit de cité en Prusse ; il semble avoir séjourné en 1703 à Brunswick et en 1704 à Wolfenbüttel, après quoi il ne semble plus avoir quitté Cassel ; on a de lui 8 *Solokantaten*, un duo, un air avec accompagnement de viole (Cassel 1709), 11 psaumes (v., ch. et instr.), 2 motets en latin, un en allemand (*id.*), un *Magnificat*, 1 messe, 1 *Gloria*, 2 *Sanctus*, le *Kyrie* et le *Gloria* d'une messe *Iste confessor*, une « *opera pastorale* » : *Voi che sparse*, un *dramma per musica :* « *Almira* » (Brunswick 1703) ; la musique funèbre qu'il avait écrite pour les funérailles de la reine Sophie-Charlotte à Berlin (1705) est perdue. Voir E.J. Luin, *La famiglia F.*, in *RMI* 1931 ; C. Sachs, *Mus. u. Oper am kurbrand. Hofe*, 1910, et *MGG.*

**FEDELI** (*Fedele*) **Giuseppe.** Musicographe ital., né vers 1700 à Crémone, qui y fut chanteur et chanoine de la collégiale de Sainte-Agathe ; il est l'auteur d'un traité intitulé *Principj di canto fermo* (Crémone 1722), lequel traite du monocorde grec et des règles du chant grégorien ; c'est un des meilleurs ouvrages de l'époque sur ces questions.

**FEDELI Vito.** Chef d'orch. et compos. ital. (Foligno 19.6.1866 – Novare 23.6. 1933). Auteur des opéras *Ivanhoé*, *La Vergine della montagna* (1897), *Varsavia* (1900), de messes, d'œuvres symph., d'une *Cantata patriotica*, de pièces d'orgue, chor., de mélodies, collaborateur de la *R.M.I.*, de la S.I.M., il publia *Cappelle musicali di Novara* (Ricordi, Milan 1928). Voir G. Bustico, *Bibliografia di un musicista novarese*, Verceil 1925.

**FEDERHOFER Hellmut.** Musicologue autr. (Graz 6.8.1911–). Élève d'A. Orel et de R. Luch, docteur de l'univ. de Vienne (1936) par sa thèse *Akkordik u. Harmonik in frühen Motetten der trienter Kodices* (inéd.), il poursuivit ses études musicales avec Alban Berg, O. Jonas, Emil von Sauer ; en 1937, il est bibliothécaire, en 1944 il est *Privatdozent* à l'univ. de Graz où, depuis 1951, il a le titre de professeur ; il est membre de la société pour l'édition des *DTÖ* ; on lui doit *Beitr. z. musik. Geistanalysenbuch*, Graz-Vienne 1950, et maints articles, dans lesquels il a surtout mis à jour un grand nombre de documents inédits sur la cour de Graz et la musique en Styrie ; il a édité la messe *Vous perdés temps* de J. de Cleve (*Mus. alter Meister*, 1er cahier, 1949) et les *Niederl. u. Ital. Meister der Grazer Hofkapelle Karls II*, ds *DTÖ*, vol. 90.

**FEDERICI Francesco.** Mus. ital., ecclésiastique, né probablement à Rome où il vécut dans la seconde moitié du XVIIe s., bénéficier de SS.-Laurent-et-Damase (1662-1668), auteur des oratorios : *Sacrificium Jephte* (1682), *Jezabel* (1688), *Santa Caterina da Siena* (1693). *Cf.* Burney, *A general history of music*, IV, 1789.

**FEDERICI Guido.** Mus. ital., ecclésiastique (Carpi ...–

7.8.1634), qui fut maître de chapelle à Carpi (1613) et succéda à Ercole Porta.

**FEDERICI Vincenzo.** Mus. ital. (Pesaro 1764–Milan 20.9.1827), qui partit à l'âge de 16 ans pour Londres, où il fit une carrière de chef d'orchestre, où nombre de ses opéras furent joués ; rentré en Italie, il composa pour Milan et pour Turin et fut prof. au cons. de Milan ; parmi ses opéras, citons *Olimpiade* (Turin 1790), *Demofoonte* (Londres 1791), *Zenobia* (1792), *Nitteti* (1793), *Didone abbandonata* (1794), *Castore e Polluce* (Milan 1803), *Zaïra o il trionfo della religione* (Milan 1803), *Oreste in Tauride* (Milan 1804), *Sofonisba* (Turin 1806), *La conquista delle Indie orientali* (Turin 1808), *Ifigenia in Aulide* (Milan 1809), *La locandiera scaltra* (Paris 1812) ; il écrivit également des cantates.

**FÉDOROV Vladimir.** Musicologue franç. (Tchernigov 5.8.1901–). Il quitta la Russie en 1920 et fit des études supérieures à Paris et en Allemagne ; élève de Zavadskij pour le piano et de Wolff. Neumann, Gédalge et Vidal pour l'écriture, il est l'auteur de pièces pour piano, pour orch., de mélodies (1926–1930) ; musicologue, il fut élève d'A. Pirro ; la plupart de ses travaux concernent la musique russe : *Sur un ms. de Moussorgskij — Les différentes éditions de ses Lieder* (*RMI.*, XVI, 1932), *Les années d'apprentissage de Moussorgskij* (*RM.*, XIV, 1933), *Moussorgskij — Biographie critique* (Laurens, Paris 1935), *A propos de Moussorgskij* (*RMI*, XX, 1939), *Le théâtre lyrique en U.R.S.S.* (Polyphonie, 1947–48), *Interférences* (Musique russe, I, PUF, Paris 1953), *Rossica* (*id.*, II), *Correspondance inédite de P.I. Cajkovskij* avec son éditeur français (*RM*, juil. 1957), *Musicien russe ou*

G. FEDELI
*Frontispice des Principj di canto fermo (Crémone 1722).*

*compositeur européen ? — A.K. Glazounov* (*id.* 1958), *B. Asaf'ev et la musicologie russe avant et après 1917* (*ibid.*) ; autres articles : *Autour du centenaire de Bizet* (*RM*, XX, 1939), *Paroles dites — paroles chantées —* (Polyphonie 1949), *Peut-on parler d'une école bourguignonne de musique au XVe s.* (Cahiers techniques de l'art II–2, 1949), *A. Pirro u. Y. Rokseth* (*Mus. forsch.*, III, 1950), *Bach en France* (Rev. intern. de mus. (*id.*) ; il est, depuis 1933, bibliothécaire, d'abord à la Sorbonne et aujourd'hui au département de la mus. de la Bibl. nat. (section du conservatoire, où il a organisé de nombreuses expositions) ; il a joué un rôle prépondérant dans la création et le développement de l'Association intern. des bibl. musicales, dont il fut le secrétaire général (1950–1955), dont il est aujourd'hui le vice-président, de même que dans la réalisation du projet de répertoire intern. des sources musicales ; il est membre du Conseil de la Soc. intern. de musicologie et rédacteur de *Fontes artis musicae* depuis sa création (1954) ; responsable de la partie française de MGG, il y a lui-même écrit de nombreux articles, ainsi que ds l'*Encicl. dello spettacolo*, le *Larousse de la musique* et dans la présente encyclopédie.

**FEHR Max.** Musicologue suisse (Bülach 17.6.1887–)

Élève des univ. de Zurich, de Rome et de Paris, prof. au lycée de Zurich (1912–1918), à l'école de Winthertur (1918–1952), depuis 1917 il est bibliothécaire, et depuis 1923 président de l'*Allgem. Musikges.* de Zurich ; il fut de 1919 à 1932 président de la *Neue Schweiz. Musikges.* ; on lui doit (entre autres) *Apostolo Zeno u. seine Reform des Operntexts...* (thèse, Tschopp, Zurich 1912), *Die Meistersinger von Zurich* (Orell Füssli, Zurich 1916), *Alter Orgelbau im Zurichbiet* (Müller-Grögli, Winterthur 1928), *Adolf Steiner...* (Hug, Zurich 1931), *Friedrich Heger...* (*ibid.* 1934), *R. Wagners schweizer Zeit* (2 vol., Sauerländer, Aarau 1934, 1953), *Die familie Mozart in Zurich* (Hug, Zurich 1942), *Die wandernden Theatertruppen in der Schweiz ... – XVII-XVIII.Jh.* (Waldstatt, Einsiedeln 1949).

**FEHRENBERGER Lorenz.** Ténor allem. (Oberweidach 24.8.1912–), qui débuta en 1939 à l'Opéra de Graz, chanta à celui de Dresde (1941–45), appartient à celui de Munich.

**FEHRINGER Franz.** Ténor allem. (Nussdorf 7.9.1910–) qui débuta en 1934 au *Staatstheater* de Bade, appartient au théâtre de Wiesbaden (1939), à celui de Mannheim (1946–48), fait une carrière de virtuose.

**FEI-LIU-LI.** Chanteuse chinoise (Han-Tchéou 1925–). Élève de Swarowsky, d'Hugo Balzer, de Jean Mercier, qui a fait carrière au Brésil, au Théâtre de la Monnaie à Bruxelles, à l'Opéra-Comique (Paris 1957).

**FEICHT Hieronim** (*Abbé*). Musicologue polonais (Mogilno 22.9.1894–). Élève des universités de Lwow, de Fribourg, prof. à l'Ecole supérieure de Varsovie (1930–32), à l'université et à l'École supérieure de musique de Wroclaw (1946–52), à l'univ. de Varsovie (1952–1954), il a publié les rondos de F. Chopin (Revue trimestrielle de musique, Cracovie 1948), les œuvres de Bartlomiej Pekiel (Edition de l'ancienne musique polonaise) : *Audite mortales* (avec Sikorski), *Missa pulcherrima* (avec W. Gieburowski), 2 noëls latins ; il est l'auteur des chapitres consacrés aux musiques polonaises et tchèque dans le 1er volume de l'histoire de la musique rédigée par Joseph Chominski et Sophie Lissa (Cracovie 1956) et de *La polyphonie de la Renaissance* (Cracovie 1957).                               K.W.C.

**FEIERLICH.** Mot allem. : c'est une indication de style qui équivaut à *solennellement*.

**FEIJOO Benito Jeronimo.** Abbé bénédictin esp. (Casdemiro 8.10.1676–Oviedo 26.9.1764), qui fut maître général des bénédictins en Espagne ; dans son *Teatro critico* (1726), on trouve un discours sur la musique dans les églises, qui fut fort célèbre à l'époque et souleva bien des controverses ; ses *Cartas eruditas* furent non moins célèbres (Madrid 1740–1748) ; une traduction française du *Teatro critico* date de 1742 (Hermilly, 12 vol., Paris) ; le pape Benoît XIV le consulta pour son encyclique *Annus cui* (1799) au sujet de la musique sacrée. Voir M. Menéndez y Pelayo, *Hist. de las ideas estéticas en España*, III, Madrid, 1940.

**FEINBERG Samuel Evgenievitch.** Pian. et compos. russe (Odessa 26.5.1890–). Élève du cons. de Moscou, de Scriabine (il est considéré comme un de ses disciples) et de Miaskovsky, prof. au cons. de Moscou (1922), il a écrit pour le piano (3 concertos, 6 sonates, 2 fantaisies etc.) et des mélodies. Voir V. Belaïev, *S.F.*, 1927.

**FEINHALS Fritz.** Baryton allem. (Cologne 4.12.1869–20.8.1940), qui appartint à l'Opéra de Munich et fit une carrière internationale.

**FEININGER** (*Abbé*) **Laurence.** Musicologue américain (Berlin 5.4.1909–). Il fit ses études à Heidelberg, soutint sa thèse sur l'histoire du canon jusqu'à Josquin (1937), réside depuis 1946 à Rome, où il a publié de nombreuses rééd. de musique ancienne dans 3 collections : *Monumenta liturgiae polychoralis* (7 vol.), *Monumenta polyphoniae liturgicae* (3 vol.), *Documenta polyphoniae liturgicae* (12 fasc.).

**FEINTE.** « Altération d'une note ou d'un intervalle par un dièse ou par un bémol. C'est proprement le nom commun et générique du dièse et du bémol accidentels. Ce mot n'est plus en usage, mais on ne lui en a point substitué. La crainte d'employer des tours surannés énerve tous les jours notre langue ; la crainte d'employer de vieux mots l'appauvrit tous les jours : ses plus grands ennemis seront toujours les puristes. — On appelait aussi feintes les touches chromatiques du clavier, que nous appelons aujourd'hui touches blanches, et qu'autrefois on faisait noires, parce que nos grossiers ancêtres n'avaient pas songé à faire le clavier noir, pour donner de l'éclat à la main des femmes. On appelle encore aujourd'hui *feintes coupées* celles de ces touches qui sont brisées pour suppléer au ravalement. »                  J.J.-Rousseau.

**FEIS CEOIL.** C'est le nom d'un festival de musique irlandaise, qui fut fondé à Dublin en 1897, à l'instar de l'*Eisteddfod* gallois ; cette fondation s'occupe de réunir, voire de publier, des vieux airs de la tradition irlandaise.

**FEKOR.** C'est le nom de différents types de flûtes en usage aux îles Florès et Nias (à Florès, flûte droite, à 4 ou 6 trous ; à Nias, flûte à bandeau). On dit aussi *feko.*                                                            M.H.

**FEL Marie.** Chanteuse franç. (Bordeaux 24.10.1713–Paris 2-2-1794). Élève de Mme Vanloo, qui débuta à l'Opéra en 1733 et y créa de nombreux rôles dans les pièces de Rameau, Francœur, Mondonville, J.-J. Rousseau etc., souvent en compagnie de Jélyotte ; elle quitta la scène en 1757, mais se fit entendre en privé jusqu'en 1770 ; elle était la maîtresse de Q. La Tour, qui fit son portrait. *Cf.* J.G. Prod'homme, *M.F.*, ds *SIMG*, avril 1903.

**FELDBUSCH Eric.** Vcelliste belge (Grivegnée 2.3.1922–), fondateur du quatuor municipal de la même ville, compositeur.

**FELDERHOF Jan Reindert Adriaan.** Compos. néerl. (Bussum 25.9.1907–). Élève des cons. d'Amsterdam et d'Utrecht, prof. au cons. d'Utrecht, auteur d'un opéra-comique, de mus. symph. (dont 1 symph.), chor., de chambre, de piano, de mélodies.

**FELDMAN Ludovic.** Compos. roumain (Galatz 25.5.1893). Il fit ses études de violon au cons. de Bucarest avec R. Klenk, puis au cons. de Vienne, où il termina ses cours de perfectionnement avec Franticek Ondricek en 1913 ; après une carrière de violoniste (violon solo à l'orch. philarm. de Bucarest), à partir de 1944 il se consacra à la composition (études avec Mihail Jora) ; compos. des plus fécond de l'école roumaine contemporaine, il a écrit de la musique symph., de chambre et instr. : *Concerto pour flûte et orchestre de chambre* (1952), *Trio à cordes* (1956), *Concerto pour deux orchestres à cordes, piano, célesta et percussion* (1958) etc.    G.B.

**FELDMAN Morton.** Compos. amér. (New-York 1926–). Élève de Wallingford Riegger et de Stefan Wolpe, il appartient à l'entourage de John Cage. S'il était admissible de parler, pour le cas, d'une « école », on pourrait dire que F. y figure comme l'élément lyrique, romantiquement poétique. La plupart de ses œuvres sont faites de très peu de sons, qui tombent de temps en temps, entrecoupés de longs silences ; ils sont, si nous osons dire, toujours instrumentés dans des nuances *pianissimo*. La sensibilité de F. est micrologique à un point tel que des auditeurs, doués de perceptions plus grossière, parlent de monotonie. Certaines œuvres, telles les *Intersections*, autorisent cependant la force. C'est à F. que revient en priorité d'avoir introduit des notations géométriques et numériques (en somme des dessins) pour remplacer l'écriture traditionnelle. Son usage de moyens graphiques pour définir des champs d'action virtuels de l'interprète, usage que Cage, Brown, Wolff, Bussotti sont approprié pour une partie de leur musique, se répandra sans doute davantage.

**Œuvres :** *Projections* (viol. et p.), *Intersections* pour 2 p., pour orch. et pour piano solo), *Extensions* (pour p., pour orch., pour viol. et p. et pour 3 p.), *Intermissions* (p. solo), *Pièce pour un, deux, quatre pianos, Instrumental Music* (petit orch.), *Trio* (pour 2 p. et vcelle). *Composition pour 15 instruments*, plusieurs œuvres pour instruments à cordes et la cantate *Journey to the end of the night* (sopr. et plusieurs instruments).                                                           H.K.M.

**FELDMANN Fritz.** Musicologue allem. (Gottesberg 18.10.1905–). Docteur de l'univ. de Breslau (1932), il est prof. à cette même univ. depuis 1932 ; il fut de 1939 à 1941 suppléant du directeur de l'Institut d'histoire de la Musique et du *Hochschuleinstitut f. Kirchen-u. Schul-*

*musik* de la même université ; depuis 1952, il est prof. au cons. de Hambourg ; il a publié *Der Codex Mf. 2.016 des musikal. Institut bei der Univ. Breslau* (thèse, Breslau 1932), *Musik u. Musikpflege im mittelalterlich Schlesien* (Tremendt-Granier, Breslau 1938), ainsi que nombre d'articles dans des périodiques.

**FELDMAYER Johann.** Org. allem., né à Geisenfeld, org. à Berchtesgaden en 1611, auteur d'un recueil de motets à 4 v. (Augsbourg 1611).

**FÈLE.** C'est un petit violon, à table fortement bombée et manche court, avec 4 cordes mélodiques et 4 cordes sympathiques (Europe, Norvège).                    M.A.

**FELICE Licinio** (*Dom*). Compos. ital. (? 1888–Rio-de-Janeiro 1957), qui fut prof. de composition à l'École pontificale, org. à Ste-Marie-Majeure, écrivit un opéra (*La Samaritaine*), 2 légendes lyriques (*Ste-Cécile, Marguerite de Cortone*), un *Te Deum*, un *Stabat Mater*, une messe etc.

**FELICI Bartolomeo** (*Alessandro*). Mus. ital., né au début du XVIIIᵉ s. à Florence, où il fonda une école de composition qui fut célèbre ; il composa l'oratorio *La Notte prodigiosa* (Bologne 1759), les opéras : *L'Amante contrastata* (Venise 1768), *L'Amore soldato* (*ibid.* 1769), un *Memento* à 4 v., des psaumes à 4 v., des repons, des offertoires, des motets, *Benedictus, Christus et Miserere* (en mss à la bib. du cons. Cherubini de Florence).

**FELICIANI Andrea.** Mus. ital. (Sienne ...–v. 1600). Il fut maître de chapelle et org. à la cath. de Sienne et eut comme élève Bernardino Draghi ; on lui doit *Missarum cum 4, 5 et 8* v., *Liber primus* (Venise 1584), *Brevis ac iuxta ritum ecclesiae annua psalmodia ad vespertinas horas octo canenda v.* (Gardano, Venise 1589), *Musica in canticum beat. virg. Mariae* (4, 8, 12 v., *ibid.* 1591), *Psalmodia verpertina* (4 v., Venise 1599) et 2 livres de madrigaux à 5 et 6 v. (Venise 1579 et 1586).

**FELIS Stefano.** Mus. ital. (Bari v. 1550–1603). Prêtre, maître de chapelle à Bari au moins depuis 1579, il eut comme élèves G.B. Pace et G. Donato Vopa, suivit le duc de Croy à la cour de Prague, où il connut Ph. de Monte, et revint en Italie en 1591 ; il passe pour avoir participé à l'*Accademia de Gesualdo* à Naples ; il publia 2 recueils de messes à 6-8 v. (1588, 1603), 4 livres de motets à 5-8 v. (1585–96), 9 livres de madrigaux à 5-6 v. (1579–1602) et quelques *ricercari* à 2 voix.

**FELIX NAMQUE.** C'est le titre latin de pièces d'orgue sur un *cantus firmus*, qui fut d'usage fréquent au XVIᵉ s., principalement en Angleterre (Redford, Tallis).

**FELLEGARA Vittorio.** Compos. ital. (Milan 4.11.1927–). Élève de l'univ. et du cons. Verdi à Milan, 2ᵉ prix du concours intern. de composition (SIMC 1958), il a écrit *Quattro Invenzioni* (p., 1949), *Fuga* (cordes, 1950), *Ricercare fantasia* (p., 1951), *Concerto* (orch., 1952), *Preludio, fuga e postludio* (1953), *Ottetto* (instr. à vent, id.), *Lettere di condannati a morte della resistenza ital.* (réc., ch. et orch., 1954), *Epigrafe* (réc. et 5 instr., 1955), *Concerto breve* (orch. de chambre, 1956), *Sinfonia* (orch., 1957), *Requiem di Madrid* (ch. et orch., Lorca, 1958).

**FELLERER Karl Gustav.** Musicologue allem. (Freising 7.7.1902–). Élève de H.K. Schmid, de Joseph Haas, de l'école de musique de Ratisbonne et des univ. de Munich et de Berlin, il fut professeur-docteur à l'univ. de Münster en 1929, en 1932 à celle de Fribourg en Suisse, depuis 1939 à celle de Cologne ; on lui doit *Beitr. zur Mg. Freisings* (des origines à 1803, Freising, 1926), *Die Deklamationsrhythmik in der vokalen Polyphonie des 16. Jh.* (1928), *Grundzüge des Gesch. der kath. Kirchenmusik* (1929), *Die musik. Schätze d. santinische Sammlung* (1929), *Der Palestrinastil u. seine Bedeutung in der vok. KM. d. 18. Jh.* (1929), *Orgel u. Orgelmusik* (1929), *Palestrina* (1930), *Studien zur Orgelmusik d. 18.–19. Jh.* (1932), *Beitr. z. Choralbegl. u. Choralverarbeitung...* (1932), *Die Aufführung d. kath. KM. in Vergangenheit u. Gegenwart* (1933), *Mittelalterlich Musikleben d. Stadt Freiburg* (1934), *Das deutsche Kirchenlied im Ausland* (1935), *Der gregorianische Choral im Wandel der Jahrhundert* (1936), *G. Puccini* (1934), *Musik in Haus, Schule u. Heim* (1938), *Gesch. d.*

*kath. Kirchenmusik* (1939, 1949), *Deutsche Gregorianik im Frankenreich* (1941), *E. Grieg* (1942), *Einführung in die Musikwissenschaft* (1942, 1953), *Die Musik im Wandel d. Zeiten u. Kultur* (1948), *Die Messe...* (1951), *Der gregorianische Choral...* (1951), *Händel* (1953), ainsi qu'un grand nombre d'articles dans des périodiques et d'éditions savantes de musique d'église, y compris un graduel romain chez Schwann (Dusseldorf 1953) ; il dirige le *Kirchenmusikalisches Jahrbuch*.

**FELLOWES Edmond Horace.** Musicologue angl. (Londres 11.11.1870–Windsor 21.12 1951). Moine et maître de chœur, tout d'abord à la cath. de Bristol (1897), puis à Windsor (1900, 1924), il publia *The english madrigal school* (36 vol., Londres 1913–1936), *The english school of lutenist song-writers* (32 vol., Londres 1920 sqq.), *Tudor church music* (10 vol., 1919–1947), *William Byrd* (20 vol., Londres 1937–1950), *The office of the holy communion as set by John Merbecke* (Londres 1949), *Deux fantaisies pour cordes de William Byrd* (1922), *11 Fantaisies pour cordes d'O. Gibbons* (1925) ; il rédigea *English madrigal verse* (1920–1931), *The english madrigal composers* (Londres 1921–1948), *The english madrigal* (1925), *William Byrd* (Londres 1923–1936), *Orlando Gibbons* (Londres 1925–1951), *Repertory of english cathedral music* (en collab. avec C.H. Stewart, 1930), *The catalogue of manuscripts in the library of St. Michael's College, Tenbury* (Oiseau-Lyre, Paris 1934), *My Ladye Nevells Booke* ; il composa lui-même de la mus. d'orgue, de la mus. d'église et de la mus. de chambre ; on a ses souvenirs : *Memoirs of an amateur musician* (Londres 1946).

**FELMEN Mithat.** Pian. et compos. turc (Stamboul 24.1. 1916–), élève de R. Casadesus, de Cortot, de Nadia Boulanger, de J. Haas, de L. Stadelman, prof. de piano, puis dir. du cons. d'Ankara, fondateur du *F. Ballett-Studio*, auteur d'un ballet, de 5 mélodies (1948), d'un concertino de piano (1954), qui a publié *The handbook of the pianist* (1947) et *Learn easily to read notes* (1951).

**FELO.** C'est un rhombe (voir à ce mot) fait d'une lame de bambou, utilisé en Haute-Guinée par les Kissi.
                    M.A.

**FELSZTYN Sebastian de.** Mus. pol. (Felsztyn ? v. 1485–?). Il fit ses études à l'univ. Jagellon à Cracovie ; il fut chapelain, sans doute prof. à l'univ. de Cracovie, vicaire à Felsztyn, puis probablement à Przemysl ; il est l'auteur des traités *Opusculum utriusque musicae tam choralis quam etiam mensuralis* (1515, 1519, 1522, 1534, 1539), *Opusculum musicae compilatum noviter per dominum Sebastianum presbyterum de Felstin. Pro institutione addolescentium in cantu simplici seu gregoriano* (Cracovie, 1518), *Modus regulariter accentuandi lectiones matutinales prophetias necnon epistolas et evangelia* (Cracovie, 1518, 1525), *Divi Aurelii Augustini episcopi hipponensis De musica dialogi VI per venerabilem dominum Sebastianum de Felstin* (Cracovie 1536, perdu), *Directiones musicae ad cathedralis ecclesiae Przemisliensis usum. Magnifico domino De Nicolao Herbarto a Felstin, castellana Przem. domino ac patrono suo benignissimo gratitudinis causa oblatae per venerabilem S. Felstinensem artium liberalium bacc. ac Sanok* (Cracovie 1543) ; ses compositions sont en manuscrit dans les archives du chapitre de la cathédrale de Cracovie : *Alleluia ad Rorate cum prosa, Ave Maria* ; *Alleluia, « Felix es, sacra Virgo Maria »* ; *Prosa ad Rorate tempore paschali Virginis Mariae laudes.* Les archives *Alter Akten* de Cracovie conservent *De Conceptione, Visitatione, Nativitate* ; un recueil fut édité : *Aliquot hymni ecclesiastici vario melodiarum genere editi* (Vietor, Cracovie 1532), mais il est perdu ; trois de ses compositions sont publiées par J. Surzynski dans ses *Monumenta Musicae Poloniae* (1887). Voir C. Starowolski, *Scriptorum polonorum hekatonas seu centum illustrium Poloniae scriptorum elogia et vitae*, Venise 1625 ; A. Chybinski, *Die mensural Theorie in der pol. musikalischen Literatur der erste Hälfte des XVI. Jh.*, 1911 ; A. Chybinski, *Lexikon der Musiker des alten Polen*, Cracovie 1949 ; Z. Jachimecki, *Die poln. Musik zur Zeit der Piasten u. Jagiellonen in Polen, ihre Geschichte u. Kultur*, Varsovie ; l'art. de Sophia Lissa in MGG.                    K.W.C.

**FELTON William.** Mus. angl. (Drayton 1715–Hereford 6.12.1769). Élève de Cambridge, ecclésiastique et *vicar-choral* à la cath. de Hereford (1743), chanoine, chapelain de la princesse de Galles, *vicar de Diddlebury*, de Philip *Hay* et de St. Agnes, il composa *Six concertos for organ or harpsichord, with instr. parts op. I* (Londres v. 1744), *Six concertos for organ or harpsichord, ... op. 2* (ibid. v. 1747), *Eight suites of easy lessons for the harpsichord, op. 3* (ibid. v. 1750), *Six concertos... op. 4* (ibid. v. 1752), *Six concertos... op. 5* (ibid. v. 1755), *Eight suites... vol. 2, op. 6* (ibid. v. 1758), *Eight concertos... op. 7* (ibid. v. 1760), *Fill, fill the glass* (3 v., v. 1748), Voir ds Burney, *General history of music*, IV, 1789.

**FEMELIDI Vladimir.** Compos. ukrainien (Odessa 29.6.1905–30.10.1931). Élève de P. Moltchanov, de M. Stoliarov, il écrivit *Rozlom* (opéra, 1929), *César et Cléopâtre* (op., inachevé), *Karmeliouk* (ballet, 1930), *Poème* (ch. et orch., 1927), 2 symphonies (1927, 1928), 1 concerto de piano (1926), 1 concerto de violon (*id.*), des romances (p. et chant).
                                                       A.W.

**FÉMININE** (*Terminaison* ou *cadence*). On appelle ainsi une terminaison dont la finale tombe sur le temps faible.

**FEN-KOU.** C'est un instr. chinois appelé aussi *tsou-kou*, sorte de *kien-kou*, grand tambour de l'antiquité (voir art. *kien-kou*).
                                                       M.H.T.

**FENAROLI Fedele.** Mus. ital.( Lanciano 25.4.1730–Naples 1.1.1818). Fils d'un maître de chapelle, élève de Durante, de Leo au cons. Santa Maria di Loreto à Naples, il était en 1762 maître de chapelle en second, en 1777 premier maître de chapelle de cette institution ; il ne cessa d'enseigner jusqu'à sa mort dans les conservatoires napolitains, y compris celui de S. Pietro a Majella (1808) : il fut ainsi, avec Paisiello et Tritto, le maître de toute l'école napolitaine ; on lui doit, pour le théâtre, *La disfatta degli Amaleciti* (1780), *L'arca del Giordano*, *Abigaille* (1760), pour l'église 7 messes (2-5 v., dont une des défunts), des motets, des lamentations, des leçons, des hymnes (v., ch. et instr.), 1 cantate à 2 chœurs et instr., *Intavolature e sonate per cembalo* ; il rédigea des œuvres théoriques : *Partimenti ossia basso numerato* (Rome v. 1800), *Studio del contrapunto* (id. ibid.), *Regole musicali...* (1802, traduites en français sous le titre de *Cours complet d'harmonie et de haute composition* par E. Imbibo, Carli, Paris s.d.) etc. — Un *Fenaroli* **Federico**, peut-être son frère, est l'auteur d'un opéra intitulé *I due sediarii* (1759) et d'une cantate pour l'anniversaire de Ferdinand IV (1768). Voir T. Consalvo, *La teoria musicale del F.*, Naples 1826 ; F. Florimo, *La scuola musicale di*

S. DE FELSZTYN

Opusculum utriusque musicae *(Cracovie 1518)*.

*Napoli...*, Naples 1881 ; S. di Giacomo, *I quattro antichi cons. di mus. a Napoli*, Palerme 1928 ; G. de Napoli, *F.F. nel secondo centenario della nascita*, in Musica d'Oggi, Milan 1930.

**FENÊTRE.** Terme d'organerie : c'est, dans les anciens orgues, la partie du buffet où s'encastrait le clavier.

**FENNEY William.** Compos. angl. (Birmingham 21.5. 1891–), auteur de mus. symph., de chambre, de piano.

**FENTON Lavinia** (*Beswick*). Chanteuse angl. (Londres 1708–Greenwich 24.1.1760), qui créa le rôle de *Polly Peachum* dans le *Beggar's opera* (1728), fut fort célèbre et mourut duchesse de Bolton.

**FENTUM.** C'est le nom d'une famille d'éditeurs de musique anglais, établis à Londres, qui exercèrent aux XVIIIe et XIXe siècles.

**FENYES Szabolcs.** Compos. d'opérettes hongrois (1911–), qui, dep. 1957, est dir. du théâtre d'opérettes de Budapest ; parmi ses œuvres, citons *Maya, Mimi, Le baiser du roi, Rigo Jancsi*.                              J.G.

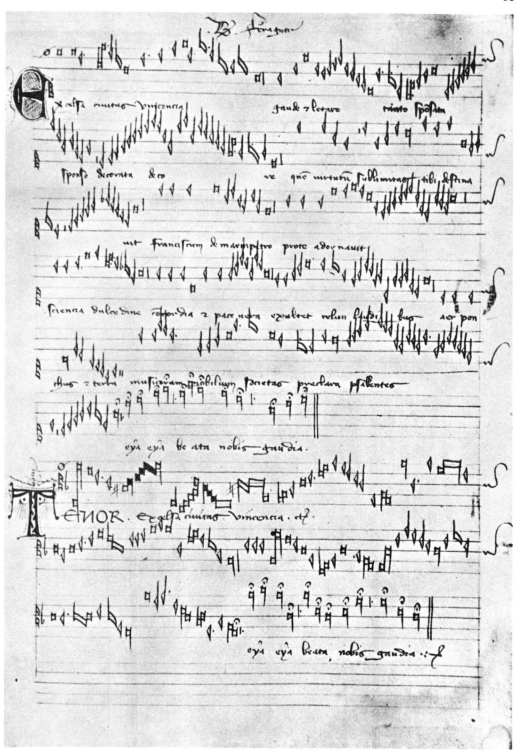

FERAGUT

Excelsa civitas Vincencia *(Oxford, Bodl. Libr.).*

**FEO Francesco.** Mus. ital. (Naples 1691–28.1.1761). Élève du *cons. della Pietà dei Turchini* (Fago), il débuta avec son opéra *Amor tirannico* (1713) ; il eut différents offices dans des églises napolitaines à partir de 1740, date à laquelle il abandonna l'opéra et l'enseignement à S. Onofrio ; de 1739 à 1743, il succéda à F. Durante, comme *primo maestro* au cons. *dei Poveri di Gesù Cristo* : il composa, outre *L'Amor tirannico*, les opéras *Il martirio di S. Caterina* (1714), *La forza della virtù* (1719), *Teuzzone* (1720), *Siface...* (1723), *Coriandro* (1726), *Don Chisciotte della Mancia* (*id.*), *Ipermestra* (1728), *Arianna* (*id.*), *Tamese* (1729), *Andromaca* (1730), *Issipile* (1733), *L'Oreste* (1738), *Polìnice* (*id.*), *Arsace* (1740), des airs et des récitatifs pour *Il duello d'amore...* de Ziani (1715), des scènes-bouffes pour *Lucio Papirio* d'Orlandini (1717), des intermèdes pour *Il castello d'Atlante* de Leo (1737), 7 oratorios, 6 messes dont une à 10 v., un *Requiem*, des psaumes et des motets (les archives musicales *dei Filippini* de Naples conservent de lui 150 compositions mss). Voir F. Florimo, *La scuola mus. di Napoli*, Naples 1881 ; S. di Giacomo, *I quattro antichi cons. di mus. a Napoli*, Naples 1924, et *L'archivio dell'Oratorio dei Filippini*, Parme 1918 ; U. Prota-Giurleo, *Breve storia del teatro di corte*, Naples 1952 ; G. Grossi, *I corifei della scuola di Napoli*, Naples 1820.

**FEOU.** C'est un instrument à percussion chinois, sorte de jarre de terre cuite.　　　　　　　　　　　　　M.H.T.

**FERAGUT Beltrame.** Mus. franç. (Avignon ? v. 1385 ?–?), qui fit carrière en Italie, à Vicence en 1424, où il célébra par un motet l'intronisation de l'évêque P. Emiliano, puis à Milan, où, dès 1425, il était chantre à la cathédrale ; il semble qu'en 1431 il ait été au service de Nicolas de Ferrare, auquel il fait allusion dans un motet ; la dernière indication que l'on ait sur lui le montre à Aix-en-Provence, où on le trouve à la cour du roi René (1449) ; son œuvre comporte 4 fragments de messes, 4 motets, 1 *Magnificat* et 1 rondeau ; une partie a été rééd. par Van den Borren ds *Polyphonia sacra* (1932). Voir C. Sartori ds *Acta musicologica* (1956).

**FERAND Ernest T.** Musicologue amér. d'origine hongroise (Budapest 5.3.1887–). Pianiste, violon., élève de l'Institut de technologie de l'univ. de Budapest et de l'Acad. royale hongroise de mus. (H. Koessler, Victor v. Herzfeld), élève de chant du professeur Sik, de Mme Böhme-Köhler, élève d'histoire de la mus., de philosophie, de psychologie et d'esthétique à l'univ. de Budapest (notamment psychologie de la mus. avec Geza Revesz), élève de Jaques-Dalcroze à Dresde-Hellerau (1913–1914, rythmique, solfège et improvisation), puis à Genève (1919–20), élève de l'univ. de Vienne (musicologie, psychologie, R. Lach, Raas, K. Bühler) dont il est docteur en philosophie (1937), il a été prof. de théorie au cons. Fodor à Budapest (1910–19), chroniqueur musical dans plusieurs journaux et périodiques (en allem. et en hongrois), membre de l'orch. symphonique de Hongrie (viol.), directeur de la scène à l'Opéra royal de Hongrie (et aux représentations classiques données aux théâtres de Syracuse, Taormine, Paestum, Ostie etc.), prof. d'improvisation à Hellerau (Inst. J.-Dalcroze, 1914), chef d'orch. du groupe d'Hellerau-Laxenburg, prof. et directeur du collège d'Hellerau (1920–25), de Laxenburg (1925–38), prof. à la *New School for social research* à New-York (1939–58), visiteur de musicologie à l'univ. de Cologne (1958–59), membre du conseil de la Société amér. de musicologie (1951–53, 1957–59), il a publié *Die Improvisation in der Musik* (Zurich, 1939, traduction angl. et vol. II en préparation), *Manuel d'harmonie* (Budapest 1914), *Die Improvisation in Beispielen aus neun Jh. abendländischer Musik* (Cologne 1956, trad. angl. 1958), un grand nombre d'articles dans divers périodiques au sujet de l'improvisation (notamment dans le présent ouvrage), de la mus. de la Renaissance, de la danse, du rythme, de Gluck, des *Parodie kantaten* (Vienne 1958), de la composition (*id.*). Voir les art. d'O. Kinkeldey ds MQ, XLIII, 1957.

**FERANDINI Giovanni.** Mus. ital. (Venise ... 1710–Munich 29.9.1793). Élève de Biffi, hautboïste (1730), puis compositeur (1732), maître de chapelle de la cour (1737), maître d'hôtel et conseiller de Maximilien-Joseph III

(1745), il composa les opéras : *Berenice* (1730), *Adriano in Siria* (1737), *Demofoonte* (1737), *Artaserse* (1739), *Catone in Utica* (Métastase, 1753), *Diana placata* (1756), *Componimento dramatico per l'incoronazione della sacra cesarea e real Maestà di Carlo Settimo Imperatore dei Romani sempre Augusto* (1742), *Demetrio* (1758), *L'amor prigionero* (1781), *Talestri, regina delle Amazoni* etc., des cantates, une passion à 4 v. avec orch., des symphonies, des quatuors (*Dilettamenti da camera*, *Musicale intratenimento*, des sonates à 2 violons et *b.c.*, 2 vol. de sonates pour flûte (Amsterdam 1930) etc. ; les bibliothèques de Munich, de Dresde, de Darmstadt, de Vienne, conservent de ses manuscrits. *Cf.* E.J. Luin, *G.F. e l'apertura del teatro residenziale a Monaco*, in *R.M.I.*, oct.–déc. 1932.

**FERCHAULT Guy.** Musicologue franç. (Mer 16.8.1904–). Élève de P.-M. Masson, d'A. Pirro, de Charles Lalo à la Sorbonne, chargé de cours à la Schola cantorum (1941–42), prof. d'analyse et d'esthétique aux cons. de Versailles (1942–50), il a publié *Henri Duparc : Une amitié mystique, d'après ses lettres à Francis Jammes* (Mercure de France, 1944), *Les créateurs du drame musical, de Monteverdi à Wagner* (Gallet, 1944), *Introduction à l'esthétique de la mélodie* (Ophrys, 1946), *Claude Debussy, musicien français* (La Colombe, 1948), *Faust, une légende et ses musiciens* (Larousse, 1948), *J.-S. Bach et l'esthétique française de son temps* (Zurich, 1950), *Richard Wagner* (Costard, 1956).

**FERDINAND III de Habsbourg,** empereur d'Autriche. Né le 11.7.1608 à Graz, il régna vingt ans (1637–1657) et mourut à Vienne le 2.4.1657 ; il favorisa le développement de l'opéra italien à la cour impériale et composa 2 messes (6 v., 8 v.), 4 motets, 10 hymnes, 1 *Stabat Mater*, 1 *Miserere*, 1 *drama musicum* (bibl. de Vienne). Voir G. Adler, *Musikal. Werke der Kaiser Ferdinand III...*, Artaria, Vienne 1892.

**FERE Vladimir Georgïevitch.** Compos. russe (Kamychine 20.5.1902–), élève de Miaskovsky, de Catoire, de Glière au cons. de Moscou, dir. artistique de la Philharmonie kirghize à Frunse (1936), prof. de composition au cons. de Moscou (1945), auteur de 2 sonates de piano (1925, 1928), *Pereschitoje* (p., 1926), *Kraj Ljubimy* (orch., 1928), *Sinfonietta* (1929), *Kirgistan* (symph., 1947), de chants choraux populaires, dont l'hymne national de la république des Kirghizes et, en collab. avec V. Vlassov et A. Maldybajev, de cantates, de ballets, d'opéras.

**FEREMANS Gaston.** Compos. belge (Malines 1907–), chef de chœur, auteur de mus. d'église, d'oratorios, d'œuvres symph., de mus. de chambre.

**FERENCSIK Janos.** Chef d'orch. hongr. (Budapest 18.1.1907–), élève du cons. de Budapest, chef d'orch. à l'Opéra national hongrois (depuis 1927), assistant aux festivals de Bayreuth (1930–31), chef d'orch. à l'Opéra de Vienne (1948–50), de l'Opéra national de Hongrie et de l'orchestre national hongrois.

**FERENCZY György.** Pian. hongr. (1902–), élève de Thoman, de Weiner et de Dohnanyi, prof. à l'Éc. des hautes études musicales à Budapest.

**FERENCZY Otto.** Compos. et musicologue tchèque (Brezovica 1921–), auteur de mus. symph., dont 1 symphonie pour cordes, et de mus. de chambre.

**FÉRÈS Maria Simone.** Chanteuse franç. (Pellevoisin 1920–), directrice d'un groupe d'opéra de chambre, pour lequel plusieurs jeunes compositeurs ont écrit.

**FERGUSIO Giovanni Battista.** Mus. ital., né dans le Piémont à la fin du XVIe s., qui en 1612 vivait à Savigliano, où il était au service de la maison de Savoie ; il était juriste ; on lui doit un livre intitulé *Motetti e dialoghi per concertar a una sino a nove voci, con il suo b.c. per l'organo* (1–9 v., Venise 1612).

**FERGUSON Howard.** Compos. angl. (Belfast 21.10.1908–), élève du *Royal College of music* (R.O. Morris), prof. de composition à la *Royal Academy of music* à Londres, qui a écrit notamment un ballet : *Chantecleer* (1948), *Overture for an occasion* (*Coronation*, 1953), une partita pour orch. (1935–36), 1 concerto de piano (1950–51), 1 sonate de piano, un octuor (1933), de la mus. de chambre, des mélodies.

**FÉRIE.** La liturgie catholique appelle ainsi l'office simple de la semaine, qui se célèbre à défaut d'une fête occurrente.

**FERLENDIS Giuseppe.** Hautboïste ital. (Bergame ... 1755–Lisbonne ?). Il exerça à Salzbourg (1775), s'attacha à améliorer le cor anglais ; il partit ensuite pour Brescia (1777), puis pour Venise, Londres (1793), enfin pour Lisbonne (1802), où il mourut. Il eut deux fils : **Angelo**, né à Brescia en 1781, qui fut hautboïste et s'installa à St-Pétersbourg, et **Alessandro**, né à Venise en 1783, également hautboïste, qui épousa la chanteuse Barberi, puis exerça à Madrid, à Paris (1805, 1808–1810), en Hollande, puis en Italie. Giuseppe *F.* publia des concertos et des études pour son instrument, 1 concerto de cor anglais, 2 concertos de flûte etc.

**FERMATA.** Terme ital. : c'est l'équivalent de *point d'orgue.*

**FERMOSELLE.** Voir art. *Encina.*

**FERNANDES Antonio.** Musicographe portug., né à la fin du XVIe s. à Souzel, mort à Lisbonne avant 1625, il fut l'un des plus remarquables disciples de Duarte Lobo, et maître de chapelle à l'église de Ste-Catherine du Mont-Sinaï à Lisbonne ; il a écrit *Arte de música de canto, de orgam, e canto cham e proporções da musica divididas harmonicamente* (Lisbonne, 1626, c'est le premier traité portugais édité) ; il aurait laissé en ms. les 4 traités suivants, qui n'ont pas été retrouvés : *Explicação dos segredos da musica ; Arte da musica de canto de orgão composta per um modo muito differente do costumado ; Theoria do manicordio ; Mappa universal... que se comtem na arte da musica com os seus generos e demonstraçoes matematicas.* Voir B. Machado, *Bibl. lusitana*, II, et E. Vieira, *Dicc. biogr. de Musicos portuguezes*, I.

**FERNANDES Armando José.** Compos. portug. (Lisbonne 1906–). Élève du cons. de Lisbonne, puis de P. Dukas, Roger-Ducasse, Nadia Boulanger, Cortot, Stravinsky, il a écrit une sonate pour piano et vcelle, une sonatine pour piano et alto, un ballet : *O Homendo cravo na boca*, une *Fantasía sobre temas populares portugueses* pour piano et orch., des mélodies, 1 concerto de violon.

**FERNANDEZ Diego.** Mus. esp. de la fin du XVe s. ou du début du XVIe, de qui on ne sait rien ; le *Cancionero musical de Palacio* contient de lui 2 compositions à 3 et 4 v. ; il doit être identifié, selon Mitjana, avec *Diego F. de Córdoba*, maître de chapelle de la cath. de Malaga depuis 1507 et mort en 1551. Voir R. Mitjana, *Rev. de filología esp.*, V, 1918.

**FERNANDEZ Domingo.** Mus. esp. du XVIIe s., de qui on ne sait rien ; les archives de la cath. de Saragosse conservent de lui un recueil de psaumes et de *Magnificat* (avec lacunes, 12 v.), 2 répons à 8 v., 1 *Salve* à 12 v. et des *villancicos* ; à la bibl. centrale de Barcelone, on trouve une romance et un *villancico* à 4 et à 6 voix composés par lui.

**FERNANDEZ Lucas.** Poète mus. esp. (Salamanque 1474 ?–1542). *Mozo de coro* à la cath. de sa ville natale, bénéficier de St-Thomas de Cantorbéry dans la même ville, prof. de musique à l'université (1522), il composa des *Eglogas y farsas* pour la Fête-Dieu : il les publia (Salamanque 1514), et le livre fut rééd. par M. Cañete (Académie Royale, 1887) : on y trouve un intermède intitulé *Diálogo para cantar*, en style *recitativo*, précurseur du style florentin, mais la musique en est perdue ; on n'a conservé de lui qu'un *villancico* : *Di, por qué mueres en cruz* à 3 v., publié ds le *Cancionero mus. de Palacio*. Voir ds le *Cancionero mus.* de Barbieri ; Espinosa Maeso, *L.F., estudio biográfico*, Bulletin de l'Acad. esp., 1923 ; Chase, *L.F., poet and musician*, ds *The Chesterian* XX, 1939.

**FERNANDEZ Maria Antonia.** Voir art. *Caramba.*

**FERNANDEZ Oscar Lorenzo.** Compos. brésilien (Rio de Janeiro 4.11.1897–26.8.1948). Élève d'Oswald, de Braga, de Nascimento, il se place aux côtés de Villa-Lobos dans la génération qui porte à son point culminant la tendance musicale nationaliste ; ses œuvres les plus importantes s'inspirent du folklore de son pays, qu'il s'agisse de musique de chambre (*Trio brasileiro op. 32*,

1925), de compositions symphoniques (*Concerto posthume pour violon et orchestre*) ou théâtrales : tel son ouvrage le plus connu, *Malasarte*, sur un livret de Graça Aranha, dont la *batuque* emporta le prix institué par la *New Music Society* à l'occasion du IVe centenaire de la ville de Bogotá (*Festival ibero-americano de música*, 1938). D.D.

**FERNANDEZ Pedro.** — 1. Mus. esp. de la fin du XVe s., de qui on ne sait rien, mais le *Cancionero musical de Palacio* contient de lui un *villancico*, *Cucú, Cucú.* — 2. Mus. esp. du XVIIe s., de qui les Archives de la cath. de Saragosse gardent notamment une *Messe de la bataille* (8 v.), 1 *Requiem* (5 v.), 1 motet *Pro defunctis* (6 v.), 2 motets : *O vos omnes* et *Assumpsit Jesus* (6 v.), 2 *villancicos* de Noël.

**FERNANDEZ ARBOS Enrique.** Voir art. *Arbós.*

**FERNANDEZ BORDAS Antonio.** Violon. esp. (Orense 12.1.1870–). Il a appartenu au cons. de Madrid et à la chapelle royale, a été dir. du cons. de Madrid, joué en trio avec Hekking et Cortot, a été l'ami de Sarasate et fait une carrière internationale.

**FERNANDEZ CABALLERO Manuel.** Compos. esp. (Murcie 14.3.1835–Madrid 26.2.1906). Élève de Soriano Fuertes et d'Eslava au cons. de Madrid, il est auteur d'environ 200 *zarzuelas*, dont quelques-unes comptent parmi les chefs-d'œuvre du genre : *Gigantes y cabezudos*, *Los sobrinos del capitán Grant*, et surtout *El dúo de la Africana*, où il mêle la musique de Meyerbeer et le *bel canto* aux inflexions les plus purement madrilènes. D.D.

**FERNANDEZ de CASTILLEJA Pedro.** Mus. andalou, mort à Séville en 1574, qui fut maître de chapelle de la cath. de Séville et fut fort estimé de son temps ; on trouve de lui un motet, *O gloriosa domina* (4 v.), dans H. Collet, *Le mysticisme musical espagnol au XVIe s.* (Paris 1913), la deux autres (4 et 5 v.) ds H. Eslava, *Lyra sacro-musical ;* cath. de Séville conserve de ses manuscrits.

**FERNANDEZ ESPERON Ignacio.** Compos. mexicain (Mexico 14.2.1894–). Élève de Varèse et de Paul Le Flem, il appartient au corps consulaire de son pays ; il a écrit de la mus. de théâtre, notamment *Pequeño ballet mexicano* (1921), 1 quatuor à cordes (1934), 3 trios (1935–37), une fantaisie pour orch. : *El Zihuateco* (1939), de la mus. de film, des romances et des chansons fort populaires.

**FERNANDEZ FERMOSO Juan.** Mus. portug., né v. 1510 à Lisbonne, qui fut maître de chapelle du roi de Portugal Jean III, auteur d'un *Pasionario de Semana Santa*, publié à Lisbonne en 1543.

**FERNANDEZ de HUETE Diego.** Harpiste esp. des XVIIe-XVIIIe s., qui exerça à la cath. de Tolède en 1697 et dans les années suivantes ; il publia *Compendio numeroso de zifras armónicas, con theoria, práctica, para harpa de una orden, de dos órdenes y de órgano...* (Madrid 1702) : c'est un livre d'intérêt capital en ce qui concerne les danses de cour au XVIIIe s. ; il contient des *gallardas*, des *cxácaras*, des *zarabandas-gaitas*, des *canarios*, des *villanos*, des *follías*, des *paradetas*, des *españoletes*, des *tarantelas*, des *vacas*, des *pasacalles* ; le traité est divisé en 3 livres ; le 3e contenant des chansons : une italienne, une allemande, une française, une flamande, une portugaise, une anglaise, une chanson de Valence et une chanson de Majorque ; la Bibl. nat. de Madrid et la Bibl. centrale de Barcelone en possèdent des exemplaires. Voir l'article du dictionnaire biographique et bibliographique de Pedrell.

**FERNANDEZ VILA Carlos.** Pian. et compos. cubain (La Havane 1892–), qui a fondé le conservatoire qui porte son nom ; il enseigne le piano et a écrit une suite pour orch., une ouverture, *Cuba*, un menuet, des *intermezzi*, des fantaisies, des barcarolles, des danses d'inspiration folklorique.

**FERNANDIERE (*Ferrandiere*) Fernando.** Guitariste esp. du XVIIIe s., originaire de Zamora, auteur de 4 ouvrages : *Prontuario músico...* (Malaga 1775, perdu), *Arte de tocar la guitarra...* (Malaga 1791), *Obra instrumental titulada El ensayo de la naturalezza, explicada en tres cuartetos de guitarra, violín, flauta y fagot...*, *Arte de tocar la guitarra española por música* (Madrid 1799).

**FERNANDO de VILLARREAL.** Jongleur castillan du début du XVIᵉ s., auteur d'une adaptation en vers du roman *Historia del rey Canamor y del infante Turián*. Voir F. Wolf, *Ueber eine Slg span. Romanzer auf der Univ. zu Prag*, Vienne 1850 ; Gallardo, *Ensayo*, II.

**FERNI.** Famille de chanteuses ital. : **1. Virginia** (Turin ... 1849–4.2.1934), fut soprano et débuta dans *Faust* à Séville ; on la trouve ensuite à Madrid, à Barcelone, à Milan, à New-York, à Brescia etc. ; elle fut intime avec Alfredo Catalani et chanta pour la dernière fois en 1913 à Turin *La Damoiselle élue* et *L'Enfant prodigue* de Debussy ; elle avait épousé le violoniste Germano. Sa cousine – **2. Carolina** F., épouse *Giraldoni* (Côme 20-8-1839–Milan 4.6.1926), fut soprano et violoniste et forma un duo de violon avec sa sœur Virginia ; elle débuta au théâtre à Turin dans *La Favorite* (1862) et fit carrière à Bologne, à Séville, à Gênes etc. ; elle abandonna le théâtre en 1883, fonda une école de chant à Milan (1885), puis à St-Pétersbourg (1889). Leur sœur – **3. Vincenzina** fut également soprano et épousa le baryton espagnol M. Carbonell de Villar. Voir ds C. Gatti, *Catalani*, Milan 1953.

**FERNSTRÖM John Axel.** Chef d'orch. et compos. suédois (Hupei, Chine, 6.12.1897–), auteur d'une étude sur Buxtehude, *Dietrich Orgemester* (1937), et de nombreuses compositions (11 symphonies).

**FÉROTIN Marius** (*Dom.*). Bénédictin franç. (Châteauneuf-du-Rhône 18.11.1855–Farnborough 15.9.1914), qui consacra ses recherches au rit mozarabe et publia *L'histoire de l'abbaye de Silos* (Paris 1897), le *Liber ordinum en usage dans l'église wisigothique et mozarabe d'Espagne du Vᵉ au XIᵉ s.* (Paris 1904), le *Liber mozarabicus sacramentorum et les manuscrits mozarabes* (Paris 1912). Voir l'art. du dictionnaire d'archéologie chrétienne et de liturgie, V, Paris 1922.

**FERRABOSCO.** Famille de mus. ital. — **1. Domenico Maria** : on ne sait presque rien de lui ; on l'identifie généralement avec un *F*. né le 14.11.1513 et mort en février 1574 à Bologne ; ce dernier était chanteur et maître de chapelle à S. Petronio (1547) ; d'autres auteurs pensent qu'il s'agit d'un autre *F.*, qui était maître des enfants de chœur à la chapelle Giulia en 1546 à Rome, puis chapelain de la chapelle pontificale au Vatican en 1550, enfin maître de chapelle à SS. Laurent et Damase ; on a conservé de lui *Il Primo Libro de' madrigali a 4 v.* (Gardano, Venise 1542), de nombreux madrigaux et quelques motets dans les recueils de l'époque publiés entre 1542 et 1600. Voir A. Einstein, *The italian madrigal*, 1949 ; C. Sartori in MGG. — **2. Matthia** (Bologne v. 1550–Graz 23.2.1616), fils d'Ercole, entra en 1581 comme altiste à la chapelle de la cour de Graz, où il fut également maître des enfants et maître de chapelle intérimaire ; il publia *Canzonette a 4 v.* (Venise 1585), ainsi que des *Canzoni* et villanelles à 3 et 4 v. dans des recueils de l'époque. Voir H. Federhofer, *M.F.*, ds *Mus. Disciplina VII*, 1953. — **3. Alfonso** (*I*), fils de Domenico (Bologne ... 1.1543–12.8.1588), était en 1559 au service du cardinal de Lorraine à Rome ; il est cité par Ronsard et assista à la représentation de l'*Epithalame* de Du Bellay pour le mariage de Marguerite de France et d'Emmanuel-Philibert de Savoie ; vers 1562, il entra au service de la reine Elisabeth d'Angleterre, poste qu'il quitta en 1578 pour se mettre au service du duc de Savoie ; on a conservé de lui 2 liv. de madrigaux à 5 v. (Venise 1587), d'autres dans des recueils de l'époque, ainsi que des motets à 5 v. et 2 pièces de luth dans le recueil de Dowland intitulé *Varietie* (Londres 1610). Voir J. Hawkins, *General History... of music*, Londres 1776 ; G.E.P. Arkwright, *Un compos. ital. alla corte di Elisabetta*, ds *RMI*, IV, 1897 — *Master Alfonso and Queen Elizabeth*, ds *Zeitschr. d. Intern. Mg.*, VIII, 1906–1907 — *Notes on the F. family*, ds *Musical Antiquary*, III et IV ; C.G. Livi, *The F. family*, ibid. IV ; A. Einstein, *The italian Madrigal*, Princeton 1949 ; D. Arnold in MGG. — **4. Alfonso** (*II*), fils naturel du précédent (Londres ? v. 1575–Greenwich 11.3.1627 ou 28), fut au service de la reine Elisabeth, puis de Jacques Iᵉʳ, comme violoniste, précepteur du prince Henry (jusqu'à la mort de ce dernier en 1612), puis du prince Charles (le futur Charles Iᵉʳ) ; en

1623, il avait le titre de musicien de la chambre royale, en 1626, celui de compositeur ordinaire du roi ; on lui attribue d'avoir introduit la viole de gambe en Angleterre; il publia *Ayres* (Londres 1609), *Lessons for 1, 2 and 3 viols* (*id. ibid.*), 3 *anthems* (Leighton, Londres 1614) ; il composa de la musique pour 5 masques de Ben Jonson entre 1605 et 1609 ; on a gardé en mss des compositions pour ensemble de violes : 2 *thumpes*, 49 fantaisies, 5 *In nomine*, des *lessons for the lyra-violl*, ainsi que quelques pièces dans 3 recueils de l'époque, notamment dans le *Thesaurus harmonicus* de Besard. Voir C.G. Livi, G.E.P.

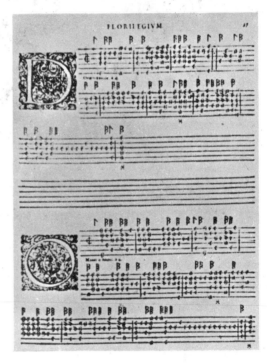

M. Ferrabosco

*2 Canzonette en tablature franç. de luth* (Florilegium *d'A. Denss*, Cologne 1594).

Arkwright, *op. cit.*, R. Donington in MGG. — **5. Alfonso** (*III*), fils du précédent, qui mourut avant 1660, fut au service du précepteur du prince de Galles et *musician f. the viols and wind instr.* ; son frère – **6. Henry**, qui mourut v. 1658, succéda à leur père comme *composer of the King's music*. Quant à – **7. John** (Londres 1626– ... 10.1682), il semble avoir été org. de la cath. d'Ely en 1662 ; il fut bachelier de Cambridge en 1671 ; il composa une messe, 11 *anthems*, un *Burial service*, 3 pièces de clavecin.

**FERRAN José.** Mus. catalan du XVIIᵉ s., qui fut maître de chapelle de l'église de Balaguer ; la bibliothèque de Barcelone possède 3 œuvres de mus. d'église à 4 et 7 v., la cathédrale de Majorque une messe à 8 v. (avec lacunes).

**FERRAND.** C'est le nom d'un jongleur qui fut au service du roi Ferdinand IV d'Aragon.

**FERRAND-TEULET Denise.** Pian. et compos. franç. (Montréal 1921–), élève de M. Long, de J. Février, et auteur d'un concertino pour piano qui obtint un prix en 1957 au référendum Pasdeloup.

**FERRANDINI** (*Ferradini*) **Antonio.** Mus. ital. (Naples 1718–Prague 1779), qui vécut 30 ans à Prague où il mourut dans une grande pauvreté ; il est l'auteur des opéras *Ezio* (Ancône 1752), *Solimano* (Florence 1757), *Demofoonte* (Milan 1758), d'œuvres de mus. d'église, notamment d'un *Stabat Mater*, considéré comme son

*Stalle de la cath. du Mans (Photo Hurault-Viollet).*

chef-d'œuvre ; la *Bibl. estense* de Modène conserve de lui en manuscrit un madrigal et deux *arie*, celle de Florence, une messe à 4 v. (Prague 1775).

**FERRANDINI Giovanni.** Voir art. *Ferandini*.

**FERRARA Franco.** Violon., chef d'orch. et compos. ital. (Palerme 4.7.1911–), auteur d'une *Sinfonia italiana*, de *Poemi sinfonici*, d'une ouverture, d'*Improviso, Burlesca, Scherzo*, d'un concerto de violon, d'une sonate de piano, d'une sonate pour piano et vcelle, etc.

**FERRARESE (La).** Voir art. *Gabrieli Adriana*.

**FERRARI Antonio.** Mus. ital. du XVIIe s., qui fut chapelain du duc François II de Modène et composa 1 oratorio à 5 v. : *Il senso degradato nell' abbandono del mondo...* (Bibl. estense).

**FERRARI Benedetto** (*della Tiorba*). Mus. ital. (Reggio Emilia v. 1604–Modène 22.10.1681). Élève de l'École de Rome, il fut de l'entourage d'Alphonse et de François Ier d'Este et fut à la fois librettiste, compositeur, maître de chapelle à la cour de Modène (1645–51, 1653–62), virtuose du théorbe (il fut à ce titre au service de la cour de Vienne de 1651 à 1653) ; il avait collaboré avec F. Manelli à Venise (1637) : il était considéré comme l'un des initiateurs de l'opéra vénitien ; de ses opéras *L'Andromeda* (Bariletti, Venise 1637), *La maga fulminata* (*ibid.* 1638), *Licasta* (Parme 1653), il ne reste que le texte ; de *La finta savia* (Venise 1643), *L'Erosilda* (Modène 1658), *Le ali d'amore* (Parme 1660), *La gara degli elementi* (Ferrare 1666), il ne reste que la musique (avec lacunes) ; des opéras *L'Armida* (Venise 1639), *Il pastor regio* (Venise 1640), *La ninfa avara* (*ibid.* 1641), *Il principe giardiniero* (*ibid.* 1644), *La vittoria d'Imeneo* (Modène 1648), *Dafne in alloro* (ballet, Vienne 1651) restent texte et composition avec lacunes ; l'oratorio *Il Sansone* est en ms. à la bibl. de Modène ; Magni publia de lui 3 livres de *Musiche (e poesie) varie a voce sola* (Venise, 1633, 1637,

1641) et Ramellati 6 livrets de lui sous le titre *Poesie drammatiche di B.F.* (Milan 1644). Voir G. Tiraboschi, *Bibl. modenese*, II, Modène 1782 ; E. Schmitz, *Gesch. d. weltl. Solokantate*, Leipzig 1914 ; F. Batielli, *Operistilibrettisti dei sec. XVII e XVIII*, ds *RMI*, XLIII, 1939 ; A.A. Abert, ds *C. Monteverdi u. das mus. Drama*, Lippstadt 1954 ; S.T. Wosthorne, *Venetian opera in the 17. cent.*, Oxford 1954.

**FERRARI – 1. Carlo.** Vcelliste ital. (Plaisance 1710–Parme 2.4.1790). Il était surnommé *il zoppo di Piacenza* (le boiteux de Plaisance) ; il est à Paris l'an 1750 ; en 1758, il est soliste au Concert spirituel ; en 1765, rapatrié, il appartient à la chapelle ducale de Parme ; il est, avec L. Duport et J.-B. Bréval, l'un de ceux qui perfectionnèrent la technique du vcelle (doigté du pouce) ; il a laissé un cahier de compositions pour son instr. et publia à Paris un livre de sonates pour piano et vcelle. Son frère – **2. Domenico** (Plaisance 1722–Paris 1780) fut un grand virtuose du violon ; élève de Tartini, il exerça d'abord à Crémone, puis à Vienne (1741) près de Dittersdorf, à la cour impériale, en 1753, avec Nardini, à la cour de Wurtemberg ; en 1754, il joue au Concert spirituel de Paris avec un grand succès ; après un nouveau séjour à Stuttgart, il se fixe à Paris ; il meurt en allant de Paris à Londres, dans des conditions suspectes ; il a laissé 36 sonates p. violon et basse (Paris et Londres), 6 sonates en trio p. 2 viol. ou fl. et basse (Londres), 1 sonate pour fl. traversière et basse (ms. Carlsruhe), un concerto de violon (ms. Vienne), 6 sonates en trio p. 2 v. ou fl. allem. av. basse (Londres), 3 sonates ds *L'art du violon* de Cartier et ds *Les Maîtres classiques* du violon d'Alard. Voir Ditters v. Dittersdorf, *Lebenbeschreibung*, Bosse, Ratisbonne 1940 ; W.V. Wasielewski, *Die V. u. ihre Meister*, Leipzig 1920.

**FERRARI Carlotta.** Compos. ital. (Lodi 27.1.1837–Bologne 23.11.1907), auteur de 3 opéras, d'une messe de *Requiem* (funérailles du roi Charles-Albert, 1868), d'hymnes, de mélodies, dont le texte était d'elle (elle était en même temps poète).

**FERRARI Francesco.** Mus. ital., né à Fano vers la moitié du XVIIᵉ s., qui fut maître de chapelle du cardinal Fachenetti à Sinigaglia, puis à Fano (1674) ; il écrivit un livre de motets *a voce sola* (Monti, Bologne, 1674) ; on trouve trois pièces de lui dans un ms. de cantates et airs du Cons. de Bologne.

**FERRARI Giacomo Gotifredo.** Mus. ital. (Rovereto 2.4. 1763–Londres ...12.1842). Élève de Latilla et de Paisiello à Naples (1784), il séjourna à Paris en 1787, introduit dans l'entourage de Marie-Antoinette par Campan, majordome de la Cour ; il débuta au théâtre Montansier (1791) avec *Isabelle de Salisbury* ; la Révolution française le fit quitter Paris et s'installer à Bruxelles, puis à Londres (1792), où il fut maître de chant de la princesse de Galles, *maestro al cembalo* au théâtre Haymarket ; il s'attacha à diffuser l'œuvre de Mozart ; il composa les opéras : *Le pescatrici* (1786), *Isabelle de Salisbury* (1791), *Les événements imprévus* (*id.*), *I due Svizzeri* (1799), *Il Rinaldo d'Asti* (1802), *L'eroina di Raab* (1813), *Lo sbaglio fortunato* (1817), des *pasticci*, deux ballets, des airs, 4 septuors, 2 concertos de piano, 1 messe (ms. Vienne) ; il publia un traité de chant italien (1818), *Studio di mus. pratica, teorica* (v. 1830), *Anedotti piacevoli e interessanti...* (2 vol.) 1830, dédié à Georges IV, rééd.

D. FERRARI
Sonata per flauto trav., v., va *(bibl. Carlsruhe).*

S. di Giacomo, Palerme 1920). Voir E. Zaniboni, *G.F. mus. e viaggiatore*, Trente 1907 ; R. Lunelli, *Mozart nel Trentino*, Trente 1925 ; G. Fino, *G.G.F. mus. roveretano*, Trente 1928, et *G.G.F. e le sue memorie*, ds *Mozart a Rovereto*, Rovereto 1931 ; G. de Saint-Foix, *A mus. traveller*, ds *MQ*, nᵒ 4, oct. 1939.

**FERRARI Giovanni.** Mus. ital., né à Pise au début du XVIIᵉ s., qui fut maître de chapelle à la cath. de Livourne et du duc de Toscane ; on a conservé de lui des *Motetti a più voci coll'organo* (1627) et *Primo libro de madrigali a 2, 3 e 4 v. per cantare nel clavicembalo o altro strumento simile* (1628).

**FERRARI Girolamo** (*Geronimo*). Mus. ital. du début du XVIIᵉ s., qui fut l'élève de G. Ghizzolo, aux œuvres duquel sont mêlées les siennes : un *Confitebor angelorum* à 5 v. (Vincenti, Venise 1618), un *Nisi Dominus* (Tomazzo Milan 1625), 3 madrigaux (A. Vincenti, Venise 1623), 2 autres (Gardane-Magni, Venise) ; certains auteurs l'identifient avec Girolamo da Mondondone.

**FERRARI** (*Ferrario*) **Giuseppe Antonio.** Franciscain ital., né à Milan, qui fut maître de chapelle de la basilique d'Assise, puis à St-Antoine de Padoue, où il mourut en 1702 ; au *Santo* de Padoue, on conserve de lui 1 *Matutino dei Morti* à 4 v., des *Salmi di compieta e Antifona* à 8 v. avec orgue, *Alleluia, tratto e Antifona per il Sabato Santo* à 8 v. et instr. ; une partie a été rééd. dans le t. 4 de *Musica divina* de C. Proske.

**FERRARI Gustave.** Compos. d'orig. ital. (Genève 28.9. 1872–29.7.1948), qui fut élève de Gigout, vécut à Londres, composa le répertoire d'Yvette Guilbert, écrivit des intermèdes pour *Hamlet* (Londres 1905), une cantate en l'honneur de Rousseau (Genève 1912), *Almanach aux images* (v. de femmes), *Livre pour toi* (mélodies), des œuvres d'orgue ; il a fait également de la critique musicale.

**FERRARI Luc.** Compos. franç. (Paris 1929–). Il se réclame de Webern et de Varèse ; œuvres principales : *Sonatine Elyb*, pour piano, *Lapidarium*, « poème automatique pour piano », *Visage I*, pour piano, *Visage II*, pour cuivres et batterie, *Tête à terre*, pour voix et piano, d'après un poème de R. Weingarten, *Profil*, pour cuivres et batterie ; membre du groupe de recherches de musique concrète de la R.T.F. à Paris depuis le 1ᵉʳ janv. 1958, il a composé plusieurs études, participé aux travaux théoriques du stage 1958 et collaboré à la réalisation de certaines des dernières études de Pierre Schaeffer.

**FERRARI Massimo.** Franciscain ital., né à Montecchio au début du XVIIᵉ s. ; v. 1650, il était org. et maître de chapelle à Terra di Noventa di Piave ; on a conservé de lui *Salmi di compieta a 3 v. op. 1* (A. Vincenti, Venise 1653) et *Litanie della B.V.M. concertate a 4 v. op. 2* (P. Magni, Venise 1658).

**FERRARI Romolo.** Guitariste et compos. ital. (Modène 29.7.1894–). Élève du *Liceo mus.* de Bologne, qui a fondé à Bologne la *Società chitarristica Mauro Giuliani*, écrit pour l'orch., pour le piano, pour les cordes, des chœurs, des mélodies.

**FERRARI Serafino Amadeo de.** Chef d'orch. et compos. ital. (Gênes 1824–31.3.1885), auteur des opéras *Catilina* (1852), *Don Carlo* (Gênes 1854), *Filippo II* (id. 1856), *Il matrimonio per concorso* (Venise 1858), *Pipelè* (id. 1855), *Il Menestrello* (Gênes 1859), *Il cadetto di Guascogna* (id. 1864), de mus. d'église et d'œuvres diverses.

**FERRARI-TRECATE Luigi.** Org. et compos. ital. (Alexandrie 25-8-1884–). Élève de Cicognani, de Mascagni, il fut org. et prof. à Lorette, à Carrare (1909–13), à Rimini, à Parme (1929–1955), au cons. de Bologne (1930–32) ; il a écrit pour la scène : *Regina Ester* (1899), *Il corsaro* (1903), *Galvina* (1904), *Fiorella* (id.), *Ciottolino* (1922), *Pierozzo* (id.), *La bella e il mostro* (1926), *Le astuzie di Bertoldo* (1934), *Ghirlino* (1940), *Brucchio* (1948), *L'orso re* (1950), *La capanna dello zio Tom* (1953), pour l'église, pour le cinéma, pour le piano, pour le chant ; il est président de la section musicale du Conseil supérieur des beaux-arts et membre de l'Académie Ste-Cécile. Voir E. Campogalliani, *L.F. operista*, Vérone 1955.

**FERRARIS Amalia.** Célèbre ballerine ital. (Voghera v. 1828–Florence 8.2.1904), élève de Blasis, qui appartint à la *Scala* (1844) et fit une carrière internationale.

**FERRARO Antonio.** Mus. sicilien, né à Polizzi v. 1570, qui fut org. de son ordre à Catane (l'Observance) ; il appartient à cette série de musiciens du début du XVIIᵉ s. qui écrivirent de la mus. d'église avec *b.c.* à l'orgue, dans un style orné ; on a gardé de lui

*F. Antonii Ferraro Carmelitae Siculi Polisitunensis ejusdem ordinis in conventu clarissimae civitatis Catinae organici sacrae cantiones, quae tum unica, tum duabus, tribus ac quatuor vocibus concinuntur cum basso pro organo* (32 motets, Rome 1617) et *Ghirlanda di sacri fiori* (Palerme 1623).

**FERRAS Christian.** Violon. franç. (Le Touquet 17.6.1933–), élève de Calvet et d'Enesco, 1er prix du concours intern. de Scheveningue (1948), prix Long-Thibaud, qui fait une carrière intern. depuis 1946.

**FERRATA Giuseppe.** Pian. et compos. ital. (Gradoli 1.1.1865–Nouvelle-Orléans 28.3.1928), qui fut élève de Sgambati et de Liszt, professa au *New College* de la Nouvelle-Orléans, écrivit une *Sinfonia corale*, un concerto de piano, 2 messes, 1 *Requiem*, 1 quatuor, 1 *Méditation religieuse et cortège nuptial*, 2 suites, 1 *Toccata chromatique* et d'autres morceaux de piano, des chœurs, des mélodies ; il est l'auteur de 3 opéras inédits.

**FERRAVACH** (*Ferreñach*) **Ramon.** Org. esp. de la fin du XVIIIe s., qui fut org. de la cath. de Huesca, puis du *Pilar* de Saragosse (1785) ; la bibl. de Barcelone conserve de lui *Nona* à 8 v. avec orgue, fl. et contrebasse ; on a en outre de lui des motets à 2, 3 et 4 v., intitulés : *Dolorosos que se cantan los domingos, miércoles y viernes de cuaresma...* (1800) ; au Pilar et à la cath. de Saragosse, on trouve *Dos partitos de ambas manos y un Lleno a 4 con 2 intentos y canto llano* (1790) ; il a également écrit des sonates, dont 1 à 4 mains.

**FERRÉ Léo.** Chanteur et compos. monégasque (Monaco 24.8.1916–), qui est l'auteur du texte et de la musique de ses chansons : elles sont dans le répertoire de tous les chanteurs de variétés ; citons *Paris-Canaille*, *L'homme*, *Le piano du pauvre*, *Le temps du plastique*, *Le guinche* ; il a également écrit un oratorio, une *Symphonie interrompue*.

**FERREIRA Manuel.** Mus. esp. du XVIIIe s., d'orig. portugaise, né à Madrid et mort en 1797, qui fut guitariste et appartint à des orch. de théâtre madrilènes.

**FERREIRA da COSTA Rodrigo.** Théoricien portug. (Setúbal 13 5.1776–Lisbonne 1.11.1825), juriste et mathématicien, auteur d'un traité intitulé *Principios de música* (2 vol., 1820–24) : il y adopte les théories de Momigny (développées dans son *Encyclopédie méthodique*) et commente la musique instrumentale de Corelli à Beethoven. Voir Vieira, *Mus. portug.*, I.

**FERREIRA VEIGA.** Voir art. *Arneiro*.

**FERRER Anselmo** (*Dom*). Bénédictin catalan (Capellades 16.4.1882–). Org., élève de C. de Nardis, directeur de l'*Escolania* de Montserrat (1911–1933), il a écrit 2 messes, des lamentations, des hymnes, des motets etc.

**FERRER Guillermo.** — 1. Compos. et violon. esp., qui vécut dans la seconde moitié du XVIIIe s., fut violon. dans les théâtres de la cour d'Espagne et chef d'orch. du théâtre de *los Caños del Peral* ; la plupart de ses compositions ont été perdues ; il reste de la mus. pour les comédies *Incendio y tempestad*, *La ventura con el sueño*, pour les *tonadillas El remedo del gato*, *Ay corazon mio...*, pour la farce *Los tres sacristanes* (bibl. de Madrid), 1 air avec acc. instr. dédié au duc de Liria (1791). Voir ds Cotarelo y Mori, *Oríg. y establ. de la ópera en España*, Madrid 1917 ; F. Pedrell, *Teatro lirico español...* II, La Corogne 1897, et *Cancionero mus. pop. esp.*, IV, 1922 ; J. Subirá, *Un villancico teatral : Los tres sacristanes*, ds *Rev. de la Bibl., Arch. y Museo del Ayuntamiento de Madrid*, avril 1926. — 2. Mus. catalan du XVIIIe s., de qui on ne sait rien : les archives de Montserrat conservent de lui un *Ave Maria* (8 v., avec violons).

**FERRER José.** — 1. Org. esp. du XVIIIe s., qui fut org. de la cath. de Pampelune et édita en 1780 à Madrid *Seis sonatas* pour le forte-piano ou le clavecin et *Tres sonatas* pour le forte-piano avec acc. de violon (1781) ; aucun exemplaire n'en est connu. — 2. Mus. et théoricien esp. (Villa de la Cañada de Benatanduz 7.9.1682–Tolède 12.12.1752), élève de F. Valls, qui exerça sa cath. de Valence et de Tolède ; on a conservé de lui *Escudo político de la Entrada del Miserere nobis de la missa Scala aretina...* (1717).

**FERRER Mateo.** Org., chef d'orch. et compos. catalan (Barcelone 25.2.1788–4.1.1864), qui fut pendant 56 ans org. de la cath. de Barcelone, ville où il était connu sous le diminutif *Mateuet*, et dirigea l'orch. du théâtre de la Santa Cruz ; du grand nombre des œuvres de mus. d'église ou de théâtre qu'il écrivit, on ne connaît qu'une cantate intitulée *Crece, Crece arbolillo* ; Joaquin Nin, dans *Seize sonates anciennes d'auteurs espagnols*, I (1935), a édité une sonate de lui pour piano et clavecin, composée en 1814.

**FERRER Pedro.** — 1. Théoricien du plain-chant esp., qui vivait vers la moitié du XVIe s., de qui on ne sait rien ; on a conservé de lui *Yntonario general para todos las yglesias de España...* (Saragosse 1548) ; un autre exemplaire, à la Bibl. nat. à Madrid, est de 1559 ; c'est un document important. — 2. Poète-musicien catalan, né à Tárrega, mort au monastère de S. Cugat del Vallés en 1231, qui fut bénédictin ; ses compositions sont perdues, mais aux archives de la couronne d'Aragon, à Barcelone, dans le codex 46 de S. Cugat, on a préservé des *Consuetudines monasterii*, écrites de sa main (1219–1221), dédiées à Raymond de Banyeres, qui comportent en appendice un *Tonarius*, lequel donne de précieux renseignements sur le plain-chant de l'époque. Voir H. Anglés, *La musica a Catalunya fins al segle XIII*, Barcelone 1935.

**FERRER Rafael.** Violon., chef d'orch. et compos. catalan (San Celoni 22.5.1911–), dir. de l'orch. de la radio nationale de Barcelone (1949), auteur d'un concerto de violon en *si mineur*, d'une *Suite mediterránea*, d'un ballet, *Romance de la fragua* (Paris 1952), de mélodies, de chœurs, de musique pour dessins animés.

**FERRER Santiago.** Mus. esp. (Cervera del Maestre 10.8.1762–à l'Escurial 21.8.1824), qui fut moine hiéronymite, disciple et successeur du P. Soler, comme maître de chapelle (il le fut 36 ans) : il copia d'ailleurs beaucoup des textes de Soler ; on a conservé de lui à l'Escurial 189 mss, notamment des messes à 8 v., 30 Lamentations (4 et 8 v.), 6 leçons des défunts (4 et 8 v.), 5 litanies (4-8 v.), 2 vêpres (8 v.), 5 Complies (4-8 v.), 2 Salve (4-8 v.), 64 *villancicos* de Noël, 5 *Veni Creator*, 3 Miserere (8 v.), 7 répons de Noël, des hymnes, des séquences, des psaumes, le tout a cappella ou avec acc. instrumental. Voir J. Zarco, *Los Jerónimos de San Lorenzo el Real de el Escorial*, à l'Escurial 1930 ; R. Gerhard et H. Anglés, *Sis Quintets del P. Antoni Soler*, Barcelone 1933.

**FERRER ESTEVE José.** Guitariste catalan (Gérone 13.3.1835–Barcelone 7.3.1916), qui fut célèbre à Paris (Institut Rudy, Académie intern. de musique) et enseigna au cons. *del Liceo* à Barcelone ; on a conservé de lui 61 compositions.

**FERRERAS.** Voir art. *Farreras*.

**FERRETI Giovanni.** Mus. ital. (Ancône ?, v. 1540–Loreto ?, v. 1610), maître de chap. de la cath. d'Ancône en 1575, puis de la Santa Casa de Lorette de 1596 à 1603, auteur de 2 livres de *canzoni alla napoletana* à 6 v. (1573–75), et de 5 livres à 5 v. (1567–1585), œuvre importante dans l'histoire du madrigal (pour la transformation de la villanelle en *canzone*) et dont l'influence fut grande, notamment sur Lassus et Cl. Le Jeune ; il a laissé aussi en mss 1 messe, des hymnes, 1 *Magnificat* et des motets. Voir A. Einstein, *The ital. madrigal*, t. II.

**FERRETTI Paolo** (*Dom*). Abbé bénédictin (Subiaco 3-12-1866–Bologne 23.5.1938), qui fut directeur de l'Institut pontifical de musique sacrée à Rome et publia *Principii teorici e pratici di canto gregoriano* (Desclée 1905), *Il cursus metrico e il ritmo delle melodie gregoriane* (Rome 1913), *Estetica gregoriana ossia Trattato delle forme musicali del canto gregoriano* (Rome 1934, traduit en français chez Desclée à Tournai en 1938, avec un ajout sur le caractère de l'accent tonique dans le chant grégorien); dans la Paléographie musicale de Solesmes (XIII 1925), on trouve de lui une étude sur la notation aquitaine du graduel de St-Yrieix ; ds *Cassinensia* (I, 1929), il publia *I manoscritti musicali gregoriani dell' archivio di Monte-Cassino*.

**FERRETTO Andrea.** Compos. ital. (Barbarano 31.10.1864–?), inventeur du *dattilo-musicografo* (machine

*Stalle de la cath. du Mans (Photo Hurault-Viollet).*

à écrire la musique) ; auteur des opéras *L'amore d'un angelo* (1893), *I Zingari* (1900), *La violinata* (1908), *Idillio tragico* (1906), *Fantasma* (1908), de 2 autres, inédits, de 2 poèmes symph., de mus. d'église et de mélodies.

**FERRI Baldassare.** Sopraniste ital. (Pérouse 9.10.1610–18.11.1680). Enfant de chœur à la chapelle du cardinal Crescenzio à Orvieto (1621–1625), au service des rois Sigismond III, Ladislas VII, Jean-Casimir de Pologne, de la reine Christine de Suède à Stockholm (il y était v. 1650), il passa enfin à la cour de Vienne (1655–1675), où il fut comblé d'honneurs et d'argent. Voir G. Conestabile, *B.F.*, Pérouse 1846 ; C. Sartori in MGG.

**FERRI Francesco Maria.** Franciscain ital. des XVIIe-XVIIIe s., né à Marsciano v. 1680, qui fut élève du père Passerini, maître de chapelle du couvent de St-François à Bologne, puis des cath. d'Ascoli et de Todi (1713) ; après quoi il revint au couvent de Bologne (1720) ; il publia *Solfeggi a 2 v. ...* (Mascardi, Rome 1713), *Antifone della B.V. a 2 v. concertate* (avec orgue, *ibid.* 1719) ; on les conserve à la bibl. du *Liceo mus.* de Bologne.

**FERRIER Kathleen.** Alto angl. (Higher Walton 22.4.1912–Londres 8.10.1953), qui fut d'abord pianiste, travailla avec Roy Henderson, débuta pendant la 2e guerre mondiale, créa le *Rape of Lucretia* de Britten (1946), fit une grande carrière au concert et mourut prématurément.

**FERRIER Michel.** Mus. franç., né à Cahors, qui publia, sur la traduction de Marot, une version polyphonique (3 v.) de 49 psaumes de David « selon le chant vulgaire » (Granjon, Lyon 1559 ; rééd. N. Du Chemin, Paris 1568).

**FERRO Giulio.** Mus. ital., originaire d'Urbin, qui vécut à la fin du XVIe s., auteur d'*Il primo libro di madrigali a 5 v. ...* (R. Amadino, Venise 1594), que possède la bibl. du *Liceo mus.* de Bologne.

**FERRO Marco Antonio.** Luthiste et violon. ital., qui fut au service de Ferdinand III et de Léopold Ier d'Autriche, de 1642 à 1662 ; il publia *12 Sonate a 2, 3 e 4 stromenti* (Venise 1649) ; il résida également à Prague.

**FERRO Pietro.** Compos. ital. (Messine 29.6.1903–), qui a composé un opéra, *La Foresta d'amore* (1928), un ballet (*Persefone*), *Suite agreste* (1930), une sonate pour piano et violon, *Aria italiana* (pour vcelle), des *liriche*, des poèmes symphoniques etc.

**FERRO Vincenzo.** Mus. ital., qui vécut vers la moitié du XVIe s. et donna des madrigaux à une vingtaine de recueils publiés de 1549 à 1597.

**FERRONATI Lodovico.** Violon. ital. ( ?–Bergame 3.8.1767), qui publia *10 Sonate a violino solo per camera con il suo b.c. per il cembalo, op. I* (A. Bortoli, Venise 1710) ; il fut premier violon et maître de chapelle à Ste-Marie-Majeure de Bergame, à partir de 1745 jusqu'à sa mort.

**FERRONI Vincenzo.** Compos. ital. (Tramutola 17.2.1858–Milan 10.1.1934), qui fut élève de Savard et de Massenet, prof. de composition au cons. de Milan, écrivit les opéras *Ettore Fieramosca* (1896), *Il carbonaro* (1900), *Rudello* (id.), de la mus. de scène, une ouverture (*Ariosto*), 2 symphonies, une *Suite romantica*, *Ellade* (suite symph.), *Risorgimento* (poème symph.), *Il chiostro insidiato* (id.), *Rapsodia spagnuola*, *Fantasia eolica*, *Angelo Pallido*, *Idillio*, 1 quatuor, 2 trios, 1 concerto de violon, 1 sonate et 1 scherzo p. piano et violon, des fugues, un traité : *Della forma musicale classica*.

**FERROUD Pierre-Octave.** Compos. franç. (Chasselay 6.1.1900–Debrecen 17.8.1936). Après avoir travaillé la piano avec sa mère, elle-même élève de Le Couppey et de Marmontel, il fait ses études scientifiques à la faculté des sciences de l'université de Lyon ; il travaille l'harmonie et la composition avec Édouard Commette, Guy Ropartz, Florent Schmitt, et le contrepoint avec

M.J. Erb ; il fait jouer ses premières œuvres par la Société des concerts de Lyon (1921), entre ensuite au service de la maison Pleyel à Paris, où il est affecté au département mécanique des « pleyela » ; sa vie, extrêmement brève, n'est plus ensuite que l'histoire de son œuvre, et celle d'une société de musique de chambre contemporaine dont il fut le fondateur et l'infatigable animateur, *Triton* ; il meurt dans un tragique accident d'automobile en Hongrie.

Son œuvre, très diverse, reflète une nature assez étonnamment contrastée : de l'objectivité froide et de l'émotion lyrique, du sarcasme et de la tendresse, de la rudesse d'expression et de la douceur de conception, de l'intelligence aiguë et de la fantaisie rêveuse.

Dans son langage musical, on constate l'existence d'un même antagonisme : volupté du contrepoint, avec toutes ses conséquences, et goût de la belle harmonie. Et il a beau écrire : « C'est par le contrepoint que la musique atteint à cet universel dont elle est la langue, l'harmonie gardant toujours une couleur nationale », il a beau rechercher la combinaison contrapuntique savante jusqu'à l'hermétisme, d'autres choses lui viennent souvent à la plume, qui sont les plus somptueux accord, la modulation amusante ou astucieuse, ou agréable.

Dans le domaine de l'écriture instrumentale, on le voit passer d'un morceau pour piano à l'opulente orchestration du même morceau. C'est le cas de sa suite intitulée *Au parc Monceau*, dont la version pour orchestre révèle un symphoniste exceptionnellement vigoureux. Le même symphoniste se retrouve encore plus à son avantage dans son poème pour orchestre *Foules* qui évoque, sans description pittoresque, « le grouillement d'une ville moderne, le halètement des souffles, la pulsation des cœurs », ainsi que dans sa symphonie en *la*, l'une des plus remarquables architectures sonores qu'ait vu naître l'entre-deux-guerres.

C'est dans sa musique de chambre qu'il semble avoir le mieux réalisé ses principes théoriques d'art objectif, sans d'ailleurs aller jusqu'à l'abstraction : une sonate pour piano et violoncelle écrite en un contrepoint fin et musclé à la fois ; un trio pour hautbois, clarinette et basson, qui parut un peu agressif à l'époque (1933), mais dont les sonorités sont bien adoucies par le temps ; un quatuor à cordes d'accent presque brutal, et dont la force fait penser à Hindemith ; *Trois poèmes intimes de Goethe* composés sur le texte allemand, que l'auteur lui-même intitule « sonatine vocale », où le ton se fait plus expressif, plus humain. N'oublions pas non plus son opéra-bouffe, *Chirurgie* d'après Tchékov, où sa verve sarcastique et comico-cruelle se donne libre cours.

La société de musique de chambre contemporaine, *Triton*, fondée par Ferroud mérite une mention particulière. A partir de 1932, elle donna des concerts au cours desquels fut donné tout ce que la musique de chambre produisit alors dans le monde et qui pouvait avoir l'intérêt de musique vivante. Grâce à *Triton*, c'est-à-dire grâce à Ferroud qui se dépensait sans compter pour trouver à la fois les œuvres de valeur et les commandites nécessaires pour les faire jouer en faisant vivre sa société, cette période trop brève de la vie musicale parisienne fut une des plus riches et des plus prospères que l'on ait jamais connues. Ce fut pour les musiciens comme pour le public une série d'échanges et de contacts de portée largement internationale. Sans *Triton*, plusieurs générations de compositeurs et d'auditeurs auraient complètement méconnu la musique de leur temps. **C.R.**

**Œuvres :** pour le piano : *3 études* (1918-23), *Sarabande* (1920), *Au parc Monceau* (1921), *Prélude et forlane* (1922), *Types* (1924), *Sonatine* (1928), *Tables* (1931) ; pour le chant : *A contre-cœur* (1923-25), *Cinq poèmes de P.-J. Toulet* (1927), *Trois poèmes de Paul Valéry* (1929), *Trois poèmes intimes de Goethe* (1932), *Trois chansons de Jules Supervielle* (id.) ; mus. de chambre : *3 pièces pour flûte seule* (1921-22), *Sonate de piano et violon* (1928-29), *Sonate de piano et vcelle* (1932), *Trio* (htb, cl., basson, 1933), *Quatuor à cordes* (1934) ; pour l'orch. : *Sarabande* (1920-26), *Au parc Monceau* (1921-25), *Foules* (1922-24), *Sérénade* (1929), *Symphonie* (1930), *2 suites d'orch.* (*Du Bellay, Jeunesse*, 1932) ; pour le théâtre : *Le porcher* (ballet, 1924), *Chirurgie* (op.-bouffe, Tchékov, 1928), *Jeunesse* (ballet, A. Cœuroy, S. Lifar, 1931). Voir C. Rostand, *P.O.F.* (1958).

**FERTÉ Armand.** Pian. et prof. franç. (Paris 22.10.1881–), élève de Diémer, de Leroux, de Gédalge, qui a été prof.

au cons. de Paris (1927), président d'honneur de l'Association des prix de piano, président-fondateur de « Jeunesse et Musique ».

**FES.** C'est le nom du *fa bémol* dans les pays qui ont adopté la nomenclature germanique.

**FESCA Friedrich Ernst.** Violon. allem. (Magdebourg 15.2. 1789–Karlsruhe 24.5.1826). Élève de Pitterlin, d'A. Matthäi, d'A. E. Müller, il fut violoniste à l'orch. du *Gewandhaus* de Leipzig, puis à la cour du duc d'Oldenbourg, à Cassel, à Magdebourg, à Karlsruhe ; il composa un concerto de violon (Leipzig 1805), 3 symphonies (1812, 1813, 1819), une ouverture (*op.* 43), 19 quatuors à cordes, 4 quatuors avec flûte, un quintette avec flûte (*op.* 22), 2 opéras : *Cantemire* (*op.* 19, 1820), *Omar u. Leila* (*op.* 28, 1824), des mélodies et des œuvres chorales. Son fils – **Alexander Ernst** (Karlsruhe 22.5.1820–Brunswick 22.2. 1849) fut pianiste, composa 4 opéras : *Marietta, Die Franzosen in Spanien, Der Troubadour, Ulrich von Hutten*, et des mélodies. Voir l'*Autobiographie* de L. Spohr (1860) et l'art. d'E. Valentin in M.G.G.

**FESCH Willem de.** Org., violon. et vcelliste néerl. (Alkmaar 1687–Londres 3.1.1761). Élève d'Alphonse d'Eve, il lui succéda en 1725 comme maître de chapelle de la cath. d'Anvers, mais fut révoqué (1730) pour sa « brutalité » ; on le trouve à Londres en 1732, où il eut une solide réputation de compositeur ; il composa des mélodies, 6 duos à 2 violons, *op.* 1a (Amsterdam 1716), *Sonates à 2 vcelles, bassons ou violes...* *op.* 1b (Le Clerc, Paris 1738), *Concerti a 4 viol., alto viola, vcello e b.c. ...* *op.* 2a (Amsterdam 1716-17), *6 sonates à 2 vcelles, bassons ou violes...* *op.* 2b (id. 1738), *6 concerts dont il y en a 4 à 4 violons, haute-contre et b.c. et 2 à 2 hautbois, 2 viol., basse et b.c., op.* 3a (Amsterdam 1716-17), *6 sonates à 2 vcelles, bassons ou violes, op.* 3b (Le Clerc, Paris 1738), *12 sonate in due libri, ... op.* 4 (D.F., Amsterdam 1725), *6 concertos in seven parts, two f. german flutes, two violins, tenor, vcello and organo, and four for two violins etc... op.* 5 (Londres), *6 sonate a viol. o flaute traversiero col basso per l'organo... op.* 6 (Bruxelles 1725-31), *10 sonatas for two german fl. or two viol., with a thorough bass, op.* 7 (Londres 1733), *12 sonatas, six for a viol., with a thorough bass... and six for two vcellos, op.* 8 (Londres, 1736, 1738), *6 sonatas for two german fl. ... op.* 9 (Londres 1739), *8 concertos in seven parts, six for two viol. ... op.* 10 (Londres 1741), *Thirty duets for 2 german fl. ... op.* 11 (Londres 1747), *12 sonatas for 2 german fl. ... op.* 12 (Londres 1748), *6 sonatas for a vcello solo with a thorough bass... op.* 13 (Londres v. 1750), *Concerto a 4 stromenti* (Bibl. de l'univ. d'Amsterdam), *Apis amata, Cantate ab alto solo et 3 instr.* (Bibl. du cons. de Bruxelles) ; nombre de ses œuvres (dont 2 oratorios) sont perdues. Voir F. van den Bremt, *W. de F. ...*, Louvain-Bruxelles 1949.

**FESCHOTTE Jacques.** Musicographe franç. (Meaux 8.10. 1894–). Élève de Maurice Emmanuel, directeur de l'École normale de musique à Paris, il a publié *Les hauts-lieux de la musique* (Paris 1949), *Hector Berlioz* (La Colombe, Paris 1951), *Albert Schweitzer* (Ed. Universitaires, Paris 1952), *Musique et poésie : libres propos* (Éditions du Journal musical français, Paris), *Les forces morales de la musique* (trad. de Bruno Walter, Mercure de France, Paris 1938), *Chaliapine* (en préparation). Sa femme – *Colette Wyss*, est chanteuse.

**FESES.** C'est le nom du *fa double-bémol* dans les pays qui ont adopté la terminologie germanique.

**FESTA Costanzo.** Mus. ital. (? v. 1485–Rome 10.4.1545). Clerc du diocèse de Turin, il fut probablement v. 1510, à Ischia, au service du duc de Francavilla. Selon E. Lowinsky, il aurait ensuite été à la cour de France, comme on peut le déduire de l'élégie qu'il composa sur la mort de la reine Anne (1514) et d'une autre élégie qui paraît se rapporter à la mort de Louis XII, de la présence de 4 de ses œuvres dans le codex Médicis, écrit en France vers 1517-19, enfin de la liste de musiciens donnée par Rabelais dans le *Quart livre*, où il est le seul Italien parmi des Français. En 1517, il entra à la chapelle Sixtine ; il en fut le premier chantre italien et conserva ce poste jusqu'à sa mort, tout en ayant, semble-t-il, d'étroits rapports avec Florence ; Folengo a fait de lui cet éloge flatteur : « *Festa Constans,*

*d*
*Feb*
*1973*

*Josquinus qui saepe putabitur esse* » ; il a laissé 4 messes, 1 *Te Deum*, des *Magnificat*, des litanies à double chœur, une cinquantaine de motets, dont certaines des paroles sont une curieuse combinaison de textes bibliques et d'allusions à des événements contemporains, et un nombre important de madrigaux, publiés à partir de 1537, dans lesquels il montre une prédilection pour l'écriture à 3 v. ; un vol. de motets a été rééd. par E. Dagnino (*Mon. polyph. ital.*, 1936). Voir K. Jeppesen ds MGG ; E. Lowinsky, *The Medici Codex*, ds Annales mus., V, 1957.       F.L.

**FESTA Giuseppe Maria.** Violon. et chef d'orch. ital. (Trani 1771–Naples 7.4.1839), élève de Gargano, de Fenaroli, qui dirigea l'orch. du Théâtre San Carlo à Naples, publia des quatuors à cordes et 3 recueils de duos pour 2 violons (Girard, Naples).

**FESTA Sebastiano.** Mus. ital. du XVIᵉ s., probablement parent de Costanzo *F.*, qui était vers 1520 au service d'un membre de la famille des Gonzague, " Monsʳᵉ de Mondovi ", et de qui on connaît 3 motets à 4 v. et une dizaine de *frottole* et madrigaux (dans divers mss et imprimés), qui marquent bien la transition entre ces 2 genres.

**FESTING Michael Christian.** Mus. angl. (? 1680–Londres 24.7.1752), élève de Geminiani, membre du *King's private band* (1735), directeur de l'Opéra italien (1737), puis de *Ranelagh Gardens* (1742), promoteur de la *Society of musicians*, qui composa des recueils de pièces de violon, des sonates, des concertos, des symphonies (cordes), une paraphrase du 3ᵉ chapitre d'Habacuc (1742), une ode pour le jour de Ste-Cécile (Addison), une ode pour le retour du duc de Cumberand (*Song on may morning*, Milton, 1745), une autre ode (*For thee do I do mourn*), des cantates et des mélodies. Son frère – **John**, mort à Londres en 1772, fut un hautboïste très célèbre. Voir Ch. Cudworth in MGG.

FESCH

Air de Collin (Clio et Euterpe, 1762 — cons. de Paris). Giraudon.

**FESTIVAL.** Voir l'art. de J. Bornoff au début du premier volume de la présente encyclopédie.

**FESTSPIEL.** Terme allem. dont l'acception est large : au sens le plus général, il sert à désigner une œuvre, théâtrale ou musicale, composée pour une célébration ; on trouve ce terme en usage dès le XVIᵉ s., constant au XVIIᵉ et au XVIIIᵉ, relevé au XIXᵉ tant par Schiller et Gœthe que par Richard Wagner : c'est dire que le mot avait évolué dans un sens tout proche de notre moderne festival ; la Suisse a adopté le mot et la chose, en lui donnant un sens de célébration nationale (*Tellspiele*).

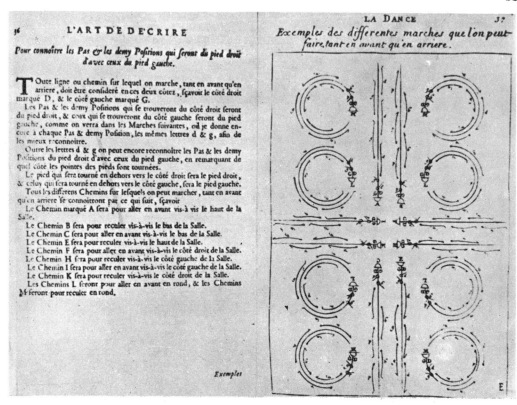

FEUILLET
Chorégraphie ou L'art de décrire la danse *(Paris 1701).*

**FÊTE.** « Divertissement de chant et de danse qu'on introduit dans un acte d'opéra et qui interrompt ou suspend toujours l'action. Ces fêtes ne sont amusantes qu'autant que l'opéra même est ennuyeux. Dans un drame intéressant et bien conduit, il serait impossible de les supporter. La différence qu'on assigne à l'opéra entre les mots de *fête* et de *divertissement* est que le premier s'applique plus particulièrement aux tragédies et le second aux ballets ».                J.J. Rousseau.

**FÉTIS François-Joseph.** Musicologue belge (Mons 25.3.1784–Bruxelles 26.3.1871). Compositeur sans originalité, professeur de composition et critique très redouté, F. aura été surtout un des musicologues les plus lucides de son temps ; devenu le directeur du cons. de Bruxelles en 1833 (à la création de cette institution), il a régenté jusqu'à sa mort la vie musicale belge. Comme professeur, il a eu la volonté de rédiger une somme pédagogique qui s'inscrit dans la ligne des grandes synthèses du XIXᵉ s. Il aurait voulu rassembler dans une « Encyclopédie des connaissances musicales » un ensemble de traités qui auraient révélé un « système général de la théorie de la musique, considérée comme art et comme science ». Il n'est pas parvenu au bout de sa tâche, mais il a publié un ensemble de traités qui visaient à la formation du compositeur, de l'interprète et de l'auditeur. Le plus important de ces ouvrages est le *Traité complet de la théorie et de la pratique de l'harmonie* (1844), où il ne s'est pas soucié seulement de formuler, mieux que d'autres, un certain nombre de recettes utiles aux compositeurs ; son grand mérite est d'avoir montré que l'*harmonie* n'était pas donnée, imposée une fois pour toutes par la nature. Il explique que les sons de la nature ne fournissent pas de point de départ à la musique par le seul fait de leur existence : ils ne forment une musique que lorsqu'ils sont organisés en systèmes, variables en signification et en expression selon les lieux et les temps.

Or, cette organisation ne dépend que de l'homme. Il ne faut donc pas espérer trouver dans l'harmonie des règles immuables édictées par une nature souverainement rationnelle ; ce sont des contingences humaines et historiques qui expliquent la signification de l'harmonie. C'est en partant de là que F. découvre quatre phases dans l'évolution de l'harmonie européenne : l'ordre *unitonique*, l'ordre *transitonique*, l'ordre *pluritonique* et l'ordre *omnitonique*. Avant même que les compositeurs les plus audacieux le réalisent dans leurs œuvres, F., par une réflexion fondée sur l'évolution historique, prévoyait dans l'ordre omnitonique toutes les possibilités d'équivoque tonale qui devaient aboutir au chromatisme wagnérien, puis à l'atonalité. Franz Liszt disait en 1867 : « M. Fétis est celui qui a le mieux pressenti et défini le progrès de l'harmonie et du rythme en musique ». Mais, chose qui restait incompréhensible pour un Liszt et pour les musiciens audacieux de son époque, après avoir analysé rationnellement l'évolution de la musique, F. restait cependant fort réactionnaire dans ses goûts et ne cessait de montrer un purisme rigoriste dans ses jugements sur l'écriture des compositeurs de son temps. C'est dans son activité d'historien qu'il exerça l'influence la plus considérable. Il fut un des premiers à considérer le passé musical avec un intérêt artistique et non plus par curiosité archéologique. Il a découvert la valeur artistique permanente des chefs-d'œuvre du passé et a énoncé cette idée fondamentale : « l'art ne progresse pas, il se transforme ». Il fut le premier à faire entendre, à Paris, de la musique ancienne (des XVIᵉ et XVIIᵉ s.), en 1831. Sa *Biographie universelle des musiciens* contient sans doute beaucoup d'erreurs, mais c'est le premier ouvrage de ce type et de cette ampleur qui ait été rédigé avec un souci de la critique des sources. L'ouvrage est largement dépassé par un siècle d'érudition, mais il reste utile au chercheur. Le *Résumé philosophique de l'histoire de la musique* publié en 1832 en préface à cette *Biographie universelle* présentait une grande nouveauté : pour la première fois, ce n'était plus une juxtaposition de notices sur des compositeurs ou des institutions musicales, mais une histoire de la langue musicale, ordonnée selon un enchaînement logique. Dans l'*Histoire générale de la musique*, restée inachevée, les préoccupations de l'auteur sont élargies : la musique occidentale n'est plus le seul centre d'intérêt, elle n'est plus qu'une musique parmi d'autres musiques, expression d'une civilisation parmi d'autres civilisations. En mêlant étroitement les recherches musicologiques à la linguistique et à l'ethnographie, F. fut un précurseur dans le domaine de l'ethnomusicologie. On peut estimer que ce n'est pas un hasard si ce même homme, qui a été tenu pour le critique le plus réactionnaire de son temps, a d'autre part contribué puissamment à élargir la sensibilité musicale, en montrant l'importance des chefs-d'œuvre du passé et des musiques extra-occidentales : c'est sans doute parce que la musique de son temps ne le satisfaisait plus qu'il s'est tourné, avec tant de passion, vers la musique ancienne, pour l'intégrer étroitement à l'univers esthétique des hommes du XIXᵉ s. Voir W. Gurlitt, *F.-J. F. u. seine Rolle in der Musikgeschichte*, compte-rendu du congrès de la Soc. intern. de musicologie, Liège 1930 ; E. Haraszti, *F., fondateur de la musicologie comparée*, ds *Acta mus.*, 1932 ; R. Wangermée, *F.-J. F., musicologue et compos.*, Bruxelles 1951.           R.W.

Son fils aîné – **2. Edouard-Louis-François** (Bougives 16.5.1812–Bruxelles 31.1.1909), fut professeur et critique musical ; il édita la *Revue musicale* de 1833 à 1835, fut conservateur de la Bibliothèque royale de Belgique, édita le 5ᵉ volume de l'*Histoire générale de la musique* de son père, enseigna l'esthétique à l'Académie des Beaux-Arts de Bruxelles, fut membre de l'Académie royale, publia *Légende de St-Hubert* (Bruxelles 1847), *Les musiciens belges* (ibid. 1849), *Les artistes belges à l'étranger* (1857–65). Son frère – **3. Adolphe-Louis-Eugène** (Paris 20.8.1820–20.3.1876) fut pianiste, prof. et

# LA MUSIQUE

## MISE A LA PORTÉE

# DE TOUT LE MONDE,

EXPOSÉ SUCCINCT DE TOUT CE QUI EST NÉCESSAIRE

POUR JUGER DE CET ART,

ET POUR EN PARLER SANS L'AVOIR ÉTUDIÉ.

### PAR M. FÉTIS,

DIRECTEUR DE LA REVUE MUSICALE.

## PARIS.

ALEXANDRE MESNIER, LIBRAIRE,

PLACE DE LA BOURSE.

## 1830

F.-J. Fétis

compos. : il écrivit des opéras-comiques, des opérettes (*Le major Schlagmann*, 1859), des mélodies, des pièces de piano.

**FEUILLARD Louis.** Vcelliste franç. (Dijon 20.6.1872–Paris 1941), élève de Delsart au cons. de Paris (1ᵉʳ prix 1894), soliste aux concerts d'Harcourt et aux concerts Colonne, qui se consacra à des recherches sur la technique et l'enseignement du vcelle ; ses exercices, études et méthode sont très répandus.           A.G.

**FEUILLET Raoul Auger.** Maître de danse franç., né v. 1660, dont la vie est inconnue ; il publia, avec privilège royal, *Chorégraphie ou Art de décrire la dance par caractères, figures et signes démonstratifs, avec lesquels on apprend facilement toutes sortes de dances, ouvrage très utile aux maîtres à dancer et à toutes les personnes qui s'appliquent à la dance* (1700) ; suivirent un *Recueil de danses*, composées par lui (Paris 1700), un *Recueil de danses composées par M. Pécour…* (1700), *Recueil de danses contenant un très grand nombre des meilleures entrées de ballet de M. Pécour…* (1704, 1709), 2 autres (1705, 1706), enfin *Recueil de contredances mises en chorégraphie* (1706) ; il y eut 4 éditions françaises de la *Chorégraphie* (1700, 1701, 1709, 1713) ; la traduction anglaise (P. Siris, *Orchesography*, 1706) fut réimprimée ; c'est un ouvrage que l'on peut comparer à l'*Orchésographie* de Thoinot Arbeau, au XVIᵉ s. : fort de la technique de Pécour, de Beauchamp, de Blondy, il situe la date où la danse devint professionnelle. Voir H. Rameau, *Le maître à danser*, Paris 1725 ; le 3ᵉ tome de l'Encyclopédie de Diderot, Paris 1753 ; Magny, *Principes de la chorégraphie*, Paris 1765 ; Noverre, *Lettres sur les arts imitateurs en général et sur la danse en particulier*, Paris 1807 ; M.-F. Christout ds MGG.

**FEURICH.** C'est le nom d'une fabrique de pianos allem., fondée à Leipzig en 1851 par *Julius Gustav F.* (19-3-1821–31-7-1900) ; son fils *Heinrich Hermann* (1854–1925), ses petits-fils *Julius Adolf* et *Erich* ont continué son œuvre ; cette fabrique fait des pianos droits et des pianos à queue.

**FÉVIN Antoine de.** Mus. franç. (Arras v. 1475–Blois v. 1511). Sur la foi d'une mention de Glaréan, on l'a longtemps cru originaire d'Orléans ; mais son père était échevin d'Arras, et les archives permettent de suivre sa famille dans cette ville depuis le début du XVᵉ s. ; on ne sait rien de sa vie, sinon qu'il fut chantre de Louis XII : une lettre du roi (1506) prouve que ce dernier tenait les chansons de F. en grande estime ; à sa mort, G. Cretin et J. Mouton le célébrèrent comme l'un des plus grands musiciens du temps ; quarante ans plus tard, Glaréan le considérait comme « felix aemulator » de Josquin ; il a laissé 12 messes, une trentaine de motets (dont *Sancta Trinitas*, qui eut un grand succès), des Lamentations, une quinzaine de chansons françaises dans des imprimés de Petrucci, d'Antico, de Rhau, de Montanus etc. et dans de nombreux manuscrits (en particulier Cambridge, Pepys, 1760) ; la messe *Mente tota* a été rééd. par H. Expert, la messe *Ave Maria* par J. Delporte. Voir B. Kahmann ds *Mus. disciplina*, 1950–51. F.L. Son frère – **Robert de** F. était originaire de Cambrai ; on ne sait que peu de chose de lui : il fut maître de chapelle du duc de Savoie ; on a conservé 5 de ses messes et qqs motets

**FÉVRIER François-Antoine.** Mus. franç. (?–Paris 31.1. 1724), qui fut hautboïste et « musette de Poitou » des Écuries. — Son parent (le lien exact n'est pas précisément établi) **Pierre** (Abbeville 1715–Paris ? v. 1780), fut organiste de St-Roch, du grand collège des Jésuites, de la Sainte-Chapelle, des Jacobins de la rue St-Honoré (1749–1762) ; il publia *Pièces de clavecin … 1ᵉʳ livre*, Paris 1734), 5 autres pièces : *La Bouffonne, Le Labyrinthe, Feste de campagne, Le gros Colas, Les petites bergères*, une musette, *Le rossignol, cantate à voix seule pour un dessus qui peut se changer par une haute-contre, avec simphonie*, une *Cantatille … avec simphonie, Le besoin d'aimer*, une autre intitulée *Vulcain dupé par l'amour*, un petit motet et un motet à grand chœur (perdus) ; on trouve de lui une fugue en *si mineur*, extraite de la 3ᵉ suite des *Pièces de clavecin*, ds *Les maîtres français de l'orgue II*, publiés par F. Raugel (Schola cantorum, Paris 1939). Voir S. Wallon ds MGG.

A. DE FÉVIN
*Motet* Sancta Trinitas *(ms. 126 Cambrai).*

**FÉVRIER Henry.** Compos. franç. (Paris 2.10.1875–8.7. 1957). Son premier maître fut André Messager ; il entra ensuite au cons. de Paris où il fut l'élève de Pugno, de Leroux, mais surtout de Massenet et de Fauré ; bien qu'en sa jeunesse il ait écrit deux œuvres de musique de chambre (une sonate pour piano et violon qui fut créée par Henri Marteau et Edouard Risler, et un trio pour piano et cordes à la première audition duquel participa Pablo Casals), *F.* est essentiellement un compos. d'opéras et d'opéras-comiques ; son œuvre la plus accomplie est *Monna Vanna* (1909), d'après le drame de Maeterlinck, l'une des plus belles pages de la musique lyrique du XXᵉ s. par la beauté et la grandeur de son émotion dramatique, par la rareté de son langage harmonique ; c'est là une musique simple, sincère, distinguée, qui n'a rien de particulièrement original et qui cependant possède un accent personnel, une force pathétique qui donnent à cette œuvre une physionomie tout à fait exceptionnelle, une efficacité poétique assez miraculeuse, et la situent largement au-dessus de la presque totalité des ouvrages lyriques parus en ces années début de siècle. Il publia chez Amiot-Dumont *André Messager, mon maître, mon ami.*
C.R.

**Œuvres :** pour le théâtre : *Le roi aveugle* (opéra, 1906), *Monna Vanna* (id., 1909), *Carmosine* (id., 1912), *Gismonda* (id., 1918), *La damnation de Blanche-Fleure* (id., 1921), *L'île désenchantée* (id., 1925), *Oletta* (1927), *La femme nue* (id., 1932), *Sylvette* (opérette, id.), *Agnès, dame galante* (1912), mus. de scène pour *Aphrodite* (1914) et pour *L'agonie de Byzance* (en collab. avec L. Moreau), *Le roi Midas ;* mus. de chambre : trio (p., v., vcelle), sonate (p. et v.), id. (p. et vcelle), pièces de piano, chor., vocales.

Son fils – **Jacques** (St-Germain-en-Laye 27.7.1900–) est pianiste, élève de Marguerite Long, d'Édouard Risler ; il est prof. de musique instrumentale au cons. de Paris, membre du jury du concours de Varsovie ; c'est lui que Ravel a choisi comme interprète lors de la création en France du concerto pour la main gauche ; il a d'autre part créé le concerto à 2 pianos de Poulenc ; il dirige une classe de jeunes virtuoses et fait une grande carrière internationale.

**FEZANDAT Michel.** Imprimeur franç. du XVIᵉ s., d'abord associé avec R. Granjon (1550), qui imprima de 1552 à 1558 les œuvres d'A. de Rippe et de G. Morlaye, 2 recueils de chansons et 2 de psaumes et cantiques.

**FF.-1.** Abréviation de *fortissimo.* — **2.** On désigne aussi par ce sigle les ouïes en forme de *f,* ouvertes au centre de la table supérieure du violon (alto, vcelle et contrebasse).

**FIALA Joseph.** Hautboïste et compos. tchèque (Lochovice, 3.12.1748–Donaueschingen, 31.7.1816). Élève de J.B. Wanhall, comme il l'indique lui-même dans l'éd. parisienne de son op. 1, il joua successivement dans les orchestres de la comtesse Netolitzky, du prince de Wallerstein (1774–77), de l'archevêque de Saltzbourg (jusqu'en 1785 ; il y connut les Mozart), de Catherine II de Russie et du prince Orlov (1786–91), enfin du prince de Fürstenberg ; il a laissé des symph., de la mus. de chambre (duos concertants, trios et surtout quatuors) et, en ms., des concerts, danses et divertissements avec instruments à vent. Mozart, dont certains quatuors ont posé des problèmes d'attribution avec ceux de *F.,* disait qu'il avait « de très bonnes idées ».

**FIAMENGO Francesco.** Mus. ital., dont trace est avérée à Messine en 1635 et qui publia *Pastorali concenti al presepe co' responsorii della sacra notte del Natale di N.S. a 2, 3, 4, 5 e 6 v., co'l b.c. ... et intrigliolo,* Venise 1637.

**FIBICH Zdenek.** Compos. tchèque (Všeboriče 21.12. 1850–Prague 15.10.1900). Élève à Leipzig de Moscheles, de Richter, de Jadassohn, il séjourna à Paris (1886–89), à Mannheim, où il fut l'élève de V. Lachner, fut chef d'orch. au Théâtre national de Prague, maître de chapelle de l'église russe de la même ville ; il fut le prof. de K. Weiss et de Kovarovitch ; il écrivit des opéras : *Bukovin* (1870–71), *Blanik* (1877), *Nevesta Messinska*

(1883), *Boure* (1894), *Hedy* (1895), *Sarka* (1897), *Pad Arkuna*, des mélodrames : *Stedry Vecer* (1875), *Večnost* (1878), *Vodnik* (1883), *Kralovna Emma* (1883), *Hakon* (1888), *Der Blumen Rache* (*op.* 9), *Hippodamia* (1890–1891), 4 ouvertures (1871–1892), 3 symphonies (*op.* 17, 1892, *op.* 38, 1892, la dernière inachevée, 1898), des poèmes symph., 2 trios, 2 quatuors, 1 quintette (1894), 1 sonate de piano et violon (*op.* 27, 1869), des mélodies, des chœurs, des pièces de piano etc. Voir C.L. Richter, *Z.F.*, Prague 1900 ; Z. Nejedly, *Z.F.*, *ibid.* 1901 ; J. Bartos, *Z.F.*, *ibid.* 1914.

**FIBY Heinrich.** Compos. autr. (Vienne 15.5.1834–Znaïm 23.10.1917), qui fut chef de l'orchestre municipal de cette dernière ville et écrivit de la mus. symph., de chambre, chor., des mélodies.

**FICHER Jacobo.** Compos. argentin d'orig. russe (Odessa 1896–), qui dirige à Buenos-Aires l'*Orquesta sinf. de la Asociación general de músicos de la Argentina* et a écrit 5 symph., de la mus. symph., 1 concerto de violon, de la mus. de chambre, 1 ballet (*Los invitados*), des mélodies.

**FICIN Marsile.** Théologien, philosophe et humaniste ital. (Figline 19.10.1433–Florence 1.10.1499). Certains de ses écrits, particulièrement le *De triplici vita* (1489), ont une grande importance pour la connaissance des rapports thérapeutiques et astrologiques de la musique : celle-ci est considérée par lui comme le meilleur moyen de mettre l'âme en état de recevoir les influences astrologiques bienfaisantes et de rendre l'homme capable d'une vie contemplative ; créateur d'un chant orphique à la lyre, où entre en jeu la notion complexe du *spiritus* de l'homme, ses diverses théories néo-platoniciennes exercèrent une forte influence sur les humanistes français du XVIe s. Voir D.P. Walker, *Ficino's spiritus and music*, ds *Annales mus.*, 1953 — *Le chant orphique de M. F.*, ds *Mus. et poésie au XVIe s.*, C.N.R.S., 1954 — *Spiritual and demonic magic from Ficino to Companella*, Londres 1958.

**FICKENSHER Arthur.** Compos. amér. (Aurora 9.3.1871–San Francisco 15.4.1954), élève du cons. de Munich, chef du département de la musique à l'université de Virginie (1920–1941), qui a écrit de la mus. d'orchestre, de chambre, des chœurs, un mimodrame : *The chamber blue* (1935) ; il s'est beaucoup occupé de l'accord des instruments et a inventé le *polytone*, instrument qui possède 60 notes à l'octave.

**FICKER Rudolf von.** Musicologue allem. (Munich 11.6.1886–Igls 4.8.1954). Élève de L. Thuille, de W. Courvoisier, de G. Adler, docteur (1913) avec sa thèse, *Die Chromatik im ital. Madrigal des 16. Jahr.*, il fut prof. à l'univ. d'Innsbrück (1923), puis à celles de Vienne (1927), de Munich (1931), où il fut enfin académicien des Beaux-Arts ; il a été président de la Société internationale de musicologie (1927–1931); il publia un grand nombre d'importants articles dans les revues musicologiques européennes de 1914 à sa mort, et *Studien zur Musikgeschichte* (Vienne, 1930), *Schriftenreihe des musikwissenschaftlich Seminares der Univ. München* (7 vol., 1935–1940), des éditions savantes des *codices* de Trente.

**FICTA** ou **FALSA** (*Musica*). C'est un ensemble de théories qui tend à déterminer l'emploi des notes autres que celles données par l'échelle diatonique fondée sur l'hexacorde, c'est-à-dire des notes que la transposition des modes amène à élever ou à baisser (le *si b* excepté, puisqu'il figure dans l'échelle guidonienne). Odon de Cluny, mort en 943, aborde déjà la question, mais il faudra attendre trois siècles pour que celle-ci soit de nouveau évoquée (J. de Garlande, Lambert, le pseudo-Aristote etc.). Philippe de Vitry, vers 1325, s'élève contre le terme *musica falsa*, insistant sur le fait que cette musique « est vraie et nécessaire », et Walter Odington cite comme notes altérées que l'on peut utiliser le *mi b*, le *fa #* et le *do #*. Dans l'ensemble, les théoriciens se préoccupent surtout de condamner l'usage de l'intervalle de triton dans une ligne mélodique, même si des notes de passage séparent les deux termes. Au XIVe s., Jean de Muris aborde le problème des intervalles dans la polyphonie,

condamnant cette fois l'usage du *triton harmonique* et indiquant que les tierces précédant des quintes — ou les sixtes des octaves — doivent être majeures si le chant monte, mineures s'il descend ; c'est ce que préconisera, un siècle plus tard, Franchinus Gafurius : chaque fois qu'une consonnance parfaite (unisson, quinte, octave ou leurs redoublements) est précédée d'une consonnance imparfaite (tierce, sixte ou leurs redoublements), on altère cette dernière de telle sorte qu'elle atteigne la consonnance parfaite par le plus petit mouvement possible. Pratiquement, cette règle équivaut à prescrire des sensibles diésées avant les cadences parfaites en *ré*, en *sol* et en *la*, des sensibles bécarrisées avant les cadences en *fa* et en *ut* ; de même, les règles qui condamnent le triton mélodique et harmonique entraînent, dans des pièces qui portent un *si b* à la clef, l'adjonction fréquente de *mi b*. Ces quelques préceptes, qui suffisaient alors à des chantres exercés pour déterminer la hauteur de chaque son sans qu'il soit nécessaire de noter les altérations, ne permettent pas aujourd'hui aux musicologues de résoudre tous les cas qui se présentent à eux, lorsqu'ils doivent éditer des textes antérieurs à 1600 ; si ceux du XIVe s. portent d'assez nombreuses altérations (*do #*, *fa #*, *sol #*, *mi b*), il n'en est pas de même de ceux des XVe et XVIe et l'application du *semitonium subintellectum*, altération admise par les théoriciens quand le contrepoint l'exige, soulève maintes difficultés. Il est fréquent aussi de trouver, à cette époque, dans une même pièce, à la clef de chacune des voix, des altérations différentes (un bémol à la basse, par exemple, et rien aux parties supérieures, ou un bémol à chacune des voix inférieures, rien au superius) ; ces *conflicting signatures* ont été étudiées par W. Apel, K. Jeppesen et Edward Lowinsky, et les solutions que propose ce dernier forment une doctrine cohérente et convaincante dont on trouvera un excellent résumé dans l'ouvrage de Gustave Reese, *Music in the Renaissance*, New-York, 1954, pp. 45 à 47 ; les exemples de cadences qui y sont reproduits et l'interprétation qui en est donnée sont un apport essentiel à la connaissance de la « musique feinte ».                                                                    G.T.

**FIDEL.** C'est le nom allemand de la vièle.

**FIDÉLITÉ.** C'est un terme général qui exprime l'ensemble des qualités d'une production après passage dans une « chaîne de transmission » (se reporter à la définition de cette expression). Quatre éléments doivent être constamment respectés pour assurer la fidélité : le volume sonore, les nuances (on dit : la dynamique), la qualité intrinsèque de chaque sonorité (notamment, l'absence de distorsions : voir ce mot), l'absence de pollution phonique (ou bruit). En pratique, ils ne le sont jamais ; toutefois les progrès de la technique ont permis de diminuer suffisamment, pour qu'ils deviennent presque insensibles à l'oreille, les défauts dus aux distorsions et aux bruits ; l'écoute est dans ce cas, dite, *à haute-fidélité*. Ce serait cependant une erreur de croire que l'idéal consiste à restituer, après transmission, une production rigoureusement identique à l'original : non seulement les conditions à l'écoute n'y sont généralement pas les mêmes (exemple : écoute en chambre d'un enregistrement de grand concert symphonique), mais elles changent d'un auditeur à l'autre. On s'efforce donc en pratique, non pas d'éviter toute déformation de la production, mais d'obtenir la déformation la plus « adaptée » aux conditions « moyennes » d'écoute. C'est un problème à la fois technique, artistique... et commercial. Chaque firme productrice essaie de le résoudre suivant des procédés qui trouvent leur justification dans le succès des œuvres qu'elle diffuse. Les résultats peuvent s'écarter assez sensiblement de ceux qu'imposerait le respect des critères théoriques de fidélité.                    J.M.

**FIDES** (*fidis*) **FIDICULA** (dim.). C'est le nom de la lyre en latin ; *fidicula* a servi au moyen-âge pour désigner un instrument à cordes.

**FIDICEN.** C'est le nom latin du joueur de lyre.

**FIDLA.** C'est une vièle, à 2 cordes en crin de cheval, d'usage populaire, obsolète depuis le XVIIIe s. (Europe, Islande).                                                             M.A.

**FIDULA.** C'est le terme sous lequel on désignait la vièle en Europe médiévale : on trouve aussi, selon les pays, *fidel, fiedel, fidele, fidlu* et *vihuela* (voir à ce mot). C.M.-D

**FIEBACH Otto.** Compos. allem. (Ohlau 9.2.1851–Königsberg 10 9.1937), qui fut org., chef d'orch., dir. de la mus. à l'univ. de Königsberg ; il écrivit notamment les opéras *Prinz Dominik* (1885), *Loreley* (1886), *Bei frommen Hirten* (1891), *Der Offizier der Königin* (1900), *Robert u. Bertram* (1903), 3 oratorios, 1 messe, 1 chœur avec orchestre (*Xénophon*), 2 ouvrages théoriques : *Die Physiologie der Tonkunst* (1918), *Die Lehre vom strengen Kontrapunkt* (1921).

**FIEBIG Kurt.** Org. et compos. allem. (Berlin 28.2.1908–). Élève d'A. Dreyer, de K. Rathaus, de F. Schreker, il a été cantor à Berlin (1926–36), org. de la cath. de Quedlinbourg, directeur de l'*Ev. K.m. Schule* à Halle (1941–1950) ; depuis 1951, il est org. et cantor à Hambourg ; il a écrit un grand nombre de chœurs, de cantates, une passion, des motets, 1 oratorio, 1 sonate en trio, deux concertos, des sonates et sonatines, de la mus. d'orgue, une suite de concerts, *Der gehorsame Rebell*, de la mus. de scène, de la mus. de film, des arrangements.

**FIEDLER August Max.** Chef d'orch. et compos. allem. (Zittau 31.12.1859–Stockholm 1.12.1939), qui fût à la tête des Concerts philharmoniques de Hambourg (1904), fit une carrière intern. de chef d'orchestre, dirigea le *Boston Symphony Orchestra* (1908–1912), exerça à Essen (1916–34), puis à Berlin et à Stockholm (1934–39) ; il a écrit un quintette, des pièces de piano, des chœurs, des mélodies, de la mus. de chambre, une symphonie (1885–86).

**FIELD John.** Pian. et compos. irlandais (Dublin 26.7.1782–Moscou 11-1-1837). Fils d'un violoniste de l'orchestre du théâtre de Dublin, petit-fils d'un pianiste, il suivit son père à Londres lorsque ce dernier trouva un engagement à l'orchestre du théâtre Haymarket ; son père le confia à Clementi, pour ses études de piano ; il donna son premier concert à l'âge de 10 ans ; c'est en 1802 qu'il se produisit à Paris (toujours avec Clementi) ; on le trouve ensuite à Vienne où il étudie le contrepoint avec Albrechtsberger ; en 1802–1803, il suit Clementi à St-Pétersbourg ; il fit ensuite une tournée de concerts à Mittau, Riga, Moscou ; à partir de 1804, ses succès en Russie l'engagèrent à rester à Moscou où il demeura jusqu'à sa mort, à l'exception de tournées de concerts qu'il fit à Londres, à Paris, à Bruxelles, dans le sud de la France, en Suisse, en Italie (il dut rester 2 mois à Naples dans une clinique), à Vienne ; son dernier concert est du jour de l'an de 1837. Il a écrit une œuvre abondante, dont le catalogue a été dressé par H. Dessauer ; citons, pour le piano, 7 concertos, *Variations sur un air russe*, 4 sonates, une *grande valse*, 2 *airs en rondeau*, *Fantaisie sur le motif de la polonaise « Ah, quel dommage »*, *Rondo écossais*, *Polonaise en forme de rondo*, 2 *airs anglais variés*, *Vive Henri IV varié*, 18 nocturnes ; de la mus. de chambre : 2 *divertimenti* pour piano, flûte, 2 violons, alto et basse, 1 quintette avec piano, 1 rondo pour piano et cordes ; son influence sur Chopin est indéniable. Voir H. Dessauer, *J.F., Sein Leben u. seine Werke*, Langensalza 1912 ; W.H. Grattan Flood, *J.F. of Dublin, the inventor of the nocturne, a brief memoir*, Dublin 1921 ; il convient de rappeler que F. Liszt a publié un essai sur Field, dans les *Gesamm. Schriften IV* (1859), intitulé *Ueber F. Nocturnes*.

**FIELDEN Thomas Perceval.** Pian. angl. (Chichester 24.11.1883–), qui fait une carrière de professeur et a publié *The science of piano forte technique* (1927), *Music and character* (1929), *Marks and remarks : a study of the problems of musical examination* (1937).

**FIELITZ Alexander von.** Chef d'orch. et compos. allem. (Leipzig 28.12.1860–Bad Salzungen 29.7.1930), qui fut en même temps versé dans l'enseignement et composa 2 opéras, *Vendetta* (1891), *Das stille Dorf*, 2 suites d'orch., des romances, des mélodies, dont un cycle (*Eliland*).

**FIEOULD.** C'est une flûte polycalame, de 8 à 14 tuyaux forés dans une pièce de buis ou de hêtre (France), instrument des bergers (Bigorre, Béarn), des châtreurs de porcs (Provence). M.A.

**FIERSZEWICZ** (*Virsowitz*) **Daniel.** Mus. pol. des XVIIᵉ–XVIIIᵉ s., qui fut chef de chœur de la cath. de Cracovie (1671) et appartint à la chapelle d'Auguste II (Varsovie, Dresde) ; les archives du chapitre de la cath. de Cracovie conservent 2 compositions de lui à 4 v. Voir A. Chybinski, *D.F.*, ds *Pol. M.Q.*, 1925.

**FIESCO Giulio.** Flûtiste ital. (Ferrare v. 1519–v. 1586), qui fut au service des ducs Hercule II et Alphonse II d'Este, qui composa *Primo libro di madrigali a 4 v.* (A. Gardano, Venise 1554), *Madrigali a 5 v.*, *libro secondo* (C. da Correggio, Venise 1567), *Musica nova a 5 v.*, *libro primo* (A. Gardano, Venise 1569) ; on trouve d'autres madrigaux de lui dans des recueils édités chez A. Barré (Rome 1555), G. Scotto (Venise 1562, 1570, 1571), A. Gardano (Venise 1564) ; ceux de la collection de Jean IV de Portugal sont perdus. Voir A. Einstein, *The italian madrigal*, II, Princeton 1949.

**FIÉVET Paul.** Compos. franç. (Valenciennes 11.12.1892–). Élève de Caussade, de Widor, de d'Indy, directeur des écoles de musique de Fontainebleau et de Melun, il a composé des œuvres symph. (*La Puerta del Sol, La vallée de la Creuse, Les Horizons dorés, Rhapsodie japonaise...*), un concertino de violon, de la mus. de chambre (3 quatuors, 1 quintette, 1 trio, 1 sonate de piano et violon, 1 sonate de piano et vcelle, 2 sonatines de piano), 1 opérette (*Monsieur de Falindor...*), 1 ballet (*Amire et Porinot*), de la mus. de scène (*L'anneau d'amour*), un grand nombre de chœurs a cappella, des mélodies ; il est l'un des principaux défenseurs en France de la culture musicale populaire. J.Md.

**FIFI.** C'est un chalumeau formé d'un tuyau de bambou fendu sur une partie de sa longueur, l'anche étant constituée par un brin d'herbe (Indonésie : île Nias, où l'instrument est également désigné sous le terme de *fonoe*). M.H.

**FIFRE.** C'est une flûte traversière, d'usage militaire ou para-militaire. L'instrument est attesté au moyen-âge comme élément du couple flûte-tambour (voir à ce mot). Aux XVIᵉ-XVIIᵉ s., le *f.*, très répandu en Allemagne, est connu comme instrument militaire. Il était utilisé dans les régiments d'infanterie française de l'époque sous le nom de « fifre suisse ». Thoinot-Arbeau (*Orchésographie*, 1589) décrit le *f.* comme une petite flûte traversière à six trous. Praetorius, quelques décades plus tard, fait mention d'un fifre de soixante centimètres de long et d'une étendue de deux octaves et demi. La perce du *f.* est cylindrique et très étroite, ce qui en explique la tessiture aiguë, fréquemment soulignée. Le *f.* a conservé en France un usage populaire et, sous une variété en roseau, il est utilisé dans son caractère martial traditionnel au cours des bravades de Provence ; il y est, selon l'ancienne habitude, accompagné d'un tambour (*bachas*). C.M.-D.

**FIGHERA Salvatore.** Mus. ital. (Gravina 1771–Naples 1836). Élève d'Insanguine, de Fenaroli, il fut maître de chapelle du monastère St-Sébastien à Naples, et composa de la mus. d'église polyphonique (des messes, des psaumes, un *Credo*, 5 cantates (*La finta istoria, Alme Deus, Alfonso di Ligori, Lo sdegno e la pace, La rosa*), un opéra (*La sorpresa*, 1800), des oratorios (*Maria SS. Addolorata*).

**FIGLE.** C'est le nom espagnol de l'ophicléide.

**FIGNER.** — **1. Nikolaï Nikolaïevitch.** Ténor lyrico-dramatique russe (Kazan' 10.2.1857–Kiev 1918). Après des études au cons. de St-Pétersbourg et en Italie où il perfectionna sa technique vocale, après des débuts difficiles en Italie, Roumanie, Espagne et Amérique du Sud, il est engagé au théâtre Mariinskii (1887) ; il y reste jusqu'en 1906 et peut être considéré comme le ténor le plus réputé et le plus indispensable pour le vaste répertoire, surtout étranger, de l'opéra impérial ; ami intime de Tchaïkovskii, Napravnik, Solov'ev, il a pris part à la plupart des créations ou reprises de leurs œuvres lyriques ; abandonnant la scène, il dirigea de 1910 à 1915 la section lyrique de la Maison du peuple (St-Pétersbourg).

Fifre

*P. Bontemps.*
*Bas-relief du tombeau de François-1ᵉʳ à St-Denis.*

Sa femme et, souvent, sa partenaire — **2. Medea Ivanovna**
(née *Mei*), mezzo-soprano, puis soprano dramatique
italien (Florence 4.4.1859–Paris 8.7.1952), débute en
Italie, suit son futur époux en Russie, est engagée comme
lui au théâtre Mariinskii (1887) où elle reste jusqu'en 1930,
date à laquelle elle émigre à Paris : sa belle voix, sa
maîtrise et son tempérament d'artiste lui permirent de
s'attaquer à un très vaste répertoire, surtout italien
et français, et de participer à qqs créations d'ouvrages
lyriques russes (Tchaïkovsky, Napravnik) ; elle a souvent
chanté avec son mari et fut une des célébrités de la scène
lyrique russe du XIXᵉ s. Voir V. Fédorov, ds *Encicl.
d. spettacolo.*

**FIGULUS** (*Töpfer*) **Wolfgang.** Mus. allem. (Naumburg v.
1525–Meissen v. 1591). Ami de Martin Agricola, il fut
cantor à Lübben (1545 ou 46), élève de l'univ. de Leipzig,
au service de la ville de Leipzig (1549), *cantor et quartus*
à la *Fürstenschule* S. Afra à Meissen (1549) ; il a laissé
*W.F. Numburgani libri primi musicae practicae elementa
brevissima* (Neuber-Bergs, Nuremberg 1565), *Deutsche
Musica u. Gesangbüchlein...* (ibid. 1560, 1563, 1568),
*W.F.N. de musica practica liber primus* (ibid. 1565), qui
sont des ouvrages théoriques ; *Precationes aliquot musicis
numeris* (18 motets, Günther, Leipzig 1553), *W.F.N.
tricinia sacra* (Berg et Neuberg, Nuremberg 1559), *W.F.N.
vetera nova carmina sacra et selecta de natali Domini...*
(Eichorn, Francfort-sur-Oder 1575), *W.F.N. cantionum
sacrarum... decas prima* (ibid. 1575), *Sacrum nuptiale...*
(Welack, Wittemberg 1582), *Der 111. Psalm...* (ibid. 1586),
*Precatio pro tranquillitate eccl. et republicae* (ibid. 1586),
*Amorum fili Dei hymni sacri de natali D.M.* (ibid. 1587),
*Melodiae in prudentium et alios poetas pios*, des psaumes
et des motets, des messes en mss ou dans des recueils de
l'époque. Voir W. Brennecke in MGG.

**FIGURA OBLIQUA.** Locution latine, qui servait à
désigner, dans le plain-chant et dans la musique proportionnelle, une ligature, ascendante ou descendante,
utilisée pour représenter deux notes, à quelque intervalle
qu'elles soient.

**FIGURE.** — 1. *F. de note :* c'est une forme graphique
attribuée à chacune des valeurs de durée sonore.
Différents systèmes de *f.*, élaborés au XIIIᵉ s. selon les
règles compliquées de la notation proportionnelle, ont
abouti, par simplifications progressives, à la fixation, au
XIIIᵉ s., du système toujours en usage aujourd'hui et qui
met en jeu neuf figures : maxime, ronde, blanche, noire,
croche, double-croche, triple, quadruple et quintuple-
croche. Ces valeurs sont relatives entre elles, chacune
représentant la moitié de la précédente dans un même
temps métronomique, lequel détermine la durée réelle
d'exécution. C'est ainsi que, dans le tempo ( = 60),
la croche vaut deux blanches du tempo ( = 120).
— 2. A chaque *f. de note* correspond une *f. de silence :*
double-pause, pause, demi-pause, soupir, demi-soupir,
quart, huitième, seizième et trente-deuxième de soupir.
— 3. *F. rythmique :* c'est une métaphore, suggérée par
les combinaisons de figures de notes, qui désigne un
petit groupe homogène de durées, pouvant être compris,
abstraitement, comme unité « sémantique », indépendamment de la hauteur des sons. — 4. *F. mélodique :*
c'est encore une métaphore, inspirée par la disposition
des hauteurs de notes sur la portée ; mais une certaine
configuration d'intervalles ne peut constituer une
*f. mélodique* définie que si elle s'organise sur une
*f. rythmique* qui assure son unité structurale. Diverses
figures rythmiques peuvent lui être appliquées, qui
modifient sa forme, laquelle, d'ailleurs, peut encore être
défigurée et même morcelée par les effets du contexte
harmonique, contrapuntique, instrumental, autant que
par les modalités de l'articulation et le jeu des intensités.
C'est pourquoi chaque *f. m.* classée dans le répertoire
morphologique du contrepoint traditionnel était pourvue
d'un statut rythmique et harmonique qui en garantissait
l'identité et en déterminait l'articulation, l'accentuation
et jusqu'à l'instrumentation « naturelles » (voir art.
*note de passage, broderie, appoggiature, anticipation,
échappée*). Les théoriciens du XIXᵉ s., particulièrement
ceux de l'école cyclique, ont abusivement valorisé
la *f.* rythmico-mélodique en lui conférant les caractères
d'une cellule génératrice de toute forme, petite ou
grande : cette théorie est abandonnée. Selon la conception
actuelle de la forme, envisagée dans sa totalité concrète,
on pose en principe qu'un fragment, mélodique ou autre,
isolé de son contexte, perd non seulement son identité,
mais se trouve dépouillé de ses propriétés structurantes
et de ses pouvoirs fonctionnels. Intégrée dans un réseau
de liaisons dynamiques, une *f. m.* joue le rôle à la
fois d'agent et de produit de l'activité formatrice.
— 5. *F. d'ornement :* dans la mus. ancienne, c'est un
mélisme, noté ou non, incorporé à une ligne mélodique
donnée. En régime polyphonique, la *f. d'ornement* (symbo-
lisée par un signe conventionnel ou notée en petites
valeurs égales de format réduit) n'est pas seulement
dépendante de la mélodie à laquelle elle s'attache, mais
aussi des autres parties, qui déterminent ses rapports
harmoniques et, par conséquent, son statut rythmique.
La même *f. d'o.* peut donc s'organiser selon diverses
figures rythmiques. D'autre part, elle s'exécute sans
rigueur, en *rubato.*           A.S.

**FIGURÉ.** — 1. *Musique figurée :* on emploie ce terme
pour désigner le style polyphonique fleuri de la seconde
partie du XVᵉ s., pour le distinguer par ex. du style
contrapuntique primitif ou de celui de l'école de
Josquin ; le terme désigne aussi d'une manière assez
vague, notamment pour le XVIIᵉ s., un style dans
lequel on emploie des figures, des motifs, tel celui
de la variation. — 2. *Basse figurée :* voir art.
*basse* III 2. — 3. *Choral figuré :* dans la musique
d'orgue, c'est une structure dans laquelle trois voix,
écrites en style fugué, sont superposées au thème
(le choral), généralement traité en augmentation. —
4. *Chant figuré :* dans la musique liturgique, c'est une
notation mélodique dans laquelle les notes ont des valeurs
différentes selon leur figure, par quoi elle se distingue
de celle du plain-chant.

**FIGUS-BYSTRY Viliam.** Compos. slovaque (Banská
Bystrica 28.2.1875–11.5.1937). Org. et prof. à l'école
protestante de son pays natal, il écrivit le premier opéra

slovaque (*Detvan*, 1928), des cantates, une suite symph., des sonatines de violon et piano, un quatuor avec piano, un trio avec piano, des chœurs, des mélodies, plus de 1.000 chansons populaires.

**FILAGIO** (*Mentini*) **Carlo.** Org. ital., qui vécut dans la première moitié du XVIIᵉ s., et fut org. de la chapelle ducale à St-Marc de Venise ; il publia (Gardane, Venise v. 1642) *Sacri concerti a voce sola* ; on trouve des œuvres de lui dans les *Madrigali del signor cavaliere Anselmi Nobile di Treviso...* (Gardane, Venise 1624).

**FILE.** C'est un sifflet, ou parfois une flûte, soudanais (Afrique). On dit aussi *fire*, *fle*, *foule*.                A.Sch.

**FILER** (*un son*). Dans la technique vocale, dans celle des instruments à vent, c'est tenir une note, sans augmenter ni diminuer, en veillant à la qualité du son ; le terme s'emploie aussi, et par extension, pour les instruments à archet.

**FILIASI Lorenzo.** Compos. ital. (Naples 25.3.1878–), auteur des opéras *Pierrot e Bluette*, *Il sogno di Frida* (1900), *Manuel Menéndez* (1904), *Fior di neve* (1911), *Messidoro* (1914), *L'aurora più bella* (inédit), d'œuvres symph., chorales, de mus. d'église, de chambre, de mélodies etc.

**FILIBERI Orazio.** Mus. ital., né à Vérone au début du XVIIᵉ s., qui fut (1649) maître de chapelle de la cath. de Montagnana et publia *Salmi concertati a 3, 4, 5, 6 et 8 v., con doi viol.* (Venise 1649).

**FILIONESCU Ion.** Pian. roumain (Bucarest 2 3.1903–), qui a accompagné Thibaud, Enesco, Lotte Lehmann, et fait une carrière internationale.

**FILIPPI Filippo.** Compos. et critique ital. (Vicence 13.1. 1830–Milan 24.6.1887). Docteur en droit de l'univ. de Padoue (1853), défenseur de Verdi, directeur de la *Gazzetta musicale* (1858–62), collaborateur de *La perseveranza* de Milan, il publia *Della vita e delle opere di A. Fumagalli* (Ricordi, Milan), *Alessandro Stradella* e *l'archivio musicale dei Contarini alla bibl. di S. Marco in Venezia* (Milan 1866), *Musica e musicisti* (Dumolard, Milan 1876), *Richard Wagner, eine musik. Reise in das Reich der Zukunft* (traduction allem. de F. Furchhein, Harting, Leipzig), *La musica nel 1877* (Florence 1878), *Le belle arti a Torino...* (Ottino, Milan 1880), *La musica a Milano* (id., 1881) et un grand nombre d'articles dans des périodiques ou dans des écrits collectifs. Voir l'art. de De Angelis, *Il critico F.F. e il wagnerismo*, ds *Musica d'oggi*, Milan, 16 fév. 1933, et A. Della Corte in MGG.

**FILIPPI Gaspare.** Mus. ital. du XVIIᵉ s., qui fut entre 1637 et 1653 maître de chapelle de la cath. de Vicence ; on a conservé de lui *Musiche* (29 madrigaux de 2 à 6 v. et 9 sonates de 3 à 5 instr., Venise 1637), *Sacrae laudes* à 1 v. et *b.c.* (id. 1637), *Concerti ecclesiastici* à 1–5 v. (id. 1637), *Sacrae laudes* à 1 v. et *b.c.* (id. 1651), des *Salmi vespertini* à 2 chœurs (id. 1653).

**FILIPPI Amadeo de.** Compos. ital. (Ariano 1900–). Élève de Goldmark à la *Juilliard School of music* à New-York, il a fait une carrière de pianiste, de chef d'orch., et écrit 2 opéras : *The green cockatoo* (1927), *Malvolio* (1937), 2 ballets : *Les Sylphides* et *Carnaval* (1933), de la mus. symph., de chambre, chor., de film.

**FILIPPI Giuseppe de.** Critique ital. (Milan 12.5.1825–Neuilly 23 6 1887), auteur d'un *Saggio sull' estetica musicale* (1847), collaborateur d'A. Pougin pour le supplément de la *Biographie universelle* de Fétis ; il publia également *Guide dans les théâtres* (1857) et *Parallèle des théâtres modernes de l'Europe* (1860).

**FILIPPINI Stefano** (*l'Argentina*, *Argentini*). Augustin, il naquit au début du XVIIᵉ s. à Rimini, où il fut org. et maître de chapelle des églises St-Augustin (1643) et St-Jean l'Évangéliste (1650–1685) ; il composa *Concerti sacri a 2, 3, 4 e 5 v., libro I op. 2* (Ancône 1652), *Messe a 3 v. op. 5* (Rome 1656), *Salmi brevi a 5 v. op. 6 ...* (Bologne 1670), *Concerti sacri a 2, 3, 4 e 5 v. con viol. e senza, lib. II op. 7* (Bologne 1671), *Messe da cappella a 4 v. op. 8* (Bologne 1673), *Motetti sacri a voce sola* (Bologne 1675), *Salmi messa e brevi a 8 v. op. 10* (Bologne 1683), *Salmi concertati a 3 v. con due viol. op. 11* (Bologne 1685), *Salmi brevi a 8 v. op. 12* (Bologne 1686), des motets dans des recueils de l'époque ; la bibl. du cons. de Parme garde un *In exitu* à 5 voix.

**FILIPPO da CAVI.** Augustin ital., qui était v. 1640 maître de chapelle et org. de l'église St-Augustin à Rome ; on trouve des motets de lui dans des recueils de l'époque.

**FILIPPOTTO** (*Philipoctus*) **da CASERTA.** Mus. et musicographe ital. du XVᵉ s., probablement originaire de Naples, auteur d'un *Tractatus de diversis figuris* (il s'agit de la *musica mensuralis*) que Coussemaker a publié dans ses *Scriptores* (III) ; le ms. 1047 de Chantilly contient 6 pièces de sa composition, dont l'une en l'honneur du pape Clément VII (3 rééd. par W. Apel, ds *French secular music of the late XIVᵗʰ c.*, 1950).

**FILIPUCCI** (*Filipuzzi*) **Agostino.** Mus. ital. (Bologne v. 1635–v. 1679). Org. de l'église de la Madone à Galliera, maître de chapelle de l'église des chanoines réguliers de *S. Giovanni in Monte*, membre de l'Académie philharmonique de Bologne (1666), il en fut le *principe* en 1669 et en 1675 ; il composa *Messa e salmi per un vespro a 5 v. con 2 viol. e ripieni, op. 1* (Bologne 1665), *6 Messe a 4 v. da cappella con una da morte nel fine, op. 2* (Bologne 1667), *Missa brevis a 4 v. et b.c.* (Bibl. Palatine, Parme), *Messe e salmi a 4 v. libr. II, op. 3* (d'après Fétis, Bologne 1671), des motets, des psaumes, des *Magnificat* dans des recueils de l'époque. Voir G.B. Martini, *Serie cronologica dei principi dell'accad. dei filarmonici*, Bologne 1776.

**FILKE Max.** Compos. allem. (Steubendorf-Leobschütz 5.10.1855–Breslau 8.10.1911). Il fut maître de chapelle de la cath. de Breslau, après avoir été élève de la *KM.-Schule* à Ratisbonne (1877), *cantor* à Duderstadt (1878–79), élève du cons. de Leipzig, en fonction à Straubing, à Cologne ; il a écrit des messes, à 3–4 v., des litanies, des motets, des hymnes, un *Requiem* ; il a édité la *Lamentatio* de G. Allegri (Schwann, Düsseldorf).

**FILLEUL Henry.** Compos. franç. (Laval 11.5.1877–). Élève du cons. de Paris (Lavignac, Casadesus), dir. du cons. de St-Omer (1908), il écrivit 3 opéras (*L'ingénieur de Triboulet*, 1923, *Marie-Magdeleine*, 1924, *Le Christ vainqueur*, 1925), un poème symph. (*Scènes flamandes*), une suite, une ouverture pour orchestre, un concerto de vcelle, une symphonie, des pièces de violon et d'orgue, des motets, des chœurs. Voir *Hommage à H.F.*, St-Omer 1952.

**FILLUNGER Marie.** Sopr. autr. (Vienne 27.1.1850–? 1930). Élève de Mathilde Marchesi au cons. de Vienne, de la *Hochschule* de Berlin (1874–1879), elle suivit Clara Schumann à Francfort et fit une carrière internationale.

**FILM** (*Musique de*). Dès l'apparition du cinéma, la musique s'est trouvée associée au nouvel art. Sans doute a-t-on fait appel à elle, tout d'abord, pour des raisons extra-artistiques : la projection étant accompagnée alors d'un ronronnement assez fâcheux, il n'était pas sans intérêt de couvrir ce bruit par un autre, plus musical. De l'importance des salles dépendait le nombre des musiciens chargés de ce soin. C'était souvent à un pianiste qu'on faisait appel pour adapter et accompagner les œuvres filmées. Seules, les grandes salles pouvaient se permettre le luxe d'un orchestre. On choisissait généralement parmi les chefs-d'œuvre classiques les fragments qui se rapportaient aux sentiments exprimés sur l'écran. Il n'y avait là qu'une adaptation sommaire où le synchronisme était guidé par les sous-titres du film. Ainsi interrompait-on une phrase musicale en plein développement pour passer au morceau suivant. Il était difficile, de surcroît, d'exiger de deux ou trois musiciens une exécution convenable de la 5ᵉ symphonie de Beethoven ou de l'ouverture d'Obéron : si, au piano, venaient parfois se joindre un violon et un violoncelle, le trio ainsi constitué était insuffisant pour de telles ambitions. Bien vite, quelques compositeurs eurent l'idée d'écrire de la musique spécialement conçue pour le cinéma. Ces « incidentaux » étaient des pièces d'un genre bien déterminé ; leur titre en indiquait assez précisément l'utilisation : *Poursuite dramatique*, *Visions d'horreur*, *Amoroso cantabile*, *Promenade champêtre*, *Funèbre...*, et ces compositions étaient orchestrées de telle sorte qu'elles pouvaient être exécutées aussi bien par un trio que par un orchestre au grand complet ; mais ce n'était pas encore de véritables partitions cinéma-

tographiques, écrites spécialement pour des films ?
Quelques tentatives avaient été faites pourtant, à
l'occasion des premiers « films d'art » : Saint-Saëns,
entre autres, avait été sollicité pour le commentaire
musical de « L'assassinat du duc de Guise », en 1903 ;
mais elles n'eurent que de rares lendemains.
Vers 1925, les producteurs américains demandèrent aux
compositeurs d'imaginer des thèmes destinés à créer
une ambiance musicale pour des films déterminés. Il
y avait là un essai de synchronisation de la musique
et de l'image. Mais les chefs d'orchestre négligeaient cet
apport, qui leur apportait une complication supplémentaire et les frustrait des droits d'auteur provenant
des œuvres choisies par eux, et dont ils étaient souvent
les auteurs. En 1924, Erik Satie, à la demande de René
Clair, avait composé une partition complète pour son
film « Entracte » : elle fut rarement exécutée, pas plus
que celles qu'écrivirent Henri Rabaud pour Le miracle
des loups, Maurice Jaubert pour Le mensonge de Nina
Petrovna ou Arthur Honegger pour La roue d'Abel Gance
(Honegger en reprit les thèmes pour composer son
poème symphonique Pacific 231).
C'est le film sonore qui, en 1929, devait vraiment
consacrer l'importance de la musique au cinéma. Non
seulement le film parle, mais aussi il chante : cela nous
vaut une série de productions musicales : en Amérique,
Al Jolson crée le « Chanteur de Jazz » ; en Allemagne,
ce sont les opérettes d'Éric Pommer : « Le Chemin du
Paradis », « Princesse, à vos ordres », « Le Congrès
s'amuse ». En France, René Clair, après avoir évoqué
la nostalgie des Toits de Paris s'attaque à un grand film
musical qui reste un de ses chefs-d'œuvre : Le million
(1931). Jusque-là, on a
voulu justifier la musique
dans les films ; les réali-
sateurs, considérant que le
cinéma est un art plus
proche de la réalité que
le théâtre, n'admettaient
pas qu'un chanteur chante,
qu'un orchestre joue, si on
ne les voyait pas chanter
ou jouer. Dans Le million,
René Clair nous présente
des personnages de la vie
quotidienne qui se mettent
à chanter sans raison :
les créanciers de son héros
entonnent dans l'escalier
un chœur, répondent de
son honorabilité devant
le commissaire de police
en chantant tous ensemble,
et René Clair invente
même la voix intérieure,
la voix de la conscience,
qui chante ses reproches
au personnage muet. Dans
les opérettes filmées, au
contraire, on présente des
chansons, lancées par les
vedettes, dans un but
commercial non dissimulé.
Le succès de cette for-
mule nous vaut alors une
série de films dans lesquels
on incorpore une ou plu-
sieurs chansons, qui n'ont
pour résultat que de re-
tarder le déroulement de
l'action, sans que leur
utilité se fasse sentir. Avec
des moyens plus puissants
que les nôtres, les Américains produisirent des films
musicaux, tels que la série
des Broadway Melody et
les charmantes comédies
musicales dont Fred As-
taire et Ginger Rogers

sont les vedettes. On tourne aussi des opérettes
célèbres venues du théâtre, dont la transposition à
l'écran nous déçoit souvent : La mascotte, La fille
de Madame Angot, Ciboulette sont bien dépaysées
dans leur nouveau cadre ; en revanche, Marc Allégret
réussit une charmante Mam'zelle Nitouche et Maurice
Chevalier incarne un séduisant Prince Danilo, aux côtés
de Jeannette Mac Donald, dans une « Veuve joyeuse »
d'Hollywood. Les grands musiciens ne sont pas oubliés,
et la Symphonie inachevée nous restitue un Schubert
quelque peu affadi, ouvrant ainsi la voie à beaucoup
d'autres films du même genre, qui donneront la vedette
à Chopin, à Strauss (dans Toute la ville danse, de Julien
Duvivier), à Berlioz (dans La symphonie fantastique
de Christian-Jaque). Enfin, il ne faut pas omettre la
grande réussite des dessins animés, dont Walt Disney
est un des plus brillants promoteurs, dans lesquels la
musique a un rôle capital, peut-être tout aussi important
que celui des images, et qui nous ont apporté des petits
chefs-d'œuvre d'humour musical.
A côté de ces films, dans lesquels la musique tient une
place importante, la production cinématographique
assigne à la musique une contribution plus modeste :
il s'agit, pour elle, de créer un climat, de soutenir et
d'intensifier la violence des scènes dramatiques, ou bien,
au contraire, de souligner une situation comique : c'est
ce que les Américains appellent back-ground music,
traduite en français par « musique de fond ». Cette
contribution est beaucoup moins modeste qu'elle ne le
paraît, car une séquence bien adaptée par le musicien
peut se trouver considérablement valorisée par son
apport. Il est également vrai que, dans certaines
comédies filmées, qui com-
portent un dialogue inin-
terrompu, la musique n'a
pas un grand rôle à jouer,
et elle peut parfois, si elle
est insistante, devenir gê-
nante, et même nuisible.
Cette musique de fond
est, naturellement, une
musique « supposée ». Il
arrive pourtant que, dans
des films qui ne sont
pas spécialement musi-
caux, la musique inter-
vienne réellement. C'est
le cas, assez fréquent, des
scènes qui se passent dans
une boîte de nuit, dans un
cabaret, un restaurant, où
le jazz, les tziganes ou
l'accordéoniste tiennent
leur rôle. Les mariages
à l'écran requièrent sou-
vent l'emploi des grandes
orgues. Les films his-
toriques font appel au
clavecin. Il en résulte une
variété de genres musicaux
qui demande, de la part
du compositeur spécialisé
dans la musique de film,
une connaissance très
complète de son métier.
La durée moyenne d'une
partition cinématogra-
phique est de trente à
quarante minutes. Son
enregistrement a lieu
avant, pendant et après
le tournage, selon les cas.
L'enregistrement prélimi-
naire ne se produit que
dans le cas d'une chanson ;
il est fondé sur le prin-
cipe de la dissociation du
son et de l'image : les Américains, qui l'ont utilisé les
premiers, l'ont appelé le

*Notre-Dame de Paris.*
*Amortissement de gable (XIVe s.). Photo Viollet.*

*Cariatide du château de Blois. Photo N. D.-Viollet.*

*play-back.* En voici le principe : avant de commencer à tourner le film, l'artiste qui doit interpréter la chanson vient au studio pour l'enregistrer, tout comme il le ferait pour un disque. Il y trouve l'avantage de pouvoir chanter en toute tranquillité, dans les conditions les meilleures pour lui. L'orchestre est placé à la distance voulue par l'ingénieur du son, les micros sont réglés avec minutie. Le chanteur peut, naturellement, suivre la musique avec le manuscrit sous les yeux, ce qui lui épargne le souci de compter sur sa mémoire, et il pourra recommencer autant de fois qu'il le désirera, jusqu'à ce que l'enregistrement donne satisfaction à tous. Lorsque vient le jour où la scène qui comporte la chanson doit être tournée devant la caméra de prise de vue, on apporte sur le plateau la pellicule enregistrée, et on la transmet à l'aide d'un haut-parleur. L'artiste réentend sa voix, si c'est lui-même qui a réalisé le *play-back*, ou celle de son double, si c'est le cas contraire. Il n'a plus, à présent, qu'à mimer la chanson, en même temps que le haut-parleur la lui fera entendre. Rigoureusement, le son et l'image doivent coïncider, être synchrones, dans la mesure où l'artiste aura fidèlement reproduit avec ses lèvres les mouvements correspondant au son original. Cette façon d'opérer, qui peut sembler une complication, possède, au contraire, de grands avantages : l'interprète retrouve, en tournant la scène, la même aisance qu'il avait éprouvée en enregistrant le son seul ; sans aucune préoccupation pour la qualité de sa voix, il n'a plus qu'à penser à son jeu. Il peut se déplacer sans être précédé du micro, toujours importun dans un studio. Autre avantage, enfin : il n'est plus indispensable que l'acteur qui tourne soit lui-même chanteur. On peut lui prêter une voix anonyme. (C'est un danger aussi, car, dans ce cas, la voix parlée n'a pas toujours le même timbre que la voix chantée ; mais il suffit d'y prendre garde et de choisir soigneusement la doublure). Le *play-back* peut avoir un autre avantage : si le chanteur n'a pas eu le temps d'enregistrer sa chanson avant le tournage, on peut enregistrer l'accompagnement seul, avec l'orchestre. Quand on tournera la scène, c'est cet accompagnement que retransmettra le haut-parleur sur le plateau, et c'est sur lui que le chanteur se guidera pour interpréter sa chanson. On enregistrera alors seulement la voix, et celle-ci sera mélangée plus tard avec l'accompagnement de l'orchestre. Cette éventualité se produit rarement dans les films, mais elle est fréquente pour les doublages : les Américains, tout particulièrement, qui ont un immense marché international, sont obligés de prévoir le doublage de leurs films en de nombreuses langues. Lorsque leurs productions comportent des chansons, ils en enregistrent l'accompagnement par un orchestre, et cette « bande internationale » est adressée aux doubleurs étrangers, qui s'en servent pour réenregistrer les chansons dans leur propre langue. Cette technique du *play-back* a remplacé depuis longtemps déjà l'enregistrement « en direct » des chansons. Cependant, il est possible que, dans certains cas, on ait intérêt à tourner simultanément le son et l'image. Ainsi lorsqu'un artiste n'aura que quelques mesures à fredonner ou qu'un pianiste plaquera quelques accords sur un clavier, il est bien inutile d'avoir affaire à un *play-back*. Lorsqu'enfin il s'agira de la musique de fond, il faudra attendre que le film soit entièrement tourné et monté : ce n'est qu'à ce moment que le réalisateur et le compositeur décideront des séquences sur lesquelles un commentaire musical semble indispensable.

Dès que la liste en est établie, le monteur communique au compositeur le métrage de chacun des numéros musicaux du film, en lui donnant tous les points de repère utiles à son travail. On sait que 27 mètres de pellicule environ correspondent à une minute de projection ; le musicien n'a donc plus qu'à commencer à écrire sa partition, en tenant compte, d'après ces métrages, de tous les effets à souligner. L'inspiration doit être prompte chez un compositeur de cinéma. Il est rare qu'on lui accorde plus de trois semaines pour effectuer son travail, orchestration comprise. Il doit également posséder une excellente mémoire visuelle ! pour qu'une musique apporte un véritable appui à un film, il faut qu'elle suive pas à pas son déroulement dramatique. Le compositeur, à sa table ou à son piano, doit revoir en pensée les images à illustrer ; il doit retrouver l'émotion que lui a apportée la projection sur l'écran ; il doit recréer dans l'isolement du bureau l'ambiance qu'a voulue le réalisateur. Le style de la musique ne s'inspire que modérément du texte écrit ; ce sont les images, le rythme de la réalisation qui doivent commander au musicien et diriger son inspiration. La partition achevée, orchestrée, copiée pour les différents instruments de l'orchestre, il reste encore à en effectuer l'enregistrement. Celui-ci a lieu dans un auditorium conçu à cet effet ou bien sur un des plateaux du studio. Il peut aussi avoir pour cadre une salle de concerts (Gaveau, *Schola cantorum*). En principe, un écran de cinéma est indispensable pour ce travail. Lorsque la salle n'en comporte pas, on se sert de petits appareils de projection portatifs munis d'un écran, que l'on place en face du chef d'orchestre : il faut en effet que

ce dernier, tout en dirigeant ses musiciens, vérifie le synchronisme de l'image et de la musique. C'est souvent le compositeur lui-même qui conduit l'orchestre. Il charge l'ingénieur du son de régler les valeurs sonores, tout en lui donnant les indications nécessaires pour que le résultat soit bien celui qu'il recherche. De nos jours, la pellicule magnétique permet d'entendre immédiatement l'œuvre enregistrée, ce qui permet de faire les corrections et les retouches et d'obtenir le maximum de qualité. La durée de chaque fragment musical est variable : elle peut être de quelques secondes, et peut aller jusqu'à quelques minutes. Il est préférable de fractionner, si on le peut, un numéro qui dépasse trois ou quatre minutes, pour éviter un effort trop longtemps soutenu aux exécutants et pour diminuer les risques d'erreurs de jeu ou de synchronisme. Les orchestres qui participent aux sonorisations de films sont toujours composés de musiciens d'une extrême habileté : après une ou deux répétitions, un numéro est généralement au point et prêt à être enregistré, en dépit de la difficulté que représente le déchiffrage d'un manuscrit. L'ingénieur du son, dans une cabine voisine du studio, écoute devant l'appareil enregistreur la répétition telle qu'elle lui est transmise par un haut-parleur. Entre chaque répétition, il rectifie l'emplacement des microphones, déplace un musicien qu'il n'entend pas suffisamment — ou qu'il entend trop — et procède enfin à l'enregistrement. Une sonorisation de film se réalise en moyenne à raison de dix à quinze minutes enregistrées par séance de trois heures d'orchestre : il faut donc trois ou quatre séances pour graver sur la pellicule une partition d'une durée normale. La composition des orchestres est variable, selon le genre de la musique. On réunit naturellement dans la même séance les numéros qui demandent un orchestre assez important, dans une autre ceux qui demandent une composition moindre. Il suffit parfois d'un quatuor de cordes ; dans certains cas, il est nécessaire de réunir un ensemble très important, allant jusqu'à quarante ou cinquante musiciens.

Après la sonorisation, le rôle du musicien est terminé. Pourtant, la musique elle-même a encore une opération à subir ; il va falloir l'incorporer au film, car elle n'est encore qu'un élément indépendant, une bande de pellicule gravée : c'est maintenant qu'interviennent les « mélanges » ou « mixages ». Cette opération consiste à établir une bande unique sonore qui contiendra à la fois les dialogues du film, la musique qui l'accompagne, et, éventuellement tous les bruits auxiliaires qu'on nomme « les effets » : ambiance de bruits de rues, bruissement du vent, sirène de bateau, sifflements de locomotives, etc. Ces effets sont, eux aussi, sur une bande indépendante. Les mélanges, qui sont effectués par l'ingénieur du son sous la direction du réalisateur, consistent à réenregistrer sur une bande unique ces différents éléments sonores, en donnant à chacun d'eux la valeur qui convient. On y parvient à l'aide de potentiomètres, qui correspondent à chacune des bandes, et qui en augmentent ou diminuent l'intensité. Il ne reste plus, lorsque les mixages sont terminés, qu'à faire parvenir la bande définitive au laboratoire, qui établit la copie standard, telle que le public la voit sur les écrans des salles.

La technique dont nous avons parlé s'applique aux films de grand métrage et à certains documentaires, pour lesquels une partition spéciale a été écrite. Pour les actualités, la question de la musique a été simplifiée : il existe des « filmathèques », comprenant une collection de bandes musicales enregistrées à l'avance, et classées par genres. Certaines firmes d'actualités en possèdent une grande quantité. C'est, en quelque sorte, l'équivalent de ce qu'étaient les vieux incidentaux du film muet. On y retrouve les mêmes classifications, les mêmes titres : *Funèbre*, *Agitato*, *Sportif*, *Exotique*... Ils sont d'une longueur inégale, qui varie entre une et trois minutes. Chaque semaine, on affecte à chacun des sujets du journal filmé la bande musicale qui lui convient le mieux : comme il est très rare que sa longueur soit identique à celle de l'image, on applique à la dernière image les dernières vibrations sonores, ce qui permet d'obtenir une bonne fin musicale pour chaque sujet ;

l'inconvénient de ce système est que la musique tombe où elle peut pour le début, mais on y remédie en faisant entrer la musique « en fondu », qui correspond à un flou devenant progressivement distinct. Lorsque les filmathèques sont très bien fournies, on peut trouver pour chaque sujet la musique correspondant à sa longueur exacte, ce qui est mieux encore. Ces bandes d'actualités sont parfois louées aux producteurs de courts métrages, qui sonorisent leurs films de cette manière, dans un dessein d'économie, mais avec un résultat artistique des plus contestable. La technique musicale du dessin animé, enfin, est très différente encore de celle des autres films. Dès que les auteurs du scénario ont établi avec les dessinateurs les grandes lignes du dessin animé, le compositeur, en accord avec eux, travaille à sa partition, en prévoyant les effets musicaux correspondant aux mouvements. Ce n'est que lorsque la musique est enregistrée que les animateurs vont faire s'agiter sur son rythme les petits personnages qu'ils ont imaginés. L'orchestration d'une œuvre cinématographique doit être réalisée avec le souci très précis du rôle qu'elle a à remplir. En premier lieu, le compositeur doit se rendre compte qu'il s'adresse à un micro et non à des auditeurs, comme dans une salle de concerts. D'où une technique différente à utiliser. D'autre part, il doit orchestrer plus légèrement les passages destinés à accompagner une scène dialoguée ; les cuivres sont à éviter dans ce cas, alors qu'au contraire ils peuvent intervenir efficacement dans des séquences muettes, violentes ou dramatiques. Il faut éviter

_Porte (détail) du clocher de l'église de Grâces (C.-du-N.)_
_Photo Hurault-Viollet._

également de se servir, pour les scènes parlées, de certains instruments dont le timbre rappelle la voix humaine : clarinette, cor anglais, entre autres, dont la sonorité grave produit, au contraire, un excellent effet dans les scènes muettes qui demandent une ambiance nostalgique. Le quatuor, quelle que soit la masse des cordes utilisée, se prête toujours au mixage avec d'excellents résultats. Les compositeurs américains s'en servent avec beaucoup de bonheur. La musique de film a tenté beaucoup de compositeurs symphonistes, qui la traitaient, au début, avec un certain dédain, mais qui ont vite compris quelle source nouvelle d'inspiration elle pouvait leur apporter. Certains ont même tiré des suites symphoniques de leurs partitions de film ; c'est le cas de Georges Auric, Jean Françaix, Tony Aubin, Henri Sauguet, Darius Milhaud, Maurice

Thiriet et de bien d'autres encore.

Pourtant, l'assujettissement de la musique aux images constitue une gêne pour le compositeur habitué à développer ses thèmes selon sa fantaisie. Il est difficile de parler de liberté d'inspiration lorsqu'on sait qu'en prenant sa plume, le musicien doit la soumettre à un genre et surtout à une durée très limitée, très précise. De plus, il ne faut pas oublier que les spectateurs des salles obscures ne s'y rendent pas pour écouter une œuvre musicale, mais pour assister à la représentation d'un film. Aussi bien, chaque fois que la partition déborde de son cadre, on peut être certain qu'elle risque de nuire au film, plutôt que de l'aider. Brummell disait que l'élégance consiste à passer inaperçu. Il en est de même de la musique d'écran.

Il ne faut pas oublier non plus que le public du cinéma est extrêmement divers : les spectateurs des Champs-Élysées sont bien différents de ceux qui fréquentent les petites salles rurales. Or l'œuvre cinématographique doit être conçue pour tous ces publics à la fois. En particulier, une partition destinée à l'écran ne doit ressembler en rien à une autre qui s'adresserait aux mélomanes, public de Colonne ou de Pasdeloup. Ce serait une erreur que de risquer des hardiesses polyphoniques, dodécaphoniques ou concrètes dans un film autre qu'un film d'art ou d'avant-garde. Il est certainement regrettable que, pour la grande majorité des cas, le cinéma ne permette pas aux musiciens de s'exprimer aussi librement qu'ils le désireraient. Mais c'est peut-être cette humilité, cette nécessité de servir le film qui constituent un des principaux attraits de la musique au cinéma et lui donnent tout son charme et toute sa valeur.    G.V.P.

**FILTSCH Karl.** Pian. austro-hongr. (Hermannstadt 8.7.1830–Vienne 11.5.1845), qui fut élève de Chopin et de Liszt, se produisit à l'âge de 12 ans à Paris, à Londres, et mourut dans sa 15e année.

**FILTZ Anton.** Vcelliste allem. (? v. 1730–Mannheim 14.3.1760). Élève de J. Stamitz, premier vcelliste de l'orch. de Mannheim (1754), mort prématurément, il composa _Six sonates a flute, viol. ou 2 flutes et basses_ (Chevardière, Paris), _Sei sonate a tre... a due viol. e basso..._ (ibid.), _Six sonates en trio... pour le clavecin, violon et basse_ (ibid.), _Trois sonates pour le vcelle et b.c. ou le viol. seul et basse..._ (ibid.), _Sei sonata da camera... a trè stromenti, vcello obligato, flauto traverso o viol. e basso_ (ibid.),

*Six trios... à 2 viol. et basse* (ds l'*op.* 4 de J. Stamitz),
41 symphonies (voir le catalogue ds les *DTB*, III,
XXXV, XLIII), dont *Six sinphonies à quatre parties de
viol., alto, viola et basso...* (*ibid.*), *Six sinphonies... à
quatre parties obligées avec cors de chasse ad libitum...*
(Huberti, Paris), *Sei sinfonie... a più stromenti...* (*ibid.*),
le reste dans des recueils de l'époque. Voir K.M.
Komma in MGG.

**FINAGUINE** (*Finagin*) **Alexeï Vassiliévitch.** Musicologue
russe (?–17.3.1890–), élève d'Asafev, de Preobrajensky,
qui a publié *E.M. Fomine...* (thèse), *Le problème de la
forme dans la musique* (Leningrad 1923), *Système du
savoir musical* (*ibid.*), *Le chant populaire russe* (*ibid.*
1924), ainsi que nombre d'articles dans divers périodiques.

**FINALE.** — 1. Adj. fém. : c'est la note finale qui, en
musique dite classique, doit être la tonique, d'après les
règles de l'école, tout au moins à la basse, s'il s'agit d'un
accord. — 2. Subst. mas. : *a*) c'est la dernière partie
d'une œuvre qui comporte plusieurs mouvements ;
dans l'opéra, le *f.* est plus caractéristique que dans les
autres catégories de musique (instrumentale, orchestrale) : il est la conclusion de trop d'épisodes pour qu'il
ne revête pas une ampleur remarquable. —
3. Certains compositeurs ont appelé *finales* des morceaux
isolés qui, par leur caractère, leur style, suscitaient dans
l'esprit des auteurs l'intention qui préside à cette forme ;
on trouve plus encore d'ouvertures que rien ne suit.

**FINALIS.** Adj. latin : dans la musique modale (plain-
chant), la *f.* est l'équivalent de la note finale de la musique
solfégiée ; elle est obligatoirement la tonique ; lorsque,
chose rare, il y a exception à la règle, on dit que la mélodie
finit *par suspension.*

**FINAZZI Filippo.** Sopraniste ital. (Bergame v. 1710–
Jersbeck 21.4.1776), qui appartint à l'Académie
philharmonique de Bologne, exerça à Breslau (1728),
ailleurs en Allemagne, en Italie, notamment à Venise
(1726–32), se retira ensuite à Jersbeck ; l'Acad. philh.
de Bologne a conservé une pièce de lui.

**FINCH Edward.** Ecclésiastique angl. (? 1664–? 14.2.1738),
qui représenta l'univ. de Cambridge au Parlement
(1689–90), fut ordonné diacre et nommé recteur de
Wigan, bénéficier d'York et de Cantorbéry ; il composa
de la mus. d'église, notamment un *Te Deum*, une *anthem*
(*Tudway's coll. of church music*) ; l'univ. de Glasgow
possède sa *Grammar for thorough bass*, ainsi que quelques
pièces de lui.

**FINCK Heinrich.** Mus. allem. (Bamberg 1444 ou 45–
Vienne 9.6.1527). Il semble avoir été à l'univ. de Leipzig
(1482), fut choriste de la chapelle royale de Varsovie,
puis *musicus* de la chapelle de la cour polonaise sous
Jean-Albert, Alexandre et Sigismond (Cracovie), puis
à celle de Wurtemberg à Stuttgart (1510–1514), près du
duc Ulrich et de sa femme, Sabine de Bavière ; il séjourna
alors peut-être à Innsbruck ou Augsbourg ; il est en tout
cas certain que, le 10 mai 1524, il était compositeur de la
chapelle archiépiscopale de Salzbourg ; après avoir il
a peut-être appartenu à la chapelle du futur empereur
Ferdinand Ier ; il mourut à Vienne ; il composa
29 *Deutsche Lieder* à 4 v., un à 5 v. (*Schöne ausserlesne
Lieder des hoch berümpten Heinrici Finckens...*,
Formschneider, Nuremberg 1536), quelques autres (dans
les recueils d'époque ou en manuscrit), 22 hymnes en
latin à 4 v., publiés dans le *Sacrorum Hymnorum Liber I*
de Rhau (Wittemberg 1542), une dizaine d'autres dans
des recueils de l'époque, des motets, des offertoires, des
*concentus*, des *introïts*, une *Missa dominicalis* à 4 v.
(ms. bibl. de Munich), une autre *Deutsche Lieder*
(Musée de Berlin), une messe à 6 v. (bibl. de Stuttgart) ;
mainte œuvre de lui fait partie de recueils collectifs ;
c'est un des plus grands maitres de la polyphonie allemande du XVIe s., rival de Josquin. – Son petit-neveu
**Hermann** (Pirna 21.3.1527–Wittemberg 28.12.1558),
fut probablement musicien à la cour de Ferdinand Ier,
appartint à l'université de Wittemberg (1545), où il
enseigna la musique, fut organiste et mourut prématurément ; il publia *Melodia epithalamii illustrissimo...
Friderico II...* (5 v., E. Rhau, Wittemberg 1555),

*Melodia epithalamii clarissimo viro p. Henrico Paxmanno*
(4 v., *ibid.* 1555), *Melodia epithalamii illustrissimo
principi et domino domino Carolo principi in Anhalt*
(*ibid.* v. 1557), un autre épithalame en l'honneur de
Johannes Schramm (*ibid.* 1557), un *Coniugium sponsi
sit foelix* (4 v., *ibid.* 1557), *Ein schöner geistl. Text Was
mein Gott wil...* (1558), un *Lied* profane à 4 v. et un
*carmen instr.* à 4 v. (bibl. Proske, Ratisbonne), *Practica
musica Hermanni Finckii, exempla variorum siglorum,
proportionum et canonum, iudicium de tonis, ac quaedam
de arte suaviter et artificiose cantandi continens* (E. Rhau,
Wittemberg 1556) : cet important traité est divisé en
5 livres et comporte de nombreux exemples pris chez
les musiciens de l'époque. Consulter les écrits de R. Eitner
et l'art. de H. Albrecht in MGG.

**FINCK Henry Theophilus.** Musicologue amér. (Bethel
22.9.1854–Rumford Falls 1.10.1926), prof. d'hist. de la
musique au cons. de New-York (1881), qui publia *Chopin
and other essays* (New-York 1889), *Wagner and his
works* (2 vol., Londres 1893), *Paderewsky and his art*
(New-York 1895), *Songs and song-writers* (*ibid.* 1900),
*Grieg and his music* (*ibid.* 1906, 1909), *Success in music
and how it is won* (Londres 1909), *Massenet and his operas*
(New-York 1910), *R. Strauss* (Boston 1917), *My adven-
tures in the golden age of music* (New-York 1926).

**FINCK Herman.** Chef d'orch. et compos. angl. d'orig.
allem. (Londres 4.11.1872–21.4 1939). Il dirigea
l'orchestre du *Palace Theatre* (1900) et composa nombre
d'œuvres symph., de piano, de mélodies, un opéra,
*King of Ersia*, 2 opérettes, *Hiawatha* et *Moonshine* ;
il publia *Melodious memories* (Londres 1937).

**FINCO Giuseppe.** Voir art. *Farinelli Giuseppe.*

**FINDEISEN Nikolaï Fedorovitch.** Musicologue russe
(St-Pétersbourg 11.7.1868–10.9.1928). Élève du cons. de
St-Pétersbourg, il fonda la *Rousskaïa Mouzikalnaïa Gazeta*
(1894–1917), mensuelle, puis hebdomadaire, dont la
collection donne de précieux renseignements sur la
musique russe de son temps ; il collabora à de nombreux
périodiques, tant en Russie qu'à l'étranger, et fut chargé
de la partie russe de l'édition russe du dict. Riemann ;
il fonda (1909) avec A. Siloti l'Association des Amis
de la Musique ; il publia *A.N. Verstovsky* (1890), *A.N. Serov*
(1900), *A.S. Dargomyzski* (1902), *A. Rubinstein* (1905),
*N.A. Rimsky-Korsakov* (1908), *W.W. Bessel* (1909),
*S.W. Smolenski* (1910), *M.I. Glinka* (1896), *Glinka en
Espagne...* (1896), *Catalogue des manuscrits musicaux,
lettres et portraits de M.I. Glinka* (1898), *Glinka et son
opéra Russlan et Ludmila* (en allem., Munich, 1899),
*M.I. Glinka* (Moscou 1904), *Correspondance de M.I. Glinka*
(1907–08), *Esquisses et profils musicaux* (1891), *Bibliographie... de C.A. Cui* (1894), *Catalogue des instruments
populaires* (1896), *Les maîtres-chanteurs du Moyen âge*
(1897), *La musique dans l'histoire russe du commencement
du XIXe s.* (1899–1900), *Histoire de la section de
St-Pétersbourg de la Société impériale de musique russe,
1859–1909* (1909), *Histoire de la romance russe* (1904),
*Sur l'histoire de la musique en Russie depuis les temps les
plus reculés jusqu'au début du XVIIIe s.* (2 vol., Moscou-
Leningrad 1928–29) etc.

**FINE.** Mot ital., qui signifie *fin.*

**FINE Irving.** Chef d'orch. et compos. amér. (Boston
3.12 1914–), élève de W. Piston, de Koussévitzky, de
Nadia Boulanger, prof.-adjoint et chef d'orch. au *Harvard
Glee Club*, critique musical à Boston (1944–46), attaché
au *Berkshire music Center* à Tanglewood, prof. de mus.
à l'univ. Brandeis à Waltham, *chairman* à la *School
of creative arts* (1952), qui a écrit de la mus. de scène
pour *Alice in Wonderland* (1942), *Three Choruses* (1943),
*The Choral New Yorker* (cantate, 1946), 1 sonate pour
piano et violon (1948), *Masque...* (orch., 1947), *Music
for piano* (1949), *Hymn* (chœur et orch., 1949), *Alice in
Wonderland* (suite, chœur et orch., 1949), *Partita*
(quintette à vent, 1951), *Old amer. songs* (chœur, 1951),
*The hour glass* (cycle de chœurs, 1951), 1 quatuor à cordes
(1951–52), *Alice in Wonderland* (chœurs, 1952), *Muta-
bility* (cycle de mélodies, v. d'alto et piano, 1952),
*Notturno* (harpe et cordes, 1952).

**FINÉ Oronce.** Mathématicien et théoricien franç. (Briançon v. 1494–Paris 6.10.1555). Prof. au Collège royal de France de 1530 à sa mort, il est l'auteur de traités de cosmographie, d'astronomie, de géographie et d'une méthode pour le luth : *Epithoma musice instrumentalis* (Attaingnant 1530).

**FINEGAN William.** Pian., chef d'orch. de jazz et arrangeur amér. (Newark 3.4.1917–), élève du cons. de Paris, fondateur, avec Eddy Sauter, du *Sauter-Finegan Band.*

**FINEL Paul.** Ténor franç. (Villereynac 18.12.1924–), élève de Mme Gély (Béziers), qui, depuis 1954, est 1er ténor à l'Opéra de Paris.

**FINETTI Giacomo.** Mus. ital. du début du XVIIe s., originaire d'Ancône, qui fut franciscain, maître de chapelle à la cath. d'Ancône (1605–1609), puis à Venise (1613) et à Ca Grande ; il écrivit *Completorium, quinis v. decantandum* (Amadino, Venise 1605), *Orationes vespertinae quaternis v.* (*ibid.* 1606), *Omnia in nocte nativitatis Domini* (5 v., Gardano, Venise 1609), *Psalmi ad vesperas* (8 v., *ibid.* 1611), *Motecta 2 v. cum basso ad organum lib.* 2 (*ibid.* 1611, Magni 1617, 1621), *Concerti a 4 v. con il basso per l'organo* (*ibid.* 1612, 1618), *Sacrae cantiones 2 v. cum basso ad organum lib.* 3 (*ibid.* 1613, 1620), *Sacrarum cantionum ternis v. cum basso ad organum lib.* 4 (*ibid.* 1613, 1617, 1621), *Salmi a 3 v. con il basso per l'organo* (*ibid.* 1618), *Concerti ecclesiastici 2, 3 et 4 v. cum basso ad organum* (Phalèse, Anvers 1621), *Corona Mariae 4 v. lib.* 5 (Magni, Venise 1622), *Motetti, concerti et psalmi binis, ternis, quaternis, octonisque v.... septem separatis editi libris* (Schönwetter, Francfort 1631).

**FINGER Gottfried** (*Godfrey*). Mus. autr. (Olmütz v. 1660–?), qui fut claveciniste à la chapelle du prince-évêque d'Olmütz à Munich (v. 1682), à celle de Jacques II à Londres (1688) ; on suppose qu'il regagna le continent vers 1703 ; selon Telemann, il vivait à Breslau en 1706 comme musicien de chambre de la cour, puis à Innsbruck dans les mêmes fonctions, puis à Neubourg-sur-le-Danube, à Heidelberg, à Mannheim ; il composa des opéras, des masques, des *Singspiele* : *The Wives' excuse* (Londres 1692), *Love for love* (1695), *The mourning bride* (Londres 1695), *The anatomist or The Sham doctor* (Ravenscroft, 1697), *The rival queens* (1696), *The music of Macbeth by Shakespeare* (1697), *The virgin prophetess or The fate of Troy* (1701), *The humours of the age* (1701), *Love at a loss* (1701), *Love makes a man or the Fops fortune* (1701), *Sir Harry Wildair* (1701), *The judgment of Paris* (1701), *The wives' victory, Der Sieg der Schönheit über die Helden* (1706), ouverture de l'*Allegrezza dell' Eno* (Innsbruck 1708), *Sinfonia praeliminare* pour l'opéra *Crudeltà consuma amore* (Neubourg, 1717), ouverture et ballet de l'opéra *L'amicizia in terzo overo il Dionigio* (Neubourg 1718), ouverture pour la sérénade *Das fünfte Element der Welt* (Neubourg 1718) ; pour les voix : *Theophilus Parsons Ode* (Londres 1693), *To Victoria, a song, When Death shall drive our souls away...* (2 v., b.c., British Museum), *Calms appear when storms are past...* (Dryden, Londres 1701 ?), *Mr. Finger's first trebles in the she gallants, The city lady, The husband his own cuckold* (*id.*) ; pour les instruments, des sonates pour 3 flûtes (1686 ?, British Museum), *Sonate XII pro div. instr.,* ... (Londres 1688), *Six sonatas of two parts for two flutes..., VI sonatas or solos..* (viol., fl., clav.), *Ayres, chacones, divisions and sonatas for viol. and fl.* (Londres 1691), *A set of sonatas in five parts for flutes and hautbois* (2 fl., 2 htb., b.c., Playford, 1701), *Dix sonates à une flûte et basse continue op.* 3, *XII sonatas à 2 flûtes et basse op.* 4 et 6, *X suonate a tre, due viol. e vcello o b.c. op.* 5, *Six sonatas or solos for the flute with a thorough bass for the harpsichord, 40 airs anglois pour la flûte à un dessus et une basse, Chaconne* (ds *40 airs anglais...* de Bingham, Amsterdam), *Duo* ; en mss : des ouvertures, fantaisies, capriccios, un concerto de violon, un *concerto alla turchesta,* des sonates, des suites, 2 sonates (inachevées), des *Ballettae.* Voir A. Einstein, *Ital. Musiker am Hofe der neuburger Wittelsbacher,* ds SIMG. IX, et W. Senn, *Musik u. Theater am Hof zu Innsbruck,* Innsbruck 1954.

**FINI Léonor.** Peintre ital. (Buenos-Aires 30.8.1918–).

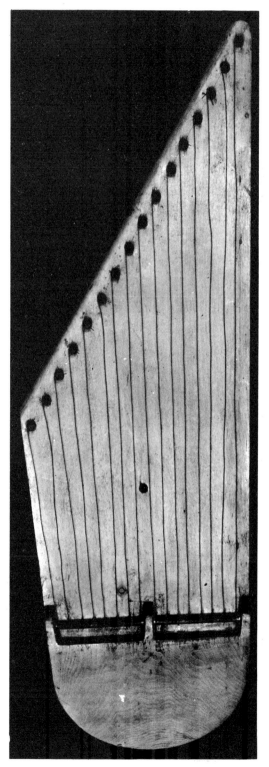

FINLANDE

Kantele *(cons. de Bruxelles).* A.C.L.

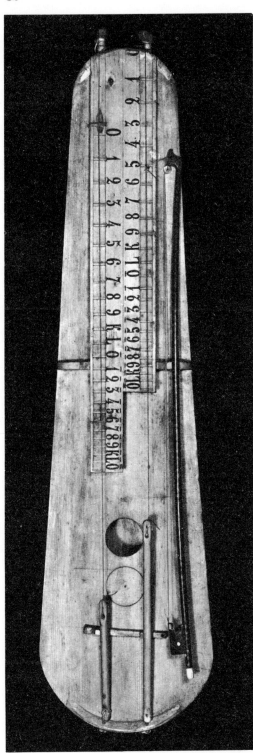

Kantele à *archet (id. ibid.).*

De ses nombreuses collaborations théâtrales, nous n'avons ici à retenir que celles qui concernent la musique : en 1945 *Le spectre de la Rose* (Weber-Fokine), en 1947 *Le palais de Cristal* (Balanchine, Opéra), en 1948 *The five gifts* (Monte-Carlo, W. Dollar), *Les demoiselles de la Nuit* (R. Petit), en 1949 *Le rêve de Léonore* (F. Ashton, Ballets de Paris), en 1951 *Orfeo* (J. Charrat, à *la Fenice*), *Il credulo* (Cimarosa, *Scala*), en 1957 *La petite femme de Loth* (C. Terrasse-Tristan Bernard), en 1958 *Sebastian* (Menotti, Caton) ; elle a fait les costumes pour *L'enlèvement au Sérail* de Mozart à la *Scala* (1951).

**FINK Gottfried Wilhelm.** Théologien, poète et mus. allem. (Sulza 7.3.1783–Leipzig 27.8.1846), fils d'un pasteur, élevé au collège de Naumburg, élève de théologie et d'histoire à Leipzig, il publia ses premiers articles de critique musicale dans l'*Allgemeine Musikzeitung* en 1808, collabora à la *Métrique* de J.A. Apel, prêcha à Leipzig, fonda un institut culturel pour les jeunes théologiens (1814–1827), dirigea l'*Allgemeine Musikzeitung* (1828–41), fut de 1838 à 1843 titulaire de la chaire de musique à l'univ. de Leipzig ; il publia *Erste Wanderung der ältesten Tonkunst...* (Essen 1831), *Mus. Grammatik...* (Leipzig 1836, 1839, Langensalza 1862), *Wesen u. Geschichte der Oper...* (Leipzig 1838), *System der mus. Harmonielehre...* (Leipzig 1842), *Der neumus. Lehrjammer...* (Leipzig 1842), *Der mus. Hauslehrer...* (Leipzig-Pesth 1846, Leipzig 1851), *Mus. Kompos.-Lehre...* (Leipzig 1847), un grand nombre d'articles dans l'*Allg. Musikzeitung*, notamment sur Beethoven, Schumann (dont il fut un des grands protagonistes), Adam de la Halle, les passions de J.S. Bach, l'école « néo-romantique » et F. Chopin ; il édita *Mus. Hausschatz der Deutschen, eine Sammlung von 1.000 Liedern u. Gesängen...* (20 livraisons, Leipzig 1844–1904), *Die deutsche Liedertafel* (ibid. 1845, 1850, Altona 1863) ; il composa un grand nombre de *Lieder* et publia des poèmes et des ouvrages littéraires. Voir W. Boetticher ds MGG.

**FINKE Fidelio.** Compos. tchèque (Josefstal 22.10.1891–). Issu d'une famille versée dans la musique, il fut l'élève de Novak, prof. au cons. de Prague (1915), prof. de composition à l'académie allemande (1926), inspecteur de la musique (1920), directeur de l'Académie de musique et de théâtre de Dresde (1946), prof. au cons. de Leipzig (1951) ; il a écrit pour le théâtre : *Die versunkene Glocke* (1916-17), *Die Jacobsfahrt* (1931–35), *Das Lied der Zeit* (orch. et groupe de danse, 1946), *Der schlagfertige Liebhaber* (1950–53) ; pour l'orch. : 1 symph. (1918–19), un concerto (1931), 3 suites symph. etc., des concertos (flûte, violon, piano), 1 *capriccio* (p. et orch.), un quintette (1911), 2 quatuors à cordes (1914–1928) et autres pièces de mus. de chambre ; des chœurs, de la mus. de chant (avec orch. et avec piano), des pièces d'orgue et de piano.

**FINLANDAISE (Musique).** C'est après 1600 qu'eut lieu en Finlande le vrai développement tant de la musique populaire que de la musique savante. Les anciens chants de runes (*Ranolauta*) et les airs composés pour instr. à vent (*Torventuitotusta*), assez analogues aux vieilles mélodies écossaises de cornemuse, exercèrent une influence continue. Dans l'ancienne capitale du pays, Turku, les musiciens de ville eurent un grand prestige au XVIIe s. : ils donnaient de l'éclat à toutes les fêtes, aussi bien religieuses que profanes. Les annales de l'univ. de la ville témoignent de l'intérêt qu'on y portait aux sciences musicales. Ce n'est qu'à la fin du XVIIIe s. qu'il se constitua une activité de concert plus ou moins organisée : en 1790, l'association musicale *Musikaliska Sällskapet in Abo* (Turku) fut fondée, sous la direction du Suédois Eric Ferling ; elle suscita des concerts : au programme, on voit Grétry, Haydn, Méhul, Viotti, Vogler. Les compositeurs J.H. Roman, Erik Tulindberg eurent beaucoup d'influence ; mais c'étaient des Suédois, comme d'ailleurs le premier compositeur finlandais Henrik Crusell, qui a écrit plusieurs opéras, des concertos de clarinette, des quatuors à cordes, des mélodies ; son style est frais, mélodieux, sa technique de composition est solide. Après 1809, la Finlande se sépara de la Suède et Helsinki devint capitale : c'est là que fut fondée l'Association musicale académique, dirigée (1834) par F.-A. Ehrström, auteur de nombreuses mélodies. En 1853, Frederik Pacius fonda la *Neue Musikgesellschaft* et prit en mains la direction de l'école romantique finlandaise ; il était d'origine allemande : il exerça d'abord en Suède, et c'est en 1835 seulement qu'il s'établit en Finlande ; son style est inspiré de Mendelssohn, sans qu'il dédaigne le folklore finlandais ; c'est d'ailleurs lui qui a composé l'hymne national du pays. Son influence fut grande ; il composa 3 opéras (sur des livrets suédois), dont *Loreley* (1887), des mélodies. Avant lui, l'influence allemande était prédominante ; c'est Pacius qui, le premier, fit connaître les classiques viennois ; on constate ensuite dans ses opéras une très nette influence wagnérienne ; la sienne propre est facilement décelable chez F.-A. Ehrström, K.-M. Moring (1832–1868), Karl Collan (1828–1871), mainteneurs de la grande tradition chorale des Finlandais. A côté de Pacius, il faut citer R. Faltin. originaire de Dantzig, organiste, qui révéla Bach en dirigeant la passion selon St-Matthieu ; sa musique ne rend pas moins hommage au fonds national, qui bénéficiait d'ailleurs de l'appui de sa génération, notamment de M. Wegelius, musicologue, fondateur du cons. d'Helsinki en 1882, prof. et ami de Sibelius, de R. Kajanus, fondateur de l'orchestre philharmonique, le premier des finlandais qui ait composé dans un style romantique national. Ce fut alors le plein essor de la musique dans ce pays. Le nom de J. Sibelius s'impose ici, lui qui composa dans tous les genres, sauf l'opéra ; ses symphonies, ses poèmes symphoniques (*Finlandia*), ont trouvé une audience mondiale ; issu du romantisme allemand, son style a abouti à l'impressionnisme moderne, dans une forme libre, plus ou moins rhapsodique. En général, les emprunts qu'il fait au folklore ne sont pas directs : ils n'en sont pas moins larges. L'œuvre d'Ilmari Krohn, musicologue, auteur de *Die Formenbau in den Symphonien von J. Sibelius* (1942), est assez comparable à celle de ce dernier ; il composa des oratorios (Voittajat, 1937). Faisons mention d'Oskar Merikanto, organiste, d'Armas Järnefelt (*Berceuse et Prélude* pour orchestre). Un peu plus tard, fleurissent E. Melartin, auteur d'œuvres avant tout instrumentales, S. Palmgren (mus. de piano, mélodies), A. Launis (miusicologue et compositeur), L. Madetoja, H. Kaski, L. Ikonen, E. Linko, P. Hannikainen (musicologue), M. Nyberg ; tout à fait récemment Ernest Pimgoud, Vaïnö Taitio, Aarre Merikanto (fils d'Oskar), converti, ce semble à la dodécaphonie depuis son concerto pour 9 instruments (1925). Parmi les contemporains, il faut encore citer Bengt von Törne (*Sibelius, a close-up*, 1937) auteur d'œuvres de structure contrapuntique ; Bengt Carlson (près de Sibelius), comme Yrjö Kilpinen (cycles de mélodies), Sune Carlsson, organiste, Ilmari Hannikainen (impressionniste), Eino Roiha, Leo Häikonen, Uno Klami, Sulho Ranta (ces deux derniers sont sensibles aux auteurs français et russes contemporains). Le nombre des compositeurs actuellement vivants en Finlande dépasse les possibilités de cet article : la quasi-totalité a subi l'influence de Sibelius. Il y a en outre en Finlande un grand nombre d'interprètes (Georg Schneevoigt) ; les sociétés chorales, excellentes, foisonnent. La musicologie est très vivante. Les mélodies populaires sont pour tous un trésor inépuisable. **B.L.K.**

**Musique populaire.** Le monument majeur de la culture finlandaise est le *Kalevala* : c'est un poème épique, récit de guerre, hymne à la vaillance des héros ; il a pourtant un caractère particulier : il respecte les valeurs spirituelles dont témoignent les runes (notamment en ce qui concerne la musique), la puissance que possède cette dernière donnait aux héros la force de vaincre l'ennemi, même s'il était plus fort et s'il avait de meilleures armes. Les anciennes runes finlandaises, qui célèbrent aussi bien la vaillance des héros que les œuvres de paix, se chantaient en toutes sortes de circonstances : dans les fêtes, dans les réunions de jeunesse, pendant le travail, pendant la garde des troupeaux, comme passe-temps ; les chants runiques sont des poèmes épiques, des berceuses, des chants funèbres (ces derniers constituent un groupe à part) ; ils étaient chantés par des solistes ou par des duettistes ; dans le sud de la Finlande, le chanteur de

runes était accompagné par un chœur. En Finlande orientale et méridionale, la transmission du chant runique primitif était encore orale jusqu'aux environs de 1900 : cette longue tradition est due probablement à l'universalité des chants, à leur force magique, à leur solennité, à la situation géographique de la Finlande : elle est isolée. Le chant runique se fait sur un ambitus réduit, qui ne dépasse guère la quinte, les degrés sont ordonnés selon un système diatonique. Les instruments suivent les voix ; citons un psaltérion à 5 cordes, le *kantele*. Le texte de l'ancien chant est en général un distique, d'une métrique libre, de structure rythmique ; parfois la mélodie est pentatonique anhémitonique, construite par groupes de tétracordes, tel le chant de *Lemminkaïen :*

Parfois, l'ancien pentatonisme est encore nettement perceptible, et l'on ne trouve des demi-tons qu'à propos de notes de passage, comme dans l'exemple qui suit :

Berceuses et chants funèbres sont de même style ; ces derniers, comme cela va de soi, font partie des cérémonies funèbres ; toutefois, en Finlande orientale, ils se chantent dans des cérémonies matrimoniales : auquel cas le thème poétique se rapporte à l'éloignement de la famille ou à l'avenir inconnu des mariés. Bien que le *kantele* ait actuellement plus de 5 cordes, l'essentiel de la mélodie des airs de danse est toujours la série ascendante des notes du pentacorde ; cet élément essentiel de structure se retrouve également dans l'emploi des instruments à vent tels que pipeaux, chalumeaux, cors (en écorce de bouleau). A ce même ancien style appartiennent encore les chants de bergers, pour rassembler les troupeaux, les chants pour le jeu de bagues. — Un nouveau style folklorique témoigne de l'influence des danses polonaises et des *reels* anglais, importés depuis 1700 par les marins. **P.C.**

**Bibl.** : I. Krohn, A. Launis, A.O. Välsänen, *Suomen Kansan Sävelmiä* 1901–28 ; K. Fodin, *Die Entwicklung der Musik in F.*, ds *Die Musik*, 1903–04 ; W. Niemann, *Die Musik Skandinaviens*, 1906 ; A. Launis, *Uber Art, Entstehung u. Verbreitung der estnisch-finnischen Runenmelodien*, 1910 ; I. Hannikainen. *The development of finnish music* 1949.

**FINLAY Gun** (pseud. de *Gunther Freundlich*). Compos. allem. de mus. légère (Wiesbaden 19.3.1911–), élève du cons. Stern à Berlin, qui séjourna en Angleterre, où il s'intéressa à la musique de jazz, fut membre de l'orch. de Jacques Kluger à Anvers (1938–40), s'est établi à Wiesbaden en 1947 ; parmi ses compositions, citons : *Let's get goin, Music at night, Shoogs.*

**FINNEY Ross Lee.** Compos. amér. (Wells, 23.1.1906–). Élève de Nadia Boulanger, d'Alban Berg, de F. Malipiero, il a professé dans mainte université américaine et écrit pour l'orchestre : concerto de piano (1934), *Bleheris* (1938), *Communiqué* (1943), concerto de violon (1944), symphonie pour orch. à cordes (1937), *Slow piece* (orch. de chambre, 1940) ; pour des ensembles de chambre : trio (1931), une sonate de piano et violon (1934), quatuor à cordes (1934), *Eight poems by Archibald Mac Leish* (s. ou t., 1937), *Pastoral* (p. et fl., 1939), sonate pour p. et vcelle (1941) ; des chœurs : *John Brown* (1929), *Pole Star for this year* (1939), *Pilgrim Psalm* (1945).

**FINOLD Andreas.** Mus. allem. des XVIe-XVIIe s., né à Neuhausen (Thuringe) qui, d'après les titres de ses œuvres, enseignait la musique à Schloss Heldrungen ; on lui doit : *Magnificat genethl.* à 8 v. (Erfurt 1616), *Der 76 Psalm...* à 10 v. (1619), *Prodromus musicus* à 8 v. (1619–20), *Operationum music.* à 5 v. (1620).

**FINOT.** Voir art. *Phinot.*

**FINSCHER Friedrich Ludwig** (*Lutz*). Musicologue allem. (Cassel 14.3.1930–), docteur de l'univ. de Göttingen (1954) avec sa thèse *Die Messen u. Motetten Loyset Compères*, collaborateur de W. Wiora au *Deutsches Volksliedarchiv* de Fribourg-en-Brisgau (1955–56), assistant au séminaire musicologique de l'univ. de

Göttingen (1956), il édite les œuvres complètes de Gafurius (Rome 1955 *sqq.*), celles de L. Compère (*ibid.* 1957 *sqq.*), les motets de L. Lechner (Cassel 1956), la messe *Allès regrets* de L. Compère (ds *Das Chorwerk*, LIV 1956).

**FINUCCI Giuseppe.** Ecclésiastique et mus. ital. (Lucques v. 1743–21.2.1784), qui fut élève de P.A. Soffi, maître de chapelle de la basilique de S. Frediano, composa 2 services pour la fête de Ste-Cécile (3 à 4 v.), des *tasche : Cesare nella Brettagna* (1779), *Il Castruccio* (1781), *Leonida re di Sparta* (1783), de la mus. d'église (des psaumes), des messes à 4 v. avec instruments (Bibl. palatine de Parme, archives Puccini et Quilici à Lucques).

**FINZI Gerald.** Compos. angl. (Londres 14. 7.1901– Oxford 29.9.1956). Élève de *Sir* Edward Bairstow, de R.O. Morris, prof. de composition(1931-33) à la*Royal Academy of music* à Londres. il a écrit la mus. de scène pour *Love's labour's lost'* de Shakespeare (1948, ch. et orch.), des chœurs sans accompagnement, des chœurs avec acc. d'orgue (*2 anthems*) des mélodies avec acc. de piano, 2 *op.* d'orch., 1 concerto de clarinette avec orgue, un *introït* pour violon et petit orch. (1935), 2 *op.* de mus. de chambre, 5 *Bagatelles* pour p. et cl. (1945), 3 pièces de v. et orchestre.

**FIOCCHI Vincenzo.** Compos. ital. (Rome 1767–Paris 1843). Élève du cons. *della Pietà* à Naples (Fenaroli) et du P. Martini à Bologne, il mourut à Paris dans la gêne, après avoir écrit les opéras *Olimpia* (1797), *Argea* (id.), *Il sarto di Milano* (1799), *Le valet des deux maîtres* (1802), *Sophocle* (1811), des cantates, des *ricercari* à 2 et à 3 v., et publié, en collaboration avec Choron, *Principes d'accompagnement des écoles d'Italie* (Paris 1804).

**FIOCCO.** Famille de mus. vénitiens qui firent carrière à Bruxelles. — **1. Pierre-Antoine** (Venise v. 1650–Bruxelles 3.9.1714). Il fit ses débuts avec un opéra intitulé *Alceste* qui fut représenté à Hanovre en 1681, en l'honneur de la reine Amélie de Danemark ; dans la même année il s'établit à Bruxelles où il prit femme (il se maria d'ailleurs deux fois) ; en 1687, il est maître de musique à la chapelle ducale du Sablon à Bruxelles ; en 1694, il loue, avec Bombardo et Gasparini, l'académie de musique du quai au foin : il y fit représenter des œuvres de Lully, qu'il faisait précéder d'un prologue composé par lui (*Armide, Acis et Galathée, Bellérophon, Thésée*) ; en 1696, il est promu *lieutenant de la musique* à la chapelle de la cour électorale de Maximilien-Emmanuel de Bavière, et, en 1706, il y devient maître de chapelle, succédant à P. Torri ; il écrivit *Sacri concerti a una e più v., con instr. e senza* (Aertssens, Anvers 1691) ; des motets, conservés à la bibl. du cons. de Bruxelles et au *Royal College of music* à Londres, 3 messes (bibl. du cons. de Bruxelles), des airs italiens dans des recueils d'airs sérieux et à boire (J.L. de Lorme, Amsterdam 1696, E. Roger, *ibid.* 1697), *Le retour du printemps* (1699, dédié au prince de Vaudémont, Bibl. nat. de Vienne), *Sonata a quattro stromenti* (cons. de Bruxelles) ; on n'a gardé que le prologue d'*Alceste*. — **2.** Son second fils – **Jean-Joseph** (Bruxelles 1686–30.3. 1746), lui succéda dans les fonctions de maître de chapelle à la cour et à l'église du Sablon ; il composa *Sacri concentus, quatuor vocibus ac tribus instrumentis modulandi*

(Roger, Amsterdam), 4 motets (bibl. du cons. de Bruxelles), une *missa solemnis* (*id.* 1732), des oratorios : *La tempesta di dolori* (1728), *La morte vinta sul calvario* (1730), *Gesù flagellato* (1734), *Il transito di Giuseppe* (1737), *Le profezie evangeliche di Isaia* (1738), 9 répons funèbres et 8 psaumes ou motets à 2 v. (d'après Van der Straeten). Le huitième fils de *P.-A.* – **3. Joseph-Hector** (Bruxelles 1703–22.6.1741). était en 1725 violoniste de la chapelle royale, puis vice-maître de chapelle (1729) ; le 15 juillet 1731, il prit la poste de maître de chant à l'église Notre-Dame d'Anvers (1731–1737) ; en cette dernière année, il obtint celui de maître de chant à Ste-Gudule de

J.-H. Fiocco

Pièces de clavecin (*Krafft, Bruxelles 1730*).

Bruxelles, succédant à Hercule-Pierre Bréhy, et fut le maître de musique de la princesse d'Arenberg ; la plus grande partie de ses œuvres sont conservées à la bibl. du cons. de Bruxelles, dans le fonds Ste-Gudule : 22 motets, 9 leçons de ténèbres pour la semaine sainte, 3 messes (4–7 v.), des *Pièces de clavecin dédiées à Son Altesse Monseigneur le duc d'Arenberg*, op. 1 (Krafft, Bruxelles 1730), rééd. par C. Stellfeld, ds *Monumenta musicae belgicae III*, 1936. Voir C. Stellfeld, *Les F., une famille de musiciens belges aux XVII^e et XVIII^e s.*, Bruxelles 1941 ; Suzanne Clercx ds MGG.

**FIODO Vincenzo.** Compos. ital. (Tarente 2.9.1782– Naples 1863), élève de Paisiello, qui fut maître de chapelle à Naples et écrivit les opéras *Il trionfo di Quinto Fabio* (1809), *Ciro* (1810), un oratorio (*Giuseppe riconosciuto*), des messes, un *Requiem*, un *Stabat Mater* etc.

**FIORAVANTI.** Famille de mus. ital. : — **1. Valentino** (Rome 1770–Capoue 16.6.1837), élève de Janacconi, de N. Sala, il fut un des compositeurs d'opéras les plus en vogue de son époque et fut maître de la chapelle pontificale à St-Pierre de Rome (1816) ; il écrivit 77 opéras (1784–1824), pour Naples, Rome, Lisbonne, Paris, Venise, Milan, Turin, Florence, parmi lesquels on peut citer *Le avventure di Bertoldino* (1784), *Gl'inganni fortunati* (1788), *Con i matti il savio la perde...* (1791), *Il fabbro parigino* (id.), *La famiglia stravagante* (1792), *L'audacia* *fortunata* (1794), *L'amore immaginario* (*id.*), *L'astuta in amore* (1795), *Livietta e Giannino* (*id.*), *I puntigli per equivoco* (1796), *L'innocente ambizione* (1797), *Amore a dispetto* (1798), *L'avaro* (1800), *Il villano in angustie* (1801), *Camilla* (1801), *Le cantatrici villane* (1803), *La schiava di due padroni* (*id.*), *Lorgoglio avvilito* (*id.*), *I virtuosi ambulanti* (1807), *I raggieri ciarlataneschi* (1808), *La bella carbonara* (1809), *Il giudizio di Paride* (1809), *Simplicità e astuzia* (1810), *La foresta di Hermannstadt* (1812), *Jefte* (1813), *L'africano generoso* (1814), *Adelson e Salvini* (1816), *Gli amori di Adelaide e Comingio* (1817), *Adelaide maritata e Comingio pittore* (1817), *La morte di Adelaide* (1818), *Paolina e Susetta* (1819), *La contessa di Fersen* (1820), *Ogni eccesso è vizioso* (1824) ; ajoutons des cantates (*La vera felicità*, 1799, *L'oracolo di Cuma*, 1815), des messes, des motets, des psaumes, un *Dies irae* (dans les archives de St-Pierre). Son fils – **2. Vincenzo** (Rome 5-4-1799–Naples 28.3.1877), fut élève de Janacconi et de Donizetti, maître de chapelle à Naples (1833), à la cath. de Lanciano (1839), dirigea l'école de musique de l'*Albergo dei Poveri* à Naples (1867–1872) ; il écrivit 40 opéras-comiques, dont *Robinson Crusoe* (1828), *Il supposto sposo* (1828), *La conquista del Messico* (1829), *La scimia brasiliana* (1830), *Il folletto innamorato* (1831), *Un matrimonio in prigione* (1842), *La lotteria di Vienna* (1843), *Gli zingari* (1844), *Pulcinella e la fortuna* (1846), *Amore e disinganno* (1847) ; ajoutons des oratorios (*Seila*, 1840, *Il sacrifizio di Jefte*, 1841), de la mus. d'église (en particulier un *Requiem* qui fut exécuté pour ses funérailles) ; il avait rédigé son autobiographie. Voir G. Roberti, *L'autobiografia di V.F.*, ds *Gazzetta musicale*, Milan 1895 ; A. della Corte, *L'opera comica italiana nel 1700*, Bari 1923. Son frère – **3. Giuseppe,** basse comique, appartint à la *Scala* et à d'autres théâtres italiens (surtout napolitains) et créa de nombreux opéras (Rossini, Donizetti, Mercadante etc.). Ses fils – **4. Valentino** (Naples ... 1827–Milan ... 2.1879) et – **5. Luigi** (Naples 20.12.1829–30.12.1887) furent également chanteurs d'opéra.

**FIORDA Nuccio Giuseppe.** Compos. ital. (Civitanova del Sannio 17.2.1894–). Elève de Zanella, de De Nardis, de Respighi, il a écrit un poème symph. : « *Procession sous la pluie* » (Bari 1928), 1 ballet : *Serraglio* (en collab. avec Labroca) et de la musique pour un grand nombre de films.

**FIORÈ Angelo Maria.** Vcelliste ital. (Turin entre 1650 et 1660–4 6.1723), qui appartint à l'*Accademia filarmonica* de Bologne et fut de 1697 à 1721 vcelliste à la cour du duc de Savoie ; il écrivit *Trattenimenti da camera a due stromenti, vcello e cimbalo o viol. e vcello* (B. Gregorj, Lucques 1698), 2 symphonies (vcelle et *b.c.*), une sonate (clav. et vcelle, 1701), 2 sonates (vcelle et *b.c.*). Son fils – **Andrea Stefano** (Milan 1686–Turin 6.10.1732) fut envoyé à Rome pour ses études aux frais du duc Victor-Amédée II de Savoie ; il entra à l'*Accademia filarmonica* de Bologne en 1697, fut en 1699 musicien de la chambre du duc de Savoie à Turin ; en 1709, il en fut le maître de chapelle ; il était violoniste et écrivit *Sinfonie da chiesa a tre cioè due viol. e vcello con il suo b.c. per l'organo* (F. Rosati, Modène 1699), des opéras : *La casta Penelope* (1707), *La Svanvita* (1707), *Engelberta* (1708), *Atenaide* (premier acte, 1709), *Ercole in cielo, componimento da camera per musica* (1710), *Il trionfo d'amore...* 1715, *Arideno* (1716), *Teuzzone* (*id.*), *Merope* (*id.*), *Sesostri...* (1717), *Publio Cornelio Scipione* (1718), *Il trionfo di Lucillo* (*id.*), *L'Argippo* (*id.*), *Il pentimento generoso* (1719), *Ariodante* (1722), *L'innocenza difesa* (*id.*), *Il trionfo della fedeltà* (1723), *Elena* (1725), *I veri amici* (1728), *Siroe...* (1729), 3 cantates : *Fileno idolo mio, Le retour de Flore, Tortorelle imprigionate,* des airs ; un certain nombre de manuscrits sont conservés aux archives du château de Sondershausen. Voir G. Roberti, *La cappella regia di Torino, 1515–1870,* Turin 1880 ; S. Cordero di Pamparato, *Il teatro regio del 1678 al 1814,* Turin 1930.

**FIORENTINO Sergio.** Pian. ital. (Naples 1.1.1928–), qui fait une carrière internationale.

**FIORI Ettore.** Chef d'orch. et compos. ital. (Livourne 1825–Londres 1898), qui fut maître de chant à la *Royal Academy of music* à Londres, et écrivit l'*opera-buffa Don Crescendo* (en collab. avec E. Picchi, 1851), l'*opera-*

*seria Piero da Padova* (1868), un autre, *Rizzardo da Milano,* des pièces de piano et de chant, un quatuor à cordes.

**FIORILLO** (*Florillo*) **Carlo.** Mus. napolitain, né v. 1600, qui dédicaça au cardinal Montalte des madrigaux à 5 v. (Robletti, Rome 1616).

**FIORILLO Dante.** Compos. amér. (?–4.7.1905–), dir. de publication près des *Educational music publishers,* auteur de 12 symphonies (1928–48), d'un concerto pour htb., cor, piano, timbales, sousaphone et cordes (1935), de 11 quatuors à cordes, de *Music for str.* (1926), de *Prelude and passacaglia* pour orchestre (1927).

A.S. FIORÈ
*Siroe* (*Turin 1729*).

**FIORILLO Ignatio.** Mus. ital. (Naples 11.5.1715–Fritzlar ... 6.1787), qui fut l'élève de Leo et de Durante à Naples, *Kapellmeister* à la cour de Brunswick (1754), puis à Cassel (1762) ; il composa 19 œuvres dramatiques : *Mandane* (1736), *Artamene* (1738), *Partenope nell'Adria* (*id.*), *Il vincitor di se stesso* (1741), *Vologeso* (1742), *L'Olimpiade* (1745), *Li Birbi* (1748), *L'amante ingannatore* (*id.*), *Il finto pazzo* (*id.*), *Demofoonte* (1750), *Didone abbandonata* (1751), *Alessandro nell'Indie* (1752), *Siface* (*id.*), *Demetrio* (1753), *Ipermestra* (1759), *Diana ed Endimione* (1763), *Artaserse* (1765), *Nitteti* (1771), *Andromeda* (*id.*) ; des oratorios, 3 *Te Deum,* 1 *Requiem,* 1 *Libera,* 2 *Miserere,* 2 *Magnificat,* des messes, des psaumes, des motets ; 2 *sinfonie,* 2 ouvertures, 6 sonates de clavecin (Schmitt,

Brunswick 1750, cons. de Bruxelles), *Studio armonizzato dal Parro per violino*, des *arie* ; nombre de ses œuvres sont perdues, d'autres n'ont pas encore été cataloguées. Son fils – **Federigo** (Brunswick fin mai 1755–1823) fut un virtuose de la mandoline, exerça à St-Pétersbourg (1777), en Pologne (1780–81), à Riga (1782), à Paris (1785), à Londres (1788–1794), à Amsterdam, et fut l'ami de Fétis ; il composa des quatuors, des trios, des symphonies concertantes, des duos, des sonates, des concertos pour des ensembles de chambre. Voir *Galerie der vorzüglichsten Tonkünstler... in Kassel*, Cassel 1806 ; U. Lehmann ds MGG.

**FIORINI Andrea.** Mus. ital. du XVIIᵉ s., dont la biographie est totalement inconnue, auteur de 5 recueils, dont 2 sont conservés, imprimés à Bologne : *Salmi pieni a 8 v.* (Monti 1669) et *Flores melliflui* à 8 v. (*id.* 1676).

**FIORINI Gasparo.** Mus. ital. du XVIᵉ s., originaire de Rossano Veneto, qui fut chanteur à St-Marc de Venise, puis au service du cardinal de Ferrare (1571) et d'autres aristocrates ; on connaît de lui *La nobiltà di Roma, versi in lode di cento gentildonne romane et le vilanelle a tre v...* (G. Scotto, Venise 1571, 1573), *Libro secondo di canzonette a 3 e a 4 v. ...* (Gardano, Venise 1574), *Libro terzo di canzonette a 3 et a 4 v.* (*id.*, 1574).

**FIORINO** (*Fiorini*) **Ippolito.** Mus. ital., né à Ferrare v. 1540, qui chantait si bien qu'on l'appelait l'*angioletto* ; il fut maître de chapelle du duc Alphonse II de Ferrare, et composa des messes, des psaumes, des motets, des madrigaux, qu'on trouve dans des recueils publiés entre 1582 et 1596, notamment *Lauro secco, libro I di madrigali a 5 v.* (Ferrare 1582), *L'amorosa Ero* (Sabbio, Brescia 1588), *La gloria musicale* (Venise 1592), *I lieti amanti* (Venise 1586) ; il mourut à Ferrare à l'âge de 72 ans.

**FIORITURE.** C'est un synonyme d'ornement ; le mot, par son étymologie, vient du vocabulaire musical italien.

**FIORONI Giovanni Andrea.** Mus. ital. (Pavie 1704–Milan 14.10.1778). Élève de L. Lᵒ à Naples, il fut maître de chapelle à Côme, puis au dôme de Milan ; il composa de la mus. d'église : messes, vêpres à 8 v. (archives du dôme de Milan, bibl. du Liceo musicale de Bologne), des opéras (*Didone abbandonata*, Milan 1755).

**FIRKUSNY Rudolf.** Pian. tchèque (Napajedla 11.2. 1912–), élève des cons. de Brno et de Prague, qui a fait une carrière internationale dès l'âge de 10 ans ; il a écrit un concertino de piano, d'autres pièces pour le même instrument et des mélodies.

**FIRPO Giovanni.** Ténor ital. (Gênes 1829–? 8.1910), qui fit une carrière internationale : son fils, **Giovanni** (Gênes ? 1858–1.1.1905) fut org., chef d'orch., et composa de la mus. d'église. Le neveu de G. F., **Emilio** (Gênes 1890–), a été org. à Gênes, puis à Milan ; il a composé beaucoup de mus. liturgique, des opérettes : *Sultana* (1911), *Il bacio della duchessa* (1912), *Poleska la zoccolaia* (1912–13), *Camicia rossa* (1915), *A doppio binario* (1916).

**FIS.** C'est le nom du *fa dièse* dans les pays qui ont adopté la terminologie germanique.

**FISCHER Annie.** Pian. hongroise (1916–), de réputation mondiale, élève d'A. Székely et d'E. Dohnanyi à l'Ec. des hautes ét. mus. de Budapest, grand prix du concours Liszt (1936), prix Kossuth (1949), « artiste éminent » de la République populaire hongroise ; elle a vécu en Suède (1941–46) ; elle est l'épouse du musicologue Aladar Toth.

**FISCHER Anton.** Voir art. *Fischer Matthäus*.

**FISCHER Edwin.** Pian. suisse (Bâle 6.10.1886–). Élève du cons. de Bâle, puis du cons. Stern à Berlin, où il fut ensuite prof. (1905–1914), il a dirigé le *Lübecker Musikverein* (1926), le *Münchener Bachverein* (1928), puis un orch. de chambre à Berlin, qu'il quitta pour faire une carrière internationale ; il habite depuis 1942 à Hertenstein, près de Lucerne ; il a composé des *Lieder* (Schott, Mayence), *Orch.-Gesänge*, une sonatine de piano (Ries et Erler, Berlin) ; il a fait des arrangements pour le piano de Mozart, ainsi que des éditions de musique de piano ; il a publié *J.-S. Bach* (Stichnote Verlag, 1949), *Musikalische Betrachtungen* (Insel-Verlag, Wiesbaden,

1949, trad. et éd. en franç. sous le titre *Considérations sur la mus.*, Paris 1951) ; c'est un des grands pianistes de l'époque contemporaine.

**FISCHER Emil.** Basse allem. (Brunswick 13.6.1838–Hambourg 11.8.1914), qui fut directeur de l'Opéra de Dantzig (1863–70), fit ensuite carrière à Rotterdam, à Dresde, au *Metropolitan Opera* à New-York, où il créa le rôle de Hans Sachs dans *Les Maîtres-chanteurs* de Wagner ; il avait épousé la chanteuse belge Camille Seygard (1870–1955).

**FISCHER Emil.** Compos. tchèque (Wteln 1872–?), élève de Dvorak, auteur d'une *Sinfonia* en mi mineur, d'un poème symphonique intitulé *Légende indienne*, d'un quintette etc.

**FISCHER Erich.** Compos. et musicologue allem. (Kreuzlingen 8.4.1887–). Élève de Kretzschmar, de Stumpf, de Friedländer, il fit une thèse sur la musique chinoise (1910), collabora à la fondation des archives phonographiques de l'Institut de psychologie de Berlin, aux *Denkmäler der Tonkunst*, dirigea en second le théâtre de la cour de Hanovre (1911–1913), s'est consacré ensuite au répertoire du folklore allemand ; il écrivit un opéra, *Das heilige Käpplein* (1913) et publia *Kleine Musik, Kleine Hauskomödien mit Musik* (1914), *Deutsche Volksliederspende* (1926).

**FISCHER Franz von.** Vcelliste et chef d'orch. allem. (Munich 29.7.1849–8.6.1918), qui joua sous les ordres de Wagner à Bayreuth, lequel, en 1876, à l'inauguration du théâtre de Bayreuth, lui confia la direction des chœurs, puis celle de l'orchestre ; il dirigea ensuite le théâtre de Mannheim, enfin l'Opéra de Munich, d'où il fit une carrière internationale.

**FISCHER Johann.** Mus. allem. (Augsbourg 25.9.1646–Schwedt v. 1716). Enfant de chœur à la maîtrise de l'évêque d'Augsbourg, élève de Capricornus à Stuttgart, il séjourna 5 ans à Paris près de Lully comme copiste (1665–1670) ; en 1673, on le trouve à la chapelle de la cour de Stuttgart, en 1674 de retour à Augsbourg (comme *ordinarius Musicant*), en 1683 à la chapelle de la cour d'Anspach (comme violoniste), en 1690–91 à la cour du duc Frédéric-Casimir de Courlande à Mittau comme maître de chapelle) et à Riga, en 1699–1700 en Saxe et en Pologne, en 1701 à Lunebourg, à Schwerin, en 1704 à Copenhague, en 1707 à Bayreuth, puis encore à Schwerin, à Stettin et à Stockholm, enfin à Schwedt, au service du margrave Philippe-Guillaume de Brandebourg ; c'est lui qui fut un des promoteurs en Allemagne de l'ouverture à·la française ; on connaît de lui des motets : *So wünsch ich manche gute Nacht* (Augsbourg, 1680), *Musikalische Mayen-Lust, bestehend in 7 Parteyen...* (Augsbourg, 1681), *Himmlische Seelen-Lust...* (Nuremberg 1686), *Musicalische Divertissement, bestehend in einigen Ouvertüren u. Suiten mit 2 Stimmen auf Violen, Hautbois oder Fleutes douces* (Dresde 1699, 1700), *Neuverfertigtes musical. Divertissement...* (Augsbourg, 1700), *Tafel-Musik...* (Hambourg 1702, rééd. en 1706 sous le titre *Musical. Fürsten-Lust...*, Lubeck 1706), *Feld-u. Helden-Musik...* ( — pour célébrer la victoire de Hochstadt — P. Böckmann, Lubeck 1706). Voir ds J. Mattheson, *Grundlage einer Ehren-Pforte...*, Hambourg 1740 ; O. Kade, *Die Mus.-Slg. des grossherzoglich mecklemburg-schweriner Fürstenhauses aus den letzten zwei Jh.*, I, Wismar 1893 ; Cl. Meyer, *Gesch. der meckl.-schw., Hofkapelle*, Schwerin 1913 ; B. Wojcikowna, *J.F. von Augsburg... als Suitenkomp.*, ds *Z.f.M.W.*, V, Leipzig 1922–23 ; G. Fock, *Der junge Bach in Lüneburg, 1700 bis 1702*, Hambourg 1950 ; G. Schmidt, *Die Musik am Hofe der Markgrafen von Brandenburg-Anspach vom ausgehenden M.A. bis 1806*, thèse de Munich, 1953.

**FISCHER Johann Caspar Ferdinand.** Mus. allem. (?–Rastatt prob. 27.3.1746). Probablement né à Schönfeld, en Bohême, v. 1650, il est en 1695 à Schrackenwerth, maître de chapelle du margrave Louis de Bade, prince qu'il suivit à Rastatt (1716–41) ; il fut l'un des meilleurs clavecinistes de son temps ; il composa *Le journal du Printems, consistant en airs et balets à 5 parties* et les trompettes à plaisir, oeuvre 1 (A. Sturm, Augsbourg 1695), *Les Pièces de clavessin, musical. Blumen-Büschlein, oder Neu eingerichtetes Schlag-Wercklein, bestehend in unterschidlichen Galanterien : als Praeludien, Allemanden, Couranten, Sarabanden, Boureen, Gavotten, Menueten, Chaconnen etc. op.* 2 (L. Kroniger et G. Göbel, Augsbourg 1696), *Musicalischer Parnassus...* (J. Chr. Leopold, Augsbourg 1738), *Ariadne Musica, Neo-Organœdum, per viginti praeludia totidem fugas atque quinque ricercares...* (J.Chr. Leopold, Augsbourg 1715), *Blumen Strauss aus dem anmuthigsten musical. Kunst Garten- gesamlet...* (J. Chr. Leopold, Augsbourg), *Vesperae... 4 v. oblig., 2 V. concertantibus quidem, sed non necessariis et 4 v. ripienis, sive choro pleno, cum duplici b.c. pro org., violone etc. concinnati op.* 3 (L. Kroniger et G. Göbel, Augsbourg, 1701), *Litaniae lauretanae, cum annexis IV antiphonis pro toto anno, 4 v. oblig., 2 v., totidem tubis campestribus seu cornibus venatoriis concertantibus, non tamen necessariis, et 4 v. sive violis ripienis, cum dupl. b.c. pro org., violone etc. concinnatae..., op. V* (J.F. Göbel, Augsbourg 1711). Voir L. Hoffmann-Erbrecht, *J.K.F.d.J.*, ds *Mf.*, V, 1952 ; R. Sietz in MGG.

**FISCHER Johann Christian.** Hautboïste allem. (Fribourg-en-Brisgau 1733–Londres 29.4.1800). On le trouve hautboïste-solo dans un concert de Besozzi à Varsovie en 1757, puis entre 1760 et 1764 hautboïste de la cour de Dresde, en 1765 en Italie, puis à Paris, à Mannheim, en Hollande (Mozart l'entendit à La Haye en 1768 et écrivit des variations sur un menuet de lui (K. 179), en 1767 au service de Frédéric le Grand, en 1768 à Londres où il s'établit, se liant avec Jean-Chrétien Bach et jouissant de la protection du roi Georges III ; il participa aux *Hanover square concerts* (avec J.C. Bach et C.F. Abel), fut pris comme musicien de la chambre de la reine, épousa la fille de Gainsborough (lequel fit deux portraits de lui) ; il composa *Zwei Konzerte für Ob. u. Orch., Neun Konzerte für Ob. oder Fl. u. Orch.* (Welcker, Longman et Broderip, Londres), *Sieben Divertimenti für zwei Querfl.* (Longman et Broderip, Londres), *Zehn Sonaten für Querfl. mit b.c.* (ibid.) ; trois de ses concertos furent arrangés, probablement par J.-C. Bach, pour le clavecin ou pour le fortepiano, édités par Welcker à Londres. Voir la lettre de Mozart à son père du 4 avril 1787.

**FISCHER Kurt von.** Musicologue suisse (Berne 25.4. 1913–). Élève d'E. Kurth, de Gurlitt, prof. au cons. et à l'univ. de Berne et, depuis 1957, à Zürich, il a publié notamment sa thèse : *Griegs Harmonik u. die nordländische Folklore* (Berne 1938), *Die Beziehungen von Form u. Motiv in Beethovens Instr.-Werken* (Berne, Strasbourg, 1948), *P. E. Bachs Variationenwerke* (1952), *Die Variation* (1956), *Studien zur ital. Musik des Trecento* (id.).

**FISCHER Ludwig.** Basse allem. (Mayence 19.8.1745–Berlin 10-7-1825), qui fut avec Raaff le plus grand chanteur de son temps, fit une carrière internationale (notamment à Paris), pour qui Mozart écrivit le rôle d'*Osmin* dans *L'enlèvement au sérail* et projeta de récrire celui d'*Idoménée* ; il composa des *Lieder*, rédigea son autobiographie (jusqu'en 1790, Bibl. de Berlin). Voir la lettre de Mozart du 5 février 1783.

**FISCHER Matthäus** (Ried bei Ziemetshausen 28.11. 1763–Augsbourg 5.5.1840). Ecclésiastique, il fut un grand ami de la famille Mozart, fut org. à Augsbourg, écrivit 6 messes (solennelles, brèves, J.J. Lotter, Augsbourg 1820), des *Singspiele*, des *Fastnachtsmusiken*, des cantates (bibl. de Munich). Son frère – **Anton** (Ried 13.1.1778–Vienne 1.12 1808) fut chanteur, maître de chapelle à Vienne sous la direction de Schikaneder, composa des opéras, des *Singspiele*, des pantomimes : *Die arme Familie, Lunara* (1802), *Die Scheidewand* (1803),

J.C.F. FISCHER

Blumen Strauss *(Augsbourg v. 1730)*.

*Die Entlarvten, Die Verwandlungen* (1804), *Swetards Zaubergürtel, Das Hausgesinde* (1805), *Der wohltätige Genius, Das Singspiel auf dem Dache* (1806), *Die Festung an der Elbe* (1807), *Theseus u. Ariadne, Das Milchmädchen von Bercy* (1808), *Der travestierte Aeneas*, deux arrangements d'opéras de Grétry.

**FISCHER Michael Gotthard.** Org. et compos. allem. (Albach 3.6.1773–Erfurt 12.1.1829). Élève de J. Chr. Kittel, le dernier des élèves de Bach, il fut org. à Iéna, et chef d'orch. des *Winterkonzerte* à Erfurt, où il s'établit ; il écrivit des quatuors à cordes, des sonates, des symphonies, des pièces d'orgue, de la mus. d'église, des motets, des canons, des chorals.

**FISCHER Res** (*Maria Theresia*). Chanteuse allem. (Berlin 8.11.1896–), alto, élève de Lili Lehmann, qui a appartenu aux théâtres de Bâle (1927–35), de Francfort (1935–41), à l'Opéra de Stuttgart (1941) et fait une carrière internationale.

**FISCHER Wilhelm.** Musicologue autr. (Vienne 19.4. 1886–). Élève de G. Adler, docteur de l'univ. de Vienne, où il fut assistant, puis *Privatdozent* et professeur ; il fut nommé à celle d'Innsbruck en 1928, et après sa démobilisation, directeur des *Musiklehranstalten* (1945–1948) à Vienne ; depuis 1948, il a repris sa chaire d'histoire de la musique à l'univ. d'Innsbruck et préside l'Institut d'études mozartiennes au *Mozarteum* de Salzbourg (1951), il a publié l'introduction du tome XIX/2 des *DTÖ* (Vienne 1913, *M.G. Monn*), un grand nombre d'articles dans des périodiques ou dans des ouvrages collectifs, notamment sur le style viennois classique, sur la méthode de l'histoire de la musique (dans l'ouvrage d'Adler, Leipzig 1919), sur l'hist. des instr. de mus. de

1450 à 1880, sur Haydn, sur Mozart, sur Bruckner, sur le luth, sur Beethoven, sur J.-S. Bach, sur le plain-chant, sur St Philippe de Néri, sur l'action des papes pour la musique d'église (*Singende Kirche*, 1953–54) ; il a édité notamment 6 cantates de Bach et composé de la mus. de piano, de chambre, d'église, des mélodies.

**FISCHER-DIESKAU Dietrich.** Baryton allem. (Berlin 28.5.1925–), qui fait une carrière internationale, après avoir débuté à l'Opéra de Berlin en 1948 ; depuis 1954, il chante à Bayreuth.

**FISCHHOF Joseph.** Compos. et musicologue autr. (Buschowitz 4.4.1804–Vienne 28-6-1857), qui fut prof. au cons. de la *Gesellschaft der Musikfreunde* à Vienne (1833), puis bibliothécaire à Berlin (1859) ; il écrivit des mélodies, de la mus. de piano, de chambre, et publia *Versuch einer Geschichte der Kl.-Bauer mit besonderem Hinblick auf die londoner grosse Industrie Austellung im Jahre 1851* (Vienne 1853), un manuel d'histoire de la musique et des articles dans des revues de l'époque.

**FISCHHOF Robert.** Pian. et compos. autr. (Vienne 31.10.1856–2.4.1918), qui enseigna le piano au cons. de Vienne, écrivit de la mus. de piano, des mélodies, 2 opéras (*Der Bergkönig*, 1906, *Ingeborg*), rédigea ses mémoires (*Begegnungen auf meinem Lebensweg*, Heller, Vienne–Leipzig 1916).

**FISCHIETTI Domenico** (pseud. de *Fischetti*). Mus. ital. (Naples 1720–Salzbourg v. 1810). Élève de Prota et de Feo, il débuta en 1742 ; en 1766 il est maître de chapelle de la cour de Dresde, en 1772 il l'est en second (il sera ensuite titulaire) de l'archevêque de Salzbourg, où il connut Mozart ; il composa nombre de pièces de mus. d'église conservées en mss à Salzbourg et des opéras : *L'Arminda* (1742), *L'abate Collarone* (1749), *Il pazzo per amore* (1752), *La finta sposa* (1753), *Artaserse* (1754), *Lo speziale* (*id.*, en collab. avec C. Pallavicini), *Solimano* (1755), *La ritornata di Londra* (1756), *Il mercato di Malmantile* (1757), *Il signor dottore* (1758), *Semiramide* (1759), *La fiera di Sinigaglia* (1760), *Siface* (1761), *Alessandro nelle Indie* (1762), *Olimpiade* (*id.*), *Zenobia* (*id.*), *La donna di governo* (1763), *Vologeso...* (1764), *Nitteti* (1765), *Les métamorphoses de l'amour...* (v. 1769), *Arianna e Teseo* (1777), *La molinara* (1778), un intermezzo : *L'ucellatrice* (ms Vienne). Voir A. della Corte, *L'opera comica ital. nel' 700*, Bari 1923.

**FISCORN.** C'est un cornet à piston grave, instrument de la *cobla* (voir à ce mot) catalane, où il joue parfois le rôle d'instr. soliste (France : Roussillon ; Espagne : Catalogne).                                                                       M.A.

**FISHER John Abraham.** Violon. angl. (Londres 1744–1806), qui appartint à la *Royal Society of musicians* (1764), écrivit de la mus. de scène pour les pantomimes (1770–1780), fut docteur d'Oxford (1777), fit une carrière de virtuose sur le continent ; on ne sait s'il mourut à Londres ou à Dublin ; parmi ses pantomimes, citons *The court of Alexander* (1770), *Zobeide* (1771), *The monster of the wood* (1772), *The sylphs* (1774), *Prometheus* (1776), *The Norwood gipsies* (1777) ; il a écrit en outre des mélodies, des cantates, de la mus. instrumentale : une ouverture (1777), 7 symphonies (v. 1780), 6 duettos pour 2 violons, un concerto de violon.

**FISHER William Arms.** Compos. et éditeur amér. (San Francisco 27.4.1861–Boston 18.12.1948), qui fut élève de Dvorak, dirigea la maison d'éditions O. Ditson à Boston, il est l'auteur d'*anthems*, d'une centaine de mélodies ; il publia *Notes on music in old Boston* (1918), *The music that Washington knew* (1931), *One hundred and fifty years of mus. publishing in U.S.* (1933), *Music festivals in the U.S.* (1934), ainsi qu'un certain nombre de recueils.

**FISIS.** C'est le nom du *fa double-dièse* dans les pays qui ont adopté la terminologie germanique.

**FISSOT Henri.** Compos. franç. (Airaines 24.10.1843–Paris 29.1.1896), qui fut élève du cons. de Paris et titulaire de l'orgue de St-Vincent-de-Paul, professeur de piano au même conservatoire, auteur de mus. de piano.

**FISTOLA PANI.** C'est une grande flûte polycalame, de 30 tuyaux environ juxtaposés ; instrument des bergers, elle est également employée au moment du carnaval par groupes de quinze à vingt instruments de différentes tailles, accompagnés de grosse-caisse et de cymbales (Italie : Lombardie).                                      M.A.

**FISTOULARI** (*Fistulari*) **Anatol Grigorievitch.** Chef d'orch. russe (Kiev 1907–), qui débuta à l'âge de 7 ans (ds la 6e symph. de Tchaïkowsky), fit une carrière internationale, s'installa à Londres ; il a épousé la fille de G. Mahler, Anna.

**FISTULA.** — **1.** Au moyen-âge, c'est ainsi que l'on désignait un tuyau d'orgue ; c'était aussi bien un chalumeau. — **2.** Dans l'antiquité, c'était la syrinx ou flûte de Pan.

**FITELBERG Gregor.** Chef d'orch. et compos. pol. (Dinabourg 18.10.1879–Katowice 10.6.1953). Élève de Zygmunt Noskowski (composition), de Stanislas Barcewicz (violon) au cons. de Varsovie, il débuta en 1904 ; il appartenait au groupe des compositeurs nommé « La jeune Pologne », avec Mieczyslaw Karlowicz, Apolinary Szeluto, Ludomir Rozycki, Karol Szymanowski ; en 1908, il dirigea l'orch. philh. de Varsovie ; de 1914 à 1921, il exerça, à Moscou (chef d'orch. du Grand Théâtre) et à Léningrad ; revenu en Pologne, il reprit l'orch. philh. de Varsovie et fonda celui de la radio-diffusion polonaise ; entre 1939 et 1947, il donna des concerts dans le monde entier ; de 1947 à sa mort, il dirigea l'orch. symph. de la radio de Katowice ; il a laissé 2 sonates de viol. (*op.* 2, 1924, *op.* 12, 1901), un trio avec piano (*op.* 10, 1901), un concerto de violon (*op.* 13, *id.*), deux ouvertures (*op.* 14, 1905, *op.* 17, 1906), une symph. (*op.* 16, 1905), des poèmes symph. (Chant de faucon, 1906), *Protesilas et Laodamia* (*op.* 24, 1908), *Au fond de la mer* (1914), 3 rhapsodies (1913–1914), des mélodies.
                                                                                          K.W.C.

Son fils, **Jerzy** (Varsovie 20.5.1903–New York 25.4.1951), étudia à Moscou, à Berlin, vécut à Paris, aux U.S.A. ; il composa notamment un concerto de vcelle (1931), des concertos de piano, de violon, de la mus. de chambre, 2 suites d'orchestre.

**FITINGHOF-SCHELL Boris Alexandrovitch.** Compos. russe (1829–1901). Officier d'artillerie, il se démit pour se consacrer à la musique, qu'il étudia avec Vogt et Dargomyzski ; il écrivit des opéras : *Mazeppa* (1859), *Tamara* (1886), *Juan de Tenorio* (1888), des ballets (*La tulipe de Haarlem*, 1887, *Cendrillon*, 1893), un oratorio (*Jean Damascène*), 80 pièces de mus. d'église ou de chambre ; il a laissé 2 opéras inédits : *Héliodore*, *Marie Stuart*.

**FITZENHAGEN Wilhelm.** Vcelliste et compos. allem. (Seesen 15.9.1848–Moscou 14.2.1890), qui appartint à la chapelle de la cour de Saxe et enseigna au cons. de Moscou ; il écrivit pour son instrument.

**FITZGERALD Ella.** Chanteuse noire amér. (Newport 25.4.1918–), qui débuta dans la carrière de chanteuse de jazz dans l'orch. de son premier mari, Chick Webb, collabora avec Armstrong, appartint à la célèbre formation de jazz de N. Granz, *At the philharmonic* (1946), et a acquis une célébrité mondiale, notamment avec Ray Brown, son deuxième mari. Voir B. Ulanov, *A history of jazz in America*, New-York 1952.

**FITZWILLIAM Richard,** *viscount of Meryon*. Aristocrate angl. (?.8.1745–Londres 4.2.1816), qui légua à l'univ. de Cambridge une collection d'imprimés et de manuscrits musicaux, dont un choix fut publié par Novello à Londres en 1825 ; ce sont 5 volumes qui contiennent des œuvres de Leo, Carissimi, Durante, Bononcini, Palestrina, Martini, Feroci, Clari, Pergolèse, Cafaro, Jomelli, Perti, Bonno, Stradella, Lassus, G. Conti, Colonna, Vittoria, E. Lupi.

**FIUME Orazio.** Compos. ital. (Monopoli 13.1.1908–), élève de Pizzetti, de Molinari, grand prix du concours Reine Elisabeth (1957), prof. de composition au cons. de Milan, qui a écrit une *Fantaisie héroïque* pour vcelle et orchestre (1936), *Chant funèbre pour la mort d'un héros* (chœur et orch., 1941), 2 concertos pour grand orch., 1 symphonie (1957).

**FIUTAT.** C'est un sifflet d'écorce, instrument du domaine enfantin (France : Lorraine).                        M.A.

**FIXE (Son).** On appelle instruments à sons fixes ceux dans lesquels la hauteur des sons est indépendante de l'interprète, par excellence les instruments à clavier.

**FLA.** C'est le nom d'un double coup de baguettes, au tambour.

**FLABIOL.** C'est une flûte à bec, courte, jouée d'une seule main ; l'instrumnet possède sept trous dont cinq servent au doigté. Actuellement, en ébène, le *f.* est muni de trois clés ; instrument de la *cobla* (voir à ce mot), il est accompagné du *tambori* (*id.*), joué simultanément par le même exécutant. C'est le *f.* qui, dans les pièces pour *cobla*, joue le rôle d'instrument conducteur et introduit les thèmes mélodiques, repris et variés ensuite par les autres instruments de cet ensemble (France : Roussillon ; Espagne : Catalogne). On dit aussi *flaviol* et *fluviol*. M.A.

**FLACCOMIO Giovanni Pietro.** Mus. sicilien, né à Milazzo dans la seconde moitié du XVI^e s., qui fut maître de chapelle de Philippe III d'Espagne, puis aumônier du duc de Savoie Charles-Emmanuel I^er ; il mourut à Turin en 1617, après avoir publié *Il primo libro delli madrigali a 3 v., col b.c. per sonare* (Gardane, Venise 1611), *Concentus in duos distincti chroros* (ibid. id.), une collection de madrigaux siciliens à 5 v. intitulée *Le risa avicenda* (Vincenti, Venise 1598) ; on trouve des madrigaux de lui dans des recueils de l'époque.

**FLACHEBBA Alberto.** Compos. mexicain (San Pedro, Martinique 1883–), élève de Widor, qui s'est voué à l'enseignement et a écrit notamment des opéras : *El indiano, Maryam, Lisisca, Thanatos*, un ballet (*Quetzacotl*), une suite symph., de la mus. de chambre, chorale etc.

**FLACHOT Reine.** Vcelliste franç. (Santa Fé 1922–), élève de Bazelaire, prix Piatigorsky (1954), qui fait une carrière de virtuose.

**FLACKTON** (*Flacton*) **William.** Org. angl. (Cantorbéry ... 3.1709–5.1.1793), qui eut l'orgue de l'église de Faversham entre 1735 et 1752, et composa *Six ouvertures for the harpsichord or pianoforte, Six sonatas for two viol. and a vcello or harps.* (1758), *Six solos, three for a vcello and three for a tenor* (1770). Voir l'art. du dict. de Grove.

**FLADE Ernst.** Org. allem. (Bernstadt 13.5.1884–Plauen 26.5.1957), élève du cons. de Leipzig, qui enseigna au cons. de Plauen ; il publia *Gottfried Silbermann, Der Orgel u. Klavierbauer* (Breitkopf, Leipzig 1953), *Attorno all'arte organaria italiana, Scuola salesiana del libro* (Rome 1937), des articles sur l'orgue, sur Bach ; il devait publier une *Orgelbibliographie*, une *Gesch. der Musik u. des Theaters von Plauen, Orgelbauerlex.* ; il traduisit l'ouvrage d'A. Bouman sur l'orgue en Hollande (1949) et celui de N. Friis sur l'orgue au Danemark (1949).

**FLAGEOL.** C'est un vieux mot français, qui désignait, semble-t-il, une flûte à bec ; on trouve aussi, dans les textes anciens, les expressions *flageot, flajot, flajol, flagot, flavel, flaviel* (Europe, France, XII^e-XVI^e s. env.). M.A.

**FLAGEOLET.** — **1.** C'est d'abord un terme employé en organologie pour désigner en général les flûtes à bec.

**— 2.** C'est aussi une variété européenne de flûte à bec : le terme se rencontre dans les textes français des XIII^e-XVI^e s. ; il y désigne certaines flûtes (*flajolez*). A la fin du XVI^e s., Juvigny (Paris) construisit une petite flûte à bec à 6 trous dont deux dorsaux ; l'instrument, nommé *f.*, fit fortune. Les *f.* européens (XVII^e-XIX^e s.) présentent une embouchure et un manchon rapportés au-dessus

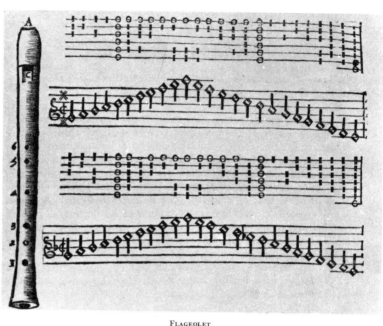

FLAGEOLET

*Extrait de l'*Harmonie universelle *du P. Mersenne* (cons. de Paris).

du bloc et de la lumière. Le modèle anglais comporte six trous antérieurs et un dorsal. Les deux types ont par la suite évolué et subi l'adjonction partielle de clés. **— 3.** C'est encore un jeu d'orgue, aigu. **— 4.** Le même mot sert encore à désigner les sons harmoniques du violon. **— 5.** Enfin, il désigne aussi le diapason (France, XIX^e s.). C.M.-D.

**FLAGSTAD Kirsten.** Sopr. norv. (Oslo 12.7.1895–), une des plus célèbres chanteuses de notre temps ; elle débuta au théâtre d'Oslo en 1913, appartint à l'Opéra-Comique de Paris (1919–1921), à divers théâtres de Norvège ; elle participa au festival de Bayreuth (1933–34), fut engagée au *Metropolitan Opera* à New-York (1935–41, 1951–52), depuis quoi elle fait une carrière au concert. Voir L. Biancolli, *The Kirsten Flagstad manuscript*, Heinemann, New-York 1952.

**FLAHOUTE.** Flûte à bec, en buis, à trois trous, dont un dorsal, jouée d'une seule main (France : Gascogne). L'instrument est utilisé en solo ou, comme la *chirula* pyrénéenne, accompagne le tambourin à cordes (voir à ce mot). On dit aussi *flabute, flaoute, flahuto*. M.A.

**FLAHUTET.** Ce terme désigne en Provence la flûte à bec dite *galoubet* (voir à ce mot). M.A.

**FLAMENCO** (*Cante*). On trouve *cante cañi* (*gitano, gitan*), *cante flamenco, cante jondo* (ce qui veut dire *vivido, profundo, intimo*). Pour distinguer en principe le *cante grande* du *cante chico* (petit), le *cante grande* est toujours appelé *hondo*, mais chaque *cante flamenco* est nécessairement un *cante jondo*. Le mot *hondo* ou (andalou) *jondo* sert pour distinguer les qualités, mais non les formes. Le *cante flamenco* est l'un des phénomènes les plus remarquables et les plus particuliers du chant populaire de l'Espagne du sud. Il commence souvent avec la syllabe *Ay*, chantée comme un soupir, qu'on désigne par *gipido* (en andalou *gipito*). Le chant qui suit parcourt des formules ou bien strictement mélodiques, ou bien très libres, dans le genre récitatif, tantôt suivant l'une des figures fixes, presque stéréotypées, surtout quand il s'agit de cadences. Les formes rythmiques ou les structures tonales, qui comportent beaucoup d'intervalles impurs par rapport à notre notion d'intervalle, sont conditionnées dans une large mesure par la récitation dramatique, qui constitue le substrat même de cette façon de chanter. Le texte des *coplas* consiste la plupart du temps en 4 lignes de 8 syllabes.

D'habitude, on ne répète jamais la même pièce dans la même forme, mais une série de formules stéréotypées qui, en dépit du caractère d'improvisation de ce chant, restent toujours les mêmes. Un changement de forme plus prononcé arrive en général en fonction d'une volonté d'expression plus marquée ; c'est surtout le cas lorsque les mêmes mots se trouvent répétés. La forme et la beauté de ce chant dépendent, dans une large mesure, des dons d'expression et des capacités vocales du chanteur (*cantaor*). Le contenu dramatique distingue nettement le *cante flamenco* de ce qu'on appelle généralement les chansons populaires ; cependant on ne peut pas l'insérer dans la musique artistique proprement dite ; il faut peut-être faire appel à la notion d'un art populaire musical. Les chanteurs sont souvent des gens du peuple, très simples, mais comme le style dramatique, les effets de gosier difficiles, la voix de fausset ne sont pas à la portée de tout le monde : ces chanteurs constituent tout de même une certaine sélection parmi les profanes doués pour la musique. Tout musicien andalou n'est pas à même de chanter le *cante flamenco* correctement.

Au XIXᵉ s., dans les villes du sud de l'Espagne, quelques simples chanteurs populaires, comme par exemple *El Fillo, El Planeta, Juan de Dios, La Perla* et *Maria de las Nieves*, ont été des célébrités notoires ; leur activité a cependant toujours été limitée à des milieux privés, au cachet (S. Estebañez Calderón, *Escenas andaluzas*, Madrid 1883, Chapitre de l'*Asamblea general*). Mais on trouve aussi parmi les humbles paysans, bergers et gitans des chanteurs de *cante flamenco* très admirés.

Comme ces chanteurs sont souvent aussi les poètes de leurs *coplas*, on appelle fréquemment leurs chansons d'après le nom de leurs auteurs. Il serait erroné de croire que toutes les pièces de cette production musico-littéraire fussent des compositions originales : beaucoup ne sont que des remaniements de chansons composées antérieurement, qui sont restées anonymes. Lors du récital, l'assistance scande des mains les passages rythmiquement privilégiés (en andalou, *jalear* ; le substantif est *jaleo*). Quand le chanteur se tait, le guitariste improvise un interlude, souvent plein de virtuosité, qu'on appelle *rosa* ou *falseta* ; les figures d'ornement propres à ces interludes sont appelées *duendes*.

En principe, on distingue l'ancien *flamenco*, le pur *flamenco*, qui n'est pas accompagné par des instruments, des *danzas cantadas*, qui sont des danses de même style, accompagnées par des instruments. On compte dans le premier groupe la *debla*, le *martinete*, la *tona chica* et *grande*, la *liviana*, la *carcelera*, et, avec plus de restrictions, la *saeta*. La théorie selon laquelle le *martinete* fut accompagné à l'origine avec le marteau du forgeron est une conjecture qui ne s'appuie jusqu'ici que sur la parenté entre les mots *martinete* et *martillo* (marteau). Mais il paraît sûr que la musique *flamenco* servait à des romances qui étaient récitées alternativement par plusieurs chanteurs (S. Estebañez Calderón, *Escenas andaluzas*, chapitre *Un baile en Triana*). On compte dans un deuxième groupe l'*alegría*, la *bulería*, la *sevillana*. Dans un troisième groupe, on énumère la *caña*, la *javera*, la *petenera*, la *tirana*, le *polo*, la *rondeña*, la *malagueña*, le *fandango*, la *seguidilla* (*seguiriya*), la *serrana*, les *soleares*. Cette classification n'est pas encore certaine, étant donné que toutes ces formes ont été très peu étudiées jusqu'ici. En ce qui concerne la forme typique du *flamenco*, c'est-à-dire le premier groupe surtout, il faut noter une structure tonale assez curieuse, qui, bien qu'elle semble appartenir au mode de *mi*, tend continuellement vers les modes de *la* et de *ré*, aussi vers le mode d'*ut*, en altérant passagèrement les sons *fa*, *sol* et *ré* en *fa dièse*, *sol dièse* et *ré dièse*. Les changements rapides de style

(mélodie ou récitatif), de rythme (libre ou strict), de tempo, sont très frappants ; il est vrai qu'ailleurs en Espagne on trouve aussi en usage les changements de rythme et de styles (en Asturie, comme dans l'*asturianada*, surtout dans les chants de travail, de rythme libre et de style mélismatique), mais le style vocal andalou, ses ornements extrêmement expressifs ne sont jamais arbitraires, la tendance au dramatique des *coplas* (qui n'exclut pas une plaisanterie subite, surprenante) font du chant *flamenco*, un fait tout à fait à part qui n'existe qu'en Andalousie.

(1)

(2)

Comme on trouve à beaucoup de thèmes chantés une simple mélodie populaire comme origine, il convient de croire que le *cante flamenco* n'est qu'un style, non une forme de composition autonome, encore qu'au stade actuel des recherches, il serait prématuré de tenir cela pour avéré ; il est probablement plus juste de distinguer des compositions originales et des *canciones aflamencadas*.

(3)

La simple *saeta* (chant qui s'exécute pendant la cérémonie de la croix et au cours de la procession nocturne du vendredi-saint) se chante sous des formes plus ou moins *aflamencadas* ; il est impossible de décider quelle est celle qui pourrait être la plus ancienne (voir ex. 4). *Saeta* (*sagitta*) veut dire *flèche*. L'expression andalouse qui signifie chanter une *saeta* est *disparar una saeta*, qui veut dire tirer une flèche. Quant à la *carcelera*, elle est parfois appelée *saeta-carcelera* ; on la chantait autrefois devant les prisons (*carcel*) pendant la semaine sainte (voir ex. 4, II).

On a établi un grand nombre d'hypothèses sur les origines du *cante flamenco*, mais ces hypothèses ont été

(4)

suggérées par des méthodes plus philologiques que musicologiques. L'adjectif *flamenco*, qui désigne ce *cante*, a suggéré que ce style aurait pu être introduit en Espagne à l'époque de Charles-Quint, par les Flamands (*Flamencos*, en espagnol) : on a oublié que l'expression *flamenco* ne semble pas être très ancienne ; en tout cas, elle n'apparaît pas encore chez S. Estebañez Calderón... J. Rodriguez Mateo (*La copla y el cante popular en Andalucía. Discursos leidos ante la Real Academía sevillana de Buenas Letras*, Séville 1946, 15) essaie de rattacher le mot *flamenco* à *flameante* (brillant). M. García Matos (*El cante flamenco. Algunos de sus tresuntos orígines*, ds *Anuario V*, 1950, 109) veut rapprocher l'appellation *flamenco* de celle, moderne, des *gitans* (*flamencos*), de la notion *flaman* (clair, bien visible, impertinent), dans la langue des gitans ; M. García Matos se refuse pourtant à considérer cette musique comme une création des gitans, parce que les gitans non andalous ne savent pas le *cante flamenco* ; même en Andalousie, beaucoup de ces nomades n'ont pas de chant, dans leur répertoire, qui appartiendrait à ce style. De plus, leurs chants ne sont pas en général des créations originales, mais des emprunts à la musique du peuple qui les abrite. Liszt, qui fit des recherches en 1844 en Espagne sur la musique gitane épique, ne trouva point de compositions originales. L'attribution du *cante flamenco* aux gitans est soutenue surtout par R. Marín (*Historieta del flamenco*, Madrid 1902), C. et P. Caba (*Andalucía*, ibid. 1933, 95) et W. Starkie (*Don Gitano*, ibid. s.d., p. 49). Cette thèse se heurte surtout au fait que les gitans qui vivent hors de l'Espagne ne connaissent pas le *cante flamenco*.
Une autre théorie essaie de faire venir le *cante flamenco*

de la *caña, danse chantée*, et d'y trouver une influence maure (S. Estebañez Calderón, *op. cit.*, p. 245). Que l'influence musicale des maures vers la fin du moyen âge espagnol ait été minime, que la thèse de J. Ribera (*La música de las cantigas*, Madrid 1922) soit insoutenable, la preuve en a été donnée ailleurs (M. Schneider, *A proposito del influjo arabe*, ds *Anuario musical*, I, 1946, et ds *Kgr.-Bericht Bamberg*, 1953). La thèse arabe rapproche le mot *flamenco* du mot arabe *felagmenu* (*fellaga*), ainsi chez Blas Infante (*La verdad sobre el complot de Tablada y el estado libre de Andalucia*), ou bien associe *flamenco* à *fellah mangu* (chanter), ainsi chez P. Pat. Garcia Barriuso (*La música hispano-musulmana en Marruecos*, Larrache 1941, p. 58). Selon la thèse africaine, les importateurs du style sont finalement aussi les gits, qu'on appelait au XVIe s. espagnol Egyptiens (décret de Charles-Quint du 24-5-1539 à Tolède).
Presque toutes ces théories ont le désavantage de tourner presque exclusivement autour du mot *flamenco*, sans poser la question de la musique du *cante flamenco*. Seul F. Pedrell (*Cancionero músical-popular español*, Barcelone, s.d., 2e vol., p. 83) souligne la structure tonale particulière, non-européenne de cette forme. Si l'on considère cette structure du point de vue de la musicologie comparée, on est frappé par la parenté de la tonalité du *cante flamenco mi-fa-sol-la-si-ut-ré-mi*, avec les notes échangeables *fa dièse, sol dièse, ut dièse* et *ré dièse*, avec deux échelles indoues et deux échelles arabes extrêmement spécialisées ; les gammes indoues *bhairovi* et *kanan*, les modes arabes *bayati* et *husayni* forment un mode de *mi* pur ; les deux modes arabes ont comme base une échelle de *mi*, dont le 2e et le 6e degré sont sans cesse variables ; les notes du *bhairav* indou comportent les notes *mi, fa, sol dièse, la, si, ut, ré dièse, mi*, le *bhairobahar mi, fa, sol, la, si, ut, ré, mi*, avec les notes alternatives *fa dièse, sol dièse, ut dièse* et *ré dièse*. Comme ce sont là des modes hautement spécifiques, il n'est pas exclu que le *cante flamenco* ait été en contact avec l'art musical asiatique (exemple musical chez M. Schneider, *Anuario musical*, t. I, 1946, nos 22 et 23). Il y a sans doute un rapport entre ce mode de *mi* tantôt mélismatique, tantôt récitatif, et la musique nord-africaine, mais on n'entrevoit pas la moindre raison pour déduire sa forme espagnole de sa forme nord-africaine, car on le trouve aussi aux Indes, et le problème de ces interférences n'est pas encore résolu.

**Bibl. :** M. Chottin, *Chants arabes d'Andalousie*, Paris, s.d. ; M. Garcia Matos, *El cante flamenco, algunos de sus tresuntos orígines*, in *Anuario musical V*, 1950 ; A. de Larrea, *La saeta, id.* t. IV, 1949 ; M. Schneider, *A proposito del influjo arabe*, id., t. I, 1946 ; Cl. Cimorra, *El cante jondo, Origen y realidad folklórica*, Buenos-Aires 1943 ; F. de Triana, *Arte y artistas flamencos*, Madrid 1952.      M.S.

En 1921, grâce à l'initiative du maître Falla, qui était accompagné dans cette circonstance par un poète et par un peintre grenadins, Federico Garcia Lorca et Manolo Angeles Ortiz, on assista en Espagne — exactement à Grenade — à la vraie révélation et consécration du chant populaire andalou. Dans le programme de cette festivité ou de ce concours (car cette célébration revêtait ces deux aspects), rédigé par Falla lui-même, on classait ce chant andalou en *cante jondo* et *flamenco*. On pouvait y lire :
« *... On considère comme cante jondo le groupe des chansons andalouses dont nous croyons reconnaître le type générique dans la siguiriya gitana, de laquelle procèdent d'autres chansons que le peuple conserve encore et qui (tels les polos, martinetes et soleares) gardent les très hautes qualités qui les distinguent du grand ensemble de chants appelés vulgairement* flamencos. *Toutefois cette dernière dénomination ne devrait s'appliquer qu'à la variété moderne de cette musique, intégrée par les coplas appelées malagueñas, granadinas, rondeñas (celles-ci étant la souche des deux premières), sevillanas, peteneras etc. qu'on ne peut considérer que comme dérivant des premières citées, qui restent pourtant exclues du programme de notre concours. Pour la qualification et l'attribution des prix, ces coplas seront classées dans les sections suivantes : 1) siguiriyas gitanas, 2) serranas, polos, cañas, soleares, 3) chants sans accompagnement de guitare : martinetes, carceleras, tonas, livianas, saetas viejas.* »

Dans ce même programme, Falla nous donne une analyse détaillée du *cante* populaire andalou en spécifiant ses différences et en traçant une frontière nettement tranchée entre le *cante jondo* et le *cante flamenco*, séparation qui constitue la base même de leur définition selon Falla, et en établissant trois faits, trois données musicales qui sont (toujours selon Falla) l'origine et le fondement historique de ce chant :

« *Dans l'histoire de l'Espagne, nous devons signaler trois événements qui, tout en ayant une importance très inégale pour la culture générale du pays, sont d'une très haute portée pour son histoire musicale : ce sont l'adoption du chant byzantin par l'Église espagnole, l'invasion arabe et l'immigration et l'établissement en Espagne de nombreuses bandes de gitans.* »

Tout dernièrement un autre musicien espagnol et andalou, à qui nous devons l'admirable invention musicale d'un *llanto* qui porte au théâtre le poème de Garcia Lorca, a continué à souligner la profonde antiquité espagnole de ce *cante andaluz* et, sans altérer essentiellement le point de vue dogmatique de Falla, il redit sa conviction : cet éloignement historique, ces lointains si profondément méditerranéens qui donnent sa profondeur et son mystère aux formes vivantes du chant populaire andalou, appartiennent à l'essence même d'une musique plus subtile et plus pure que celle que nous percevons en d'autres formes musicales (peut-être moins vivantes parce que plus rationnelles), dans les œuvres dues à la culture et à l'évolution musicale européenne.

Regardons ceci d'un peu plus près : la chanson populaire andalouse, en face des traditions écrites de la musique « savante », pourrait être dite un chant spécifiquement « analphabète », comme le peuple qui lui donne sa vie. C'est peut-être en cela que réside son énorme pouvoir de conviction spirituelle, car elle nous est donnée comme un art qui dépasse l'art avec une force naturelle qui, tout en s'appuyant sur une tradition vivante, ne peut être rationalisée ni fixer les formes musicales qui servent seulement de moule, de canal ou d'appui à son originalité de création spontanée, d'improvisation liée à l'instant. Ce chant andalou populaire nous semble complètement inséparable de deux autres formes vivantes de cet art magique que Lope de Vega appela « du vol », « de l'envolée » (*arts magiques de l'envol*), parce qu'il ne se laisse pas enfermer par l'écriture ou par des signes qui assurent sa répétition successive, comme la poésie ou la musique artistiques. Il n'y a pas de chiffre qui puisse apprivoiser l'énigme vivante de ce chant, de même qu'on ne peut pas arrêter l'espace pour refaire dans le temps l'ondulation d'une cape de toréador devant le taureau, ni le mouvement musical et vivant des figures d'un *bailaor* ou d'une *bailadora*. Le *toreo*, de même que la danse et le chant d'Andalousie, ces frères inséparables, ont leurs formes fixes qui ne sont pas autre chose (tout comme les formes métriques dans la poésie) que les conditions de temps et d'espace nécessaires pour qu'elles se réalisent. Mais ces formes, en tant que formes, sont vides. Une *seguiriya gitana*, un *martinete*, une *caña*, une *malagueña*, une *saeta*, ne sont des formes vivantes que dans le moment où elles sont chantées, par le style dans lequel elles sont chantées. Comme n'importe quelle autre forme fixe de la tauromachie ne devient ce qu'elle est qu'au moment où elle cesse d'être une forme fixe, pour devenir une forme vivante, grâce à la fois au taureau et au toréador. Chacune de ces formes vivantes apparaît et disparaît pour toujours. Le *toreo* peut aujourd'hui tâcher d'éviter de disparaître en se laissant enfermer dans l'artificieuse prison imaginative d'un film, il y persiste vaguement quelque temps de plus. De même, le *cante* peut tâcher de se survivre dans le ruban du magnétophone ou dans les disques. Mais ni l'une ni l'autre de ces choses — *toreo*, *baile*, *cante* — ne sont exactement, entièrement ce qu'elles sont, si ce n'est dans le moment même où elles le sont, pour la première et dernière fois, sous nos yeux, à nos oreilles. Celui qui entendit le chant de Manuel Torres, vit Manolete, contemple la danse d'Antonio, celui-là sait que « cela ne reviendra jamais ». C'est dire que la communion avec cet acte poétique, en se vérifiant de cette manière, est unique et sans répétition

possible. C'est ce que nous appelons, avec Lope, « un art magique de l'envol ».

Après cette séance historique de 1921, le chant andalou populaire a joui d'une considération culturelle qu'il ignorait (qui l'ignorait) auparavant. C'est peut-être le désir de le mettre à ce haut niveau qui inspira à Falla le désir de le purifier, de nous le montrer comme quelque chose de pur et d'intangible, qui tombe pourtant et se corrompt dans ses formes vivantes par l'œuvre du temps et du mauvais usage qu'on en fait. (Jusqu'à cette date, ce chant andalou populaire vivait honteusement relégué dans la *juerga* des maisons de tolérance.) Falla voulut le dénouer de ses liens avec le péché, nous le montrer dans toute sa pureté originale et originaire, et c'est pour cela qu'il traça cette frontière dogmatique entre le *jondo* (chant pur) et le *flamenco* (chant impur). Mais ces deux modalités — très difficiles à séparer dans la réalité — étaient connues auparavant par les mêmes chanteurs *flamencos*, qui distinguaient le « *cante grande* » du « *cante chico* », division qui coïncide presque parfaitement avec celle de Falla, sauf l'exclusion de la *malagueña*, que Falla chasse injustement de son « chant pur ». Mais si nous appliquons cette dénomination de « grand » et de « petit » au chant vivant, nous remarquerons, d'accord avec cette vivacité qui en maintient les formes en leur état présent, qu'elles sont selon les cas grandes ou petites, selon le style et la forme vivante que le chanteur leur donne. Il est facile de s'en rendre compte lorsqu'on entend le *cante* sans idée préconçue, sans les réduire à des catégories préalables, à des formes fixes d'un caractère dogmatique et inaltérable, chose qui ne ferait que créer un académisme du chant pur, comme il arrive dans la danse ou dans la tauromachie.

Tout ceci affirme la nature éphémère et en même temps très profonde de ces formes vivantes andalouses dans l'art populaire : le *cante*, la danse, le *toreo*. Formes qui, à force d'être singulières (et non seulement particulières) possèdent, de par leur profondeur, un sens très clair — très obscur — d'une valeur très humaine d'universalité. Dans cette forme d'expression synthétique d'art populaire, ce qui est en fait un sentiment et une intelligence de la nature humaine, de sa condition universelle quasi-divine, que nous vivons intimement en elle et par elle, communion religieuse, mystique, magique, avec le plus profond de notre être, c'est cela que ce chant exprime, qui nous vaut à l'entendre, cette sorte d'angoisse, nous blesse jusqu'au cœur : ce cri, cette plainte, ce chant... C'est un langage d'une souplesse incomparable. Il a en lui, comme le *baile*, comme le *toreo*, quelque chose qui en appelle à la solitude, fût-ce au milieu de la foule, au silence, fût-ce au milieu du vacarme. Solitude et silence sont les limites vers lesquelles tend en définitive l'expression dramatique de ce privilège de ce langage populaire andalou. Les paroles, l'accent, la voix, la musique de ces *coplas* ne semblent pas avoir d'autre but que de nous ouvrir la voie jusqu'à ce silence très profond, très subtil, très *jondo*, qui est la résonnance du sens humain de Dieu — ou du sens divin de l'homme — ce sens qui ne dispose pas de mots, ce silence, cette solitude, biens mystérieux qui nous échappent à chaque instant de la vie superficielle du monde. Sentiment qui est pensée et tremblement, ébranlement sonore dans la voix, par la voix (lumineux, par les yeux, pour les yeux, dans le *baile* et le *toreo*). La *soledad* est par excellence le nom de la *copla* andalouse : cette *solitude* a de profondes racines d'ombre en Espagne, et surtout en Andalousie, qui est la plus vieille Espagne : elle est la seule compagne du silence, qui la garde et l'enferme comme un trésor. La tradition baroque et romantique de son nom chante dans toute notre meilleure poésie, alors que l'image de ce visage invisible qui nous est masqué étincelle dans les solitudes et les silences profonds du chant populaire andalou. Musique dont on pourrait dire, comme les Grecs de la mer, qu'elle est la plus pure et la plus impure. Musique qui est parole vivante.                                                    J.B.

**FLAMENT Edouard.** Compos. franç. (Douai 27.8.1880–27.12.1958). Élève de Lavignac, de Bourdeaux, de G. Caussade, de Lenepveu au cons. de Paris, hautboïste chez Lamoureux (1898–1907), soliste des concerts Berlioz (1902), de la Société des instr. à vent (1898–1923), il a fait des tournées de concert (notamment avec Reynaldo Hahn) ; il a dirigé les concerts d'été de Fontainebleau (1920–22), où il connut Diaghilev qui le fit venir avec lui à Monte-Carlo, pour diriger les Ballets russes ; en 1930, il dirigea l'orch. de Radio-Tour Eiffel, de 1936 à 1939 celui de Radio-Paris ; il a fondé le cons. de Limoges (1910) ; il fut président du jury du cons. de Paris ; il écrivit des œuvres de piano (*Musique pour 2 pianos op. 118*), pour hautbois (*Duo de concert, Fantaisie en ut mineur, Elégie, Sonatine, op.* 159), de vcelle, de violon, 1 marche pour clairons, de nombreux *op.* de mus. de chambre, 3 concertos (piano, clarinette), un concertino de basson (*op.* 157), *Tableaux symphoniques*, 7 symph., des mélodies, des chœurs, un ballet (*La légende d'Helia*), 3 opéras (*La fontaine de Castalie, op.* 36, *Le cœur et la rose, op.* 37, *Lydéric et Rosèle, op.* 156), une opérette (*En attendant le coche, op.* 70), un opéra-comique (*M. Favart, op.* 145), un grand nombre de partitions de mus. de film etc.

**FLANC.** C'est le nom de la partie latérale de la voûte d'un instrument à cordes.

**FLAT.** C'est le nom du bémol en anglais.

**FLATSCHE.** C'est un mirliton confectionné dans un morceau de bouleau (Allemagne, Carinthie).          M.A.

**FLATTÉ.** C'est le nom d'un ornement mélodique, du genre pincé : voici l'exemple qu'en donne J.J. Rousseau dans son dictionnaire :

**FLATTERZUNG** (*Mit*). Locution allemande, qui désigne une technique de trémolo dans certains instruments à vent, notamment la flûte.

**FLAUSTE.** C'est un terme de vieux français (G. de Machault, XIV^e s.) qui sert à désigner les flûtes soit traversières soit droites (France médiévale).          C.M.-D.

**FLAUTA.** C'est le nom de la flûte en espagnol.

**FLAUTATO** ou **FLAUTANDO** (ital.). Dans la technique des instruments à cordes, c'est jouer loin du chevalet, au milieu de l'archet : on obtient ainsi une sonorité dite flûtée ; ce terme s'emploie aussi pour commander la technique des harmoniques.

**FLAUTINO.** Mot ital. : c'est une petite flûte, sorte de flageolet, à distinguer du piccolo.

**FLAUTO.** C'est le nom de la flûte en italien.

**FLAUTONE.** C'est le nom de la flûte basse en italien.

**FLAVIOL.** Voir art. *flabiol*.

**FLAXLAND Gustave Alexandre.** Éditeur de mus. franç. (Strasbourg 1821–Paris 11.11.1895). Élève pianiste de Leybach, il débuta comme employé de banque à Paris à l'âge de 15 ans ; à 19 ans, il entra au conservatoire ; pour assurer son existence, il ouvrit une boutique place de la Madeleine (1843) ; son entreprise prospéra, notamment grâce aux éditions de Wagner (*Le Vaisseau Fantôme, Tannhäuser, Lohengrin*) ; il édita également Schumann ; il vendit le fonds à Auguste Durand en 1870 ; il édita lui-même nombre de recueils qu'il composa pour le piano. Voir A. Dubuisson, *Wagner et son éditeur parisien* (F.), ds RM, 1923.

**FLECHA Mateo** « **el Viejo** ». Mus. esp. (Prades, Tarragona 1481–Poblet ? 1553 ?), carmélite, qui fut chantre puis maître de chapelle de la cath. de Lerida depuis 1523, et, à partir de 1544, maître de chap. des infantes de Castille et peut-être de Philippe II ; il est l'auteur d'*ensaladas* (voir à ce mot) à 4 et 5 v. qui furent publiées par son neveu (Prague 1581) et dont plusieurs d'entre elles avaient été transcrites pour voix et *vihuela* par M. de Fuenllana (1554) ; une éd. des œuvres de F. a été publiée par H. Anglés (Barcelone 1955). Son neveu **Mateo** F. « **el Joven** » (Prades, Tarragona, 1530–La Portella, Solsona, 20.2.1604), servit depuis l'âge de 13 ans les infantes de Castille et entra, comme son oncle, dans l'ordre des carmélites ; en 1564, il est en Italie et, à partir de 1568, passe au service de la cour d'Autriche, devient en 1579 abbé de Tihany (Hongrie) ; il retourna dans son pays où, en 1599, il devint abbé du monastère de la Portella ; il est l'auteur d'un livre de madrigaux à 4-8 v., dédié à Maximilien II (Gardano, 1568), d'un *Libro de musica de punto*, qui semble perdu, et de *Divinarum completarum psalmi* (Prague 1581) ; en publiant les *ensaladas* de son oncle, il inséra 3 œuvres de sa composition ; il était également poète.

M. FLECHA el V.

Villancico *extrait de l'*Orphenica Lyra *de Fuenllana (1554).*

**FLECHADORES del cielo** (*Danza de los*). C'est une danse mexicaine, d'origine aztèque ; les danseurs, qui portent des vêtements de guerriers aztèques, lancent des flèches au ciel, tout en exécutant différents mouvements ; cette danse s'accompagne de chants spéciaux.

**FLECHTENMACHER Alexandre Adolphe.** Compos. roumain (Iassy 23.12.1823–Bucarest 23.1.1898). Il fit ses études de violon (avec Böhm) et de composition au cons. de Vienne ; en 1846, il est nommé chef d'orch. au Théâtre national de Iassy ; en 1864, il organise, en qualité de directeur, le 1^er cons. de mus. de Bucarest ; auteur de mus. dramatique, voc. et instr. (600 compositions), il est à signaler pour avoir composé la première opérette roumaine, *Baba Hîrca*, en 1848 ; il a grandement contribué au progrès de la musique en Roumanie, marquant par son œuvre le commencement d'un style national.     G.B.

**FLECK Fritz.** Compos. allem. (Schwetz 24.10.1880–Cologne 31.5.1933). Élève de Pfitzner, de Widor, il a été critique musical à la *Kölnische Zeitung* (1910), à la *Rheinische Zeitung* (1926) ; il a écrit notamment des mélodies, de la mus. de chambre, des opéras (*Die Prinzessin auf der Erbse*, 1918, *Prinz Labakan*), une pantomime (*Aischa*, 1920), un drame musical.

**FLÉGIER Ange.** Compos. franç. (Marseille 22.2.1846–8.10.1927). Élève des cons. de Marseille et de Paris, il enseigna et composa les opéras *Fatma* (1875), *Dalila*, *Ossian*, une cantate (*Françoise de Rimini*), 2 ouvertures, une marche, des œuvres symph. : *La nuit*, *Le tirage au sort* (chœur et orch.), de la mus. de chambre et des mélodies.

**FLEISCHER Anton.** Chef d'orch. et compos. hongr. (Makó 30.5.1891–). Élève de König, de Herzfeld, de Kodaly, il a dirigé l'Opéra de Budapest (1915), et fut dir. du cons. de la même ville ; il a fait une carrière internationale et écrit un opéra-comique, une symph. avec chœur, une symph. pour grand orch., de la mus. de chambre, des mélodies.

**FLEISCHER Friedrich Gottlob.** Pian. et org. allem. (Köthen 14.1.1722–Brunswick 4.4.1806), qui fut musicien de la cour de Brunswick ; il fut l'ami de Lessing et fit une carrière de chef d'orch. ; il composa *Clavier-Uebung* ... (1745), *Oden u. Lieder mit Melodien nebst einer Kantate : Der Podagrist* (1745), *Oden u. Lieder... Der Bergmann* (1757), *Sammlung einiger Sonaten, Menuetten u.Polonoisen...* (1769), *Cantaten zum Scherz u. Vergnügen...* (1763), *Sammlung grösserer u. kleinerer Singstücke* (1788), des *Lieder*, une opérette (*Das Orakel*, 1771), une sonate de clavecin, des pièces pour flûte avec *b.c.*, une *sinfonia* pour hautbois. Voir Ch. Burney, *The present state of music in Germany* II ; J.A. Hiller, *Unterhaltungen*, Hambourg 1770 ; H. Chr. Wolff, *Das Orakel*, ds *Mitteilungen der Niedersächs. Mus.ges.* 1943 ; W. Wöhler, *F.G.F. als Vokalkomponist*, thèse de Prague, dact., 1944.

**FLEISCHER Hans.** Compos. allem. (Wiesbaden 10.11.1896–), élève de Kittel, auteur de 9 symph., d'un concerto de piano, de 5 *Festmusiken*, de mus. de chambre, de mélodies avec acc. instrumental ou avec piano.

**FLEISHER Léon.** Pian. amér. (San Francisco 1928–), élève de Schnabel, prix du concours Reine Élisabeth (1952), qui fait une carrière internationale.

**FLEISCHER Oskar.** Musicologue allem. (Zörbig 2.11.1856–Berlin 8.2.1933). Il fit à l'univ. de Halle des études de lettres, de littérature, de philosophie ; il obtint le doctorat avec sa thèse sur *Das Accentuationsystem Notkers in seinem Boethius* (Halle 1882) ; il fut encore l'élève de Spitta à Berlin, auquel il succéda dans la chaire d'histoire de la musique (1895) ; en 1899, il créa la Société internationale de musique (S.I.M.) ; outre sa thèse, il a publié : *Denis Gaultier* (ds *ZfMw*, II 1886), *Kgl. Hochschule f. Mus. zu Berlin...* (Berlin, 1892), *Die Bedeutung der intern. Mus. u. Theater Austellung in Wien f. Kunst u. Wiss. der Mus.* (Leipzig 1894), *Neumenstudien...* (3 vol. 1895, 1897, 1904), *Die germanischen Neumen als Schlüssel zum altchristl. u. gregorianischen Gsg.* (Francfort 1923) et nombre d'articles dans des périodiques ; il était lui-même compositeur. Voir A. Einstein, *O.F.*, ds *ZfMw*, XV, 1932–33 ; W. Vetter in *MGG*.

**FLEISCHER Reinhold.** Compos. allem. (Dahsau 12.4.1842–Görlitz 1.2.1904), qui fut org. de la cath. et directeur de l'école de chant de Görlitz ; il composa de la mus. d'orgue, des mélodies, une cantate, des chœurs, des symphonies, des quatuors et des trios.

**FLEISCHMANN Aloys.** Chef d'orch., compos. et musicologue irlandais (Munich 13.4.1910–). Lauréat de l'*University College* de Cork, de l'académie de musique (J. Haas, H. Knappe) et de l'univ. de Munich (Ursprung, v. Ficker), prof. à l'*University College*, chef de l'orch. symph. de la même ville, *chairman* de la société d'orch. de la même ville et de la *Music teacher's Association of Ireland*, il a écrit *Suite f. piano* (1935), *Three songs* (t. et orch., 1940), *Lament f. strings* (1958), *The Four Masters* (ouverture, 1944), *Clare's Dragoons* (bar., *war pipes*, ch. et orch., 1945), des ballets : *The golden bell of Ko, An Coitin Dearg, Macha Ruadh*, une suite chorale : *The planting stick* (1957) ; il a publié *Music in Ireland* (Cork Univ. Press, 1952), collabore à plusieurs périodiques, notamment à *Die Zeitschrift f. Musik*, au dict. de Grove, à l'*Encyclopedia Americana* et au présent ouvrage (voir art. *musique irlandaise*).

**FLEISCHMANN Johann Friedrich Anton.** Mus. allem. (Marktheidenfeld 19.7.1766–Meiningen 30.11.1798). Élève

de l'abbé Vogler, d'Ignaz Holzbauer, il fut secrétaire particulier et maître de cour chez les Tour-et-Taxis (1786), puis chez les Saxe-Meiningen (1789), près de qui il assumait également la fonction de maître de chapelle ; il composa *Der Geisterinsel* (opéra, 1796), des mélodies, une *Sinfonie pour 2 violons, viole, b., fl., 2 htb., 2 cors et 2 bassons* (op. 3, id. op. 5), *Sinfonie à grand orchestre* (op. 6), *Ouverture à grand orchestre de l'opéra Die Geisterinsel* (op. 7), *Concerto pour le clavecin ou pianoforte avec acc. de grand orch.* ... (op. 1), une sonate à 4 mains (op. 2), des arrangements d'opéras de Mozart etc. ; il publia un article dans l'*Allgemeine Musikzeitung*, intitulé *Was ist erforderlich zu einem vollkommenen Componisten ?* Voir E.F. Schmid, *Musik am Hofe der Fürsten von Löwenstein-Wertheim-Rosenberg (1720–1750)*, Wurtzbourg 1753.

**FLEITES Virginia.** Compos. cubaine (Melena del Sur 10.7.1916–). Élève de Carnicer, d'A. Roldán, de J. Ardévol, membre du groupe *Renovación*, prof. d'harmonie au cons. de La Havane, elle a écrit *Sonata da cámara* (2 v. et vc., 1924), *Ricercar* (quatuor, 1943), *Suite* (fl., htb. et basson, avec piano, 1943), *Sonatina* (1941), *Invención* (id.), *Sonata* (1942), *Tres pequeñas piezas*, de la mus. vocale.

**FLESCH Carl.** Violon. hongr. (Moson 9.10.1873–Lucerne 15.11.1944). Élève de Grün, de Marsick, de Kreisler, de Thibaud, d'Enesco, il débuta à Vienne (1895) par un triomphe, fut professeur aux cons. de Bucarest (1897–1902), d'Amsterdam (1908–23), Berlin (1921), au *Curtis Institute* de Philadelphie (1923), à Lucerne (1943–44) ; il fonda un trio avec Becker et Schnabel et fit une carrière internationale ; il composa des œuvres pédagogiques pour son instr. ; il édita et fit des arrangements pour ce même instrument. Voir W. Brederode, *C.F., Eine kleine biografische Studie*, Bohn-Erben, Haarlem 1938.

**FLETA Miguel.** Ténor esp. (Albalate del Cinca 1.12.1897–La Corogne 31.5.1938). Élève de Louise Pierrick, au *cons. d'el liceo* de Barcelone, il débuta à Trieste (1919) et fit une grande carrière, notamment au *Metropolitan Opera* de New-York (1923–25) et à la *Scala* de Milan (1926), sous la direction de Toscanini. Son fils – **Pierre** est également ténor et a chanté au théâtre de la Monnaie à Bruxelles (1953–1956).

**FLETCHER Alice Cunningham.** Musicologue amér. (Cuba 15.3.1838–Washington 6.4.1923), qui exerça au *Peabody-Museum of american archeology and ethnology* et se consacra à l'étude de la musique des Indiens de l'Amérique du Nord ; elle publia *A study of Omaha music* (en collab., 1883), *Indian story and song* (1900), *Indian games and dances* (1915) ; elle a publié des articles dans *The amer. anthropologist*, *The journal of Amer. folklore*, les *Annual reports of the Bureau of amer. ethnology*.

**FLETCHER Percy E.** Compos. angl. (Derby 12.12.1879–Londres 10.9.1932), autodidacte, qui fut chef d'orch. à Londres (1899) et écrivit 4 suites, une passion, 2 quatuors, un quintette, une sonate de piano et clarinette, des opérettes.

**FLEURI.** Cet adjectif qualifie parfois le contrepoint orné, polyrythmique, qu'on oppose au contrepoint note contre note.

**FLEURTIS.** Sorte de contrepoint figuré, lequel n'est point syllabique, ou note sur note. C'est aussi l'assemblage de divers agréments dont on orne un chant trop simple. Ce mot a vieilli en tous sens (Voyez *broderies, doubles, variations, passages*). J.-J. Rousseau.

**FLEURY André.** Org. franç. (Neuilly-sur-Seine 25.7.1903–). Élève du cons. de Paris, prix Halphen, prix Lili Boulanger, lauréat de la Société des Amis de l'orgue, titulaire de l'orgue de St-Augustin (1930), prof. à l'École normale de musique (1941), il est actuellement, à Dijon, org. de la cath. St-Bénigne et prof. d'orgue et de piano au conservatoire ; il a composé pour l'orgue : *Prélude et fugue* (Hérelle, Paris 1931), *Prélude, andante et toccata* (Lemoine, Paris 1935), *24 pièces pour orgue sans pédale obligée* (Hérelle, Paris 1936), *1re symphonie* (Lemoine, Paris 1947), *2e symphonie* (ibid., 1949), une vingtaine de pièces sur des thèmes liturgiques (ds *L'organiste*), *Orgue et* liturgie (ds *Musique et liturgie*, Paris, 1937–1945), pour le piano : *3 pièces* (Lemoine, Paris 1953), *Andante* (piano, violon, vcelle), 4 mélodies (chant et piano).

**FLEURY Louis.** Flûtiste franç. (Lyon 24.5.1878–Paris 11.6.1926). Élève de Taffanel au cons. de Paris, directeur de la Société moderne d'instruments à vent (1905–1926), fondateur de la Société des concerts d'autrefois (1906), il fit une carrière internationale, édita des pièces anciennes pour son instrument, publia des articles concernant la flûte et les *Souvenirs d'un flûtiste* dans *Le monde musical*.

**FLEURY Nicolas,** dit *de Châteaudun*. Chanteur et théorbiste français, né probablement dans cette ville v. 1630 ; il entra au service du duc d'Orléans en 1657 ; il publia une *Méthode pour apprendre facilement à toucher le théorbe sur la basse continue* (Ch. Ballard, Paris 1660) qui répondait au goût nouveau et au désir des amateurs rebutés par les difficultés de l'instrument, ainsi que des *Airs spirituels à deux parties avec la basse continue* (Ch. Ballard, Paris 1678), d'un style dramatique et parfois descriptif. Voir Verchaly in M.G.G. ; H. Quittard, *Le théorbe comme instrument d'accompagnement*, in S.I.M., avril-juin 1910 (contient la transcription d'un fragment du chapitre V de la *Méthode*). A.V.

**FLEURY-SUR-LOIRE.** C'est l'ancien nom de l'abbaye de Saint-Benoît-sur-Loire, fondée en 650 sur le bord de la Loire, à 17 km. en amont d'Orléans. Cette abbaye a joué un rôle considérable dans la vie religieuse et ds l'histoire de la France du Nord. Elle a pris le nom de Saint-Benoît lorsqu'en 654 un moine de l'abbaye fut envoyé au Mont-Cassin avec mission de rapporter de gré ou de force le corps de saint Benoît. Les épisodes romanesques de l'enlèvement, les discussions interminables avec les Cassiniens qui prétendaient avoir conservé les reliques, les reprirent, les rendirent etc. sont pleines de saveur. Le monastère était riche et possédait une bibliothèque bien fournie. Les Normands dispersèrent une première fois ces collections ; un incendie fit justice d'une partie de la seconde collection au XIe siècle. Toutefois les restes étaient très importants et de nombreuses acquisitions firent de Saint-Benoît l'une des plus riches bibliothèques médiévales. Au XVIe siècle, les guerres de religion leur furent fatales : par plusieurs chemins, les manuscrits aboutirent à Leyde, Berne, Rome et Paris. Un fonds très important reste encore à Orléans. L'école de Fleury a eu une importance prépondérante du IXe au XIIe siècle ; elle a fourni un nombre important d'écrivains et de savants. L'abbaye est actuellement en voie de reconstruction, sous l'autorité de l'abbé de *La-Pierre-qui-vire*.
Bibl. : Très importante bibliographie dans Dom Cottineau, *Répertoire des Abbayes et Prieurés*, 1939, *s.v. Saint-Benoît-sur-Loire* ; ajouter : M. B. Ogle et D. M. Schullian. *Rodulfi Tortarii carmina, American Academy*, Rome 1933, 500 p.; A. Van de Vyver, *Abbon de Fleury, Œuvres inédites*, ds *Rev. bénédictine* XLVII, 1935, p. 125-169 ; A. Wilmart, *L'histoire ecclésiastique composée par Hugues de Fleury et ses destinataires*, ds *Rev. bénédictine* L, p. 293-505 ; Dom R.J. Hesbert, *L'office de la Commémoration des défunts à Saint-Benoît-sur-Loire au XIIIe siècle*, ds *Mélanges Mohlberg* II, 1949, p. 393-421 ; S. Corbin, *Le manuscrit 201 d'Orléans, drames liturgiques dits de Fleury*, ds *Romania*, LXXIV, 1953, p. 1-42. S.C

**FLEX A TONE.** C'est un instrument composé d'une mince lame métallique flexible, mise en vibration par friction du pouce du joueur ; il émet un son gémissant ; il est employé notamment dans la musique de jazz et de cirque. M.A.

**FLEXE.** C'est un court repos de la psalmodie qui intervient dans les demi-versets de psaumes, lorsqu'ils sont trop longs pour être récités d'un trait ; elle consiste en une brève suspension, qui permet de respirer, et, comme elle introduit une sorte de fin d'incise, si rapide soit-elle, il convient de la styliser légèrement. On l'introduit en infléchissant la voix sur un degré inférieur à la corde de récitation psalmique : à la seconde pour les 1er, 4e, 6e et 7e modes et pour le mode pérégrin ; dans les modes où la corde de récitation est immédiatement précédée d'un demi-ton (2e, 3e, 5e et 8e), la *f.* est reportée à la tierce inférieure. Dans les livres de chant modernes, la *f.* est marquée par une croix dans le verset ; sa forme mélodique est indiquée en même temps que celle de tout le verset. S.C.

**FLICORNO.** C'est le nom italien du bugle (voir à ce mot), instr. qui existe en soprano, alto et ténor (Europe, XIXe s.). C.M.-D.

**FLIES** (*Fliess*) **J. Bernhard.** Mus. allem., né à Berlin v. 1770, de qui on sait peu de chose ; il était amateur et semble avoir vécu à Zerbst ; peut-être fut-il médecin (Gerber) ; il écrivit un opéra, *Die Regata zu Venedig* (Berlin 1798), des variations pour piano sur le menuet de *Don Giovanni*, 6 *canzonette italiane* (Zerbst 1799), quelques *Lieder* (dont le fameux *Wiegenlied*, longtemps attribué à Mozart).

**FLIPOT.** Terme de lutherie : c'est un petit morceau de sapin allongé, dont on se sert pour réparer une fente.

**FLIPSE Eduard.** Chef d'orch. néerl. (Wissekerke 26.12. 1896–). *d. 1974* Élève d'A. Verhey, de H. Zagwijn à Rotterdam, d'Albert Roussel à Paris, 1er chef de l'orch. philh. de Rotterdam, il a fait une carrière internationale, se vouant particulièrement à la diffusion de la musique néerlandaise contemporaine. Son frère – **Marinus** (Wissekerke 28.8. 1908–) est pianiste et fait une carrière internationale.

**FLODIN Karl.** Compos. et musicologue finlandais (Vaasa 10.7.1858–Helsinki 29.11.1925). Élève de Faltin, de Jadassohn, il collabora aux périodiques *Nya Pressen, Euterpe, Helsingfors Posten*, séjourna à Buenos-Aires, écrivit de la mus. de scène (*Hannele* de Hauptmann), *Cortège* (instr. à vent), des chœurs, des mélodies ; il publia *Finska Musiker* (1900), *Die Entwicklung der Mus. in Finnland* (1903), *Die Erweckung des nationalen Tones in der finnischen Musik* (1904), *J. Sibelius* (1901), *Martin Wegelius* (1922) etc.

**FLOETE (FLÖTE).** C'est le nom de la flûte en allemand.

**FLOOD William Henry Grattan.** Org., compos. et musicologue irlandais (Lismore 1.11.1859–Enniscorthy 7.8. 1928). Org. de la pro-cathédrale de Belfast (1877), puis de la cath. de Thurles (1882), puis enfin de celle d'Enniscorthy, il collabora à la *Catholic Encyclopaedia*, fut vice-président de l'*Irish folksong society*, membre-fondateur de l'Académie nationale d'Irlande ; il enseigna ; on lui doit *History of irish music* (1904, sqq.), *Story of the harp* (1905), *Moore's irish melodies* (1910), *Story of the bag-pipe* (1911), *Memoir of W. Vincent Wallace* (1912), *Armagh hymnal* (1914), *Memoir of John Field...* (1921), *Introductory sketch of irish musical history* (1921), *Early Tudor composers* (1925), *Late Tudor composers* (1929).

**FLOQUET Etienne-Joseph.** Mus. franç. (Aix-en-Provence 25.11.1748–Paris 10.5.1785). Élève de la maîtrise de la cath. St-Sauveur à Aix (J. Durand, J.-B. Barral, J.-M. Rambot), il composa à l'âge de 10 ans des motets à grand chœur qui le rendirent célèbre à Aix ; à Paris, il participa au concours annuel de composition du Concert spirituel de 1767, sans succès ; ses deux messes de *Requiem* (à la mémoire du comte de Clermont et de Mondonville), sa chaconne réparèrent cet insuccès ; il se consacra au théâtre : sa vie fut alors une lutte incessante contre les gluckistes ; il séjourna en Italie, à Naples où il collabora avec Salla, à Bologne (P. Martini) — il fut d'ailleurs élu à l'*Accad. dei Filarmonici* — et suscita l'enthousiasme ; de retour en France, il fit de nombreux motets, dont *Motet à grand chœur* (Aix 1758), *Dixit dominus, Magnificat, In exitu, Motet pour la semaine sainte, Deus noster refugium* (1769), *49 Lezioni di contrappunto* (4-5 v., Bologne 1777), *Crucifixus, Cantate Domino canticum novum* (ibid. id.), *Messe solennelle* (Aix v. 1760), *Messe des morts* (Paris 1771), *Messe de Requiem* (Paris 1772), *Te Deum* (Naples 1775), *La gloire du Seigneur* (Concert spirituel, 1769–1770) ; de la mus. de chambre : *9 Fugues* (Bologne 1777), *Chaconne en mi*, des ariettes ; pour la scène : *L'union de l'Amour et des Arts* (opéra-ballet, Lemonnier, Paris 1773), *Azolan ou Le serment indiscret* (« pastorale héroïque », Lemonnier, 1774), *Hellé* (« tragédie lyrique », 1779), *Le seigneur bienfaisant* (opéra, 1780, repris en 4 actes sous le titre : *Le retour du seigneur dans ses terres*, en 1782) ; *Alceste ou Le triomphe d'Alcide* (« tragédie lyrique »), *Alcindor* (1785, inachevé), *La nouvelle Omphale* (1782), *Grisélidis* (opéra-comique, 1783), *Les Françaises* (opéra-comique), *La chasse* (1785, inachevé) ; nombre de ses œuvres n'ont pas été éditées et sont conservées à la bibl. de l'Opéra, à celle du conservatoire et à la Bibl. nationale. Voir *Précis historique, sur la vie et les oeuvres de M. Floquet*, ds le Mercure de France du 6 août 1785 (Levacher de Charnois) ; A. Pougin, *F.*, Paris 1763 ; F. Huot, *Etude biographique sur le compos. E.J.F.*, Aix 1903 ; M. Briquet, *A propos d'E.J.F.*, ds R.M. 1939 — *E.J.F.*, 1748–1758, thèse de Paris, 1953.

**FLOR Christian.** Org. allem. (Neukirchen bei Eutin 1626–1697). On le trouve en 1652 à Lunebourg (St-Lambert, St-Jean, 1676) ; il eut deux fils qui furent également organistes, **Johann Georg** (1698–1728, à St-Lambert), et **Gottfried Philipp** (1707–1723, St-Michel) ; il composa 164 mélodies dans le *Neues musikalisches Seelenparadies* (I et II) de Johann Rist (Lunebourg 1660, 1662), 36 dans la *Heilige Nachtmahlsmusik* de Christian von Stöcken (Plön 1676), 2 suites de clavecin (ms. *Öff. Wiss. Bibl.* de Berlin), 3 pièces d'orgue dans les *Lüneburger Tabulaturen* ; la bibl. de l'*Ev. Kirchengemeinde* de Steinau-sur-l'Oder possède un fragment de passion selon St-Matthieu de lui. Voir J. Mattheson, *Ehrenpforte*, Hambourg 1740 ; W. Wolssheim, *Die Möllersche Hs.*, ds le *Bach-Jahrbuch* 1912 ; P. Epstein, *Ein unbekanntes Passions-Oratorium von C.F.* (1667), *ibid.* 1930 ; W. Schulz, *Studien über das deutsche prot. monodische Kirchenlied des XVII Jh.*, thèse de Breslau, 1934.

**FLORENCE Jean de.** Voir art. *Giovanni da Cascia.*

**FLOREO.** Mot espagnol qui désigne soit un ornement (*cf.* art. suivant), soit, dans la danse espagnole, un mouvement qui consiste à maintenir un pied levé, tout en tournant sur l'autre.

**FLORES.** Mot latin : fleur. — **1.** Terme technique médiéval qui servait à nommer les ornements du chant (*cf. fleurtis, fioriture* etc.). — **2.** Voir art. *(Musique) indonésienne.*

**FLORES José Asuncion.** Compos. paraguayen (Asunción 27.8.1904–). Tromboniste, violoniste, il s'est inspiré du folklore dans ses compositions et a fondé l'*Agrupación folklórica de Guarani.*

**FLORI** (*Flory, Florius, Florio, Florian*) **Franz I.** Mus. allem., mort à Munich au début de 1588, qui était peut-être originaire de Maastricht ; il appartint à la chapelle de la cour de Bavière, à celle de l'empereur à Vienne (1570), à Innsbruck (1571), en Hollande (1575) et rédigea des livres de chœur qui se trouvent à la Bibl. de Bavière, dont une *missa super carmen belgicum « Waer maech sy syn »*, 4 v. ; on a en outre de lui *Dat ierste boeck banden nieuwe duytsche Liedekens* (3-8 v., Jacue. Baethen, Maastricht 1554). — Sous le même nom, on trouve quatre frères, qui furent probablement les fils de *F. I.* – **Franz II**, mort en 1583 à Innsbruck, qui fut basse à Graz (1567, 1572), appartint ensuite (1573–1578, 1581–83) à la chapelle d'Innsbruck, à celles de Stuttgart (1578–80), de Munich (1581), de Heidelberg. Son frère – **Johann**, né v. 1546, dont le nom fut italianisé par les imprimeurs vénitiens, et, à la suite, par Fétis, était en 1555 au service des Habsbourg (Maastricht), en 1559, petit chanteur à la chapelle de Philippe II, qu'il suivit en Espagne, d'où il revint à Douai (1562) ; en 1564, on le trouve à la chapelle de la cour de Bavière, en 1565 à celle de Tübingen, au service du duc de Wurtemberg ; il séjourna en Italie, où, en 1572, il servait Dom von Aquila ; en 1573, il était à la chapelle de la cour d'Innsbruck (jusqu'en 1580), comme alto et maître de musique ; en 1580, il était maître de chapelle à la cath. de Trévise, plus tard à Bergame ; on trouve encore mention de son nom en 1600 ; on a conservé de lui 2 chansons ds *Canzone napolitane a 3 v.* : *2 libro* (G. Bonagiunta, Venise 1566), 6 madrigaux ds *Il desiderio* (*ibid.*, 1566, 1567), une chanson ds *Fiori musicali* (1590), *Il trionfo di Dori* (1592), *Il bon bacio* (1594), *Vittoria amorosa* (1596), *Madrigali d'Alessandro Savioli, libro terzo* (1600) ; en mss. : *missa super carmen « Non vos me elegistis »* (5 v., 1564, bibl. de Munich), *missa super « D'ogni gratia et d'amor »* (6 v., 1579, bibl. de Munich), *missa super « Nisi Dominus aedificaverit »* (bibl. de Liubliana), *5 falsi bordoni* (*Liceo musicale*, Bologne). Leur frère – **Jakob** avait en 1571 un emploi à la chapelle de la cour de Stuttgart, était en 1572 à Aquila ; en 1573, il quittait Venise pour se rendre à la cour d'Innsbruck, puis à celle

de Stuttgart, puis auprès de l'empereur Maximilien II (1574), puis à celle du duc Guillaume de Bavière (1575) en Hollande ; après un retour à Stuttgart (1581), on le retrouve à Innsbruck, puis vice-maître de chapelle à Hechingen (1581–1583), puis (1596) maître de chapelle de l'archevêque de Salzbourg jusqu'en 1599, date à laquelle il est au service du duc de Bavière ; il composa *Modulorum aliquot tam sacrorum quam prophanorum cum tribus v., liber unus* (Louvain 1573), *Cantiones sacrae 5 v., quas vulgo motectas vocant, quibus adiunctae sunt octo Magnificat* (A. Berg, Munich 1599), des motets ds le *Corollarium cantionum sacrarum* de F. Lindner (1580) ; en mss. : *missa super carmen « Deus in nomine tuo salvum me fac »* (4 v.), *Magnificat* (6 v., bibl. de Munich), *missa 6 v. super « Su, su, su, non piu dormir »* (1592, bibl. de Graz), *missa super « Lyram, lyram pullent »* (Musée nat. de Budapest). Voir A. Sandberger, *Beitr. z. Gesch. v. bayer. Hofkapelle unter Orlando di Lasso III*, 1, Leipzig 1895 ; W. Senn, *Mus. u. Theater am Hof zu Innsbruck*, Innsbruck 1594, et art. in M.G.G.

**FLORIANI Cristoforo.** Mus. ital., né à Ancône à la fin du XVIe s., qui fut maître de chapelle à la cath. de Vienne et à celle d'Ascoli (v. 1635), il composa *Duo completoria 5 v. cum litaniis de B.M.V.* (B. Magni, Venise 1620), *Psalmi vespertini a 5 e 6 v. op. 5, lib. II* (*ibid.*) ; on trouve d'autres œuvres de lui dans le *Missarum liber secundus octonis vocibus... op. VII* (A. Vincenti, Venise 1635) ; c'est dans ses *completoria* que l'on trouve le plus ancien exemple de cadence en quarte et sixte (à la partie d'orgue).

**FLORIANI Giovanni.** Violon. ital. (Rovereto 22.12.1600–Salzbourg 1631), qui eut un brillant succès lors des fêtes de l'inauguration de la cath. de Salzbourg en sept. 1628 ; en 1629, il faisait partie de la suite du prince-archevêque de Salzbourg (Lodron), qui se rendait à Rovereto ; il mourut peu après de la goutte ; c'était le frère de *Bernardina F.*, clarisse connue sous le nom de *Maria Giovanna della Croce*, thaumaturge.

**FLORIDIA Pietro.** Pian. et compos. ital. (Modica 4.5.1860–New-York 16.8.1932), élève de B. Cesi, de L. Rossi, qui fut prof. au cons. de Palerme (1888–92), vécut ensuite à Milan, puis aux U.S.A. (à partir de 1902), notamment à New-York où il dirigea l'orchestre symph. ital. (1913) ; il écrivit 6 opéras : *Carlotta Clepier* (1882), *Maruzza* (1894), *La colonia libera* (1899), *The scarlet letter* (1902), *Paoletta* (1910), *Malia* (1932, inéd.), 1 symph., 1 ouverture, de la mus. de scène pour la *Tragédie florentine* d'Oscar Wilde (New-York 1917), des pièces pour le piano, des mélodies ; il édita 2 vol. d'*Early ital. songs and airs* (Ditson, 1923).

**FLORIDO R.** Voir art. *Silvestri da Barbarano.*

**FLORIMI** (*Florimo*) **Giovanni Andrea.** Mus. ital., né au début du XVIIe s. à Sienne, mort à Pistoie en janvier 1683, de qui on sait peu de chose : il était servite ; en 1668, il était org. maître de chapelle à Budrio, de 1673 à 1682, vice-préfet de la maîtrise de la cath. de Sienne, en 1682 maître de chapelle de celle de Pistoie ; il fut peut-être le maître de G.O. Cini ; il composa *Messa a 5 v. concertate con viol.* (Gardane-Magni, Venise 1668), *Salmi pieni a 8 v. con il Te Deum, op. 2* (Monti, Bologne 1669), *Concerti musicali a 4 e 5 v., op. 3* (*ibid.*, 1673), *Hymni unica voce concinendi cum instrumentis op. 4* (*id.*), *Flores melliflui in Deiparam Virginem cum octo plenis vocibus concinendi, op. 5* (*ibid.* 1676), *Versi della turba concertati a 4 v. per li passij della domenica delle palme e venerdi santo..., op. 7* (*ibid.* 1682), *Te Deum a 8 v. con basso per org. e contrabasso* (ms. bibl. de Parme) ; on trouve d'autres mss de lui à Provenzano, dans les archives de la chapelle de la Sta-Annunziata à Florence ; ses enseignements ont été réunis par G.O. Cini : l'exemplaire s'en trouve à la bibl. du cons. de Bologne, sous le titre *Compendio in pratica et in teorica delle principali regole da sapersi per un musico.*

**FLORIMO Francesco.** Historien, musicologue et compos. ital. (San Giorgio Morgeto 12.10.1800–Naples 18.12.1888). Élève du collège St-Sébastien à Naples (Elia, Furno, Zingarelli, Crescentini), il fut nommé bibliothécaire des archives musicales de cette institution (1826): il en fut plus tard le directeur ; il enseignait le chant ; il fut l'ami intime de Bellini, dont les cendres furent transportées par ses soins de Paris à Catane (1876) ; il composa *Sinfonia funebre per la morte di Bellini*, des messes, de la mus. instrumentale et vocale, une méthode de chant ; il rédigea *La scuola musicale di Napoli e dei suoi conservatori* (4 vol., Naples 1880–1882), *Trasporto delle ceneri di Bellini a Catania* (1876), *Bellini, memorie e lettere* (Florence 1882), *R. Wagner e i wagneristi* (Naples 1876, Ancône 1883), *Album Bellini* (en collab. avec Scherillo, Naples 1886). Voir G. Megali Del Giudice, *F.F., l'amico di Bellini*, 1901.

**FLORIO Giorgio.** Compos. ital. des XVIe et XVIIe s., qui fut maître de chapelle de la cath. de Trévise et publia à Venise, en 1589, *Il primo libro dei madrigali a 6 v.* ; il fut également au service des empereurs Maximilien et Ferdinand d'Autriche.

**FLORIO Giovanni.** Mus. ital. du XVIe s., qui fut maître de chapelle à l'église Ste-Marie Majeure de Bergame à partir de 1586 et mourut entre 1597 et 1598 ; des messes de lui à 5 et 6 v. se trouvent en mss à la bibl. de Munich ; on trouve de ses madrigaux dans *Il trionfo di Dori ...* à 6 v. (Gardane, Venise 1596), ainsi que dans 17 recueils publiés entre 1566 et 1619.

**FLORIO GRASSI Pietro.** Flûtiste ital., mort à Londres en 1795, qui fut maître de chapelle de l'électeur de Dresde, puis, après un court passage à Paris (1756), flûte solo de l'Opéra de Londres ; il fut comme Tacet l'un des propagateurs des clés de *fa*, *sol dièse* et *si bémol* ; ses œuvres pour flûte (sonates pour deux flûtes et flûte et clavier) sont au *British Museum*. A.G.

Son fils – **C.H.** fut également flûtiste, élève de son père ; il naquit à Dresde, accompagna la chanteuse La Mara, qui chantait des airs de lui ; c'est à Londres qu'il fit représenter son opéra, *The egyptian festival* (1800).

**FLORIUS Jacobus.** Mus. qui vivait à Salzbourg puis à Munich à la fin du XVIe s., qui publia *Cantiones sacrae 5 v. ... quibus adjuntae sunt 8 Magnificat...* (Munich 1599).

**FLORUS.** Diacre et écolâtre de l'école archiépiscopale de Lyon, mort en 860, connu comme théologien et poète ; outre certaines poésies religieuses (versification de l'Écriture etc.), on lui attribue communément un certain nombre d'hymnes : il semble bien qu'il soit l'auteur de l'hymne *Ad te polorum conditor* ; il aurait aussi versifié une paraphrase très répandue du cantique *Benedicite omnia opera domini...* qu'on trouve avec des notations neumatiques et même sur lignes pendant tout le moyen-âge ; elle était chantée aux samedis des quatre-temps — mais elle est également attribuée à Walafrid Strabon. Enfin, dans le florilège Paris BN lat. 2832, qui contient les œuvres de *F.*, on trouve l'hymne *In natale sanctorum Johannis et Pauli*, avec des neumes qui paraissent contemporains. *F.* annotait d'une façon personnelle les livres qui lui appartenaient ; on connaît ainsi deux florilèges qui lui ont appartenu : Paris BN lat. 2832 et 8093 : l'un et l'autre contiennent des neumes. d'espèce différente, mais fort anciens. Voir ses œuvres ds *Mon. germ. hist.*, *Poetae aevi karolini* II 540 sqq. ; M. Manitius, *Geschichte der lateinischen Literatur*, I, 1911

p. 560-567 ; F.J.E. Raby, *A history of christian latin poetry*, p. 196 sqq. ; C. Charlier, *Les manuscrits personnels de Florus de Lyon et son activité littéraire*, dans *Mélanges Podechard*, Lyon 1945 p. 71-84. S.C.

**FLOTHUIS Marius.** Compos. néerl. (Amsterdam 30.10.1914–). Élève des univ. d'Amsterdam et d'Utrecht, d'A. Koole, de H. Brandt-Bruys ; il a collaboré à la direction du *Concertgebouw* d'Amsterdam (1937–42), rédigé des chroniques pour le *Het vrije volk* (1946), appartenu au conseil de lecture de la fondation *Donemus* (*id.*) ; en 1955, il a été nommé dir. artistique du *Concertgebouw* ; parmi ses œuvres, citons *Concertino* pour petit orchestre (1949), *Capriccio* pour harmonie (1949), *Concerto* de violon (1950), *Fantaisie* pour harpe et orchestre (1953), *Sinfonietta concertante* pour clar., sax. et orch. (1954–55), *Concerto* de flûte (1954), *Ouverture de concert* (1955), *Rondo festoso* (orch., 1956), nombre d'*op.* de mus. de chambre (dont 1 quatuor, 1952), des mélodies ; il a édité 2 recueils de Monteverdi et publié *W.A. Mozart* (La Haye 1940) et *Engl. Komp. der Gegenwart* (Amsterdam 1949).

**FLOTOW Friedrich von.** Compos. allem. (Teutendorf 26.4.1812–Darmstadt 24.1.1883). Il était destiné à la carrière diplomatique ; son père, le menant avec lui lors d'un voyage à Paris, alors que F. avait 15 ans, se rendit compte de ses dons musicaux et lui permit de se consacrer à la musique ; il fut en France élève de Reicha (1827–1830) ; en 1830 il quitta Paris, pas pour longtemps ; dès mai 1831 il était de retour, et c'est dans cette période qu'il se lia avec Adam, Auber, Meyerbeer, Halévy, Gounod, Rossini, Offenbach ; dès 1836, il écrivait des opéras avec A. Grisar ; son premier succès fut, au théâtre de la Renaissance, *Le naufrage de la Méduse* (1839) ; la révolution de 1848 le fit regagner l'Allemagne où il fit représenter des opéras, surtout à Hambourg et à Berlin, bien que la plupart des livrets fussent écrits en français. En 1856, le grand-duc de Mecklembourg le nomma intendant de musique du théâtre de la cour de Schwerin ; en 1863, il revint à Paris ; en 1868, il s'établit près de Vienne ; ses plus grands succès furent *Alessandro Stradella* (Hambourg 1844) et *Martha* (Vienne 1847) ; il composa pour la scène : *Pierre et Catherine* (1830–31), *Die Bergknappen* (1833), *Alfred der Grosse* (*id.*), *Sérafine* (1836), *Le comte de Charolais* (*id.*), *La Champmeslé* (1837), *Alice* (*id.*), *Bob-Roy* (*id.*), *Stradella* (*id.*), *La lettre du préfet* (*id.*), *Le comte de St-Mégrin* (appelé plus tard *La duchesse de Guise*, 1838), *Lady Melvil* (*id.*), *L'eau merveilleuse* (1839), *Le naufrage de la Méduse* (*id.*), *Les pages de Louis XII* (1840), *L'esclave de Camoëns* (*id.*), *Griselda*, 1843), *Alessandro Stradella* (1843–44), *Die Matrosen* (arrangement du *Naufrage de la Méduse*, 1845), *L'âme en peine* (1846), *Martha oder Der Markt zu Richmond* (1847), *Die Grossfürstin Sophia Katharina* (1850), *Rübezahl* (1852), *Indra* (*id.*), *Albin* (1855–56), *Johann Albrecht* (1857), *Pianella* (*id.*), *Der Müller von Meran* (1859), *La veuve Grapin* (1859), *Naida* (1862), *La châtelaine* (v. 1865), *Zilda* (1866), *Am Runenstein*

F. von FLOTOW

(1868), *L'ombre* (1870), *Die Musikanten* (1869–70), *La Fleur de Harlem* (*id.*), *Alma* (ou *Zora* ou *L'enchanteresse*, 1878), *Rossellana* (*id.*), *Sakuntala* (inachevé, 1878–1881), des ballets, de la mus. de scène, des mélodies, des mélodrames, 2 ouvertures, 1 concerto de piano, un quatuor à cordes, un trio avec piano, une sonate de piano et violon, *Chants du soir* (piano et vcelle), *Rêverie* (piano et vcelle), des études pour piano à 4 mains. Voir G. von Flotow, *Beitr. zur Gesch. der Familie v. F.*, Dresde 1844 ; W. Neumann, *F. v. F.*, Baelde, Cassel 1855 ; *F. v. F.*, *Erinnerungen aus meinem Leben*, ds *Vor den Coulissen*, II, de J.J. Lewinsky, Hofmann, Berlin 1882, et *Deutsche Revue*, VIII, 1, 1883 ; R. Svoboda, *F.v.F. Leben. Von seiner Witwe*, Breitkopf, Leipzig 1892.

**FLOWER** (*Sir*) **Newman.** Musicologue angl. (Fontmell Magna 8.7.1879–). Propriétaire de la maison d'éditions Cassell and Co à Londres, collectionneur d'autographes et de portraits musicaux, il a publié *Catalogue of a Handel collection* (Sevenoaks 1922), *G.F. Handel : his personality and his times* (Cassell, Londres 1923–1947), *Sir Arthur Sullivan : his life, letters and diaries* (*ibid.*, 1927), *F. Schubert : the man and his circle* (*ibid.*, 1928), *A Handel first night...* (art. ds *Radio Times*, 4.10.1935).

**FLOYERA.** C'est une canne-flûte, en arbousier (Europe, Grèce). M.A.

**FLUDD** (*Flud, de Fluctibus*) **Robert.** Lettré angl. (Bearsted 1574–Londres 8.9. 1637). Docteur d'Oxford, il publia *Apologia compendiaria fraternitatem de Rosea Cruce suspicionis et infamiae maculis aspersam abluens* (Leyde, 1616, 617), *Tractatus theologo-philosophicus de vita, morte et resurrectione a Rudolfo Otreb* (Th. de Bry, Oppenheim 1617), *Utriusque*

ROBERT FLVD PHILOSOPHE.

*B. Moncornet ex.*

R. FLUDD                           cons. de Paris.

*cosmi majoris scilicet et minoris metaphysica, physica atque technica historia* (2 vol., Kempffer, Francfort 1617–19), *De templo musicae in quo musica universalis tamquam in speculo conspicitur* (*ibid.* 1617), *De supranaturali, naturali, praeternaturali, et contranaturali microcosmi historia* (*ibid.* 1619), *De praeternaturali utriusque mundi historia* (*ibid.* 1621) ; dans ses ouvrages, il se montre pythagoricien et, comme on a pu le voir, défenseur des Rose-Croix ; il engagea des polémiques contre Kepler : *Veritatis proscenium...* (Francfort 1621) ; Kepler lui répondit dans ses *Prodromos...* (*ibid.* 1621), à quoi F. répliqua avec *Monochordi mundi symphoniacum...* (*ibid.* 1622) ; contre Mersenne : *Sophiae cum Moria certamen...* (*ibid.* 1629), lequel Mersenne fut défendu par son ami Gassendi dans *P. Gassendi theologi epistolica exercitatio...* (Paris 1630) (dans les *Opera omnia*, III, de Gassendi, le libelle s'intitule *Examen de philosophiae fluddanae*, Paris 1658) ; contre Mersenne de nouveau : *Clavis philosophiae et alchymiae...* (Francfort 1633) ; il publia en outre *Anatomiae amphitheratum* (*ibid.* 1623), *Philosophia sacra et vere christiana seu meteorologia cosmica* (*ibid.* 1626), *Medicina catholica...* (*ibid.* 1629), *Philosophia mosaica* (Gand 1638), *Pathologia daemonica* (*ibid.* 1640). Voir J.B. Craven, *R.F., the english rosicrucian*, 1902 ; De Quincey, *The rosicrucians and freemasons* ; F. Blume ds MGG.

**FLUEGEL** (*Flügel*). C'est le nom du piano à queue en allemand.

**FLUEGELHORN** (*Flügelhorn*). C'est le nom du bugle en allemand.

**FLUIER.** C'est une petite flûte droite, à six trous, d'usage populaire : le nom est commun à plusieurs variétés de flûte (Europe, Roumanie).                    M.A.

**FLURY Richard.** Compos. suisse (Biberist 26.3.1896–). Élève de Huber, de F. Hirt, de J. Lauber, d'E. Kurth, de J. Marx (Vienne), il a dirigé les orch. de Soleure (1920–1950), de Zurich (1923–26), ainsi qu'une harmonie à Berne ; il enseigne depuis 1931 à l'école cantonale et à l'école normale de Soleure ; il a composé 3 opéras : *Eine florentinische Tragödie, Die helle Nacht, Casanova e l'Albertolli*, 4 *Festspiele*, des chœurs (dont une messe et un *Te Deum*), 7 symphonies, 4 ouvertures, des concertos (3 de viol., 2 de piano), 9 sonates de piano et violon, 2 sonates de piano et vcelle, une sonate pour violon et vcelle, 50 *Romantische Stücke* (p.), 24 *Préludes* (p.),10 *Capricci* (v.), *Suite* (2 viol.), 2 trios, un trio avec cl., 4 quatuors à cordes, un quintette avec cl., des mélodies etc. ; il a rédigé ses mémoires : *Lebenserinnerungen* (1950).

**FLÛTE. — 1.** C'est l'instrument à air sans doute le plus connu et celui auquel des civilisations disparues ou actuelles ont attaché un symbole de vie. Nous distinguerons ici la *f.* de nos conservatoires européens (dont on trouvera *infra* les caractéristiques, l'évolution depuis la Renaissance, la littérature) des autres *f.* répandues dans le monde, lesquelles retracent de nos jours, et dans sa diversité typologique, l'histoire plus qu'antique de la *f.* Forme évoluée du sifflet et parfois réalisant plusieurs sons par simple juxtaposition de tuyaux de longueurs inégales (*flûte polycalame*, voir ci-dessous), la *f.* la plus archaïque serait peut-être la *f.* à deux sons, dont le tuyau, présentant une cloison naturelle (nœud de bambou p. ex.) à mi-longueur, peut être embouché alternativement à chaque extrémité. La *f.* est généralement insufflée à la bouche, mais il existe des insufflations par le nez (*flûte nasale* connue des cinq continents). La *f.* est formée d'un tuyau ouvert cylindrique, sauf dans le cas de la *f.* globulaire, où l'air est contenu dans un vase (flûte-vase de Madagascar p. ex., ocarina, voir à ce mot). La *f.* présente un nombre variable de trous forés sur la paroi, grâce auxquels le joueur peut raccourcir à volonté la colonne d'air, créant ainsi plusieurs sons à des intervalles déterminés. Les trous, à l'origine probablement carrés (Curt Sachs), puis ronds ou ovoïdes, n'ont été que très tardivement, et en Europe d'abord, pourvus de clés (voir *infra*). La *f.* peut être jouée verticalement (*f. droite*), obliquement (*f. oblique*, selon l'expression introduite par A. Schaeffner en 1944) ou encore transversalement (*f. traversière*). C'est cette dernière forme qui a prévalu pour l'instrument d'orchestre actuel. Oblique, la *f.* présente à l'orifice supérieur une arête chanfreinée :

c'est la *f. en biseau*, dans laquelle l'air est dirigé de biais (Égypte ancienne, *nay* — voir à ce mot — arabe et balkanique). Droite, la *f.* offre à l'orifice supérieur, soit une section droite, soit une encoche (*f. à encoche* — dont un représentant célèbre est la *kena*, voir à ce mot —), soit encore un biseau. Ces types ont été perfectionnés par l'adjonction d'un bloc enfoncé dans l'orifice à plus ou moins de distance. Ce bloc laisse passer une lame d'air qui heurte la lèvre biseautée de la « lumière », l'embouchure étant soit à section droite (*caval* roumain) ou façonnée en forme de bec (*galoubet* — voir à ce mot — de Provence). La *f. à bloc antérieur* est la plus courante, mais il existe aussi la *f. à bloc médian*, c'est-à-dire un instrument dont le tuyau est obturé partiellement vers son milieu par une petite masse de cire, d'argile etc. (*f. à bloc médian* des Indiens d'Amérique du Sud, p. ex.). On rencontre également en organologie l'expression *f. à bandeau :* il peut s'agir en ce cas d'une *f.* portant soit une feuille, ou autre « bande », qui flotte sous l'effet du vent (Indonésie) soit un bandeau baguant et rétrécissant la « lumière » d'une *f.* à bloc (Birmanie, p. ex.). La *f. traversière*, embouchée comme notre *f.* (voir *infra*), fut connue de civilisations telles que la chinoise ou l'indienne (*cf.* art. *murali* p. ex.) ; le fifre (voir à ce mot) et la « *f.* allemande » (voir *infra*) en sont des applications bien postérieures. Le *flageolet* (voir à ce mot) ou *f. à bloc*, avec un bec, a une aire de répartition très étendue : on ne connaît guère de régions du monde où il n'existe, originel ou importé, et des spécimens en terre cuite, déjà par faits, ont été trouvés dans l'ancien Mexique. Il existe des *f.* en bien des matières : roseau, bambou, os, terre cuite, écorce, bois, fer, cuivre, argent, or, ivoire, cristal etc... Le grand nombre de variétés de *f.* réparties dans le monde entier (rappelons seulement pour l'Europe occidentale le vocabulaire cité à cet égard au moyen-âge) témoigne du goût et de l'ingéniosité dont l'homme a fait preuve de tous temps, semble-t-il, envers cet instrument. **C.M.-D.**

— **2.** Appartenant à la famille des « bois », les *f. d'orchestre et de musique de chambre actuelles*, construites à peu près exclusivement en argent ou en maillechort, sont en trois parties : la « tête », qui porte l'embouchure (18,5 cm.), le « corps », percé de treize trous, qui supporte la quasi-totalité du mécanisme (35,5 cm.) et la « patte *d'ut* » percée de trois trous (12 cm.) ; la longueur totale d'une *f.* montée est de 67 cm., le diamètre intérieur du tube, de 19 mm., et son épaisseur, 35/100 de mm. (dimensions approximatives). La *f.* se place en travers de la bouche, l'émission du son est produite par une fine colonne d'air modelée par les lèvres du musicien et que celui-ci dirige sur l'arête de l'embouchure latérale, où elle se divise et met en vibration l'air du tuyau (et non le tuyau lui-même). En modifiant la forme et la vitesse de la colonne d'air, le flûtiste peut faire varier la hauteur des sons produits et surtout leur qualité et leur timbre, ce qui constitue à la fois l'une des principales

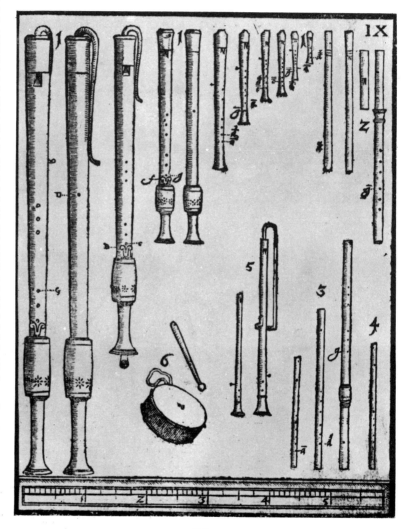

FLÛTE

*Extrait de l'Organographia de M. Praetorius (1619).*

ressources de l'instrument et l'une de ses plus grandes difficultés. Les variations de hauteur de son de grande amplitude et l'émission des harmoniques sont préparées par des variations de longueur du tube d'air vibrant, obtenues artificiellement par des trous placés aux endroits convenables de la *f.* et dont l'orifice est contrôlé par le mécanisme de clés. L'étendue de la *f.* est de trois octaves, de l'*ut 3* à l'*ut 6*. Outre cette *f.*, dont le nom seul, sans aucune épithète, désigne aujourd'hui sans ambiguïté l'instrument d'orchestre et de musique de chambre universellement connu et bien défini, il existe deux autres types qui ne diffèrent de la *f.* que par les dimensions : la *petite f.* ou *piccolo*, encore construite souvent en bois (*ré 4* à *si b 6*) et la *f. grave* ou *f. alto* (*sol 2* à *sol 5*). Son registre aigu ne permet guère d'utiliser la petite *f.* en dehors de l'orchestre ; il n'en est pas de même de la *f.* grave, dont le timbre et les moyens d'expression justifieraient une faveur méritée, mais dont l'emploi demeure malheureusement limité à de rares œuvres symphoniques modernes. Les *f.* à bec (*recorder* en angl., *Blockflöte* en allem.) sont pourvues d'une embouchure droite dans laquelle la colonne d'air, qui se brise sur une arête, comme dans la *f.*, est formée par un canal où l'instrumentiste n'a qu'à souffler pour produire le son. Les *f.* à bec sont munies de trous (en général 8) découverts ou obturés directement par les doigts (l'un avec une clé pour certains types de *f.*), qui permettent la variation de hauteur de son. La modification de la forme de la colonne d'air n'étant pas possible, l'étendue de l'instrument, pour conserver une justesse acceptable, ne peut guère dépasser deux octave, de sorte qu'il existe une famille de *f.* à bec (soprano, ténor, alto, basse). La Renaissance fut la période de grande faveur de la *f.* à bec. Plus tard, la *f.* placée en travers de la bouche devint, au contraire, le type le plus employé ; le langage est un reflet de cette évolution : alors que l'on disait autrefois *f.* traversière (en allemand, *Querflöte*), par opposition à la *f.* à bec et pour désigner l'ancêtre de notre *f.* d'orchestre actuelle, le terme *f.* s'emploie seul depuis le début du XIX<sup>e</sup> s. La *f.* a peu évolué jusqu'à la Renaissance : c'était alors un simple tuyau de bois précieux, percé de trous, qui ne permettait que très difficilement d'émettre certaines harmoniques, d'obtenir une parfaite justesse et une homogénéité de son suffisante ; au XVII<sup>e</sup> s., les *f.* d'Hotteterre étaient munies d'une clé. Quantz, le célèbre professeur de Frédéric II, fit des recherches pour l'adjonction d'une deuxième clé, mais ses essais peu concluants ne furent pas suivis (milieu du XVIII<sup>e</sup> s.). Les *f.* de cette époque, en quatre parties, étaient munies d'un jeu de plusieurs pièces intermédiaires (celles situées sous la tête), de longueurs différentes, ce qui permettait de jouer facilement dans plusieurs tons, mais en changeant chaque fois, matériellement, la longueur de la *f.* Les recherches de la seconde moitié du XVIII<sup>e</sup> s. s'orientèrent vers l'adjonction de clés et de mécanismes qui permissent d'éviter cet inconvénient (*f.* à six clés dès 1774, puis à huit clés en 1786, Tromlitz). Ce n'est qu'à la suite des travaux de Th. Boehm, entrepris avec un esprit scientifique, que le système de clés et de leviers atteignit une perfection telle (v. 1832) qu'il n'a pratiquement pas évolué depuis plus d'un siècle et peut être considéré comme stable. Par opposition aux anciennes *f.* à 8 clés, employées encore en majorité au siècle dernier, on a pendant un temps désigné sous le nom de *f.* « Boehm », les *f.* munies du système inventé et réalisé par ce génial et ardent chercheur. Ensuite, la *f.* Boehm devenant à peu près la seule utilisée, le nom de Boehm disparut comme avait disparu au XVIII<sup>e</sup> s. l'épithète « traversière ». Instrument aux ressources inépuisables, la *f.* ne pouvait manquer d'inspirer les compositeurs. La littérature est probablement l'une des plus riches qui existe, au XVIII<sup>e</sup> s. en particulier : les sonates, concertos et ensembles où la *f.* joue le rôle principal sont en telle abondance que ces œuvres ne sont pas encore toutes inventoriées. Dans cette remarquable floraison, de nombreux chefs-d'œuvre constituent un monument

d'exceptionnelle valeur : sonates et ensembles de Lœillet, Vivaldi, Teleman, J.-S. Bach et ses fils, Hændel, Marcello, Leclair, Quantz, Blavet, Guillemain, Haydn, Mozart, concertos de Vivaldi, Leclair, Pergolèse, Quantz, K.Ph. E. Bach, Gluck, Blavet, Haydn, Mozart, Grétry, K. Stamitz, Boccherini, Devienne. Au XIX<sup>e</sup> s., les œuvres pour *f.* sont moins nombreuses, du moins jusqu'à la fin du romantisme : sérénade et sonate de Beethoven, sonates, solos et ensembles de Kulhau, trio de Weber, quatuor et variations en duo de Schubert. Dès la fin du XX<sup>e</sup> s., un regain d'intérêt s'est manifesté en faveur de la *f.*, dont la littérature s'est enrichie à l'époque et au XIX<sup>e</sup> s., d'œuvres de Saint-Saëns, Fauré, d'Indy, Debussy, Pierné, Roussel, Reger, Gaubert, Enesco, Casella, Ibert, Frank Martin, Martinu, Migot, Prokofiev, Honegger, Milhaud, Poulenc, Hindemith, Rivier, Tansman, Claude Arrieu, Dutilleux, Damase. Parmi les flûtistes célèbres on peut citer, XVII<sup>e</sup> s. : Hotteterre, Lœillet (France), Denner (Allem.) ; XVIII<sup>e</sup> s. : S. Buffardin, Blavet, Delusse, Raut, Devienne (France), Quantz, Tromlitz, Wendling, Wunderlich (Allem.), Tacet (Angl.), Florio (It.) ; XIX<sup>e</sup> s. et début du XX<sup>e</sup> s., jusqu'à la 2<sup>e</sup> guerre mondiale : Berbiguier, Tulou, Drouet, Coche, Dorus, Rémusat, Altes, Taffanel, Berrère, Fleury, Gaubert (France), Capeller, Kuhlau, Fuerstenau, Boehm, Tershak, Barge, Schwedler (Allem.), Rudall, Nicholson, Carte (Angl.), Monzani, Briccialdi (It.), Ribas (Esp.).

**Bibl. :** Hotteterre, *Principes de la flûte traversière*, 1699 ; Quantz, *Essai*, 1752 ; Th. Boehm, *Ueber den Flötenbau*, 1847 et *Die Flöte und das flötenspiel*, 1871 ; Rockstro, *The flute*, 1890 ; Lavignac et La Laurencie, *Encyclopédie de la musique*, II, 1925-31 ; Fitzgibbon,

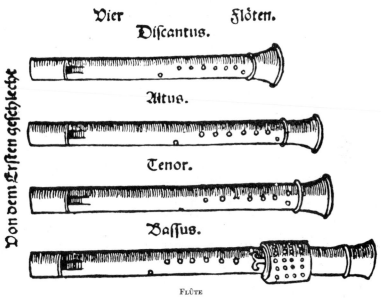

FLÛTE
*Extrait de la Musica instrumentalis de M. Agricola (1529).*

*The story of the flute*, 1928 ; D.C. Miller, *The flute* (répertoire bibliographique), 1935 ; H. Kobbel, *Von die Flöte*, 1951 ; A. Girard, *Histoire et richesses de la flûte*, 1953.                          A.G.

— **3.** A l'orgue, c'est une famille de jeux de fond. Voir art. *orgue*.

— **4.** Instruments à nom composé ou à locution, où le terme *f.* intervient. — *F. allemande :* c'est le nom donné à la flûte traversière (voir à ce mot) à partir du XV<sup>e</sup> s. en France et en différents pays européens, mais qui n'implique pas une origine germanique de l'instrument. M.A. — *F. bréhaigne :* voir art. précédent. — *F. douce :* c'est la flûte à bec médium, française, de la Renaissance, appelée en Angleterre *recorder* (voir à ce mot) et *flauto dolce* en Italie. C.M.-D. — *F. eunuque :* voir ci-dessous *F. à l'oignon :* c'est une variété de mirliton ; elle était

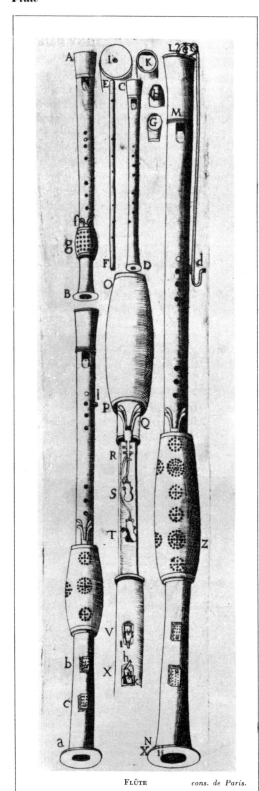

FLÛTE          *cons. de Paris.*

*Mersenne, op. cit.*

citée au moyen-âge sous le nom de *f. bréhaigne* (G. de Machault) ; elle est connue aussi sous l'appellation *f. eunuque* (Mersenne) ; elle existe dans les campagnes, comme instr. enfantin (France, XVIIᵉ-XXᵉ s.). M.A.

**Flûte polycalame.** C'est l'instrument dit communément *flûte de Pan* ou *syrinx :* il est composé de la réunion de plusieurs tuyaux, ouverts ou fermés, de longueurs inégales, généralement ligaturés ensembles et groupés en une ou deux rangées parallèles, ou encore en faisceau. Ces tuyaux peuvent également être forés dans un seul bloc de bois ou de pierre. Les *f.p.* affectent la forme d'une aile déployée ou de deux symétriquement ouvertes. La *f.p.* en roseau est très répandue ; on en trouve aussi en os, en bois, en métal, et, dans le cas d'un bloc unique, en terre cuite, en pierre, en bois, ou même (actuellement en Europe) en matière plastique moulée. L'un des plus ancien spécimens conservés provient des fouilles d'Alésia ; le type, en un bloc de bois perforé, est analogue au *frestel* (voir à ce mot) médiéval et à celui qu'utilisent de nos jours encore les bergers et chevriers pyrénéens. Le modèle de la Grèce antique est connu par l'iconographie et la légende. La répartition dans le monde de la *fl.p.* est très large : le continent européen, le continent africain moins l'Afrique du Nord, l'Océanie moins l'Australie, l'Asie sauf les régions septentrionales et le sud de l'Amérique, avec comme limite nord dans ce continent l'isthme de Panama, connaissent la *f.p.* L'étendue de cette aire, la précision des longueurs relatives des tuyaux, leur disposition en ordre soit décroissant soit mélangé, la grande antiquité de l'instrument enfin ont incité les musicologues à tenir pour important dans l'histoire des échelles musicales la mesure des sons de la *f.p.* L'instrument est de tailles et de possibilités très variées, allant des modèles avec un minuscule avec un restreint de tuyaux aux très grands spécimens (*f.* de trente tuyaux des Indiens de l'Amérique du Sud) ; il est souvent joué par paire (Océanie, Amérique du Sud) ou en groupe (Europe). Parfois l'instrument est composé d'une poignée de tuyaux non ligaturés (Birmanie, Karen ; Vietnam, Rhadé) ou bien encore les différents tuyaux sont répartis entre les membres d'un chœur de flûtistes (Afrique australe) ; lorsqu'il est à double rangée, la plus courte sonne à l'octave aiguë de la première (Amérindiens), mais il peut arriver qu'elle soit muette. La *f.p.* est jouée à la manière d'un *f.* verticale : on souffle au-dessus de l'orifice supérieur de chaque tuyau (comme pour les sifflets). De plus, les tuyaux n'étant pas perforés, on a pu suggérer (A. Schaeffner, *Origine des instruments...*, p. 279, note 5) que le terme sifflet conviendrait mieux à la technique et à la facture même de l'instrument. C.M.-D.

**F.-tambour.** L'expression désigne non pas un instrument qui tiendrait de l'un et de l'autre de ces types, mais des deux instruments distincts joués simultanément par le même exécutant : *f.* à bec jouée d'une seule main, *t.* accroché au bras ou au poignet et frappé de l'autre main. La combinaison *f.-t.* est souvent figurée dans l'art européen occidental des XIIIᵉ-XVIᵉ s. et se rencontre fréquemment dans la mus. populaire actuelle, notamment en France, en Espagne et en Amérique latine (galoubet-tambourin, txistu-tamboril, flabiol-tambori — voir à ces mots — Provence, Pays basque, Catalogne etc.). C.M.-D.

**FLÛTET.** Voir art. *galoubet.*

**FLÛTIAU.** C'est le nom commun donné à différentes variétés de flûtes paysannes en France ; c'est un terme imprécis, employé avec une nuance péjorative. M.A.

**FLUVIOL.** Voir art. *flabiol.*

**FOCK Gustav.** Musicologue allem. (Hambourg-Neuenfeld 18.11.1893-), docteur de l'univ. de Kiel (1931) avec sa thèse *Hamburgs Anteil am Orgelbau im niederdeutschen Kulturgebiet,* qui a publié *Die Wahrheit über Bachs Aufenthalt in Lüneburg* (Hambourg 1949), *Der junge Bach in Lüneburg* (ibid. 1950), *Katalog der Brahms-Ausstellung* (ibid. 1958), participé à des ouvrages collectifs, édité de la mus. ancienne.

**FODEBA Keita.** Animateur de ballet guinéen (Siguiti 19.2.1921–). Il débuta à Radio-Dakar, vint à Paris en 1948 et fonda sa troupe des *Ballets africains*, avec l'aide de Kanté Facely, son adjoint ; à la tête de sa troupe, il est devenu célèbre, collaborant avec Massine (1954), avec Bernard Daydé (1956) ; il est également écrivain, ethnologue et poète ; il a publié *Poèmes africains* (Paris 1950), *Les hommes de la danse* (Lausanne 1954).

**FODOR.** Famille de mus. néerl. d'origine hongroise. — **1. Josephus Andreas** (Venlo 21.1.1751–St-Pétersbourg 3.10.1828). Son père, Carolus, était un officier hongrois au service des Hanovre, qui épousa en 1750 Maria-Elisabeth Messemaeckers ; il séjourna à Berlin auprès de Franz Benda, enseigna le violon à Paris (1787), où il eut du succès, et émigra à St-Pétersbourg (1794) ; il composa un grand nombre de duos, de quatuors, de concertos, de sonates, de caprices, d'airs, le tout pour le ou les violons et le vcelle, une sonate à 4 mains pour le clavecin ou le pianoforte. Son frère – **2. Carolus-Emanuel** (Venlo 31.10.1759–Paris ?), fut claveciniste et compositeur ; il vécut à Paris à partir de 1780, et publia une dizaine de sonates pour le clavecin, une sonate pour le clavecin avec viol. et vcelle, 3 concertos de clavecin, 6 solos pour clavecin, 3 sonates à 4 mains, des airs variés pour clavecin, 2 sonates pour clavecin et violon, *Première sonate pour violon et vcelle*, *Symphonie à grand orchestre en ré*, des pots-pourris. Leur frère – **3. Carolus-Antonius** (Venlo 12.4.1768–Amsterdam 22.2.1846) apprit le clavecin à Mannheim, vint à Paris à l'âge de 11 ans, voyagea en Russie, s'établit à Amsterdam (1795) ; il dirigea pendant 25 ans l'orch. Felix Meritis, participa à la fondation des *Concerts du mardi* (1811), dirigea l'Opéra allemand d'Amsterdam (1814) ; il composa nombre de concertos, de sonates, de symphonies, 2 ouvertures, des quatuors, un psaume, une marche militaire à grand orchestre, 3 cantates (dont une pour la mort de Haydn). La fille de Josephus Andreas – **4. Joséphine** (Paris 13.10.1789–St-Genis 14.81.870) fut chanteuse (sopr.), débuta en 1810 à St-Pétersbourg, puis, après son mariage avec l'acteur Mainvielle, se fixa à Paris, où elle chanta à l'Opéra-Comique (1814) et au Théâtre italien (elle créa *Le barbier de Séville* en 1819) ; elle quitta définitivement la scène en 1833 et publia des *Réflexions et conseils sur l'art du chant* (1857). Voir E.G.J. Grégoir, *Artistes-musiciens néerlandais*, Anvers 1864 ; C. Unger, *Joséphine Mainvielle-Fodor*... Vienne 1863 ; D. Balfoort ds MGG. et F. Lesure ds *Enc. d. Sp.*

**FODRAHI.** C'est un tambour vertical en forme de vase, dont la peau, tendue au moyen d'un système de laçage, est frappée à main nue ; il est réputé d'origine céleste et utilisé par les prêtres au cours des cérémonies religieuses (*Indonésie*: île Nias). On le nomme aussi *fondrahi*.
M.H.

**FOELDES** (*Földes*) **Andor.** Pian. amér. d'origine hongroise (Budapest 21.12.1913–), élève de Dohnanyi (un des) Liszt de Budapest, prix Liszt (1933), spécialiste de Bartok, qui a fait carrière aux États-Unis (1940), successeur de Gieseking comme prof. au cons. de Sarrebruck (1957), auteur de *Keys to the keyboard* (N.-York 1948).

**FOERSTEL Gertrude.** Sopr. allem. (Cologne 4.12.1880–Bonn 7.6.1950), qui débuta à Prague, appartint à l'Opéra impérial de Vienne (sous la direction de Gustav Mahler) jusqu'en 1920 ; elle créa le rôle de *Sophie* dans *Le chevalier à la rose* de Richard Strauss (Vienne) ; elle s'était spécialisée dans Mahler.

**FOERSTER** (*Förster*). Fabrique de pianos tchéco-slovaque, fondée à Löbau en 1859 par **Friedrich August F.** (Seiferstorf 1829–Löbau 1897) ; son fils *Cäsar* lui succéda en 1900, puis son petit-fils **Manfred** (mort en 1952) ; en 1924, la maison construisit le piano à queue avec quarts de ton (Haba), en 1933, elle créa l'*Elektrochord* (Vierling 1933) ; cette maison a fabriqué plus de 100.000 instruments depuis sa fondation. Voir F.A. *F.*, *Vom Kunsthandwerk des Klavierbaues*, Georgswalde, Löbau ; F.A. *F.*, *Der Viertonflügel*, ibid.; O. Vierling, *Das Elektroch. Kl.*, V.D.I. Verlag, Berlin 1936.

**FOERSTER** (*Förster*) **Alban.** Compos. allem. (Reichenbach 23.10.1849–Neustrelitz 18.1.1916), élève du cons. de Dresde, qui fut musicien de la cour et directeur de la *Singakademie* de Neustrelitz, prof. au cons. de Dresde (1881), dir. de la *Liedertafel* et maître de chapelle de la cour de Neustrelitz (1882–1908) ; il est l'auteur des opéras *Das Flüstern* (1875), *Die Mädchen von Schilda* (1887), *'s Lorle* (1891), d'une symphonie, de 5 trios, de 2 quatuors, de 3 sonates de piano et violon, d'œuvres symph., de piano, de mélodies.

**FOERSTER** (*Förster*) **Christoph.** Mus. allem. (Bibra 30.11.1693–Rudolstadt 5 ou 6.12.1745). Élève de Pitzler, de J.D. Heinichen (Weissenfels), de G.F. Kaufmann (Merse-bourg), il fut dans cette dernière ville musicien de la chambre et maître de concert à la cour ; lors d'un séjour à Prague, il se lia avec J.J. Fux, Caldara, F. Conti, Piani ; il fut, à partir de 1743, *Vice-Kapellmeister* de la cour de Rudolstadt ; il composa 26 cantates d'église, 4 cantates profanes, 117 psaumes (4 v., avec acc. instr.), 1 *Sanctus* (5 v., *id.*), une messe à 4 v. (*id.*), 6 *Ouvertüren* (6, 7, 8 v., bibl. de l'École St-Thomas à Leipzig), 6 *Symphonien* à 4 v., 6 *Symphonien* à 6–10 v., 6 *Konzerte*, 6 sonates de violon (avec *b.c.*), un trio (2 v., *b.c.*), 6 *Sinfonie a due viol., viola, cembalo e vcello con ripieni* (Hafner, Nuremberg) ; la collection Philipp-Emanuel Bach de la bibl. de Berlin contient de lui 22 cantates d'église ; son œuvre est abondante, mais le catalogue complet n'en a point été dressé. Voir A. Achtung, *C.F.*, thèse de Leipzig, 1914 ; A. Adrio ds MGG.

**FOERSTER** (*Förster*) **Emanuel Aloys.** Mus. autr. (Niederstein 26.1.1748–Vienne 12.11.1823). Élève de l'org. Pausewang (après avoir été hautboïste dans un régiment d'infanterie), il est à Vienne en 1779, ville dans laquelle il exerça un grand rayonnement tout au long des 20 premières années du XIXe s. ; il semble avoir connu Mozart, mais c'est surtout son amitié avec Beethoven, qu'il avait rencontré chez le prince Lichnowsky, qui est restée dans l'histoire : c'est Beethoven, sur qui il ne manquait pas d'avoir une certaine influence, qui lui conseilla d'écrire son *Anleitung zum Generalbass* (1823, 1840, 1858) ; il composa une trentaine de sonates de piano, des concertos, des variations, une centaine de *divertimenti*, 10 sonates et des concertos de violon, 4 sonates en trio, des pièces d'orgue, 16 quatuors, 5 concertos de hautbois etc. Voir N. Saltscheff, *E.A.F.*, thèse de Munich, 1914.

**FOERSTER** (*Förster*). — **1. Josef.** Org. et compos. slovène (Osenice 22.2.1833–Prague 31.1.907), qui fut prof. de théorie au cons. et org. à St-Nicolas de Prague ; auteur de mus. d'église, il se consacra au mouvement cécilien en Bohême, publia une méthode d'orgue (1862) et un traité d'harmonie. — **2.** Son frère – **Anton** (Osenice 20.12.1837–Novo mesto 17.4.1926) étudia le droit et la musique à Prague ; *regens chori* à la cath. de Ljubljana, organiste, rédacteur de la revue *Cerkveni glasbenik* (Musicien d'église), idéologue du mouvement cécilien chez les Slovènes, outre de nombreuses compositions religieuses, il écrivit plusieurs cantates, compositions pour orch., mus. de chambre et 2 opéras, *Gorenjski slavček* (Le rossignol, 1872) et *Dom i rod* (La patrie et la maison, 1922) ; il fut aussi un théoricien renommé ; on lui doit un excellent *Manuel d'harmonie et de contrepoint* (1881). D.C. Le fils de Josef – **3. Josef Bohuslav** (Prague 30.12.1859–29.5.1951) fut son élève, org. de St-Adalbert, prof. de chant et dirigeant de chœurs ; en 1893, il suivit à Hambourg son épouse qui venait d'être engagée à l'Opéra (Bertha Lauterer) : il y fut prof. au cons. et critique dans la *Freie Presse*, s'y lia avec Gustav Mahler, R. Strauss etc. ; en 1903, il quitta Hambourg pour Vienne, où il fut également prof. au cons. et critique au *Zeit* ; il fut enfin dir. du cons. de Prague ; il composa des opéras : *Debora* (1891), *Marja-Eva* (1895–97), *Jessika* (1902–1906), *Nepre-mozeni* (1917), *Srdce* (1922), *Blazen* (1935), 5 symphonies, des poèmes symph., des ouvertures, des suites d'orch., des chœurs, des messes polyphoniques, des motets, des mélodrames, des trios, des quatuors, des pièces de piano, des mélodies. Voir Z. Nejedly, *J.B.F.*, Urbanek, Prague 1910 ; J. Bartos, *J.B.F.*, Manes 1923.

**FOERSTER** (*Förster*) **Kaspar** *I.* Mus. allem. (?–Dantzig 1652). Il fut à partir de 1606 cantor et bibliothécaire au *Gymnasium* de Dantzig, à partir de 1627, maître de chapelle à la *Marienkirche* de la même ville ; ami de P. Siefert, il se convertit à la religion catholique et fut enterré au monastère d'Oliva. Son fils et élève – **Kaspar** *II* (Dantzig 1616–Oliva 2.2.1673) fit ses études à Varsovie avec M. Scacchi ; à 20 ans, il va en Italie ; on le retrouve à Dantzig en 1638, puis à Varsovie, à la chapelle de Wladislas IV, où il est chanteur et chef de chœur ; il voyage de nouveau en Italie ; en 1652, il réorganise la chapelle de la cour du roi Frédéric III de Danemark, faisant venir des éléments d'Italie et de France (des violonistes de Paris) : il dirigea cette chapelle de 1652 à 1655 et de 1661 à 1668 ; en 1655, il avait pris la succession de son père à la *Marienkirche* de Dantzig ; en 1657, il prit part comme capitaine à la guerre de Venise contre les Turcs (Crète) : il fut d'ailleurs nommé chevalier de St-Marc ; il connut Schütz à Dresde ; il fut enterré le 1er mars 1673, au monastère d'Oliva, près duquel il avait acquis une maison ; la plus grande partie de ses œuvres sont

F. FOGGIA      *cons. de Paris.*

restées en manuscrit à la bibl. de l'univ. d'Upsal, quelques-unes à l'*Öff. Wiss. Bibl.* de Berlin ; son opéra *Der lobwürdige Cadmus* (Copenhague 1663) n'a pas été conservé ; les cantates que lui a attribuées Fitner ont été détruites pendant la 2e guerre mondiale (avec la bibliothèque de l'université de Königsberg) ; on trouve 13 de ses œuvres dans *Die Chorbibl. der Michaelisschule in Lüneburg...* de M. Seiffert (S.I.M.G., 1908) et un canon dans le *Cribrum musicum* de M. Scacchi (1643) ; G. Fock a édité 1 *Sonatensatz* (3 v.) dans ses *Hansische Triosonaten des Barocks* (Peters, Leipzig 1944). Voir J. Mattheson, *Ehrenpforte*, Hambourg 1740 ; W. Wolfsheim, *Gedank-Säule C.F.*, ds *AfMw.*, II, 1920 ; A. Pirro, *Buxtehude*, Paris 1913, et l'art. de G. Fock in MGG.

**FOERTSCH** (*Förtsch*) **Johann Philipp.** Mus. allem. (Wertheim 14.5.1652–Eutin 14.12.1732). Élève de J.P. Krieger, il voyagea à travers l'Allemagne, la Hollande et la France, fut ténor (1678) à la *Rats-Kapelle* et à l'Opéra de Hambourg, pour lequel il écrivit nombre de livrets et d'opéras ; en 1680, il est maître de chapelle à la cour de Schleswig-Holstein, à Gottorp ; en 1681, il est docteur en médecine de l'univ. de Kiel et s'établit comme médecin à Hambourg, à Schleswig et à Husum ; en 1694, il est médecin et conseiller de l'évêque d'Eutin, A.F.v. Lübeck ; il composa des opéras : *Das unmöglichste Ding* (1684), *Crösus* (*id.*), *Alexander in Sidon* (1688), *Die heilige Eugenia* (*id.*), *Der im Christentum bis in den Tod beständige Märtyrer Polyeuct* (1689), *Xerxes in Abydus* (1689), *Cain u. Abel* (*id.*), *Das betrübte u. erfreute Cimbria* (*id.*), *Die grossmächtige Thalestris...* (1690), *Ancile Romanum...* (*id.*), *Bajazeth u. Tamerlan* (*id.*), *Der irrende Ritter D. Quixotte de la Mancia* (*id.*), des *Arien*, 82 cantates d'église, des psaumes, *32 canones a 2–8 v. über Christ der du bist der helle Tag* (1680), *Canon perpetuus à 4 v.*, une allemande, des canons et des études de contrepoint, une triple-fugue, des traités : *Musical. Compositions Tractat* (ms. *Öff. Wiss. Bibl.* de Berlin), et *Von den dreyfachen Contrapunkten* (*ibid.*). Voir J. Mattheson, *Der musical. Patriot*, Hambourg 1728 ; F. Zelle, *J.P.F.*, ds *Wiss. Beil. z. Jhb. d. vierten Städt. Realschule zu Berlin*, 1893 ; Chr. Wolff, *Die Barockoper in Hamburg*, Kiel 1942 – Die

venezianische Oper in der zweiten Hälfte des 17. Jh., Berlin 1937. Son frère – **Michael** (1634–1724) fut théologien à Tübingen et à Iéna. — Un **Christian August** *F.*, né en 1731, écrivit dans la 2e moitié du XVIIIe s. des textes pour les séances de l'*Abendmusik* à Lübeck.

**FOERTSCH** (*Förtsch*) **Wolfgang.** Mus. allem. (? v. 1675–Nuremberg 4.3.1743). Il fut titulaire de l'orgue de la *Frauenkirche* (1700), de l'*Augustinerkirche* (1702–1704), puis de St-Laurent à Nuremberg (1705), et composa *Cantata zwischen der Jugend u. dem Alter...* (1707), *Chloris betrauert...* (1712), *Fuga doppia...* (1731), *Musical. Kirchwey-Lust...* (1734), des suites. Voir Rud.Wagner in MGG.

**FOETISCH Charles.** Éditeur suisse d'orig. alsacienne (Vallenstedt 24.11.1838–Pully 13.10.1918). Contrebassiste, il acquit à Lausanne la maison Delavaux ; le 29 mars 1864, il épousait Joséphine Senaud à Avanche, dont il eut *Charles* (15.1.1865–27.10.1916), *Albert-Otto* (1866–1934), *Eugène* (1867–1945), *Edouard* (1869–1948) ; il acquit également la maison Hoffmann, 6 rue de Bourg, qui était prospère ; il fit un second mariage à Stuttgart en 1887 avec une Alsacienne, Bertha Runckel, dont il eut *Alexandre* (1888–1950) et *Helmuth* (1896–1918) ; il vendit l'entreprise de la rue de Bourg à ses 4 premiers fils, qui l'exploitèrent sous le nom de *Foetisch frères* ; en 1905, *Maurice*, (né le 1.5.1905) et *Pierre* (né le 13.8.1911), fils d'*Eugène*, fondèrent une nouvelle maison de musique dans l'ancien établissement de la rue de Bourg : il faut donc distinguer entre la maison *Foetisch frères*, 5 rue Caroline, dont le directeur est M. Zabadini, et la maison *Maurice et Pierre Foetisch*, 6 rue de Bourg, qui n'ont pas d'autre raison sociale ; *Foetisch frères* ont édité Senger, Jaques-Dalcroze, Doret, Honegger etc. ; *Maurice et Pierre F.* éditent R. d'Alessandro, R. Oboussier, Jean Binet, François Olivier, J.-F. Zbinden, M. Sandoz etc.

**FOGAÇA João.** Mus. portug. (Lisbonne 1589–1658), qui fut maître de chapelle du couvent de Serra de Ossa, où il était moine ; il fut l'élève de Duarte Lobo et le protégé du roi Jean IV ; il composa un grand nombre de messes et d'œuvres de mus. d'église, qui furent conservées à la bibl. royale et détruites lors du désastre de la ville.

**FOGARASI János.** Linguiste hongrois (1800–1878), collectionneur de mélodies populaires, l'un des précurseurs du folklore scientifique dans son pays.

**FOGG Eric.** Compos. angl. (Manchester 21.2.1903–Londres 19-10-1939), qui exerça à la *B.B.C.* et écrivit des ballets, une cantate, des œuvres symph., chor., de mus. de chambre, des mélodies, 1 concerto de basson.

**FOGGIA Francesco.** Mus. ital. (Rome 1604–18.1.1688). Élève de Cifra, de B. Nanino, de P. Agostini (dont il était le gendre), il fut au service des cours du prince-archevêque de Cologne, du duc de Bavière, du grand-duc Léopold d'Autriche, puis maître de chapelle aux cath. de Narni et de Monte-Fiascone, à Santa-Maria *in Aquiro* et à Santa-Maria *in Trastevere*, puis à St-Jean de Latran (1636–1661), à St-Laurent *in Damaso* (1677–1688) ; il cultiva aussi bien le style archaïque de l'école romaine dans la tradition de Palestrina qu'un style moderne issu des innovations de Carissimi ; il semble avoir eu de l'influence en France, où Brossard et Philidor prenaient copie de ses œuvres dans leurs mss. Il composa 5 recueils de messes (3, 4, 5, 8, 9 v.), publiés à Rome entre 1650 et 1675, *Concentus ecclesiastici* (*ibid.* 1640), *Sacrae cantiones* (*ibid.* 1661), *Sacrae cantiones 3 v. paribus sine cantu* (*ibid.* 1662, 1665), des motets, des offertoires, *Composizioni* (*ibid.* 1642), des psaumes, des vêpres, des litanies, des oratorios : *David fugiens a facie Saul*, *Tobias*, *S. Giovanni Battista* (1670) ; on trouve un grand nombre de ses motets dans des recueils de l'époque. Son fils et élève – **Antonio** (Rome v. 1650–5.1707) fut maître de chapelle à *S. Girolamo della Carita*, vice-maître de chapelle à Ste-Marie Majeure (Alessandro Scarlatti lui succéda) ; il composa des messes (à 3, 4, 5 v.), publiées à Rome v. 1670, des motets, des cantiones, des oratorios : *Bethsabeae* (1679), *Archangeli de Antichristo triumphus* (1679, 1681), *Innocentium clades* (1686, 1687), *Superbia depressa in fornace babilonica* (1687), *Saul in Davidem* (1688), *Per la notte del SS. Natale* (1694). Voir D. Alaleona, *Storia dell'oratorio musicale in Italia*, Bocca, Milan 1945 ; K.G. Fellerer in MGG.

**FOGLIANO.** — **1. Jacobo.** Mus. ital. (Modène 1468–10-4-1548), fils d'Alessandro, fut le célèbre org. de la cath. de Modène de 1489 à 1497 et de 1504 à sa mort ; parmi ses élèves, il faut citer Giulio Segni ; il publia un vol. de *Madrigali a cinque* (1547). – *Il primo libro* (1547) ; ses autres compositions (*frottole*, madrigaux à 3–5 v., *Ave Maria*) se trouvent dans les anthologies de l'époque ; sa mus. d'église, ses tablatures d'orgue sont conservées en mss (les tablatures ont été publiées par G. Benvenuti, en compagnie d'œuvres de Cavazzoni et de Segni, Bravi, Milan 1941) ; sa production d'orgue, part la plus importante de son œuvre, peut être considérée comme faisant le trait d'union entre celles des deux Cavazzoni. Son frère – **2. Lodovico** (Modène ...–? 1538–40) était un érudit, philosophe aussi bien que musicien ; il fut chanteur à la chapelle *Giulia* à St-Pierre de Rome (1513–14), puis revint à Modène au service des princes d'Este ; il composa

restaient à publier. Voir G. Roncaglia, *La capp. mus. del duomo di Modena*, Florence 1957.     C.S.

**FOGLIETTO.** C'est en Italie le nom que l'on donne à la partie de premier violon, dans laquelle sont indiquées les répliques d'autres instruments ; cette partie sert souvent de conducteur.

**FOIDART Charles-Maurice.** Altiste belge (Liège 8.11. 1902–), prof. au cons. de Bruxelles, qui fait une carrière internationale.

**FOIGNET Charles-Gabriel.** Mus. franç. (Lyon 1750–Paris 1823). Fixé à Paris à partir de 1779, il composa une trentaine d'opéras. (de *L'apothicaire*, 1791, à *Stanislas Leczinski ou Le siège de Dantzick*, 1811) pour l'Ambigu, le théâtre Montansier, la salle de Beaujolais au Palais-Royal, le Théâtre des jeunes élèves, le Théâtre des jeunes artistes, le Théâtre des victoires nationales (il fut le directeur des deux derniers) ; il écrivit également de la mus. instrumentale, dont *Les plaisirs de la société* (pour piano avec violon, 3 vol., Lemoine, Paris 1781, 1782, 1783), *2ᵉ Suite des plaisirs de la société...* (Leduc, *ibid.* 1785), une *messe en symphonie*. Son fils – **François** (Paris 17.21.782–Strasbourg 22.7.1845) était chanteur ; il dirigea avec son père le Théâtre des jeunes artistes jusqu'en 1806, puis se produisit en province et en Belgique, jusqu'à finir à l'hôpital ; il composa 15 opéras-comiques représentés entre 1799 et 1811 (depuis *La noce de Lucette*, 1799, jusqu'à *L'heure du supplice...*, 1819), des romances ; il collabora à la *messe en symphonie* de son père. Son frère – **Gabriel** (né à Paris en 1790) était harpiste ; il composa pour son instrument.

**FOKINE Mihaïl Mihaïlovitch.** Danseur et chorégraphe russe (St-Pétersbourg 26.4.1880–New-York 22.8.1942). Élève de l'école impériale de ballet (Théâtre Maryinsky), de Platon Karsavine, puis de Volkoff, de Chiraïev, de P.A. Gerdt, de Legat, il fit ses débuts au théâtre déjà cité

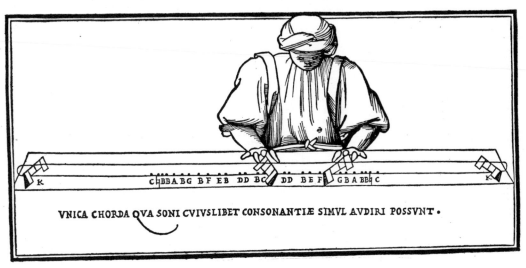

CHBBABG BF EB DD BC  DD BE F  GBABBB C

VNICA CHORDA QVA SONI CVIVSLIBET CONSONANTIÆ SIMVL AVDIRI POSSVNT •

L. FOGLIANO
Musica theorica (*Venise 1529*).

des *frottole* et des motets (dont la célèbre *frottola Fortuna d'un gran tempo*, publiée par Petrucci et conservée en ms. à Modène) ; mais c'est surtout comme théoricien qu'il est passé à la postérité : il publia les traités *Musica theorica* (De Sabio, Venise 1529), *Flosculi philosophiae Aristotelis et Averrois* (ms. Bibl. nat. de Paris), *Refugio de'dubitanti* (perdu) ; on peut le considérer cõmme le restaurateur de la méthode de recherche aristotélicienne : il rejeta le pythagorisme et étudia le son et l'ouïe ; dans une lettre à l'Arétin, datée du 7 mai 1542, son frère Jacobo, parlait de lui comme s'il était mort déjà depuis quelque temps, ainsi que de ses œuvres posthumes qui

en 1898 et, après avoir pris encore des leçons avec Johannsen, il enseigna (à l'école d'où il sortait) à partir de 1902 ; c'est en 1904 qu'il formula son esthétique nouvelle du ballet, qui tendait à voir dans ce genre une œuvre « totale », et non plus une succession de divertissements plus ou moins enchaînés ; il considérait que cela impliquait une concordance harmonieuse des costumes, de la musique et des décors ; c'est en somme lui l'initiateur du ballet moderne. Son premier ballet fut *Acis et Galatée* (1905), suivi du *Cygne* (pour Anna Pavlova) ; en 1908, il accepta, à l'invite de Diaghilev, d'être chorégraphe pour la saison de ballets russes à Paris ;

il collabora avec lui jusqu'en 1912, rentra en Russie en 1914, émigra en 1918, se fixa aux États-Unis, dirigea les Ballets de Monte-Carlo (1936), le Ballet russe de Nicolas Basil (1938) ; parmi les 68 ballets qu'il composa, il faut citer *Les sylphides* (1908), *L'apprenti-sorcier* (1916), *Orphée et Eurydice* (id.), *Les danses polovtsiennes du Prince Igor* (1909), *L'oiseau de feu* (1910), *Schéhérazade* (id.), *Petrouchka* (1911), *Le spectre de la rose* (id.), *Daphnis et Chloé* (1912), *Le coq d'or* (1914), *Diane de Poitiers*, *Sémiramis*, *Le boléro*, *La valse*, *Don Juan* (1936), *Cendrillon* (1938), *Paganini* (1939), *Barbe-Bleue* (1941), *La Belle Hélène* (1942) ; c'est dans sa lettre au *Times* (6-7-1914) et ds sa lettre au *Dancing Times* (mai 1932) qu'il a publié ses conceptions sur l'esthétique du ballet. Voir C.W. Beaumont, *M.F.*, Londres 1945, et *Complete Book of ballets*, Putnam, Londres 1937-1956 (supplément 1952).

**FOKKER Adriaan Daniel.** Physicien néerl. (Buitenzog 17.8.1887-), qui a fait construire un orgue selon le principe de Huyghens (Institut Teyler à Haarlem – 31 sons à l'octave) et publié *Rekenkundige bespiegeling der muziek* (1945), *Just intonation* (1949), *Les mathématiques et la musique* (id.), *Recherches musicales* (1951).

**FOLÍA.** La première mention de cette danse paraît être celle qu'on trouve v. 1505 dans l'*Auto de la Sibila Casandra* du poète et musicien portugais Gil Vicente, où Salomon, Isaïe, Moïse et Abraham chantent une *f.* à quatre. Salinas, dans son *De musica* (1577), donne quelques mélodies de *folías* en soulignant l'origine portugaise de cette danse, dont Covarrubias nous donne cette description dans son *Tesoro* (premier dictionnaire de la langue espagnole, 1611) : « Certaine danse portugaise, très bruyante, car outre beaucoup de gens à pied avec de petites cymbales [celles du tambour de basque] et autres instruments, il y figure des porte-faix costumés qui charrient sur leurs épaules des garçons travestis en pucelles qui font jouer leurs longues manches, dansent quelquefois, et jouent eux aussi de leurs cymbales ; et le bruit est si grand, et le son si rapide, qu'ils semblent être tous pris de folie », d'où le nom de la danse.
Les allusions à cette danse ne sont pas rares dans la littérature espagnole et portugaise de la période classique, et il y a bien des exemples de *folías* dans les livres de *vihuela* et dans les *cancioneros* espagnols du XVᵉ au XVIIIᵉ siècle. Vers le commencement du XVIIᵉ, la vogue de cette danse devient européenne, mais son mouvement change : il ne s'agit plus d'une danse à l'allure vivace, mais d'une sorte de passacaille ou de *ground* d'un caractère reposé sinon grave. Ce changement a permis à certains érudits d'attribuer à la *f.* une origine non espagnole : Otto Gombosi, s'appuyant sur la comparaison des basses obstinées, soutient l'origine italienne de la *f.* Tous les musiciens de l'Europe, néanmoins, désignent la *f.* comme « les folies d'Espagne » (d'une part les Espagnols adoptèrent et propagèrent cette danse, d'autre part, le mot « Espagne » désignait alors couramment l'ensemble des pays de la péninsule ibérique). C'est ainsi que nous avons des folies d'Espagne par G. Stefani (1622), C. Milanuzzi, Corelli, d'Anglebert, Lully, Frescobaldi, M. Farinelli (qui les exporta en Angleterre), Manetti, Vivaldi, Keiser, Pergolèse, J.-S. et C.-Ph.-E. Bach, Grétry. Cherubini reprit le texte de Corelli dans l'ouverture de *L'hôtellerie portugaise* (1798) ; Liszt l'inséra dans sa *Rhapsodie espagnole* (1863) et le compositeur danois Carl Nielsen utilisa ce thème dans son opéra *Mascarade* (1906). Voir O. Gombosi dans *Acta musicologica*, 1936, et dans *MGG* ; J. Ward dans *Kgr. Ber. Utrecht*, 1952.　　D.D.

**FOLIOT.** Mus. franç., probablement de la seconde moitié du XVᵉ s., auteur d'un *Regina caeli* à 2 v. en canon double, conservé en ms. à la Bibl. vaticane. J. Marix, qui a édité cette pièce, en a identifié l'auteur à Philippe *F.* ou de La Folie, chantre à N.-D. de Paris en 1405, à la chapelle pontificale de 1424 à 1428, à la chapelle de Philippe le Beau de 1435 à 1441, enfin chanoine de Cambrai en 1449. M. Bukofzer a fait remarquer fort justement que cette œuvre peut difficilement être antérieure à l'époque de Josquin. Il faut donc chercher une autre identification : ce pourrait être Jean Foliot, maître de la psallette d'Angers au début du XVIᵉ s., dont le poète G. Colin écrivit l'épitaphe.　　F.L.

**FOLIOT** (*Folio*) **Edme.** Mus. franç. des XVIIᵉ–XVIIIᵉ s., né à Château-Thierry, qui fut enfant de chœur à la maîtrise de St-Paul à Paris, sous la direction de Lemercier, dirigea celles de Dreux et de Troyes (1694, 1698–99) ; en 1710, il était maître de musique de la maison professe des R. P. Jésuites de Paris, en 1726, dir. de la maîtrise de St-Paul ; la date de sa mort est incertaine ; il composa *Motet à I, II, III v.*, *avec symphonie et sans symphonie* (Paris 1710) ; dans le *Recueil d'airs sérieux et à boire de différents auteurs* publié par Chr. Ballard (Paris 1708), on trouve un air de lui. Voir S. Wallon in MGG.

**FOLKLORE MUSICAL.** L'accouplement de ces deux termes est relativement récent. Depuis quelque cent ans que le premier a été forgé (et aussitôt adopté d'enthousiasme), on dispute toujours de son acception exacte. « Science du peuple », paraît-il ; mais là déjà perce quelque confusion, puisque, dans l'usage courant, il désigne à la fois cette science et son objet. On dit aussi bien : « recherches de folklore » que : « le folklore de la France » ou « de l'Espagne ». Cet objet n'est pas encore mieux déterminé, non plus. Pour les uns, il embrasse tout ce qui constitue la vie spirituelle et matérielle d'un peuple et confine, dans ce cas, à la sociologie, dont sa préférence pour la « tradition » ne le distingue qu'à peine. D'autres le réduisent à des catégories de manifestations restreintes, sinon, comme certains savants finnois ou russes contemporains, à une seule, telle que la littérature. Le plus grand nombre, d'autre part, ne veut envisager que les faits « traditionnels ». Mais aux confins du traditionnel et de son contraire, on tâtonne sans relâche et, apparemment, sans espoir de jamais tracer une ligne de démarcation précise. Si bien qu'un Belge, jetant le manche après la cognée, a pu s'écrier : « il ne faut pas s'inquiéter de savoir où commence et où s'arrête le folklore, puisqu'on ne sait pas ce qui le caractérise ».

Voilà pour « lore » : nous y reviendrons. Quant à « folk », que signifie-t-il au juste ? La nation, telle que la délimitent les frontières politiques ? Ou les unités démographiques qu'elles enferment, considérées séparément, dans la mesure où des particularités tangibles (et souvent fallacieuses, comme la langue) permettent de les dissocier, ainsi qu'il arrive en Belgique ou en Suisse ? Ou encore la race, révélée par des traits communs frappants, qui débordent les territoires nationaux et dessinent, par-dessus les bornes des États, de vastes domaines, où voisinent, par exemple, Catalans ou Basques de France et d'Espagne, Français, Wallons, Suisses romands, ou même Allemands, Flamands belges et français, Hollandais ? Enfin, à l'intérieur de ces familles réelles ou supposées, de qui s'occupe notre science ? De la masse qui les compose, en son entier ? Ou seulement de l'un ou l'autre de ses compartiments, de telle de ses « couches sociales », et de laquelle ? Ou encore d'une fraction restreinte de ces couches, d'un sous-groupe, que les conditions matérielles de son existence (métier, habitat) isolent censément de son entourage ?

Selon leur tempérament, selon le temps et — plus encore — selon le lieu de leur activité, les érudits ont répondu à ces questions de mille manières contradictoires. En Occident, plus on approche de l'époque présente, plus on les voit embarrassés par les difficultés d'une discrimination objective, et plus ils inclinent, par conséquent, à concevoir le « peuple » comme une entité purement administrative, un complexe humain pétri par les mêmes forces historiques, économiques, spirituelles. « En prononçant ce mot », nous avertit l'un d'eux, « il faut entendre le peuple des villes autant que celui des campagnes » (les lettrés, dirions-nous, autant que les illettrés). Porté à son extrême rigueur, c'est là le point de vue actuel de la science allemande. C'est aussi, mais en général plus nuancé, celui de tous les observateurs qui ne parviennent pas, en toute bonne foi, à circonscrire, à l'intérieur de leur patrie, des zones de vie psychique opposées. En France, en Angleterre, en Italie, il n'y a pas, nous enseignent-ils, d'élite et de classe inculte exactement cloisonnées. Eût-elle jamais existé (et plus d'un en doute), la classe inculte s'est lentement dissoute dans la communauté nationale.

Mais à cela d'autres répliquent obstinément qu'un état matériel et moral « primitif », plus ancien que nous ne saurions l'imaginer, survit dans notre présent. « L'absence d'éducation » sépare, selon Cecil Sharp, le « *common people* », qui le conserve, des gens dits cultivés et, par suite, « l'exercice intuitif de qualités développées sans entraînement méthodique ». Pareillement, les lois qui règlent son comportement moral ne sont pas codifiées, mais transmises par héritage, connues de tout un chacun et acceptées sans murmure. Et ces lois ne ressemblent en rien à celles que suivent les milieux instruits.

Ce point de départ intéresse, évidemment, la recherche musicologique au premier chef et nous explique les nicertitudes sans nombre des chercheurs. Tout comme « folklore musical », vocable tardif, ses aînés *Volkslied*, *chanson populaire, folk song* et son cadet italien *etnofonia*, mettent tous en cause ce peuple dont ils étudient la pratique artistique. Et plus il se dérobe, plus la notion du folklore se fait vague, plus les cadres du problème s'élargissent, plus la sociologie l'emporte sur la critique. Ceux qui croient à une catégorie humaine primitive cohérente, dissemblable de toute autre par essence, lui accordent, de ce fait même, le privilège d'une civilisation propre, qui s'incarne en des œuvres originales. Ces œuvres n'appartiennent qu'à elle seule et, de toute nécessité, s'étiolent et s'avilissent, dès l'instant où la société qui s'y exprime déchoit et abandonne les manières de vivre, de penser et de sentir qui la définissent. Les autres, tout naturellement, estiment que la nation une et indivisible ne possède jamais que les fruits de la culture de ses classes « supérieures ». Voilà pourquoi le concept du folklore varie encore à tel point d'un pays et d'un auteur à l'autre, que le besoin s'est fait sentir d'en présenter les incessantes fluctuations en des ouvrages de synthèse, vrais répertoires de conjectures et de perplexités. Il serait certainement vain d'en recommencer ici l'énumération.

Au contraire, il importe de constater d'emblée que les théories en cours, les plus nouvelles y comprises, font toutes état des mêmes critères, soit pour les adopter soit pour en démontrer l'inanité. On les retrouve sans cesse sous les plumes les moins accordées, sans excepter celles d'« hommes cultivés », qui, à l'exemple de Davenson, repoussent tout étalon scientifique et tranchent le débat, en déclarant populaire tout ce qui leur semble tel, tout ce qui produit « certaine impression de dépaysement et d'exotisme caractéristique » et fait éprouver ce « frisson nerveux que donne la rencontre de l'inattendu ». Nous sommes donc amenés à penser que ces critères fixent, en quelque sorte, la discussion et encadrent bel et bien le problème du folklore. Notons en passant — on verra par la suite pourquoi — qu'il est question, le plus souvent, non de « musique », mais de « chanson » populaire (*Lied, song*).

Or cette chanson, selon que le théoricien qui s'en occupe est « romantique » (de l'avis de ses contradicteurs) ou « scientifique » (du sien propre) :

**1)** émane (ou, au contraire, *n'émane pas*) d'une classe sociale « inférieure », homogène et organisée, vivant en quelque sorte à l'écart de, sinon en opposition avec celle qui s'y superpose (à moins qu'à elle seule elle constitue toute la nation) ;

**2)** a (*n'a pas*) pour conditions des normes de vie particulières et l'ignorance « de toute écriture », ou, pour risquer ce mot exécré, l'analphabétisme ;

**3)** semblables conditions ne subsistant — tout au moins en Europe — que dans la paysannerie agraire ou pastorale, elle peut être (*ne doit pas être*) nommée « chanson paysanne » ;

**4)** n'empruntant, pour se propager, que la voie orale, elle ne se borne pas à circuler telle quelle, mais « provigne », c'est-à-dire subit, dans ses voyages, maintes transformations, signes de sa nature « populaire » (accord à peu près général sur ce point) ;

**5)** elle est donc « collective », parce qu'elle sert de nourriture spirituelle à des foules plus ou moins nombreuses, où les individualités se fondent et s'évanouissent, ne fût-ce que par l'uniformité de leurs préférences (là encore, peu de contestations) ;

**6)** elle est (*n'est pas nécessairement*) anonyme : on n'en

*Sahara central. Les danseuses. Musée de l'homme.*

connaît pas l'auteur et tout espoir de le retrouver est chimérique (*a de grandes chances d'aboutir*) ;

**7)** elle a été (*n'a été en aucune mesure*) créée par le peuple lui-même, compris comme une personnalité une et multiple ; sa source est (*ne peut matériellement pas être*) dans l'« âme mélodieuse du peuple », d'où elle jaillit spontanément ;

**8)** elle présente donc (*ne présente pas toujours*), par rapport à la musique savante, des « différences techniques » (Sharp) essentielles et définissables.

Les polémiques exploitent des arguments aussi nombreux que variés. Ainsi, cette classe sociale illettrée, à laquelle d'aucuns attribuent une civilisation spécifique, n'est, aux yeux des esprits positifs, qu'un pur postulat théorique, une abstraction, qui fait violence à la réalité, attendu qu'en aucun pays d'Europe (occidentale, notamment) un fossé ne coupe la nation en deux. L'instruction scolaire, par exemple, y est aujourd'hui plus ou moins diffuse dans tout l'organisme social ; chacun y participe malgré lui, et alors même que, par hasard, il ignorerait l'alphabet. L'écrit et l'imprimé y sont partout présents ou, du moins, leurs effets se font partout sentir. Entre la ville, siège de la « haute culture », et la campagne, soi-disant primitive et arriérée, des échanges actifs et ininterrompus se poursuivent depuis toujours, et, pour la France, Davenson nous en nomme les agents : variétés sociales telles que bourgeoisie et petite noblesse rurale ; domesticité (« qui recevait un vernis de culture au château ou à la ville..., et le rapportait si fièrement ou village ») ; clergé, intermédiaire séculier ; représentants d'un « art mineur, qui ménage la transition entre le grand art... et le goût des humbles » et qui de la ville passe aux foires et aux marchés des bourgs provinciaux ; chansonniers, dont la généalogie remonte au XVIIe s. (Pont-Neuf, théâtre de toile de la porte Saint-Jacques, théâtre de la foire Saint-Germain, théâtres « des boulevards » ensuite ; et aussi « cabarets », qu'on peut suivre à la trace jusqu'aux temps de Villon et de Rabelais : tous lieux où se produisent des auteurs de « deuxième zone ») ; sans oublier tous les lettrés et demi-lettrés campagnards de haute ou de basse extraction, à qui l'on doit des monceaux de noëls et de pièces patoises.

Et le mouvement n'est pas moins intense en sens inverse : imitation des formes populaires par les trouvères, paraphrases des cris de la rue par Charles d'Orléans ; utilisation des chansons de la rue par les polyphonistes du XVIᵉ s. (et des précédents) ; témoignages de l'intérêt des grands écrivains pour les « villanelles de Gascogne » et ce qui leur ressemble ; ingénuités bucoliques de l'opéra-comique ; bergeries de Trianon ; enfin, au XIXᵉ,

sociologue, allemand lui aussi, Mackensen, nous instruit en termes saisissants du mécanisme de cette stratification : à l'origine, « chevalier et paysan », écrit-il, « se différencient bien par l'inégalité de leur condition et la disparité de leur mœurs, mais se ressemblent par une égale inculture, donc par une représentation identique du monde ». Le tableau sociologique ne change que lorsque prend naissance un patriarcat citadin, classe nouvelle de laïcs, qui non seulement se façonnera de nouveaux usages, mais sera également contrainte, pour des raisons personnelles et fort terrestres, de prendre part à l'« instruction », jusque-là privilège professionnel

*Sifflets en ivoire ou en corne, provenant des Cataractes, du Stanley Pool, du Kassaï et du Katanga*
*(cons. de Bruxelles).* A.C.L.

engouement général, pastiches innombrables, recueils, traités. Dans tout cela, rien que d'exactement vrai.

Et pourtant, l'opinion contraire compte des partisans passionnés, et qui l'expriment en termes catégoriques. « C'est le peuple illettré », s'exclame plus d'une fois Tiersot, « qui conserve encore la tradition », et il rappelle un rapport du directeur de musique de Tokio, disant qu'au Japon la musique populaire « est restée pendant des siècles dans la classe la plus ignorante de la société ». Pareillement — je cite au hasard — dans la préface d'un recueil de chansons du département de l'Ain, Gabriel Vicaire se plaint de ce qu'« il n'existe nulle part un divorce plus radical » qu'en France entre le monde urbain et le villageois. Le plus récent des écrits sur ces questions, les *Chants des provinces françaises* de Joseph Canteloube, recommande « d'étudier dans les campagnes » les « précieux restes d'immémoriales traditions », et il ajoute : « car c'est bien là que réside la vraie chanson populaire, qu'il serait plus exact de nommer *le chant paysan* » (même terme chez tant d'autres). Un Allemand soutient qu'une chanson populaire, au sens où nous l'entendons aujourd'hui, ne saurait s'imaginer qu'à partir de l'instant où l'unité spirituelle de la nation cède la place à une stratification sociale, c'est-à-dire, dès lors seulement que prend corps une classe « supérieure ». Un

des seuls ecclésiastiques. Ainsi commence une évolution qui désagrégera la communauté : le « peuple », autrefois, dans une large mesure, intérieurement uni, se divise en deux castes : « inculte » et « cultivée », qui le déchirent jusqu'à ce jour.

Les sceptiques estiment que l'impossibilité de circonscrire l'aire de l'illettré a pour corollaire inéluctable la négation d'un répertoire poétique et musical qui ne soit qu'à lui. Et les preuves de pleuvoir. « En Valais », raconte plaisamment Paul Budry, « si vous pensez, parce qu'ils sont quatre sur un banc à ne rien faire qu'à avoir envie de chanter, tomber sur l'occasion d'entendre un de ces airs qu'ils ont, où soupire, on dirait, la mélancolie cosmique, gageons qu'ils vous offriront *Ma Normandie* ou *Montagnes Pyrénées*, ou bien... *Allons ramasser les épis laissés* de Doret, ou *Là-haut sur la montagne l'était un vieux chalet* de Bovet... A Quimper on ne fait pas autrement ; à la fête des reines, on chante *Le cœur de ma mie* de Jaques-Dalcroze, aux sons des binious. » — Après avoir dicté quelque soixante-quinze chansons, un paysan du Quercy confie à Canteloube : « J'en sais encore une ! Je l'ai gardée pour la fin, parce que c'était la plus belle ». Sur quoi, il se lance à corps perdu dans un air de *Faust*. — En Auvergne, un autre s'enorgueillit d'une version patoise de *Viens, poupoule* ; un troisième, d'une variante d'*O ma Rose-Marie*.

Tiersot a pu ramener la majeure partie du contenu des plus anciens chansonniers qu'il ait trouvés et dont l'un remontait au XVIII<sup>e</sup> s., à des modèles « artistiques » imprimés. Sans doute, on nous explique, que l'inculte oublie les noms d'auteur ou n'en a cure ; mais les auteurs n'en sont pas moins réels et leurs produits, privés de signature, n'en restent pas moins leur propriété. Parfaitement fortuit, l'anonymat ne nous apprend rien d'essentiel et n'autorise aucun jugement sur la nature de l'œuvre. Cette œuvre nous parvient-elle anonyme ? C'est que le nom de qui l'a faite s'est égaré en route. A supposer que ce fût un paysan et qu'on retrouve un jour sa trace, cesserait-elle, ce jour-là, d'être populaire ? Mais dans l'autre camp, on ne l'entend pas de cette oreille-là. Des spécialistes éprouvés, exempts de toute coloration « romantique » et, au surplus, rompus aux investigations « sur place », connaissent donc la matière par l'étude autant que par l'expérience, s'ils conviennent que l'anonymat ne saurait être une cause, en font, en échange, une inexorable « condition » (Sharp). Le Hongrois Laszlo Lajtha, l'un des plus avertis, renchérit même : en fait, croit-il, ce n'est pas tant de l'anonymat en soi qu'il s'agit ici, mais de l'« absence totale de tout auteur », du caractère foncièrement « collectif » de cet ordre de manifestations artistiques, sur lequel tous, et Béla Bartók le premier, ont insisté, à tour de rôle. C'est qu'en effet — nous l'avons vu — l'accord est, sur ce point, complet, à cela près que, au gré des uns, il n'y a de collectif que l'usage, l'adoption unanime, alors que leurs contradicteurs découvrent le collectif dans la genèse même des chants, dans leur manière de surgir et de se parfaire.
Et nous voilà au cœur de la grande querelle qui divise, plus que toute autre, les folkloristes et ne cessera pas de sitôt de les diviser : le problème de la création demeure le thème de leurs controverses les plus vives et parfois les plus confuses. L'incertitude, ici, est double. Tout d'abord, conçoit-on un acte créateur non localisé, une collaboration universelle, en quelque sorte tacite, à une même œuvre, un cerveau innombrable travaillant comme un organe unique ? Assurément non, répond-on, de ce côté de la barricade : la mystique seule peut imaginer pareil mécanisme, ou plutôt y croire aveuglément, mais la saine raison s'y refuse. Ce n'est pas la masse tout entière qui crée, mais seulement quelques personnalités bien douées (« poètes naturels, qui sont poètes sans le savoir »), agissant, pour ainsi dire, en qualité de mandataires de l'ensemble dont ils sont issus : celui-ci recueille leurs trouvailles et les propage. A quoi Bartók, expert éminent, rétorquera : « Il n'y a absolument aucun indice que des individualités paysannes (« *Bauern-Individuen* ») aient jamais inventé des mélodies, ce qui d'ailleurs s'expliquerait malaisément, du point de vue psychologique ».
Deuxième question (déjà effleurée, car tout ici se tient) : quelles que soient les modalités de leur manifestation, le peuple possède-t-il, oui ou non, des dons créateurs ? Pour les devanciers romantiques et leur descendance, aucun doute : depuis la mémorable sentence de Jacob Grimm : « De même que toute chose bonne dans la nature, les chansons populaires émanent en silence de la force tranquille du tout », ils ne cessent de répéter que le peuple est bien le « compositeur insaisissable » de la musique qu'il chante, « créée par lui et pour lui ». La chanson populaire, dit avec force Tiersot, est l'« art des illettrés ». « Le peuple fait ses chants. — Le peuple est le seul initiateur » (Canteloube).
Nullement, réplique l'école qui se veut réaliste. Tout art a sa demeure aux sommets de l'édifice social, d'où il filtre lentement vers les profondeurs, pour y prolonger, réduit à ses rudiments, une vie obscure. Là, il n'est plus que l'« écho appauvri d'un art à la mode », une imitation malhabile, un bien de culture déchu (« *gesunkenes Kulturgut* »). Musique, costumes, parures, meubles rustiques ne sont que serviles copies de patrons citadins. Le peuple ne peut que recevoir, accepter, s'approprier, et si quelques-uns en ont jugé autrement, c'est que leur information était en défaut, d'où le nombre incalculable de bévues qu'une érudition impartiale s'efforce aujourd'hui de corriger une à une. Chacun sait maintenant qu'*Ich hatt'*

*einen Kameraden* est d'Uhland, *Ich weiss nicht, was soll es bedeuten* de Heine ; *Au clair de la lune* et *Le bon roi Dagobert* ne sont que des scies de la fin du XVIII<sup>e</sup> s. ; *Cadet-Rousselle* se chante sur un air de contredanse parisienne de la même époque. Coussemaker a pu prendre pour « authentiquement thiois » une composition signée et datée 1712 et une danse ; le vicomte de Puymaigre s'est laissé tromper par une romance de Loïsa Puget ; Maurice Emmanuel n'a pas reconnu une ariette d'opéra-comique ; Van Gennep a pris note, sans sourciller, d'une chanson de Maurice Bouchor.
Il est vrai que de semblables faits, la plupart des savants français n'entendent tirer qu'un correctif à un enthousiasme trop confiant dans les miracles du génie populaire. Mais, en Allemagne, on est allé plus loin. John Meier y a identifié les originaux livresques de plusieurs milliers de pièces, et de là à conclure à l'inexistence complète d'un fonds spécifiquement rural et à la complète carence de la faculté créatrice chez les ruraux, il n'y avait qu'un pas ou un faux-pas : la *Rezeptionstheorie* l'a hardiment franchi. Dès lors, où donc le peuple va-t-il prendre son bien ? Où il le trouve, pensent nos positivistes, et il ne peut le trouver — encore une fois — que chez les intellectuels et dans les villes qu'ils habitent ou dont ils sont tributaires. De là, il lui parvient par les canaux énumérés à l'instant, pour la France, et dont on retrouve le pendant ailleurs (en Allemagne, Liliencron en voit l'équivalent dans les chanteurs et instrumentistes ambulants instruits). Un folkloriste français a comme une idée que les créateurs des chansons populaires seraient « les ménestrels, troubadours et trouvères » ; sentiment qu'un de ses émules partage : « Il est permis de conjecturer », d'après celui-ci, « que les auteurs anonymes se sont inspirés, pour la musique, du plain-chant de l'Église, *la seule musique qui fût à leur portée* ; pour les paroles, des jongleurs du commun ». Nous allions, en effet, oublier l'Église ! Mais Vincent d'Indy s'en est bien souvenu lorsqu'il reproduisait (ou retrouvait) presque mot à mot le jugement précédent. C'est à la cantilène grégorienne, affirme-t-il, que le peuple, « alors religieux », a emprunté la *Pernette*, puisque, en ces temps reculés, « il ne connaissait d'autre musique » que celle de la liturgie.
Mais à supposer qu'une production artistique populaire existe réellement, elle portera sans faute la marque de son origine, les signes de la mentalité singulière qui s'y matérialise. Elle offrira donc, comparée à l'autre — à la « nôtre », comme on a dit — des dissemblances distinctives, éléments matériels tangibles de son originalité. A qui mieux mieux, les défenseurs de la muse rurale s'appliquent à saisir, à décrire, à inventorier ces « différences techniques » déterminantes, nous verrons tantôt avec quel succès. Besogne singulièrement décevante en Allemagne, dirait-on, puisqu'un récent écrit qui nous en vient déclare tout net qu'on ne saurait fonder aucune distinction d'espèce sur des caractéristiques musicales, quelles qu'elles soient. A quoi se réduirait, en ce cas, l'apport du peuple à une musique dite, malgré tout, populaire ? A la seule contribution que tout le monde s'accorde à lui reconnaître, à savoir la « variation », à ces altérations multiformes que lui fait subir le « droit souverain » (« *Herrenrecht* ») que le peuple s'arroge sur elle. Depuis plus d'un siècle, tous les musicologues les ont constatées. Villoteau s'en étonnait déjà, en Égypte, et après lui, Ambros remarque que des enquêteurs contemporains, tels qu'Amiot et Barrow, n'ont pas entendu des versions exactement semblables des mêmes mélodies chinoises. Depuis, sans doute, n'est-il point de publication qui ne rende compte de l'instabilité du fait musical paysan.
Un léger désaccord ne porte, cette fois, que sur la signification du phénomène, non sur sa réalité. Certains n'y voient que vicissitudes accidentelles, inévitables « accidents de circulation », sans grande portée : « défaillance du souvenir », transferts ou mutilations arbitraires, amplifications dues à des réminiscences de hasard. Les Allemands appellent cette perpétuelle décomposition et recomposition des mélodies et des poèmes *zersingen*. Mais le préfixe *zer* comporte une nuance de destruction : *zerfallen* = tomber en poussière, entièrement ruiné, *zerfleischen* = déchirer à belles dents, déchiqueter. Un

Lied *zersungen* est donc un Lied fait de pièces et de morceaux pris à des prototypes disloqués : à suivre les voies de leur déchéance se bornerait toute la tâche du folklore. Peu importe la provenance : tout ce qui provigne dans le peuple, décide Mersmann, est populaire. Et Gérold lui emboîte le pas : « La première origine d'une chanson populaire n'a au fond que peu d'importance, il n'est pas nécessaire qu'elle soit née au sein du peuple, elle peut être issue d'un milieu bourgeois ou courtois. Pour qu'elle devienne populaire, il faut qu'elle se répande dans les différentes classes de la société, qu'elle soit adoptée par elles » ; alors elle « a perdu son caractère de création individuelle, elle est devenue la chose de tout le monde ». C'est ce que Saintyves redit en 1933 : « Pour qu'une chanson soit populaire, il n'est pas nécessaire qu'elle ait été créée entièrement ou même entièrement réfectionnée ou renouvelée par lui. Est populaire tout ce qui, ayant été créé pour le peuple par des individus lettrés ou quasi-lettrés, a été adopté par des groupes de paysans ou d'artisans sans culture et transmis, dès lors, de bouche à oreille, pendant un temps assez long, une cinquantaine d'années, par exemple. »
On en était exactement là en 1944 : « Ce qui compte, ce n'est pas ce dont provient une chanson populaire, mais ce qu'elle est devenue... Peu importent les modalités de sa genèse » (Davenson). A ce taux, et à moins que l'imprimé ne vienne sans cesse rétablir le texte officiel, le *Cantique suisse* ou la *Marseillaise* seraient populaires par excellence, non moins que le *Horst Wessel-Lied* national-socialiste, dont je fais mention parce que la musicologie trans-rhénane l'avait déjà pris sous la loupe. C'est pourtant un Allemand, Hensel, qui raccorde ces vues extrêmes à celles du groupe ennemi. Le vocable *zersingen* lui déplaît, à bon droit, par ce qu'il y sent à la fois de péjoratif et de négatif, alors que les transformations opérées par le peuple, loin de corrompre l'« incorruptible matière » qu'elles modèlent, auraient pour heureux effets une refonte (« *Abwandlung* ») et une rénovation (« *Neugestaltung* »).
C'est bien ainsi que l'entendent Bartók ou Lajtha, qui vont même jusqu'à chercher dans la variation la clef du grand mystère de la création populaire. Du premier : « En tous ceux qui des conditions identiques telles que la langue, les occupations, le tempérament, un étroit contact quotidien, un isolement plus ou moins complet du monde extérieur rapprochent jusqu'à les fondre en un tout compact, l'instinct de variation (« *Variations-strieb* ») s'exerce de la même manière inconsciente et donne naissance à des groupes de mélodies homogènes, par un lent travail d'unification des éléments musicaux dont ils disposent. » Et du second : « La musique populaire est, par excellence, l'art de la variation. — La musique populaire produit du nouveau par un processus de variation. — Le penchant pour la variation et la spontanéité ... assurent ... la force, la capacité d'évolution, la vie de la musique populaire, qui se manifeste tant que celle-ci conserve sa malléabilité et sa ductilité. »
*Grosso modo*, voilà donc les thèses en présence. Mises à part certaines outrances, plusieurs malentendus et diverses omissions curieuses (que nous relèverons chemin faisant), le moins qu'on puisse dire, c'est qu'il ne s'en dégage aucune notion objective du « populaire » et que, par conséquent, elles ne délimitent en aucune façon la sphère du folklore. Bien qu'elles prétendent à une validité générale, les objections aux critères réputés romantiques, par exemple, sont toutes puisées dans l'observation d'un état de choses à la fois local et temporaire et n'opposent, à tout prendre, aux professions de foi candides des précurseurs et de leurs héritiers qu'une description — d'ailleurs flottante à l'excès selon l'observateur — d'une situation artistique particulière, à un moment donné. Invoquant sans cesse la science, ces objections en violent même, à l'occasion, les prescriptions les plus catégoriques : ainsi, pour faire tenir debout la *Rezeptionstheorie*, il a fallu établir une distinction absolument artificielle entre la chanson allemande (et allemande seulement !) ancienne (« *älteres Volkslied* ») — qu'elle néglige — et la récente (« *neueres Volkslied* ») — à laquelle elle s'applique, alors que, de toute évidence :

1. le répertoire populaire d'une nation peut évoluer ou dégénérer, s'enrichir ou s'appauvrir, mais reste, en tout état de cause, un tout (à moins que cette nation cesse d'être un « peuple » et ce répertoire d'être « populaire ») ; 2. on ne peut, à la fois, faire abstraction

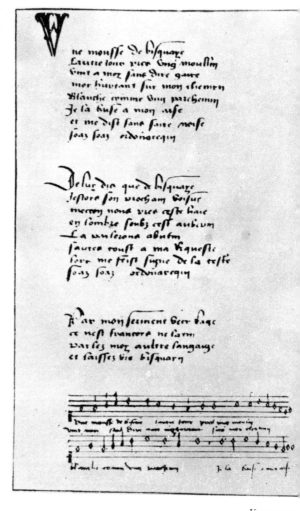

*Une mousse*

*Chanson*

de la nature des objets étudiés et fonder sur elle une discrimination scientifique ; 3. les comparatifs « *älter* » et « *neuer* » indiquent assez combien — à la supposer valable — cette discrimination à peu de consistance dans l'esprit même de ceux qui l'établissent.
En fin de compte, ce qu'il nous importe de savoir n'est pas si en France, en Suisse, en Belgique ou dans quelqu'une de leurs provinces, les théories contestées se vérifient ou non. Mieux vaudrait élucider si, en quelque endroit du monde et à quelque époque que ce fût, pareilles causes et pareils effets peuvent ou ont pu être constatés. Dans l'affirmative, il faudrait admettre que le « folklore à l'état pur » existe réellement dans le concret, et son analyse nous fournirait la mesure de toute chose en ce domaine : une définition qui servirait en quelque sorte d'étalon et permettrait de substituer aux critères relatifs et perpétuellement remis en cause que chacun tire d'une expérience personnelle bornée, des normes d'autant plus scientifiques qu'elles tiendraient compte d'un plus grand

nombre de faits contrôlés et comparables. Souscrivant à l'axiome de von Greyerz (et d'autres) : « Il y a divers degrés du populaire », nous jugerions alors l'objet musical *plus ou moins* folklorique selon qu'il se rapprocherait ou s'écarterait davantage d'un concept absolu, qui nous

de Bisquaye.

du XVᵉ s.

mettrait à même de déterminer, avec une approximation tolérable, sa « teneur » en substance populaire.

Commençons par la notion du « peuple », compris comme catégorie sociale autonome, étrangère à toute culture livresque, ignorant la loi écrite, l'industrie mécanique, l'économie ouverte. Et demandons-nous si pareille société se voit et s'est jamais vue nulle part. On éprouve quelque gêne à débattre des questions à ce point puériles. Mais enfin, les textes sont là qui répondent non. C'est à croire que les folkloristes laissent aux seuls ethnographes le soin de lire les récits des explorateurs, qui leur fournissent mille exemples de ces sociétés archaïques. Les « primitifs » (que les Allemands appellent « *Naturvölker* », pour bien marquer qu'ils vivent dans cet « état de nature » que nos musicologues n'arrivent pas à se représenter) en offrent des types variés, plus ou moins purs, et chacune de ces sociétés — les Koubous de Sumatra et les indigènes de l'Australie centrale y compris — possède une musique, sinon instrumentale,

du moins vocale et qui est « populaire » au sens premier et absolu du mot. La *Volkskunde* (par opposition à la *Völkerkunde*) objecte que le primitif n'est capable d'inventer que des formules musicales rudimentaires, vagissements amorphes, sans le moindre rapport avec ce que nous avons coutume de nommer une « mélodie ». (Pour faciliter les confrontations, plusieurs des notations musicales citées dans ce travail ont été transposées et les valeurs de quelques-unes réduites de moitié. En outre pour des raisons qu'il serait fastidieux d'exposer, certaines barres de mesure ont été déplacées ou remplacées par des barres pointées. Il va de soi que, dans tous les cas, la mélodie même n'a pas été touchée).

Mais le musicologue pourra répondre que de tels « vagissements » se retrouvent dans la bouche des enfants d'Europe, dont il sera encore question :

Sans aller jusqu'en Océanie, il y a pour le moins quarante ans que Bartók a rendu compte des conditions qui régnaient au temps de ses premières recherches dans certaines régions de l'Orient européen : en y pénétrant, on se serait cru transporté, tout d'un coup, dans un autre monde et dans un autre âge. Telles qu'il les peint et telles que nous les connaissons, les populations qui habitaient là ne savaient guère lire ni écrire, se déplaçaient très rarement, bâtissaient leurs maisons de leurs propres mains, construisaient elles-mêmes leurs chariots, tondaient elles-mêmes leurs moutons et tissaient le drap de leurs vêtements sur leurs propres métiers, n'achetaient presque rien aux marchands de la ville et, par endroits, ne pratiquaient même pas l'échange monétaire. Entre elles et la mince couche « supérieure », les rapports se réduisaient à fort peu de chose, sans compter que, jusque dans un proche passé, cette couche ou bien faisait encore défaut ou bien ne consistait que dans une noblesse administrative qui, plus d'une fois, posait au bas des parchemins calligraphiés par ses scribes l'empreinte de son pouce, en guise de signature. Et même dans un milieu de cette sorte, les souvenirs des vieillards permettent toujours de reconstituer un monde plus patriarcal encore, dont les traits saillants — là comme ailleurs — sont invariablement : économie domestique fermée, analphabétisme, uniformité des occupations, mobilité réduite, d'où ressemblance, sinon identité, des pensées et des sentiments individuels et fonction effacée de l'individu.

Le peu de cas fait en Occident de ces indications se comprend assez mal. On comprend plus mal encore que les défenseurs de la pure « réception » n'aient pas cru devoir déduire quelque enseignement du fait que les idées de Herder, si suspectes à leurs yeux, sur le peuple et son art se sont formées, dans les pays baltes, au contact d'une « *Gemeinschaft* » sans doute assez semblable à celles que nous venons de décrire, donc au contact de la réalité. Qu'elles ne valaient déjà plus pour l'Allemagne de la fin du XVIIIᵉ s., on ne saurait le contester, comme on ne saurait nier que toute la société rurale occidentale n'a cessé de se désagréger, à mesure que l'emprise de la bourgeoisie citadine devenait plus puissante. Et, par comparaison, les observations faites à l'Est ont donné le moyen de connaître cette dégradation à un stade relativement précoce et de rétablir les phases d'évolutions manifestement analogues : elles démontrent que partout où la scission de l'organisme social s'est, en effet, opérée à partir de l'instant où a pris corps une classe instruite et que le déclin de l'antique civilisation rurale s'accentue partout dans la mesure où elle se dépersonnalise, en s'assimilant les modes bourgeoises urbaines. Que des dissimilitudes fondamentales séparent « le peuple », multitude peu différenciée et, selon nos conceptions, ignorante, de ceux qui détiennent la culture livresque, les témoignages des ruraux eux-mêmes en font foi, telle cette curieuse expression de l'un d'entre eux, « nous autres gens du paysage », qui prouve combien vivement ils ressentent certaines incompatibilités.

*Ensuite :* la résorption de la fraction rurale disparate par la nation moderne urbanisée est-elle vraiment achevée, çà et là, à l'heure présente ? Et du même coup, son œuvre artistique a-t-elle dépéri au point qu'on n'en puisse plus exhumer, aujourd'hui, que d'informes · débris ? Plus d'un nous l'assure, et sans doute, l'art d'une civilisation agonisante n'apparaît-il plus au grand jour : devant le flot irrésistible des alluvions, il recule, pas à pas, et finit par se terrer en de rares abris, où il attend d'être dépisté. Néanmoins, des régions les plus imprévues, parce que les plus ouvertes aux infiltrations, on nous rapporte encore, bon an mal an, des documents si précieux que l'on en vient parfois à douter de la capacité ou du zèle des explorateurs les plus pessimistes.

Si Budry n'attend plus des bergers du Valais que des scies montmartroises, c'est pourtant d'un enfant valaisan de 12 ans que Frank Martin tient ceci, qui n'est guère savant et qui, de plus (détail qu'il convient de relever au passage), lui a été chanté « à pleine voix, d'une façon continue, un peu comme une cornemuse » (Les vers *Et l'on rencontra les Anglais* et *Nous la ferons venir de Londres, Car ta blessure est bien profonde* sont douteux) :

Il faut partir pour l'Angleterre,
Il faut partir pendant la guerre,
Et l'on rencontra les Anglais
Et l'on commença à tirer.

On tira bien cinq à six heures,
Sans pouvoir faire aucune chose.
Le capitaine il a passé :
— Y a-t-i' quelqu'un qui soit blessé ?

— Blessé, ah ! oui, mon capitaine,
C'est notre jeune porte-enseigne.
*(Manquent deux vers)*

— Si j'ai un regret dans ce monde,
C'est de mourir sans voir ma blonde.
— Si ta blonde peut t'soulager,
Nous la ferons arriver ;

Nous la ferons venir de Londres,
Car ta blessure est bien profonde.
Quand la blonde fut arrivée,
Elle s'y mit à pleurer.

— Ne pleure pas, fille de Londres,
Car ma blessure n'est pas profonde.
— J'engagerai mon jupon blanc,
Ma montre en or, mon diamant.

J'engagerai mêm' ma ceinture,
Si je peux guérir ta blessure.
— N'engage pas ni jupon blanc,
Ni montre en or, ni diamant,

N'engage pas ni ta ceinture,
Mon âme doit partir pour l'autre monde.

Une étude célèbre de Szadrovsky nous parle longuement, dans la 2e moitié du siècle dernier, de l'*Alpsegen* (bénédiction de l'Alpe, à moins que *Segen* n'ait là un acception antique, voisine de *charme, incantation*) et du *Betruf* (prière récitative, invoquant pour le troupeau et ses gardiens la protection de nombreux saints), que les Suisses avaient coutume de faire entendre le soir, sur les hauts pâturages. Un très docte petit ouvrage sur la mélodie alpestre certifie, en 1942, que ces vestiges d'un passé légendaire ont, sombré dans l'oubli. Et pourtant, v. 1900, Schering a noté un *Betruf* à Melchtal, et, tout dernièrement, les appareils enregistreurs du studio radiophonique de Bâle ont encore pu en capter un autre, et le plus librement improvisé, le plus typique, le plus « populaire » enfin qui se puisse imaginer. Et c'est un gamin, né et grandi dans un faubourg de Belfort, qui a dicté à Samuel Baud-Bovy, en 1945 (entre autres) :

D'autre part, s'il est vrai que l'étude d'un art décadent est en quelque sorte besogne d'archéologue, on n'en est pas moins en droit de juger insuffisants les moyens dont cette étude se contente encore, en général.

« Quand on demande à un paysan des chansons populaires », nous a-t-on appris, « il offre tout son répertoire, où se juxtaposent, sur un même plan, des chansons importées de la ville, romances, succès de music-hall ». D'où il faudrait inférer que le folkloriste ne saurait faire autrement que de tout recueillir, s'il entend donner une image fidèle de la situation musicale réelle.

J'ai, pour ma part, tout lieu de douter que, aux yeux d'un informateur rural, quel qu'il soit, toutes les pièces que sa mémoire abrite aient une égale importance et se placent « sur un même plan ». Ne perdons pas de vue que les unités dont se compose son répertoire ressemblent à des objets d'usage courant, plus ou moins employés, selon ses propres goûts et selon leur signification sociale. Elles sont loin de jouir toutes, constamment, d'une popularité invariable. Les unes courent les rues ; d'autres se confinent dans un cercle exigu, sinon dans le souvenir d'un seul ; d'autres encore ne conviennent qu'aux femmes ou aux hommes, aux jeunes gens ou aux vieillards. Elles sont, autrement dit, plus ou moins *fréquentes*. En dresser un simple catalogue reviendrait souvent à donner de la réalité, sous couleur d'objectivité, une reproduction faussée et à faire de la statistique ce « mensonge en chiffres » qu'on l'accuse d'être quelquefois.

C'est de quoi il m'a été donné de m'apercevoir lorsque, ayant ainsi procédé dans un village de Transylvanie, remarquablement conservateur et remarquablement conservé, j'ai mesuré à quel point mon inventaire impartial contredisait l'expérience acquise par la fréquentation prolongée de mes chanteurs : alors que j'avais sans cesse admiré la persistance de l'ancien dialecte musical autochtone, ce registre inanimé donnait au contraire à penser que sa ruine était, à peu de chose près, consommée. Sur les quelque 150 mélodies qui y figuraient, une vingtaine, tout au plus, se rattachaient au style archaïque de l'endroit ; le reste n'était que gaudrioles de faubourg, couplets de revues, odes patriotiques de douzaine. Pour essayer de rétablir la vérité, en mesurant le degré de fréquence de chaque pièce il fallait donc imaginer quelque stratagème. Après maintes hésitations, je finis par m'arrêter à celui-ci : tenant compte, scrupuleusement, des données arithmétiques réunies par un recensement démographique antérieur et de critères de sélection déjà éprouvés ailleurs (âge, sexe, instruction, déplacements etc.), je constituai une manière de députation de village, doublée, pour plus de sécurité, d'une équipe de contrôle. Les noms de tous les personnages choisis furent ensuite inscrits sur des fiches, à la suite des *incipit* de toutes les mélodies, et l'on demanda à chacun de nos sujets s'il connaissait ou non ces mélodies, en consignant ses réponses, affirmatives, négatives ou ambiguës, au moyen des trois signes : +, 0 et (0).

Les fruits de cette laborieuse manœuvre devaient, plus d'une fois, valoir la peine prise pour les acquérir, puisqu'il a été possible, par exemple, de prouver que tel chant antique conservait toute sa vigueur :

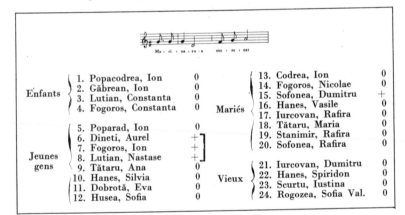

| Enfants | | | | Mariés | | |
|---|---|---|---|---|---|---|
| | 1. Popacodrea, Ion | + | | | 13. Codrea, Ion | + |
| | 2. Găbrean, Ion | + | | | 14. Fogoros, Nicolae | + |
| | 3. Lutian, Constanta | + | | | 15. Sofonea, Dumitru | + |
| | 4. Fogoros, Constanta | + | | | 16. Hanes, Vasile | + |
| | | | | | 17. Iurcovan, Rafira | + |
| | 5. Poparad, Ion | + | | | 18. Tătaru, Maria | + |
| | 6. Dineti, Aurel | + | | | 19. Stanimir, Rafira | + |
| | 7. Fogoros, Ion | + | | | 20. Sofonea, Rafira | + |
| Jeunes gens | 8. Lutian, Nastase | + | | Vieux | 21. Iurcovan, Dumitru | + |
| | 9. Tătaru, Ana | + | | | 22. Hanes, Spiridon | + |
| | 10. Hanes, Silvia | + | | | 23. Scurtu, Iustina | + |
| | 11. Dobrotă, Eva | + | | | 24. Rogozea, Sofia Val. | + |
| | 12. Husea, Sofia | + | | | | |

alors que seule la jeunesse pratiquait telle nouveauté venue en droite ligne des barrières de la capitale :

| Enfants | | | | Mariés | | |
|---|---|---|---|---|---|---|
| | 1. Popacodrea, Ion | 0 | | | 13. Codrea, Ion | 0 |
| | 2. Găbrean, Ion | 0 | | | 14. Fogoros, Nicolae | 0 |
| | 3. Lutian, Constanta | 0 | | | 15. Sofonea, Dumitru | + |
| | 4. Fogoros, Constanta | 0 | | | 16. Hanes, Vasile | 0 |
| | | | | | 17. Iurcovan, Rafira | 0 |
| | 5. Poparad, Ion | 0 | | | 18. Tătaru, Maria | 0 |
| | 6. Dineti, Aurel | + ] | | | 19. Stanimir, Rafira | 0 |
| | 7. Fogoros, Ion | + ] | | | 20. Sofonea, Rafira | 0 |
| Jeunes gens | 8. Lutian, Nastase | + ] | | Vieux | 21. Iurcovan, Dumitru | 0 |
| | 9. Tătaru, Ana | 0 | | | 22. Hanes, Spiridon | 0 |
| | 10. Hanes, Silvia | 0 | | | 23. Scurtu, Iustina | 0 |
| | 11. Dobrotă, Eva | 0 | | | 24. Rogozea, Sofia Val. | 0 |
| | 12. Husea, Sofia | 0 | | | | |

et qu'une ballade, très vénérable, mais rapportée de loin par le vieux berger transhumant qui nous l'avait communiquée, ne vivait plus que par lui :

| Enfants | | | | Mariés | | |
|---|---|---|---|---|---|---|
| | 1. Popacodrea, Ion | 0 | | | 13. Codrea, Ion | 0 |
| | 2. Găbrean, Ion | 0 | | | 14. Fogoros, Nicolae | 0 |
| | 3. Lutjan, Constanta | 0 | | | 15. Sofonea, Dumitru | 0 |
| | 4. Fogoros, Constanta | 0 | | | 16. Hanes, Vasile | 0 |
| | | | | | 17. Iurcovan, Rafira | 0 |
| | 5. Poparad, Ion | 0 | | | 18. Tătaru, Maria | 0 |
| | 6. Dineti, Aurel | 0 | | | 19. Stanimir, Rafira | 0 |
| | 7. Fogoros, Ion | 0 | | | 20. Sofonea, Rafira | 0 |
| Jeunes gens | 8. Lutjan, Nastase | 0 | | Vieux | 21. Iurcovan, Dumitru | 0 |
| | 9. Tătaru, Ana | 0 | | | 22. Hanes, Spiridon | 0 |
| | 10. Hanes, Silvia | 0 | | | 23. Scurtu, Iustina | 0 |
| | 11. Dobrotă, Eva | 0 | | | 24. Rogozea, Sofia Val. | 0 |
| | 12. Husea, Sofia | 0 | | | | |

Encore cette enquête ne nous renseignait-elle que sur la diffusion de chaque exemplaire mélodique dans la communauté villageoise entière, c'est-à-dire sur ce qu'on pourrait appeler sa fréquence « horizontale », non sur l'intensité de l'usage individuel ou, si l'on veut, sur la fréquence « verticale ».

La perspicacité d'Arthur Rossat, aiguisée par l'exploration personnelle, que rien ne remplace, a également fait bonne justice de l'argument que les vieux chansonniers semblent fournir contre la primauté du fonds populaire, par rapport aux nouveautés d'importation urbaine. L'absence de ce fonds, dans les cahiers manuscrits des paysans, prouve, selon lui, sa verdeur, non sa décrépitude, et c'est, au contraire, lorsqu'on l'y voit apparaître que son déclin débute. Rossat se demande, en effet, « si tous ces gens-là n'avaient pas... un double répertoire : les vieux chants transmis oralement, que tout le monde savait par cœur à cette époque et *qu'il était inutile d'écrire* ; puis les « chansons nouvelles »... ou les chansons à la mode..., répertoire nouveau venu... qu'on copiait au fur et à mesure, *pour ne pas l'oublier* », supposition confirmée par les tables des matières des chansonniers modernes, où abondent des chansons anciennes, que menace, précisément, l'oubli. Ces remarques, pour mieux faire comprendre qu'un chant rare n'est pas nécessairement un fossile et qu'avant de conclure à la dissolution définitive de la classe inculte, des sondages méticuleux s'imposent, qui conduiront, à l'occasion, à des découvertes singulières.

Ce qui précède affirme implicitement l'existence d'une musique populaire dissemblable de la savante autant que ceux dont l'une ou l'autre est l'aliment spirituel. Mais nous savons déjà qu'il s'est trouvé des érudits pour en disconvenir (en s'aidant, il est vrai, du subterfuge qu'on a vu). A quoi rimeraient alors, dès le XVIᵉ s., des distinctions telles que « toutes sortes de chansons *tant musicales que rurales* » ou « *tant de musique que rustiques ?* » Tiendra-t-on pour rien les innombrables recueils est-européens, où rien ne nous paraît familier (je songe, par exemple, à celui du Russe Paltschikoff, feuilleté récemment, qui ne contient pas une seule mélodie conforme, si peu que ce soit, aux canons occidentaux) ? Et comment s'expliquer le désarroi des premiers folkloristes devant un langage sonore contraire à toutes les règles apprises et qui dépassait leur entendement ? L'impossibilité de pourvoir d'un accompagnement les anciennes chansons irlandaises, « qui se refusent à toute espèce de basse et d'harmonie », a déjà frappé Fétis, et George Sand (répétant, peut-être, à sa façon, quelque propos de Chopin) écrit à Champfleury que, dans le Berry, « ce n'est pas seulement l'harmonie qui échappe aux lois de la musique moderne, c'est le plus souvent la tonalité ». Celle des cornemuses du Bourbonnais lui semble « intraduisible » : « l'instrument est incomplet [?], et pourtant le sonneur en sonne en majeur et en mineur, sans s'embarrasser des impossibilités que lui présenterait *la loi*. Il en résulte des combinaisons mélodiques d'une étrangeté qui paraît atroce et peut-être magnifique ». Le correspondant de la romancière pense comme elle : la musique populaire « échappe aux lois musicales » ; elle est « presque impossible à faire entrer dans les cinq lignes de la portée ». Quant au rythme, dès 1792, le violoniste Viotti justifiait ainsi sa transcription d'un *ranz des vaches* : « J'ai cru devoir le noter sans rythme, c'est-à-dire sans mesure. Il est des cas où la mélodie veut être sans gêne pour être elle, elle seule, la moindre mesure dérangerait son effet... *Le ranz des vaches* en mesure serait dénaturé ». Si le peuple ne déviait pas sensiblement de l'enseignement courant, pourquoi donc Chopin, dont on a de bonnes raisons de croire qu'il savait la musique, et Mme Viardot, qui ne l'ignorait pas, auraient-ils « passé des heures à transcrire quelques phrases » des chanteuses et des sonneurs de cornemuse berrichons ?

En vérité c'est au contraire la surprise initiale devant les anomalies musicales des chants du peuple qui devait, d'un pays à l'autre, décider du cours qu'allaient y prendre, plus tard, les études musicologiques et, par malheur, en limiter souvent à l'excès la perspective et la portée. Ainsi, en France, les chefs de file ont été tout d'abord plus particulièrement ébahis par la structure modale des mélodies, et c'est pourquoi les investigations y tourneront, le plus souvent, autour de ce problème jugé capital, du Mémoire de Beaulieu sur *quelques airs qui sont dans la tonalité grégorienne*, daté 1858, jusqu'aux *15 modes de la musique bretonne* de Duhamel, en passant par les nombreux exposés ou notes de Bourgault-Ducoudray (qui louait Gounod en public d'avoir composé la romance du Roi de Thulé en hypodorien), de son disciple Maurice Emmanuel, de Tiersot et de tant d'autres.

En Hongrie, la découverte de l'échelle pentatonique par Kodály et Bartók a si vivement frappé les esprits et a fait naître tant de discussions et si passionnées, que la plupart des écrits théoriques s'y attardent, pour commencer, presque exclusivement, à élucider l'origine, les ressources, la signification ethnographique de cette échelle, présumée héritage ancestral asiatique.

En Bulgarie, on finit un jour par dévoiler les rouages d'une rythmique singulière, très répandue là-bas et, pour cette raison, maintenant communément appelée rythme « bulgare » (à quoi je préférerais le terme turc *axak* = « boiteux »), où les longues et les brèves ne sont pas, comme dans la musique occidentale, la moitié ou le double l'une de l'autre, mais les deux tiers ou les trois moitiés, soit :

♪ et ♪. au lieu de : ♪ et ♩

Désormais, c'en est fait : de Kristoff à Djoudjeff et jusqu'à ce jour, les musicologues locaux, tenant cette rythmique comme éminemment nationale, ne se lasseront plus de l'explorer, de préférence à toute autre particularité, forme, mode ou fonction. Il serait lassant de multiplier semblables exemples. Ceux-là suffiront, pour l'instant : ils éclairent assez l'importance des trois questions qu'ils soulèvent et qui décident de l'autonomie du folklore musical, en tant que discipline musicologique, à savoir : les caractères intrinsèques de la musique populaire ont-ils été définis ? peuvent-ils l'être ? et par quelles méthodes ?

À la première, on peut répondre qu'un écart sensible subsiste entre l'état présent des études à l'Est et à l'Ouest. Plus avancées là, du fait qu'elles y scrutent une matière plus pure et qui suscite des controverses de principe, elles continuent ici, où elles s'exercent sur un objet équivoque, de s'achopper à l'obstacle des

distinctions liminaires. Pour la poésie, néanmoins, élément inséparable de la musique et qu'on peut *a priori* présumer de quelque manière appareillé à elle, les analystes — savants ou dilettantes — paraissent, dans leur ensemble, d'accord sur l'essentiel. Certains, à vrai dire (et de ceux-là qui se sont appliqués aux plus vastes exégèses), aboutissent à la conviction que, à bien prendre, seul un don d'intuition inné, une « reprise intérieure » (« *innere Schau der Dinge* ») nous met à même de reconnaître l'« èthos » de la chose populaire et de percevoir « ce quelque chose de mystérieux, semblable au fond d'or des images saintes, qui flotte autour d'elle », — ce qui reviendrait, simplement, à contester au folklore toute qualité scientifique.

En attendant, on nous indique, néanmoins, en détail, les signes qui font toucher du doigt l'originalité du génie rustique. Ce serait d'abord cette indissoluble union de la musique et de la poésie, dont nous venons de parler, « deux arts qui se tiennent enlacés et aussi étroitement que le lierre après une vieille muraille » : tous les vers populaires se chantent ; nul ne songerait à les réciter seulement ou à les lire. Ce serait ensuite — assertion que l'on peut d'ailleurs estimer surprenante — la simplicité : « art infiniment simple, naïf » ou « plein de naïveté, de naturel, de candeur enfantine » et que nourrit un « fonds d'idées », elles aussi, « très simples ». Ces idées, ces thèmes animent, croit-on, la poésie lyrique de partout : commerce intime avec la nature et l'« environnement humain », montagnes, rivières, arbres, oiseaux, sans cesse évoqués ou invoqués et qui entendent le langage des hommes, comme les hommes entendent le leur ; joies et misères de l'amour, du métier, de la vie quotidienne ; mais aussi évasions dans un monde merveilleux, car le peuple prend plaisir à « concevoir l'impossible », à « combiner l'imprévu », à « ordonner l'invraisemblable », d'où ces noëls et ces chants nuptiaux orientaux tout peuplés de seigneurs, de princes, de rois (« notre frère le roi », « la reine », « la mère du roi » : voilà les mariés et la belle-mère, chez les Arméniens). La bien-aimée du paysan roumain montera dans un char fait d'une calebasse et de mille fleurs : baldaquin de roses, timon de romarin, roues de basilic ; et la maîtresse du marin français veut qu'il navigue avec le fils du roi, sur un navire aux voiles de soie, au mât d'ivoire, au gouvernail d'or :

Que faire s'amour me laisse ?
Nuit et jour ne puis dormir,
Quand je suis la nuit couchée,
Me souvient de mon ami.

Je m'y levai toute nue
Et pris ma robe de gris,
Passé par la fausse porte,
M'en entrai en nos jardins.

J'ouïs chanter l'alouette
Et le rossignol joli,
Qui disait en son langage :
Voici nos amours venir,

En un beau bateau sur Seine,
Qui est couvert de sapin,
Les cordons en sont de soie,
La voile en est de satin,

Le grand mât en est d'ivoire,
L'étournal en est d'or fin,
Les mariniers qui le mènent
Ne sont pas de ce pays.

L'un est fils du roi de France,
Il porte la fleur de lis,
L'autre mon ami est celui...,
Celui-là est mon ami.

Aux quatre coins de l'Europe, l'imagination populaire voit sortir du tombeau des amants malheureux, enterrés côte à côte, deux plantes qui s'enlacent, par-delà le trépas.

Et sans doute ne fixera-t-on pas de sitôt les limites de

*Bergers et bergères dansant au son de la cornemuse.*
*Ms. lat. XVᵉ s. BN.*

l'aire de répartition du thème (« au fond, mythico-cosmique », pense un commentateur) des métamorphoses amoureuses, dont il se trouve que j'ai sous la main une leçon savoyarde, notée aussi par Frank Martin :

— Ma charmante mignonne, que j'aime tant,
Je te donn' six cents livres de mon argent,
C'est afin que tu rendes mon cœur content.

— Si tu veux que je rende ton cœur content,
Je me rendrai la rose sur le rosier,
Jamais, galant, tu n'auras mes amitiés.

— Si tu te rends la rose sur le rosier,
Je me rendrai l'ami du jardinier,
Je cueillerai la rose sur le rosier.

— Si tu te rends l'ami du jardinier,
Je me rendrai la caille volant aux champs,
Jamais, galant, tu n'auras mes amitiés.

— Si tu te rends la caille volant aux champs,
Je me rendrai chasseur, pour t'y chasser,
J'attraperai la caille volant aux champs.

— Si tu te rends chasseur, pour m'y chasser,
Je me rendrai l'étoile au firmament,
Jamais, galant, tu n'auras mes amitiés.

— Si tu te rends l'étoile au firmament,
Je me rendrai la lune luna-lunant,
Je boirai l'étoile au firmament.

— Si tu te rends la lune luna-lunant,
Je me rendrai la Vierge au paradis,
Jamais, galant, tu n'auras mes amitiés.

— Si tu te rends la Vierge au paradis,
Je me rendrai saint Pierre portant les clefs,
J'empêcherai aux filles d'y entrer.

— Puisque tu m'as suivi jusqu'au paradis,
Eh bien, marions-nous, mon bel amant,
Et rendons-nous le cœur content.

Voilà qui se place bien près du colloque sentimental roumain : (Celle qui se refuse ici porte le même nom que l'héroïne d'une ballade, où l'on voit une fille, enlevée sur son bateau par un riche marchand turc, se jeter dans le Danube, ballade dont Panaït Istrati a donné une paraphrase célèbre dans l'un de ses romans. Les deux pièces ne sont que des cristallisations différentes du même type : le *Refus amoureux*, « pour son honneur garder » ou pour quelque autre raison.).

— Kyra Kyralina,
Viens donc avec moi.
— Plutôt qu'avec toi,
Roseau me ferai,
Roseau dans l'étang.

— Fais-toi, belle, fais-toi ;
A mon tour, me ferai
Petite faucille,
Le roseau couperai,
A moi tu seras.     *etc.*

Quant aux thèmes épiques, lors de la rédaction du *corpus* de la chanson allemande (arrêtée en 1939, peut-être pour toujours), la recherche des variantes a fait apparaître que plus d'un s'étale sur des territoires dont on a quelque peine à mesurer l'étendue, à ne citer que les innombrables allotropies du « Retour du mari », qui retrouve sa femme morte, ou remariée, ou maltraitée par sa belle-mère (type de la *Porcheronne* française). J'y ajoute *Lénore* ou la « Chevauchée du mort », qui fleurit jusque dans le Dodécanèse : la version grecque de cette fable, publiée par S. Baud-Bovy, et la version classique roumaine se couvrent presque vers par vers et mot par mot. Dans l'une et dans l'autre, des prétendants venus de très loin demandent à une veuve son unique fille. De ses neuf frères, le cadet seul conseille de laisser partir sa sœur, et l'on écoute son conseil. Survient la peste, qui emporte tous les garçons, et, dans sa solitude, la mère maudit le mauvais conseiller, qui se fait alors de son cercueil une monture et s'en va quérir l'absente, qu'il prend en croupe. Au retour, comme ils chevauchent par une forêt, les oiseaux s'étonnent d'entendre un trépassé deviser avec un vivant. Arrivé près de la maison paternelle, le mort retourne dans son tombeau ; mère et fille meurent de joie en se revoyant.

D'Asie mineure on a suivi jusqu'en Hongrie la légende du pont, du monastère ou de la forteresse qui ne cessent de s'écrouler à mesure qu'on les bâtit que du jour où les architectes y emmurent leurs propres femmes. Mais la portion de terrain où cette légende survit est-elle bien sa patrie véritable ou seulement une zone de refuge, depuis que, plus à l'ouest, la croyance aux sacrifices humains, vrais ou simulés, a peu à peu disparu. Plutôt que de répondre prématurément à semblables questions, poursuivons l'énumération des caractères de la poétique populaire.

Pour la forme, on nous signale encore un langage toujours concret, parfois rude et qui ne craint pas, le cas échéant, une expression appuyée au point d'en paraître incongrue. Le roi Renaud revient de guerre tenant « ses tripes » dans ses mains, et, dans les Landes, les mamans amusent leur progéniture par des couplets (dont j'abandonne à d'autres la traduction) tels que :

Ninoun, Ninéte,
Cayoun, cayéte,
Lou can que péte,
Lou gat béchi,
Le nine sénti.

D'autre part, on insiste sur le tour vigoureux, plastique, de l'exposé narratif, qui use largement de l'ellipse et du raccourci, notamment sous les espèces du dialogue et du discours direct introductifs, appelés à nous placer *ex abrupto* en pleine action :

— Ma mère, apportez-moi
Mon habit de soie rose,
Et mon chapeau qu'il soit d'argent brodé,
Je veux ma mie aller trouver.

Je tiens pour un modèle achevé de cette manière la douloureuse conversation du jeune esclave noir d'Amérique et de sa mère :

— Mère, est-ce vrai que le maître va me vendre demain ?
— Oui, oui, oui.
— Qu'il va me vendre en Géorgie ?
— Oui, oui, oui.
— Adieu, mère, je dois vous quitter.
— Oui, oui, oui.
— Mère, ne vous chagrinez pas pour moi.
— Non, non, non.
— Mère, nous nous retrouverons au ciel.
— Oui, mon enfant, veille et prie.

Arthur Rossat — pour le citer une nouvelle fois — s'est diverti à rapprocher deux narrations, l'une populaire, l'autre à prétention populaire, pour bien faire ressortir la concision incisive de celle-là et la flasque verbosité de celle-ci :

Dedans Paris, il y a une barbière,
Oh ! oui, plus belle que le jour.
Ils n'en sont trois beaux capitaines,
Que tous les trois lui font la cour.

Un matin du printemps dernier,
Dans une bourgade lointaine,
Un petit oiseau printanier
Vint montrer son aile d'ébène.
Un enfant aux jolis yeux bleus
Aperçut la brune hirondelle ;
Reconnaissant l'oiseau fidèle,
La salua d'un air joyeux.

Les scoliastes estiment non moins typique l'aversion de la poésie populaire pour toute localisation circonstanciée : les événements s'y passent en des lieux indéterminés ou de pure convention, quand bien même ils seraient nommés : ainsi, en France, « au jardin d'amour », « derrière chez nous », « au bois joli » ou « sur le pont de Lyon » (au besoin : de Nantes », « d'Avignon », « du Nord »). Certains nombres reviennent à toute occasion : avant tout, le 3, la « triade » : « trois princesses », trois « fleurs jolies » (de même que « *drei Burschen* », « *drei Regimenter* », « *tre marinari* », « *three ships* ») ; le 7 : la prisonnière languit « sept ans » dans sa tour, et le soldat revient, lui aussi, au bout de « sept ans » ; 30, 40, 100 signifient « beaucoup » : « trente marins » sur une barque : « quarante jours » et « quarante nuits » de marche ; « cent écus », pour acheter les faveurs d'une belle ; 300 et 500 représentent des quantités considérables : « cinq cents moutons ».
Tout cela a pour conséquence nécessaire une langue « fortement équipée de clichés » : qualificatifs constants, expressions stéréotypes (« *formelhaft* »), formules passepartout, dont, pour l'Allemagne, la compilation a été tentée par Daur, il y a une quarantaine d'années. Si, en terre française, la fontaine est volontiers « claire », le rosier « blanc », l'anneau « d'or », l'ami « doux », en pays allemand, la fille est, en général, « brune »

(« *schwarzbraun* »), la main « blanche comme neige » (« *schneeweiss* »), la tombe « fraîche » (« *kühl* »). Et dans les bylines russes ces épithètes, qu'on a appelées homériques, sont encore plus fortement chevillées à leurs sujets : le guerrier ne saurait y être que « fort », « puissant » ou « courageux », le Tartare « incroyant » ou « non baptisé », le couteau « d'acier », le glaive « aiguisé », la tête ennemie « insolente », le vin « vert » ; les jeunes filles y ont toutes « les mains blanches » ou « la bouche sucrée » ; le cheval porte nécessairement un héros, et l'on dit toujours : « notre humide mère, la terre ». A la grande rigueur, cet échantillonnage de lieux communs typiques, forcément sommaire à l'excès, suffit à nous instruire du style poétique populaire : on trouve dans d'innombrables écrits de quoi le compléter et l'approfondir utilement.
Par malheur, il n'en va pas de même pour la technique. La structure du vers chanté demeure, pour la plupart des langues, sinon une énigme, du moins un point toujours en litige, et dans bien des pays, les traités de versification ou bien glissent sur ce sujet scabreux comme chat sur braise, ou bien y touchent avec une circonspection extrême. Dans quelques-uns, il n'a même pas encore été mis en chantier, et les précisions les plus élémentaires y font encore défaut. Longueur approximative des vers, nombre approximatif de leurs syllabes, emplacement approximatif des accents : c'est de quoi on croit pouvoir s'y contenter, jusqu'à nouvel avis.
De surcroît, là même où l'examen du problème a été poussé plus loin, ce qu'on était fondé à tenir pour vérité acquise, risque, à tout instant, un démenti. Ainsi, le tableau des vers français dressé par Doncieux, dans son *Romancero*, aussi bien que la fameuse théorie des « césures inverses », vient d'être énergiquement contesté par un musicien. L'alexandrin, dit en effet Canteloube, « ne se rencontre jamais » dans la poésie paysanne française ; il y a bien, selon lui, 6 + 6 ou 8 + 4 syllabes, « mais pas 12 ». Si les transcripteurs ont admis l'existence d'un dodécasyllabe, c'est qu'ils ont été « induits en erreur par la recherche de la rime », dont le peuple « se soucie fort peu, la plupart du temps pas du tout... *Le vers des chansons est coupé suivant le rythme de la musique. C'est donc elle, seule, qui indique avec certitude la coupe des vers* ».
Il y a plus : on ne s'est guère avisé, jusqu'ici, que plusieurs versifications dissemblables, ou, pour mieux dire, plusieurs systèmes métriques fondés sur des principes contradictoires peuvent vivre côte à côte dans un seul et même répertoire poétique. Il suffirait pourtant de considérer attentivement le vers français le plus banal :

*Do, do, l'enfant, do*

pour saisir que, dans certains de ces systèmes, subsiste la quantité de la syllabe, que l'enseignement officiel ignore. Et les règles de l'accentuation, en apparence indiscernables, apparaîtront, elles aussi, examinées de près, variables, certes, mais cohérentes et souvent rigoureuses, pour peu qu'on en entreprenne l'examen en négligeant résolument les notions scolastiques, ou, si l'on veut, « du dedans », non « du dehors » et « d'en haut ». On découvrira alors, par exemple, que les paysans roumains usent de quatre systèmes métriques parfaitement distincts, où ne concordent ni dimension du vers, ni rôle de l'accent, ni qualité de la syllabe.
On le verra mieux plus loin à propos de la musique : c'est, presque toujours, la volonté d'en expliquer le procédé populaire en le raccordant au savant, afin de l'enfermer, coûte que coûte, dans les cadres rigides des dogmes académiques, qui fait obstacle à l'intelligence de la technique poétique du peuple.
Cela étant, on ne saurait s'étonner outre mesure ni que les précurseurs y aient perdu leur latin, ni que certains savants modernes s'accommodent d'à peu près : ceux-là multiplient les aveux d'impuissance, déclarent que la poésie populaire « est en dehors des règles de la poésie » ou « ne relève d'aucune prosodie » et constatent naïvement que les syllabes « trop nombreuses » des vers « boiteux » s'y « tassent d'elles-mêmes » ; ceux-ci notent, par exemple, sur un ton doctoral, que, dans les chansons arabes et turques, des rapports singuliers « semblent » régner entre les paroles et la musique,

attendu que le rythme de la mélodie n'y tient « apparemment » aucun compte du mètre du poème. Assurément, tout cela ne nous enseigne rien de bien substantiel, mais, somme toute, vaut encore mieux que les jugements étayés sur les principes propres à la seule poétique « selon l'art ».

Le Misanthrope, qui préfère « à tout ce que l'on admire » la vieille chanson *Si le roi m'avait donné*, en juge néanmoins la rime « pas riche » et le style « vieux ». Le Misanthrope a tort. Car si le style pouvait être déjà vieux de son temps, la rime n'est et n'était ni riche ni pauvre : elle *n'est pas*. On peut ajouter que Malherbe n'aurait jamais scandé :

*Paris, sa grand'ville*

(et qu'il ne scandait même ni peu ni prou). Mais « nos pères » n'étaient pas « tous grossiers » pour autant. Plus simplement, leur poésie vise d'autres buts que les siens. Assujettie (et non moins rigoureusement) à d'autres nécessités, elle obéit à des lois différentes. Prendre pour « incorrections » ou « licences » les écarts que, par suite, elle présente au regard d'une législation qui ne la concerne pas, n'illustre que l'ignorance où l'on est de ces lois et l'incapacité de les pénétrer.

Il s'en faut également qu'on ait élucidé toutes les conséquences qui découlent de cette intime fusion des éléments poétiques et musicaux, tant de fois constatée. Les conditions communes de toute création artistique devaient cependant faire prévoir que l'équilibre de ces éléments constitutifs ne saurait être variable, mais que, de toute nécessité, l'esprit inventif du peuple devait s'appliquer à tirer parti des effets permis par la prépondérance possible de l'un sur l'autre. Du récitatif syllabique à la « mélopée ornementale », les modalités variées de ce rapport instable accordent à la métrique une place tantôt infime, tantôt considérable, que seule la connaissance de la musique et de ses exigences peut nous faire exactement mesurer. Mais cette connaissance, elle aussi, est encore singulièrement fragmentaire. La lenteur de ses progrès a, pour une bonne part, les raisons mêmes qui viennent d'être indiquées pour la technique poétique, à cela près qu'elles entraînent ici des difficultés plus graves encore et plus lentes à se laisser vaincre. Il convient donc de s'y attarder quelque peu.

On remarquera, pour commencer, que plus l'art d'une civilisation lettrée se développe et s'organise, plus il s'éloigne de l'état « naturel » d'où il a pris son départ, plus les conventions qu'il se crée deviennent inflexibles et plus ceux qui le pratiquent perdent leur réceptivité à l'endroit de tout autre que celui-là.

L'anecdote du Chinois, qui de tout un opéra n'avait pris plaisir qu'au brouhaha des instruments qui s'accordaient, avant le spectacle, est mieux qu'une plaisanterie : dans les quintes étagées des cordes, son oreille avait, à n'en pas douter, perçu comme un écho des consonances ancestrales des Célestes.

La musique des Arabes et celle des Hindous, purement mélodiques toutes deux, ont élaboré des théories complexes des échelles ou du rythme, fondées sur des spéculations mathématiques très poussées. Pareilles subtilités répugnent à l'Occident européen, inventeur de la polyphonie, contraint par les convenances de l'harmonie à sacrifier, une à une, les finesses modales et rythmiques et à corriger jusqu'aux intervalles de la gamme unique dont il a été amené à faire choix. Technique et esthétique de son art musical étant, d'autre part, dominées, dans une égale mesure, par un idéal foncièrement instrumental, on comprendra que ses accoutumances acoustiques lui font paraître insolite ou grossier ce qui les heurte : toute émission vocale « impure », c'est-à-dire non conforme à celle d'un instrument, le choque ; toute ligne mélodique dépourvue d'un support harmonique lui semble décharnée ; tout rythme que ne jalonnent pas des accents équidistants, nettement frappés, le déroute par son « irrégularité ».

Il s'ensuit que l'ouïe de l'Européen a beaucoup de mal à

*Scènes champêtres. Bucoliques de Virgile. Lyon.*
*Ms. 27, XIV^e s., bibl. de l'Académie.*

s'accommoder de combinaisons sonores dont le principe lui échappe. Hornbostel le dit en termes excellents : « On se libère malaisément des entraves de la convention et l'on tombe trop souvent dans l'erreur de prendre les fondements de notre musique européenne pour les fondements de la musique en général et de se servir ainsi de fausses mesures. Les notions du « majeur » et du « mineur » sont à tel point enracinées dans notre esprit, tout notre raisonnement repose à tel point sur elles, que l'on ne peut s'en affranchir qu'à grand'peine. A toutes les mélodies nous adaptons, consciemment ou inconsciemment, des harmonies... Il nous est plus difficile encore de renoncer à nos habitudes musicales en ce qui concerne les intervalles ; nous les mesurons tous d'après les distances qui nous sont familières : demi-tons, tons, tierces etc. D'autres dispositions nous semblent souvent fausses, alors qu'elles sont réellement voulues par le peuple ». Pour l'Européen formé par les conservatoires, toute mélodie, dit Jean Huré, est « une suite de notes rythmées d'accents symétriques selon des mesures ternaires ou binaires : on groupe ces mesures quatre par quatre, la progression de ces compartiments amène généralement un repos sur la dominante..., puis, toujours symétriquement, la ligne mélodique revient à la tonique, avec cadence parfaite... La phrase musicale, pour être dite « mélodique »... doit être construite sur une basse, « une bonne basse », « bien tonale » et engendrant des « harmonies correctes ». Lorsque basse et harmonies ne sont pas exprimées, on doit les deviner, tant la « mélodie les sous-entend nettement ». Et tout cela doit se maintenir dans « les deux modes majeur ou mineur actuels — le mode mineur doit être orné de cette curieuse « sensible » empruntée au majeur ». Si l'on modifiait tant soit peu l'un de ces deux modes ou qu'on en emploie quelque autre, la mélodie serait taxée de « plain-chant » ou d'« étrange exotisme ».

Une superstition proprement ouest-européenne vient aggraver singulièrement cette imperméabilité de l'esprit occidental, à savoir sa conviction présomptueuse d'avoir fait don à l'humanité d'une civilisation supérieure à toutes, excepté, tout au plus, mais pour certains domaines seulement, celle de l'antiquité classique, dont elle se veut l'héritière. Il est permis de conjecturer que cette infatuation spécifique a pour cause une foi aveugle dans la toute-puissance du « progrès ». Le perfectionnement constant des techniques, l'enrichissement perpétuel de l'arsenal des moyens mécaniques, l'accroissement ininterrompu du pouvoir matériel qu'ils ont entraîné et, plus encore, sans doute, la puissance politique qu'ils ont value aux « blancs » dits civilisés, leur ont fait croire que, dans tous les ordres de faits, la durée, unie à la persistance dans l'effort, amène nécessairement une amélioration et que, par suite, la culture la plus tardive est sans faute aussi la plus parfaite, à plus forte raison lorsque d'éclatantes victoires sur la matière confirment péremptoirement son excellence. C'est pourquoi l'incompréhension des Occidentaux se colore communément de quelque mépris.

Une chrestomathie d'illustrations de la surdité européenne vaudrait d'être entreprise, quelque jour. On pourrait y lire, par exemple, ces lignes typiques d'un voyageur français, écrites tout au début du siècle dernier : « Il n'y a pas de musique en Perse ; car je ne profanerai pas ce nom en le donnant à des sons barbares, et qui ressemblent plus à des cris de bêtes fauves qu'à de l'harmonie » ; car « les instruments persans sont... tellement informes » que, probablement, « rien n'y a été changé depuis le règne de Cyrus » (aucun « progrès » !): telles ces « espèces de clarinettes aiguës et qui ressemblent assez à celles *avec lesquelles les Calabrais viennent à l'époque de Noël écorcher les oreilles des Napolitains*, telles ces grandes trompes qu'ils nomment *kernets* et dont les sons ont beaucoup d'analogie avec les cris des chameaux lorsqu'ils sont en colère » ; et quant à l'harmonie, elle « se compose d'abord de chanteurs ou pour mieux dire de hurleurs »...

Beaucoup plus près de nous, vers 1880, un autre voyageur a l'occasion, en Asie toujours, d'« entendre un concert kachgarien ». Il en reste hébété : « Un des artistes gratte avec un cure-dents avec une sorte d'immense cithare ; un deuxième racle l'unique corde d'un très long violon..., notre oreille ne perçoit pas la moindre mélodie... Nul n'y a rien compris ».

Encore plus tard, au XXᵉ s., un Anglais est d'avis que la musique japonaise, « si toutefois on ose se servir de ce nom » (voir ci-dessus !) « a pour effet non de calmer, mais d'exaspérer au-delà de toute endurance les nerfs européens ». C'est que, voyez-vous, elle « n'emploie que la cadence ordinaire (?). Elle n'a *point d'harmonie*. Elle ignore tout de *notre distinction des modes*, et, donc, il lui manque la vigueur et la majesté du mode majeur et la

tendresse plaintive du mode mineur, ainsi que les merveilleux effets de clarté et d'ombre qui proviennent de l'alternance des deux » ; elle n'a de ressources que « pour blesser les oreilles sensibles » (lisez, naturellement : européennes). Une orientaliste de même farine, anglaise aussi, abonde dans ce sens : il est « vraiment heureux », estime-t-elle ironiquement, que « l'art musical ne soit pas pratiqué plus généralement » là-bas. Le propre fils de celle qui jadis peinait à fixer sur la portée les chants du Berry, Paul Viardot, ne discerne encore, en 1905, dans la musique chinoise, que piaillements et miaulements. Mais

*Scènes champêtres (voir page précédente).*

si l'on veut saisir le fond même de la pensée occidentale, il suffira de méditer les sombres prévisions de B.H. Chamberlain, qui désespère de l'avenir musical du Japon, parce que rien n'y fait prévoir l'éclosion d'une nouvelle IXᵉ symphonie.

Aberrante de la même manière que l'exotique savante et parfois autant qu'elle, la musique populaire a été et continue bien souvent d'être jugée sous le même angle de vue. Malgré sa soif bien romantique de « nouveau » et de pittoresque, l'auteur de *La mare au diable*, habituée aux sonorités des pianos de Chopin et de Liszt ou des clarinettes de la *Fantastique*, devait évidemment trouver « atroce » celle des cornemuses bourbonnaises, de même que son aventureux compatriote se sentait les oreilles écorchées par les *pifferari* napolitains.

Mais les musicologues issus de nos écoles ne sont, au premier contact avec cet art inaccoutumé, pas moins abasourdis que ceux-là, et Fétis, l'un des plus compréhensifs, aura l'impression que les danses du canton de Fribourg dites *coraules*, « espèce de mélodies d'un caractère particulier », ont « plus de rapport avec certains airs des paysans russes qu'avec ceux de la Suisse ».

Il y a plus. Dès lors que l'art musical de l'Occident moderne a réalisé, avec la symphonie, la suprême beauté et l'ultime « perfection » (susceptible, se dit-on, de se « perfectionner » encore, mais non de varier dans son essence même), que faudra-t-il penser de la musique populaire, en tant que phénomène artistique, quelle signification devra-t-on lui reconnaître, quelle place lui assignera-t-on dans l'échelle des valeurs esthétiques et quelle importance accordera-t-on, par conséquent, à la discipline qui a pour but son étude ?

Aussi longtemps que la comparaison internationale ou intercontinentale n'avait pas encore révélé des analogies capables d'orienter les regards hors de la sphère étroite des premières découvertes locales, il était inévitable qu'on prît la production populaire occidentale pour l'état embryonnaire et la préfiguration informe de la savante. L'intérêt de cet art mineur ne pouvait donc paraître que relatif et rétrospectif, en tout cas d'ordre purement artistique et, dans l'ensemble, fort limité. Ce qu'on y a recherché, à l'origine, c'était un certain agrément ingénu, cette « naïveté et grâce » vantée par Montaigne, certain arôme d'autrefois, un « doux parfum d'antiquaille » : c'est ce qu'expriment des titres tels que « Chansons de nos grand'mères », « Vieux refrains de chez nous », « Au temps jadis » etc. Ceux qui mendiaient aux vieillards d'« abolis bibelots d'inanité sonore » ne pouvaient, à leur tour, passer que pour de doux maniaques, d'inoffensifs bricoleurs, adonnés, comme s'exprimait naguère l'un d'eux, à une « indulgente vénerie ».

Encore que, de bonne heure, quelques esprits pénétrants aient entrevu vaguement les enseignements qu'on pouvait espérer d'une étude objective de la mélodie rurale et reconnu la nécessité d'en respecter scrupuleusement le détail, la plupart des folkloristes anciens (que plus d'un contemporain persiste, hélas! à imiter) ne pouvaient dépasser cette conception, qui se marque, entre autres, dans la tendance à dissimuler ce qu'ils prenaient pour la pauvreté du chant populaire, en recouvrant pudiquement sa nudité d'un voile d'harmonies. En 1892 encore, un Catalan français avoue sans détours que sa tâche a été de « parer de l'harmonie moderne » les chansons qu'il publie, « pour qu'elles ne soient pas trop nues devant des étrangers ». « Il y a environ un siècle et demi », écrit Bartók, « lorsque s'éveilla par toute l'Europe l'intérêt pour l'art rustique..., les collectionneurs n'étaient guère guidés que par des considérations esthétiques... Ils dotèrent les mélodies d'accompagnements inst umentaux ou vocaux, le public les accueillant plus favorablement ainsi habillées ». Et comme elles se montraient d'ordinaire rebelles « à nos lois harmoniques sur les modulations », ils ne se firent pas faute, le cas échéant, de leur apporter toutes les « corrections » nécessaires pour les leur faire tolérer, à leur corps défendant. Dans ces conditions, il était, d'une part, licite que tout amateur, éclairé ou non, en prît à son aise avec un si mince objet (« *unbedeutender Gegenstand der Kunst* », dit Forkel) ; et, d'autre part, il va de soi que, le considérant à travers le système rigoureusement clos du solfège et de l'esthétique modernes, il n'en pouvait donner aucune description suffisante ou seulement raisonnable.

Aussi ne saurait-on s'étonner de retrouver sous la plume des chercheurs de la première heure la plupart des formules inconsistantes citées tantôt, à propos de la métrique. « Ces chants sont des plus simples », leur entendra-t-on dire encore ; « fraîcheur, simplicité et sincérité d'accent » font leur charme. A les en croire, les *dumky* polonaises ont des airs « tristes et doux », ce qui ne les distingue, en somme, pas beaucoup des chants bulgares, qu'un autre qualifie de « tristes et mélancoliques », ni des yougoslaves, « traînants et tristes », eux aussi, au dire d'un troisième. D'une manière générale, le chant du peuple ne « brillerait pas par des efforts immenses d'invention », ce

qui n'empêcherait pas, d'ailleurs, selon une opinion contraire, « la beauté et la souplesse de ses lignes ».

N'attendons rien de plus circonstancié sur le rythme. Les sombres ballades hongroises (témoignage récent d'un scientifique !) « ne connaissent pas de système rythmique sévère » ; voilà qui nous instruit à peu près autant que les leçons de choses d'il y a bientôt un siècle : « point de mesure » ; « rythme intraduisible » ; « rythme de fantaisie », qu'on ne saurait « régulariser, sans en détruire l'accent », et ainsi de suite.

Il en va de même pour les modes. Selon un précurseur, pourtant enthousiaste, la tonalité populaire est « extravagante », néanmoins « raisonnable », mais telle, cependant, « qu'elle ferait gémir les didactiques professeurs d'harmonie ». Veut-on en savoir plus long, il nous sera enseigné que cette tonalité « appartient à un système musical différent de celui que nous suivons aujourd'hui », ou bien qu'à plus d'une reprise les mélodies populaires « ne s'arrêtent pas sur la tonique », mais s'achèvent « sur une note qui n'est pas la finale du mode ». George Sand, qui n'a pas été sans profit l'amie de très grands musiciens, peut se permettre un ton plus sentencieux : « Lorsque les laboureurs et les porchers », dit-elle, « disent leurs chants primitifs, que je crois d'origine gauloise, ils procèdent par intervalles de tons beaucoup plus divisés que les nôtres » ; à quoi elle ajoute doctement : « je doute que la gamme chinoise, pas plus que la gamme hindoue et la gamme ioway, procède par tons et demi-tons ». Coup d'œil prodigieusement large pour l'époque et qui mériterait les plus grands éloges, si, par malheur, la gamme chinoise n'était tout le contraire de l'indoue et ne « procédait par intervalles de tons » beaucoup *moins* divisés que les autres. Avec une compétence à peu près égale, un ethnographe n'hésitait pas à écrire, il n'y a pas bien longtemps, qu'au Cambodge « on se contente de donner un nom aux sept notes de la gamme, qui *n'a pas de demi-tons et qui appartient au mode mineur* ».

L'impuissance scientifique des devanciers s'est aggravée, en outre, du fait que, très longtemps, musique et paroles n'étaient ni recueillies ni analysées simultanément : la primauté des textes poétiques a beaucoup retardé l'essor des investigations musicologiques.

On le reconnaît aisément à l'embarras des classifications, où les repères se mêlent et se confondent, mais où l'emportent, généralement, les préoccupations littéraires, auxquelles s'ajoute, par la force des choses, le souci de l'occasion, c'est-à-dire de la fonction du chant. Prenons, entre mille, celle que suit le très célèbre *corpus* allemand d'Erk et Böhme :

| | | | |
|---|---|---|---|
| 1º Chansons narratives à sujets légendaires (12 sous-catégories) : | critère littéraire | | |
| 2º Chansons historiques : | » | » | |
| 3º Chansons d'amour (2 sous-catégories) : | » | » | |
| 4º Chansons d'adieu et de route (« *Wanderlieder* ») | » | » | et fonctionnel |
| 5º Chansons d'aube et de visites nocturnes (« *Kiltgang* ») : | » | » | » |
| 6º Chansons nuptiales, relatives au mariage, plaintes de religieuses : | » | » | » |
| 7º Chansons à danser et de jeu : | » | » | et musical |
| 8º Devinettes, paris, vœux, chansons de mensonges : | » | littéraire | |
| 9º Chansons bachiques : | » | fonctionnel (?) et littéraire | |
| 10º Chansons de quête, à l'occasion de fêtes populaires ou religieuses : | » | » | » |
| 11º Chansons des métiers et professions : | » | » | (?) |
| 12º Chansons plaisantes et satiriques : | » | littéraire | |
| 13º Chansons diverses (« *vermischten Inhalts* ») : | » | » | |
| 14º Chansons enfantines (5 sous-catégories) : | » | » | et fonctionnel |
| 15º Chansons religieuses (6 sous-catégories) : | » | » | |

Bien plus tard, cela suffit encore à un successeur respectueux:

| | | | |
|---|---|---|---|
| 1º Chansons historiques et de lansquenets : | critère littéraire | | |
| 2º Ballades : | » | » | |
| 3º Chansons d'amour : | » | » | |
| 4º Chansons d'adieu et de route : | » | » | et fonctionnel |

| | | | | | |
|---|---|---|---|---|---|
| 5° Chansons d'aube et de veilleurs de nuit : | critère | littéraire | » | | |
| 6° Chansons à danser : | | » | fonctionnel et musical | | |
| 7° Devinettes et jeux-partis : | | » | littéraire | | |
| 8° Chansons bachiques (« débuts de dramaturgie populaire ») : | | » | » | | |
| 9° Chansons plaisantes et satiriques : | | » | » | | |
| 10° Chansons relatives à divers métiers : | | » | » | (et fonctionnel ?) | |
| 11° Chansons religieuses : | | » | » | | |

### Vers 1850, un Allemand classe les chants populaires serbes en

| | | | |
|---|---|---|---|
| 1° Chansons épiques (nombreux sous-groupes, selon le sujet) : | critère | littéraire | |
| 2° Chansons féminines : | | » | fonctionnel |
| 3° Chansons et légendes d'aveugles : | | » | littéraire |
| 4° Chansons de mendiants : | | » | fonctionnel |
| 5° Chansons de deuil et de table [!] : | | » | » |

Dans le répertoire des XV° et XVI° siècles, Gérold distingue : « chansons lyrico-épiques », « d'amour », « satiriques », « pastourelles » (genres poétiques), mais aussi « rondes », autrement dit : pièces affectées à un usage précis, dont découlent, prévisiblement, certaines conséquences musicales.

A l'heure qu'il est, on peut encore, à l'occasion, rencontrer des bizarreries telles que, pour la France :

> Les complaintes,
> La fantaisie, le rêve, l'amour,
> L'esprit gaulois,
> Les travaux et les jours,
> Les voix de la ville ;

et la plupart des recueils français confondent obstinément « chansons de mariage » (et même « d'amour ») avec « chants nuptiaux » : ainsi, Rossat exclut « le mariage » du groupe de ses « chansons traditionnelles », où figurent noëls et « chants de fête », pour le rapprocher des « chants lyriques », où voisinent barcarolles, chansons militaires, à boire etc.

Cependant, à mesure que l'on s'éloigne des premières expériences, les caractéristiques musicales s'imposent toujours plus à l'attention des folkloristes, et il est bien rare, aujourd'hui, qu'ils les négligent absolument, dans le groupement des chants qu'ils publient. C'est la « forme récitative » qui incite, par exemple, Kolessa à étudier ensemble telles *doumas* (ballades), lamentations funéraires et chansons de noces ukrainiennes ; ce sont des attributs musicaux que Launis s'applique à déceler dans les mélodies de runes esthoniennes ; *hora lunga* (« chanson longue ») désigne, chez Bartók, une famille de mélopées caractérisées par une structure singulière, où la poésie n'a aucune part ; mais les servitudes dont la parole charge ailleurs la musique lui impriment des marques qui autorisent à isoler les récits épiques yougo-slaves (Murko) ou les formules mélodiques destinées aux « ottave rime » italiennes (Petrassi etc.). C'est que, de découverte en découverte, l'aimable passe-temps artistique de jadis s'est métamorphosé en besogne scientifique, entreprise pour répondre, par les moyens qu'elle développe laborieusement, à des questions dont le nombre n'a cessé de croître du début du XIX° s. aux premiers lustres du XX° et dont le tri se poursuit.

Dans un opuscule qui fixe l'état présent de cette évolution : *Pourquoi et comment recueille-t-on la musique populaire* ? Béla Bartók indique les visées lointaines du folklore musical, telles qu'il les conçoit : « On pourrait et on devrait démontrer les rapports culturels ancestraux de peuples aujourd'hui fort éloignés les uns des autres ; on pourrait éclairer bien des inconnues historiques, notamment celle de l'établissement des diverses populations ; on pourrait définir les modalités des contacts entre peuples voisins, les affinités ou les oppositions de leurs mentalités ». Et ce n'est qu'en « se mettant consciencieusement au service d'une telle cause... » que « notre jeune discipline sera digne de prendre place aux côtés de ses aînées ». Pour y parvenir, il lui faut malheureusement des chercheurs dotés de capacités trop diverses : « En effet, le folkloriste idéal devrait posséder une érudition véritablement encyclopédique. Des connaissances philologiques et phonétiques lui sont nécessaires, afin de saisir et de consigner les nuances les plus subtiles

de la prononciation dialectale ; il doit être chorégraphe, pour pouvoir définir avec précision les rapports de la musique et de la danse ; seules des connaissances générales de folklore lui permettront de déterminer, dans leurs moindres détails, les liens qui unissent la musique aux coutumes ; sans préparation sociologique, il sera incapable d'établir l'influence exercée sur la musique par les perturbations de la vie collective du village ; toute conclusion finale lui sera interdite, à défaut de notions historiques, notamment en ce qui concerne l'établissement des diverses peuplades ; s'il veut entreprendre des comparaisons entre la musique de plusieurs peuples, il lui faudra apprendre leurs langues ; enfin et avant tout, il doit être un musicien à l'oreille fine et un bon observateur ».

Mais, dit Bartók, un spécialiste en qui s'unissent tant de savoir et d'expérience ne s'est encore jamais montré, ne se montrera sans doute jamais, en sorte qu'il est impossible qu'un seul homme accomplisse, en cette matière, un travail entièrement satisfaisant. La recherche folklorique est donc nécessairement une besogne collective, à laquelle des équipes bien assorties pourraient seules suffire, si ces équipes, « pour maintes raisons, matérielles et autres », n'étaient, elles aussi, irréalisables. Il est permis de ne pas partager cette vue chagrine et, peut-être, un jour ou l'autre, pourra-t-on prouver que les associations d'experts qualifiés peuvent, au contraire, s'imaginer, qu'il s'en est même déjà parfois constitué et que la collaboration disciplinée de leurs membres a porté des fruits incontestables.

Quoi qu'il en soit, la disparition progressive de la sentimentalité inopérante d'autrefois a entraîné, en même temps qu'un changement radical de l'intention, un bouleversement complet des procédés d'investigation musicologique, si bien qu'on a vu surgir, coup sur coup, des ébauches de systèmes analytiques, portant soit sur le phénomène musical, dans sa tonalité, soit sur la forme seule, soit sur les échelles et les modes, soit sur le rythme, soit sur les artifices de la variation.

Rappelons, pour mémoire, qu'un plan général d'analyse musicale de Schoultz-Adaïevsky dénombrait, dès 1894, l'ensemble des objectifs à considérer :

**A.** *Traits caractéristiques essentiels du domaine tonal.*
1° Tonalité,
2° Unimodalité ou polymodalité,
3° Progression mélodique (par degrés conjoints ou disjoints),
4° Dessin mélodique (simple ou orné de fioritures),
5° Mouvement général (ascendant, descendant ou stable : pivotant autour d'un son unique).
**B.** *Traits caractéristiques du domaine rythmique.*
1° Emploi de mètres binaires (à 2 temps), ternaires (à 3 temps), péoniens (à 5 temps) ou hémioles (à 7 temps) etc.,
2° Mnorythmie ou polyrythmie : emploi d'une seule mesure ou de mesures mélangées (*mètron miktón*).
**C.** *Traits caractéristiques du domaine de l'architecture (structure, conformation).*
1° Période carrée ou non, régulière ou irrégulière, symétrique ou asymétrique,
2° Parallélisme ou non-parallélisme des phrases musicales,
3° Ordonnance simple ou composée de l'architecture (à 1, 2, 3 parties, airs à reprises etc.),
4° Airs avec ou sans phrases intercalées (hors cadre).
En outre, nature des mesures initiales et finales : la première reflète le tempérament national, parce qu'intimement liée au génie de la langue (début avec « levé » ou sans « levé », comme dans les chansons populaires hongroises, finnoises, esthoniennes) ; la dernière importe à deux points de vue : par la syllabe finale accentuée ou atone ; par le son conclusif, qui détermine une impression générale particulière, selon le degré choisi (la quinte fournit une cadence épique par excellence, parce que suspensive : elle invite à continuer.)

A ce genre de tentatives s'apparentent les systèmes de simple classification, attendu qu'ils impliquent tous une analyse préalable, appelée à dégager les indices spécifiques sur lesquels ils se fondent. Il en est ainsi tant de celui que Mersmann propose comme *Fondement d'une étude scientifique de la chanson populaire*, que celui qu'Ilmari Krohn recommande (en apparence, plus modestement) aux fins d'une mise en ordre « lexicographique » des mélodies (entendez : de toutes les mélodies, quelles qu'elles soient et d'où qu'elles viennent) ; ici et là, en dépit de conclusions divergentes, seuls les signes musicaux décident des recettes, abstraction faite de la poésie, tout au moins quant à ses thèmes. D'où, dans les ouvrages de maturité de Bartók, le classement séparé des poèmes, qu'il faut tenir pour un progrès certain de la méthode.

Ainsi donc, depuis quelque 100 ou 150 ans, le champ visuel de la musicologie s'est, on dirait, considérablement élargi, et des vérités désormais inébranlables semblent, sur certains points, dûment établies. La définition du chant populaire anglais, a été si clairement formulée qu'on peut la faire tenir dans un bref article de dictionnaire. Sharp nous a donné « *some conclusions* » sur l'anglais, Hensel une « typologie » de l'allemand. Rien de plus instructif qu'un résumé des unes et de l'autre.

Selon Sharp, la musique anglaise :

1º est « non harmonique » (homophone, dirions-nous), ce qui se voit : *a*) à l'emploi de notes de passage « étrangères » ; *b*) à un certain vague de la tonalité, particulièrement dans les phrases « ouvertes » des mélodies modales ; *c*) à la substitution de la septième mineure à la sensible (« sous-ton »), à la fin de ces mêmes mélodies ; *d*) à la difficulté de l'harmonisation ;

2º préfère les modes majeur, dorien, éolien, mixolydien, phrygien (rare), mais évite le lydien (tout cela en terminologie médiévale) ;

3º ne module guère et seulement *a*) en passant d'un mode majeur ou mineur dans un autre (« changement de ton, sans changement de mode ») ; *b*) en passant d'un mode majeur dans un mode mineur, ou inversement (« changement de ton et de mode ») ; *c*) en passant de mineur en majeur, sans quitter l'échelle (« changement de mode, sans changement de ton ») ;

4º fait un usage fréquent de grands intervalles et de tou nures mélodiques constantes, qui ne lui appartiennent pas en propre, parmi lesquelles, au départ, la montée de la tonique à la quinte (que Parry croit typique pour les anciennes mélodies allemandes) :

ou de la quinte à la septième :

ainsi que le début celtique :

5º ne connaît que des strophes de 4 incises de formes diverses (ABCD, AABA, ABBA etc.), dont la première, réputée celtique par excellence, abonde effectivement en Écosse et en Irlande ;

6º a un penchant marqué pour les mesures de 5 et 7 temps.

La synthèse de Hensel (qui invoque d'ailleurs, à côté des caractères intrinsèques, une « stratification » selon l'ancienneté, le milieu et l'usage) est plus vaste encore. A l'en croire, il y aurait en Allemagne trois stypes mélodiques principaux : un type A, qui représente probablement la forme archaïque originelle (« *Ur- und Ausgangsform* ») ou s'en rapproche ; mais les collections du XVIe s. (aucune notation ne remonte au-delà) font déjà une différence entre chansons anciennes et nouvelles : pour nous, celles-là seraient donc tout à fait antiques (« *uralt* »). Rentrent *a priori* dans le groupe A les mélodies bâties soit sur l'échelle pentatonique

soit sur la dorienne, l'éolienne, la mixolydienne, la lydienne (rare), la phrygienne (très rare), soit sur celle d'un majeur exempt de toute charge harmonique (« *frei im Raume gravitierend* »). Toutes appartiennent à un type linéaire ondulant (« *Wellen-Typus* »), par opposition à un type harmonique (« *Guirlanden-Typus* »), tel que B, groupe de mélodies enchaînées à l'accord et où les fonctions de la dominante deviennent tangibles, même en mineur : les chansons se sont faites plus sentimentales, plus souples, plus colorées, leurs anciennes puissance et profondeur se sont muées en gracilité (« *Zierlichkeit* ») ; elles annoncent la décadence, qui est complète dans le groupe C, où le langage poétique et musical atteint un tel degré d'exubérance, que le moindre abandon (« *Sichgehenlassen* ») transforme la douceur (« *Weichheit* ») en mollesse (« *Weichlichkeit* ») et aboutit à l'expression déréglée de sentiments confus. (Suit une description de deux catégories négligeables : D et E).

Formules stéréotypes pour A, notamment : montée initiale abrupte vers la quinte ou la septième :

ainsi que les séries rythmiques finissant par deux sons « lourds » (en réalité : longs).

Si persuasives que paraissent semblables « conclusions », il suffit d'une confrontation plus serrée des tableaux ci-dessus, pour s'apercevoir que bien des lacunes subsistent dans les portraits qu'ils nous offrent, et telles, qu'elles nous feraient douter des grands progrès que nous croyons communément avoir accomplis.

Il est vrai que, adoptant une définition plus sévère, l'un d'eux ne considère que la musique anglaise jugée ancienne (classe A du second) ; mais à ne s'en tenir qu'à celle-là, bien peu de propriétés la font, somme toute, trancher sur l'allemande. Du premier coup d'œil, la ressemblance des formules mélodiques prétendues typiques saute aux yeux ; majeur, dorien, éolien, mixolydien se retrouvent ici et là, alors que le phrygien y est rare (seul, le lydien manquerait en Angleterre, jusqu'à plus ample informé) ; Sharp ne parle pas de pentatonique, mais nous savons que, plus tard, il devait y ramener tous les modes ecclésiastiques ; enfin, de l'avis de nos deux érudits, l'homophonie est absolue, au premier âge de la musique de leur pays.

D'autre part, l'un et l'autre commettent des erreurs patentes. De toute évidence, l'intonation :

n'a rien de particulièrement celtique, puisqu'on la rencontre à chaque pas dans le chant grégorien :

De pro - fun - dis cla - ma - vi   ad te, Do - mi - ne

aux Indes :

en Chine :

en Corée :

en Russie :

et jusqu'à satiété dans le jazz :

Hensel n'a pas moins tort de considérer comme un héritage de la préhistoire germanique une combinaison rythmique certainement commune aux Allemands de partout, aux Hollandais, aux Finnois (qui ne sont pas des Germains !), mais tout aussi familière aux Français, aux Italiens, aux Roumains, aux Anglais, aux Espagnols et... aux Esquimaux, pour ne citer que ceux-là :

| | | | | | | | |
|---|---|---|---|---|---|---|---|
| *allemand :* | Hei - | le, | hei - | le, | Se - | gen | |
| *français :* | L'en - | fant | se | tré - | pas - | se | |
| *italien :* | Le | don - | ne | di | Ga - | e - | ta |
| *anglais :* | Goo - | sey, | goo - | sey, | gan - | der | |
| *roumain :* | Lu - | naï, | lu - | naï | nou - | ï | |
| *espagnol :* | Tam - | bu - | rin | di | Fran - | cia | |

Si nous multiplions les points de comparaison, nos déceptions en augmenteront d'autant. Nous verrons alors que les tournures mélodiques estimées anglaises ou allemandes étaient « du domaine public » dans l'ancienne France, à commencer par l'élan initial vers la quinte, suivie ou non de septième, qui y revêt les aspects les plus variés :

ou

etc.

Mais on pourrait, avec autant de raison, en attribuer la paternité aux Espagnols :

To - das las vie - jas son bru - jas

ou aux Bulgares :

ou aux Roumains :

Sea - rs Sfta - tu lui Va - si le

ou aux Turcs :

ou aux Russes :

ou à d'autres.

Relativement à la forme, on nous assure, du côté hongrois, qu'ABCD revient souvent dans les strophes de la couche archaïque magyare et qu'AABA et ABBA fourmillent dans la suivante.

Pour les modes, il faut bien croire que le majeur, le dorien, l'éolien, le phrygien, ne sont l'apanage exclusif ni de l'Allemagne, ni de l'Angleterre anciennes, puisqu'on nous les signale, de tous les côtés, comme intensément pratiqués par le peuple (France, Espagne, Italie, Hongrie, Bulgarie etc.).

Quant au lydien et à son fameux *Alphorn-Fa*, il nous a été expressément désigné comme le distinctif indubitable de la mélodie slovaque :

Šiel vo - ja - ček na voj - nu sam,

Svo - lej mi - lej od ka zo - val, Že - by sa ne -

vy - da - va - la, Se dem - rô - čkov ho ča - ka la.

Rien que de très naturel qu'il ait contaminé les contrées roumaines voisines de la Slovaquie :

Tre ce vre mea, trec si eu mă,

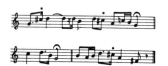

Tre ce vre mea, trec ţi ou _____ mă.

Bă trî nesc si - mi pa - re rîu _____ mă

et qu'il fournisse l'échelle du *Betruf* suisse, si on le présume emprunté au cor des Alpes :

Im Him - mel da is die grös - ste Hei - li - keit

Mais le voici au Canada français :

en Suède :

en Islande :

en Italie (v. aussi *La Tosca*, acte III) :

Fat - te la ni - na, tu co - re di mam-ma,

et en Afrique noire, pour ne pas pousser au-delà :

Serait-il donc bien le « mode du paysan » (*agricolae dictus*), par excellence, comme le veut Guy d'Arezzo ? Supposé la série :

le degré marqué ici V servirait, d'après Bartók, de césure principale, le VI de finale aux chants roumains les plus purs :

Comment se fait-il alors qu'à l'autre bout du continent, dès le XII<sup>e</sup> s., les trouvères aient eu cette disposition en affection et que, au XV<sup>e</sup>, les Français aient chanté :

On a tant discouru sur l'immémoriale et tenace préférence des Chinois pour le système pentatonique qu'il a fini par prendre le nom commun de « gamme chinoise ». Ensuite, il a fallu convenir qu'Écossais et Irlandais ne le dédaignent pas davantage, en sorte qu'on caractérisait autrefois les mélodies écossaises en disant qu'elles peuvent se jouer sur les touches noires du piano.

Plus tard encore, à ces amateurs isolés de pentatonique se sont joints, au fur et à mesure que l'exploration gagnait en étendue et en précision : d'abord les voisins ou satellites spirituels de la Chine : Thibétains, Japonais, Javanais, Indo-Chinois, Polynésiens, Micronésiens, puis les Celtes, les Hongrois, les Polonais, les Russes, les Lithuaniens, les Slaves et les Germains en général, les habitants de l'Italie antique, ceux de la Sardaigne et de l'Italie du sud contemporaines, auxquels il a fallu ajouter encore les Esquimaux, les Islandais, les Berbères, les Nègres africains, les Indiens d'Amérique et enfin — ô surprise ! — les Turcs et les Hindous. Si bien que, à l'heure présente, certains avancent prudemment que ce que l'on prenait jadis pour la quintessence du chinois est, en réalité, répandu presque en tout lieu (« *nahezu überall* »), sur la surface du globe.

Beethoven a écrit des variations sur un air qu'il donne pour suisse (« *Schweizerlied* ») :

Lorsqu'ils sont tombés, chez eux, sur une variante de ce thème, les Hongrois y ont vu, presque d'accord avec Beethoven, un « emprunt au fonds franco-allemand » :

Mais en Pologne, on le tient pour une marche polonaise :

Il y a plus inquiétant. La définition de l'« *Ursicht* » hongroise, à laquelle il a été fait allusion ci-dessus, se résume en trois points capitaux : 1° échelle pentatonique, 2° construction par paliers (« *terrassenartig* »), 3° pente mélodique descendante. Voilà qui est clair et le serait bien plus encore, si cela ne s'appliquait aussi, sans la moindre retouche, à la musique de tels Indiens d'Amérique et, pour l'essentiel, à celle des Papous, sans compter que, à en croire une autre théorie, la pente descendante serait dans tous les cas (« *durchwegs* ») caractéristique des organismes sonores primitifs.

Enfin, tout sera dit sur le clair-obscur où notre science avance à pas comptés, si nous rappelons, pour clore ce registre d'incertitudes, que le meilleur connaisseur de la musique populaire espagnole, Pedrell, condense l'expérience considérable qu'il en a en une négation unique : on n'y décèle, dit-il, aucune trace de pentatonique. Ce nonobstant, un savant tel que Riemann s'applique à démontrer la persistance de ce même pentatonique précisément dans les chants de l'Espagne.

Tout bien considéré, nous en sommes là, pour le moment. La faute en est, d'abord, aux folkloristes, qui persistent à prendre les codes familiers pour mesure ou point de comparaison de toute chose incomprise, lors même qu'ils s'astreignent à approcher sans préjugé la beauté inconnue ; et qui, de plus, tardent à élaborer des techniques analytiques suffisamment précises et craignent, on dirait, par-dessus tout, une minutie qui seule ferait espérer quelque lumière. C'est ce qui apparaît au grand jour notamment dans l'interprétation des rythmes insolites. Vouloir régler, par exemple, sur un 4/4 le déroulement d'une mélodie noire ou micronésienne, comme l'ont fait d'illustres exotistes contemporains, démontre assez l'invincible obsession du manuel de solfège, qui place cette mesure, simple commodité graphique moderne, parmi les phénomènes élémentaires du rythme. D'autres fois, le folkloriste désarçonné dénombre simplement les durées contenues dans une section mélodique découpée à sa guise et ne craint pas de noter 18/8, 21/8 ou 27/8 ! C'est ce qui s'appelle « élargir » ou « assouplir » la notion de mesure. Enfin, lorsque les difficultés d'un compartimentage tant soit peu rationnel deviennent insurmontables, il reste un dernier expédient : c'est d'écrire « sans mesure », comme Viotti écrivait autrefois son *ranz des vaches*. Semblable notation entend-elle nier l'existence d'une succession intelligible de durées et d'accents, c'est-à-dire d'un rythme ? Non pas. Elle se contente d'affirmer, implicitement, que rythme et mesure « s'opposent et s'excluent d'une façon irréductible » et qu'il faut, pour saisir celui-là, se passer de celle-ci. Tout cela — faut-il même le dire ? — n'est que prétextes et faux-fuyants. A proscrire toute mesure, aussi bien qu'à inventer des combinaisons que nos manuels scolaires ignorent absolument, on n'aboutit ni à l'élargissement ni à l'assouplissement de la théorie courante, mais à son abolition pure et simple.

Cette théorie se fonde cependant sur des faits rythmiques, à vrai dire, rudimentaires, mais, en eux-mêmes, évidents et universels (groupes indéfiniment répétés de 2 ou 3 « temps » égaux, divisibles par 2 ou par 3). Avant de la jeter par-dessus bord, peut-être faudrait-il « ne pas oublier que cette conception de la mélodie à accents symétriques est un des nombreux cas de la monodie et ne doit pas être repoussée de parti pris », car « les effets qu'on en peut tirer » se montrent « dans beaucoup de danses et quelques chansons » (Huré). Si telle est la vérité, il s'ensuit que l'usage des mesures convient parfaitement à la notation correcte de ces danses et chansons, et aussi que seules conviennent là les mesures qu'enseigne l'école. C'est pourquoi tout nous conseille de nous méfier fortement de ces « savoureux » 15/8, chers, à ce qu'il paraît, au bon peuple de France. Si, en effet, une fraction de période peut durer 15 croches, on ne connaît aucune définition d'une mesure de 15 unités : des indications telles que 2⅛/4, de même que l'une quelconque de celles qu'on a vues, n'expriment aucune réalité rythmique palpable.

Lorsque, visiblement, la mélodie « échappe à la rigoureuse isochronie des temps forts » et que sa complexion contredit à nos préceptes, cela signifie-t-il qu'aucune logique n'y règle la répartition des éléments constitutifs du rythme ? N'estimera-t-on pas, bien plutôt, qu'à défaut d'une logique de cette nature, il ne saurait y avoir musique d'aucune sorte et que, probablement, nous nous trouvons en présence d'un ensemble cohérent de procédés, ou d'un « système » particulier, qu'il nous incombe non d'ignorer ou d'éluder, mais de déchiffrer et de décrire ? Répudier les mesures classiques ou en construire de nouvelles par le simple dénombrement des durées, comprises entre deux barres arbitrairement placées, revient à tourner cette difficulté, non à la résoudre. Au hasard de la lecture, prenons un échantillon de cette manière de faire :

Grand Dieu, que je suis t-à mon ai . . se

Abstraction faite des deux points d'orgue (qui mettent tout en question) et à supposer même qu'ils traduisent bien des allongements arbitraires et variables, non des durées longues constantes (ce dont l'enregistrement phonographique de plusieurs strophes pourrait seul nous assurer), que veut exactement exprimer cet assemblage de 18 croches ? Veut-il nous dire que la série entière est inarticulée et que tout accent (qui, nécessairement, l'articulerait) en est absent ? On ne peut y croire. Un groupement quelconque des valeurs doit donc pouvoir y être perçu. Lira-t-on, dès lors : 3/8 + 2/4 + 2/8 + 3/4 ? ou 3/8 + 3/8 + 3/8 + 5/8 (?) + 2/8 (hypothèse qui impliquerait des compartiments occupés par une seule syllabe) ? Si le ternaire prévaut, ne vaudrait-il pas mieux « pointer » les noires à point d'orgue ? Et s'il faut se décider pour l'un ou l'autre des deux arrangements ci-dessus, quels arguments invoquer ? Quels sont, autrement dit, les lois qui régissent le système rythmique en vigueur ? Voilà la question à laquelle l'auteur de notre notation s'abstient malheureusement de répondre. C'est de quoi on est également tenté d'accuser Cecil Sharp, lorsqu'il commence par affirmer que 5/4 et 7/4 prédominent dans la chanson anglaise, mais interrompt ensuite la répétition régulière d'un 5/4 par un 3/4, d'un 7/4 par un 9/4. Il n'y a donc pas là de périodicité stricte, donc de « mesure » ? De quoi s'y agit-il, par conséquent ? Peut-être de principes rythmiques particuliers, que notre folkloriste s'est épargné la peine de considérer attentivement ? J'ai pu montrer que, additionnant deux noires et une croche de croche, Bartók avouait par là même n'avoir pu pénétrer le mécanisme d'une rythmique singulière, n'usant que de brèves et de longues (croches et noires) : le silence comptabilisé à tort ne représentant, en cet occurrence, qu'une respiration « survenante », ajoutée à un groupe de deux longues (2/4). Erreur révélatrice, qui trahit la connaissance insuffisante d'une métrique, où gît le mot de l'énigme. La minutie nécessaire à l'examen des faits acoustiques n'est donc pas affaire de mécanique exclusivement. Disque, film, oscillographe, potentiomètre, que sais-je encore, exigent le secours de l'intelligence, mais d'une intelligence que n'obèrent pas routine et accoutumance. Les limites du concours utile de l'outillage attendent toujours d'être sommairement déterminées.

Prenons-en pour preuve le problème, tant et si âprement débattu, des échelles. Des érudits de plus en plus nombreux inclinent à penser que la mesure de la hauteur des sons demande une rigueur telle, que la translation graphique des reproductions mécaniques en viendra sans faute à abandonner l'écriture musicale sur portée, même enrichie d'adjonctions diacritiques, pour la remplacer par des graphiques lisibles aux électro-techniciens seuls. La fidélité probable d'un tel graphique compensera-t-elle

l'inconvénient majeur d'écarter d'une science, dont l'objet reste, malgré tout, un art, tous ceux qui, pour d'excellentes raisons, n'accordent à l'outil que le rôle d'un auxiliaire, certes précieux, indispensable même, mais auxiliaire cependant ? Tout au moins faudrait-il que l'image obtenue ainsi fût non seulement exacte, mais encore complète. Le sera-t-elle ? « Une chose capitale », répond Bartók, « aura forcément échappé,... c'est l'intonation, le timbre du chant populaire » (ce qui, par contrecoup, confirme l'absolue nécessité du phonographe). Cela étant, la mesure mathématique des acuités ne paraît indiquée que lorsque leurs déviations tiennent, elles aussi, d'un système, et rien ne s'opposera alors à une vérification minutieuse, à l'aide de tracés ou par tout autre moyen. Tant qu'elles demeurent fortuites et instables, il sera sage de se rappeler que les artistes cultivés, chanteurs ou instrumentistes, exploitent fréquemment l'intonation flottante à des fins expressives et de s'en remettre à l'enregistrement sonore pour éclairer les imprécisions de l'écrit : l'un est le complément nécessaire de l'autre.

Si donc on attend souvent de la machine plus qu'elle ne peut donner, il arrive, en revanche, que l'on se passe trop légèrement des inappréciables services qu'on ne saurait attendre que d'elle. Il suffit, pour le mieux comprendre, de se demander où en est, à l'heure présente, l'étude de cet attribut fondamental de la musique naturelle qu'on appelle « variation ». Les citations précédentes nous l'ont déjà appris : dès l'époque héroïque de notre discipline, la portée de ce phénomène a été pleinement reconnue, et c'est de 1811 que date l'opinion que « le point essentiel par lequel la poésie du peuple se distingue de celle qui se répand par les livres est que, douée d'une vie perpétuelle, elle se transforme sans cesse d'infinies manières et, toujours différente, repose cependant toujours sur un même fondement, ainsi que sur un roc ».

Pour leur part, les musiciens n'ont pas tardé à s'apercevoir que « les variantes mélodiques présentent, dans leur divergence, certaine régularité » et que « les légères modifications qui surviennent de couplet en couplet, principalement dans l'enjolivement de certains sons, ne sont pas dues au fait que le chanteur est peu sûr de son affaire, c'est-à-dire ne sait pas bien la mélodie, mais que cette variabilité est précisément l'un des attributs les plus significatifs et les plus typiques de la mélodie populaire : semblable à un être vivant, elle se modifie sans cesse, et c'est pourquoi on ne peut jamais dire qu'un chant quelconque est exactement tel qu'on l'a noté à quelque endroit, mais seulement qu'il était tel alors, au moment précis de la notation et, bien entendu, à la condition qu'on l'ait noté correctement ». Dès lors, tout porterait à croire qu'après un labeur plus que centenaire, les ressorts de l'arbitraire esthétique populaire ne gardent plus, pour nous, aucun mystère ou que, du moins, des normes strictes et uniformes s'appliquent aujourd'hui à l'observation de ses mobiles et de leurs manifestations.

En réalité, il n'est peut-être, hélas! aucun domaine du folklore où se perpétue plus d'équivoque et d'incohérence. Du seul fait que défenseurs de la « réception » et de la « production » partent de conceptions préétablies, leurs investigations se trouvent, dès l'abord, faussées, ceux-là s'attardant à réunir les preuves de l'action, tant se montre délétère, qu'exerce le bon plaisir (« *Gutachten* ») de l'interprète inculte, ceux-ci faisant effort de démontrer la légitimité (« *Gesetzmässigkeit* ») et la logique (« *Folgerichtigkeit* ») de cette action, en négligeant délibérément les symptômes de dégénérescence. Les uns ne voient partout que corruptions irréfléchies, les autres que remaniements voulus et féconds. Mais — détail remarquable — les uns et les autres croient à l'existence d'une version initiale parfaite, dont dériverait toute variante. Pour les tenants du dogme « réceptionniste », bâti sur l'identification possible de la chose reçue, c'est là un postulat impératif. Leurs contradicteurs, lorsqu'ils ne parlent pas de « perpétuel devenir » (mais devenir de quoi ?) ou de « nouvelle création du créé » (mais duquel ?), se rapportent, à leur tour, à une forme originelle abstraite : Doncieux s'est même — on s'en souvient — évertué de la reconstruire ; mais la postérité n'a pas souscrit à ses conclusions.

A première vue, et compte tenu de l'exiguïté de leur horizon, la méthode de ceux qui ne croient le peuple capable que d'emprunts semble plus sévère et plus attachée au concret. Encore ont-ils, jusqu'ici, omis de nous dire si « l'enchaînement analogique des images » (de quelles images, au juste ?) suit toujours la même voie et quelle est cette voie ; si les déformations dues aux déficiences de la mémoire, au besoin d'abréger, aux réminiscences, à l'incompréhension, aux inventions propres (se peut-il !) n'obéissent pas à quelque automatisme définissable et qu'il s'agirait alors de définir. Et n'accordent-ils pas trop d'attention aux avatars de l'objet, au détriment du sujet, qui en est cause ?

D'ailleurs, la description des artifices de la variation n'a, elle, guère varié ni gagné en précision, depuis qu'on s'y applique. On disait jadis que celui qui trouvait « gracieuse et plaisante » une chanson apportée par « des matelots, des colporteurs, des ouvriers la retenait, *l'accommodait* au patois de son pays, *y ajoutait* parfois un couplet, *en retranchait* un autre, *modifiait* un vers »... ou que « l'un a *ajouté* un couplet, l'autre en a *retranché* ». On a dit ensuite que le peuple « se sert des chansons à sa guise, les *transformant*, les *adaptant* à son degré spécial de compréhension », que souvent il « *y introduit* des éléments étrangers, *combine* des thèmes différents » ; qu'il « *varie* les expressions, *ajoute* même des couplets ». On dit maintenant que « *des thèmes* élémentaires s'échangent, s'empruntent, *se combinent*, que des vers supplémentaires et des *adjonctions* individuelles vont de pair avec les *élagages* et les coupures ». Soit ; accordons que tout cela est parfaitement pertinent. Est-ce à dire que, pour autant, une chose essentielle a été élucidée ? Une fois que nous saurons par le menu (et nous sommes loin de compte) comment le peuple s'y prend pour détériorer les modèles connus et inférieurs, aurons-nous appris autre chose que l'entière vanité du folklore ?

Mais si d'aventure des « forces constructives positives » étaient à l'œuvre dans la variation, nous serait-il permis d'esquiver l'obligation d'en suivre attentivement les manifestations, d'en mesurer l'intensité, d'en déterminer le siège et d'en circonscrire le champ d'action ? Une variante recueillie en tel endroit, de tel informateur ne vaut-elle que pour celui-là ? Les fantaisies d'un individu isolé passent-elles dans l'usage d'autres, et de qui ? Et ceux-là les adoptent-ils toutes ou choisissent-ils, et quelles sont les raisons de leur choix ? Tous les interprètes varient-ils autant l'un que l'autre et de la même manière ? Y a-t-il des personnalités qui donnent le ton à leurs semblables, et s'il y en a, à quoi tient leur prestige ? Les variantes ou les façons de varier se confinent-elles dans une seule région, dans un seul village, et, au sein de ce village, dans certains groupes sociaux (jeunes ou vieux, hommes et femmes), auquel cas nous aurions affaire à une activité artistique collective ? Le droit d'intervention de l'exécutant a-t-il des limites et lesquelles ? Et ce n'est là que l'ébauche informe d'un questionnaire.

Les mêmes problèmes se posent (et dans les mêmes termes) pour la musique, mais on n'a guère fait plus, jusqu'à présent, que d'en signaler quelques-uns. En général, les indications les plus sommaires, formulées dans les termes les plus vagues, telles que « prolifération d'ornements » ou « échange de petits motifs de quelques notes », ont suppléé à toute relation cohérente. Ces tout derniers temps seulement, on s'est penché plus attentivement, çà et là, sur un cas particulier. A titre de curiosité, rappelons toutefois que, pour l'Arménie, feu le P. Komitas, appuyé sur force exemples, a jadis dressé une manière de catalogue des cinq espèces de variations pratiquées, selon lui, là-bas :

1º *de dimension*, comprenant trois sous-groupes : longue et brève, complète et incomplète, simple et complexe ;

2º *de mesure*, comprenant deux sous-groupes : mesures simples et complexes (les paires devenant impaires ou inversement ; les complexes devenant simples ou inversement) ;

3º *de diapason* (les sons accentués montant vers l'aigu) ;

*Chanson populaire, de la Wickiana.*
*(Bibl. centrale de Zurich).*

4º *d'air* (tons et demi-tons changeant de position) ;

5º *d'ornement* (comportant de nombreuses modifications). Amplification ou réduction des phrases, changement de rythme, décoration, alternance de modes : autant d'artifices familiers depuis toujours à la musique savante aussi, mais dont il nous tarde de connaître le mode d'emploi dans celle du peuple.

C'est là que l'enregistrement mécanique prend toute sa valeur. « Il faut enregistrer au moins deux strophes », conseille Bartók, « plusieurs, si elles sont ornées ou si elles offrent quelque autre particularité remarquable ». Il faut, de plus, « enregistrer une même mélodie chantée par un autre chanteur ou groupe de chanteurs ; renouveler, au bout de quelques jours, l'enregistrement, avec le même chanteur (ou groupe de chanteurs), afin de constater si le rythme ou la hauteur de l'intonation ont changé, et dans quelle mesure ; enregistrer cette même mélodie en faisant appel à des chanteurs d'âges différents ; reprendre l'expérience après un temps plus long (par exemple, 15 ou 20 ans), en se servant des mêmes interprètes et aussi d'interprètes de générations plus jeunes ». Le but de chacune de ces opérations se devine aisément.

A défaut de tout texte irrécusable, force nous est d'admettre que nous ne recueillons jamais que des variantes et que, dans l'esprit des chanteurs, vit, d'une vie latente, un archétype idéal, dont ils nous offrent des incarnations éphémères. Il nous importe de retrouver les propriétés essentielles de cet archétype, qui n'en serait pas un, s'il était licite d'en déguiser simultanément tous les éléments. Il est à présumer, par conséquent, que les piliers de sa charpente ne seront pas touchés par l'improvisation, alors qu'elle se donnera libre cours là où elle n'altère aucun des traits qui rendent le modèle abstrait reconnaissable. La comparaison des variantes dégagera automatiquement les parties résistantes ou ductiles de la mélodie (« *Hartteile* » et « *Weichteile* », dit fort bien

Schneider). En même temps, le rapprochement d'interprétations différentes d'un même chant fera apparaître l'ampleur de l'ingérence individuelle, d'un sujet à l'autre, d'une catégorie humaine à une autre, d'un milieu à un autre, d'une époque à une autre, d'un état d'âme ou d'une circonstance à une autre, enfin — question à la fois artistique et psychologique cardinale — d'un genre musical à un autre.

Tout cela, évidemment, à condition de prendre la peine considérable d'épier les gens et les occasions, d'enregistrer des phonogrammes assez longs pour que s'y puissent lire les détails décisifs, que les deux strophes exigées par Bartók ne révéleraient, sans doute pas, de transcrire ces phonogrammes avec un soin méticuleux et de les soumettre ensuite à un examen pour ainsi dire microscopique. J'ai, pour ma part, tenté à deux reprises semblable expérience, sur des lamentations funéraires, à vrai dire dans des conditions quelque peu différentes : une première fois, elle avait pour objet la monographie d'une seule mélodie, dans le périmètre d'un seul village ; la deuxième, la connaissance précise des types mélodiques, étroitement apparentés, usités dans une petite province lointaine, homogène et fermée.

Ici et là, l'entreprise a mené à des constatations inattendues. Il est apparu, d'abord, que, dans le village en question, la variation — mise à part une brève formule de soudure — se bornait à l'alternance, plus ou moins régulière, de variantes constantes des membres de la période, l'apport individuel se réduisant à des agencements divers de ces membres. Mobilité obligatoire, cependant, selon les règles de l'esthétique locale, puisque les pleureuses illettrées unanimes blâmaient une jeune fille qui reprenait sans cesse une même combinaison. Et comme cette jeune fille savait lire et écrire et avait passablement roulé sa bosse, on en pouvait raisonnablement déduire que l'instruction scolaire et l'éloignement des traditions rurales portent atteinte à la faculté de varier. Confirmées par l'observation directe, les transcriptions détaillées de nos phonogrammes, où la strophe se répétait en moyenne 10 fois, démontraient, en outre, que, en tout état de cause et quelle que fût leur émotion, nos chanteuses respectaient rigoureusement la forme et le mouvement du chant.

Tout autre situation au lieu de la deuxième enquête, où la liberté des vocératrices n'avait pour bornes qu'une étendue invariable et des sons de cadence manifestement immuables, mais allait, pour le reste, jusqu'à bouleverser la structure, si bien qu'une période très simple, composée de deux membres, au lieu de se reproduire régulièrement (AB–AB–AB...), présentait, dans la réalité vivante du chant (que le phonographe est seul à pouvoir capter), la succession imprévue B – AB – B – AB – B – B – B – B – AB – B – AB – B – B – AB – B – B – AB et prenait ainsi l'allure d'une mélopée improvisée, sans architecture définie (v. la notation ci-jointe où, pour plus de clarté, les sons qui se répètent à l'image du modèle, n'ont plus été écrits).

Connaissances de haut prix, assurément, et durement acquises, mais combien fragmentaires encore ! Pourquoi, se demandera-t-on, cette respectueuse sobriété là, ces coudées franches ici ? Prendra-t-on la rigidité des conventions pour le premier symptôme d'une ossification qui présage la ruine, à plus ou moins longue échéance, d'un genre encore vivant, mais destiné à périr ? Et pensera-t-on la lamentation est plus proche de sa disparition là où son interprétation présente tolère le moins d'invention personnelle ? Il faudrait, pour oser l'affirmer, vérifier, au moyen de notations tout aussi détaillées et nombreuses, si la même pondération du débit y est prescrite pour d'autres genres aussi, tels que la chanson lyrique commune. Affirmative ou négative, la réponse autorisera deux jugements opposés, à savoir, ou bien que cette pondération est à considérer comme un trait saillant du caractère de nos gens, ou bien que le style dépouillé de leurs plaintes provient d'un respect mystique du rite. Enfin, il restera à contrôler si l'irrégularité inspirée que nous avons prise ailleurs pour un indice de la vigueur du genre, ne trahit point un tempérament exubérant ou, plus simplement, l'influence d'une catégorie de chants à structure absolument asymétrique,

à supposer que semblables chants soient connus dans cette contrée ? Voilà bien des mystères et que nous ne dévoilerons certes pas en échafaudant en vase clos de vastes théories incontrôlables ou qui s'effondreront au contrôle.

Pareillement, on doutera à juste raison que soient jamais assemblées quelques données utiles sur la naissance de la mélodie populaire, hors de toute communion avec ses dépositaires authentiques. Prévisiblement, l'hypothèse « de cabinet » ne nous apportera pas plus d'éclaircissement sur la création que sur la variation. Repousser telle supposition, parce qu'invraisemblable, ou l'adopter, parce qu'exaltante, comporte tout autant de risque. Faut-il nier que le peuple crée, parce que, autour de soi, on le voit stérile et ne conçoit pas qu'il puisse être fécond ailleurs ? Faut-il avancer qu'il le fait, parce qu'une vénération mystique vous pousse à croire à une âme nationale douée du pouvoir de s'exprimer mélodieusement ? Ne fera-t-on pas mieux de se fier au témoignage de tant d'observateurs de bonne foi qui certifient qu'en Bulgarie et ailleurs, surgissent, jour après jour, de nouvelles chansons ? Et quant à savoir comment cela se passe, s'interdira-t-on toute curiosité, en adoptant pour article de foi que « là-dessus est tendu le voile du mystère, auquel il importe de croire » ; ou s'estimera-t-on tenu, par obligation de métier, à en apprendre plus long, à force de patience et de zèle ?

Voici un jeune montagnard de Bucovine, revenant du service militaire dans son village, qu'il n'avait pas quitté auparavant. Il rapporte quelques nouveautés lyriques, dont une « chanson des gardes-frontières », troupe où il a servi. Soumis à un interrogatoire serré, il raconte que, un soir d'ennui, plusieurs de ses camarades et lui-même, réunis autour d'un feu, ont décidé de chanter leur vie de soldats. « Chacun », dit notre homme, « a fait un vers, à tour de rôle » ; mais il ne se souvient déjà plus de sa propre contribution. Ensuite, il a fallu ajuster à cette rimaillerie une mélodie. Chaque collaborateur en a proposé une, et, d'un commun accord, l'assistance a retenu celle qui lui a semblé la plus moderne, partant la plus convenable au sujet traité. Tiendra-t-on le fruit de ces efforts conjugués pour populaire ? Sa matière poétique ne l'est guère : nos militaires n'ont fait que mettre en vers le règlement de leur unité :

> ...Quand la contrebande arrive,
> Le garde-frontière l'arrête,
> L'arrête, l'appréhende,
> La remet au piquet...

Mais la technique du vers obéit aux règles traditionnelles, et l'air n'a rien de si savant. L'auteur ? Pluriel, insaisissable. Celui que nous interrogeons ne revendique qu'une paternité partielle et qu'il est incapable d'évaluer. Comme celle des autres, elle s'arrête à la musique, faite d'avance.

Un beau jour, un cortège nuptial traverse, en traîneaux, une rivière gelée. La glace se rompt, et tout le monde se noie. Une chanson, aussitôt, commémore la catastrophe et se répand rapidement. Populaire ? Sans contredit. Elle finit même par la lamentation que la mère de la mariée aurait chantée au bord de l'eau :

> O ma fille, tes beaux souliers,
> Les grenouilles y feront leurs œufs.

Une enquête essaie d'établir l'origine de cette complainte, à l'endroit même « où s'est noyée la mariée ». Mais deux années ont passé, et c'est déjà trop tard. Tout le monde veut y avoir contribué, ou bien désigne des auteurs imaginaires, qui se dérobent.

Pendant l'office nocturne de la Résurrection, une petite église en bois prend feu, et tous ceux qui s'y trouvent réunis périssent dans les flammes ; l'évangile seul est retrouvé intact. Une manière de ballade apparaît, que l'on entend bientôt partout, mais dont les variantes, très vite, divergent. On se rend sur place, sans retard, mais le résultat n'est pas meilleur ici : il y a de nouveau tant d'auteurs, paysans ou musiciens de métier, qu'il faut abandonner les recherches.

Mieux que cela : en 1938, un incendie dévaste la moitié d'un village. Le roi visite les sinistrés et leur distribue des secours. Immédiatement, une nouvelle ballade éternise ces événements, mais, cette fois, deux personnages se disputent seuls le mérite de son invention : un vieux berger et une jeune paysanne, bonne chanteuse. Leurs réponses sont formelles : « c'est moi, à tel moment, dans telles circonstances ». Mais, d'abord triomphant, le folkloriste doit bientôt déchanter : si les deux créateurs s'accusent l'un l'autre de mensonge en cachette, ils restent obstinément muets lorsqu'on les confronte. Par surcroît, la jeune fille finit par avouer qu'elle avait sollicité le concours de plusieurs camarades ; leurs témoignages sont si vagues que, en fin de compte, le mystère demeure entier.

Dans l'armée austro-hongroise étaient incorporés, pendant la guerre de 1914–1918, quantité de « minoritaires ». Parmi ceux-ci, la plupart des Roumains portaient sur eux un cahier auquel ils confiaient leurs pensées ou contenaient leurs aventures. J'ai donné naguère une édition critique de l'un de ces textes. Examiné sous le seul rapport du contenu et des procédés de versification et comparé à un grand nombre de manuscrits similaires, il a livré les renseignements que voici : une bonne partie des passages lyriques n'était que citation textuelle de thèmes ancestraux, appliqués à l'état d'âme de l'écrivain, ou de petits poèmes militaires hérités de campagnes antérieures (1866, 1881), mais depuis longtemps cristallisés et passés dans la circulation quotidienne ; la facture ne s'écartait qu'à peine de l'usage populaire, assez cependant pour trahir l'instruction scolaire du poète ; pareil à nos garde-frontières, l'auteur avait versifié des articles de journaux (tels que le nécrologue de l'empereur François-Joseph) et narré divers épisodes de sa vie au front ou en captivité : c'était là une production entièrement personnelle, mais semblable, en somme, par l'intention, à une création savante ; enfin, il fallait mettre à part quelques fragments, notamment ceux qui parlaient des Carpathes, lieu abhorré des souffrances d'innombrables combattants. Entièrement originaux, eux aussi, et inconnus à la poésie populaire antérieure, ces fragments présentaient cette particularité étrange qu'ils se retrouvaient, variés à l'infini, dans beaucoup d'autres chansonniers, rédigés en même temps et à de très grandes distances les uns des autres, parfois dans quelque camp de prisonniers de Sibérie ou du Caucase. Leur forme restait, en général, hésitante et donnait bien l'impression d'une création *in statu nascendi* : on se trouvait là, de toute évidence, à proximité immédiate des sources mêmes de cette création, mais elle demeurait diffuse et défiait tout essai de localisation.

Bilan négatif, tout compte fait (et le P. Komitas n'a pas mieux réussi), mais qui, en infirmant quelques *a priori*, décourage l'élan inconsidéré vers des synthèses téméraires et où point, dirait-on, l'espoir de surprendre, à la longue, le jeu de très grandes forces, par l'observation scrupuleuse de l'infime.

La déficience ou la débilité de l'information nous détourne également de trop vastes projets. Pour quelques rares contrées explorées en gros, que de blancs sur la mappemonde du folklore ! En Europe même, si les *terrae incognitae* diminuent peu à peu, à quoi se réduisent nos connaissances sur tant de pays, qui n'ont encore entrepris que les sondages hâtifs sur un terrain peut-être riche. Les grandes découvertes que toute exploration méthodique n'a pas manqué de faire, là même où l'on n'attendait plus aucune surprise, prouvent bien qu'il nous reste à rattraper de grands retards et à réparer de grandes négligences. Presque partout, certainement, on eût pu faire plus et faire mieux. Du moins, la connaissance de ce qui a été fait s'impose-t-elle, et s'il est vrai que, par malheur, elle se heurte à la multiplicité des langues et à l'isolement de chacun dans son milieu borné, comment juger, par contre, la joie naïve de cet érudit qui, placé devant un cas typique d'« actualisation », croit presque assister enfin à l'éclosion d'une œuvre populaire, pour la seule raison que lui sont « parfaitement inconnus » les recueils de ses devanciers, où cette œuvre figure en bonne place ? On ne saurait justifier, non plus, l'impa-

tience de tels autres, qui, pour atteindre plus vite à une vision d'ensemble, feignent d'ignorer les lacunes de notre savoir présent ou en font abstraction, à dessein.

Avec cette entière bonne foi qui donne tant de poids à ses dires, Bartók — qu'on ne saurait trop citer, en ces matières — a clairement indiqué à quels mécomptes on risque d'aboutir ce faisant. « En 1912 », nous apprend-il, « j'ai découvert, chez les Roumains du Maramourech, certain type mélodique à coloris oriental, abondamment orné et en quelque sorte improvisé ». (Complétons la confidence : n'en ayant trouvé aucune trace dans le reste de la Transylvanie, il affirme qu'il s'agit là d'un emprunt fait aux Ukrainiens). « En 1913 », continue Bartók, « dans un village saharien de l'Algérie centrale, je rencontrais un style analogue, et, bien que leur ressemblance m'ait frappé dès l'abord, je n'osais voir là qu'une coïncidence fortuite. Comment supposer qu'entre deux phénomènes constatés à plus de 2.000 km. de distance une relation de cause à effet fût possible ? Plus tard seulement, au fur et à mesure que progressaient mes études, il m'apparut que le type mélodique en question se retrouvait également en Ukraine, en Irak, en Perse et dans la Roumanie ancienne. Désormais, il était clair que l'hypothèse d'une concordance de hasard devait être écartée : d'origine indiscutablement perso-arabe, ce type a donc pénétré jusqu'au centre de l'Ukraine, en suivant un itinéraire encore obscur (nous ignorons, en effet, si pareille mélodie existe ou a existé chez les Turcs osmanlis ou chez les Bulgares) ». Aujourd'hui, il est prouvé qu'elle y existe.

Ailleurs, Bartók se voit contraint de démolir de ses propres mains l'un de ses édifices scientifiques jugés les plus solides. Persuadé que le pentatonique a immigré d'Asie avec les Magyars, il avait soutenu, envers des contradicteurs nombreux et irascibles, que telles mélodies roumaines dérivaient des hongroises anciennes. Une visite tardive aux archives de Bucarest devait l'amener à se dédire, courageusement. De mainte belle construction théorique, seuls subsistaient un doute et un regret : « Combien de questions attendent encore leur réponse, dans le folklore musical ! »

L'heure n'a donc pas encore sonné d'attribuer d'autorité, et en dissimulant la fragilité de nos connaissances derrière une terminologie coriace, l'élément musical à telle race, à tel « cercle de culture » ou à tel climat, ni de localiser, sans appel, ici ou là, un « *eckiges Pendelmelos* » (je renonce à traduire) ou une « *harmonikale Zielstrebigkeit* » ou une « *agogisch freischwebende Rhythmik* » ou une « *unproblematische Inbesitznahme des Tonraumes* » ou un « *freischweifendes glockenhaftes Gepräge* » ou une « *federnde Elastizität mit etwas leichtem, saloppem Vortrag* ». De même que rien n'autorise à décréter, une fois pour toutes, que ceci ou cela est « *hirtenkulturlich* » ou « *typisch skaldisch – vorgregorianisch – nordisch* » ou « *arktisch – altamerikanisch – nordeurasisch* ».

Toutefois, de cette pénombre traversée de rares clartés, d'où notre science a tant de mal à émerger, les folkloristes ne portent pas la responsabilité tout entière. L'équité veut qu'on fasse valoir à leur décharge ce serait-ce un seul, mais puissant argument : plus s'accroît la masse des documents, plus nous frappe et nous déroute la quasi-ubiquité de certaines « formules », de certaines combinaisons constantes d'un petit nombre de sons. Tout à l'heure, on a vu cette ubiquité de quelques lieux communs mélodiques ou rythmiques ébranler des définitions prématurées de styles nationaux. Mais, pour peu qu'on veuille bien renoncer à découper le globe en « *Stylprovinzen* » et « *Stylkreise* », on ne manquera pas de remarquer qu'il n'y a pas de limites définissables à la diffusion de pareils « corps simples » musicaux. Matière d'une famille de chants grégoriens :

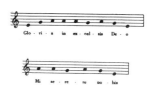

ils se retrouvent chez les Esquimaux :

en Colombie anglaise :

dans la Californie du Nord :

Les enfants d'Europe centrale se maintiennent volontiers dans le même espace mélodique restreint

que les aborigènes d'Hawaï

ou les Indiens :

Et l'aire de répartition de plus d'un instrument (tambour, guimbarde, flûte de Pan), de même que celle de certaines techniques vocales (émission gutturale, nasale, voix de tête, fausset) couvrent généralement des étendues territoriales immenses. Ne vient-on pas de capter, en pleine forêt équatoriale, une tyrolienne de la plus belle eau ? Ces locutions et élocutions stéréotypes, apatrides, issues de données élémentaires de la physique, semblent la première étape d'un chemin fatal et comme des conquêtes acoustiques initiales. Assises des systèmes matériellement plus riches qui suivront, elles y resteront perceptibles jusqu'au jour où les submergeront les infiltrations d'un art savant. A l'opposé de celui-ci, elles n'ont pas d'âge, ou du moins n'ont-elles qu'un âge relatif. Est-ce bien Monteverdi qui « tout au commencement » de 1600 « trouva » la cadence parfaite ? Peu importe. L'historien ingénu a raison qui déduit de cette date, supposée exacte, l'ancienneté absolue maxima des chansons où la cadence parfaite apparaît. Mais que, au XVIIe s. ou de nos jours, on improvise, pour véhiculer des couplets d'actualité, un air « nouveau », en mettant bout à bout quelques-uns de ces vocables passe-partout, la nouveauté absolue de la chanson qui naîtrait ainsi ferait-elle oublier la haute antiquité relative de ses composants musicaux ?

Il se trouve que, en tout lieu, ces vocables-là foisonnent surtout dans la musique intégrée à un de ces complexes de pratiques collectives ou de gestes consacrés, communément appelés « rite » ou « coutumes ». L'importance des répertoires rituels dans la vie des sociétés dites primitives, en Europe et hors de là, comme aussi leur richesse, ont été si souvent soulignées qu'il n'y a pas lieu d'y revenir. Travaux essentiels, actes décisifs de la vie humaine, grands moments du calendrier non seulement « font jaillir le rythme et planer la mélodie », mais ne pourraient s'accomplir sans eux. C'est qu'on attend du son et de la parole ordonnés des effets matériels prodigieux et qu'on les croit doués de pouvoirs surnaturels, dont on escompte les bienfaits. L'art ne règle pas là en maître et n'a pas pour seule fin le beau. Son rôle est de servir.

Les données élémentaires physiques ont, en effet, pour corollaire (ou pour principe) des données élémentaires psychiques, dans une très large mesure universelles, elles aussi, comme les besoins et les terreurs de l'homme. Les morts courroucés sont redoutables partout : il faut les apaiser par des dons et des chants, les effrayer par des bruits, les éloigner par des artifices compliqués. On veut partout la chasse fructueuse, les récoltes abondantes, et la musique aidera à les rendre telles. Il s'ensuit que les occasions du chant sont prescrites, que les berceuses ne se chantent que pour bercer, les chants de moisson qu'en moissonnant, les funéraires qu'aux enterrements.

Ce n'est pas ainsi qu'en use l'Occidental civilisé. Pour entendre une œuvre musicale, il se rend, à des heures que seules des convenances d'horaire lui ont fait choisir, en quelque endroit spécialement affecté à pareil usage. Entre l'œuvre et lui, le contact s'établit par l'office d'un intermédiaire, traducteur professionnel d'un texte qu'un auteur unique, et le plus singulier possible, a fixé dans une forme *ne varietur*. L'auditeur n'en attend qu'un délassement de l'esprit, une joie esthétique. Si, en un sens quelque peu figuré, elle lui semble « indispensable », elle n'en demeure pas moins « inutile », au sens littéral. Nous tenons là un critère positif de discrimination entre le populaire et le savant, et c'est l'*absence de gratuité* de celui-ci, sa fonction sociale.

Raisonnant *a contrario*, on a voulu faire de cette fonction une raison d'exclure toute musique asservie aux rites ou liée aux cérémonies du champ visuel du folklore, compris comme une science de la *chanson* populaire (« *Volksliedkunde* »), d'abord parce que, entre la société rurale proprement européenne et les populations vivant sous l'empire de la magie, on ne saurait établir aucun rapport ; ensuite parce que cette sorte de musique n'aurait pas le caractère de « chanson proprement dite » ni le « style d'*arioso* » (« *arios* ») qui la caractérise, en sorte que, en nous appliquant à son étude, nous détournerions notre science de son unique objet, où rite et magie n'ont rien à voir. On ne saurait imaginer argumentation plus débile et mieux faite pour démontrer l'impossibilité de limiter à un cas d'espèce (l'européen) l'observation d'un phénomène général.

Sa débilité éclate, en premier lieu, dans l'échec des essais de définition du « caractère de chanson », échec à ce point complet que, en dernière instance, il est fait appel à notre sentiment, qui perçoit, nous assure-t-on, distinctement (« *empfindet deutlich* ») les nuances et discerne ce qui possède ce mystérieux caractère et ce qui en est dépourvu. De plus, cette Europe, qui seule abriterait la chanson de style *arioso*, a des frontières singulièrement vagues : Danckert y incorpore la Russie, la Bulgarie et l'Islande, mais en retranche la Grèce, dont les mélodies auraient été entièrement déformées (« *überformt* ») par la culture musicale arabo-islamique. Pourtant, l'influence maure se ressent plus fortement encore en Espagne : y prive-t-elle le chant de l'allure *arioso*, présumée européenne ? Enfin, niera-t-on sérieusement que les vestiges d'une civilisation primitive sont encore partout visibles en Europe, même occidentale ? En Suisse, le tintamarre appelé à intimider les démons déchaînés de l'hiver retentit toujours, au rythme magique des tambours ; des simulacres de rapts subsistent toujours dans les coutumes nuptiales ; les esprits malfaisants de la stérilité et de la sécheresse sont toujours brûlés ou noyés ; on lamente toujours les morts, en Irlande et en Italie, peut-être en France. Il n'y a pas de différence d'espèce entre les chansons de quête de Nouvel An russe et les *bonans* romands ou le *guillonné* français. Que tout cela ne soit plus que débris d'un passé à jamais révolu, que la plupart des « manœuvres défensives ou offensives », où l'homme appelle à son secours les sons, aient perdu leur signification première, ces témoins irrécusables n'en attestent pas moins la réalité d'une vie sociale que l'analyse et la comparaison peuvent reconstituer et qui se révèle identique, par essence, à celles que des conditions semblables ont fait naître ailleurs.

Il est en outre une cellule de la société, au moins, où l'intention du geste ancestral n'a pas été oubliée, à savoir le monde enfantin. Sans doute, les enfants occidentaux ne savent-ils plus les mots tout-puissants que scandent les Orientaux pour enjoindre à la fumée des cheminées de monter droit au ciel, pour empêcher le chien de mordre, pour arrêter la pluie d'été, pour demander la faveur de la nouvelle lune, pour se partager les couleurs de l'arc-en-ciel, pour chasser de l'oreille l'eau qui y a pénétré pendant la baignade ou pour appeler la pantoufle cachée sous le lit. Mais il leur reste encore une petite provision d'incantations, qui font voler la coccinelle, forcent l'escargot à montrer ses cornes, font « sever » le bois dont ils construiront une flûte, guérissent l'entorse et la brûlure, ou leur font « avoir la beauté ».

Il est assurément aisé de railler les obsédés qui ne voient partout que survivance de paganismes défunts. Mais on peut soumettre aux méditations des ironistes deux textes, qui les feront peut-être réfléchir. Le premier est du IXe siècle ; on le connaît sous le nom de *Wiener Wurmsegen* (exorcisme contre le ver) :

*Hors de là, ver avec (tes) neuf vermisseaux, hors de la moelle, (passe) dans les os ; hors des os, (passe) dans cette flèche. Ainsi soit-il.*

L'autre a été écrit sous la dictée d'un enfant, vers 1930, dans la vallée de la Saône, et porte le titre : « Pour chasser le mal du corps » :

*Veine à l'aise, si tu es dans la moelle, passe dans l'os ; si tu es dans l'os, passe dans la chair ; si tu es dans la chair, passe dans le sang ; si tu es dans le sang, passe dans la peau ; si tu es dans la peau, passe dans l'air.*

Enfin, il est erroné de croire qu'aucun lien ne rattache la chanson proprement dite au répertoire occasionnel et utilitaire des civilisations primitives. Devenue, petit à petit, un objet de divertissement, elle avait, elle aussi, à l'origine, une destination pratique : on attendait du pouvoir « délestateur » du chant l'apaisement de la souffrance morale, la guérison des maux de l'âme. Là-dessus, la poésie populaire orientale est aussi explicite que possible :

S'il n'y avait pas de chansons par les villages,
On verrait des femmes s'enfuir
Et des filles perdre la raison.

D'où ce conseil d'une mère à sa fille :

Apprends bien les chansons,
Car tu ne sais pas de quoi demain sera fait.

et cet aveu d'un chanteur :

Ce n'est pas que je sache chanter,
Mais c'est que le cœur me fait mal.

Voilà pourquoi l'inventeur des chansons mérite la bénédiction : « que son visage soit pareil aux fleurs et son regard à l'aube ».

N'est donc populaire, dans la rigueur de l'acception, qu'une musique étroitement associée à la vie matérielle des hommes, dépourvue d'autonomie, sujette, mais douée de pouvoirs surnaturels. Capable d'agir sur les conditions premières de l'existence, elle est, par là, affaire de tout un chacun, propriété collective, dont il importe de préserver l'intégrité et l'efficacité. A tous les stades de son évolution, la foi en sa puissance se perpétuera dans le peuple, sous la forme d'un conservatisme obstiné à l'endroit non seulement des biens de tradition, mais tout autant des emprunts qu'il fera à la culture citadine.

La substance de cette musique — mélodie, rythme, sonorité — est « naturelle », c'est-à-dire acquisition empirique, et non pas fruit de spéculations scientifiques. A l'origine, elle ne consiste, visiblement, qu'en un jeu restreint de possibilités, trop peu nombreuses pour que leurs associations variées puissent se différencier nettement ou que puisse se dessiner un plan : c'est pourquoi, à cet échelon, rencontres et identités sont si fréquentes, de même qu'une architecture réduite à la répétition (dont le principe survivra, d'ailleurs, dans la strophe).

Il faudra que ces « racines » se multiplient pour que devienne possible une sélection et que d'alliages divers et d'ajustements variés naissent des formes et des styles distincts. Dans la trame de ces langages nuancés, se retrouvent les constantes originelles, mais, plus d'une fois, dissimulées par le débit (au moins aussi caractéristique, dit justement Hornbostel, que la matière elle-même).

Il y a de bonnes raisons de croire que les « dialectes » régionaux, notamment lorsqu'ils succèdent à d'autres, plus anciens, sont temporaires et marquent une époque

de l'histoire sociale. De toute manière, chacun d'entre eux ne représente jamais que la stabilisation d'une combinaison particulière — et souvent particulièrement ingénieuse — d'éléments mélodiques et rythmiques primitifs.

Superior vox.

DEr Appenzeller Kuhreien Lobelobe.

*Le 1ᵉʳ Ranz des vaches imprimé (1545).*

Dans le triage de ces éléments, se manifeste le don créateur de l'« inconscient collectif » : il s'agit là, remarque pertinemment Cecil Sharp, d'un choix commun, non d'une création commune. Individuelle non plus, ajouterons-nous, puisque, à défaut d'un consentement général, la création perdrait sa fonction et disparaîtrait.

C'est là, d'autre part, la raison de son anonymat, que, à elle seule, l'ignorance de l'écriture n'explique pas : on a vu des musiques savantes s'en passer. La populaire n'en éprouve pas le besoin, parce que, pratiquée par tous, nécessaire à tous, elle est aussi présente à leur esprit que les croyances auxquelles elle s'attache. Ces croyances ne sont consignées en aucun code : lorsqu'elles le seront, une religion naîtra et, avec elle, une musique savante.

Au surplus, pour durer dans le souvenir, la musique populaire doit user de schémas inflexibles ; mais pour demeurer un art « de tous », elle doit permettre l'adaptation de ces schémas, forcément sommaires, à l'infinité des tempéraments individuels : c'est la variation, que l'écrit annihile. La variation nous fait comprendre, d'autre part, par quels moyens la musique populaire tire ses grands effets de moyens relativement réduits : leur exploitation intense ou même (je crois l'avoir montré) à proprement parler systématique lui tient lieu de richesse.

C'est de l'ensemble de ces attributs que se compose la notion du « populaire », terme qui se justifie aussi longtemps que l'un d'entre eux, à tout le moins, subsiste. Il est bien rare qu'on les trouve tous réunis, tout comme est rare une société qui ne doit rien à l'industrie ni à la science. Dans la mieux préservée que nous puissions encore étudier, le répertoire présente toujours quelque impureté ou quelque mélange. Les « stabilisations » successives dont nous parlions, y ont amené une manière de stratification, les styles se superposant les uns aux autres.

Aux bords des domaines dialectaux, les dialectes se touchent et se contaminent. Des événements connus ou inconnus, migrations, occupations militaires, ont apporté des formes d'art étrangères, qui se sont implantées. On les voit, çà et là, buter contre un obstacle : leur élan n'a, par exemple, pas suffi à les porter au-delà d'une chaîne de montagnes : l'histoire dira, peut-être, pourquoi ; ou bien le folklore éclairera, un jour, l'histoire. Presque partout, le fonds musical qui s'offre à nos observations est composite : à lire les recueils de chants ukrainiens, polyphones, modérés, réguliers, on ne soupçonnerait pas qu'ils vivent côte à côte avec une mélopée homophone, libre et lente, sans doute née sous d'autres cieux.

Enfin une classe d'érudits survient, que son savoir et ses mœurs éloignent du vulgaire, et cette société dans la société produit son art, soumis à une juridiction concertée, et le pare de son prestige. Il se peut alors que la foule des incultes ne voie en elle qu'une caste destinée à la conduire et à la dominer et s'en tienne à l'écart. Mais il se peut aussi que la « supériorité » et la puissance des lettrés excitent son envie et qu'elle s'efforce d'y accéder par l'imitation. Elle s'y efforcera sans faute, si l'instruction lui est octroyée, comme dans l'Europe moderne, par l'enseignement obligatoire.

La conséquence en sera que l'art populaire s'assimilera. petit à petit, les procédés de l'autre : par cristallisations successives se forment des styles, où, dans une mesure sans cesse croissante, le nouveau s'ajoutera à l'ancien, et que l'instinct conservateur du peuple maintiendra quelque temps. Cette assimilation se produit à une allure d'autant plus rapide et sur des étendues d'autant plus vastes que la civilisation envahissante est plus expansive et s'appuie sur une puissance politique plus grande : l'immense diffusion de la musique arabe, jadis, de la nôtre, aujourd'hui, nous en donne d'éloquents exemples. Dans la zone de contact entre la tradition et l'innovation prennent corps, sur le tard, des hybrides « nationaux » à circulation plus ou moins large, du type de la musique tzigane hongroise ou de l'*españolada* de music-hall (où, d'ailleurs, un premier croisement de la mélodie ibérique autochtone avec celle des Maures conquérants en engendre une deuxième, par l'adoption de l'harmonie), ou de la musique arabe de café, ou du jazz, ou de telles variétés, semi-exotiques, moins répandues, de Madagascar, de Tahiti et d'ailleurs.

Dernière étape, avant la ruine totale : de même que la société rurale subira l'inexorable nivellement par le haut, pôle contraire de son unité première, son art périra, étouffé par les corps étrangers qui s'y insinuent, jour après jour. Ce point atteint, danses suisses, tchèques, suédoises, italiennes, autrichiennes se nourrissent des mêmes déchets de grande musique. Et lorsqu'un écrivain croit les chansons anciennes, non livresques, en Allemagne, à jamais perdues (« *verklungen und verschollen* »), il nous apprend ainsi (s'il faut l'en croire) la fin de toute musique populaire allemande. Celle qu'il tient pour telle, conserve, pense-t-il, une des propriétés fondamentales : la variation. Mais cette variation s'exerce sur un modèle élaboré dans le détail, qu'elle défigure. Elle est *zersungen*, non pas variation.

Cycle, hélas! irréversible, que nulle méthode de yodel ne ralentira, mais qu'ont, plus souvent qu'à leur tour, accéléré des agents de destruction conscients, parmi lesquels des missionnaires se distinguent, si l'on se fie à ceux qui les ont vus à l'œuvre. « Sur la côte ouest du Groenland », rapporte Leden, « les missionnaires ont malheureusement extirpé toute danse ». Une chanson y pleure le bon temps où l'Esquimau « était encore de bonne humeur et pouvait se divertir à sa propre manière païenne ».

Les vieux dieux se meurent, avec l'âme puérile de ceux qui les adoraient. Leur agonie nous semblerait-elle donc encore trop lente ?
                                                       **C.B.**

Cet art. a paru dans l'ouvrage en 2 vol. *Musica aeterna*, publié par les édit. Max S. Metz à Zurich.

**FOLOLITSY.** C'est une flûte droite, en roseau (Madagascar). On dit aussi *sodina* (voir à ce mot).      **M.A.**

**FOLPRECHT Zdenek.** Chef d'orch. et compos. tchécoslovaque (Turnov 26.1.1900–). Élève de Foerster, de Novak, de Talich, il a dirigé l'orch. du Théâtre national slovaque à Bratislava et l'orch. philharmonique de Slovaquie (1925), celui de l'Opéra national de Prague (1939) ; il a écrit une « symphonie scénique » (*op.* 11,

1936), 2 cantates (1929, 1944), 1 symphonie (*op.* 14, 1935), un concerto de piano, un concertino pour 9 instruments (*op.* 21, 1940), 2 quatuors à cordes, un quintette à vent, un cycle de mélodies etc.

**FOLQUET de Marseille.** Troubadour provençal d'orig. ital. (v. 1160–1231), qui fut moine à l'abbaye du Thoronet (1200), puis évêque de Toulouse (1205) ; une trentaine de ses chansons (13 notées) ont été conservées. Voir S. Stronski, *Le troubadour F. de M.*, Cracovie 1910 ; H. Pratsch, *Biographie des Tr. F. de M.*, thèse de Göttingen, Berlin 1878 ; F. Gennrich in MGG.

**FOLVILLE Juliette,** Compos. belge (Liège 5.1.1870– Dourgnes 28.10.1946). Prof. de piano au cons. de Liège (1897–1919), elle écrivit des pièces de piano, de la mus. de chambre, un concerto de piano, un *Concertstück* (pour le violon), *Triptyque*, un opéra (*Atala*, 1894), des mélodies, des pièces d'orgue.

**FOMENKO Mykola.** Compos. ukrainien (Kharkov 1894–). Élève, au cons. de Kharkov, de S. Bogatyrev, exilé aux U.S.A. depuis 1951 ; il a écrit 2 opéras (*Hanna*, inachevé, *Ivan Telesnyk*, opéra pour enfants), des œuvres symph. : 3 Suites, 1 poème (« *Année 1905* »), 1 concerto de piano, des pièces pour piano, violon, vcelle, des mélodies.                                    **A.W.**

**FOMINE Evstigneï Ipatovitch.** Compos. russe (St-Pétersbourg 16.8.1761– ... 4.1800). Fils d'un simple artilleur, *F.* fut admis à l'âge de six ans comme pensionnaire à l'Académie des beaux-arts, d'abord dans une classe d'enseignement général, puis dans des classes de clavecin (M. Buini), de chant et finalement de composition (H.F. Raupach, A.B. Sartori) ; il termina brillamment ses études musicales en 1782 et fut envoyé pour trois ans se perfectionner en Italie : là il travailla probablement avec le *padre* Martini et avec Stanislao Mattei et fut élu, le 29 nov. 1785, membre de la célèbre *Accad. filarmonica* de Bologne ; au début de 1786 il fut obligé de revenir à St-Pétersbourg ; on ne sait rien de précis sur sa vie en Russie jusqu'en 1797, date à laquelle il est nommé répétiteur, accompagnateur et arrangeur auprès de la troupe lyrique russe des théâtres impériaux ; il mourut à St-Pétersbourg avant le 20 avril 1800. L'obscurité de son origine lui a probablement interdit l'accès aux postes importants, elle ne l'a pas empêché d'être un compositeur fécond et populaire ; d'une trentaine d'œuvres qu'on lui attribue, dix sont incontestables, trois conservées entièrement sous forme de partitions : *Iamchtchiki na podstave* (1787, comédie avec mus. en 1 acte, livret de N.A. L'vov), *Amerikantsy* (1788, opéra en 2 actes, liv. d'I.A. Krylov et A.I. Klouchine), *Orfeï i Evridika* (1791/92, mélodrame, livret de J.B. Kniajnine), deux sous forme de matériel d'orchestre et fragments seulement : *Novgorodskii bogatyr' Boeslavitch* (1786, opéra-ballet en 3 actes, liv. de Catherine II) et *Zolotoe iabloko* (1800, opéra-comique en 2 actes, liv. d'I. Ivanov). L'importance du rôle joué par *F.* dans l'histoire de la musique est considérable, compositeur formé à l'école européenne de son temps, influencé par la musique du théâtre italien, *F.* se sert exclusivement de textes et de thèmes russes, recourt déjà largement au folklore de son pays, cherche à peindre avec réalisme et à traduire en musique les situations les plus diverses : tragiques, comiques ou simplement populaires. Dans la pléiade des précurseurs de Glinka, surtout dans le domaine du théâtre, c'est certainement l'un des plus habiles et des plus audacieux. V. B. Dobrokhotov, *E.I.F.*, Moscou-Léningrad 1949.                                     **V.F.**

**FONCTION.** On dit qu'un son ou un groupe de sons a une fonction, lorsqu'il contribue à une organisation d'ensemble où il joue un rôle déterminé. Quand il s'agit d'une agrégation de plusieurs sons, chacun d'eux séparément n'en est investi que si l'agrégation est entendue ou sous-entendue avec sa fonction propre. Dans la gamme diatonique de *do* majeur, *do* n'a pas la fonction de tonique dans l'accord *fa la do* ; mais, dans l'agrégation *do sol si ré*, il en est investi si l'agrégation est considérée comme appoggiature de l'accord de dominante sur l'accord de tonique.

*Fonction de tonique.* La fonction de tonique appartient au

son (ou à l'agrégation) choisi pour polariser l'ensemble du milieu sonore du moment (voir l'art. *tonique*). Dans l'harmonie traditionnelle, elle ne pose pas de problème, car elle ne peut appartenir, dans les gammes usuelles qui parcourent l'octave de *do*, par exemple, qu'à l'accord *do mi sol* avec tonique fondamentale *do*, s'il s'agit de la gamme diatonique majeure, qu'à l'accord *do mi b sol*, avec tonique fondamentale *do*, s'il s'agit de l'une des gammes diatoniques mineures.

Il en est autrement depuis la mise en œuvre des modes diatoniques non usuels que Debussy a introduits, qui permettent d'articuler les sons *do ré mi fa sol la si* aussi bien sur les accords de tonique de *ré fa la*, de *mi sol si*, de *fa la do*, de *sol si ré* ou de *la do mi*, et depuis l'apparition des gammes non diatoniques et des harmonies dodécaphoniques, qui peuvent s'articuler sur l'un ou l'autre des sons, des accords parfaits ou des accords non parfaits parcourus (voir les art. *modes, tonalité*).

D'une manière générale, la fonction de tonique se manifeste par la prédominance que l'entité-tonique doit à ses emplacements privilégiés, à sa position d'aboutissement des figures et des cadences et à sa place conclusive. Dans l'harmonie traditionnelle, elle est plus explicite encore, puisque l'accord de tonique clôt nécessairement l'œuvre ; il doit figurer dans le premier accord de celle-ci, s'il ne s'agit pas d'un accord de dominante ou de sous-dominante, il peut être attaqué sans préparation en position de quarte et sixte etc.

*Fonction de sous-dominante.* Lorsque la fonction de tonique appartient à un son jouant le rôle de tonique unique ou de tonique fondamentale d'un accord de tonique, c'est le son situé à sa quinte inférieure, ou, ce qui revient au même, à sa quarte supérieure, qui est investi de la fonction de sous-dominante. Celle-ci consiste à mettre le son tonique en évidence, grâce au mouvement attractif naturel résultant de l'affinité de quinte qui unit la sous-dominante à lui (voir art. *potentiel*). Dans l'harmonie traditionnelle, la fonction de sous-dominante s'étend à tout accord classé qui a la sous-dominante pour fondamentale : *fa la do, fa la do mi* en *do majeur* ; elle trouve également sa justification dans les affinités attractives maxima qui unissent par exemple l'accord parfait de sous-dominante *fa la do* à l'accord parfait de tonique *do mi sol* (voir communication à l'art. *harmonie*). *Fonction de dominante.* Lorsque la fonction de tonique appartient à un son qui joue le rôle de tonique unique ou de tonique fondamentale d'un accord de tonique, c'est le son situé à sa quinte supérieure qui est investi de la fonction de dominante. Comme celle de sous-dominante, elle consiste à mettre le son tonique en évidence en vertu de la même affinité naturelle de quinte. Dans l'harmonie traditionnelle, la fonction de dominante s'étend à tout accord classé qui a la dominante pour fondamentale : *sol si ré, sol si ré fa, sol si ré fa la* etc. en *do* majeur. Elle trouve en outre sa justification dans les affinités attractives maxima qui unissent à l'accord parfait de tonique *do mi sol* non seulement l'accord parfait de dominante *sol si ré* (voir communication à l'art. *harmonie*), mais encore l'accord de septième de dominante *sol si ré fa* (voir art. *potentiel*) qui manifeste d'une part une instabilité spécifique (voir à ce mot) et d'autre part une tendance préférentielle vers *do mi sol* parmi la totalité des vingt-quatre accords parfaits majeurs ou mineurs.

En outre, de toutes les agrégations possibles dans notre échelle par demi-tons égaux, les accords de dominante se trouvent être les plus proches des accords harmoniques nés de la résonnance (voir à ce mot). Cette génération quasi naturelle, en renforçant les moyens que les accords de dominante doivent à l'instabilité et au dynamisme cadentiel exceptionnel de l'accord de septième de domi-

nante qui leur sert de base, a eu trois conséquences capitales : 1º la possibilité traditionnelle de les faire entendre d'emblée, sans les préparations qui sont ordinairement nécessaires pour les septièmes et les neuvièmes (voir art. *préparation*) ; 2º leur prolifération sous les mêmes formes que les accords harmoniques successivement issus de la résonnance, c'est-à-dire par superposition de tierces sur l'accord de septième de dominante, englobant successivement les sons de la fonction de sous-dominante, puis les sept sons de la gamme diatonique et finalement tous les sons possibles (cf. J. Chailley, *Traité historique d'analyse musicale*, Leduc, Paris 1951) ; 3º l'omnipotence finale d'une sorte de vaste accord de dominante s'incorporant les douze sons et monopolisant à son profit toute fonction cadentielle sur l'accord de tonique, en une oscillation continuelle entre fonction de dominante et fonction de tonique. « En définitive », dit Honegger (préface à *L'harmonie vivante* d'A. Dommel Dieny, Delachaux et Niestlé, Lausanne-Paris 1953) « il n'existe qu'un seul accord plus ou moins complètement exprimé ; une note isolée ou cette même note surmontée des sons de la gamme chromatique qui forme le total de notre matériel sonore ont toutes deux une fonction identique que j'appellerai la fonction de dominante. Cet accord tend à s'enchaîner par fondamentales de quintes du *do* au *fa*, du *fa* au *si b* etc. Tout l'art du compositeur tend à résister à cette attraction ou à la mener, la dompter à son gré ».

Ces deux exemples sont tous deux extraits de la *Toccata* d'Honegger (Mathot, Paris 1921). Le premier fait apparaître l'accord de dominante avec tous les sons diatoniques. Dans le second, la pédale *sol ré* de la main gauche maintient en permanence les accords harmoniques de *sol* qui manifestent leur assise au titre accord de neuvième de dominante dès les deux premiers accords de la main droite par *sol si ré fa la b*. Tous les sons possibles se trouvent désormais superposés à l'accord de septième de dominante ainsi sous-entendu.

*Fonction cadentielle.* Le recul de cette hégémonie de la fonction de dominante dans l'harmonie d'un grand nombre d'œuvres contemporaines, qui, par réaction contre son omnipotence, vont jusqu'à l'abolir (voir communication à l'art. *harmonie*), n'a nullement effacé les moyens dynamiques que l'harmonie tient des principes d'attraction. C'est pourquoi on tend à substituer désormais au terme de fonction de dominante qui reste trop attaché au dynamisme de l'harmonie diatonique, celui de « fonction cadentielle », qui comprend en définitive tout élément destiné à aboutir sur un autre élément comportant une fonction de résolution passagère ou définitive, soit en vertu d'une poussée attractive, soit par opposition de son instabilité relativement à la stabilité de cet élément d'aboutissement (voir les art. *instabilité, stabilité* et *cadences*, in fine).

*Fonction de résolution.* La fonction de résolution, qui englobe la fonction de tonique, comprend tout élément d'aboutissement de cette fonction cadentielle.

*Exemple:*

Dans ces mesures finales du 5e quatuor de Bartók (Universal edition, Vienne 1936), la fonction de tonique résolutive appartient au *si b* (déjà manifesté comme tonique de passage dans les mesures 780 à 802, puis par une succession d'accords formés uniquement de ses quatre notes attractives : *fa, mi b, la* et *do b*, ayant par rapport à lui fonction de degrés-maîtres, tout au long des mesures 803 à 810) ; et la fonction cadentielle est dévolue à l'ensemble des quatre figures de trois croches qui précèdent le *si b* à chaque instrument, et dont chacune part de l'une de ses notes attractives de quinte : *fa* ou *mi b*, pour aboutir directement sur lui par glissement de ses sensibles *la* ou *do b*.

*Fonction de bons degrés, de sensibles et de degrés-maîtres.* En harmonie traditionnelle, les bons degrés sont le 1er, le 4e et le 5e degrés, c'est-à-dire la tonique, la sous-dominante et la dominante : *do, fa* et *sol* dans les gammes diatoniques ayant *do mi sol* ou *do mi b sol* pour accords parfaits de tonique. Cumulant la fonction de la tonique et les fonctions cadentielles que détiennent de part et d'autre de la tonique les deux sons unis à elle par l'intervalle attractif de quinte, ils concourent à l'affirmation de la tonique grâce à leur mise en évidence sous toutes les formes possibles : redoublements, emplacements aux temps forts, dans l'articulation mélodique, à la base des accords, aux pédales, aux accents, possibilité d'arriver sur eux par des mouvements directs ou par des frottements de seconde normalement interdits etc...

Quant à la sensible, 7e degré de la gamme diatonique majeure et des gammes usuelles du mineur harmonique et du mineur ascendant, telle le *si* en *do majeur* ou en *do mineur*, elle a pour fonction de mettre également la tonique en évidence toutes les fois qu'elle figure dans l'accord suivant, grâce au mouvement obligé qu'elle tient de l'affinité de glissement par demi-ton qui l'unit à elle.

Mais ce qui importe ici, c'est que les mêmes principes restent valables dans l'harmonie des musiques dont les règles traditionnelles ne parviennent pas à rendre compte : modes diatoniques non usuels, gammes non diatoniques, dodécaphonisme, musiques sérielles, échelles non demi-tonales. Or les bons degrés et les sensibles de l'harmonie traditionnelle sont précisément les notes les plus attractives de l'accord de tonique par affinité naturelle de quinte due au phénomène de résonance, et par affinité naturelle de demi-ton due au phénomène du glissement sonore, c'est-à-dire exactement *do, fa, sol* et *si* pour *do mi sol* (voir comm. à art. *harmonie* et art. *potentiel*).

A partir du moment où un son ou un ensemble de sons peut être considéré comme ayant une fonction de tonique, il suffit d'en déterminer la table attractive (voir l'art. *potentiel*) pour savoir quels sons se trouvent chargés du maximum de potentiel attractif relativement à lui. Celles de ses notes attractives qui figurent dans le milieu sonore utilisé vont se répartir ainsi : 1° les *notes tonales* qui font partie de l'accord de tonique, comme *do* et *sol* pour *do mi sol*; 2° des *sensibles* qui sont reliées à l'une des notes tonales par affinité de glissement : *si* relativement à *do*; 3° les *bons degrés*, comprenant d'une part les notes tonales, d'autre part les autres notes attractives de l'accord de tonique qui ne sont pas sensibles : *do, sol* et *fa*.

Avec les fonctions mêmes de l'harmonie traditionnelle, les bons degrés, les sensibles et les notes ayant fonction de tonique constituent en toute harmonie les *degrés-maîtres* du mode que le milieu sonore utilisé organise ainsi pour en magnifier l'entité-tonique (voir comm. aux art. *mélodie, mode*).                                         E.C.

**FONDAMENTAL(E).** — **1.** La notion de la *f.* est liée à celle de la résonance (voir à ce mot) : elle désigne soit la note engendrant une succession d'harmoniques dont elle est le son le plus grave, soit la note grave de tout accord en position fondamentale (voir art. *accord*). E.C. — **2.** *Basse f.:* cf. art. *basse* III 6. — **3.** *Echelle f.:* c'est le type de la succession des sons dans un système modal ou tonal. — **4.** *Position f.* (d'un accord) : voir art. *accord*.

**FONDI Enrico.** Musicographe ital. (Rocca di Papa 20.6.1881–), qui a publié *Dante e la Musica* (*RMI*, 1903), *Il sentimento musicale di V. Alfieri* (id., 1904), *La musica nel concetto spenceriano: G. Sand e F. Chopin* (Artero, Rome 1905), *La vita e l'opera letteraria del musicista B. Marcello* (1909), *A. Manzoni, la mus. e i musicisti* (*RMI*, 1910), *F. Chopin* (Rome 1911), réédité le *Teatro alla moda* de B. Marcello (1913) ; il a composé une opérette (*Un carnevale fra la neve*), des morceaux de piano et des mélodies.

**FONDS.** A l'orgue, c'est l'ensemble des jeux à bouche : jeux de grosse taille (gros bourdon, flûte conique, principal), jeux harmoniques (flûte harmonique, flûte octaviante), de taille moyenne (petit bourdon, gemshorn, salicional, kéraulophone), de taille menue ou jeux étroits (quintaton, dulciana, viole de gambe).

**FONDS INTERNATIONAL de la musique.** C'est une fondation que Serge Koussevitzky créa en 1948 pour aider les compositeurs, leur commander des œuvres et les diffuser ; le comité actuel, placé sous la présidence de Mme Koussevitzky, comprend Mme F.D. Roosevelt, MM. Albert Schweitzer, Pablo Casals, Igor Stravinsky, H. Villa-Lobos.

**FONG-CHENG.** C'est un orgue à bouche de la Chine ancienne, dont la forme évoque la queue du phénix (d'où son nom : *fong* = phénix, *cheng* = orgue).
                                                                                      M.H.T.

**FONG-CHEOU-K'ONG-HEOU.** C'est un instrument de musique chinois, sorte de harpe à tête de phénix.
                                                                                      M.H.T.

**FONG-SIAO.** C'est une flûte polycalame, en bambou, à une seule rangée du tuyaux ; l'instrument ressemble à un phénix aux ailes déployées ; il est apparenté au *p'ai-siao* (voir à ce mot) ; il est en usage dans les temples de Confucius (Chine). M.H.T.

**FONGHETTI, Paolo.** Mus. ital., qui naquit à Vérone dans la 2e moitié du XVIe s. ; il publia *Capricii et madrigali a 2 v.* (Vérone 1598), *Lamentationes in hebd. maj. decantandae. Missa triplici modo concinenda 3 v.* (ibid., 1595), *Salmi a 4 v. concertati col suo b.c. op. VIII* (1620).

**FONSECA Julio.** Compos. costaricain (S. José 22.5.1885–), élève des cons. de Milan et de Bruxelles, org., chef d'orch., prof. d'harmonie au cons. nat. de San José, qui a fait partie d'une mission chargée de recueillir les mélodies de la province de Guanacaste et écrit *Gran fantasia sinfonica* (1937), *Suite tropical, Las ruinas de Ujarra* (ouv.), 4 messes, 1 cantate, une comédie enfantine (*Caperucita roja*), 1 trio, 1 sonate de p. et viol. (1905), des cantiques, des morceaux de piano.

**FONT Antonio.** Org. catalan du XVIIe s., de qui 19 pièces à 7, 8 et 9 v. (dont 1 messe et 1 *Salve Regina*) sont conservées en mss (1168, 1638) à la bibl. centrale de Barcelone.

**FONTA Laure** (pseud. de *Poinet*). Ballerine franç., née v. 1845, morte on ne sait où ; elle fut élève de l'école de danse de l'Académie impériale de musique (L. Petipa) et débuta en 1862 ; elle se retira de la scène en 1881 pour se consacrer à l'enseignement et aux études chorégraphiques ; elle publia en 1888, avec des notices sur les danses du XVIe s., l'*Orchésographie* de Thoinot Arbeau. Voir Un vieil abonné, *Ces demoiselles de l'Opéra*, Paris 1887.

**FONTAINE Pierre.** Mus. franç. (Rouen v. 1380–? v. 1450). Enfant de chœur à la maîtrise de la cath. de Rouen, il apparaît pour la 1re fois en 1404 dans les registres de la chapelle de Philippe le Hardi, duc de Bourgogne (comme *sommelier*) ; en 1415, il y est chapelain (avec N. Grenon) ; le 3 mars 1420, il part pour Florence, où il est membre de la chapelle du pape Martin V (jusqu'en 1427) ; en 1428, il revient à la cour de Bourgogne ; en 1433, il est ordonné prêtre ; de 1431 à 1447, il a la charge de 2e chapelain ; c'est Binchois qui lui succéda ; on a conservé de lui 7 chansons à 3 et 4 v., dont un rondeau, *J'aime bien celui qui s'en va*, qui fut doté d'un contraténor, probablement par Dufay. Voir J. Marix, *Les mus. de la cour de Bourgogne au XVe s.*, Paris 1937, — *Hist. de la mus. et des mus. de la cour de Bourgogne sous le règne de Philippe le Bon*, Strasbourg 1939.

**FONTAINE Henri Mortier de.** Voir art. *Mortier.*

**FONTANA Antonio.** Poète-mus. ital. (Correggio ... 9.1728–Carpi 11.4.1799). Élève de G. Fanti, maître de chapelle de la cath. de Carpi, membre de l'*Accad. dei Filarm.* à Bologne, il est l'auteur d'une œuvre très abondante : messes, motets, psaumes (*Domine*, Bologne 1770, *cf.* Burney), cantates, oratorios (*Giuseppe riconosciuto* – 1778 –, *La Passione di Gesù Cristo* – 1779 –, *Daniele*

*liberato dal lago dei leoni* – 1782 –). Voir A.G. Spinelli, *Notizie spett. alla storia d. mus. in Carpi.*

**FONTANA Fabrizio.** Org. piémontais (Turin ... –Rome 28.12.1695), membre de la congrégation de Ste Cécile (1650), org. de S. Maria *in Vallicella*, successeur d'A. Costantini à l'orgue de St-Pierre (1657–1691), enfin, après sa retraite, org. de S. Maria *dell'Anima*, qui écrivit pour son instr. des *ricercari* dédiés à Innocent XV (G.A. Mutij, Rome 1677), des préludes (mss Hambourg).

P. FONTAINE
*J'ayme bien celui* (ms. Escurial) *avec contratenor trompette.*

**FONTANA Giovanni-Battista.** Violon. ital. (Brescia, 2e moitié du XVIe s. – Padoue 1631), qui vécut à Venise à Rome, à Padoue ; on n'a conservé de lui que *Sonate a 1.2.3. per il violino, o cornetto, fagotto, chitarrone, violoncino o simile altro istr.* (Venise 1641). Voir F. Giegling in MGG.

**FONTANA Julian.** Pian. pol. (Varsovie 1810–Paris 31.12.1869). Condisciple de Chopin chez Elsner, pianiste de carrière intern., il publia (1865) les œuvres posthumes de son ami F. Chopin, composa pour son instr. ; il se suicida.

**FONTANA Vincenzo.** Mus. ital. du XVIe s., probablement napolitain, de qui on a conservé 23 compositions à 3 v., d'un caractère très populaire, intitulées *Canzoni villanesche... alla napoletana* (Venise 1545) ; Lassus lui a emprunté 4 de ses mélodies. Voir W. Boetticher, *O. di Lasso*, 1958.

**FONTANELLI Alfonso.** Mus. ital. (Reggio Emilia 15.2.1557–Rome 11.2.1622). Aristocrate, il servit la famille d'Este : le marquis de Montecchio, son fils César (1586), Alphonse II (1588–1597) ; il fut *maestro di camera* de César II (1597–1601) ; de 1605 à 1608, il séjourna à Rome comme *gentiluomo residente*, accrédité par le duc de Modène, de 1611 à 1613, à la cour d'Espagne ; en

1619, il est créé marquis ; en 1621, il se fait ordonner prêtre à Rome, où il fut enterré (à la Vallicella) ; il composa *Primo libro di madrigali senza nome a 5 v.* (Ferrare 1595,) *Secondo libro...* (Venise 1604), qui furent appréciés par O. Vecchi, Peri et Monteverdi. Voir A. Einstein, *The ital. madrigal.*, Princeton 1949 ; voir aussi l'art. *Gesualdo.*

**FONTEI Nicolo.** Mus. ital., né à Orciano à la fin du XVIe ou au début du XVIIe s., ecclésiastique, successeur de Zavagiolo comme maître de chapelle à la cath. de Vérone (1645–46), puis au service de la cour de Mantoue (1647) ; il publia 3 livres de *Bizzarrie poetiche a 1, 2 e 3 v.* (Venise 1635, 1636, 1639), des *Melodiae sacrae 2, 3, 4 et 5 v.* (Venise 1638), *Compieta e letanie della B. V.* (Venise 1640), *Messa e salmi a diverse voci et istromenti* (ibid. 1647), *Salmi brevi a otto con il primo choro concertato* (Venise 1647) et probablement un opéra (*Sidonio e Dorisbe*, 1642) ; on trouve des psaumes et des motets de lui dans des recueils de l'époque publiés à Leipzig et à Venise. Voir A. Spagnolo, *Le scuole accolitali in Verona*, Franchini, Vérone 1905.

**FONTEIO Giovanni.** Voir art. *Nielsen (Hans).*

**FONTEMAGGI Antonio.** Mus. ital., né à Rome dans la seconde moitié du XVIIIe s., qui fut maître de chapelle à Ste-Marie Majeure (1810) et composa de la mus. d'église (un *Requiem* à 4 v., un *Miserere*, bibl. de Münster). Son fils – **Domenico** (Rome v. 1780– ... 12.1856) fut org. à St-Jean de Latran et maître de chapelle à Ste-Marie Majeure (1823), écrivit également de la mus. d'église, dont un *Miserere* (1828), une cantate (bibl. du *Lic. Mus.* à Bologne). Le fils de Domenico– **Giacomo** (Rome v.1810–? 1859), élève de Baini, de Zingarelli, fut org. de la chapelle Julia au Vatican ; il composa un opéra, *La testa di bronzo...* (1835), un oratorio (*Jefte*, 1832) et des œuvres de mus. d'église.

**FONTENAY Hugues de.** Mus. franç. du XVIIe s., né à Paris, qui fut chanoine de St-Émilion ; ami de l'organologue bordelais Pierre Trichet, qui écrivit une épigramme en son honneur (1635) ; ses œuvres sont perdues (on sait 3 messes, 2 à 4 v., une à 6 v., publiées chez P. Ballard à Paris en 1622 ; S. de Brossard analyse, dans son catalogue, ses *Preces ecclesiasticae, liber primus* (P. Ballard, 1625) : « outre plusieurs motets, la troisième leçon du mercredi saint, *Jod manum suam* à 5 v., la troisième du second jour, *Aleph-Ego vir videns* à 5 v. et l'oraison de Jérémie pour le troisième jour à 5 v., également une passion selon st Matthieu (5 v.) ».

**FONTENELLE Bernard de.** Homme de lettres franç. (Rouen 11.2.1657–Paris 9.1.1757). Le célèbre vieillard a écrit des livrets d'opéras pour Lully (*Bellérophon*, *Psyché*, 1678, 1679, en collab. avec Th. Corneille), Colasse (*Thétis et Pélée*, 1689, *Enée et Lavinie*, 1690), Colin de Blamont (*Endymion*, 1731), Dauvergne (*E. et L.*, 1758), Traetta (trad. ital. d'*Enée et Lavinie*, 1767).

**FONTENELLE Georges Granges de.** Mus. franç. (Villeneuve-d'Agen 1769–1819). Élève de J.-B. Rey, chef d'orch. de l'Acad. royale de musique de Sacchini, il composa des cantates : *Circé, Priam aux pieds d'Achille*, des opéras : *Hécube* (1800), *Médée et Jason* (bibl. de l'Opéra), un quatuor à cordes ; c'est un fidèle disciple de Gluck.

**FONTEYN Margot** (pseud. de *Margaret Hookham*). Ballerine angl. (Reigate 18.5.1919–). Élève de Goncharov, de Serafima Astafieva, elle entra à l'école de ballet du *Sadler's Wells*, où elle succéda à la Markova en 1935–36 ; à la fin de la 2e guerre mondiale, elle était l'étoile de l'Opéra de *Covent Garden* (1946), tout en restant attachée au *Sadler's Wells* ; c'est une gloire internationale de la danse ; depuis 1954, elle est présidente de l'Académie royale de danse. Voir G. Anthony, *M.F.*, Londres 1941, et *Ballerina, ibid.* 1946 ; W. Chappel, *M.F. Impressions of a ballerina, ibid.* 1951 ; H. Fischer, *M.F., ibid.* 1955 ; J. Monahan, *F..., ibid.* 1957.

**FONTOMFROM.** C'est un grand tambour, à une seule membrane, le plus grand des tambours de signal utilisés en territoire Akan (Afrique, Ghana) : l'instrument, posé sur la tête d'un porteur, se joue en marche. On dit aussi *kyenekese.*                                                            M.A.

**FONTOVA Conrado Abelardo.** Compos. catalan (Barcelone 7.11.1865–Buenos-Aires 24.8.1923), élève de Pedrell, de Marmontel, fondateur du cons. qui porte son nom, auteur d'une opérette (*La caixeta de les ànimes*), d'une ode symph. (*Austria-España*), de chœurs, de mélodies, d'une cantate, d'une berceuse, d'une *Teoría de la mús.* et de *cantos escolares.* Son cousin – **León** (Barcelone 4.3.1875–) violoniste, enfant prodige, élève du cons. de Bruxelles, participa également à la fondation du cons. F., fonda la Société argentine de musique de chambre (1911), qu'il a longtemps dirigée.

**FOOTE Arthur.** Org. et compos. amér. (Salem 5.3.1853–Boston 8.4.1937), élève de Stephen Heller, qui fut un personnage considérable aux U.S.A., écrivit son autobiographie (publiée par K. Foote Raffy à Norwood en 1946) et écrivit des œuvres symph., des chœurs, de la mus. de chambre, de piano, d'orgue, des mélodies.

**FORBES John.** Éditeur de mus. écossais (?–Aberdeen ... 11.1675), qui publia le premier recueil de musique profane qui parut en Écosse : *Songs and fancies* (3 vol., 1662, 1666, 1682), sous-titré *Cantus.* Son fils – **John II** (Aberdeen ?–? 1707), fut associé aux activités de son père à partir de 1662 ; il réédita le *Cantus* et publia notamment *Festival songs or certain hymns adapted to the principall christian solemnities...* (1681). Voir H.G. Aldis, *A list of books printed in Scotland before 1700*, Edimbourg 1904 ; H.G. Farmer, *A hist. of mus. in Scotland*, Londres 1947.

**FORCER Francis.** Mus. angl. (? v. 1650–? 1705), de qui Playford publia des mélodies ds *Choice ayres and dialogues* (1679), *The theatre of music* (1685–87) ; on trouve de ses mss à Cambridge, à Oxford (Christ Church), au British Museum.

**FORCHAMMER Ejnar.** Ténor danois (Copenhague 19.6.1868–Munich 15.8.1928), qui fit une grande carrière, dans les opéras wagnériens, à Lübeck, à Dresde, à Francfort, à Wiesbaden, à Munich. Son frère – **Jörgen** (Copenhague 24.6.1873–) a été prof. de physiologie vocale et de phonétique à l'univ. de Munich, il a publié *Den menneskelige Stemme* (Copenhague 1920), *Theorie u. Technik des Singens u. Sprechens* (Leipzig 1921, en collab. avec son frère Viggo), *Die Grundlage der Phonetik* (Heidelberg 1924), *Entspannungsübungen f. stimmbildnerische Zwecke ausgearbeitet* (Munich 1927), *Kurze Einführung in die deutsche u. allgemeine Sprachlautlehre* (Heidelberg 1928), *Die Sprachlaute in Wort u. Bild* (ibid. 1942). Leur frère – **Viggo** (Copenhague 26.11.1876–) a été prof. de diction et de chant à l'univ. de Copenhague et publié *Taløvelser* (Copenhague 1917, 1943), *Stemmefysiologi som Grundlag for Stemmedannelse* (ibid. 1920), *Kortfattet Tale-og Sangteori* (ibid. 1943), *Theorie u. Technik...* (en collab. avec son frère Jörgen).

**FORCHAMMER Theophil.** Org. allem. (Schiers 29.7. 1847–Magdebourg 1.8.1923), qui tint les orgues de Thalwil, d'Olten, de Wismar, de Quedlinbourg, enfin de la cath. de Magdebourg et composa de la mus. d'orgue, d'église, des transcriptions, de la mus. de chambre, d'orch., des manuels pédagogiques. Voir P. Schmidt, *T.F., ein unbekannter Meister des XIX. Jh.*, Mülhau, Kiel 1937 – *T.F., Gedenkschrift*, Verlag der Organistengilde, Kiel 1948.

**FORD Thomas.** Luthiste angl. (? v. 1580–Londres ... 11.1648), qui fut en 1611 au service du prince de Galles, en 1626 à celui de Charles Ier ; il publia à Londres en 1607 *Musicke of sundrie kindes set forth in two bookes...*, 2 anthems ds *The teares...* de W. Leighton (Londres 1614), 3 canons ds le *Catch that catch can* de J. Hilton jr. (Londres 1652) ; un grand nombre de ses compositions sont conservées en mss : des canons, des anthems, des madrigaux, des fantaisies instrumentales. Voir ds T. Birch, *The life of Henry prince of Wales*, Londres 1760 ; ds l'*Histoire générale de la musique* de Burney ; ds P. Warlock, *The english ayre*, O.U.P., Londres 1926.

**FORDELL Erik.** Compos. finlandais (Kaarlela 3.7.1917–), qui a écrit 2 symphonies (1949, 1950), de la mus. de chambre, des mélodies.

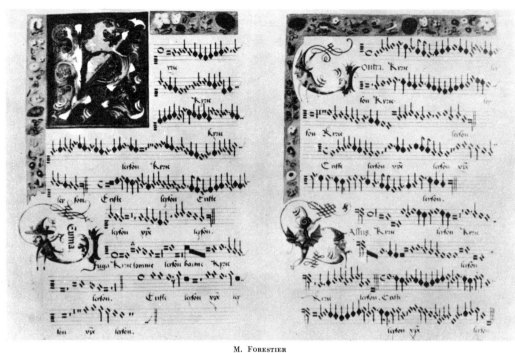

M. Forestier
*Le Kyrie de la messe* L'homme armé.
*(ms. chapelle Sixtine, cod. 160).*

**FOREST.** Mus. angl. (?–Wells 25.3.1446), cité par Hothby dans son *Dialogus* (ms. bibl. de Florence, Coussemaker, III 31) ; on n'a pas de certitude à son sujet : peut-être faut-il l'identifier avec un *John F.*, clerc, bénéficier de la cath. de Lincoln (1414), de l'archidiaconé du Surrey (1414), de Lichfield (1415), d'York, du doyenné de Wells (1425) ; on a conservé de lui 7 motets, dont 2 dans l'*Old Hall Manuscript* qui sont attribués, ds le ms. de Modène (Estense), à Plummer, à Dunstable ; un *Credo* est à Trente ; à Munich, un *Gloria*, plus généralement attribué à Hugo de Lantins, est classé sous son nom ; toutes ses œuvres sont à 3 v. Voir M.F. Bukofzer, *Studies in medieval and Renaissance music*, New-York 1950 – art. in MGG.

**FORESTIER Mathurin.** Mus. franç. de la fin du XV<sup>e</sup> et du début du XVI<sup>e</sup> s., dont les œuvres côtoient celle de P. de La Rue dans divers mss ; on a de lui 2 messes à 4 v. (*L'homme armé* et *Baise moy*), 2 motets et 3 chansons. *Cf.* W. Rehm ds MGG.

**FORINO Ferdinando.** Vcelliste ital. (Naples 1837–Rome 6.7.1905) qui enseigna de nombreuses années à l'acad. Ste-Cécile de Rome et écrivit pour son instrument ; il fit partie du *Quintette Di Corte*. Son fils et élève – **Luigi** (Rome 20.8.1868–5.6.1936) fit également une grande carrière de vcelliste ; il fut dir. du cons. Ste-Cécile à Buenos-Aires de 1888 à 1900, moins deux ans (1894–95), pendant lesquels il fut maître de chapelle à Viterbe ; enfin il succéda, à Rome, à G. Morelli comme prof. de l'acad. Ste-Cécile ; il écrivit pour son instrument (1 concerto) et maints ouvrages pédagogiques. Son frère – **Ettore** (Rome 1875–10.10.1933), pianiste, élève de Sgambati, collabora avec lui au cons. Ste-Cécile de Buenos-Aires.

**FORKEL Johann Nikolaus.** Mus. et musicologue allem. (Meeder 22.2.1749–Göttingen 20.3.1818). Fils d'un cordonnier-douanier-*Castenmeister*, élève du cantor de Meeder, J.H. Schulthesius, il entra à l'âge de 17 ans à la maîtrise du *Johanneum* de Lunebourg ; en 1767, il est préfet de chœur à la cath. de Schwerin, tout en se perfectionnant dans l'orgue et se plongeant dans les écrits de Mattheson ; en 1769, il est inscrit à la faculté de droit de l'univ. de Göttingen, l'année d'après il est org. de cette université ; de 1779 à 1815, il y est directeur de musique et *Concertmeister*, et, en 1787, il en est docteur ; autour de 1801, il fait un voyage d'études et visite les grandes bibliothèques, y compris celle de Vienne ; il avait épousé en 1781 une fille du théologien Wedekind, femme qui fut un écrivain et une traductrice de valeur ; parmi ses élèves à l'univ. de Göttingen citons Schlegel, Humboldt, Wackenroder, Tieck ; à sa mort, il laissa une immense bibliothèque musicale ; on ne saurait minimiser l'importance de *F.* : il est non seulement un des premiers bibliographes musicaux, mais il fut l'un des meilleurs penseurs et l'un des meilleurs historiens de la musique ; on peut même le considérer comme le fondateur de la musicologie moderne ; il publia *Vorlesungen über die Theorie der Musik...* (ms. Hambourg), *Ueber die Theorie der Musik* (Vandenhoeck, Göttingen 1777), *Commentar über die 1777 getr. Abh. über die Theorie der Musik* (ms. Hambourg), *Mus.-kritische Bibl.* (3 vol., Gotha 1778–79), *Ankündigung seines akad. Winterconcerts* (Dietrich, Göttingen 1780), *Mus. Almanach f. Deutschland auf das Jahr 1782, 1783, 1784, 1789* (Schwickert, Leipzig), *Allgemeine Gesch. der Mus.* (2 vol., ibid., 1788, 1801), la traduction de *Le rivoluzioni del teatro musicale italiano* d'Arteaga (Bologne 1783, Venise 1785), *Gesch. der ital. Oper* (Schwickert, Leipzig 1789), *Allg. Lit. der Mus.* (ibid. 1792), *Ueber J.S. Bachs Leben, Kunst u. Kunstwerke* (Hoffmeister et Kühnel, Leipzig 1802, trad. de F. Grenier, Baur, Paris 1876), *Denkmäle der mus. Kunst* (ms. Berlin), *Die Abschrift nach Wien gesandt am 25.3.1803*, *Miscellanea musica* (5 vol., ms. Berlin), *Von der wahren Güte der Clavichorde* (ms. Berlin) ; il n'était pas que musicographe, car il composa des cantates, 1 oratorio, quantité de sonates de piano, 3 concertos de clavecin (1776, 1783, 1784), 3 de piano (1789, 1796), 22 autres qui ont été perdus ; son ouvrage sur Bach a été réédité par J. Müller-Blattau (B.V.K., Augsbourg 1925–50), ainsi que par R. Franzke (Laatzen, Hambourg 1950). Voir H. Edelhoff, *J.N.F.*, Göttingen 1935 ; la correspondance de Wackenroder, Iéna 1910 ; F. Peters-Marquardt et A. Dürr in MGG.

**FORLANE.** En Italie, au début du XVII<sup>e</sup> s., la forlane était une danse de bals populaires du Frioul (pays

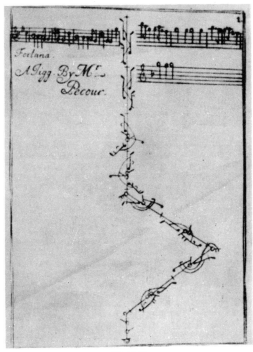

FORLANE
*Début d'une f. extraite de l'Essay d'E. Pemberton (Londres 1711).*

vénitien) : on la désignait par les noms de *forlana* ou de *frulana*, ou encore, et plus justement, de *friulana*, ce dernier terme rappelant son pays d'origine. La *f.* populaire italienne est une danse de brigue ; très animée, elle est exécutée par un ou deux couples, dans un mouvement 6/8 rapide, avec des gestes heurtés : « Il n'y a point de danse nationale plus violente », écrivait Casanova qui la dansa lui-même en 1775. D'Italie, la *f.* se répandit en France et en Europe dès la fin du XVIIᵉ s. : elle y devint danse de ballet et de société et fut introduite dans l'opéra français (*cf.* Campra, *Europe galante*, 1697, *Le carnaval de Venise* 1699, La Barre, *La Vénitienne*, 1705, etc.). Elle fut prise comme mouvement de suite (*cf.* J.-S. Bach, suite d'orch. en *ut maj.*). Schubert l'a citée (*Tanzmusik*) et Ravel en a fait un des mouvements de son *Tombeau de Couperin*.                      C.M.-D.

FORLANE
*Campra. Le carnaval de Venise.*

**FORMANT** (*Formante*). C'est la fréquence de résonance de l'oscillateur complexe que constitue un instrument de musique. Tout instrument a de nombreux formants dont la répartition dans le spectre des fréquences semble jouer un rôle important dans la sonorité : les formants aigus, difficiles à obtenir, favorisent la clarté et l'intelligibilité ; les formants graves, le naturel et la puissance ; des formants moyens trop importants donnent un timbre nasillard qui le rend peu souhaitables. L'étude des formants des violons de diverses qualités confirme ces résultats.                                                                 J.M.

**FORME.** — 1. Les théories scolaires de la forme musicale, élaborées au XIXᵉ s., mais encore d'usage courant aujourd'hui, comportent: 1º un catalogue des différents genres de formes pratiqués au cours de l'histoire européenne ; 2º une description des aspects les plus apparents et les plus constants de chacun d'eux ; 3º une méthode d'analyse consistant à disloquer les formes et à regrouper les éléments ainsi obtenus sous diverses rubriques : échelle, rythme, mélodie, contrepoint, harmonie, instrumentation, schémas structuraux (ABA, ABACADA, etc.) ; 4º une hiérarchie de ces rubriques ; 5º une législation et une table des valeurs formelles ; 6º enfin, une interprétation déterministe de l'histoire, où les formes, choisies et classées en ordre de complexité croissante, se succèdent dans une continuité inéluctable, axée sur une ou plusieurs « lignes de force » (variables d'un théoricien à l'autre). Ces théories, d'inspiration mécaniste, se rapportent à un postulat selon lequel « la forme est la coordination des différents éléments de l'œuvre en un tout homogène » (H. Riemann, *Dict. de mus.*). L'unité en est la condition première, mais n'atteint toutefois sa plénitude que « lorsqu'elle est la résultante des oppositions, des contrastes, des conflits ». Cependant, c'est au niveau des éléments « que se rencontrent les manifestations de l'unité (accord consonnant, conception tonale, permanence d'un rythme, formation et retour de thèmes), et il en va de même des oppositions (dissonance, modulation, alternance de rythmes, opposition de thèmes différents) ». La forme se présente donc ici comme une addition d'éléments appartenant à divers systèmes autonomes, dont la coordination propre est la seule garantie possible de la coordination totale. Ces systèmes sont du reste peu nombreux : tonalité, harmonie, rythme et « thématique ». Ils suffisent à constituer la forme, et tous les autres facteurs de la langue musicale sont tenus pour secondaires ou négligeables, qu'il s'agisse des timbres, des vitesses, des intensités, des registres, des densités polyphoniques, de l'articulation ou des modes d'attaque. Mais la théorie scolaire néglige encore bien d'autres aspects du problème : fondée sur l'observation de formes toutes faites, elle n'en retient que les caractères statistiques, macroscopiques ; en décrivant la forme comme une coordination de systèmes pré-formés, elle réduit à un pur fonctionnement l'activité créatrice ; enfin, élaborée à partir de vues esthétiques et de données techniques transitoires, elle s'est heurtée à des limitations inattendues dès l'apparition de formes nouvelles. Or il y a lieu de penser que, parmi les formes para-organiques, la forme musicale représente le type le plus pur de la forme qui se forme elle-même. Sous quelque aspect qu'on l'envisage, la forme musicale est essentiellement une *formation*. Et si l'on veut tenter de déceler les secrets de celle-ci, ce ne peut être tout d'abord qu'à l'échelle microscopique des structures fines. Le vrai problème n'est point de décrire l'extérieur des formes toutes faites, réduites par abstraction à des formules « architectoniques », mais de comprendre le passage d'une absence de forme à une présence de forme. (On sait comment, à l'échelle de l'histoire, la musicologie classique a éludé cette difficulté par la balance des prémonitions et des influences : X précurseur d'Y, influencé par X.) Bref, il s'agit bien moins d'établir une notion générale et statique de la forme que de concevoir les processus de l'activité formative mise en jeu dans quelque musique que ce soit. Cette activité se déploie à la fois dans les opérations du compositeur, dans la dynamique de la forme, dans la re-création de celle-ci par l'interprète et dans la perception de l'auditeur. Mais elle y reste identique à elle-même, puisqu'elle *constitue* la même forme. En tant que créateur d'une forme, le compositeur coïncide absolument avec elle, et il en va de même de l'interprète et de l'auditeur, quand ils la réactualisent. Pour avoir dissocié, au départ, ces quatre aspects d'une même activité, les théoriciens de la forme se sont exténués à résoudre de faux problèmes. — Les théories classiques exigent donc de profonds remaniements et d'innombrables rectifications de détail. Il reste cependant que les ouvrages importants auxquels elles ont donné lieu constituent, par l'ampleur de leur information, un matériel de travail toujours utilisable, et même irremplaçable jusqu'à nouvel ordre. Les nouvelles conceptions de la forme devront conduire, un jour, à une refonte du vocabulaire d base. Alors sans doute les termes qui avaient servi à désigner des formes ne désigneront plus que des genres. Voici une liste des principaux d'entre eux : *air de cour, anthem, aria, arioso, bagatelle, ballade, ballet, canon, cantate, canzone, cassation, chaconne, chanson monodique, chanson polyphonique, choral, caccia, concerto, conduit, divertissement, étude, fantaisie, frottola, fugue, graduel, ground, gymel, hoquet, hymne, impromptu, intermède, invention, lai, laude, Lied, madrigal, mélodie, menuet, messe, motet, opéra, opéra-comique, opérette, oratorio, ouverture, passacaille, passion, poème symphonique, organum, prélude, psaume, quatuor, récitatif, Requiem, rhapsodie, ricercare, romance, rondo, scherzo, séquence, sérénade, sinfonia, sonate, suite, symphonie, tiento, toccata, trait, trope, variation, villanelle, virelai* (voir à ces mots). — **2.** Un sérieux correctif fut apporté au postulat de la théorie classique de la forme musicale, lorsque quelques esthéticiens s'avisèrent de tirer parti des expériences de la nouvelle psychologie de la forme (ou *Gestalttheorie*). Il s'ensuivit un total bouleversement de l'ordre des problèmes et un ensemble de vues nouvelles et fécondes, dont le premier exposé important fut publié en 1947 (Boris de Schloezer, *Introduction à J.-S. Bach*). La *Gestalttheorie* pose en principe qu'une forme est autre chose que la somme de ses parties, que dans une forme, c'est le tout qui détermine les parties, d'où il résulte que les parties ne préexistent pas au tout, ou qu'une partie dans un tout est autre chose que cette partie isolée ou dans un autre tout. « Il s'agit « d'établir par l'expérience les conditions des formes et les lois de leurs transformations », les formes étant considérées comme « des unités organiques qui s'individualisent et se limitent dans le champ spatial et temporel de perception ou de représentation ». Il y a des formes faibles et des formes fortes, mais un groupe additif n'est pas une forme, c'est un simple amas (d'après P. Guillaume). Certes, l'on n'avait pas attendu la *Gestalttheorie* pour constater qu'un tout est autre chose que la somme de ses parties, mais l'on ne voyait là qu'un effet de pure contingence, une résultante incontrôlable, secondaire, somme toute négligeable. L'originalité de la théorie de la forme a été de faire de cette observation la base de ses recherches, en considérant la globalité de la forme comme une donnée première. On sait que ses principales découvertes ont été aussitôt intégrées dans les domaines les plus divers et particulièrement, pour ne citer qu'une science des formes temporelles, dans la linguistique. Pour résumer ce que lui doit la nouvelle conception de la forme musicale, il faut d'abord signaler l'importance primordiale accordée à la perception. Il peut sembler naïf de rappeler que la musique est faite pour être entendue ; cependant il est incontestable que la pratique de la notation a fini par fausser complètement la connaissance musicale. A force de lire la musique, l'on vient à ne plus entendre que ce qui peut s'écrire. Et l'échec de l'analyse classique tient pour une grande part au fait qu'elle ne s'est référée qu'à la musique écrite. Or, la notation, même la plus moderne, est gravement lacunaire et ne peut suppléer à l'audition réelle. Une partition ne contient pas l'œuvre, elle n'en reproduit que les traces, et l'œuvre n'a d'autre forme que celle de son exécution. Quant à la perception, elle est ici synonyme de compréhension, et l'on peut, en principe, la supposer la plus fine et la plus active. La forme musicale, complexe par définition, appelle évidemment une perception adéquate et non celle, toute passive, des sujets de laboratoire. — L'audition d'une courte mélodie permet déjà d'éprouver les propriétés d'organisation interne de la forme. « La mélodie », disait d'Indy, « n'est autre chose qu'une succession de sons déterminés ». Or une mélodie peut être transposée sans perdre son identité, soit que tous les sons soient nouveaux, soit que certains d'entre eux occupent d'autres places. Au contraire, si une seule note en est altérée, la mélodie tout entière devient autre. Sans doute, la mélodie transposée a-t-elle conservé tous ses rapports, d'intervalles, de tonalité, d'ambitus, d'intensité ; mais la perception de chacun de ces rapports dans la mélodie serait une perception morcelée, analytique, tout autre que la perception immédiate de la mélodie dans sa globalité : psychologiquement, il s'agirait chaque fois d'un autre objet. L'altération d'un « élément » de la mélodie

est plus instructive encore : soit le premier motif du *Sacre du printemps* ; joué par un basson, dans le suraigu, en *legato*, il met en jeu un hexacorde ayant *la* pour finale et *ut* pour dominante, dans l'ambitus *mi-ré* ; que l'on transporte le *mi* à son octave aiguë, que l'on altère tour à tour et diversement chaque son dans sa hauteur, dans sa durée, que le basson articule le motif en combinant le *staccato* et le *legato*, qu'il y introduise des variations d'intensité ou de vitesse, qu'on le remplace par un autre timbre, ou par plusieurs, alternés — et l'on provoquera dans chaque cas une réorganisation totale, une configuration nouvelle. Certes, parmi toutes les formes ainsi obtenues, certaines se ressembleront par quelque aspect commun, et l'on admet que la forme soit relativement élastique, mais ce qu'il importe d'observer ici, c'est que les métamorphoses d'une forme peuvent être provoquées par des altérations portant sur *n'importe quel* type de composants du langage musical. Alors que la théorie analytique s'est fondée sur une hiérarchie de ces composants, l'expérience auditive nous amène à les tenir pour neutres, indifférenciés, également dépourvus de valeur en dehors de leur mise en activité. Dans la matière d'une forme, les composants non systématisés par la théorie peuvent jouer un rôle décisif. L'action de l'ambitus, du timbre, de la vitesse, des modes d'attaque et d'articulation, des variations d'intensité peut primer l'action des échelles, de la tonalité et de l'harmonie. D'après la *Gestalttheorie* l'unité de la forme résulte de l'auto-distribution des forces dynamiques de liaison mises en jeu. De la puissance de ces forces dépend l'équilibre, la stabilité des formes, d'où la distinction entre formes fortes et formes faibles. Mais il ne s'agit jamais que de liaisons, non de matériaux, et ces liaisons sont incontrôlables ; on ne constate que leurs effets, qui constituent justement l'unité de la *Gestalt*. Si les formes spatiales peuvent être immédiatement saisies dans leur unité, il n'en va pas de même des formes musicales : du fait qu'elles se déroulent dans le temps, celles-ci exigent un mode de perception spécifique, consistant à mémoriser d'abord des événements sonores successifs, pour en saisir ensuite la configuration ; cela s'appelle l'intelligence musicale. Un auditeur qui ne perçoit de proche en proche qu'une juxtaposition d'effets vibratoires ne perçoit pas de formes ; il n'éprouve que des sensations. La notion de « succession » ne peut donc être prise ici dans un sens littéral, puisque les faits qui se déroulent dans la succession chronométrique se réorganisent dans une autre dimension, qui n'est ni une récurrence ni une projection géométrique et qu'il faut appeler le « temps musical ». Quant à la « simultanéité », qui se rapporte aux étagements de sons, elle est comme l'épaisseur de ce temps. La durée musicale est essentiellement qualitative : c'est pourquoi le rythme ne peut être confondu avec une comptabilité des durées chronométriques. Avec le rythme, nous sommes au cœur même du problème de la forme, car, s'il est possible d'isoler par abstraction chacun des composants du langage musical et d'éprouver dans la forme leurs forces réciproques de liaison, le rythme, en tant qu'organisateur de la durée musicale, échappe à une description analytique : c'est qu'il est partout présent dans la forme. Lié à tous les composants à la fois, ceux-ci le qualifient autant qu'ils le qualifie ; bien plus, il qualifie la forme au point de se confondre avec elle, la forme étant, en définitive, création d'un domaine de temps spécifique. — Mais ce domaine peut être plus ou moins vaste. Dans le déroulement d'une grande forme, les facteurs d'unité agissent à tous les niveaux, les structures microscopiques engendrant par liaison interne des structures de plus en plus vastes. Une symphonie n'est pas divisée en quatre parties, c'est la liaison de ces « parties » qui en constitue l'unité. Du point de vue de la psychologie de la forme, ces parties ne sont pas des « éléments ». C'est aussi le point de vue des musiciens, qui perçoivent à cette échelle la forme dans sa globalité. Mozart en témoigne dans une lettre célèbre : « Cela ne cesse de grandir, je lui donne toujours plus d'ampleur, toujours plus de clarté, et la chose est en vérité presque faite dans ma tête, bien qu'il faille du temps pour qu'ensuite je l'embrasse d'une vue en esprit et que je l'entende en imagination, non plus ceci après cela, mais comme soudain tout à la fois ».

*Une fête de cour au XV<sup>e</sup> s. (Chronique angl. de J. de Waurin, XV<sup>e</sup> s.).*

*Apocalypse (XIII<sup>e</sup> s.).*

— 3. Il n'est pas exagéré de dire que les expériences et les observations de la psychologie de la forme permettent aux musiciens de liquider dans les théories classiques tout ce qui résulte d'une interprétation associationniste de la forme. Cependant la théorie de la *Gestalt* a donné lieu à de sérieuses critiques et a subi de nombreux remaniements, si bien qu'elle se trouve aujourd'hui à la fois englobée et dépassée par l'épistémologie contemporaine. Bachelard et à sa suite Ruyer (à qui le présent texte doit beaucoup) ont bien démontré que les phénomènes de *self distribution*, s'ils sont incontestables, « sont typiquement des phénomènes secondaires » et « qu'un organisme, même *gros*, est de même ordre que les individualités de la micro-physique, où l'on ne trouve pas d'équilibre à proprement parler, mais des actions ». La prédominance de l'activité sur la forme est le thème premier de la pensée actuelle. Le monde des formes des gestaltistes nous apparaît comme entièrement déterminé ; il est en parfait équilibre, mais il est inerte. Les liaisons qui constituent les formes y fonctionnent automatiquement, ce sont des liaisons toutes faites. Or il faut bien qu'elles aient été faites. Une explication des formes par un fonctionnement spontané est inadmissible. Le fonctionnement doit être précédé d'une activité créatrice, d'une activité formative qui improvise et met en place des organes de liaison, lesquels fonctionnent comme instruments d'une activité nouvelle, et ainsi de suite, de relais en relais. En distinguant ainsi « la *création* de liaisons et le simple *jeu* de liaisons déjà données », Ruyer semble bien nous donner la plus évidente explication de toutes les formes organiques et des créations humaines, en même temps qu'un étalon de la créativité. Mais il importe de comprendre que les deux types de liaisons participent ensemble à l'activité totale, qu'ils concourent à la constitution de l'unité de formes nouvelles et qu'enfin les organes de liaison se renouvellent et se transforment sans cesse. La théorie classique de la forme musicale présente les échelles, la tonalité, l'harmonie et les schémas structuraux comme des systèmes fixes de liaisons pré-formées, mais ces systèmes ne furent jamais stables. Sans doute constituent-ils des organes de pur fonctionnement, mais l'intervention d'autres facteurs non systématisés modifie sans cesse leurs effets. Dire que la tonalité a régné durant trois siècles est peut-être une vérité, mais ce n'est qu'une vérité statistique, car la tonalité n'est pas primaire dans les formes où elle est présente. Dans Mozart, elle est constamment réinventée. Et d'ailleurs son usure même est la preuve de ses métamorphoses. Il est instructif de constater sur un exemple précis l'entêtement des théoriciens académiques, lorsqu'ils s'obstinent à interpréter le premier accord de *Tristan* par l'appoggiature, afin de sauvegarder platoniquement la présence d'une tonalité fixe. Or, on le sait, cette pseudo-appoggiature constitue un accord non seulement étranger à la tonalité du contexte, mais doublement ambigu, car il appartient par équisonnance à deux autres tonalités possibles, à gauche ou à droite. Cet accord dure cinq secondes, durant lesquelles, en fait, le système tonal s'est trouvé suspendu pour la première fois dans l'histoire. Pendant ces cinq secondes interminables, nos théoriciens attendent encore aujourd'hui la « résolution de l'appoggiature » tandis que déjà Debussy allait créer de nouvelles formes à partir de cet événement. L'on voit par cet exemple comment un appareil de liaisons toutes faites peut engendrer un type de liaisons inédites. Nous participons ici, comme de l'intérieur, à un moment privilégié de la formation de la forme. — Mais une analyse de cette sorte peut être généralisée. Elle consisterait, non plus à interpréter les formes selon les normes statistiques de quelques systèmes arbitrairement choisis mais au contraire à interroger chaque forme sur sa forme même. Car comment une forme vraie, dans la complexité singulière de sa cohérence, pourrait-elle nous renseigner sur une autre ? Si le schéma de la fugue n'est qu'un écran qui nous cache les fugues de Bach, une fugue de Bach ne nous aide pas à en comprendre une autre, car ce qu'elles ont de commun à l'échelle macroscopique se trouve différencié dans leur texture propre. Or, comme l'écrit Ruyer, « les caractères de forme sont beaucoup plus dans la texture que dans une organisation d'ensemble ». Au niveau de la texture,

l'on découvre que les composants de la forme ne sont jamais hiérarchisés d'une manière constante, mais que le réseau mouvant des liaisons provoque entre eux des hiérarchies mobiles où chacun peut dominer tour à tour. La singularité d'une forme tient tout entière dans la mise en circuit de liaisons inédites. Et c'est pourquoi l'on ne peut concevoir l'histoire des formes que dans le sens chronologique. Dans l'histoire vraie des créations humaines, il n'y a pas de précurseurs, mais un « bonheur inégal » qui engendre l'inégalité des cultures et la multiplicité des formes. — Une pédagogie pourrait se fonder sur l'approche des formes concrètes. (Ce n'est qu'en fin de programme que l'on aborde actuellement l'étude des formes, d'ailleurs abstraites comme on l'a vu). L'initiation technique ne tirerait ses éléments et son vocabulaire que de la seule expérience auditive de l'étudiant, laquelle devrait englober, en fin de compte, les formes caractéristiques de toutes les civilisations, autant que les plus récentes. Mais la technique ne serait plus alors que l'instrument d'une participation à l'intimité de la vie des formes. Ce serait peut-être encore une analyse, mais dont le but serait de se réduire elle-même, de s'affiner jusqu'à se confondre avec la substance même des formes réactualisées. Voir H. Riemann, *Musiklexikon*, 1882 (trad. franç. *Dict. de mus.*, dern. éd. 1935) – *Katechismus der Kompositionslehre*, 1888 ; F.-A. Gevaert, *Traité d'harmonie*, Paris 1907 ; V. d'Indy, *Cours de composition*, 3 vol., ibid. 1902–1909–1950 ; M. Emmanuel, *Histoire de la langue musicale*, ibid. 1911 ; M. Brenet, *Dict. de mus.*, ibid. 1926 ; Th. Gérold, *La mus. au m.-â.*, ibid. 1932 ; B. de Schloezer, *Introduction à J.-S. Bach*, ibid. 1947 ; A. Souris, *Le rythme concret*, ds *Polyphonie*, ibid. 1948 ; A. Hodeir, *Les formes de la mus.*, ibid. 1951 ; J. Chailley, *Traité hist. d'analyse musicale*, ibid. 1951 – *Formation et transformations du langage mus.*, ibid. 1955 ; B. de Schloezer et M. Scriabine, *Problèmes de la mus. moderne*, ibid 1959 ; F. de Saussure, *Cours de linguistique générale*, ibid. 1916 ; P. Guillaume, *La psychologie de la forme*, ibid. 1937 ; M. Merleau-Ponty, *Phénoménologie de la perception*, ibid. 1945 ; G. Bachelard, *Le matérialisme rationnel*, ibid. 1953 ; R. Ruyer, *La genèse des formes vivantes*, ibid. 1958.     A.S.

**FORMES LINGUISTIQUES et formes musicales dans l'antiquité classique. 1.** Tout au long de la tradition de culture en laquelle nous vivons, notre vocabulaire, qu'il soit grec, latin ou français, nous suggère avec insistance le mythe d'une entente idéale, d'une unité, qui rassemblerait musique et langage dans la poésie. Quand ils parlent de leur œuvre, les poètes la nomment un chant ; à certaines époques, la hantise de la musique a exercé une profonde influence sur les recherches de l'art poétique : « De la musique avant toutes choses... ». Mais avant les symbolistes : « Poète, prends ton luth... », « Si ne veulx pourtant de laisser de chanter... ». Lointains échos de Virgile et d'Homère : « Je chante les armes et le héros... », « Déesse, chante-nous la colère d'Achille... ». On ne saurait douter pourtant que les poésies de Verlaine, de Musset, de Joachim du Bellay n'aient été composées en vue d'une déclamation solennelle où, sans doute, la musique peut venir s'adjoindre, mais du dehors et sans qu'on puisse parler, autrement que de la façon la plus vague, d'une unité rythmique ou mélodique entre deux produits d'arts si différents. Au mieux, la musique conspirera à créer autour du texte une atmosphère affective consonante, comme elle ferait, au cinéma, autour d'une séquence d'images animées.
En fait, cet entêtement à identifier poésie et musique apparaît inattendu et paradoxal. La poésie nous semble appréhendée de façon beaucoup plus conforme à son être véritable quand on la prend soit comme fabrication (le grec *poiesis*), soit comme art de dire ou d'écrire (*Dichtung*, du latin *dictare*). Que nous la prenions en France, en Angleterre, en Allemagne, ses rythmes, marqués par des sommets intenses, trop intenses et trop rapprochés, ne sont point de ceux que nous retrouvons dans notre musique. Mais surtout nos langues européennes d'aujourd'hui ne connaissent guère d'autres oppositions tonales que celles qui sont liées au jeu de la syntaxe : intonation emphatique d'un mot, intonation de la phrase inachevée, suspendue ou conclue ; cela se prête bien mal à une méli-

sation. S'il est dans nos poèmes l'amorce d'une musique, ce n'est que d'une bien pauvre musique et l'on comprend assez que lorsqu'un musicien compose une mélodie sur un poème, il doive, quant au rythme et à la tonalité, la bâtir entièrement sur nouveaux frais.

Lorsque des langues modernes on passe aux langues anciennes, le tableau change complètement et le philologue n'éprouve aucune peine à comprendre comment, à ce niveau historique, a pu spontanément se réaliser cette collusion de la musique et du langage dont le vocabulaire musical (aujourd'hui pseudo-musical) des poètes prolonge jusqu'à nous le témoignage. En grec surtout, mais aussi, quoique à un moindre titre, en latin, deux éléments existent que nous ne possédons plus : l'unité du mot y est constituée par un accent qui se prête à être interprété en termes de hauteur, les syllabes présentent des oppositions complexes qui se prêtent à être interprétées en termes de durée ; les mots, indépendamment de toute structure idéelle, ont donc par eux-mêmes, dans leur matière même, les deux éléments sur quoi repose principalement toute musique : mélodie et rythme.

A quel point il s'agit là de possibilités fugitives, improbables, c'est ce que montre bien l'histoire des deux langues. L'accent surtout mélodique du grec et du latin représente un moment transitoire entre un accent indo-européen puissamment intense (principe, à l'origine, de ces écrasements syllabiques que les comparatistes appellent des degrés zéro) et un accent qui, dès le début de l'ère chrétienne, se reprendra à développer électivement cette redoutable composante. De même pour la quantité des syllabes : dès l'époque impériale, elle disparaît du latin et du grec parlés, et la possibilité n'en existe même pas à l'époque indo-européenne où le système des voyelles est rudimentaire. Seulement c'est précisément à cette étape de l'évolution linguistique qu'en Grèce, à Rome, nos traditions de culture se sont formées et à l'ombre de musiques beaucoup plus anciennes — mais, sans doute, alors repensées, remaniées — les débuts de nos lettres.

Il faut bien voir d'ailleurs que, même en ces circonstances favorables, la langue n'offrait à la stylisation où musique et poésie pourraient se rejoindre qu'une matière encore un peu rugueuse. C'est chez les poètes qu'une longue est une longue, qu'une brève est une brève et qu'une longue vaut deux brèves. Il est assuré que ces rapports simples n'étaient pas tout donnés dans la langue : ils ont dû être construits, élaborés. A étudier la pratique des poètes plus soigneux, il apparaît qu'il existait entre les syllabes des différences quantitatives beaucoup plus complexes, plus délicates, qu'on pouvait négliger sans que le débit devînt incorrect, mais non pas sans qu'il perdît de son harmonie : brèves ultra-brèves dans les mots accessoires, à l'intérieur des polysyllabes ; longues par nature et longues par position syllabique, celles-ci moins longues, semble-t-il ; enfin la quantité des syllabes finales était souvent tout à fait indécise.

De même l'accent. Ses composantes, indubitablement, ont dû être d'une complexité qui échappera toujours à nos prises. Nous voyons qu'à l'époque historique il n'a cessé de devenir plus intense. Mais cette intensité a été longtemps très faible, beaucoup plus faible sans doute que ce qu'elle est en français, surtout en grec, comme il apparaît, entre autres, à la délicatesse avec laquelle s'est conservé le timbre des brèves posttoniques. La hauteur tonale n'a jamais été fixe ; on écrit souvent qu'entre la tonique et les atones il y avait une quinte, mais cette thèse repose sur l'interprétation abusive d'un texte de Denys d'Halicarnasse qui ne donne cet intervalle que comme un maximum. Selon toute apparence, la hauteur de la tonique par rapport aux autres syllabes du mot était beaucoup plus faible ; il suffisait qu'elle s'en détachât, qu'elle se fît reconnaître ; rien ne nous assure que dans une phrase toutes les toniques d'une part, toutes les atones de l'autre, fussent sur les mêmes notes.

En ce qui concerne la place de l'accent, il importe sans doute beaucoup à la musicalité du langage qu'un certain nombre de voyelles longues aient été susceptibles de deux intonations, montante ou descendante. Pour le reste, les grammairiens entrent dans des détails presque infinis sur les mots atones et les perturbations qu'ils introduisent

dans leur contexte immédiat : déplacements d'accents, constitution d'accents secondaires. Tout cela est vraisemblable, mais à condition de réintroduire souplesse et liberté dans ce que le dogmatisme grammatical tend à nous présenter comme un mécanisme nécessaire. La complication des règles édictées — elles sont aussi, pour une bonne part, la codification d'habitudes graphiques — manifeste surtout qu'à une observation attentive la complexité des faits se laissait difficilement réduire à des normes générales. Il faut donc supposer, selon la nature du débit, de grandes possibilités de diversité.

Un exemple seulement fera sentir cette liberté, où précisément les textes musicaux concourent à éclairer notre connaissance de la langue : les grammairiens nous disent que dans la phrase tous les mots accentués sur la dernière tranche de leur syllabe finale se désaccentuent et deviennent atones (ils ne garderaient leur accent que devant une ponctuation forte) ; or, dans un certain nombre des pièces notées qui nous sont parvenues, ces finales ne sont pas musicalement interprétées d'autre manière que les autres toniques. Mais c'est que rien n'est plus élastique que la continuité d'un énoncé, rien de plus libre que la manière de phraser les mots : dans un débit un peu solennel où l'on se fût efforcé de donner à chaque mot tout son poids, on comprend aisément que chacun ait dû conserver son accent.

En somme, des langues, latin, grec, qui offrent à une mise en œuvre musicale des ressources tout à fait exceptionnelles, tant au point de vue du rythme qu'à celui de la mélodie, mais cependant dans une relative indécision dont les artistes sauraient faire une souplesse et qui rend moins surprenantes les libertés que prennent les musiciens quand ils recourent à des longues prolongées de trois ou quatre temps, ou intonent dans l'aigu des syllabes que les grammairiens nous disent avoir été graves.

A partir des réalités linguistiques que nous venons de décrire, les anciens n'ont cessé de pratiquer, en Grèce comme à Rome, depuis les temps homériques jusqu'aux premiers siècles de notre ère, un certain type de récitation poétique où langage et musique s'enlaçaient étroitement. Il semble même qu'à l'origine ç'ait été la seule manière de réciter les vers : le chant, le jeu de la cithare, mettaient en relief les oppositions de hauteur liées à l'accent de mot. Pour l'époque ancienne, nous sommes indirectement renseignés par toute une série de textes qui nous décrivent, généralement pour les déplorer, les transformations intervenues à la fin du Ve siècle, quand les musiciens commencèrent à composer des mélodies d'accompagnement où les accents de mots se trouvaient négligés. Quelques heureuses et trop rares découvertes nous ont rendu des textes notés, d'époque beaucoup plus tardive, mais où se prolongent les traditions les plus anciennes : il est assez exceptionnel que dans un mot la syllabe tonique ne soit pas chantée sur la plus haute des notes attribuées aux syllabes de ce mot. Cela n'entraîne d'ailleurs aucune raideur, car les intervalles ne sont pas toujours ménagés de même et la musique de chaque mot se subordonne au développement d'une phrase plus ample.

C'est sous une forme analogue, à peine plus régulière, que nous pouvons nous représenter la déclamation chantée de l'aède homérique. Étant donné qu'en chaque vers, et en dépit de la fixité du schéma métrique, la distribution des accents de mots est chaque fois différente, on peut s'assurer que cette déclamation n'avait rien de commun avec l'indéfinie reprise d'une mélopée unique. On voit aussi comment le chanteur se trouvait guidé, soutenu par son texte, dont les accents grammaticaux lui fournissaient déjà comme un canevas de mélodie. Suivant son talent, il lui était possible d'y broder plus ou moins hardiment, et avec plus ou moins de bonheur ; suivant le caractère du texte, il pouvait se tenir plus près d'une prononciation courante, qui cependant restait toujours mélodique, ou agrandir, dilater, composer harmonieusement les oppositions tonales sûrement beaucoup moins éclatantes et variées que lui fournissait le langage. Cette représentation répond assez bien à ce que nous suggèrent les textes quant à un mode d'exécution qui ne requérait pas nécessairement des professionnels, auquel, en certaines périodes, s'entraînaient tous les hommes libres, qui se prêtait volontiers aux témérités de l'improvisation mais pouvait aussi donner lieu aux trouvailles les plus précieuses et restait toujours, en tout état de cause, très varié.

La subordination de la poésie aux accents de mots a une conséquence curieuse dont on ne s'est avisé que récemment : dans la poésie strophique, le schéma métrique et donc le rythme se reproduit, identique, de strophe en strophe, mais la mélodie du langage, l'ordre de succession des syllabes toniques et des syllabes atones, diffère. Il semble donc difficile d'admettre qu'au moins à l'origine, chez Alcée, chez Sappho, mais aussi bien chez Pindare ou dans les chœurs de la tragédie ancienne, les strophes ou triades successives aient pu être chantées sur le même air. Un chant en strophes est donc dans l'antiquité assez différent de ce qu'il est chez nous : moins exposé aux périls de la monotonie, il peut sans inconvénient atteindre des dimensions beaucoup plus amples ; les strophes, dont l'élément musical ne vient pas souligner l'identité, se fondent plus aisément dans une unité d'ensemble, ce qu'attestent, au plan littéraire, des rejets, des enjambements, dont les modernes, égarés par leurs propres habitudes, s'exagèrent souvent la hardiesse. Le poème, qui ne repart pas de strophe en strophe en un élan nouveau, comme une vague nouvelle, est moins lyrique que notre chanson ; il lui est beaucoup plus facile de se tenir tout proche des genres narratifs.

2. Le rythme ou plutôt le mouvement du poème lui est donné pour l'essentiel, et antérieurement même à toute métrique, par les contrastes qui s'établissent d'eux-mêmes entre syllabes brèves et syllabes longues. Si différente que soit la phonétique de nos langues maternelles, nous avons encore l'impression de ressentir quelque chose de ce contraste en rapprochant deux vers comme ceux-ci, dont le premier, tout alourdi de syllabes longues, évoque une armée puissamment rangée en bataille :

*Sparsis hastis longis campus splendet et horret*

tandis que l'autre, où prédominent les brèves, accompagne l'élan d'un canot de course :

*Labitur uncta carina per aequora cana celocis.*

Mais les *rythmici* savaient que, pour dégager un rythme de ces effets de contraste, il fallait en organiser les éléments selon des structures définies ; de ces structures, ils cherchaient la formule dans des rapports mathématiques simples. Rappelons que le signe (—) désigne une syllabe longue, que le signe (∪) désigne une syllabe brève et qu'une longue vaut deux brèves. Il apparaît alors qu'on peut trouver un rythme régulier de formule 2 : 2 dans une séquence

‿∪∪—‿∪∪—∪∪∪∪——‿∪∪  etc.

et un rythme de formule 2 : 1 dans

‿∪‿∪∪∪—∪∪—‿∪∪∪∪—∪  etc.

tandis qu'aucun rythme, aucun rythme simple, en tout cas, n'apparaîtrait dans

‿∪‿—‿∪—‿∪∪∪—‿∪∪∪—∪  etc.

Toutefois il n'y a encore, dans cette définition des exigences d'un rythme, qu'une première approximation. Les formules qui répondent à la doctrine des *rythmici* sont à la fois trop accommodantes et trop raides ; les formes poétiques effectivement réalisées sont moins exigeantes en ce qui touche à l'exactitude des rapports mathématiques : on pourra tricher un peu sur les durées ; mais elles requièrent des structures plus apparentes, moins variées, pour pouvoir être immédiatement identifiées. Ces structures, dont les *rythmici* eux-mêmes admettent d'ailleurs la nécessité pratique, ce sont les « pieds » ou, en d'autres vers, les « mètres » (groupements, souvent asymétriques, de deux « pieds »).

Mais on aperçoit aussitôt que ces structures, constitutives à n'en pas douter de toute la poésie antique, peuvent être interprétées de deux manières différentes ; et les philologues modernes, héritiers peut-être du problème où dans l'antiquité s'opposaient le point de vue des *metrici* et celui des *rythmici*, se trouvent ici divisés. Et c'est toute notre interprétation du rythme de la poésie des anciens, sans doute aussi d'une bonne part de leur musique, qui se trouve engagée. Pour les uns, le retour régulier de certaines séquences de brèves et de longues suscite toute la réalité du rythme ; les « pieds » n'ont pas d'existence véritable, ils répondent à une nécessité de nomenclature ; leur distinction ne sert qu'au grammairien, pour lui rendre plus facile la description des vers ; mais au plan de la déclamation, au plan auditif, il n'existe que des syllabes, longues ou brèves. On peut dire qu'avec cette doctrine le point de vue des *metrici* se trouve ramené à celui des *rythmici*.

Pour d'autres — et nous pencherions à croire qu'ils ne s'égarent pas — le rythme de la poésie antique était fait d'autres choses que de syllabes, d'autre chose que d'une ondulation quantitative régulière : ce pointillisme était organisé, cette continuité était articulée, distinguée, et précisément par les « pieds » ; ceux-ci, donc, dans le débit, existaient réellement. *A priori*, cette thèse peut alléguer en sa faveur un argument d'ordre psychologique. Homère lui-même ni les premiers aèdes n'ont pas ignoré que le vers dont ils se servaient — et même s'ils ne l'appelaient pas encore l'hexamètre — était constitué de six unités ; le simple fait de les connaître en tant que telles concentre sur elles une attention qui suffit à les faire exister. Exister pour le poète qui plus tard déclamera son œuvre ; exister pour l'auditeur qui reconnaît, approuve, accompagne intérieurement d'une mimique musculaire leur retour régulier. Les travaux de Paul Fraisse ont bien montré que, même dans des séries rigoureusement homogènes, la suggestion, même entièrement artificielle et fallacieuse, d'unités idéelles aboutit toujours, lorsqu'on demande au sujet de reproduire ce qu'il a cru entendre, à la constitution effective de ces unités au plan physique. *A priori* encore, on peut se demander quelle sorte de rythme aurait pu se rencontrer dans ces vers, si nombreux à la scène comme dans l'épopée, où le jeu des substitutions autorise des séries ininterrompues de 9, 10, parfois 15 syllabes longues, homogènes du point de vue des *rythmici* et donc amorphes, inertes, si l'on ne suppose qu'elles étaient distinctement incorporées dans une architecture où l'élément quantitatif n'était pas tout.

Mais *a posteriori* la réalité du « pied » ou du « mètre » apparaît sensiblement à la dissymétrie de ses parties alors même qu'elles sont, en fait ou en principe, quantitativement égales. Dans le trimètre ïambique, le « mètre » est constitué de deux ïambes, identiques, à droits égaux du point de vue des *rythmici*, mais non pas dans la versification réelle, puisque le premier et non le second peut être remplacé par un spondée. Dans l'hexamètre, le pied est constitué de deux moitiés quantitativement égales : une syllabe longue, puis deux syllabes brèves ; mais les deux brèves peuvent être remplacées par une longue, et non pas la longue par deux brèves. De même, en beaucoup de vers, la réalité des « pieds » ou « mètres » apparaît encore dans la manière dont les structures verbales s'articulent sur le schéma métrique : il est fréquent, par exemple, que la deuxième moitié des « pieds » que distingue la tradition se prête mal à constituer une fin de mot. C'est donc que le pied existe pour le poète et pour ses auditeurs.

Comment en devons-nous concevoir la réalisation, l'existence auditive ? On a souvent supposé qu'une des deux moitiés du « pied » — soit la première, soit la seconde selon le type du vers — était marquée d'une intensité spéciale, l'*ictus* métrique. Cette représentation séduit généralement les musiciens, auxquels elle rappelle temps marqués et battue ; elle se recommande aussi de l'analogie qu'elle paraît établir entre la métrique ancienne et celle de plusieurs langues encore vivantes. Disons aussitôt que cette analogie n'est qu'apparente : dans la métrique anglaise, allemande, voire française (si l'on interprète notre alexandrin comme un vers de quatre mesures), les *ictus* métriques coïncident en principe avec des accents de mots qu'ils renforcent ; le rythme métrique souligne le rythme verbal. Il n'y a rien de tel dans aucun des vers de l'antiquité : sauf rencontres strictement limitées (les deux derniers pieds de l'hexamètre), le système des prétendus *ictus* et la suite des accents de mots se déroulent dans une indépendance totale.

On voit bien qu'il y a là, pour l'hypothèse d'un *ictus*, une difficulté majeure : il faudrait admettre que, tout au long du vers, le même matériel syllabique supporte un double système de marques, les unes relatives à l'unité du mot (les accents), les autres relatives à l'unité du « pied » (les *ictus*) en sorte que vis-à-vis de syllabes non marquées s'opposeraient trois sortes de syllabes marquées, les unes par l'accent, les autres par l'*ictus*, les autres par l'accent et par l'*ictus* ; il est difficile de croire que les plus graves, les plus inextricables confusions n'auraient pas entravé la déclamation d'un vers ainsi constitué.

On écarte souvent cette difficulté par l'exemple de la musique ; en effet le chanteur le moins exercé n'éprouve aucune difficulté à poursuivre une mélodie tout à fait libre à l'intérieur d'un cadre rythmique même très sensible : aucune difficulté donc à rendre simultanément leur droit à deux systèmes d'oppositions qui jouent, dans une totale indépendance mutuelle, les unes dans l'ordre de l'intensité, les autres dans l'ordre de la hauteur. Mais le cas de la musique est tout différent de celui qui nous occupe : dans la musique, seules les oppositions d'intensité ont une fonction structurelle, les oppositions tonales n'en ont pas ; les oppositions d'intensité relèvent d'un type binaire (temps marqué/temps non marqué), tandis que les oppositions tonales se déploient sur toute l'échelle des notes ; enfin oppositions d'intensité et oppositions tonales se réalisent dans des dimensions très différentes, puisque la phrase musicale, le seul être où se réaliserait une certaine unité des oppositions tonales, contient généralement un grand nombre de mesures. Dans la versification, tout au contraire, les oppositions tonales ont, elles aussi, une fonction structurelle (elles établissent l'unité du mot) ; elles sont, elles aussi, de type binaire (tonique/atone) ; enfin mots et « pieds » comptent des nombres de syllabes généralement très voisins. Ajoutons encore que dans les langues anciennes l'accent de hauteur n'a jamais été complètement exempt de composantes intenses. Les deux systèmes dont on suppose qu'ils auraient joué concurremment semblent donc ici bien dangereusement semblables et proches ; on voit mal comment un brouillage général n'en eût pas résulté. Qu'importe, après cela, que des diseurs exercés, après avoir longuement préparé leur texte, arrivent sur vingt vers de Virgile à faire entendre simultanément accents de hauteur et *ictus* métriques ? Nous avons tous entendu dans les music-halls des virtuoses capables d'exécuter d'irréprochables variations sur des thèmes tels que « Les chemises de l'archiduchesse sont-elles sèches, archi-sèches ». Prouesses sans signification.

Peut-être est-ce dans une autre direction qu'il convient d'orienter les recherches : les repères rythmiques, sans lesquels l'unité du « pied » ou du « mètre » n'aurait pu être rendue sensible, ont pu consister, plutôt qu'en des sommets intenses, en des espacements par lesquels « pieds » ou « mètres » se trouvaient distingués, séparés. Et certes, pas plus que dans notre musique la possibilité de battre la mesure et de distinguer des temps forts n'entraîne inévitablement pour toutes les pièces une exécution scandée, ponctuée de percussions, pas davantage ne devons-nous supposer que la présente hypothèse impose rétrospectivement à la poésie antique un rythme haché, successif. C'était bien pourtant la mauvaise pente de ce système, avec ses figures, si l'on peut dire, qui risquaient d'être trop nettement découpées et distinctes ; les poètes, nous le verrons tout à l'heure, ont dû s'appliquer à conjurer ce péril.

Il n'y aurait donc pas, dans le vers antique, de battue de la mesure avec temps fort et temps faible au sens qu'ont ces mots dans notre musique ; tous les problèmes qu'on s'est posés quant à savoir si les anciens battaient la mesure de bas en haut ou de haut en bas, ou s'ils pratiquaient suivant les vers l'un ou l'autre système, ou s'il n'y avait pas dans certains vers des « renversements » ou des « chavirements » de la battue, sont peut-être de faux problèmes. Les battements du pied ou des doigts dont nous parlent tant de textes anciens ne servaient pas à marquer dans le « pied » ou le « mètre » une partie forte opposée à une partie faible mais à marquer dans le vers le passage d'une unité métrique à une autre ; ils ne servent pas à souligner une intensité vocale, mais relèvent d'une technique de mesure et comme de numération.

Plutôt qu'en termes de temps fort ou faible, nous devons penser ici en termes de premier ou second demi-pied. Cela n'exclut pas que dans la proximité immédiate de cet espacement, le centre de gravité, l'assiette, de l'unité que constitue un « pied » ait été, selon la nature du « pied », reconnue, visée, soit dans la première soit dans la seconde moitié de cette unité ; on admettra même que cette visée a pu aboutir, dès l'origine, à un certain renforcement de la netteté articulatoire et même de l'intensité. Le facteur essentiel du rythme demeure cependant la succession régulière d'unités équivalentes (les « pieds », les « mètres ») distinctement appréhendées. Le rythme du vers antique ne ressemble pas aux ondulations d'un flot avec des creux et des crêtes, mais bien plutôt à ces figures, à ces volutes successives qu'on voit glisser d'un mouvement égal sur la surface paisible d'un fleuve.

On comprend alors qu'un des problèmes les plus importants de la métrique grecque et romaine ait été celui de l'enchaînement de ces unités, qu'il fallait empêcher de se rétracter sur elles-mêmes et de se succéder les unes aux autres dans une complète extériorité mutuelle. La solution a consisté en principe à situer systématiquement entre deux syllabes d'un même mot la jonction de deux unités métriques. Ainsi l'unité du mot assurait l'enchaînement du tissu métrique comme l'unité du « pied » ou du « mètre », eux-mêmes partagés entre deux mots, assurait l'enchaînement du tissu verbal. Ainsi se trouvait réalisée cette liaison entre les mots où les anciens voyaient une des marques distinctives de la poésie — la poésie est discours lié, *oratio vincta*, tandis que la prose est discours dénoué, *oratio soluta* — et d'autre part cette liaison entre unités métriques sans laquelle le rythme eût évoqué le débit saccadé d'une fontaine intermittente ou le *staccato* d'une clepsydre égrenant régulièrement d'identiques et solitaires gouttes d'eau. Deux dangers analogues conjurés d'un coup.

Peut-être aurions-nous moins de peine à reconnaître la consistance de cette structure rythmique si nous savions la rapporter à d'autres faits plus généraux. Nous parlons aujourd'hui en Europe des langues où les oppositions d'intensité tiennent une place importante ; il est donc tout à fait naturel que ce soit en opposant des syllabes fortes et des syllabes faibles que nous nous sommes donné un rythme métrique ; dans les langues anciennes, au berceau de la tradition poétique, les oppositions d'intensité tiennent peu de place, le sujet parlant n'y prête point attention, ne les entend pas ; en revanche, les mots y manifestent, du point de vue phonétique, une autonomie dont le français, en particulier, ne nous donne aucune idée ; il est donc également naturel que les unités dont se bâtira le rythme métrique soient conçues dans une semblable distinction.

3. Pendant toute l'antiquité classique, le type de déclamation poétique que nous venons de décrire est demeuré bien vivant : un texte en vers, un accompagnement instrumental, une mélodie qui commente les accents de mots, un rythme constitué par le retour de structures quantitatives définies. Mais cet art unique, une des colonnes de l'éducation libérale, était en fait la synthèse de plusieurs arts qui ont conquis, au cours du temps, leur indépendance.

Les musiciens, jadis serviteurs attentifs des textes poétiques, ont pris du large : au lieu de continuer à s'inspirer du dessin mélodique constitué par les accents de mots, au lieu de rythmer leurs compositions sur le rythme même des quantités syllabiques et des structures métriques, ils se sont donné toute licence pour créer. La musique n'était plus alors (comme aujourd'hui) que juxtaposée au texte ; rien n'empêchait qu'elle pût désormais s'en passer tout à fait. Développement d'une musique purement instrumentale. Réhabilitation de la flûte jadis dédaignée parce qu'on ne peut en même temps jouer de la flûte et chanter des vers. Nécessité d'inventer une notation musicale dont on n'avait pas, jadis, ressenti si vivement le besoin à une époque où le texte en vers, fidèlement suivi, définissait déjà, à lui seul, les éléments fondamentaux du rythme et de la mélodie. Et pourtant les anciens ont toujours conservé la nostalgie de l'union organique de la musique et du discours ; ils n'ont jamais compris que dans une totale autonomie la musique pouvait atteindre des grandeurs qui lui fussent propres ; en dehors de son union à la poésie, ils n'y ont vu qu'un divertissement un peu trop sensuel ou ne lui ont retrouvé une dignité qu'en l'annexant à l'acoustique mathématique. De là seraient entravés les perfectionnements indispensables aux progrès de l'art musical : on n'a guère inventé de nouveaux instruments, le système de notation est resté rudimentaire, la polyphonie n'a été qu'entrevue, moralistes et philosophes ne se sont jamais départis de leur défiance, de leur hostilité, à l'égard de la musique instrumentale. L'image d'Apollon citharède et poète n'a cessé de hanter les esprits.

Si timidement qu'ils eussent été poursuivis, les progrès de la musique dans les voies de l'autonomie n'ont pu manquer de retentir sur la poétique. Il est vraisemblable que les mélodies de type nouveau, plus libres, ont dévalué, terni les agréments de la déclamation chantée où la musique suivait de si près la mélodie naturelle du discours. La musique, en tendant à l'autonomie, a suscité une poésie autonome et d'autant plus aisément que, vers la fin du Vᵉ siècle, les progrès de la sophistique haussent l'éloquence et la prose jusqu'au niveau de l'art. Grand événement, le jour où l'on découvre que des poèmes épiques peuvent se déclamer comme des morceaux oratoires.

Dans ce rapprochement qui s'instaure entre prose et poésie, les influences sont réciproques. Certaines écoles de rhétorique ont entrepris de valoriser dans la prose même les composantes mélodiques des accents de mots : déclamation chantante que les théoriciens de l'art oratoire ne parlent jamais qu'avec sévérité mais dont le succès paraît avoir été très grand et qui ne disparut sans doute que lorsque l'accent de mot, de plus en plus intense, cessa complètement d'être entendu comme une élévation tonale. Une tentative apparemment plus osée eut toutefois un succès plus durable quand la prose adopta des structures rythmiques qu'on pouvait croire spécifiquement propres à la poésie ; les faits sont particulièrement clairs chez les Latins ; dans la prose de Cicéron, les fins de phrase s'achèvent presque toujours avec un groupe de deux ou trois « pieds », crétiques, péons, trochées, constitués exactement comme ils le seraient en poésie ; c'est la prose métrique.

Mais c'est encore de la poésie, séparée de la musique, rapprochée de la prose, que le caractère a dû le plus sensiblement s'altérer, d'autant que les conséquences de ce réaménagement intervenu à l'intérieur des beaux-arts allaient se trouver amplifiées par une évolution plus générale de la langue. L'accompagnement musical et surtout instrumental soulignait, par nécessité, le caractère musical des accents de mots ; à une époque où ces accents tendaient à devenir intenses, l'éloignement de la lyre et du chant laissera se précipiter une évolution bientôt décisive.

Laissons désormais à ses destinées la poésie et la musique grecques ; elles vont relever bientôt des spécialistes de l'art byzantin. Et quoique, assurément, les influences de la musique orientale n'aient jamais cessé de s'exercer dans le monde latin, le rythme évolutif des deux langues et des deux cultures se fait maintenant, ici et là, trop différent pour qu'on puisse les suivre ensemble. Surtout si l'on tient compte qu'en cette période les facteurs linguistiques reprennent, pour le musicologue, toute leur importance : le fait le plus caractéristique de l'époque impériale, c'est qu'avec le christianisme l'alliance de la musique et du discours se trouve à nouveau scellée : la musique chrétienne est chant d'hymnes et de psaumes. Toute une série de faits donne à penser que la poésie, dont la nature mélodique devenait de moins en moins sensible, chercha souvent à compenser cette déperdition par une accentuation de ses caractères rythmiques. Ceux-ci, nous l'avons dit, reposaient sur deux bases, l'une linguistique : l'opposition des syllabes longues et des syllabes brèves, l'autre strictement métrique : la distinction des « pieds ». Or le premier de ces deux éléments ne va pas tarder à se brouiller ; finalement, déclamer de la poésie consistera à égrener des « pieds » métriques soigneusement distingués et dont le premier élément, conformément à la nouvelle base articulatoire de la langue, sera marqué d'une puissante intensité ; alors se trouvera réalisé, mais

vers le IIIᵉ siècle de notre ère, l'*ictus metricus* qu'ignorait l'ancienne poésie. L'intensité de cet *ictus*, seul repère, il est vrai, dans une poésie à qui tout vient à manquer, est telle, parfois, qu'il déplace jusqu'à l'accent de mot : les grammairiens nous le disent et nous pouvons le vérifier nous-même chez Commodien, où, au début du vers, un mot comme *contemnunt* peut valoir un dactyle, ce qui suppose un report de l'accent sur la première syllabe.

La versification de l'époque classique s'accommodait naturellement dans l'intérieur du même vers de la rencontre de « pieds » dont la structure syllabique fut très différente ; dans l'hexamètre, par exemple, voisinent des pieds disyllabiques (les spondées) et trisyllabiques (les dactyles) sans que la régularité du rythme en soit troublée, puisque les premiers, composés de deux syllabes longues, équivalent exactement aux seconds, composés d'une syllabe longue et de deux syllabes brèves. A partir du moment où se brouille la quantité des syllabes, cette équivalence n'existe plus ; les « pieds » trisyllabiques, moins nettement caractérisés au point de vue rythmique, seront évincés. Constitués uniformément d'unités disyllabiques, les vers tendent à l'isosyllabie et le rythme d'intensité s'organise comme une alternance simple de syllabes fortes et de syllabes faibles. Ce sont là des traits d'allure déjà toute moderne.

L'isosyllabie vers laquelle, en bas latin, tendent généralement toutes les formes poétiques n'est peut-être pas à interpréter toujours comme la conséquence d'un renforcement du rythme métrique. Elle peut avoir été aussi, dans des vers faiblement rythmés au point de vue métrique et qui, au niveau de la syllabe, ne connaissent plus de distinctions quantitatives, un simple instrument de régularisation. Ce souci de maintenir malgré tout un ordre se manifeste d'autres manières encore. On sait que l'existence même du vers comme unité distincte entraîne fréquemment l'institution de structures spéciales ou plus régulières pour en signaler la fin. Il en était ainsi dans presque tous les vers dont Grecs et Romains avaient usé. Quand, dans le reste du vers, la subversion des régularités anciennes tend à n'en plus laisser subsister d'autres que l'isosyllabie, on voit les versificateurs particulièrement attentifs à renforcer par tous les moyens concevables la valeur signalétique de la clausule du vers. Dans un certain nombre de cas, ils y sont pervenus d'autant plus aisément qu'en fin de vers les structures quantitatives traditionnelles instauraient souvent, par voie de conséquence, des structures accentuelles ; celles-ci apparemment sans vertu rythmique à l'époque classique (où la quantité des syllabes joue un rôle majeur dans l'institution du rythme tandis que l'accent de mot n'en joue presque aucun) prenaient une remarquable efficacité maintenant que les accents étaient devenus intenses et qu'on n'entendait plus la qualité des syllabes.

On voit même, à des fins semblables, s'introduire des régularités qu'avait ignorées la poésie classique ; dans les longs vers dont usait celle-ci, il s'en usait que la césure ait été jamais bien rigoureusement fixée. A partir du IIIᵉ siècle et d'autant plus que la versification paraît moins soignée, elle tend à se stabiliser à une place fixe, et dans certains vers elle se fait régulièrement précéder d'une figure accentuelle, analogue (quoique plus simple) à celle qui marque la fin du vers.

Enfin la rime apparaît ; cet élément ⸢ornemental que la poésie classique avait toujours dédaigné, peut-être même écarté de façon systématique, apporte sa contribution à cet effort pour rendre bien apparente la clausule des unités métriques, vers ou hémistiches. Comme la prose d'art, depuis les temps lointains de Gorgias, avait toujours manifesté quelques faiblesses à l'égard de cet ornement brillant, il est bien vraisemblable que c'est à ses vieux rivaux que les poètes l'ont emprunté. D'ailleurs bon nombre des transformations que nous venons de décrire (isosyllabie, statut particulier des clausules) tendaient à rapprocher les vers de la prose, et en particulier de cette prose d'art où la forme des clausules, nous l'avons déjà signalé, tient une place si importante. La prose métrique, de son côté, évoluait d'ailleurs peu à peu en prose rythmique : on voit les prosateurs les plus attentifs au système quantitatif traditionnel donner pourtant leur préférence aux types de clausules qui réalisent en même temps certaines dispositions accentuelles ; bientôt ces clausules ambivalentes seront seules à survivre, elles s'accroîtront de beaucoup d'autres, identiques du point de vue des accents mais où n'existera plus aucune régularité quantitative ; ce sera le *cursus*, dont les oraisons liturgiques nous donnent des spécimens si variés et souvent si beaux.

Rien n'est plus difficile que de disposer dans cette évolution des repères chronologiquement définis. Cela tient à la persistance des traditions scolaires et savantes qui maintiennent à toutes les époques la possibilité d'écrire des vers rigoureusement conformes aux canons de l'époque classique. Même les poètes qui nous paraissent participer du plus près au désordre linguistique qui caractérise cette époque sont des lettrés, puisqu'ils écrivent ; il n'en est aucun sur lequel les traditions de la poésie classique n'aient marqué leur influence ; tel qui appartient à une époque plus tardive semblerait avoir écrit cent ou deux cents ans plus tôt. Aucun ne reflète authentiquement l'état de la langue — à supposer même que pour cette période une telle expression ait un sens — de son temps. Il ne nous est pas moins difficile de savoir ce qu'ils ont voulu ou cru faire : simplifier des techniques devenues à leurs yeux inefficaces ? les perfectionner ? Dans quelle mesure prenaient-ils conscience de l'étendue de leurs infidélités ?

**4.** Ce qui retient le musicien dans ces périodes si obscures, c'est que c'est là, à n'en pas douter, que se sont constituées les traditions de la musique chrétienne d'Occident. On aura sans doute remarqué déjà dans l'évolution que nous avons décrite en n'y faisant intervenir que des facteurs spécifiquement latins aboutit à des formes où un liturgiste retrouvera le support naturel de la psalmodie et de l'hymnique auxquelles il est accoutumé. Ces lignes de quasi-prose à quoi se résolvent souvent les longs vers avec au milieu une figure accentuelle rudimentaire et à la fin une autre plus complexe évoquent sans peine le verset du psaume, son ténor, sa flexe et sa clausule. Et d'autre part quand le long vers, fortement divisé par sa césure, se coupe en deux vers plus petits, nous aboutissons à ces strophes de caractère lyrique qu'ont illustrées les grands poètes des XIIᵉ et XIIIᵉ s. et dont peu de fidèles s'avisent aujourd'hui qu'il suffirait de grouper les vers deux à deux pour retrouver le vieux septénaire trochaïque de Plaute. A une époque plus ancienne, les tripodies trochaïques accentuelles de l'*Ave maris stella* ne sont pas sans rapport avec ce qu'il advient des hémistiches de l'hexamètre chez tel poète du VIIIᵉ siècle.

En ces siècles, pour lesquels il n'existe en Occident aucun texte musical noté, on ne peut se dispenser d'attacher la plus grande importance à un écrit de saint Augustin intitulé *Psalmus contra partem Donati*. Ce texte est composé de strophes d'inégale étendue mais uniformément constituées de « vers » de 16 syllabes ; en chaque vers, une fin de mot après la 8ᵉ syllabe ; sur la 7ᵉ et la 15ᵉ un accent tonique ; la voyelle de la 16ᵉ syllabe est toujours un *e* ; aucune quantité syllabique, aucune régularité accentuelle — hormis celles qui marquent la fin des deux hémistiches — ne paraissent avoir été observées. L'intérêt de ce texte lui vient surtout de son titre de « Psaume ». On voit qu'Augustin a voulu rappeler les psaumes bibliques : les strophes sont séparées par un refrain constitué comme les autres vers mais avec une syllabe en plus dans le premier hémistiche ; chaque lettre de l'alphabet fournit à son tour l'initiale du premier mot de chaque strophe. Pourtant le psaume augustinien n'est pas l'équivalent exact des psaumes de l'Écriture qui, dans leur traduction latine, sont écrits en une prose où n'apparaît aucune régularité d'aucune sorte. Mais précisément on peut imaginer que les régularités introduites par saint Augustin dans un texte librement composé ont dû avoir pour but de le rendre particulièrement conforme au type idéal dont les psaumes de l'Écriture ne s'approchaient qu'inégalement, de le modeler au plus près selon les exigences de la psalmodie en usage dans l'Église. Or il est presque assuré que le système d'assonances mis en œuvre à la fin de chaque vers nous fait toucher du doigt la présence de la musique : de toutes les voyelles finales du latin, l'*e*,

généralement bref, est la moins sonore ; sa débilité s'accroît encore quand il succède immédiatement à une syllabe tonique ; il y a donc, du point de vue de la langue, un véritable paradoxe à escompter la possibilité d'un effet d'assonance sensible entre mots tels que *finire, menses, levare* ; leurs aboutissants français « finir », « mois », « lever » le montrent assez. Les faits ne s'expliquent, comme l'a bien montré H. Vroom, que par l'hypothèse d'un mélisme portant sur la dernière syllabe du vers, et lui conférant le relief que la langue ne peut lui donner. L'association à ce mélisme de régularités accentuelles — le dernier mot du vers est toujours paroxyton — manifeste que les accents de mots sont utilisables pour servir d'appuis à une figure mélodique. La fin du premier hémistiche présentant la même structure accentuelle mais sans assonances définies, nous sommes invités à reconnaître là aussi une inflexion mélodique mais sans doute plus simple.

L'importance des accents, peut-être comme supports de la musique, à tout le moins comme repères indiquant le début d'une figure mélodique ou permettant d'en distribuer distinctement les parties sur les syllabes d'un texte, est historiquement un fait considérable, puisque nous tenons là les débuts de notre notation musicale moderne. On sait que les communautés chrétiennes se sont longtemps passées d'une notation musicale et quelle que soit la place qu'hymnes et psaumes aient tenue dans le culte ; c'est que, pour les chrétiens des cinq ou six premiers siècles, les paroles importent beaucoup plus que le chant ; chaque église se contente pour sa liturgie d'une exécution traditionnelle, mais approximative ; il ne semble pas qu'on s'y soit beaucoup inquiété de savoir si, à la longue, ces traditions, transmises de façon purement auditive, ne risquaient pas de s'altérer ; il ne semble pas qu'on se soit non plus beaucoup préoccupé de savoir si toutes les chrétientés chantent exactement de la même manière et Carthage comme Rome ou Milan ; dans la mesure où on a le souci, les voyages, faciles et fréquents, permettent de s'en assurer. Tout ce peuple qui chante connaît tant bien que mal le latin ; l'accentuation des mots est pour lui une réalité instinctive ; cette connaissance immédiate des structures de la langue soutient l'exactitude de sa mémoire musicale.

Au VIIᵉ et au VIIIᵉ s., la situation a entièrement changé ; rongé, débilité du dedans plus encore qu'abattu par l'extérieur, l'Empire d'Occident a fini par descendre au tombeau. Ses fossoyeurs ne vont pas tarder à payer durement le prix de leur indifférence et de leurs trahisons. Laissons les églises asservies, bientôt livrées au joug des Arabes, des provinces entières retranchées à la chrétienté ; mais en quelques années l'instrument qui avait été le lien de la communauté chrétienne, le latin, se trouve brisé pour toujours : le peuple chrétien ne comprend plus la langue de ses clercs, il n'a plus accès aux monuments de la piété et de la foi de ses pères ; de province à province, d'église à église, on ne se comprendra plus ; hymnes et psaumes qui avaient si longtemps vivifié la vie spirituelle de tous se résolvent pour les fidèles en formules incompréhensibles : le latin, langue de l'Église, langue des chrétiens jadis, est devenu la « langue du Saint Esprit ». Médiocre consolation, consolation tout de même : de cet effroyable chaos la musique a profité : dans ces pièces liturgiques que presque personne ne comprend plus, la mélodie, les intonations se chargent d'une valeur aussi sacrée qu'un texte qui n'est plus lui-même qu'une suite de syllabes incantatoires. Et d'autre part, dans l'effondrement général, le prestige du siège romain s'est accru : chanter comme on chante à Rome apparaît — ce qui aurait sûrement bien surpris saint Cyprien ou saint Ambroise — un des critères le plus assuré de l'orthodoxie. On fera tout pour assurer cette conformité.

La volonté de la réaliser a pu se nourrir des difficultés mêmes qui devaient être surmontées. Qu'il s'agisse de la manière de chanter aussi bien que de la manière de croire, comment assurer une unité dans un monde où c'est tout un exploit de faire passer d'une province à une autre un homme, une lettre, un livre ? Le temps n'est plus où la circulation des voyageurs suffisait à maintenir dans l'Église une certaine unité de pratiques. Et d'autre part, pour l'exécution de mélodies adaptées à des textes latins, le peuple chrétien, les chantres eux-mêmes, ne disposent plus des connaissances de base qui jadis guidaient leur voix ; de nombreux témoins nous apprennent que la lecture même est devenue incertaine parce qu'on ne sait plus où placer les accents de mots. Ce qu'un sentiment vivant du latin, ce qu'une communication avec les autres églises ne suffit plus à maintenir en forme, il faudra tâcher de l'étayer sur une notation écrite. C'est dans ces circonstances qu'ont dû apparaître les premiers manuscrits spécialement annotés à l'intention des officiants. N'imaginons encore ni notes bien sûr, ni neumes, mais seulement, pour commencer, les accents de mots dans les parties du texte qui supportent des modulations et sans doute, de très bonne heure aussi, entre ces accents, des points sur les syllabes qui ne portent pas d'accents. Et certes il ne s'agit pas là d'une véritable notation musicale ; points et accents n'ont valeur que de repères et par rapport à une mélodie apprise et retenue de façon auditive. Mais de cette mélodie ils évoquent les diverses péripéties, ils permettent de les situer avec précision sur les syllabes du texte. Ils sont donc un instrument utile d'exactitude et de conformité.

Selon toute apparence, c'est dans les provinces les plus lointaines et les moins latinisées que le recours à de tels adjuvants s'est révélé le plus nécessaire, parce que c'est là que les autorités ecclésiastiques se trouvaient, en matière liturgique, le plus embarrassées. Il n'est donc pas étonnant qu'on voie l'Église d'Angleterre si préoccupée de ces problèmes techniques et cherchant par tous les moyens à se donner la possibilité de chanter à la romaine. Il est aisé de concevoir comment cette notation (héritée de traditions graphiques qui remontent à l'antiquité profane, mais employées désormais à d'autres usages, puisque la notation des accents ne sert qu'à fixer sur le texte une mélodie) a pu ensuite, rompant ses attaches traditionnelles, s'adapter plus exactement aux fins qui étaient désormais devenues les siennes. De la *virga*, jadis accent aigu, et du *punctum*, héritier de l'accent grave, c'est-à-dire du signe explicite d'une non-élévation tonale, tout le système des neumes pourrait naître.

Notre notation musicale est sans doute, avec la cantillation des oraisons liturgiques, avec la psalmodie — mais ici l'apport des influences orientales est difficile à apprécier distinctement — le plus durable des monuments où se conserve encore dans la musique vivante quelque chose des formes linguistiques des Grecs et des Latins.    Js.P.

**FORMÉ Nicolas.** Mus. franç. (Paris 26.4.1567–27.5.1638). Clerc à la Sainte-Chapelle à l'âge de 20 ans, il devient en 1592 chantre à la chapelle du roi et succède en 1609 à Du Caurroy comme sous-maître et compositeur ; Louis XIII, qui lui fit donner les prébendes d'abbé de N.-D. de Reclus et de chanoine à la Sainte Chapelle, fit à sa mort enlever ses œuvres et les fit remettre à Jean Veillot, « qui en fit son profit » ; on a de lui une messe à double-chœur et 2 motets (Ballard, 1638) et des *Magnificat* à 4 v. dans les 8 tons (ms. à la Bibl. nat.) ; Sauval a voulu voir en lui l'initiateur français du style en double-chœur — assertion inexacte, puisque Du Caurroy, Bouzignac et probablement Titelouze le pratiquèrent avant lui. Mais, à un moment où la musique religieuse française revêt le plus souvent une forme archaïsante, issue de la polyphonie de la Renaissance, F. occupe cependant avec sa messe une place originale. Voir M. Brenet, *Les Musiciens de la Sainte-Chapelle*, 1910 ; H. Quittard, *N.F.*, ds *RM*, 1903 ; D. Launay dans MGG.

**FORMELLIS Guilelmus.** Mus. autr. (?–Vienne ? 4.1.1582), organiste, qui appartint à la chapelle de Maximilien II à Vienne à partir de 1554, puis à celle de Rodolphe II ; il fut le maître de musique d'Anne d'Autriche, la future épouse de Philippe II, roi d'Espagne ; on trouve dans divers mss et imprimés (1564–68) une douzaine de motets à 5, 6, 8 et 10 v. de sa composition.

**FORMICA Antonio.** Mus. sicilien des XVIe–XVIIe s., élève d'Antonio il Verso, de qui subsistent quelques madrigaux recueillis dans des recueils de l'époque, publiés à Venise, à Anvers, à Nuremberg, entre 1594 et 1610.

N. FORMÉ
*Titre de la messe* Aeternae
Henrici Magni... memoriae *(Ballard, 1638).*

**FORMSCHNEIDER Hieronymus** (*Grapheus*). Graveur et imprimeur de mus. allem., qui naquit probablement à Nuremberg, où il mourut le 7.5.1556 ; il semble que son patronyme ait été *André* et que *F.* n'ait été qu'un surnom ; on a on a des traces de lui à Nuremberg dès 1515 ; en 1523, il y est devenu « bourgeois », en 1535, *Münzeisenschneider* de la ville ; il fut l'ami et le collaborateur de Dürer ; ses publications (1532-1555) comportent notamment des œuvres de Gerle, d'H. Finck, de Senfl, d'Isaac (*Choralis Constantinus*, 3 vol., 1550-1555) ; il se servit de la technique d'impression dont l'invention est faussement attribuée à P. Haultin. Voir P. Cohen, *Die nürnberger Musikdrucker im XVI. Jh.*, thèse d'Erlangen, 1927 ; K. Holzmann, *H. F.s Sammeldruck Trium vocum carmina*, thèse de Fribourg-en-Brisgau 1956 (dact.) ; H. Albrecht in MGG.

**FORMULE.** — 1. En musique classique, c'est un procédé d'écriture relevant de conventions fixes : « *f.* de cadence », « *f.* ornementale », « *f.* harmonique », « *f.* instrumentale » (généralement d'accompagnement : exemple : arpèges). L'inventaire des *f.* mélodiques des auteurs classiques fait apparaître cependant de profondes différences entre les réalisations d'une même fonction harmonique. On dit volontiers d'une œuvre ou d'un type d'œuvre qu'elle est *formulaire* ou *remplie de f.* pour indiquer son manque d'invention et d'originalité sur les plans tant harmonique et rythmique que mélodique (certaines musiques, notamment du XVIIe et du XVIIIe s., sont faites d'une simple juxtaposition de *f.*, dont la connaissance et l'habile agencement suffisaient parfois aux compositeurs). G.A. — 2. En plain-chant, les formules sont de courts fragments de mélodie que le chantre-compositeur combine ensemble suivant des lois assez strictes pour construire une pièce. Lorsque ces chants ont été notés, l'emploi des formules est demeuré traditionnel, car il permettait de mémoriser de longues pièces et des vocalises que le chantre n'aurait pu répéter sans cela ni lire directement dans les neumes. Cet emploi se trahit dans l'économie des pièces par la répétition de ces courtes incises toujours semblables à elles-mêmes et qui ne sont différenciées que par l'adaptation à des contextes différents. Elles ont un rôle modal assez net, mais il est bien possible, en grégorien, que ce rôle ait été postérieur à l'existence de la formule en elle-même. En effet, les modes sont introduits assez tard dans le plain-chant occidental (VIIe s. au moins) et d'autre part le chant des rites orientaux fait lui aussi un large emploi de cette technique, procédant par courtes incises rapprochées. C'est encore la formation classique des chantres grecs et coptes. L'emploi des formules est étudié avec maîtrise par Dom P. Ferretti, *Esthétique grégorienne, ou traité des formes musicales du chant grégorien*, trad. de l'ital. par Dom A. Agaess, Tournai, Rome, Paris, 1938. (Ce vol. porte l'indication t. I : l'auteur étant mort, le t. II est en préparation par les soins des moines de l'abbaye de S. Giorgio à Venise.) S.C.

**FORNACI Giacomo.** Mus. ital., né à Civita à la fin du XVIe s., célestin, qui publia *Amorosi respire musicali...* (1, 2, 3 v., Venise 1617 et *Melodiae ecclesiasticae plurium vocum* (ibid. 1622).

**FORNARI Matteo.** Mus. ital., second (1682), puis premier violon (1710) à Saint-Louis des Français sous la direction de Corelli, dont il devint le plus fidèle ami et qui lui légua par testament ses violons, ses mss et les planches de ses *op.* 4 et 6 ; il avait un neveu qui portait le même prénom et qui est peut-être le chantre de la *Congreg.*

*cons. de Paris*     N.-G. FORQUERAY

*S. Cecilia* repéré entre 1691 et 1718, puis à la chapelle pontificale (1749), qui se trouva en conflit avec Santarelli à propos de la réforme de la chapelle papale et publia *Narrazione istorica sull'origine, progresso e privilegi della pontificia cappella...*

**FORNAROLI Cia** (*Lucia*). Danseuse ital. (Milan 16.10.1898–Riberdale 16.8.1954). Élève de l'académie de ballet de la *Scala* et de Cecchetti, elle débuta en 1910–11 au *Metropolitan Opera* de New-York ; on la voit ensuite à Barcelone, à Madrid, à Buenos-Aires, à la *Scala* de Milan, à Rome, à Vienne, à Berlin ; à partir de 1929, elle dirigea l'académie de ballet de la *Scala* ; en 1940, elle enseigna au *Ballet Theatre* de New-York ; à partir de 1944, elle dirigea a *School of classical dancing Cecchetti method* à New-York ; elle avait épousé Walter Toscanini. Voir G. de Martini, *L'arte della danza e l'arte di C.F.*, Milan 1923.

**FORNASARI Antonio.** Violon. ital., sans doute bolonais, mort en 1773 à Reggio Emilia, où il fut maître de chapelle à la cathédrale ; il composa 2 opéras : *Giuseppe riconosciuto* (Métastase), *L'amor platonico* (1729), des airs et de la mus. d'église.

**FORNASINI Antonio Maria.** Mus. ital. (Bologne 1681–Carpi v. 1720), qui fut maître de chapelle de la cath. de Carpi ; élève de G.A. Perti, il composa les oratorios *Jefte* (1705), *Felsina protetta da Maria* (1706), *Santa Maria liberatrice del terremoto* (1707), une *Cantate morali da cantarsi nella chiesa di S. Giuseppe in Carpi...* (1712), une messe et 26 autres compositions de mus. d'église conservées dans les archives de la même cathédrale.

**FORNASINI Nicola.** Compos. ital. (Bari 17.8.1803–

Naples 24.6.1861), élève de Zingarelli, directeur général des musiques militaires du royaume et inspecteur des classes instrumentales au conservatoire de Naples, qui composa les opérettes *Il Marmo Amalia di Reaumur* (1828), *Oh ! quante importune* (1829), *Un matrimonio per medicina* (id.), *L'avvocato in angustie* (1831), *La vedova scaltra* (1834), *Roberto di Costanzo* (1839), des messes, des ballets etc.

**FORNEROD Aloys.** Compos. suisse (Montet-Cudrefin 16.11.1890–), Élève du cons. de Lausanne et de la Schola cantorum de Paris, il s'est consacré à l'enseignement et à la critique musicale (Lausanne, Montreux) ; il a publié *Feuillets de pédagogie musicale* ; il est le collaborateur de la *Tribune de Lausanne*, de la *Semaine littéraire* de Genève ; il a écrit 2 symphonies, un poème symphonique (*Elaine*), 4 interludes dans les tons grégoriens (orgue), une sonate pour piano et violon, une messe brève *a cappella*, *La nuit* (ch.), des mélodies.

**FORNKE.** C'est une flûte droite, en canne de mil, à trois trous et à pavillon de corne, utilisée par les Bata du Nord-Cameroun. M.A.

**FORNS José.** Historien et compos. esp. (Madrid 12.1. 1898–Genève 6.9.1952). Élève du cons. de Madrid, de del Campo, il eut la chaire d'esthétique et d'hist. de la mus. au cons. de Madrid (1921), fut critique mus. au *Heraldo de Madrid* (1916–31), collabora à divers périodiques ; il dirigea la Société espagnole du droit d'auteur, celle des auteurs cinématographiques, puis la Société générale des auteurs espagnole, fut délégué perpétuel de l'Espagne au Conseil permanent pour la coopération intern. des compositeu-s (R. Strauss) et appartint à la commission intern. de législation de la Confédération des sociétés d'auteurs ; il écrivit des *zarzuelas*, de la mus. de film et publia *Estética aplicada a la música*, ainsi qu'une histoire de la musique (1925, 1933).

**FORNSETE John.** Mus. angl. (?–1239), moine de l'abbaye de Reading, qui fut longtemps considéré comme l'auteur du manuscrit qui contient le célèbre canon *Sumer is icumen in* (à tort, puisqu'il ne semble pas que cette œuvre ait été écrite avant 1280).

**FORONI Jacopo.** Compos. ital. (Valeggio 25.7.1825–Stockholm 8.9.1858). Fils de *Domenico F.* (Valeggio 1796–Vérone 24.3.1853), lui-même maître de chant et compositeur, il fit des études de piano et de contrepoint ; pianiste, il eut un immense succès à Milan avec son premier opéra, *Margherita*, en 1848 ; l'année d'après, il était appelé à Stockholm pour diriger l'orch. du théâtre royal, poste qu'il garda jusqu'à sa mort ; outre l'opéra déjà cité, il écrivit *Cristina di Svezia* (1850), *L'avvocato Patelin* (id.), *I gladiatori* (1851), 3 symphonies, de la mus. d'église, de la mus. vocale, une cantate etc.

**FORQUERAY.** Mus. franç. (Paris 1635–?), qui fut membre de la chapelle royale et fut le professeur de son fils – **Antoine** (Paris ... 9.1672–Mantes 28.6.1745) : à 5 ans. ce dernier jouait de la viole devant Louis XIV, qui le prit comme page ; à 17 ans, il était musicien ordinaire de la chambre ; il fut le maître de musique du futur Régent, le duc d'Orléans, lequel lui accorda le cordon de St-Michel ; il écrivit près de 300 pièces pour son instrument, notamment *Pièces de viole avec b.c. composées par M. For-*

*queray le père* (dédiées à Mme Henriette de France), *Pièces de viole composées par M. Forqueray* en *pièces de clavecin par M. Forqueray le fils* (dédiées à la dauphine) ; d'autres furent publiées dans des recueils de l'époque ; c'est de lui que Dacquin disait : « On peut dire que personne n'a surpassé Marais : un seul homme l'a égalé : c'est le fameux Forqueray. » (*cf. La superbe ou la Forqueray*, ds les pièces de clavecin de Couperin (1722), la fugue des *Pièces de clavecin en concert* (1741) de Rameau, intitulée *La Forqueray*). Son fils – **Jean-Baptiste Antoine** (Paris 3.4.1699–15.8.1782), comme lui jouait devant Louis XIV à l'âge de 5 ans ; il fut musicien ordinaire de la chambre et était aussi bon violiste que son père ; il fut lié avec les membres de l'aristocratie française internationale (dont le futur Frédéric-Guillaume II de Prusse) et entra en 1761 au service du prince de Conti ; il est l'auteur de 3 pièces pour vcelle et basse. Sa femme, **Marie-Rose** (Paris 17.1.1717–?) fut une excellente claveciniste. — Une branche de cette famille était installée à Chaumes-en-Brie : c'est d'elle que sort **Michel F.** (Chaumes - en - Brie 15.2. 1681 – Montfort-l'Amaury 30.5.1757), qui fut org. à St-Séverin (1704), eut le titre *d'organiste du roi* et fut fort célèbre ; son neveu **Nicolas-Gilles** (Chaumes-en-Brie 15.2.1703–22. 10.1761) fut également org., musicien de la chapelle de Louis XV, protégé de Breteuil, archevêque de Reims, abbé de Chaumes et grand-maître de la chapelle royale ; il eut l'orgue des SS.-Innocents (1731), celui de St-Merry (1740), où il succédait à Dandrieu, puis celui de St-Séverin (1757), comme survivancier de son oncle ; il composa des rondos, des airs dans les recueils de Ballard publiés de 1719 à 1722 (voir le catalogue de la bibl. de l'Arsenal à Paris). Voir Dacquin, *Siècle littéraire de Louis XV*, Amsterdam 1754 ; J.G. Prod'homme, *Les F.*, in RMI. 1903 ; L. de la Laurencie, *Deux violistes célèbres*, in Bull. fr. de la S.I.M., déc. 1908–janvier 1909 ; L. Forqueray, *Musiciens d'autrefois : les F. et leurs descendants*, Paris 1911 ; N. Dufourcq, *Le grand orgue et les organistes de St-Merry*, Paris 1947 ; J. Bonfils in MGG.

**FORRAI Miklos.** Chef d'orch. et de chœur hongrois (Magyarszék 1913–). Élève de Kodaly et de Bardos à l'Éc. des hautes études de Budapest, où il est prof. depuis 1941 et dir. des études de chant (dep. 1952), il dirige, dep. 1948, le plus grand ensemble d'oratorio hongrois ; il est titulaire du prix Liszt ; il a publié *Le chef de chœur* (*A karvezető*, ouvrage didactique, 1936), des recueils de madrigaux et de chœurs de mus. ancienne, des œuvres chor. de Liszt, des duos etc.; il est le mari de la cantatrice *Maria Gyurkovics*.

**FORSELL Carl Johann Jacob.** Baryton suédois (Stockholm 6.11.1868–30.5.1941). Il débuta en 1896 à l'Opéra de Stockholm et fit une carrière intern. (notamment au *Metropolitan Opera* de New-York) ; spécialiste de Mozart, il termina sa carrière en 1930 au festival de Salzbourg ; il fut depuis 1924 intendant de l'Opéra Royal de Stockholm et enseigna au cons. de la même ville (1924 à 1931).

**FORSTER Georg.** Médecin, lettré et mus. allem. (Amberg v. 1510–Nuremberg 12.11.1568). En 1521, il était à la maîtrise du prince-évêque de Heidelberg ; dans la même ville, il obtint le diplôme de bachelier ès arts ; en 1531, il était étudiant en médecine à Ingolstadt ; en 1534, on le trouve à Wittenberg, comme étudiant helléniste (Melanchthon) : il s'y lia avec Luther ; en 1539, il est médecin à Amberg ; en 1543, il est au service du comte palatin Wolfgang ; en 1544, il est promu docteur de l'univ. de Tübingen ; il pratiqua son art à Amberg, Wurtzbourg, Heidelberg et Nuremberg ; on l'a souvent confondu avec un autre *G.F.*, qui fut *Kapellmeister* de la cour de Dresde et mourut en 1587 (voir art. suivant) ; il édita 5 recueils de mélodies allemandes (*Ein Ausszug ...*

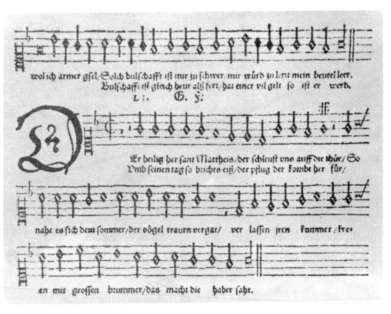

G. FORSTER [1]

*Déchant du Bauernkalender (Böhme)*

*teutscher Liedlein*, 1539–1565), un recueil de motets (4–5 v., 1540), un autre de psaumes (1542), le tout publié à Nuremberg ; dans ses recueils et dans d'autres de l'époque, on trouve nombre de compositions qui sont de lui. Voir R. Eitner, *G.F., der Artzt u. G.F., der Kapellmeister*, ds *Mon. f. Mg.*, I, 1869 – *Das alte Mehrst. d. Lied* ; C.P. Reinhardt, *Die heidelberger Liedmeister des 16. Jh.*, thèse de Heidelberg, 1939 ; A. Leckscheidt, *Das a cappella-Problem in F. Liederbücher*, thèse de Heidelberg, 1923 (inéd.) ; H. Kallenbach, *G.F. Frische teutsche Liedlein*, thèse de Giessen, 1931 ; F. Blume, *Die ev. Kirchenmusik*, Potsdam 1931 ; K. Gudewill in MGG.

**FORSTER Georg.** Mus. allem., qui mourut le 16.10.1587 à Dresde, après avoir été *cantor* à Annaberg (1564), à Zwickau, puis au service de la chapelle de la cour de Dresde (*Kapellmeister* en 1586). Voir R. Eitner, *G.F.*, ds *Monatshefte f. Mus.gesch.* I, 1869.

**FORSTER Josef.** Compos. austro-tchèque (Trofaiach 20.1.1838–Vienne 23.3.1917), qui fut org. de la cath. et prof. au cons. de Prague ; il composa 5 opéras, 2 opérettes, 3 ballets, de la mus. d'église, une symphonie, de la mus. de chambre, des chœurs, des mélodies. Voir C. Nemeth, *J.F. Leben...*, thèse de Vienne, 1949 ; A. Hickl, *Ein steirischer Tondichter*, Leoben 1907.

**FORSTER Karl** (*Mgr*). Compos. allem. (Grossklenau 1. 8.1904–). Ecclésiastique, élève de l'*Akad. der Tonkunst* et de l'univ. de Munich, de laquelle il est docteur (1933), maître de chœur à la cath. Ste-Hedwige (1934), prof. honoraire à l'Univ. technique (1952), directeur de musique à l'Univ. libre (1954) et prix de la ville de Berlin (1953), il a écrit des motets, 2 messes (6 v.

*a cappella*, 1938, 8 v. *id.*, 1950), rédigé *Ueber das Leben u. die kirchenmusikalischen Werke der G.A. Bernabei...* (thèse de Munich, 1953), collaboré à des ouvrages collectifs. Voir H. Berger, *Unsere Freunde an deutschen Kathedralen : Mgr. Prof. Dr. K.F.*, ds *Im Dienst der Kirche*, sept. 1953.

**FORSYTH Cecil.** Compos. et musicologue angl. (Greenwich 30.11.1870–New-York 7.12.1945). Elève de l'univ. d'Edimbourg, du *Royal College of music*, il dirigea des orchestres, se fixa à N.-York, où il travailla chez l'éditeur de mus. H.W. Gray, écrivit 2 opéras, des opéras-comiques, de la mus. symph., 2 messes, de la mus. de chambre, des mélodies ; il publia *Music and nationalism* (1911), un traité d'orchestration (1914), une histoire de la mus. (en collab. avec Stanford, 1916), *Choral orchestration* (1920), des articles ds divers périodiques.

**FORTE** (en abrév. *F.* ou *f.*). — **1.** C'est une indication de nuance, qui commande d'assurer l'intensité du son. — **2.** *Pédale f.* : voir art. *piano.*

**FORTE Vicente.** Compos. et musicologue argentin (Buenos Aires 1888–). Après des études faites à Paris, il devint assesseur de l'Institut de littérature argentine de l'univ. de Buenos Aires, où il fut l'initiateur de publications ethnomusicologiques ; il a écrit des mélodies inspirées du folklore du pays basque et le ballet *La conquista.*
D.D.

**FORTE CAMPANO.** C'est un instrument inventé par F.M. Lemoine, horloger à Paris, en 1825 : le *f.c.* imitait, *forte* et *piano*, le son des cloches au moyen de tiges de métal frappées par des marteaux, eux-mêmes actionnés par une roue (France, XIXᵉ s.).
M.A.

**FORTE-PIANO.** « Substantif italien composé, et que les musiciens devraient franciser, comme les peintres ont francisé celui de *chiaro-scuro*, en adoptant l'idée qu'il exprime. Le *f.-p.* est l'art d'adoucir et renforcer les sons dans la mélodie imitative, comme on fait dans la parole qu'elle doit imiter. Non seulement quand on parle avec chaleur, on ne s'exprime point toujours sur le même ton, mais on ne parle pas toujours sur le même degré de force. La musique, en imitant la variété des accents et des tons, doit donc imiter aussi les degrés intenses ou rémisses de la parole, et parler tantôt doux, tantôt fort, tantôt à demi-voix ; et voilà ce qu'indique en général le mot forte-piano ». J.-J. Rousseau. — En abrégé *FP* ou *Fp*, c'est une indication qui exige de passer brusquement de la nuance *forte* à la nuance *piano* : ce procédé, fréquent chez Beethoven, a un effet saisissant. Voir également art. *piano.*

**FORTEBIEN.** C'est le premier piano carré, dont la forme fut inventée en 1758 par Frederici, à Gera (Italie, XVIIIᵉ s.).
M.A.

**FORTEPIANO.** Voir art. *piano.*

**FORTI Anton.** Baryton autr. (Vienne 8.6.1790–? 16.7.1858), qui fut au service du prince Esterhazy, puis au théâtre de la cour de Vienne ; il était spécialiste des opéras de Mozart et créa *Euryanthe* de Weber (1823).

**FORTIA de PILES Alphonse** (*Comte*) **de.** Compos. franç. (Marseille 18.8.1758–Sisteron 18.11.1826). Issu d'une famille d'origine catalane, d'un père gouverneur de Marseille, il fut officier de l'infanterie royale, émigra jusqu'en 1792, élève, en mus., du maître napolitain Ligori, il composa des opéras-comiques, représentés à Nancy : *La fée Urgèle* (1784), *Vénus et Adonis* (*id.*), *Le pouvoir de l'amour* (1785), *L'officier français à l'armée* (1786), un autre pour le théâtre des Variétés : *Le curieux puni*, des *Sonates pour piano*, *3 Sonates pour vc. et b. obl.*, *Trios de violon*, *Quatuors* pour 2 v., alto, b., ainsi que pour cl., htb., basson, *Quintettes* pour fl. htb., v., alto et vc., *Symphonie à grand orchestre* ; il publia des art. sur la

FORTUNAT                                      Giraudon
*Détail de la pala d'oro (basilique St-Marc de Venise).*

musique. Voir le dictionnaire de Choron (1810) et M. Briquet in MGG.

**FORTIER B.** Graveur de musique angl. du XVIIIᵉ s., établi à Londres, qui publia des œuvres de Porpora, d'E. Duni, de Farinelli, de Sammartini, de Guerini, et *Essercizi per gravicembalo* (1739).

**FORTISSIMO.** Mot ital. : c'est le superlatif de *forte* ; on l'abrège en *FF* ou *ff*.

**FORTLAGE Karl.** Philosophe allem. (Osnabruck 12.1.1806–Iéna 8.11.1881). Disciple de Fichte, docteur de Munich (1829), il enseigna aux univ. de Heidelberg, Berlin (1842), Iéna (1846) ; il publia des ouvrages de philosophie, dont un *System der Psychologie* (2 vol., Leipzig 1855) ; ds son *Das Musik-System der Griechen in seiner Urgestalt* (*ibid.* 1847), il traite des échelles de la musique grecque ancienne : pour résoudre le problème de l'échelle fondamentale du système grec, il opte pour le mode hypodorien contre le dorien ; signalons encore, parmi ses travaux, *Gesänge christl. Vorzeit ...* (Berlin 1844) et sa collaboration à l'*Allg. Enzyklopädie der Wissenschaften u. Künste* (Leipzig 1863). Voir W. Vetter in MGG.

**FORTNER Wolfgang.** Compos. allem. (Leipzig 12.10. 1907-). Élève du cons. et de l'univ. de Leipzig, il a été prof. de composition à l'*Ev. Km. Institut* de Heidelberg (1931), à l'académie de mus. de Detmold (1954) ; depuis 1954, il enseigne au cons. de Fribourg-en-Brisgau ; il enseigne également au *Kranichsteiner Musikinstitut* de Darmstadt (depuis 1946) ; il a fondé l'orch. de chambre de Heidelberg (1935) et les concerts *Musica Viva* (transférés à Fribourg en 1958) ; depuis 1945, il semble avoir adopté la technique dodécaphoniste ; il a écrit, pour l'orch. : *Sweelinck-Suite* (1930), *Concertos* (orgue, 1932, clav., 1935, et orch. à cordes), *Konzert f. Streichorch.* (1933), *Concertino* (alto, 1934), *Schwäbische Volkstänze* (1936), *Capriccio u. Finale* (1939), *Ernste Musik* (1940), *Concerto* (piano, 1942), *Streichermusik II* (1944), *Symphonie* (1947), *Phantasie über die Tonfolge Bach* (1950), *Concerto* (violon, 1951), *Mouvements* (avec p., 1954), *Bläsermusik* (1957), *Impromptus* (*id.*), *Prélude* (1958) ; pour le théâtre : *Cress ertrinkt* (Schulspiel, 1930), *Die weisse Rose* (1950), *Bluthochzeit* (opéra, Lorca, 1957), *Corinna* (op.-bouffe, 1958) ; mus. de scène pour *Lysistrata* (1945) ; mus. de chambre : 3 quatuors à cordes (1929, 1938, 1948), *Suite* (vcelle, 1933), *Sonatina* (p., 1934), *Blockflötenwerk* (1934), *Kammermusik* (p., 1944), *Sonate de violon* (1945), *Sérénade* (fl., htb., bas., 1948), *Sieben Elegien* (p., 1950), *Trio à cordes* (1951), *New Dehli Music* (fl., v., vc., clav., 1956), *Toccata et fugue* (orgue, 1930), *Praeambel u. Fuge* (*id.*, 1935) ; mus. vocale : 6 cantates : *Die vier marian. Antiphonen* (1929), *Fragment Maria* (1930), *Grenzen d. Menschheit* (*id.*), *Mitte d. Lebens* (1951), *The creation* (1954), *Chant d'innocence* (1958), 1 oratorio : *Isaaks Opferung* (1952), 3 psaumes (1930), 3 chants spirituels (1932), *Deutsche Liedmesse* (1934), *Nuptiae Catulli* (1937), *Herr, bleibe bei uns* (*Abendmusik*, 1945), *Zwei Exerzitien* (1948), des mélodies (4 poèmes de Hölderlin, 1933, *Shakespeare-Songs*, 1946) ; il a édité 6 concertos de flûte de Vivaldi et un extrait de la *Grosse Generalbassschule* de Mattheson (1956) et collaboré à divers périodiques, notamment à *Melos*. V. K. Laux, *W.F.*, ds *Musik u. Musiker d. Gegenwart* I, Essen 1949 ; E. Laaf in MGG.

**FORTUNAT** (*Venantius Honorius Clementianus*). Poète (et musicien ?) né à Valdonniane sur la Pi ve vers 530, mort à Poitiers, évêque de cette ville dans les premières années du VII^e s. Après avoir reçu une solide formation classique et religieuse à Aquilée puis à Ravenne, il quitte sa patrie où il ne reviendra plus (565) ; il est alors clerc minoré. Le but de son voyage est le tombeau de saint Martin à Tours ; *F.* passe par les vallées du Danube et du Rhin, et le voyage à cheval lui prendra deux ans. Il visite les tombes illustres, reçoit l'hospitalité des grands personnages qu'il remercie en vers ; il est barde, poète, et l'on est en droit de le considérer comme le premier des clercs vagants. Il est en 566 à Metz pour célébrer le mariage de Brunehaut avec Sigebert ; son épithalame décide de sa renommée. Après avoir séjourné à Tours, *F.* voyage en Gaule et se rend jusqu'à Braga, puis vient se fixer à Poitiers, où il sert sainte Radegonde en qualité d'intendant de ses intérêts temporels. Il se lie alors avec Grégoire de Tours. *F.* est ordonné prêtre en 576. Radegonde meurt en 587. En 599, *F.* est élu évêque de Poitiers et meurt après peu d'années d'épiscopat.

*F.* a écrit de nombreuses vies de saints légendaires et celle plus sûre de Radegonde, quelques ouvrages de piété et des panégyriques, et onze livres de poèmes dont une soixantaine de fragments sont passés dans l'épigraphie : parmi les poèmes, des hymnes liturgiques. A l'occasion de la Susception de reliques de la vraie croix, *F.* écrit *Vexilla regis*, *Pange lingua*, *Crux benedicta nitet*, qui ne lui sont pas contestés ; on ne discute pas non plus l'hymne de Pâques, *Salve festa dies*, qui paraît être un centon de son long poème sur Pâques, *Mollia purpureum*, ni l'hymne à la Vierge, *Quem terra, pontus, aethera...* en dépendance étroite de son panégyrique *De laude Sanctae Mariae*. On est moins sûr de : *Agnosca t omne saeculum*, *Tibi laus*, *Tempora florigero*, *Fortem fidelem*, *Ave maris stella*, *O Redemptor sume carmen*. Ce qui nous importe ici est la matière musicale du *Vexilla regis* et du *Pange lingua* : ces deux pièces se sont imposées dans la liturgie officielle pour le temps de la Passion et il ne semble pas qu'on ait jamais

cherché à les éliminer, depuis treize siècles. C'est là u fait exceptionnel dans le domaine des hymnes. Or le *Pange lingua* marque l'entrée du *versus* dans la poésie liturgique : alors que les hymnes proprement dites sont strophiques, sans refrain, le *Pange* reprend en refrain tantôt le début tantôt la fin de la première strophe. On ignore malheureusement si la mélodie est due au poète lui-même, ou bien si elle est une adaptation.

*F.* appartient aux dernières générations nourries des lettres profanes à l'école municipale. Il passe pour un poète fécond, rimant de primesaut. Un certain aspect rabelaisien des piécettes de circonstance a excité la verve des critiques du XIX^e s., mais il faut replacer *F.* dans son horizon mérovingien, et voir qu'il a eu assez de talent pour transmettre, jusqu'à nous, deux pièces de musique signées.

Bibl. : Œuvres, éd. F. Leo, dans *Mon. germ. hist.*, *Auctores antiquissimi* IV, 1 p. 7 et s. ; M. Manitius, *Geschichte der lateinischen Literatur*, I, 1911, p. 170-181. — Épigraphie : Leclercq, *Dict. d'Arch. chrét. et de Lit.*, V, 1882 s. — Études principales : Abbé D. Tardi, *F.*, Paris 1927, gr. 8, 288 p. ; F.J.E. Raby, *A history of secular latin poetry...*, Oxford, 1934, pp. 127-742 ; Stephan Zwierlein, *Venantius Fortunatus, in seiner Abhändigkeit von Vergil*, Wurtzbourg 1926, 64 p. in-8° ; B. Stäblein ds MGG.     S.C.

**FORTUNATI Gian-Francesco.** Mus. ital. (Parme 27.2.1746-20.12.1821). Élève du P. Martini à Bologne (1767), maître de musique des princesses Thérèse, Antonia et Charlotte de Bourbon (Parme), chef d'orch. au théâtre ducal (1780-96), il séjourna à Dresde et à Berlin, où il fut compositeur au service du roi Frédéric-Guillaume II ; il écrivit les opéras *I cacciatori e la vendilatte* (1769), *Là notte critica* (1771), *Il negoziante* (1772), *Le gare degli amanti* (1773), *Ipermnestra* (*id.*), *L'incontro inaspettato o fortunato* (1800 ?), des sonates (p.), des *arie*, des *ariette*, des *duetti*, de la mus. d'église (bibl. palatine, Parme, Lic. Martini, Bologne), 6 cantates (bibl. du cons. de Naples).

**FOSCHI Carlo.** Mus. ital. de la seconde moitié du XVII^e s., qui fut maître de chapelle à Sainte-Marie du Transtévère à Rome, auteur de cantates à une v. et instr. et de traités de contrepoint et de b. c. (mss Bologne).

**FOSCHINI F. Gaetano.** Chef d'orch. et compos. ital. (Polesella 25.8.1836-Turin 12.3.1908). Élève de D. Foroni, org. de la cath. de Cologna-Veneta (1850), dir. de l'école de musique d'Asti, puis prof. d'harmonie au cons. Verdi à Turin, il écrivit de la mus. d'église, des symph., de la mus. de piano, un opéra (*Giorgio il bandito*, 1864), un ballet, *Scholasticon* (1892).

**FOSCONI Tomaso.** Carme ital., qui vivait dans la seconde moitié du XVII^e s. et fut maître de chapelle de la cath. de Ravenne ; il publia *Varia motecta...*, 2-5 v.... cum basso (Venise 1642).

**FOSS Hubert.** Compos. angl. (Croydon 2.5.1899-Londres 27.5.1953). Fondateur du *Bach Cantata Club* (1926), du *Double Crown Club* (son fils Christophe lui succéda), il a dirigé le département de la musique de l'*Oxford University Press* ; auteur de mus. de chambre, notamment *Seven poems by Thomas Hardy*, de *Music in my time* (1933), *The heritage of music* (3 vol., 1927, 34, 51), *Ralph Vaughan Williams : a study* (1950) ; il a traduit le *César Franck* de Vallas ; il fut collaborateur du *Musical Times*.

**FOSS Lukas.** Compos. amér. d'orig. allem. (Berlin 15.8.1922-). Élève du cons. de Paris (Lazare-Lévy, Noël Gallon, F. Wolf), il s'est fixé aux États-Unis en 1937, il a poursuivi ses études au *Curtis Institute of music* à Philadelphie (R. Scalero, R. Thompson, S. Reiner, I. Vengerova), au *Berkshire music Center* (Koussevitzky), à l'univ. de Yale (P. Hindemith) ; après avoir appartenu au *Boston Symphony Orchestra*, il séjourna à Rome (1950-52) et, depuis 1953, est prof. de composition, chef d'orch. à l'univ. de Californie (Los Angeles). Il a écrit 4 *Zweist. Inventionen* (p., 1937), *Grotesque Dance* (*id.*), *Sonate* (p.v., *id.*), 3 *Lieder* (1938), *Set of three pieces* (2 p., *id.*), *Sonatine* (p., 1939), *Two symphonic pieces* (1939-40), mus. de scène pour *La tempête* de Shakespeare (*id.*), *Passacaglia* (p., 1940), *Melodrama and dramatic song of Michael Angelo* (p. et chant, *id.*), *Cantata dramatica* (t., ch., orch., *id.*), 4 *préludes* (fl., cl., basson, *id.*), *We sing* (cantate, 1941), *Dance sketch* et *allegro concertante* (orch., *id.*), *duo* (p., vcelle, *id.*), *concerto* (clar., puis p., 1941–42), *The prairie* (cantate 4 v., 1942), *Idem* (arrangement pour orch., *id.*), *concerto* (p., 1943), *Fantasy-rondo* (p., 1944), 3 *Stücke* (p. v., *id.*), *Within these walls* (ballet, *id.*), *The heart remembers* (*id.*), *Ode* (orch., *id.*), *Symphonie* (*id.*), *Tell this blood* (chœur *a cappella*, 1945), *Pantomime* (orch., *id.*), *The gift of the magi* (ballet, *id.*), *Song of Anguish* (cantate, bar. et orch., *id*), *Capriccio* (p. vcelle, 1946), *The song of songs* (cantate, s. et orch., *id.*), *Adon Olom* (1947), *Quatuor à cordes* (*id.*), *Concerto* (htb., 1948), *Recordare* (orch., *id.*), *The jumping frog* (opéra, 1949), *Behold I build a house* (orgue et ch., 1950), *Concerto* (p., 1951–52), *A parable of death* (t., chœur et lecteur, 1952–53), *Griffelkin* (opéra, 1953–55).

J. de Fossa
*L'Et exultavit du Magnificat (ms. autographe Munich 515).*

**FOSSA Johannes de** (*Jean a F.*, *Jean de Fosses*). Mus. flamand, originaire sans doute de la province de Namur, mort à Munich en 1603 ; il fut l'élève de Castileti, puis entra à la chapelle de la cour de Bavière à Munich (1569) ; d'abord sous-maître de chapelle (1571), en 1594, il y succéda à Roland de Lassus comme maître de chapelle (jusqu'à sa mort) : Ferdinand de Lassus, fils aîné de Roland, lui succéda ; on l'identifie souvent avec un Jean des Fosses, qui fut en 1557 au service de la chapelle flamande du duc Emmanuel-Philibert de Savoie ; en imprimés, nous n'avons de lui que des contributions à des recueils : 1 messe et 4 motets ds *Viridarium musico-marianum* et *Promptuarium* de Donfrid (1627), une *litania* (4 v., ds *Thesaurus litaniarum* de Victorinus, Munich 1596), *Maria zart von edler Art* (5 v., ds *Rosetum*

*marianum* de Klingenstein, Dillingen 1604), *Ardo si, ma non t'amo* (5 v., ds *Sdegnosi ardori...* de G. Gigli, Munich 1586) ; le reste est ms. : antiennes, litanies, Magnificat, 6 messes à 4-5 v. ; Proske, ds *Musica divina* IV (1863), et Van Maldeghem, ds *Trésor musical* (1886), ont édité les litanies de la Vierge Marie. Voir A Sandberger, *Beitr. zur Gesch. der bayerischen Hofkapelle unter O. di Lasso* II, Leipzig 1895 ; A. Smijers, *Die kais. Hofmusik-Kapelle von 1543–1619*, ds *Studien zur Mus.wiss.* VII, 1920 ; A. Auda, *La musique et les musiciens de l'ancien pays de Liège*, 1930 ; Charles van den Borren in MGG.

**FOSSE.** C'est le nom qui sert à désigner l'espace réservé à l'orchestre au théâtre : il est généralement situé en dessous de la scène, entre cette dernière et la partie de la salle réservée au public.

**FOSSIS Pietro de** (*da Fossa*). Chanteur ital., tenu pour flamand ; il est le plus ancien maître de chapelle connu à St-Marc de Venise (1491), où il était chanteur depuis 1485 ; Adrien Willaert lui succéda en décembre 1527 ; il ne nous est rien resté de lui.

**FOSTER Arnold.** Chef d'orch. et compos. angl. (Sheffield 6.12.1898-). Elève du *Royal College of music* à Londres (Vaughan Williams), dir. de la mus. à la *Westminster School* (1939), au *Morley College* (1928–1940), fondateur de l'*English madrigal choir* (1928–1940), de l'*A.F. Choir* (1945), dir. de mus. à l'*Institute of education* à l'univ. de Londres (1945), dans ses œuvres, il s'inspire du folklore anglais ; citons *The fairy isle* (ballet, 1947), *Lord Bateman* (ballad-opera, 1955), *A Playford suite* (1956), *Variations on elizabethan airs by G. Farnaby* (5 instr. à vent, 1957).

**FOSTER Geronimo Baqueiro.** Voir art. *Baqueiro.*

**FOSTER John.** Mus. angl., mort à Durham le 20.4.1677, après avoir été org. de la cath. de cette ville à partir de 1661 ; ladite cathédrale conserve de sa musique, notamment 3 *services* et 11 *anthems*.

**FOSTER Myles Birket.** Org. et compos. angl. (Londres 29.11.1851–18.12.1922), qui tint les orgues de St. James's Church, et de St. George de Campden-Hill, du théâtre royal, auteur de symph., d'ouvertures, d'un quatuor à cordes, d'un trio, de cantates, et d'un grand nombre de pièces de mus. d'église ; il publia une histoire de la Société philharmonique (Londres 1913).

**FOSTER Stephen Collins.** Planteur amér. (Lawrenceville–Pittsburg 4.7.1826–New-York 13.1.1864). Musicien auto-didacte, il vécut à Alleghany dans ses plantations, au milieu des noirs ; il eut 10 enfants ; il composa quelque 175 mélodies (beaucoup de *negro-minstrels*) ; qui furent fort populaires ; les plus connues sont *Swanee Ribber*, *My old Kentucky home*, *Old dog tray*, *Old black Joe* ; il écrivit ses mémoires, qui furent publiés une première fois par son frère Morison à Pittsburg en 1896, une seconde par H.V. Milligan (G. Schirmer, New-York 1920). Voir J.T. Howard, *S.F.*, *America's troubadour*, Tudor, P. Comp., New-York 1934, 1935, 1943, 1954 (Th. Y. Crowell) ; E.F. Morneweck, *Chronicles of S.F. family*, Univ. of Pittsburg Press (2 vol.), 1944.

**FOTUTO.** C'est une trompe de coquillage (Colombie). On dit aussi *fututo*.                                   M.A.

**FOU.** C'est un instrument chinois appelé aussi *fou-po* (alias *po-fou*) : c'est un petit tambour allongé (voir art. *po-fou*).                                                      M.H.T.

**FOU-PO.** Voir art. *fou* et *po-fou.*

**FOUCAULT H.** Marchand papetier et imprimeur de musique franç. dont l'activité se situe entre 1690 et 1720 à Paris, « rue St-Honoré proche de la rue de la Lingerie, à la Règle d'or » ; son identification avec le libraire Hilaire Foucault, fils de Damien et d'Anne Bonjean, est douteuse ; propriétaire d'une des plus importantes officines de vente et de copie de musique de son temps, F. a également joué un rôle considérable dans la lutte contre les privilèges de la famille Ballard en soutenant les graveurs H. de Baussen, F. du Plessy et Claude Roussel et en prenant parti pour la veuve du « dissident » Pierre Ballard. Les « Catalogues des livres imprimés et gravés qui se vendent chez Foucault » que nous possédons encore nous donnent une liste impressionnante d'œuvres de Lully, Marin Marais, Drouard de Bousset, Campra, Chambonnières, Marchand, de La Barre, Lebègue, Boivin, Corette, pour ne nommer que les plus en vue ; en 1720, c'est sa veuve qui tenait la boutique, laquelle passa en 1723 à la veuve Boivin. Voir V. Fédorov in MGG.

**FOUCHIER Nicolas** (et non Noël, comme l'écrit Fétis). Chanoine d'Avignon, chantre à la Chapelle pontificale en 1517, il doit être identifié avec l'auteur de 6 motets de 4 à 6 v. publiés principalement en 1539 à Lyon chez J. Moderne, dont le *Quem vidistis pastores* obtint un succès particulier. **F.L.**

**FOUCQUET.** Famille d'organistes franç. — **1. Gilles,** le premier connu, mourut à Paris au début de 1646 ; il fut titulaire de l'orgue de St-Laurent, puis de St-Honoré (1630). Son parent (on ne sait pas quel lien exact) — **2. Antoine I,** mourut à Paris en 1708 ; en 1658, il était org. de St-Josse ; v. 1669, il était org. de la reine Marie-Thérèse d'Autriche, en 1681, titulaire de l'orgue de St-Eustache ; il fut probablement le successeur de Nicolas de Grigny à St-Denis. Deux de ses fils furent organistes : — **3. Pierre,** mort à Paris en 1734 ou 1735, qui fut survivancier de son père à St-Eustache (1696) ; en 1707, il succédait à Louis Marchand à St-Honoré ; il se démit l'année suivante ; il composa des sonates, qu'on ne connaît que par le catalogue de la bibl. de S. de Brossard : « *M. Foucquet l'aîné, organiste de St-Eustache de Paris. Parties séparées de 2 sonates à violon seul et de 2 autres sonates à 2 violons et une b.c.* ; des recueils d'airs sérieux et à boire publiés par Chr. Ballard en 1703, 1705, 1711, contiennent des compositions de lui. Son frère — **4. Antoine II,** mort à Paris v. 1740, succéda en 1707 à Louis de Thian à l'orgue de St-Laurent ; on suppose qu'il avait été titulaire (à partir de 1695) de l'orgue de St-Victor, qu'il semble avoir légué à son neveu Pierre-Claude. Le fils de Pierre — **5. Pierre-Claude** (né à Paris en 1694, mort dans la même ville le 13.2.1772) était à 18 ans titulaire de l'orgue de St-Honoré ; il eut également St-Victor, St-Eustache, et fut organiste de la chapelle royale (1758) ; il eut enfin l'orgue de Notre-Dame de Paris en 1761 (il y succédait à Jolave) ; de son mariage avec Cécile Télinge, il eut deux fils et quatre filles, dont Charlotte-Thérèse, qui épousa Delaporte, organiste de St-Médard ; il publia *Les caractères de la paix — Pièces de clavecin — Œuvre première, Second livre de pièces de clavecin, Les forgerons — le concert des faunes et autres pièces de clavecin, IIIe livre* ; on trouve de lui un air, un menuet, *La belle Sylvie* (dans des recueils de l'époque, dont le *Recueil d'airs sérieux et à boire,* J.B.Ch. Ballard, Paris 1719). Son fils — **6. François-Pierre-Charles** (Paris 22.4.1726–? 8.1765), fut titulaire de l'orgue de St-Honoré. Son frère — **7. Louis-Marc,** mort à Paris après 1790, succéda en 1765 à son frère à l'orgue de St-Honoré ; sa survivance de St-Victor avait été annulée par une décision du chapitre. — **3.** Quant à **Marie-Louis** F., de qui on ne sait ni la parenté exacte avec les précédents ni son état-civil, il était avant 1783 org. de St-Eustache. Voir Daquin, *Siècle littéraire de Louis XV,* Amsterdam 1753, 1754 ; Pirro, *Les clavecinistes,* Paris s.d. ; F. Raugel, *Les grands orgues des églises de Paris et du département de la Seine,* Paris 1927 ; Ch. Bouvet, *Musiciens oubliés...* I, Paris s.d. ; G. Servières, *Documents inédits sur les organistes français des XVIIe et XVIIIe s.,* Paris s.d. ; J. Bonfils de MGG.

**FOUET.** — **1.** C'est une corde ou une lanière de cuir, fixée à un manche, que l'on fait claquer dans l'air. Le *f.* est utilisé, seul ou par groupes de 3 à 10, comme instrument de musique, pour accompagner des danses, ou dans des cérémonies rituelles en Europe (Autriche, France, Roumanie, Suisse), en Amérique du Sud (Amazone), en Asie (Turkestan). — **2.** C'est encore un instr. de l'orch. symph., composé de deux lames de bois entrechoquées, utilisé notamment par Ravel (concerto de piano en *sol*). **M.A.**

**FOUGSTEDT Nils Erik.** Chef d'orch. et compos. finlandais (Raisio-Abo 24.5.1910–). Élève du cons. d'Helsinki, il séjourna à Salzbourg, à Berlin, en France, en Italie, aux États-Unis ; il a fondé un chœur de solistes et fait

une carrière de chef d'orch., particulièrement à la radio finlandaise ; il a composé un radio-opéra, *Tulukset* (1950), 2 symph. (1938, 1949), une *Passacaille* pour orch., un concerto de piano, un autre de vcelle, de la mus. de chambre, des cantates, des chœurs, des mélodies, des œuvres de piano.

**FOUGT Henry.** Éditeur angl. du XVIIIe s., établi à Londres, qui fut le promoteur en Angleterre des partitions bon marché.

**FOULDS John Herbert.** Chef d'orch. et compos. angl. (Manchester 2.11.1880–Calcutta 24.4.1939), qui écrivit de la mus. de scène, chor., symph., un concerto de vcelle, *A world Requiem, op. 60* (1923).

**FOUQUE Pierre-Octave.** Compos. et musicologue franç. (Pau 12.11.1844–Paris 22.4.1883). Élève de Chauvet, du cons. de Paris (A. Thomas), grand prix de Rome (1870), org. de la Trinité, bibliothécaire du cons. de Paris (1874), critique à l'*Avenir national,* à la *Revue et gazette musicale,* à *L'Echo universel,* à *La République des Lettres,* il composa pour le piano, des mélodies, des romances, un prélude pour orch. (1874), trois opérettes : *L'avocat noir, Alcazar, Deux vieux coqs* (1874) ; il publia *La Musique en Angleterre avant Haendel, J.F. Lesueur, avant-coureur de Berlioz, Histoire du théâtre Ventadour 1829–1879* (Paris 1881), *Michael Ivanovitch Glinka d'après ses mémoires et sa correspondance* (id.), *Les révolutionnaires de la musique : Lesueur, Berlioz, Beethoven, Wagner, la musique russe* (ibid. 1882).

**FOUQUÉ Friedrich,** *baron de la Motte.* Compos. allem. (Hanovre 23.8.1874–Allemagne de l'ouest fin 1944 ou début 1945). Petit-fils de *Friedrich Heinrich Carl F.,* librettiste de Schubert, d'Hoffmann, de Tchaïkovsky, de Lortzing, il servit dans l'armée allemande, selon la tradition familiale, jusqu'en 1911, date à laquelle il se consacra à la musique, sous la direction de Brüggemann, vécut à Berlin (où beaucoup de ses manuscrits furent détruits lors des bombardements de 1944) et écrivit des trios, un quatuor, un quintette, une symph., des mélodies, une fantaisie pour orgue, de la mus. de chambre — La famille *F.* de la Motte était d'origine française et avait émigré en Prusse au XVIIe siècle.

**FOURCHETTE.** C'est, dans la harpe, le mécanisme qui sert pour modifier l'accord d'un demi-ton.

**FOURCHU** (*Doigté*). Cet adjectif qualifie, dans la technique des instruments à vent et à trous, un doigté employé pour ouvrir un trou et en fermer deux ; c'est donc lever un doigt et abaisser les deux voisins.

**FOURDRAIN Félix.** Compos. franç. (Nice 3.2.1880–22.10.1923). Élève de l'école Niedermeyer, de Paris (Massenet, Widor), il fut org. à St-Paul et à Ste-Élisabeth ; mort prématurément, il écrivit des opéras, opéras-comiques ou opérettes : *La légende du pont d'Argentan* (1907), *La glaneuse* (1909), *Vercingétorix* (1912), *Madame Roland* (1913), *Les contes de Perrault* (id.), *La griffe* (1923), *La jalousie du barbouillé* (1914), *Les maris de Ginette* (1916), *Cadet Rousselle* (1919), *Le secret de Polichinelle* (1922), *La hussarde* (représenté en 1925), *La plus jolie fille de France,* de la mus. de scène, des pièces symph., des mélodies, des pièces de caractère.

**FOURESTIER Louis.** Chef d'orch. et compos. franç. (Montpellier 31.5.1892–). Élève de Gédalge, de Leroux, de Vidal, de Widor, de Guilmant, 1er grand prix de Rome (1925), chef d'orch. à l'Opéra-comique (1927–32), à l'Opéra (1938), il a fait une carrière de chef d'orch. internationale et succéda à Charles Münch à la classe de dir. d'orch. du cons. de Paris (1945) ; il est l'auteur d'un quatuor à cordes (1935), de 2 poèmes symph. : *Polynice* (1927), *A Saint-Valéry* (1930), de mélodies avec acc. d'orch. : *Quatre poèmes* (R. Tagore – A. Gide, 1929), *Edward* (Herder), *Orchestique* (P. Valéry, 1933).

**FOURIER Jean-Baptiste Joseph** (*Baron*). Mathématicien et physicien franç. (Auxerre 21.3.1768–16.5.1830). L'œuvre de ce savant illustre et pittoresque (il fit un noviciat à St-Benoît-sur-Loire avant de devenir l'ami et le compagnon de Bonaparte qu'il accompagna en Égypte) intéresse la musique, parce que *F.* est le créateur de l'analyse mathématique de la vibration des corps sonores : les équations de *F*. permettent de calculer avec une approximation aussi étendue que l'on veut l'amplitude des vibrations d'une corde, en distinguant les vibrations qui donnent le son fondamental de celles des harmoniques successives. Cf. *Mémoire sur les vibrations des surfaces flexibles tendues et des lames ou des plaques élastiques*, Comptes-rendus de l'Académie des sciences, Paris 1825. A.D.

**FOURNEAU Marie-Thérèse.** Pian. franç. (St-Mandé 9.4.1924–), élève de Marguerite Long et de Jean Doyen, prix M. Long (1943), prix du concours de Genève (1946), grand prix du disque (1947), elle fait une carrière internationale et se voue tout particulièrement à la musique française (Fauré, Ravel, Debussy).

**FOURNET Jean.** Chef d'orch. franç. (Rouen 14.4.1913–), élève du cons. de Paris (Ph. Gaubert), il fait une carrière internationale, tout en étant chef de l'orch. de l'Opéra-Comique ; il a remporté quatre fois le grand prix du disque.

**FOURNIER Pierre.** Vcelliste franç. (Paris 24.6.1906–), élève du cons. de Paris, qui fait une carrière internationale ; c'est un des plus remarquables vcellistes de notre époque.

**FOURNIER Pierre-Simon,** dit *le jeune*. Imprimeur et fondeur de caractères franç. (Paris 15.9.1712–8.10.1768). Fils et élève de Jean-Claude et frère de Jean-Pierre, tous deux directeurs de la fonderie des Le Bé, Pierre-Simon fut surtout connu comme technicien et comme l'un des premiers historiens de l'art de la fonderie des caractères ; c'est à ce même titre qu'il s'occupa aussi des caractères musicaux et fit paraître, d'abord son *Essai d'un nouveau caractère de fonte pour l'impression de la musique* (1756), puis son *Traité historique et critique sur l'impression et les progrès des caractères de fonte pour l'impression de la musique* (1765). La nouveauté de ses caractères réside dans leur forme, quant à sa technique d'impression, elle se rapproche et s'inspire de celle de Breitkopf. Ses tentatives de devenir un imprimeur de musique régulier échouèrent par suite de l'opposition de Ballard, qu'il avait attaqué avec véhémence ; il réussit néanmoins à publier, chez J. Darbon, une réédition de l'*Anthologie française ou Chansons choisies* de Jean Monnet (1765), ainsi qu'un *Nouveau recueil de romances, de chansons et de vaudevilles*. Voir V. Fédorov in MGG.

**FOURNITURE.** C'est, à l'orgue, un jeu de mutation, qui fait entrer simultanément des séries de tuyaux d'étain ; les rangées de tuyaux vont des 3 à 10 par touche, la taille d'un demi-pouce à 4 pieds ; la *f.* fait entrer en jeu les harmoniques quinte et octave ; avec la cymbale, elle forme le plein-jeu. Voir art. *orgue.*

**FOURRIER Janine.** Chanteuse franç. (Rambouillet 1924–), élève du cons. de Paris, de l'Académie Chigi, mezzo-soprano, 2e grand prix du concours int. de Genève (1953), de l'Opéra (1954).

**FOX Charles Warren.** Musicologue amér. (Gloversville 24.7.1904–). Élève de l'univ. Cornell et de celle de l'Illinois, docteur en philosophie (1933), prof. à l'*Eastman School of music* à l'univ. de Rochester, vice-président de la société américaine de musicologie (1950–52), animateur du *Journal of the amer. musicological society*, président de l'Association américaine des bibliothèques musicales (1954–1956), il a traduit *The world of colour* (avec R.B. Mac Leod) de David Katz (Londres 1935), publié *Ein fröhlich Wesen, the career of a german song in the 16th cent.* (ds *Amer. mus. soc. Papers*, 1937), *Non-quartal harmony in the Renaissance* (ds *M.Q.* XXXI, 1945), *Modern counterpoint, a phenomenological approach* (ds *Notes*, series *II*, 1948), maint autre article dans les périodiques américains.

**FOX STRANGWAYS Arthur Henry.** Critique et musicologue angl. (Norwich 14.9.1859–Dinton 2.5.1948). Élève d'Oxford et du cons. de Berlin, maître assistant au *Dulwich College* (1884–86), au *Wellington College* (1887–1910, *tutor* à partir de 1901), il fit ensuite des voyages aux Indes (1903, 1910, 1911), où il prépara

*The music of Hindostan* (Clarendon Press, Oxford 1914) ; il fut ensuite critique mus. au *Times* (1911), puis à l'*Observer* (1925) ; en 1919, il fonda *Music and Letters :* le premier numéro fut publié en janvier 1920 ; il céda la direction de son journal à Eric Blom en 1936 ; un recueil de ses articles de l'*Observer* fut édité par S. Wilson, sous le titre *Music observed* (Methuen, Londres 1936) ; il publia également une biographie de *Cecil Sharp* (avec M. Karpeles, *O.U.P.*, Londres 1924) ; il s'attacha aux traductions des *Lieder* de Schubert, dont un recueil fut publié par ses soins (*O.U.P.*, Londres 1924), de ceux de Schumann (*ibid.*, 2 vol.), 1929) ; notons encore une étude sur *The criticism of music* (ds *Proc. of the royal mus. Ass.*, LXV), sur *The gandhara grama* (ds *Journal of the royal Asiatic Soc.*, 1935).

**FOX-TROT.** Danse mondaine, d'origine américaine (1912), à 2 ou à 4 temps, rapide ; il en existe une variété dont le *tempo* est plus lent, intitulée *slow-fox.*

**FOY** (*Chanson de sainte*). C'est un long poème écrit probablement en Cerdagne vers l'an 1060, contant la vie et les miracles de sainte Foy, très populaire en Catalogue et dans le nord de l'Espagne ; le poème a été conçu pour être psalmodié ; au vers 32, il est dit formellement qu'il est chanté « en premier ton » qui est la forme la plus commune du mode épique ; de plus, le texte laisse entendre que cette geste est destinée à être jouée dans certaines conditions ; elle constitue également une liturgie populaire, car elle suit très exactement le texte des Actes de la sainte ; en bref, on peut penser qu'elle faisait partie des « cantilènes rustiques » que le menu peuple, qui ne comprenait pas la liturgie savante, chantait pendant les vigiles de la fête. Voir E. Hoepffner et P. Alfaric, *La chanson de sainte Foy, facsimilé du manuscrit et texte critique* — Introduction et commentaire philologique — Strasbourg, 1926, 2 vol. in-8° ; Publications de la faculté des lettres de l'université de Strasbourg, fasc. 32 et 33. S.C.

**FRACASSINI Aloisio Lodovico.** Violon. ital. (Orvieto 1733–Bamberg 9.10.1798). Élève de Tartini, il entra (le 1er août 1757) au service d'Adam Friedrich von Seinsheim, prince-évêque de Wurtzbourg et de Bamberg, et conserva sa charge sous les successeurs de cet évêque ; il dirigea les opéras italiens à Wurtzbourg et à Bamberg, et connut notamment Léopold Mozart ; on sait de lui des *Arien*, une sérénade à 5 v., 5 symph., un oratorio ; son opéra *Il natal di Giove*, a été détruit en 1945. Voir J.H. Jäck, *Leben u. Werke der Künstler Bambergs* I, Erlangen 1821 ; O. Kaul, *Gesch. der würzb. Hofmus. in 18. Jh.*, Wurtzbourg 1924 ; E. v. Marschalk, *Die bamberger Hofmus. unter den drei letzten Fürstbischöfen*, Bamberg 1885.

**FRAENZL** (*Fränzl*) **Ignaz.** Mus. allem. (Mannheim 3.6. 1736– ... 1811), qui fut violon. à la cour de Mannheim (sous la direction de C. Cannabich, de C.G. Toeschi), puis maître de concert (1774) ; il suivit la cour à Munich en 1778, où il dirigea le théâtre de la cour ; il composa des symph. (ds *Sinfonie a più stromenti*, Boyer, Paris s.d.), 6 concertos de viol., *6 sonates pour 2 viol. et vcelle* (Bailleux, Paris s.d.), *6 quatuors pour 2 viol., alto et basse op. III* (Paris s.d.), *3 quatuors concertants, pour viol. ou fl., second viol., alto et vcelle op. 6* (ds *6 quatuors concertants...*, Jolivet, Paris s.d.). Son fils — **Ferdinand** (Schwetzingen 24.5.1770– Mannheim 19.11.1833), violon., appartenait déjà à la chapelle royale en 1782 ; il fut l'élève de Richter et de Pleyel à Strasbourg et à Paris, du P. Martini, à Bologne ; en 1789, il était maître de concert à la chapelle de la cour de Munich, en 1792, directeur de musique à Francfort ; à partir de 1799, il fit des tournées en Angleterre et en Russie ; en 1806, il succédait à Carl Cannabich comme maître de chapelle de la cour et directeur de l'Opéra (jusqu'en 1826) ; il composa *Die Luftbälle oder der Liebhaber à la Montgolfier* (Singspiel, 1787), *Adolf u. Clara* (opérette, 1800), *Carlo Fioras oder der Stumme in der Sierra Morena* (op., 1810), *Hadrian Barbarossa* (id., 1815), *Die Weihe* (Festspiel, 1818), *Der Fassbinder* (Singspiel, 1824), *Der Einsiedler* (id.), des quatuors (publiés à Offenbach, à Paris, à Charenton), des romances (Moscou), *Trois airs russes variés pour le violon accompagné d'un* *second violon, alto et basse* (Paris s.d.), *Variations et rondeau pour violon et pianoforte...* (Bonn), Trois grands trios pour 2 viol. et basse (Bonn), *Concertino en forme de fantaisie pour le violon, avec acc. de pianoforte* (Mayence), *Variations brillantes pour violon avec acc. de 2 violons, alto et vcelle* (Offenbach), 9 concertos de violon et un concertino publiés. Voir ds l'autobiographie de L. Spohr (Cassel et Göttingen, 1860) ; ds les écrits de C.M. v. Weber (G. Kaiser, Stuttgart 1908) ; ds les lettres de Mozart ; ds les écrits de Ditters v. Dittersdorf (Schmitz, Ratisbonne 1940) ; ds A. Moser, *Gesch. des V.-Spiels*, Berlin 1923 ; M. Zenger, *Gesch. der münchener Oper*, Kroyer, Munich 1923.

**FRAGEROLLE Auguste.** Compos. franç. (Paris 11.3. 1855–21.2.1920), élève de Guiraud, auteur de chants patriotiques, de 3 opéras-comiques : *La fiancée du Tonkin* (1886), *La fleur de lotus* (1889), *A la pêche* (1895), d'une scène biblique : *L'enfant prodigue*, d'une « féerie » : *Clair de lune*, d'une pantomime : *La St-Pierrot*.

**FRAGMENTS.** C'est un terme qui, au XVIIIᵉ s., désignait un ensemble de morceaux de ballets et d'opéras, sans rapport entre eux, qui constituait une représentation à l'Opéra, soit pour enrichir artificiellement le programme d'un spectacle, soit pour réunir, dans l'esprit d'un pot-pourri, les morceaux les plus célèbres d'un ou plusieurs compositeurs à la mode. Le premier essai du genre que l'on connaisse est *F. de Lully*, colligés en 1702 par Campra : ils furent suivis en 1711 des *Nouveaux F. de Lully*, en 1742 des *F. de Mouret*. Toujours suivant le système du pot-pourri, Campra et A. Danchet avaient rassemblé en 1704 des *F. des modernes ou Télémaque*, tirés de plus d'une dizaine d'œuvres de P. Colasse, M.-A. Charpentier, H. Desmarets, J.F. Rebel et de Campra lui-même. En 1775, on trouve *F. nouveaux*, composés seulement de 2 entrées : *Alexis et Daphné* et *Philémon et Baucis* de M.-P.-G. Chabanon et de Gossec, auxquelles furent ajoutés, après la 8ᵉ représentation, *Les talents lyriques* de Rameau. J.-J. Rousseau, dans son dictionnaire, écrivait : « Il n'y a qu'un homme sans goût qui puisse imaginer un pareil ramassis et qu'un théâtre sans intérêt où l'on puisse le supporter ».                         F.L.

**FRAGSON** (*Victor-Léon Pot*, dit) **Harry.** Chansonnier franç. (Londres 1870–Paris 1913), qui fit les beaux jours du Chat-noir, de la *Scala*, de l'Eldorado, accompagnant lui-même au piano des chansons dont la musique était composée par lui : *Reviens, veux-tu, Adieu Grenade, Les blondes* etc. ; il fut assassiné par son père.

**FRAKNOÏ Karoly.** Compos. et chef d'orch. hongrois (Budapest 14.7.1900). Il a étudié le violon à l'Éc. nat. de mus. et la composition chez L. Weiner à l'École des hautes études mus. de Budapest ; ancien chef d'orch. du théâtre municipal de Budapest, puis du théâtre de Max Reinhardt à Berlin, il est actuellement prof. à l'École des hautes études mus. et membre de l'Opéra nat. de Budapest ; il a écrit des chœurs liturgiques juifs et des mélodies.

**FRAMERY Nicolas-Étienne.** Compos. et musicographe franç. (Rouen 25.3.1745–Paris 26.11.1810). Fils d'un orfèvre rouennais, élève du collège Mazarin et du collège du Plessis à Paris, à 18 ans il écrivait une comédie intitulée *La nouvelle Eve*, qui fut jouée plus tard à la Comédie italienne, avec la musique de d'Herbain, sous le titre de *Nanette et Lucas* ; protégé par la duchesse de Villeroy, il fut surintendant de la musique du comte d'Artois (1768), tout en étant collab. de Mathon de la Tour au *Journal de musique* ; en 1770, il rédigea le *Journal de musique historique, théorique et pratique* (5 numéros) ; il collabora à *Mercure de France*, puis au *Mercure français, politique, historique et littéraire* : il était anti-gluckiste ; il composa des opéras : *La sorcière par hasard* (1783), *Médée* (1784–1787), des livrets, des parodies ; il publia *Lettres à l'auteur du Mercure* (1776), collabora à l'*Encyclopédie méthodique* (2 vol., 1791, 1818), *Calendrier musical universel* (1788–89), *Mémoire sur le comte. de musique* (1795), *De l'organisation des spectacles de Paris* (1791), *Sur la nécessité du rythme et de la césure dans les hymnes ou odes destinés à la musique* (1796), *Notice sur le musicien Della Maria* (1800), *Analyse des rapports qui existent entre la musique et la déclamation* (1802), *Notice sur Joseph Haydn* (1810) ; il

traduisit en français *Le musicien pratique* d'Azopardi (1786). Voir J. Carlez, *F., littérateur-musicien*, Delesques, Caen 1893 ; M. Briquet in MGG.

**FRANC Guillaume.** Mus. franç. (? v. 1505–Lausanne, début 1570). Fils de Pierre F., originaire de Rouen, il ouvre à Genève une école de musique en 1541 ; peu après, il est nommé chantre de l'église de Genève et maître de chant au collège de cette ville ; on n'est pas encore parvenu à élucider si et dans quelle mesure il participa à la composition de mélodies du psautier genevois ; en 1545, les Bernois l'appellent à Lausanne pour y exercer les fonctions de chantre et de maître de musique au collège ; en 1565, il publie *Les pseaumes mis en rime françoise par C. Marot et Th. de Bèze, avec le chant de l'église de Lausanne :* la préface de ce recueil nous apprend qu'il avait écrit lui-même des mélodies nouvelles destinées à ceux des psaumes « dernièrement traduits » (1562) qui, dans le psautier genevois, se chantaient sur des airs déjà utilisés pour des psaumes publiés antérieurement ; après sa mort, survenue au début de décembre 1570, son fils – **Samuel,** qui avait étudié la théologie, le remplaça jusqu'en 1572 dans son poste de chantre et maître de musique. Voir F. Bovet, *Histoire du psautier des églises réformées*, Neuchâtel 1872 ; L. Monastier-Schroeder, *Le chant de l'église de Lausanne en 1556, 1557 et 1565. Réimpression d'après les recueils de Maturin Cordier, F. Gindron et G.F.*, Lausanne 1935.

**FRANCA Celia.** Danseuse angl. (Londres 25.6.1921–). Élève de l'Académie royale de danse, elle débuta en 1935 ; en 1936, elle entra au *Ballet Rambert*, en 1939, au *Three Arts Ballet*, puis revint au Rambert aussi bien qu'à l'*International Ballet* ; de 1940 à 1945, elle est au *Sadler's Wells*, de 1947 à 1949, au *Metropolitan Ballet* de Londres ; en 1951, elle participe à la fondation du *National Ballet of Canada* : elle y est actuellement directrice artistique, chorégraphe et ballerine.

**FRANÇAISE** (*Musique*). — **1. Le moyen-âge.** *Le plain-chant.* Les chants de l'Église sont les plus anciens témoins de ce que fut la musique en Gaule. La liturgie gallicane fleurit chez les Francs jusqu'à ce que les souverains carolingiens (Pépin puis son fils Charlemagne) aient, pour des raisons politiques et dans le but de réunir leurs sujets au sein d'une communauté spirituelle, imposé les chants romains dont le pape Grégoire Iᵉʳ avait au VIᵉ s. unifié le répertoire. Cette décision mettait du même coup un terme à l'évolution de la liturgie locale en tant que musique vivante et l'universalité de l'Église chrétienne ne permettait plus aux individualités raciales de s'exprimer suivant leurs instincts. Néanmoins la France tient une place importante dans l'histoire de la musique religieuse occidentale, comme l'attestent les écrits d'Alcuin, d'Aurélien de Réomé, de Rémy d'Auxerre, d'Odon de Cluny ou de Guy de Charlieu. Nous savons que Pépin avait reçu un orgue du *basileus* de Byzance, que le roi Robert le Pieux était compositeur et qu'Abélard travailla à un livre d'hymnes et nous a laissé six chants spirituels. Il semble bien qu'on doive aux moines de Jumièges les premières de ces *tropes* qui devaient donner une vie nouvelle à la musique religieuse et engendrer les *séquences* qui s'épanouirent à la fin du XIᵉ s. à l'abbaye de Saint-Martial de Limoges, pour atteindre leur apogée avec le poète Adam de Saint-Victor. Le centre de Saint-Martial, en même temps qu'on y érigeait l'une des plus belles basiliques romanes de France, jetait la semence de tout ce qui allait faire au siècle suivant la grandeur de l'école française de Paris.

*Musique profane.* Il est beaucoup plus difficile encore de saisir les débuts de la musique profane, qui n'a évidemment laissé aucune trace, et nous ne savons pas quelle était la musique des Gaulois en dehors de l'Église, de même que nous ne pouvons pas non plus évaluer quel a été dans ce domaine l'apport des Barbares. Les chroniques nous relatent qu'à la cour des princes francs on chantait au son de la cithare ou de la harpe, mais aucun texte musical n'a survécu. De l'époque carolingienne, un manuscrit du Xᵉ s. (Paris, B.N. Lat. 1154) nous a conservé, notée en neumes, la musique de plusieurs chants à la mémoire des héros francs (sur la mort de Charlemagne, sur celle d'Erich von Friaul etc.). La tradition de ces chants latins sur des événements politiques se continuera aussi bien dans la musique monodique (deux *planctus* sur la mort de Philippe-Auguste et un *conductus* pour le couronnement de Louis VIII en 1223) que dans la musique polyphonique avec le répertoire de l'école de Notre-Dame. On a aussi conservé la mise en musique des poèmes d'Horace et de Virgile destinés à l'enseignement. Mais tout cela concerne les textes latins, et bien plus révélatrice de l'âme d'un peuple est la musique qu'il applique à des textes en langue vernaculaire. A partir du XIᵉ s., devaient justement se développer en France deux genres que l'on peut qualifier de nationaux : la *chanson de geste*, dont la musique n'est pas conservée, et la chanson de troubadour en langue d'*oc*, qui naît dans le sud de la France et ne disparaîtra qu'avec l'échec de la croisade des Albigeois au début du XIᵉ s. L'art des troubadours se transportera alors dans le nord (pays de langue d'*oïl*) avec les trouvères. Les manuscrits nous ont conservé plus de 1.600 de ces chansons. Ce genre qui fleurit durant l'âge par excellence de la *chevalerie* offre un reflet de la vie sociale et politique d'alors, depuis le raffinement de la chanson d'amour jusqu'à la chanson de croisade et à la chanson religieuse de Gautier de Coinci. A la fin du XIIIᵉ s., l'art aristocratique des trouvères disparaît au profit d'un art plus bourgeois, très florissant dans certaines villes comme Arras, où une sorte d'académie (*Puy*) était déjà très active, où Adam de la Halle fait représenter vers 1275 son *Jeu de Robin et de Marion*. Mais alors la monodie disparaît, au moins dans la musique savante, car elle se perpétue certainement dans un art folklorique dont il est malheureusement impossible de saisir l'existence avec certitude, mais dont les manuscrits monodiques plus tardifs (Paris, B.N. Fr. 9646 et 12744) conservent probablement beaucoup de traces. Désormais, c'est à la polyphonie que, en France comme dans toute l'Europe occidentale, la musique va confier son destin.

*La polyphonie du XIIᵉ au XVᵉ siècle.* En cette période qu'on a pu appeler « La Renaissance du XIIᵉ siècle », la France a été le centre principal de la pensée occidentale et, en même temps que l'art gothique y affirmait dès ses débuts la plus grande maîtrise, la musique y enrichissait son langage. Les premiers monuments français polyphoniques nous sont fournis par quelques manuscrits (Chartres, Laon et Fleury) qui contiennent des exemples de diaphonie. Un manuscrit de Saint-Martial de Limoges (Paris, B.N. Lat. 1120) nous a laissé aussi un *discantus*. C'est également dans un manuscrit de Saint-Martial (Paris, B.N. Lat. 1139), copié vers la fin du XIᵉ siècle, que nous trouvons le premier exemple connu de motet, tandis que l'*organum* apparaît dans un manuscrit de Saint-Maur des Fossés (Paris, B.N. Lat. 12596). Vers le milieu du XIIᵉ s., le foyer de la culture musicale se transporte à Paris, à l'abbaye de Saint-Victor et surtout à l'église *B. M. Virginis* que remplacera bientôt l'église Notre-Dame d'où tirera son nom cette *école de Notre-Dame* qui fleurira jusqu'à la fin du XIIIᵉ s. avec Magister Albertus, Léonin et surtout Pérotin, dont les *organa* à 4 voix marquent une date importante dans l'évolution de la polyphonie. Le motet va subir aussi un développement extraordinaire ; religieux ou profane, écrit à 2, 3 et 4 voix sur des textes latins et français (comme nous en conserve le ms. de Montpellier du XIIIᵉ s.) le contrepoint y atteint une sorte d'apogée, et l'influence de ce style se fera sentir au-delà des frontières de France (ms. de Las Huelgas). La musique profane prend alors le pas sur la musique religieuse et, après le siècle de haute pensée spirituelle de Saint Louis, l'art devient plus concret. Les rondeaux à 3 voix d'Adam de la Halle et celui du *Roman de Fauvel* constituent dans ce genre une étape importante de l'histoire de l'harmonie médiévale. Au XIVᵉ s., l'*ars nova*, ainsi nommé par Philippe de Vitry (mais déjà pressenti par Pierre de la Croix à la fin du XIIIᵉ s.) et illustré par lui dans quelques motets, enrichit la musique par des recherches de rythme (motet isorythmique) et l'emploi plus fréquent des altérations. Ce style nouveau devait trouver en France un illustrateur de génie en la personne de Guillaume de Machaut, duquel on a conservé un nombre considérable de compositions. Sa messe, qui marque déjà un effort vers l'unité, n'est cependant pas la seule de ce genre en France, où la messe de Toulouse et

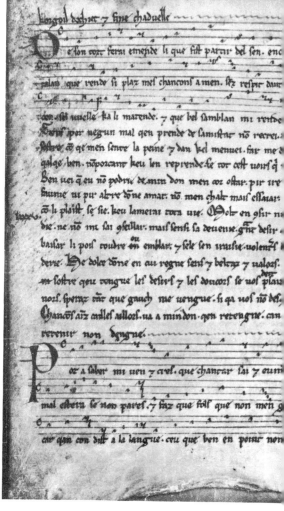

*Bernard de Ventadour*

celle de Besançon offrent des modèles précoces et frustes de ce que sera plus tard la *missa parodia*. Mais, à la fin du siècle, la musique se perd dans des complexités rythmiques et contrapuntiques qui la mènent à une impasse, et les compositeurs représentés dans le manuscrit de Chantilly (nᵒ 1047) marquent l'efflorescence finale de l'*ars nova* française.

Malgré les désastres de la guerre de cent ans, la France conserve une vie musicale active sous le gouvernement des derniers Valois : Jean le Bon aimait la vie d'apparat, mais Charles V surtout se plaît à la vie sédentaire et fastueuse dans des châteaux qu'il ne cesse d'embellir, et son fils Charles VI gaspillera l'argent du royaume dans des fêtes ininterrompues. Cependant, dans l'état de Bourgogne qui s'était développé sous la direction éclairée des descendants du roi de France, règne au XVᵉ s. une prospérité qui permet à Philippe le Bon, puis à Charles le Téméraire, d'entretenir à Dijon une vie artistique plus active que chez le roi lui-même, dont le domaine ne cesse d'être menacé. C'est ce qui justifie l'appellation de *bourguignonne* généralement accordée à l'école du XVᵉ s., en dépit du fait inquiétant pour l'art que nulle idée nationale n'a jamais soutenu cet état flamand-bourguignon qui vivra la plus grande partie de son histoire d'une culture essentiellement française. Il n'y a pas de style bourguignon et, dans toute cette Europe occidentale, la musique tend à s'internationaliser comme le reflètent les chansonniers manuscrits du XVe s., dont le répertoire n'est plus national comme ceux de l'âge précédent. Les musiciens ne sont attachés à aucun pays mais, devenus laïques, ils voyagent avec leur protecteur ; et quelle nationalité accorder à des artistes qui, commençant leur carrière chez Amédée de Savoie, René de Lorraine ou Charles de Bourbon, vont ensuite chez le pape, pour terminer leur vie à la cour de Philippe le Bon, à Cambrai ou à Tours ? Si beaucoup d'entre eux vivent en Bourgogne, la plupart aussi sont passés par Paris comme Grenon, Richard de Loqueville et Dufay, et toute la musique profane est alors de langue française. Il semblerait donc injuste d'amputer complètement l'histoire musicale française de musiciens qui lui doivent tant, bien qu'ils ne représentent plus un style essentiellement français et que la France ait alors perdu dans le monde musical la suprématie qu'elle avait gardé durant tout le moyen-âge. Il est bien évident qu'un apport nouveau (qui vient sans doute d'Angleterre avec Dunstable) contribue à tirer la musique des excès de l'*ars nova* et que la capitale culturelle de la musique est maintenant Dijon. C'est pour cette raison qu'il semble justifié d'accorder l'épithète de franco-flamande à l'école de l'âge suivant,

celle d'Ockeghem, Obrecht et Josquin marquant ainsi que la France joue encore un petit rôle dans la formation de ces musiciens du Nord. Cependant il faudra attendre le siècle suivant pour que se manifestent dans le domaine musical les conséquences de la politique centralisatrice (et par là même, nationale) de Louis XI et pour que l'on puisse de nouveau parler d'une musique française proprement dite. Certes, le théâtre religieux, qui s'était développé à partir des tropes, était toujours très populaire et les mystères, comme la *Passion* d'Arnoul Gréban, étaient souvent encore représentés ; mais il ne reste aucune trace de leur musique.

**2. La Renaissance.** Le XVIe s. marque pour la France l'avènement d'un monde nouveau qui va transformer le visage de la musique. L'unité politique est maintenant faite et l'autorité royale solidement établie. C'est la cour qui sera toujours l'arbitre suprême, dont le goût devient celui de la France entière, et les mouvements importants prennent naissance à Paris. Cependant la bourgeoisie constitue une puissante classe nouvelle qui va, au début du siècle, imposer aussi son goût en matière de musique et orienter les compositeurs vers le genre profane. Dans le domaine des idées, le fait essentiel est certainement la rencontre avec la civilisation italienne, qui a transformé la vie musicale du pays. C'est aussi l'Italie qui a détourné les esprits de la pensée médiévale et qui conduit la France vers l'antiquité païenne, et c'est par l'intermédiaire de Marsile Ficin que l'humanisme néo-platonicien va se manifester dans la musique à la fin du siècle. Enfin la France du XVIe siècle va être le théâtre de luttes religieuses acharnées qui donneront naissance au mouvement de la contre-réforme, lequel colorera toute l'esthétique musicale du règne de Henri II et de ses successeurs. A toutes ces notions, il convient d'ajouter la tendance alors générale à la formation de l'idée de nationalité, qui va permettre à la musique du XVIe s. français de manifester avec éclat l'originalité du tempérament national.

Il est bien difficile de trouver la trace d'études musicales dans les universités françaises du XVIe s., et il semble bien que l'enseignement de cet art était surtout affaire de maîtres privés et se pratiquait dans la famille. La musique s'introduit maintenant (grâce aussi à l'imprimerie) dans la vie quotidienne de tous, mais c'est chez le roi qu'elle a le plus d'éclat. François Ier multiplie les fêtes somptueuses, les spectacles ; il va instaurer à la cour un ordre nouveau ; à côté des chantres de la chapelle, il crée en 1535 un corps de musique vocale attaché à sa maison, qui comprend deux sections, la *chambre* et l'*écurie*, dont l'organisation intérieure résistera, à peu près inchangée, jusqu'à la Révolution. Les instrumentistes italiens y occupent la première place, et il faudra attendre Henri IV pour en voir diminuer le nombre. C'est avec ce roi aussi que sera créé en 1592 le poste de *surintendant de la musique de la chambre*, acte qui inaugure l'ère des musiciens de cour.

Au début du siècle, c'est la chanson qui va devenir le genre où s'exprimeront les idées et les goûts de cette bourgeoisie réaliste, bien différente de l'aristocrate amoureux platonique de la chanson du XVe s. Jamais, plus qu'à cette époque, les classes de la société n'ont été aussi mêlées ; les éléments populaires se retrouvent nombreux dans la chanson, genre qui veut plaire non seulement aux esprits les plus subtils mais « à toute âme pour rude et grossière qu'elle soit ». Les sujets d'inspiration sont nouveaux et reflètent l'esprit de la Renaissance. Les musiciens rejettent la technique savante des Flamands pour en revenir aux valeurs les plus pures du peuple : clarté, intelligence et esprit, qui dissimule l'émotion. L'élément verbal commande au musical et ainsi s'ouvre la voie que préférera toujours la musique française. Vers le milieu du siècle, l'influence italienne se marque dans la chanson qui s'imprègne de chromatisme et perd alors son caractère primitif. Elle commence d'ailleurs à être concurrencée par la forme toute différente de l'*air*, qui va lui ravir sa popularité. Le premier recueil de chansons françaises sort chez Attaingnant en 1528 et, jusqu'en 1552, cet imprimeur ne publie pas moins de cinquante recueils qui totalisent environ 1.500 chansons, dues pour la plupart à des compositeurs français. La production de Moderne à Lyon atteint 300 chansons, tandis que Du Chemin en publiera 693 entre 1549 et 1576 et que Le Roy et Ballard assureront la continuation du genre jusqu'à la fin du siècle. A côté de cette production profane massive, la musique religieuse reste très en arrière, et les successeurs de Josquin en France ne sont pas dignes de son enseignement. Le style de la chanson

*Binchois. Asperges me (ms. Trente 785).*

pénètre la messe et le motet, en donnant toute l'importance à la compréhension des paroles au détriment de la science de l'écriture. La publication des premières œuvres de Lassus (1564) va éclipser l'activité de l'école française, dont Claude Le Jeune et Mauduit suffisent cependant à attester la permanence.

Les esprits cultivés ne pouvaient se satisfaire de la chanson du début du siècle et réclamaient un retour à l'attitude des anciens. Cette révolution fut accomplie par le poète Antoine de Baïf qui fonda, avec le musicien Thibaut de Courville, l'*Académie de poésie et de musique* dont le roi signe en 1571 les lettres patentes. Sur les vers « mesurés » de Baïf, les compositeurs vont rythmer leur musique, donnant ainsi naissance à cette musique mesurée à l'antique, que Le Jeune a le plus brillamment illustrée et qui eut la plus grande influence sur le développement de la musique française. Il s'agit là d'un mouvement artistique très important, qui n'a pas eu d'équivalent dans les autres nations. Cependant la Réforme, elle aussi, allait s'élever contre l'esprit des « chansons folles » que répudiera à sa suite la contre-réforme. Tous les musiciens, réformés aussi bien que catholiques, illustrent les psaumes traduits en français. C'est alors aussi que naît le genre de la *chanson spirituelle*, dont le plus célèbre « *Suzanne un jour* » n'a pas été mise en musique moins de 65 fois. Aucune chanson profane n'avait remporté le même succès. Cette attitude de dévotion de la contre-réforme devait mener au mysticisme intensément catholique du XVIIᵉ siècle.

**3. L'époque classique.** *XVIIᵉ et XVIIIᵉ siècles.* Durant tout le XVIIᵉ s. et jusqu'à la régence, la vie musicale française va, plus encore qu'à la période précédente, être centralisée à la cour, où le roi attire tout ce qui peut contribuer à rehausser l'éclat de son règne. Avec Louis XIV, cette centralisation monarchique prend la forme d'une véritable dictature artistique en faveur du style classique : on a pu dire que toutes les manifestations de l'esprit avaient été ainsi « royalisées ». Il est bien vrai que rarement dans l'histoire de France les relations entre la politique et la musique avaient été aussi ouvertement affirmées que durant la monarchie absolue. D'autre part, pendant ces deux siècles, la confrontation des musiques italienne et française sera périodiquement remise en question, donnant lieu à des querelles incessamment renouvelées et fécondes en réactions esthétiques.

La prédominance d'un élément mondain dans l'art a consacré la vogue des petits genres, auxquels appartiennent les deux formes essentielles de la musique profane, l'*air de cour* et le *ballet de cour*. Celui-ci est le divertissement favori à la cour, le roi lui-même y prend part avec ses courtisans : Louis XIII compose le ballet de *la Merlaizon* ; les naissances illustres, comme les victoires du souverain (la prise de la Rochelle par exemple, sont prétextes à faire représenter un ballet. Tous les musiciens ayant une charge à la cour y participent, mais aucun d'eux n'innove. Il faudra attendre Lully pour que ce genre gagne le titre de véritable œuvre d'art. Les compositeurs français, rejetant les complexités polyphoniques de l'âge précédent aussi bien que les innovations du nouveau style italien, s'en tiennent, sous l'influence de la musique mesurée, au genre précieux et peu expressif de l'air de cour, qui devait prendre plus tard le nom d'*air sérieux*. Opposé à ce genre aristocratique, l'*air à boire* perpétuait dans les classes moyennes l'esprit gaillard du XVIᵉ s. Les nombreuses publications de tous ces genres que fit durant un siècle l'imprimeur Ballard suffisent à démontrer la faveur dont ils jouissaient.

Cependant cette élégance compassée, cette « timidité », selon la formule de Mersenne, qui retient les Français de céder à l'audace expressive, à l'émotion intense qui caractérisent alors la musique italienne, ne satisfaisaient pas tous les auditeurs. Certains esprits se tournent dès lors vers l'Italie, comme le prouvent la correspondance qu'échange le Père Mersenne avec J.B. Doni (Paris, B.N. Nouv. Acq. Franç. 6204-6205) et aussi le fameux libelle du violiste Maugars qui attire l'attention des Français sur la musique italienne, inaugurant ainsi le premier acte de cette querelle qui allait durer plus d'un siècle (*Response faite à un curieux sur le sentiment de la musique d'Italie*, Paris 1639). Depuis longtemps déjà les musiciens italiens venaient nombreux en France, et Catherine de Médicis n'avait pas manqué d'appeler quelques-uns de ses plus glorieux compatriotes, comme Caccini ou le poète Rinuccini. Mais en 1643, la France qui est livrée à l'influence de Mazarin, va se trouver confrontée malgré elle avec une invasion massive de musique et d'artistes italiens, inaugurée brillamment, d'abord par une représentation de la *Finta pazza* (1645), surtout de l'*Orfeo* de Luigi Rossi (1647). En ce sens, le premier ministre — qui était un musicien averti — peut être considéré comme l'un des créateurs de l'opéra français. Malgré la courte réaction de la Fronde, malgré la résistance du public parisien à des spectacles trop étrangers à sa sensibilité native, malgré la cabale anti-italienne qui s'affirmera à la mort de Mazarin (1661), l'influence de l'opéra italien sur la musique française n'en sera pas moins une chose acquise. Fort curieusement, c'est un Italien, Lully, qui va mener la réaction et donner enfin à la France un art digne de son passé. Il suffit de suivre la carrière de cet homme habile pour établir du même coup l'évolution de la musique en France. Participant d'abord au ballet de cour, il s'inclinera ensuite devant la priorité qui fut toujours accordée en France à la littérature, en créant avec Molière le genre de la comédie-ballet, qui fera place à son tour à l'opéra-ballet et à l'opéra. Et cet opéra apparaîtra à tous comme l'expression du génie de la race, plus intellectuel que sensible, obéissant à cette *raison* qui était pour Boileau le critère de la beauté dans l'art.

Jusqu'à la mort de Lully (1687), aucune œuvre italianisante ne peut être jouée ; ce n'est qu'en 1698 que Marc-Antoine Charpentier fit représenter sa *Médée*. Campra et

Destouches restent dans les limites d'un progressisme assez peu agressif pour être accepté, mais qui annonce les innovations de Rameau. Celui-ci, dont les hardiesses avaient d'abord été repoussées (Querelle des *lullistes* et des *ramistes*), est reconnu comme l'un des plus grands musiciens d'Europe après le triomphe de *Platée* (1749) pour voir de nouveau son impopularité grandir jusqu'à sa mort (1764). Ce génie isolé — parce qu'en désaccord avec les aspirations nouvelles de son époque — présente le cas unique d'un musicien, aussi grand compositeur que théoricien, et il est en cela le dernier représentant de ce siècle où la pratique de l'art n'excluait pas le contrôle de la raison. Il déclare lui-même combien il avait été « éclairé par la méthode de Descartes », alors que cette attitude intellectuelle n'était plus aussi en faveur, puisque, dès les dernières années du règne de Louis XIV, on voit se dessiner un mouvement de réaction contre l'esprit classique, et un idéal nouveau, différent de celui de Lully, se préciser. C'est une époque où l'on désire moins satisfaire la raison que plaire aux sens. L'abbé Raguenet, en 1702, provoque la première querelle de l'italianisme, à laquelle riposte Lecerf de la Viéville, ferme tenant du style classique. La musique italienne correspondait admirablement aux aspirations de ce début du XVIIIe s. où la « sensibilité » française va faire son entrée dans les arts. Les « philosophes », à leur tour, vont exercer leur influence sur l'histoire musicale et leur rôle ne saurait être mésestimé. Après les représentations de la *Serva padrona* de Pergolèse par les *Bouffons italiens* (1752), Rousseau, Diderot et les Encyclopédistes se font les ennemis acharnés du style classique et réclament un opéra sur le modèle de l'Italie. La première conséquence de cette polémique (querelle des bouffons) devait être l'apparition de l'opéra-comique dont le *Devin de village*, de Rousseau, était le premier exemple. Duni, Philidor, Monsigny et Grétry continuent dans cette voie, et la carrière de ce dernier franchira sans encombre les bouleversements politiques de la Révolution et de l'Empire. D'autre part, lorsque, en 1774, un autre étranger, Gluck, apparaît sur la scène française, fort étrangement c'est lui qui va exécuter toutes les réformes attendues et préparées depuis vingt ans par les encyclopédistes. Son art, humain, qui « retourne à la nature », fit de lui l'instrument de la révolution dramatique que ceux-ci désiraient. Mais il s'agit alors d'un art international « propre à toutes les nations », au-dessus de la mode et des querelles, animé de l'esprit libre du XVIIIe s. Cependant les italianisants lui opposent Piccini, créant ainsi dans ce pays combatif une nouvelle querelle que devaient éteindre et le départ de Gluck et la Révolution. — A l'écart de ces mouvements d'idées, la musique religieuse se développait traditionellement mais non sans grandeur. Si, au début du XVIIe s., la polyphonie vocale trouve encore des adeptes (Du Caurroy, Mauduit, Formé, Moulinié), l'écriture à basse continue et le style concertant ne s'en imposent pas moins peu à peu, surtout dans le motet : jusqu'à la fin du siècle tout au moins, la messe sera plus volontiers écrite *a cappella*. A partir du dernier tiers du siècle, les musiciens de Louis XIV édifient des motets appropriés à la dévotion d'apparat de la cour de Versailles (où la chapelle avait été inaugurée en 1682), grandes compositions pour chœur, soli et orchestre. Cependant il suffira à Couperin des

moyens les plus simples (une ou deux voix et basse continue à l'orgue) pour atteindre dans ses trois *Leçons de Ténèbres* (c. 1712) aux accents les plus émouvants. Cette école, qu'on a pu appeler « versaillaise », a réalisé en musique l'idéal classique du grand siècle, tout en se prolongeant sous le règne de Louis XV, groupant les plus grands noms de la musique, de Lully, Richard de La Lande et Campra jusqu'à Couperin et Rameau.

Enfin, dans le domaine de la musique instrumentale, le répertoire du luth s'enrichit de formes nouvelles (tombeaux, chaconnes, suites de danses), grâce surtout aux deux Gaultier dont le plus jeune, Denys, allait inspirer toute une génération nouvelle de luthistes. En même temps s'établissait le règne de l'air à voix seule avec accompagnement au luth. Dès 1603, le *Thesaurus*

*Danse champêtre (Recueil de chants, ms. Cambrai 125, 1542).*

*musicus* réuni par Besard contenait déjà des airs de cour avec luth ; entre 1620 et 1630, les recueils de ce genre allaient se multiplier. L'école de clavecin, brillamment inaugurée par Chambonnières, de l'enseignement duquel se réclameront tous ses successeurs, aboutit à l'art raffiné de Couperin et aux savantes harmonies de Rameau. L'orgue trouve en Titelouze l'un des plus grands maîtres de la polyphonie construite sur le plain-chant, mais cet art trop complexe ne fera pas école, et ses successeurs préféreront les ingéniosités de la registration en un style orné sorti tout droit de celui du clavecin et bien peu convenable à l'orgue (Nivers, Marchand, Daquin). La sonate (Couperin, Rebel), le concerto (J.P. Guignon, J.M. Leclair) donnent au violon son rôle primordial, et Boismortier publie en 1727 des concertos pour cinq flûtes. Enfin, malgré l'opposition des « philosophes » qui ne reconnaissent à la musique pure aucune beauté, la musique pour ensembles instrumentaux ne s'en constitue pas moins, inaugurée en 1753 par les premières symphonies de Gossec, exécutées chez le fermier général La Pouplinière, qui offrait alors en sa maison d'excellents concerts privés. L'art vocal subissait lui aussi bien des transformations, et c'est du XVIIe s. que datent les premières manifestations du chant individuel professionnel. Jusqu'alors la science du chant n'avait pas atteint en France le haut degré de l'école italienne (dont le style orné n'était pas apprécié) ; mais la vogue de l'air de cour et la création d'un opéra national avaient multiplié le nombre des bons chanteurs. Alors qu'en Italie dès le XVIe s. les méthodes de chant abondent, le Père Mersenne est le premier théoricien français qui traite de cet art (*Quaestiones in Genesim*, 1623, *Harmonie universelle*, 1636). Plus tard, Bénigne de Bacilly publie

*Le concert champêtre*

coll. Meyer

lui aussi des « *Remarques curieuses sur l'art de bien chanter* (1668), fondées sur les principes du chanteur Lambert, qui peut être considéré comme le premier véritable professeur de chant en France et qui enseignait une méthode inspirée par les deux écoles, la française et l'italienne. Il tenait chez lui une véritable académie de chant ; il est l'un de ces compositeurs-virtuoses qui réunissaient les amateurs pour faire entendre leurs œuvres, lançant ainsi la mode de ces concerts très en vogue alors à Paris. Chambonnières avait de la même façon créé le groupe des *Honnestes Curieux*. D'autre part, en 1769 débute à l'hôtel de Soubise le *Concert des amateurs*, véritable organisme de concerts publics, qui groupait des éléments jeunes et progressistes, s'opposant à l'esprit conservateur du *Concert spirituel*, créé en 1725 aux Tuileries, et qui avait eu jusqu'alors le privilège de l'organisation des auditions publiques.

**4. La Révolution. Le XIXᵉ siècle.** La Révolution allait évidemment donner un tout autre ton. Bien que les dirigeants aient compris que la musique était le plus utile de tous les arts par son action directe sur les masses, il faut bien reconnaître que cette période n'a laissé que des monuments musicaux médiocres. Les musiciens sont « engagés » et travaillent « plutôt en citoyens qu'en artistes » (Tonnard). La musique ne se pratique plus maintenant dans les églises ou les salons, mais sur les places publiques ou au théâtre ; elle est devenue un art social selon la conception de Condorcet et de Mirabeau. Gossec s'affirme comme le plus actif de ces musiciens qui veulent créer un art neuf pour des temps nouveaux, et, à travers ses hymnes de circonstance, on peut suivre toute l'histoire des cérémonies révolutionnaires (fêtes de la fédération ou de l'Etre suprême, transfert de cendres au Panthéon... etc.). Après lui, Méhul, Lesueur, Catel, Rouget de l'Isle continuèrent à alimenter les fêtes nationales de leurs chants adaptés aux masses populaires qui y participaient. D'autre part, le genre national de l'opéra-comique continuait sa carrière avec Dalayrac, Berton, Devienne et le vieux Grétry. C'est aussi l'époque où la *Convention* transforme l'ancienne *Ecole royale de chant et de déclamation* (fondée en 1784) en *Institut national de musique* (1793), qui deviendra le *Conservatoire national de musique et de déclamation*. Napoléon protège les musiciens italiens, Paisiello, Paer et Spontini qui triomphent à la scène, sans cependant écarter systématiquement les anciens, et en 1807 le *Joseph* de Méhul obtient le second prix à l'un des concours décennaux organisés par l'empereur. La vogue de la romance, qui

avait commencé dès 1780, se poursuit jusqu'à la Restauration, durant laquelle l'opéra-comique, avec le *pré-aux, Clercs* de Hérold et surtout la *Dame blanche* de Boïeldieu continue de triompher. L'opéra romantique, inauguré en France avec *La muette de Portici* d'Auber (1828) et le *Guillaume Tell* de Rossini (1829), s'incarne avant tout dans les opéras à grand spectacle de l'Allemand Meyerbeer, dont la puissance est alors incontestée. Pour la troisième fois, un étranger allait marquer son influence décisive sur l'opéra français. Son exemple sera suivi par certains de ses contemporains qui sacrifient trop souvent au style pompeux (Halévy, *La juive*). Il est vrai que les fadaises d'Adolphe Adam ne réhabilitent pas mieux le genre à nos yeux. Le théâtre absorbe si totalement les compositeurs que bien peu d'entre eux se consacrent à la musique religieuse (Boély, Niedermeyer) ou à la musique de chambre (Reber, Reicha, Baillot, Onslow) ; on ne peut pas dire qu'ils y aient gagné grande gloire. Il est vrai que la musique instrumentale avait encore en France bien des ennemis, puisque Stendhal, dont on peut penser que ses idées reflètent le goût de l'homme cultivé du moment, rejette le genre instrumental « qui a perdu la musique » et, à ce propos, il rallume une fois encore cette querelle italienne dont ce sera d'ailleurs le dernier feu. Heureusement, il y eut Berlioz. Quel que soit le jugement esthétique que l'on porte sur son œuvre, il n'en est pas moins le personnage marquant — le seul grand — du romantisme musical français, car cette attitude correspondait chez lui à sa nature essentielle. Il ne fut guère compris de son temps, à cause, dit-il lui-même, de « l'antagonisme existant entre mon sentiment musical et celui du gros public parisien » toujours plus attiré vers « le petit sentier où trottinent les faiseurs d'opéras-comiques ». Berlioz, lui, a préféré les voies triomphales : l'opéra et surtout la symphonie. Dans ce domaine, il a, avec sa *Symphonie fantastique* (1830) inauguré d'un même coup en France la musique à programme et la grande musique d'orchestre. Ses trouvailles rythmiques, ses nouveautés harmoniques, les réussites de son orchestration auraient dû lui susciter des disciples. Cependant il reste un isolé (si l'on excepte le Hongrois Liszt), et, de nos jours encore, il est à la fois « universellement connu et tenacement méconnu » (Darius Milhaud). Comme Rameau, il eut le goût d'écrire : son *Traité d'instrumentation* (1844) n'a rien perdu de sa valeur et ses œuvres littéraires (*Mémoires, Correspondance, Ouvrages de critique*) suffiraient à sa gloire. Il était donc grand temps de redresser le goût musical en France et, dans le dernier tiers du siècle, toute une pléiade de musiciens va, avec plus ou moins de bonheur, s'employer à ce redressement. Évidemment, la majorité du public restait fidèle au théâtre ; mais ce n'est pas dans ce domaine que la musique va faire un pas décisif vers le grand art. Si le *Faust* de Gounod (1859) représente une tentative louable de s'éloigner à la fois des rodomontades de Meyerbeer et des « gargouillades » italiennes, le compositeur n'a pas réussi cependant à traduire en musique le drame philosophique du poète allemand, duquel il ne retient que l'anecdote. Néanmoins Gounod a su émouvoir une grande partie de ses contemporains et à ce titre son art représente, comme le dit Debussy, « un moment de la sensibilité française ». La *Carmen* de Bizet (1875) est considérée comme le chef-d'œuvre du genre, mais c'est un exemple isolé, qui n'eut d'ailleurs aucun succès. Malgré l'abondance de la production, les opéras et opéras-comiques ne dépassent pas le stade du théâtre en musique, où l'équilibre est toujours rompu au profit du théâtre, car tous ces compositeurs (Massenet, Delibes, Lalo) ont le sens de la scène, mais leur musique se tient trop souvent dans les limites d'un hédonisme peu aventureux. Dans le domaine de la musique pure, la partie restait encore à gagner et, en 1879, Saint-Saëns constate avec amertume qu'il y a encore en France « dans certains milieux un préjugé contre les concerts et la musique instrumentale ». Pour lutter contre cet état d'esprit, il avait en 1871 fondé avec Romain Bussine la *Société nationale de musique* où, sous la devise *ars gallica*, on devait exécuter les œuvres de chambre et d'orchestre de compositeurs français vivants. D'autre part, avec ses symphonies, Saint-Saëns prêchait d'exemple et contribuait à entraîner les Français vers les formes instrumentales. César Franck allait lui aussi exercer, sur ce mouvement qui a renouvelé l'art français, une influence décisive par ses œuvres d'abord, par son action sur les jeunes à la Société nationale, dont il peut être considéré comme le véritable chef, et aussi par son enseignement au conservatoire, où il fut le maître direct de nombreux musiciens qui devaient être célèbres, auxquels il redonna le goût de la musique sérieuse avec la connaissance du contrepoint et le retour aux œuvres de Bach. Il avait réuni autour de lui les musiciens les plus doués de la jeune génération ; parmi ceux-ci, Vincent d'Indy, le plus actif, fonda (avec Bordes et Guilmant) la *Schola cantorum* (1896) où, jusqu'à sa mort, il perpétua l'enseignement de son maître dans sa classe de composition, qui est restée célèbre. Les temps étaient ainsi devenus propices à l'éclosion d'une génération nouvelle, tournée vers les formes sérieuses de la musique. Des talents très divers se révèlent, parmi lesquels d'Indy lui-même, Chabrier, Dukas, Chausson, Duparc (créateur de la mélodie moderne en France) et surtout Fauré sont à signaler. On ne saurait passer sous silence l'influence de Wagner, qui, par actions et réactions, a été décisive. La révélation de ses œuvres (menée surtout par Lamoureux dans ses concerts inaugurés en 1882) a transformé le goût des Français, et la fondation, en 1885, de la *Revue wagnérienne* dit assez que cette influence s'étendait à tous les domaines de l'art. Franck était resté en dehors du mouvement wagnérien, et Saint-Saëns — qui n'aimait pas les chapelles — s'était élevé contre la « religion wagnérienne ». C'est l'époque héroïque où l'on se rendait à Bayreuth comme à un pèlerinage (Lavignac, Chabrier, Debussy lui-même) et des drames lyriques comme *Gwendoline* (Chabrier, 1886), *Sigurd* (Reyer, 1884), plus tard *Le Rêve* (Bruneau, 1891), *Fervaal* (d'Indy, 1898) ou *Louise* (Charpentier, 1900) participent par certains côtés de l'esthétique wagnérienne. Il y eut aussi parmi ces admirateurs des hommes dont la personnalité était assez puissante pour résister dans leurs œuvres à l'influence de leur idole. C'est ainsi que Fauré inaugure une sorte d'impressionnisme d'une grâce facile, fort éloigné de l'art du maître allemand. Il y eut surtout Debussy. S'il n'échappa pas plus que ses contemporains à la maladie wagnérienne (les *Cinq poèmes de Baudelaire*, 1890, en sont la preuve) il amorce avec le *prélude à l'après-midi d'un faune* (1894) la révolte organisée, sur la victoire de laquelle va s'ouvrir l'époque suivante.

**5. Le XXᵉ siècle.** Si bien que, au début du XXᵉ s., on se trouve en présence de deux écoles : l'ancienne, constituée par les disciples du « cloître franckiste » (selon l'expression de Ravel), dont d'Indy est le chef de file, et la nouvelle, dont le principal initiateur est sans conteste Debussy. Celle-ci oppose à l'art étudié, « volontaire », des émules de la Schola, un art qui fait plus de confiance à l'instinct et qui s'applique à percevoir jusqu'aux moindres manifestations extérieures. Le siècle s'était ouvert par le triomphe de *Pelléas et Mélisande*, dont la première représentation (1902) est l'une des dates les plus importantes de la musique en France. Ce succès, consacré par le public contre la critique réticente, disait assez le besoin qu'avait alors l'amateur français d'un art mieux adapté à sa sensibilité que les contrefaçons de l'école wagnérienne. La sobriété musicale, l'orchestre volontairement allégé, le récitatif nuancé sur le débit de la parole, la retenue dans l'expression des passions, tout cela s'opposait avec vigueur à l'art puissant de Wagner. Cependant Debussy n'en reste pas moins un isolé, ce qui semblerait donner raison à ses adversaires, qui accusaient son esthétique inquiétante de mener à une impasse. Il trouve un continuateur en la personne de Ravel qui sut découvrir « au fond de l'impasse une porte largement ouverte sur une campagne splendide et toute neuve » et qui défendra lui aussi les traditions françaises séculaires de clarté et de mesure. La guerre de 1914-1918 apporte de profondes modifications. La nouvelle génération, animée par l'esthétique révolutionnaire de Cocteau, rejette à la fois les boursouflures du romantisme et les raffinements trop subtils de l'impressionnisme, c'est ainsi que se forme en 1918 le groupe des *Six*, unis plutôt par le refus de certains principes que par l'affirmation d'une esthétique commune ; car ces Six font preuve de talents très divers, parmi lesquels se détachent Honegger, à la fois le plus indépendant et le plus classique, et Darius Milhaud, le plus fécond et le plus généreusement inspiré. *Le Coq et l'Arlequin* de Cocteau (1918) peut être considéré comme le manifeste de la jeune école, qui trouve d'autre part en Erik Satie un animateur dont le non-conformisme et l'ironie mordante, délibérément opposée à l'exhibitionnisme complaisant du post-romantisme, correspondaient à leurs aspirations. Parallèlement, en 1923, quatre jeunes artistes menés par Henri Sauguet se groupent autour de Satie et constituent l'*Ecole d'Arcueil*. C'est l'époque où domine incontestablement Stravinsky, qui vivait alors à Paris, et dont le *Sacre* avait révolutionné le monde musical dès 1913, époque où l'on s'enthousiasme pour les rythmes nouveaux et libres du jazz (Milhaud écrit en 1920 un *Shimmy* pour *jazz-band*, *Caramel mou*, et le *Concerto pour la main gauche* de Ravel contient bien des effets de *jazz*). On pratique un style dépouillé, on s'inspire de l'humour de Chabrier, auquel on revient, et des cocasseries de Satie, on cherche à « choquer le bourgeois ». D'autre part, Schœnberg et ses émules pénètrent en France, où *le Triton*, société de musique de chambre fondée en 1933 par P.-O. Ferroud, contribue activement à faire connaître leurs œuvres. C'est en protestation contre l'abstraction en musique que se constitue en 1936 le groupe *Jeune France* (Baudrier, Jolivet, Lesur et Messiaen), qui se propose de revenir au lyrisme et à l'humanisation dans l'art. Le plus célèbre d'entre eux, Olivier Messiaen, a compris la nécessité de renouveler le langage musical : il a réussi dans ce domaine une révolution féconde en enrichissant les éléments du rythme qui avaient été si longtemps oubliés. La seconde guerre mondiale ne constitue pas une coupure profonde dans l'évolution musicale en France. En 1947, surgit un nouveau groupe de jeunes : *le Zodiaque*, en réaction contre tous les systèmes, en protestation aussi bien contre le néo-romantisme de *Jeune France* que contre la discipline étroite du dodécaphonisme, et dont les huit membres (parmi lesquels trois étrangers) se réclament d'une musique « du bon sens ». Bien autrement important est le réveil d'intérêt que l'on observe pour le dodécaphonisme, lequel fait maintenant véritablement école en France, où il a été d'ailleurs admirablement défendu et enseigné par René Leibowitz. Ce mouvement ne s'observe pas seulement chez les jeunes (parmi lesquels Pierre Boulez est sans doute le plus doué), mais on relève dans les œuvres récentes de certains compositeurs de la génération précédente un souci très net de renouvellement grâce aux possibilités de l'écriture sérielle (*Partita pour deux pianos* de Georges Auric, 1955). Non moins importantes sont les recherches de musique concrète que poursuit l'école expérimentale groupée autour de Pierre Schœffer depuis 1949, et qui utilise toutes les sources sonores, ouvrant ainsi à la musique une voie entièrement nouvelle. Des œuvres comme *Le Voile d'Orphée* de Pierre Henry ou *La Symphonie pour un homme seul* (du même en collaboration avec Schæffer), justifient de telles innovations. La vie musicale en France connaît ces dernières années une activité accrue grâce aux nombreux festivals organisés tous les ans jusque dans les plus petites villes, où l'on s'efforce de défendre la jeune musique sans pour cela renier celle du passé. Dans le domaine des idées, il semble que s'intensifie le mouvement qui pousse les théoriciens à rejeter l'hédonisme esthétique et à se poser la question de la justification de la recherche du plaisir en art. L'antihédonisme de René Leibowitz ou de Robert Siohan (*Horizons sonores*, 1958), que certains ont qualifié d'inhumain, correspond à un raidissement dont le besoin se faisait fortement sentir dans un pays où tant de musiciens ont jusqu'à nos jours succombé aux tentations de ce style agréable dont Hegel disait qu'il était propre aux Français. Bien des jeunes compositeurs, et parmi les plus doués, ont déjà prouvé qu'il est possible d'édifier un art vivant sur des principes plus sévères et plus neufs.

**Bibl. :** *Ouvrages généraux.* M. de Vainco, *Du goût musical en France*, Revue et Gazette musicale de Paris, 1846, XIII ; L. de La Laurencie, *Le goût musical en France*, Paris 1905 ; P. Lang, *Music in western civilization*, New-York 1941 ; Roland-Manuel, *Introduction à l'histoire de l'esthétique musicale française*, ds *Musica Æterna*, II, Zürich, 1949 ; N. Dufourcq, *La musique française*, Paris 1949 ; *La musique religieuse française de ses origines à nos jours*, RM 1953-1954 ; *Aspects inédits de l'art instrumental en France de ses origines à nos jours*, ibid. 1955 ; H. Barraud, *La France et la musique occidentale*, Paris 1956 ; Lavignac et La Laurencie, *Encyclopédie de la musique*, vol. I. ; art. *Frankreich* ds MGG. *Moyen âge.* — F. Gennrich, *Grundriss einer Formenlehre des mittelalterlichen Liedes*, Halle 1932 ; T. Gérold, *La musique au Moyen âge*, 1932 — *Histoire de la musique des origines à la fin du XIVe s.*, Paris 1936 ; J. Chailley, *Histoire musicale du moyen-âge*, ibid. 1950. *XVe-XVIe s.* — M. Brenet, *Notes sur l'histoire du luth en France*, ds RMI. 1898-1899 ; Y. Rokseth, *La musique d'orgue au XVe et au début du XVIe s.*, Paris 1940 ; A. Pirro, *Histoire de la musique de la fin du XIVe s. à la fin du XVIe*, ibid. 1940. ; D. P. Walker, *Musical humanism in the 16th and early 17th. cent.*, ds *Music Review* 1941-1942 ; F. A. Yates, *The french academies of the 16th. century*, Londres 1947 ; F. Lesure, *Musicians and poets of the french Renaissance*, New-York (s. d.). — *XVIIe-XVIIIe s.* M. Brenet, *Les concerts en France sous l'ancien régime*, Paris 1900 ; G. Cucuel, *La Pouplinière et la musique de chambre au XVIIIe s.*, Paris 1913 ; H. Prunières, *L'opéra italien en France avant Lulli*, ibid. 1913 — *Le ballet de cour en France*, ibid. 1914 ; T. Gérold, *L'art du chant en France au XVIIe s.*, ibid. 1921 ; E. Borrel, *L'interprétation de la musique française de Lully à la Révolution*, ibid. 1934 ; C. Pierre, *La musique des fêtes et cérémonies de la Révolution*, ibid. 1904 ; J. Tiersot, *Les fêtes et les chants de la Révolution française*, ibid. 1908. — *XIXe-XXe s.* R. Rolland, *Musiciens d'aujourd'hui*, Paris 1914 ; J. Tiersot, *Un demi-siècle de musique française entre les deux guerres 1870-1917*, ibid. 1918 ; P. Lasserre, *L'esprit de la musique française de Rameau à l'invasion wagnérienne*, ibid. 1917 ; H. Gougelot, *La romance française sous la Révolution et l'Empire*, Melun 1938 ; A. Cortot, *La musique française de piano*, Paris 1930-1944 ; R. Dumesnil, *La musique en France entre les deux guerres 1919-1939*, Genève 1946 — *La musique contemporaine en France*, 2e éd., Paris 1949 ; B. Gavoty, *Les Français sont-ils musiciens ?*, ibid. 1950 ; M. Cooper, *French music from the death of Berlioz to the death of Fauré*, Londres 1951 ; R. Moser, *L'impressionnisme français*, Genève 1952 ; L. Guichard, *La musique et les lettres au temps du romantisme*, Paris 1955 ; T. Marix-Spire, *Les romantiques et la musique*, ibid. 1955 ; P. Collaer, *La musique moderne*, ibid. 1955 ; C. Rostand, *La musique française contemporaine*, ibid. 1957.

N.B.

— **6. Musique populaire.** Elle est étudiée de nos jours par une des branches de la science dénommée ethnomusicologie et au même titre que les cultures musicales originales de tous les peuples ou les musiques populaires du monde entier. Son étude a pour objet l'observation directe du comportement musical traditionnel des sociétés paysannes de France, l'investigation (au moyen de procédés techniques modernes) des phénomènes musicaux ainsi exprimés, l'examen analytique et synthétique de la substance musicale récoltée. Dès l'abord, des traits de nature sont à retenir : ces phénomènes musicaux sont issus de transmission orale et soumis à variabilité ;

ils se révèlent souvent de type archaïque et dans cette mesure intéressent la genèse du langage musical ; ils prennent place dans un ensemble de faits de différents ordres (tels que faits géographiques ou sociologiques), en sorte que seule une vue aussi bien du milieu où ils s'exercent que de leurs caractères particuliers peut (ou pourrait) éclaircir avec certitude les problèmes qu'ils posent.

Mais, dira-t-on, ces méthodes sont inopérantes et ces concepts sans fondement, puisque la chanson traditionnelle populaire française a disparu, puisqu'elle est « morte » : c'est précisément ce préjugé qu'il importe en premier lieu de réfuter. Depuis au moins un siècle, les auteurs ont décrit les difficultés qu'ils rencontraient à recueillir les « chants de nos pères » (Arbaud, 1862), les « airs du vieux temps » (Carnoy, 1893) etc. Dès lors, ils proclament l'urgence des récoltes, car « la vieille chanson... s'en va et meurt... » (Bujeaud, 1866), car « il est temps... de recueillir nos chants ingénus » (Puymaigre, 1865), car « c'en est fait irrévocablement... (de) la chanson populaire » (Poueigh, 1926), et puisqu' « il y a beau temps que [les paysans] ont renoncé à chanter leurs chansons et même qu'ils les ont oubliées » (Tiersot, 1934), « les mémoires provinciales ou paysannes... [sont] en ruine depuis une vingtaine d'années... » (Coirault, 1942), « ...les matériaux vivants à enregistrer ont disparu » (*id.*, 1953). A ces vues chagrines nous opposerons le démenti des très belles collections de chants populaires publiées à la fin du XIXe et au XXe s., collections dont la plupart émanent de ces mêmes auteurs, aux yeux desquels chacune d'elle incarne la dernière chance. De plus, nous apporterons le témoignage des collections phonographiques, inaugurées, pour le domaine qui nous occupe, au début du siècle (cylindres du Dr. Azoulay, exposition universelle, 1900 ; de F. Vallée, univ. de Rennes, 1910 ; du professeur Brunot, archives de la Parole, 1913), qui se poursuivent actuellement. De la plupart des régions de France, les collecteurs contemporains ont rapporté un nombre important de matériaux. Ainsi on peut inventorier à Paris dans les seules collections du département d'ethnomusicologie du Musée national des arts et traditions populaires près de huit mille documents enregistrés, réunis sur le terrain en une quinzaine d'années jusqu'à ce jour (principalement par l'auteur de cet article et par M. Andral). La publication de ces matériaux, bien qu'elle soit encore très fragmentaire, en démontre la valeur intrinsèque ou comparative (*cf. infra*, discographie). Enfin nous rappellerons qu'il y a lieu de ne pas considérer la « chanson » comme étant toute la musique populaire : en restreignant le domaine à cette seule parcellaire, on risquerait de fausser la vision et tout à la fois l'étiquette de notre musique populaire, et cela plus encore si le champ d'étude, toujours plus rétréci, se limitait entièrement à une seule espèce de chanson, notamment au résidu des chansonniers des villes. L'ethnomusicologue qui étudie la France préconisera au contraire des recherches étendues non seulement à toutes formes de chansons mais à toutes formes de musiques. Il considérera la manifestation musicale intégrée à un rite et celle qui subsiste dans le répertoire et les usages de la communauté villageoise ; il remarquera qu'à la fonction originelle de ces musiques correspondent le plus souvent des croyances qui, même dans les cas de disparition, survivent d'une manière ou de l'autre dans le fait musical et lui donnent son juste poids.

*Histoire des découvertes.* La découverte de la musique populaire de France ne commence pas avec le romantisme : nous choisirons simplement deux exemples : en 1561, l'ouvrage sur la vènerie, *L'adolescence* de Jacques du Fouilloux, cite le chant et le huchement des bergers en Gâtine poitevine ; au XVIIIe s., le musicologue J.B. de Laborde cite des chansons provinciales (édition de 1780 : chansons d'Auvergne, d'Alsace, du Périgord, danses de Basse-Bretagne). Cependant ni les échantillons intrinsèques de cet ordre ni les thèmes supposés populaires intégrés à des œuvres savantes ou à des chansonniers n'ont le caractère d'une collection. L'exploration de la musique populaire semble naître avec les premiers questionnaires lancés en 1805 sur les usages

H. Berlioz. Page 76 du ms. autographe du Requiem.

cons. de Paris          C. Debussy. Page 5 du ms. autographe de la sonate de violoncelle et piano

et croyances du peuple français : des questions sur le chansons et les poésies y sont incluses ; les réponses suscitent, parfois à longue échéance, la publication de matériaux. En 1817, un chant de labour poitevin, « avec sa musique », est ainsi divulgué dans les milieux des sociétés savantes. Accueillie au début du XIXᵉ s. par les linguistes et par le mouvement qui se consacrait à l'étude des cultes et curiosités populaires ou autres antiquités, la musique populaire devait être lancée par les littérateurs et le mouvement romantique. Ce goût pour la musique populaire était pourtant loin d'être nouveau (citons entre maints autres cas : Montaigne et les « villanelles » de Gascogne, Mme de Sévigné et les bourrées bourbonnaises), mais il fut exalté par les écrivains romantiques et « l'on sut par Chateaubriand, par Georges Sand, par Gérard de Nerval, par Balzac, qu'il y avait des chansons en Bretagne, dans le Berry, l'Ile de France, la Touraine, que les paysans en gardaient le secret et que ce répertoire recélait de véritables trésors » (Tiersot, *La chanson populaire et les écrivains romantiques*, Plon, Paris, 1931, p. V). Les ballades du Valois de Gérard de Nerval en 1842, les chants de la terre des romans de Georges Sand (chants que Pauline Viardot s'était efforcée de noter) furent non seulement appréciés du public lettré mais donnèrent un élan aux recherches. Nerval souhaitait que l'on établît de grands recueils, en s'étonnant que la France n'ait pas encore son « *romancero* ». Une enquête officielle sur les « poésies populaires », dont les instructions furent rédigées par Ampère, fut entreprise en 1852 ; les résultats en demeurèrent inédits, encore que de nombreux auteurs s'y soient référés ; ils sont du reste discutables pour les raisons principales que voici : bien des correspondants ignoraient la musique et ne savaient comment la noter ; le *Barzaz-Breiz* d'Hersat de la Villemarqué, publié en 1839, dont l'authenticité a été depuis reconnue douteuse, servit de modèle pour les préliminaires de l'enquête : les tendances de l'époque donnaient une place prépondérante, parfois même exclusive, aux textes. Des initiatives privées ou locales complétèrent cette entreprise. Les réactions des musiciens et musicologues n'y furent pas étrangères. Coussemaker fit, l'un des premiers, une enquête méthodique (Flandre française, 1856). Bientôt, à partir de 1860, chaque province eut son collecteur, musicien ou amateur de musique. Voici, sommairement, quelques-unes des grandes étapes de la constitution de ces collections : en 1865, Lorraine : Puymaigre ; 1866, provinces de l'Ouest : Bujeaud ; 1887, Bretagne : Quellien ; 1896, Pyrénées-Vendée : Trébucq ; 1903, Alpes française : Tiersot ; 1907, pays de Beaune : Emmanuel (présentées avec harmonisations) ; 1907 et années suivantes, Auvergne : Canteloube (*id.*) ; 1912, Landes : Arnaudin ; 1913, Bretagne : Duhamel. D'autres titres seraient à retenir, et les mentions de chants dans des périodiques ou ouvrages sur le folklore ne doivent pas non plus être oubliées. On trouvera, réunies par Joseph canteloube dans son *Anthologie des chants populaires français* (Paris 1951), un grand nombre de pièces provenant de l'ensemble de ces collections. Vers la fin du XIXᵉ s., sous la double impulsion de l'école « traditionniste » ou « folkloriste » et du mouvement musical en faveur de la chanson populaire dont la Schola cantorum avec Bordes et d'Indy prend la tête, les études se développent. Si on ne « découvre » plus la chanson, on en poursuit la récolte jusqu'à la veille de la guerre de 14 (*Revue des chansons de France*, 1909-13). D'autre part, les auteurs de cette période cherchent la « bonne version », comparent les versions et reconstituent « la forme idéale », du texte s'entend, dont s'accommodera, souvent tant bien que mal, un air passe-partout (G. Doncieux, *Romancero populaire de la France*, Paris 1904, appendice musical de J. Tiersot).
Entre la première et la deuxième guerre mondiale, les collectes s'effectuent toujours le crayon à la main. D'autres écoles que la française, telles la scandinave, la roumaine, la hongroise, mènent des enquêtes serrées socio-musicologiques ; les ethnologues français mettent au point des méthodes de recherches expérimentées en Afrique ou en d'autres terres alors lointaines ; les

collections de musique avec enregistrements sonores commencent à être la règle à l'étranger, et cette technique en favorise la qualité et la rigueur : c'est alors que des méthodes scientifiques d'enquête, inspirées de ces mouvements et en équipe, réduite dans doute, mais spécialisée (linguiste, musicologue, ethnographe, technicien) sont appliquées dans la recherche de ce qu'on appelait alors le folklore musical. En 1939, le Musée national des arts et traditions populaires prend l'initiative de telles recherches (mission Basse-Bretagne). Pour mémoire, signalons que, de 1939 à 1942, la Phonothèque nationale fait procéder dans le sud de la France à plusieurs enregistrements de chansons, mais non accompagnés d'enquête ethnographique. D'abord espacées, les missions d'ethnographie musicale du Musée des arts et traditions populaires se succèdent activement après 1944 et se renouvellent avec des méthodes qu'on s'efforce de toujours perfectionner. Nous avons évoqué plus haut le bilan de ces enquêtes. Ces matériaux recueillis sur le terrain (*in situ*), dans le cadre de la vie de la société à laquelle ils appartiennent, révèlent des caractères que ne laissaient guère soupçonner les notations subjectives, les harmonisations ou les arrangements antérieurs. Étudiés en laboratoire, ils permettent de découvrir dans la musique populaire des Français des propriétés méconnues, qui dépassent, cela va sans dire, le « charme pittoresque » et le « rustique curieux », qualités douteuses, vantées et même recherchées jusqu'alors en ce domaine. L'ère est close qui débuta par les concerts auxquels se plaisaient vers 1860 Paris et son public et que Weckerlin réservait à l'audition de « chansons populaires de France », harmonisées et « améliorées », ainsi qu'il paraissait légitime à l'époque. Dorénavant livrée à l'observation et à l'analyse dans un état pur et vrai, la musique populaire des Français, de découverte en découverte, a pris rang d'étude parmi les musiques des peuples, tant du point de vue ethnographique que du point de vue musicologique : c'est actuellement un des domaines de l'ethnomusicologie.
*Concepts.* Nos romantiques pensaient que la musique populaire, ou plus étroitement la chanson populaire, résultait d'une création spontanée, inconsciente et collective : l'idée fit une glorieuse carrière. Aux premiers jours des collectes officielles (1853), Ampère étiquetait les chants populaires, produits naturels, spéciaux aux contrées où on les recueille. Champfleury, il y a tout juste un siècle, parlait d'art naïf et de poésie de nature. Depuis lors, l'approche de la musique populaire française a donné lieu à bien des discussions quant à son origine. Pour simplifier, on peut ramener à deux les principales théories qui se sont affrontées et les résumer ainsi : selon la première, le peuple des campagnes crée sa musique et il la crée pour lui ; selon la seconde, le peuple ne crée pas, il utilise ce qui lui vient de couches présumées supérieures, soit des villes soit de lettrés. S'en suivent naturellement plusieurs nuances ou ramifications, lisibles dans les différents points de vue des tenants respectifs de ces doctrines. Julien Tiersot, l'auteur du classique ouvrage de la fin du XIXᵉ s. sur l'histoire de la chanson populaire en France, faisait valoir des principes se rattachant au premier concept : la chanson populaire est l'art, est l'apanage des « illettrés », c'est une création mystérieuse du peuple ; ce peuple conserve la tradition chantée et, entre villes et campagnes, les barrières sont infranchissables. Récemment (1947-1951), Joseph Canteloube parlait à nouveau, mais avec certains amendements, d'art d'incultes, de chansons anonymes, de musique naturelle, de produit du génie populaire et de création collective. Dès 1889, Julien Tiersot avait trouvé en la personne d'Anatole Loquin un contradicteur violent : Ce dernier postulait l'origine artistique et, partisan de la seconde théorie, acceptait ce qui « vient des villes », en préconisant l'axiome : « un auteur, une patrie, une date de naissance » (*cf.* A. Loquin, *Le livre de M. Tiersot*, ds *Mélusine*, IV, 1888-89, col. 529-550). Il convient de remarquer que l'on côtoie ici les règles de la *Rezeptiontheorie* allemande : le peuple ne saurait créer, il ne fait que « recevoir » (*cf.* H. Naumann, *Primitive Gemeinschaftskultur*, Iéna 1921). Plus tard, Patrice Coirault suivit les traces de Loquin, et, prenant

parti pour ce dernier contre Tiersot (*cf. Recherches sur notre ancienne chanson traditionnelle*, Paris 1927–32, et p. ex. *Notre chanson folklorique, ibid.* 1942, p. 300, n° 1), devint l'émule de cette théorie, se fit le champion du dépistage de l'auteur et du timbre initial des chansons populaires et décrivait comment la campagne prend à la ville et transforme ce que celle-ci lui apporte (*cf. Formation de nos chansons folkloriques, ibid.* 1953–55–58). Pour Coirault, la chanson devient « folklorique », elle ne naît pas comme telle. De même, et également

*Jacques du Fouilloux.*

Chanson de la Bergère, *extraite de* La vénerie.
*(musée Condé à Chantilly).*

de nos jours, Davenson (pseudonyme d'Henri Marrou), s'attaquant de son côté à « notre·chanson populaire » (*cf. Le livre des chansons ou Introduction à la chanson populaire*, Neuchâtel 1946, rééd. Paris 1958), s'efforce de démontrer les réfections successives subies par un modèle artistique véhiculé entre les élites cultivées et les autres couches de la population par des intermédiaires tels que petite noblesse rurale, clergé, domesticité, chansonniers. Ainsi le château (*cf.* l'origine poétique issue de la littérature des troubadours et trouvères et transmise par le jongleur du commun) et la ville (*cf.* les « timbres » des chansonniers du Pont-neuf et les théâtres de la Foire), sièges présumés d'une pseudo-haute culture, furent-ils curieusement considérés par certains auteurs comme point essentiel de production de la musique paysanne. Cet emprunt du peuple aux lettrés avait dû également — et, selon certains autres auteurs, uniquement — s'exercer dans le sein de l'Église : ce fut la théorie préconisée dès la fin du XIXe s. : la musique d'église ayant été la seule connue du peuple à l'époque, indéterminée, mais de toutes façons ancienne, à laquelle remontent les chansons populaires, celles-ci ne peuvent avoir d'autre source que la liturgique. C'est à la « cantilène grégorienne » que le peuple, selon Vincent d'Indy, a emprunté ses chants (*cf.* la Pernette), et le plain-chant,

pour Charles Bordes, est « la base de la musique populaire » (1906). Peu après, Bourgault-Ducoudray reprend, à l'imitation des romantiques, le concept de la chanson populaire miroir de l'âme nationale : « un peuple qui ne connaît pas ses chansons populaires ne connaît pas son âme, dont l'inspiration mélodique spontanée est comme le décalque et le vivant reflet » (*Revue des chansons de France*, Paris 1906). C'est un folkloriste, Pierre Saintyves (pseudonyme d'Émile Nourry), qui, en 1933, fit le point des concepts sur la chanson populaire en France : « En réalité, pour qu'une chanson soit populaire, il n'est pas nécessaire qu'elle ait été créée entièrement par le peuple ni même entièrement sélectionnée ou renouvelée par lui. Est populaire tout ce qui, ayant été créé pour le peuple par des individus lettrés ou quasi-lettrés, a été adopté par des groupes de paysans ou d'artisans sans culture et transmis dès lors de bouche à oreille pendant un temps plus ou moins long, une cinquantaine d'années par exemple » (*Revue du folklore français*, IV, n° 6, p. 345). Dans la mesure où cette définition n'exclut pas les matériaux musicaux créés ou développés dans les sociétés villageoises à l'écart des compositions musicales savantes et non soumis aux règles de ces dernières, elle pourrait convenir à la position des chercheurs actuels, encore que ceux-ci — on ne saurait trop insister sur cette observation — ne bornent pas leur domaine à la chanson, laquelle, on l'aura à nouveau remarqué, constitue le seul aspect sur lequel ont été fondées les théories, préconisées jusqu'ici, de l'origine de la musique populaire française, question en définitive toujours plus désuète.

*Méthodes de recherches.* Les différents concepts sur la musique populaire française ramenés aux deux grandes théories (création en milieu rural, emprunts à milieux de haute culture) citées ci-dessus ont entraîné deux méthodes de recherches qui peuvent être complémentaires : l'archivistique et la directe : la première aborde la filiation des chansons populaires et tend à trouver, à travers des manuscrits ou des imprimés, soit la version dite « authentique » (Doucieux) soit la « première » version, son auteur ou son signalement le plus ancien (Coirault). Dans les deux cas, l'étude des documents témoins portent plus fréquemment sur la partie littéraire de la chanson considérée que sur sa partie musicale. La formation et les transformations d'un certain nombre de chansons françaises ont été minutieusement étudiées dans les derniers ouvrages de Patrice Coirault ainsi que dans ses premières *Recherches...* La seconde méthode se fonde sur l'observation *in situ* de l'existence du répertoire musical d'un groupe déterminé (société villageoise, confrérie, ethnie, classe d'âge, par exemple), ses cérémonies particulières (rite, fête) : elle permet de saisir sur le vif le processus de confection d'une musique, d'enregistrer et d'analyser les faits musicaux et d'effectuer des recherches comparatives à base de documents vivants. Elle tend à déterminer non seulement la généalogie des matériaux, mais les systèmes qui en régissent le contenu musical, et à les examiner en fonction des structures sociales et du contexte ethnographique qui en établissent la validité (*cf.* par exemple Cl. Marcel-Dubois et M. Andral, *Mus. populaire voc. de l'île de Batz*, PUF, Paris 1954 ; Cl. Marcel-Dubois, *Le Toulouhou des Pyrénées centrales*, Bruxelles 1959) : ainsi le matériel musical ne se trouve pas détaché de son milieu humain et géographique, les traditions musicales sont situées eu égard à leur importance sociologique et psychologique. L'étude strictement musicologique est elle-même approfondie. Dans les documents chantés, un motif même élémentaire ou bref sera retenu, si négligeable du point de vue littéraire soit-il, alors que l'inverse a été jusqu'à ces dernières années la règle habituelle. En effet, la musique, et cela dans la première méthode de travail surtout, n'avait que la seconde place dans la plupart des études sur les chansons. Les documents ne sont pas recueillis seulement pour constituer une anthologie, mais pour que leur substance musicale soit analysée ; ajoutons que grâce à la fidélité de l'enregistrement sonore, la présence de systèmes propres à la musique populaire peut être remarquée : structures tonales ou rythmiques caractérisées, échelles particulières à un type organologique etc. En bref, des techniques modernes sont appliquées à ces recherches modernes. Les phonogrammes enregistrés sur place sont les sources les plus utilisées ; leurs transcriptions musicales graphiques, passées en outre au crible d'instruments de mesure physiques, reproduisent la totalité du document et non un fragment ou une seule strophe d'une chanson (*cf. Recommandations pour la notation de la mus. populaire*, ds *CIAP Information*, 1949, n°s 15-16, et *Documents du Conseil intern. de la mus.*, 1950). Ce système est appliqué à la musique populaire française depuis 1946 (*fc.* documents du Musée national des arts et traditions populaires et publications de Cl. Marcel-Dubois et de M. Andral). On verra plus loin (variabilité) l'intérêt de cette conduite.

*Domaine.* Celui de la musique populaire est étendu à toutes expressions musicales (*cf.* Cl. Marcel-Dubois, *Extensions du domaine d'observations directes en ethnographie musicale française*, Bruxelles 1956). On peut distinguer en France, dans les formes embryonnaires de musique populaire comme dans les manifestations les plus élaborées, des faits susceptibles d'intéresser l'étude génétique du langage musical. Le domaine vocal va des limites du parlé (comptines, formulettes, huchements, récitations, par exemple) aux pièces chantées (ballades), et le domaine instrumental du vrombissement d'un instrument enfantin aux pièces de virtuosité d'instruments de lutherie. On rapporte également à ce dernier domaine les études sur la facture instrumen-

*N.-D. de Chartres. Bergers beaucerons
(tympan du portail sud, façade occidentale).*

tale. Tout fait musical, intégré à un rituel, devient une catégorie du domaine (airs de la cérémonie de la tarasque à Tarascon, éléments musicaux de la « Saint-Marcel » de Barjols, airs et chants du rituel nuptial de l'île de Noirmoutier, plaintes du rituel funéraire corse etc...). Cependant les traditions musicales, individuelles ou collectives, dans un pays aux sciences et aux techniques développées, à la culture ancestrale sans doute, mais aussi d'avant-garde, ne peuvent se départir d'une certaine malléabilité devant ces influences ni éviter de refléter une certaine évolution ; en France, deux directions sont à considérer dans cette évolution du répertoire ; l'une va vers la modernité, l'autre vers l'ancienneté. Sous les influences combinées des chansons modernes et de la renaissance folklorique, les unes et les autres dispensées actuellement par la radio et les fêtes touristiques, le répertoire se modifie d'année en année. En 1939 encore, en Basse-Bretagne tel *gwerz*, tel air de biniou était le privilège souvent insoupçonné de quelques vieilles gens ; vingt ans plus tard, les fêtes, les associations rendent publiques et courantes chez les jeunes générations ces mêmes pièces traditionnelles. Auparavant, aux fêtes de Quimper, on chantait le *Cœur de ma mie* de Jaques-Dalcroze : aujourd'hui on peut y écouter les « *soniou* » recueillis vers 1910 par Maurice Duhamel et des thèmes collectés au XIXe s. par Luzel ; un phénomène de même ordre existe au pays basque : c'est là l'exemple d'une évolution vers le passé. En revanche, de nos jours, en Berry par exemple, la

chanson *Etoile des neiges* sera une chanson préférée des jeunes, alors que, dans le même hameau, *Le flambeau d'amour* ne survivra plus que dans la mémoire de certaines vieilles femmes, un cloisonnement isolant ces deux catégories de répertoire ; par la force de l'âge, le fonds ancien tend en ce cas à s'user et à être remplacé par une nouvelle couche de répertoire : l'évolution est ici dans le sens de la modernité. Devant ce double phénomène, on est en droit de se demander quelles sont les pièces du domaine et quelles sont celles qui ne le sont pas. Les anciennes réapprises ? les nouvelles ? ni les unes ni les autres, ce semble, car les premières perdent dans ce *revival* leurs principaux caractères distinctifs, et les secondes ne les possèdent pas. Il peut être nécessaire toutefois, dans le cas de l'établissement d'un tableau général d'une musique populaire donnée, d'avoir une vue totale de son répertoire, qu'il soit ancien et traditionnel ou renaissant et moderne. Mais nous laisserons ici de côté les aspects renaissance et modernité, qui ne sont pas de notre propos immédiat, et nous en tiendrons au matériel musical des sociétés villageoises provenant d'un fonds ancien de traditions.

*Caractères fondamentaux.* Les critères les plus unanimement reconnus parmi ceux qui confèrent à un document musical de ce domaine son état « populaire » semblent être, pour la France comme pour les musiques populaires d'autres provenances, sa propagation par voie orale, donc la variabilité de sa substance interne et sa nature collective, du fait de son acceptation commune par un groupe ou de sa création par une collectivité. La musique populaire française se passe d'écriture pour subsister. Le mécanisme de la mémoire musicale demeure difficile à saisir ; les raisons du choix et de la transmission d'une pièce de préférence à une autre restent obscures, hors les cas de chants à fonction prédéterminée, d'airs ou de mélodies à rôle utilitaire ou cérémoniel. Le tri qu'un groupe d'individus de même culture, de même genre de vie, de mêmes goûts a pu opérer au cours de la propagation orale, ne serait-ce que depuis le moyen-âge, est remarquable. Mais lorsqu'on peut saisir sur le vif un cas de création, celle-ci se tient en fait dans les limites de formules conventionnelles. C'est ce que permet de démontrer par exemple l'examen comparé d'improvisations et de chansons d'une même région. Cet examen révèle un cadre au sein duquel des motifs préexistants sont combinés et traités selon l'occasion, modifiés ou renouvelés pour la circonstance. Cette situation n'enlève aucune valeur ni charme à la pièce, ni même au support musical pourtant, dans le cas des improvisations, objet lui-même secondaire des soins du créateur. Personne, au pays basque ou en Corse, ne se lasse d'écouter de telles pièces, de les provoquer sans fin : le même procédé, varié, y est accepté comme une création totale des plus doués de la communauté villageoise. La création se situe ainsi aux confins de la variation et s'insère par ses techniques dans la collectivité. Rappelons qu'on a pu appliquer justement à la chanson populaire cette locution imagée : « l'auteur, ce pluriel

Le vrai portrait du Juif errant (*Leloup, Le Mans, début du XIXe s.*).

insaisissable » (Braïloïv, art. *folklore* du présent ouvrage) et dire péremptoirement que les « préventions des chercheurs envers la création collective ou la variation » n'étaient souvent qu'un « manque de contact avec toute espèce de musique vivante » (A. Schaeffner, *Mus. populaire et art musical*, ds *Journal de psychologie*, Paris 1951).

Affaire de collectivité, toute expression de musique populaire, même créée ou aménagée par un individu déterminé et identifié, se perd, au cours de sa transmission, dans un aggloméra d'alluvions d'ordres divers : psychologique, linguistique, sociologique. Opérée par voie orale, la transmission n'est pas toujours pour autant exempte d'intermédiaires écrits. C'est ainsi que, selon les époques, les éléments indistincts de propagation ont pu être en France les livrets de colportage, les feuilles volantes vendues dans les foires, les marchés ou les pèlerinages, les partitions d'orchestres de bals. de « parquets », ou de musiques radiophoniques et enregistrées. Mais, même en ce cas, l'acquisition est finalement de nature orale, et jamais un chanteur ne tient des chansons se rattachant à ces catégories de la lecture d'un imprimé. Ce mode de transmission enlève donc peu à peu toute importance à l'auteur — à supposer que celui-ci ait pu être repéré — et confère à la manifestation musicale populaire sa nature humaine et vivante. De nos jours, et dans les sociétés villageoises françaises, la transmission orale des chansons et des airs s'effectue souvent à l'intérieur de la famille. Bien de famille, la pièce musicale se transmet comme un héritage. C'est la chanson apprise de la mère (p. ex. *M'y promenant le long de ces verts prés*, Brière, coll. ATP), celle du père reprise par le fils (p. ex. *Vol de l'épervier*, Soule, coll. ATP), celle réservée à une branche de la famille (*Ar vanjeur*, île de Batz, coll. ATP), celle reçue de collatéraux (*Adieu la belle, je m'en vas* », Indre, coll. ATP). Mais la pièce musicale peut aussi être rapportée au groupe du fait de son acquisition orale par un de ses membres. C'est la chanson qu'on a retenue étant petit, aux champs, chez les voisins, mais surtout adolescent, aux foires et aux noces, lors de travaux agricoles auxquels prennent part les gens d'ailleurs (moissons par exemple) ou au cours de campagnes militaires, ou encore sous l'influence de métiers itinérants (marins au long-cours, négociants ambulants etc.). Acquêt personnel, le répertoire résulte d'un choix presque toujours révélateur du milieu et du caractère de l'individu qui le possède, de son comportement psychique ; patrimoine familial, il se transmet par respect ou sentimentalité, selon les goûts, les capacités techniques des individus et les circonstances de la vie qui s'y prêtent. A la nature de l'acquisition, correspondent des catégories de répertoire : aux rencontres de marchands de chansons les complaintes, au patrimoine familial la grande chanson dramatique ou tendre ; aux fêtes les airs et chansons de danses etc. Le souvenir précis de la transmission orale (circonstances, dates, agents) reste généralement attaché à un répertoire durant plusieurs générations : cette particularité permet de saisir sur le vif l'émergence d'une chanson.

Corollaire de ce genre d'acquisition et de propagation, la variation imprime à une pièce musicale une marque « populaire » indélébile. L'effet de variabilité se situe à différents échelons. En effet, la variation peut affecter d'une région à une autre les grandes lignes de la mélodie : on parlera alors de variante musicale (p. ex. la chanson *La caille*, dans ses versions de Corrèze, du Cantal, de Haute-Loire, coll. ATP, *Me vole marida* dans ses versions vellave, gabale ou auvergnate, coll. ATP). Elle peut concerner tout ou partie de la pièce, selon que la pièce est exprimée musicalement par un individu ou un autre du même groupe : on parlera alors de variabilité (cas de la chanson *A la cour du palais*, dans ses deux versions, selon les générations, dans un même village briéron et à la même époque, coll. ATP). Elle se rapporte à la structure interne même de la pièce, variant un des motifs comme à partir d'un thème et se rapprochant de la variation au sens composition musicale du terme (exemple de structure mobile A$^1$ A$^2$ B A$^3$, A$^1$ B$^1$ A$^2$ B$^2$ etc.). Elle se localise dans le déroulement de la pièce sur l'un ou l'autre des éléments, le modifiant

par un détail parfois minime, mais créant des effets variés (altération de la durée d'une valeur ou de la hauteur d'une note ou d'un groupe de notes, adjonction ou suppression d'un motif intercalaire, ornementation etc.). On considérera ces variations individuelles comme l'un des traits de nature de notre musique populaire et non comme des défaillances de mémoires ou des fausses interprétations ou des déformations. On doit en effet laisser ce piège aux auteurs des écoles anciennes, qui croyaient de leur devoir de restituer un rigoureux 3/4 ou une sensible bien conforme à la théorie musicale classique européenne. C'est à la suite de corrections semblables que bien des pièces de notre répertoire traditionnel sont devenues mièvres et musicalement pauvres. Maurice Emmanuel, tout au se maintenant dans le cadre de son optique modale, instruit en la matière par Bourgault-Ducoudray, s'insurgeait déjà contre de tels dangers (*cf.* préface des *Trente chansons bourguignonnes du pays de Beaune*, Paris 1907). Constantin Braïloïu soulignait récemment (*Sur la création musicale collective*, ds *Diogène*, 25, Paris 1959) que « l'instinct de variation » n'est pas « simple rage de varier, mais suite nécessaire du défaut d'un modèle irrécusable » et insistait sur le fait que toutes « réalisations individuelles d'un patron mélodique sont également vraies et pèsent d'un même poids dans la balance du jugement ». La variabilité de la substance musicale d'une pièce, conséquence de la situation que nous venons de préciser, compose un signalement trop souvent dédaigné du véritable répertoire populaire et traditionnel français. Il faut y ajouter les impératifs du texte littéraire, certains timbres de la voix (voix de fausset, voix gutturale etc.) ou des instruments (sons stridents, râclés etc.) et des particularités d'exécution (sons glissés, doublure en bourdons, appoggiatures etc.).

Il convient de faire place, parmi les caractères fondamentaux de la musique populaire française à l'étrangeté, à la « sauvagerie » même qui marquent certaines catégories du répertoire et que soulignèrent plusieurs auteurs. Le voyageur des années 1830 était frappé par la bizarrerie, la grossièreté des chants de danse autour des feux de Saint-Jean dans le Cambrésis. George Sand, dans des pages célèbres, a fixé le caractère « sauvage » des chants de briolage aux bœufs dans le Berry. L'émission de la voix, les particularités de débit, les effets sonores ou rythmiques de certains instruments de bruits sont pour une part dans ces singularités caractérielles.

Enfin la nature nomade de plusieurs de ses éléments musicaux comme de ses sujets littéraires (*cf.* p. ex. la circulation du thème du *Roi Renaud*) donne à la musique des Français un caractère commun à toute musique populaire. L'avancement des études permettra de démontrer l'universalité des procédés, érigeant certains d'entre eux au rang de systèmes. On pourrait citer par exemple à cet égard les structures mélodiques et rythmiques, les procédés d'énumération, les débits chromatisés. La présence de tels *patterns* universels dans un répertoire est discriminante quant à la nature populaire de celui-ci. Ils se trouvent nombreux en France. Ils ne contrarient pourtant aucunement la marque que porte souvent une chanson de sa terre d'utilisation. C'est ce que prouvent les versions inter-provinces d'un même chant, chacune d'elles pouvant varier selon un trait régional (voyez p. ex. les versions angevine, bressane, vellave et vendéenne de *Quand un petit bonhomme s'en va-t-au bois*, ds coll. ATP) ; l'air de la *marche des géants* du pays d'Ath et le même, appliqué à la danse *Gibaudrié*, du Béarn (ds Canteloube, *Anthologie des chants populaires français*, IV, Paris 1951 etc.). En bref, les critères qui caractérisent la musique populaire de France ne lui sont pas particuliers, mais ils s'y trouvent appliqués souvent sous une forme originale. Aux critères que nous venons de passer en revue s'ajoute celui, définitif et général, de non-gratuité. Ce phénomène, dont l'application est parfois révolue en France, n'y existe pas moins ; il est d'essence comparable à celui qui ailleurs a fait naître et conserve la musique rituelle. C'est à tort, du reste, qu'on a pu dire que la « chanson traditionnelle a perdu chez nous [en France] comme ailleurs sa fonction sociale » (M. et R. d'Harcourt, *Chansons folkloriques françaises au Canada*,

Paris-Québec 1956), puisqu'entre autres raisons un matériel musical important a été réuni depuis la deuxième guerre mondiale sur plusieurs rituels (*cf.* Cl. Marcel-Dubois, *La saint-Marcel de Barjols*, PUF, Paris 1957, *id.* et M. Andral, *Musiques de rituel nuptial villageois en France contemporaine*, ds *Colloques ethnomusicologiques de Wégimont*, 1958).

*Classifications.* A vouloir sans plus attendre classifier le répertoire traditionnel villageois, on risquerait de commettre des erreurs, mêlant et confondant des critères de classification différents : le fonctionnel, le littéraire, le musical, le régional : c'est ainsi qu'on trouvera chez plusieurs auteurs des rubriques de classement qui par exemple situent sur le même plan chants de danse (critère fonctionnel et musical), chansons légendaires (critère littéraire), chansons de quêtes (fonctionnel), « grandes » (régional et musical), chansons de bergers (fonctionnel et littéraire) etc. Il importerait de pouvoir distinguer le répertoire selon chacun de ces critères, eux-mêmes largement sous-divisés : ni l'avancement des études ni l'état de la récolte ne permettent encore l'établissement de tels chapitres. En conséquence, nous donnerons seulement plus loin l'énumération des différents types de musique repérés. Auparavant, il convient de souligner un autre critère de classement, souvent mis en avant et trouvant sa justification dans la méthode archivistique de recherches : c'est à savoir le critère historique. Chansons remontant au XVIe, au XVIIe, surtout au XVIIIe s., disent les adeptes de cette méthode. Vestiges plus anciens aussi, qu'on peut inscrire au bilan de la musique populaire à l'époque carolingienne (cantilène de saint Faron) ou classer dans les monuments du moyen-âge (tropes de *Benedicamus Domino* notamment). Mais plus encore, nous semble-t-il, traces difficiles à dater parce qu'émanant d'un comportement pan-humain originel. Ainsi, lorsqu'Adam de la Halle utilise un chant d'araudage aux brebis comme refrain de l'une des chansons du *Jeu de Robin et Marion*, il est bien évident qu'on ne saurait pour autant dater du XIIIe s. ce type de chant lié aux techniques d'élevage des civilisations pastorales. Refrains de chansons de trouvères (*Ce fut en mai* de Monniot d'Arras), teneurs de motets (*Pourquoi me bat mon mari*), « sottes chansons » (charivari du *Roman de Fauvel*) donnent seulement des étapes dans la filiation de telle ou telle autre chanson et marquent des hauts moments d'évolution. De même, les chansons d'Olivier Basselin (*Vaux de Vire*) ou de Gaultier Garguille (la *ronde de la vieille*) sont seulement des relais pour le XVIe s. A ceux-là s'ajoute l'inépuisable source des manuscrits des XVe-XVIe s., où l'on relève un grand nombre d'*incipit* de chansons bien connues : *La Peronelle, La Pernette, Réveillez-vous fidèles, Sur le pont d'Avignon, Mon père m'a donné un mari* etc. Les « fredons » des bateleurs installés au Pont-neuf dès la fin du XVIe s., les chansons bacchiques du XVIIe s., devenues parfois noëls pieux, les chansons en vogue du XVIIIe s., collectées dans les recueils des Ballard, les airs des théâtres de foires puis du vaudeville, ceux des *Muses chansonnières* et les éditions de *La clé du caveau* du XIXe s. composent sans doute une manière d'anthologie des timbres d'une catégorie de chansons populaires françaises. Cependant il est rare que l'on puisse remonter avec certitude d'un document enregistré à l'époque actuelle jusqu'à la notation d'un manuscrit, disons même du début du XVIe s., sans y distinguer, dans les meilleurs cas, des versions très différentes, méandres consécutifs à la nature et à la technique de la chanson populaire. *Sur le pont d'Avignon*, pièce importante du rituel nuptial actuel d'une commune de l'île de Noirmoutier, n'est pas, selon son enregistrement pris sur le vif (*cf.* Coll. ATP) la chanson de l'*Odhecaton* (*Canti C*) de Petrucci, comme on l'a cru d'après son texte littéraire, lui-même varié, du reste. Et cela ne retire rien aux deux expressions de cette chanson — ni la populaire orale, ni la savante écrite — : en l'occurrence, le document noirmoutrin est une belle mélodie à *incipit* et structure pentatoniques bien antérieures à la mélodie heptatonique modale des *Canti C.* (*cf.* Cl. Marcel-Dubois et M. Andral, *Musiques de rituel nuptial villageois, loc. cit.*). Cet exemple et bien d'autres inciteraient donc à grande prudence en ce qui

concerne la datation et la filiation des documents traditionnels et populaires. Ces difficultés jointes à celles que nous signalions à propos des critères de classification démontrent les insuffisances qui existent pour établir une chronologie sûre des différents éléments du répertoire populaire. Pourtant ce dernier témoigne de phases distinctes ; pour les évaluer, on peut faire appel à la nature et à la fréquence des caractères fondamentaux, en un sens à la cote du « contenu populaire ».

Ainsi pourrait apparaître un essai de stratigraphie de la musique populaire française, où s'inscrirait à une couche profonde la musique à but magico-religieux, souvent arrêtée aux frontières de l'expression musicale ; à un niveau proche, les musiques rituelles pour les événements de la vie ou en rapport avec le déroulement des saisons et les musiques liées aux techniques de travail ; à une strate voisine, les musiques en relation avec la vie sociale du groupe et enfin, au niveau suivant, la masse des airs et chansons lyriques et de divertissement. Voici, pour préciser, quelques exemples, significatifs mais non limitatifs, de ces trois grands niveaux à l'intérieur desquels on distinguera différents paliers. *A.* Incantations (aux loups, aux insectes), conjurations pour détruire les animaux nuisibles, comptines du type *am stram gram*, formulettes (au sifflet, de la scie), briolage aux bœufs, cris de chasse et d'élevage animal, huchage et araudage, chants de malédiction ou de bénédiction, vacarmes cérémoniels (à l'aide de rhombes, crécelles, tambours à friction, lames et planches percutées), pour éloigner ou appeler (nuit de Noël, de Saint-Jean, semaine sainte)... *B.* Musiques de rituel funéraire et nuptial (*graces du Léon, voceri* de Corse, lamentations de pleureuses en Poitou, chant d'habillage de la mariée, chant de la « rotie » et de la « soupe au lait », danses des parrains, du gâteau, enfantines (rythmes et chansons de jeux), formules de salutations (*toast*, adieux), chants de quêtes périodiques (guillonés, réveillés de Passion, chant des trépassés), musiques et danses de rites saisonniers (chants et marches de carnaval, du mercredi des cendres, *trimazo* et autres rondes de printemps, mascarades souletines et sauts du zamalzain, air du Baccubert et d'autres danses d'épées ou de bâtons, chants énumératifs des danses cérémonielles en cercle, airs et rythmes de joutes sur l'eau et autres jeux, musique dont le rythme ou la courbe mélodique sont liés à la confection d'un travail : commandements, signaux, chants et rythmes pour couper les céréales, lier les gerbes, dépiquer le grain, piler l'ajonc, pressurer le raisin, cueillir les olives, appeler les gens et s'appeler entre soi, avertir au loin d'un événement, garder les bêtes, rassembler les troupeaux, réunir le bétail à la basse-cour, baratter le beurre, endormir les enfants, virer au cabestan, hisser la voile... *C.* Musiques liées aux classes d'âge (rondes mimées enfantines, chants de conscrits, charivaris), aux cérémonies locales (aubades et airs de bravade, airs de cortège, chants de table, chants de louées), musiques en rapport avec une occupation pastorale, paysanne ou maritime, mais sans fonction technique (chants de bergers, de matelots, de vignerons, de charretiers), musiques en relation avec les corporations de métier (chants de compagnons menuisiers, charpentiers, tailleurs de pierre) ou sur les métiers eux-mêmes (chants et airs concernant la forge, le tissage, le filage, le sciage, le flottage et le travail du bois)... *D.* Musiques de divertissement : airs à boire, airs et chansons à danser (accompagnements musicaux des danses régionales ou provincialisées : gavotte, passepied, sardane, farandole, branle, bourrée, rigaudon, quadrille, contredanse), chansons « lyriques » du fond classique (complaintes, ballades, pastourelles, dont voici quelques *incipit* ou titres de pièces recueillies ces dernières années et non encore citées ici « *Je viens te voir belle Isabeau* », « *C'est un jour Germaine* », « *Les anneaux de Marianson* », « *Le retour du soldat* », « *La belle est au jardin d'amour* », « *J'ai fait faire un bateau sur mer* », « *A Paris y a-t-une dame* », « *Complainte des trois petits enfants* », « *Il y a trois jours, il y a pas longtemps, j'ai fait une maîtresse* », « *Bonjour belle bergère* », « *L'autre jour m'y promenant* »...

En résumé, il est actuellement prématuré, étant donné l'état des recherches, de vouloir classer rigoureusement le répertoire musical populaire de France. Les critères

Fête à Laruns *(vallée d'Ossau). Lithographie de Gorsse.*

tant musicaux que sociologiques ne semblent pas suffisamment déterminés ni les problèmes posés dans leur ensemble ; des contradictions, des incertitudes surgissent à chaque pas, tant en ce qui concerne l'ancienneté relative des documents que leurs catégories respectives. Les variantes mélodiques d'une même chanson sont souvent et manifestement d'âges différents, les mêmes chants peuvent permuter d'une circonstance à une autre, modifiant leur fonction et leur niveau. Bien d'autres cas tributaires de faits culturels, psychiques et sociaux, de changements, d'évolution, d'archaïsation, de pérennité seraient en ce sens à citer. Quels sont alors les signes distinctifs qui prévalent, les caractères discriminants qui font autorité ? Une matière si intimement liée à l'homme, à son comportement et à son existence échappe parfois à la statistique et au concret : si son analyse est significative, on ne saurait s'entourer de trop de prudence pour tenter de la définir, de la connaître et finalement la classifier.

*Matériel d'exécution.* Dans la musique populaire de France, ce sont les instruments de musique et la voix humaine. Ces deux ordres musicaux, l'instrumental et le vocal, se partagent les moyens d'expression de la presque totalité du répertoire et ne sont que rarement utilisés en combinés. Les instruments de musique sont nombreux et variés représentent à eux seuls un éventail notable de types organologiques. On peut dénombrer dans le matériel instrumental de France les spécimens suivants : a. *instruments à corps vibrant:* phonoxyles (lames percutées ou entrechoquées, claquoirs, crotales, crécelles), cloches de fer (sonnailles pour troupeaux), battants de fer percutants, cloches de bronze (carillons, sonnettes), tambours à membrane (sur cadre, à deux peaux), tambours à friction avec corde ou tige (sur chaudron, sur boîte, sur calebasse), tambour à friction tournoyant, mirliton, cithares sur cuvette et sur caisse, vièles, vièles à clavier ; b. *instruments à air vibrant:* rhombes, sifflets d'écorce, d'os ou de poterie, cornes et conques, trompes de bois, de légumineuses ou de fer, flûtes de roseau ou d'écorce, flageolet de buis ou d'ébène, ocarinas, instruments idioglottes en graminées ou en bois, guimbarde, clarinettes d'ébène et de maillechort, hautbois d'écorce, hautbois de buis ou d'ébène (sans ou avec clé), cornemuse (à tuyau insufflateur, à soufflet), accordéons,

limonaires, orgue de barbarie... Ce matériel instrumental conditionne en une large mesure la musique qui lui est confiée et lui impose un style qui varie en premier lieu avec ses caractères physiques. Les instruments de musique populaires les plus célèbres pour la France, tels la cornemuse ou la vièle à roue, ont leurs répondants dans notre moyen-âge ; mieux encore, les plus élémentaires se rapprochent des instruments des origines de la musique. Des appareils sonores comme des lames percutées, des tambours à friction tournoyant et autres engins ont un rôle dans les rites de la société villageoise ; les cas d'appartenance de certains d'entre eux au domaine enfantin ne diminuent pas leur intérêt ; enfin ils sont pour la plupart liés à des faits qui relèvent de la classe des adultes, tels le hautbois d'écorce des charivaris, le tambour à friction des carnavals ou les rhombes d'élevage. La puissance magique qu'on attribue à la sonorité de ces appareils demeure parfois, malgré les apparences, et les sonorités les plus sophistiquées côtoient ces timbres volontairement étranges, secours de l'homme dans ses travaux et dans ses actes. L'expression vocale est tributaire des conditions de non-technicité dans lesquelles le chant populaire est émis. Les possibilités vocales des chanteurs populaires sont naturellement différentes et, jointes à leurs aptitudes musicales, influencent les styles vocaux d'interprétation : on note entre autre les effets dus aux fonctions du chant (voix de plein air, sanglots des plaintes funèbres, appels aux animaux), les imitations instrumentales opérées avec des moyens vocaux (fredons de charamelleurs du Bugey), les cas de voix déguisées ou amplifiées (masques, porte-voix), ceux de voix naturellement souples et bien placées, le style volontairement uni, monotone même, de nombreux chanteurs paysans.

*Morphologie musicale.* La musique populaire de France est en majorité monodique. Le répertoire monodique est exécuté soit en *solo* (chants à une voix, *soli* d'instruments monodiques), soit à deux ou à deux groupes (voix ou instruments monodiques alternés ou dialogués : *chikitoak, bailero,* répons de bergers, « disputes » bretonnes...), soit par un ensemble (chœur de voix à l'unisson avec ou non avec un *solo :* chœur de femmes du Baccubert, Grand'danse vendéenne...). Le tuilage se rencontre en Bretagne (pays Pourlet) avec le genre *Kan ha diskan*, qui requiert deux chanteurs se relayant l'un l'autre mais en faisant se chevaucher, à intervalles réguliers, un fragment de la mélodie ; le genre *Kan ha diskan* a son pendant en Bretagne même dans le tuilage opéré par le jeu alterné et partiellement conjugué de la bombarde et du *biniou*; ces deux instruments sont joués le plus souvent par paire et ont des fonctions musicales respectives fixes : le joueur de bombarde conduit le jeu et varie les thèmes en les ornant, le *biniouer* règle son jeu sur son partenaire et lui répond. La diaphonie ou plutôt la musique à bourdon est un genre fréquent dans l'ordre instrumental. Un grand nombre d'instruments de musique sont en effet des instruments à bourdon, mélodique ou rythmique. La pédale est fournie soit par l'un des instruments d'un couple instrumental ou d'une paire d'instruments, soit par les ressources d'un instrument unique. Elle peut être rythmique ou harmonique : dans le premier cas, il s'agit par exemple du rythme du tambourin provençal ou du *ttunttun* des Pyrénéens accompagnant le galoubet ou le *flahute*, ou bien encore, au pays basque et en Roussillon, du *tamboril* ou *tamborí* rythmant la mélodie émise par le *chirula* ou le *flabiol*; dans le second cas, il s'agit notamment des bourdons de la cornemuse bretonne, ou de la côte ouest, ainsi que des plus anciennes cornemuses du Centre, des cordes bourdons de l'épinette des Vosges ou de la vielle à roue, pincées par un plectre ou frottées par une roue d'un seul mouvement mettant en vibration l'ensemble des cordes de l'instrument. Le style bourdonnant, caractère fondamental de la musique populaire instrumentale de France, répond à une situation très générale de la musique populaire : bourdons mélodiques ou rythmiques sont des traits dominants de cette musique, dont la nature semble souvent être avant tout adaptée à une condition de plein air. La polyphonie est rare, mais on en trouve néanmoins des témoignages allant des cas de polyphonie archaïque à la quarte, découverte récemment dans l'ouest de la France, à la polyphonie harmonique. Les exemples de polyphonie vocale ne se trouvent guère que dans le sud : les Pyrénées et la Corse fournissent à cet égard des documents hormis lesquels les exécutions à plusieurs voix ne relèvent que des chorales organisées. Chez les Pyrénéens, on note la présence d'une polyphonie à trois voix intéressante : la partie d'accompagnement au supérius suit en tierces parallèles la ligne mélodique qui occupe la partie centrale ; la basse donne quelques notes de soutien à l'octave et à la sixte inférieure ou supérieure ou rejoint à l'unisson la ligne mélodique. Chez les Corses, la polyphonie semble plus ancienne, et sa structure évoque les procédés médiévaux : il s'agit des *paghielle* à trois parties (*terza*, ténor, *bassa*), aux règles de construction et d'interprétation rigoureusement fixées. Enfin la monodie accompagnée se rencontre également, mais plus rarement encore : il s'agit alors principalement de voix accompagnées au violon (*currentes* corses, dans lesquelles l'accompagnement est constitué en partie par des ornements et des variations improvisées sur le thème de la mélodie par le joueur entre les strophes chantées) ou à l'épinette des Vosges.

Les formes musicales les plus connues sont la mélodie astrophique, c'est-à-dire sans cadre fixe ni succession ou enchaînement systématique et souvent sans paroles (*Belatsa* du pays basque, *grande* d'Auvergne, *ar grazou* de Bretagne...), la mélodique strophique, qui couvre la majorité du répertoire musical et à l'intérieur de laquelle on distingue des formules différentes mais toujours rigoureusement structurées, la mélodie à refrain intérieur ou terminal (enfantines, chants à danser, rondes, chants de travail...). La forme mélodique astrophique a généralement un grand ambitus, mais elle peut se maintenir au contraire dans les limites d'une psalmodie chromatisée.

Les formules des mélodies strophiques sont composées d'un nombre variable d'éléments, d'un à quatre, organisés par succession, répétition ou alternance, opérations au cours desquelles ils peuvent varier sous l'effet d'adjonctions, de suppressions ou d'ornementations. Il

En paradis, il y a-t'un arbre (*chant du Velay, recueilli en 1946 par C. M.-D.*).

convient de signaler une forme particulière d'adjonction : extension d'un des éléments sous la pression du texte (chants à énumération).

Le refrain musical, parfois très court, est constitué par une phrase indépendante, qui peut être supprimée, où qu'elle soit placée, sans dommage pour la strophe mélodique.

En ce qui concerne le langage musical, le répertoire de la musique populaire de France fournit des exemples de systèmes mélodiques archaïques et modernes : on rencontre en effet des cas de systèmes bitoniques (enfantines), tritoniques, tétratoniques (chants ou airs de danses rituels) et, ds de nombreux cas, pentatoniques (*cf.* Rev. de mus., XLI, Paris 1958, p. 143-147). L'heptatonique, lui, est largement représenté sous des formes modales anciennes ou modernes, principalement modes de *sol*, de *ré*, de *mi* et de *fa*, modes majeurs ou mineurs. Le cas le plus remarquable, parmi les systèmes rythmiques exprimés dans la musique populaires des Français, est celui de l'*aksak* (voir à ce mot) : on doit classer dans ce système le *zortzico* du pays basque, communément défini comme rythme à 5/8 ; on peut rapprocher également du système certains airs rituels d'autres régions, de l'ouest par exemple.

L'étude musicale morphologique du répertoire révèle des catégories plus que des types régionaux : ceux-ci relèvent plutôt de l'ordre linguistique et, dans la mesure où la métrique influence la mélodie, déterminent une typologie locale. Les genres régionaux, en revanche, s'affirment souvent dans les styles d'interprétation et les modalités d'exécution. De même, du fait des conditions anthropologiques, géographiques et culturelles qui y sont liées, ils sont particuliers à une région, finissent par la qualifier, y demeurent en en disparaissent. On peut alors parler de genres ou de traits régionaux (musiques bretonnes, auvergnates, basques...).

Les phénomènes musicaux des traditions populaires des Français, bien qu'elles soient fragmentairement évoquées ici, laissent entrevoir une vie musicale ancestrale et pourtant actuelle. Certains faits peuvent intéresser l'étude génétique de la musique. L'étude comparée des airs et mélodies à travers le monde permet d'observer l'appartenance de systèmes musicaux et de techniques instrumentales de Français au fonds commun universel. L'étude des musiques rituelles pratiquées en France démontre une situation analogue. Sur le territoire de France, des hommes sans culture musicale gardent la connaissance profonde d'un patrimoine de chants et de plusieurs sortes de musique. Parmi eux, il en est qui aménagent cet héritage ou y ajoutent des acquisitions nouvelles : ainsi s'affirme, au gré de la vie, la nature mobile, humaine de la musique populaire de France.

*Discographie :* principales publications de phonogrammes originaux provenant d'enquêtes sur le terrain : *Chants et musiques folkloriques des provinces françaises ;* Paris, édition de la Phonothèque nationale et du Musée de la parole de l'université de Paris, 1948 ; 1er album, 10 disques, 78 rpm, 25 cm, avec une notice. — *Pays basque* 1947. *Corse* 1948. *Compagnonnage* 1949 ; Paris, éditions des musées nationaux : disques ATP (Musée des arts et traditions populaires), 1952 ; 3 disques, 78 rpm, 25 cm avec trois notices. — Français, *Berry* (documents enregistrés du Musée de la Parole et de la Phonothèque nationale) ; Français, *Bretons* (documents enregistrés du Musée national des arts et traditions populaires) ; Paris, UNESCO-Genève, AIMP (nos 57, 27 et 32 de la Collection universelle de musique populaire enregistrée), 3 disques 78 rpm., 25 cm. — France : musique populaire (d'après les collections du département d'ethnomusicologie du Musée national des arts et traditions populaires), New-York, *Columbia masterworks* (album IV de la *Columbia world library of folk and primitive music*), 1955, 1 microsillon, 33 1/3 rpm., 30 cm. avec notices illustrées.                        C.M.-D.

**FRANÇAISE.** C'est une danse européenne de société des XVIIIe et XIXe s., qui se dansait en groupe. Le terme fut d'abord utilisé en France et en Allemagne pour qualifier une variété de contredanse (voir à ce mot), du type en rond. En effet le rond subit en France au début du XVIIIe s. des modifications si profondes par rapport au *round*, forme de la *country dance* anglaise, que cette nouvelle variété prit le nom de « contredanse française ». Au XVIIIe s., la contredanse française était dansée par quatre couples et avec diverses figures (ronds, moulinets etc.) ; on devait aussi l'appeler cotillon (voir à ce mot). Dès le début du XIXe s., le terme de « française » tout court désigna une danse en file, du type contredanse à deux fronts, qui était désignée au siècle précédent sous le nom d' « anglaise ».    C.M.-D.

**FRANÇAIX.** Famille de mus. franç. — **1. Alfred** (Aubigny-au-Bac 14.5.1880-) fut prof. au cons. du Mans, dont il devint le directeur : il a fondé dans cette ville la Société des concerts du conservatoire ; il est l'auteur d'une centaine de pièces, dont *Intonations et rythmes, Polymélodie préparatoire, Mon récital, Cinq études, 24 préludes* (piano), *Nos vieilles chansons* (p. 4 m.), de mélodies, de mus. de chambre etc. Sa femme – **2. Jeanne** (Le Mans 9.8.1885-) fut également prof. au cons. du Mans, ville où elle fonda une chorale féminine à la tête de laquelle elle organisa de nombreux concerts où jouèrent Dinu Lipatti, Ginette Neveu, Janine Andrade, Soulima Stravinsky. Leur fils – **3. Jean** (Le Mans 23.5.1912-) fit ses études en famille, puis au conservatoire du Mans ; à 12 ans, grâce aux transcriptions pour piano à 4 mains, il connaissait toutes les symphonies et les œuvres de musique de chambre des grands classiques ; il avait accompagné sa mère dans les *Lieder* des romantiques aussi bien que dans les mélodies contemporaines ; en famille, il jouait les sonates de piano et violon (avec sa mère), celles de p. et vcelle (avec son grand-père), des trios ; il poursuivait sa pratique du piano ; son premier contact avec le public date du 26 mai 1920 ; c'est au cours d'une inspection de l'école faite par Gédalge (13 juin 1923) qu'il éprouva la plus vive surprise de son enfance : après avoir mis le meilleur de lui-même à jouer la *Sonatine* de Ravel et *Scherzo-valse* de Chabrier, grande fut son indignation lorsqu'il entendit l'inspecteur conseiller à son père « de ne pas lui faire jouer cette musique-là », recommandation qu'il s'empressa de ne pas suivre ; la même année, son père recevait une longue lettre de Ravel, qu'il convient de citer : « Parmi les dons de cet enfant, je remarque surtout le plus fécond que puisse posséder un artiste, celui de la curiosité... Surtout, lui faire continuer ses études classiques ; aujourd'hui,

*A. Krüger. Le petit Savoyard à Paris. Vielle (1827).*

moins que jamais, un musicien ne doit être que musicien... » Et comme conclusion « Et dès maintenant, vous pouvez recommander à votre fils de poursuivre la carrière « d'agrément » dans laquelle il s'est engagé. » C'est en 1930 qu'il obtint le 1er prix dans la classe Philipp, au cons. de Paris ; mais c'est à la composition qu'il s'intéressait, sous les auspices de Nadia Boulanger ; il a joué ses œuvres au piano avec les orch. Lamoureux, de la Société des concerts, les Philharmoniques de Paris, Londres, Berlin, Hambourg, Cologne, New-York, Philadelphie, Boston, Chicago etc. ; il a représenté la mus. française contemporaine aux festivals intern. de Vienne, Baden-Baden, Bruxelles, Florence, Palerme ; en 1950, il a obtenu le prix du Portique pour l'ensemble de ses compositions.

**Œuvres :** Théâtre : *Le diable boiteux* (1937), *L'apostrophe* (1940), *La main de gloire* (1945), *Paris à nous deux* (1954) ; ballets : *Beach* (1933), *Scuola di ballo* (1933), *Le roi nu* (1935), *Les malheurs de Sophie (id.)*, *Le jeu sentimental* (1936), *La lutherie enchantée (id.)*, *Verreries de Venise* (1938), *Le jugement du fou (id.)*, *Les demoiselles de la nuit* (1948), *Le roi Midas* (1952 — il existe une version pour orch.), *La dame dans la lune* (1958) ; oratorio : *L'apocalypse de saint Jean* (1939) ; cantates : *Cantate en l'honneur de Sully* (1942), *Cantate satirique*, d'après Juvénal (1947), *Cantate de Méphisto* (1952), *Ode à la gastronomie* (1953), *Cantate pour Nadia* (1957) ; orch. : *Sérénade* (1934), *Les bosquets de Cythère* (1946), *La doulce France (id.)*, *Symphonie d'archets* (1948), *Les Zigues de Mars* (1950), *Jeu musical sur 3 notes* (1952), *Symphonie* (1953), *Musée Grévin* (1956), *Hymne solennel*, hommage à Marguerite Long *(id.)*, *Six grandes marches* (1957), *Si Versailles m'était conté (id.)* ;

concertos : *Concertino* pour p. et orch. (1932), *Suite* pour v. et orch. (1934), *Fantaisie* pour vcelle et orch. *(id.)*, *Quadruple concerto* pour fl., htb., clar., basson et p. (1935), *Divertissement* pour trio à cordes et instr. à vent *(id.)*, *Concerto* pour p. et orch. (1936), *Musique de cour* pour fl., v. soli et orch. (1937), *Rhapsodie* pour alto solo et orch. à vent (1946), *Variations* pour vcelle et orch. (1950), *Divertissement* pour v. solo et orch. (1953), *Concertino* pour v. solo et orch. (1954) ; mus. de chambre : *Bagatelles*, cordes et p. (1931), *Trio* à cordes (1933), *Quatuor* pour fl., htb., clar., basson *(id.)*, *Sonatine* pour v. et p. (1934), *Quatuor à cordes (id.)*, *Quintette* pour fl., harpe, v., alto, vcelle *(id.)*, *Quatuor* pour 4 saxophones (1935), *Divertissement* pour basson et cordes (1942), *Mouvement perpétuel* pour vcelle et p. (1944), *Trio d'anches* (1947), *Quintette* pour fl., htb., clar., basson, cor (1948), *Deux pièces* pour guitare (1950), *Sonate* pour trompette et p. (1952), *Canon* pour cor et p. (1953), *Divertissement* pour fl. et p. *(id.)*, *Ronde* pour quintette à cordes (1957) ; chant : *Cinq chansons pour les enfants*, voix et p. ou p. (1932), *Trois duos* pour 2 sopr. et quatuor à cordes (1934), *Trois épigrammes* pour 4 v. mixtes et quintette à cordes (1938), *L'adolescence clémentine*, 5 chansons, voix et p. (1942), *Invocation à la volupté* pour bar. et orch. réduit (1946), *Cinq poésies de Charles d'Orléans* pour bar. et p. *(id.)*, *Deux motets* pour voix mixtes et orgue *(id.)*, *Prière du soir*, chanson pour t. et guitare (1947), *8 anecdotes de Chamfort* pour chant et p. (1949), *Scherzo-Impromptu*, poème de Louise de Vilmorin, chant et p. *(id.)*, *Déploration de tonton*, paroles de Georges Ravon, chant et orch. (1956), *Naissance du poussin*, paroles de Minou Drouet, chant et orch. (1957), *Chatte-Blanche*, conte de Mme d'Aulnoy, pour t. et orch. *(id.)*, *L'homme entre deux âges et ses deux maitresses*, pour t., fl. et quintette à cordes (1958) ; piano : *Pour Jacqueline* (1922), *Scherzo* (1932), *Cinq portraits de jeunes filles* (1936), *Eloge de la danse* (1947), *Insectarium*, 6 pièces pour clavecin (1953), *Huit danses exotiques* pour 2 p. 4 m. (1957) ; mus. légère : *L'heure du berger* (1947) ; mus. de film : *Les perles de la couronne* (1937), *Le lit à colonnes* (1942), *Documentaire sur Watteau* (1949), *Documentaire sur Mansart* (1953), *Si Versailles m'était conté (id.)*, *Napoléon* (1954), *Mer Caraïbe* (1955), *Si Paris nous était conté* (1955), *Assassins et voleurs* (1956), *Hurluberlu* (1957), *Les noces vénitiennes* (1958). Voir Serge Moreux, in MGG., et R.H. Myers, ds le dict. de Grove.

**FRANCÈS Robert.** Philosophe et mus. franç. (Brousse, Turquie, 4.12.1919–). Agrégé de philosophie, élève en musique de G. de Lioncourt, de Nadia Boulanger, de L. Saguer, chargé de recherches au C.N.R.S. (1951), il a publié *La constitution de l'œuvre musicale* (Rev. philos. 1951, no 6, 343-53), *La structure en musique* (Les temps modernes, 1948, no 37, 721-34), *Recherches expérimentales sur la perception des structures musicales* (J. de psychol., 1952, no 1, 78-96), *Recherches expérimentales sur la perception de la mélodie* (J. de psychol., 1954, no 3, 349-57)

FRANCESCO da MILANO

*Frontispice de l'Intabolatura di liuto de div. con la bataglia... (Venezia, Marcolini, mag. 1536). Bibl. nat. de Vienne, cote S.A. 78 C 28.*

*Problèmes et méthodes en psychologie de l'expression musicale* (J. de Psychol., 1955, no 3, 504-19), *Sur quelques formes modernes de syntaxe musicale* (Rev. d'esthét., 1956, 368-86), *Recherches électro-polygraphiques sur la perception de la musique* (Année psychol., 1956, no 56, 374-96), *Musique et image* (Cahiers d'ét. de Radio-télév., 1958, no 18, 136-62), *La perception de la musique* (Vrin, Paris 1958) ; il a rédigé l'art. *psychologie* pour la présente encyclopédie.

**FRANCÉS de IRRIBAREN Juan.** Mus. esp. (Sangüesa 1698–Malaga 2.9.1767). Org. de la cath. de Salamanque (1717–1733), poste qu'il quitta pour devenir maître de chapelle de celle de Grenade, puis de celle de Malaga (1737), il est un des meilleurs compos. esp. du XVIIIe s. ; les archives de la cath. de Malaga ont conservé de lui 14 messes, un office et des motets funèbres, 90 motets, 24 lamentations, 28 vêpres, 25 psaumes, 6 *Miserere*, qq. 400 *villancicos* etc. Voir le dictionnaire de Pedrell.

**FRANCÉS y RODRIGUEZ Julio.** Violon. et compos. esp. (Madrid 29.12.1869– ... 1944). Élève du cons. de Madrid, il poursuivit ses études à Paris et à Bruxelles (Ysaye), appartint à l'orch. du théâtre royal de Madrid, composa 2 quatuors, fut prof. de viol. et d'alto au cons. de Madrid, écrivit un opéra : *Sakia Muni*, de la mus. symph., des *zarzuelas*, des pièces de viol. et des chansons.

**FRANCESCATTI** (*René-Charles*, dit) **Zino.** Violon. franç. (Marseille 9.8.1905–). Il étudia très tôt le violon avec son père et commença à jouer en public à l'âge de 5 ans ; il débuta dans sa ville natale en 1915. fut élève de J. Thibaud, accompagna Ravel et M. Teyte dans une tournée en Angleterre (1928), fit partie de l'orch. Straram et fut prof. à l'École Normale ; établi à N.-York depuis la guerre, il fait une grande carrière internationale.

**FRANCESCHINI Furio.** Compos. brésilien d'origine ital. (Rome 4.4.1880–), élève de Capocci, de Monquet (Paris), de dom Mocquereau, fixé au Brésil en 1904, prof. de chant grégorien au Séminaire et maître de chapelle à la cath. de Sao Paulo, prof. d'analyse musicale au cons. de cette ville, auteur d'*Introducción y fuga* (orgue, 1922), *Misa alleluya, Misa natalicia* (8 v., 1937), *Colección de cánticos sagrados* (1923), *Te Deum* (1929) ; ouvrages : *Ritmo libre y ritmo medido* (1911), *Notas descriptivas a propósito de la ópera Orfeo de Gluck* (1920), *Análisis musical* (1934), *Resumen de la parte teórica del curso de análisis con relación a las formas* (1937), *Compendio de canto gregoriano* (1938) etc.

**FRANCESCHINI Petronio.** Mus. ital. (Bologne v. 1650– Venise ... 12.1680). Élève de Lorenzo Perti, de G. Corsi (Celani). Vcelliste à S. Petronio (1675–1680), membre, puis président de l'académie philh. de Bologne, il mourut à Venise, laissant inachevé son opéra *Dioniso* (qui fut terminé par Partenio) ; il composa d'autres opéras : *Le gare di sdegno, d'amore e di gelosia, Operationi per machina e per musica applicate al prologo ed intramezzi dell'opera intitolata Il Caligula delirante* (1674), *Oronte di Memfi* (1676), *Arsinoe* (1677), *Apollo in Tessaglia* (en collab., 1679), un oratorio : *La vittima generosa* (1679), de la mus. d'église : motets, psaumes, messes (8 v.), complies, leçons de l'office des morts, *Dies irae*, offertoires, litanies, hymnes (en mss dans les archives de S. Petronio à Bologne), de la mus. instr., des sonates (ibid.), des cantates et des *canzoni* (1 v. et *b.c.*) : *Amor sei pur tiranno, Lilla ho promesso al confessore, Su le piume ch'amore, Fanciullo bendato* (bibl. de Ferrare). Voir C. Sartori ds MGG.

**FRANCESCO da MILANO** (*Francesco Canova, dit*). Luthiste ital. (Monza 18.8.1497–? 1543). Il était en 1510 à Mantoue élève de G.A. Testagrossa ; en 1535 il fut choisi par Paul III comme maître de musique d'Ottavio Farnèse ; trois ans plus tard, il faisait partie de la chapelle que le pape mena avec lui à Nice pour rencontrer François Ier, qui apprécia beaucoup le luthiste ; d'après Bartoli, il jouait aussi de la viole ; chacune de ses exécutions était rapportée comme un exploit : plusieurs poètes, Salinas (1538), Pontus de Tyard (1552) se font l'écho des « effets » obtenus sur les auditeurs par les improvisations ou les fantaisies de celui que l'on appelait *il divino* ; en dehors des pièces isolées publiées dans des recueils jusqu'en 1571, on possède de lui 7 livres de tablature publiés à Venise (souvent rééd.) entre 1536 et 1548, dans lesquels ses œuvres sont associées avec celles de P.P. Borrono et Pierino *fiorentino*, qui était son « disciple » ; outre de nombreuses transcriptions de chansons (Certon, Sermisy et surtout Janequin), de quelques madrigaux et de motets (Josquin), on lui doit des *ricercari* et des *fantasie*, de genres très variés, construits tantôt sur un motif unique, tantôt sur plusieurs motifs courts, avec souvent une alternance de passages polyphoniques et de sections rapides en forme de toccatas (il a écrit lui-même une *tochata*) ; un ms. florentin contient de lui une *spagna* à deux luths, dont malheureusement la seule partie supérieure est conservée ; on manque d'une étude d'ensemble sur sa vie et son œuvre. Voir O. Chilesotti, *F. da Milano*, ds *SIMG.*, IV, 1902–03 (avec transcr. de 10 fantaisies) ; L. Dorez, *F. da M. et la mus. du pape Paul III*, dans *Rev. mus.*, oct. 1930 ; O. Gombosi, dans *La mus. instr. de la Renaissance*, C.N.R.S., 1955 ; G. Reese, *Music in the Renaissance*, 1954.     F.L.

**FRANCHETTI Alberto** (*Barone*). Compos. ital. (Turin 18.9.1860–Viareggio 4.8.1942). Élève de Rheinberger (Munich), de Draeseke, de Kretschmer (Dresde), il fut nommé en 1926 dir. du cons. de Florence ; il écrivit des opéras (*Asrael*, 1888,, *Cristoforo Colombo*, 1892, *Germania*, 1902, *La figlia di Jorio* (1906), *Glauco*, 1922) et de la mus. symph. Voir L. Tomelleri, *D'Annunzio e la musica*, Turin 1934.

**FRANCHI Carlo.** Mus. ital., qui vécut dans la seconde moitié du XVIIIe s. il composa notamment les opéras *Il gran Cid* (1769), *La pastorella incognita* (id.), *Il baron di Rocca antica* (1771), *La finta cingara per amore* (avec P. Alfossi, 1780), des airs, un *intermezzo*, *La semplice* (4 v., bibl. du cons. Cherubini à Florence).

**FRANCHI Giovan Pietro.** Mus. ital. (Pistoie ?–Lorette 2.12.1731). Ecclésiastique, il appartint à la chapelle de Pistoie, puis servit Domenico Spadafora, prince de Maletto et Venetico, le duc Rospigliosi di Zagarolo à Rome (1689) ; en 1697, il était maître de chapelle à la SS. Madonna *dei Monti* à Rome ; de 1711 à 1727, de 1730 à 1731 il occupa le même poste à la cath. de Lorette ; il composa 2 oratorios : *Santa Monica nella conversione di S. Agostino* (Florence 1693), *Jephte* (Rome 1688), *La cetra sonora* (sonate à 3 avec *b.c.*, Bologne 1685), *Duetti da camera* (ibid. 1689), *Motetti a 2 e 3* (Florence 1690), *Salmi pieni a 4 v. per tutto l'anno da cantarsi con l'organo e senza* (Bologne 1697) ; on trouve encore de lui en ms à Dresde 2 *arie* dans la *Comedia del Pandolfo*, à Milan une ouverture, à Lorette 3 messes à 4 v. ; F. Vatielli a publié un *duetto* ds son recueil intitulé *Antiche cantate d'amore* (Bongiovanni, 1920). Voir D. Alaleona, *Storia dell' oratorio musicale in Italia*, Bocca, Milan 1945.

**FRANCHI-VERNEY Giuseppe Ippolito,** *conte della Valletta*. Animateur et critique ital. (Turin 17.2.1848–Rome 15.5.1911), qui fonda à Turin une société de quatuors (1875) et une académie de chant choral (1876), composa un ouvrage lyrique intitulé *Il Valdese* (1888), collabora au *Risorgimento*, à la *Gazzetta del Popolo* ; il publia *Bellini* (Rome 1901), *I quartetti di Beethoven* (Rome 1905), *Chopin* (Bocca, 1910, 1923), *L'académie de France a Roma*, *L'opera nazionale da Cimarosa a Rossini* (Naples 1901).

**FRANCHINI Domenico.** Mus. ital. (Sienne 1658–1706), élève de G. Fabbrini, qu'il remplaça à la cath. de Sienne ; on a conservé de lui un *Credo* à 8 v. (1705). une *cantata pastorale* (Sienne 1703) ; il fut le prof. de son neveu — **Francesco** [*Franco*] (Sienne ...–1757), qui fut maître de chapelle à Santa Maria *in Provenzano* ; son élève Carlo Lapini lui succéda ; il fut l'ami de Métastase et semble avoir eu des liens avec la cour d'Autriche : en 1742, on donnait à Sienne une cantate composée par lui pour l'anniversaire de Joseph II ; de son œuvre on a conservé *Introito per la festa della SS. Virgine di Loreto a 4, con 2 v., 2 vaet org.* (1722), *Maria mater gratiae...* (1726), *Maria mater gratiae, Letanie, Tantum ergo à 2 chœurs* (1729), *Maria mater gratiae a 4 e org.* (id.), *Sacerdotes Domini* (id.), *Lauda Sion* (1755), *Veni sancte Spiritus* (id.), *Responsa hebdomadae majoris 4 v...* (1738), *27 responsi per la settimana santa a 4, 2 Magnificat à 4 v., 3 hymnes* (id.), d'autres hymnes, psaumes, motets, antiennes, la plupart à 4 v., 2 messes dont une à 2 chœurs à 8 v. avec orgue, l'autre à 4 v., *Il Don Chisciotte e Werina* (op.-*buffa*, Sienne 1752). Voir E. Romagnoni, *Biografia degli illustri Senesi dei sec. XVIII e XIX*, s.d. ; R. Morrocchi, *La musica in Siena...*, Sienne 1886.

**FRANCHINUS.** Voir art. *Gafori*.

**FRANCHOIS.** On trouve sous ce nom deux musiciens des XIVe-XVe s., tous deux Wallons ; on les a parfois confondus, bien qu'il y ait tout lieu de les distinguer. — 1. *F. de Gembloux Johannes* (*François, Jean François, Johannes de Gemblaco*), originaire de Gembloux près de Namur, chanoine prébendé du collège St-Materne à Liège (1374–1376), chantre de la collégiale St-Denis (1384), qui fut vraisemblablement chapelain à la cour de Philippe le Hardi à Dijon (1404) ; il a laissé *Et in terra* (3 v.), *Patrem* (id.), *Et in terra* (id.), *Patrem, Alma redemptoris* (id.), *Ave virgo, lux Maria* (4-5 v.), *Mon seul voloir* (3 v.), *Par ung regart* (id.), *Sans oublyer* (id.), le tout en mss. — 2. *F. Lebertoul*. — Quand il séjourna à Cambrai (1409–10), semble avoir été l'aîné des deux (il est plus près de Machaut) : il a laissé des compositions à 3 v. : une triple ballade, *O mortalis – o pastores – o vos multi* (c'est à la fois une ballade, un motet et un conduit), *Ma doulce amour, Au pain faitich ne me veul, Depuis peu un joyeux parlement, Las, que me demenderoye* (Oxford). F. de Gembloux a été édité par Charles van den Borren (ds *Polyphonia sacra*, Burnham 1932, et *Pièces polyphoniques profanes de provenance liégeoise...*, Bruxelles 1950), par J. Wolf (ds *Gesch. der Mensuralnotation* n° 34) ; on trouve *Ave virgo, lux Maria* ds les *DTÖ*, 76, Vienne 1933 ; F. Lebertoul doit d'avoir été rééd. à Van den Borren (ds *Polyphonia sacra*), à Besseler (*Au pain faitich*, ds *Die Mus. des M.A. u. der Renaissance*, Potsdam 1931). Voir A. Auda, *La musique et les musiciens de l'ancien pays de Liège*, Liège 1930 ; J. Marix, *Hist. de la mus. et des musiciens de la cour de Bourgogne sous le règne de Philippe le Bon*, Strasbourg 1939 ; G. de Van, *A recently discovered source of early fifteenth century music, an inventory of ms. Bologna...*, ds *Mus. Disc.* 2, 1948 ; Ch. Van den Borren, *Etudes sur le XVᵉ s. musical*, Anvers 1941, et *Gesch. v. de Muz. in de Ned.*, I, Amsterdam 1948; H. Besseler, *op. cit.. Bourdon u. Fauxbourdon*, Leipzig 1950 ; W. Rehm in MGG.

**FRANCHOMME** Auguste. Vcelliste et compos. franç. (Lille 10.4.1808–Paris 21.1. 1884). Elève du cons. de Paris (Levasseur, Norblin), membre des orch. de l'*Ambigu comique*, de l'Opéra, du Théâtre italien, de la Société des concerts, il fut un vcelliste très estimé de son temps ; en 1846, il fut nommé prof. au cons. de Paris, poste qu'il occupa jusqu'à sa mort ; ami intime de Chopin (ils collaborèrent : *F.* donna des conseils à *C.* en ce qui concerne l'écriture du vcelle), ami également de Mendelssohn, il composa nombre d'œuvres pour son instrument, dont des transcriptions de Chopin, 12 caprices pour vcelle, un concerto, 12 études. Un nombre important de mss de *F.* a été récemment légué à la B.N.

**FRANCI** Benvenuto. Barytoninal. (Pienza 1.7.1891–). Elève de l'école Ste-Cécile à Rome, il débuta au *Costanzi* en 1918 ; il a fait une carrière internationale. Voir G. Monaldi, *Cantanti celebri*, Rome 1929. Son fils — **Carlo** (Buenos-Aires 18.7.1927–), élève de Petrassi, de Previtali, prix Reine Elisabeth (1953), 2ᵉ prix du concours intern. de dir. d'orch. (1956), fait carrière de chef d'orch. ; il a composé *Concerto* (orch., 1952), *Id. nᵒ 2* (*La notte*, 1953), *Id. nᵒ 3* (1955), *Musica per archi e timpani* (1956), *Effetto doppler per orchestra* (id.), *L'imperatore* (opéra, Bergame, 1958).

**FRANCIA** Gregorio. Mus. ital. (Rome ? v. 1571–Madrid 1637), qui fut violon. à la chapelle *della SS. Annunziata*, à la chapelle royale (1613–1621, 1631– ?) de Naples, prof. aux *Poveri di Gesù Cristo* (1630–32), auteur de *Motetti a 2, 3 e 4 v. con b.c.* (Naples 1611), d'*Il primo libro de'madrigali a 5 v.* (Venise 1613).

**FRANCILLO-KAUFFMANN** Hedwig. Chanteuse allem. (Wiesbaden 30.9.1878–au Brésil, 5.4.1948), élève de Marchesi, excellente *Coloratur*, qui appartint aux opéras de Wiesbaden, de Vienne, de Berlin, de Hambourg (où elle créa *Ariadne auf Naxos*).

FRANCHOIS LEBERTOUL

*Page du rondeau* Au pain faitich ne me veul *(Oxford, Bodl., ms. canon misc. 213).*

**FRANCIS** John. Flûtiste angl. (Londres 15.2.1908–), élève du *Royal College of music* à Londres et du cons. de Paris (Moyse), fondateur du *London harpsichord Ensemble* et du *Sylvan Trio*.

**FRANCISCAINE** (*Musique*). C'est un ordre fondé par saint François d'Assise en 1205 en Italie et dont l'influence a été déterminante à certaines périodes. Saint François, né en 1182, groupa autour de lui les premiers frères en 1205 ; la règle fut approuvée en 1209, un ordre de femmes (Clarisses) fut fondé en 1212, et le tiers-ordre remonte à 1221 ; dès 1220 cinq frères de l'ordre sont martyrisés au Maroc ; François meurt en 1226, il est canonisé en 1228. La source où l'on puise pour les franciscains est la collection des *Annales Minorum*, compilée au XVIIᵉ s. par le P. Luc Wadding (Florence 1625–1654) et rééditée à Quaracchi près Florence, 25 vol. in-4º. Mais cette collection reproduit des manuscrits dont l'examen, même superficiel, dévoile l'époque tardive et les nombreuses interpolations. Il a existé, comme pour les autres ordres, des rapports rédigés après les chapitres généraux ; ces manuscrits ont actuellement disparu, de sorte qu'aucun contrôle n'est possible. L'action des *f.* a été immense, parce qu'ils touchaient des foules considérables par la prédication et les cérémonies et que le tiers-ordre, réservé aux laïques, augmentait encore leur audience. On a sans doute toutefois que le manque de sources rigoureuses a permis d'amplifier la légende et de broder sur une réalité déjà merveilleuse.

La liturgie des *f.* est tout à fait classique : c'est celle de Rome. Certains érudits insinuent que les franciscains, qui imposèrent leurs livres à la curie, aidèrent à la disparition des vieux exemplaires. En fait, les livres romains ont tous disparu, et les livres franciscains se confondent, dans la plupart de leurs détails, avec ceux de Rome. Cette ressemblance, loin de s'effacer avec le temps, fut durable, grâce à l'action de l'ordre qui fournit un nombre considérable de papes et de grands personnages durant la fin du moyen-âge et la Renaissance. A cette influence est due l'abondance du sanctoral, qui éliminait presque l'office férial jusqu'aux réformes du XXe siècle.

Le fondateur donna à son ordre sa marque spéciale de joie, de piété débordante et simple, de prédication publique touchante, de pénitence et de pauvreté illimitées. La société franciscaine primitive, et, à travers elle, une partie du monde médiéval sont donc marquées par cette attitude d'absolu détachement, d'apostolat joyeux, d'amour un peu fou de toute la nature créée : François cherche continuellement à faire partager son amour des créatures qui, à travers elles, atteint le Créateur. L'imagination passionnée rapporte tous les détails de visions qui deviennent des documents pour l'auditoire des homélies. On ne s'étonne pas du succès d'une telle prédication : la popularité est la signature des Frères mineurs, et leur imagerie va envahir l'art et la littérature.

Il semble que, par rapport au moyen-âge, plus austère, le monde franciscain débouche sur le mode expressif et pathétique, après plusieurs siècles de systèmes et de hiératisme. Pour certains auteurs, les franciscains prennent la relève des jongleurs religieux et même celle des troubadours ; ils substituent la folie de l'amour divin à la tradition de l'amour courtois. De même, d'après la leçon reçue, il semble qu'on devrait attribuer aux franciscains l'avènement d'un art de grâce et de générosité, copiant la nature au lieu de la styliser, et la dispersion de cet art dans les manifestations de l'esprit humain. Il ne faut pas oublier que la renaissance du XIe s. avait provoqué, dans le même sens, un mouvement considérable et que l'art franciscain a trouvé le terrain bien préparé. En littérature comme en musique, vers les années 1200, on est très loin des formalismes carolingiens. Et certaines pièces qu'on attribue aux franciscains sont antérieures : ils ont pu les populariser, et l'on a pensé ainsi qu'ils en étaient les auteurs. Tel est le cas du *Dies irae*. Tout cet écheveau, pour les débuts de l'ordre au XIIIe s., est assez mal débrouillé, et l'on ne saurait trop mettre le chercheur en garde vis-à-vis des enthousiasmes collectifs. On ne devra pas non plus perdre de vue, en étudiant le monde franciscain, que sa patrie est l'Italie, seul pays où pouvait naître pareille alliance de la foi, du talent et de la fantaisie. La poésie, qui, en milieu

populaire, est toujours chantée, a été cultivée par les franciscains et fait partie de leur popularisation presque systématique des vérités de la foi et de l'amour divin. En ce qui concerne la poésie chantée, on ne peut rapporter au fondateur que son *Cantique des louanges des créatures*, dit *Hymne au soleil*. Il s'agit de 33 vers en italien, pour lesquels la mélodie était prévue dans le ms. authentique du XIIIe s. mais a été laissée en blanc. Elle a cependant existé, car Thomas de Celano, témoin et biographe du saint, nous dit à propos de ce chant que François en a enseigné la mélodie à ses frères. Ce poème est en réalité une adaptation de la paraphrase du cantique *Benedicite omnia...*, qui remonte au IXe s., attribuée tantôt à Walafrid Strabon tantôt à Florus de Lyon (voir à ces noms). Quant à la mélodie, on l'a cherchée longtemps dans les tons des psaumes, mais nous pensons que l'auteur de l'adaptation italienne a pu se servir de celle que l'auteur carolingien a utilisée, et dont on possède au moins deux copies notées sur lignes.

L'une des plus brillantes formes des réalisations poétiques franciscaines, la plus brillante et la plus durable, fut celle de la laude (*lauda*), poésie en langue vulgaire (italien) et parfois même en latin, devenue populaire avec les

MUS. FRANCISCAINE
*Extrait de l'office de st-François (St-Gall, codex 389, XIIIe s.).*

créations de Jacopone da Todi (1230–1306). Il n'y faut pourtant pas voir une démarche préméditée des débuts franciscains : Jacopone attendit 1270 pour entrer dans l'ordre ; il a pu systématiser et répandre une laude une forme existante, mais c'est à lui que remontent les formes connues et régulières. Il s'agit d'un poème obligatoirement chanté, strophique, monodique et d'une mélodie parfois assez complexe. Le sujet est la louange et l'amour du Christ et de la Vierge. Il existe en Italie d'innombrables recueils de *laude*, qui attestent l'immense vogue du genre ; la plupart d'entre eux remontent au XIVe et — surtout — au XVe s., mais on y retrouve le répertoire de Jacopone. Il s'était constitué des confréries de chanteurs de laudes, les *laudesi* : elles sont parmi les plus anciennes. Mais là encore l'ordre franciscain utilise et répand une idée sans la créer : le mouvement qui saisit toutes les couches sociales pour grouper les hommes entre eux n'est alors pas nouveau. Les corporations de métiers sont constituées depuis un certain temps : le *Livre des métiers* d'Etienne Boileau, copié en 1268, marque bien l'ancienneté des faits. La première confrérie du Rosaire remonte à

1270 environ ; elle reçut son règlement des mains de saint Bonaventure, général de l'ordre franciscain. Les confréries de *laudesi*, qui remontent, pense-t-on, à la fin du XIII<sup>e</sup> s., sont donc bien dans le goût d'un temps ; leur abondance, les traces manuscrites si nombreuses qu'elles laissent marquent bien leur identification profonde avec un art vivement apprécié dans toutes les couches de la société. Il y a plus : cet art a évolué pour donner au XV<sup>e</sup> s. la laude polyphonique, devenue un genre autonome (voir à ce mot). On a attribué à Jacopone da Todi le *Stabat mater*, qu'on trouve seulement dans des manuscrits tardifs. Il semble que cette attribution soit possible et vraisemblable ; la base scientifique en est uniquement la ressemblance du *Stabat* avec la laude *Donna del Paradiso* de Jacopone.

Il reste à nommer quelques auteurs dont l'influence ou la renommée doivent être brièvement commentées. Thomas de Celano, mort en 1250, est le témoin et le biographe de saint François, et comme tel, reçoit des marques de confiance qu'il ne mérite pas toujours. Par exemple, on lui fait honneur d'avoir composé le *Dies irae* ; la littérature à ce sujet est innombrable, et l'on y analyse avec soin les sentiments et le style de cet auteur réputé. Mais la séquence entière se trouve déjà dans un manuscrit antérieur à Thomas ; nous nous en expliquons à l'article *Libera me*. La source de cette attribution est le *Liber conformitatum* de Barthélémy de Pise, qui écrit plus de cent ans après la mort de Thomas et mourut en 1401 ; on est alors à l'époque où la séquence est très répandue, et il est clair qu'on en fit honneur à un poète de l'ordre.

On doit aussi nommer Jean de Pechan (mort en 1292), archevêque de Cantorbéry. Il est l'auteur d'un long poème sur la Vierge et d'une plainte sur la passion, attribuée au rossignol, dans la forme des heures liturgiques. Ce poème est charmant ; il n'a pas de musique connue, mais il est certain qu'il a dû être chanté, car sa forme poétique, sa distribution suivant les heures, l'exigeaient. Il est bien probable qu'on en trouverait des témoins dans les livres franciscains. Saint Bonaventure (le docteur séraphique), mort en 1274, écrivit plusieurs pièces, le *Laudismus de Sancta Cruce*, le *Lignum vitae* ; on lui attribue les paroles et la musique de l'office (en vers) de la Sainte Croix, ce qui n'est pas lui faire bien grand honneur. Il faut aussi signaler l'influence franciscaine sur Jacques de Voragine qui, lui, était dominicain. Il rédigea vers 1260 la *Légende dorée*, ou vie des saints dans l'ordre du calendrier liturgique, préparée pour la lecture au second nocturne à l'office de nuit (*legenda* n'a pas ici d'autre sens). Mais il adopte tout à fait le ton franciscain et renchérit encore sur la coutume de multiplier les miracles et événements merveilleux. Ce recueil eut un énorme succès et fut reproduit et augmenté pendant toute la fin du moyen-âge ; de cent quatre-vingt *Vies* qu'il contient en 1260, le recueil passe, par voie d'additions, à cinq cents au quinzième siècle. C'est dire son succès et le nombre de mains pieuses qui l'ont retouché.

L'action franciscaine, sensible dans le domaine de la poésie et de l'art où elle introduit l'inspiration et la fantaisie, l'est tout autant dans le domaine théâtral. Il y a un monde entre le drame liturgique, hiératique et symboliste, entièrement aux mains du clergé, qui semble encore intact vers le début du XIII<sup>e</sup> s., et le monde turbulent, fantaisiste, déjà laïcisé, du mystère, qui au XV<sup>e</sup> s. est déjà une ancienne coutume. A n'en pas douter, l'articulation qui existe entre les deux formes remonte aux franciscains et probablement à ceux d'Italie (au XIII<sup>e</sup> s.). Au nombre des dévotions collectives qu'ils organisent, on compte les processions à stations et à tableaux vivants, qui vont se développant de façon incroyable en Italie. Il n'est pas impossible d'en saisir des traces précises : nous signalons la procession de la déposition du Christ, le vendredi-saint. Cette forme était connue comme tout à fait liturgique avant le XIII<sup>e</sup> s. dans des pays du nord seulement. Elle entre en Italie vers cette époque probablement ; et dès la fin du XIII<sup>e</sup> s. on la rencontre augmentée d'un petit arrangement du texte des évangiles. Il ne se passera pas longtemps avant que cette cérémonie s'augmente d'un *planctus* dramatique, pris aux évangiles apocryphes, et de stations où l'on fait probablement tableau. C'est dans de telles

évolutions qu'on saisit l'influence franciscaine ; elle s'impose. Fêtes de saints innombrables venant truffer le calendrier ecclésiastique, textes au contenu sentimental impressionnant, meublant des cérémonies para-liturgiques que nous avons abandonnées depuis longtemps, mais qui ont certainement donné l'élan à la forme théâtrale des mystères, représentations peintes ou sculptées relevant du même besoin de toucher la sensibilité avant d'atteindre la raison, tels sont les témoignages de la révolution dont François fut à la fois l'artisan et le témoin.

**Bibl. :** la littérature est immense ; nous citerons seulement quelques études d'ordre général, qui donnent d'ailleurs leur bibliographie, et quelques travaux récents ou indispensables. Nous avons indiqué plus haut la source que constituent les *Annales minorum*. On consultera volontiers : L. Gillet, *Histoire artistique des ordres mendiants, études sur l'art religieux en Europe du XIII<sup>e</sup> au XVII<sup>e</sup> s.*, Paris 1912, 376 p. ; Henry Thode, *Franz von Assisi und die Anfänge der Kunst der Renaissance in Italien*, 1899, trad. franç. de G. Lefèvre, sous le titre : *Saint François d'Assise et les origines de l'art de la Renaissance en Italie*, Paris 1909, 2 vol. in-8<sup>o</sup> ; sur la poésie des Franciscains, on trouvera un bon chapitre, très documenté, ds F.J.E. Raby, *A History of christian latin poetry*, Oxford 1927, in-8<sup>o</sup> p. 414-457 ; sur la liturgie franciscaine, voir la préface de V. Leroquais, *Les bréviaires manuscrits des bibliothèques publiques de France*, (méthode d'analyse) ; le recueil classique des hymnes franciscaines est : R.P. Abate, *Inni e sequense francescane*, ds *Miscellanea francescana*, depuis 1937 jusqu'à 1942 ; les éditions des écrits de saint François sont discutées ds P. Jacques Cambell, O.F.M., *Les Ecrits de saint François d'Assise devant la critique*, dans *Franziskanische Studien* XXXVI, 1954, p. 90 p. ; la rima siciliana nelle laude di J. da T., ds *Bollettino del centro di studi filologici e linguistici siciliani*, I, 1953 ; Id., *Ancora per il testo delle laudi di J. da T.*, ds *Studi di filologia italiana*, VIII, 1950 ; sur les poèmes de Jean de Pecham, pas de bibliographie plus récente que celle de F.J.E. Raby, *Christian Poetry...* p. 484 ; sur saint Bonaventure, E. Gilson, *La philosophie de saint Bonaventure*, Paris 1953, in-8<sup>o</sup>, 419 p. ; sur Jacques de Voragine, Zuidweg (J.J.A.), *De Werkwijze van Jacobus de Voragine in de Legenda Aurea*, (avec résumé en français), Amsterdam 1941, VIII, 162 p.
*S.C.*

les indications relatives au *Cantique des Louanges des Créatures* y sont données ; sur Thomas de Celano l'ouvrage le plus récent est P. Hoonnout, *Het Latijn van Thomas van Celano, biograaf van Sint Franciscus*, Amsterdam, 1945, 262 p. in-8<sup>o</sup> ; sur Jacopone da Todi, voir : pour les *laude*, F. Liuzzi, *La lauda e il primordi della melodia italiana*, Rome, 1935 2 vol. gr. in-4<sup>o</sup>, et une série d'études de Fr. Ageno, *Peril testo delle laudedi J. da T.*, Rome 1949, 47 p., tiré à part de *La Rassegna*, 1943-1948 ; Id., *La rima siciliana*

**FRANCISCELLO.** Vcelliste ital. (Naples ou Gênes v. 1692–Gênes 1770). On considère qu'il contribua à faire adopter son instrument en Italie au détriment de la viole de gambe ; Jean Barrière fut son élève (Rome 1736–39) ; Corelli, A. Scarlatti, Quantz, Benda, Berteau, Duport l'entendirent et firent son éloge : c'est dire que son influence fut considérable, en particulier sur l'école française de vcelle ; on ne connaît aucune composition de lui.

**FRANCISCONI Giovanni.** Mus. ital. du XVIII<sup>e</sup> s., probablement originaire de Naples, qui fut (1760) violon. de la chambre du comte de Hessenstein (en Hesse) et publia 6 *duetti* pour 2 viol. (Amsterdam) et 6 quatuors (Paris v. 1770).

**FRANCISCUS** (*Magister*). Mus. franç. du XIV<sup>e</sup> s., de l'école de Guillaume de Machaut, que F. Ludwig identifiait avec F. Claudino et qui nous a laissé 2 ballades françaises intitulées *Phiton, Phiton, Bestes tres venimeuse*, et *De Narcisus*, éditées par W. Apel ds *French secular music of the late fourteenth cent.* (Cambridge, U.S.A., 1950). Voir G. Reaney, ds *Mus. Disc.*, VI, 1952, et VIII, 1954.

**FRANCISCUS BOSSINENSIS.** Voir art. *Bossinensis*.

**FRANCISQUE Antoine.** Luthiste franç. (St-Quentin v. 1570–Paris ... 10.1605). Il résidait à Cambrai en 1596 ; en 1600, il était *maître joueur de luth* à Paris, où il recherchait la protection du prince de Condé ; il publia chez Ballard en 1600 un livre en tablature sous le titre *Le trésor d'Orphée*, qui contient 71 pièces (26 branles, 13 courantes, 12 voltes, 4 préludes, 4 pavanes, 3 passemaises, 3 gaillardes, 2 fantaisies, 2 gavottes, 1 ballet) ; H. Quittard l'a rééd. en 1906 à la S.I.M. (Paris, 1906). Voir L. de la Laurencie, *Les luthistes*, Laurens, Paris 1928 — *Les luthistes Ch. Bocquet, A.F. et J.B. Besard*, ds *R. de mus.*, mai 1926.

LE TRESOR D'ORPHEE,
LIVRE DE TABLATVRE DE LVTH CON-
TENANT VNE SVSANE VN IOVR
PLVSIEVRS FANTAISIES PRELVDES PASSE-
*maifes Gaillardes Pauanes d'Angleterre Pauane Espagnolle*
*fin de Gaillarde fuittes de Branfles tant à cordes aualées*
*qu'auftres, Voltes & Courantes.*
*mifes par*
ANTOINE FRANCISQVE.

A PARIS.
*Par la veufue Robert Ballard, & fon filz Pierre Ballard Imprimeurs du Roy en*
*Mufique Rue Sainct Jean de Beaunais au mont Parnaffe.*
1600
Auec priuilége de fa Majefté pour dix ans.

A. FRANCISQUE
*Page de titre du Trésor d'Orphée*

**FRANCK César-Auguste.** Compos. belge (Liège
10.12.1822–Paris 8.11.1890). Il a fait ses premières études
au conservatoire de Liège, et il n'avait pas douze ans
lorsque son père, jaloux des lauriers du jeune Liszt, le
fit entendre comme pianiste prodige dans des tournées
de concerts au cours desquels il jouait déjà des œuvres
de sa composition. En 1835, la famille Franck s'établit
à Paris pour permettre au jeune garçon de poursuivre
sérieusement ses études musicales, d'abord avec un
maître savant et original, Anton Reicha, puis, au conservatoire. Il obtint dès 1838 un « grand prix d'honneur »
(non prévu par les règlements) dans la classe de piano,
en 1840 le prix de fugue, en 1841 un second prix d'orgue
et, l'année suivante, il quitta le Conservatoire. Il gagne
sa vie en donnant des concerts, comme pianiste-
compositeur, et des leçons de musique. En 1843, il
publie *Trois trios concertants pour piano, violon et
violoncelle*, qu'il dédie au Roi des Belges, mais cet *opus 1*
n'obtient guère de succès : Vincent d'Indy devait célébrer
plus tard tous les mérites de cette œuvre qui avait,
selon lui, repris « le fil du discours beethovénien, rompu
par le destin, gisant donc inemployé » ; mais ces trios
ne méritent pas cet excès d'honneur malgré quelques
velléités de construction cyclique et quelques audaces
chromatiques. *F.* compose aussi à la même époque des
fantaisies, variations et caprices pour piano, se
conformant sans originalité aux impératifs de la mode.
En 1846, il veut exploiter le succès remporté l'année
précédente par Félicien David avec son ode-symphonie
« *Le désert* » et il écrit un oratorio d'inspiration orientale,
*Ruth* ; on ne connaît de cette œuvre qu'une version
corrigée et améliorée 25 ans plus tard, mais, dès cette

époque, *Ruth* valut à *F.* la sympathie de Liszt et de
Meyerbeer. En 1848, pendant la révolution, il épouse
une de ses élèves, Félicité Desmousseaux : il croit échapper
ainsi à la rigueur d'un père tyrannique, mais c'est pour
subir pour toujours l'autorité plus tendre mais non moins
ferme de son épouse. Il renonce alors à ses ambitions de
jeunesse de virtuose à succès et il accepte une carrière
fort obscure qui fait de lui en 1842, le pianiste-
accompagnateur au conservatoire d'Orléans, en 1847,
le second organiste de N.-D. de Lorette, en 1851, l'organiste de Saint-Jean-Saint-François au Marais : il trouve
dans cette église un nouveau Cavaillé-Coll, un de ces
instruments symphoniques d'une grande perfection
technique, qui répondait parfaitement aux vœux romantiques et lyriques du XIXe s. ; il devra dans la suite
à la firme Cavaillé-Coll une appréciable publicité en
faveur de ses qualités d'organiste. Mais, à cette époque,
l'ambition de *F.* rejoint celle de la plupart des musiciens
français de son temps : il veut triompher au théâtre
lyrique. Il termine en 1853 *Le valet de ferme*, un opéra fort
médiocre qui ne fut jamais représenté. Après quoi,
pendant plusieurs années, il cesse d'écrire ; il vit péniblement de ses fonctions d'organiste et de petit professeur.
En 1858, il devient l'organiste de Sainte-Clotilde, où il
dispose d'un beau Cavaillé-Coll tout neuf : c'est alors
qu'il parfait sa virtuosité, jusque-là bien imparfaite ;
il aborde, mais sans originalité, la musique religieuse,
en écrivant des œuvres fonctionnelles, une messe, des
pièces pour orgue et pour harmonium. Ce n'est pas avant
la cinquantaine qu'il commença de sortir de l'obscurité
et de la médiocrité : en 1871, on rejoue avec succès son
oratorio de jeunesse, *Ruth* ; une nouvelle association très
nationaliste de jeunes musiciens, la *Société nationale
de musique*, qui rassemble entre autres Duparc, Fauré,
Saint-Saëns et bientôt d'Indy, inscrit à son premier
programme et fait applaudir le *trio de salon*, composé
trente ans auparavant. En 1872, *F.* succède au vieux
François Benoît comme professeur d'orgue au conservatoire de Paris : il n'en continue pas moins à donner
d'innombrables leçons, mais son prestige accru commence
à attirer autour de lui de jeunes musiciens entraînés
par l'enthousiasme d'un disciple fanatique, Vincent
d'Indy. En 1872, *F.* termine un *poème-symphonie*, pour
soliste, chœur et orchestre, agrémenté de textes récités,
*Rédemption* ; mais l'exécution, l'année suivante, est un
nouvel échec, et le compositeur est forcé de remanier
sérieusement sa partition. En 1876, *F.* (séduit sans doute
par le succès remporté par Saint-Saëns avec *Le rouet
d'Omphale*, *Phaéton* et la *Danse macabre*) aborde le genre
du poème symphonique : il écrit *Les Eolides*, d'après
Leconte de Lisle, où se traduit l'influence wagnérienne
(*Tannhäuser*, *Tristan*), sur le plan de la mélodie aussi
bien que de l'harmonie. Il termine en 1879, après dix ans
d'effort, la composition d'un grand oratorio en 8 parties,
*Les béatitudes* où l'on trouve quelques-unes de ces pages
séraphiques qui caractérisent le mieux la figure du
compositeur, mais où il y a beaucoup d'incohérence
stylistique, et un manque total de vigueur dramatique.
Son premier succès véritable, *F.* l'obtient en 1880, grâce
à son *Quintette avec piano*, où il apparaît comme tout
autre chose qu'un musicien d'église confit en dévotion :
c'est une œuvre passionnée et dramatique qui sort
souvent des cadres de la musique de chambre pour en
appeler à l'orchestre. Viennent alors une scène biblique,
*Rébecca* (1881), le poème symphonique, *Le chasseur
maudit* (1882), *Les Djinns* (1884), poème symphonique
encore, avec piano principal cette fois. Beaucoup plus
importante est la composition pour piano : *Prélude,
choral et fugue* (1884) ; il élargit le vieux diptyque
« prélude et fugue » cher à Bach en introduisant ce grand
interlude qu'est le choral, et il s'inspire dans sa composition des modèles offerts par les dernières sonates de
Beethoven et par certaines des grandes œuvres de Liszt :
à une époque où la musique de piano en France se limitait
souvent à des divertissements anodins et superficiels,
cette œuvre s'est imposée peut-être d'abord par sa sincérité et sa rigueur. En 1887, il composera une autre
œuvre importante pour piano, le *Prélude, aria et final*.
Ce sont les dernières années du compositeur qui voient
naître les œuvres les plus importantes. Il y aura bien

encore ses deux opéras *Hulda* (1885) et *Ghiselle* (1889), qui recourent à des livrets médiocres et ridicules et qui, dans l'ensemble, sont très pompeux et meyerbeeriens ; ils ne sont pas sauvés par quelques pages suaves et vraiment inspirées. Mais *F.* écrira dans les cinq dernières années de sa vie : les *Variations symphoniques* (1885) pour piano et orchestre, qui développent, selon les procédés de la grande variation amplificatrice post-beethovénienne, deux thèmes contrastants et combattants, l'un rude et violent, l'autre tendre et ému. La *Sonate* pour violon et piano (1886), dédiée au virtuose Eugène Ysaye, est une de ses œuvres les plus célèbres et d'ailleurs les plus séduisantes : peu importe qu'elle soit, comme le veulent ses exégètes, tout entière bâtie sur une cellule de trois notes : c'est une œuvre vraiment inspirée où l'on trouve le meilleur lyrisme du compositeur. En 1886–87, il compose une symphonie avec chœur, *Psyché* ; cette fable antique, qui célèbre l'amour, lui a inspiré des mélodies très sensuelles, ce qui n'a empêché l'austère V. d'Indy de voir dans la scène d'amour « un dialogue éthéré entre l'âme telle que la concevait la mystique austère de l'*Imitation de Jésus-Christ*, et un séraphin descendu des cieux pour l'instruire des vérités éternelles ». En 1888, *F.* termine sa *Symphonie en ré mineur :* on a souvent voulu voir en elle (à tort) la première étape de la régénération du genre en France ; en fait, on n'avait jamais cessé d'écrire des symphonies : Bizet, Gounod, Lalo sont là pour en témoigner ; mais il s'agissait d'œuvres légères qui ne se souciaient que de prolonger la tradition beethovénienne ; dans un style plus sévère et plus ambitieux, il faut cependant placer chronologiquement avant *F.* la *Symphonie avec orgue* de Saint-Saëns et la *Symphonie cévenole* de d'Indy. L'œuvre n'a généralement pas été bien accueillie à l'époque ; en revanche, les disciples de *F.* ont célébré ses mérites avec un enthousiasme excessif ; aujourd'hui, on peut être sensible à son envolée lyrique, mais on ne peut qu'être frappé par le caractère arbitraire de la construction, avec ses nombreuses redites, et par la redondance de don orchestration. Le *Quatuor à cordes* (1890) se signale lui aussi par une construction complexe qui dérive des derniers quatuors de Beethoven, l'usage systématique des procédés cycliques, une certaines lourdeur de l'écriture, mais aussi une inspiration mélodique abondante. Enfin, en 1890, *F.* compose les *Trois chorals* pour orgue, peu de temps avant de mourir.
Il nous paraît aujourd'hui que *F.* n'a nullement été ce solitaire et ce méconnu qu'on a souvent décrit. Dès l'époque (assez tardive) où il a écrit des œuvres de valeur, il a rassemblé autour de lui des élèves, disciples enthousiastes, souvent même fanatiques. Les disciples, ce sont Henri Duparc, Charles Bordes, Guy Ropartz, Pierre de Bréville, Ernest Chausson, Gabriel Pierné, Louis Vierne, Guillaume Lekeu et surtout Vincent d'Indy. C'est ce dernier qui a été de César Franck l'hagiographe le plus zélé ; il a tracé consciencieusement autour du visage du vieux compositeur une auréole de sainteté et de mysticisme. Pour d'Indy, l'histoire des formes musicales se déroule selon un progrès continu : à la fugue unitaire ont succédé la suite de danses fondée sur le principe binaire, et enfin la sonate classique, de principe ternaire, et qui dès lors est qualifiée de « construction plus stable, plus féconde et infiniment mieux équilibrée » ; après quoi, le mérite de Beethoven aurait été d' « élever les thèmes au rang et à la dignité d'idées musicales », en dotant ces thèmes de forces psychologiques antagonistes : ces deux idées « se comportent vraiment comme des êtres vivants, soumis aux lois fatales de l'humanité, sympathie ou antipathie, attirance ou répulsion, amour ou haine ». Après Beethoven, — toujours selon V. d'Indy — le seul progrès accompli (qui avait d'ailleurs été entrevu par Beethoven) n'est autre que la *sonate cyclique* telle qu'elle est conçue par *F.* ; cette sonate cyclique établit un lien entre les différents mouvements de la sonate, grâce à certains motifs et thèmes « qui, tout en se modifiant notablement au cours d'une composition musicale divisée en plusieurs parties, demeurent présents et reconnaissables dans chacune de celles-ci, indépendamment de la structure, du mouvement ou de la tonalité qui lui est propre ». Dès lors, dans l'évolution musicale,

la perfection est atteinte ; elle naît de la présence de la variété dans l'unité : la sonate cyclique est un monument architectural et, dans son *Traité de composition*, d'Indy la compare longuement à une cathédrale sonore. Bien entendu, il ne faut pas porter atteinte à cette perfection, sous peine de déchéance. Les principes relatifs à la sonate restent valables dans le domaine de la symphonie, du concerto et de la musique de chambre. Il convient encore de mettre en évidence, parce qu'elle est significative, la place privilégiée que d'Indy accorde à la musique de chambre : enthousiasmé par les dernières œuvres de *F.*, d'Indy voit dans la musique de chambre un genre particulièrement « quintessencié », sans doute, parce que, privée des ressources sonores multiples de l'orchestre, la musique de chambre semble présenter l'essence même de la pensée musicale, sans parure, sans intermédiaire. Il nous a paru opportun de mettre en évidence les thèses de V. d'Indy sur la musique, parce que ce sont ces thèmes qui ont imposé pendant longtemps sa signification historique à la musique de G. F. Cette musique apparaissait comme le développement logique et raisonnable des progrès de la musique : *F.* devait être l'aboutissement normal, la synthèse finale d'un art illustré auparavant par Bach et Beethoven. Il avait fait évoluer le langage musical, mais harmonieusement, sans rien renier des principes « naturels » démontrés par les chefs-d'œuvre du passé : il est vrai, ses vagabondages harmoniques ne mettent jamais en péril les principes sacrosaints de la tonalité, et c'est dans le domaine de l'harmonie que ses audaces ont été les plus grandes ; si l'on considère sa musique sous l'aspect de la mélodie, du rythme ou de l'orchestration, elle paraît souvent soumise aux contraintes académiques et à une rhétorique fort traditionnelle. Il est vrai que, pendant un temps, la musique de *F.* a dérouté par ses audaces et provoqué en France l'indignation des milieux officiels symbolisés par le conservatoire d'Ambroise Thomas ; mais très vite, cette musique a été considérée comme le type de cette audace raisonnable qui sait créer du neuf en respectant les « lois de la nature » et sait se conformer à ce qu'il y a de sain dans la tradition. Finalement, la musique de *F.* a servi d'emblème dans la lutte contre les nouveautés les plus authentiques proposées à la même époque par Claude Debussy ; et les franckistes, notamment grâce à l'institution de la *Schola cantorum*, ont vite formé le bastion le plus redoutable de la réaction musicale.

**Œuvres principales :** A. orch. : *Symphonie en ré mineur* (1886–1888), *Les Eolides* (1876), *Le chasseur maudit* (1882), *Psyché* (avec chœurs, 1887–1888) ; B. piano et orch. : *Les Djinns* (1884), *Variations symphoniques* (1885) ; C. mus. de chambre : *Trois trios concertants*, op. 1 (1841), *Quatrième trio concertant*, op. 2 (1842), *Quintette* (1878–79), *Sonate pour piano et violon* (1886), *Quatuor* (1889) ; D. mus. de piano : *Prélude, choral et fugue* (1884), *Prélude, aria et final* (1886–87) ; E. mus. d'orgue : *Six pièces pour grand orchestre* (1860–62), *Trois pièces pour grand orchestre* (1878), *Trois chorals* (1890) ; F. mus. vocale : *Ruth, églogue biblique* (1843–45), *Rédemption, poème symphonique* (1871), *Les béatitudes* (1869–79), *Psaume CL* (1888) ; G. opéras : *Hulda* (1885), *Ghiselle* (1888–90) ; en outre, de la mus. d'église, des mélodies.

**Bibl. :** *V.* d'Indy, C. F., Paris 1906 ; *Ch. Van den Borren, L'œuvre dramatique de C. F.,* 1907 ; *A. Cortot, L'œuvre pianistique de C. F.,* ds R.M. 1925 ; *R. Jardillier, La mus. de chambre de C. F.,* Paris 1929 ; *M. Emmanuel, C. F., ibid.* 1930 ; *P. Kreutzer, Die sinfonische Form C. F.,* Düsseldorf 1938 ; *M. Kunel, La vie de C. F., l'homme et l'œuvre,* Paris 1947 ; *N. Dufourcq, C. F., ibid.* 1949 ; *N. Demuth, C. F.,* Londres 1949 ; *Ch. Van den Borren, C. F.,* Bruxelles 1950 : *W. Mohr, C. F., in MGG ; L. Vallas, La véritable histoire de C. F.,* Paris 1955.      R.W.

**FRANCK Eduard.** Pian. et compos. allem. (Breslau 5.12. 1817–Berlin 5.10.1893). Élève particulier de Mendelssohn, ami de Schumann, il enseigna à Berne et à Berlin ; son

CÉSAR FRANCK

*Ms. autographe des Béatitudes.*

CÉSAR FRANCK

*Ms. d'une esquisse de la Symphonie.*

œuvre, tant orchestrale que vocale ou instrumentale, est abondante. Son fils – **Richard** (Cologne 3.1.1858–Heidelberg 22.1.1938), élève de son père, du cons. de Leipzig, pian., chef d'orch., prof., composa également. Voir *R.F.*, *Mus. u. unmus. Erinnerungen*, Heidelberg 1928.

**FRANCK Georges** (*Dom*). Mus. alsacien du XVIIIe s., qui fut bénédictin, curé de Munster (1728–57), auteur de 4 sonates intitulées : *Pièces choisies ... accommodées dans le goust moderne pour l'orgue et le clavecin* (Colmar s.d.).

**FRANCK Johann. Wolfgang.** Mus. allem. (Unterschwanlingen 1644–? v. 1710). Tôt orphelin, il vécut sa jeunesse dans sa famille maternelle à Ansbach et fut probablement élève d'un de ses parents qui s'appelait Samuel König, directeur du *Musikanten Collegium* à la cour à laquelle il appartint lui-même à partir de 1665, comme *Kammerregistratur-Adjunktus* ; il fit un voyage à Venise, fut nommé *dir. de la comédie* à Ansbach ; en 1677, il était chapelain de la cour ; en 1679, ayant tué par jalousie un musicien de la cour nommé Ulbrecht et blessé sa femme, il dut s'enfuir à Hambourg, ville pour laquelle il composa 21 opéras ; en 1687, il revint à Schwäbisch-Hall où il avait déjà séjourné ; en 1690, il partit pour Londres, d'où est daté son dernier ouvrage connu, *Remedium melancholiae* ; on a dit qu'il avait ensuite séjourné en Espagne : rien n'est moins sûr ; on connaît de lui des opéras : *Glückwünschendes Jagd-Ballet* (1673), *Andromeda* (1676), *Der verliebte Föbus* (1678), *Die drey Töchter des Cecrops* (1679), *Der Wol u. beständig liebende Michael ...* (Hambourg, *id.*), *Die gerettete Unschuld ...* (*id.*), *Die Macchabäische Mutter ...* (*id.*), *Don Pedro ...* (*id.*), *Æneas* (1680), *Alceste* (*id.*), *Jodelet ...* (*id.*), *Semele* (1681), *Hannibal* (*id.*), *Charitine ...* (*id.*), *Diokletian* (1682), *Attile* (*id.*), *Vespasian* (1683), *Semiramis* (*id.*), *Cara Mustapha* (*id.*), 11 cantates (mss Wolfenbüttel), des *Lieder* (publiés à Hambourg, à Lunebourg, à Londres). Voir ds J. Mattheson, *Der Mus. Patriot*, Hambourg 1728 ; J. Moller, *Cimbria litterata*, Copenhague 1744 ; R. Klages, *J.W.F., Untersuchungen zu seiner Lebensgesch. u. geistl. Kompos.*, thèse de Hambourg, 1937 ; G. Schmidt, *Die Mus. am Hofe der Markg. v. Brandenburg-Ansbach...*, thèse de Munich, 1953, et art. in MGG.

**FRANCK Joseph.** Org. et compos. belge (Liège 1820–Issy 1891). Cousin germain de César *F.*, org. de St-Thomas d'Aquin (1852), qui séjourna à Nancy (1868–1874), revint à Paris, écrivit un grand nombre de partitions de mus. d'église, de morceaux d'orgue et de piano, de mélodies, des traités.

**FRANCK Jules.** Compos. et harpiste franç. (Paris 1858–1941), élève du cons. de Paris, dir. de la mus. des synagogues, auteur du *Guide de l'officiant*, d'un certain nombre de pièces écrites dans les modes hébraïques et du chapitre concernant la liturgie hébraïque dans l'encyclopédie Lavignac.

**FRANCK Maurice.** Compos. franç. (Paris 1897–), élève de Samuel-Rousseau, de P. Vidal, second prix de Rome (1926), prof. au cons. de Paris (1937), auteur d'un quatuor à cordes, d'une suite (piano), de mélodies, d'un opéra-bouffe : *Atalante.*

**FRANCK Melchior.** Mus. allem. (Zittau v. 1580–Cobourg 1.6.1639). Il fut, dans les dernières années du XVIe s., élève de la *Kantorei* et du *Gymnasium* d'Augsbourg, puis au service de la ville de Nuremberg (1601–1602, *Schuldiener bey S. Egidien*) ; fin 1602 ou début 1603, il entra au service du duc Jean-Casimir de Saxe, comme maître de chapelle ; il demeura en ce poste à Cobourg au service du successeur de ce dernier, le duc Johann-Ernst ; il fut le collaborateur et l'ami de Hassler, dont l'influence sur lui est manifeste ; c'est un des auteurs les plus féconds du XVIIe s. : il composa dans l'ancien style polyphonique, tout en contribuant au développement des formes musicales nouvelles (en particulier de l'accompagnement instrumental) ; ce fut aussi l'un des meilleurs compositeurs de *quodlibet* ; il composa un grand nombre d'œuvres de circonstance.

**Œuvres :** religieuses : *Sacrarum melodiarum...* (4, 5, 6, 7 et 8 v., Augsbourg 1601), *Contrapuncti compositi deutscher Psalmen...* (4 v., Nuremberg 1602), *Sacrae melodiae...* (4, 5, 6, 7, 8, 9, 10, 11 et 12 v., Cobourg 1604), *Tomus tertius melodiarum sacrarum* (3 et 4 v., *ibid.* 1604), *Melodiae sacrae IV* (5, 6, 7, 8, 9, 10, 11

et 12 v., *ibid.* 1607), *Geistl. Gesäng u. Melodeyen...* (5, 6 et 8 v., *ibid.* 1608), *Opusculum etlicher neuer geistl. Gesäng* (4, 5, 6 et 8 v., *ibid.* 1611), *Viridarium musicum...* (5, 6, 7, 8, 9 et 10 v., Nuremberg 1613), *Threnodiae davidicae...* (5 v., *ibid.* 1615), *Geistl. musical. Lustgartens erster Theil* (4, 5, 6, 7, 8 et 9 v., *ibid.* 1616), *Laudes Dei vespertinae...* (4 v., Cobourg 1622), *Id., ander Theyl* (5 v., *ibid.*), *Id., dritter Theyl* (6 v., *ibid.*), *Id. vierter Teil* (8 v., *ibid.*), *Gemmulae Evangeliorum musicae...* (4 v., *ibid.* 1623), *Cythara ecclesiastica et scholastica...* (4 v., Nuremberg 1625), *Rosetulum musicum...* (4, 5, 6, 7, 8 v. et b.c., Cobourg 1627-28), *Sacri convivii musica sacra...* (4, 5 et 6 v., *ibid.* 1628), *Prophetia evangelica...* (4 v., *ibid.* 1629), *Votiva columbae sionea suspiria...* (4-8 v., *ibid.* 1629), *Dulces mundani exilii deliciae...* (1, 2, 3, 4, 5, 6, 7, 8 v., b.c. à l'orgue, Nuremberg 1631), *Psalmodia sacra...* (4 et 5 v., *ibid.*), *Paradisus musicus...* (2, 3, 4 v., b.c. à l'orgue, Cobourg-Nuremberg 1636), *Paradisus musicus... ander Theil* (2, 3, 4 v. et b.c., *ibid.*) ; *Der 121. Psalm* (5 v., Cobourg 1608), *Musicalischer Freudenschall...* (12 v., *ibid.* 1617), *Ninive, wach auf...* (8 v., *ibid.* 1625), *Suspirium Germaniae publicum...* (4 et 7 v., *ibid.* 1628), *Evangelium paradisiacum...* (5 v., *ibid.* 1629), *Der 85. Psalm...* (8 v. et b.c., *ibid.* 1630), *Christl. Danksagung...* (7 et 8 v., *ibid.* 1632) ; on trouve des œuvres de lui ds Kraft, ds le *Promptuarium musicum* de Schadaeus (3 motets à 8 v., 4 motets à 6 v.), ds le *Florilegium portense* de Bodenschatz (3 motets à 8 v.), ds le *Reliquae sacrorum concentuum* de Gruber (3 motets, 6, 8, 9 v.), ds l'*Angst der Hellen*, de B. Grossmann (le psaume 116, 3-5 v.), ds le *Fasciculus primus geistl. Concerten* (3 pièces, 1 v. et b.c.), ds les *Missae aliquot* d'H. Grimm (*Missa super « Domino factum est »*), ds le *Cantional de Gotha* (56 pièces), ds le *GesangBuch de Vopelius* (3 pièces), ds la *Nova musices organicae tabulatura* de J. Woltz (16 motets) ; pièces de circonstance : *Ein Gesang aus dem 2 Capit. des Hohenlieds Salomonis...* (8 v., Cobourg 1605), *Cantica gratulatoria* (5 v., *ibid.* 1608), *Ein deutsch Gesang* (8 v., *ibid.* 1609), *Ein geistl. Brautlied...* (4 v., *ibid.* 1609), *Vincula natalitia...* (5, 6 et 8 v., *ibid.* 1611), *Musica nuptialis...* (4 v., Cobourg 1612), *Ein new Grabgesäng...* (4 v., *ibid.* 1612), *Votum musicale* (6 v., *ibid.* 1612), *Ein schöner Text aus dem ersten Capitel Syrachs* (5 v., *ibid.* 1612), *Hochzeitsgesäng* (8 v.), *Concentus musicales* (6 et 8 v., *ibid.* 1613), *Epithalamia* (6, 8 v., *ibid.* 1614), *Zwey newe Hochzeitsgesäng* (6 v. *ibid.* id.), *Trostreicher Text aus dem 8 Cap. Pauli an dem Galater* (4 v., *ibid.* id.), *Newes Hochzeit Gesäng* (5 v., *ibid.* 1615), *Newes Hochzeit Gesäng* (6 v., *ibid.* id.), *Das erste Evangelium...* (4 v., *ibid.* id.), *Trostgesänglein aus dem fünften Cap. Jobs* (4 v., *ibid.* id.), *Newes Hochzeit Gesäng* (5 v., *ibid.* id.), *Musical Glückwünschung* (6 v., *ibid.* 1616), *Zwey Newe Hochzeit Gesäng* (6 v., *ibid.* id.), *Newes Hochzeit Gesäng* (6 v., *ibid.* id.), *Christlich Grabgesäng* (4 v., *ibid.* 1617), *Klaglied...* (5 v., *ibid.* 1617), *Christl. Musical. Glückwünschung* (6 v., *ibid.* id.), *Zwey newe Hochzeit Gesäng* (5-6 v., *ibid.* id.), *Newes Hochzeit Gesäng* (12 v., *ibid.* id.), *Id.* (5 v., *id. ibid.*), *Id.* (5 v., *id. ibid.*), *Der 122. Psalm...* (8 v., *id. ibid.*), *Zwey newe Hochze Ges.* (8 v., *id. ibid.*), *News H.G.* (5 v., *ibid.* 1619), *Id.* (5 v., *ibid.* 1620), *Schöner trostreicher Text* (6 v. *id. ibid.*), *Christl... Trost-u. Sterbelied* (8 v., *ibid.* 1621), *Cor hominis templum S. Trinitatis* (4 v., *ibid.* 1622), *Der schöne Trostspruch...* (5 v., *id. ibid.*), *Epicedium...* (*id. ibid.*), *Neues fröliches Hochzeit Ges.* (5 v., *ibid.* 1623), *Id.* (6 v., *id. ibid.*), *Newes christl. Grabges.* (4 v., *ibid.* 1624), *Newes Hochzeit Ges.* (5 v., *id. ibid.*), *Gratulatio musica* (6 v., *ibid.* 1625), *Christl. Unterthänige musical. Glückwünschung* (8 v., *id. ibid.*), *Newes frölices Hochz. Ges.* (5 v., *id. ibid.*), *Geistl. Vermählung...* (6 v., *id. ibid.*), *Herzl. Wunsch...* (5 v., *ibid.* 1626), *Newes Christl. Hochz.-Ges.* (5 v., *id. ibid.*), *Der XCI. Psalm Davids* (6 v., *id. ibid.*), *Newes frölices musical. Concert* (7 v., b.c., *ibid.* 1627), *Christl. musical. Glückw...* (5 v., *ibid.*), *Zwey newe frölice mus. Concerten* (6 v., *ibid.* 1628), *Aller Christgläubigen bester Trost* (5 v., *ibid.* 1629), *Herzlicher Seufftzer der christl. Kirchen in Deutschland...* (8 v., *ibid.* 1631), *Lobgesang* (4 v., *ibid.* 1632), *Ist Gott f. uns...* (4 v., *ibid.* 1633), *Ach du mein liebes Jesulein* (4 v., *ibid.* id.), *Zwey newe christl. Klag- u. Trauerges...* (4, 6 v., *ibid.* 1634), *Zwey n. chr. Epicedia...* (4, 8 v., *ibid.* 1639), *Der schöne Leich Text...* (*id. ibid.*), mus. profane et instrumentale : *Musical.* (4 v., Nuremberg 1602), *Opusculum etlicher newer u. alter Reuterliedlein* (*id. ibid.* 1603), *Deutsche weltliche Ges. u. Täntze* (4, 5, 6, 8 v., Cobourg 1604), *Der ander Theil deutscher Ges. u. Täntze...* (4 v., *id.* 1605), *Musical. Fröligkeit...* (4, 5, 6, 8 v., *ibid.* 1610), *Flores musicales...* (4, 5, 6, 8 v., Nuremberg 1610), *Tricinia nova lieblicher amorosischer Ges... nach italiänischer Art* (3 v., *ibid.* 1611), *Recreationes musicae...* (4, 5 v., *ibid.* 1614), *Delitiae amoris...* (6 v., *ibid.* 1615), *Lilia musicalia...* (4 v., *ibid.* 1616), *Newes teutsches mus. fröl. Convivium* (4, 5, 6 et 8 v., Cobourg 1621), *Newes liebl. mus. Lustgärtlein...* (5, 6, 8 v., *ibid.* 1623), *Viertzig newe deutzsche lustige mus. Täntze...* (4, 5, 6 v., *ibid.* id.), *Newe Pavanen, Galliardlen. Intraden...* (4, 5, 6 v., *ibid.* 1603), *Neue mus. Intraden...* (6 v., Nuremberg 1608), *Newes mus. Opusculum* (5 v., Cobourg 1625), *Deliciae convivales...* (4, 5, 6 v. et b.c., *ibid.* 1627), *11 Quodlibet Farrago* (6 v., Nuremberg 1602), *Noch ein ander Quodl.* (4 v. Cobourg 1603), *Der ander Theil...* (1605), *Farrago...* (4 v., Cobourg 1608), *Fasciculus quodlibeticus* (4, 5, 6 v., *ibid.* 1611), *Ferculum quodl.* (4 v., *ibid.* 1613), *Fasciculus quodl.* (4, 6 v., Nuremberg 1615), *Spannewes lust. Qu.* (4 v., *ibid.* 1619), *Musical. Grillenvertreiber...* (4, 5, 6 v., *ibid.* 1622) ; d'autres œuvres profanes et de circonstance : *Newes Echo...* (inachevé, 4 v., Cobourg 1608), *Dialogus metricus...* (7 v., *id. ibid.*), *Etliche teutsche Reimen...* (4 v., *id. ibid.*), *Relation von dem herrl. Actu oratorio...* (*ibid.* 1630) ; un *Schauspiel ; Von der*

*Zerstörung Jerusalems* (pour l'anniversaire du duc Jean-Casimir, Cobourg 12.6.1630), 8 intermèdes à 3, 4 et 5 v.

**Bibl. :** Eitner : *M.F.*, ds *M.f.M. XVII*, 1885 ; A. Obrist, *M.F....* thèse de Berlin, 1892 ; F. Peters-Marquardt, *Neue Forschungen über M.F.*, et *M.F. in Oberfränk.*, Heimatkalender, Cobourg 1954 ; A. Sandberger, *Bemerkungen zur Biographie H.L. Hasslers...*, ds D.T.B. V, 1, Leipzig 1904 ; G. Kraft, *Die thür. Musikkultur um 1600*, Wurtzbourg 1941 ; H.J. Moser, *Corydon...*, Brunswick 1933 — *Brauchtümliches im thür. Chorlied des Frühbarock, ibid.* 1939 — *M.F. als Förderer mus. Volkskunde*, ds *Germanien. Monatsh. f. Germanenkunde*, 1939 — *Tönende Volksaltertümer*, Berlin 1935 ; K. Gudewill in MGG.

**FRANCK** (*Frank*) **Michael.** Mus. allem. (Schleusingen 16.3.1609 – Cobourg 26.7.1677), peut-être parent du précédent, qui fut autodidacte, enseigna à la *Stadtschule* de Cobourg et appartint à l'*Elbschwanenorden* (comme *Staurophilus*) ; il publia *Davidischer... Hertzen Traur-u. Trostgesang ...* (Cobourg 1649), *Der 133. Psalm Davids* (ibid. 1650), *Das alte sichere u. in Sünden schlaffende Deutschland* (ibid. 1651), *Einer Christgläubigen Seelen klägliche Seuffzer u. Thränen...* (ibid. 1653), *Geistl. Harpffen-Spiel...* (ibid. 1657), *Christ-Freüdige Johannis-Feyer...* (id. ibid.), *Geistl. Lieder erstes Zwölf ...* (ibid. 1662). Voir K. Lorenzen in MGG.

**FRANCKENSTEIN Clemens von und zu** (*Freiherr*). Chef d'orch. et compos. allem. (Wiesentheid 14.7.1875 – Hechendorf 22.8.1942). Élève de V. Bause à Vienne, de L. Thuille à Munich, du cons. de Francfort, il fit une carrière intern. ; il fut nommé ensuite au *Hoftheater* de Wiesbaden, au *Hofoper* de Berlin (1908) ; de 1924 à 1934, il fut intendant général des théâtres de Munich ; il écrivit des mélodies, des œuvres vocales avec orch., de la mus. symph., de chambre, des opéras : *Griseldis* (1898), *Fortunatus* (1909), *Rahab* (1911), *Die Biele* (1916), *Li-Tai-Pe ...* (1920). Voir W. Zeltener, *C.v.F.*, ds *Zeitschrift f. Mus.*, 1929 et 1935, ainsi que les *Souvenirs* de B. Walter (Francfort 1950).

**FRANCMESNIL Roger de.** Pian. franç. (Paris 2.12.1884 – 1.1.1921), élève du cons. de Paris, auteur de mus. symph., de chambre, et de mélodies.

**FRANCO Hernando.** Mus. mexicain d'origine esp. (La Serena v. 1525 – Mexico 28.11.1585). Il quitta l'Espagne en 1554, se rendit au Guatemala, puis au Mexique (il était en 1575 maître de chapelle et dir. d'une *schola cantorum* à Mexico) ; il écrivit de la mus. polyphonique (en latin, 4–11 v.) et des hymnes (en indien). Voir S. Borwick, *Vocal polyphony in colonial Mexico*, 1949.

**FRANCO José Maria.** Violon. et compos. esp. (Irún 28.8. 1894–). Élève du cons. de Madrid, violon. à l'Orchestre philharmonique de Madrid, prof. de violon au cons. de Murcie (1919–1923), au *Quinteto Hispania*, chef d'orch. à l'*Unión Radio* de Madrid (1925), prof. de piano, d'orgue, d'harmonie et de composition au *Colegio nacional* de Ciegos (1927), chef de l'*Orqu. Clásica* de Madrid (1932), de l'*Orqu. Capitol* (1933–34), prof. au cons. de Madrid (1935), critique mus. (au *Ya*), il a fait une carrière intern. et composé des *zarzuelas* (*El emigrante*, 1921), un opéra-

comique : *1830* (1926), des œuvres symph., de chambre etc.

**FRANCO-FLAMANDE** (*École*). C'est un terme utilisé par divers musicographes pour désigner un groupe (assez imprécis) de compositeurs du XVe et du début du XVIe siècle, qui ont durant cette époque été à la tête de l'évolution musicale en Occident. L'appellation est inadéquate, tant du point de vue historique que géographique. Les autres termes proposés dans le même esprit le sont tout autant : « école bourguignonne » (pour la seconde moitié du XVe s.) « école franco-néerlandaise », « école des anciens Pays-Bas » ou même « école belge ». On se demande d'ailleurs quelle nécessité ont les historiens à vouloir imposer une étiquette à quantité de musiciens dont on ignore généralement le lieu de naissance et la formation, et qui en tout cas ne constituent pas vraiment une « école ». Il paraît plus sage de les grouper autour de personnalités dont les œuvres ont été en leur temps déterminantes, telles que Dufay, Ockeghem, Josquin, en laissant aux auteurs d'histoires de la musique vues sous un angle national la responsabilité d'annexions toujours discutables. Les plus récentes discussions sur ce thème ont eu lieu surtout en Belgique. Voir : S. Clercx, *Introduction à l'histoire de la mus. en Belgique*, dans *Rev. belge de mus.*, 1951 ; R. Lenaerts, *Contrib. à l'hist. de la mus. belge de la Renaissance, ibid.*, 1955 ; A. Van der Linden, *Comment désigner la nationalité des artistes des provinces du Nord*, dans *La Renaissance dans les provinces du Nord*, C.N.R.S.,

L.-J. FRANCŒUR            cons. de Paris

1956 ; C. Van den Borren, dans *J.A.M.S.*, 1955.                F.L.

**FRANCO MENDÉS Hans.** Pian. néerl. (Amsterdam 15.12. 1890 – Ogstgeest 27.4.1951), élève du cons. de Keulen, qui fut virtuose et dirigea une école de musique à Leyde ; il composa pour son instrument.

**FRANCO MENDÉS Jacob.** Vcelliste néerl. (Amsterdam 1812–?). Élève de Praeger, de Bertelman, de Merk à Vienne, vcelliste de la cour, puis de la chambre du roi de Hollande, il fit une carrière intern., notamment à Paris, où il fut fort apprécié de Berlioz (cf. *Les soirées de l'orchestre*, Paris 1854) ; il écrivit pour son instrument. Son cousin – **Joseph** (Amsterdam 4.5.1816–14.10.1841) fut violon., élève de Baillot, donna des concerts avec *J.F.M.*, composa (notamment des quatuors à cordes).

**FRANCŒUR.** Famille de mus. franç. du XVIIIe s. — **1. Joseph** (?–Paris 1741) fut basse à l'Opéra, puis membre des *24 Violons* du roi (1706) où il succédait à Simon de St-Père ; en 1713, il entra à l'orch. de l'Opéra, sous la direction de Destouches ; il eut deux fils : — **2. Louis**, dit *le fils aîné* (Paris 1692– ... 9.1745), qui fut violon. ; il entra à l'Opéra en 1704, aux *Violons du roi* en 1710 (il succédait à J.B. Anet) ; il en assuma la direction en 1717 ; il participa aux Concerts de la reine (toujours sous la direction de Destouches) et fut un des protégés de Mlle de Charolais ; il publia *Premier livre de sonates à violon seul et la basse* (Boivin, Paris 1715, Foucault, 1726),

*Deuxième livre de sonates à violon seul et b.c.* (Paris, chez l'auteur, s.d.) ; on trouve de lui un *Adagio* pour violon et basse ds un ms de la Bibl. nat. ; il eut deux fils, Louis-Joseph et Louis-Pierre. Son frère – **3. François** (Paris 8.9.1698–5.8.1787), dit *le cadet*, fut à 15 ans *dessus de violon* à l'Opéra ; en 1727, il était déjà compositeur de la chambre du roi ; en 1723, il assista, à Vienne, avec Rebel, au couronnement de l'empereur Charles VI (dans la suite du général de Bonneval) ; il séjourna également à Prague ; il se lia avec J.J. Fux, Tartini, Quantz ; en 1726, il joue au Concert spirituel, toujours avec Rebel ; en 1727, il est compositeur de la chambre, successeur de J.F. de la Porte ; en 1729 il accède aux ordres de N.-D. du Mont-Carmel et de St-Jean de Jérusalem ; en 1730, il succède à Senaillé aux *Violons du roi* ; dans la même année, il épouse Adrienne Le Roy (sœur d'Adrienne Lecouvreur) ; en 1739, il est maître de musique à l'Opéra (il en devient inspecteur adjoint avec Rebel en 1743) ; en 1744, il acquiert la survivance de Collin de Blamont, surintendant de la musique ; de 1757 à 1766, il dirigea l'Opéra (dans des conditions financières peu satisfaisantes) ; il abandonna la direction en déc. 1766 ; il fut anobli et créé chevalier de l'ordre de St-Michel ; on a conservé de lui (bibl. du cons. et de l'Opéra de Paris) : *Recueil de différents airs de symphonies de M. Francœur…*, *Recueil de symphonies composées soit pour les opéras de ces auteurs* (Rebel et F.), *soit pour les opéras d'autres auteurs, Sonates à violon seul et b.c.* (I, Paris 1720), *Sonates à violon seul avec la b.c.* (II…), *Symphonies du festin royal de Mgr le comte d'Artois, fanfare* (Paris 1773), *Air propres pour le tympanon, Pièces de trompette copiées par Philidor* ; on trouve des airs sérieux et à boire de lui dans les recueils de Ballard de 1720 ; le reste de son œuvre a été écrit en collaboration avec son ami Rebel : *Le retour du roi* (cantate, 1745), *Pyrame et Thisbé* (1726, 1759), *Tarsis et Zélie* (1728), *Scandenberg* (1735), *Le ballet de la paix* (1738), *La fuite de l'Amour, Nirée, Les Augustales* (1744), *Le trophée, divertissement, à l'occasion de la victoire de Fontenoy* (1745), *Zélindor, roi des sylphes* (id.), *Ismène* (1747-48), *Le temple de Mémoire, Le prince de Noisi* (« ballet héroïque », La Bruyère, 1749), *Le Magnifique* (1753), *Les génies tutélaires, divertissement, à l'occasion de la naissance de Mgr le duc de Bourgogne* (1751), *La tour enchantée* (« ballet-figuré », en collab. avec Dauvergne et Rameau), *Les mélanges lyriques* (« ballet héroïque », 1773) ; la bibl. de l'Opéra possède un ms intitulé *Pièces arrangées par M. Francœur*. Son neveu – **4. Louis-Joseph** (Paris 8.10. 1738–10.3.1804), dit *le neveu*, entra en 1746 aux *pages de la musique de la chambre*, en 1752 à l'Opéra ; en 1754 il était joueur de luth de la chambre du roi et eut la survivance du poste de Louis Marchand comme org. de la chapelle royale ; en 1764, il était deuxième maître de musique de l'orch. de l'Opéra, de 1767 à 1779 dir. en chef de l'orch. ; en 1776, il fut maître de musique de la chambre ; sous la Révolution, il fut d'abord emprisonné (1793-1794), puis libéré et réinstallé dans son poste de dir. de l'Opéra avec Dresle et Baco : il n'occupa jusqu'en 1799 ; il composa des airs de danses, des ariettes, des airs, *Borée et Orithie*, cantate de basse-taille, *Le bouquet de Vénus* (cantatille), *L'Aurore et Céphale* (ballet héroïque, 1766), *Chloé et Sylvandre* (opéra), *Lindor et Ismène* (ballet héroïque, 1766), *Palémon et Sylvie, Les Rémois ou les brouilleries villageoises* (1757) ; on a également de lui *Brouillon des changements qu'on m'a fait faire dans l'opéra d'Ajax lorsqu'on remis cet ouvrage au théâtre en 1768 ou 1769* ; il était également un théoricien, comme le prouvent *Diapason général de tous les instruments à vent* (Le Marchand, Paris s.d., Des Lauriers, 1872), *Tachygraphie ou sténographie musicale* (1794), *Traité général des voix et instruments d'orchestre, principalement des instruments à vent, à l'usage des compositeurs* (Choron, Paris s.d.), *Académie royale de musique, sommaire général* (1785, 88, 90), *Essai historique sur l'établissement de l'opéra en France, depuis son origine jusqu'à nos jours, et diverses notes sur ce théâtre, L'opéra avant la révolution de 1789* ; la bibl. du cons. de Paris conserve de ses lettres. Voir L. de la Laurencie, *L'école française de violon…* I, Delagrave, Paris 1922 ; L.-B. Francœur, *Notice sur la vie et les œuvres de Louis-Joseph F., par son fils*, Paris 1853 ; J.G. Prod'homme, *Une prise de possession de*

*l'Opéra en* 1753, ds Bulletin de la Société française de musicologie, 1921 ; voir également ds *l'Essai sur la musique* de Laborde, ds la correspondance de Grimm et ds A. Jullien, *La comédie à la cour*, Paris s.d.

**FRANÇOIS Jacqueline** (pseud. de J. Guillemautot). Chanteuse franç. (Paris 20.1.1922–), qui a débuté à Paris en 1945, épousé Henri Decker, été deux fois grand prix du disque (1948, 1955).

FRANCON DE COLOGNE

*Page de l'Ars cantus mensurabilis (ms. Bodl. 842, Oxford).*

**FRANÇOIS Samson.** Pian. franç. (Francfort 18.5.1924–). Lauréat des cons. de Nice et de Paris, élève d'A. Cortot et de M. Long, 1er prix du concours Long-Thibaud (1943), il a créé le 5e concerto de Prokofiev (New-York et Paris, 1947) ; il a composé pour son instr., notamment un concerto (1951).

**FRANÇOIS de BORJA** (*Saint*). Jésuite esp. (Gandie 28.10. 1510–Rome 30.9.1572). Fils du 3e duc de Gandie, neveu du roi Ferdinand le Catholique, général de l'ordre des Jésuites (1656), canonisé par le pape Clément IX (1671), il composa une messe à 4 v., des motets, le psaume 118, un *office pour la Résurrection*, des cuatros et des cantadas profanes. Voir P.J.E. Nieremberg, *Historia del duque de Gandía*, Madrid 1641 ; M. Soriano Fuertes, *Historia de la música española* II ; Baixuli, *Las obras musicales de S.F. de B.*, ds *Rázon y Fe* III, oct. 1902 ; H. Collet, *Le mysticisme musical espagnol au XVIe siècle*, Alcan, Paris 1913.

**FRANCON de COLOGNE.** Théoricien du XIIIe s., que certains disaient autrefois du XIe s. et que l'on a confondu parfois avec *F. de Paris* ; il était chapelain du pape et précepteur de la commanderie de l'hôpital St-Jean de Jérusalem à Cologne ; on lui attribue généralement aujourd'hui (et non plus à *F. de Paris*) l'*Ars cantus mensurabilis*, composé vers 1260, qui représente un compromis entre un système de notation idéal et logique et celui qui existait en réalité (notation dite franconienne) ; il traite aussi brièvement du déchant, du hoquet et de l'organum ; son influence fut considérable jusqu'au XV^e s. : S. Tunstede, Marchetto da Padua et J. de Muris en firent leur point de départ ; le traité a été publié par Coussemaker (*Scriptores* I) et traduit en anglais par O. Strunk (voir ci-dessous). Voir H. Besseler ds *AfMw*, VIII, 1926 et ds MGG (art. *ars antiqua* et *Franco*) ; O. Strunk, *Source readings in music hist.*, 1950.

**FRANCON de PARIS.** Théoricien du début (?) du XIII^e s., auquel on attribuait autrefois l'*Ars cantus mensurabilis* (voir art. précédent) et qui est peut-être l'auteur d'un traité perdu, commenté au XIV^e s. par l'Anglais Robert de Handlo et résumé par *Johanne dicto Balloce* et les *Anonymes* II et III de Coussemaker ; sa personnalité et les attributions faites au sujet des deux *F.* restent, on le voit, très problématiques.

**FRANCUS de INSULA** (*François de Lille*). Mus. qui vécut dans la première partie du XV^e s., de qui on a conservé un rondeau et une ballade, dans un ms. de la Bodléïenne à Oxford.

**FRANCY Max.** Accordéoniste franç. (Conflans 1907–), dir.-fondateur de l'école supérieure d'accordéon de Paris, auteur d'ouvrages didactiques et de transcriptions d'œuvres classiques pour l'accordéon.

**FRANDSEN John.** Org. et chef d'orch. danois (Copenhague 10.7.1918–), 2^e org. de la cath. de Copenhague (1945–53), chef de chœurs à la radiodiffusion danoise (1955–56), chef d'orch. à l'Opéra (1956), dir. de l'Académie d'opéras et prof. de dir. d'orch. au cons. de Copenhague.

**FRANK Ernst.** Chef d'orch. et compos. allem. (Munich 7.2.1847–Oberdöbling 17.8.1889). Élève de Mortier de Fontaine, de Lachner, org. de la cour et chef d'orch. en second à l'Opéra de Munich, puis maître de chapelle à Wurtzbourg (1868), maître de chœur à l'Opéra de Vienne (1869), dir. de la *Singverein*, de l'*Akad. Gesangverein*, chef d'orch. à la cour de Mannheim (1872–77), premier chef d'orch. au théâtre de Francfort (1877), successeur de Bülow à l'opéra de Hanovre comme dir. du théâtre de la cour (1879–87), il fut l'ami de Brahms et de Götz (il acheva l'opéra *Francesca da Rimini*, commencé par ce dernier) ; il écrivit des *Lieder*, des chœurs, des duettinos, des opéras : *Adam de la Halle* (1880), *Hero* (1884), *Der Sturm* (1887). Voir A. Einstein, *Briefe von Brahms an E.F.*, ds *Z.f.Mw.* IV, 1922, et l'art. de Stanford ds le *Murray's Magazine*, mai 1890.

**FRANK Marco.** Compos. autr. (Vienne 24.4.1881–). Élève de Bossi, de Dvorak, de Serrao au cons. de Naples, puis de Massenet à Paris, il a été lié avec Debussy et avec Richard Strauss ; il fut prof. à Vienne (1931) ; en 1939, il émigra à New-York, pour en revenir en 1948, comme prof. au cons. de Vienne ; il a écrit pour la scène *Die drei Musketiere* (1897), *Eroica* (1917), *Das Bildnis der Madonna* (1923), *Der selige Octave* (1933), *Bagno* (1935), *Die fremde Frau* (1937), *Die kleine Stadt*, un *Requiem* (1911), 3 *Lieder* (1924), 1^er *quatuor à cordes* (1925), *Quatuor avec piano* (*id.*), *Sinfonietta* (*id.*), 2^e *quatuor à cordes* (1926), *Hexenjagd* (1927), 1^re *symphonie* (1928), *Homunkulus* (*id.*), *Springbrunnen* (*id.*), *Triptychon* (1929), *Russische Rhapsodie* (*id.*), *Arabische Suite* (1929–31), *Guitarra, danse rustique espagnole* (1929), *Nocturne* (*id.*), *Hörspiel-Ouverture* (1930), 1^er *concerto* de piano (*id.*), *Suite im alten Stil* (1931), *Lustspiel-Ouverture* (*id.*), 2^e *symphonie* (1932), *Libysche Suite* (1934), *Sonate* pour piano (*id.*), *Ein deutsches Stabat Mater* (1935), *Sonate* pour piano et alto (1936), *Romantische Suite* (*id.*), *Walzer intermezzo* (*id.*), *Galante Serenade* (1937), 2^e *concerto* de piano (1938), des chœurs, des pièces de piano (1941), *Concerto* de violon (1942), *New York...* (1947), 3^e *symphonie* (1948), *Scherzo-capriccioso* (1949), 3^e *quatuor* à cordes (*id.*), *Der Namenlose dieser Zeit* (*id.*), *Spielmusik* (*id.*), *Etude* pour alto (1950), *Praktische Va. Schule* (1952), 4^e *quatuor* à cordes (1953), 3 *Spielmusiken* (1953), des mélodies etc.

**FRANKE Friedrich Wilhelm.** Org. et compos. allem. (Barmen 21.6.1862–Cologne-Lindenthal 3.4.1932). Élève de la *Hochschule* de Berlin, il tenait l'orgue lors de la

première exécution du *Deutsches Requiem* de Brahms ; il fut ensuite l'élève de Spitta, puis org. à St-Jacques de Stralsund, enfin prof. au cons. de Cologne, aussi bien qu'org. des *Concerts Gürzenich* et de la *Christuskirche* ; il écrivit des *Lieder*, de la mus. d'église, d'orgue ; il publia *Theorie u. Praxis des harmonischen Tonsatzes* (Cologne 1898, 1909, 1918), *Das Orgelspiel...* (Trèves v. 1900, Leipzig v. 1910), *Praktische Uebungen in der Harmonielehre* (Tonger, Cologne 1920), *Die Reform des deutschen Chorals* (ds *Der Ev. K. Musiker*, 1928), *Zur Choralreform* (*ibid.* 1929), *J.S. Bachs Kirchenkantaten...* (Reclam, Leipzig 1925–27), *Aus dem goldenen Mainz...* (ds *Mainzer Kal.* 1951).

**FRANKE Hermann.** Compos. allem. (Neusalz. s. Oder 9.2.1834–Sorau 1919), élève de A.B. Marx, qui fut cantor à la cath. de Sorau, auteur de mus. voc. religieuse et profane, d'un oratorio (*Isaaks Opferung*), de mus. symph., de 2 trios, d'une sonate pour p. et vcelle (1877), d'ouvrages théor. (*Handbuch der Musik*, 1867, *Der Vortrag des liturgischen Gesanges*).

**FRANKEL Benjamin.** Compos. angl. (Londres 31.1.1906–), élève d'O. Morgan à la *Guildhall School of music* à Londres, qui a débuté dans la mus. légère et dans la mus. de film, puis s'est spécialisé dans la mus. juive ; il a composé *May Day* (1940), *Elégie juive* (*id.*), *Novelette* (1948), *The Aftermath* (1949), *Sonata leggiera* (1950), *Sonate* pour viol. seul (1946), *Trio* à cordes *op.* 3 (1949), 4 *quatuors* à cordes (1947–1950), 1 *concerto* de viol. (*op.* 24, 1952), 1 *symphonie*. *[margin: d. Feb 197]*

**FRANKENBERGER Heinrich Friedrich.** Compos. allem. (Wümbach 20.8.1824–Sondershausen 22.11.1885), élève de Hauptmann, qui fut violon. à la chapelle du prince de Sondershausen (1845), prof. de mus. (1852), 2^e dir. de la chapelle de la cour ; harpiste, il dirigea également l'orch. des théâtres d'Erfurt, de Halle, de Francfort ; il écrivit notamment les opéras *Die Hochzeit zu Venedig*, *Vineta*, *Der Günstlig* et des ouvrages didactiques.

**FRANKL Peter.** Pian. hongr. (Budapest ... 1935–), élève du cons. de Budapest, premier prix du concours intern. M. Long (1957), qui fait une carrière internationale.

**FRANKLIN Benjamin.** Physicien et homme d'état amér. (Boston 17.1.1706–Philadelphie 17.4.1790), qui avait une solide culture mus. et inventa l'harmonica (voir à ce mot 1) ; on lui attribue un quatuor à cordes conservé à la bibl. du cons. de Paris. Voir ds ses œuvres et ds sa correspondance.

**FRANTZ** (*Franz*) **Klamer Wilhelm.** Pasteur allem. (Halberstadt 2.12.1773–23.9.1857). Il fut *Collaborator* à Halberstadt, puis pasteur à Hohenstein (Harz), puis à Ober-Börnecke ; tout en exerçant ses activités pastorales, il s'occupa sans cesse de musique, composa 2 symph., 1 cantate, des sonates de piano, des *Lieder* : 2 sonates et 12 *Lieder* ont été édités ; il publia *Vorschläge zur Verbesserung des musik*. *Theils des Kultus* (Quedlinburg 1816), *Ueber die ältern Kirchenchoräle, durch Quellen erläutert* (Quedlinburg–Leipzig 1818), *Ueber Verbesserung der musik. Liturgie in den ev. Kirchen...* (Halberstadt 1819), *Ueber Einrichtung eines allg. deutsch-ev. Kirchenchoralbuchs* (Quedlinburg 1839), *Singchöre ...* (ds *Leipziger Zeitung* (1802), *Anweisung zu modulieren...* (Breitkopf u. Härtel, Leipzig), *Ueber den ... rhythm. Choralgesang* (Quedlinburg–Leipzig 1852), *Choralbuch ...* (Halberstadt 1811), *96 alte u. unbekannten Choralmelodien ...* (Quedlinburg–Leipzig 1831), *Choralbuch f. Organisten ...* (Halberstadt 1848). Voir W. Blankenburg in MGG.

**FRANZ Karl.** Corniste et barytoniste allem. (Langenbielau 1738–Munich 1802), qui fut au service de l'archevêque d'Olomouc (1758), du prince Nicolas Esterhazy (1763–76), du cardinal Bathiany (jusqu'à 1784), de la cour de Bavière (v. 1787) ; Haydn composa pour lui une cantate.

**FRANZ Paul** (*François Gautier*, dit). Ténor franç. (Paris 30.11.1876–20.4.1950), qui débuta en 1909 à l'Opéra de Paris, où il chanta jusqu'en 1930 et fit de nombreuses créations : ce fut un des grands ténors wagnériens français ; de 1930 à sa mort, il fut prof. au cons. de Paris ;

il est l'auteur d'un ballet : *L'orchestre en liberté* (1931) et d'une comédie : *Mon ténor chez les riches* (1932). Voir ds l'*Enc. dello spettacolo*.

**FRANZ Robert** (pseud. de *Knauth*). Compos. allem. (Halle an der Saale 28.6.1815–24.10.1892). Il fut élève au *Gymnasium* de sa ville natale, puis, en 1835, le disciple, pour la composition, de J.C.F. Schneider, maître de chapelle à Dessau ; en 1837 il revint à Halle, où il fut org. à l'*Ulrichskirche* (1841) et, de 1842 à 1867, dir. de la *Singakademie* ; il dut quitter son poste, étant devenu sourd : il eut une pension du gouvernement et une souscription fut ouverte, patronnée par Liszt et par Joachim ; c'est un des grands compositeurs de *Lieder*, de l'époque, admiré, outre les deux maîtres précités, par Mendelssohn, par Schumann ; les textes de ses *Lieder* sont d'Henri Heine, de W. Osterwald, de Lenau, d'Eichendorff, de Mörike ; il fit également des arrangements de Bach et de Hændel, de Mozart, de Schubert, de Mendelssohn, d'Astorga, de Durante ; il composa plus de 350 *Lieder*, un *Psaume CXVII*, un *Kyrie*, un office liturgique évangélique, des chorals, des quatuors vocaux ; il publia *Mitteilungen über J.S. Bachs Magnificat* (Halle 1863), *Offener Brief an E. Hanslick über Bearbeitung älterer Tonwerke* (ibid. 1871), *Drei Briefe an Dr. E. Prieger* (Berlin 1901) ; R. Bethge édita de lui *Gesammelte Schriften über die Wiederbelebung Bachser u. Händelscher Werke* (Leipzig 1910). Voir F. Liszt, *R.F.*, Leipzig 1872 ; R. Freiherr Prochazka, *R.F.*, *ibid.* 1894 ; R. Bethge, *R.F.*, Halle 1908 ; La Mara, *R.F.*, Leipzig 1911 ; H. v. d. Pfordten, *R.F.*, *ibid.* 1923 ; G.E. Barbag, *Die Lieder von R.F.*, thèse de Vienne, 1922 ; R.W. Waldmann, *R.F.*, *Gespräche aus zehn Jahren*, Leipzig 1895 ; R.F. u. A. Freiherr Senfft v. Pilsach, *Briefwechsel, 1861–1888* (éd. par W. Golther), Berlin 1907 ; D. Loë, *R.F.-Brevier*, Leipzig 1915 ; W. Serauky, *R.F.* ..., ds *Mg. der Stadt Halle*, II, 2, Halle 1942 et art. in MGG.

**FRANZONI Amante.** Mus. ital. (Mantoue v. 1575–?). Servite, il fut maître de chapelle à *Santa Barbara* de Mantoue, « académicien olympique » ; il composa *Il primo libro de madrigali a 5 v.* (Venise 1608), 3 livres de *Fioretti musicali a 3 v.* ... (ibid. 1605, 1607, 1617), *Apparato musicale di messe, sinfonie, canzoni, motetti e litanie... a 8 v.* ... (ibid. 1613), *Messe e litanie della B.V. a 8 v.* ... (Mantoue 1614), *Sacra omnium solemnitatum vespertina psalmodia...* (Venise 1619), *Messe a 5 v. col b.* ... (ibid. 1623), une pièce ds le *Canoro pianto* de D.A. Patto (ibid. 1613), un madrigal ds *Il Helicone* de Phalèse (Anvers 1616).

**FRAPPÉ.** Dans la métrique ancienne, ce terme équivaut à *thesis* ; il correspond au temps fort et compte au moins deux *morae* ; il était en général indiqué par un point (*stigmè*) superposé ; il correspondait à l'abaissement du pied ou du doigt. Il convient de noter qu'on trouve à certaines époques une acception du mot exactement inverse. Cf. art. *arsis* et (musique) grecque.

**FRASCHINI Gaetano.** Célèbre ténor ital. (Pavie 16.2.1816–Naples 23.5.1887), qui chanta (notamment au *San Carlo* de Naples, à la *Scala* de Milan) Rossini, Donizetti, Mercadante, Verdi etc.

**FRASER Norman.** Pian., compos. et musicologue angl. (Valparaiso 26.11.1904–). Élève de L. Breitner, d'I. Philipp, de L. Gombrich, virtuose, il a exercé à la *B.B.C.*, a pris fonction au *British Council*, à l'*International folk music Council*, publié des art. sur la mus. populaire, écrit des mélodies et de la mus. de chambre. Sa femme, **Janet** (Kirkcaldy 22.5.1911–), est un mezzo-soprano qui a créé le rôle de *Kathleen* ds les *Riders to the sea* de Vaughan Williams.

**FRASI Giulia.** Soprano ital. du XVIII⁵ s., qui fit carrière à Londres, notamment dans les œuvres de Hændel, entre 1743 et 1759.

**FRAUENHOLTZ Johann Christoph.** Mus. allem. (Cobourg 19.10.1684–Strasbourg 9.11.1754). On ne sait rien de son enfance ; v. 1710, il était étudiant à Strasbourg ; il occupa dans cette ville des fonctions de maître de chapelle et de dir. de concerts ds les églises protestantes,

cela même après l'entrée de Louis XIV dans la ville ; il écrivit d'ailleurs une musique funèbre pour le maréchal de Saxe ; J.F. Brück lui succéda dans son emploi ; il composa un cycle de 50 cantates pour 4 v., 3 instr. et *b.c.* (mss à la bibl. du séminaire de théologie évangélique de Strasbourg), *Schrecklich ist des Herrn Gesetze* (id. ibid.), 15 *Arien* pour 1 v., 3 instr. et *b.c.* (ibid.), *Ach Eitelkeit*, (4 v., 3 instr., *b.c.*, ibid.), *Verbirg nicht deine holden Strahlen* (1 v., 1 instr., *b.c.*, ms. à la *Bad. Landesbibl.* de Karlsruhe), *Der Herrgedenket an uns* (4 v., 3 instr., *b.c.*, ms. ibid.), *Fragt nicht, wo mein Himmel sei* (id. ibid.), *Mein Paradies der Freuden* (id. ibid.), *Engelsüsse Jesuslust* (id. ibid.), *Ausser Jesu mag ich nichts* (id. ibid.), *Zions geistl. Blumenlust, Kantaten, Arien- u. Liedertexte* (J.H. Heitz, Strasbourg 1727, 1756), *Die stets andächtige Sulamith*. Voir M. Vogeleis, *Quellen u. Bausteine zur Gesch. der Mus. im Elsass*, Strasbourg 1911 ; R. Wennagel, *Les cantates strasbourgeoises du XVIII⁵ s.*, thèse de Strasbourg, 1948 (inédit).

FRAUENLOB
*Chansonnier de Heidelberg (XIVᵉ s.).*

**FRAUENLOB** (*Heinrich von Meissen*, dit). Minnesäinger (Meissen v. 1260–Mayence 29.11.1318), surnommé ainsi à cause d'un lai en l'honneur de la Vierge, ou peut-être pour son enthousiasme à défendre les mérites de la Dame, qui, selon lui, sont supérieurs à ceux de l'Épouse ; il mena une vie errante en Slovaquie, Carinthie, Bavière et Allemagne du nord ; la légende veut qu'il ait été porté en terre par des dames ; il passe pour avoir créé la première école de *Meistersinger* à Mayence, en 1296 ; il nous reste de lui 3 grands *Leiche*, 13 chansons, 448 strophes gnomiques sur divers sujets politiques et moraux. Voir A. Boerkel, *F.*, *sein Leben u. Dichten*, Mayence 1880 ; I. Kron, *F. Gelehrsamkeit*, thèse de Strasbourg 1906 ; L. Pfannmüller, *F. Marienleich*, Strasbourg 1913 ; H. Kissling, *Die Ethik F.*, Halle 1926 ; O. Saechtig, *Ueber die Bilder u. Vergleiche in den Sprüchen u. Liedern H. v. M., genannt F.*, thèse de Marbourg, 1929 ; H. Husmann in MGG. **J.Md.**

**FRAZZI Vito.** Compos. ital. (San Secondo Parmense

1.8.1888–). Élève de Galliera, d'Azzoni, de G.A. Fano, prof. au cons. Cherubini de Florence (1912), à *l'accad. chigiana* de Sienne, il eut parmi ses élèves L. Dallapiccola ; il a écrit 2 opéras, *Re Lear* (1939), *Don Chisciotte* (1952), un « ballet burlesque », *L'astuto indovino* (1953), de la mus. de scène, des chœurs, de la mus. symph., de chambre des arrangements, et publié *Scale alternate* (Forlivesi, 1930), *Studio sull'armonia dell'alternato*, *Il linguaggio armonico di Pizzetti* (ds *Rass. mus.*, XIII. Voir L. Dallapiccola, *Musicisti del nostro tempo : V.F.*, ds *Rass. mus.*, X.

**FREDDI Amedeo** (*Amadio*). Mus. ital. (Padoue v. 1570–1643), élève de G.M. Asola ; en 1594, il était chanteur à la chapelle de St-Antoine de Padoue, qu'il dirigea même par intérim ; de 1615 à 1626, il fut maître de chapelle à Trévise, en 1632 à Vicence, en 1634 à la cath. de Padoue ; il publia *Madrigali a più voci, I* (Venise 1601), *Primo libro di madrigali a 6 v.* (ibid. 1605), *Secondo libro di madrigali a 5 v.* (ibid. 1614), *Messa, vespro e compieta a 5 v. col b.c.* (ibid. 1616), *Sacrae modulationes a 2, 3 et 4 v.* (ibid. 1617), *Divinae laudes binis 3, 4 v. concinendae, II* (ibid. 1622), *Psalmi integri 4 v. cum b. ad org.* (ibid. 1626), *Himni novi a 2-6 v. con due strumenti acuti e uno grave per le sinfonie* (ibid. Venise 1632, 1642), des antiennes, des madrigaux dans des recueils de l'époque (1598–1625) ; les archives de la chapelle de St-Antoine à Padoue conservent de lui des *Antiphonae vespertinae* à 4 v. et des *Antiphonae in annunziatione B.M.V.* Voir G. Tebaldini, *L'archivio musicale della cappella antoniana in Padova*, Padoue 1895.

**FRÉDÉRIC II** (*le Grand*). Roi de Prusse (Berlin 24.1.1712–Potsdam 17.8.1786). Il fut l'élève de l'org. G. Hayne, de J.J. Quantz, de C.H. Graun ; il créa l'Opéra de Berlin (7.12.1742) avec direction de Graun et prit C.P.E. Bach et Quantz à son service ; en 1747, il reçut J.-S. Bach à qui il proposa le thème de l'*Offrande musicale* ; après la mort de Graun, il mit J.F. Agricola à la tête de l'Opéra ; il gouverna la vie musicale de la cour et fut un grand protecteur des arts ; il s'adonnait lui-même à la composition et compte parmi les meilleurs amateurs de son époque ; le nombre de ses œuvres n'est pas exactement établi ; on lui attribue avec certitude 121 sonates pour clav. et fl., 4 concertos pour fl. et orch. à cordes, 1 symph., 2 marches, *Air des Houlans ou marche du roi de Prusse* ; il écrivit des ouvertures et des airs pour des opéras de Graun (notamment *Il re pastore*). Voir E. Bratuschek, *Die Erziehung F. d. G.*, Berlin 1885 ; K.V. Forstner, *F. d. G., Künstler u. König*, Berlin 1932 ; B. Kothe, *F. d. G. als Musiker, sowie als Freund u. Förderer der mus. Kunst*, Braunsberg 1893 ; F. Müller, *F. d. G., seine Flöten u. sein Fl.-Spiel*, Berlin 1932 ; la préface de Spitta aux œuvres de Frédéric le Grand, Leipzig 1889 ; G. Thouret, *F. d. G. als Musikfreund u. Musiker*, Leipzig 1898 ; H. Becker in MGG.

**FREDON.** « Vieux mot qui signifie un passage rapide et presque toujours diatonique de plusieurs notes sur la même syllabe ; c'est à peu près ce que l'on a depuis appelé *roulade*, avec cette différence que la roulade dure davantage et s'écrit, au lieu que le *f.* n'est qu'une courte addition de goût, ou, comme on disait autrefois, *diminution* que le chanteur fait sur quelques notes. — *Fredonner :* faire des fredons. Ce mot est vieux, et ne s'emploie plus que par dérision. » J.J. Rousseau. — Dans la langue poétique du moyen-âge et de la Renaissance, *f.* s'applique d'une manière vague au son d'un instrument ou d'une voix.

**FREDRICI Gustaf.** Mus. suédois (Stockholm v. 1770–Vienne 1801), qui fut élève de Mozart (1790–91) et de Haydn ; il composa un *Requiem*, un concerto de vcelle, une symph., de la mus. de chambre. Voir S.E. Svensson, *G.F. en Svensk Wienklässiker*, Stockholm 1938.

**FREED Fred.** Pian. et compos. de mus. légère autr. (Vienne 1903–), qui est l'accompagnateur attitré de Maurice Chevalier et a composé 700 chansons, 16 mus. de film, une rhapsodie viennoise etc.

**FREED Isadore.** Comp. amér. d'origine russe (Brest-Litovsk 26.3.1900–). Élève de Weiss, de Boyle, de Bloch, de d'Indy, directeur de la coll. *Masters of our day*, il a composé un ballet (*Vibrations*, 1928), un opéra (*Homo sum*, 1930), pour l'orch. : une suite (*Pygmalion*, 1926, *Jeux de timbres*, 1931, *Pastorales*, 1936), 1 concerto de violon (1939), 1re *Symphonie* (1942), *A festival overture* (1944), de la mus. de chambre : 1 *Suite* pour p. et alto (1923), 1 *Rhapsodie* (1925), 2 quatuors à cordes, 1 trio, 2 suites, *Shepherd's holiday* (1944), de la mus. voc. : *Sacred service for the sabbath* (1937), *Psalm 118* (1941), *Island secret* (1944).

**FREEMAN Lawrence** (*Buddy*). Saxophon. amér. (Chicago 13.4.1906–), qui a joué dans les orch. de B. Pollack, R. Nicholls, Y. Haymes, R. Nobles, T. Dorsey, B. Goodman ; en 1939, il a fondé un ensemble avec lequel il fit des tournées au Brésil, au Pérou, au Chili.

**FREGE Livia** (née *Gerhard*). Sopr. allem. (Gera 13.6.1818–Leipzig 22.8.1891). Élève de Pohlenz, elle chanta pour la première fois au *Gewandhaus* de Leipzig le 9 juil. 1832, en même temps que la jeune Clara Wieck qui avait alors 13 ans ; elle fit une grande carrière, tant au *Gewandhaus* qu'au Théâtre royal de Berlin, et fut l'amie intime de Mendelssohn.

**FREIN.** Dans l'organerie, c'est une petite lame de métal, placée devant la bouche de tuyaux d'orgue du genre jeu de gambe, pour en rendre le son plus mordant ; le *f.* remplace l'ancienne *barbe* (*vox barbata*).

**FREITAS BRANCO Federico.** Comp. portug. (Lisbonne 15.11.1902–). Élève du cons. de Lisbonne, chef de l'un des orch. de la radio portugaise, il a fondé la *Sociedad coral* (1941, pour exploiter le folklore national) ; il dirige depuis 1953 l'orch. symph. d'Oporto ; il a écrit pour l'orch. : *Poema, Preludio, Lenda dos bailarinos, Ribatejo, Nazaré, Suite colonial*, des ballets, un opéra (*Luzdor*), 1 cantate, 1 messe solennelle, 1 sonate pour p., 1 quatuor à cordes, 1 sonate de p. et viol., de la mus. de scène, de film, des mélodies, en particulier des harmonisations de chants populaires.

**FREITAS-BRANCO Luiz de.** Compos. portug. (Lisbonne 12.10.1890–27.11.1955). Élève de Mancinelli et de Désiré Pâque (Lisbonne), de G. Grovlez (Paris), de Humperdinck (Berlin), il fut prof., puis sous-directeur du cons. de Lisbonne, où son influence fut prédominant ; il fonda la *Gazeta musical* (1950) ; c'est lui qui patronna l'impressionnisme, puis la musique atonale au Portugal ; il écrivit 5 symph., 4 poèmes symph. (dont *Paraisos artificiais*, 1910), 2 suites d'orch., 1 concerto de violon, 1 ballade pour p. et orch., des pièces de p. (dont 14 préludes, 1908–40), d'orgue, des œuvres vocales, 1 cantate, 1 oratorio, des madrigaux, 2 sonates de p. et violon, 1 sonate de p. et vcelle, 1 quatuor à cordes, des motets polyph., des œuvres chor., des arrangements de chants populaires ; il publia *A música em Portugal* (Séville 1929). Son frère – **Pedro** (Lisbonne 31.10.1896–), est chef d'orch. ; il a fondé (1927) une « compagnie lyrique » qui se produisit dans mainte ville portugaise, fonda (1928) les Concerts symphoniques de Lisbonne, prit en 1934 la direction de l'Orch. symph. national de la radiodiffusion portugaise et fait une grande carrière intern. ; il a composé de la mus. de chambre, notamment 1 trio et 2 quatuors à cordes, des mélodies.

**FREITAS BRANCO GAZUL Francisco de.** Compos. portug. (Lisbonne 30.9.1842–20.10.1925). Élève du cons. de Lisbonne, il y fut ensuite prof., eut le titre de mus. de la chambre royale et fut dir. du théâtre de la Trinité ; il écrivit l'opéra *Frei Luiz de Souza* (1891), un grand nombre d'opérettes, 4 *comedias de magia*, des parodies, de la mus. de scène, une suite d'orch., des symph., des ouvertures, des marches, de la mus. religieuse (2 oratorios, 8 messes, un *Requiem* inach.), 4 quatuors.

**FRÉMART Henri.** Mus. franç., qui fut maître de musique à la cath. de Rouen (1611–1625), à Notre-Dame de Paris (jusqu'en 1646 au moins) et chanoine de St-Aignan ; il publia entre 1642 et 1645 chez Ballard 8 messes à 4, 5 et 6 v., dont l'unique exemplaire vient d'être découvert à la bibl. du *Gresham College* de Londres ; il fut ami de Mersenne qui le cite comme l'un des meilleurs compos.

de son temps, avec Boësset et Bouzignac. Voir F.-L. Chartier, *L'ancien chapitre de Notre-Dame de Paris*, Paris 1897 ; Collette et Bourdon, *Histoire de la maîtrise de Rouen*, Rouen 1892.                     F.L.

**FRÉMAUX Louis.** Chef d'orch. franç. (Aire s. la Lys 1921–), élève au cons. de Paris de La Presle, de Chailley de Fourestier, 1er prix de direction d'orch. (1952), il est, depuis 1956, chef de l'orch. de l'Opéra de Monte-Carlo ; il a été lauréat de 4 prix du disque (1956–57).

**FRÉMIOT Marcel.** Compos. et musicologue franç. (Paris 29.2.1920–). Élève de Messiaen, de Noël Gallon au cons. de Paris (1945–52), pian., il a écrit de la mus. de scène pour *Akara*, *Ubu-Roi*, *La tour de Nesles*, pour *Le château* (Kafka), des *Symphonies lettristes*, de la mus. « de plein air », des chants de masse, de la mus. pour ondium, de film ; il est depuis 1951 dir. artistique d'une firme française de disques ; il a publié des articles de musicologie tant ancienne que contemporaine dans div. publications étrangères et collaboré à la présente encyclopédie.

**FREMSTAD Olive.** Mezzo-sopr. norvégienne (Stockholm 16.2.1868–New York 21.4.1951). Élève de Lilli Lehmann, elle fit carrière à Cologne, à Munich, au *Metropolitan Opera* de New York et fit une grande carrière intern., notamment comme interprète de Wagner. Voir l'*Enc. dello Spettacolo*.

**FRENKEL Stefan.** Violon. pol. (Varsovie 21.11.1902–). Élève d'A. Busch, de C. Flesch, il a dirigé en second l'orch. philharmonique de Dresde (1924–1927) et s'est ensuite consacré à sa carrière de virtuose ; il a composé pour son instrument et 2 quatuors, de la mus. de piano, entre autres œuvres de mus. de chambre.

**FRÉQUENCE.** C'est une qualité physique propre à tout phénomène périodique ; un phénomène est dit périodique lorsqu'il se répète identiquement à lui-même un grand nombre de fois : on dit qu'il parcourt une succession de cycles. On appelle *période* d'un phénomène (périodique) la durée d'un cycle : une période se mesure en secondes ou fractions de seconde (millisecondes ou microsecondes). On appelle *fréquence* d'un phénomène périodique le nombre de cycles décrits par unité de temps : une fréquence se mesure en « nombre de cycles par seconde » ou « nombre de périodes par seconde » (on donne quelquefois à cette unité le nom de *hertz*) ; plus le phénomène est rapide, plus sa période est courte, plus sa fréquence est grande. — *F. musicale* : c'est la notion physique qui est liée à l'impression physiologique de hauteur. Les sons musicaux sont tous provoqués par un phénomène périodique : vibration d'une corde, d'une membrane ou d'une plaque, vibration de l'air à l'intérieur d'un tuyau, écoulement rythmé des tourbillons d'air provoqués par le frottement à grande vitesse sur un biseau – sifflet – ou sur un fil long et mince – fouet, harpe éolienne – etc. La fréquence de ce phénomène porte le nom de *f. musicale*. L'expérience montre que plus le phénomène périodique est rapide – donc plus sa fréquence est grande – plus le son paraît aigu (et inversement). Les limites inférieures et supérieures des fréquences dites musicales sont assez mal déterminées ; si l'on s'en tient aux instruments classiques, elles devraient être fixées à 16 et à 16.700, qui correspondent aux notes ut 1 et ut 9, données effectivement par certains jeux d'orgue. Les instruments électroniques permettent de les étendre légèrement : on admet assez généralement aujourd'hui 15 et 20.000, qui correspondent sensiblement aux fréquences extrêmes perçues par une oreille normale. Les vibrations (inaudibles) de fréquences inférieures à 15 portent le nom d'infra-sons ; les vibrations (inaudibles) de fréquences supérieures à 20.000 portent le nom d'ultra-sons. Les limites de perception des sensations auditives ne sont pas les mêmes pour l'homme et pour les différents animaux : c'est ainsi que certains vertébrés comme les chiens, les chauve-souris, perçoivent des vibrations ultra-sonores, dépassant de 2 octaves les possibilités de l'oreille humaine ; les insectes montent plus haut encore ; d'un autre côté, les poissons perçoivent des sons de fréquence très basse. En électronique, les fréquences musicales portent souvent le nom de *basses fréquences* ou *B.F.* (Voir ci-dessus) — *Fréquence porteuse* : c'est un terme que l'on emploie en radio-électricité : il s'agit d'une vibration électrique *à très haute fréquence* (150.000 à 300 millions) produite dans l'émetteur, que l'on « mélange » à la vibration électrique de fréquence musicale qui provient des microphones. La *f. p.* (qui « porte » en quelque sorte la *f.* musicale) facilite considérablement la transmission des programmes et rend possible la diffusion de plusieurs chaînes simultanées : c'est un processus intermédiaire qui n'est cependant pas sans incidence sur la qualité de la réception. Le « mélange » de la *f.* musicale à la *f. p.* porte le nom de « modulation » (on module la *f.* porteuse par la *f.* musicale) : il existe plusieurs moyens de le réaliser, l'un particulièrement simple, utilisé en radiodiffusion pour les ondes courtes, les ondes moyennes et les ondes longues, c'est la *modulation d'amplitude* (ou *A.M.*) ; un autre, moins commode, mais donnant une meilleure qualité, c'est la *modulation de fréquence* (ou *F.M.*), qui n'est pratiquement possible que si la porteuse est ultra-courte (fréquence extrêmement élevée, de l'ordre de plusieurs dizaines de millions) ; parmi les avantages que donne ce type de modulation, on peut signaler la très nette diminution des bruits parasites. Il existe d'ailleurs d'autres procédés de modulation, dont les développements ultérieurs peuvent apporter de nouvelles améliorations à la transmission radiodiffusée des productions. La *f. p.* porte souvent le nom de *haute-fréquence* (*H.F.*), par opposition à la *f.* musicale ou *basse fréquence* (*B.F.*). — *F. de référence* (ou *diapason*) : la théorie physique de la gamme (voir à ce mot) permet de définir les fréquences — donc les hauteurs — relatives des notes de musique. Pour déterminer leurs valeurs exactes (fréquences et hauteurs absolues), il est nécessaire de fixer arbitrairement l'une d'entre elles : c'est la *f. de référence*. L'habitude prise par les facteurs d'orgues dès le Moyen âge a conduit à choisir comme note de référence le *la* du milieu du clavier ou *la 3*. L'étude des instruments anciens, le choix des tessitures vocales par les compositeurs, montrent que, vers le milieu du XVIIIe s., la fréquence du *la 3* était de l'ordre de 404 à 408. Pour des raisons faciles à discerner, notamment le désir des facteurs de cuivres de donner plus d'éclat à leurs instruments, la fréquence du *la 3* n'a cessé de monter : 423 en 1810, 435 en 1830, 448 en 1858 ; elle variait d'ailleurs d'un pays à l'autre (455 à Londres et à Bruxelles), et même, à l'intérieur d'un pays (437 à Toulouse, 443 à Bordeaux, 448 à Paris, 452 à Lille). Pour éviter les inconvénients dus à cette situation, il fallut décider, en France d'abord, de fixer par décret la fréquence du *la* 3 : sur un rapport de Lissajous, un texte de 1859 arrêta sa valeur à 435 : cette décision fut adoptée progressivement par de nombreux pays. Toutefois, le *la* d'orchestre, pour les raisons exposées ci-dessus, restait plus élevé : environ 440 en Europe continentale, 457 en Grande-Bretagne et aux États-Unis, à la veille de la guerre 1939–1945. Aussi le Comité consultatif international des fréquences (C.C.I.F.) émit en 1939 le vœu de voir redevenir 440 comme valeur officielle du *la* 3 : une conférence qui se tint à Londres en 1953 entérina cette décision ; elle souleva et soulève encore de nombreuses objections, tant de la part des musiciens que des techniciens : les uns regrettent qu'un écart encore plus grand avec les fréquences adoptées en fait au XVIIIe s. rende encore plus difficile l'exécution dans le ton original d'œuvres vocales de cette époque ou d'époques antérieures ; les autres font remarquer que les raisons qui ont conduit à avoir des *la* d'orchestre supérieurs au *la* théorique restent valables, quelle que soit la valeur de base fixée, et qu'en conséquence, pour suivre réellement le *la* d'orchestre, il faudra augmenter systématiquement de 5 unités le *la* d'orchestre tous les 10 ans. Le signataire de cet article considère pour sa part que la décision de Londres a constitué une grossière erreur : d'accord avec de nombreux musiciens, il pense que la fréquence du *la* 3 devrait au contraire être ramenée à une valeur voisine de 430, fixée de telle sorte que les fréquences des notes *ut* soient exactement des puissances de 2 : 16, 32, 64, 128, 256, 512, 1024, 2048, 4096, 8192 et 16384. Cette échelle, à la fois physique et musicale, semble, de toutes celles qui ont été proposées, la plus favorable.

*Fréquence fondamentale. Fréquences harmoniques. Partiels.*
Ces trois définitions sont étroitement liées : elles permettent d'exprimer le comportement des appareils producteurs de son, en particulier des instruments de musique. Très généralement les phénomènes périodiques qu'ils produisent sont complexes : telle est par exemple la vibration d'une corde de piano ou de violon ; plus encore, celle d'une peau tendue (membrane) ; plus encore, celle d'une cloche. On a démontré (Fourier) que, dans tous les cas, il était possible de reconstituer artificiellement n'importe quel phénomène périodique complexe, par simple addition de mouvements pendulaires (voir à *fréquence pure*) à condition bien entendu d'en choisir avec précision les caractéristiques : les fréquences pures des mouvements pendulaires composants portent le nom de *partiels* du producteur de son, véritab le système vibrant. Il existe deux catégories de systèmes vibrants : ceux dont on ne peut modifier les conditions de vibration qu'en en modifiant la structure : ils ne possèdent donc qu'un *état de vibration* possible, qui peut se décomposer en une somme de fréquences pures (partiels) ; quand, par construction, l'appareil est tel qu'un des partiels est prépondérant, il donne sensiblement une fréquence pure (diapason, résonnateur) ; ceux dont on peut supprimer très simplement certaines séries de partiels : ils possèdent donc un grand nombre d'*états de vibration* possibles, chacun d'eux pouvant se décomposer en une somme de fréquences pures (partiels restants). Ils sont numérotés 1, 2, 3, 4 etc. du plus grave au plus aigu. *Exemples.* 1. *La corde vibrante* : on peut la faire vibrer librement ; on peut aussi changer les conditions de vibration (étouffer toute une série de partiels en immobilisant son milieu ; on étouffe une autre série de **partiels** en immobilisant un point situé au tiers de sa longueur ; une autre encore en immobilisant un point situé au quart etc. (il est intéressant de noter que l'instrument à corde appelé trompette marine, aujourd'hui inutilisé, se jouait précisément en obtenant par le procédé sus-indiqué, les différents états de vibration d'une seule corde dont la longueur restait inchangée). 2. *Le tuyau sonore* : on sait qu'en forçant le souffle, sans modifier en rien la structure du tuyau, on modifie ses conditions de vibration : tous les instruments à vent utilisent systématiquement et couramment cette possibilité plus ou moins développée suivant qu'il s'agit d'un cuivre (au moins dix états de vibrations jouables) ou d'un bois (trois à six, en général). Beaucoup d'instruments de musique, notamment les instruments à cordes et à **vent**, sont construits de telle sorte, que les fréquences des partiels sont de simples multiples de la fréquence la plus basse. Cette dernière porte alors le nom de *fréquence fondamentale* ; les fréquences multiples s'appellent *fréquences harmoniques.* Une telle particularité joue un rôle essentiel dans la sonorité des instruments de musique (voir articles *hauteur* et *timbre*).

FRESCOBALDI
*Frontispice des Toccate... (Rome 1637).*

*Fréquence pure.* Parmi tous les phénomènes périodiques, il en est un particulièrement simple : c'est celui qui s'exprime par un banal aller et retour (mouvement pendulaire). La fréquence d'un tel phénomène s appelle *fréquence pure :* le diapason donne sensiblement une fréquence pure.                              J.M.

**FRERE Walter Howard.** Ecclésiastique et musicologue angl. (Cambridge 23.11.1863–Mirfield 2.4.1938), qui fut supérieur de la *Community of the Resurrection,* puis évêque de Truro (1923–35) ; il écrivit des livres historiques : *The marian reaction, New history of the book of common prayer, English church history 1558 –1624, Russian church history,* des études sur la liturgie : *The Winchester tropar, The use of Sarum, Pontifical services, Early roman liturgy, The Hereford breviary* (en collab. avec L. Brown), des écrits musicologiques : *Graduale Sarisburiense* (1893), *Bibliotheca musica liturgica* (1894), *The Sarum gradual and the gregorian antiphonale missarum* (1895), *Hymns ancient and modern* (1909), un *Plainsong psalter.*

**FRÈRES JACQUES** (*Les*). Quatuor de chanteurs de variétés franç. (les frères Bellec, Soubeyran, Tourenne), accompagnés par le pianiste Pierre Philippe, qui est également leur compositeur ordinaire et leur metteur en scène, cet ensemble est devenu célèbre dans le monde entier ; de leur répertoire, citons *La Saint-Médard, La Marie-Joseph, La gavotte des bâtons blancs, Le général Castagnetas, La pendule, Barbara.*

**FRESCHI Domenico.** Mus. ital. (Bassano v. 1625–Vicence 12.7.1710), qui fut maître de chapelle à la cath. de Vicence de 1660 à 1673 ; il vécut un certain temps semble-t-il, à Bologne ; il eut comme élève G.A. Ricceri, qui devait devenir le maître de G.B. Martini ; il composa des opéras : *Iphide greca* (1671), *L'Elena rapita da Paride* (1677), *Tullia superba* (1678), *Sardanapalo* (1679), *Circe* (id.), *Berenice vendicativa* (1680), *L'amante muto loquace* (id.), *Pompeo Magno in Cilicia* (1681), *Olimpia vendicata* (1682), *Giulio Cesare trionfante* (id.), *Silla* (1683), *L'incoronazione di Dario* (1684), *Teseo fra le rivali* (1685), *Rosalinda* (1694) ; des messes : *Messa a 5 e salmi a 3 e 5 con strumenti...* (Venise 1660), *Messa a 6 e salmi a 2, 5 e 6 v. con 4 e 5 str.* (ibid. 1673), des oratorios : *O. della Giuditta a 5 v., Il miracolo del Mago* (6 v., ch., instr., 1680). Voir ds G. Mantese, *Storia mus. vicentina,* Vicence 1956.

**FRESCOBALDI Girolamo.** Mus. ital. (Ferrare 1583–Rome 1.3.1643). Élève de L. Luzzaschi à Ferrare, en 1604 il était à Rome où on le trouve organiste et cantor de la Congrégation de Ste-Cécile ; de janvier à mai 1604, il eut l'orgue de *S. Maria in Trastevere* ; il partit ensuite pour Bruxelles et Anvers, avec le nonce Guido Bentivoglio ; en 1608, il était de retour à Ferrare : dans la même année, il succéda à Ercole Pasquini comme org. de St-Pierre de Rome, poste qu'il occupa pendant vingt ans ; en 1613, il épousa Orsola del Pino ; en 1615, il séjourna à la cour de Mantoue : il y attendit 2 mois un emploi, vainement, et rentra à Rome à son poste de St-Pierre ; en 1628, il s'installa pour cinq ans à la cour de Toscane, comme org. et musicien de la chambre (à Florence) : après quoi, il revint à St-Pierre où il resta jusqu'à sa mort : c'est pendant cette dernière période qu'on trouve près de lui J.J. Froberger, venu de la cour de Vienne pour être son disciple, de 1637 à 1641. Compositeur remarquable, excellent exécutant et interprète, aussi bien à l'orgue qu'au clavecin, il ne créa pas une nouvelle technique, ni n'inventa de nouvelles formes instrumentales ; il renouvela pourtant la rigidité formelle de la Renaissance, introduisant les nouveaux procédés d'expression, de style, la solidité de construction qui sont les caractères de la première période du baroque ; si Monteverdi s'était limité au domaine vocal, *F.* se limita, lui, au domaine instrumental : dans la *toccata*, il introduisit l'effet de contraste que suscitent les dissonances ; dans l'improvisation à l'orgue (*Fiori musicali*), il est le père du chromatisme, du *tempo rubato* ; au *ricercare*, il apporte la variation rythmique et mélodique ; dans la *canzone*, il introduit la variation comme lien des différentes parties contrastées : ainsi créa-t-il un style instrumental différent du vocal, qui fut rarement utilisé en Italie, mais eut son plein emploi en Allemagne (Froberger, Buxtehude, Muffat, Bach). Il publia *Primo libro di madrigali a 5 v.* (Phalèse, Anvers 1608), *Il primo libro delle fantasie a 4* (Tini et Lomazzo, Milan 1608), *Ricercari et canzoni franzese in partitura lib. primo* (Zanetti, Rome 1615, 1618, 1626, 1646), *Toccate e partite d'intavolatura di cembalo, lib. primo* (Borboni, Rome 1615–16, 1628, 1637), *lib. 2º* (Rome 1627, 1637), *Il 1º lib. di capricci fatti sopra diversi soggetti e arie in partitura* (Soldi, Rome 1624, 1626, 1628, 1642), *Liber secundus diversarum modulationum 1-4 v.* (Gardano, Rome 1627), *Il 1º lib. delle canzoni a 1-4 v.* (Robletti, Rome 1623, 1628, 1634), *Arie musicali per cantarsi nel gravicembalo* (Landini, Florence 1630, 2 lib.), *Fiori musicali di diverse compositioni op. 12* (Vincenti, Venise 1635), *Canzoni alla francese in partitura libro 4º* (*ibid.* 1645) ; ses autres compositions sont restées manuscrites ou ont été publiées dans des anthologies de l'époque. P. Pidoux a publié 5 vol. de compositions pour l'orgue et pour le clavecin (Cassel 1950) ; signalons d'autres éditions de F.X. Haberl (1888), Bonnet et Guilmant (1922), Boghen et Bonaventura (1933), F. Germani (1936–37), H. Keller (1943). Voir F. X. Haberl, *H.F.*, 1887 ; A. Pirro, *F. et les musiciens de la France et des Pays-Bas*, S.I.M.G., 1908 ; A. Cametti, *F. Sunto bio-bibliografico*, Milan 1927 ; L. Ronga, *G.F.*, Turin

1930 ; A. Apel, *Neapolitan links between Cabezon and F.*, *MQ* 1938 ; C. Sartori, *Le 7 edizioni delle toccate di F.*, Florence 1948 ; H.F. Redlich, *The music of F.*, 1950 ; A. Machabey, *G.F., la vie et l'œuvre*, Paris 1952 ; L. Ronga, *Grandezza e solitudine di G.F.*, ds *R.M.I.* 1954.      **C.S.**

**FRESNEAU Henry.** Mus. franç., dont la biographie est inconnue ; peut-être a-t-il vécu à Lyon, où beaucoup de ses œuvres furent éditées chez J. Moderne : 1 motet à 4 v. (1539), 13 chansons à 4 v. (1538–1540) ; 4 autres furent publiées par Attaingnant (1540–1547), une dernière par Du Chemin en 1554. Voir N. Bridgman in MGG.

FRESCOBALDI
*Capriccio* (*ibid.*).

**FRESNEAU Jean.** Mus. franç., chapelain ordinaire de la chapelle du roi de 1470 à 1475 sous Ockeghem ; il paraît trois fois à Chartres entre 1494 et 1505 comme procureur des chanoines de St-Martin de Tours ou comme notaire et procureur en cour d'église ; on a de lui 1 messe à 4 v. et 6 chansons à 3 voix.      **F.L.**

**FRESNEUSE Jean-Laurent.** Voir art. *Lecerf de La Viéville.*

**FREŠO Tibor.** Chef d'orch. et compos. tchécoslovaque (Stiavnik 20.11.1918–), qui fut élève de Pizzetti ; il est le premier directeur de l'opéra de Košice ; il a écrit une ouv. de concert (1940), un prologue symphonique (1942), un *Stabat Mater* (1910), une *méditation* pour orch. et mezzo-sopr., des mélodies, de la mus. de piano, de film.

**FRESTEL.** C'est une flûte polycalame, d'usage pastoral (France, moyen-âge). On dit aussi *frestele*.     M.A.

**FRETEL.** Voir art. précédent.

**FRETTE.** C'est l'arrêt des cordes, qui, dans certains instruments, remplace les « tons » disposés sur la touche. Les *f.* sont constituées par une petite corde en boyau enroulée autour des manches de luths ou de vièles ; elles désignent la place d'intervalles, la longueur de la corde vibrante étant ainsi prédéterminée. Le procédé existe dans plusieurs instruments populaires ; il était utilisé sur les violes et luths européens des XVIe et XVIIe siècles.     C. M.-D.

**FREUBEL Jean Louis Pierre Léonard.** Mus. belge (Namur 1763–Amsterdam 21.5.1828). Élève de son père, l'org. *Jean Ernest F.* (1728–1791), puis de Van Hansen, de l'abbé Vogler, il devint un virtuose du violon et fut chef de musique (1812) des ballets, puis chef d'orch. du Théâtre hollandais d'Amsterdam ; il a laissé notamment des ballets, 1 symph., 14 cantates, des concertos, des ouvertures, *Het Vreede-Feest*. Voir le dict. de R. Vannes.

**FREUDENBERG Wilhelm.** Chef d'orch. et compos. allem. (Raubacher Hütte bei Neuwied 11.3.1838–Schweidnitz 22.5.1928). Élève de Moscheles, de Hauptmann, d'E.F. Richter, au cons. de Leipzig, il fut chef de chœur au théâtre de Wurtzbourg (1861), puis à Gera, à Altenburg, à Stralsund, à Mayence ; en 1865, il était dir. du *Cäcilienverein* et du *Synagogenverein* à Wiesbaden, en 1870, prof. au cons. de cette ville, en même temps que dir. d'une académie de chant qu'il avait fondée ; en 1886, il créait à Berlin une école de musique ; en 1887, il était chef d'orch. au théâtre d'Augsbourg, en 1889 dir. et chef d'orch. du Théâtre de Ratisbonne ; en 1895, chef de chœur à la *Kaiser-Wilhelm-Gedächtnis-Kirche* à Berlin, poste qu'il conserva jusqu'à l'âge de 70 ans ; il a laissé des écrits, 10 opéras, de la mus. de scène, vocale, de chambre, 1 poème symph. Voir H. Becker in MGG.

**FREUDENTHAL Heinz.** Altiste et chef d'orch. allem. (Dantzig 25.4.1905–), élève du cons. de Wurtzbourg, qui fait carrière en Allemagne et en Scandinavie.

**FREUND Marya.** Chanteuse pol. (Wroclaw 12.12.1876–). Élève de Julius Stockhausen, de Sarasate (violon), elle appartient à une famille chez qui venaient souvent J. Joachim, H. v. Bülow, Brahms ; elle débuta à Berlin, dans le *Christus* de Rubinstein ; amie de Gustav Mahler (elle créa l'*Ode aux enfants morts* en 1912), de Nikisch, de Mengelberg, de Chevillard, de Furtwängler, elle fut accompagnée par des pianistes comme Cortot ou Casella ; son répertoire allait de Mozart, Schubert, Schumann, Brahms, à Debussy, Ravel, Stravinsky, Schoenberg (elle créa le *Pierrot lunaire* à Paris), à Erik Satie (elle créa *Socrate*), à Manuel de Falla, aux Six, aux jeunes écoles de tous les pays ; en 1956, 80 compositeurs ont rassemblé un *Hommage à M.F.* ; elle est la mère de Doda Conrad.     D.Cd.

**FREUND Robert.** Pian. hongr. (Budapest 1852–8.4.1936), élève de Moscheles et de Liszt, auteur de mus. de piano et de mélodies.

**FREUNDT Cornelius** (*Bonamicus*). Mus. allem. (Plauen v. 1535–Zwickau ... 8.1591). On ne sait rien de ses jeunes années ; il fut d'abord *cantor* à Borna, où il épousa Agnès Ortel en janv. 1564 ; l'année suivante, il succédait à D. Köler comme cantor à *St. Marien* et *quartus* à l'école de Zwickau ; il écrivit des comédies de collège ; en 1588, on le trouve prédicateur ; il eut 8 enfants ; partie de ses œuvres sont conservées en manuscrits à Zwickau : il s'agit d'une quarantaine de motets de 4–8 v. et d'une messe à 6 v. ; une seule œuvre a été publiée de son vivant : *Epithalamion in honorem venerandi ... D. Friderici Petrii...*

(5 v.), par Hantzsch à Mülhausen (1568). Voir G. Göhler, *C.F.*, thèse de Leipzig, 1896, et W. Brennecke in MGG.

**FREY Emil.** Pian. et compos. suisse (Baden, Aargau, 8.4.1889–Zurich 20.5.1946). Élève de W. Rehberg, d'O. Barblan, de J. Lauber au cons. de Genève, puis de Diémer, de Fauré, de Widor au cons. de Paris, il débuta à Berlin, fut pian. de la cour de Roumanie, prix Rubinstein (1910), prof. au cons. de Moscou (1912–1917), enfin au cons. de Zurich ; il eut une grande renommée, composa des œuvres chorales (dont une messe), des mélodies, 2 symph., des concertos, de la mus. de chambre, d'orgue, de piano, et publia *Schweiz. Kl.-Musik aus der Zeit der Klassik u. Romantik*, Hug, 1937. Son frère – **Walter** (Bâle 26.1.1898–) fut également pianiste, élève de V. Andreae, de F. Niggli, de W. Rehberg, et prof. au cons. de Zurich ; il a fondé et il préside la société *Pro musica*.

**FREY Martin Alfred.** Compos. allem. (Crossen 23.1.1872–Halle 18.1.1946), élève de M. Krause, de Th. Wiehmeyer, de Jadassohn, de H. Riemann, qui fut critique musical à Halle à partir de 1899 et écrivit surtout pour le piano et pour le chant ; ses travaux sur Bach et sur l'époque baroque eurent beaucoup d'influence sur la pédagogie de son temps.

**FREY Max.** Chef d'orch. et musicologue suisse (Zurich 1898–), qui a écrit une thèse sur Telemann et publié une monographie sur Fritz Slüssi.

**FREYLINGHAUSEN Johann Anastasius.** Théologien allem. (Gandersheim 2.12.1670–Halle 12.2.1739), gendre d'A.H. Francke, piétiste, qui publia 2 livres de cantiques : *Geistreiches Gesangbuch ...* (1704), *Neues geistr. Ges.* (1714) : il s'agit respectivement de 683 et de 815 mélodies, qui reprises plus tard par Zachow et d'autres, furent fort en vogue. Voir ds W. Serauky, *Musikgesch. der Stadt Halle*, II, 1939.

**FREYSTÄDLER Franz Jakob.** Mus. autr. (Salzbourg 13.9.1768–Vienne 1841), élève de F.I. Lipp et de Mozart (ce dernier l'appelait *Gaulimauli* ; *cf.* K. 232) ; il enseigna à Vienne et composa de la mus. de piano, de chambre, des mélodies dont la plupart sont conservées aux archives de la *Ges. d. Musikfreunde* et à la *Stadtbibl.* de Vienne. Voir la lettre de Mozart du 14 janv. 1787.

**FREZZA Giuseppe** (*Dalle Grotte*). Mus. ital., des XVIIe–XVIIIe s., frère mineur, qui fut prof. de théologie au couvent de St-Antoine à Padoue et publia *Il cantore ecclesiastico...* (Padoue 1698, 1713, 1733) et *Symbolum apostolorum ... ibid.* s.d.).

**FREZZOLINI Giuseppe.** Chanteur ital. (Orvieto 9.11.1789–16.3.1861). *Buffo cantante*, pour qui Donizetti écrivit *L'elisir d'amore* ; sa fille – **Erminia** (Orvieto 27.3.1818–Paris 5.11.1884), élève de Ronconi, de Garcia, de Tacchinardi, débuta à Florence en 1838 ; elle épousa le ténor *A. Poggi*, fit une carrière de soprano notamment triomphale à la *Scala*, au Théâtre italien de Paris, où elle fut engagée par Paganini (1853) ; Verdi avait écrit pour elle *Lombardi* (1843) et *Giovanna d'Arco*. Voir l'*Enc. dello spettacolo*.

**FRIBERTH Karl.** Voir art. *Frieberth*.

**FRICASSÉE.** C'est un genre de chanson polyphonique, en forme de *quodlibet*, constituée de fragments ou de bribes de chansons populaires (avec paroles différentes à chaque voix), en usage en Europe aux XVe–XVIIe s. ; les premières *f.* connues se trouvent dans le ms. IV a 23 de la bibl. de l'Escorial : elles sont à 3 v. ; celles qui furent imprimées dès le début du XVIe s., à 4 v., ont un caractère érotique assez prononcé, tandis que les *f.* écossaises connues du milieu du XVIIe s. sont plutôt des pièces de circonstance en rapport avec des fêtes de cour ou des réjouissances paysannes. Voir F. Lesure, *Eléments populaires dans la chanson française au début du XVIe s.*, in *Poésie et mus. au XVIe s.*, C.N.R.S. 1954 ; H.M. Shire et K. Elliott, *La f. en Ecosse...*, in Les fêtes de la Renaissance, C.N.R.S. 1956.     F.L.

**FRICCI Antonietta** (pseud. de *Frietsche*). Sopr. autr. (Vienne 8.1.1840–Turin 7.9.1912). Élève de Marchesi au cons. de Vienne, elle débuta en 1858 et triompha à la *Scala* en 1865–66 ; elle se retira de la scène en 1877 et enseigna à Florence et à Turin. Voir G. Monaldi, *Cantanti celebri*, Rome 1929.

**FRICKE Richard.** Compos. allem. (Oschersleben 21.4. 1877–), élève de Herzogenberg, de Humperdinck, maître de chœur, org., *cantor* de la *Luther-Kirche* à Dresde (1914), auteur de mus. chorale, symph., de piano, d'orgue, de mélodies, d'un *Requiem*, d'une opérette (*Das Bad im Kaukasus*, 1918), d'un quatuor ; il a publié une anthologie : *Meisterwerke alter Kirchenmusik aus Sachsen u. Thüringen.*

**FRICKER Peter Racine.** Compos. angl. (Londres 5.9. 1920–), apparenté à Jean Racine ; élève du *Royal College of music* à Londres (Morris, Bullock), puis de M. Seiber, disciple de Bartok, il a été nommé en 1952 dir. de la mus. au *Morley College* ; il a reçu mainte distinction pour ses œuvres : 3 *préludes* (p., *op.* 1, 1944–45), *4 fughettas* (2 p., *op.* 2, 1946), *Sonate d'orgue* (*op.* 3, 1947), *2 madrigaux* (a cappella, *op.* 4, 1947), *Quintette* (*op.* 5, 1947), *Night landscape* (s. et cordes, *op.* 6, 1947), *3 sonnets* (*op.* 7a, 1947), *Rondo scherzoso* (orch., *op.* 7b, 1947), *Quatuor à cordes* (*op.* 8, 1948), *Prelude, elegy and finale* (cordes, *op.* 10, 1949), *Concerto* (p. et v., *op.* 11, 1949–50), *Sonate p. et v.* (*op.* 12, 1950), *Concertante* (cor anglais et cordes, *op.* 13, 1950), *Concertante* (3 p., cordes et timb., *op.* 15, 1951), *Canterbury prologue* (ballet, *op.* 16, 1951), *4 impromptus* (p., *op.* 17, 1952), *Concerto* d'alto (*op.* 18, 1953), *Concerto* de piano (*op.* 19, 1954), *2e quatuor à cordes* (*op.* 20, 1953), *Rapsodia concertante* (v. et orch., *op.* 21, 1954), *2 danses* (orch., *op.* 22, 1954), 3 symphonies (1re *op.* 9, 1948–49, 2e *op.* 14, 1950–51).

**FRICKHOEFFER Otto.** Compos. allem. (Bad Langenschwalbach 29.3.1892–). Élève de B. Sekles, d'E. Toch, il est l'auteur de mélodies, de mus. de chambre, d'œuvres d'orgue, symph. (*Epimeleia*, ch. et orchestre).

**FRICSAY Ferenc.** Chef d'orch. hongr. (Budapest 9.8. 1914–). Élève de Z. Kodaly, il débuta comme chef d'orch. à Szeged ; il a appartenu aux opéras de Budapest, de Vienne, de Berlin, à la radio de Berlin, où il fonda l'orchestre RIAS ; tout en faisant une carrière internationale, il a depuis 1956 à Munich les fonctions de directeur du *Bayerische Staatsoper* et de chef d'orch. des *Akademiekonzerte.*

**FRID Géza.** Pian. et compos. néerl. d'origine hongroise (Maramarossziget 25.1.1904–). Élève de B. Bartók (piano) et de Z. Kodály (composition) à Budapest, installé à Amsterdam en 1929, il a obtenu la nationalité hollandaise en 1948 ; il jouit d'une grande autorité internationale comme interprète des œuvres de Mozart, Liszt, Bartók, Chostakovitch etc. ; entre 1948 et 1956, il a fait 3 tournées en Indonésie ; œuvres principales : 2 ballets : *Fête champêtre*, *op.* 38, *Luctor et Emergo*, *op.* 43), *Paradou* (fantaisie symph., *op.* 28, prix de la ville d'Amsterdam 1949), *Variations p. orch. et chœur* (sur un thème pop. néerl., *op.* 29, prix de la radio holl., 1950), *Études symphoniques* (*op.* 47, prix de la ville d'Amsterdam), *Symphonie*, *Suite*, *Kermesse à Charleroi*, *Caecilia-ouverture*, *Rhapsodie sud-africaine* (orch.), *Das Sklavenschiff* (*op.* 51, p. ténor, basse, chœur d'hommes, cuivres, percussion et p.), *Divertimento* (cordes), *Sérénade* (*op.* 52) et *Études Rythmiques* (*op.* 58, petit orch.), *Concertos* (viol., 2 viol., 2 p., p. et chœur), *Podium-suite* (viol. et orch.), *Romance et allegro* (vcelle et orch.), *Nocturnes* (fl., harpe et cordes), 3 quatuors à cordes, trio (viol. alto et p.), trio à cordes, sonates (viol. *solo*, vcelle et p.), *12 Métamorphoses* (2 fl. et p.), duos (2 viol.), sonatine (alto et p.), compositions pour ou 2 p., mélodies, cantates, chœurs, *La fiancée noire* (opéra, créé à Amsterdam en 1959). **J.G.**

**FRIDERICI Daniel.** Mus. allem. (Klein–Eichstedt ... 1584–Rostock 23.9.1638). Issu de parents pauvres, il fut *Currendeschüler* (Querfurt, Eisleben, Gerbstädt, Salzwedel, Burg, Magdebourg, Meissen, Brunswick, Gerbstädt : c'est dans cette dernière ville qu'il fut élève de V.

Hausmann) ; il parcourut encore la Hesse, la Westphalie, la Hollande ; il eut d'abord un poste à Osnabrück, puis, en 1612, s'inscrivit à l'univ. de Rostock ; en 1614, il entrait comme *cantor* et maître de chœur au service du comte A.G. zu Oldenburg u. Delmenhorst ; à partir de 1615, il s'installa à Rostock, où il se maria, occupa différents postes de *cantor* (il devait finir comme maître de chapelle de la ville), et fut promu (1619) *magister* à l'université ; il mourut de la peste. Ses compositions eurent un grand succès ; mus. d'église : *Sertum musicale primum...* (3 v., Rostock 1614), *Sertum musicale alterum...* (Greifswald 1619), *Psalmus regii prophetae Davidis cent. vig. primus* (8 v., Rostock 1622), *Bicinia sacra...* (Rostock 1623), *Viridiarium musicum sacrum...* (4–5 v., ibid. 1625), *Selige Grab.-u. Himmels Leiter...* (5 v., ibid. 1628), *Deliciae juveniles...* (4 v., ibid. 1630), *Deliciae juveniles, ander Theil* (4 v., ibid. 1630), d'autres dans divers recueils de l'époque ; œuvres profanes : *Servia musicalis prima...* (3–4 v., Rostock 1614), *Servia musicalis altera...* (4–5 v., Lubeck 1617), *Eja veni Dorothea* (épithalame, 5 v., Rostock 1620), *Pulchrae sunt genae tuae* (id., 5 v., ibid. 1621), *Quam pulchra es* (id., 6 v., ibid. 1621), *Newes gantz lustiges u. kurtzweiliges Quodlibet mit 5 St.*, neben einem anmütigen music. Dialogo mit 6 St. (ibid. 1622), *Amores musicales...* (4–6 v., ibid. 1624), *Amuletum musicum contra melancholiam...* (ibid. 1627), *Hilarodicon...* (5 v., ibid. 1632), *Amores musicales...* (5–6 v., ibid. 1633) ; il arrangea 3 chansons de Th. Morley (ibid. 1624) ; il rédigea un traité : *Musica figuralis oder newe Unterweisung der Singe Kunst* (Rostock 1618, 1619, 1624, 1649, 1660, 1677) et deux comédies scolaires. Voir H. Rhane, *Ad exequias M.D.F.*, Rostock 1638 ; W. Voll, *D.F., sein Leben u. seine geistl. Werke*, thèse de Rostock, 1933, Cassel et Hanovre 1936 ; M. Ruhnke in MGG.

**FRIDZERI** (*Frixer*) **Alessandro Maria Antonio.** Mus. ital. (Vérone 15.1.1741–Anvers 16.10.1825). Aveugle de naissance, il passa sa prime jeunesse à Vicence ; il était jeune virtuose de la mandoline, de la flûte, du violon, du clavecin, de l'orgue ; à 20 ans, il était org. à la chapelle de la *Madonna del monte Berica* à Vicence ; en 1765, il vint à Paris : en 1766, il jouait au Concert spirituel ; il voyagea dans le nord, en Belgique, en Rhénanie, à Strasbourg ; en 1771, on jouait à la Comédie italienne *Les deux Musiciens*, en 1776, *Les souliers mordorés*, œuvre qui eut un succès universel ; il passa ensuite 12 ans en Bretagne chez le comte de Châteaugiron ; pendant la Révolution, il fonda à Nantes l'Académie philarmonique ; il revint à Paris, après la chute de Robespierre, y fonda l'Acad. phil. de Paris, se réfugia en Belgique 4 ans après, où il était connu comme prof., luthier et marchand de musique ; il composa deux autres opéras : *Lucette* (1785), *Les Thermopyles*, *Sei quartetti da camera* (*op.* 1, Paris 1771), *6 sonates pour mandoline* (*op.* 3, id.), *Due concerti ...* (*op.* 5), *4 duos pour 2 violons concertants* (*op.* 7, ibid.), *3 quatuors* (*op.* 10, ibid.), *1re symphonie concertante* (*op.* 12, ibid), *2 recueils d'airs* (*op.* 6, *op.* 13), *1 recueil d'airs avec piano* (*op.* 9), *12 hymnes ou odes révolutionnaires* (v. 1795), *1 messe* (*op.* 32), *1 Miserere* (*op.* 34). Voir M. Briquet in MGG.

**FRIEBERTH** (*Friberth*) **Karl.** Ténor autr. (Wullersdorf 7.6.1736–Vienne 6.8.1816), ami de Haydn, de qui il était le collaborateur auprès du prince Esterhazy ; il tint d'ailleurs un certain nombre d'emplois à la cour de ce prince et fut aussi maître de chapelle des deux églises des Jésuites à Vienne ; il est l'auteur du livret de *L'incontro improvviso* de Haydn, de 9 messes, de 5 motets, d'un *Stabat Mater*, d'un *Requiem*, d'un certain nombre d'autres pièces de mus. d'église, de *Lieder*, de chœurs, d'*arie*. Voir ds le *J. Haydn* de C.F. Pohl (1875–1882).

**FRIED Oskar.** Chef d'orch. et compos. allem. (Berlin 1.8. 1871–Moscou ... 7.1942), élève de Humperdinck et de Ph. Scharwenka ; *Das trunkene Lied* (Nietzsche, soli, chœur et orch., *op.* 11) lui valut la célébrité et l'amitié de G. Mahler ; à Berlin, en 1905, il dirigea les *Neuen Konzerte*, en 1907 la *Ges. der Musikfreunde*, en 1908, le *Blüthnerorch.*, en 1925–26, le *Berliner Sinfonie-Orch.* ; en 1934, il émigra à Tiflis, où il fut engagé comme chef d'orch. à l'Opéra ; il écrivit des *Lieder*, de la mus. symph. de piano, un opéra : *Die vernarrte Prinzess*, *Die Auswanderer* (décl. et orch.,

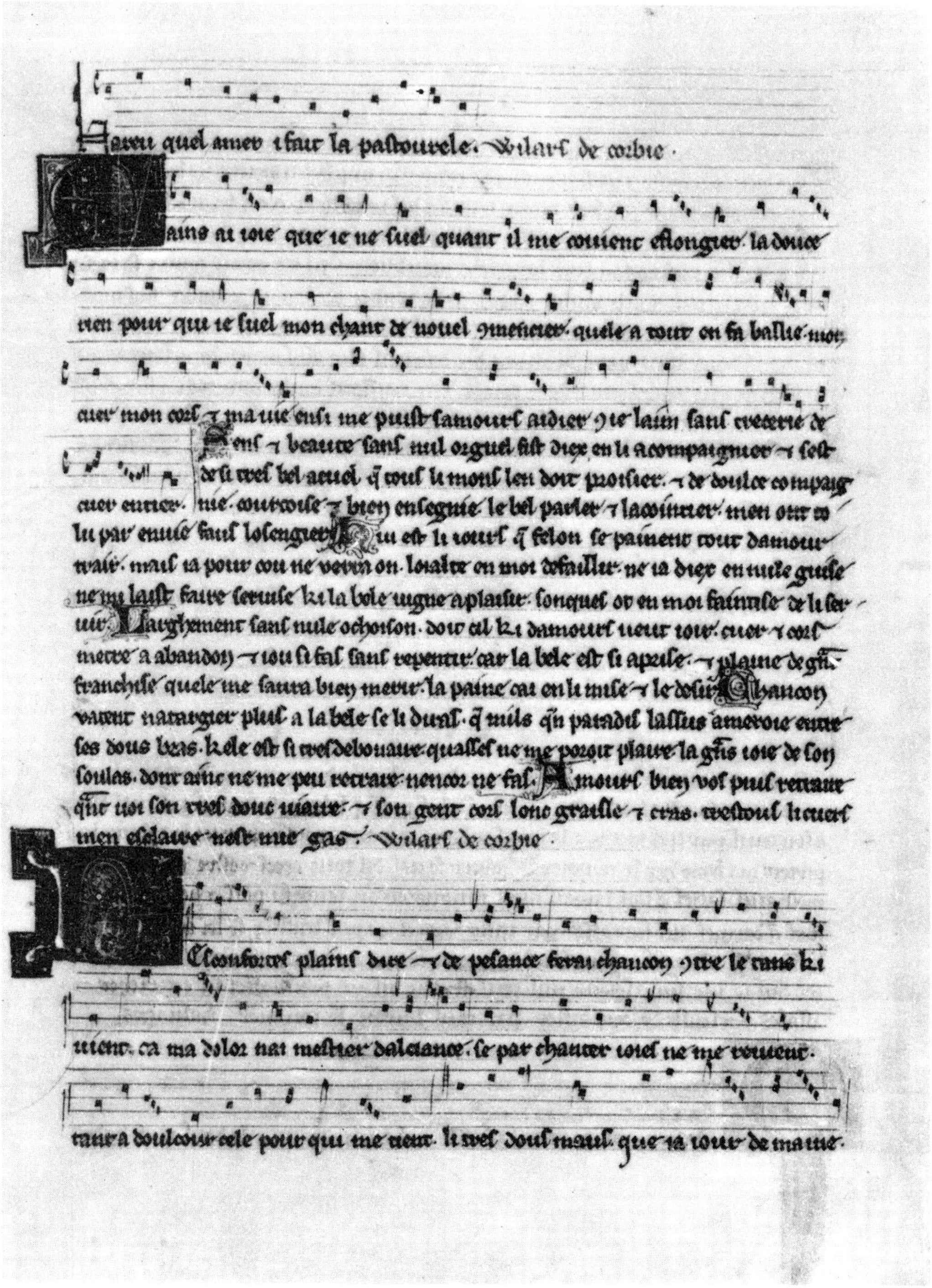

France

*Anonyme.* Tenso *(ms. franç. 12615 BN).*

1913) ; ses souvenirs sur Mahler ont paru dans les *Musik-blätter d. Ambruchs*, I, n° 1. Voir P. Bekker, *O.F. ...*, Berlin 1907 ; P. Stefan, *O.F. ...* Berlin 1910 ; deux art. de H. Leichtenstritt (1904, 1905) ; des art. nécrologiques ont paru ds *Sovetskaia mouzika* et ds *Sovetskoe iskonsstvo* de 1941.

**FRIEDBERG Carl.** Pian. allem. (Bingen 18.9.1872–Meran 8.9.1955), élève de Clara Schumann, qui fut prof. au cons. de Cologne (1904) et enseigna à New-York.

**FRIEDHEIM Arthur.** Pian. et compos. russe d'origine allem. (St-Pétersbourg 26.10.1859–New-York 19.10. 1932). Élève de Liszt, qu'il suivit à Rome (1880) et à Weimar (1881), de qui il fut le secrétaire, il exerça à Chicago, à Londres, à Manchester, à Munich, à Mexico, au Canada, enfin à New-York où il se fixa en 1914 ; il écrivit des opéras : *Die Tänzerin* (1897), *The last days of Pompei*, 1 concerto de p., des transcriptions de Liszt etc. ; il publia une monographie sur Liszt.

**FRIEDLAENDER Max.** Chanteur et musicologue allem. (Brieg 12.10.1852–Berlin 2.5.1934). Il apprit le chant avec Manuel García et Julius Stockhausen : il était baryton ; il fit d'abord carrière à Londres (1880), à Francfort (1881), puis à Berlin, où, à partir de 1884, il fut l'élève de Spitta et de W. Scherer ; il fit une thèse sur Schubert (Rostock 1887) et fut nommé prof. à l'univ. de Berlin en 1903 ; en 1910–11, il fut maître de conférences des univ. nord-américaines : il eut le titre de docteur *honoris causa* de l'univ. de Harvard ; en 1918, il était prof. honoraire de l'univ. de Berlin, en 1921 professeur émérite ; il appartint à de nombreuses sociétés musicologiques ou musicales ; il publia : *Beitr. zur Biographie F. Schuberts* (Haack, Berlin 1889), *Opernstatistik f. d. Jahr 1894* (Breitkopf, Leipzig 1895), *Das deutsche Lied im 18.Jh.* ... (Cotta, Stuttgart 1902), *Konzert im Stile von Goethes Hausmusik im Grossher-zoglichen Hoftheater* (Dietsch-Brückner, Weimar 1914), *Ueber musik. Herausgabe-Arbeit* (Ges.d.Bibl., Weimar 1922), *Brahms' Lieder...* (Simrock, Berlin 1922), *A la memoria de L.v.Beethoven...* (Duems, Berlin 1927), *F. Schubert. Skizze seines Lebens u. Wirkens* (Peters, Leipzig 1928) ; il faut ajouter à cela un grand nombre d'articles et d'éditions (aussi bien révision de textes que pédagogic) ; il composa quelques *Lieder*. Voir les mélanges publiés lors de son 70e et de son 80e anniversaire, notamment les art. de J. Bolte et de H. Kretzschmar ds *Festgabe zum 70. Geburtstag M.F.* ; R. Schwartz, ds *Jahrb. d. Musik bibl. Peters*, 28.11.1921 ; W. Virneisel ds MGG.

**FRIEDLAND Martin.** Compos. et critique allem. (Stargard 9.12.1881–), élève du cons. de Berlin, auteur de mus. chor., symph., de chambre, de mélodies, d'une thèse sur la musique romantique (1930) ; il a été chroniqueur à la *Kölner Tageblatt*.

**FRIEDMAN Ignacy.** Pian. et compos. pol. (Podgorze-Cracovie 14.2.1882–Sydney 26.1.1948). Élève de Riemann, d'Adler, de Leschetisky, il fut un grand interprète de Chopin dans le monde entier et écrivit près d'une centaine de pièces (p., mus. de chambre, mélodies).

**FRIEDMANN Aron.** Compos. allem. (Schaki, Lithuanie, 22.8.1855–?). Élève de Lewandowski, de F. Sieber, de Bussler, de Blumner, *cantor* à la synagogue de Berlin (1882–1923), dir. de mus. à la cour (1909), il écrivit un cantoral (*Schur Lisch'lomo*, 1901–1930), des psaumes, des cantates, des ballades, des mélodies ; il assuma l'édition de livres de chant juif : *Der synagogale Gesang* (1908), *Denkschrift zum 200-jähringen Bestehen der Berliner alten Synagoge* (1914), *Lebensbilder berühmter Kantoren* (3 vol., 1918–28), *Sammlung kant.-wiss. Aufsätze*, I (1922), *50 Jahre in Berlin* (1929).

**FRIEDRICH von HAUSEN.** *Minnesänger* allem. (v. 1155–Philomelium 6.5.1190), qui fit de nombreux voyages en Europe, fut de l'entourage de l'archevêque de Mayence, des empereurs Henri VI et Frédéric Ier, participa à la 3e croisade (il mourut dans le combat de Philomelium, en Asie-Mineure) ; le texte seul de 15 chansons nous est resté en mss ; aucune des mélodies n'est authentique. Voir F. Gennrich, art. ds *Zeitschr. f. roman. Phil.*, 42, 1922- ds *Zeitschr. f. Mus. wiss.*, VII, 1924–25 — ds *Das*

*Musikwerk*, Cologne 1951 — *Formenlehre des ma. Liedes*, Halle 1932 ; H. Brinckmann, *F.v.H.*, Minden 1948, et H. Husmann in MGG.

**FRIEMANN Gustav.** Violon. pol. (Lublin 1842–Odessa 28.9.1902), élève de Serwaczynski et de L. Massart, qui fit carrière en Pologne, en Russie, et composa. Son fils — **Witold** (Konin 20.8.1889–), élève de Noskowski, de Stakowski, de Pembaur, de M. Reger, prof. de p. et lecteur à l'univ. de Lwow, dir. du cons. de Katowice (1932), attaché à Radio-Varsovie (1934–39), dir. de musique à l'Institut pour aveugles Laski, est l'auteur d'une centaine de compositions (3 opéras, 4 concertos de piano, 3 symph., 4 quatuors, 2 quintettes, pièces de p., mélodies, chœurs).

**FRIESS Hans.** Chef d'orch. et compos. allem. (Mayence-Bischofsheim 11.6.1910–). Élève du cons. de Berlin, chef de musique militaire à Munich et à Berlin (1938–45), chef de chœur et prof. à l'*Akad. f. Tonkunst* à Darmstadt et au cons. de Mayence (1947–55), chef de mus. dans la nouvelle armée allem. (1955), il a écrit 1 symph. (1953), 1 symph. pour orch. de chambre, *Reihenmodi* (cuivres, 1954), 2 quintettes, un quatuor, des pièces pour saxophone, 1 sonate de flûte, 1 cantate, des chœurs.

**FRIGEL Pehr.** Compos. suédois (Kalmar 2.9.1750–Stockholm 24.11.1842). Lauréat de l'univ. d'Upsal, il fut d'abord fonctionnaire ; tout en exerçant sa profession, il composait et fut membre (1778), puis secrétaire (1796–1841) de l'Académie royale de musique ; en 1801 il s'installa à Stockholm, où il fut l'élève de J.G. Naumann, de J.M. Kraus ; il fut inspecteur de l'enseignement et enseigna la théorie musicale ; il écrivit, s'inspirant de de Haendel et de Gluck, *Ouvertura, Adagio e staccato* (1777), *Inaugurationsmusiquen ...* (1784), *Zoroaster* (op., v. 1788), un intermède pour le *Singspiel Åfventyraren* (1790), *Introduzione di chiesa* (1800), *Overtura composta d'un filarmonico* (1804), *Sinfonia B* (1805), *Overtura per la chiesa h-D* (1808), de la mus. de scène, des airs, des cantates, un oratorio, des mélodies ; il entretint une correspondance avec de nombreux musiciens de son temps, dont Cherubini. Voir B. von Beskow, *P.F.*, Stockholm 1843, 1866 ; O. Morales et E. Norlind, *Kungl. Musik. Akad. 1771–1921*, Stockholm 1921 ; art. in MGG.

**FRIIS Niels.** Musicologue danois (Copenhague 4.11.1904–). Org., rédacteur à la *Berlingske Titende*, auteur de *Militaer-musikken* (1941), *Det kongelige teater* (1943), *D. Buxtehude* (1945), *Det danske hoftrompeterkorps* (1947), *Det kongeli-gekapel* (1948), des études sur l'orgue au Danemark (1949, 1956), ainsi que divers articles.

**FRIML Rudolf.** Pian. et compos. amér. d'origine tchèque (Prague 7.12.1879–). Élève du cons. de Prague (Dvorak, Jiranek). Il débuta comme virtuose en 1903 et, aux États-Unis, en 1904 : il y eut un tel succès qu'il y demeura ; il a écrit de la mus. de piano, 2 concertos, de la mus. symph., mais surtout une vingtaine d'opérettes, dont la célèbre *Rose-Marie* (Paris 1927) et des ballets. Voir l'*Enc. dello spettacolo.*

*d.*
*Nov 12*
*1972*

**FRIMMEL Theodor von.** Musicologue autr. (Amstetten 15.12.1853–Vienne 25.12.1928). Docteur en médecine (1879), il se consacra aux études beethovéniennes ; il fut en 1883 attaché à l'*Österr. Museum f. Kunst u. Industrie* ; en 1884, il était conservateur-adjoint du *Hofmuseum* (jusqu'en 1893) ; il fut dir. de la galerie du comte Schönborn-Wiesentheidscher et prof. d'histoire de l'art à l'*Athenäum* de Vienne ; il publia *Handbuch der Gemäl-dekunde* (Leipzig 1902–1904), *Gesch. der wiener Gemäldes-ammlungen* (Munich 1901), *Beethoven u. Goethe...* (Vienne 1883), *Neue Beethoveniana* (Vienne 1888, 1890), *J. Danhauser u. Beethoven...* (Vienne 1892), *Ludwig van Beethoven* (Berlin 1901, 1922), *Beethoven-Studien* (2 vol., Munich-Leipzig 1905, 1906), *Beethoven im zeitgenössischen Bildnis* (Vienne 1923), *Beethoven-Handbuch* (2 vol., Leipzig 1926), *Beethoven-Jahrbuch* (2 vol., Munich-Leipzig 1908, 1909), *Lose Blätter* Vienne 1911–1923), les 2e et 3e vol. de la correspondance de Beethoven ds l'édition A. Chr. Kalischer (Berlin–Leipzig 1910, 1911), ainsi qu'un grand nombre d'articles dans des périodiques de son temps.

**FRISCALETTU.** C'est une flûte à bec, en roseau, à neuf trous dont deux dorsaux (instrument populaire : Italie, Sicile). M.A.

**FRISCHENSCHLAGER Friedrich.** Compos. autr. (Gross St-Florian 7.9.1885–). Élève de Degner, de Juon, de Humperdinck, bibliothécaire et prof. au *Mozarteum* de Salzbourg (1918), il a écrit dans presque tous les genres, notamment 3 opéras pour les enfants.

**FRISCHMUTH Johann Christian.** Compos. allem. (Schwabhausen 25.11.1741–Berlin 31.7.1790). Fils du *cantor* Johann Elias F., il fut d'abord acteur, puis chanteur, puis chef d'orch. (il débuta en 1775 à Münster dans *Le père de famille* de Diderot); après diverses vicissitudes, il fut engagé le 1er août 1787 comme dir. de la musique au théâtre royal de Berlin ; il composa *Das Mondenreich* (*Singspiel*, 1769), *Clarisse...* (op. com., 1775), *Die kranke Frau* (1773 ?), *Der Kobold*, des duos de violon édités par Hummel; à peu près tout est perdu ; 3 sonates pour le clavecin, qui lui sont communément attribuées, ont en fait pour auteur Leonhard F., d'Amsterdam ; il a d'autre part existé un autre J.C.F., qui fut cantor et édita à Leipzig chez Kühnel en 1813 *Zwölf leichten Orgelstücke*. Voir E. Devrient, *Gesch. der deutschen Schauspielkunst* I, Berlin 1905 ; H. Graf, *Das Repertoire der öffentl. Opern-u. Singspielbühnen in Berlin seit dem Jahre 1771*, I, Berlin 1934.

**FRISER.** S'agissant d'une corde filée, c'est produire un son défectueux.

**FRISIUS** (*Fries, Friese*) **Johannes.** Théoricien suisse (Greifensee 1505–Zürich 28.1.1565). Élève de la *Münsterschule* de Zürich, de l'univ. de Paris (1533–1535), il enseigna les lettres à Bâle (1536), puis à Zürich ; en 1547, près d'un voyage en Italie, il fut chargé de la réorganisation des études musicales à Zürich ; dirigea une chorale ; il publia des ouvrages pédagogiques, notamment une *Synopsis isagoges musicae...* (1552), dont la seconde édition portait le titre de *Brevis musicae isagoge...* (1554) : c'est l'un des premiers théoriciens suisses de la musique. Voir E. Bernoulli, J.F. ... ds *Zwingliana* IV, 1924, et *Der Züricher Humanist Hans Fries...*, ds *Schw. Jahrb. f. Musikw.*, Aarau 1927 ; voir également l'art. de H. Hüschen in MGG.

**FRISKA.** Voir art. *Czardas*.

**FRISS Antal.** Vcelliste hongrois (Budapest 15.1.1897–), qui fit ses études à Budapest et à Berlin, actuellement prof. à l'École des hautes études mus. à Budapest, auteur d'une méthode de violoncelle.

**FRITSCH Balthasar.** Mus. allem., né entre 1570 et 1580 à Leipzig ; on ne sait rien de sa vie ; il publia : *Primitiae musicales, paduanas et galliardas quas vocant, complures egregias, artificiosissimas et suavissimas complectentes* (12 pavanes, 21 gaillardes à 4 v., Richter-Stein, 1606), *Neue kunstreiche u. lustige Pavanen u. Gaillarten f. 4 St.* (1606), *Neue deutsche Gesänge, nach art der Welschen Madrigalien, mit 5 St.* (12 mélodies, Lamberg, Leipzig 1608) ; il unit à la vivacité de l'inspiration populaire un grand art du contrepoint.

**FRITSCH Thomas** (*Fritschius*). Mus. allem. (Görlitz 25.8.1563–Breslau, av. 1620). Il semble avoir vécu sa jeunesse à Görlitz ; il fut ensuite dans un monastère de Bohême, puis à Breslau, où il enseigna et fut de l'entourage du duc Georges-Rodolphe II de Liegnitz ; il nous reste de lui : en mss, 2 messes, 3 motets, 2 *Lieder* — imprimé : *Novum et insigne opus musicum...* (Breslau 1620) ; ce recueil contient 119 pièces à 5-8 v., dont 4 en allemand. Voir F. Feldmann in MGG.

**FRITZ** (*Friz*) **Kaspar.** Mus. suisse d'origine allem. (Genève 18.2.1716–23.3.1783). Issu d'une famille du Hanovre, il aurait été l'élève de G.B. Somis à Turin ;

*Diverse*
*Ingegnosissime, Rarissime & non maj piu viste*
*Curiose Partite, di*

# TOCCATE, CANZONE
## RICERCATE, ALEMANDE,
### CORRENTI, SARABANDE E GIQVE,
### CIMBALI, ORGANI e INSTROMENTI
#### Di
Dal Eccellentissimo e Famosissimo Organista
GIOVANNI GIACOMO FROBERGER,
Per la prima volte con diligentissimo Studio stampare

Unterschiedliche
Kunstreiche/ gantz rar- und ungemeine curiose, und vorhin nie ans Tags Liecht gegebene Partyen von
Toccaten/ Canzonen/ Ricercaten/ Allemanden/ Couranten/
Sarabanden und Giquen/
Zu sonderbarem nuzlichen Gebrauch für
Spineten/ Orgelen/ und Instrumenten/
Von dem weit- und Weltberühmten künstlichen Organisten
Joan Jacob Froberger/
Der gelehrten Musicalischen Welt/ und allen derofelben Liebhabern zu gantz angenehmer Nuzbarkeit erfunden.
Zu finden bey Ludwig Bourgeat,
Anno M DC XCIII

FROBERGER
*Page de titre (Toccate, canzone, ricercate, Mayence 1693).*

violoniste, il donna des concerts à Genève, à Paris (au Concert spirituel, 1756) ; il publia *Sei sonate a quattro stromenti...* (op. 1, Londres s.d.), *6 sonate a v. o fl. trav. solo col basso* (op. 2, ibid.), *Sei sonate a v. solo e basso* (op. 3, Paris s.d.), *Sei sonate per due v. e basso* (op. 4, ibid.), *Sei sonate a due v.* (Genève–Paris s.d.), *Sei sinfonie a più strumenti* (op. 6, Paris), ainsi que d'autres pièces dans des recueils de l'époque ; un *concerto a cinque* est resté manuscrit ; un concerto pour le clavecin, publié dans la *Feuille d'avis de Genève*, du 19 mars 1774, a été perdu. Voir Ch. Burney, *The present state of music in France and Italy*, Londres 1771 ; l'art. de R.A. Mooser, ds *Dissonances*, avril 1924.

**FRITZCH Ernst Wilhelm.** Violon. allem. (Lützen 24.8.1840–Leipzig 14.8.1902), qui fonda une maison d'édition et dirigea une fabrique de pianos et d'adiaphones (avec Fischer, l'inventeur de cet instrument).

**FRITZE Wilhelm.** Compos. allem. (Brême 17.2.1842–Stuttgart 7.10.1881). Élève de Liszt, de Bülow, de Van Kiel, il fut directeur de l'école de chant de Liegnitz (1867–1877) et vécut ensuite à Berlin et à Stuttgart ; il écrivit de la musique pour le *Faust* de Goethe, un oratorio (*David*), une cantate (*Fingal*), une symph. (*Die Jahreszeiten*), de la mus. de piano, de chant, de chambre.

**FRITZIUS** (*Fritz*) **Joachimus Fridericus.** Mus. allem., né dans la première moitié du XVIe s. dans le Brandebourg et mort après 1597 ; il enseigna à Graz (1576), à Eisenerz (v. 1578), à Vordernberg (v. 1582), à Kapfenberg (v. 1585–1597) ; c'est tout ce qu'on sait de lui ; de ses œuvres, il nous est resté *Psalmus XCIIII* (5 v., Graz 1588), *Brevis sed pia commonefactio...* (id. ibid.), *Etliche deutsche geistl. Tricinia* (Nuremberg 1594), *Neue Tricinia*

(Francfort, s.d.). Voir H. Federhofer, *J.F.F.*, ds *Festschrift f. J.F. Schütz*, 1954.

**FRITZSCH Ernst Wilhelm.** Éditeur allem. (Lützen 24.8.1840–Leipzig 14.8.1902). Élève du cons. de Leipzig, fondateur d'une maison d'édition, où il publia notamment Grieg, Wagner, Nietzsche, qui passa à Siegel en 1903 ; il fut rédacteur à la *Musik. Wochenblatt* ; il édita à partir de 1875 les *Blätter f. Hausmusik* ; il était également facteur de pianos.

**FROBERGER Johann Jakob.** Mus. allem. (Stuttgart 19.5.1616–Héricourt 6 ou 7.5.1667). Sa famille était originaire de Halle ; son père, *Basilius* (Halle an der Saale … 1575–Stuttgart 20 ou 22.8.1637), avait été ténor puis maître de chapelle à la cour de Stuttgart (1621) ; il reçut sa première éducation musicale de son père, puis de J. Steigleder, org. de la cath. de Stuttgart ; les influences qui trouvaient lieu à Stuttgart étaient fort variées : elles étaient aussi bien italiennes, anglaises, françaises qu'allemandes ; on a tenté d'expliquer diversement son départ pour Vienne ; la seule certitude est que, du 1er janv. au 30 oct. 1637, il y était org. de la cour et qu'ensuite c'est aux frais des Viennois qu'il put aller à Rome pour y être l'élève de Frescobaldi (1637–1641) ; à cette époque, il avait passé du luthéranisme au catholicisme ; de 1641 à 1645, de 1653 à 1657, il reprit son poste d'org. à Vienne ; entretemps, il séjourna à Bruxelles, (1650) au service de l'archiduc Léopold, gouverneur des Pays-Bas : il s'y lia avec Huyghens ; en 1652, il fit un séjour à Paris, où un grand concert fut donné en son honneur aux Jacobins : il s'y lia avec Blancrocher, avec Louis Couperin, avec Denis Gaultier, avec Gallo ; le 1er avril 1653, il était de retour à Vienne ; il quitta son poste à la cour d'Autriche à la fin juin 1657 ; rien n'est moins sûr que le voyage à Londres, daté souvent de 1662, qu'il aurait entrepris pour rendre visite à Mattheson ; c'est près de la duchesse Sybille de Wurtemberg qu'il semble avoir vécu les dix dernières années de son existence, en son château de Héricourt ; on trouvera d'ailleurs dans la correspondance de cette princesse et de Huygens nombre de détails qui le concernent, toujours à son éloge ; il mourut fort pieusement le 6 ou le 7 mai d'après la duchesse Sybille ou d'après son ami Billinger.

L'influence de *J.J.F.* fut immense pour un siècle qui va de 1650 à Bach et à Haendel : il a su faire l'harmonieuse synthèse du style italien et du style allemand, y ajoutant les Français et les Anglais : il n'en est que plus étonnant qu'aucune de ses œuvres n'ait été imprimée de son vivant, à l'exception de la fantaisie sur l'hexacorde éditée par A. Kircher dans sa *Musurgia universalis.* (1650). L'édition de G. Adler (ds *DTÖ*, IV, 1, VI, 2, X, 2) comporte 25 toccatas, 18 caprices, 14 *ricercari*, 8 fantaisies 6 *canzoni*, 30 suites, 4 fragments de suites ; il faut y ajouter une fugue (K.N. 209), les mss de Dresde et de Vienne (*Dubletten*), le ms. de Munich (St B 1503 e), qui contient une *Allemande très bonne*, le ms. Stoos (Paris, Bibl. nat. Vm 7 1817) ; nombre de pièces ont été perdues ; la bibliothèque d'Upsal conserve deux pièces vocales : *Alleluia, absorpta est mors* (s.t.b., 2 v., *b.c.*), *Apparuerunt apostoli* (*id.*). La première édition date de 1693 : *Diverse ingeniosissime, rarissime et non maj piu viste curiose*

partite (Mayence) ; suivent en 1695 *Div. cur. e rarissime partite* (*id.*). Pour les éditions modernes, outre celle des *DTÖ* précitée, voir A. Farrenc, ds *Le trésor des pianistes III*, Paris 1866 ; R. Bellardi, ds *Deutsche Kl.-Musik des Barock*, Cotta ; L. Köhler, ds *Les maîtres du clavecin, I*, Litolff ; H. Leichtentritt, ds *Deutscher Hausmusik aus vier Jh.*, Bard-Marquardt, 1923 ; K. Matthaei, ds *Ausgewälte Klavierstücke*, BVK 1931–51 ; W. Niemann, ds *Meisterwerke deutscher Tonkunst*, Breitkopf ; *Alte Meister des Klavierspiels*, Peters ; *Frobergiana*, ds *Alte Meister*, Senff ; *Vier auserlesene Stücke f. Org.*, Leipzig 1937 ; E. Pauer, ds *Alte Kl.-Musik*, Senff ; *Alte Meister II*, Breitkopf ; M. Seiffert, ds *Organum IV*, 11 ; K. Schubert, ds *Ausgew. Kl.-Stücke*, Schott, 1936 ; ds H. Schultz,

FROBERGER

*Page de* Diverse curiose e rarissime partite… *(ibid. 1695).*

Peters 1937 ; J.S. Shedlock, ds *3 Pieces composed for the hrps.*, Novello, Londres ; G. Tagliapietra, ds *Anthologie alter u. neuer Mus.*, Ricordi 1934.

**Bibl. :** N. Billinger, *Observationum…*, Montbéliard 1673 ; C. Huygens, *Correspondance et œuvres musicales*, Leyde 1882 ; J. Mattheson, *Grundlage …*, Hambourg 1740, Berlin 1910 ; F. Beier, *Uber J.J.F. …*, Recueils Waldersee 59–60, Leipzig 1884 ; G. Bossert, *Die württ. Hofkapelle…*, ds *Württ. Vierteljh. f. Landesgesch.*, XIX-XXI, Stuttgart 1910–12 ; E. Emsheimer, J.U. Steigleder, thèse de Fribourg, 1928 ; A. Fuchs, *Thematische Verzeichnis… v. J.J.F. …*, 1649, ÖWB, 1838 ; Halévy, *L'organiste F.*, Paris 1853 ; L.v. Köchel, *Die kaiserl. Hofmusikkapelle…*, Vienne 1869 ; K. Krebs, *J.J.F. in Paris*, ds VfMw X, 1894 ; La Mara, *Musikerbriefe aus 5 Jh.*, I, Leipzig 1886 ; G. Nottebohm, *Etwas über J.J.F.*, ds *Mus. Wochenbl.*, Leipzig 1874 ; A. Pirro, *La musique de clavecin en Allemagne de 1624 à 1750*, ds Lavignac — *Les clavecinistes*, Paris 1925 — *Louis Couperin*, ds RM 1920–21 ; M. Reimann, *Untersuchungen z. Formsgesch. der frz. Klaviersuite*, Ratisbonne 1940 et art. in MGG ; A.G. Ritter, *Z. Gesch. d. Orgelspiels*, Leipzig 1884 ; E. Schebek, *Der Briefe über J.J.F. …*, Prague 1874 ; K. Seidler, *Untersuchungen über Biogr. u. Kl.-Stil J.J.F.*, thèse de Königsberg, 1930 (la partie biographique est seule éditée) ; M. Seiffert, *Gesch. der Kl.-Musik*, Leipzig 1899 ; G. Sittard, *Z. Gesch. d. Mus. … am württ. Hofe*, Stuttgart 1890 ; G. Wolfsgruber, *Die… Hofkapelle*, Vienne 1904 ; G. Ziegler, *Ist F. in Halle geboren ?* ds ZfMw, VIII, 1924.

**FROEHLICH** (*Fröhlich*) **Franz Joseph.** Compos. allem. (Wurtzbourg 28.5.1780–5.1.1862). Violon. à la chapelle du prince-évêque de Wurtzbourg, il fonda dans cette ville le collège de musique, qui, en 1804, sous le nom de *Akad. Musikinstitut*, fut le premier conservatoire officiel allemand ; il enseigna longtemps à l'univ. de Wurtzbourg et collabora à des périodiques de son temps, ainsi qu'à l'encyclopédie d'Erch-Gruber ; il écrivit une messe, 2 Requiem, des motets, un opéra (*Scipio*, 1818), des mélodies, des œuvres symph., de la mus. de chambre ;

il publia notamment *Vollst. th.-prakt. Musikschule* (Simrock, Bonn 1910–11), *Systemat. Unterricht der Singkunst überhaupt, sowie des Gsg. in öffentl. Schulen u. der vorzüglichsten Orch.-Instr.* (2 vol., Wurtzbourg 1822, 1829), et une biographie de l'abbé Vogler (Wurtzbourg 1845). — Voir O. Kaul, *J.F.*, ds *Festschrift 100 Jahre bayerisch*, Wurtzbourg 1914.

**FROEHLICH** (*Fröhlich*) **Friedrich Theodor.** Compos. suisse (Brugg 20.2.1803–Aarau 16.10.1836). Après avoir fait des études de droit, il fut à Berlin (1826) l'élève de K.F. Zelter et de Bernhard Klein ; de 1830 à sa mort (il se suicida), il enseigna et dirigea des chœurs et un orch. dans l'Aargau ; il écrivit notamment 4 quatuors (mss 1826, 1828, 1832), *Erste Messe* (ms., 1828), *Geistl. Lieder von Novalis* (*op.* 6, 1829), *Symphonie* (1830), *Passionskant* (1831), 1 quintette (1833), *Zweite Messe* (1835), d'autres œuvres de mus. religieuse, 1 quatuor avec piano, des mélodies, des œuvres symph., de la mus. de chambre. C'est le premier des musiciens romantiques suisses. Voir E. Refardt, *T.F. ...*, Amerbach, Bâle 1947 ; K.M. Komma, *Hyperions Schicksalslied v. Hölderlin-F.*, ds *Hölderlin-Jahrbuch*, 1953 ; des lettres de F. à Wackernagel ont été publiées dans le *Basler Jahrbuch* de 1945.

**FROEHLICH** (*Fröhlich*) **Johannes Frederik.** Compos. danois (Copenhague 21.10.1806–21.5.1860). Fils d'un mus. allem. émigré au Danemark, élève de son père, de son beau-frère Kittler, de C. Schall, chef de chœur (1827–1836), chef d'orch. (1834), puis *Konzertmeister* (1836) au théâtre royal de Copenhague, ami de Cherubini, d'Halévy, il écrivit 3 quatuors à cordes, 3 concertos de violon, 2 concertinos, des œuvres symph. dont 1 symphonie (*op.* 33), des ballets, de la mus. de chambre, des mélodies. Voir V.C. Ravn, *Udvalg af musik. til E. Menveds Barndom*, Copenhague 1880 ; S. Lunn ds MGG.

**FROEHLICH** (*Fröhlich*). — **1. Maria Anna** (Vienne 19.11.1793–11.3.1880). Elle fut élève de Hummel, prof. de chant à l'Association des amis de la musique à Vienne (1819), ensuite au conservatoire. Sa sœur – **2. Barbara Franziska** (Vienne 30.8.1797–30.6.1879) était alto ; elle était également peintre ; elle épousa le flûtiste F. Bogner (1786–1846). Leur sœur – **3. Katharina** (Vienne 10.6.1800–3.3.1879) était pianiste et fut la grande amie de Grillparzer. Leur sœur – **4. Josephine** (Vienne 12.12.1803–7.5.1878), élève de sa sœur Anna au cons. de Vienne et du ténor G. Siboni, fut une chanteuse célèbre ; elle avait débuté à Vienne dans *L'Enlèvement au sérail* de Mozart (1821). Ces quatre sœurs furent au centre de la vie musicale de Vienne et leurs relations avec Schubert furent très étroites. Voir A. Sauer, dans les *Grillparzerstudien* d'O. Katann, Vienne 1924.

**FROIDEBISE Pierre.** Compos. et org. belge (Ohey 15.5.1914–), qui fit ses études avec Jacquemin et aux cons. de Namur et Bruxelles ; org. à St-Jacques et prof. au cons. de Liège, il est l'auteur d'œuvres chorales (*Antigone, Justorum animae*), de cantates (*Amercœur, Stèle pour Sei-Shonagon*), d'un poème symph. (*La légende de St-Julien l'Hospitalier*), de *Comptines* pour 1 v. et 11 instr., d'opéras radiophoniques (*La bergère et le ramoneur, La lune amère*), de mélodies, de mus. de ch., d'orgue, de scène et de film ; on lui doit d'excellents enregistrements de mus. d'orgue ancienne.

**FROJO Giovanni.** Pian. et théoricien ital. (Catanzaro 1.6.1847–17.4.1925). Élève de G. Bassi (Gênes), du cons. de Naples, de B. Cesi, de S. Pappalardo, virtuose, il composa notamment une messe, des mélodies, une méthode de piano, et publia *Ragionamenti musicali* (1872), *Osservazioni sulla musica* (id.), *Saggio storico-critico sulla musica indiana, egiziana, greca e principalmente italiana* (1873), *Muzio Clementi...* (Ricordi, Milan 1878), *Origine e sviluppo dell'arpa* (1887) ; son *G. Frescobaldi* et son *Dizionario critico-biogr. dei più notevoli pian., org. e compos. ital. antichi e moderni* sont restés inédits.

**FROLOV Markian Petrovitch.** Pian. et compos. russe (Bobrujsk 24.11. ou 6.12.1892–Sverdlovsk 30.10.1944). Élève des cons. de Saint-Pétersbourg et de Kiev, prof. au cons. de Kiev, puis à Sverdlovsk (1928–44), auteur d'un opéra (*Enche*, 1940), d'une suite (quatuor, 1920), d'un concerto (p., 1924), d'un oratorio (*Poema ob Urale*, 1932),

FROSCH

*Page de titre (Strasbourg 1535).*

de *Sedoj Ural* (1936), d'une sonate (p. 1941), d'une ouverture (1943), de pièces de piano, de mélodies, de chants de masses.

**FROMENT Louis de.** Chef d'orch. franç. (Toulouse 5.12.1921–). Élève de Fourestier, de Bigot, de Cluytens, il est chef d'orch. à la R.T.F. et au casino de Vichy (1953) ; il a fondé et dirige l'*Ensemble instrumental de Paris*.

**FROMM Andreas.** Théologien et mus. allem. (Plänitz ... 1621–Strahov 16.10.1683). Fils de pasteur, il fut *cantor* à Altdamm, à Stettin, à l'église et au collège Ste-Marie (1649) ; en 1651, il est inscrit à l'univ. de Rostock, pasteur à Cöln *an der Spree*, membre du consistoire, puis prof. à l'univ. de Wittenberg, superintendant à Altenburg (1668) ; converti à la religion catholique, il alla à Prague où il eut un décanat et mourut au couvent des Prémontrés de Strahov ; ses écrits sont *Compendium metaphysicum, Exercitationes metaphysicae, Wiederkehr zur kath. Kirche* ; de ses œuvres musicales, on ne connaît qu'un *Actus musicus de divite et Lazaro...* (14 v.), suivi d'un *Dialogus pentecostalis...* (10 v., 2 chœurs, Stettin 1649), *Grabe-Lied auf den Tod... Georg Dethardings* (1650). Voir H. Engel, *Drei Werke pomm. Komp.*, Greifswald, Bamberg 1931 ; H. Engel a édité l'*actus musicus* ds les *Denkmäler der Mus. in Pommern*, 1936.

**FROMM-MICHAELS Ilse.** Pian. et compos. allem. (Hambourg 30.12.1888–). Élève de la *Berliner Musikhochschule* (Bender, Eyken), du cons. Stern (1905–1908, Kwast, Pfitzner), du cons. de Cologne (1911, F. Steinbach), de C. Friedberg, elle a fait une grande carrière de virtuose et écrit pour le piano, pour le chant, pour l'orch. (notamment une passacaille, *op.* 16, une *Marien-Passion*, Symphonie *op.* 19, *Musica larga*). Voir F. Wohlfahrt, *I.F.-M.*, ds *Musica*, II, 1948.

**FROMMEL Gerhard.** Compos. allem. (Carlsruhe 7.8.

1906–). Elève de W. Grabner, de H. Pfitzner, de K. Böhm, du cons. de Leipzig (1928), prof. de théorie et de composition à Essen (1928–1932), puis au cons. de Francfort (1933), au *Hochschulinstitut f. Mus.erz.* à Trossingen (1945), au cons. de Heidelberg (1947), résidant à Stuttgart (1956), il a écrit des mélodies, 1 concerto pour piano, clar. et orch. à cordes (*op.* 9, 1934), 2 symph. (1938, 1948), 1 messe (4 v., 1948), l'opéra-ballet *Der Gott u. die Bayadere* (1936) etc. ; il a publié *Der Geist der Antike bei R. Wagner* (*Die Runde*, Berlin 1933), *Neue Klassika in der Mus.* (L.C. Wittich, Darmstadt 1937).

**FRONTERA** (*de Valldemosa*) **Francisco.** Chanteur, chef d'orch. et compos. esp. (Palma de Majorque 22.9.1807–... 1891). Elève à Paris d'H. Collet, de M. Elwart, il y enseigna le chant de 1836 à 1841 et s'y lia avec Rossini, Paganini ; il fut ensuite *maestro* de la reine Isabelle II d'Espagne, prof. de chant au conservatoire, dir. des concerts royaux (1846), dir. de musique de la chambre et du théâtre particulier de la reine (1850), dir. des concerts classiques du conservatoire ; il écrivit des cantates de circonstance, 4 *villancicos*, des mélodies ; il publia *Nuevo método para leer y transportar* (Paris), *Equinotación o nuevo sistema musical de llaves* (Madrid 1858) et traduisit le manuel d'harmonie d'Elwart.

**FRONTINI Francesco Paolo.** Compos. ital. (Catane 6.8.1860–28.7.1939). Fils et élève de *Martino F.*, dir. de l'institut musical de Catane, il fonda dans cette ville une école d'*arco, canto chorale e ballo* ; il écrivit 6 opéras, 1 oratorio, des œuvres symph., un *Requiem*, un quatuor à cordes ; il publia des collections de chants populaires siciliens, profanes ou religieux. Voir : G. Balbo, *Note critico-biogr. su F.P.F.*, Catane 1905 ; T. Manzella, *Profili d'artisti catanesi*, *F.P.F.*, 1931.

**FROSCH** (*Froschius*) **Johann** (*Johannes*). Théologien et mus. allem. (Bamberg v. 1480–Nuremberg 1533). Il traduisit son nom en latin : *Rana*. Étudiant des univ. de Heidelberg, d'Erfurt, carme, inscrit en 1514 à l'univ. de Wittenberg ; il semble également avoir pratiqué l'univ. de Toulouse ; en 1517 il était prieur du couvent des carmes d'Augsbourg ; en 1518, il entra en relations avec Luther, qu'il suivit à Wittenberg : c'est Luther, alors doyen de cette université, qui lui donna son titre de docteur (1518) ; en 1522, il prêche à Augsbourg ; sécularisé au début de 1525, il abjure peu après, doit quitter Augsbourg en 1530 ; en 1533, il est pasteur à St-Sebald de Nuremberg ; on a conservé de lui 1 canon, 3 *Lieder* profanes (4 v.), 2 *cantiones* (4, 6 v.), 1 psaume, en latin (à 4 v., ms. Königsberg), 2 motets (4 v., 6 v., bibl. Proske, Ratisbonne), un traité : *Rerum musicarum opusculum rarum ac insigne* (Schöffer et Apiarius, Strasbourg 1535). Consulter la correspondance de Luther ; E.E. Koch, *Gesch. des K. lieds u. Kgs.* (8 vol.), Strasbourg 1866–1876 ; P. Mohr, *Die Hs.B 211-215 der Bibl. Proske in Regensburg*, thèse de Kiel, 1953 ; R. Eitner, *Das alte deutsche mehrst. Lied...*, ds *Monhft. f. Mus. gesch.* XXVI. ; H. Albrecht in MGG.

**FROTSCHER Gotthold.** Musicologue allem. (Ossa 6.12.1897–). Elève des univ. de Leipzig et de Bonn (H. Abert, H. Riemann, A. Schering), docteur de l'univ. de Leipzig (1922), lecteur au cons. de Dantzig (*id.*), prof. à l'univ. de Berlin (1936–1945), membre de l'*Institut f. deutsche Mus. forschung*, prof. d'histoire de la musique à la *Päd. Hochschule* à Berlin (1950), il a publié *Die Orgel* (Leipzig 1927), *Gesch. des Org.-Spiels...* (2 vol., Berlin 1935–36), *Deutsche Org.-Dispositionen aus 5 Jh.* (Wolfenbüttel 1939), *J.S. Bach u. die Mus. des 17. Jh.* (Wädenswil 1939), *Goethe u. das deutsche Lied* (ibid., 1941), nombre d'art. dans des périodiques, dont *Die Ästhetik des Berliner Lieds* (sujet de sa thèse), ds *Zeitschrift f. Mus.wiss.* VI, 1923–1924 ; il a traduit Romain Rolland et F. Florand, et assuré des éditions d'auteurs anciens.

**FROTTEMENT.** C'est la rencontre de deux sons, dont l'effet est considéré comme dissonant ; il se produit généralement entre 2 notes conjointes mises en rapport passager ou constant de seconde mineure ou majeure. C'est l'un des facteurs d'enrichissement de l'harmonie classique : elle l'interprète en appoggiatures, en retards, en broderies. (« L'adagio du 1er concerto brandebourgeois contient de nombreux f. »).

FROTTOLA
*(BN, ms. rés. 676).*

**FROTTOLA.** C'est une chanson profane qui fut pratiquée en Italie de la fin du XVe jusqu'au 1er tiers du XVIe s. On rencontre pour la première fois ce mot dans un madrigal de Landino, où il désigne les chansons des rues (opposées à la musique savante). Mais c'est vers 1480 que le terme est couramment employé pour nommer ce genre de chansons qui, bien qu'elles soient à la mode dans le milieu cultivé, affectent un style populaire. Elles sont une manifestation de la résistance du génie indigène contre l'art complexe des franco-flamands qui représentaient alors en Italie la musique officielle ; dans ce sens, la f. peut-être considérée comme le témoin du réveil d'une musique nationale italienne. C'est à Mantoue, dans le cercle d'Isabelle d'Este, que naît la f., c'est là qu'elle joue le plus grand rôle. Les poètes (et aussi les gentilshommes lettrés), gagnés à la cause de la langue vernaculaire (le *volgar*), produisent cette *poesia per musica* tout spécialement destinée à être mise en musique, et certains d'entre eux, à la fois poètes et musiciens, exécutent eux-mêmes leurs œuvres en s'accompagnant au luth. On pouvait aussi chanter les *frottole a cappella* ; il en existe également des transcriptions pour l'orgue (Rome, A. Antico 1517). Elles ne furent que tardivement notées car elles participaient de cet art de l'improvisation très en faveur en Italie à la fin du XVe s., genre que le poète-musicien Serafino Aquilano (1466–1500) illustra. Petrucci imprime en 1504 son premier livre de *frottole* : il en publiera onze jusqu'en 1514. Il s'agit de courtes chansons (que l'on répétait sur chacun des couplets) à 3 ou 4 parties, caractérisées par une harmonie simple, de style homophone, avec imitations rares. La phrase musicale suit la ponctuation du texte avec cadence à la fin du vers, la mélodie est confiée à la voix supérieure. Bien que les compositeurs de f. fussent surtout des Italiens, on trouve quelques franco-flamands (Isaac, Compère, Josquin). Les deux plus célèbres italiens, Marchetto Cara et Bartolomeo Tromboncino, par la qualité de leurs œuvres, ont joué un rôle important dans l'évolution de la musique qui va de la *f.* au madrigal. Voir R. Schwartz, *Die F. im 15 Jh.*, in *VfMw*, 1886 ; W. Rubsamen, *Literary sources of secular music in Italy ca. 1500*, 1943 ; A. Einstein, *The italian madrigal*, 1949 ; N. Bridgman, *La f. et la transition de la f. au madrigal*, ds *Mus. et poésie au XVI⁰ s.*, 1954.

N.B.

**FROVO João Alvarez.** Mus. portug. (Lisbonne 16.11. 1602–29.1.1682). Elève de Duarte Lobo, chapelain et bibliothécaire de Jean IV de Portugal, il composa nombre d'œuvres de mus. d'église, qui furent détruites lors du désastre de Lisbonne (1755) ; il publia des écrits théoriques dont il subsiste : *Discursos sobre a perfeição de diathessarom* (Craesbeck, Lisbonne 1662).

**FRUEH** (*Früh*) **Huldreich Georg.** Compos. suisse (Zurich 16.6.1903–25.4.1945), élève du cons. de Zurich, qui enseigna, exerça à Radio-Zurich, écrivit *Der Neue Columbus* (ch., 1939), *Schuloper* (1934), une sonate (p., 1932), une sonatine (p., 1935), un quatuor à cordes (1934), une sonate de viol. (1938), un trio (vents, *id.*), deux ballets, des œuvres symph. et de la mus. de film.

**FRUEHLING** (*Frühling*) **Carl.** Pian. et compos. autr. (Lemberg 28.11.1868–Vienne 25.11.1937). Elève du cons. des amis de la musique à Vienne, prix Liszt, il fit une carrière de virtuose, notamment avec Huberman, Sarasate ; il écrivit dans presque tous les genres ; retenons peut-être ses mélodies.

**FRUGATTA Giuseppe.** Pian. et compos. ital. (Bergame 20.5.1860–Milan 30.5.1933). Enfant prodige, puis élève du cons. de Milan, il succéda à C. Andreoli comme prof. de piano dans le cons. précité (1891–1930) ; il écrivit de la mus. de chambre et des manuels de piano, notamment *Le scale del pianista moderno : tre tipi di scale sui 12 suoni : A) Scala eolia. B) Scala orientale. C) Scala enigmatica* (Carisch, Milan 1914), *Dieci esercizi giorn. per pf. sulla scala adottata nel nuovo sistema armonico* (*ibid.*).

**FRUGONI Carlo Innocenzo.** Librettiste ital. (Gênes 21.11. 1692–Parme 20.12.1768). Ecclésiastique, poète, il servit les Farnèse, le duc Philippe de Bourbon, le ministre Guillaume du Tillot, fut secrétaire de l'Académie des Beaux-Arts et intendant du théâtre de Parme ; parmi ses livrets, il faut citer ceux qu'il fit pour *Hippolyte et Aricie* et *Castor et Pollux* de Rameau. Voir art. ds l'*Enc. dello spettacolo.*

**FRULA.** C'est une flûte à bloc antérieur, à 6 trous (Yougoslavie), instrument d'usage populaire, qui se trouve dans le pays même en diverses variétés sous le nom de *duduk, churlika, svrdonica* etc.

M.A.

**FRUMERIE Per Gunnar de.** Pian. et compos. suédois (Nacka 20.7.1908–). Enfant prodige, élève du cons. de Stockholm, puis de Sauer, de Cortot, il est (1945) prof. au cons. de Stockholm et membre de l'Académie royale de musique (1943) ; il a composé notamment 1 mélodrame (*Historien om en moder*, 1932), 1 opéra (*Singoalla*, 1940), 1 ballet (*Johannesnatten*, 1947), des mélodies, des œuvres symph., des concertos, de la mus. de chambre, de piano.

**FRUTOLFUS von Michelsberg.** Bénédictin allem., mort en 1103 au monastère de Michelsberg ; il écrivit un *Breviarium de musica* et un *Tonarius.* Voir C. Vivell, *F. Brev. de mus. et Ton.*, ds *Sitz. der Akad. der Wiss. in Wien*, vol. 188, liv. II, Vienne 1919.

**FRUYTIER(S) Jan.** Mus. flamand, dont la présence est attestée à Leyde (1559 et 1574), Rijnsburg (1561) et Anvers (1563), auteur d'un *Ecclesiasticus* (1565), de *Schriftmetige Gebeden* (1573) et de *Den Sendtbrief Pauli tot den Romeynen ...* (1582), importants pour la connaissance de la mus. de l'église réformée néerlandaise.

**FRY William Henry.** Compos. amér. (Philadelphie 10.8. 1813–Santa Cruz 21.9.1864). D'abord politicien et journaliste, il fut l'élève de L. Meignen (harmonie et contrepoint) ; il fut le correspondant musical en Europe du *New-York Tribune* (1846–52) et, à ce titre, en relations avec les musiciens de son temps, notamment Berlioz ; il écrivit 4 opéras : *Leonora* (1854), *The Bridal of Dunure, Aurelia the Vestal, Notre-Dame of Paris* (1864), des œuvres symph., des cantates, un *Stabat Mater*, des mélodies. Voir

W.T. Upton, *The mus. works of W.H.F.*, Philadelphie 1946, et *W.H.F.*, Th. Y. Crowell, New-York 1954.

**FRYE Walter.** Mus. anglais (?) de l'époque de G. Dufay, dont la vie est inconnue ; d'après les mss où il figure, on peut penser qu'il servit la cour de Bourgogne ; il ne paraît pas devoir être identifié avec *Gualterus Liberti*, chantre à la chapelle pontificale en 1428 ; il est l'auteur de 3 messes à 3 et 4 v. (*Flos regalis, Summe Trinitati, Nobilis et pulcra*), dont certaines sont parfois attribuées à Bedingham, 4 motets et 4 chansons (le rondeau *Tout a par moy* servit de base à des œuvres de Tinctoris, Agricola et Josquin) ; il prolongea, après la mort de Dunstable, l'influence anglaise sur le continent. Voir M. Bukofzer ds MGG. et S.W. Kenney, *Contrafacta in the works of W. Frye* in *JAMS*, 1955.

**FRYKLUND Lars Axel Daniel.** Musicologue suédois (Västeras 4.5.1879–). Docteur de l'univ. d'Upsal (1907), prof. à l'univ. d'Hälsingborg (1921–1944), collectionneur d'instruments de musique et d'autographes, membre associé de l'académie royale de musique (1932), il a publié *Vergleichende Studien ü. deutsche Ausdrücke mit der Bed. Musikinstr.* (1910), *Afrikanska musikinstrument...* (1915), *Etymologische Studien über Geige-Gigue-Jig* (St. i. mod. Spr., 1917), des lettres de Fétis (1930), ainsi que nombre d'articles dans des périodiques, la plupart concernant l'organographie.

**FRYSCH** (*Frisch*) **Povla.** Chanteuse danoise (près d'Aarhus v. 1885–), qui donna des concerts à Paris avec Casals, avec Pugno, sous la direction de Mahler ; depuis 1915, elle s'est fixée à New-York.

**FUCHS Albert.** Compos. suisse (Bâle 6.8.1858–Dresde 15.2.1910). Elève du cons. de Leipzig, il fut dir. de musique à Trèves (1880–83), dir. du cons. de Wiesbaden (1889–98), prof. à celui de Dresde (1898), dir. de la *R. Schumann-Singakad.* (1901–1910) à Dresde ; il écrivit des *Lieder*, un concerto de violon (1895), de la mus. de chambre, deux oratorios, des études techniques pour le chant et *Taxe des Streich-Instr.* (Merseburger, Leipzig 1907). Voir A. Berner in MGG.

**FUCHS Alois.** Musicographe autr. (Raase 6.6.1799– Vienne 20.3.1853). Il fut chanteur à la chapelle impériale de Vienne (1836) ; mais c'est surtout comme collectionneur qu'il est entré dans l'histoire : sa collection, qui contient des manuscrits de Mozart, Beethoven, Gluck, de la famille Bach, de Benda, Caldara, Fux, Graun, Telemann, J. Haydn, Forkel, Kirnberger, Gerber, Marpurg, Mattheson, il en majeure partie léguée à la bibliothèque royale de Berlin ; il publia d'ailleurs un grand nombre d'articles dans les périodiques de son temps et *In Sachen Mozarts* (Vienne 1851). Voir *Die Mozart-Sammlungen der A.F.*, ds *Mozarteum mitteilungen*, II, 1920 ; R. Schaal ds MGG.

**FUCHS Carl Dorius Johannes.** Pianiste et musicologue allem. (Postdam 22.10.1838–Dantzig 27.8.1922). Elève de Bülow, de K.F. Weitzmann, de F. Kiel ; il enseigna à l'académie Kullak de Berlin (1868), puis prit le poste d'org. à l'église St-Nicolas de Stralsund ; docteur de l'univ. de Greifswald (1871), il fit une carrière de pian. virtuose ; il collabora dès lors à divers périodiques, notamment à la *Musik. Wochenblatt* ; en 1875, il fonda à Hirschberg en Silésie une société de concerts ; en 1879, il s'établit à Dantzig, où il dirigea une association chorale, fut prof. de musique au séminaire Viktoria, org. de l'église St-Pierre et de la synagogue, et critique mus. de la *Danziger Zeitung* (1887–1920) ; il fut en correspondance suivie avec Nietzsche ; les lettres de Nietzsche à C.F. ont été publiées, celles de *C.F.* à Nietzsche vont être éditées par H. Möller ; il fut l'ami et le collaborateur de Hugo Riemann ; il composa pour le piano et pour le chant ; il publia *Betrachtungen mit u. gegen A. Schopenhauer* (*Neue Berl. Mus.zeit.*, 1868), *Ungleiche Verwandte unter d. Neudeutschen* (1868), *Virtuos u. Dilettant* (Fritsch, Leipzig 1871), *Praeliminarien zu einer Kritik der Tonkunst* (thèse, Fritsch, Leipzig 1871), *Symptome* (*Mus. Wochenbl.*, 1873), *Die Zukunft des mus. Vortrags* (2 vol., Kafemann, Dantzig 1884), *Die Freiheit des mus. Vortrags* (*ibid.* 1885), *Praktische Anleitung zum Phrasieren* (en collab. avec Riemann, Berlin 1886), *Thematikon zu P. Gasts Oper « Die*

FUCHSWILD
*Tablature d'orgue (cod. 530 St-Gall).*

heimliche Ehe » (Dantzig 1890), *50 Thesen zur Verständigung* (*Mus. Wochenbl.*, 1892), *Takt u. Rhytmus im Choral* (Schuster-Löffler, Berlin 1911), *H. Riemann* (Berlin 1920), *Der taktgerechte Choral* (Berlin 1923). Voir le *Festschrift zum 100. Geburtstag v. C.F.*, Dantzig 1938.

**FUCHS Georg-Friedrich.** Clar. et compos. allem. (Mayence 3.12.1752–Paris 9.10.1821). Elève de C. Cannabich et de J. Haydn, il fut chef de musique au régiment de Deux-Ponts ; il s'établit à Paris en 1784 ; en 1793, il était musicien de la garde nationale, en 1795 prof. de solfège au conservatoire (jusqu'au 21 mars 1800) ; il composa de la mus. militaire : *Première harmonie caractéristique, Deuxième harmonie : Le siège de Lille, Troisième : Le siège de Thionville ; Quatrième : L'entrée de Custine à Mayence, La bataille de Jemmapes et L'entrée à Mons* (1798), *3 marches et 3 pas redoublés, fanfares* ; 1 concerto de flûte (1798), 1 concerto de clarinette, 1 concerto pour cor, un grand nombre de duos, de trios, de quatuors, un sextuor, *24 sonatines faciles* pour 2 flûtes (1802).

**FUCHS. — 1. Johann Nepomuk.** Chef d'orch. et compos. autr. (Frauenthal 5.5.1852–Vöslau 5.10.1899). Elève de S. Sechter, il dirigea l'orch. de l'Opéra de Vienne et fut prof. et dir. au cons. des amis de la musique à Vienne ; il composa des *Lieder*, de la mus. militaire, 1 opéra (*Zingara*, 1872) et arrangea l'*Almira* de Haendel (1878), l'*Alfonso u. Estrella* de Schubert, *Bastien et Bastienne* et *La finta giardiniera* de Mozart, enfin, de Gluck, *Der betrogene Kadi* et *Die Maienkönigin* (1888). Son frère – **2. Robert** (Frauenthal 15.2.1847–Vienne 19.2.1927), violoniste, flûtiste, pianiste et organiste, élève de Dessof, fut prof. de théorie au cons. de Vienne (1875–1912) : il eut notamment parmi ses élèves Hugo Wolf, Gustav Mahler, F. Schreker, L. Fall ; il fut en même temps org. de la chapelle impériale ; il était l'ami de Brahms ; il composa 2 opéras : *Die Königsbraut* (1889), *Die Teufelsglocke* (1892), de la mus. chor. (dont 3 messes), des *Lieder*, 5 symphonies, 5 sérénades, de la mus. de chambre, d'orgue. Voir A. Mayr, *Erinnerungen an R.F.*, Graz 1934 ;

F. Hagenbucher, *Die originalen Klavier-Werke zu 2 u.4 Hdn. von R.F.*, thèse de Vienne 1940.

**FUCHS Martha.** Sopr. allem. (Stuttgart 1.1.1898–), qui débuta à Aix-la-Chapelle, fit ensuite carrière à Dresde (1931), à Bayreuth, à l'Opéra de Berlin (1936–44) ; elle a été une grande interprète de Richard Wagner.

**FUCHS Teodoro.** Chef d'orch. et compos. argentin d'origine allem. (Chemnitz 15.3.1908–), élève du cons. de Leipzig, de C. Krauss à Vienne, qui a fondé l'orch. symph. de Cordoba et composé de la mus. symph. et instrumentale ; il dirige l'Orch. symph. national argentin et enseigne au cons. de Buenos-Aires.

**FUCHSWILD Johannes.** Mus. allem. des XVe–XVIe s., qui fut chanteur à la cour (1508) du duc Ulrich de Wurtemberg à Stuttgart ; il était né à Ellwangen et avait été étudiant de l'univ. de Leipzig ; il reste de lui quelque 5 *Lieder* à 4 v., publiés entre 1513 et 1539 ou conservés en mss à Bâle et à St-Gall. Voir G. Reichert in MGG.

**FUEHRER** (*Führer*). C'est en allemand le nom du sujet ou thème d'une fugue.

**FUEHRER Robert Johann Nepomuk.** Compos. austro-tchèque (Prague-Neustadt 2.6.1807–Vienne 28.11.1861). Elève de Vitasek, il fut org. et ne put se fixer en qq. endroit : il vécut à Strahov, Prague, Vienne, Saltzbourg, Munich, Augsbourg, Freising, Eggenfelden, Braunau, Gmunden, Vöcklabruck, Ischl, Linz, Sankt, Florian, Wolfsegg, Altheim, Ried, Aspach, et mourut à l'hôpital, après avoir écrit un nombre très considérable d'œuvres de mus. religieuse. Voir F. Haberl in MGG.

**FUELSACK** (*Füllsach*) **Zacharias.** Mus. allem., qui mourut en 1616, après avoir été mus. à Leipzig, *Ratsmusikus* à Hambourg (1600–1612) et appartenu, ce semble, à la chapelle de Saxe ; il publia avec Christian Hildebrand un recueil intitulé *Ausserlesener Paduanen u. Galliarden...* (Hambourg 1607).

FUENLLANA

FUENLLANA Miguel de. Vihuéliste esp. né à Naval-carnero, mort probablement à Valladolid en 1579 : aveugle de naissance, il fut au service de la marquise de Tarifa, puis à la cour de Philippe II et d'Isabelle de Valois (1562–1568) ; il publia un recueil en 6 parties intitulé *Libro de música para vihuela, intitulado Orphenica lyra* (Séville 1554), qui inclut des fantaisies à 2, 3 et 4 d'une riche structure polyphonique et des transcriptions d'œuvres de Josquin, Gascongne, Gombert, A. de Sylva, Willaert, Jachet, Arcadelt, Vázquez, Morales, Lupus, P. et F. Guerrero, Flecha, Ravaneda, Bernal (*ensaladas, strambotti, villancicos*) ; c'est un ouvrage important pour l'histoire de la monodie accompagnée. Voir A. Koczirz, *Die Guitarrekompos. in M. de F. Orph. lyra*, ds *AfMw*, IV, 1922 ; W. Apel, *Early span. mus. f. lute and keyboard instr.*, ds *MQ* 1934 ; H. Anglés, ds *Rev. mus. catalana*, 1936 ; J. Bal y Gay, *F. and the transcription of span. lute-music.*, ds *Acta mus.*, XI, 1939 ; J. Ward, *The lute in the XVIth cent. Spain* ds *The guitar-review*, IX, N.-York 1949.

FUENTES Aurelio. Violon. mexicain (Ciudad Guzman 25.9.1902–), élève du cons. de Mexico, de l'Ecole Normale de musique de Paris, du cons. de Berlin, prof. de violon à l'école nationale de musique de son pays, au séminaire de culture mexicaine.

FUENTES Pascual. Mus. esp. (Aldaya ou Albayda, entre 1718 et 1724–Valence 26.4.1768). Enfant de chœur, puis acolyte à la cath. de Valence (1731–1734, 1737–1746), ténor à la cath. d'Albarracín (1746), enfin maître de chapelle à St-André de Valence (1757), il resta à ce dernier poste jusqu'à sa mort ; ses œuvres, de mus. d'église, sont conservées à la cath. de Valence : 7 messes, 12 psaumes, 8 *Magnificat*, 1 *Te Deum*, 13 *Miserere*, 2 hymnes, 3 *Domine ad adjuvandum me*, 2 *Salve*, 4 lamentations, 33 motets etc. (6–12 v., avec orch.), 128 *villancicos* ; les cath. de Segorbe et d'Orihuela conservent

également de ses productions, ainsi que le collège du Patriarche à Valence ; édité un *Beatus vir* (10 v., ds *Lira sacro-hispa*, V, d'H. Eslava), un *villancico* (6 v., ds *El villancico y la cantata del segle XVIII a Valencia* de V. Ripollés, Barcelone 1935). On peut consulter J. Ruiz de Lihory, *La mús. en Valencia*, Valence 1903.

FUENTES MATONS Laureano. Violon. cubain (Santiago 4.7.1825–30.9.1898), qui fut virtuose, chef d'orch., org. et composa 6 sonates, 1 poème symph., 1 symphonie, 1 opéra (*Seila*), des *zarzuelas*, 1 *Stabat Mater*, des mélodies ; il publia *Las artes en Santiago de Cuba* (1893). Son fils – Laureano F. Pérez (Santiago 14.9.1854–La Havane 27.12. 1927) fut pian. et écrivit 1 rhapsodie, 1 fantaisie héroïque, des danses.

FUEREDY Mihaly (*Füredy*). Célèbre baryton hongrois (1816–1869), membre du Th. nat. de Pest, où il a été remarqué par Berlioz (voir ses *Mémoires*, II, p. 215, éd. Calmann-Lévy) ; il a publié plusieurs recueils de chants « populaires », pour la plupart de son répertoire.

FUERSTENAU (*Fürstenau*). Famille de flûtistes allem. — 1. Kaspar (Münster 26.2.1772–Oldenbourg 11.5.1819) était le fils d'un mus. ; il était à 16 ans à la chapelle de l'évêque de Münster, fut l'élève de J. Antoni, appartint à la chapelle de la cour d'Oldenbourg (1794–1811), il fit des tournées de concerts, tantôt seul, tantôt avec son fils Anton Bernhard ; il composa, la plupart du temps pour son instrument (2 concertos de flûte). Son fils – 2. Anton Bernhard (Münster 20.10. 1792–Dresde 18.11. 1852) fut son élève ; dès 1804, il appartenait à la chapelle de la cour d'Oldenbourg ; c'est au cours d'une de ses nombreuses tournées de concerts à Prague (1815), qu'il fit la connaissance de Carl Maria von Weber, dont l'amitié lui fut précieuse ; en 1817, il entra à l'orch. de la ville de Francfort ; après la mort de son père (1819), il se fixa à Dresde ; en 1826, il accompagna Weber à Londres, où ce dernier devait mourir : il l'assista pendant ses derniers moments ; il passa le reste de son existence à Dresde, où il enseigna ; il composa un grand nombre de pièces pour son instrument, des duos, des trios, une dizaine de concertos, et collabora à l'*Allgemeine Musikzeitung* (1825, 1838). — Son fils et élève – 3. Moritz (Dresde 26.7.1824– 27.3.1889) était déjà virtuose à 8 ans ; il entra à la chapelle royale de Dresde en 1842 ; il travailla avec Theobald Böhm, fit une carrière de virtuose, fut *custos* de la collection royale ; en 1854, il fonda le *Kollege des Orch. den Tonkünstler-Verein* ; il fut également prof. de flûte au cons. de Dresde ; il publia *Die Stiftungsurkunde der kgl. Kapelle* (Dresde 1848), *Beiträge zur Gesch. der kgl. sächs. mus. Kapelle* (ibid. 1849), *Zur Gesch. der Mus. u. des Theaters am Hofe zu Dresden* (ibid. 1861–62), *J. Tichatschek* (1868), *Die mus. Beschäftigungen der Pr. Amalie, Herz. v. Sachsen* (ibid. 1874), *Die Fabrikation mus. instr. u. einz. Bestandteile ders. im kgl. sächs. Vogtland* (en collab. avec Th. Berthold, Leipzig 1876), *Das Kons. f. Mus. in Dresden 1856-1881* (Dresde 1881) ; il publia un grand nombre d'articles dans des périodiques de son temps, collabora au dictionnaire de Mendel et composa 12 pièces tirées des opéras de Richard Wagner (p. et fl.). Voir M.M. v. Weber, *C.M. v. Weber*, Leipzig 1864 ; W. Virneisel in MGG. ; A. Girard, *Hist. et richesse de la flûte*, Paris 1953.

FUERSTNER (*Fürstner*) Adolph. Éditeur allem. (Berlin 3.4.1833–Bad Nauheim 6.6.1908), qui fonda en 1868 la maison d'éditions qui porta son nom ; il édita notamment les œuvres de Richard Wagner, de Richard Strauss, de Massenet, de B. Godard, de L. Delibes, de Leoncavallo. Son fils – Otto (17.10.1886–) continua l'œuvre de son père, éditant notamment Richard Strauss, H. Pfitzner (il fonda en 1910 une filiale à Paris ; en 1933 la maison fut fermée sur l'ordre des nazis ; *O.F.* émigra en Angleterre, où il continua ses activités ; il devait plus tard céder son fonds à Boosey and Hawkes. Voir H. Becker in MGG.

FUGA Sandro. Compos. ital. (Mogliano Veneto 26.11. 1906–). Élève du cons. de Turin, il a été virtuose du piano, puis, à partir de 1940, il s'est consacré à la composition et à l'enseignement (cons. de Turin – 1933, cons. de Milan –1951) ; il a écrit 2 œuvres théâtrales : *La croce de Serta, lauda drammatica* (1950), *Otto Schnaffs, opera eroicomica* (*id.*), de la mus. de chambre (3 quatuors), des sonates, des mélodies, 2 *concerti sacri*, 3 *Odi* (ch. et orch.). Voir M.A. Darbesio, *Deux opéras de S.F.*, ds *Diapason*, nov.-déc. 1950.

**FUGARA.** C'est un jeu d'orgue, de 8 ou 4 pieds, de la famille de la gambe, au son « âpre ».

**FUGATO.** Participe passé italien, équivalent du français *fugue* : c'est un passage au style fugué qui se trouve inséré dans une sonate, une symphonie, un concerto, un quatuor, dans l'écriture instrumentale ou dans l'écriture vocale ; cet épisode, généralement assez court, n'obéit pas aux règles strictes de la fugue, puisqu'il est un intermède dans une pièce d'où la rigueur de la fugue proprement dite est exclue.

**FUGÈRE Lucien.** Baryton franç. (Paris 3.3.1858–15.1. 1935). Huitième enfant d'une modeste famille de Belleville, il débuta à *Ba-Ta-Clan* en 1870, fut engagé aux Bouffes-Parisiens en 1873, puis à l'Opéra-Comique, où il débuta en 1877 ; pendant plus de 30 ans, il en fut le chanteur préféré et créa une quarantaine de rôles dans des œuvres de Chabrier, Messager, Saint-Saëns, Massenet etc. ; à 85 ans, il jouait encore *Bartholo* à la Porte-St-Martin ; par sa technique vocale, qui fit école (*cf.* sa *Nouvelle méthode pratique du chant français*, avec R. Duhamel, 1929), il reste l'une des plus remarquables figures de l'art lyrique français, dans la tradition de Mme Carvalho et de Faure. Voir R. Duhamel, *L.F.*, 1929 ; J. Combarieu, ds *R.M.*, 1907.          **F.L.**

**FUGGER.** Cette grande famille allemande est musicale à bien des titres. **Ulrich** (1441–1510) publia en 1463 un traité intitulé *Commentarius de notis*. **Jacob le Riche** (1459–1525) fit construire en 1512 l'orgue de Ste-Anne d'Augsbourg. Parmi les musiciens de cette époque qui les servirent, citons H. Rehm, P. Hofhaimer, O. Nachtigall, Pierre de Paix. **Raymond** (1487–1535) et **Antoine** (1493–1560) furent conseillers de Charles-Quint. *Hans-Jacob* (1516–1575) fut en liaison avec tous les centres de culture de son époque ; il engagea des Italiens et des Français pour son ami Albert V de Bavière ; c'est lui qui choisit Roland de Lassus, lequel dédia au « Signor Fuccari » et à ses cousins Jérôme et Marc un grand nombre de compositions ; en 1565 il était intendant de la musique à la cour de Munich et mourut président de la Chambre. Lassus dédia au fils de ce dernier, *Alexandre II* (1549–1612), un recueil de motets à 4 v. (1585). Les deux frères de H.-J., **Georges** et **Raymond**, étaient également musiciens : M.B. Lupus leur dédia des motets à 4 v. en 1560 ; Raymond avait réuni une grande collection d'instruments, plus de 140 luths ou théorbes, 7 clavecins, 30 violons, collection qui fut continuée par son frère Ulrich : converti au calvinisme, il la fit transporter en 1584 à Heidelberg ; quand Heidelberg fut prise par Maximilien de Bavière (1622), ce dernier en donna la majeure partie au Vatican. Le fils d'Ulrich, **Octavien II** (1549–1600) était luthiste ; à son mariage, un *Hochszeitsmusik* de Kerle, de Lassus et de Schramm. Parmi les musiciens attachés à la chambre des **F.** de cette époque, signalons H.L. Hassler, leur organiste, qui leur dédia la majeure partie de ses œuvres. **Karl** (1587–1642), neveu du dernier nommé, fut doyen de la cathédrale de Saltzbourg et grand amateur de musique sa **Friedrich** (1586–1654) hérita de la bibliothèque de sa lignée ; son neveu **Albert** (1624–1692), qui fut *Kämmerer* de Ferdinand III, vendit la bibliothèque à l'empereur (13.000 volumes), laquelle est aujourd'hui à la Bibliothèque nationale de Vienne. G. Gabrieli, qui composa ses *Sacrae Sinfoniae* pour le mariage d'*Albert* fils de Marcus (1574–1614) la lui dédia ainsi qu'à ses frères **Georg, Anton** et **Philipp. Hans** (1531–1598) fut un des plus brillants mécènes de la famille ; c'est lui qui fit construire le château de Kirchheim, ainsi que les pièces d'apparat de la maison d'Augsbourg ; il rassembla une collection de partitions et d'instruments de musique, acheta à Anvers un clavicorde pour sa fille ; C. Luython et Philipp de Monte lui dédièrent des madrigaux (1582), ainsi que G. Turini et O. Vecchi (1590). Ses fils **Marcus** (1564–1614), **Christoph** (1566–1615) et **Jakob** (1567–1626), évêque de Constance, héritèrent de sa passion de la musique :

Marcus confia l'orgue de St-Maurice d'Augsbourg à Chr. Erbach (1602), lequel lui avait dédié son premier livre de motets (1600), de même qu'Aichinger ses *Solennia* et C. Hagius un recueil de *Magnificat* ; Christoph fut le dédicataire de Hassler, de Ferrabosco, d'Aichinger ; Jakob, le prince-évêque de Constance, vécut à Rome de 1583 à 1590 et y fit venir Aichinger, lequel lui dédia ses *Tricinia* de 1598 et sa *Ghirlanda* de 1600 ; il jouait lui-même de la guitare. Son oncle, **Jakob senior**, fit construire l'orgue de la chapelle Saint-Michel au monastère Saint-Ulrich d'Augsbourg ; les Gabrieli lui dédièrent deux livres de *concerti* (1587). Les rapports des *Fugger* avec la musique persistèrent dans le siècle suivant, peut-être avec moins d'éclat. L'orgue de Saint-Ulrich existait encore au XVIIIᵉ s. : Mozart en joua en 1777 ; en 1766, avait eu lieu à Markt-Biberach, près d'Augsbourg, un concours d'orgue entre Mozart et Sixtus Bachmann ; le 22 oct. 1777, les *Fugger* prêtèrent leur salle de concert d'Augsbourg à Mozart ; une collection de manuscrits musicaux du XVIIIᵉ s. qui appartenait aux *F.* Babenhausen fut brûlée en 1944 lors de la destruction de la *Fuggerhaus* à Augsbourg. A l'époque contemporaine, *Joseph Ernst, Fürst F.-Glött*, né en 1895, a organisé dans son château de Kircheim (1951) des *Schwäbischen Sommerkonzerten*. Voir E.F. Schmid in MGG.

**FUGHETTA.** Mot ital., qui sert à désigner une fugue brève, soit qu'elle ne comporte que deux expositions, soit que le centre en soit moins long que la première exposition.

**FUGUE.** La *f.* (du latin *fuga*, « fuite ») est une composition d'ordre polyphonique, où toutes les ressources de la science contrapuntique et de l'imitation sont mises en œuvre pour servir l'idée musicale dans un cadre logiquement subordonné aux lois de la tonalité. Ainsi considérons-nous la *f.* à son apogée, sous la plume de Jean-Sébastien Bach, le maître qui a donné à la musique les plus beaux et les plus parfaits modèles du genre. L'art, la science, qui font de Bach l'auteur de chefs-d'œuvre de tout premier ordre, dont l'ensemble constitue une somme, sont le fruit d'une évolution en marche depuis plusieurs siècles, à travers les tendances esthétiques propres à différentes écoles. Dès le XIVᵉ s., ainsi que l'indique d'ailleurs Jean de Muris, on appelait *fuga* un simple *canon* ; à la même époque, en Italie, la *caccia* — dont dériva le *catch* anglais — nous en fournit des exemples.

Pour établir un *canon* (voir à ce mot) il faut utiliser deux voix ou deux instruments. Toutefois, il y a des canons à plusieurs parties qui font entendre successivement, à des intervalles variables, la phrase musicale choisie : chacune des parties en présence continue à reproduire le dessin de l'antécédent (voir à ce mot) tandis que se déroule, jusqu'à son achèvement, la trame mélodique de celui-ci. On trouve des exemples de canons à plusieurs voix dans certaines *fugues*, ainsi que nous le verrons plus loin en étudiant les particularités qui peuvent se présenter dans un *stretto*.

D'après Ramis, le terme *fuga* sert à désigner, au XVᵉ s., des compositions vocales en imitations libres, telles celles d'Ockeghem, par exemple. Au XVIᵉ s., le nom de *fuga* s'applique encore au canon strict. Pour le moment, continuant de passer en revue les formes qui ont contribué, à l'époque de la Renaissance, à l'élaboration de la *f.*, nous citerons le *motet polyphonique* où il arrive fréquemment que les voix exposent l'une après l'autre le motif initial — celui-ci étant souvent accompagné d'une phrase musicale établie selon les règles du *contrepoint double*, dit aussi contrepoint *renversable* (voir art. *contrepoint*). Cette présentation d'ordre particulier ouvre la voie à une série d'expériences que poursuivront désormais les maîtres du contrepoint jusqu'à ce que soit fixé le cadre de l'exposition de fugue. Jusqu'à la deuxième période du XVIIᵉ s. se succèdent ainsi des formes polyphoniques où la combinaison de deux ou plusieurs motifs, ainsi que l'imitation, sont à l'honneur. Rappelons pour mémoire la *chanson polyphonique* en France, l'*anthem* en Angleterre, où sont utilisées les voix. Nous retrouvons les mêmes techniques de composition contrapuntique dans des pièces instrumentales telles que le *tiento*, la *canzona*, le *ricercare* (voir à ces mots). Le *ricercare* (né en Italie) découle nettement du *motet* vocal : il porte aussi les noms de *capriccio* et de *fantasia* en Italie, de *fancy* en Angleterre. Sous la plume de quelques compositeurs éminents dont le plus fameux est sans conteste Frescobaldi, il évolue au XVIIᵉ s. jusqu'à l'éclosion de la *f.* telle qu'elle se présente enfin, à la fin de ce même siècle, dans l'œuvre de certains « précurseurs » de Jean-Sébastien Bach, avant d'être portée par celui-ci à un degré d'évolution qui nous confond. Les maîtres qui, avant la venue de J.-S. Bach, contribuèrent le plus à l'élaboration de la *f.* naissante furent Andrea et Giovanni Gabrieli, Frescobaldi, J.-P. Sweelinck, Scheidt, Froberger, Pachelbel et Buxtehude. Comme le *motet*, d'où elle tire son origine, la *f.* fut d'abord écrite pour les voix et, parmi les plus anciennes fugues que nous connaissons, certaines sont tout simplement des motets vocaux transcrits pour l'orgue. Tandis qu'en général le *ricercare* comportait plusieurs thèmes combinés en contrepoint renversable et présentés successivement de manières différentes, la *fugue* proprement dite était, à ses débuts, plus simple : composition polyphonique à deux thèmes, le principal étant appelé *sujet*, et l'autre, facultatif, *contre-sujet*, la *f.* n'est développée consciemment qu'à partir de la fin du XVIIᵉ s. Son évolution a suivi celle de la musique instrumentale qui, bien qu'elle se fût poursuivie parallèlement à celle de la musique vocale, fut beaucoup plus tardive. Sous la plume des précurseurs de Jean-Sébastien Bach, les *f.* ne revêtent pas encore un caractère de complexité ; elles sont écrites clairement et les combinaisons y sont utilisées avec discrétion. Un nom mérite ici d'être retenu, celui de Dietrich Buxtehude, organiste de l'église Sainte-Marie de Lubeck, où J.-S. Bach se rendit pour entendre ce maître qui eut sur lui, une grande influence. L'œuvre d'orgue de Buxtehude, et en particulier ses fugues, porte le sceau d'un art personnel servi par un talent complet.

Passons à présent à la partie technique de cette étude. Le thème principal d'une fugue est appelé *sujet* (du latin *dux*), autour duquel viendront se combiner les autres éléments de la *f.* En principe, le sujet est entendu d'abord à une voix seule (le mot voix étant pris ici dans le sens de « partie » et s'appliquant d'ailleurs — théoriquement — à la musique instrumentale). Après l'audition du sujet entrera une seconde voix faisant entendre la *réponse* (du latin *comes*). Le sujet doit se maintenir au ton de la tonique ou moduler de ce ton à celui de la dominante. Lorsque le sujet demeure au ton de la tonique, la *f.* est dite *réelle* ; lorsqu'au contraire il se porte du ton de la tonique à celui de la dominante, la *f.* est dite *tonale* ou appelée *fugue du ton*. La réponse n'est autre chose que le sujet transposé au ton de la dominante, dans la fugue réelle. Dans la fugue tonale, le thème en question subit une modification mélodique lors du passage du ton de la tonique au ton de la dominante : cette modification s'appelle *mutation*. S'il y a plusieurs passages du ton de la tonique au ton de la dominante, ou réciproquement, il y a lieu, naturellement à plusieurs mutations. Sans entrer ici dans le détail de la technique de la *réponse*, nous donnons un exemple de *sujet* sans modulation :

*J.-S. Bach. Clav. bien temp., I, 1.*

puis un exemple de *sujet* qui se porte du ton de la tonique au ton de la dominante :

*Id., fugue d'orgue.*

Tandis que la *réponse* du premier de ces *sujets* sera une transposition pure et simple, la *réponse* du second comportera une mutation aux fins d'observer la réci-

procité voulue du ton de la dominante au ton de la tonique et *vice-versa* :

*Id. id.*

Les degrés mélodiques comme ceux de l'harmonie sous-entendue doivent en effet correspondre rigoureusement entre les deux tons interchangés. Pendant que la voix à laquelle est confiée la deuxième entrée fait entendre la *réponse*, celle qui a exposé le *sujet* l'accompagne en proposant le *contre-sujet*. Ainsi qu'il est dit plus haut, le *contre-sujet* est un thème secondaire, subordonné au *sujet* avec lequel il doit se combiner en contrepoint renversable — de même avec la *réponse*. Dans ce dernier cas, le *contre-sujet* subit presque toujours, lui aussi, la loi de mutation. Sauf dans la fugue d'école, la présence d'un contre-sujet est facultative, et, lorsqu'il y en a un — ce qui est le plus fréquent — l'auteur n'est pas obligé de l'utiliser chaque fois qu'interviennent le *sujet* ou la *réponse*. Souvent, ou tout au moins dans l'exposition, un court dessin mélodique relie le *sujet* au *contre-sujet* sous l'entrée de la *réponse* (ou la *réponse* au *contre-sujet* sous un retour du *sujet*). Il prend le nom de *coda*.

Envisageons tout d'abord quelle a été la structure de la Fugue classique en relation avec le mécanisme de la tonalité (voir à ce mot). Partant du centre qu'est le ton principal, cinq satellites ou tons voisins s'offrent pour les diverses présentations des thèmes principaux au cours de la *f.*, ainsi que pour les périodes qui servent à les relier.

Le rapport de ces tons entre eux est soumis au jeu de l'enchaînement des quintes, qui est le principe essentiel des modulations de la *f.* Parcourant le cycle complet des tons voisins, la *f.* d'école est basée sur le plan tonal suivant :

*Exposition* (généralement à 4 voix)
    sujet     (ton de la tonique)
    réponse  (ton de la dominante)
    sujet     (ton de la tonique)
    réponse  (ton de la dominante)

*Divertissement*

*Contre-exposition* facultative
    réponse  (ton de la dominante)
    sujet     (ton de la tonique)

*Divertissement* supplémentaire (seulement dans le cas où il y a une contre-exposition)

*Relatif*
    sujet     (ton du relatif)
    réponse  (au ton de la dominante du relatif)

*Divertissement*

*Sous-dominante*
    sujet     (ton de la sous-dominante)
    petit divertissement facultatif
    sujet     (ton relatif de la sous-dominante)

*Divertissement*

*Stretto.*

Entre le dernier *divertissement* et le *stretto*, il y a soit enchaînement, soit repos à la dominante du ton principal, soit encore une pédale de dominante. Le *stretto* peut comporter ou non, vers sa conclusion, soit une pédale de dominante, soit une pédale de tonique, soit même les deux. Dans la *f. libre* classique — celle qui nous intéresse particulièrement ici — le panorama de ces tons peut être disposé de façon différente, sans qu'il y ait obligation pour l'auteur d'en respecter l'ordre indiqué plus haut ou de les parcourir tous.

L'*exposition* comprend généralement autant d'entrées alternées au *sujet* et de la *réponse* qu'il y a de voix en présence. L'auteur peut à son gré en modifier l'ordre, mais ce n'est pas d'un usage courant. Voici un exemple d'*exposition* à 4 voix, où sont présentés, en leur succession habituelle, tous les éléments qui la constituent :

Un *divertissement* — appelé aussi *épisode* — est le lien qui relie l'une à l'autre deux présentations du *sujet*. Conçu dans le style de l'imitation, il peut revêtir des aspects variés tant au point de vue du choix des motifs développés (tirés en principe du ou des sujets et contre-sujets ou de la *coda*) que de l'ordre adopté pour les modulations. Il y a aussi des divertissements sans modulation, qui sont généralement courts.

Exemple :

*La strette :* le mot *stretto* vient du latin *stringere* (serrer) ; le terme français est *strette*. Tandis que, depuis le début de la *f.*, le sujet, au cours de ses différentes apparitions, a été entendu intégralement, il n'en est pas de même dans le *stretto* — lequel occupe, en principe, la dernière partie de la composition. Durant cette période, l'auteur peut donner libre cours à son invention, usant avec autant d'ingéniosité que possible de tous les artifices du contrepoint, de l'imitation et, si le sujet s'y prête, du canon. Les procédés utilisés consistent d'abord en entrées rapprochées de la tête (motif initial) du sujet et de la réponse, puis en canons établis à distances variables avec ces éléments ou seulement avec l'un d'eux. Le canon le plus naturel, comportant l'harmonie la plus rationnelle de la *réponse* combinée sur le *sujet*, s'appelle *strette véritable*. Si l'entrée de la *réponse* précède l'entrée du *sujet*, on donne à cette combinaison le nom de *strette véritable inverse*. Les ressources couramment exploitées pour l'édification d'un *stretto* sont a. les imitations sur la tête du sujet, sur la tête de la réponse, ou entre la tête du sujet et celle de la réponse ; b. des canons entre le sujet et la réponse ; c. on utilise aussi des canons du sujet sur lui-même, plus rarement de la réponse sur elle-même, à tous intervalles (seconde, tierce, quarte etc.). Tous ces canons peuvent être établis à distances variables quant au rapprochement d'entrées plus ou moins serrées. Ils peuvent être situés dans le ton principal de la *f.*, son relatif ou un autre ton proche (ton voisin ou, plus rarement, ton ayant à l'armature deux altérations de différence avec le ton principal, ou bien encore celui de la seconde mineure supérieure, empruntant la couleur harmonique de la sixte napolitaine). — Un certain nombre de transformations thématiques appliquées au *sujet* sont en usage qui, lorsqu'elles sont habilement utilisées, rehaussent en le renouvelant l'intérêt du *stretto* et, par là-même, de la *f.*

*J.-S. Bach. Clav., I, XXIII.*

Ce sont
— *l'augmentation* (valeurs de durée doublée)
— *la diminution* (valeurs de durée diminuée de moitié)
— le *mouvement contraire* (les intervalles mélodiques constituant le sujet étant entendus en sens inverse, le *dessin* de l'ensemble se trouve être renversé)
— le *mouvement rétrograde* (appelé aussi « sujet à l'écrevisse », commençant par la dernière note du sujet qui se déroule à reculons jusqu'à son point de départ normal, la durée des valeurs étant respectée ; la rétrogradation fut peu employée dans le passé)
— *l'augmentation double* (valeurs normales quadruplées) est parfois utilisée. On rencontre beaucoup plus rarement les valeurs diminuées du quart, dans l'emploi d'une « diminution de la diminution ».
Enfin, d'autres transformations du *sujet*, moins strictes, celles-là, peuvent être employées ; elles consistent par exemple en
— *variantes mélodiques* (notes étrangères intégrées entre les notes constitutives du *sujet*)
— *mutations mélodiques* (légères modifications apportées à l'un ou plusieurs des intervalles contenus dans le sujet)

— adaptation d'un rythme caractéristique (celui d'une cellule du sujet, par exemple), au *sujet* entendu partiellement ou intégralement.

En possession de ces matériaux, le compositeur cherchera des combinaisons intéressantes : si elles se présentent en grand nombre, il aura même à établir un choix judicieux, afin de ne point allonger la *f.* au-delà de proportions raisonnables. Bien entendu, on peut, au cours du *stretto*, faire entendre des rappels facultatifs partiels du *contre-sujet*, de thèmes de divertissements

1er sujet

2e sujet (exposé à la 49e mesure, au ton de la sous-dominante)

J.-S. Bach. Clav. bien temp., I, 4.

1er sujet

2e sujet (exposé à la 61e mesure, au ton de la dominante)

Id. ibid. II, 18

déjà utilisés au cours de la *f.* etc. Si, dans la *f.* d'école, ainsi que dans un certain nombre de *f.* de maîtres, d'ailleurs, la strette occupe la dernière partie de la pièce musicale, il n'en est pas de même dans toutes les *f.* Considérée sous l'angle de l'une des formes de la composition, une *f.* peut déjà comporter plusieurs canons dits *strettes*, au cours de son développement, soit qu'un véritable *stretto* vienne terminer l'ensemble, soit que les combinaisons envisagées plus haut se trouvent être réparties tout au long de la *f.*, sans qu'un compartiment spécial leur soit réservé. Notons aussi que, dans le courant du *stretto*, on rencontre parfois des pédales ; toutefois, la chose est rare dans les *f.* des maîtres. Sur pédale, une combinaison canonique, ou bien encore une partie du développement qui se déroule dans le style de l'imitation, peuvent se présenter.

Il sera bon d'examiner la fugue n° VIII du *Clavecin bien tempéré* (vol. I) : dès le 19e mesure, le sujet est pris en canon à l'octave supérieure ; à la 24e mesure, il y a canon à la 7e inférieure entre les deux parties extrêmes et, en même temps, à la partie centrale, un canon en semi-augmentation dans un rythme adopté volontairement (rythme tiré des 2e, 3e et 4e notes du sujet) ; A la 27e mesure, canon à la quinte inférieure entre les deux voix supérieures, accompagné par une basse continue en croches ; à la 30e mesure, apparition à la partie supérieure du mouvement contraire. La *f.* continue de se dérouler en forme de *stretto* quasi permanent, où des procédés déjà entendus sont présentés en des dispositions renversées. Signalons également l'augmentation du sujet à la basse, à la 62e mesure ; Cette augmentation reviendra aussi à la 67e mesure, à la partie intermédiaire et, un peu plus tard, à la 77e mesure, elle reparaîtra, cette fois à la partie supérieure. L'intérêt de cette présentation triple est rehaussé du fait que, chaque fois, l'augmentation est entendue dans un ton différent. Les combinaisons que nous venons de signaler sont les plus saillantes de cette *f.*

Rappelons encore, parmi les *f.* du *Clavecin bien tempéré* traitées magistralement quant à l'esprit de strette : dans le vol. I, *f.* I, *f.* XX (dont le centre est traité par mouvement contraire), *f.* XXII ; dans le vol. II, *f.* II, VII, IX, XXII.

La lecture de « L'art de la fugue » est aussi d'un puissant intérêt, ainsi que celle des canons et de la *f.* de l' « offrande musicale », deux œuvres maîtresses de J.-S. Bach.

*Fugues à plusieurs sujets et contre-sujets.* Il y a des *f.* à deux sujets (*double-fugue*), à trois sujets (*triple-fugue*) et même davantage, à deux ou plusieurs *contre-sujets*. De ces thèmes sont généralement tirés tous les éléments

mélodiques et rythmiques dont est composé le développement de la *f.* De même que dans les *f.* à un seul sujet, une *coda* peut, bien entendu, servir de motif d'imitation. L'ordre de présentation des dits *sujets* et *contre-sujets* est variable, selon l'ordonnance du plan constructif adopté par l'auteur. On lira avec intérêt les belles fugues pour orgue de Buxtehude : certaines d'entre elles sont curieuses et fort belles, gardant de la *canzona* et du *ricercare* la technique de transformations rythmiques du sujet : ce dernier revêt alors, successivement, des aspects différents : *La fuga doppia*, la *fuga tripla* sont nées.

Nous citerons quelques fugues-doubles de J.-S. Bach. Voir ex. ci-contre.

Renvoyons également le lecteur à la fugue en *fa mineur*, pour orgue. Quant au prototype de la triple-fugue, chez Bach, c'est la *f.* en *mi bémol majeur*, pour orgue (construite en trois volets), *f.* dite de la *Sainte-Trinité*.

*Dérivés de la fugue.* Des *f.* partielles ou complètes furent intégrées par les précurseurs de Jean-Sébastien Bach lui-même et, plus tard par ses successeurs, dans des fantaisies, caprices, ouvertures, sonates, symphonies etc. — La *fughette* (petite *f.*, simple et courte), le *fugato* (fragment fugué plus ou moins fugitif, venant faire diversion dans une œuvre de style parfois très différent), le *thème fugué* enfin, où les lois même de la réponse et de l'ordre de présentation peuvent être très assouplies, doivent être rappelés ici.

Pour compléter cet aperçu de la *f.*, envisageons dans ses grandes lignes l'évolution de cette forme qui, oscillant encore aux XVIe et XVIIe s. entre la modalité et la tonalité dont s'affirme de plus en plus, se fixe définitivement, ainsi que nous l'avons vu plus haut, dans l'œuvre de J.-S. Bach. Nous citerons les *f.* de ses contemporains, de Haendel et de Domenico Scarlatti. La forme fut reprise avec maîtrise par Mozart, et Beethoven l'utilisa dans un cadre particulièrement large. Parmi les romantiques, Schumann et Mendelssohn nous ont laissé de beaux modèles du genre. Liszt, Franck et Brahms en renouvellent le langage, laissant entrevoir une évolution dans le jeu des modulations.

Plus près de nous, citons comme auteurs de fugues : C. Saint-Saens, G. Fauré (fugue des *pièces brèves*), Max Reger, Albert Roussel. N'oublions pas de citer la délicieuse fugue de couleur modale du *Tombeau de Couperin* de Maurice Ravel, les *f.* d'orgue de Marcel Dupré, le final des « *Variations pour piano* » de Liapounov. Nous rencontrons encore des fugues intéressantes dans l'œuvre de Darius Milhaud, d'Arthur Honegger, de Paul Hindemith et de Bela Bartók. C'est dire que, tout au long de sa carrière, la *f.* a beaucoup évolué vers l'indépendance tonale, et aussi sous le rapport de la langue harmonique propre aux différents styles dont ces auteurs sont les représentants. Un récent et très remarquable spécimen de *f.* conçue sur des données renouvelées, d'une structure à la fois précise et indépendante, est le premier morceau de « *Musique pour instruments à cordes, percussion et célesta* » de Bela Bartók, dont l'exposition et le développement sont soumis à un plan symétriquement construit, selon une conception nouvelle qui permet, dès le point de départ de l'œuvre, de s'orienter vers des tonalités éloignées, ce qui ouvre le champ au cycle plus vaste de modulations à tous les degrés de l'échelle chromatique.

En terminant cet exposé, remarquons que l'évolution de la *f.*, loin d'être terminée, est toujours en marche, puisqu'il existe des *f.* écrites selon les différents langages de technique musicale : modalité, tonalité, atonalité, dodécaphonisme. La voie reste donc ouverte aux initiatives qui se révèleront demain. S.P.-C.

**FUGUÉ.** *Adj.* : se dit d'un style inspiré de la fugue, sans être strictement astreint à ses règles : c'est dire qu'il est fondé sur l'imitation.

**FUGUETTE.** Voir art. *fughetta.*

**FUHRMANN Georg Leopold.** Luthiste allem., graveur et libraire à Nuremberg au début du XVIIᵉ s., qui publia en 1615 une tablature intitulée *Testudo gallo-germanica,* laquelle contient des préludes, des fantaisies, des *canzoni*

une flûte à encoche (Japon) : l'instrument, très populaire, est taillé dans la partie inférieure d'une jeune canne de bambou, d'où la fréquente courbure de l'instrument due à la croissance naturelle de la tige ; la longueur de l'instr. est déterminée par la distance entre les trois

FUGUE

*J.-S. Bach, Fin de* L'art de la fugue.

ou *canzonette*) et un grand nombre de danses, certaines pièces étant de la composition d'autres luthistes, tels que Boquet, J. Reys, T. Kün, E. Mertel etc.

**FUHRMANN Martin Heinrich.** Théoricien allem. (Templin ... 12.1669–Berlin (?) ap. 1745). Enfant chanteur à Kyritz, à Prenzlau, à Berlin, où il entendit F.G. Klingenberg (org. à l'église St-Nicolas, élève de Buxtehude), élève de M.P. Henningsen, vers 1692 il fut étudiant à Halle ; c'est ensuite à Leipzig qu'il fut en contact avec J. Schelle ; en 1693, il semble avoir été org. dans sa ville natale, puis à Soldin ; en 1695, il est *cantor* à Berlin, en 1704 au *Friedrich-Werderschen Gymnasium* ; il publia *Mus. Trichter* (Francfort s. la Sprée, 1706),*Musica vocalis in nuce* (Berlin 1715), *Mus. Strigel* (Athen an der Pleisse, d. s.), *Liebhold und Leuthold* (Cantorbéry 1728), *Gerechte Wag-Schal, darin Tit. Herrn J. Meyers...* (Altona 1728), *Die an der Kirchen Gottes gebaute Satans-Kapelle* (Cologne 1729), *Die von den Pforten der Höllen bestürmete, aber vom Himmel beschirmete ev. Kirche* (Berlin 1730) ; sa vigueur polémique l'apparente de très près à Mattheson. Voir A.C. Müller, *Gesch. d. Fr.-Werderschen-Gymnasiums,* Berlin 1881 ; G. Schünemann, *Gesch. d. deutschen Schulmusik,* Leipzig 1928 ; M. Ruhnke in MGG.

**FUJARA.** C'est une grande flûte basse, instrument pastoral de la Slovaquie du Sud : l'instrument est formé de deux tuyaux accolés, disposition qui double la longueur apparente de la *f.* ; l'embouchure est composée d'un raccord qui traverse l'un des tuyaux et assure une conduite efficace de l'air à travers le premier, puis à travers le second des tuyaux. Les sujets pastoraux de l'iconographie populaire slovaque figurent souvent une *f.* L'instrument, assez répandu, a une sonorité caractérisée par les harmoniques qu'il produit. Les airs pour *f.* sont souvent alternés avec des reprises vocales. La *f.* est faite dans un tronc d'arbre dont la croissance a été spécialement surveillée ; la finition de l'instr. donne lieu à de beaux décors gravés.                                          M.A.

**FUJARKA.** C'est une flûte à bloc, à 6 ou 8 trous, instrument populaire, au son doux (Pologne).       M.A.

**FUKE-SHAKUHACHI.** La locution vient de *fuku* (souffler) et de *shakuhachi* (mesure de longueur). C'est

nœuds inférieurs ; le *f. s.* possède cinq trous, dont un dorsal.                                                       E.H.-S.

**FUKUI Naoaki.** Prof. japonais (Toyama Ken 17.10.1877–), élève de l'acad. impériale, directeur-fondateur de l'école de mus. *Musashino* (1929), président de la société des cons. japonais, auteur de deux traités, l'un d'harmonie (1908), l'autre de contrepoint (1930).

**FULBERT.** Né v. 960 en Italie (Rome ?), mort évêque de Chartres le 10 avril 1028. Dès 984 *F.* se rend à Reims, attiré par la renommée de Gerbert qui y enseigne alors ; il y rencontre le futur roi de France, Robert ; en 1004, *F.* est diacre et écolâtre à Chartres ; en 1007, il est consacré évêque de Chartres. Sa renommée de pédagogue a été immense et dépasse de loin celle que lui eussent value ses œuvres littéraires et musicales, dont certaines sont pourtant remarquables. Ses élèves sont Bérenger de Tours, Eusèbe, Brunon d'Angers, Herbert de Lagny, Sigon et Arnoul, chantres de Chartres, Angelran de Saint-Riquier etc. Ses œuvres poétiques et musicales comprennent plusieurs hymnes : *Deus pater piissime, Inter patres monastici* (saint Martin), *Psallat chorus caelestium* et *Sanctissime o Jacobe;* plusieurs offices propres, dont certaines parties sont reprises aux Vies des saints : en l'honneur des saints Chéron, Eman, Piat, Lubin, Laumer, honorés à Chartres : en général les offices de ce type incorporent des fragments préexistants ; enfin on attribue à *F.* 3 répons en un métriques, avec leurs mélodies : *Solem justitiae, Stirps Jesse* et *Ad nutum Domini* : ces 3 pièces ont connu une popularité incroyable et se retrouvent dans la plupart des offices de la Vierge. En dernier lieu, vient un poème au rossignol, *De philomela,* dont la mélodie est conservée par deux mss au moins : Paris 1928, en neumes de Fécamp, et Florence F 3 565, en notation alphabétique.

**Bibl. :** Sources, *Patr. Lat.,* t. CXLI ; M. Manitius, *Gesch. der latein. Literatur,* II, 1923 p. 682–694 ; E.F.J. Raby, *A history of christian latin poetry,* p. 259 s. ; Chan. Y. Delaporte, *F. de Chartres et l'école chartraine de chant liturgique au XIᵉ s.,* ds Etudes Grégoriennes II, 1957, p. 51–82 ; S. Corbin, ds *Essai sur la musique religieuse portugaise...,* 1952 p. 353–368 ; P. Rousseau, ds *Catholicisme, Encyclopédie...,* t. IV, 1956 col. 1662–1665 ; L.C. Mac Kinney, *Bishop Fulbert and education at the school of Chartres,* Notre-Dame, Indiana, Medioeval Institute, 1957, in-8⁰ 60 p., pl. ; *Textes and studies in the history of medioeval education,* 6⁰.                                    S.C.

FULBERT

*(Obituaire de N.-D. de Chartres, 1028. Bibl. de St-Étienne).*

**FULDA.** C'est une abbaye fondée par Sturm, disciple de saint Boniface, en 744, où ce dernier fut enterré en 755 ; située ds le diocèse de Mayence, sur la Fulda, affluent de la Weser, elle a connu une période exceptionnellement brillante au IX<sup>e</sup> s. Elle était déjà fort riche et puissante lorsqu'Alcuin vint la visiter au début du siècle ; il repartit accompagné de Raban Maur, qui étudia longtemps à Tours. Sous l'impulsion de ce dernier, théologien éminent, abbé de 822 à 842, l'école acquit une célébrité méritée. Raban Maur était personnellement un poète assez médiocre, mais il forma Walafrid Strabon, Gottschalk, dont les poèmes sont parmi les meilleurs de leur époque. A la même période appartiennent Usuard (l'auteur du martyrologe), Eginhard (le biographe de Charlemagne). *Fulda* conserva au X<sup>e</sup> s. un prestige intact ; les carolingiens allemands le comblèrent de faveurs. Sa richesse et sa puissance firent d'elle le chef d'ordre en Germanie ; l'abbé était prince du Saint-Empire. La bibliothèque de *Fulda* était riche ; on conserve 6 manuscrits de la toute première époque (à Rome et en Allemagne) et un grand nombre de recueils sont restés sur place. C'est un des hauts-lieux de la paléographie, en même temps que de l'Église d'Allemagne.

Bibl. : La bibliographie concernant *Fulda* est considérable, elle est énumérée par dom Cottineau, *Répertoire des abbayes et prieurés*, 1939, *sub verbo Fulda* ; il faut y ajouter : l'analyse des mss venant de F. par Leclercq, dans *D.A.C.L.* t. V, col. 2684 s. ; *La bibliothèque de Fulda, ibid.*, col. 2691 ; J. Roux, art. dans l'encyclopédie *Catholicisme*, t. IV, 1957 col. 1666–7 ; O. Herding, *Ueber die Dichtungen Gottschalk's von Fulda*, ds *Festschrift für Paul Kluckhohn und Hermann Schneider*, Tubingen 1948 p. 46–72 ; W. Lewalter in M.G.G. ; J. Hrabata, *De expositione missae Walafridi Strabonis*, ds *Ephemerides liturgicae*, LXIII, 1949, p. 145–165. S.C.

**FULDA Adam de. Voir** art. *Adam (de Fulda).*

**FULEIHAN Anis.** Pian., chef d'orch. et compos. amér. d'origine chypriote (Kyrenia 2.4.1901–). Elève de Jonas, il débuta à New-York en 1919, donna des récitals, fut

engagé à la radio comme chef d'orch., collabora à la maison Schirmer à New-York ; il est prof. de piano et de composition à l'univ. d'Indiana ; il a écrit des œuvres symph., dont 2 symphonies, 6 concertos, 2 quatuors, de la mus. de piano, des ballets.

**FULLER Donald.** Compos. amér. (Washington 1.7.1919–), élève à l'univ. de Yale, de Wagenaar, de Copland, de Milhaud, auteur d'1 symphonie, de mus. de chambre, de mélodies etc.

**FULLER Frederick.** Baryton angl. (Kirkham 7.11.1908–). Elève du collège de Princeton, de l'univ. de Liverpool, de la Sorbonne (il est docteur avec une thèse sur Gillebert de Berneville), de l'univ. de Munich, de celle de Harvard, il eut comme prof. de chant Warnich et Croiza ; collaborateur du *British Museum* (1935–39), du *British Council* à Rio de Janeiro et à Buenos-Aires (1942–45), il a fait des recherches sur la mus. des troubadours, traduit des livrets et des mélodies, publié des articles sur la mus. sud-américaine ; il fait une grande carrière au concert.

**FULLER Loïe** (*Marie-Louise*). Danseuse amér. (Fullersburg 1862–1.1.1928). Elle débuta au théâtre, tenta vainement de faire une carrière de chanteuse (*Faust*, Opéra de Chicago 1885) ; revenue au théâtre, elle débuta à Londres en 1889 ; on la trouve ensuite à Berlin, puis aux *Folies-Bergère* à Paris, en 1896 à New-York ; lors de l'exposition universelle de Paris, elle présenta dans son théâtre une série de spectacles japonais (avec Isadora Duncan et Maud Allen) ; elle publia ses mémoires : *Quinze ans de ma vie* (Paris 1908). Voir *L.F.*, ds *Dance Magazine*, New-York, déc. 1950.

**FULLER-MAITLAND John Alexander.** Musicologue angl. (Londres 7.4.1856–Carnforth 30.3.1936). Elève de Cambridge, il fut chroniqueur musical (notamment au *Times*, 1889–1911) ; il est l'un des fondateurs de la *Folk-song Society* ; il collabora au catalogue de musique du *Fitzwilliam Museum* de Cambridge ; il publia *English carols of the 15th cent.* (Londres 1891), *English county songs* (1893), *The Fitzwilliam Virginal Book* (Leipzig–Londres 1894–1899, 1904) ; il fut également membre du comité d'édition de la société Purcell ; il traduisit, avec Clara Bell, la *Vie de Bach* de Spitta, collabora au *dict.* de Grove, fut membre du conseil du *Royal College of music*, membre associé de l'Académie royale des Beaux-Arts de Belgique ; citons encore, de ses publications, *Schumann* (Londres 1884), *Masters of the german music* (1894), *The musician's pilgrimage* (1899), *English music of the 19th cent.* (1902), *The age of Bach and Handel* (Londres 1904), *J. Joachim* (1905), *Brahms* (1911), *The consort of music* (1915), *The suites of Bach* (1924), *J.S. Bach : the « 48 »* (Londres 1925), *J.S. Bach : the keyboard suites* (ibid. 1925), *Schumann : the concerted chamber-music* et *The piano-forte works* (ibid. 1927), *A door-keeper of music* (autob. Londres, 1929), *Bach's Brandenburg concertos* (OUP, Londres 1929), *The music of Parry and Stanford* (Londres 1934).

**FULTON Norman.** Compos. angl. (Londres 23.1.1909–), élève de la *Royal Academy of music* à Londres (1928–33), attaché à la *B.B.C.*, auteur d'une sérénade (cordes), de mélodies, d'un concerto pour trombone, d'un *capriccio* pour viol. et orch., d'une sonatine de piano, de mélodies pour piano et violon, de piano et d'alto, de mus. de film, radiophonique.

**FULU.** C'est un petit orgue à bouche, dont les 5 tuyaux, de longueur inégale, sont insérés en faisceau dans une calebasse qui forme réservoir d'air ; l'embouchure est constituée par le col de la calebasse (États Shans, nord de la Birmanie). M.H.

**FUMAGALLI.** Famille de mus. ital. : — **1. Disma** (Inzago 8.9.1826–9.3.1893) fut prof. de piano au cons. de Milan et écrivit 300 pièces pour cet instrument, ainsi que des transcriptions et des exercices. Son frère – **2. Adolfo** (Inzago 19.10.1828–Florence 3.5.1856), élève du cons. de Milan (Angeleri, Ray) fut pian. virtuose et composa une centaine de pièces pour le piano. Leur frère – **3. Polibio** (Inzago 26.10.1830–Milan 21.6.1900), élève lui aussi du cons. de Milan, fut prof. d'orgue et compositeur. Leur frère – **4. Luca** (Inzago 29.5.1837–Milan 5.6.1908), *id.*, fit lui aussi une carrière de pian. virtuose ; il enseigna au cons. de Philadelphie, composa pour son instrument et pour l'orchestre. Son fils – **5. Mario** (Milan 4.9.1864– Rome 17.9.1936) fut baryton et prof. au cons. Ste-Cécile à Rome. Voir F. Filippi, *Della vita e delle opere di A.F.*, Ricordi, Milan 1857.

**FUMET Dynam-Victor.** Org., pian. et compos. franç. (Toulouse 4.5.1867–2.1.1949). Élève du cons. de Paris (Guiraud, César Franck), ami de Kropotkine, de Louise Michel, collaborateur du journal anarchiste *La Révolte*, puis versé dans l'occultisme et dans l'alchimie, il eut d'abord un poste au petit orgue de Ste-Clotilde, puis l'année d'après au *Chat-Noir* ; ami d'Erik Satie, ami de Léon Bloy, il changea de vie et vécut dix ans au collège de Juilly ; enfin, en 1910, il fut maître de chapelle de l'église Ste-Anne, poste qu'il devait garder jusqu'à sa mort ; il écrivit pour l'orchestre, pour les chœurs, 5 messes (dont une de *Requiem*), des motets, des pièces de piano, de la mus. de chambre, des pièces avec orgue etc.

**FUNCK** (*Funccius*) **David.** Mus. allem. (Reichenbach (?) v. 1630–près d'Armstadt, ap. 1690). Virtuose du violon, de l'alto, du clavicorde, de la guitare, poète, il fut org. et prof. dans une école de filles à Wunsiedel et publia *Stricturae Viola di gambicae, ex sonatis, ariis, intradis, allemandis, etc. quatuor violis da gamba concinendis promicantes* (Leipzig, Iéna et Rudolstadt 1677), *Compendium musices* (perdu), *De proportione musica veterum...* (Iéna 1673). Voir ds G.T. Mattheson, *Grundlage einer Ehrenpforte*, Hambourg 1740, B.V.K., Cassel 1936.

**FUNCKE** (*Funccius*) **Friedrich.** Mus. allem. (Nossen 1642– Römstedt 1699). Cantor à Saint-Jean de Lunebourg (1664), pasteur à Römstedt (1694), il a composé *Trostvolle Gesch. der sig-u. freundenreichen Auferstehung J.C.* (1665), *Danck-u. Denck-Mahl über den starcken u. unverhofften Donnerschlag...* (8 v., 5 instr. et *b.c.*, Hambourg 1666), *Wiederholtes Lüneburg. Danck-Opfer...* (1675), *Die unendl. u. immer neue Gottes-Güte* (1 v., 5 instr. et *b.c.*, 1682), *Die Gesch. von dem selig machen der Leiden u. Sterben...* (1683), *Litania div. in 8 v. et instr. in duos choros* (ms.), 43 mélodies du Livre de chant de Lunebourg (1686) ; on a de lui un traité : *Janua latino-germanica ad artem musicam...* (Hambourg 1680). Voir ds G. Fock, *Der junge Bach in Lüneburg*, Hambourg 1950.

**FUNDAMENTUM ORGANISANDI.** Voir art. *Paumann.*

**FUOCO Sofia** (pseud. de *Maria Brambilla*). Danseuse ital. (Milan 16.1.1830–Carate Lario 3.6.1916). Élève de Blasis, elle débuta à la *Scala* en 1843 ; elle triompha à l'Opéra de Paris en 1846 ; elle se retira de la scène, après des succès mondiaux, en 1858. Voir *Cenni Biografici intorno alla celebre danzatrice S.F.*, Modène 1853 ; G. Monaldi, *Le regine.della danza*, Turin 1910 ; C. Rivalta, *Il tramonto di una diva*, Faenza 1916.

**FURCHEIM** (*Forcheim*) **Johann Wilhelm.** Mus. allem. (? v. 1635–Dresde 22.11.1682). En 1651, il est au service de la cour de Dresde ; en 1665, il y est violon., puis *Oberinstrumentist*, en 1680 *Konzertmeister*, en 1681 *Vize-Kapellmeister* ; il composa *Musik-Tafel-Bedienung* (1674), *Auserlesenes Violin-Exercitium...* à 5 parties (1687) ; la bibl. d'Upsal possède de lui en mss une suite à 5 v., 1 sonate à 2 violons et *b.c.*, 2 sonates à 5, 1 *sonatella* à 7.

**FURITSUZU.** Voir art. *suzu.*

**FURLANETTO Bonaventura** (*Musin.*). Mus. ital. (Venise 27.5.1738–6.4.1817). Élève de son oncle N. Formenti, de G. Bolla, ecclésiastique, il était en 1768 successeur de Sarti comme maître de chœur à la *Pietà* de Venise, poste qu'il conserva jusqu'à sa mort ; il fut également en poste à St-Marc, d'abord org. intérimaire, puis en 1797, vice-maître de chapelle : il devait d'ailleurs succéder à Bertoni comme 1er maître de chapelle ; il fut, à partir de 1811, prof. de composition à l'institut philharmonique de Venise : il eut Zifra parmi ses élèves ; il fut l'ami intime de F. Caffi, et Rossini vint à Venise l'entendre ;

il composa un grand nombre de messes, de motets, de *Magnificat*, de psaumes, de lamentations, des drames sacrés : *Il trionfo di S. Giovanni Nepomuceno* (1767), *Salomon* (1806), des cantates : *La sposa dei sacri cantici* (1763), *In cœlo resplendet* (1785), *Abraham et Isaac* (1786), *Nuptie Rachelis* (1795), *Jericho* (1775), *La morte di Adamo* (1809), *Nuptie in domo Labani* (1814), *Veritas de terra orta est* (1816), des oratorios : *Joseph pro rex Aegypti*, *Felix victoria* (1773), *David in Siebeg* (1776), *Nuptie in domo Labani* (1779), *David Goliath triumphator* (1780), *Aurea statua a rege Nabucodonosor erecta* (1783), *Absalonis rebellio* (1785), *Athalias, Sisara* (1786), *Baltassar* (1787), *Gedeon* (1793), *Moyses in Nilo* (1797), *Jonathas* (1798), *Nabot, Il figliol prodigo* (1800), *Il trionfo di Jefte* (1801), *Betulia liberata* (1804), *Abigail* (1807) ; il rédigea un traité de contrepoint. Voir F. Caffi, *Della vita e del comporre di B.F. ...*, Pucotti, Venise 1820.

**FURLONI Gaetano.** Mus. ital. qui vécut à la fin du XVIIe s., de qui la bibl. épiscopale de Münster conserve 14 *sinfonie a tre* et 10 *sonate da camera a 2 e a 3* (1693).

**FURLOTTI Arnaldo.** Compos. ital. (San Secondo di Parma 12.9.1880–). Élève du cons. de Parme, il fut un temps directeur de la *Schola Cantorum* de la cath. de Parme ; il a composé 3 opéras : *La Samaritana* (1919), *La Maddalena, Il martirio di San Stefano*, 1 oratorio, *Judith* (1914), des poèmes symph., des messes, des motets, des mélodies ; il a publié un manuel d'accompagnement du plain-chant (Blanchi, Turin). Voir R. Martini, *Vita d'un musicista parmense* (s.d.).

**FURNO Giovanni.** Mus. ital. (Capoue 1.1.1748–Naples 20.6.1837). Élève du cons. de *S. Onofrio* à Naples, intérimaire de Cotumacci à la direction de ce cons., il fut dir. de celui de la *Pietà dei Turchini*, de celui de *S. Sebastiano*, de celui de *S. Pietro a Majella* (1808–1835) : c'est dire qu'il eut parmi ses élèves Bellini, Mercadante etc. ; il est l'auteur de mus. de théâtre, notamment *L'allegria disturbata* (1778), *L'impegno* (1783).

**FURTWÄNGLER Wilhelm.** Chef d'orch. allem. (Berlin 26.1.1886–Baden-Baden 30.9.1954). Élève de Rheinberger, de Beer-Waalbrunn, de Schillings, d'Ansorge, à Munich, il débuta dans cette ville en 1906 avec la 9e symph. de Bruckner ; il est successivement chef de chœur à l'Opéra de Munich (1907–1909), au théâtre de Strasbourg, comme 3e chef d'orch., puis dir. de la société des amis de la musique à Lubeck (1911–1915), maître de chapelle de la cour et dir. de l'Opéra à Mannheim (1915– 1920) ; de 1920 à 1922 il succède à Richard Strauss à la tête des *Opernhauskonzerte* à Berlin ; en 1922, il succède à Nikisch comme dir. du *Gewandhaus* de Leipzig : il dirige en même temps la *Berliner Philharmonie* ; de 1928 à 1930, il succède à F. Weingartner comme chef du *Wiener Philharmonischer Orch.* ; c'est à la tête de ces différents orchestres qu'il avait dès lors entrepris une carrière triomphale dans le monde entier ; en 1933, il fut nommé dir. de l'Opéra de Berlin, poste qu'il abandonna, pour des raisons politiques ; en 1947, il reprenait la tête de l'orchestre philharmonique de Berlin : ce fut probablement le plus grand chef d'orchestre de la première moitié du XXe s. : il eut des succès triomphaux dans le monde entier ; il composa 3 symph. (dont l'une est inachevée), 3 sonates pour p. et viol., 1 concert symph. pour p. et orch., 1 *Te Deum* ; il publia *Nietzsche u. R. Wagner* (1941), *J. Brahms u. A. Brückner* (Reclam, Leipzig 1942, 1952), *Gespräche über Musik* (W. Abendroth, Atlantis, Zurich 1948, 1949), *Ton u. Wort* (Brockhaus, Wiesbaden 1954), *Der Musiker u. seine Publikum* (Atlantis, Zurich 1954), 3 articles. Voir R. Specht, *W.F.*, 1922 ; O. Schrenk, *W.F.*, 1940 ; F. Herzfeld..., *F.W.*, Goldmann, Leipzig 1941, 1950 ; C. Riess, *F., Mus. u. Politik*, Scherz, Berne 1953 ; B. Gavoty-R. Hauert, *W.F.*, Genève 1954 ; M. Hörlimann, *W.F. im Urteil seiner Zeit*, Zurich–Fribourg-en-Brisgau 1955.

**FURUHJELM Eric Gustav.** Compos. finlandais (Helsinki 6.7.1883–), élève de Sibelius, qui a été prof. de composition au cons. de sa ville natale ; il a écrit notamment 2 symph., 1 ouverture, 1 quintette, 1 quatuor ; il est l'auteur d'une étude sur Sibelius (Stockholm 1917).

**FUSA.** C'est, dans la notation proportionnelle, une figure qui équivaut au tiers ou à la moitié de la semi-minime. Voir art. (*notation*) *proportionnelle.*

**FUSCO Giovanni.** Compos. ital. (S. Agata dei Goti 10.10.1906–). Elève de Boccaccini (piano), de F. Germani (orgue), de R. Storti et de Casella (compos.) au cons. de Pesaro, diplômé de direction d'orch. à l'académie Ste-Cécile de Rome (1942), il a écrit de la mus. de chambre, 1 opéra (*La scala di seta*, 1930), 1 *cantata profetica* (1954), de nombreuses partitions de mus. de film ; il fait carrière de chef d'orchestre.

**FUSEAU.** Terme de facture d'orgue : c'est l'extrémité, de perce conique, qui termine certains tuyaux (flûte).

**FUSÉE.** « Trait rapide et continu qui monte ou descend pour rejoindre diatoniquement deux notes à un grand intervalle l'une de l'autre ; à moins que la *f.* ne soit notée, il faut, pour l'exécuter, qu'une des deux notes extrêmes ait une durée sur laquelle on puisse passer la *f.* sans altérer la mesure. » J.-J. Rousseau.

**FUSELLA Gaetano.** Violon. ital. (Naples 16.4.1876–). Elève du cons. de *S. Pietro a Majella*, il a fait une carrière de virtuose ; en 1906 il présenta au concours de Rome une monographie, exposant une méthode pour violon selon le système hémitonique de Sevcik et fut nommé prof. au cons. de Naples ; il composa un concerto de violon, un quatuor, des cadences, des pièces de piano, de violon, 2 rhapsodies ; il a publié *La tecnica del violino* (Ricordi, Milan 1919).

**FUSS Johann.** Mus. hongr. (Tolna 1777–Ofen 9.3.1819). Il fut maître de musique à Bratislava ; après quoi, il alla à Vienne pour étudier le contrepoint avec Albrechtsberger et prendre les conseils de J. Haydn ; il fut en relations avec Beethoven ; il fut prof. à Vienne, correspondant de l'*Allgemeine Musikal. Zeitung* de Leipzig, après avoir été peu de temps *Kapellmeister* au théâtre de Bratislava ; il composa des mélodrames, des opéras : *Judith* (1814), *Romulus u. Remus* (1817), *Der Käfig* (1816), *Die Büchse der Pandora* (1818), 2 messes, de la mus. de chambre, des mélodies, des chœurs. Voir A. Orel in MGG.

**FUSSAN Werner.** Compos. allem. (Plauen 25.12.1912–). Elève de Walter Gmeindl et de Paul Höffer à la *Hochschule für Musik* à Berlin, prof. de composition lui-même, d'abord au cons. de Wiesbaden, puis à celui de Mayence, *F.* est surtout connu comme pédagogue et comme compos. de musique instrumentale ; son œuvre dans ce dernier domaine est abondante et variée : *Musik f. Streicher* (1943), *Musik f. Orch.* (1947), *Vorspiel f. Orch.* (id.), *Capriccio f. Orch.* (1949), *Musik f. Streicher, Klavier, Schlagzeng u. Pauken* (1950), des suites pour orch. à cordes (1951, 1958), des œuvres pour fl., viol., clar., un trio à cordes (1953) ; il a également publié qqs œuvres didactiques.

**FUSZ János.** Compos. hongrois (Tolna 1777–Buda 1819), de culture allem. ; il a passé une partie de sa vie à Pozzony et à Vienne, où il fut élève d'Albrechtsberger et eut des rapports suivis avec J. Haydn et Beethoven ; œuvres : mélodrames, opéras, une opérette, mélodies, *Ode funèbre*, 1 sonate et 6 sonatines pour violon et piano.

**FÛT.** C'est l'ancien terme qui, jusqu'au XVIIIe s., servait à désigner le buffet d'orgue.

**FUTTERER Carl.** Compos. suisse (Bâle 21.2.1873–Ludwigshafen 5.11.1927). Elève de H. Huber, il fut prof. de théorie et de composition à l'école supérieure de musique de Mannheim (1925) ; il composa des opéras : *Der Geiger von Gmünd* (1921), *Don Gil von den grünen Hosen* (1922), *Der Gott u. die Bajadere, Das Damenduell, Rosario*, des variations symph., des mélodies, des chœurs.

**FUTURISME.** Au sein de ce mouvement fondé en 1909 par Marinetti, F. Balilla-Pratella fut le théoricien musical (dans *Manifesto tecnico della musica futurista*, 1911 et *La distruzione della quadratura*, 1912) : il réclame « la fusion de l'harmonie et de la mélodie » et proclame que la musique est « un univers sonore d'une incessante mobilité » ; ses théories un peu vagues sont à remettre dans le cadre du mouvement lui-même, plus particu-

lièrement de ses intentions théâtrales dans le *Manifesto del teatro futurista* (1915), on veut que le théâtre futuriste soit « synthétique, a-technique, dynamique, simultané, autonome, a-logique, irréel » ; les *Balli plastici* de F. Depero (Rome 1918), la symphonie *Inno allavita* (Rome 1913) de Pratella, l'opéra *El'aviatore Dro* (Lugo di Romagna 1920), répondraient à ces intentions ; le futurisme a voulu s'annexer *Le rossignol* de Stravinsky ; c'est peut-être en accord avec ce mouvement qu'Apollinaire écrivit *Les mamelles de Tirésias* (sur quoi Poulenc composa la musique que l'on sait) ; mais enfin Apollinaire est plus surréaliste que futuriste. Voir N. Slonimsky, *Music since 1900*, 2e éd., 1949 ; l'art. ds l'*Encicl. dello spettacolo.*

**FUX** (*Fuchs*) **Johann Joseph.** Mus. autrich. (Hirtenfeld bei St. Marein 1660 ou 1661–Vienne 13.2.1741). Elève de l'univ. de Graz (1680), il fut novice de l'ordre des Jésuites (au *Ferdinandeum*) en 1681, mais il quitta l'ordre en 1684 ; il semble probable qu'il partit alors pour l'Italie ; en 1696, il est org. à la *Schottenkirche* de Vienne, en 1698, *Hofkompositor* ; en 1696, il avait épousé Clara Schnitzenbaum, fille d'un secrétaire du gouvernement de Basse-Autriche, de laquelle il n'eut point d'enfant : il adopta son neveu Matthäus et sa nièce, Eva-Maria ; en 1702, il quitta son poste à la *Schottenkirche* ; de 1705 à 1715, il est maître de chapelle en second à la cath. St-Etienne, en 1713, vice-maître de chapelle de la cour (Charles VI), en 1715, 1er maître de chapelle, poste qu'il garda jusqu'à sa mort ; il fut également maître de chapelle de l'impératrice Amalie (1713–15) ; pour ses obsèques, on joua à la chapelle de la cour sa messe *In fletu solatium* ; au nombre de ses élèves, on trouve Wagenseil, Muffat, Zelenka, Tuma, Orschel, Panzau ; son *Gradus ad Parnassum*, rédigé en latin, traduit ensuite en allemand, en italien, en français et en anglais, écrit en guise de traité de composition et de contrepoint, sous forme de dialogue du maître et de l'élève, a suscité l'admiration et l'étude de tous les musiciens qui vont de Bach à Schubert ; on peut, dans son œuvre, trouver deux styles, le baroque, pour l'opéra et la mus. instrumentale, le contrapuntique pour la mus. d'église.

**Œuvres :** La liste en a été dressée par Koechel, Eitner et Liess, avec quelques lacunes : ont été imprimés : *Concentus musico-instrumentalis in 7 partes divisus* (Nuremberg 1701), *Elisa, festa teatrale* (Amsterdam 1719), *36 sonate a tre* (Amsterdam), *Gradus ad Parnassum, sine manuductio ad compos. mus. regularem, methodo nova* (Vienne 1725, trad. franç. de P. Denis, sous le titre de *Traité de composition*, Nedermann, Paris 1773) ; en mss : près de 80 messes à 4 v. avec instr., *5 Requiem* à 5 v. avec instr., *5 Requiem* à 4 v., ainsi que des fragments de messe des défunts, des vêpres et des psaumes (K. 58-114), des litanies et des complies (K. 115-136), des graduels (K. 137-148), des offertoires (K. 149-162), des motets (K. 163-184), 2 motets (solo) dans le fonds Götteig à Bruxelles, des hymnes (K. 185-290), une vingtaine d'autres compositions de mus. d'église ; des oratorios : *La fede sacrilega nella morte del precursor...* (1714, K. 291), *La donna forte...* (K. 292, 1715), *Il fonte della salute...* (K. 293, 1716), *Il trionfo della fede* (K. 294, id.), *Il disfacimento di Sisara* (K. 295, 1717), *Cristo nell'orto* (K. 295, 1718), *Gesù Cristo negato da Pietro* (K. 297, 1719), *La cena del Signore* (K. 298, 1720), *Il testamento di N.S.G.C. sul Calvario* (K. 299, 1726), *La deposizione dalla croce...* (K. 300, 1728), *Die heilige Dimpna...* (K. 300a, 1702, perdu) ; 18 opéras : *La clemenza d'Augusto* (K. 301, 1702, perdu), *Offendere per amare...* (K. 302, 1702 perdu), *Pulcheria* (K. 303, 1708), *Julo Ascanio...* (K. 304, 1708), *Gli ossequi della notte...* (K. 305, 1709), *Il mese di marzo...* (K. 306, 1709), *La decima fatica d'Hercole...* (K. 307, 1710), *Dafne in Lauro* (K. 308, 1714), *Orfeo ed Euridice* (K. 309, 1715), *Angelica vincitrice di Alcina* (K. 310, 1716), *Diana placata* (K. 311, 1717), *Elisa* (K. 312, 1719), *Psiche* (K. 313, 1720–22), *Le nozze di Aurora* (K. 314, 1722), *Costanza e fortezza* (K. 315, 1723), *Giunone placata* (K. 316, 1725), *La corona d'Arianna* (K. 317, 1726), *Enea negli Elisi* (K. 318, 1731) ; des trios : 10 *partite* (K. 319-328), *Canzon* (K. 329), 2 symph. (K. 330-331), 43 sonates (K. 338-342, 351 1 et 2, K. 360-397, Liess 53), des pièces à 4, 5 parties (K. 332-337, 343-345, 347-350, 359), quelques autres pièces de mus. de chambre ou pour le clavecin ; 7 sonates, *Capriccio u. Fuge* (K. 404), *Ciaccona, Harpeggio u. Fuge, Aria passeggiata*, 4 partitas (K. 405, 12 menuets (ds *Denkm. d. Tonk. i. Osterr. 85*), 7 *Quodlibet* ; des traités : *Gradus ad Parnassum* (1725), *Fundamentum authore Fux* (F. *Singfundament*), *Singkunst, Gründlicher Unterricht z. Gesangslehre...*, *Solfeggi f. Sopr. u.b.c.*, *Fundamentum partiturae* (1762).

**Bibl. :** Koechel, *J.J.F.*, Beckesche Un. Buchh., Vienne 1872 ; V. Halpern, *Die Suiten v. J.J.F.*, thèse de Vienne 1917 ; F. Brenn, *Die Messkompos. v. J.J.F.*, thèse de Vienne 1931 ; K. Jeppesen, *J.J.F. u. die moderne Kontrapunkt-Lehre*, Kongressbericht de Leipzig 1925 ; A. Liess, *Die Triosonaten v. J.J.F...*, Berlin 1940, et *J.J.F.* ..., Vienne 1947 ; F. Krause, *Der Gradus ad Parnassum*, thèse de Koenigsberg 1944.

**FUX** (*Fuchs*) **Peter.** Mus. autrichien (? 22.1.1753– Vienne 15.6.1831). Il semble avoir appartenu à la chapelle de l'évêque de Grosswardein comme violoniste ; en 1782, il est à la chapelle des Esterhazy sous la direction de J. Haydn, de 1787 à sa mort, à celle de la cour impériale, à l'orchestre du *Hoftheater* de Vienne, à la *Tonkünstlersozietät* ; on a conservé de lui 2 sonates pour violon et basse (Hoffmeister, Vienne 1791, Artaria, *id.* 1794), 12 variations pour violon et basse (Hoffmeister, Vienne v. 1793), 2 sonates (v. vc., *ibidem*, 1796), 12 menuets et 12 danses allemandes (clav. 1798), 1 concerto de violon (1799), 1 caprice pour v. (1799), 2 variations pour 2 violons, 6 menuets à 5. Voir L. v. Koechel, *Die kais. Hofmus. in Wien* v. *1543 b. 1867*, Vienne 1869.

**FUYE.** C'est une flûte traversière, du Japon, à 7 trous, en bambou partiellement cerclé de fils de soie laqués ; le trou le plus proche de l'embouchure est recouvert d'une membrane, à la manière du mirliton, procédé destiné à améliorer le timbre de l'instrument ; le *f.* est du même type que le *ti* (voir à ce mot) chinois.       M.A.

**FYLYPENKO Arkadij.** Compos. ukrainien (Kiev 8.1. 1912–). Ouvrier qualifié dans une usine jusqu'à l'âge de vingt ans, il termina ses études au cons. de Kiev sous la direction de L. Revoutsky en 1939 ; il a écrit 4 suites pour chœur et orch., un poème héroïque (symph.), 2 quatuors, 2 sonates de piano, une suite (*id.*), de nombreuses mélodies, de la mus. de scène, de film.       A.W.

**FZ.** Voir art. *Sf.*

Exercitii III. Lectio IV. de Semiminimis contra &c.       135

Quibus exemplis palàm fit, ligaturas in Quatricinio aut non ubique tribus integris Semibrevibus ( ùt hæc Species requirit ) ſtipari, aut ſi poſſunt, haud abſolutà omnibus legibus Harmonià compleri poſſe.

*Joſeph.* In quibus exemplis una, alterave Semibrevium diviſa ſit, & ob quam cauſam, conſpicio, verùm ubi deeſſe dicis aliquid Harmoniæ, non video.

*Aloyſ.* Non animadvertis, in exempli primi ſexto tactu Theſi deeſſe Quintam? quæ tamen ad completam Harmoniam ſummopere neceſſaria eſt. Deinde in ultimi exempli quinto tactu Secunda duplicata eſt, deficiente Sextâ, quæ ad integram Harmoniæ rationem deſideratur, ùt ſequens exemplum demonſtrat.

Poſtremò in ejuſdem exempli quinto tactu quarta duplicata eſt ; cùm de rigore Secunda potiùs, quàm Quarta duplicanda ſit.

*Joſeph.* Quæ ratio eſt duplicandæ Secundæ potiùs, quàm Quartæ ?

*Aloyſ.* Non tam ratione Secundæ, vel Quartæ, quàm ratione completæ Harmoniæ intereſt. Cùm enim Harmoniæ plenitudo conſiſtat in ſociatione Tertiæ, Quintæ, & Octavæ ; in dicto autem exemplo locò Octavæ Quinta duplicata reperiatur, ibidem Harmoniam

L l 2

J.-J. FUX

*Page du* Gradus ad Parnassum.

**G.** — **1.** Nom de la note *sol*, dans les pays de nomenclature germanique.

### TABLEAU DES ÉQUIVALENCES

| Anglais | Allemand | Français |
|---------|----------|----------|
| G *flat* | *Ges* | Sol bémol |
| G *double flat* | *Geses* | Sol double-bémol |
| G *sharp* | *Gis* | Sol dièse |
| G *double sharp* | *Gisis* | Sol double-dièse |

— **2.** G désigne aussi l'accord parfait de sol majeur, *g.* l'accord parfait mineur. — **3.** La lettre *G* est à l'origine du signe de la clé de sol, mais son emploi est tardif (XVe s.). — **4.** Abréviations : *(m.)* g. veut dire *(main)* gauche ; — *G.P.* signifie *grande pause* et confirme des silences.

**GAAL Jenö.** Compos. hongrois (Zolyom 1906–), élève de Kodaly, auteur de 2 concertos, de mus. symph., chor., de chambre.

**GABELLONE** *(Caballone)* **Michele.** Voir art. *Caballone.* Son fils — **Gaspare** (Naples ? v. 1730–v. 1790), élève puis prof. au cons. de Santa Maria di Loreto à Naples (Durante), nous a laissé *Christus e Miserere a 4..., 2 Messe a 4 v. con ripieni, 2 passions* (1756), *3 Tantum ergo,* 2 airs, 1 cantate (1769), *Inno per il glorioso patriarca S. Giuseppe a 2 v.,* 2 fugues à 2 parties pour orgue, 1 ouverture, 1 messe de *Requiem,* 2 opéras-comiques : *La sposa bizzarra* (1757), *La giuocatrice bizzarra* (1764), et un traité : *Maniere per imparare a componere.* Voir ds F. Florimo, *La scuola musicale di Napoli,* II, IV, 1882.

**GABITCHVADZÉ** *(Gabičvadze)* **Rebaz Kondratzevitch.** Compos. géorgien (Tiflis 29.5.1913–), élève, puis (1944) prof. au cons. de Tiflis, chef d'orch. de théâtre, auteur d'un oratorio « national » intitulé *Vitiaz v tigrovoi chkoure* (1938), d'une opérette *(Strekosa,* 1952), d'une sonate de viol. (1936), de 2 quatuors (1946, 1955), de concertos, d'œuvres symphoniques.

**GABRIEL.** Mus. esp. des XVe–XVIe s., qui fut chanteur à la chapelle de Ferdinand le Catholique ; on trouve 19 compositions profanes de lui (3-4 v.) ds le *Cancionero musical de palacio;* il était musicien-poète.

**GABRIEL Gavino.** Compos. ital. (Tempio Pausania 15.8.1881–), qui se consacra au folklore sarde et écrivit un drame lyrique : *La jura* (1928), une œuvre chorégraphique : *Sera di vendemmia* (1923), transcrivit des chants sardes *(Italia ars,* Milan 1923) et publia *Canti e cantadori di Gallura* (in *RMI,* IV, 1910).

**GABRIEL Pedro.** Org. et chef d'orch. esp. (Tarrasa

4.4.1836–?), qui fut violon. à la cath. et directeur du *Teatro del Triunfo* de Barcelone, puis maître de chapelle et org. de Tarrasa ; il fonda un orch. et une école de mus. à Tarragone ; on le trouve ensuite en 1871 à Barcelone, en 1872 à Ponce (Porto-Rico) ; après quoi on ne sait plus rien de lui ; on lui attribue près de 500 compositions, dont une *Sínfonia Isabelina* (1858).

**GABRIEL da ANNUNCIAÇÃO.** Mus. portug. (Ovar... 1681–Lisbonne v. 1747). Fils de F. Andrade de Aguiar, franciscain, il fut *vigario do coro* des couvents de son ordre à Coïmbre, à Porto, à Lisbonne ; il composa 2 livres d'*Antiphonas e feriaes,* 5 liv. de messes, *Officio do archanjo S. Miguel, Manual e ceremonial do canto, Arte de cantochäo* (Lisbonne 1735).

**GABRIELI Adriana** *(La Ferrarese).* Sopr. ital. (Ferrare v. 1755–?). Epouse de Luigi Del Bene, élève du cons. des Mendicanti à Venise, elle chanta à Londres en 1785 sous la direction de Cherubini, débuta à Vienne en 1788 ; Mozart écrivit des airs pour elle : elle créa *Cosi fan tutte* en 1790 *(Fiordiligi);* sa dernière apparition sur la scène semble datée d'août 1799.

**GABRIELI Andrea** et **Giovanni.** Oncle et neveu, sont des musiciens vénitiens du XVIe s. ; leurs deux œuvres se complètent : *A.* est par-dessus tout un grand

A. GABRIELI

*Page de titre du 1er livre de madrigaux à 6 v.*

novateur en polyphonie vocale, alors que *G.,* qui est, qui s'est voulu (il l'a déclaré) le fils spirituel et le continuateur de son oncle, innove, lui, en polyphonie instrumentale ; à eux deux, ils ont porté l'école vénitienne à son maximum de splendeur, et Monteverdi, qui leur succédera, sortira des limites d'une école régionale.
— **1. Andrea** (Venise v. 1515–1586), fut chanteur à St-Marc après 1536 ; il tenta vainement d'y être organiste (1541), fut ensuite quelque temps au service de V. Ruffo à Rome ; en 1550, il est organiste de S. Geremia à Venise ; en 1557, on l'écarte encore de St-Marc ; il voyage alors en Bohême, en Bavière, où il sera le protégé

de l'archiduc Charles à Graz et des Fugger à Augsbourg ; il est enfin nommé organiste en second de St-Marc (1564), sous Zarlin et Rubrio (le premier organiste était C. Merulo) ; lorsque ce dernier quitta son poste (1584), *A.* devint 1er organiste.
— **2. Giovanni** (Venise 1557–... 1612), exerça à Munich de 1575 à 1579, comme adjoint de Roland de Lassus ; après quoi il revint à Venise, où il fut d'abord le remplaçant de Merulo à St-Marc, puis organiste en second à St-Marc (1584).
Tandis qu'à Venise les *G.* n'arrivaient pas à trouver une gloire appropriée à leur talent, à l'étranger ils étaient célèbres, par eux-mêmes et par leurs élèves : Zacconi, Aichinger, Hassler, Gruber, Nielsen et Pederson, Borchgrevink, Grandi, Schütz ; leur musique sera beaucoup plus jouée, dans la première moitié du XVIIe s., que celle de la *camerata* florentine ; Giovanni écrit pour double et triple chœur, pour *cori spezzati* ; tous deux introduisent l'usage du redoublement à l'octave à l'orgue et celui de l'accompagnement instrumental ; les *canzoni da sonare* de *G.* sont les premières sonates écrites pour un ensemble instrumental.
Œuvres d'Andrea : *Greghesche et Iustiniane a 3 v.* (Gardane, Venise 1571), *Primo libro di madrigali a 3 v. (ibid.* 1575, 1582, 1590, 1607), *Madrigali e ricercari a 4 v. (ibid.* 1589, 1590), *Primo libro di madrigali a 5 v. (ibid.* 1566, 1572, 1587), *Secondo libro di madrigali a 5 v. (ibid.* 1570, 1572, 1588), *Terzo libro di madrigali a 5 v. (ibid.* 1589), 2 liv. de *madrigali a 6 v.* (1574 et 1580), *Mascherate di A.G. ed altri autori a 3-8 v.* (ibid. 1601), *Chori della tragedia di Edipo tiranno a 3-6 v. (ibid.* 1588), *Primus liber missarum* (6 v., *ibid.* 1572), *Ecclesiasticarum cantionum...* (4 v., *ibid.* 1576), *Sacrae cantiones* (5 v., ibid. 1565), *Psalmi davidici* (6 v. et instr., *ibid.* 1583), *Ricercari* pour *stromenti da tasto* (3 liv., 1595–1596), *Canzoni alla francese*, livre V et VI (1605), des *Sonate a 5 str.* (1586) et des *Ricercari tabulati* (1595) ont été perdus.
Œuvres de Giovanni : *Madrigali e ricercari a 4 v.* (Gardane, Venise 1587), *Ecclesiasticae cantiones* (4-6 v., *ibid.* 1589), *Sacrae symphoniae* (2 liv., 6-19 v., 1597-1615), *Canzoni et sonate* (3-22 v., *ibid.* 1615) ; perdu : *Madrigali a 6 v. e str.* (1585).
Œuvres d'Andrea et de Giovanni : *Concerti* (6-16 v., *ibid.* 1587), *Intonazioni d'organo* (1593). Les *opera omnia* de Giovanni sont en cours de publication par les soins de D. Arnold à l'*American Institute of musicology.*
Voir C. v. Winterfeld, *J.G. u. sein Zeitalter*, 2 vol., Schlesinger, Berlin 1834 ; A.A.Abert, *Die stilist. Voraussetzungender Cantiones sacrae v. H. Schütz*, BVK, Cassel 1936 ; G.S. Bedbrook, *The genius of G.G.*, ds *Music Review*, VIII, 1947 ; A. Einstein, *The ital. madrigal*, II, Princeton 1949.           C.S.

**GABRIELLI.** Famille de mus. ital. du XVIIIe s. — **1. Caterina** (Rome 12 ou 13.11.1730–16.2.1796), élève de P. Garcia (grand-père de la Malibran) et de Porpora, eut une vie fort agitée, au point d'être expulsée de Naples en 1768 ; elle comptait Métastase au premier rang de ses amis ; elle fit une carrière des plus brillante en Italie, à Vienne (1751–65), St-Pétersbourg (1772–75), Londres (1775–77), dans les opéras de Gluck, Galuppi, J. Hasse, Traetta, Sacchini, Piccinni etc. ; sa voix de soprano était particulièrement extraordinaire par ses effets de douceur et de légèreté : Lalande la disait « faite pour être au-dessus des rossignols ». Voir A. Ademollo, *La più famosa delle cantanti italiane della seconda metà del'700*, Milan 1890. Sa sœur — **2. Francesca,** dite *La Ferrarese*, mezzo-soprano bouffe (Ferrare v. 1735–Venise v. 1795) fit également carrière en Italie et Russie, à Vienne et Londres ; elle avait une voix peu étendue, mais très riche et sonore ; elle était bonne actrice ; elle triompha dans *La locandiera* de Salieri et dans *La Frascatana* de Paesiello. Leur frère — **3. Antonio,** chanteur et violon., dont l'état-civil est inconnu, était en 1774 au Théâtre Znamenka de Moscou avec une troupe italienne d'opéra-bouffe ; il exerça ensuite à Lucques, Venise et Rome. Voir Burney, *A gen. hist. of mus.*, IV, 1789 ; R.A. Mooser, *Annales de la mus. et des musiciens en Russie au XVIIIe s.*, II, Genève 1952.

**GABRIELLI Domenico.** Vcelliste ital. (Bologne 1659–Modène 10.7.1690), dit *Meneghino del violoncello.* Elève de Legrenzi pour la composition et de Petronio Franceschini pour le vcelle, vcelliste de l'orch. de l'église S. Petronio de Bologne à partir de 1680, il fut depuis 1688 au service de la cour de Modène ; il écrivit pour son instrument (*ricercari* pour vcelle seul et pour vcelle et *b.c.*), mais fut surtout un compositeur de théâtre (opéras, ballets, cantates). Voir F. Batielli, *Arte e vita mus. a Bologna*, Bologne 1927.

**GABRIELLI Nicola** (*Conte*). Chef d'orch. et compos. ital. (Naples 21.2.1814–Paris 14.6.1891). Elève à Naples de Zingarelli et de Donizetti, il composa 22 opéras pour Naples, Milan, Paris, Lyon, Vienne etc., parmi lesquels on peut citer *I dotti per fanatismo, La lettera perduta, Les mémoires de Fanchette* (1865), *Don Grégoire* (1859) et près de 60 ballets ; il vécut à Paris à partir de 1858.

**GABRIELSKI Johan Wilhelm.** Flûtiste allem. (Berlin 27.5.1791–18.9.1846), qui exerça à Stettin et à Berlin, où il fut depuis 1816 musicien de la chambre royale ; il fit carrière de virtuose et composa pour son instrument. Son frère — **Julius** (Berlin 4.12.1806–26.5.1878) fut également flûtiste à l'orch. de la cour ; item pour leur frère *Adolf.*

**GABRILOVITCH Osip Salomonovitch.** Pian. et chef d'orch. russo-amér. (St-Pétersbourg 7.2.1878–Detroit 14.9.1936). Elève de V. Tolstov, de Th. Lechetitzky, de Navratil, de Siadov et de Glazounov, il débuta comme virtuose en 1896 et fit une carrière intern. ; en 1905, il fut l'élève de Nikisch à Leipzig pour la dir. d'orch. : installé aux États-Unis à partir de 1914, il mena de front sa carrière de pian. et celle de chef d'orch. ; il a laissé qqs compositions. Voir C. Clemens, *My husband G.*, New-York 1938.

**GABUSSI** (*Gabucci, Gabutius*) **Giulio Cesare.** Mus. ital. (Bologne ?– Milan 12.9.1611). Elève de C. Porta, maître de chapelle à Rome (1582), il fut engagé à la cath. de Milan par le cardinal Frédéric Borromée : il y fut maître de chapelle en 1594 et garda son poste jusqu'à sa mort ; il semble avoir séjourné un temps à la cour du roi Sigismond III de Pologne, comme en témoigne un livre de *Melodiae sacrae* publié en 1604 à Cracovie (bibl. Proske, Ratisbonne) ; on a conservé de lui *Primo libro di madrigali a 5 v.* (Venise 1580), *Mottetti a 5 e 6 v.* (ibid. 1586), *Magnificat* à *5-6 v., Mottetto in obitu Carli cardinalis Boromaei* à 8 v., *Te Deum* à 4 v. (Milan 1589), *Secondo libro di madrigali a 5 v.* (Venise 1598) ; avec B. Pellegrini, son successeur, il fit le *Missarum liber primus* (Venise 1603) le *Coenobio Sancti Spiritus* ambrosien, et, ds le *Vespri Pontificali all'ambrosiana* (Milan 1619), 4 lucernaires, 4 hymnes, 3 *Pater*, 4 psaumes, 6 litanies (ambrosiens), 1 litanie (romain), 1 *Symphonia ad tonos* en faux-bourdon ; il collabora avec G. Rolla aux *Litaniae ambrosianae et romanae a 4 e 8 v.* (Milan 1623) ; on trouve encore de ses œuvres ds le *Collorarium* de Lindner (Gerlach, v. 1590), ds le *Parnassus musicus* de Bonometti (Venise 1615), ds le *Florilegium portense* (Leipzig 1621). Voir A. De Gani, *La cappella del duomo di Milano*, Milan 1930.

**GABUSSI Vincenzo.** Compos. ital. (Bologne 1800 - Londres 12.8.1846) qui se fixa à Londres en 1825, comme prof. de chant et accompagnateur, débuta à Venise (1841) et à Paris ; il écrivit des opéras : *I Furbi al cimento* (1825), *Ernani* (1834), *Clemenza di Valois* (1841) et des œuvres vocales. Sa sœur — **Rita G. De Bassini** (Bologne entre 1810 et 1815–Naples 26.1.1891). épouse du baryton Achille De B., soprano, fut fort connue en Europe ; elle termina sa carrière au San Carlo de Naples en 1851.

**GACE BRULÉ** (*Gaces Brulez, Gaste Blé*). L'un des plus remarquables trouvères de la fin du XIIe s. (né vers 1159–mort après 1213). Champenois si l'on en croit une de ses chansons, il serait de Nanteuil-lès-Meaux ; il vénéra Huon d'Oisi et Conon de Béthune comme ses maîtres ; il fit partie de cette pléiade de chansonniers qui se nommèrent Bertran de Born, Noblet, Pierre de Molins, Huon de Valeri, Gille de Vieux Maisons, tous originaires des comtés de Brie et de Champagne ; G. B. fit tour à tour partie de l'entourage de Marie de France, de Louis de Blois, Gui de Ponceau, Thibaut I<sup>er</sup> de Bar ; ses premières œuvres dateraient de 1179 ; on a jusqu'à présent authentifié 69 de ses chansons, la plupart avec notation musicale ; certaines ont été introduites dans

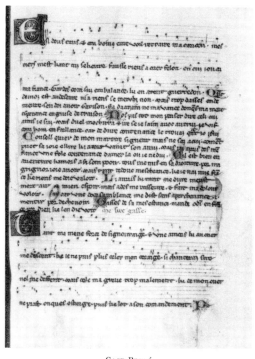

GACE BRULÉ

B.N. ms. franç. 12615

le *Roman de la violete ou de Gérart de Nevers*, le *Roman du Chastelain de Couci et de la Dame de Fayel*, et dans *Méliacin ou Conte du cheval de Fust*; dans l'ensemble, ces chansons adoptent la forme « hymne », très peu sont écrites sous la forme « couplet-refrain » ; deux sont célèbres : *Les oisillons de mon pais* et *De bone amour*. Voir F. Gennrich ds MGG ; G. Huet, *Chansons de G.B.*, Paris 1902 ; H. Petersen, *G.B.*, Helsinki 1951.

**GADE Niels Wilhelm.** Compos., chef d'orch. et violon. danois (Copenhague 22.2.1817–21.12.1890). Dès 1833, il est virtuose du violon et donne des concerts ; en 1844, il est nommé second chef d'orch. au *Gewandhaus* de Leipzig, où il a la protection de Mendelssohn et à qui il succède après la mort de ce dernier, en 1848, il est de retour au Danemark ; en 1850, il est dir. de la *Musikforeningen*, en 1866, du cons. de Copenhague ; il écrivit 8 symph., 7 ouvertures (dont *Efterklang af Ossian*), d'autres œuvres symph., de la mus. de chambre, un *Singspiel : Mariotta* (1848–49), des ballets, de la mus. de scène, chor., des mélodies. Son fils — *Axel-Willi* (Copenhague 28.5.1860–9.11.1921) fut également violon. et compositeur. Voir Ch. Kjerulf, *N.W.G.*, 1917 ; W. Behrend, *Minder om N.W.G.*, 1930 ; D. Gade, *N.W.G.*, *Aufzeichnungen u. Briefe*, 1894.

**GADEYNE Henry-Eduard.** Violon. belge (Gand 18.2. 1894–), élève du violon. hollandais J. Smit, prof. au cons. de Gand (1922), qui a fait une carrière internationale

**GADJIBEKOV** (*Gadžibekov*). — **1. Uzeir Abdul Guseïn Ogly :** compos. et musicographe azerbaïdjan (Agdjadedy 17.9.1885–Moscou 23.11.1948), qui fut le fondateur de l'opéra nationa de son pays ; il écrivit des opéras,

notamment *Leily i Medjnoun* (1907), *Cheik Senan* (1910), *Roustam i Zachrab (id.)*, *Chach Abbas i Kourchid Banou* (1912), *Asli i Kerem (id.)*, *Daroun i Leïla* (1915), 3 comédies mus., des hymnes, cantates, œuvres symph. et chor., de la mus. de film ; il avait fait ses études à la Soc. philh. de Moscou et au cons. de St-Pétersbourg (1911–14) ; il fonda la 1<sup>re</sup> école musicale (1922), le 1<sup>er</sup> chœur polyph. (1926), le 1<sup>er</sup> orch. nat. de l'Azerbaïdjan et fut, à partir de 1938, dir. du cons., de 1945, dir. de l'Inst. de l'Acad. des beaux-arts à Bakou ; il publia des articles, des études sur la mus. de son pays. — — **2. Sultan Ismaïl** (Choucha 8.5.1919–), prof. au cons. de l'Azerbaïdjan, se trouve à la tête des principales institutions musicales de Bakou ; il a composé des opéras, 2 symph., des ballets, 1 concerto de violon, de la mus. chor., des mélodies.

**GADJIEV** (*Gadžiev*) **Achmed Djevet Ismaïl Ogly.** Compositeur azerbaïdjan (Noukha 18.6.1917–). Élève de Roudolf et de Gadjibekov au conserv. de Bakou (1936–1938), puis d'Aleksandrov, de Vasilenko et de Chostakovitch à celui de Moscou (1938–1947), prof. lui-même depuis 1947 au conserv. de Bakou, il a écrit un opéra : *Veten* (« La patrie », en collab. avec Karaev, 1945), des œuvres symph., des oratorios, de la mus. de chambre.

**GADOMSKI Henryk.** Compos. pol. (St Pétersbourg 2.1.1907–Auschwitz 1941). Élève du cons. de Varsovie, il travailla pour l'*Atenäum* de cette ville et écrivit des danses (en forme de ballets), un *Tryptique* (symph.), un quatuor à cordes, des pièces pour le piano, dont une sonate, des mélodies, de la mus. de film et radiophonique ; il mourut au camp de concentration d'Auschwitz.

**GADOULKA.** C'est une vièle à manche court, à trois cordes, une mélodique et deux bourdons (Bulgarie) ; on dit aussi *lirica*. À rapprocher de la *lira*, du *guslice* et du *kemenče* (voir à ces mots). M.A.

**GAEHRICH Wenzel.** Violon. et compos. tchèque (Zerchovice 16.9.1794–Berlin 15.9.1864). Violon. à la cour de Berlin (1825), il fut maître de ballet à l'Opéra de cette ville de 1845 à 1860 ; il écrivit deux opéras, des symph., de la mus. de chambre, des danses et des mélodies.

**GAELLE Meingosus** (*Johannes*). Bénédictin autr. (Buch bei Tettnang 16.6.1752–Maria Plain 4.2.1816). Il appartint à l'abbaye de Weingarten (1769) et entra en 1771 à l'univ. des bénédictins de Salzbourg, tandis que M. Haydn et Mozart étaient les centres de la vie musicale de cette ville ; il rentra à son couvent en 1777, y fut prof. de philosophie et de mathématiques ; il s'occupait également de physique, de la bibliothèque et du chœur ; en 1806–07, il enseigna à l'univ. de Salzbourg ; en 1811, il était supérieur de Maria Plain ; on lui doit des traités de philosophie, d'électricité et de la musique d'église : 3 *Hymnen* (1785), 1 *Salve Regina* (v. et instr.), 30 *vesperae falsobordonicae* (4 v. et org., 1789), 2 offertoires (1891), un *Magnificat*, un *Stabat Mater* (4 v. et instr.), une messe en allemand (3 v.), des litanies (*id.*), 4 cantates (1808–1809), des mélodies, des sonates instrumentales, des arrangements, un op.-com. : *Adam u. Evas Erschaffung* (1796). Voir U. Siegele in MGG.

**GAENSBACHER** (*Gänsbacher*) **Johann Baptist.** Compos. autr. (Sterzing 28.5.1778–Vienne 13.7.1844). Élève de l'abbé Vogler, en compagnie de Weber et de Meyerber, il fut, de 1823 à sa mort, maître de chapelle à la cath. St-Étienne de Vienne ; on lui doit un grand nombre de motets, 28 messes, 5 *Requiem*, 6 vêpres, 5 litanies, des cantates, des mélodies, de la mus. de piano, (notamment à 4 mains), de la mus. de chambre, des œuvres symph. (dont un concertino de clarinette) ; il publia son autobiographie sous le titre de *Denkwürdigkeiten* (2 vol., ms. au *Ferdinandeum* d'Innsbruck). Son fils — **Josef** (Vienne 6.10.1829–5.6.1911) fut son élève et celui de Rotter, de Merk ; juriste, ami de Brahms, membre de l'académie de chant de Vienne, il composa notamment des mélodies, de la mus. de piano, des pièces de piano. Voir J.G. Woerz, *J.G.*, Innsbruck 1894 ; L. Nohl, *Mus. Briefe*, Leipzig 1867 ; voir également la correspondance de Brahms et W. Senn in MGG.

**GAFFI Tommaso Bernardo.** Mus. ital. (Rome v. 1670–11.2.1744). Elève de B. Pasquini, il fut organiste à l'église S. Maria in Vallicella (1691–92), au Gesù (1700), enfin à S. Maria in Ara Coeli (1710) ; il vécut chez le marquis Gabrielli. On connaît de lui *Cantate da camera a voce sola* (Mascardi, Rome 1700), 6 autres cantates profanes en mss à la *Bibl. Estense* de Modène, 6 oratorios (4-7 v., 1689, 1693), une cantate, un *Pange lingua* et un *Tantum ergo* (2 v.), en mss à la bibl. de Berlin. Voir A. Cametti, *Organi, organisti ed organari del Senato e popolo romano in Santa Maria in Ara coeli* (1583–184 8), ds *RMI*, XXVI, 1919.

**GAFFURIO** (*Gaffurius, Gafori*) **Franchino** (*Franchinus*). Mus. ital. (Lodi 14.1.1451–Milan 25. 6.1522.) Ecclésiastique. il fut l'élève de J. Goodendag (Bonadies) et chanteur à la cath. de Lodi ; il vécut aussi à Mantoue, à Genève et à Naples (1478) et fut maître de chapelle à Bergame (1483) ; de 1484 à sa mort, il eut les fonctions de maître de chapelle de la cath. de Milan ; il rénova cette chapelle et la forma tout entière de chanteurs italiens, à la différence de celle des Sforza, qui était dirigée par Gaspar Weerbecke et composée d'éléments étrangers; il fut également *musicae professor* au gymnasium de Ludovic le More ; il a composé peu de mus. profane, beaucoup de mus. sacrée : il y recherche une simplicité de forme et d'écriture polyphonique qui annonce le style palestrinien et qui ne manqua certainement pas d'attirer l'attention des étrangers qui entendaient à Milan ses compositions ; ses *opera omnia* sont en cours de publication par les soins de L. Finscher à l'Institut américain de musicologie ; c'est aussi un théoricien remarquable, et il est l'auteur de nombreux traités, mais la somme de son savoir constitue ce que l'on appelle la *Trilogia gaffuriana* (*Theorica, Practica* et *Harmonia instrumentorum*), où, restaurant les théories de Boèce, il simplifie la théorie des proportions et la notation,

harmonia musicorum instrumentorum opus (Milan 1518), Angelicum ac divinum opus musicae (trad. ital. des 2e et 3e chapitres de la *Practica mus.*, Milan 1508), *Apologia adversum Ioannem Spatarium* (Turin 1520), *Epistula prima* (Milan 1521), *Epistula secunda* (Milan 1521). Voir P. Hirsch, *Bibliographie der mth. Drucke des F.G.*,

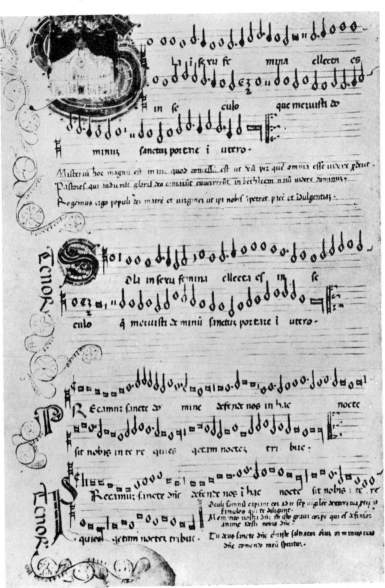

GAFFURIO

*Ire page du Ier vol. du Liber capelle (cod. Milan).*

avec un clair pressentiment de la tonalité et du sens de l'accord ; on connaît de lui 2 hymnes (ms. 871 du Mont-Cassin), 5 compositions (ms. 1158 de la bibl. palatine de Parme), les 4 *codices* de la cath. de Milan, qui contiennent 14 messes (4 v.), 1 messe (3 v.), 1 *Stabat Mater*, 11 *Magnificat*, 37 hymnes et motets (4 v.) ; œuvres théoriques : *Theoricum opus musicae disciplinae* (Naples 1480, rééd. sous le titre *Theorica musicae*, Milan 1492), *Practica musicae* (Milan 1496, rééd. sous le titre *Musicae utriusque cantus practica*, Brescia 1497), *De*

Berlin 1929 ; K. Jeppesen, *Die drei G.-Codices*, ds *Acta mus.*, 1951 ; Caretta, Gremascoli et Salamina, *F.G.*, Lodi 1951 ; C. Sartori, *F.G. a Milano*, ds *Univ. Europae*, 1952–53 — *Il quarto codice di G. non e del tutto scomparso*, ds *Collectanea hist. mus.*, I, 1953.     C.S.

**GAGAKU.** Voir art. *japonaise (Musique)*.

**GAGLIANO da.** — **1. Marco.** Mus. ital. (Gagliano v. 1575–Florence 24.2.1642), élève de L. Bati, lui succéda comme maître de chapelle à St-Laurent de Florence

(1608), poste qu'il abandonna (de même que celui de maître de chapelle de la cour des Médicis) en 1611 : en 1607, il avait été l'un des principaux fondateurs de l'*Accad. degli Elevati* ; il fut ensuite le compos. officiel de la cour des Médicis ; on lui doit 5 opéras : *Dafne* (1608), *La liberazione di Tirreno e d'Arnea* (pour les noces de Ferdinand de Gonzague et de Catherine de Médicis), *Lo sposalizio di Medoro e di Angelica* (av. J. Peri, 1619), *La regina S. Orsola* (1624), *Flora* (pour les noces d'Édouard Farnèse et de Marguerite de Médicis, 1628) ; il semble être l'un des 5 auteurs des *Nozze degli dei* (pour les noces du grand-duc Ferdinand II de Toscane et de Victoire d'Urbin, 1637), citons encore 6 livres de madrigaux à 5 v. (Venise 1602-17), des *Musiche* (1-3 v., *ibid.* 1615), des messes, psaumes, hymnes, *Magnificat*, complies, *sacrae cantiones* ; il prit une part active dans la vie musicale et théâtrale de son temps, notamment dans la querelle de Caccini et de Peri (il était naturellement le partisan de ce dernier) et s'intéressa de très près aux effets de scène (chœurs et instruments — *cf.* la préface de sa *Dafne*) ; malheureusement, nous n'avons

LA
# DAFNE DI MARCO
## DA GAGLIANO
NELL'ACCADEMIA DE GL'ELEVATI
L'AFFANNATO
RAPPRESENTATA
IN MANTOVA.

IN FIRENZE
APPRESSO CRISTOFANO MARESCOTTI. MDCVIII.
CON LICENZA DE' SVPER'OR'.

MARCO DA GAGLIANO        coll. Meyer

*Page de titre de la* Dafne

conservé de ses œuvres dramatiques que *Dafne* et *Flora*. Voir L. Picchianti, *Cenni biogr. di M. d. G.*, ds *Gazz. mus.*, III, Milan 1844 ; A. Solerti, *Le origini del melodramma*, Turin 1903 — *Mus. e ballo alla corte medicea*, Florence 1905 ; A. Della Corte, *Rinuccini*, Turin 1925 ; G. Ghisi, *Alle fonti della monodia*, Milan 1940 — *Ballet entertainment in Pitti Palace*, ds *MQ* 1949 — *La mus. rel. de M. de G.*, ds *KB*, Bâle 1949 ; A. Einstein, *The italian madrigal*, II, Princeton 1949 ; N. Pirrotta, ds l'*Encicl. dello spettacolo*. Son frère — **2. Giovanni Battista**, son cadet de 10 ans, fut également au service de la cour des Médicis et maître de chœur à St-Laurent (1613) ; on lui doit des *Varie musiche...* (Venise 1634), des motets (6-8 v., *ibid.* 1643), 1 *Benedictus* à 5 v., 1 messe des morts, d'autres motets (mss. Bibl. nat. de Florence).

Un cousin à eux — **3. Niccolo**, était un musicien connu à la même époque.

**GAGNEBIN Henri.** Compos. suisse (Liège 13.3.1886-). Elève de Barblan, de Vincent d'Indy, de Vierne, de Blanche Selva, de Gastoué, il fut organiste de l'église de la Rédemption à Paris (1910-1916), de l'église St-Jean de Lausanne et du temple de Morges (1916-1925), prof. d'orgue et d'hist. de la mus. au cons. de Lausanne, dir. du cons. de Genève (1925), fondateur du *Bulletin* du cons. de mus. de Genève (1933), du Concours intern. d'exécution musicale (1939), vice-président de l'Assoc. des musiciens suisses (1953) ; il écrivit notamment 3 symph. (1911, 1921, 1953), 1 concerto de violon (1937), 1 concerto de piano (inédit), 3 tableaux symph. (1942), Suite d'orch. sur des psaumes huguenots (1936), *St-François d'Assise* (chœur, orgue et orch.) (1933), *Requiem des vanités du monde* (1939), 2 symph. chorégraphiques : *Les vierges folles*, *Printemps...* (1948), *Chant pour le jour des Morts et la Toussaint* (1943), *Abraham sacrifiant* (Bèze), *Jedermann* (Hoffmannsthal), *Le voile rose* (1945), *L'aube* (1949), 150 psaumes de Goudimel, 3 quatuors à cordes (1917, 1924, 1927), 1 trio pour fl., viol. et p. (1941), des pièces de mus. de chambre, de piano (dont une sonate, 1909), d'orgue (notamment 40 pièces sur les psaumes huguenots, I, 1947, II, 1948, III, 1949, IV, 1951), des chœurs, des mélodies ; il publia *Fritz Bach...* (Neuchâtel 1953), *Entretien sur la musique* (Genève 1943), *La musique en Suisse romande 1900-1950*, ds *Fs. d. S.T.-V.*, Zurich 1950. Voir S. Baud-Bovy, ds *40 Compositeurs suisses contemporains*, Amriswil 1956 ; P.A. Gaillard, *H.G.*, ds *Musica* 1951.

**GAGNON Henri.** Org. canadien (Québec 6.3.1887-). Elève d'I. Philipp, de Gigout, de Widor, org. de la cath. de Québec depuis 1915, prof. à l'école de mus. de l'univ. Laval, dir. de la succursale de Québec du cons. de Montréal depuis 1946, il a écrit pour le piano, pour l'orgue, pour le chant. Voir L.-P. Morin, *Papiers de musique*, 1930.

**GAÏDE.** C'est une cornemuse à grand bourdon, d'Europe centrale et balkanique ; instrument populaire et pastoral, la *g.* présente un chalumeau et un bourdon aux extrémités souvent recourbées. *G.* n'est que l'un des noms sous lesquels différentes variétés de cornemuse se rencontrent dans cette partie de l'Europe : il existe notamment les formes suivantes : *gajdos* (Slovaquie), *gajdy* (Pologne), *gajde* (Yougoslavie), *gaïda* (Bulgarie), *gainda* (Crète). Le type instrumental, et son emploi, sont à rapprocher de ceux de la *duda*, de la *koza* (voir à ces mots) et du *cimpoiu* roumain.        M.A.

**GAÏGUEROVA** (*Gajgerova*) **Varvara Adrianovna.** Compos. et pianiste russe (Orekhovo-Zouevo 17.10.1903-Moscou 6.4.1944). Elève de Neuhaus, Catoire et Miaskovski au cons. de Moscou, soliste de l'orch. du théâtre Bolchoï (*ibid.*), elle a écrit 3 symph., 1 suite symph. sur des thèmes caucasiens, 2 suites pour un orch. de domras, 2 quatuors à cordes, d'autres musiques de chambre, des mélodies.

**GAIL Edmée-Sophie.** Compos. franç. (Paris 28.8.1775-24.7.1819). Fille du chirurgien Garre, dès l'âge de 12 ans elle était pianiste virtuose et chanteuse ; à 14 ans, elle commençait à composer ; à 18 ans, elle épousa l'helléniste J.B. G., de qui elle se sépara ; tout en poursuivant ses études musicales avec Mengozzi, Fétis, Perne, Neukomm, elle fit carrière en Espagne, à Londres, en Allemagne et en Autriche ; malade des poumons, elle mourut prématurément ; elle écrivit des opéras-comiques : *Les deux jaloux* (1813), *Mademoiselle de Launay à la Bastille* (id.), *Angela...* (en collab. avec Boïeldieu, 1814), *La méprise* (id.), *La sérénade* (1818), des mélodies, de la mus. de chambre ; son fils **Jean-François** (Paris 28.10.1795-22.4.1845) était l'assistant de son père au Collège de France ; il fut également compositeur et critique musical ; il publia *Réflexions sur le goût musical en France* (Paris 1832), ainsi que nombre d'articles dans divers périodiques. Voir R. Cotte in MGG.

**GAILHARD Pierre.** Basse franç. (Toulouse 1.8.1848-Paris 12.10.1918), qui débuta à l'Opéra-Comique (1867), appartint à l'Opéra (1872) dont il fut le co-directeur, puis le directeur (1884–1908) ; il était également librettiste. Son fils — **André** (Paris 29.6.1885–), élève de Massenet, de P. Vidal et de Ch. Lenepveu, 1er grand prix de Rome (1908) avec la cantate *La sirène*, composa surtout des œuvres dramatiques, notamment *Amaryllis* (1906), *La fille du soleil* (1910), *Le sortilège* (1913), *Les deux belles de Cadix* (mus. de scène, 1923), *La bataille* (1931).

**GAILLARD Marius-François.** Pian., chef d'orch. et compos. franç. (Paris 13.10.1900–). Élève du cons. de Paris (Diémer, Leroux), il a fait carrière de virtuose et de chef d'orch., écrit pour le théâtre : *La danse pendant le festin* (1924), *Les caprices de Mari nne* (id.), *Détresse* (ballet, 1932), pour l'orch. : *Guyanes* (1925), *Images d'Epinal* (p. et orch., 1929), *Concerto breve* (1934), *Symphonie en mi bémol* (1937), 11 recueils et 2 études de piano (1920), de la mus. de chambre : sonate (p. v., 1923), *Para Alejo* (1929), *Cadenza* (v., 1931), *Week-end* (p. v., 1930), *Noite sobre o Tejo* (p. sax., 1934), trio à cordes (1935), *Sylvestre* (p. et fl., 1950), *Sonate baroque* (p. v., 1950), *Minutes du monde* (p. vcelle, 1952–53), une cinquantaine de mélodies.

GAILLARDE

*Calignoso. Il primo, secondo e terzo libro della chitarra span.*
*(Rome 1610)*

**GAILLARD Paul-André.** Chef d'orch., compos. et musicologue suisse (Montreux 26.4.1922–). Élève d'Appia, de Denéréaz, de Baud-Bovy, de v. Hösslin, de W. Burkhard, de P. Hindemith, docteur de l'univ. de Zurich avec une thèse sur le psautier huguenot, chef d'orch. à Lausanne, il a écrit de la mus. de scène, 1 quatuor, 2 trios, de la mus. de chambre, des mélodies, des chœurs, des harmonisations et des transcriptions ; il a publié *Loys Bourgeois...* (Lausanne 1948), ainsi que de nombreux articles dans des ouvrages collectifs ou dans des périodiques. Voir E. Cherix, *P.A.G.*, Nyon 1953.

**GAILLARDE.** — **1.** C'est une danse de société qui fut fort en vogue en Europe au XVIe s. ; par son caractère exubérant, sa gaîté, elle incarnait la réaction contre les danses solennelles du siècle précédent : elle fut assez célèbre pour qu'on ait pu qualifier la période de 1550 à 1650, l'époque de la gaillarde (Curt Sachs) ; désignée, selon les pays, par les appellations *gagliarda* (Italie), *gaillard* (Angleterre), *gailliarde* (Allemagne), *gallarda* (Espagne), la gaillarde apparaît en Lombardie à la fin du XVe s. ; elle est en usage en France dès la 1re moitié du XVIe s. ; on la trouve peu après en Angleterre et en Italie, où elle remplace le *saltarello*, mais elle ne sera que plus tard connue en Allemagne. La g. est une danse en couple, vigoureuse et hardie, qui possède une grande variété de pas. Thoinot Arbeau décrit longuement la g., tant est grande la richesse de mouvements de cette danse, mouvements dont la liberté fut soulignée par Mersenne. La g. ne comportait aucun pas « bas », et ses sauts étaient renommés à la fin du XVIe s. ; la reine Elisabeth d'Angleterre la dansait, dit-on, tous les matins, en guise de réveil musculaire. Dansée à la suite de la pavane, la g. tomba en désuétude dans les bals dès le début du XVIIe s. Elle laissa son nom à un pas de danse dit « pas de gaillarde » et composé d'un assemblé, d'un pas marché et d'un pas tombé. L'ancienne expression française « danser la gaillarde sur le ventre de quelqu'un » signifiait le fouler au pied. — **2.** C'est aussi un air, de *tempo* modéré, parfois même retenu, sur lequel on dansait la gaillarde au XVIe s. et généralement accouplé aux airs de pavane. Selon J.-J. Rousseau, c'est un « air à trois tems gais d'une danse de même nom ». Des airs de g. furent imprimés chez Attaingnant à Paris en 1529 ; Thoinot Arbeau cite dans l'*Orchésographie* (1588–89) « L'Antoinette », « Baisons-nous la belle » ; on en trouve, généralement accouplés à la pavane, dans les recueils de danses pour instruments au XVIe s. et dans les tablatures d'orgue (p. ex. chez E.N. Ammerbach, 1571). Au XVIIe s., les g. existent encore chez les clavecinistes de l'époque de Chambonnières, mais elles devaient disparaître des suites de danses au plus tard vers la fin du siècle.          C.M.-D.

**GAISSER Hugo** (*Dom Hugues*). Bénédictin allem.(Aitrach 1.12.1833–Ettal 26.3.1919). Profès à Beuron (1873), il fut ensuite moine à l'abbaye de Maredsous en Belgique (1876–1898), prof. au collège pontifical St-Athanase à Rome (1899), recteur du même collège (1906), prieur de St-André de Bruges (1912–1914) ; pendant la 1re guerre mondiale, il rentra en Allemagne, d'abord à St-Joseph de Coesfeld, enfin à Ettal en Bavière, où il mourut ; il publia *Le système musical de l'Eglise grecque d'après la tradition* (Rome-Maredsous, 1901), *Les heirmoi de Pâques dans l'office grec, étude rythmique et musicale* (Rome (1905), *L'origine du tonus peregrinus* (dans les Actes du Congrès intern. d'hist. de la mus., Paris 1901), nombre d'articles sur le plain-chant grec ou romain dans divers périodiques.

**GAÏTA.** — **1.** C'est un hautbois à disque (Afrique musulmane) ; on écrit aussi *ghaïta* ; cet instr. est analogue au *zurna* turc et au *zurla* des Slaves du Sud. *Cf.* art. *raïta.* — **2.** Hautbois (Espagne) ; on dit aussi *dulzaïna* et *caramillo.* — **3.** C'est encore une clarinette double à réservoir d'air constitué par un fragment de corne, avec un pavillon également en corne : c'est la g. dite de la sierra de Madrid, instrument pastoral analogue à l'*alboka* du Pays basque français et espagnol et au *pibcorn* de l'île d'Anglesey. C.M.-D.

**GAITAS.** C'est le nom d'une toccata, forme qui était au répertoire des anciens vihuelistes espagnols ; *gaitillas* est le diminutif.

**GAITERO.** Mot esp. : c'est un joueur de *gaita*.

**GAITO Constantino.** Pian., chef d'orch. et compos. argentin (Buenos-Aires, 1878–1945). Élève de son père, il se perfectionna au cons. de San Pietro a Majella à Naples ; c'est dire qu'il avait tout (même une formation technique suffisamment sérieuse) pour devenir un représentant typique d'un moment de désorientation de la musique latino-américaine, lorsque l'héritage d'un romantisme tardif imposait la création d'un opéra national inspiré du chant populaire ; c'est ainsi qu'il passa d'*I Doria* à *La sangre de las guitarras*, chemin faisant, il écrivit, presque en même temps, *Petronio* et *Ollantay*, mais quelle que soit l'ambiance de ces

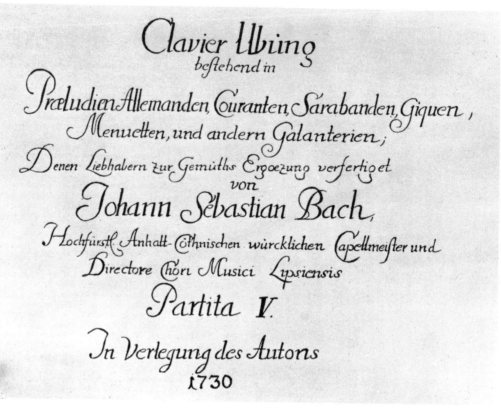

GALANTERIES
*J.-S. Bach. Page de titre de la 5e partita ds* Clavier - Übung.

opéras, le même vérisme italien y sévit ; son *Quatuor inca* bénéficie d'un « indigénisme » à la *Turandot*.    D.D.

**GAITO F. Carlo.** Compos. ittal. (Cavaglià 23.12.1900–), élève de Paccagnella, auteur des opérettes : *Frine* (1926), *La principessa Tu-Bek* (1928), *Jabec (id.)*, *Il malato immaginario* (1929), *Omettino e il mago Bum* (1934), *Il mistero della pignatta (id.)*, d'œuvres symph., d'hymnes et de mélodies.

**GAJARD Joseph** *(Dom)*. Bénédictin franç. (Sonzay 25.6.1885–), qui appartient à l'abbaye de Solesmes ; collaborateur de Dom Mocquereau, il a pris une grande part aux travaux de paléographie grégorienne de cette abbaye (travaux qu'il dirige depuis 1930), de l'Institut grégorien de Paris, de la *Revue grégorienne* (qu'il édite depuis 1911) et des *Études grégoriennes* (par lui fondées en 1954) ; dans ses écrits comme dans ses communications aux différents congrès internationaux, il se montre le promoteur le plus zélé et le plus convaincu de la célèbre théorie de Solesmes sur l'interprétation du plain-chant : on lui doit notamment *Le nombre musical grégorien* (en collab. avec Dom Mocquereau, 2 vol.), *Leçons sur la rythmique grégorienne* (Solesmes 1935, 1944), *Les débuts de la restauration grégorienne à Solesmes (ibid.* 1939), *La méthode de Solesmes...* (Tournai 1951), de nombreuses contributions aux *Monographies grégoriennes*, des articles et des communications, des éditions d'antiphonaires et d'offices propres.

**GAKAKI.** C'est le nom foulbé qui désigne une longue trompette de fer blanc : l'instrument, qui atteint près de deux mètres de long, peut également être construit en bois. Chez les Mandara, il porte le nom de *gatchi* (Afrique, Cameroun).    M.A.

**GAKUBIWA.** C'est un luth, court, piriforme (Japon) ;

le *g.* a une caisse aplatie en bois dur (chêne rouvre) ; il possède un chevillier coudé et quatre cordes de soie de section inégale, passant sur quatre chevalets ; il est joué avec un plectre de bois ; instrument de cour, le *g.*, dont on connaît les beaux exemplaires du Shosoin, est toujours utilisé dans la musique de style *gagaku* ; il est apparenté au *p'i-p'a* (voir à ce mot) chinois.    E.H.-S.

**GAKUFU.** Voir art. *Japonaise (musique)*.

**GAKUKI.** En japonais, le mot désigne les instruments sacrés du temple.

**GAL Hans.** Compos. autr. (Brno 5.8.1890–), élève de Mandyczewski et de Robert, lecteur à l'univ. de Vienne (1919–29), dir. du cons. de Mayence (1929–33), chef d'orch. à Vienne (1933), installé au moment de l'*Anschluss* à Édimbourg, où il est lecteur à l'univ. (il en a été nommé docteur en 1948) ; il a écrit 7 opéras, 3 symph., des concertos de piano, violon, vcelle, de la mus. de chambre, d'orgue, chor., de piano, des mélodies, publié *Anleitung zum Part.-Lesen* (Vienne 1923), *Formenlehre* (en collab., Leipzig 1933), « Histoire de la musique » (*id.*, Vienne 1935), *The golden age of Vienna* (Londres 1948), de nombreux art. dans des périodiques, notamment *Die Stileigentümlichkeiten des jungen Beethovens*, ds *Studien z. Mus. wiss.*, IV, 1916.

**GALAJIKIAN Florence Grandland.** Pian. et compos. amér. (Maywood 29.7.1900–). Prof. de piano au cons. de Chicago, elle a fait une carrière de virtuose et écrit de la mus. symph., de chambre, chorale.

**GALAN Cristobal.** Mus. esp. (?–Madrid 1684), qui était en 1677 maître de châpelle de la chapelle du couvent des *Señoras descalzas*, passa (1680) à la chapelle royale, à la mort de J. Pérez Roldán, poste qu'il conserva jusqu'à sa mort ; on conserve de lui en mss un nombre important de compositions, religieuses ou profanes, dans les bibl. ou archives de Madrid, de Barcelone, de l'Escurial, des cath. de Cordoue, de Valladolid, d'Oviedo, de Ségorbe, de Malaga, de la collégiale de Gandie.

**GALANT** *(Style)*. Cf. art. *Empfindsamkeit.*

**GALANTERIES.** C'est une forme assez fréquente dans les partitas et dans les suites au XVIIe et au XVIIIe s. ; le terme semble avoir été pris dans un sens assez vague, puisqu'il désigne aussi bien une bourrée qu'un passepied, une gavotte ou l'un des mouvements de danse française introduit plus tardivement dans ces suites que les danses traditionnelles allemandes ; cette pièce n'est pas de style fugué. Le mot a été transcrit en allemand : *Galanterien.*

**GALEAZZI Francesco.** Violon. ital. (Turin 1758–Rome ...1.1819), qui fut *maestro concertatore* du théâtre Valle à Rome ; il publia *Sei Trio per due violini e viola* (ms. Bibl. du cons. de Milan), mais surtout *Elementi teorico-pratici di musica, con un saggio sopra l'arte di suonare il viol. analizzata ed a dimostrabili principi ridotta, opera utilissima a chiunque vuol applicare con profitto alla mus. e specialmente a principianti, dilettanti e professori di viol.* (2 vol., Rome 1791–1796) ; cet important ouvrage est l'un des premiers écrits publiés sur la théorie du violon ; à cette méthode sont joints une théorie de l'acoustique, un abrégé de l'histoire de la musique, un traité d'harmonie et de contrepoint, de composition, d'instrumentation.

**GALENO Giovanni Battista.** Mus. ital. (Udine v. 1550– v. 1626), qui fut vers 1570 chantre à la chapelle impériale de Graz, *mansionarius* à la cath. d'Aquilée (1573), puis de nouveau à Graz comme chapelain (1584–1590), à Munich (1591–1594), 1er chapelain de la cour de l'archiduc Ernest, gouverneur des Pays-Bas (1594–95), enfin à la cour de Prague (1595–1612), avec une brève interruption, au cours de laquelle il fut maître de chapelle de la cath. d'Udine (1597–98) ; il composa *Il primo libro de madrigali a 5 v.* (Anvers 1594), *Il primo libro de madrigali a 7 v.* (Venise 1598) ; on a conservé 2 autres pièces, l'une à 6 v., ds les *Odae suavissimae* d'E. Ph. Schoendorff et des litanies de la Vierge à 4-6 v. (ms. bibl. univ. de Graz). Voir H. Federhofer in MGG.

**GALEOTTI Cesare.** Compos. ital. (Pietrasanta 5.6.1872– Paris 19.2.1929), élève de Sgambati et de César Franck (cons. de Paris), qui fit une carrière de pianiste virtuose et vécut à Paris ; il écrivit les opéras *Anton* (1900), *La Dorise* (1910), une cantate, de la mus. symph., (notamment une suite et un poème symph.), de piano, de chambre, des mélodies, des motets.

**GALEOTTI Stefano.** Vcelliste ital. (Livourne 1723–?). De l'école napolitaine, il voyagea en Europe et publia de nombreuses œuvres instrumentales dont on connaît 12 sonates à 3 pour 2 viol. et vcelle (*op.* 2 et 3, gravées à Londres, Paris et Amsterdam de 1750 à 1760), 6 solos pour vcelle (*op.* 4, Paris 1785), 6 sonates pour vcelle et basse (ms. incomplet à Naples), 6 sonates pour 2 viol. et basse (*op.* 11, Amsterdam).     A.G.

**GALI Ignacio.** Voir art. *Ramoneda.*

**GALIBERT Pierre-Christophe-Charles.** Compos. franç. (Perpignan 8.8.1826–...8.1858), élève du cons. de Paris, 1er grand prix de Rome, auteur de cantates, de mus. instr., voc., d'un opéra : *Après l'orage* (1857).

**GALILEI Vincenzo.** Mus. ital. (S. Maria a Monte v. 1520–Florence 1591). Issu d'une noble famille florentine, il fut luthiste ; avant 1565, il fut à Venise élève de Zarlin ; c'est en 1568 qu'il publia chez Scotto à Venise *Il Fronimo* (tablature de luth) ; le comte Bardi fut son mentor et le fit voyager à Venise, à Rome, à Messine, à Marseille ; à Rome il connut G. Mei, avec lequel il eut grande correspondance (sur les musicographes anciens) ; toutes choses qui firent de lui le théoricien de la *camerata* florentine ; dans son *Dialogo della musica antica et della moderna* (Florence 1581, 1602), dans lequel il met en scène le comte Bardi et P. Strozzi, il entre en guerre contre le style contrapuntique en faveur du style récitatif, tout en divergeant d'avec Zarlin en faveur du

cons. de Paris          V. GALILEI          Giraudon

*Page de titre de la 1re éd. (Florence 1581) du Dialogo...*

système de Pythagore ; il illustra ses théories en composant le « *Chant du comte Hugolin* », extrait de *La divine comédie* de Dante, et les « *Lamentations* » du prophète Jérémie ; il poursuivit en publiant à Florence chez Marescotti, en 1589, son *Discorso intorno alle opere di messer G. Zarlino da Chioggia* (bibl. nat. de Florence) : c'étaient les prolégomènes d'un traité de contrepoint, où il préconisait l'harmonie et le développement mélodique qui furent le système du mélodrame italien ; on connaît de lui *Intavolatura de lauto, madrigali e ricercate libro primo* (Rome 1563), *Il primo libro de madrigali a 4 et 5 v.* (Venise 1574), *Contrappunti a due v.* (Florence 1584), *Il secondo libro de madrigali a 4 et 5 v.* (Venise 1587), *Libro d'intavolatura di liuto, nel quale si contengono i passemezzi, le romanesche, i saltarelli et le gagliarde et altre cose ariose composte in diversi tempi da V.G., scritto l'anno 1584* (ms. bibl. nat. de Florence), *Romanesche, passamezzi* et arrangements de madrigaux pour le luth et 1 v. (copie du Fronimo, v. 1568, bibl. nat. de Florence). Son fils — **Galileo [Galilée]** (Pise 15.2.1564– Arcetri 8.1.1642), le grand astronome, jouait lui-même du luth ; il traita de questions musicales : ds les *Discorsi e dimostrazione matematiche...* (Elzévir, Leyde 1638), il règle la question des proportions harmoniques ; il eut 3 fils naturels : le cadet, **Vincenzo**, fut physicien, poète et musicien ; le benjamin, **Michelangelo** (Florence ?– 3.1.1631) fut luthiste en Pologne (1601–1606), à la cour de Bavière (v. 1610), et publia un *Tabulaturbuch auff der Lauten* (Ingolstadt 1620), qui fut traduit en italien à

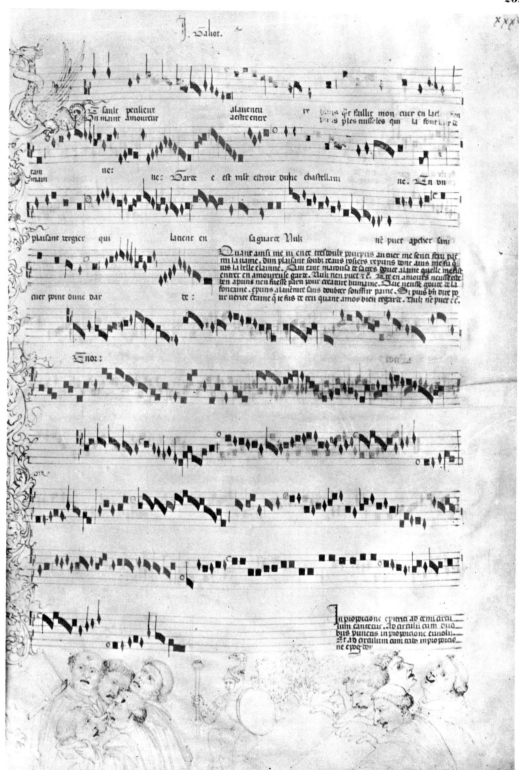

**J. Galiot**

Le sault perilieux *(ms. 1047 Chantilly).*

Giraudon

Munich la même année et comporte des tablatures françaises ; on trouve des *toccate* de lui ds des recueils de Fuhrmann (1615) et de Besard (*Novus partus* 1617). Il y eut encore d'autres musiciens dans cette famille, notamment *Enrichetta*, claveciniste (*cf.* les *Sei sonate per cembalo* qui lui furent dédiées par A. Gagni, Florence s.d., bibl. du *Liceo mus.* de Bologne). Voir A. Solerti, *Le origini del melodramma*, Turin 1903 (contient une intéressante lettre du comte Bardi à G.B. Doni) ; les art. d'O. Chilesotti, ds *RMI*, XV, 1908, XIX, 1912, *Atti del congr. int. di scienze stor.* 1903, VIII, Rome 1905 ; F. Fano, *La camerata fiorentina*, Milan 1934, et art. ds *Rass. mus.*, X, 1937 ; A. Favaro, *Ascendenti e collaterali di G.G.*, ds *Archivio stor. ital.*, ser. 5, XLVII, Florence 1911, et *Indice cronologico del carteggio galileano*, ibid. 1896 ; C. Sartori, *Bibl. della mus. strum. ital.* ..., ibid. 1952 ; O. Fleissner, *Die Madrigale V.G.* ..., thèse de Munich 1922 ; D.P. Walker, *Musical humanism...*, ds *The music review*, II-III, 1941–1942 ; C. Palisca, *G. Mei...* ds *MQ*, XL, 1954, et art. in MGG ; N. Pirrotta ds *Encicl. dello spettacolo.*

**GALIMATIAS.** Ce mot français a servi de titre à une pièce de Mozart, écrite pour 10 instruments en 1766 à La Haye, à l'occasion de la majorité de Guillaume V d'Orange (*K.* 32) ; il s'agit de 13 pièces brèves dont la dernière est en forme de variations sur l'hymne national hollandais ; dans une lettre du 5 fév. 1783, Mozart la décrit ainsi : « *Gallus cantans, in arbore sedens, gigirigi faciens* ». Le titre ne semble pas avoir eu d'autre preneur.

**GALIN Pierre.** Mathématicien franç. (Samatan 1786–Bordeaux 31.8.1821), qui publia *Exposition d'une nouvelle méthode pour l'enseignement de la musique* (Paris 1818), dont la seconde et la troisième éditions s'intitulèrent *Méthode du méloplaste...* (Paris 1824, 1831) : ce méloplaste était un appareil inventé par lui pour simplifier l'enseignement ; G. s'inspirait en partie de J.-J. Rousseau et eut comme disciples Geslin, Chevet, Aimé Paris, G. Pacini ; il y eut longtemps en France des « associations galinistes ».

**GALINDO Blas.** Compos. mexicain (San Gabriel 3.2.1910–). Élève de Carlos Chávez, de Candelario Huízar, de José Rolón au cons. nat. du Mexique, il travailla aussi la composition sous la direction d'A. Copland ; il adhéra en 1935 au « Groupe des quatre » avec Daniel Ayala, Salvador Contreras et José Pablo Moncayo ; il aime employer les instruments autochtones de son pays, qui composent quelquefois les seuls éléments de son orchestre (*Sones mariachi, Obra para orquesta mexicana*).                                                    D.D.

**GALINISME, GALINISTE.** Voir art. *Galin.*

**GALIOT Johannes.** Mus. franç. de la fin du XIVe s., qu'on connaît par le ms. 1047 de Chantilly et qui semble avoir été chanteur aux cours de Foix et d'Aragon ; on a conservé de lui 3 ballades et un refrain de rondeau. Voir G. Reaney, *The manuscript Chantilly...*, ds *Mus. Disc.*, VIII, 1954.

**GALKAUSKAS Konstantine Mikhaïlovitch.** Compos. et chef d'orch. lithuanien (Vilna 16.6.1875–). Élève de Rimsky-Korsakov, Liadov et Glazounov au cons. de St-Pétersbourg, prof au cons. de Vilno (1908), chef d'orch. et critique musical, auteur d'un opéra : *Tsygane* (Pouchkine, 1908), d'un ballet pour enfants, de 2 comédies musicales, d'une symphonie (1949), de mus. symph., de piano, de mélodies et de multiples harmonisations de chansons populaires lithuaniennes et biélorussiennes.

**GALKINE** (*Galkin*) **Nicolaï Vladimirovitch.** Violon. et chef d'orch. russe (St-Pétersbourg 1850–1906). Élève d'Auer au cons. de St-Pétersbourg, il fit une carrière de virtuose jusqu'en 1877 (France, Allemagne, Belgique, Hollande), fut 1er violon, puis chef d'orch. des ballets Mariinsky et du théâtre Alexandre ainsi que prof. au cons. de St-Pétersbourg, organisa et dirigea (1892–1903) les concerts symph. hebdomadaires de Pavlovsk, composa des mélodies et des pièces pour son instrument.

**GALL Jan Karol.** Chef d'orch. et compos. pol. (Varsovie 18.8.1856–Lwow 30.10.1912). Élève du cons. de Varsovie, de F. Krenn (Vienne), de Rheinberger (Munich), de

Liszt (Leipzig, Weimar), il séjourna ensuite en Italie, dirigea la société *Andante* à Breslau (1882), où il fut aussi critique musical ; après avoir enseigné quelque temps à Weimar, il rentra en Pologne, où il dirigea les chœurs de la Société de musique de Lwow (1884), fut ensuite prof. de chant au cons. de Cracovie (1888–1896), enfin dirigea la société chorale *Écho* à Lwow ; il laissa 70 mélodies, 40 œuvres chor. à 4 v., plus de 250 arrangements de chants populaires. Voir S. Schmidt, *Erinnerungen an J.G.*, ds *Monatsschrift Sängerleben*, 1951 ; Z. Jachimecki, « *La mus. pol. 1864–1914* », Varsovie 1927 ; J. Reiss, « *La plus belle des mus. est la polonaise* », Cracovie 1948.

**GALL Yvonne Irma** (pseud. de *Galle*). Chanteuse franç. (Paris 6.3.1885–), élève de Dubulle au cons. de Paris, qui débuta en 1908 à l'Opéra, où elle créa *Le crépuscule des dieux, Parsifal* etc., passa à l'Opéra-Comique (1921) ; elle enseigne au cons. de Paris depuis 1937.

**GALLAY Jacques-François.** Corniste franç. (Perpignan 8.12.1795–Paris 18.10.1864). Enfant prodige, il était en 1818 dir. de la Société de musique de Perpignan ; il fut 1er prix du cons. de Paris (élève de Dauprat), appartint à l'orch. du théâtre de l'Odéon, à celui du Théâtre italien et à la chapelle royale (1825) ; musicien de la chambre de Louis-Philippe (1832), successeur de Dauprat comme prof. de cor au conservatoire (1833), il écrivit nombre d'œuvres pour son instrument, dont 2 concertos et un grand quatuor, ainsi que 8 manuels scolaires.

**GALLAY Jules.** Bibliophile franç. (St-Quentin 1822–1897), vcelliste amateur, qui publia *Les instruments à archet à l'Exposition universelle de 1867* (Paris 1867), *Les luthiers italiens au XVIIe et au XVIIIe s.* (rév. de l'ouvrage de l'abbé Sibire, Paris 1869), *Le mariage de la musique avec la danse* (de Guillaume du Manoir, Paris 1870), *Les instruments des écoles italiennes...* (ibid. 1872), *Un inventaire sous la Terreur...* (ibid. 1890) ; il participa au *Rapport sur les instruments de musique issu de l'exposition universelle de Vienne* (Paris 1875) et au *Supplément de la Biographie universelle des musiciens* de Fétis.

**GALLENBERG Wenzel Robert** (*Graf*) **von.** Compos. autr. (Vienne 28.12.1783–Rome 13.3.1839). Élève d'Albrechtsberger, il épousa la comtesse Guicciardi (1803), à qui Beethoven dédia la sonate de piano *op.* 27 nº 2 ; il vécut ensuite à Naples, où il composa des ballets pour le couronnement de Joseph Bonaparte (1806) et se lia avec D. Barbaja avec qui il s'associa (à Vienne) en 1822 pour diriger le théâtre Kärntnertor ; surintendant des archives de ce théâtre, il en fut le fermier pendant un an et demi et s'y ruina ; de retour en Italie, il continua de composer des ballets pour Barbaja et se retira à Rome en 1838 ; on lui doit une cinquantaine de ballets (*Arsinoe et Telemacq*, 1813, *Amleto* 1817, *Alfred der Grosse* 1822, *Brézila...* Paris 1835), 3 ouvertures pour orchestre, 12 mélodies allemandes, de la mus. de piano dont 2 sonates, 1 duo pour deux harpes. Voir les ouvrages de La Mara et d'A.W. Thayer sur Beethoven, ainsi que le *Schubert* d'O.E. Deutsch.

**GALLERANO Leandro.** Franciscain ital. (Brescia ?–Padoue ? 1632 ?). Il fut de 1620 à 1623 org. à St-François de Brescia, puis maître de chapelle à St-Antoine à Padoue ; on a conservé de lui *Secundo libro delle messe a 4 e 5 v. con il v. per l'org.* (Venise 1620), *Messa e salmi a 8 v. ...* (ibid. 1625), *Salmi intieri concertati a 4 v. con il b.c.* (ibid. 1624), *Messarum et psalmorum verba ...* (5 v., ibid. 1628), *Messa e salmi concertati a 5 et 8 v. aggiontoui il therzo choro ad lib.* (ibid. 1629, 1641) ainsi qu'un *Gaudeamus omnes* dans la *Ghirlanda sacra* de L. Simonetti (ibid. 1636).

**GALLES José.** Mus. catalan qui vécut dans la seconde moitié du XVIIIe s., peut-être à identifier avec J.G. Salavert qui fut org. et maître de chapelle de la cath. de Vich ; la bibliothèque centrale de Barcelone conserve de lui en mss 23 sonates de clavier. Voir J. Nin, *Seize sonates anciennes d'auteurs espagnols*, Paris 1925.

**GALLET François.** Mus. franco-flamand du XVIe s., né à Mons, dont la présence est attestée à Douai en 1586

à l'église St-Amé ; il nous reste de lui *Hymni communes sanctorum juxta usum romanum, 4, 5 et 6 v.* (Douai 1586) et *Sacrae cantiones 5, 6 et plurium v.* ( *id. ibid.* ).

**GALLET Luciano.** Compos. et pian. brésilien d'ascendance française (Rio de Janeiro 28.6.1893–29.10.1931). Élève d'Oswald à l'Institut national de musique de Rio, il fut surtout l'élève de Milhaud, dont l'influence se fait sentir dans la seconde partie de sa carrière, centrée sur la musique populaire brésilienne ; il entrevit une nouvelle voie plus libre, indépendante du folklore musical, mais n'arriva pas à s'y engager ; son livre posthume, *Estudos de folclore* (1934), parut avec une préface de son ami et conseiller Mario de Andrade. D.D.

**GALLI Amintore.** Compos. et musicologue ital. (Talamello 12.10.1845–Rimini 13.12.1919). Élève de son oncle, *Pio G.*, du cons. de Milan, grand prix de composition pour son oratorio *Espiazione*, il fut maître de musique à Amelia, dir. de l'Institut de musique de Finale d'Emilie (1871–1873) ; il se fixa à Milan, où il collabora à des périodiques, notamment au *Secolo*, comme rédacteur musical ; il participa à la fondation de la maison Sonzogno et fut son directeur artistique jusqu'en 1904 : il y dirigea notamment la collection *Musica per tutti* (1874), enseigna l'harmonie et l'esthétique musicale au cons. de Milan pendant 25 ans ; il fut au centre de la vie musicale milanaise toute cette fin du XIXᵉ s. ; il écrivit 2 messes, 1 *Stabat Mater*, 1 *Ave Maria*, 1 quintette, 1 quatuor, 2 ouvertures, des compositions vocales, des pièces de piano, des fantaisies pour orch. militaire, 2 oratorios, 1 hymne, 6 opéras, des récitatifs ; il traduisit des livrets du français en italien, publia des manuels pédagogiques, des traités de contrepoint (Milan 1877), d'instrumentation ( *ibid.* 1897), d'esthétique mus. (Turin 1900), des ouvrages d'histoire et d'ethnographie mus., des monographies, etc. Voir C. Sartori in MGG.

**GALLI** ( *Gallus* ) **Antoine.** Mus. du XVIᵉ s., qui ne doit pas être confondu avec Joh. Gallus (Le Cocq) ni avec Jacob Gallus (Handl) ; prêtre, il fut probablement maître de chapelle à N.-D. de Bruges (1532–34), puis à St-Sauveur et à St-Donatien (1544–50) dans cette même ville ; on a de lui 1 messe à 5 v., qqs chansons et une quinzaine de motets à 4-6 v., publiés pour la plupart entre 1553 et 1568 chez Susato, Scotto, Phalèse, Berg et Gerlach, écrits dans le style de Gombert et de Clemens non papa. *Cf.* Van den Borren in *M G G*.

**GALLI Caterina.** Mezzo-sopr. ital. (? v. 1727–1804), qui fit carrière en Angleterre, notamment dans les opéras de Haendel, jusqu'aux dernières années du XVIIIᵉ siècle.

**GALLI Filippo.** Chanteur ital. (Rome 1783–Paris 3.6.1853), qui fut ténor, puis basse ; il débuta à Naples en 1801, appartint à la *Scala* de Milan, fut ami de Rossini, fit carrière dans le monde entier, fut enfin prof. de chant et de déclamation au cons. de Paris (1842–1848). Son frère – *Vincenzo* (Rome 1798–Milan 23.11.1858) fut basse comique, il également carrière internationale, encore que ses qualités de chanteur fussent tout à fait inférieures à celles de son frère.

**GALLI-CURCI Amelita.** *Coloratura* ital. (Milan 18.11.1889–), élève du cons. Verdi de Milan, de Calignani, de Sara Dufes, qui débuta en 1906 ; sa gloire date de 1916 (Chicago) ; elle appartint au *Metropolitan Opera* de 1920 à 1930 ; un accident physiologique mit fin prématurément à sa carrière théâtrale ; elle vit actuellement en Californie, ayant épousé son accompagnateur, Homer Samuels. Voir C.E. Le Massena, *G.-C.'s life of song*, N.-York 1945.

**GALLI-MARIÉ** ( *de l'Isle* ) **Célestine.** Chanteuse franç. (Paris... 11.1840–Vence 22.9.1905). Fille et élève du baryton *Félix M. de l'I.*, qui appartint à l'Opéra de Paris et fut maître de chapelle à la Trinité, elle débuta à Strasbourg en 1859, puis à l'Opéra-Comique en 1862 ; sa gloire lui vint d'avoir créé *Mignon* et *Carmen* ; elle termina sa carrière en 1890 ; son talent était aussi dramatique que musical. Sa cousine – *Jeanne M. de l'I.*, mezzo-sopr. comme Célestine, appartint à l'Opéra-Comique de 1896 à 1914. Voir ds H. de Curzon, *Croquis*

*d'artistes,* Paris 1898, et H. Malherbe, *Carmen,* Paris 1951.

**GALLIAMBE.** Terme de métrique ancienne : c'est le nom du tétramètre catalectique, dont une forme typique est

$$\cup \cup \overset{\prime}{-} \cup \ \Big| \ - \cup \overset{\prime}{-} \ - \ \Big\| \cup \cup \overset{\prime}{-} \cup \ \Big| \ \underset{\smile}{} \cup \overset{\prime}{\underset{\smile}{\cup}}.$$

**GALLIARD Johann Ernst** ( *John Ernest* ). Hautboïste et org. allem. (Celle v. 1680–Londres 1749). Fils d'un perruquier français (Gaillard ?) installé à Celle, il fut pour le htb. l'élève de Pierre Maréchal, musicien de la cour dans cette ville, de J.B. Farinelli et de Steffani pour la composition (Hanovre) ; à 18 ans, il partit pour l'Angleterre, où il fut au service du prince Georges de Danemark jusqu'à la mort de ce prince (1708) ; il eut ensuite l'orgue de *Somerset House ;* il fut l'un des fondateurs de l'*Academy of ancient music* (1710) et composa de 1712 à 1736 pour les théâtres de Londres ; il écrivit *Songs in the opera of Calypso and Telemachus, Pan and Syrinx* (1717), *The four chorus's in the tragedy of J. Caesar* (1723), *Jupiter and Europa, Dr. Faustus..., The songs in the new entertainment call' The rape of Proserpine, Id. Apollo and Daphne, Tunes in the royal chace...* (1736), *Oreste e Pilade* (inachevé), des compositions vocales profanes, dont 6 cantates anglaises à la manière italienne, 7 *anthems,* 1 *Te Deum,* 1 *Jubilate,* 6 sonates pour le basson ou le vcelle avec *b.c.* pour le clavecin, 12 solos de vcelle, 1 sonate pour flûte et *b.c.,* 6 sonates ( *id.* ), 1 sonate pour violon et *b.c.,* une autre pour htb. et 2 bassons (1704), *Pieces for two bassoons and four double basses ;* il traduisit en anglais, sous le titre *Observations on the florid song...* (Londres 1742), *Le opinioni de'cantori antichi e moderni...* de F. Tosi (Bologne 1723). Voir C. Burney, *A general history of music IV,* Londres 1789 ; W. Wollfheim, *Mitteilungen z. Gesch. d. Hofmusik in Celle (1635–1706)..., ds Liliencron-Festschrift,* Leipzig 1910.

**GALLICAN.** On qualifie de gallican le rite chrétien répandu en Gaule à partir des premières conversions apostoliques, qui fut remplacé au début du IXᵉ s. par le rite grégorien ; il semble qu'il ait recouvert la Gaule, l'Espagne et une partie de la Suisse alémanique. La forme de ce rite est assez connue : bien que fragmentaires, les manuscrits qui nous en restent sont assez nombreux ; le chant n'y figure pas, ni sous forme neumatique ni sous forme de description. Ce rite a été pratiqué dans les églises qui n'ont encore subi aucune tentative d'unification, les époques et les lieux sont différents, et différents les apôtres convertisseurs. On trouve la description de la messe gallicane dans Leclercq, *Dictionnaire d'archéologie chrétienne et de liturgie,* VI. Voir également J. Quasten, *Expositio antiquae liturgiae gallicanae germano-parisiensi ascripta, Opuscula et textus historiam ecclesiae spectans,* III, Munich 1934, *Oriental influence in the gallican liturgy,* ds *Traditio,* 1943, I ; pour le chant gallican, duquel on sait peu de chose, voir A. Gastoué, *Le chant g., origines et sources,* ds *Rev. du chant grégorien,* 1937 p. 167-176, 1938 p. 5-12, 57-62, 107-112, 146-151, 171-176, 1939 7-12, 44-46 ; F.J. Mone, *Lateinische und griechische Messen aus dem zweiten bis sechsten Jh.,* Francfort 1850 ; A. Wilmart, *L'âge et l'ordre des messes de Mone,* ds *Rev. bénédictine,* XXVII, 1911. S.C.

**GALLICAN (NÉO-).** *Rit, liturgie et musique.* C'est un mouvement liturgique né au XVIIᵉ s., principalement en France. Il ne s'agit pas d'une génération spontanée, et il ne faut pas y voir uniquement une transposition, dans le domaine ecclésiastique, du gallicanisme politique. Les réformes romaines du concile de Trente, réformes qui s'exercèrent sur la liturgie comme sur le chant, préparaient celles qui se produisirent ensuite dans les diocèses. Bon nombre de ceux-ci possédaient sinon une liturgie propre, du moins des usages très anciens et des messes et offices particuliers. Les évêques estimaient être seuls juges des modifications à apporter à des pièces ou rits non romains. L'exemple donné par le concile de Trente, les corrections des hymnes faites par Urbain VIII, la confusion qui régnait à la suite des tentatives réitérées, et à chaque fois infructueuses, de rétablir le chant grégorien dans sa pureté primitive, ne pouvaient qu'inciter les prélats à prendre des initiatives de leur propre chef. On ne doit pas négliger l'aspect politique (plus ou moins avoué) de la question. L'église française du XVIIᵉ et du XVIIIᵉ s. avait conscience de son caractère national. Sous l'impulsion de Louis XIV, la France cherchait à s'imposer à l'Europe. Dans cette période, l'une des plus brillantes de son histoire, elle se heurtait au Saint-Siège et le roi entrait en conflit avec Rome. Le gallicanisme politique devait entraîner un gallicanisme ecclésiastique. Le mouvement « gallican » ne pouvait manquer d'affecter la liturgie d'une église qui avait à sa tête quelques-uns des plus grands érudits de l'époque. Ceux-ci désiraient corriger le style des pièces qui ne leur semblaient pas en harmonie avec le latin classique. C'est à ce mouvement que s'applique le nom de *néo-gallican*, valable pour le bréviaire, le missel, le rituel, le graduel et l'antiphonaire. Il s'applique non seulement aux réformes liturgiques proprement dites, mais aussi à une forme particulière de musique liturgique du *plain-chant* (voir à ce mot). Le terme est peut-être un peu trop étroit puisque la réforme qu'il caractérise s'est aussi étendue à des diocèses d'Allemagne et des Pays-Bas.

Certains principes qui caractérisent cette réforme ne sont pas nouveaux. Déjà le concile de Trente en avait admis quelques-uns. En 1535, le cardinal Quignonez avait publié un bréviaire réformé. Paul IV avait repris le bréviaire romain, délaissant celui de Quignonez. Pie V, en 1568, en avait promulgué un nouveau. En ce qui concerne le texte des hymnes, une réforme profonde avait été opérée par Urbain VIII en 1632. A première vue, le mouvement *néo-gallican* pourrait sembler un prolongement pur et simple des tentatives de renouvellement de la liturgie. L'influence des jansénistes, les études des orientalistes et des érudits qui font la chasse aux faux saints et contribuent par leurs critiques à discréditer le bréviaire romain, le désir plus ou moins avoué d'échapper à la tutelle de Rome, le morcellement liturgique auquel il aboutit en définitive, lui ont conféré un caractère très particulier qui aurait pu le mener au schisme sans les tragiques événements qui marquèrent la fin du XVIIIᵉ s.

*Liturgie :* on peut distinguer deux périodes dans la formation et le développement de la liturgie dite *néo-gallicane*. L'ouvrage essentiel pour l'étude de cette question demeure toujours le tome II des *Institutions liturgiques* de Dom Guéranger. *1ʳᵉ période :* le mouvement réformiste débuta par la protestation de l'assemblée du clergé de 1650 contre les additions faites au pontifical par le pape Urbain VIII. En 1667, Nicolas Pavillon, évêque d'Alet, publia un *Rituel*. Clément IX, le 9 avril 1661, le condamna : il y dénonçait « plusieurs choses contraires au rituel romain publié par ordre de … Paul V …, certaines doctrines et propositions fausses … opposées et répugnantes à la coutume reçue communément dans l'Église et aux constitutions ecclésiastiques ; par l'usage et lecture desquelles les fidèles du Christ pourraient être induits dans des erreurs déjà condamnées et infectés d'opinions perverses ». Le bref de Clément IX ne fut pas reçu en France, et 29 évêques approuvèrent en 1669 le *Rituel d'Alet*. Ils avaient eu connaissance du bref. Il est significatif que la lettre d'approbation qu'ils rédigèrent contenait la phrase suivante : « Comme les évêques sont les vrais docteurs de l'Église, personne n'a le droit de s'élever contre leur doctrine, à moins qu'ils ne soient tombés dans des erreurs manifestes ». Le conflit entre Rome et une partie de l'épiscopat français était évident. — Cependant les livres liturgiques revisés en France dans la première moitié du XVIIᵉ s. demeuraient à peu près conformes aux livres romains. Pierre de Gondy, évêque de Paris, avait imprimé, en 1584, un bréviaire assez différent du prototype romain. Henri de Gondy, son successeur, l'avait réimprimé sans modifications. Mais, en 1643, Jean-François de Gondy rétablissait un texte identique à celui du bréviaire de Pie V. La véritable réforme liturgique ne s'opéra que dans le courant des trente dernières années du XVIIIᵉ s. dans les diocèses qui possédaient des livres particuliers.

Les autres ne procédèrent aux innovations qu'au siècle suivant. A ce moment, la confusion était à son comble. Par exemple, le procès-verbal d'une visite pastorale dans le diocèse de Lodève mentionne la présence de dix exemplaires du missel romain, de trois du missel de Paris et de quinze du missel de Lyon. La nécessité d'imposer un formulaire unique s'imposait. — Le premier bréviaire qui rompit avec la tradition romaine fut celui de Vienne, publié en 1678 par l'archevêque Henri de Villars. Il était l'œuvre de d'Argoud, doyen du chapitre, de Sainte-Beuve, trop connu pour ses accointances avec les jansénistes, et de Du Tronchet, chanoine de la Sainte-Chapelle. Ce bréviaire devait servir de prototype à d'autres publications : bréviaires de Paris (1680), de Cluny (1686), d'Orléans (1693), de Sens (1702) etc. Le *Breviarium parisiense*, de 1680, édité par l'archevêque François de Harlay, avait supprimé la formule *Ad formam sacrosancti concilii tridentini restitutum*, usitée depuis 1584. — La première tentative de réforme du missel fut l'œuvre de l'abbé François Lediou, secrétaire particulier de Bossuet. Dans le *Missel de Meaux* (1709), il modifia le canon de la messe en insérant le répons *Amen* après la consécration. C'était une invitation à la récitation du canon à haute voix. Le missel de Meaux fut condamné par l'évêque Henri de Thyard de Bissy. Les innovations de Lediou étaient trop favorables aux théories jansénistes. Ils s'élevèrent contre cette polémique. Avec cette polémique se termine la première période. Les nouveaux livres liturgiques étaient acceptés par un assez grand nombre de diocèses et quelques ordres religieux influents comme Cluny et surtout la communauté de Port-Royal.

*Deuxième période :* elle s'ouvre par la publication d'un nouveau bréviaire de Paris en 1736, par ordre de l'archevêque Charles de Vintimille. Le *Missale parisiense* parut peu après (1739). Les auteurs du bréviaire étaient les jansénistes Vigier (oratorien), Mésenguy et Coffin. Ce dernier, hérétique notoire, fut chargé de la composition des nouvelles hymnes. Le bréviaire de Vintimille devait être l'instrument de la plus grande réforme liturgique opérée en France depuis le VIIIᵉ s. C'était un ouvrage absolument nouveau. Il est intéressant de relever quelques-uns de ses caractères : le dimanche avait la priorité sur toutes les fêtes, sauf celles de 1ʳᵉ classe ; celles qui tombaient en carême étaient transférées (contre la pratique préconisée par Pie V). Le psautier était divisé de manière à être récité intégralement dans la semaine. Plusieurs fêtes de saints étaient supprimées ou réduites à un degré inférieur. Les textes étaient remaniés, les légendes des saints corrigées. Les prières pour le pape étaient aussi réduites. Au contraire on accordait une place importante aux textes scripturaires ou patristiques. L'hymnaire, lui aussi, était considérablement remanié et très développé. Ce bréviaire fut assez favorablement accueilli, mais les tendances jansénistes qu'on y relevait un peu partout, habilement dissimulées sous des altérations minimes du texte, des interpolations, des suppressions et surtout dans le nouveau texte des hymnes, provoquèrent une vive réaction de la part de quelques évêques. Le parlement de Paris se prononça en sa faveur et condamna au feu les écrits qui le censuraient. Le livre était encore critiqué à cause des malencontreuses gravures de Boucher qui l'ornaient. Clément XII ordonna à l'archevêque de le corriger. Il exigeait de plus la suppression de certaines hymnes de Coffin. Vintimille ne tint aucun compte de la censure romaine et le bréviaire fut réédité en 1743 sans corrections. Celui de Châlons-sur-Marne, publié lui aussi en 1736, contenait quelques-unes des hymnes de Coffin. — Le bréviaire de Paris fut aussitôt adopté par les diocèses de Blois, d'Évreux et de Séez. D'autres diocèses, Toulouse (1761), Tours (1781), Chartres (1782), Vienne (1783), le prirent comme modèle pour l'élaboration du leur. Le chapitre de Lyon refusa d'adopter le nouveau bréviaire imposé par son archevêque. Ce fut encore au parlement de Paris qu'on dut recours : il se prononça pour le nouveau texte et, en 1776, Lyon dut s'incliner. — Le *Missale parisiense* de 1739 était l'œuvre de Mésenguy. Les modifications étaient plus discrètes que dans le bréviaire. Les protestations cessèrent peu à peu et la liturgie romaine fut remplacée dans le diocèse par une liturgie parisienne. — A la veille de la Révolution, 83 diocèses, soit les 2/3 de l'Eglise de France, s'étaient séparés de Rome pour le formulaire liturgique. Si l'on était parvenu à réaliser l'unité à l'intérieur de la plupart de ces diocèses, la confusion était encore grande, en raison de la diversité des livres dont le texte variait d'un diocèse à l'autre. — Les usages diocésains continuèrent après la Révolution et les bréviaires et missels du XVIIIe s. furent réimprimés. Le diocèse de Langres reprit le premier les livres romains (1839). Cette date peut être considérée comme le début du renouvellement liturgique en France et la fin de la réforme *néo-gallicane*. Paris abandonna ses livres particuliers en 1856. L'ultra-montanisme qui combattait vigoureusement en faveur d'une église supra-nationale directement en dépendance du Saint-Siège, pour la liturgie comme pour tout le reste, contribua beaucoup à ce renouveau. Dom Prosper Guéranger (1805–1875), abbé de Solesmes, fut le champion de la cause romaine avec ses *Institutions liturgiques* et son *Année liturgique*, ainsi que des évêques comme Mgr Parisis, Mgr Gousset et le cardinal Pie

nouvelles versions officielles, œuvres de musiciens comme P. Luigi Palestrina, prétendaient rénover les mélodies. En général, du moins pour le graduel, on s'en tint au chant grégorien déformé. La célèbre édition *médicéenne* (1614–1615), bien que n'ayant jamais été reconnue comme officielle, exerça une grande influence sur les projets élaborés par la suite. Une seule église, celle de Lyon,

*Graduel cistercien de Perk*

*Appréciation :* Tout n'était pas à blâmer dans cette réforme. Les liturgistes, Dom Guéranger lui-même, ont regretté la suppression de pièces f ort belles et d'une grande antiquité, lors du retour au rit romain. Ils combattirent surtout les déviations gallicanes et désiraient la restauration de l'antique liturgie. Notre conception moderne d'une église fortement centralisée et hiérarchisée ne vaut pas pour les XVIIe-XVIII[e] s., qui conservaient encore beaucoup de liturgies locales traditionnelles héritées du moyen-âge. Il existait un fonds commun sur lequel venaient se greffer des particularités locales. Les évêques s'estimaient libres de modifier ces dernières. On pourrait discuter la question de droit. Il ne semble pas qu'elle se soit posée alors. Ce qui vicia le rit *néo-gallican*, ce sont les influences jansénistes, les tendances séparatistes, l'action individuelle des prélats et l'arbitraire qui souvent présida au choix des nouveaux textes. Le rit *néo-gallican* était le reflet, dans la société ecclésiastique, du gallicanisme politique des derniers souverains de l'ancien régime. Pour cette raison, il fut éphémère et ne survécut pas à la chute de la monarchie. *Musique.* Peut-on parler d'une musique *néo-gallicane* ? Il ne semble pas. L'expression n'est d'ailleurs pas employée. Une remarque préliminaire s'impose : la nouvelle liturgie est moins chantée qu'au moyen-âge. Les livres notés des XVIIe et XVIIIe s. sont nombreux. Il y eut aussi abondance de traités et de méthodes. Cependant on constate que l'on se bornait surtout au chant de quelques heures de l'office, à celui des hymnes, des versets et de quelques parties de la messe. Une autre distinction s'impose. Le chant grégorien traditionnel connaissait depuis longtemps déjà une réelle décadence. Les causes sont nombreuses : variantes dans les manuscrits transposées dans les premières éditions imprimées et diffusées par elles, oubli du rythme, influence du déchant etc. Le concile de Trente, en 1563, avait confié au Saint-Siège le soin de ramener le chant liturgique à une plus grande pureté : ce fut le début d'une série de tentatives de réformes qui n'aboutirent pas. Les

conserva les mélodies traditionnelles dans un état remarquable de pureté, même dans les livres imprimés les plus récents.
Parmi les principes qui guidèrent les correcteurs il faut noter les principaux : suppression des mélismes, application au chant des règles de la quantité, groupement des notes sur les accents (voir art. *plain-chant*). Nous donnons un exemple de grattage tel qu'on en trouve souvent. Dans un très long mélisme, on ne conserve que le début et la conclusion de la phrase musicale. Ce n'est pas propre aux XVIIe et XVIIIe s. : de telles corrections s'observent dès la fin du XVIe.
La notation musicale s'inspira de celle qui était employée pour la musique profane. Mais, tandis que cette dernière évoluait peu à peu vers la graphie que nous connaissons aujourd'hui, la musique d'église conservait les grosses notes carrées des premiers imprimés en leur affectant une valeur arbitraire (*cf. plain-chant*).
Tout rythme grégorien avait disparu, et une nouvelle méthode d'interprétation se substituait à la méthode traditionnelle. L'incompréhension des neumes anciens et l'impossibilité de les interpréter conformément aux nouveaux principes expliquent comment on fut amené à les abréger.
Le respect pour le latin classique, qui avait déjà provoqué la correction du texte des pièces liturgiques et le remaniement des hymnes, imposa aussi des modifications importantes dans les groupements mélodiques. On n'admettait pas que les syllabes faibles puissent être surmontées de plusieurs notes quand les syllabes fortes n'en avaient qu'une. On procéda donc à des regroupements. La mutilation des mélodies et leur interprétation suivant de nouveaux principes empruntés à la musique profane sont donc antérieures à ce qu'on voudrait appeler la « musique néo-gallicane ». Les livres liturgiques ne connaissaient que cette nouvelle musique à laquelle on donna le nom de *plain-chant*, pour la distinguer des compositions profanes désignées sous le terme général de *musique*. On peut admettre que les

mélodies du graduel et de l'antiphonaire furent toujours interprétées de cette manière. Il y avait déformation, décadence, mais non, sauf de rares exceptions, création originale.

Il en va autrement des hymnes. Ce sont des compositions nouvelles, échappant aux règles grégoriennes, où le texte (mètre, quantité) prime tout. La musique mesurée se prêtait parfaitement aux nouveaux textes. On pourra donc parler de compositions originales à ce propos. Elles obéissent aux tendances musicales de leurs auteurs, elles se plient aux règles d'une esthétique différente du grégorien, et l'erreur serait justement de les confondre avec ce dernier et de vouloir les interpréter de la même manière. On reconnaît facilement le rythme mesuré, balancé, égal, très caractéristique du plain-chant mesuré dans des mélodies comme l'*Attende Domine*, le *Rorate caeli*, le petit *Salve Regina*.

L'ordinaire de la messe (*Kyrie, Gloria* etc.) avait toujours été un thème de prédilection pour les compositeurs. Il n'était pas soumis aux règles sévères qui préservaient le *propre*. Il fut, avec les hymnes, l'occasion de nouvelles compositions. Il faut donc distinguer dans la musique religieuse des XVIIᵉ et XVIIIᵉ s. :

a — le grégorien appelé *plain-chant*,
b — les nouvelles compositions dites *plain-chant mesuré*, ou musicales.

La distinction a été établie de la manière suivante par Beaugeois (*Nouvelle méthode...*, p. 245-246) : « La musique diffère du plain-chant comme la poésie de la prose, de sorte qu'on peut appeler la musique un chant poétique, et le plain-chant un chant prosaïque. En effet, le plain-chant, comme la prose, procède librement, sans termes fixes ni périodes réglées ; au lieu que la musique procède périodiquement, avec poids, nombre et mesure, de manière à former, comme la poésie, des vers réguliers ».

Si nous prenons comme un exemple parfaitement caractéristique de ce qu'on pourrait appeler musique *néo-gallicane*, ce sera l'une ou l'autre des célèbres messes d'Henri Dumont, publiées en 1669. Ce n'est plus du tout du grégorien : il abandonne la terminologie grégorienne pour emprunter celle de la tonalité moderne ; il ne connaît que les modes majeur et mineur ; il utilise les cadences modernes, le chromatisme et introduit le dièse.

Ce néo plain-chant s'oppose à l'ancien jugé « trop ennuyeux », mais il s'oppose aussi à la polyphonie. Il est essentiellement une musique monodique, qui a l'allure, le rythme, le mouvement grave et solennel, un peu compassé, des productions du grand siècle. Cette allure, il la doit au plain-chant dont il a emprunté les trois valeurs de temps, la longue, la brève et le semibrève. Mais, en tout le reste, il s'éloigne de celui-ci et, à plus forte raison, du grégorien dont le plain-chant n'est qu'une caricature. Ce serait à Dumont qu'on doit l'expression *plain-chant musical*, qui désigne ce genre de production. On ne saurait lui dénier de réelles qualités, mais il importe essentiellement qu'il soit exécuté tel qu'il fut écrit et non dénaturé par une interprétation calquée sur celle des mélodies grégoriennes. Il est un déve-

loppement logique du système tonal moderne que l'on venait de découvrir. Le succès des messes de Dumont peut s'expliquer aussi parce qu'elles se prêtent admirablement à l'interprétation chorale par une assemblée qui en goûte le rythme facile, bien cadencé.

Malgré tout, il est difficile de déterminer l'origine exacte de ces compositions. On veut la trouver en Italie, sous l'influence de saint Alphonse de Liguori. Peut-être s'agit-il plus simplement d'un compromis entre le grégorien incompris et mal exécuté dans des versions dénaturées et la polyphonie réservée à des chœurs exercés : quoi qu'il en soit, cette musique est bien supérieure au plain-chant proprement dit, tel qu'il était alors exécuté. Il est évident que les musiciens qui devaient orner de mélodies les compositions de Santeuil ou de Coffin ne pouvaient démarquer les cantilènes grégoriennes dont ils ne connaissaient pas les sens et qu'ils ne pouvaient apprécier. Ils devaient donc faire œuvre nouvelle et ils furent logiques en s'inspirant des ressources que leur fournissait l'art musical contemporain.

**Bibl. :** M.J. D'Ortigue, *Dictionnaire liturgique, historique et théorique de plain-chant et de musique d'église au moyen-âge et dans les temps modernes*, Paris 1854 ; Dom Jumilhac, *La science et la pratique du plain-chant, où tout ce qui appartient à la pratique est étably par les principes de la science, et confirmé par le témoignage des anciens philosophes, des Pères de l'Église et des plus illustres musiciens*, par un religieux de la congrégation de Saint-Maur, Paris 1673 ; — Cyril E. Pocknée, *The french diocesan hymns and their melodies*, Londres 1954 ; — Nivers, *Dissertation sur le chant grégorien dédiée au Roy par...*, Paris 1683 ; — La Feillée, *Méthode nouvelle pour apprendre parfaitement les règles du plain-chant et de la psalmodie*, Lyon 1811 ; — Beaugeois, *Nouvelle méthode de plain-chant*, Amiens 1827 ; — Dom Guéranger, *Institutions liturgiques*, Le Mans 1841.    **M.C.**

**GALLICULUS** (*Alectorius, Hähnel*) **Johannes.** Mus. allem. (Dresde v. 1490– ?), qui fut probablement *cantor* à Leipzig v. 1520 et composa 3 messes, 1 passion selon saint Marc, des psaumes, des motets, le tout à 4-8 v., publiés dans les recueils de Rhau, d'Ott, de Petrejus, de Fidulus, entre 1537 et 1545, ou restés manuscrits ; il publia un traité *Isagoge de compositione cantus* (Leipzig 1520), rééd. comme *Libellus de compositione cantus*

Messe musicale : La Feillée, Méthode nouvelle pour apprendre les règles du plain-chant.

chez Rhau, à Wittemberg en 1538, 1542, 1551, 1553 ; la 4e édition, de 1548, était encore intitulée *Isagoge*. Voir H. Albrecht in M G G.

**GALLICUS Johannes.** Voir art. *Jean de Namur*.

**GALLIERA Alceo.** Chef d'orch. et compos. ital. (Milan 3.5.1910–), prof. au cons. de Milan, qui a écrit notamment *Le vergini savie e le vergini folli* (ballet, 1942), *Poema dell'ala, Scherzo-tarantella*, de la mus. symph. de chambre, des mélodies.

**GALLIGNANI Giuseppe.** Compos. ital. (Faenza 9.1.1851– Milan 14.12.1923). Élève du cons. de Milan, il fit d'abord carrière de chef d'orch., fut ensuite maître de chapelle de la cath. de Milan (1884), dir. de la revue *Musica sacra* (1886–1894), dir. du cons. de Parme (1891–1897), de celui de Milan (1897–1923), vice-président du comité directeur de la Société italienne des auteurs ; il se suicida ; on lui doit 6 opéras, 1 poème symph., des mélodies, de la mus. de chambre, nombre d'œuvres polyph. de mus. d'église. Sa femme *Chiara*, née Vernau, qui mourut en 1901, fit carrière de soprano dramatique. Voir M. Ansoletti, *G.G.*, ds *Musica d'oggi*, janv. 1924.

**GALLMEYER Joséphine.** Chanteuse d'opérette autr. (Leipzig 27.2.1838–Vienne 3.2.1884). Avant tout actrice, elle triompha dans Offenbach.

**GALLO Vincenzo.** Mus. ital. (Alcara entre 1560 et 1570– Palerme 1624). Franciscain de stricte observance, il fut maître de la chapelle royale et de celle de la cath. de Palerme ; on a conservé de lui 1 liv. de madrigaux à 5 v. (Palerme 1589), *Salmi del re David...* (8 v., *ibid.* 1607), des madrigaux et des motets dans des recueils de l'époque, 1 messe à 8 v. et 2 ch., une autre à 12 v. et 3 ch. (Rome 1596). Voir ds A. Mongitore, *Bibliotheca sicula...*, Palerme 1707.

**GALLOIS Victor.** Compos. franç. (Douai 16.3.1880–), qui a été dir. du cons. de Douai et chef d'orch. à Lille ; il a écrit, de la mus. de piano, de chambre, dont 1 quatuor avec piano (1906), 1 messe (1910).

**GALLOIS-MONTBRUN Raymond.** Compos. et violon. franç. (Saïgon 15.8.1918–). Élève du cons. de Paris (Touche, Büsser, N. et J. Gallon), 1er grand prix de Rome (1944), il fait une carrière internationale, surtout comme violoniste ; on lui doit de la mus. de chambre, ou des mélodies, 1 symphonie concertante pour violon et orch. (1951), 1 symphonie, 2 concertos (trompette, clarinette), de la mus. de film.

**GALLOISE** *(Musique)*. Voir art. *Grande-Bretagne*.

**GALLON. —** **1. Jean.** Prof. et compos. franç. (Paris 25.6.1878–23.6.1959). Élève de Lavignac, de Diémer, de Vidal, de Lenepveu, il dirigea la Société des concerts de 1906 à 1914, fut chef d'orch. à l'Opéra de 1909 à 1914, prof. d'harmonie au cons. de Paris de 1919 à 1949 ; il a écrit (en collab. avec son frère Noël) 1 ballet en 2 actes (*Hansli le bossu*, 1914), 1 messe à 4 v., av. ch. et orch. (1898), 6 antiennes pour orgue et orch. à cordes (1899), des mélodies, 140 exercices et thèmes d'harmonie. Son frère – **2. Noël** (Paris 11.9.1891–) fut élève de Philipp, de Risler, de Lavignac, de Caussade, de Lenepveu, d'Henri Rabaud, 1er grand prix de Rome (1910), prof. au cons. de Paris (solfège, 1920-1926, puis fugue et contrepoint) ; il préside le concours général de musique et de déclamation de la fondation Léopold Bellan ; outre le ballet ci-dessus, il a publié 60 exercices et thèmes d'harmonie avec son frère (Heugel, Paris 1928) ; on lui doit également un drame mus. en 5 actes *Paysans et soldats*, 1911), 1 fantaisie pour piano et orch. (1909), une suite (en *ré, id.*), 1 concerto pour trio d'anches et orch. (1934), 1 suite pour piano et fl. (1921), 1 suite en trio (htb., cl. et basson, 1933), *Récit et allegro* (p. et bass., 1938), 1 sonate (fl. et bass., 1952), 1 quintette (1953), *Dolor* (p. et vcelle, 1953), des pièces de piano, de harpe, des mélodies, 1 *Psaume XCIX* à 6 v. *a cappella* (1933).

**GALLOP Rodney.** Diplomate angl. (Folkestone 26.5.1901– Londres 25.9.1948). De ses missions à l'étranger, il rapporta des études sur le chant populaire des Balkans : *The traditional dance* (1935), des Basques : *The book of the Basques* (1930), du Portugal : *Portugal : a book*

of folk ways (1936) et *Cantares do povo português* (Lisbonne 1937), du Mexique : *Mexican mosaic*.

**GALLOT (Les).** Famille de luthistes franç. du XVIIe s. – **1. Antoine**, dit *le vieux* ou *G. d'Angers* (fin XVIe s. – Vilna 1647), était déjà un virtuose réputé lorsqu'il quitta la France pour se rendre en Pologne où il devint luthiste de la chapelle de Sigismond III (+ 1632), puis de Vladislas IV ; on a de lui des pièces en mss (Paris, bibl. du cons. – ms. Milleran, – Bibl. nat. – Brossard, – bibl. de Besançon – ms. de Saizenay) et un *canon* publié ds le *Cribrum Musicum* (1643) de M. Scacchi. Son frère – **2. Jacques**, dit aussi *le vieux* ou *G. de Paris* (début XVIIe s. – Paris v. 1685), fit toute sa carrière à Paris et fut le maître de Sébastien de Brossard ; ses pièces conservées en mss (Paris, Besançon et Raudnitz, bibl. Lobkowitz) sont parmi les plus belles, avec celles des Gaultier, de l'école française de luth du XVIIe s. Son fils présumé – **3. Jacques**, dit *G. le jeune* (v. 1640– v. 1700), élève de Denis Gaultier et virtuose remarquable, fut avec Ch. Mouton un des derniers représentants de la musique de luth avant la décadence de l'instrument ; après de nombreuses tournées à travers la France, il se fixa à Paris vers 1683 ; il a laissé un recueil de *Pièces de luth composées sur differens modes* (v. 1673–75) et d'autres en mss (Paris, bibl. de Vienne et mus. de Berlin) : ce sont en grande partie des danses dont chaque type est associé à une catégorie de portraits ou de caractères précisés par le titre (courante *Le Tombeau de Madame*, gigue *La grande Virago*) ; la forme de la suite apparaît moins nettement que chez Mouton ; le menuet à deux couplets y fait son apparition. Voir W. Boetticher in M G G ; L. de La Laurencie, *Les luthistes*, Paris 1928.
A.V.

**GALLUMBA.** C'est le nom d'un instrument populaire, unicorde, à St-Domingue ; une danse de ce même pays porte le même nom.

**GALLUS.** Voir art. *Mederitsch*.

**GALLUS Jacobus** *(Handl, Petelin)*. Mus. slovène (? 1550–Prague 1591). On ignore le lieu exact de sa naissance : son surnom *Carniolus* (aussi *Carniolanus*) indique son origine slovène ; dans l'introduction qu'il écrivit à son recueil de madrigaux, il distingue *Itali, Germani* et *nostrates*: il se range parmi ces derniers. Dès son jeune âge, il vécut à l'étranger, d'abord aux couvents de Zwettl et de Melk sur le Danube, puis à Vienne où, en 1574–75, il fut chantre à la chapelle de la cour ; de 1575 à 1579, il vécut dans divers couvents, en Autriche, Bohême, Moravie et Silésie ; de 1580 à 1585, il fut maître de chapelle chez l'évêque Stanislaus Pawlowsky à Olomouc, puis, jusqu'à sa mort, dans les mêmes fonctions à l'église St-Jean à Prague. Il composa dans le style des écoles néerlandaise et vénitienne : les influences de cette dernière sur son œuvre se manifestent surtout dans l'emploi des *cori spezzati*, dont il a usé largement, reliant entre eux les groupes de structure homophonique à la manière polyphonique ; il réduisit la plupart des indications de mesure et, s'étant libéré des règles strictes du système diatonique, il employa abondamment le chromatisme, se montrant ainsi un précurseur ; notons également son souci de l'expression ; ses motets et ses madrigaux sont écrits dans un style *a cappella* rigoureux, avec acc. instr. *ad libitum* (voir *Instructio ad musicos*, Op. Mus., III) ; par ses idées esthétiques, il influença nettement H.L. Hassler, G.A. Aichinger, H. Praetorius, J.P. Sweelinck, au XVIe s., aussi bien que Haendel et J.-S. Bach (doubles chœurs).

**Œuvres :** impr. *Undique flammatis*, ch. solennel (1579), *Selectiores quaedam missae* (1580), *Opus musicum* (374 motets, I 1586, II-III 1587, IV 1590), *Parentatio in funere D. Guil. ab Oppersdorf* (1587), *O Herre Gott* (Selneccer, Christliche Psalmen, id.), *Chimarrhaee, tibi io* (ode en l'honneur du chapelain de la cour J. Chimarrhaeus, 1589), *Epicedion harmonicum Caspari abbatis Zabrdoyicensis* (id.), *Harmoniae morales* (53 madrigaux, I 1589, II-III 1590), *id.* (recueil posth. de 47 madrigaux, 1596) ; en mss : 3 messes, 15 motets, 3 chansons allemandes.

**Bibl. :** J. Mantuani, *J. Handl*, DTÖ VI/1, 1899 — *Ueber die Messenthemen des J.H.*, ds *Mus. divina*, I 1913 ; P. Pisk, *Das Parodieverfahren in den Messen des J.H.*, SMw, XI, 1918-19 ; P. Wagner, *Ueber die Messen d. J.H.*, ds *Mus. div.*, I, 1913 ; D. Cvetko, *J.G. and his music*, ds *Slavonic Review*, XXXI.
D.C.

**GALLUS Johannes.** Voir art. *Le Cocq (Jean).*

**GALLUS Vincenzo.** Voir art. *Gallo V.*

**GALMÉS CANTS Lorenzo.** Compos. esp. (Mercadar 1911-), élève du cons. de Valence, pian., chef d'orch., dir. de l'école de musique de Ciudadela, auteur de mus. symph., de piano, d'harmonisations de chansons populaires de Majorque.

**GALOP.** C'est une danse rapide, qui eut sa plus grande faveur en musique entre 1825 et 1875 ; la mesure est à 2 temps, le schéma rythmique

Les formules sont de 4, 8 ou 16 mesures ; il est la fin normale du quadrille ; les auteurs s'accordent généralement à lui donner comme origine le *Hopser* ou *Rutscher* bavarois (ou hongrois) ; les exemples les plus célèbres sont ceux de *Gustave III* d'Auber, d'*Orphée aux enfers* d'Offenbach (1858), le *Galop chromatique* de Liszt.

**GALOUBET.** C'est une flûte à bec, pour une main (France, Provence). L'un des éléments du type instrumental flûte-tambour (voir à ce mot), le *g.* est accompagné par le *tambourin* (voir à ce mot). Fabriqué aujourd'hui encore par des artisans-luthiers régionaux, il est d'usage fréquent en Provence. Le *g.* peut être en ébène, palissandre, olivier, buis ou amandier. Le *g.* actuel le plus courant est en si naturel. La perce de l'instrument, très étroite, entraîne l'émission directe des séries harmoniques, d'où, en dépit du nombre réduit des trous (deux antérieurs et un dorsal), la possibilité d'un ambitus de douzième : cette particularité détermine d'autre part le registre aigu, la sonorité stridente, mais d'intensité relativement faible, du galoubet.      C.M.-D.

**GALPIN Francis W.** Ecclésiastique et musicologue angl. (Dorchester 25.12.1858–Richmond 30.12.1945). Elève de l'école royale de Shorborne et du Collège de la Trinité à Cambridge, bibliothécaire de la Société musicale de l'univ. de Cambridge, clarinettiste, chanoine de la cath. de Chelmsford (1917), président de la Société archéologique de l'Essex, collectionneur d'instr. de musique, il publia notamment *Descriptive catalogue of the european musical instruments in the Metropolitan Museum of art*, New-York (1902), *The musical instruments of the American Indians of north-west coast* (1903), *Notes on a roman hydraulus* (1904), *The revolution of the sackbut* (1907), *Old english instruments of music* (1910), une révision du *Music of the Bible* (1913), de *The viola pomposa* (1931), *Text Book of european musical instruments* (1937), *The music of the Sumerians, Babylonians and Assyrians* (1937), *The music of electricity* (1938). Il s'est fondé à Londres en 1946 la *Galpin Society*, ainsi nommée en mémoire de F.W.G., société dont l'objet est avant tout l'organographie ; elle s'est donné deux buts : recueillir des matériaux historiques et les rendre accessibles aux chercheurs ; diriger des publications, notamment un périodique, cette société se montre d'une remarquable vitalité.

**GALUPPI Baldassare** (*Il Buranello*). Mus. ital. (île de Burano 18.10.1706–Venise 3.1.1785). Elève de son père, qui était violoniste et barbier, dès l'âge de 16 ans il composait l'opéra *La fede nell' incostanza* (1722), qui n'eut aucun succès ; cependant Benedetto Marcello le fit entrer à l'école de Lotti ; il devint l'élève préféré de ce dernier et apprit le clavecin ; en 1726, il est à Florence comme claveciniste de la Pergola ; en 1728, il trouve le succès avec *Gl'odi delusi dal sangue* (en collab. avec G.B. Pescetti) ; il est en 1740 maître de chœur de l'hôpital *dei Mendicanti*, en 1741 *compositore serio dell'opera italiana* au Théâtre Haymarket, alors dirigé par lord Middlesex ; il rentre à Venise en 1743 ; en 1748, il est élu vice-maître, en 1762 premier maître de chapelle à St-Marc ; en 1762, il obtient en outre la charge de maître de chœur de l'hôpital des Incurables de cette même ville ; en 1765, il est appelé à St-Pétersbourg par la reine Catherine II comme maître de chapelle de la cour : son séjour en Russie se termina en 1768 ; il reprit ses précédentes fonctions jusqu'à sa mort. On lui doit plus d'une centaine d'opéras. *Gli amici rivali, ossia la fede nell'incostanza* (1722), *Gl'odi delusi dal sangue* (avec Peschetti, 1728), *Dorinda* (id., 1729), *L'odio placato* (id.), *Argenide* (1733), *L'ambizione depressa* (id.), *La ninfa Apollo* (1734), *Tamiri* (id.), *Elisa...* (1736), *Ergilda* (id.), *Ciro riconosciuto* (1737), *L'Alvilda* (id.), *Issipile* (id.), *Li amori sfortunati di Ormindo* (1738), *Alessandro nell'Indie* (id.), *Adriano in Siria* (1740), *Gustavo Primo re di Svezia* (id.), *Oronte re de'Sciti* (id.), *Berenice* (1741), *Didone abbandonata* (id.), *Penelope* (id.), *Scipione in Cartagine* (1742), *Enrico* (1743), *Sirbace* (id.), *Ricimero* (1744), *Ernelinda* (1750), *La forza d'amore* (1745), *Antigono* (1746), *Scipione nelle Spagne* (id.), *Evergete* (1747), *L'Arminio* (id.), *L'Olimpiade* (id.), *Vologeso* (1748), *Demetrio* (id.), *Clotilde* (id.), *Artaserse* (1749), *Semiramide riconosciuta* (id.), *L'Arcadia in Brenta* (id.), *Il Conte Caramella* (id.), *Il Demofoonte* (id.), *Olimpia* (id.), *Alcimena principessa dell'Isole Fortunate ...* (id.), *Arcifanfano re de'matti* (id.), *Il mondo della luna* (1750), *Il paese della cuccagna* (1750), *La vittoria d'Imeneo* (id.), *Il mondo alla roversa...* (id.), *La mascherata* (1751), *Antigona* (id.), *Dario* (id.), *Lucio Papirio* (id.), *Artaserse* (id.), *Le virtuose ridicole* (1752), *La calamita de'cuori* (1753), *I bagni d'Abano* (id.), *Sofonisba* (id.), *L'eroe cinese* (id.), *Siroe* (1754), *Il filosofo di campagna* (id.), *Il povero superbo* (1755), *Attalo* (id.), *Le nozze* (id.), *La diavolessa* (id.), *Idomeneo* (1756), *La Cantarina* (id.), *Le pescatrici* (id.), *Le nozze di Paride* (id.), *Ezio* (1757), *Sesostri* (id.), *Ipermestra* (1758), *Il re pastore* (id.), *Melite riconosciuta* (1759), *La ritornata di Londra* (id.), *La clemenza di Tito* (1760), *Adriano in Siria* (1760), *Solimano* (id.), *L'amante di tutte* (id.), *Li tre amanti ridicoli* (1761), *Il caffè di campagna* (id.), *Il marchese villano* (1762), *L'orfana onorata* (id.), *Viriate* (id.), *Il Muzio Scevola* (id.), *L'uomo femmina* (id.), *Il puntiglio amoroso* (id.), *Arianna e Teseo* (1763), *Il re alla caccia* (id.), *Sofonisba* (1764), *Cajo Mario* (id.), *La donna di governo* (id.), *La partenza e il ritorno dei marinari* (id.), *L'arrivo di Enea nel Lazio* (1765), *La pace tra la virtù e la bellezza* (1766), *La cameriera spiritosa* (id.), *Ifigenia in Tauride* (1768), *Il villano geloso* (1769), *Amor lunatico* (1770), *L'inimico delle donne* (1771), *Gl'intrighi amorosi* (1772), *Montezuma* (id.), *La serva per amore* (1773) ; il collabora à une dizaine d'œuvres d'autres compositeurs ; on lui avait faussement attribué *Le contesse domestiche*, *Orazio*, *Le donne vindicate*, *La cascina*, *Il pazzo glorioso*, *Astianatte*, *De gustibus non est disputandum*, *Il mondo alla moda* ; il est également l'auteur de 27 oratorios, d'un grand nombre de pièces de mus. d'église, de 51 sonates pour 2 clavecins, de 2 concertos de clavecin, de 3 concertos de flûte, d'un trio, de 7 concertos à 4. Voir C. Burney, *A general history of music* IV, Londres 1789 — *Present state of music in France and Italy* (éd. franç. 1809–1810) ; F. Caffi, *Storia della musica sacra...*, I, Venise 1854 ; A. Della Corte, *B.G., profilo critico*, Sienne 1948 ; E.J. Dent, *Ensembles and finales in XVIIIth cent. ital. opera*, ds *SIMG*, XI et XII ; R.-A. Mooser, *Annales de la musique et des musiciens en Russie au XVIIIe s.*, II, Genève 1951 ; F. Piovano, *B.G., RMI*, 1906–07–08 ; F. Raabe, *G. als Instr.-Komp.*, thèse de Munich, 1926 ; F. Torrefranca, *Per un catalogo tematico delle sonate per cembalo di B.G., RMI* 1909 — *Le sonate per cembalo del Buranello*, ibid. 1911, 1912 — *Le origine italiane del romanticismo musicale*, 1930 ; Ch. Van den Borren, *Contribution au catalogue thématique des sonates de Galuppi*, ds *RMI* 1923 ; A. Wotquenne, *B.G. ...*, ds *RMI* 1899 (Bruxelles 1902) — *B.G...*, Sienne 1948 ; W. Bollert, *Die Buffoopern B.G.*, thèse de Berlin 1935 — *Tre opere...*, ds *Musica d'oggi*, août-sept. 1939 ; G.G. Bernardi, *L'opera-comica veneziana...*, Mantoue 1908 — *Il mondo alla roversa...*, ds *Mus. d'oggi*, juin 1934 ; P. Nettl., *The other Casanova*, New-York 1950 — art. ds M G G et ds *Encicl. dello spettacolo*.

**GÁLVEZ** (*Cálvez*) **Gabriel.** Mus. esp. dont la carrière fut à son apogée au milieu du XVIe s. ; il fut membre de la chapelle de Ste-Marie Majeure à Rome ; ses œuvres sont conservées dans un recueil de motets à 4 v. (Rome

1540) ; on suppose que l'un d'entre eux, *Emendemus*, servit de *cantus firmus* à Palestrina pour sa messe du même nom. Voir Baini, *Memorie*, II, 1828.

**GAMBA Pierino.** Chef d'orch. ital. (Rome 16.9.1937–), qui fut un jeune prodige (il a dirigé dès l'âge de 8 ans) et fait une grande carrière internationale.

**GAMBALE Emanuele.** Prof. ital., né au début du XIXᵉ s. à Milan, qui voulut introduire une réforme de la notation musicale, en préconisant que l'on adopte une échelle fondamentale de 12 degrés ; il publia *La riforma musicale..* (Milan 1840) et *Prima parte della riforma musicale...* (*ibid.* 1846) ; il traduisit en italien le traité d'harmonie de Fétis.

**GAMBANG GANGSA.** C'est un métallophone à 14 ou 15 lames de bronze (*gangsa*), capable de donner tous les sons des systèmes *pelog* et *slendro* : cet instrument tomberait en désuétude dans l'île de Java, alors qu'il est toujours utilisé au Cambodge sous le nom de *roneat dek* et en Thaïlande sous le nom de *ronat thum lek*. M.H.

**GAMBANG KAYU.** A Sumatra, ce terme désigne un xylophone dont les 5 lames sont posées parallèlement sur 2 cordes tendues à une certaine hauteur au-dessus du sol ; à Java, il s'agit d'un xylophone formé par 15 à 21 lames de bois fixées au moyen d'épingles sur des coussins d'étoffe qui reposent à leur tour sur un châssis de bois. M.H.

**GAMBARA Carlo Antonio.** Poète-mus. ital. (Venise 1774– ?). Violoniste, élève de Melegari, vcelliste, élève de Ghiretti, contrapuntiste, élève de J. Colla, il termina ses études à Brescia près de Canetti ; il composa 4 symph., 1 symph. concertante, 1 quintette, 2 quatuors, 2 trios, des mélodies, 1 poème symph. : *Haydn coronato in Elicone*. Son fils – **Agostino**, (Venise 1802 – ... 4.1892) fut violon. dilettante et fit collection de portraits de musiciens ; il fonda la bibliothèque du *Liceo Marcello* de Venise.

**GAMBARO Giovanni Battista.** Clarinettiste ital. (Gênes ... 1785– ? ... 1828). Après avoir dirigé un orch. militaire, il s'établit à Paris, fut luthier, clarinettiste à l'orch. du Théâtre italien : il composa 2 concertos pour son instr., 3 quatuors, 6 duos, 12 caprices, des fantaisies, etc.

**GAMBAU Vincent.** Compos. et critique franç. (Paris 2.1.1914–). Elève de Roger-Ducasse, il a écrit *Prélude symphonique et pastoral* (1948), 1 opéra-ballet : *Au jardin des dieux* (1950), 1 quatuor pour instr. à vent (1956) et publié *Contribution à l'étude du folklore néerlandais*.

**GAMBE.** — 1. Voir art. *viole*. – 2. C'est un jeu d'orgue, jeu de fonds, à bouche, à 4, 8 et 16 pieds ; le tuyau en est étroit, assorti d'un frein ; le son en est dit *mordant*.

**GAMBENWERK.** C'est un clavecin-vièle, inventé par Heiden à Nuremberg au début du XVIIᵉ s. : les cordes étaient mises en vibration par une roue commandée au pied ; le procédé est à comparer avec celui du « clavecin vièle » de Cuisinier (France, 1708), du « clavecin à archet » mécanique de Hohlfeld (Berlin 1757). C.M.-D.

**GAMBINI Carlo Andrea.** Pian. et compos. ital. (Gênes 22.10.1819–14.2.1865), disciple de Thalberg, qui écrivit des messes, des hymnes, des cantates, un trio, une passion, de la mus. de piano, une ode symph. : *Cristoforo Colombo* (1851), les opéras *Eufemio di Messina* (1853), *Il nuovo Tartufo* (1854), *Don Griffone* (1857), *Tessali*, *La vendetta della schiava*.

**GAMBLE John.** Violon. et cornettiste angl. (1615–1687). Elève à Londres d'A. Beyland, violon. de Charles Iᵉʳ, il joua dans les théâtres de Londres et appartint à la chapelle royale ; il publia en 1656 *Ayres and dialogues to be sung to the theorbo-lute or base-violl* et en 1659 *Ayres and dialogues for one, two and three voices* ; il perdit ses biens lors de l'incendie de Londres de 1666 ; il est célèbre par le recueil qui porte son nom : *J.G.'s Commonplace Book* (ms. Drexel 4257 de la *Public library* de N.York). Voir V.H. Duckles, *J.G...*, thèse de l'univ. de Californie, 1953, et art. in M G G.

**GAMBOGI Francesco.** Mus. ital. (Camajore v. 1713–1781), qui fut maître de musique au séminaire St-Michel et maître de chapelle à la collégiale de sa ville natale ; il écrivit de la mus. d'église (conservée aux archives de la Congrégation des Anges-Gardiens à Lucques), dont un oratorio : *Giuseppe riconosciuto* ; il composa 20 offices de ste-Cécile (1743-1778). Voir D.A. Cerù, *Della musica in Lucca*.

**GAMBUS.** C'est un luth piriforme, à 3 ou 6 cordes, utilisé à Bornéo et à Sumatra dans les ensembles instrumentaux ou en *solo* ; le terme désigne parfois en Indonésie un autre type d'instrument à cordes (vièle par exemple). M.H.

**GAMELAN.** C'est l'orchestre javanais ou balinais. De même que, en Occident, nous connaissons des orchestres de chambre, des orchestres à cordes, des orchestres symphoniques etc., de même, on distingue des types de *gamelan* différents selon les instruments dont ils se composent et les fonctions qu'ils sont appelés à remplir : accompagnement du théâtre d'ombres, du chant, des danses, des cérémonies religieuses. Les *gamelan* les plus importants, désignés à Bali sous le nom de *gamelan gong*, se composent d'un double jeu d'instruments : les uns pour les compositions en système *pelog*, les autres pour les compositions en système *slendro*. La combinaison-type de cet orchestre, telle qu'on la rencontre à Jogjakarta, peut servir d'exemple moyen : gongs suspendus de plusieurs tailles (*gong agong, kempul*), gongs disposés horizontalement sur des supports (*kenong, ketuk, kempyang, bonang*), métallophones (*garon, gender*), xylophones (*gambang kayu*), tambour *kendang*, flûte *suling, rebab, chelempung* (voir à ces mots). On remarquera que les instruments de métal sont en majorité dans une telle composition, et l'on soulignera que les cordes sont souvent représentées par le seul *rebab*, ou même omises. Dans les compositions instrumentales ou *gending*, un rôle particulier est dévolu à chaque groupe d'instruments, ce qui permet une hétérophonie riche, caractéristique de la musique de *gamelan*. Pour un *gamelan* du type décrit ci-dessus, la répartition des fonctions musicales s'effectuerait comme suit : 1. aux *saron*, éventuellement soutenus par le *suling* ou le *rebab*, est confiée l'exposition du thème qui sert de noyau à la composition et en constitue la base ; 2. ce thème est fragmenté en sections, elles-mêmes divisées en périodes de plus en plus brèves, ponctuées par les coups frappés respectivement sur le *gong agong*, le *kempul*, le *kenong* ou le *ketuk* ; 3. le cadre à la fois rythmique et mélodique tracé par le jeu des gongs et des *saron* est étoffé par une véritable paraphrase du thème primitif, confiée au *gender*, au *gambang kayu*, voire au *chelempung* ; 4. enfin le tambour *kendang*, chargé d'indiquer les variations de nuances et de *tempo*, est le moteur de l'ensemble, son exécutant est le « chef d'orchestre », parfois même, lorsque le g. accompagne des danses, le chorégraphe de l'œuvre. Rappelons qu'un *gamelan* fut envoyé à Paris lors de l'exposition universelle de 1889 : Debussy l'entendit et en fut vivement frappé. M.H.

**GAMERO Luis Antonio.** Compos. hondurien (Danlí 8.8.1841–Medellín 23.5.1928). Jésuite au Guatemala, au Nicaragua, à Costa-Rica, en Colombie, il fut dir. de séminaire et prof. de musique ; il a laissé 1 messe, 2 hymnes, 1 opéra : *El duende del paular*. Son parent — **Manuel de Adalid G.** (Danlí 8.2.1872–), org., fut dir. de l'*Orch. Eólica* de sa ville natale. dir. général des harmonies du Honduras, fondateur d'une école de musique à Tegucigalpa, chef de l'harmonie des *Supremos Poderes* (1915-1924) ; il se fixa ensuite à New-York ; il publia la rev. mus. hondurienne *El Arte de dirigir*, eut une activité de conférencier en Amérique centrale et assura de nombreuses collaborations à des périodiques ; il est auteur de mus. symphonique.

**GAMMA** (*Gamma-ut, gamut*). C'est la 3ᵉ lettre de l'alphabet grec ; au Xᵉ s., Odon de Cluny s'en servit dans la notation musicale pour désigner le *sol 1*, qui fut jusqu'au XIVᵉ s. le son le plus grave de l'échelle fondamentale ; il précédait les 7 premières lettres de l'alphabet

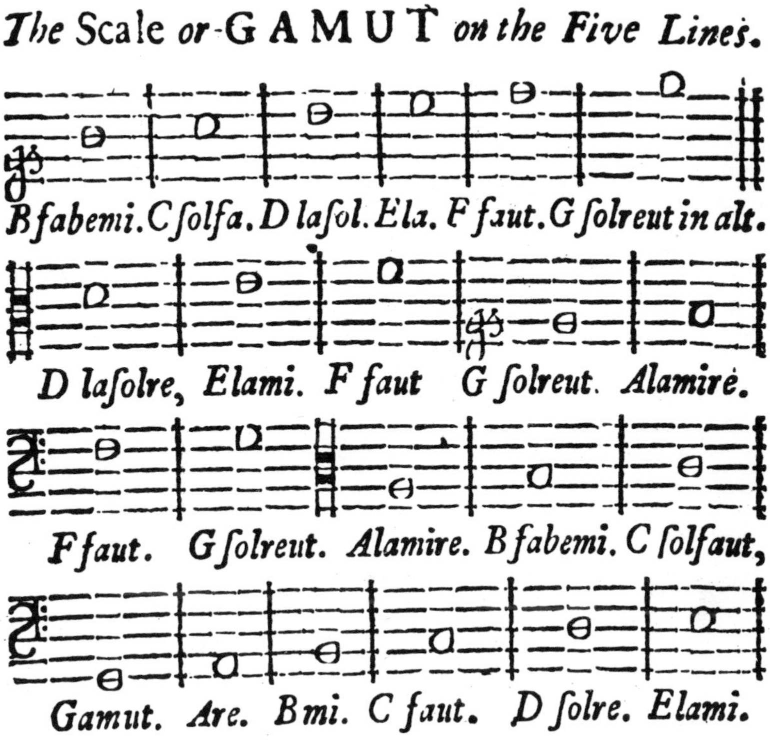

latin, le mot lui-même étant
l'origine étymologique de
notre mot gamme. Ce
signe fut également une
clé, une *clavis signata*; il
a fréquemment doublé la
clé de *fa*. Voir également
les art. *gamme, mode, notation musicale, solmisation*.

**GAMME. I.** Le mot *g.*
n'est pas très clairement
défini; il est utilisé souvent
pour signifier trois choses
très différentes, les séries
modales (ou gammes mé-
lodiques), les accords d'instruments (gammes théo-
riques) et les séries formées par la juxtaposition
d'intervalles utilisés dans
diverses gammes (séries en
harmoniques). Il existe
des cas limites comme
l'échelle de 12 demi-tons
appartenant originellement
à la troisième catégorie,
plus tard simplifiée dans
la deuxième et que l'on
cherche aujourd'hui à
utiliser dans la première.
Toutes les gammes sont à
l'origine des gammes mé-
lodiques ou modales, fon-
dée sur un phénomène
physico-physiologique particulier. Lorsque, partant
d'un son de fréquence donnée, nous établissons une
série ascendante ou des-
cendante continue (un
*glissando*) notre oreille

**GAMUT**
*Extrait du Skill of music de Playford (1654).*

remarque certains points précis qui nous semblent avoir
un intérêt spécial, une individualité, une clarté, une
signification particulières : ce sont ces points que nous
appelons des notes. Une note est une entité bien définie,
car elle a une position juste, agréable, équilibrée, confortable. Sitôt que nous l'élevons ou l'abaissons légèrement
elle nous paraît fausse, désagréable, instable. Les points
les plus évidents sont l'octave et la quinte, mais le
phénomène est le même pour tous les intervalles des
gammes jouées d'oreille, mais perçues avec une facilité,
une intensité décroissantes, à mesure que la structure
de l'intervalle est plus complexe, moins consonant.
Ceci a conduit les peuples anciens à remarquer que le
phénomène de la perception des échelles musicales
provient de l'aptitude qu'a notre oreille de percevoir,
qu'a notre cerveau d'analyser, des rapports numériques
simples que nous définissons aujourd'hui comme des
rapports de fréquences et qui sont perçus comme des
sortes de couleurs auditives définies et associées à des
sentiments ou des idées.
Si nous cherchons à déterminer quels sont les rapports
numériques de fréquences que nous percevons comme des
notes, nous trouvons pour chaque note une série de
possibilités, de rapports relativement simples, si voisins
les uns des autres qu'il est impossible de les distinguer.
Il était donc inévitable que l'on proposât différents
systèmes pour définir les rapports numériques des notes,
ainsi que l'ont fait les théoriciens depuis l'antiquité.
Toutefois si nous observons que le nombre des « notes »
ou points saillants que nous rencontrons dans notre
*glissando* est limité et déterminé, nous pouvons, en
analysant les rapports d'intervalles possibles pour
chacune de ces notes, arriver à déterminer certains
facteurs communs qui nous permettront de distinguer
l'intervalle vrai, celui que notre oreille recherche et
analyse. Cela nous conduit à remarquer le rôle de certains
nombres premiers dans nos perceptions musicales. Les
rapports les plus évidents étant l'octave (2/1) et la

quinte (3/2), puis la quarte (4/3 ou 2 2/3) et enfin la
neuvième (5/2) ou son octave inférieure la tierce (5/4 ou
$5/2^2$). Nous pouvons analyser certains rapports complexes
multiples de ces rapports simples tels que la seconde
(9/8 ou $3^2/2^3$) ou le demi-ton majeur (16/15 ou $2^4/3 \times 5$),
mais jusqu'à un certain point limite qui varie naturellement selon nos aptitudes raciales ou personnelles,
mais qui peut être considérablement amélioré par
l'éducation. Nous aurons donc pour chaque oreille une
limite dans la perception des rapports de fréquences
et donc un certain nombre de notes possibles définies
et, au-delà, des notes de plus en plus confuses. Il est
aisé de remarquer par des observations et des mesures
que certains chanteurs ou violonistes ont une perception
très limitée et « jouent vague » des intervalles relativement simples, alors que d'autres « jouent précis » des
intervalles très complexes.
Cela mène à établir des gammes de base instinctives
ou « naturelles » de plus ou moins grande envergure,
interprétées diversement par les théoriciens. Mais ici
intervient un autre facteur : la tolérance de l'oreille.
Nous cherchons un intervalle particulier et c'est lui
que nous pensons et entendons, même s'il n'est pas
absolument précis, comme nous reconnaissons un mot
même s'il est prononcé avec un défaut de prononciation.
C'est ce qu'on appelle la tolérance de l'oreille, tolérance
d'ailleurs très variable. Ceci permet dans les analyses
des théoriciens comme dans l'accord des instruments
une certaine approximation, une déviation, qui n'est
pas perçue. Par une déformation systématique de l'oreille,
on peut augmenter considérablement cette faculté d'adaptation. D'où une simplification, mais aussi un appau-
vrissement du vocabulaire musical. C'est ainsi que sont
nés les divers tempéraments, divisions théoriques sim-
plifiées, égales ou inégales, de l'octave ne correspondant
qu'approximativement aux rapports de fréquence.
Alors qu'il est évident que nous percevons et analysons
inconsciemment un rapport de 2 à 1 ou 3 à 2 etc., il est

certainement impossible que nous ayons un appareil inconscient capable de calculer instantanément $\sqrt[12]{2}$, c'est-à-dire un demi-ton tempéré ou ces multiples tels que la quinte tempérée ($7\sqrt[12]{2}$). Nous ne pouvons donc ni accorder, ni chanter, ni reconnaître un demi-ton tempéré, mais les intervalles créés par ce système sont suffisamment proches d'autres intervalles simples pour que nous puissions les utiliser, ou croire que nous les utilisons, comme des approximations.

Venons-en au deuxième type de gammes, les gammes théoriques qui correspondent à des accords d'instruments. Les plus anciennes connues sont les gammes diatoniques neutres des Grecs et des Hindous, dans lesquelles chaque note peut être prise comme tonique pour obtenir des gammes modales diverses qui ne peuvent être qu'approximatives, mais que les musiciens utilisent comme une échelle générale dont ils ajustent l'accord. Ce système, pratique sur des instruments à sons fixes, tels que la harpe ou la cithare antique, suscite presque inévitablement des formes de tempéraments qui diminuent les problèmes d'accords en divisant les différences entre plusieurs notes.

Le dodécaphone tempéré utilisé en Europe est le plus répandu, mais il n'est pas la seule gamme tempérée. Dans la musique de l'Indochine et des îles de la Sonde, on a créé très tôt, pour les xylophones, un pentaphone tempéré (certaines gammes *slendro*) et un heptaphone tempéré : ce dernier reste la gamme théorique de la musique de Thaïlande et du Cambodge. Toutefois, comme toutes les gammes tempérées, ces échelles restent des approximations, inventées après coup, ce ne sont pas des gammes vivantes ; elles ne permettent pas d'expliquer les formes du développement musical.

La troisième sorte de gamme comprend les échelles sonores qui juxtaposent les intervalles utilisés dans diverses gammes mélodiques. Ainsi certains modes utilisent une tierce pythagoricienne d'autres, une tierce harmonique ; leur différence est un comma, intervalle qui ne semble pas avoir été utilisé dans des gammes mélodiques, mais qui nous permet ici de comprendre la différence de nature et d'expression de deux modes et de les jouer avec précision. Ce genre de gamme était appelé par les Grecs enharmonique, par les Hindous échelle de *shruti*-s (micro-intervalles). La gamme enharmonique joue par rapport aux intervalles exacts des modes un rôle semblable (bien que plus subtil), à celui que l'échelle des demi-tons joue par rapport aux divers arrangements modaux des sept notes. Il est aussi erroné de prendre l'échelle enharmonique que le dodécaphone pour une gamme musicalement utilisable. La division chinoise de l'octave par quintes successives en 52 intervalles appartient à la même catégorie.

Dans l'échelle enharmonique comme dans les échelles chromatiques instrumentales, de nombreux essais de tempérament ont été proposés en 52, en 36 (Huygens), en 24, en 22, sans parler de l'échelle des cents en 1200 et de celle des savarts en 301 qui procèdent du même principe. Toutes ces échelles ont des avantages, mais toutes ont le même défaut de ne correspondre jamais tout à fait à l'intervalle musical et de ne pas permettre d'en expliquer la nature et la logique, même lorsque l'oreille ne parvient pas à distinguer la différence entre leurs intervalles et les intervalles vrais.

*Gammes grecques*. Les philosophes grecs s'appliquèrent depuis Pythagore à analyser les intervalles des gammes. Ils arrivèrent à des résultats variés et se plaignirent souvent de l'obstination des musiciens mettaient à jouer des intervalles autres que les beaux intervalles théoriques qui leur étaient proposés. L'interprétation des modes grecs, par les modernes, n'est pas définitivement établie et des opinions contradictoires ont encore cours aujourd'hui. Les Arabes qui, après Avicenne et Fârâbi, reprirent la théorie et la pratique de la musique grecque interprètent ces gammes autrement que nous.

Le principal caractère de la gamme grecque est d'être une gamme par tétracordes. Le terme *diatonique* dont

nous avons hérité se réfère à la structure du tétracorde, non de l'octave. Le développement de la musique pensée par tétracordes est différent de celui de la musique d'octave, et le passage au tétracorde supérieur est senti comme un véritable changement de plan, presque aussi fort qu'une modulation. C'est le cas aujourd'hui de la musique iranienne et c'est la raison pour laquelle elle diffère si profondément de la musique hindoue, qui est une musique d'octave.

Le rôle de l'octave comme division fondamentale de l'échelle sonore paraît n'avoir été jamais contesté. Une note et son octave nous semblent la même note. Le rôle de la quinte n'est aussi évident que dans la conception des tétracordes formés sur la base de ce qu'Aristote appelait corps de l'harmonie, fait d'une octave, une quinte montante et une quinte descendante.

L'expression *tétracorde* vient du fait que, dans chacune des quartes juxtaposées ainsi formées, on ajoutait deux « sons mobiles ». Dans un système musical pensé par tétracordes, le développement dans le tétracorde inférieur ou le tétracorde supérieur crée un sentiment différent. Nous verrons que des modes distincts étaient constitués sur cette base. Les Grecs envisageaient trois sortes de divisions du tétracorde, le *diatonique*, le *chromatique* et l'*enharmonique*. Le diatonique, comme son nom l'indique, comporte deux tons entiers : il y a donc trois formes de diatonique : ton, ton, demi-ton-demi-ton, ton, ton, et ton, demi-ton, ton,

correspondant à trois principaux types de gammes. Dans le chromatique, l'un des intervalles est une tierce mineure donnant des gammes de cinq notes, ou des gammes de sept notes ayant deux demi-tons dans le tétracorde :

La gamme de tétracorde  reste encore

aujourd'hui la gamme fondamentale de la musique de l'Inde du Sud : c'est elle qui, chez les Grecs, servait de base à la division « chromatique » de l'octave en demi-tons.

Dans l'enharmonique, chaque tétracorde comprend une tierce majeure : cela donne deux autres gammes pentatoniques et des gammes à « quarts de tons » :

La première forme, nommée *enharmonique d'Olympos*, est aussi la base de la gamme fondamentale du plus ancien système hindou, le système *shivaïte* des pentaphones mâles et heptaphones femelles.

*Bhairava* (ancien), aujourd'hui *gunakali* :

C'est sur le genre enharmonique que sont fondés tous les accords précis des gammes : il était donc considéré comme le genre fondamental.

*Harmonies doriennes.*

Si nous considérons le diatonique de base ou *dorien* comme l'échelle de *mi*, qui semble le plus probable, nous obtenons la gamme modale suivante :

C'est la gamme *bhairavi* hindoue.

Le système modal du dorien était formé des tétracordes reposant sur les degrés fixes de la gamme diatonique prolongés soit au grave soit à l'aigu dans le tétracorde voisin.

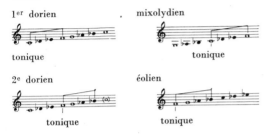

1er dorien          mixolydien
tonique             tonique

2e dorien           éolien
tonique             tonique

Si nous transposons ces deux derniers modes en tonique *ut*, nous voyons que leur caractère modal est différent de celui des précédents.

2e dorien           éolien
tonique             tonique

C'est le *yavanapuri* (la cité-grecque?) des Hindous.

Les harmonies « barbares » avaient pour tonique la seconde et la tierce du système dorien, ce qui rappelle singulièrement l'ancien système hindou des trois *grâma* (bases-de-modes) de fondamentale, seconde et tierce (voir notre édition du *Gîtâlamkara* de Bharata).

ionien              phrygien
tonique             tonique

En transposant en tonique *ut* :

ionien (*khammaj*, hindou)    phrygien
tonique                        tonique

hypolydien          lydien
tonique             tonique

soit, transposé en *ut* :

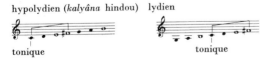

hypolydien (*kalyâna* hindou)    lydien
tonique                          tonique

Nous avons donc pour un seul accord de la lyre ou de la cithare quatre modes, les plus classiques dans tous les systèmes et, pour chaque mode, deux styles, dont l'un se développe vers le grave, l'autre vers l'aigu, le tétra-

corde au-dessus de la tonique restant toujours la région principale du développement modal. Pour ajuster la tonique à la voix du chanteur, on élevait ou abaissait la hauteur de l'ensemble des cordes en tournant le rouleau d'accord, comme nous le voyons faire à l'éphèbe du vase d'Érétrie (Musée du Louvre) ou à l'Apoilon de l'amphore du musée de Naples. Pour les formes du dorien, la lyre à sept cordes était suffisante ; mais pour jouer aisément les harmonies barbares, ionien et phrygien, sans sauter à l'octave dans l'accompagnement, il y avait avantage à ajouter deux notes à l'aigu et deux notes au grave : d'où la lyre et la cythare à onze cordes.

*Gammes hindoues. Gammes anciennes* : les Hindous ont toujours distingué plusieurs espèces et de nombreuses variétés de gammes. Le mot *grâma* (agglomération, village) dont provient probablement le mot gamme (¹) représente un groupe de notes correspondant à un accord de la harpe et à un système de modes et de gammes-modales distinct. Dans la plus ancienne théorie, celle du *Gîtâlamkara* de Bharata (qui date de plusieurs siècles avant l'ère chrétienne) les *grâma* sont des tétracordes, mais déjà dans *Vâyu purâna* (vers le IIIe s. av. J.C.) et dans le *Nâtya-sastra* (compilation d'ouvrages antérieurs datant du début de l'ère chrétienne), les *grâma* sont trois heptacordes appelés d'après leur intervalle caractéristique la gamme de l'initiale (*sadja-grâma*), la gamme de la moyenne (*madhyama-grâma*) et la gamme de la troisième note (*gândhâra-grâma*). Dès le *Nâtya-shâstra*, les deux premiers *grâma* sont analogues aux deux formes du diatonique grec, le diatonique pythagoricien par quintes et le diatonique harmonique, le troisième *grâma* étant probablement l'heptaphone tempéré (division de l'octave en sept intervalles égaux) qui reste encore aujourd'hui la gamme principale de la Thaïlande et du Cambodge. Dans le système classique des traités sanscrits, chacune des notes de chaque *grâma* pouvait être prise comme tonique d'une gamme modale, donnant ainsi pour chaque *grâma* sept gammes-modales-types, appelées *mûrchanâ*, dans lesquelles des ajustements de l'accord, l'introduction de notes supplémentaires, particulièrement *antara* (*fa* #) et *kâkali* (*si* ♮), la gamme de base ayant un *si b*) et surtout la suppression de certaines notes, en montant ou en descendant, pour former des modes pentatoniques ou hextoniques, permettaient la formation d'un nombre immense d'échelles modales (certains théoriciens parlent de seize mille).

Lorsque, aux environs du VIe s., le luth remplaça la harpe comme instrument usuel, la classification des modes en formes plagales des gammes de base cessa d'être pratiquée ; elle survécut en théorie, mais fut remplacée par un certain nombre de gammes-types, qui correspondaient à divers arrangements des frettes sur le manche du luth ou *vînâ*. La classification des *mûrchanâ* fut toutefois reprise au XVIIIe s. par des musiciens du sud de l'Inde, qui classifièrent leurs modes selon un système de gammes plagales qu'ils appelèrent *melâ-karta* : ce système est utilisé exclusivement dans l'extrême sud de l'Inde d'aujourd'hui.

Lorsque le système des *mûrchanâ* fut abandonné, on revint à une autre classification plus ancienne des gammes fondée sur des échelles vocales plutôt qu'instrumentales, qui était restée la classification de la musique populaire. Dans ce système, on prend comme gammes de base un certain nombre de gammes de cinq notes considérées comme ayant un caractère mâle. De ces gammes sont dérivées des gammes hexatoniques et heptatoniques considérées plus féminines, appelées les épouses des modes mâles. et des modes hybrides appelés leurs enfants ; chaque mode mâle avait quatre ou cinq épouses et plusieurs enfants : ce fut la classification principale des gammes dans le nord de l'Inde jusqu'à l'époque musulmane, c'est encore l'usage de certaines régions. Toutefois, depuis le XVIIIe s., plusieurs des gammes

---

(1) Le terme *gamma* nous serait venu du sanskrit *grâma*, aussi bien que l'idée d'appeler les notes par des syllabes qui peuvent être solfiées. L'idée que le mot *gamme* vient de la lettre grecque *gamma* correspondant à la note la plus grave de la gamme semble une invention récente et peu vraisemblable.

pentatoniques de base ont été remplacées par des gammes heptatoniques, au détriment de la cohérence du système. On se sert aujourd'hui de gammes-types appelées *thâte*, qui correspondent à l'arrangement des frettes sur les instruments : ces gammes sont en général six ou dix, et toutes les gammes modales en sont dérivées. Toutes ces classifications sont toutefois restées depuis les origines dépendantes d'une autre échelle qui correspond aux intervalles exacts employés dans les diverses gammes : cette échelle est appelée échelle des *shruti* (micro-intervalles), analogue à l'enharmonique des Grecs. On compte 22 *shruti-s* principaux, mais certains auteurs parlent de 66 ; les Grecs et les Indiens du Sud en comptent 24, les Arabes 18.

Dans le système des *mûrchanâ*, le *shadja grâma* donne les sept gammes suivantes :

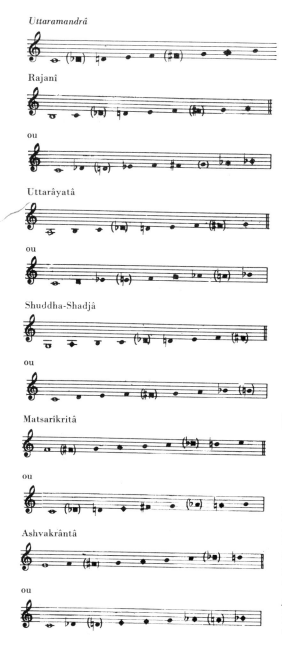

*Uttaramandrâ*

Rajanî

ou

Uttarâyatâ

ou

Shuddha-Shadjâ

ou

Matsarîkritâ

ou

Ashvakrântâ

ou

Abhirudgatâ

ou

Les *murchhanâ-s* du *madhyama grâma* sont

Sauvirî

ou

Harinashvâ

ou

Kalopânatâ

ou

Shuddha-Madhyâ

ou

Mârgî

ou

Dans tous les exemples de gammes, nous représentons la tonique par *ut*; il va de soi que la hauteur en est variable. Les notes indiquées ■ sont abaissées d'un comma par rapport au diatonique de Zarlin ; les notes ◆, sont élevées d'un comma. Le *gândhâra grâma* donne des gammes toutes pareilles, mais de hauteurs diverses. Dans le système des *melakarta* du Sud, les gammes, au nombre de 72, sont formées sur la base des six tétracordes possibles dans une quarte divisée en demi-tons (*do ré b ré fa, do ré b mi b fa, do ré b mi fa, do ré mi b fa, do ré mi fa, do mi b mi ♮ fa*). Ces six tétracordes se combinent avec les tétracordes supérieurs, donnant 36 échelles. Les trente-six autres échelles sont formées en remplaçant le *fa* par un *fa* ♯.

Les 72 *melakarta*-s d'après *Govinda* (XVIIIe s.)

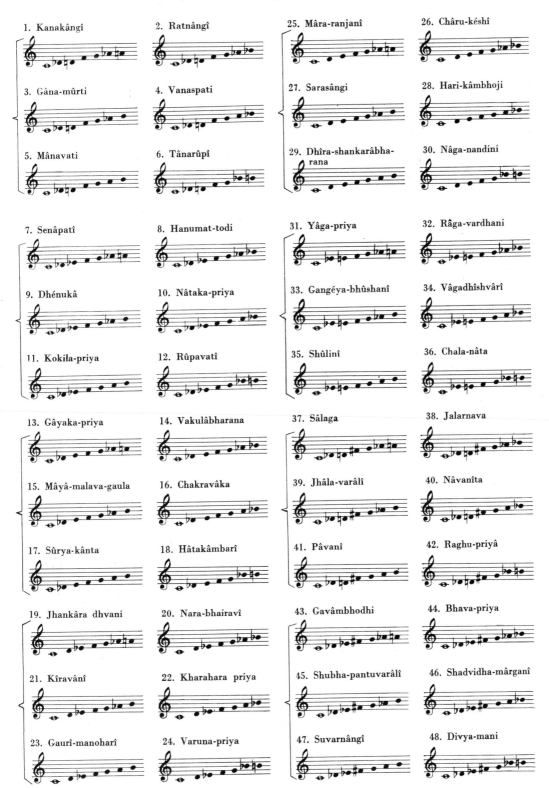

1. Kanakângî
2. Ratnângî
3. Gâna-mûrti
4. Vanaspati
5. Mânavati
6. Tânarûpî
7. Senâpatî
8. Hanumat-todi
9. Dhénukâ
10. Nâtaka-priya
11. Kokila-priya
12. Rûpavatî
13. Gâyaka-priya
14. Vakulâbharana
15. Mâyâ-malava-gaula
16. Chakravâka
17. Sûrya-kânta
18. Hâtakâmbarî
19. Jhankâra dhvani
20. Nara-bhairavî
21. Kîravânî
22. Kharahara priya
23. Gaurî-manoharî
24. Varuna-priya
25. Mâra-ranjanî
26. Châru-késhî
27. Sarasângi
28. Hari-kâmbhoji
29. Dhîra-shankarâbha-rana
30. Nâga-nandini
31. Yâga-priya
32. Râga-vardhani
33. Gangéya-bhûshanî
34. Vâgadhîshvârî
35. Shûlinî
36. Chala-nâta
37. Sâlaga
38. Jalarnava
39. Jhâla-varâlî
40. Nâvanîta
41. Pâvanî
42. Raghu-priyâ
43. Gavâmbhodhi
44. Bhava-priya
45. Shubha-pantuvarâlî
46. Shadvidha-mârganî
47. Suvarnângî
48. Divya-mani

49. Dhovalâmbarî  50. Nama-nârâyanî  61. Kântâ-mani  62. Rishabha-priya
51. Kâma-vardhanî  52. Râma-priya  63. Latângî  64. Vâchaspati
53. Gamana-shrama  54. Vishvambharî  65. Méshakalyâni  66. Chitrâmbarî
55. Shyamalângî  56. Shanmukha priya  67. Sucharitra  68. Jyoti-svarûpinî
57. Simhendra-madhyama  58. Haimavatî  69. Dhâtu-vardhani  70. Nâsikâbhûshanî
59. Dharmavatî  60. Nîtimati  71. Kosala  72. Râsika priya

Dans le système ancien du Nord, les principales gammes mâles étaient

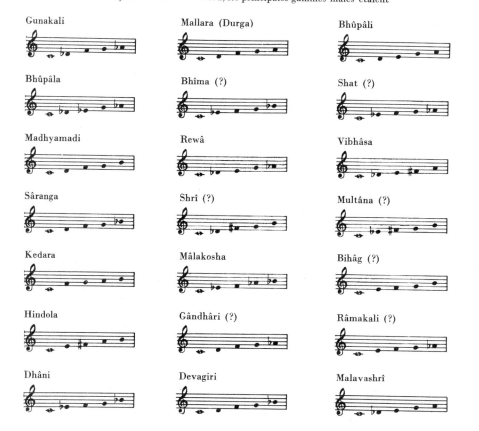

Gunakali  Mallara (Durga)  Bhûpâli
Bhûpâla  Bhîma (?)  Shat (?)
Madhyamadi  Rewâ  Vibhâsa
Sâranga  Shrî (?)  Multâna (?)
Kedara  Mâlakosha  Bihâg (?)
Hindola  Gândhâri (?)  Râmakali (?)
Dhâni  Devagiri  Malavashrî

Les noms de ces modes sont donnés d'après la tradition mais, plusieurs ont probablement changé de nom depuis le XVIᵉ s.

Dans le système moderne du Nord, les gammes principales sont appelées *thâte*: elles sont au nombre de six, de dix ou de douze suivant les écoles :

Bhairava

Bhairavî

Todî

Bilaval

Shrî

Kalyana

Kâfi

Khammaj

Vasanta (Pûravi)

Asâvari

Ces gammes servent de gammes-modales et de base d'accord des instruments. Quantités d'autres modes peuvent en être dérivés.

*Gammes irano-arabes.* Les arabes ne possédaient à l'origine qu'une musique populaire rudimentaire. Ils développèrent la musique qui porte leur nom au contact de la musique iranienne et des systèmes musicaux rencontrés par eux dans les anciennes colonies romaines qu'ils occupèrent au sud et à l'est de la Méditerranée. De grands théoriciens Persans, tels Avicenne, Farabi, Safiud-din, exposèrent en arabe les théories grecques et les appliquèrent à la musique iranienne de leur temps. Les Arabes se servent aujourd'hui encore de la terminologie musicale persane, mais l'art musical lui-même a chez eux beaucoup dégénéré. Nous retrouvons toutefois aujourd'hui encore en Iran une pratique musicale conforme aux théories d'Avicenne, qui est probablement très proche encore de la pratique musicale des anciens Grecs. Les Iraniens utilisent un petit nombre de gammes-types, toutes les autres gammes modales étant considérées comme des altérations des gammes principales ; le nombre de ces gammes de base varie légèrement, comme c'est le cas pour les gammes indiennes. La musique iranienne étant une musique de tétracordes plutôt que d'octaves, les passages aux tétracordes supérieur ou inférieur, selon les cas, sont considérés comme formant des modes distincts. Les six gammes principales sont les suivantes :

Mâhour — tonique

Shour — tonique

Tchahârgah — tonique

Isfahân (ancienne) — tonique

Segâh — tonique

Principales gammes secondaires :

Râst-panjgah (de Mâhour) — tonique

Shahnâz (de Shour) — tonique

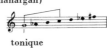

Isfahan moderne (d'inspiration occidentale) — tonique

Hessar (de Tchahârgah) — tonique

Homavoun (de Isfahân) — tonique

*La gamme chinoise.* Elle est établie entièrement sur la base d'une série de consonances 3/2 que nous appelons quintes ; autrement dit, la perception des intervalles de cette gamme n'exige de notre mécanisme mental l'analyse que de multiples des nombres premiers 3 et 2 : ce système suscite naturellement une échelle de cinq notes, le facteur 5 étant apparemment le plus élevé que le mécanisme mental de l'homme ordinaire puisse inconsciemment analyser et percevoir ; la gamme chinoise est donc pentatonique faite de quatre quintes successives : *ut* $(1/1)$, *sol* $(3/2)$, *ré* $(3^2/2^3)$, *la* $(3^3/2^4)$, *mi* $(3^4/2^6)$.

Naturellement le procédé du passage à la quinte, une fois commencé, a tendance à se continuer, et la gamme à se mouvoir de quinte en quinte, en abandonnant une pour en acquérir une autre : c'est de cette propriété des quintes que provient le principe de la modulation, qui joue un grand rôle dans la musique chinoise et qui est un facteur important de la musique occidentale. Le principe de la modulation nous est venu probablement non de la musique modale indo-grecque, mais d'un système pentatonique provenant de (ou apparenté à) la musique chinoise, dont il reste encore des vestiges populaires importants en Bretagne et en Écosse.

La théorie chinoise ancienne poursuivait la série des quintes jusqu'à la soixantième, échelle purement théorique pour laquelle des instruments de mesure spéciaux furent construits. Toutefois la translation de l'échelle par modulation peut être perçue aisément et ses intervalles reconnus par des oreilles exercées : les Chinois purent ainsi attribuer des sens symboliques et musicaux à cette gamme qui changeait de hauteur relative, comme nous le faisons dans une certaine mesure pour les tonalités.

La gamme pentatonique par quintes, qu'il ne faut pas confondre avec les divers modes pentatoniques de la musique modale, rayonna sur d'immenses territoires, car elle est, en dehors des sphères de civilisation proprement sino-japonaise, la gamme de la musique d'Asie centrale, des Esquimaux, de la plupart des Indiens d'Amérique, et elle se rencontre en Europe et en Afrique. Pourtant il ne semble pas qu'on puisse la considérer comme une gamme primitive et « naturelle » : toutes les gammes véritablement primitives procèdent par degrés conjoints, ont un faible ambitus, ou, au contraire des sons discontinus ; la gamme chinoise, qui méprise l'octave, est une gamme savante, même dans son premier stage pentatonique non modulant, qui forme la gamme presque exclusive des peuples influencés par la Chine.

*Indonésie-Indochine.* L'Indonésie et l'Indochine présentent un système musical très original, en dépit d'influences à la fois chinoise et indienne profondes. Ce système, que nous pouvons appeler *polyphonie modale*, est le seul système véritablement polyphonique antérieur au développement de la musique occidentale : les gammes en ont pour nous un intérêt particulier. Le système *slendro* ou pentatonique de Java est apparenté aux gammes pentatoniques modales de l'ancien système *shivaïte* des gammes mâles hindoues ; ces gammes se retrouvent d'ailleurs dans la musique du Laos. Le mot *slendro* lui-même vient du sanscrit *shilendra* (seigneur de la montagne), un nom de Shiva. Les gammes heptatoniques ou *pelog* sont également apparentées aux gammes hindoues ; toutefois, sur les instruments à sons fixes que sont les xylophones, métallophones et jeux de gongs, une tendance vers le pentaphone et l'heptaphone tempérés sont très tôt évidentes. Aujourd'hui, au Thaïlande comme au Cambodge, la division de l'octave en sept intervalles égaux est la division théorique fondamentale dont les instruments s'approchent d'assez près : cette division aurait été l'une des anciennes divisions connues des Hindous sous le nom de *gândhâra-grâma*. Il reste cependant difficile de déterminer avec certitude la structure des gammes javanaises ou cambodgiennes, car l'accord des percussions mélodiques n'est pas très précis, et des instruments d'accord sensiblement différent sont utilisés indifféremment.

*Les gammes pentatoniques laotiennes.* Les formes pentatoniques modales de la famille hindoue les plus usuelles au Laos sont, pour la musique de *khène* (1) :

Nous retrouvons ces gammes, auxquelles s'ajoutent diverses formes hexa- et heptatoniques, dans l'orchestre *pi-phat* laotien ou cambodgien, mais, le principe de la consonnance n'ayant pas cours, nous voyons ces gammes tendre vers le tempérament (heptaphone, pentaphone ou pentaphone pris dans l'heptaphone) et varier entre leur forme naturelle et leur forme tempérée.

*Gammes slendro-javanaises.* Les gammes *slendro* montrent une tendance évidente vers le pentaphone tempéré (division de l'octave en cinq parties égales). Naturellement, une fois ce principe accepté et la consonnance exclue comme principe d'accord, on peut accorder les instruments très approximativement, d'où une certaine variation dans l'accord des xylophones et métallophones. La consonnance, si elle se rencontre parfois pour la quinte, la quarte ou la seconde, n'occupe nullement une place prépondérante. D'après les gammes des *gamelangs*, la manière d'établir la gamme semble assez claire : partant d'une tonique, on établit une large seconde, en principe un ton 1/4, en fait souvent seulement le ton maxime 8/7 (57 savarts au lieu des

60 requis) ; on cherche ensuite un ton de même valeur en descendant de l'octave : c'est souvent le *si b* (7/4) au lieu du *la* 1/4 ; le quatrième son est une quarte basse, le cinquième une quinte haute. Il arrive que la quinte ou la quarte soient justes, mais c'est par une erreur d'accord. Quelles que soient les variations de l'accord, les notes sont toujours dans la région où elles doivent être : large-seconde, faible-quarte, quinte-haute et sixte-très-haute (ou septième-mineure-basse).

*Gammes pelog.* Les gammes *pelog* de Java nous montrent plusieurs types de gammes. L'une est évidemment l'heptaphone tempéré, comme au Thaïlande et en Indochine. On reconnaît immédiatement ses caractères, même si l'accord n'est pas juste : seconde et tierce majeures nettement basses (2 commas), quarte légèrement haute, quinte légèrement basse, sixte très basse et septième mineure nettement haute.

Pelog I

(Voir gamme 25 de Kunst (1).

Cette gamme s'atténue parfois jusqu'à ressembler à un *dorien* (ou *bhairavi* hindou), mais sans changer la tendance de ses intervalles.

(Voir gammes 5 et 6 de Kunst).

Parmi les autres types de *pelog*, il en existe un chromatique, probablement dérivé de la gamme de base du sud de l'Inde mais qui, faute de notes additionnelles sur le xylophone, attire toute l'échelle vers le bas.

(Voir gammes 9 et 11 de Kunst).

*Gammes africaines.* Il est difficile, faute de données théoriques, de classifier les gammes très diverses de la musique africaine. Nous rencontrons en Afrique noire des gammes pentatoniques semblables aux prototypes asiatiques, des gammes heptatoniques très évoluées, comme chez les Watutsi, des gammes primitives de faible ambitus (au Congo), d'autres gammes primitives à intervalles discontinus chez les Pygmées *babinga*, Kouyou d'Afrique Centrale, des gammes d'accompagnement très semblables aux gammes javanaises (chez les Marimbas, les Mboko etc.). L'usage d'inflexions parlées, d'ornements extra-mélodiques, de yodl (chez les N'Goundi etc.), de cris etc. rend l'analyse difficile ; il faudrait des travaux plus poussés, différents de ceux des ethnologues, pour permettre de déterminer les divers courants de la musique africaine dont une grande partie semble faite de vestiges populaires d'anciennes musiques savantes. Les formes mélodiques de la musique africaine sont toutefois toujours très inférieures aux formes rythmiques.

*La gamme occidentale.* Excepté les gammes grecques, nous savons peu de chose des gammes en usage en Europe jusqu'au moyen-âge. Les vestiges populaires et certains thèmes dans les plus anciennes formes de musique écrite nous indiquent l'existence de divisions modales de l'octave comparables à celles des Hindous et des peuples du Moyen-Orient, ainsi que la présence de formes pentatoniques de type extrême-oriental. Les modes du plain-chant, importés de Byzance par saint

---

(1) *Orgue à bouche.*

(1) *Music in Java*, appendice, p. 572, vol. II.

Grégoire à la fin du VIe s., semblent avoir été une méthode de classification plutôt que des gammes modales nouvelles. De toute manière, la gamme de base, pour Boèce (Ve-VIe s.) comme pour Guido d'Arezzo (XIe s.), semble être la diatonique. Clairement définie par Zarlin (XVIe s.), elle reste théoriquement la gamme occidentale parallèlement à la gamme tempérée, qui fut longtemps considérée comme une simple adaptation de la gamme de Zarlin, adaptation dont le but était seulement de faciliter les passages d'un ton à un autre sur les instruments à sons fixes.

Gamme de Zarlin.

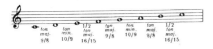

Lorsque J.-S. Bach créa la première grande œuvre pour le *Clavecin bien tempéré*, il inaugura l'entrée dans la musique occidentale d'une gamme nouvelle qui en altéra considérablement l'évolution. Les musiciens crurent d'abord simplement employer une gamme pratique bien qu'inexacte, à travers laquelle l'oreille retrouvait d'instinct les intervalles « vrais ». En fait l'oreille pouvait y retrouver beaucoup d'autres choses, et le développement de la musique romantique permit d'introduire de nombreuses formes extra-diatoniques, masquées par le tempérament, mais orientant la musique vers une esthétique nouvelle et une conception de l'architecture musicale et du rôle de la musique entièrement inconcevables dans le diatonique. Le tempérament, qui en soi n'est pas une gamme, mais un accord d'instruments, finit par s'établir comme la véritable gamme de la musique occidentale : cette gamme, que Bach inaugura avec un empirisme magistral, devait aboutir et trouver sa logique et sa raison d'être dans le dodécaphonisme moderne.

Toutefois cette prise de position de la gamme tempérée risque d'être et son apogée et sa fin, car son insuffisance comme source d'inspiration deviendra rapidement évidente : son caractère neutre et inexpressif ne convient qu'à un art abstrait. Le dodécaphone tempéré n'est en effet ni une gamme modale ni une gamme de modulation, il ne correspond pas à des données acoustiques ou physiologiques ; il est seulement un accord approximatif d'instruments pour diviser l'octave en douze régions que nous interprétons par erreur comme douze notes. Il en est de même des quarts de ton et toutes autres divisions tempérées, qui donneront des gammes neutres, sans vie, lesquelles feront nécessairement place un jour ou l'autre à des gammes fondées sur des réalités acoustiques plus évidentes, correspondant plus directement à des facteurs émotionnels.

Il ne faut pas sous-estimer les développements extraordinaires que le tempérament a permis à la musique. Mais ces ébauches que nous avons réalisées grâce à ses à-peu-près, il nous reste à les développer dans leur vraie logique et leur réalité acoustique et psychologique. Parmi les gammes particulières qui ont eu cours dans l'Europe contemporaine, il faut citer d'abord la gamme du mode mineur, création assez récente, qui introduit un élément chromatique dans la gamme diatonique ; la gamme de six tons entiers employés (comme une curiosité) par Mozart et systématiquement par Debussy. Une analyse des œuvres musicales, de Beethoven à Bartók, nous révèle l'usage accidentel d'un grand nombre de gammes autres que le majeur et le mineur classiques qui se sont introduites, masquées par le tempérament ; toutefois, leur usage n'étant pas systématisé, leur effet n'est que passager.      Al.D.

**II.** La technique actuelle distingue dans la succession conjointe des sons d'un milieu sonore qui se reproduisent d'octave en octave et qu'il est d'usage d'énumérer du grave à l'aigu : 1° l'*échelle* (Jacques Chailley, *Formation et transformation du langage musical*, p. 72, C.D.U. 1955) ou l'*échelonnement* (Edmond Costère, *Lois et styles des*

*harmonies musicales*, p. 52, P.U.F. 1954), qui ne définit que le milieu sonore, en en énumérant les intervalles successifs unissant ses sons conjoints réunis à l'intérieur d'une octave ; 2° le *mode* qui articule l'échelonnement sur une entité-tonique déterminée choisie parmi les sons de celui-ci ; 3° la *gamme* enfin, qui énumère les degrés du mode depuis la tonique principale de l'entité-tonique jusqu'à sa répétition à l'octave supérieure.

C'est ainsi que les *quatre gammes* diatoniques usuelles : *do ré mi fa sol la si do* en *do majeur, la si do ré mi fa sol* # *la, la si do ré mi fa* # *sol* # *la*, et *la si do ré mi fa sol la* en *la mineur* ne forment que *trois échelonnements* distincts, formés des intervalles suivants : d'une part 1 ton, 1 ton, 1/2 ton, 1 ton, 1 ton, 1 ton, 1/2 ton, d'autre part 1 ton, 1/2 ton, 1 ton, 1 ton, 1 ton, 1/2 ton, car l'échelonnement des intervalles de la première et de la dernière est le même, et elles ne diffèrent que par leurs *modes*, qui articulent les mêmes sons, l'un sur *do mi sol*, l'autre sur *la do mi*.

Toutefois le mot « échelle » peut prêter à confusion si l'on estime qu'il ne définit que des intervalles égaux, comme dans les expressions « échelle chromatique », « échelle par quarts de ton » etc., et le terme « échelon-nement » n'est pas encore entré dans l'usage. C'est pourquoi il est préférable, toutes les fois qu'il est possible, de conserver au mot « gamme » le sens très général qu'il est habituel de lui donner lorsqu'on désigne la « gamme par tons » ou la « gamme chinoise pentatonique » etc.

*Nombre des gammes possibles.* Indépendamment des transpositions tonales, notre échelle tempérée contient 351 combinaisons différentes d'intervalles ainsi réparties : 80 de six sons à l'octave, 66 de sept sons et 66 de cinq sons, 43 de huit sons et 43 de quatre sons, 19 de neuf sons et 19 de 3 sons, 6 de dix sons et 6 de deux sons, et celle d'un, onze et douze sons à l'octave.

*Présentation des gammes.* Devant l'impossibilité de les dénommer toutes, on en a proposé deux présentations chiffrées, l'une par les intervalles, l'autre par les sons (Edmond Costère, *Lois et styles...*, pp. 63-65). La première dénomination énumère la suite des intervalles de la gamme ascendante, évalués en demi-tons : la gamme diatonique majeure s'énonce 22 1 222 1 (c'est-à-dire 2 demi-tons, 2 demi-tons, 1 demi-ton etc.), la gamme chinoise pentatonique 3 2 3 22, la gamme par tons 222222 etc. La seconde parcourt la gamme ascendante à l'intérieur de l'échelle des douze sons en dénombrant successivement, à chaque apparition d'un groupe de sons chromatiquement conjoints, le nombre de ceux-ci et le nombre de sons manquants qui le séparent du groupe suivant : l'échelonnement diatonique s'énonce alors 21 11 21 11 11 en commençant par les deux sons conjoints par demi-ton correspondant à *si do* dans la gamme diatonique sans armure (c'est-à-dire 2 sons conjoints par demi-ton et 1 son tu, 1 son isolé et 1 son tu, 1 son isolé et 1 son tu, 2 sons conjoints par demi-ton et 1 son tu etc.), la gamme chinoise pentatonique s'énonce 12 11 12 11 11, la gamme par tons 11 11 11 11 11 11 etc.

*Classification des gammes par leur aspect. Gammes complémentaires.* Relativement à une gamme donnée, sa gamme complémentaire est constituée par tous les sons de l'échelle demi-tonale qui lui sont extrinsèques. La gamme diatonique a pour complémentaire la gamme chinoise pentatonique (d'une part les touches blanches du piano, par exemple, d'autre part les touches noires).

*Gammes réversibles.* Parmi les gammes de six degrés à l'octave, il en est 32 qui comportent la même succession d'intervalles que la gamme complémentaire directe ou rétrogradée : ainsi *do ré mi sol la si* (gamme hexatonique par quintes successives) a les mêmes intervalles successifs que sa complémentaire *fa* # *sol* # *la* # *do* # *ré* # *mi* # (réversibilité directe) ; *do ré* # *mi fa sol si* a les mêmes intervalles successifs que la rétrogradation de sa complémentaire *ré fa* # *sol* # *la si b do* # (réversibilité rétrogradée). Les gammes réversibles sont constamment employées en technique sérielle des douze sons, où, pour faciliter les transpositions directes ou rétrogradées, la première moitié de la série parcourt les sons d'une gamme dont les intervalles sont les mêmes que ceux de la deuxième moitié de la série ou de sa rétrogradation (René Leibowitz, *Introduction à la musique des douze sons*,

Paris 1949. Voir art. *série*). *Exemple :* la série des *Variations pour piano* de Webern, qui est même réversible à la fois dans le sens direct et dans le sens rétrogradé.

**Gammes à intervalles limités.** Certaines gammes doivent leur particularité à l'absence de certains intervalles, comme l'échelonnement répétant trois fois dans l'octave la suite des intervalles 3/2 tons 1/2 ton (représentation numérique des intervalles : 31 31 31, représentation numérique des sons : 22 22 22). Cet échelonnement, qui figure souvent dans la musique contemporaine, ne contient aucun des intervalles d'un ton, de trois tons ou de cinq tons.

**Gammes à transpositions limitées.** Ainsi dénommés par Olivier Messiaen (*Technique de mon langage musical*, Paris 1944), les 15 échelonnements à transpositions limitées contiennent plusieurs fois la même figuration d'intervalles à l'intérieur de l'octave, en sorte que les transpositions chromatiques successives retombent sur l'ensemble des mêmes sons au moment où l on retrouve cette même figuration d'intervalles, c'est-à-dire tous les quatre demi-tons par exemple pour l'échelonnement qui vient d'être cité. Autre exemple ne comportant également que quatre transpositions enharmoniquement différentes : l'échelonnement ayant pour nombre représentatif des intervalles 211 211 211 et pour nombre représentatif des sons 31 31 31, tel *do do♯ ré mi fa fa♯ sol♯ la si b*, qui est courant chez Bartók et chez Messiaen. Voir également l'autre exemple donné plus loin à propos des gammes à équilibre intrinsèque, qui ne comporte que trois transpositions enharmoniquement distinctes.

**Gammes symétriques à elles-mêmes, gammes asymétriques :** 95 échelonnements comportent une même succession d'intervalles en montant comme en descendant depuis l'axe de symétrie, qui passe soit par un son médian (le *ré* dans l'échelonnement diatonique sans armure), soit entre deux sons (entre *mi* et *fa* dans la gamme heptatonique par quintes successives *do ré mi fa sol la*). Les 256 autres échelonnements sont asymétriques et peuvent par conséquent être associés deux par deux, chacun comportant respectivement les mêmes intervalles successifs en montant qu'un autre en descendant. Ainsi la gamme mineure harmonique *do ré mi b fa sol! la b si do* a pour relatif par symétrie autour de l'intervalle *ré mi* la gamme *sol la b si do ré mi fa sol*, que l'on trouve dans la musique classique sous la forme *do ré mi fa sol la b si do*, dite de la gamme majeure à terminaison mineure.

**Gammes sans quintes :** 30 échelonnements sont dépourvus de quintes, tous constitués de tout ou partie de l'un ou l'autre des quatre échelonnements fondamentaux suivants : 1° celui par tons entiers (*do ré mi fa♯ sol♯ la♯* par exemple) que Debussy a mis en honneur ; 2° celui dit de septième diminuée (*do mi b fa♯ la* par exemple) ; 3° celui qui procède par cinq demi-tons conjoints (*si do ré b mi bb fa bb* par exemple) que l'on trouve chez Bartók ; 4° celui qui a pour nombre représentatif des sons 31 15 11 (*si do ré b mi b la* par exemple.

**Gammes à quintes neutres :** 55 échelonnements comportent des quintes dépourvues de médiantes majeures ou mineures. Ils sont tous constitués de tout ou partie de l'un ou l'autre des trois échelonnements fondamentaux suivants : 1° celui qui a pour nombre représentatif des intervalles 4 11 411, ou pour nombre représentatif sons 33 33, comme *do ré b mi bb fa♯ sol la b* (Bartók, Messiaen) ; 2° celui qui a pour nombre représentatif des intervalles 6 11 11 11 ou pour nombre représentatif des sons 75, comme *do ré b sol sol♯ la la♯ si* (Bartók, Webern, Jolivet) ; 3° celui qui a pour nombre représentatif des intervalles 5 11 3 11 et pour nombre représentatif des sons 34 32, comme *do ré b fa b sol la b si* (Jolivet).

**Gammes par quintes successives :** il en existe 11, autant que de quintes successives depuis *do sol, do ré sol, do ré sol la* etc. jusqu'à la gamme des douze sons. Les six premières sont considérées comme typiques de l'évolution de nombreuses musiques primitives et exotiques (Jacques Chailley, *Formation et transformations du langage musical*). Celles de 5 et de 6 sons se retrouvent souvent dans les œuvres de Debussy, de Stravinsky, de Bartók, de Prokofiev etc.

**Gammes d'accords parfaits :** 268 échelonnements contiennent au moins un accord parfait.

**Classification des gammes par leur potentiel attractif** (voir art. *potentiel*). **Gammes à pôle tonique.** Il s'agit des 121 échelonnements dont l'un des sons constitutifs dépasse en potentiel attractif les onze autres sons possibles. Exemple : *do do♯ ré ré♯ mi♮ fa♯ sol♯ la si*, où *do♯* est le seul son constitutif se trouvant à la

I. *Stravinsky.* Petrouchka.

fois en relations d'affinités de quinte et de glissement avec quatre autres des sons constitutifs : *fa♯* et *sol♯* d'une part, *do* et *ré* d'autre part, et qui précisément s'équilibre sur ce son le plus chargé de potentiel attractif, dans le passage suivant extrait de *Trois mouvements de Petrouchka* de Stravinsky (Ed. russes de musique, Berlin 1922) :

Il s'agit d'ailleurs d'une des gammes que l'on rencontre le plus souvent dans la musique contemporaine (Voir les exemples tirés d'œuvres de Debussy et de Bartók à l'art. *mode*, ceux de Debussy, Ravel, Stravinsky, Bartók, Schönberg, Prokofiev, Messiaen, Jolivet, Dutilleux etc. dans les paragraphes 301 à 365 de *Disci-*

pline générale des harmo-
nies musicales de Costère,
Bibl. de la Sorbonne, Paris
1948). *Gammes à équilibre
intrinsèque.* Dans 33 échelonnements, le potentiel
attractif mis en œuvre se
répartit au contraire également sur tous les sons
constitutifs. E x e m p l e :
*do ré b ré ♯ mi fa ♯ sol la
si b* où tous les sons
constitutifs ont le même
potentiel attractif, chacun
n'étant en relations d'affinités naturelles qu'avec
deux des autres sons
constitutifs. C'est une des
gammes à transpositions
limitées les plus cou-
rantes de la musique
contemporaine, signalée
d'autre part comme parti-
culièrement instable (voir
art. *instabilité*), et généralement employée à ce
titre et en raison de son
absence de polarisation
naturelle comme élément
de transition, tel l'exemple
suivant extrait de la *Suite
op. 14* de Bartók (Universal Edition, Vienne 1914).
*Gammes à accord parfait
tonique.* Dans 126 éche-
lonnements, le potentiel
attractif de l'un des accords
parfaits constitutifs dé-
passe celui de tous les
autres accords parfaits
constitutifs. Exemple : la
gamme *do ré mi fa sol
la b si*, que les traités
d'harmonie signalent par-
fois comme gamme majeure
à la finale mineure, et
dont *do mi sol* constitue
l'accord parfait le plus
dense.
*Gammes stables, gammes
instables.* 295 échelonne-

B. Bartók. Suite, p. 14.

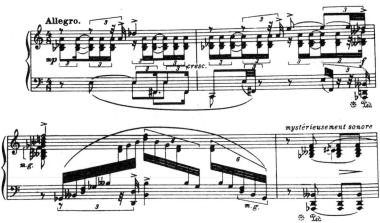

Scriabine. Sonate nº 7.

ments ont un potentiel attractif supérieur à la
moyenne (voir art. *stabilité*), en sorte qu'ils tendent
à se refermer sur leurs propres sons. Parmi eux,
59 demeurent stables quelle qu'en soit la présentation. Les 56 autres échelonnements ont un potentiel
attractif inférieur à la moyenne (voir art. *instabilité*),
en sorte que leur tendance est de se résoudre sur
des sons extrinsèques. Parmi eux, 15 demeurent instables quelle qu'en soit la présentation. La 7ᵉ sonate
pour piano de Scriabine (Ed. russes de musique,
Londres), par exemple, joue constamment de l'alternance de ces deux sortes de gammes formant de
vastes cadences par opposition de l'instable et du
stable, où se succèdent notamment l'échelonnement
des sons *do ré b mi fa ♯ la si b*, qui est instable, et
l'échelonnement des sons *ré fa sol b la b si bb* qui
est stable.
*Gammes transpositrices.* 135 échelonnements ont une
densité totale inférieure au potentiel attractif de certaines
de leurs transpositions vers lesquelles elles tendent et
qui à leur tour sont promues au même dynamisme fonctionnel. Ainsi les sept sons de la gamme usuelle du
mineur diatonique ascendant telle *la si do ré mi fa ♯
sol* — forment un échelonnement instable qui tend tout
particulièrement vers ses transpositions à la quinte
supérieure ou inférieure.                                    E.C.

**GAMME** (*Théorie physique*). Cet article ne peut être
parfaitement compris qu'à condition de connaître les

éléments de base sur la *fréquence* et la *hauteur* des sons,
qui sont analysés dans les articles correspondants. —
1. Les musiciens ont admis une fois pour toutes, depuis
la plus haute antiquité, qu'ils n'utilisaient pas toutes
les hauteurs de sons possibles, mais seulement un nombre
limité et parfaitement défini : leur ensemble constitue
les notes de musique. Cette limitation du nombre des
hauteurs utilisées est justifiée d'une part, par des considérations pratiques (difficulté de concevoir et de construire des instruments susceptibles de donner un nombre
illimité, ou même très grand, de hauteurs), d'autre part,
par des considérations physiologiques basées sur les
3 propriétés suivantes de l'oreille : a) la sensation de
hauteur qui varie, en principe avec la fréquence, ne
change en fait que si cette fréquence subit une variation
(augmentation ou diminution) *finie*; b) quand l'oreille
perçoit une succession de sons de hauteurs différentes
(mélodie), elle est sensible aux fréquences relatives de
ces sons, bien plus qu'aux fréquences absolues ; c) quand
l'oreille perçoit simultanément plusieurs sons de hauteurs
différentes (accord), elle est bien plus sensible à leurs
fréquences relatives qu'à leurs fréquences absolues. — On
doit noter que les résultats d'acoustique physiologique
énoncés ci-dessus, ne sont pas d'une très grande précision :
là sensibilité de l'oreille aux variations de hauteur,
change dans d'importantes proportions suivant les
conditions d'écoute ; cette incertitude dans les résultats,
à laquelle il convient d'ajouter les variations très notables
de sensibilité avec les individus, a été remarquée depuis

fort longtemps par les musiciens. Elle a conduit à envisager l'utilisation d'un plus ou moins grand nombre de notes, suivant les époques et suivant les pays. La discussion reste ouverte et le restera encore sans doute longtemps. La musique occidentale semble (mis à part les notions de musique concrète et certains emplois fugitifs assez rares), s'en tenir aux notes dont l'ensemble constitue les gammes classiques.

— 2. On appelle gamme, l'ensemble des notes de musique comprises entre 2 notes dont les fréquences sont dans le rapport de 1 à 2. Il semblerait *a priori* que le choix des fréquences utilisées pour constituer ces notes, peut être quelconque ; il n'en est rien. Néanmoins ce choix, s'il est soumis à un certain nombre de règles, est suffisamment arbitraire, puisqu'il existe plusieurs gammes, chacune correspondant à une succession de fréquences différente. Leur comparaison permet de comprendre pourquoi elles ont été conçues et pourquoi il en existe plusieurs.

— 3. La gamme utilisée actuellement en musique est constituée par les notes dont les fréquences s'obtiennent à partir d'une fréquence de référence (qui est celle du *la 3* : 440), par multiplication par le facteur $\sqrt[12]{2^n}$, en prenant les valeurs entières... — 3, — 2, — 1, 0, 1, 2, 3,... Entre 2 notes dont les fréquences sont dans le rapport 1 à 2, il y a donc 12 notes (si l'on compte une des notes de base) : la gamme ainsi obtenue s'appelle *gamme chromatique bien tempérée*. Les musiciens utilisent 10 gammes successives, exactement 121 notes, de l'*ut 1* (16) à l'*ut 9* (16.700). Leur ensemble couvre à peu près complètement l'ensemble des sons audibles de l'extrême grave à l'extrême aigu. Quels sont les avantages et les inconvénients que présente la gamme chromatique tempérée ? *Avantages* : a. elle résout parfaitement le problème si important en musique de la *transposition* ; b. elle donne un échelonnement régulier de sons. *Inconvénients* : elle n'est parfaite ni au point de vue mélodique, ni au point de vue harmonique. C'est parce que les deux problèmes, transposition et qualités mélodique et harmonique paraissent, dans l'état actuel de l'acoustique physiologique, *scientifiquement inconciliables* que plusieurs types de gammes ont été adoptées, aucune d'elles ne pouvant donner entièrement satisfaction. On sait que c'est sous l'influence d'une œuvre magistrale de J.-S. Bach, « *Le clavecin bien tempéré* », qu'une entente à peu près unanime s'est faite sur la gamme chromatique bien tempérée, qui n'est qu'une approximation des gammes harmonique et mélodique, mais une approximation pratique et commode. On doit dire cependant que son caractère musical a soulevé d'assez vives critiques : n'appelait-on pas des « loups » certains accords de cette gamme qui paraissaient, suivant l'expression de l'époque, « s'être donné rendez-vous pour hurler ? » Comment la gamme chromatique tempérée résout-elle les 3 problèmes fondamentaux énumérés — transposition, — échelonnement régulier des sons, — qualités mélodique et harmonique ? C'est ce qui va être examiné ci-dessous.

— 4. *Transposition*. La transposition est un des phénomènes primaires de la musique, en ce sens qu'elle a été certainement remarquée antérieurement à toute considération théorique sur les sons. On sait qu'on ne change pas fondamentalement une mélodie, ou tout au moins qu'on donne l'impression du *même air*, si l'on utilise une succession de notes différentes mais pareillement échelonnées. En fait, pour qu'il y ait transposition parfaite, il est nécessaire que les fréquences des nouvelles notes utilisées soient proportionnelles à celles des notes composant la mélodie primitive. La transposition non seulement sert dans l'accompagnement de la musique chantée, mais aussi, sous le nom de modulation, elle est devenue un moyen essentiel et puissant de la musique jouée. La définition même des notes de la gamme chromatique bien tempérée, rend le problème de la transposition particulièrement simple puisque pour transposer un air il suffit de décaler chacune de ses notes d'un même nombre de notes, leurs fréquences étant proportionnelles :

la gamme chr.b.t. se suffit à elle-même, toutes les transpositions possibles pouvant s'effectuer sans introduction de notes nouvelles.

— 5. *Échelonnement régulier des notes*. C'est une propriété physiologique de l'oreille que les notes dont les rapports de fréquences sont constants, sont séparées par une même différence de hauteur. Dans l'article *hauteur*, il est précisé que deux notes dont le rapport des fréquences est égal à deux, sont séparées par une hauteur d'une octave ou de 300 savarts. Deux notes de la gamme chromatique bien tempérée sont donc séparées par une différence de hauteur de $\dfrac{300}{12} = 25$ savarts : cet écart s'appelle le demi-ton bien tempéré (le ton bien tempéré est égal à 50 savarts). Les notes de la gamme chr.b.t. sont donc très régulièrement échelonnées et se succèdent par demi-tons égaux.

— 6. *Qualité harmonique et mélodique des sons*. Il est évident que l'emploi successif ou simultané de deux ou plusieurs notes produit à l'oreille une impression qui dépend essentiellement des notes utilisées : cette remarque est évidemment la base même de tout l'art musical. Elle a conduit les physiciens et les musiciens à classer les différentes impressions produites à l'oreille par un ensemble de plusieurs, et d'abord de deux notes. On sait aujourd'hui que la note émise par un instrument de musique est, en général, composée d'une fréquence fondamentale et de fréquences harmoniques (voir article « Fréquence fondamentale ») : on conçoit donc que les notes dont les fréquences fondamentales sont rigoureusement égales à l'une des fréquences harmoniques d'une note donnée possèdent avec cette dernière une affinité particulière ; on conçoit aussi que cette affinité, cette parenté, est d'autant plus étroite que les deux notes ont le plus grand nombre d'harmoniques communs. Ceci explique pourquoi deux notes dont les fréquences fondamentales sont dans le rapport 2, et qui ont donc un harmonique sur deux de commun, donnent à l'oreille une impression voisine de la similitude : l'intervalle musical (rapport des fréquences) qui sépare ces deux notes, prend le nom d'octave. Il est à remarquer que, dans toutes les gammes, les notes séparées par une octave portent le même nom. Lorsque l'intervalle musical de deux notes n'est pas égal à deux, mais à une fraction simple, ces notes « se marient » convenablement entre elles et constituent ce qu'on appelle des sons consonnants (intervalle de quinte 3/2, intervalle de quarte 4/3, intervalle de tierce 5/4, intervalle de sixte 5/3, intervalle de tierce mineure 6/5, intervalle de sixte mineure 8/5). Les sons consonnants (sous certaines réserves) ont la propriété de donner à l'oreille une impression de calme, de repos, de fini. Les autres sons, dont le rapport des fréquences s'exprime par une fraction plus compliquée, constituent les sons dissonants : ils paraissent à l'écoute ne pas se suffire à eux-mêmes et donnent à l'oreille une impression d'attente, d'indéfini ; on dit qu'ils sont portés à se *résoudre* vers des sons consonnants (remarque curieuse : l'intervalle de quarte nettement consonant quand il est employé mélodiquement, présente le caractère d'une dissonance quand il est utilisé harmoniquement). En bref, on peut dire que, sur la base des impressions fournies par les musiciens, les physiciens ont établi la loi suivante : un intervalle est d'autant plus consonant que le rapport des fréquences composantes est réductible à une fraction plus simple. Encore est-il nécessaire de savoir avec quelle précision cette loi est valable. L'acoustique physiologique donne la réponse à cette question : *le caractère consonant ou dissonant d'une association de sons persiste lorsque le rapport des fréquences de ces sons est non pas égal mais voisin d'une fraction simple ou relativement simple*. L'oreille toutefois n'est pas dupe entièrement de cette approximation : les musiciens ont donné le nom de *dureté* à l'impression particulière qu'ils ressentent lorsque le rapport des fréquences n'est pas rigoureusement égal à une fraction simple : plus un accord est *dur*, moins il est satisfaisant à l'oreille. Le tableau suivant donne une idée de la dureté, exprimée en savarts, des accords donnés par les notes de la gamme chromatique bien tempérée :

| Intervalle tempéré | Sa valeur en savarts | Intervalle théorique le plus voisin | Sa valeur en savarts | Dureté de l'accord tempéré en savarts |
|---|---|---|---|---|
| ut-sol | 175 | quinte 3/2 | 176 | 1 |
| ut-fa | 125 | quarte 4/3 | 125 | 0 |
| ut-mi | 100 | tierce 5/4 | 97 | 3 |
| ut-la | 225 | sixte 5/3 | 222 | 3 |
| ut-ré | 50 | seconde 9/8 | 51 | 1 |
| ut-si | 275 | septième 15/8 | 273 | 2 |

Les accords tempérés de quinte et de quarte sont donc extrêmement satisfaisants ; au contraire, ceux de sixte et de tierce possèdent une dureté qui n'est pas négligeable, d'où le nom de « loups » que leur ont donné certains acousticiens du XVIIIe s. Les résultats qui viennent d'être donnés permettent de démontrer très facilement l'incompatibilité mathématique des notions de transposition et de consonnance. L'existence des gammes de Pythagore et de Zarlin en constitue une nouvelle démonstration.

— 7. *Gamme de Pythagore.* C'est une gamme engendrée par quintes successives ; il est commode d'en représenter la suite des intervalles par la série 2/3, 1, 3/2, 9/4, 27/8, 81/16, 243/32. Ramenée dans la même octave, on obtient la séquence qui définit classiquement la gamme de Pythagore qui avait alors 7 notes : 1, 9/8, 81/64, 4/3, 3/2, 27/16, 243/128. — a. Exprimés en savarts, les écarts des notes deux à deux, sont égaux à : 51 — 51 — 23 — 51 — 51 — 51 — 23, au lieu de 25 pour les écarts des notes de la gamme chromatique tempérée. On constate : — d'une part, que cet échelonnement n'est pas constant, ce qui n'est pas grave du point de vue musical ; — d'autre part, que cet échelonnement fait intervenir deux écarts 51 (le ton Pythagoricien), et 23 (le limma Pythagoricien), ce qui complique considérablement la transposition. — b. Si l'on appelle T le ton Pythagoricien et t le limma, la gamme de Pythagore est constituée par la suite des intervalles TTtTTTt, si l'on prend comme première note (ou *tonique*) la note ut. Pour transposer la gamme en *ut*, il faut trouver une suite de notes présentant la même série d'intervalles avec une tonique différente ; on constate facilement que :
1) on ne peut transposer la gamme d'*ut* en gamme de *fa* qu'à condition de substituer à la note *si* une nouvelle note de fréquence inférieure, telle que l'intervalle qui la sépare du *la* sera t et du *ut*, T ; effectuer cette substitution s'appelle *bémoliser* la note *si* : en fait la transposition n'est possible qu'à condition de créer une nouvelle note, le *si bémol* ; 2) on ne peut effectuer la transposition en gamme de *sol* qu'à condition de substituer à la note *fa* une *nouvelle note* de fréquence supérieure qui prend le nom de *fa dièse.* — En prenant comme toniques successives toutes les notes de la gamme, on est amené à introduire 6 nouvelles notes : *ut dièse, ré dièse, fa dièse, sol dièse, la dièse* et *si bémol.* On voit immédiatement que la note diésée a une hauteur supérieure de 28 savarts (51-23) à la note de base : cet intervalle de 28 savarts s'appelle l'*apotome pythagoricien.* Les 13 notes ainsi introduites sont mal échelonnées : l'écart de 5 savarts (1 comma) qui sépare le *la dièse* du *si bémol* est déjà gênant en soi ; mais surtout, cela conduit, si l'on veut prendre comme tonique une des notes créées, par exemple *ut dièse* ou *ré dièse*, à introduire de nouvelles notes intermédiaires, dites doublement diésées ou doublement bémolisées. Et ainsi de suite. Les complications qui en résultent ont conduit à abandonner cette gamme, d'autant plus qu'elle présentait ailleurs de graves défauts. — c. Le tableau suivant donne en effet les qualités harmoniques et mélodiques de la gamme de Pythagore. Il montre que les accords consonnants *ut-mi* et *ut-la* sont particulièrement médiocres.

| Intervalle pythagoricien | Sa valeur en savarts | Intervalle théorique le plus voisin | Sa valeur en savarts | Dureté de l'accord pythagoricien en savarts |
|---|---|---|---|---|
| ut-sol | 176 | quinte 3/2 | 176 | 0 |
| ut-fa | 125 | quarte 4/3 | 125 | 0 |
| ut-mi | 102 | tierce 5/4 | 97 | 5 |
| ut-la | 227 | sixte 5/3 | 222 | 5 |
| ut-ré | 51 | seconde 9/8 | 51 | 0 |
| ut-si | 278 | septième 15/8 | 273 | 5 |

— 8. *La gamme de Zarlin.* Elle est fondée sur l'existence d'un accord particulièrement consonnant de 3 notes, dit *accord parfait majeur* ; c'est celui donné par des notes dont les rapports des fréquences sont 1, 3/2 et 5/4. Dans cette gamme, les trois accords *ut, mi, sol — sol, si, ré et fa, la, ut*, sont des accords parfaits majeurs. On en déduit facilement que la gamme de Zarlin est caractérisée par la succession des intervalles suivants : 1, 9/8, 5/4, 4/3, 3/2, 5/3, 15/8 et 2. — 1. Exprimés en savarts, les écarts des notes 2 à 2 sont égaux à 51, 46, 28, 51, 46, 51, 28. Cet échelonnement fait intervenir 3 intervalles différents, le ton majeur de Zarlin (51), le ton mineur (46) et le demi-ton (28), qui n'est la moitié ni du ton majeur, ni du ton mineur. 2. La théorie de la transposition, avec la gamme de Zarlin, est extrêmement complexe. 3. Le tableau suivant donne les qualités harmoniques et mélodiques de certains accords.

| Intervalle de Zarlin | Sa valeur en savarts | Intervalle théorique le plus voisin | Sa valeur en savarts | Dureté de l'accord de Zarlin |
|---|---|---|---|---|
| ré-la   40/27 | 170 | quinte 3/2 | 176 | 6 |
| ré-fa   32/27 | 71 | tierce min. 6/5 | 78 | 7 |
| fa-ré   27/16 | 226 | sixte 5/3 | 222 | 4 |
| la-ré   27/20 | 130 | quarte 4/3 | 125 | 5 |

On constate que si les accords obtenus à partir de la note *ut* sont, par définition, sans dureté aucune, il n'en est pas de même des accords obtenus à partir de la note *ré*, dont certains, et non des moindres, quinte et quarte, sont extrêmement médiocres.
Ces remarques ne condamnent pas musicalement la gamme de Zarlin, mais imposent des servitudes d'emploi extrêmement gênantes pour le compositeur.

— 9. C'est précisément ces servitudes d'emploi qui ont joué en faveur de la gamme chromatique bien tempérée. En pratique, les notes données par les différents instruments s'écartent plus ou moins des notes théoriques : on peut dire qu'il est aussi impossible de jouer juste que d'entendre juste. Très vraisemblablement, dans l'orchestre symphonique, chaque exécutant joue suivant sa gamme propre et l'oreille n'y trouve aucun déplaisir. Dans ces conditions, les considérations théoriques, sur le choix de la gamme, s'effacent devant les avantages que donnent les facilités d'écriture : en dépit de certaines audaces, notamment la confusion des dièses et des bémols, la gamme à 12 notes est tellement entrée, de nos jours, dans la vie des compositeurs, des exécutants, des facteurs d'instruments, des musicographes, des auditeurs, elle est à la source de tant d'œuvres à une époque caractérisée par le développement extraordinaire de l'art musical, que l'on peut affirmer sans hésitation que, même si un jour elle doit être abandonnée, elle aura joué un rôle ineffaçable dans l'histoire de l'art : elle a certainement eu un effet simplificateur dans l'esprit des musiciens, elle les a libérés des soucis matériels que pouvait présenter une composition avec des gammes de 45 ou 53 notes et elle a certainement favorisé l'éclosion d'œuvres de génie.                                    J.M.

**GAN.** C'est le nom commun des cloches repliées, en fer forgé, dans les pays de langue *fon* ou *goun*, au Dahomey ; combiné avec d'autres noms, il désigne différentes sortes de cloches, simples ou doubles, de dimensions variables.
G.R.

**GANASSI** *(Gannassi)* **Alfonso.** Mus. ital. du XVIᵉ s., fils du Bolonais *Vincenzo G.*, qui fut instrumentiste à *S. Petronio* de Bologne (1595) ; on trouve de ses madrigaux dans des recueils publiés à Venise en 1559 et 1586.

**GANASSI** *(Gannassi)* **Giacomo.** Mus. ital., né à Trévise à la fin du XVIᵉ s., franciscain, qui fut préfet de la musique à St-François de Belluno (1625–34) et à *S. Maria Asyliensis* ; la bibl. du *Lic. Martini* de Bologne conserve de lui 3 recueils de messes ou de vêpres (4-10 v., Venise 1625, 1634, 1637).

**GANASSI Giacomo.** Mus. ital., né à Trévise au début du XVIIᵉ s., franciscain, qui fut maître de chapelle à l'église Ste-Marie de sa ville natale ; on a conservé de lui un recueil de vêpres (4 v., Venise 1637).

**GANASSI Silvestro di.** Mus. ital., né à Fontego près de Venise v. 1492, qui fut instrumentiste à St-Marc de Venise ; il fut notamment le professeur de Roberto Strozzi ; il imprima lui-même 2 traités de sa composition, d'une grande importance pour la connaissance de la pratique instrumentale : *La Fontegara* (Venise 1535), la plus ancienne méthode de flûte à bec après celle de S. Virdung, et *La regola rubertina* (2 parties, 1542–43), méthode pour la famille des violes, aussi bien celle à 6 cordes que celle à 4 et 5, qui contient des *ricercari*, témoignages uniques de tablature italienne pour l'instrument ; les 2 méthodes (reproduites en fac-similé en 1924 et 1934) enseignent les moyens de transcrire la musique polyphonique pour ces instruments. Voir E. Albini, *La viola da gamba in Italia*, ds *RMI*, 1921 ; M.W. Riley, *XVIth cent. string pedagogy*, ds *JAMS*, 1953.

**GANCHE Édouard.** Musicologue franç. (Baulon 13.10.1880–Paris 31.5.1945). Médecin, élève de l'org. Imbert, de Romain Rolland, d'Henry Expert, il fonda en 1911 la *Société Frédéric Chopin* ; la collection qu'il rassembla est aujourd'hui en Russie ; il publia *La vie de Chopin dans son œuvre* (Paris 1909), *F. Chopin, sa vie et ses œuvres* (préface de Saint-Saëns, Paris 1913, 1949), *Dans le souvenir de Frédéric Chopin* (ibid. 1921), *Voyages avec F. Chopin* (ibid. 1934), *F.C. et la Pologne...* (ibid. 1921), une étude historique sur 3 mss de Chopin (av. Cortot, *ibid.* 1932), *Souffrance de F.C., essai de médecine et de psychologie* (ibid. 1935) ; il édita les œuvres de Chopin (*The Oxford original edition of F.C. ...*, OUP, Londres-New-York 1928), traduisit le *Chopin* de Jachimecki (Paris 1928) et collabora au nᵒ spécial de la R.M. sur Chopin, avec son art. *La vie musicale de F.C. à Paris* (déc. 1931).

**GAND.** Famille de luthiers franç. du XIXᵉ s., dont – *Charles-François* (Versailles 1787–Paris 1845), dit *G. père*, élève de N. Lupot, auquel il succéda en 1824, renommé pour ses violons, qui travailla pour la chapelle du roi et le cons. Ses fils – *Charles-Adolphe* (Paris 1812–1866) et *Charles-Nicolas-Eugène* (Paris 1825–1892), dits *G. frères*, fusionnèrent en 1866 avec *Bernardel frères*. Voir C. Pierre, *Les facteurs d'instr. de mus.*, 1893 ; R. Vannes, *Dic. univ. des luthiers*, 1951.

**GANDI.** C'est un phonoxyle fait d'une poutre suspendue (1,73 × 0,10 × 0,05 m. env.) et frappée ; c'est un instrument de monastère (Tibet). Les textes anciens précisent que le *g.* est un instrument de bois pour lequel on doit employer une essence déterminée et qu'on doit le faire résonner quatre fois par jour (lever et coucher du soleil, repas, toilette).
C.M.-D.

**GANDINI Antonio.** Compos. ital. (Modène 20.8.1786–Formigine 10.9.1842). Condisciple de Rossini au *Lic. mus.* de Bologne, il fut maître de chapelle de la cour à Modène et dirigea le théâtre ducal ; il écrivit des opéras : *Erminia* (1818), *Ruggiero* (1820), *Antigona* (1824), *Il disertore* (1826), des cantates de circonstance. Son fils – **Alessandro** (Modène 1807–17.12.1871) lui succéda comme maître de chapelle de la cour ; il écrivit des opéras : *Demetrio* (1827), *Zaïra* (1829), *Isabella di Lara* (1830), *Maria di Brabante* (1833), *Adelaide di Borgogna...* (1841), des cantates, de la mus. d'église et vocale ; après sa mort, on publia sa *Cronistoria dei teatri di Modena dal 1539 al 1871* (3 vol. 1873, appendice 1883).

**GANDO.** Famille d'imprimeurs et de fondeurs de caractères suisse ; ne nous intéressent ici que **Nicolas** (Genève, début du XVIIIᵉ s.–Paris v. 1767) et son fils **Pierre-François** (Genève 1733–Paris 1800) : le premier, élève de son oncle *Jean-Louis*, échangea en 1736 son imprimerie de Genève contre celle de son oncle à Paris (« au cloître St-Julien le Pauvre près de la rue Galande »), s'associa avec Claude Lamesle (1758) et avec son propre fils *Pierre-François* (1760) et s'occupa notamment à perfectionner les caractères pour l'impression de la musique ; les deux sont surtout connus pour leur véhémente diatribe contre P.-S. Fournier (voir ce nom) et son *Traité* et la défense de la famille Ballard, qu'ils rendirent publiques dans leurs *Observations sur le Traité historique et critique de Monsieur Fournier Jeune...* (Paris, Berne 1766). Voir V. Fédorov ds MGG.

**GANDOLFI Riccardo.** Compos. ital. (Voghera 16.2.1839–Florence 5.2.1920). Élève des cons. de Florence et de Naples, membre de l'Académie Cherubini et du conseil de l'Institut musical de Florence, bibliothécaire de cet institut (1889), il écrivit 4 opéras : *Aldina* (1863), *Il Paggio* (1865), *Il conte di Monreale* (1872), *Caterina di Guisa (id.)*, de la mus. d'église dont 1 *Requiem* et 2 messes etc. ; il publia *Rapporti della poesia con la musica melodrammatica* (1868), *Appunti intorno all'arpa, intorno all'oboe, intorno all'organo* (1887), ainsi qu'un grand nombre d'autres articles dans des périodiques. Voir son art. nécrologique, rédigé par A. Bonaventura ds les *Actes* de l'Académie Cherubini, LV, 1929.

**GANGAN.** Voir art. *gongon*.

**GANGANA.** C'est une cloche de fer oblongue, frappée extérieurement avec un bâton, utilisée par les Dogon (Afrique, Soudan).
M.A.

**GANGLING.** C'est une trompe en cuivre, utilisée par les Mongols des Urdus, qui la désignent aussi par le terme *gangdan*.
M.H.

**GANKA.** C'est un tambour à deux membranes, utilisé chez les Mandara (Afrique, Cameroun septentrional).
M.A.

**GANKOGUI.** C'est une double-cloche, de fer, frappée à l'extérieur avec un bâton de bois dur, utilisée par les Ewe (Afrique, Ghana). Les deux cloches, de taille inégale, sont soudées par le sommet à une tige métallique qui sert de manche ; elles produisent deux sons clairs, dont l'intervalle, qui varie d'un instrument à l'autre, va de la tierce à l'octave. Le *g.*, qui joue un rôle important dans les orchestres de danse, est également instrument de rituels.
M.A.

**GANNE Louis.** Chef d'orch. et compos. franç. (Buxières-les-Mines 5.4.1862–Paris 13.7.1923). Élève du cons. de Paris (Th. Dubois et César Franck), il fit une carrière de compositeur pour le théâtre de variétés ; on lui doit des op.-com. et opérettes : *Rabelais* (1892), *Les colles des femmes* (1893), *Les saltimbanques* (1899), *Hans le joueur de flûte* (1906), *Rhodope* (1910), *Cocorico* (1915), *La belle de Paris* (1921), 6 ballets, des marches (dont la célèbre *Marche lorraine*, 1892), des airs à succès (*Le Père la Victoire*).

**GANTEZ Annibal.** Mus. franç. (Marseille...–Auxerre ? ap. 1668). Chanoine « semi-prébendier » de St-Étienne d'Auxerre, prieur de la Madeleine, il fut dir. de maîtrise à Aigues-Mortes, Aix-en-Provence, Arles, Aurillac, Auxerre, Avignon, Carpentras, Grenoble, La Châtre, Le Havre, Marseille, Montauban, Nevers, Toulon, Valence, Paris (SS.-Innocents, St-Jacques de l'Hôpital, St-Paul) ; en 1665, il était maître de chapelle du duc Charles IV de Lorraine à Nancy ; on connaît de lui des airs (perdus), 2 messes à 4 v. (1641), 1 chanson à boire *Patapatapan* (3 v., 1661) ; c'est surtout par ses mémoires qu'il a survécu : intitulés *L'entretien des musiciens* (Auxerre 1643, rééd. par E. Thoinan, Paris 1878), ils sont rédigés sous forme de lettres et concernent la

Une leçon de Chant dans un Pensionnat de Demoiselles.

# MÉTHODE COMPLÈTE DE CHANT

Dédiée à son Élève, Mademoiselle

## Clotilde Coreldi

Prima Donna des Théâtres I. & R. de Milan et de Naples,

PAR

## ALEXIS DE GARAUDÉ,

Professeur de Chant à l'Ecole Royale de Musique, de la Chapelle du Roi, &.ª

Œuv. 40.                                                                 Prix 40.ᶠ

La PREMIÈRE PARTIE se vend séparement 24.ᶠ Elle contient tous les PRÉCEPTES DE L'ART DU CHANT ET DE LA VOCALISATION, 20 LEÇONS OU VOCALISES ÉLÉMENTAIRES avec Accompagnement de PIANO, pour servir d'Étude particulière sur les divers embellissemens du Chant, &.ª

La SECONDE et la TROISIÈME PARTIE réunies se vendent séparement 24.ᶠ Elles contiennent 25 grandes VOCALISES ou MORCEAUX DE CHANT SANS PAROLES, de tous les styles et caractères, selon l'École moderne Italienne, avec Accompagnement de Piano, LA MANIÈRE D'ORNER UN MORCEAU DE CHANT, et 5 VOCALISES, destinés à servir d'Exercices à cet égard.

N.ª Cette MÉTHODE et les SOLFÉGES du même Auteur, sont en usage dans les principaux Conservatoires d'Italie et de France.

A PARIS, Rue de Clery N.º 27, Chez M.ʳ VAILLANT, Editeur des divers Ouvrages de M.ʳ A. DE GARAUDÉ, et Chez les principaux M.ᵈˢ de Musique de France et des Pays Etrangers.

A. de GARAUDÉ

*Page de titre.*

plupart des musiciens de son temps. Voir D. Launay n MGG.

**GANZ Adolf.** Pian. et compos. allem. (Mayence 14.10. 1796–Londres 11.1.1870), qui appartint à la chapelle de la cour du grand-duc de Hesse-Darmstadt et écrivit pour le piano. Son fils – **Eduard** (Mayence 29.4.1827– Berlin 26.11.1869) fut également pian. et fonda une école de musique à Berlin ; son autre fils – **Wilhelm** (Mayence 6.11.1833–Londres... 9.1914) accompagna Jenny Lind, organisa des concerts symph. dans lesquels il diffusa Berlioz et Liszt (1897) et enseigna à la *Guildhall School of music* à Londres ; il publia ses mémoires (1913). Le frère d'Adolf – **Leopold** (Mayence 28.11.1810–Berlin 15.6.1869) fut violon. à la cour de Prusse ; leur autre frère – **Moritz** (Mayence 13.9.1806–Berlin 22.1.1868) fut vcelliste, exerça au théâtre de Mayence, puis à la chapelle de la cour de Berlin (1827) ; il joua au concert qui fut donné à Bonn pour inaugurer la statue de Beethoven (1845) ; il composa des concertos, des ouvertures et de la mus. de chambre.

**GANZ Rudolph.** Pian. amér. d'origine suisse (Zurich 24.2.1877–). Il apprit le vcelle et, à Berlin, le piano et la composition près de Busoni et de H. Urban ; il débuta en 1899 comme soliste avec l'Orch. philh. de Berlin ; de 1901 à 1905, il fut prof. au collège de musique de Chicago ; il fit ensuite une carrière de virtuose aux États-Unis ; de 1921 à 1925, il dirigea l'Orch. symph. de Saint-Louis, de 1928 à 1954, le même collège de musique de Chicago ; il a composé notamment 1 symph., 1 *Konzertstück*, des pièces de piano, plus de 200 mélodies.

**GAOS Andrés.** Violon. et compos. esp. du XIXe s., né à La Corogne ; enfant prodige, élève du cons. de Madrid, d'Isaye, de Govaert, prof. au cons. de Buenos-Aires, il écrivit 1 opéra, 2 symph., de la mus. de chambre, des mélodies etc.

**GAOUK** *(Gauk)* **Alexandre Vasilievitch.** Chef d'orch. et compos. russe (Odessa 15.8.1893–). Élève de N. Tchérepnine, de Blumenfeld, de Vitol et de Glazounov au conserv. de Pétrograd (1917), il a été, à partir de 1920, chef d'orch., puis 1er chef d'orch. des ballets du Grand Opéra de Léningrad, à partir de 1927, prof. au cons. et, à partir de 1930, dir. artistique et 1er chef d'orch. de la philharmonie de la même ville ; il s'est fixé à Moscou en 1934 (orch. symph. de la radiodiffusion, orch. symph. d'État), a passé les années de guerre à Tbilisi (chef d'orch. et prof. au cons.), dirige actuellement l'orch. de la radiodiffusion et enseigne au cons. de Moscou ; il a écrit des œuvres symph., de mus. de chambre, des mélodies.

**GARAGULY Karoly.** Chef d'orch. et violoniste hongrois (Budapest 28.12.1900–). Élève d'Hubay (1907–1908), d'H. Marteau et de Max Trapp (1914–16), co-répétiteur de l'Orch. philharm. de Berlin (1917), chef d'orch. à Göteborg (1923), naturalisé suédois (1930), il fonde (1940) le quatuor qui porte son nom ; depuis 1942, il est le chef de l'Orch. royal de Suède.

**GARAT Pierre-Jean.** Chanteur franç. (Ustaritz 25.4.1764– Paris 1.3.1823). Baryton-ténor, élève de F. Beck, dir. de l'orch. du Grand-Théâtre de Bordeaux, il se fixa à Paris en 1782, célèbre pour son talent d'imitation ; en janv. 1783, il eut un triomphe au palais de Versailles, devant la reine Marie-Antoinette ; il fut nommé secrétaire du comte d'Artois, et la reine lui donna une pension ; il se perfectionna en prenant les leçons de B. Mengozzi ; arrêté en 1792 à Rouen, il fut libéré, s'exila ; il rentra à Paris sous le Directoire et retrouva sa célébrité ; sous la Restauration, il fut nommé prof. au cons. ; il aimait Gluck et Mozart (il créa à Paris *Don Juan*) ; parmi ses élèves, citons Nourrit, Levasseur, Garaudé, Ponchard, la Branchu ; il composa des romances. Voir I. de Fagoaga, *P.G.* ..., Bayonne 1944 ; P. Lafond, *G.*, Paris 1899.

**GARAUDÉ Alexis-Adélaïde-Gabriel de.** Chanteur franç. (Nancy 21.3.1779–Paris 23.3.1852). Élève de Cambini, de Reicha, de Crescentini, de Garat, il entra en 1808 à la chapelle impériale (royale après la Restauration, qu'il dut quitter en 1830) ; il fut prof. au cons. de Paris à partir de 1816 ; il composa des manuels de chant, de

piano, de solfège, d'harmonie, 1 œuvre théâtrale : *La Lyre enchantée*, 1 messe, de la mus. instr. et des romances ; il publia dans *Les tablettes de Polymnie* et *L'Espagne en 1851...* (Paris 1852) ; la RM de 1831 a publié deux de ses lettres à Fétis. Son fils – **Alexis-Albert-Gauthier** (Paris 27.10.1821–Choisy-le-Roi 6.8.1854) entra au cons. de Paris à l'âge de 8 ans ; il fut élève d'Halévy, second grand prix de Rome, accompagnateur à l'Opéra-Comique ; il fit des transcriptions.

**GARAY Narciso.** Compos. et folkloriste panaméen (Panama 1876–1954). Il fit ses études musicales en Colombie et les continua au cons. de Bruxelles et à la *Schola cantorum* de Paris ; sa carrière diplomatique et politique a sans doute nui à son activité musicale ; il est néanmoins l'auteur du livre le plus important d'ethnographie et de folklore musicaux de son pays (*Tradiciones y cantares de Panamá*, Panama 1930), où il étudie en détail les instruments et les genres musicaux des aborigènes panaméens. **D.D.**

**GARAY Luis de.** Mus. esp. (Veteta ?–6.11.1613), qui fut maître de chapelle aux cath. de Cadix, de Tolède (1644), de Grenade (1645) ; Pedrell cite de lui une *tonada*: *Elpeso la noche toda* (3 v., 1665) ; on conserve de ses mss aux cath. de Malaga et de Saragosse.

**GARBIN Edoardo.** Ténor ital. (Padoue 12.3.1865– Brescia 12.4.1943). Élève d'A. Selva, d'Orefice, il débuta en 1891 et fit une carrière intern. ayant notamment créé *Falstaff* (Scala de Milan, 1893).

**GARBOUZOV** *(Garbuzov)* **Nicolaï Alexandrovitch.** Musicologue russe (? 1880–). Élève de Kastalsky et de Korechtchenko, il fut de 1921 à 1931 dir. de l'Institut d'État des sciences musicales (*G.I.M.N.*) ; il est depuis 1923 prof. et dir. du laboratoire d'acoustique musicale au cons. de Moscou ; il a fait de nombreuses recherches concernant cette science aussi bien que la polyphonie populaire et la psychologie de la musique ; il est aussi compos. (mus. symph., de chambre, de piano, mélodies).

**GARBOUZOVA** *(Garbusova)* **Raya.** Vcelliste russe (Tiflis 25.9.1906–). Élève des cons. de Tiflis, de Moscou, d'H. Becker et de P. Casals, elle fait une carrière internationale.

**GARBUSINSKI Kazimierz** Compos. pol. (Opatowiec 25.2.1883–Cracovie 1945). Élève du cons. de Varsovie, il fut org. à Ste-Anne de Cracovie et fonda dans cette ville une société d'oratorios ; il écrivit 5 messes, des cantates, des psaumes, de la mus. d'orgue, chor. et symphonique.

**GARCI FERNANDEZ de JERENA.** Jongleur castillan de la fin du XIVe s., auteur de plusieurs chansons recueillies dans le *Cancionero* de Baena ; il perdit la confiance du roi Jean Ier de Castille, se convertit à l'Islam et mourut à Grenade.

**GARCÍA.** Famille de chanteurs espagnols, dont les membres principaux sont – **1. Manuel** ou *Manuel del Popolo Vicente* (Séville 22.1.1775–Paris 2.6.1832) : fils de Jerónimo Rodríguez et de Mariana Aguilar, ce ténor et compos. adopta le nom de son parrain García qui suppléa à ses parents décédés ; il fut enfant de chœur dans sa ville natale dès l'âge de 6 ans ; il connut le succès comme chanteur et comme compos. à Madrid, où il donna, entre 1800 et 1805, une douzaine de *tonadillas* ; il fit ses débuts à Paris avec la *Griselda* de Paër en 1808, se rendit à Naples en 1812, chanta avec succès à Londres et à Paris entre 1816 et 1825, forma avec sa famille une compagnie d'opéra qui joua à New-York puis au Mexique (1825–1827), et rentra à Paris, où il mourut, après avoir retrouvé le même succès comme chanteur et comme professeur (son fils et ses filles, et le célèbre ténor Adolphe Nourrit, comptèrent parmi ses élèves) ; parmi ses compositions, il faut citer *El poeta calculista* (1805) et *Il califfo di Bagdad* (1812), parmi 22 opéras espagnols, 21 opéras italiens et 8 français, outre des mélodies, des pièces détachées etc. Son fils – **2. Manuel Patricio Rodríguez** (qui reprit le nom de famille véritable) : (Madrid 17.3.1805–Londres 1.7.1906), élève de Fétis (harmonie) et de son père, fut un prof. de chant distingué ; il inventa en 1855 le laryngoscope, qui n'a jamais servi pour l'étude du chant, mais qui est devenu indispensable en tant qu'instrument médical ; il présenta en 1840 son *Mémoire sur la voix humaine*, et publia en 1847 son *Traité complet du chant*, traduit aussitôt en italien, allemand et anglais ; prof. de chant au cons. de Paris (1842), il fut nommé en 1850 à la *Royal Academy* de Londres ; parmi ses élèves figurent son fils Gustave et le soprano Jenny Lind. — **3. María de la Felicidad**: voir art. *Malibrán*. — **4. [Micaela Fernanda] Paulina.** Voir art. *Viardot-García*. — **5. Gustavo:** fils de Manuel Patricio et neveu des deux chanteuses précédentes, il naquit à Milan le 1.2.1837 et mourut à Londres le 12.6.1925 ; prof. de chant, il succéda à son père comme prof. à la *Royal Academy*. — **6. Albert**: baryton, fils du précédent, élève de son père et de Pauline Viardot-García, il naquit le 5.1.1875 à Londres, où il mourut le 10.8. 1946. Voir J.M. Levieu, *The García family*, Londres, 1932 (2e éd. revue sous le titre : *Six sovereigns of song*, Londres, 1948). D.D.

**GARCÍA Francisco Javier.** Voir art. *García Fajer*.

**GARCÍA Juan Francisco.** Compos. dominicain (Santiago de los Caballeros 16. 6.1892). Directeur du cons. nat. de Ciudad Trujillo, il est notamment l'auteur de 3 symphonies. D.D.

**GARCÍA Manuel.** Cistercien esp., guitariste et org., qui vécut dans la seconde moitié du XVIIIe s. ; on dit que c'est lui qui porta à 7 le nombre des cordes de la guitare ; il composa un grand nombre de pièces pour cet instrument notamment des duos, qui n'ont pas bonne réputation, bien qu'elles soient en majeure partie perdues.

M. del Popolo Vicente GARCÍA
*dans le rôle* d'Othello.

**GARCÍA Vicente.** Mus. esp. (Valence 24.1.1593–Tolède 21.5.1650). Il succéda à Comes (1619) comme maître de chapelle de la cath. de Valence ; peut-être eut-il les mêmes fonctions au couvent des religieuses de l'Incarnation à Madrid en 1645, il était maître de chapelle à la cath. de Tolède ; la plupart de ses œuvres ont été perdues ; on trouve à la cath. de Valence 1 hymne à 4 v., 1 *tonada* à 3, à la Bibl. centrale de Barcelone 1 messe à 8 v. et 1 motet, à la cath. de Saragosse 1 *villancico* (4-8 v.), 2 motets au St-Sacrement (*id.*), 1 *Beatus vir* à 12, 1 pièce à 3 chœurs, 1 autre à 8 v., 1 autre à 12, des litanies à 5 ; il publia *Discorso en alavanza de la Música*. Voir S. Jordan, *Adiciones a los libros de varias y diversas cosas*, I.

**GARCÍA ASCOT Rosa.** Pian. esp. (Madrid 1906–), élève de Granados, de Falla, de Turina, qui a composé une suite pour piano et orch. et des pièces de piano.

**GARCÍA CATURLA Alejandro.** Compos. et chef d'orch. cubain (Remedios 1906–1940), élève de Pedro San Juan (La Havane) et de Nadia Boulanger ; sa production, inspirée de la musique afro-cubaine, est abondante et importante ; œuvres symph. (*3 danses cubaines, Bembé, Yamba-O, La rumba* etc.), chor., de chambre, de piano. D.D.

**GARCÍA FAJER Francisco Javier.** Mus. esp. (Nalda 1731–Saragosse 26.2.1809). Élève de L. Serra, il fut ensuite au cons. de la *Pietà* à Naples, exerça à Rome, puis à la cath. de Terni (c'est en Italie qu'on l'appela *Il Spagnoletto* ou encore *Francesco Saverio Garzia*) ; revenu en Espagne en 1756, il fut maître de chapelle à la cath. de Saragosse ; il mourut de la peste ; on lui attribue l'abandon des *villancicos* lors des offices de nuit en Espagne, au profit des répons latins ; les mss de ses œuvres de mus. d'église sont conservés dans les archives des cath. espagnoles ; de ses œuvres en italien, il nous reste 1 oratorio intitulé *Il Tobia* (4 v., ch. et quatuor à cordes, 1752) ; parmi ses opéras, *La pupilla, Pompeo magno in Armenia* (1755). des intermèdes-bouffes : *La finta schiava* (1756), *Lo scultore deluso* (*id.*) : seuls subsistent les livrets. Voir H. Eslava, *Lira sacra hispana*, I.

**GARCÍA LORCA Federico.** Poète-mus. esp. (Fuente-vaqueros 5.6.1898–Viznar 19.8.1936). La première vocation du poète et dramaturge espagnol fut la musique ; en 1922, il organisait avec Falla une *fiesta del cante jondo* à Grenade ; il harmonisa des chants populaires pour L'Argentinita et, dans des conférences, traita de l'histoire de la mus. espagnole ; il était pianiste.

**GARCÍA MANSILLA Eduardo.** Compos. argent in des XIXe-XXe s., élève de Massenet et de Rimsky-Korsakov, qui fut ambassadeur de la République Argentine en Russie ; de ses œuvres citons les opéras *Ivan* et *La angelical Manuelita*.

**GARCÍA MATOS Manuel.** Ethnomusicologue esp. (Placencia 3.1.1912–), élève de J. Sanchez, qui a fondé l'ensemble *Coros extremeños* ; il appartient depuis 1944 à l'Institut espagnol de musicologie (Barcelone) et, depuis 1951, au cons. de Madrid ; il fut l'organisateur du Congrès intern. de folklore, tenu à Majorque en 1952 ; on lui doit *Lírica popular de la alta Extremadura* (1944), *Cancionero popular de la provincia de Madrid* (en collab. avec M. Schneider et J. Romeu, I, 1951, II, 1952), *Cante flamenco-Algunos de sus presuntos orígenes* (*Anuario mus.*, 1950).

**GARCIA MORCILLO Fernando.** Chef d'orch. et compos. esp. (Valdemoro-Madrid 25.2.1916–). Élève du cons. de Madrid, il a fondé un orch. et appartient à la radiodiffusion espagnole ; il est l'auteur de comédies musicales (*La voz amada*, 1943, *Vacaciones forzosas*, 1946, *Las alegres cazadoras*, 1950, *Abracadabra*, 1953, *Una cana al aire*, 1955, *Carambola*, 1957), de mus. de film, de chansons.

**GARCÍA MORILLO Roberto.** Compos. argentin (Buenos-Aires 22.1.1911–). Élève de Julián Aguirre, de Gaeto, de J.J. Castro, d'Yves Nat, il est prof. au cons. nat. et critique mus. du journal *La Nación* dans sa ville natale ; il cherche volontiers son inspiration dans la plastique et la littérature (*Las pinturas negras de Goya*, 1940, *Usher*, 1942) et son écriture témoigne de l'influence combinée de Scriabine et de Stravinsky ; il a écrit pour l'orch., l'orch. de chambre, le piano, de la mus. de film, et publié *Siete músicos europeos* (Moussorgsky, Rimsky etc.), Buenos-Aires 1948) et *Estudios sobre la danza* (*id. ibid.*). D.D.

**GARCÍA ROBLES José.** Pian. et compos. esp. (Olot 28.7.1835–Barcelone 28.1.1910). Élève de F. Vidal à

Reus, de Nogués à Barcelone, il fut prof. au collège Balmes et au service de la famille du comte de Güell, chez qui il organisa des concerts ; il écrivit les opéras *Julio César* (1880), *Garraf*, 4 *cuadritos liricos*, 1 oratorio, 1 *Requiem*, des œuvres symph., chor., de chambre. Voir L. Millet, *J.G.R.*, ds *R.M. cat.*, VII, 1910.

**GARCÍA de LA PARRA Benito.** Compos. esp. (Bargas 23.8.1884–), qui a été prof. d'harmonie et secrétaire du cons. de Madrid, président de la *Sociedad didáctico-musical* ; il a écrit pour l'orch., pour le piano, pour l'église (citons une *Versión coral de 60 cantigas del Rey Alfonso el Sabio*) et publié des traités. Son cousin — **Monico** (Bargas 5.5.1887–) est chef d'orch. et compositeur.

**GARCÍA de VESTRIS Loreto.** Chanteuse esp. (Madrid 10.12.1799–Paris 1866). Elle débuta en 1814 à Madrid, fit une carrière intern., notamment à la *Scala* de Milan et à Paris ; elle était la femme d'un fils de Vestris, compositeur de ballets.

**GARCIN Jules** (dit *Salomon*). Violon. et compos. franç. (Bourges 11.7.1830–Paris 30.10.1896), élève du cons. de Paris, qui appartint à l'orch. de l'Opéra à partir de 1856, à la Société des concerts (1863), fut prof. au conservatoire (1875), 1er chef d'orch. de l'Opéra (1881), de la Société des concerts (1885–92) ; il a laissé 1 concerto de violon, 1 concertino d'alto, d'autres pièces pour son instrument publiées chez Lemoine.

**GARDANE** (*Gardano*). Famille de musiciens, libraires, éditeurs ital. d'origine franç., qui exercèrent à Venise de 1538 à 1685 ; leur marque : lion et ours rampants qui soutiennent une rose au cœur de laquelle est un lis, avec la devise : *Concordes virtute et naturae miraculis*. Ils n'étaient pas qu'éditeurs de musique, mais cette activité était la principale, qui leur valut une sorte de monopole du marché international dans la seconde moitié du XVIe s., avant que la concurrence des Vincenti ne leur dispute ce monopole de fait : les *G.* résisteront 20 ans à cette concurrence. — **Antonio** (en France, 1509–Venise 28.10.1569), le fondateur, était français : jusqu'en 1556, sa maison s'intitula *Gardane* ; après cette date, le nom fut italianisé en *Gardano* ; il se fixa à Venise vers 1537, ouvrit boutique, épousa vers 1539 une sœur de l'éditeur Stefano Bindoni, de laquelle il eut 6 enfants : Alessandro, Angelo, Fra Pacifico, Angelica, Matteo et Lucietta ; musicien, auteur d'au moins 60 madrigaux, de 2 messes, de motets, de *Canzoni francesi*, qui furent publiés en Italie, en France et en Allemagne, il colligeait lui-même les recueils qu'il publiait : le premier en date est probablement *Motetti del frutto Primus lib. cum 5 v.* (sept. 1538) ; jusqu'à sa mort, il édita des partitions sacrées ou profanes de tous les auteurs de l'époque et d'importantes anthologies : *25 Canzoni francese* (1538), *Motetti dal fiore* (1539), *Flos florum, primus liber, cum 4 v.* (1545), *Madrigali de la fama a 4 v.* (1548), *Il 1º libro delle muse a 5 v.* (1559) et *Novi thesauri musici, liber primus et secundus* (1568) ; à sa mort, la raison sociale devint *Li figliuoli di A.G.* ; en 1575, elle ne comportait plus que le seul nom d'**Alessandro**, qui exerça seul jusqu'en 1583 : à cette date, il passa à Rome où, jusqu'à 1591, il publia surtout de la mus. d'église, tout en s'associant avec Francesco Coattino (1587–89) ou exécutant des travaux typographiques pour Tornieri et pour les Donangeli : après quoi il regagna Venise. Son frère, **Angelo** (1540–7.8.1611), avait pendant cette période assumé seul la direction de la maison-mère, publié des tirages à prix bas, sans viser au premier chef la beauté de l'édition, sauf pour les partitions des messes de Porta (1578, format choral, grand in-folio) et une série d'antiphonaires, de graduels et d'offices ; en 1591, il publia l'*Indice delli libri di musica che si trovano nelle stampe di A.G. in Venetia*, qui comporte 350 numéros de mus. profane, d'église et instrumentale (tablatures) ; à partir de 1606, la raison sociale fut *A.G. et fratelli* ; à sa mort, la maison fut l'héritage de sa fille **Diamante** (*l'herede di A.G.*) ; en 1613, son mari, **Bartolomeo Magni**, qui avait déjà travaillé sous les ordres d'Angelo sans en avoir gagné la confiance, assuma directement la responsabilité de la maison : il maintint le vieux nom de la firme : *Stampa del G.* (1618–50), *Stampa del G. appresso B.*

*Magni* (1615–43), *Stampa del G. aere B.M.* (1613–15), *Sub signo G. apud B.M.* (1615–30), *Nella stamperia del G. appresso B.M.* (1628) ; il garda la marque des *G.* et cessa son activité en 1644. C'est sans doute son fils, **Francesco**, qui lui succéda, lequel publia encore des éditions musicales de 1651 à 1681, sous la signature *M.F. detto G.* (1662–71), *Magni Francesco Gardano* (1667–73), *F.M. detto G.*, *Stampa del G.* ; sa dernière publication paraît avoir été *Prima scielta di suonate a 2 e 3 con b.c. di div. virtuosi moderni* (1681). Jusqu'en 1685, des publications parurent encore sous la signature *Stamperia del G.* (tel l'*op.* 8 de Vitali) ; les Magni avaient

A. GARDANE
1er *recueil de motets* (1538).

adopté comme marque une corbeille de fleurs et de fruits ; on a 2 autres catalogues de leurs éditions, l'un de 1619, l'autre de 1649. Voir C. Sartori, *Una dinastia di editori musicali. Documenti inediti sui Gardano e i loro congiunti Bindoni e Raverii*, ds *La bibliofilia*, 1956–*Dizionario degli editori musicali italiani*, Florence 1958.                                                                   C.S.

**GARDE républicaine** (*Musique de la*). Voir art. (*musique*) *militaire* au supplément.

**GARDE Édouard.** Médecin franç. (Paris 5.3.1913–). Chargé de consultation de phoniatrie à l'hôpital Boucicaut (1941–54), puis au centre médical de l'Éducation nationale (1953), membre fondateur de l'Assoc. franç. pour l'étude de la phonation et du langage, président de la Soc. franç. de médecine de la voix et de la parole, lauréat de l'Acad. de médecine (prix Jansen, 1958), prof. à l'école des *speakers* de la R.T.F., maître de conférences au Centre d'enseignement de la R.T.F., membre des jurys de *speakers* et de présentateurs (*id.*), laryngologiste de la maîtrise de la R.T.F. (1951–55), il est l'auteur d'une cinquantaine d'articles sur les maladies de la voix et de la parole (1943–58), de *La voix* (P.U.F. 1954, trad. esp., Buenos-Aires 1958) et de chroniques à *Comœdia* et ds la R.M. (1946–47) ; il a fait un grand nombre de conférences sur la physiologie et la pathologie de la voix et de la parole, notamment à la R.T.F. (« *Pour une esthétique radiophonique* ») ; il est l'auteur de l'art. *phonation* dans le présent ouvrage.

**GARDEL.** Famille de danseurs français — **1. Claude** fut maître de ballet à Mannheim, à Stuttgart et à Metz ; en 1755, il entre au service de Stanislas Leczinsky à la cour de Nancy ; en 1760, il achète la charge de compositeur des ballets de la cour à Paris ; il mourut en 1774 ; sa femme, *Jeanne Darthenay*, dite Mlle Gardel, était comédienne. Son fils — **2. Maximilien**, dit *G. l'aîné* (Mannheim 18.12.1741–Paris 11.3.1787) fut élève de ballet à l'Académie royale de musique en 1755 : ses premiers succès datent de 1760 (*Dardanus* de Rameau) ; il eut sa période la plus brillante autour de 1773, date à laquelle il fut d'ailleurs nommé maître de ballet adjoint, avec Dauberval, en survivance de Vestris ; en 1781, il quitta la scène, mais fut nommé 1er maître de ballet et chorégraphe ; il est l'auteur d'une vingtaine de ballets-pantomimes (1777–86, Favart, Gossec, Grétry, Sacchini etc.), d'une quarantaine de divertissements et d'entrées (Rameau, Dauvergne, Montéclair, Gluck, Sacchini, Piccini, Philidor, Salieri etc.), où il se montre un élève appliqué de Noverre ; il composa 2 chaconnes et peut-être quelques danses. Sa sœur — **3. Marie** (Metz 8.4.1755–?), ballerine, débuta en 1767 à l'Opéra dans *Hippolyte et Aricie* ; dès l'année suivante, on perd sa trace. Leur frère — **4. Pierre-Gabriel** (dit *le jeune*, Nancy 4.2.1758–Paris 18.10.1840) fut également danseur : il débute à l'Opéra en 1771, est 1er danseur noble en 1780, en 1781–82, au *King's Theatre* à Londres avec Noverre, en 1785, danseur de la cour ; l'année précédente, il avait fait ses débuts de chorégraphe dans le *Dardanus* de Sacchini ; en 1787, il succède à son frère comme maître de ballet (titre qu'il gardera trente ans) ; il termina sa carrière par l'enseignement ; ses talents de chorégraphe sont bien plus personnels que ceux de son frère ; il est l'auteur de plus de quarante entrées ou divertissements (Sacchini, Méhul, Gluck, Grétry, Cherubini, Mozart, Lesueur, Spontini, Boïeldieu, Rossini etc.), d'une trentaine de ballets d'action (1788–1818, Gossec, Méhul, Steibelt, Cherubini, Kreutzer etc.) ; il composa 1 chaconne (ms. bibl. du cons. de Paris), 2 menuets et 2 gavottes (Londres 1785) ; il était également violoniste et joua en soliste au Concert spirituel (1781) : les œuvres qu'il écrivit pour son instrument sont perdues.

*cons. de Paris*     P.-G. GARDEL

Sa femme — **5. Marie**, née *Boubert*, dite *M. Miller* (Auxonne 8.4.1770–Paris 18.4.1833), était ballerine ; elle débuta à l'Opéra en 1786 et quitta la scène en 1819. Voir *Nouveau manuel complet de la danse ou traité pratique de Blasis* (Paris 1866) ; M. Briquet in MGG et M. F. Christout ds l'*Enc. dello spettacolo*.

**GARDEN** Mary. Sopr. angl. (Aberdeen 20.2.1877–). Elevée aux États-Unis, elle y apprit l'escrime, le piano, le violon, le chant (Mme Duff) ; à Paris, elle fut l'élève de Mme Marchesi, de Trabadello, de L. Fugère ; c'est elle qui, le 10 avril 1900, fut choisie pour remplacer Marthe Rioton à la création de *Louise* de Charpentier ; en 1902, elle créait Mélisande dans *Pelléas* : c'étaient les débuts d'une carrière désormais triomphale ; c'est encore elle qui créa *La reine Flamette* (Leroux), *La damoiselle élue* (Debussy, 1904), *Chérubin* (Massenet, 1905), *Aphrodite* (Erlanger, 1906), *Salomé* (R. Strauss, 1909) ; elle s'est retirée de la scène en 1931, après une série de triomphes aux États-Unis ; elle a publié ses mémoires (1952). Voir Biancolli, *M.G.'s story*, New-York 1951.

**GARDI** Francesco. Mus. ital. (Venise v. 1760–ap. 1806). Il fut maître de chœur de l'hôpital *dei deleritti* ; durant sa courte existence, il composa plus de 20 opéras, représentés à Venise et à Florence, entre 1787 et 1806, dont *Il nuovo convitato di pietro*, des oratorios (*Abrahami sacrificium*), des cantates.

**GARDINER** William. Musicographe angl. (Leicester 15.3.1770–16.11.1853). (Bonnetier), mélomane, il publia 6 vol. de *Sacred melodies from Haydn, Mozart and*

*Beethoven adapted to the english poets* (1812 *sqq.*) ; il édita la traduction de la *Vie de Haydn* de Stendhal (C. Berry, 1817), celle de Mozart (Schlichtegroll-Brewin, *id.*) ; il publia *The music of nature...* (Londres 1832), *Music and friends...* 3 vol. (*id.* 1838–53), *The universal prayer...* (*id.* 1840), *Sights in Italy...* (1847) ; il est l'auteur de quelques *anthems, glees* et *mélodies* ; il avait écrit à Beethoven en lui offrant 100 guinées et lui commandant une ouverture pour une sorte d'oratorio-pot-pourri intitulé *Judah* (1821) : il n'eut point de réponse ; il était lié avec l'abbé Vogler, qui lui fit voir et lui porta des œuvres nouvelles de Haydn et de Beethoven : c'est par ses soins que le trio *op.* 3 du dernier nommé fut joué en 1re audition en Angleterre ; il était également l'ami de Paganini, de Weber, de la Malibran etc.

**GARDNER** John Linton. Compos. angl. (Manchester 2.3.1917–). Elève de l'école de Sandhurst, du Weddington College, de l'Exeter College à Oxford, maître de musique à la Repton School (1939), assistant à Covent Garden (1946–54), prof. au Morley College (1955), il a écrit un opéra (*The moon and sixpence*, 1954), de la mus. de scène, 2 symph., des variations d'orch., de la mus. de chambre, d'orgue, de chœur, de film, des mélodies etc.

**GARDNER** Samuel. Violon et compos. amér. d'origine russe (Elisabethgrad 25.8. 1891–). Elève de Lœffler, de Winternitz, de F. Kneisel, de P. Goetschius, il a fait une carrière de virtuose et de chef d'orch., enseigné, écrit des œuvres symph., de la mus. de chambre, des mélodies.

**GARGALLO** Luis Vicente. Mus. esp. qui vécut dans la seconde moitié du XVIIe s., succéda à M. Albareda comme maître de chapelle à la cath. de Barcelone : sa biographie n'a pas été précisée davantage à ce jour ; la bibl. de Barcelone conserve de lui 8 pièces à 4-16 v. et des psaumes à 4, nombre de *villancicos* à 8-12 v., 1 messe du 6e ton à 8 v., une autre à 5, 1 messe des défunts à 8 ; les archives de l'église *del Palau* à Barcelone, 1 messe à 8, 2 pièces (6-10), 1 *Requiem* (2 chœurs) ; on trouve d'autres compositions de cet auteur aux cath. de Saragosse (2 *villancicos*) et de Valladolid, dans la bibl. de P. Nemesio Otaño, au *British Museum* (2 mss).

**GARGIULIO** Terenzio. Pian. et compos. ital. (Naples 23.9.1903–). Elève du cons. de Naples, de d'Albert, il a fait carrière comme virtuose et comme prof., écrit de la mus. symph., dont un concerto de piano, de chambre, publié un traité : *Principi razionali della tecnica delle scale*.

**GARIBOLDI** Giuseppe. Fl. et compos. ital. (Macerata 17.3.1833–12.4.1905), qui fut prof. de fl. au cons. de Paris et fit carrière de virtuose et de chef d'orch. ; il écrivit des œuvres pour son instrument, 3 opéras-comiques, des mélodies.

**GARIEL** Eduardo. Pian. et musicologue mexicain (Monterrey 5.8.1860–Tacubaya 15.3.1923). Elève de Marmontel, il joua un grand rôle dans la vie musicale du Mexique, où il termina sa carrière comme dir. de l'école nat. de mus. et d'art théâtral à Mexico (1917) ; il composa pour son instrument et publia 2 solfèges, un traité d'harmonie, un livre sur Chopin (1895), *Causas de la decadencia del arte musical en Mexico* (1896).

**GARLANDE Jean de.** Voir art. *Jean de Garlande.*

**GARNER Errol.** Pian. de jazz amér. (Pittsburgh 15.6. 1921–), qui fait carrière depuis l'âge de 16 ans, est tenu pour grand improvisateur, a fait des tournées en Europe (1948, 1957).

**GARNIER.** Mus. franç. du XVIe s. dont on ne sait rien, mais qui n'a probablement aucun rapport avec un Guillaume Garnerius, lequel faisait carrière en Italie à la fin du XVe s. ; on ne connaît de lui que 2 chansons franç. (Attaingnant, 1540–42) et 1 motet à 4 v. (Gardane, 1539).                                                F.L.

**GARNIER Gabriel.** Org. franç. (?–Paris v. 1730). Fils du peintre de Marie-Thérèse d'Autriche, *Jean G.*, il fut l'élève de N. Lebègue et succéda à son condisciple Jean Lebègue à l'orgue de St-Louis des Invalides, instrument encore inachevé (1684) ; en 1693, il est claveciniste de Monsieur ; en 1702, il succède au même Lebègue à la chapelle royale ; en 1718, il laisse ses deux charges à son gendre Landrin ; époux de Claude Lefebvre, fille du peintre du roi, il fut ami et dédicataire de F. Couperin ; aucune de ses œuvres (orgue) ne nous est parvenue. Son frère – **Louis** (Paris v. 1665–1728) fut org. à St-Roch et à St-Thomas du Louvre.

**GARNIER Joseph.** Mus. franç. (?–? 1.11.1779), qui fut maître de chapelle à la cath. de Strasbourg de 1760 à 1769 (prédécesseur de F. Richter) et maître de musique à Beaune ; sa biographie n'a pas été précisée davantage ; on conserve de lui 14 messes *a cappella* sous le titre *Missae musice elaboratae...*, copiées par F. Pécheux, chantre de St-Étienne de Beauvais (1775, mss bibl. du cons. de Paris et bibl. municipale de Metz), d'autres messes (1766–73, mss chapitres de Beaune et de Strasbourg), 6 motets à grand chœur et avec acc. de htb. et de trompette (Bibl. nat.), toutes œuvres dans lesquelles il se montre le successeur de Mondonville. Voir Ch. Bigarne, *La mus. à N.D. de Beaune*, Beaune 1878 ; N. Vogeleis, *Quellen u. Bausteine zu einer Gesch. x d. M. im Elsass*, Strasbourg 1911.

**GARNIER Joseph-François.** Mus. franç. (Lauris 18.1. 1755–v. 1825). Elève de Sallantin, il fut htboïste à l'orch. de l'Opéra de Paris (1775–1808), à la chapelle royale (1784), soliste au Concert spirituel, prof. au cons. de Paris (1795–97) ; mobilisé, il fut envoyé à Francfort, Rome et Naples ; à son retour, il fonda un orch. d'instr. à vent dans son pays natal ; on a conservé de lui *Six duos concertants p. htb. et v.* (Paris s.d.), 3 concertos pour htb., *Symph. concertante op. 4*, Etudes, caprices pour htb. (*id. ibid.*), *Méthode raisonnée pour le htb...* (*id., ibid.*).

**GARRETA Julio.** Horloger esp. (S. Feliu de Guíxols 12.3.1875–2.12.1925). Mus. autodidacte, il était violon., altiste, pian. ; il fonda un quintette et organisa chez lui un centre de vie musicale, où l'on vit M. Vinyas, Casals : ce dernier le tient pour un « homme génial, d'une profonde intuition », se mit au service de ses œuvres, le joua notamment, à la tête de l'orch., au Théâtre des Champs-Elysées à Paris (1924) ; l'influence de *G.* fut très grande ; il composa près de 80 sardanes, dont *La pubilla, La rondalla, La filla del marxant, Griselda, La donzella de la costa, Zaira, El cant dels ocells, La rosella, Nuri, Boirines, l'aubada, Somni gris, Llicurella, Primavera, Dalt les Gabarres, La pastora enamorada, Isabel, Recordant, Somnis, Juny*, de la mus. symph., dont 1 concerto de violon (1925), de chambre (1 quatuor, 1 sonate de p. et viol., 1 sonate de p. etc.). Voir les art. de H. Bessler, J. Pena, L. Millet, M. Vinyas, J. Pellicer ds *An. Mus.*, 1949, 1930 – *Rev. mus. catalana*, IV, 1925 – *Bibl. la Sardana*, 1926 – le n° spécial de l'*Avi Munné*, S. Feliu, 1925 – art. ds dictionnaire *Labor*.

**GARRIDO Pablo.** Compos. et folkloriste chilien (Valparaiso 26.3.1905–). Autodidacte, il a écrit des œuvres symph., de chambre, 2 ballets, et publié un ouvrage sur la danse nationale du Chili (*Biografia de la cueca*, Santiago de Chile, 1943).                                                D.D.

**GARRIGUES Malvina.** Voir art. *Schnorr v. Carolsfeld.*

**GARRY Dom D.** (*Dominique Della G.*). Compos. de jazz franç. (Paris 23.11.1932–), élève du cons. de Paris, auteur de mus. de film, d'une monographie sur Stan Kenton et d'une anthologie du jazz (1953).

**GARSI Santino** (*S. da Parma* ou *Valdes*). Luthiste ital. (?–Parme... 1.1604), qui fut de 1594 à sa mort au service de la cour des Farnèse à Parme en même temps que C. Merulo ; on a conservé de lui mss 43 pièces pour luth(s) (+ 9 variantes) et des fragments, à la bibl. de Berlin (mss 40.032 et 40.153), à la bibl. royale de Bruxelles (ms II 275) ; son rôle semble avoir été important pour l'évolution de la mélodie accompagnée. Voir H. Osthoff, *Der Lautenist S.G. d.P.*, Leipzig 1926.

**GARTH John.** Mus. angl. (Durham v. 1722–Londres ? 1810), qui fut ami de Ch. Avison, avec qui il publia l'*Estro poetico-armonico* de Marcello (8 vol., Londres 1757) ; on a conservé de lui 30 *Collects* (*ibid.* 1794), 6 concertos de vcelle (*ibid.* 1760), 6 *Voluntarys* pour clavier (*ibid.* v. 1770), une vingtaine de sonates de clav. avec acc. de vr et vcelle (*op.* 2, 4, 5, 6, 7, *ibid.* 1760–80) ; récemment G. Finzi a édité un de ses 6 concertos de vcelle (*op.* 1 n° 2) chez Hinrichsen (*ibid.* 1954).

**GARUGLI** (*Garulli, Garullus*) **Bernardo** (*Bernardinus*). Mus. ital. (Cagli v. 1535–?), qui fut enfant de chœur à Fano, puis, à Venise, élève de Zarlin, enfin *chori moderator* et maître des enfants de la cath. de Fano ; il semble avoir été ecclésiastique ; on a conservé de lui 1 livre de *Modulationes* à 5 v. (Venise 1562), 4 pièces à 5 v. ds des recueils de l'époque, 3 mss à Trévise. Voir R. Paolucci, *La capp. mus. d. duomo di Fano*, ds *Note d'arch.*, III, 1926.

**GARULLI Alfonso.** Ténor ital. (Bologne 2.12.1866– 22.5.1915), qui fit une brillante carrière d'opéra de 1881 à 1903. Sa femme — **Tina Bendazzi-Secchi** (Naples 1866–?) fut également chanteuse. Leur fils — **Valdo** (Rome 28.11.1888–) est compos. : élève de C. Perinello, il a écrit de la mus. symph., d'église, de chambre, des mélodies.

**GARZI Pietro Francesco.** Mus. ital. (Florence v. 1600– Vienne...2.1641). Ténor, il fut au service des empereurs Ferdinand II et Ferdinand III ; il nous reste de lui 1 livre de madrigaux et de *canzonette* à 2-5 v. (Venise 1629) et un certain nombre de mss conservés aux bibl. de Kremsmünster, de l'univ. d'Upsal, au *British Museum*.

**GAS José.** Mus. esp. (?–Barcelone 1743), qui fut maître de chapelle à la cath. de Gérone (1711–1735) et à Ste-Marie *del mare* à Barcelone ; il composa un grand nombre de pièces de mus. d'église à 5, 10, 12 et 15 v., conservées à la Bibl. centrale de Barcelone.

**GASANOV Gotfrid Alievitch.** Compos. caucasien (Daguestan) (Derbent 1.5.1908–). Elève de Barinova (piano) au cons. de Léningrad (1926), l'un des premiers compositeurs à se servir du folklore de son pays, auteur de l'opéra *Khotchbar* (1937–1939), de mus. de scène, d'1 concerto de piano (1948), d'1 oratorio (1943), d'1 cantate à Staline (1950), d'œuvres voc. surtout, il dirige depuis 1945 l'ensemble choral et chorégraphique du Daguestan, la section musicale du théâtre de Konmyk et professe au cons. de Makhatchkala.

**GASCO Alberto.** Compos. et critique ital. (Naples 3.10.1879–Rome 11.7.1938). Elève de R. Terziani, de d'Indy, il collabora à divers périodiques, notamment à la *Tribuna* (1911), fut académicien de Florence et de Rome, appartint à la direction des Beaux-Arts, fut dir. artistique de l'*E.I.A.R.* à Rome (1924) ; il écrivit des pièces symph., 1 oratorio, de la mus. de chambre, 1 opéra : *La leggenda delle sette torri* (1913) ; il s'inspirait communément d'œuvres de Giorgione, de Carpaccio, de Dante-Gabriel Rossetti ; un recueil de ses articles a paru sous le titre *Da Cimarosa a Stravinsky* (Rome 1939). Voir G. Orsini, *Vangelo di un mascagnano*, Milan 1926 ; G. Graziosi ds l'*Encicl. dello spettaccolo.*

**GASCONGNE Mathieu.** Mus. franç. du début du XVIᵉ s., prêtre du diocèse de Cambrai, appelé comme témoin en 1518 à la visite faite par A. de Longueval à la maison des enfants de chœur de la Sainte-Chapelle du Palais ; il fut sans doute un moment au service de François Iᵉʳ, qu'il célébra dans plusieurs motets ; on a de lui 7 messes à 4 v., une vingtaine de motets et environ 15 chansons à 3 et 4 v. dans divers recueils mss et imprimés (principalement par Antico et Attaingnant); Zarlino le cite parmi les *buoni antichi* aux côtés de Josquin et de Mouton ; sa messe *Pourquoi non* (sur une chanson de P. de La Rue) vient d'être enregistrée (Club franç. du disque). Voir F. Lesure in MGG.

**GASCUÉ** *(Gaskué)* **Francisco.** Musicologue esp. (St-Sébastien 4.10.1848-11.3.1920). Ingénieur, il se voua à la mus. populaire basque ; ses hypothèses sur le rythme 5/8 du *zortzico* donnèrent lieu à des controverses passionnées : il l'expliquait par une mauvaise transcription d'une mesure à 6/8 ; il publia notamment *Paginas eúskaras – la opera vascongada* (St-Sébastien 1906), *La mús. pop. vascongada* (id. *ibid.*), *Historia de la sonata* (*ibid.* 1910), *El compás que brado del zortzico* (ds *Rev. mus.* de Bilbao, févr.-mars 1911), *El aurresku basque* (S.I.M., sept.-oct. 1912), *Origen de la mús. pop. vascongada* (Rev. intern. des études basques, VII, 1913), *El aurresku en Guipúzcoa a fines del s. XVIII seg. Iszueta* (St-Sébastien 1916), *La simetría y el compás de 5/8* (id. *ibid.*), *Influencia de la mús. árabe en la mús. castellana* (Bilbao 1917), *Homero y la mús.* (Madrid *id.*), *Las gamas célticas y las melodías pop. eúskaras* (Madrid 1919), *Materiales para el estudio del folklore mus. vasco* (St-Sébastien 1920). Voir J.A. de Donostia, *Dos zortzikos del s. XVIII en 5/8,* ds Rev. intern. des études basques, 1928 – *Más sobre la escritura del z. en cinco por ocho* (*ibid.* 1935).

**GASPAR VAN WEERBEKE.** Voir art. *Weerbeke.*

**GASPARI Gaetano.** Musicologue et compos. ital. (Bologne 14.3.1807-30.3.1881). Élève de Donelli au Lic. mus. de Bologne, il fut chef de la mus. à Cento (1828-36), puis maître de chapelle à Imola ; il devint l'assistant de Donelli au même *Lic. mus.,* où il fut également bibliothécaire à partir de 1855 ; on le trouve maître de chapelle à S. *Petronio* à partir de 1857 ; il

M. GASCONGNE

Kyrie de la messe « en satenzin » (ms. 3 Cambrai).

écrivit notamment de la mus. d'église et des chœurs d'enfants, ainsi que quelques traités: mais c'est surtout par son activité de bibliothécaire du *Liceo* et par ses travaux musicologiques que la postérité le retient : *La mus. in Bologna* (Gaz. mus. de Milan, 1858), *Ricerche, documenti e memorie risguardanti la storia dell'arte mus. in Bologna* (Bologne 1867-68), *Dei musicisti bolognesi del XVI s. ...* (Imola), *Continuazione delle memorie...* (*ibid.* 1875), *Dei musicisti bolognesi nella seconda metà del s. XVI* (Modène 1877), *Continuazione e fine delle memorie...* (*ibid.* 1872), *Dei musicisti bolognesi nel s. XVII* (*ibid.* 1878), *Ragguagli sulla capp. mus. della bas. di S. Petronio...* (Bologne 1869), *La mus. in S. Petronio* (*ibid.* 1870) ; restent 2 mss : *Zibaldone musicale* et *Di ordinamenti e riforme convenevoli al progresso artistico e morale dell'Accad. filarm.* (Bologne). Voir E. Parisini, *Elogio funebre del prof. G.G.*, Bologne 1882.

**GASPARINI Francesco.** Mus. ital. (Camajore 5.3.1668–Rome 22.3.1727). Elève de Pasquini et de Corelli, il débuta à Rome au *Teatro della pace* avec son opéra *Roderico* en 1694 ; en 1700, il est maître de chœur à la *Pietà* de Venise, poste qu'il garda jusqu'en 1713 : c'est de cette période que date son traité *L'armonico pratico al cimbalo* (Venise 1708, Bologne 1713), manuel de réalisation de la b.c., qui eut un succès immense et fut 6 fois réédité en un siècle ; il existe un autre ouvrage didactique de lui en ms., sous le titre *Li principii della composizione* : ce sont des modèles, sans commentaires ; il dut être un très grand professeur, puisque B. Marcello, son élève, ne cessa de prendre des conseils près de lui, même par correspondance ; on croit d'ailleurs qu'il eut également comme élève Domenico Scarlatti ; il fut élu académicien de la *Filarm.* de Bologne ; de 1703 à 1713, il eut de grands succès au théâtre S. Cassien : ses librettistes préférés furent Silvani, Zeno, Pariati ; en 1713, il quitta et ses fonctions et Venise : pendant 4 ans, il voyage en Italie, peut-être aussi en Allemagne ; en 1717, il est à Rome maître de *S. Lorenzo in Lucina* (il s'intitule également serviteur du prince Borghèse), en 1725, à St-Jean de Latran ; son mauvais état de santé l'empêcha le plus souvent de remplir sa charge ; parmi ses compositions, notons plus de 10 *intermezzi* dont la musique ne nous est pas parvenue.

**Œuvres** : opéras : *Roderico* (1694), *Gerone tiranno di Siracusa* (1700), *Tiberio imperatore d'Oriente* (1702), *Gli imenei stabiliti dal caso* (1703), *Il miglior d'ogni amor per il peggior d'ogni odio* (id.), *Il più fedel fra i vassalli* (1704), *La fede tradita e vendicata* (id.), *La maschera levata al vitio* (id.), *Ambleto* (1705), *Statira* (id.), *Il Principato custodito dalla frode* (id.), *Fredegonda* (id.), *Antioco* (id.), *Flavio Anicio Olibrio* (1707), *Taican re della Cina* (id.), *L'amor generoso* (id.), *Anfitrione* (id.), *Engelberta* (1708), *Sesostri re d'Egitto* (1709), *La ninfa Apollo* (id.), *Atenaide* (id.), *Alciade* (id.), *La principessa fedele* (id.), *Tamerlano* (1710), *L'amor tirannico* (id.), *Merope* (1711), *Costantino* (id.), *La verità nell'inganno* (1713), *Eumene* (1714), *Lucio Papirio* (id.), *Amor vince l'odio* (1715), *Il Tartaro nella Cina* (id.), *Il comando non inteso ed ubbidito* (id.), *Ciro* (1716), *Teodosio* (id.), *Il Trace in catena* (1717), *Pirro* (id.), *Il gran Cid* (id.), *Democrito* (1718), *Lucio Vero* (1719), *Astianatte* (id.), *Faramondo* (1720), *La pace fra Seleuco e Tolomeo* (id.), *Gli equivoci d'amore e d'innocenza* (1723), *Dorinda* (id.) — Motets : *Cara mater salvatoris* (ds Recueil de motets de Chr. Ballard, III, 1722), *Dicite fontes*, *Hyems rapitur*, *Tonent in alto* et *Alba surge* (2 v., 2 viol. et basse), *Alma redemptoris* (s. avec instr.), *Regina caeli* (id.), *Confitebor* (3 v., id.), *Dixit Dominus* (4 v., id.), *Veni Sancte Spiritus* (3 v., b.c.), 6 à 5 v. (en mss à Oxford) — Cantates : *12 cantate da camera a v. sola* (op. 1, Lucques 1697) ; ds Eitner, on trouve cités 33 mss de cantates à 1 v. et b.c. ; *Notte oscure*, *serenata a due v. con istr.* (ms.) — madrigaux à 5 v. (ms.) — Mus. instr. : *Sinf. a 2 v. concertini, 2 v. ripieni, ten. e b.c.*, *Sinf. del opera seconda di S. Cessano a 3-4*, Sonates pour clavecin ou orgue, *A collection of several excellent overturas* (Londres), 6 trios pour 2 v. et vc. (id.).

**Bibl.** : B. Marcello, *Estro poetico-armonico*, I, Venise 1724 ; J. Mattheson, *Grundlage einer Ehrenpforte*, Hambourg 1740 (éd. Schneider 1910) ; L. Nerici, *Storia della musica in Lucca*, Lucques 1879 ; T. Wiel, *I teatri mus. e veneziani del settecento*, Venise 1897 ; E. Celani, *Il primo amore di P. Metastasio* (M. avait failli épouser la fille de G.), ds *RMI*, XI, 1904 ; M. Fehr, *A. Zeno u. seine Reform des Operntextes* ; M. Pincherle, *A. Vivaldi et la mus. instr.*, Paris 1948 ; A. Loewenberg ds dict. Grove, M. Ruhnke in MGG et N. Pirrotta ds *Enc. dello spettacolo*.

Son frère présumé — **Michelangelo** (Lucques ...–Venise v. 1732) fut chanteur et maître de chant ; il fut probablement élève (à Venise) de Lotti ; en 1690, il est au service du prince Altieri ; en 1695, on donne à Venise son 1er opéra, après quoi il continue sa carrière de chanteur ; citons parmi ses élèves Faustina Bordoni-Hasse ; il écrivit des opéras : *Il principe salvaggio* (1695), *Rodomonte sdegnato* (1714), *Pallade triunfante* (id.), *Arsace* (1718), *Il lamano* (1719), *Il più fedel tra gli amici* (1724) ; on connaît encore de lui *Santa Vittoria* (oratorio, 4 v., 2 v., alto et b.c.), 20 *arie*, 4 *duetti da camera*, 1 cantate (alto et b.c.).

**GASPARINI Jole.** Compos. ital. (Gênes 4.3.1882–), élève de son père (Angelo) et de Perosio-Falconi, auteur

Titel zu Francesco Gasparini. L'Armonico pratico, Bologna 1713.

F. GASPARINI
*Titre de* L'armonico pratico.

de 7 opéras ou opérettes, de 3 messes, de mus. symph., de p., de romances.

**GASPARINI Luigi di Giuseppe.** Vcelliste ital. (Bergame 26.1.1891–), élève de Pezzotta et d'H. Becker (Berlin), qui fait une carrière internationale.

**GASPARINI Quirino.** Vcelliste ital. (Bergame 1720–Turin 11.10.1778). Elève du P. Martini, maître de chapelle à la cour (1749–70), puis à la cath. de Turin (1776), membre de l'*Accad. filarm.* de Bologne (1751), il est l'auteur de quelques opéras, dont *Artaserse* (1756), *Mitridate* (1767, Bibl. nat. de Paris – le livret, qui est de V.A. Cigna-Santi, servit également à Mozart), d'1 *Stabat mater* à 2 v., avec vcelle et b.c. (dédié à Maximilien de Bavière), de motets, dont 1 *Adoramus te* à 4 v. faussement attribué à Mozart, que l'avait copié de sa main (K. 327), et 1 *Plangam dolorem meum*, de trios, entre autres œuvres de mus. instr. ; on trouve de ses mss à Bologne, à Modène, à Bruxelles. Voir ds *Gregorius-Blatt*, avr.-mai 1922 ; *Musica d'oggi*, Milan 1931 ; F. Raugel, ds *Rev. de mus.*, XIII, id.

**GASPARO da SALÒ** (*Bertolotti*). Luthier ital. (Salò 20.5.1540–Brescia 14.4.1609), qui construisit des violes (y compris basses et contrebasses) et des vcelles ; Fétis dit qu'il fut le maître d'Andrea Amati ; il se fixa à Brescia, d'où la plupart de ses instruments sont datés (1560–1609). Voir A. Mucchi, *G. d. S. ...*, Milan 1940.

**GASPERINI Guido.** Musicologue ital. (Florence 7.6.1865–Naples 20.2.1942). Elève de J. Sbolci (vcelle), de G. Tacchinardi, prof. d'hist. de la mus. et bibliothécaire au cons. de Parme (1902), fondateur-président de l'*Assoc. d. musicologi ital.* (1908–42), conservateur de la bibl. du cons. de Naples (1924), il composa de la mus. de chambre, de ballet, de vcelle, de chant, publia *Storia della musica*

(Florence 1899), *Dell'arte di interpretare la scrittura vocale del Cinquecento* (ibid. 1902), *Storia della semiografia mus.* (Milan 1905), *G. Frescobaldi* (Ferrare 1908), *Il reale cons. di mus. in Parma* (Parme 1913), *I caratteri peculiari del melodramma ital.* (id. ibid.), *Le sonanti fucine dell'arte* (ibid. 1923), *Cenno necrologico in mem. d. M. Mistrali* (id. ibid.), des art. sur C. Merulo et O. Bassani (*Aurea Parma*, IV, 1920), S. Garsi et A. Falconieri (*Arch. stor. ...*, XXII, Parme 1923) ; il dirigea le *Catalogo generale delle musiche antiche esistenti nelle biblioteche d'Italia* (ibid. 1911 sqq.).

**GASPERINI Auguste de.** Critique franç. (Paris 1823–20.4.1868). D'abord médecin, il fut ensuite chroniqueur de *La Nation*, *La liberté*, du *Figaro* (1861–67) ; il collabora à divers périodiques et fonda, avec L. Leroy, *L'esprit nouveau* (1864) ; c'est l'un des premiers wagnériens français ; il publia *De l'art dans ses rapports avec le milieu social* (Paris 1850), *La nouvelle Allemagne musicale – Richard Wagner* (ibid. 1866), *Almanach des musiciens de l'avenir* (ibid. 1867). Voir *Wagner et la France*, ds RM, oct. 1923.

**GASQUE José.** Compos. esp. (Murcie 4.6.1831–29.10.1859). Flûtiste, enfant prodige, il fut ensuite ecclésiastique et maître de chapelle à la cath. de Murcie (1857) ; il composa 2 symph., quantité de mus. d'église conservée aux archives de cette même cath. (notamment 2 messes).

**GASSE Ferdinand.** Compos. et violon. franç. d'origine ital. (Naples...3.1788–Paris apr. 1840). Élève de Baillot, de Kreutzer, de Gossec au cons. de Paris, grand prix de Rome (1805), violon. à l'orch. de l'Opéra, il écrivit 4 opéras : *La finta Zingara* (Naples 1812), *Le voyage incognito* (Paris 1819), *L'idiote* (1820), *Une nuit de Gustave Wasa* (1825), à quoi il faut ajouter des œuvres pour son instr., de la mus. d'église et une méthode de violon.

**GASSENHAUER** *(Gassenlied)*. C'est un terme qui date du XVIe s. et désigne, surtout à partir du XVIIIe s., des chansons (ou danses) des villes de caractère licencieux et à grand succès ; ce terme a été remplacé peu à peu, et définitivement au XXe s., par celui de *Schlager* ; une étude attentive de ces chansons serait utile pour l'histoire de l'évolution du goût populaire pour la musique. Voir K. Gudewill ds M G G.

**GASSIER Edouard.** Baryton franç. (? 1820–La Havane 1872), qui débuta à l'Opéra de Paris en 1845, fit carrière en Espagne, au Théâtre italien de Paris, à Londres, à Moscou, et se retira à La Havane (1871). Sa femme *Josefa Fernández* (Bilbao 1821–Madrid 8.11.1866) était soprano : elle débuta en 1846 et partagea la carrière de son mari entre 1849 et 1866.

**GASSMANN Florian Leopold.** Mus. austro-tchèque (Brüx 3.5.1729–Vienne 20.1.1774). Elève (viol., harpe et chant) de J. Voboril maître de chœur à Brüx, il quitta sa famille avant 1745, pour gagner d'abord Karlsbad, puis l'Italie ; à Bologne, il est l'élève du P. Martini, à Venise au service des Veneri (selon la tradition) ; il fut probablement (av. 1757) chef de chœur au Cons. féminin des incurables de Venise ; de 1757 à 1762, il donne tous les ans un opéra pour le carnaval de la même ville ; en 1763, il se fixe à Vienne, où il succède à Gluck comme compos. de ballets ; en 1764, il y est compos. de la chambre, en 1772 *Hofkapellmeister* ; en 1766 et 1769–70 il séjourna de nouveau en Italie, à Venise et à Rome : c'est pendant son premier séjour qu'il eut Salieri pour élève et qu'il décida de le mener à Vienne avec lui ; en 1771, il avait participé à la fondation de la *Musikalische Sozietät der Witwen u. Waisen*, dont il fut le vice-président l'année d'après ; la réorganisation de la chapelle de la cour devait retenir tous ses soins ; il eut beaucoup d'influence tant par ses compositions, par lesquelles il ranima la tradition, que par son action (la fondation de la société précitée a été l'origine des concerts périodiques) ; son zèle à réorganiser les archives musicales impériales eut des conséquences durables ; on lui doit les opéras : *Merope* (Venise 1757), *Issipile* (ibid. 1758), *Gli uccellatori* (ibid. 1759), *Filosofia ed amore*

(ibid. 1760), *Catone in Utica* (ibid. 1761), *Un pazzo ne fà cento* (ibid. 1762), *L'Olimpiade* (Vienne 1764), *Il trionfo d'amore* (1765), *Achille in Sciro* (Venise 1766), *Il viaggiatore ridicolo* (Vienne 1766). L'*amore artigiano* (1767), *Amore e Psiche* (id.), *La notte critica* (1768), *L'opera seria* (1769), *Ezio* (Rome 1770), *La contessina* (Mährisch-Neustadt id.), *Il filosofo inamorato* (1771), *Le pescatrici* (id.), *I rovinati* (1772), *La casa di campagna* (1773), *Arcifanfano...* (1778), 2 cantates : *Amore e Venere* (1768) et *L'amor timido*, de la mus. d'église (5 messes, 1 *Requiem*, des vêpres, 3 hymnes, 2 antiennes etc.), 1 oratorio : *La Betulia liberata* (1772), 56 symphonies, 27 quatuors, 12 quintettes, 13 trios, 47 *divertimenti*, 38 fugues (3 et 4), 1 *notturno*, 6 menuets pour grand orch. De sa femme, *Barbara Damm*, il eut deux filles, toutes deux chanteuses, élèves de Frieberth et de Salieri, qui exercèrent au théâtre de Vienne : *Maria-Anna* (Vienne 1771–27.8.1852), épouse du musicien de la cour Peter Fux, et *Therese-Maria* (Vienne 1.4.1774–8.9.1837), la meilleure musicienne des deux, amie de Haydn, épouse de J.K. Rosenbaum, secrétaire du prince Esterhazy. Voir G. Donath et R. Haas, *F.L.G. als Op.-Komp.*, ds *Stud. z. Mw.*, Vienne 1914 ; F. Kosch, *F.L.G. als Kirch.-Komp.*, ibid. 1927 ; K.M. Komma in MGG et W. Bollert ds l'*Encicl. dello spettacolo.*

**GASSNER Ferdinand Simon.** Compos. et musicographe autr. (Vienne 6.1.1798–Karlsruhe 25.2.1851). Violon. à la cour de Karlsruhe (1816), *Korrepetitor* au théâtre de Mayence, dir. de musique à l'univ. de Giessen (1818), prof. de chant et chef de chœur au théâtre et à la chapelle de la cour de Karlsruhe (1826), il est l'auteur de quelques opéras, ballets, cantates ; il publia *Partiturkenntnis...* (Karlsruhe 1838, 1842, éd. à Paris en 1851 sous le titre *Traité de la partition*), *Dirigent u. Ripienist* (ibid. 1844), un appendice au supplément de l'*Universallexikon d. Tonkunst de Schilling* (1842), un abrégé du même ouvrage (Stuttgart 1849) ; il édita également, de 1822 à 1835, un calendrier musical pour Mayence et assuma la rédaction de la *Zeitsch. f. Deutschl. Musikvereine u. Dilettanten* (Karlsruhe 1841–45).

**GASTINEL Léon-Gustave-Cyprien.** Compos. franç. (Villers-les-Pots 13.8.1823–Fresnes-les-Rungis 20.10.1906), élève d'Halévy au cons. de Paris, prix de Rome (1846), qui fut violon. à l'orch. de l'Opéra-Comique (1840), puis altiste à la Société des concerts, auteur de 10 opéras ou opérettes, de ballets, d'un grand nombre d'œuvres de mus. instr. (inédites), de mus. de piano, de 2 cantates, de 7 oratorios, de mus. d'église.

**GASTOLDI Giovanni Giacomo.** Mus. ital. (Caravaggio...–? 1622). Chanteur à la cour de Mantoue (1581), maître de chapelle à l'église ducale de *Santa Barbara* dans la même ville (1582), maître de chapelle à la cath. de Milan (1609), il collabora à Mantoue avec Monteverdi et Pallavicino, notamment pour *L'idropica* de Guarini, pour laquelle composèrent également C. et G.C. Monteverdi, S. Rossi, Monco et P. Biat (Mantoue, 2 juin 1608) ; il publia *Canzoni a 5 v.* (Venise 1581), *Il primo libro di madrigali a 5 v.* (ibid. 1588), *Il secondo libro...* (ibid. 1589), *Balletti a 5 v.* (ibid. 1591 – 10 éd. à Venise, 6 à Anvers, 2 à Nuremberg, 1 à Paris chez Ballard, 1614, 2 à Amsterdam), *Il primo libro di madrigali a 6 v.* (Venise 1592), *Canzonette a 3 v.* (id. ibid.), *Balletti a 3 v.* (ibid. 1594, puis Nuremberg, puis Anvers, puis Amsterdam), *Canzonette a 3 v., lib. II* (Mantoue 1595, 1598, Milan 1615), *Il terzo libro di madrigali a 5 v.* (Venise 1598), *Il quarto libro...* (ibid. 1602), *Concenti musicali con le anime a 8 v.* (ibid. 1604), *Canzonette a 3 v., lib. III* (Milan 1595, Venise 1597), *Canzonette a 3 v., lib. IV* (Milan 1596, Venise 1597) ; mus. d'église : *Sacrae laudi...* (1587), *Psalmi ad vesperas* (4 v., 1588), *Completorium...* (1589), *Id., lib. II* (1597), *Integra omnium solemnitatum vespertina psalmodia* (2e éd. 1600), *Messe a 5 et a 8 v., lib. I* (1600), *Tutti li salmi...* (8 v., 1601), *Vespertina..., lib. II* (5 v., 1602), *Messe et mottetti a 8 v., lib. I* (1607), *Officium defunctorum* (4 v., id.), *Salmi intieri a 6 v., Salmi... a 2 v.* (1609), *Missarum a 4 v., lib. I* (1611), *Salmi... a 5 v.* (éd. Bologne 1673) ; mus. instr. : *Il primo libro della musica a 2 v.* (Milan 1598, Venise 1602), 1 *sinf.* ds V.

Bonna, *Otto ordine di letanie* (Venise 1619) ; on trouve en outre mainte œuvre de lui, profane ou religieuse, ds des recueils de l'époque, publiés entre 1583 et 1631, ainsi que ds Eitner et ds la *Bibliografia d. mus. strum.* de C. Sartori. Voir A. Bertolotti, *Musici alle corte dei Gonzaga in Mantova*, Milan 1890 ; A. Einstein, *The italian madrigal*, Princeton 1949 — *Bibl. of ital. sec. voc. mus.*, ds *Notes*, II-V, 1945–48 ; D. Arnold in MGG.

**GASTOUÉ Amédée.** Musicologue franç. (Paris 13.3.1873– Clamart 1.6.1943). Élève d'A. Deslandres, de Lavignac, de Guilmant, d'Albéric Magnard, disciple de dom Pothier, de Charles Bordes, prof. de chant populaire et grégorien (1898), d'ensemble vocal (1900–1901), de musique médiévale (1900–1903) à la *Schola cantorum*, successeur de Charles Bordes à *La tribune de St-Gervais*, maître de chapelle à St-Jean-Baptiste de Belleville (1901–1905), au collège Stanislas (1903), prof. de chant au lycée Montaigne (1904–14), à l'École des hautes études sociales, consulteur de la commission vaticane chargée de la publication des livres liturgiques grégoriens (1905), à l'Institut catholique (1911), président de la Société française de musicologie (1934–36), puis pendant la seconde guerre mondiale), il a établi le catalogue des mss de mus. byzantine de la B.N., le Catalogue, celui des livres de musique de la bibl. de l'Arsenal, édité le dict. de Brenet (1926), le ms. d'Apt (Soc. de musicol.), révisé 2 vol. de mus. de chambre de Couperin, édité les offices propres des Capucins, des Eudistes, des diocèses de St-Brieuc, Carcassonne, Rodez, Agen, Aix, Amiens, Evreux, Paris, publié notamment *Cours théorique et pratique du chant grégorien* (Paris 1904), *La tradition ancienne dans le chant byzantin* (Paris 1899), *Histoire du chant liturgique à Paris* (Paris id.), *Le drame liturgique* (ibid. 1906), *Les origines du chant romain...* (ibid. 1907), *L'art grégorien* (ibid. 1911), *Musique et apologétique* (Lyon id.), *La musique grecque* (id. ibid.), *Variations sur la musique d'église* (Paris 1912), *L'orgue en France de l'antiquité au début de la période classique* (ibid. 1921), *Les primitifs de la musique française* (id. ibid.), *Le cantique populaire en France* (ibid. 1924), *L'Église et la musique* (ibid. 1936), *Le chant gallican* (Grenoble 1939), *La musique grégorienne* (Paris s.d.) ; il a assuré un très grand nombre d'éditions et d'arrangements ; sa production musicale — car il était aussi compositeur — comporte de la mus. de théâtre, d'église, d'orgue, de piano, d'orchestre. Voir N. Dufourcq, *Souvenirs sur A.G.*, ds *Musique et liturgie*, 1954 ; M. Briquet in MGG.

**GASTRITZ** (*Gastricius*) **Mathias.** Mus. allem. du XVIe s., qui fut org. à Amberg ; on lui doit 4 recueils de *cantiones, carmina, Lieder, symbola* (4-5 v.). publiés en 1569 et 1571.

**GAT Jozsef.** Pian. et théoricien hongrois (1913–), élève de Bartók (piano) et de Kodaly (compos.), prof. à l'Éc. des hautes études mus. F. Liszt ; qui a publié des ouvrages didactiques (« *Méthode pour enseigner le piano* », « *Solfège* », etc...).

**GATAMBORIA.** C'est un tambour sur cadre, du type dit « tambour de basque » (France, Pays basque).     **M.A.**

**GATAYES Guillaume-Pierre-Antoine.** Musicien et compositeur français (Paris 1774–1846). Célèbre compositeur de romances il a fait paraître une méthode de guitare (1790) et une méthode de harpe (1793). – **Joseph-Léon,** harpiste et critique musical, fils du précédent (Paris 1805–1877), harpiste au théâtre de l'Odéon, il abandonna son instrument pour faire de la critique musicale dans les principaux journaux de Paris.     **F.V.**

**GATES Bernard.** Chanteur angl. (Londres 1685–North Aston 15.11.1773). Enfant de chœur (1700), puis *gentleman* de la chapelle royale (1708), il succéda à J. Howell comme maître de chœur (av. 1732), fut membre du chœur de l'abbaye de Westminster et *tuner of the regals* ; il dirigea l'*Esther* de Haendel (23.2.1732) ; on a conservé de lui un *service* et des mélodies.

**GATHY Auguste.** Musicologue belge (Liège 14.5.1800– Paris 8.4.1858). Élève de F. Schneider (Dessau), il fut libraire à Hambourg, rédacteur de *Musikalisches Conversations-Blatt* (ibid. 1830–41), enseigna à Paris ; on lui doit *Musikalisches Conversations-Lexikon* (1835), *Erin-*

*nerungen an d. erste nordd. Musikfest zu Lubeck* (1840), une trad. allem. du *Voyage musical en Allemagne* de Berlioz (Hambourg 1844) ; il fut correspondant à Paris de la *Neue Zeitschrift f. Musik*.

**GATO.** C'est une danse argentine de mouvement animé, en 6/8, connue aussi au Chili, au Pérou et au Mexique vers la fin du XVIIIe s.; elle a reçu différents noms (*gato, gato mis mis, mis-mis, perdiz*) qui se réfèrent tous à la même *copla* hispanique qui accompagnait l'ancêtre espagnol de cette danse américaine (peut-être el *trípili*) : « *Salta la perdiz, madre... / que se la lleva el gato, el gato: mis, mis !* ». C'est en Argentine que le g. est resté populaire jusqu'aujourd'hui ; Isabel Aretz sépare le g. instrumental de la danse chantée, dont les caractères sont quelque peu différents. La danse s'interrompt quelquefois pour permettre aux danseurs d'échanger des petites poésies (2 à 4 vers) plus ou moins improvisées : l'homme fait sa cour, dit des galanteries, la femme lui répond sur le ton qu'il lui plaît : elle peut aller jusqu'à se moquer directement de son compagnon de danse ; cette variante s'appelle « *g. con relaciones* ».     **D.D.**

**GATSCHER Emanuel.** Prof. allem. (Heilbrunn 1.12.1890– Munich 1.7.1946). Élève de Reger, de Riemann et de Schering, docteur de Bonn avec sa thèse : *Die Fugentechnik M. Regers in ihrer Entwicklung* (Stuttgart 1925), prof. au cons. de Krefeld (1915–19) et à l'*Akad. d. Tonkunst* à Munich, il composa pour l'orgue, mais ses œuvres ont été détruites lors de l'incendie de cette dernière académie.

**GATTI Carlo.** Compos. et musicologue ital. (Florence 19.12.1876–). Élève du cons. de Milan, où il enseigna ensuite de 1898 à 1948, il fonda les concerts du *Teatro del Popolo* (1921), fut surintendant de la *Scala* (1942–44), collabora à divers périodiques ; il a écrit des chœurs, des mélodies, de la mus. symph., notamment *Epinicio* (1912) et 3 poèmes symph. avec chœurs et danses (*Verbania*, 1931, *Il dono dell'amore*, 1932. *Bella terra del Ticino*, 1933) ; il est avant tout un spécialiste de Verdi : son ouvrage sur cet auteur (2 vol., Milan 1930), a été deux fois réédité et traduit en anglais et en espagnol ; il est également l'auteur d'une étude sur Catalani (Milan 1953).

**GATTI Gabriela.** Sopr. ital. (Rome 5.7.1916–). Élève de l'acad. Ste-Cécile, qui débuta à l'Opéra de Rome en 1934 dans l'*Orfeo* de Monteverdi, elle y fait sa carrière, aussi bien qu'au *San Carlo* de Naples ou à la *Scala* de Milan ; elle a créé en Italie le *Wozzek* d'A. Berg (1942).

**GATTI Guido Maria.** Critique ital. (Chieti 30.5.1892–). Chroniqueur à *La riforma musicale* de Turin (1915), il fonda en 1920 le mensuel *Il piano-forte*, lequel en 1928 devint *La rassegna musicale;* il fut dir. général du Nouveau théâtre de Turin (1925–31), secrétaire général du premier *Mai musical florentin*, ainsi que du premier congrès intern. de mus. à Florence (1933, il le fut également en 1935 et en 1936) ; il est depuis 1954 président de l'acad. philh. de Rome et membre de l'acad. Sainte-Cécile ; il a publié notamment *I Lieder di Schumann* (Turin 1914), *Figure di mus. franc.* (ibid. 1915), *G. Bizet* (id. ibid.), *Mus. moderni d'Italia e di fuori* (Bologne 1920, 1925), *Le barbier de Séville de G. Rossini* (Paris 1925), *I. Pizzetti* (Turin 1934, Milan 1955), *L'opera di G.F. Malipiero* (Trévise 1955), *Cinquant'anni di opera e di balletto in Italia* (Rome 1954), *A. Casella* (avec F. d'Amico, Milan 1958) ; il a édité avec L. Dallapiccola les *Scritti e pensieri sulla musica de F. Busoni* (Florence 1948) ; il a collaboré à plusieurs encyclopédies et dictionnaires.

**GATTI Luigi.** Mus. ital. (Castro Lacizzi 11.6.1740– Salzbourg 1.3.1817). Ecclésiastique, il fut ténor à *Santa-Barbara* de Mantoue (1768), 2e maître de chapelle de l'acad. royale de la même ville : c'est à ce titre, qu'en 1770 il se lia avec Léopold et Wolfgang Mozart ; en 1779, il était vice-maître de chapelle de Santa-Barbara, en 1783 maître de chapelle de la cour et de la cath. de Salzbourg ; il composa des opéras et des ballets pour Mantoue et pour Salzbourg : *Alessandro nelle Indie* (1768), *Il certame* (1771), *Armida* (1775), *Olimpiade* (id.), *Germanico in Germania* (1777), *Nitteti* (1779),

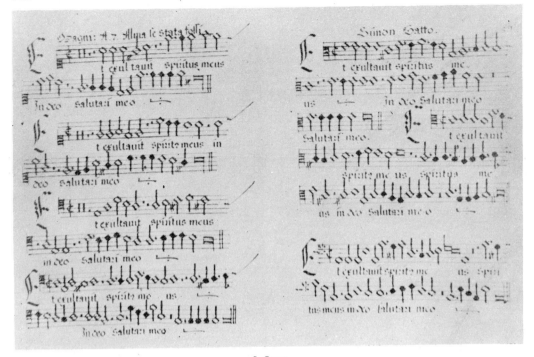

S. Gatto
*Début du Magnificat à 7 v. (ms. 22 Graz).*

*Il ratto delle Sabine* (1780). *Antigono* (Milan 1781), *Demofoonte* (1787), *La grotta di Merlino* (1808), plus de 100 œuvres de mus. d'église (20 messes), 10 oratorios ou cantates, 2 symph., 1 ouverture, 1 *concertone* et publia le catalogue thématique des archives mus. de la cath. de Salzbourg (3 vol. 1791). V. E. Schenk, *Mozart in Mantua*, ds *Stud. z. Mus.wiss.*, 22, 1954 ; C. Schneider, *Gsch. d. Mus. in Salzburg*, Salzbourg 1935 ; G.G. Bernardi, *La mus. nella R. accad. virg. di Mantova*, Mantoue 1923.

**GATTI Teobaldo.** Mus. ital., connu sous·le nom de *Théobald* (Florence v. 1650–Paris... 8.1727). Enthousiasmé par les œuvres de Lully, il vint le voir à Paris v. 1675 ; par lui, il put obtenir des « lettres de naturalité » : il fut alors engagé comme basse de violon à l'Académie royale de musique, poste qu'il garda 50 ans ; on lui doit une pastorale héroïque : *Coronis*, une tragédie lyrique : *Scylla* (1701), qui eut un grand succès, et un *Recueil d'airs italiens*, dédié à la Pcesse de Conti (Ballard, Paris 1696). Voir De Lajarte, *Bibl. mus. du théâtre de l'Opéra*, 2 vol., *ibid.* 1878 ; M. Barthélémy, *A. Campra, sa vie et son œuvre*, *ibid.* 1957.

**GATTO** (*Gatti, Gattus*) **Simon** (*Simeone*). Mus. ital. (Venise v. 1545–Graz ? v. 1595). On ne sait de qui il fut l'élève ; en 1568, il est à la cour d'Albert V de Bavière, à Munich, comme trombone aussi bien que comme poète, en 1571 de retour à Venise, en 1572 à Graz, au service de l'archiduc Charles II de Habsbourg, comme trompette-trombone ; en 1577, il a le titre d'*Obrister musicus*, en 1581, de maître de chapelle de la cour ; il fit nonobstant de nombreux séjours à Venise, d'où il importa des musiciens pour la cour des Habsbourg ; à la mort de Charles II, il passa au service de l'archiduc Ferdinand ; sa mort intervient avant le 1er fév. 1595, date de la nomination de son successeur, P.A. Bianco ; on lui doit 3 messes à 5-6 v. (Gardane, Venise 1579), 1 composition : *Perche lontana da fallaci*, ds le recueil de R. Trojano publié à Venise par Scotto en 1569, 13 motets à 5-12 v. et 1 dialogue à 12 v. dans les *Motectorum... d'Amadino* (*ibid.* 1604), 1 motet à 8 v. publié par Schadäus et par

Bodenschatz (1611–1621) ; en mss, 4 messes (6-8-15 v.), 2 motets (5-6 v.), 13 litanies (4-6 v.), 1 *Magnificat à 7 v.* Voir H. Federhofer in MGG.

**GATTY Nicolas Comyn.** Compos. angl. (Bradfield 13.9. 1874–Londres 10.11.1946), organiste, critique, auteur de 7 opéras, de mus. symph., chor., de chambre.

**GAUBERT Philippe.** Chef d'orch. et compos. franç. (Cahors 3.7.1879–Paris 8.7.1941). Flûtiste-virtuose, élève de Taffanel, de R. Pugno, de X. Leroux, de Lenepveu, 2e grand prix de Rome (1905), 2e chef d'orch. de la Soc. des concerts (1904), prof. de flûte au cons. de Paris (1919), 1er chef d'orch. de la même Soc. des concerts (*id.*), de l'Opéra (*id.*), prof. de direction d'orch. au cons. de Paris, il fit une carrière intern. de chef d'orch. ; on lui doit 19 pièces de mus. symph., dont 1 symph. (1936) et 1 concerto de violon (1928), 26 de mus. de chambre, dont 3 sonates de piano et flûte (1925), des mélodies ; pour le théâtre : *Josiane* (légende, 1921), *Sonia* (drame lyrique, 1912), *Philotis* (ballet, 1914), *Naïla* (op., 1927), *Alexandre le Grand* (ballet, 1937), *Le chevalier et la demoiselle* (*id.* 1941), des ouvrages didactiques pour la flûte et des transcriptions. Voir ds G. Samazeuilh, *Musiciens de mon temps*, Paris 1947.

**GAUCELM FAIDIT.** Troubadour franç., né à Uzerche, vers la moitié du XIIe s. Fils de bourgeois, époux d'une bourgeoise, *Guilhelma Monja*, il fut un poète célèbre ; l'apogée de sa célébrité européenne est à situer entre 1180 et 1210 ; il connut Marie de Turenne, épouse d'Eble V de Ventadour, Guillaume IX de Poitiers, Richard Cœur de Lion, Raymond d'Agout, Raymond VI de Toulouse ; à la fin du XIIe s., il est à la cour de Boniface de Montferrat, qui devait se mettre à la tête de la 4e croisade avec le comte de Blois et qu'il suivit jusqu'à Constantinople ; il revint de la croisade en 1204, échangea alors des poèmes avec Elias d'Ussel ; après quoi on ne sait plus rien de lui ; son biographe est peut-être Uc de Saint Circ ; on a conservé 65 chansons de lui, dont 14 notées (mss R 71, Ambrosienne ; B.N. fr. 22543, 844, 20050) ; la plus célèbre de ses chansons est *Fortz chausa es, planh* sur la mort de Richard Cœur de lion.

Voir R. Meyer, *Das Leben des Trobadors G.F.*, Heidelberg 1876 ; Crescini, *Canzone franç. d'un trobatore provenzale*, Padoue 1910 ; Hoepffner, *les troubadours*, Paris 1955 ; J. Mouzat et J. Chailley in MGG.

**GAUCQUIER Alard du.** Mus. franç. (Lille, 1re moitié du XVIe s.–v. 1582–83), qui fut au service de Maximilien II comme vice-maître de chapelle et demanda en 1578 à être libéré de ses fonctions ; l'archiduc Mathias, gouverneur des Pays-Bas, qui avait pris des leçons de lui, en fit alors son maître de chapelle ; il est l'auteur de 4 messes à 5-8 v., de qqs motets et d'1 recueil de *Magnificat* à 4-6 v. (Plantin, Anvers, 1581).

**GAUDEFROY - DEMOM- BYNES Jean.** Musicologue franç. (?–), qui a publié *Les jugements allem. sur la mus. franç. du XVIIIe s.* (thèse de Paris, 1941), *Un oratorio inédit d'Eybler sur le jugement dernier* (ibid.), *Histoire de la mus. franç.* (ibid. 1945), *Joseph Haydn, père de la symph.* (ibid. 1945), *Le romantisme dans la mus. européenne* (av. J. Chantavoine, *ibid.* 1955), *Mus. et psychologie des peuples* (n° spéc. de la Rev. de soc. et de psych. des peuples, Le Havre 1956), traduit l'*Hist. de la mus. allem.* de Müller-Blattau (Paris 1943), préfacé, traduit et annoté l'*Hist. des échelles musicales et de la systématique du ton dans le monde depuis les origines*, de Kutz (*ibid.*) ; à quoi il faut ajouter nombre d'articles dans divers périodiques.

**GAUDENCE** (*Gaudentios, Gaudentius*). Théoricien grec, surnommé le *philosophe*, de l'époque hellénistique, auteur d'un manuel de la musique grecque, intitulé *Introduction harmonique* : cet ouvrage fut traduit en latin par Lutianus (VIe s.), ce qui laisse entrevoir l'importance qu'on lui attribuait et le situe dans une période assez proche du VIe s. ; cependant, le fait que Cassiodore l'appelle *Gaudentius quidam* l'éloigne de l'époque de ce dernier (mort v. 576), probablement d'un siècle ; ce qui le placerait entre 400 et 450. Son traité contient la division de l'harmonie d'Aristoxène : I voix, II son, III intervalle, IV système, V genre et notation (incomplète), tandis que les 6e et 7e parties, qui traitent de la métabole et de la mélopée, ont été perdues ; *G.* a fondu les théories aristoxénienne et pythagoricienne, chose en quoi il ne se distingue pas des autres musicographes de l'époque hellénistique. Le manuel est édité par Jan, ds *Musici scriptores graeci*, Leipzig 1895, et par Ruelle, *Collection des auteurs grecs...*, Paris 1895. Voir ds Th. Reinach, *La mus. grecque*, Paris 1926 ; F.A. Gevaert, *Hist. et théorie de la mus. de l'antiquité*, Genève 1875–1881 ; J. Handschin,

GAUCELM FAIDIT
*B. N. ms. franç. 22543.*

*Der Toncharakter*, Zurich 1948 — *Mus. gesch. im Überblick*, Lucerne 1948 ; G. Reaney in MGG. **M.-D.-P.**

**GAULTIER Denis,** dit *G. le jeune* ou *G. de Paris.* Luthiste franç. (Marseille ? 1603–Paris, janv. 1672), qui fut peut-être l'élève de l'org. de Notre-Dame Ch. Raquet, dont il écrivit le « tombeau » ; il a été dit à tort luthiste de la chambre du roi, car il semble avoir mené une vie indépendante, jouissant d'une immense renommée dans de nombreux cercles artistiques, notamment celui d'Anne de Chambré ; il obtint en déc. 1669 un privilège d'imprimer et publia aussitôt ses *Pièces de luth... sur trois différens modes nouveaux* (Paris, Richer), qui étaient précédées de l'avertissement suivant : « J'ay appris par mes amis que les pièces que j'ay mis au jour sont tellement changées et si fort défigurées quant on les envoye en provinces ou hors du royaume qu'elles ne sont plus connoissables, ce qui m'a obligé à les faire mettre au net et vous donner la manière de toucher les cordes... Si Dieu me conserve encore quelques années je vous donneray d'autres pièces où je joindray une petite instruction des principes du luth. Et si quelqu'un a peine de trouver l'intelligence de ce qui est dans mon livre, je luy en donneray la lumière de tout mon cœur s'il me fait l'honneur de me venir voir ». C'est sa veuve qui assura l'éd. du *Livre de tablature des pièces de luth... avec quelques reigles qu'il faut observer pour le bien toucher* qui contenait aussi des œuvres de son cousin ; ses pièces ont surtout été conservées dans un luxueux ms. exécuté en 1652 par les soins d'A. de Chambré, *La Rhétorique des dieux* (Bibl. de Berlin) : il contient 56 pièces classées sous les noms grecs des différents modes et est orné de dessins originaux d'Eustache Le Sueur, R. Nanteuil et A. Bosse ; les mss Barbe et Brossard à la Bibl. nat. contiennent respectivement 44 et 19 pièces de sa composition ; outre quelques « tombeaux » (de Blancrocher, Lenclos et Raquet), son œuvre comprend essentiellement des danses stylisées groupées en suites et débutant généralement par un prélude ; les courantes y dominent, munies de doubles ; les titres donnés à certaines de ces pièces ont été vraisemblablement donnés par des amateurs et non par le compositeur lui-même ; comme l'écrit son éditeur André Tessier, « l'inspiration de Gaultier est son humeur. Elle est volontiers triste, mélancolique, rêveuse. On peut compter les pages... qui ont de la gaieté » ; il se distingue surtout par le raffinement de son harmonie et la sobriété de son ornementation qu'il utilise « à brouiller avec art les dessous de sa composition..., à scander la basse, à pailleter le chant » : il représente l'un des sommets de l'école française de luth. Voir l'éd. critique avec fac-sim. et commentaires d'A. Tessier, *La Rhétorique des dieux et autres pièces de luth de D.G.*, Paris, Soc. de mus., 2 vol., 1932–33 ; O. Fleischer, Leipzig 1886 (avec transcriptions fautives) ; E.W. Häfner, *Die Lautenstücke des D.G.* (thèse 1938) ; L. de La Laurencie, *Les luthistes*, Paris 1928 ; M. Bukofzer, *Music in the baroque era*, New-York 1947.    F.L.

**GAULTIER Ennemond,** dit *le vieux Gaultier.* Luthiste franç. (Villette, près Vienne, v. 1585–Nève, Serpaize, 17.12.1651). « Issu d'une maison honorable de Vienne de laquelle sont sorties des personnes qui ont possédé des charges considérables tant à l'esglise

J. Gaultier       coll. Meyer

qu'au monde, il fust mis page à l'aage de sept ans chez la dame de Monsmorancy » (compte-rendu du procès de 1651) ; peut-être reçut-il l'enseignement de R. Mézangeau, sur la mort duquel il composa un « tombeau » ; en 1620, il était valet de chambre de Marie de Médicis et resta à son service jusqu'à sa mort ; selon Tallemant des Réaux, il aurait donné des leçons de luth à Richelieu ; après 1631, il se retira d'abord chez son frère Guy, puis dans son château de Nève (Mary Burwell le dit baron de Nève) ; Tallemant a raconté comment un jour il joua avec H. de Lenclos trente-six heures d'affilée sans boire ni manger, après qu'ils eurent tous deux déclaré avoir complètement abandonné l'instrument ; il vivait en concubinage avec la fille d'un paysan, qu'il épousa *in articulo mortis* et qui hérita de ses biens malgré un procès fait par la famille ; de son vivant aucune œuvre de lui ne fut éditée ; son cousin Denis publia 15 de ses pièces dans son *Livre de tablature des pièces de luth de Mr.*

*Gaultier, Sr. de Nève... sur différents modes* (1670), Perrine 7 dans les *Pièces de luth en musique* (1680) ; le reste est dispersé dans de très nombreux mss : 15 pièces dans le ms. Barbe, 12 dans le ms. Vaudry de Saizenay, 4 dans le ms. Brossard, d'autres en Allemagne, en Angleterre, en Suède etc., son catalogue restant à établir : la grande majorité sont des danses, dont certaines à intention descriptive (*Les larmes, Courante du sommeil, Chevreau, La perte du luth à la rose d'or, La pleureuse, L'immortelle,* que Le Cerf de la Viéville admirait encore au début du XVIIIe s.) ; on pense qu'il fut le premier luthiste à écrire des chaconnes analogues aux *grounds* anglais. Voir A. Tessier, introd. à *La rhéthorique des dieux* de D. Gaultier, Paris, Soc. de musicologie, 1932 – E. G., *sieur de Nève*, ds *Mélanges... La Laurencie,* ibid. 1933.    F.L.

**GAULTIER Jacques,** dit *G. d'Angleterre.* Luth. franç., m. à Paris v. 1650 ? Il n'est probablement pas de la même famille que D. et E. Gaultier, bien que Mary Burwell en parle comme de leur cousin : il se serait expatrié en Angleterre à la suite du meurtre d'un gentilhomme, vers 1617 ; protégé à Londres par Buckingham, il fut luth. de la cour de 1619 à 1648 ; Huyghens, qui l'entendit en 1622 et correspondit avec lui, vante son talent ; vers 1630 il se fit entendre aussi en Hollande et à Madrid ; le *Brit. Museum* possède quelques pièces de lui en ms., mais il est possible que d'autres mss contiennent sous le seul nom de G. des pièces de sa composition ; son portrait a été gravé par J. Lievens. Voir L. de La Laurencie, *Le luth. J. G.,* ds Rev. de mus., janv. 1924.

**GAULTIER Pierre,** dit *G. d'Orléans* ou *de Rome.* Luth. franç. (ne pas le confondre avec *P.G. de Marseille* ou *P.G. de Rouen*), fut au service du duc de Crumau et prince d'Eggenberg, ambassadeur auprès d'Urbain VIII, auquel il dédia son recueil publié à Rome en 1638 sous le titre *Les œuvres de P.G. orléanois* (avec le nouvel accord du luth).

**GAUNTLETT Henry John.** Org. angl. (Wellington 9.7. 1805–Londres 21.2.1876). Avoué, org. de St-Olave à Southwark (1827), puis à la *Christ Church* de Londres (1836) et en d'autres lieux ; il fut choisi par Mendelssohn pour jouer l'orgue dans *Elias* (Birmingham 26.8.1846) ; spécialiste du plain-chant, il publia notamment *Psalmist* (1839–41), *Manual for matins and evensong* (av. Ch. Child Spencer, 1844), *Gregorian canticles* (id.), *The Church hymn and tune book* (av. W.J. Blew, 1844–51), *The gregorian psalter* (1846) et des articles dans divers périodiques.

**GAUSS Otto.** Ecclésiastique allem. (Dorfmerkingen 29.12.1877-). Élève de l'univ. de Tübingen, d'E. Kauffmann, il fut curé à Tigerfeld et préside la Société cécilienne de Rottenbourg ; il a publié *Die Messen Mozarts im Vergleich zu denen der Klassiker des 16.Jh.* (sa thèse), édité : *Orgelkompositionen aus alter u. neuer Zeit* (4 vol. ; cet ouvrage, très recherché, ne mérite pas sa réputation : la part qu'il fait aux auteurs anciens est trop petite, comparée à l'immense qu'il réserve à de médiocres auteurs des XIXe et XXe s.), *Orgelkonzert* (Ratisbonne), *Kleine Orgelstücke aus drei Jh., Alt. ital. Orgelmusik, Kompendium d. kathol.*

*Kirchenmusik* (av. A. Möhler, Augsbourg 1909) et composé nombre d'œuvres de mus. d'église.

**GAUSSOIN Auguste.** Compos. belge (Bruxelles 4.7.1814–1.1.1846). Élève de Fétis, répétiteur au cons. de Bruxelles, ville où il créa les *Concerts du peuple* (1837), il fonda un cours de chant choral pour les ouvriers ; dir. du journal *La Belgique musicale* (1843), il y publia une *Histoire de la musique belge ;* il est l'auteur de 7 compositions, dont 1 opéra.

**GAUTHIER Gabriel.** Org. franç. (en Saône-et-Loire, 1808–v. 1875), aveugle dès son enfance, prof. à l'Institut des jeunes aveugles de Paris et org. à St-Etienne du Mont (1827–40), qui publia *Considérations sur la question de la réforme du plain-chant* (St-Denis 1843), *Le mécanisme de la composition instrumentale* (Paris 1845) et édita un *Répertoire des maîtres de chapelle* (5 vol., Paris 1842–45).

**GAUTHIER de SOIGNIES.** Trouvère du XIIIᵉ s., originaire ou habitant de Soignies, qui se déplaça beaucoup (il semble avoir été reçu à la cour de France) ; le nombre de chansons qu'on lui attribue diffère selon les auteurs ; elles sont au fonds de la Bibl. nat. Voir P. Paris, *Hist. littéraire de la France,* tome XXIII ; Dinaux, *Les trouvères,* IV.

**GAUTHIER-VILLARS Henry** (*Willy*). Écrivain et critique franç. (Villiers-sur-Orge 10.8.1859–Paris 12.1. 1931). Le mari temporaire de Colette fut critique musical dans *Art et critique, Gil Blas, L'Écho de Paris,* à la *Revue encyclopédique,* à la *Revue des revues,* à la *Revue blanche,* à *La paix,* au *Monde artiste ;* pendant la 1ʳᵉ guerre mondiale, il dirigeait à Genève un journal français, dans lequel il engagea des polémiques contre les artistes suisses ; *W.* n'avait pas reçu une instruction musicale très poussée, mais il avait un instinct très sûr et ses chroniques inaugurèrent un style nouveau dans la critique musicale, tout d'intuition et de vivacité ; entre autres mérites, il eut celui de reconnaître Debussy (1893) ; parmi ses écrits, citons ceux qui concernent la musique : *Lettres de l'ouvreuse* (1890), *Bains des sons* (1893), *Rythmes et rires* (1894), *La mouche des croches* (id.), *Entre deux airs* (1895), *Notes sans portées* (1896), *Accords perdus* (1898), *La colle aux quintes* (1899), *Garçon, l'audition* (1901), *La ronde des blanches* (id.), *Souvenirs* (1925), il préfaça les 5ᵉ et 6ᵉ recueils de la *Musique de chambre* chez Pleyel (1897–98), *Le violon d'A. Bachmann* (Paris 1906) ; ajoutons *Étude thématique de Fervaal de V. d'Indy* (av. P. de Bréville) et une étude sur Georges Bizet (ds Les musiciens célèbres, 1912) ; il fut également librettiste : pour Rodolphe Berger (*Claudine,* Heugel), pour Armande de Polignac (*La petite sirène,* 1907), pour Claude Terrasse (*Troisième larron,* 1908) ; il avait également traduit le *Bastien et Bastienne* de Mozart (av. J. Bénédict, 1901) et le *Zigeunerliebe* de Lehar (av. Hartmann). Voir E. Haraszti in MGG.

**GAUTHIEZ Cécile.** Compos. franç. (Paris 8.3.1873–), élève de d'Indy, qui fut prof. à la *Schola cantorum* (1920), maître de chapelle à Notre-Dame d'Auteuil (1926) ; elle a écrit de la mus. d'église, 1 quatuor à cordes, des chœurs, des mélodies, des manuels etc.

**GAUTIER François.** Voir art. *Franz (Paul).*

**GAUTIER Jean-François-Eugène.** Compos. franç. (Paris [Vaugirard] 27.2.1822–1.4.1870). 2ᵉ grand prix de Rome (1842), 1ᵉʳ violon à l'Académie royale de musique (1838), à la Société des concerts (1846), 2ᵉ chef d'orch. à l'Opéra national (1848), maître de chant au Théâtre italien, org. à St-Louis d'Antin, maître de chapelle à St-Eugène (1850), prof. d'harmonie et d'accompagnement (1864) et d'histoire de la musique (1872) au cons. de Paris, critique au *Grand journal,* au *Ménestrel,* au *Constitutionnel,* au *Journal officiel* (1874), il fonda le *Journal de musique* (1877–83), écrivit 16 opéras-comiques, 3 oratorios ou cantates et publia qqs études. Voir E. Haraszti in MGG.

**GAUTIER Jeanne.** Violon. franç. (Asnières 18.9.1898–). Élève du cons. de Paris, prof. de violon et de mus. de chambre au cons. de Lyon (1951), elle a fait une carrière internationale.

**GAUTIER** (*de Marseille*) **Pierre.** Mus. franç. (La Ciotat 1643 ou 44–en mer, près de Sète...9.1697). Claveciniste, org., chef d'orch. à Marseille, il y fonda un opéra sur le modèle de l'Académie de musique de Lully (c'est le premier essai en province française) ; après des transactions avec Lully, l'entreprise ouvrit ses portes le 1ᵉʳ janv. 1685, mais elle périclita rapidement, écrasée par les dîmes que Lully percevait et, en 1689, *G.* se retira ; il revendit alors son privilège à Philippe de La Croix et fonda une troupe de musiciens : c'est au cours d'un déplacement de cette troupe qu'il trouva la mort, ayant fait naufrage devant le port de Sète ; il composa 2 opéras : *Le triomphe de la paix* (1685) et *Le jugement du soleil* (1687), 1 *Recueil de trios nouveaux...* (Paris 1699), 1 de *symphonies* (ibid. 1707), des airs, des motets etc. Voir A. Gouirand, *La musique en Provence,* Marseille 1908 ; L. de La Laurencie, *Un émule de Lully,* P.G. de M., ds SIMG. 1911 ; D. Launay, art. in MGG. ; Titon du Tillet, *Description du Parnasse françois,* Paris 1760.

**GAUTIER Théophile.** Écrivain franç. (Tarbes 30.8.1811–Paris 23.12.1872). Le célèbre auteur fut longtemps chroniqueur à *La presse,* au *Moniteur universel,* au *Journal officiel :* il y rédigea des articles de critique musicale ; bien qu'il ait émis des jugements sévères sur la musique, il s'enthousiasma pour Weber et pour Wagner ; il fréquenta le salon de Marie Kalergis, où il connut notamment Chopin, Liszt, Joachim, Bülow, Rossini, Pauline Viardot ; il fit l'argument de 5 ballets : *Giselle* (1841), *La Péri* (1843), *Pâquerette* (1851), *Gemma* (1854), *Sakountala* (1858) — édités dans le volume *Théâtre* de ses Œuvres complètes (1872) — ; on trouve des passages qui concernent la musique dans ses *Beautés de l'opéra* (av. Janin, 1845), dans son *Histoire de l'art dramatique en France depuis 25 ans* (1860), dans *Histoire du romantisme* (1874), *Portraits contemporains* (1875), *Souvenirs de théâtre et de critique* (1883). Voir Baudelaire, *T.G.,* 1859 ; Sainte-Beuve, *Nouveaux lundis,* VI ; E. Bergerat, *T.G...,* 1879. Sa fille — **Judith** (Paris 25.8.1845–St-Enogat 26.12.1917) hérita de son père l'enthousiasme wagnérien : c'est en 1867 qu'elle publia son 1ᵉʳ article sur Wagner dans la *Revue des lettres et des arts ;* en 1876, elle fit le pèlerinage de Bayreuth avec Catulle Mendès, d'où, entre Wagner et elle, une correspondance de deux ans (on suppose que les lettres de Judith à *W.* furent détruites par Cosima Wagner) ; elle réitéra sa visite en 1881 et en 1882 ; en 1893, elle fonda à Paris le *Petit Théâtre,* où elle fit représenter *Parsifal* avec des marionnettes ; elle fut la grande inspiratrice du wagnérisme en France ; elle publia *R. Wagner et son œuvre poétique* (Paris 1882), 3 trad. de *Parsifal* (ibid. 1893, 1898, 1914), *Les musiques bizarres à l'exposition de 1900* (ibid. 1900– elle était orientaliste), *Le roman d'un grand chanteur* (ibid. 1912), 3 vol. de *Souvenirs* (ibid. 1902, 1903, 1909). Voir *Die Briefe R. Wagners an J.G.,* Erlenbach-Zurich 1936 ; D. Camacho, *J.G. ...,* Paris 1939 ; L. Barthou, *R.W. et J.G.,* ds Rev. de Paris 1–15.8.1932 ; C. Mendès, *R. Wagner,* Paris 1886.

**GAUTIER de CHÂTILLON** (*G. de Lille*). Poète, savant du XIIᵉ s., connu surtout comme poète goliard d'immense renommée ; il naquit à Lille, fit ses études à Paris, puis à Reims sous Etienne de Beauvais ; il fut *magister* à Paris, à Laon, chanoine à Reims ; il fit de longs voyages en Angleterre et en Italie (Rome, Bologne), au retour desquels il fut de l'entourage des archevêques de Reims et de Sens ; son influence a été considérable, ses élèves nombreux ; son œuvre principale n'est pas son recueil de poèmes satiriques, mais son *Alexandréide,* épopée en 10 livres sur Alexandre le Grand, qui fut tellement répandue et consultée au moyen-âge qu'en 1541 elle paraissait encore digne d'être imprimée à Ingolstadt ; on conserve en outre de lui un traité de philosophie, un autre contre les Juifs, une paraphrase des *Géorgiques* réduite à quelque 100 vers, un recueil de poèmes satiriques et moraux, d'où son titre de poète goliard. Éditions : W. Müldener, *Die zehn Gedichte des Walter von Lille genannt von Chatillon nach der pariser Handschrift...,* Hanovre 1859 ; Karl Strecker, *Die Lieder Walters v. Chatillon in der Handschrift 351 von St-Omer* (O), Berlin 1925 — *Moralisch-satirische Gedichte Walters* *v. Chatillon*, Heidelberg 1929 (avec analyse de 23 mss). Voir Manitius, *Gesch. der lat. Literatur des Mittelalters*, III, 1931 ; F.J.E. Raby, *A history of secular latin poetry*, II, 1934 ; R.S. Willis, *The relationship of the Spanish Libro of Alexandre to the Alexandreis of G. de C.*, Princeton 1934 ; art. *goliard* ds le présent ouvrage. S.C.

**GAUTIER de COINCI.** Bénédictin franç. (Coinci 1177 ou 78-Soissons ? 27.9.1236), qui fut prieur de Vic-sur-Aisne (1214) et grand-prieur de St-Médard de Soissons ; son œuvre est un grand recueil qui comporte environ 30.000 vers, intitulé *Miracles Nostre Dame*, dans lequel on trouve 37 chansons à la Vierge et 3 à sainte Léocade : ce sont des *contrafacta* (voir à ce mot), bâtis aussi bien sur des airs de séquences que sur des chansons de trouvères ou des conduits latins ; quant au texte lui-même, il est la plupart du temps une adaptation métrique de pièces latines ou françaises préexistantes ; il existe des apocryphes ; une édition complète, accompagnée d'une étude critique, est en cours de publication par les soins de Jacques Chailley à la Société française de musicologie ; l'influence de *G. de C.* fut très durable : elle va jusqu'à Rutebeuf, Alphonse le Sage et... Anatole France. Voir A.P. Ducrot-Ganderye, *Études sur les Miracles Nostre-Dame de G. de C.*, ds *Annales Acad. scient. fennicae*, XXV, 2, Helsinki 1932 ; P. Meyer, *Types de quelques chansons de G. de C.*, ds *Romania*, XVII, 1888 ; H. Spanke, *Zu den lyr. Einlagen i.d. Versm. G. de C.*, ds *Neue philolog. Mitt.*, XXXIV, 1933 ; E. Lommatzsch, *Anatole France et G. de C.*, ds *Zeitschr. f. rom. Philologie*, 58, 1938 ; F. Gennrich in MGG ; G. Raynaud, *Bibliographie des chansonniers français*, 1884. J.Md.

B.N.          GAUTIER DE COINCI          Giraudon

**GAUTIER de DARGIES** (*d'Argies*). Trouvère picard (v. 1165-ap. 1236). Il participa à la 3e croisade avec Philippe-Auguste, échangea des *tensons* avec Richart de Fournival, fut « compain » de Gace Brûlé ; on connaît de lui 20 chansons authentiques, 1 sans notation, 3 en forme de descorts, 11 en forme de séquences, les autres en forme d'hymnes (mss Bibl. nat. fr. 844) ; une édition critique des chansons de *G. de D.* est en voie de publication par les soins de W. Bittinger, qui a fait paraître 2 études sur lui (*Liter.-Mw. Abh.* 11, Wurzbourg 1953 — *Zeitschr. f. rom. Philologie*, 69, 1953) ; le texte a été édité par G. Huet, ds *Chansons et descorts de G. de D.*, Soc. des anciens textes français, Paris 1912. Voir E. Langlois, ds *Romania*, 45, 1918-19 ; M. Prinet, ds

*Mélanges... Alfred Jeanroy*, Paris 1928 ; H. Petersen Dyggve, ds *Annales Acad. scient. fennicae*, XXX, 1, Helsinki 1934 et ds *Neue phil. Mitt.*, 46, 1945 ; F. Gennrich in MGG ; E. Vaillant, *Les origines de la chanson franç.*, Paris 1922 ; G. Raynaud, *Bibliographie des chansonniers français*, 1884.

**GAUTIER d'ESPINAL.** Trouvère franç., originaire d'Épinal, dont l'identité n'est pas exactement établie à ce jour, dont l'activité semble se situer dans la 1re moitié du XIIIe s., qui semble avoir été en relations avec Philippe de Boulogne ; il reste de lui 16 chansons authentiques. Voir H. Petersen Dyggve, L.H. Spanke, F. Gennrich, G. Raynaud (*cf.* bibl. de l'art. précédent) ; J. Bédier, *Les plus anciennes danses françaises*, ds *Revue des deux-mondes*, Paris 1906 ; M. de Pange, *Les Lorrains et la France au moyen-âge*, *ibid.* 1919 ; H. Prunières, *Nouvelle hist. de la mus.*, I, *ibid.* 1934 ;

Th. Gérold, *Hist. de la mus. des origines à la fin du XIVᵉ s.*, *ibid.* 1936.

**GAUZARGUES Charles.** Mus. franç. (Tarascon v. 1725–Paris 1799). Ecclésiastique, maître de chapelle à Nîmes, puis élève de Rameau (Paris), il succéda à Mondonville comme maître de la chapelle royale (1758), poste qu'il occupa jusqu'en 1775 ; ses motets à grand chœur furent fort appréciés tant à la cour qu'au Concert spirituel ; il publia 1 recueil de motets (Ballard, 1775), un *traité d'harmonie* et un *traité de composition* (Paris 1797).

**GAVAUDAN.** Troubadour occitan, auteur d'un poème guerrier qui exhorte les rois chrétiens, les seigneurs français à la croisade (v. 1212). Voir Jeanroy, ds *Romania*, XXXIV. 1905.

**GAVAUDAN Jean-Baptiste-Sauveur.** Célèbre ténor franç. (Salon 8.8.1772–Paris 1840), dont l'existence fut agitée ; à 7 ans, il participa comme mousse à la guerre de l'indépendance américaine ; d'où revenu (1783), accepté à l'Académie royale comme élève de Persuis, il débuta en 1791 au théâtre Montansier, passa au théâtre de Monsieur, à l'Opéra-Comique (1794–1814) ; il fut suspendu comme bonapartiste en 1815–16, après quoi il fut nommé directeur du Grand théâtre de Bruxelles, puis réintégré (1824) à l'Opéra-Comique jusqu'en 1828, date à laquelle il se retira de la scène ; il créa de nombreux opéras (Berton, Boïeldieu, Dalayrac, Gaveaux, Isouard, Piccinni, Spontini, Méhul, Kreutzer etc.). Sa femme — **Alexandrine-Marie-Agathe,** née *Duhamel* (Paris 1779 – 30.6.1850), chanta d'abord sous le pseudonyme de *Maigrot :*

cons. de Paris        P. GAVINIÈS

élève d'Hérold, elle débuta à l'Opéra-Comique en 1798 : elle y resta jusqu'en 1822, avec une interruption due à ces mêmes raisons qui avaient provoqué l'expulsion de son mari. La sœur aînée de *J.B.*, **Jeanne Anne Marie,** dite *aînée* (?–Paris 16.6.1810) débuta à l'Opéra en 1777 et se retira de la scène en 1792 : elle était la femme d'*Étienne Lainez* ou *Lainé* (voir à ce mot). Les deux autres sœurs de *G.* — **Adélaïde et Émilie** (femme de Gaveaux), étaient également chanteuses : l'une appartint à l'Opéra, l'autre au théâtre Feydeau. Voir art. ds *l'Encicl. dello spettacolo.*

**GAVAZZENI Giandrea.** Chef d'orch., compos. et critique ital. (Bergame 25.7.1909–). Elève du cons. Ste-Cécile à Rome et du cons. Verdi à Milan (Pizzetti, Pilati, Pedrollo), il a dirigé la *Scala* de Milan, l'Opéra de Rome, le Mai musical à Florence, le *san Carlo* à Naples, le *Teatro Massimo* à Palerme, la *Fenice* à Venise ; il a également exercé aux postes radiophoniques de Turin, Rome et Milan, fait une carrière intern. ; il a écrit, pour la scène : *Paolo e Virginia* (opéra, 1935), *Il furioso all'isola di San Domingo* (ballet, 1935) ; pour l'orch. : *Preludio sinfonico* (1928), *Concerto bergamasco* (1931), *Canti di operai lombardi* (1936), concerto de violon (1937), *Piccolo concerto* (fl., cor. et cordes, 1939–40), *Aria* (cl., 2 cors et cordes, 1940), *Ritmi e paesaggi di Atleti* (*id.*), *Primo concerto di cinquandó* (1942), *Sonata da casa* (p., v. et cordes, 1944), *Terzo concerto di cinquandó* (1949) ; mus. de chambre : *Sonata* (p. v., 1930), *id.* (vcelle, *id.*), *Trio* (1931), *Fantasia* (vcelle, 1934), *Preludio, canzone e furlana* (p.v., 1935), *Canto, pastorale e gagliarda*

(p. vcelle, 1936), *Concerto* (p. vcelle, *id.*), *Sonata* (p. fl., 1944) ; pour le piano : *Sonatina* (1930), *Canzone* (1932), *Sonata* (1933), *bergamasca* (1942), *Due sonate in un tempo solo* (1945), des mélodies. des chœurs ; il a publié *Donizetti...* (Milan 1937), *Tre studi su Pizzetti* (Côme *id.*), *Donizetti* (Turin 1938), *Viaggio in paesi musicali* (Florence 1939), *Mussorgski e la musica russa dell'ottocento* (Rome 1943), *Le feste musicali* (Milan 1944), *Parole e suoni* (*ibid.* 1946), *Guida dell' «Oro» di Pizzetti* (*id. ibid.*), *Il suono è stanco* (Bergame 1950), *Cuaderno del musicista* (*ibid.* 1952), *Musicisti d'Europa* (Milan 1954), *La morte dell'opera* (*id. ibid.*), *La musica e il teatro* (Pise 1954), *Il Don Giovanni e la sua posterità* (ds le vol. d'Armani, *Scala* de Milan, 1955), *Altri studi pizzettiani* (Bergame 1956), *La casa di Arlecchino* (Milan 1957), *Trent'anni di musica* (*id. ibid.*). Voir M. Mila, *G. critico e scrittore*, ds *Rass. mus.* nᵒ 4. 1954 ; T. Celli, *G.G. dir. d'orch.*, ds *Oggi*, 1ᵉʳ mai 1956 ; G. Pestalozza, *G. direttore*, ds *Il punto*, fév. 1957 ; G. Graziosi ds l'*Encicl. dello spettacolo.*

**GAVEAU.** Famille franç. de constructeurs de pianos. — **1. Joseph** (Romorantin 1824–Paris 1903) fonda la maison en 1847, rue des Vinaigriers ; elle devint très vite florissante et obtint de nombreuses récompenses ou médailles, pour la mécanique à lames, la mécanique à baïonnettes, le *barrage équilibré*, techniques de construction de pianos droits. Son fils cadet — **2. Etienne** (Paris 7.10.1872–26.5.1943) succéda à son père en 1893 ; il fonda une usine à Fontenay-sous-Bois (1896) et construisit l'immeuble du 45 rue La Boétie aussi bien que la salle de concerts (1907) : le 13 octobre, Camille Chevillard y dirigeait le 1ᵉʳ concert symph. avec l'orch. Lamoureux, le 5 novembre c'était la 1ʳᵉ séance du trio Thibaud-Cortot-Casals ; la salle est devenue l'un des principaux centres de la vie musicale à Paris ; elle célébra son cinquantenaire (1957), lors d'un concert mémorable ; Étienne G. créa de nouveaux modèles : pianos automatiques, instruments anciens, « crapauds », modèles Menuet etc. Ses fils — **3 et 4. Marcel et André** lui ont succédé et dirigent actuellement la maison. Le fils aîné de Joseph — **5. Gabriel** (Paris 1866–?) fonda à Paris (1911) sa propre firme, qui disparut entre les deux guerres mondiales.

**GAVEAUX Pierre.** Mus. franç. (Béziers...8.1761–Passy 5.2.1825). Élève de l'org. de Béziers, Combes, destiné à la carrière ecclésiastique, il en fut détourné par sa vocation musicale : on le trouve chanteur à la collégiale St-Seurin de Bordeaux, où il est l'élève de François Beck ; en 1780, il est maître de chapelle au Grand théâtre de Bordeaux ; l'année d'après, il y débuta comme ténor ; il fait ensuite partie d'une compagnie qui fait des tournées dans le sud de la France ; en 1789, il est 1ᵉʳ ténor au théâtre de Monsieur à Paris, où il appartient à l'Opéra-Comique ; en 1812, ce sont les débuts d'une aliénation mentale qui entraînera la mort ; il composa les opéras-comiques : *Les deux Suisses...* (1792), *Le paria...* (*id.*), *La famille indigente* (1793), *Les deux ermites* (*id.*), *La partie carrée* (*id.*), *Sophonime...* (1795), *Delmon et Nadine* (*id.* ou 1796), *Le* petit matelot... (1796), *Lise et Colin* (id.), *Tout par hasard* (id.), *Céliane* (id.), *Le traité nul* (1797), *Sophie et Moncars...* (id.), *Léonore...* (1798), *Le diable couleur de rose* (id.), *Les noms supposés* (id.), *Le locataire* (1800), *Le trompeur trompé* (id.), *Ovinska* (1801), *Le retour* (1802), *Un quart d'heure de silence* (1804), *Le bouffe et le tailleur* (id.), *Avis aux femmes...* (id.), *Le mariage inattendu* (id.), *Trop tôt* (id.), *Le diable en vacances* (1805), *L'amour à Cythère* (id.), *Monsieur Des Chalumeaux* (1806), *L'échelle de soie* (1808), *La rose blanche et la rose rouge* (1809), *L'enfant prodigue* (1811), *Pygmalion* (J.-J. Rousseau, 1816), *Une nuit au bois...* (1818), *Le mannequin vivant...*, des romances et des airs, un *Manuel anacréontique de francs-maçons* contenant 7 pièces d'architecture (guitare ou lyre et orch., pour le Grand Orient de France), des chants révolutionnaires : *L'apothéose de J.-J. Rousseau* , *Jeunes amants...*, *Hymne à l'Éternel, Hymne de l'Être suprême* (1792). *Scène sur l'explosion du magasin à poudre de la plaine de Grenelle* (1794), *Le réveil du peuple* (id.), *Au bout de la première année* (Paris, s.d.), 7 ouvertures pour orch. ; ses autres compositions instr. n'ont pas été retrouvées. Avec son frère *Simon*, né à Béziers en 1759, il avait fondé une édition musicale, qui publia des œuvres de P.G., de Boïeldieu, de Cherubini etc. ; ledit Simon était répétiteur de chant et souffleur au théâtre Feydeau ; P.G. avait épousé la chanteuse *Émilie Gavaudan*. Voir A. Pougin, *L'Opéra-Comique pendant la Révolution*, Paris 1891 ; R. Céleste, *Les sociétés de Bordeaux*, ds Rev. philomathique de Bordeaux et Sud-Ouest, 1900 ; Marie Briquet et Jacques Feschotte, art. in MGG.

**GAVINIÈS Pierre.** Violon. franç. (Bordeaux 11.5.1728– Paris 8.9.1800). Fils d'un luthier de Bordeaux qui s'installa à Paris en 1734, dès 1741 P. joue au Concert spirituel, avec L'Abbé, une sonate à 2 viol. de Leclair ; en 1748, il est soliste dans 9 concerts du même Concert ; ses triomphes se situent vers 1752 ; de 1773 à 1777, il dirige le Concert spirituel avec Gossec et Leduc ; en 1795, il est nommé prof. de violon au conservatoire ; parmi ses élèves, citons Capron, Bertheaume, Leduc *l'aîné* et Imbault ; la difficulté de ses compositions témoigne de sa haute virtuosité : Viotti l'appelait le Tartini français ; il a composé *6 sonates à violon seul et basse* (op. 1, 1760), *Le prétendu* (op. 2, op.-com., 1760), *6 sonates à violon seul et basse* (1764), *6 concertos à violon principal, 1er et second dessus, 2 htb, 2 cors, alto et basse, op. 4, 1764*), *6 sonates à 2 viol.* (op. 5), *Les 24 matinées de P.G. pour le violon* (Paris 1794 ou 1800), 3 sonates pour le violon avec acc. de vcelle, dont l'une, en *fa mineur*, dite son *Tombeau* (posthume, Berlin s.d.) ; la bibl. du cons. de Paris possède *Première suite sur des noëls* (v. et 2 orch.), *Deuxième id.* (orch.), 2 concertos de violon, 2 sonates (v. et contrebasse, clav.) ; on trouve de ses airs dans des recueils de l'époque ; nombre de ses œuvres ont été perdues, dont des symphonies. Voir L. de La Laurencie, *L'école française de violon*, Paris 1923 — *G. et son temps*, RM, III, 1922 ; C. Pipelet, pcesse de Salm, *Éloge historique de G.*, Paris 1801 ; F. Fayolle, *Notices sur Corelli, Tartini, G.*, Paris 1810 ; C. Pierre, *Le cons. nat. de musique*, Paris 1900 ; E. Borrel in MGG.

**GAVOTTE.** C'est une danse française d'origine villageoise, l'une de ces danses qui, passant de la campagne à la cour, vivifièrent la danse française dès la fin du XVIe s., qui eurent par la suite grande vogue et influence dans l'art musical et qui redevinrent du domaine de la danse campagnarde vers le milieu du XIXe s. Le terme *g.*

aurait pour origine étymologique le mot *gavot*, par lequel on désignait les habitants de Gap, en Dauphiné. Il est curieux de constater que, déjà dans le dernier quart du XIXe s. la *g.*, danse populaire, est quasiment ignorée dans les Alpes. Bien qu'elle existe en Provence, qu'elle soit incluse dans des pastorales basques, la *g.* est surtout très populaire en Bretagne de nos jours. La présence de formes différentes (*g.* de Basse-Cornouaille, des Montagnes p. ex.) et, à l'intérieur de ces formes, de variantes locales (*g.* de Quimperlé, de Pont-l'Abbé, du Huelgoat p. ex.) prouve assez la vigueur de la *g.* en cette province.

GAVOTTE
*Extrait de Mersenne*, Harmonie universelle *(1627)*.

La *g.* fut considérée au XVIe s. comme un rejeton du branle. Au début du XVIIe s., on en remarque l'heureuse introduction dans les bals de cour où, apportant un assouplissement aux basses-danses, elle concluait les différents branles et leur opposait une certaine vivacité de pas et de caractère. Les seize *g.* du ms. de Cassel, toutes à 2/2, sont situées, pour la plupart, à la fin du branle et avant la courante. La *g.* fut très en faveur à Versailles sous Louis XIV et sous Louis XV encore. Par ses mouvements et ses figures, elle se rapprochait à la fois du branle et de la gaillarde (voir à ces mots). Lully et ses successeurs lui firent une large place dans leurs ballets ; Rameau l'utilisa à maintes reprises dans les « symphonies de danses » de plusieurs de ses opéras et, bien qu'il en comparât le *tempo* à celui de la bourrée, il en fit des applications variées, sans pourtant altérer l'allure générale de la danse : *g.* lente des *Paladins* et de *Castor et Pollux* ; *g.* vive, légère ou gracieuse de *Zoroastre* et des *Fêtes d'Hébé* : dans ces deux dernières œuvres, ainsi que dans les *Indes galantes* et *Zaïs*, Rameau traite la *g.* en rondeau. Incluse encore, par la suite, par Hændel, Gluck et Grétry dans des opéras, la *g.*, hors de la musique de théâtre, a joué un rôle important dans la musique de concert. Corelli, Purcell, Vivaldi, Hændel en ont fait usage dans des concertos, pièces pour clavecins ou sonates. Mais c'est surtout dans la suite que la *g.* conquit sa renommée ; elle n'était pas ignorée de Louis Couperin qui en écrivit quelques doubles, elle était connue de Nicolas Le Bègue qui semble l'avoir introduite dans la suite ; la *g.* atteint une haute expression avec François Couperin le Grand (*Première suite pour deux basses de viole*) et J.-S. Bach : ce dernier, bien qu'il l'utilise avec grand art, sait lui conserver ses traits de nature : caractère simple, dansant et enjoué (*g.* de la 3e suite d'orchestre p. ex., peut-être la plus célèbre) ; citons dans l'œuvre de Bach les *g.* des *Suites françaises*, des suites 1 et 5 pour vcelle et de la suite no 6 pour *viola pomposa*, des 3e et 6e *Suites anglaises*, des 6e et 7e partitas pour piano et de la 3e pour violon, enfin les *g.* des suites d'orchestre (1, 3 et 4). La *g.* semble l'élément le plus modéré de la suite instrumentale, bien qu'elle n'y ait pas une fonction obligée ; sa place y est variable (généralement après la sarabande). Sa structure la plus courante est constituée par des éléments binaires (2+2, 4+4, 4+8+4, 4+12 mesures à 2/2), avec un rythme, également binaire, qui débute par 2 temps légers et s'achève par 1 temps accentué. La g. est généralement suivie de son double, parfois en forme de musette (voir à ce mot), après lequel on répète la première g. (déroulement, dit par la suite, en *trio*). La suite moderne semble avoir négligé cette forme. Chez les compositeurs contemporainss, on peut citer, la g. en *mi* de la mus. du film *Le bossu* (1945) de Georges Auric.  C.M.-D

**GAVOTY Bernard** (*Clarendon*). Critique franç. (Paris 2.4.1908-). Elève de la Sorbonne et du cons. de Paris, il est titulaire du grand orgue de St-Louis des Invalides et critique mus. du *Figaro* ; il a publié *Louis Vierne, le musicien de Notre-Dame* (Paris 1941), *Jehan Alain, musicien français* (*ibid.* 1943), *Les Français sont-ils musiciens ?* (*ibid.* 1947), *Je suis compositeur* (en collab. avec A. Honegger, *ibid.* 1950), *Les souvenirs de Georges Enesco* (*ibid.* 1955), *Pour ou contre la musique moderne* (*ibid.* 1956). *La musique adoucit les mœurs ?* (*ibid.* 1959) ; il est également un des conférenciers attitrés des JMF.

**GAWLER William**. Org. et éd. angl. (Londres 1750-15.3.1809). Org. à l'orphelinat de Lambeth (1785), il publia un livre d'*Hymns and Psalms* (1786), puis un *Supplément*, ouvrages auxquels s'ajoutent d'autres recueils de mus. d'église (œuvres personnelles ou colligées) ; dans les dernières années du XVIIIe s., il s'installa comme éd. de musique.

**GAWRONSKI Wojciech**. Pian., chef d'orch. et compos. pol. (Seimony 27.4.1868-Kowanonak 6.8.1910). Elève de Noskowski, il fonda une école de musique à Orel (Russie), puis se fixa à Varsovie ; il écrivit 2 opéras, 1 symphonie, 3 quatuors, des pièces de piano et des mélodies.

**GAY John**. Dramaturge angl. (Barnstaple 30.6.1685-Londres 4.12.1732). Cet écrivain, qui joua un grand rôle dans la vie dramatique anglaise de son temps, est l'auteur de 3 opéras-ballades ; le célèbre *Beggar's opera* (Londres 1728), *Polly* (*ibid.* 1729), *Achilles* (*ibid.* 1733) : Haendel, Corelli, Geminiani, Purcell ont été ses collaborateurs musicaux ; l'ouverture du *Beggar's opera* était de J.P. Pepusch. Voir E. Gagey, *Ballad-opera*, New-York 1937 ; W.H. Grattan Flood, *The Beggar's opera*, ds *Music and letters*, III, 1922 ; F. Kitson, *id.*, Cambridge 1922 ; J.A. Westrup, *French tunes in the B.O. and Polly*, ds *Mus. Times*, LXIX, 1928-art. in MGG.

**GAY José**. Mus. esp. du XVIe s., qui mourut à Saragosse en 1587, fut maître de chapelle à Berlanga et succéda à M. Robledo dans les mêmes fonctions à la cath. de Saragosse : il devait mourir l'année même ; les arch. des cath. de Saragosse, de Teruel, surtout celles du patriarcat de Valence conservent de ses œuvres (des motets polyphoniques, 4-7 voix).

**GAY Juan**. Pian., chef d'orch. et compos. esp. (Barcelone 19.3.1867-Buenos-Aires 16.1.1926). fondateur de l'*Orfeó Català*, de l'*Institució catalana de música* (1897), qui se fixa à La Havane, puis en Argentine (1924) ; il est l'auteur de 4 opéras et de nombre d'œuvres d'inspiration folklorique.

**GAYARRE Julian**. Ténor esp. (Roncal 9.1.1844-Madrid 2.1.1890). Fils de laboureurs, il devint forgeron pour faire ses études de chant dans la ville de Pampelune, où le compos. Eslava l'entendit en 1865 : il lui procura une bourse pour le cons. de Madrid, ville où G. fit son début en 1868 ; après ses premiers succès en Espagne et en Italie (Parme, Rome ; il débuta en 1876 à la Scala dans la *Gioconda* de Ponchielli), il parcourut le monde entier dans une série de tournées triomphales, interprétant tout le répertoire italien aussi bien que Wagner (*Tannhäuser*, *Lohengrin*) ; le 8 déc. 1889, lorsqu'il chantait les *Pêcheurs de perles* à Madrid, il se sentait malade et put à peine finir son rôle : deux mois après il mourait, ordonnant par son testament la création d'une école de chant pour les enfants pauvres de son pays. Voir M. de Arredondo, *J.G., estudio crítico-biográfico*, Madrid 1890 ; J. Castro y Serrano, *J.G., ibid.* ; J. Enciso, *Memorias de*

*J.G., ibid.* 1891 ; F. Hernández Girbal, *Una vida triunfal, J.G., ibid.* 1934.  D.D.

**GAYE Jean**. Chanteur franç. (près de Toulouse, v. 1640-Versailles 1701), enfant de chœur à Toulouse, chantre à Béziers, qui tint de nombreux rôles dans les ballets et opéras de Lully entre 1668 et 1679.

**GAYER** (*Geyer*) **Christoph Karl**. Mus. austro-tchèque (district de Karlsbad, av. 1670-Prague 16.11.1734), qui fut maître de chœur à Ste-Marie de Lorette (1701) et maître de chapelle à la cath. St-Veit de Prague (1705), également *ad regias tabulas registrator* (1712) ; on a conservé de lui 1 *Te Deum* à 2 chœurs, des laudes du dimanche, 1 *Requiem*, des litanies, 1 *Regina Caeli* et 1 ouverture. Son fils — **Adalbert** (Prague v. 1700-...1758?) était dès 1717 vcelliste à la chapelle de la cath. ; il ne subsiste de ses œuvres qu'1 motet : *Pleno choro*, conservé à Prague-Strahov. — Un **Johann Nepomuk Andreas Josef Jakob G.** (Engelhaus 18.5.1746-Hombourg v. d.Höhe 1811), parent présumé des précédents, élève de W. Pichel, violon., org. à Bad-Durlach, maître de concert à la cour de Hesse-Hombourg, est l'auteur de *Der Engel, Mensch u. Feind* (oratorio), de 2 messes, de motets, de 30 symph., de 40 concertos de violon, de 15 autres de cor de chasse, 3 autres de basson, d'un autre de htb., d'un autre de fl., de 6 doubles-concertos (2 clav.), de 4 sonates de clavecin etc. Voir R. Quoika in MGG.

**GAZAROSSIAN Koharik**. Compos. et pian. arménienne (Constantinople 21.12.1908-), élève de L.-Lévy (piano), de P. Dukas et de Roger-Ducasse au cons. de Paris, ainsi que d'Ed. Weiss aux États-Unis, qui poursuit une carrière intern. de virtuose (Europe, États-Unis, Turquie), est l'auteur de mus. symph. (concerto pour piano), de chambre, de mélodies et de nombreuses harmonisations de folklore arménien.

**GAZIMIHAL Mahmut Ragip** (*Kösemihal*). Musicologue turc (Stamboul 27.3.1900-), à Stamboul (v., Stamboul), d'A. von Fielitz (Berlin), d'Eugène Borrel (Paris), prof. de théorie et d'histoire de la mus. au cons. d'Ankara (1932), il a publié *Béla Bartók* (Ankara 1936) et des ouvrages sur la tonalité dans la mus. populaire turque (Stamboul 1936), la création mus. en pays balkaniques (Ankara 1937), le folklore mus. de la région d'Ankara (av. K.H. Karsel, Stamboul 1939), les rapports de la mus. turque et européenne (*id. ibid.*), l'hist. de la mus. militaire turque (*ibid.* 1955).

**GAZTAMBIDE Joaquin Romualdo**. Compos. esp. (Tudela 7.2.1822-Madrid 18.3.1870). Elève de Pedro Albéniz et de Carnicer au cons. de Madrid, il appartient à la génération qui, vers le milieu du XIXe s., assura, à travers le triomphe de la *zarzuela*, la renaissance d'une musique (théâtrale) esp. ; on lui doit *El sargento Federico* (1856, en collab. avec Barbieri) et quantité de pièces en 4, 3, 2 et 1 actes.  D.D.

**GAZZANIGA Giuleppe**. Mus. ital. (Vérone...10.1743-Crema 1.2.1818). Elève de Porpora, qui le fit entrer au cons. de S. Onofrio à Naples (1762-67), puis de Piccinni, il fut par leurs soins nommé compos. au *Teatro nuovo* de Naples ; à Venise, il se lia ensuite avec Sacchini ; Da Ponte le jugeait très sévèrement : en dépit de quoi, à partir de 1786, la carrière de G. fut triomphale : il eut des commandes de tous les théâtres européens, séjourna aux cours de Munich et de Dresde, de Turin (1791), année où il accepta le poste de maître de chapelle à la cath. de Crema ; notons qu'il écrivit un *Don Giovanni* en 1787, quelques mois avant Mozart ; de 1768 à 1807 il composa 44 opéras pour Naples, Vienne, Venise, Bologne, Milan, Rome, Vérone, Novare, Florence, Pesaro, Pise, Dresde, Palerme, Lisbonne, Berlin, Trieste, Vicence, Ferrare, Ancône, Padoue, Turin, Plaisance, Modène, 3 oratorios, de la mus. d'église polyph., (1 messe des défunts à 4 v.), 1 cantate (Bologne 1777), 3 concertos de piano, 1 symphonie. Voir les mémoires de Da Ponte, trad. R. Vèze, Paris 1931 ; F. Chrysander, ds *Viert. f. Mus.wiss.*, IV, 1888 ; A. Della Corte, *L'opera-comica*, 2 vol., Bari 1923 — art. in MGG ; G. Macchia, *Di alcuni precedenti del Don Giovanni di Mozart e Da Ponte*, ds

*Studie in on. di P. Silva*, Florence 1957 ; C. Sartori ds l'*Encicl. dello spettacolo.*

**GAZZELONI Severino.** Flûtiste ital. (Rome 1919–), lauréat du cons. *S. Cecilia*, prof. au cons. Rossini, à Darmstadt.

**G'BAU.** C'est une trompe en corne d'antilope, des Baoulé (Afrique, Côte d'Ivoire). R.M.

**GBINDO.** C'est un hochet-sonnaille, utilisé par les femmes Kissi (Afrique, Guinée). M.A.

**G'BOLOU.** C'est un tambour à friction sur calebasse (Afrique, Côte d'Ivoire, peuple Baoulé). R.M.

**GEBAUER.** Famille de mus. franç.: — **1. Michel-Joseph** (La Fère-en-Tardenois 1763–...12.1812) était à 14 ans htboïste de la Garde suisse à Versailles, en 1791 de la Garde nationale ; de 1795 à 1802, il fut prof. au cons. de Paris ; il fit les campagnes de Napoléon comme musicien de la Garde impériale ; il a laissé des duos pour 2 viol., pour viol. et alto et pour instr. à vent, 2 quatuors (*idem*), 200 marches militaires. Son frère — **2. François-René** (Versailles 15.3.1773–Paris 28.7.1845), basson, son élève et celui de F. Devienne, entra à la Garde nationale (1790) ; de 1795 à 1802 et de 1824 à 1838, il fut prof. au cons. de Paris, de 1821 à 1826 basson à l'Opéra ; il a laissé 35 marches militaires, 3 duos concertants (fl., viol.), nombre de duos, quatuors et quintettes pour instr. à vent, 13 concertos de htbois, 8 symph. concertantes, 2 nocturnes concertants, 2 manuels pédagogiques. Leur frère — **3. Pierre-Paul** (Versailles 1775–Paris ?) fut célèbre comme corniste au Théâtre du Vaudeville à Paris et mourut jeune, laissant 20 duos pour 2 cors. Leur frère — **4. Étienne-François** (Versailles 1778–Paris 1823) fut flûtiste à l'orch. de l'Opéra-Comique ; il composa 27 duos (instr. à vent et 2 viol.), des sonates (fl. et basse), *Gamme pour la flûte, suivie de 18 airs*, des airs variés. Son fils — **5. Michel-Joseph**, dont l'état-civil est inconnu, fut altiste et publia 6 duos (v., alto), *Méthode d'alto* (1820), *Pièces en duo tirées des plus célèbres auteurs.*

**GEBAUER Franz Xaver.** Chef d'orch. et compos. allem. (Eckersdorf 1784–Vienne 13.12.1822). Org., virtuose de la harpe juive, pian., vcelliste, maître de chœur à l'église St-Augustin (1816), membre actif de la *Gesellschaft der Musikfreunde*, 1er chef d'orch. du Concert spirituel à Vienne, il publia quelques mélodies et des chorals ; il fut l'ami intime de Beethoven.

**GEBEL.** Famille de mus. allem. — **1. Georg** (*senior*) (Breslau 1685–v. 1750) était en 1709 org. à Brieg, où il fut l'ami de Stölzel, puis en 1713 org. et en 1714 dir. de mus. à St-Christophe de Breslau ; il construisit un clavicorde à quarts de ton et composa 1 passion (7 v.), 1 messe à double-chœur, des psaumes et des chorals, 5 cantates, des concertos et pièces pour piano (dont le *Grosser mus. Schneckenzirkel*), quantité de canons (jusqu'à 30 v.), 2 cantates profanes, des concertos pour orch., des partitas, chaconnes, airs et variations etc. Son fils aîné — **2. Georg** (*junior*) (Brieg 25.10.1709–Rudolstadt 24.9.1753) fut son élève ; il était en 1729 2e org. de Ste-Marie-Madeleine de Breslau, en 1723 maître de chapelle du duc d'Œls, en 1735 des comtes Brühl à Varsovie et à Dresde, en 1746 *Konzertmeister*, en 1750 maître de chapelle à Rudolstadt ; il composa 4 cantates d'église, 2 passions, 1 oratorio de Noël (4 v. et org.), 12 opéras, dont *Serpillo u. Melissa* (v. 1750), *Œdipus* (1751), *Medea* (1752), *Tarquinius Superbus* (id.), *Sophonisbe* (1753), *Marcus Antonius* (id.), plus de 100 symph., des concertos, ouvertures, partitas, duos, trios, sonates. Son frère — **3. Georg Siegmund** (Breslau v. 1715–1775) était en 1736 org. en second à Ste-Elisabeth, en 1744 à Ste-Marie-Madeleine, en 1748 à la Trinité, en 1749 à Ste-Elisabeth (jusqu'en 1762) de Breslau ; il composa des pièces d'orgue, restées pour la plupart mss. Voir l'autobiographie de *G.G.* (*senior*) publiée par Mattheson dans *Grundlage einer Ehrenpforte* (rééd. Berlin 1910), la biographie (anon.) de *G.G.* (*jr.*) ds F.W. Marpurg, *Hist.-krit. Beyträge*, I, Berlin 1754 ; J.A. Hiller, *Lebensbeschreibungen...,* Leipzig 1784 ; I. Sass, *Die mus. Einrichtungen... der Stadt Breslau*, thèse de Breslau, 1921.

**GEBHARD Hans.** Compos. allem. (Mulhouse 26.9.1882–Marbourg 4.10.1947). Elève d'Eugène Münch, des cons. de Strasbourg et de Francfort, de la *Berliner Hochschule*, il fut pris par Jaques-Dalcroze en 1913 comme prof. de piano à Hellerau ; promoteur d'une méthode musicale « unitaire », il enseigna à Hellerau, Munich et Marbourg ; il écrivit des chœurs, de la mus. de chambre et de piano ; il publia notamment *Körperstudien f.d. Ausdruck am Klavier* (Munich 1932), *Grundlagen d. logischen Modulationen* (id. 1934). Voir H. Gebhard, *Die G. Klangsilbe,* ds *Die Musikerziehung*, III, 1926 ; R. Schaal, *H.G.-Elsass,* ds *Neue Musikzs.*, II, Munich 1948, et art. in MGG.

**GEBHARD** — **1. Max.** Compos. allem. (Dinkelsbühl 28.3.1896–). Elève de J. Haas, il a été prof. à Eischtätt, à Nuremberg, dir. du cons. de cette dernière ville (1934–45) ; il y est prof. de composition (1949) ; il a écrit de la mus. symph., de chambre, chor., 3 cantates (*Daphnis*, 1954), 1 passion, 1 *Missa gregoriana*, des mélodies. Son frère — **2. Hans** (*ibid.* 18.8.1897–), élève de J. Haas également, était en 1936 org. et prof. dans sa ville natale ; il a composé notamment 1 *Missa gothica* (1933), 1 psaume (1950), 2 concertos (p. vcelle, 1936–1952). Leur frère — **3. Ludwig** (*ibid.* 7.3.1907–), élève de J. Haas lui aussi, dir. de la Soc. de Nuremberg, a composé un « opéra pour les jeunes » (*Wer reitet auf meinem Esel*), 1 *divertimento*, des cantates, de la mus. chor., de chambre, des mélodies.

**GEBRAUCHSMUSIK.** C'est un terme allem. récent, qui désigne une musique écrite pour des amateurs, à usage domestique, scolaire, pédagogique ; il semble que la G. ait été mise en honneur par Hindemith et par Krenek vers 1925–30 et, d'une façon plus générale, par l'école allemande après la 1re guerre mondiale, en réaction contre le romantisme individualiste du XIXe s., en imitation des musiques de « circonstance » : les cantates de Bach, p. ex. (*cf.* Hindemith, préface du *Plöner Musiktag*, 1932).

**GEBUNDENERSTIL.** C'est une expression allem. (de *gebunden* = lié), qui désigne le style contrapuntique sévère du XVIIe s. par opposition au *freier Stil* (mélodie accompagnée).

**GÉDALGE André.** Prof. et compos. franç. (Paris 27.12.1856–Chessy 5.2.1926). Il commença dans la vie comme libraire et ce n'est qu'à 28 ans qu'il entra dans la classe de Guiraud au cons. de Paris ; un an après, il était 2e grand prix de Rome ; d'abord répétiteur dans les classes de Guiraud et de Massenet, il fut lui-même, à la fin de 1905 et jusqu'à sa mort, prof. de fugue et de contrepoint ; durant sa longue carrière de prof., il eut comme élèves les musiciens les plus brillants de l'époque : Rabaud, Enesco, Laparra, Kœchlin, Florent Schmitt, Ravel, André Bloch, Roger Ducasse, Honegger, Jacques Ibert, Darius Milhaud etc. ; il publia un *Traité de la fugue* (Paris 1904) et de nombreux ouvrages de pédagogie musicale ; il écrivit 5 opéras, 2 pantomimes, 4 symph., 1 concerto de piano, de la mus. de chambre, chor., des mélodies. Il avait épousé *Amélie Alexandrine d'Obigny de Ferrières,* qui était elle aussi prof. d'harmonie et publia *Les Gloires musicales du monde* (Paris 1898), *Principes de la musique* (2 vol., *ibid.* 1905). Voir *Hommage à A. Gédalge* ds RM, mars 1926 ; *André Gédalge* (recueil d'art. nécrologiques), Paris 1926.

**GEDDA Giulio Cesare.** Chef d'orch. et compos. ital. (Turin 16.4.1899–). Elève d'Alfano, org. et vcelliste, il a été chef des concerts symph. (1932) et enseigne la composition au cons. G. Verdi de Turin ; il a écrit 1 opéra (*L'amoroso fantasma*, 1931), des concertos pour vcelle, pour 4 saxophones, p. cordes et batterie (1954), de la mus. symph., de chambre, chor., des mélodies.

**GEDDA Nicolai.** Ténor suédois d'orig. russe (Stockholm 11.7.1925–), qui débuta à l'Opéra de Stockholm en 1952 ; il fait une carrière intern. et appartient au *Metropolitan Opera* de New-York.

**GEDEGWU.** C'est un xylophone à une ou deux lames sur résonnateur en poterie (Afrique, Nigeria). De tailles diverses, les *g.* sont utilisés seuls ou par groupe ; dans ce cas ils composent une échelle sonore complète. M.A.

**GEDEONOV. — 1. Alexander Mikhaïlovitch** (St-Pétersbourg 1790-1867) dirigea les théâtres impériaux de 1835 à 1848 : il fut donc l'organisateur de la 1<sup>re</sup> période de l'opéra russe (Glinka, Dargomyzsky etc.). Son fils — **2. Stepan Alexandrovitch** (*ibid.* 1816-1878), écrivain et historien, dirigea les mêmes théâtres de 1867 à 1875.

**GEEHL Henry Ernest.** Compos. angl. (Londres 28.9.1881-), qui a été chef d'orch. de théâtre et prof., auteur d'1 symph., de 2 concertos, de 3 suites d'orch., de mélodies etc.

**GEERING Arnold.** Musicologue suisse (Bâle 14.5.1902-). Elève de K. Nef, de Handschin et de W. Merian, docteur de l'univ. de Bâle avec *Die Vokalmusik in der Schweiz zur Zeit der Reformation* (1931, éd. ds *Schw. Jhb. f. Mw.*, VI, Aarau 1933), il a été chanteur, prof. à la *Schola cantorum*, prof. à l'univ. de Bâle (1947), secrétaire de la Soc. intern. de musicologie (1948-51), dir. des Archives de folklore suisse (1949), il enseigne actuellement à l'univ. de Berne (depuis 1950) ; en 1956-1957, il a été rédacteur des *Acta musicologica* et, en 1957, il a enseigné aux États-Unis ; il a publié, outre sa thèse, *Homer Herpol u. Manfred Barbarini Lupus* (ds *Karl Nef z. 60. Geburtstag*, Bâle *id.*), *Zur Wiedergabe alter Musik* (ds *Schweiz. Mzt.*, 1934), *Volkslied u. Kunstmusik im 16. Jh. i. d. Schweiz* (ds *Volkslied u. Hausmusik*, Zurich 1935), *Musikwissenschaft in Basel* (ds *Schweiz. Mzt.*, 1937), *Ludwig Senfl...* (ds *Sonntagsblatt der Basler Nachr.*, *id.*), *Kurze Wegleitung z. Aufführung d. Lieder L. Senfls* (ds *Volkslied u. Hausmusik*, Zurich 1939), *Textierung u. Besetzung in L. Senfls Liedern* (ds *Archiv f. Mf.*, *id.*), *Gesch. d. Mus. i. d. Schweiz v. d. Reformation z. Romantik* (ds *Schweizer Musikbuch*, Zurich *id.*), *L. Senfl im Spiegel seiner Liedkunst* (ds *Schweiz. Mzt.*, 1941), *Adolf Hamm, der Chordirigent* (ds Paul Sacher, *Adolf Hamm, 1882-1938, Organist am Münster zu Basel*, Bâle 1942), *Minnesang i.d. Schweiz* (ds *Schweiz. Mzt.*, 1947), *Der Chorgesang, Die Oper* (ds *Mus.aeterna*, Zurich 1948), *Die Nibelungenmelodie in der trierer Marienklage* (ds *KB. d. intern. Gesellschaft f. Mw.*, Bâle 1949), *Vom speziellen Beitrag der Schweiz zur allgem. Mf.* (ds *Die Musikforschung*, 1950), *Von der Tessiner Volksmesse* (ds *Heimat u. Humanität Festschrift für K. Meuli zum 60.Geburtstag*, Bâle 1951), *Organa u. Conductus i.d. Handschriften d. deutschen Sprachgebietes vom 13. bis 16. Jh. (Publikationen d. Schweiz. Mf. Gesellschaft*, II, 1, 1952), *Retrospektiv mehrstimmige Mus. in franz. Handschriften d. Mittelalters* (ds *Homenaje a Mons. Higinio Anglés*, 1958), collaboré notamment à MGG, publié 5 vol. des œuvres de L. Senfl (Bâle 1939), des psaumes et cantiques de Wannenmacher et de C. Adler (Genève 1933).

**GEHOT Joseph** (ou *Jean*). Mus. belge (? 1756-U.S.A. v. 1820). Violon., il est aux environs de 1780 à Londres, ville à partir de laquelle il fait carrière en Europe ; en 1792, il part avec Hewitt, Bergmann, Young, Phillips pour New-York ; en 1792-93, il dirige l'orch. des *City Concerts* de Philadelphie ; il semble qu'il ait été également vcelliste ; il nous a laissé 14 quatuors, 12 trios, 18 duos, 24 pièces militaires, 1 ouverture en 12 mouvements, des concertos de violon, pour la scène : *The maid's last Shift...* (1787), *The marriage by stratagem...* (1789), *The royal naval review at Plymouth* (*id.*), *She would be a soldier* (*id.*), *The enraged musician* (*id.*), 2 airs pour *The cobbler of Castlebury* de Sields ; il publia 1 traité de théorie musicale, 1 de violon et *Complete instructions for every musical instrument* (1790). Voir Sonneck, *Early concert life in America ;* J.R. Parker, *Musical reminiscences,* Euterpiad 1822 ; S. Sadie in MGG.

**GEHRING Carl.** Compos. et critique amér. (Cleveland 3.5.1897-), chroniqueur au *Daily News* (dep. 1926), auteur de mus. de chambre, de mélodies.

**GEHRING Jacob.** Musicologue suisse (Glarus 24.7.1888-(. Elève des cons. de Bâle (H. Huber) et de Cologne (Steinbach), des univ. de Zurich et de Berlin, il a enseigné à Schiers (1918), à Glarus (1919), dirigé des chœurs, de 1938 à 1950, exercé une activité de pian. et de conférencier ; il a publié *Glarn. Musik i.d. ersten Jahrzehnten des 19.Jh.* (Glarus 1936), *Glarn. Musikpflege...* (*ibid.* 1939), *Beitr. z. glarn. Kulturgesch. d. 18. u. 19.Jh.* (*ibid.* 1943), *Grundprinzipien z. Mus.gestaltung* (Breitkopf

1928), *Pannerherr J.P. Zwicky* [1762-1820] (Zurich 1937), nombre d'articles ds la Schw. Muzikzeitung, ds l'ann. d'hist. du canton de Glarus et ds divers périodiques, notamment sur Bach, Grillparzer, Goethe ; il a, en ms., *Goethe u. Bach* et *Goethe u. die Musik* (1950).

**GEHRKENS Karl Wilson.** Théoricien amér. (Kelleys Island 19.4.1882-), élève de l'univ. Columbia, prof. au cons. Oberlin de l'Ohio (1907-42), qui a publié *Music Notation and terminology* (New-York 1914, 1930), *Essentials in conducting* (*ibid.* 1919), *An introduction to school music teaching* (Boston *id.*), *The fine art of teaching* (New-York 1921), *The fundamentals of music* (*ibid.* 1923), *Handbook of musical terms* (Boston 1927), *Twenty lessons in conducting* (Chicago 1930), *Music in the grade schools* (2 vol., Boston 1934, 1936) ; il a édité les *Universal school music series* (av. W. Damrosch et G. Gartlan, 1923-30, 1933-35) et *The teaching administration of high school music* (av. P.V. Dykema, 1941).

**GEHRMANN Hermann.** Musicologue allem. (Wernigerode 22.12.1861-Cassel 8.7.1916). Elève des univ. de Leipzig et de Berlin (Spitta), du cons. Stern de Berlin, docteur de Berlin avec sa thèse *J.G. Walther als Theoretiker* (1891), critique à l'*Allg. Zeitung* à Koenigsberg (1897), à la *Frankfurter Zeitung* (1901-11), il vécut les dernières années de sa vie à Berlin et à Cassel ; outre sa thèse, il publia des art. dans div. périodiques, édita Hassler et Sweelinck, composa des mélodies et 1 quatuor à cordes.

**GEIJER Erik Gustaf.** Poète, historien et mus. suédois (Ransäter 12.1.1783-Stockholm 23.4.1847), qui fut prof. d'histoire à l'univ. d'Upsal (1817-47) ; il composa 60 *Lieder*, des chants à 2 et 3 v. av. chœur, 3 quatuors, 1 quintette, 1 trio, des sonates et sonatines (p. v., p. à 4 m., p.), 1 *divertimento* (p.), des romances sans paroles. Voir T. Nordling, *E.G.G....*, Stockholm 1919 ; J. Landquist, *G., ibid.* 1954 ; E. Norberg, thèse d'Upsal, 1944.

**GEIRINGER Karl.** Musicologue amér. d'origine autr. (Vienne 26.4.1899-). Elève de Stöhr, de G. Adler, de J. Schlosser, de Curt Sachs, docteur de Berlin (1923) avec sa thèse *Die Flankenwirbelinstrumente i.d. bildenden Kunst d. 14-16.Jh.*, Custos à la Ges. d. Musikfreunde à Vienne (1930-38), prof. au *Royal college of music* à Londres (1939-40), au *Hamilton College* de Clinton [U.S.A.] (1940-41), il est depuis 1941 prof. d'hist. de la mus. à l'univ. de Boston, président de la Soc. de mus. amér. (1955) ; il a publié *Tanzbrevier, Weise, Lied u. Meinung aus 3 Jh.* (av. W. Fischer, Vienne 1926), *Joseph Haydn* (Postdam 1932), *J. Haydn-Kat. einer Zentenaraustellung* (av. W. Fischer, Vienne 1932), *J. Brahms-id.* (*ibid.* 1933), *Alte Musikinstrumente... im Salzburger Museum* (Leipzig 1933), *J. Brahms...* (Vienne 1935, trad. angl. Londres 1935, 1947, ital., Rome 1952, jap., Tokio *id.*), *125 Jahre d. Ges. d. Mus.freunde...* (av. H. Kraus, Vienne 1937), *Musical instruments...* (Londres-New-York 1943), *Haydn, a creative life in music* (*ibid.* 1946), *The lost portrait of J.S. Bach* (New-York 1950), *The Bach family...* (Londres 1954, trad. franç., Corréa, 1955), rédigé nombre d'art. sur l'organographie, Beethoven, G. Ferrari, L. Vinci, Hugo Wolf, Paul Peuerl, I. Posch, les musiciens flamands et hollandais du XVII<sup>e</sup> s., Chr. Strauss, Schumann, Haydn, Brahms, Kreisler, le feuillet d'Endenich (RM 1937), Mozart (ds *The Mozart reader*, Londres 1956), collaboré à des encyclopédies, édité P. Peuerl, I. Posch, A. Caldara, Pergolèse, Gassmann, Wagenseil, Gluck, Stamitz, les deux Haydn, Boccherini, Mozart, Schubert, Schumann, Brahms et les Bach.

**GEISER Walther.** Compos. suisse (Zofingen 16.5.1897-). Elève du cons. de Bâle (Hirt, Suter), de B. Elderling (Cologne), de Busoni (Berlin), alto à l'orch. et dans le quatuor de Bâle, prof. de composition et chef de l'orch. du cons. de Bâle, chef du *Basler Bach-Chor* (1955), il a écrit *Concertino* (fl., 1921), *Ouv. z.einem Lustspiel* (1922), *Nocturne* (1927), *Konzert* (v., 1930), *Divertimento* (1933), *Concertino* (cor., 1934), *Praeambulum* (1938), *Konzertstück* (orgue, 1941), *Fantasie* (p. et timbales, 1942), *Fantasie II* (1945), *Vorspiel zu einer antiken Tragödie* (1947), *Fantasie III* (1949), *Symphonie* (1953),

*Festliches Vorspiel* (1955), *Concerto da camera* (2 v., clav., 1957), de la mus. de chambre (2 quatuors, 1 trio), des chœurs (*Inclyta Basilea*, 1951), des mélodies, de la mus. de piano et d'orgue.

**GEISLER Benedict.** Le *Quellen-Lexikon* d'Eitner le dit moine augustin, le situe vers la moitié du XVIIIe s. et cite ses messes, litanies, offertoires et vêpres (publiés à Bamberg et Augsbourg, conservés à la bibl. de Munich et au *British Museum*).

**GEISLER Paul.** Chef d'orch. et compos. allem. (Stolp 10.8.1856–Posen 3.4.1919). Élève de son grand-père (dir. de mus. à Marienbourg), de K. Decker, répétiteur de chœur à l'opéra de Leipzig (1881–82). puis au théâtre d'A. Neumann et chef d'orch. à Brême (1882–85), il vécut ensuite à Leipzig, Berlin, Posen, où il fonda un conservatoire et dirigea des concerts symph. ; il est l'auteur de 7 opéras, 4 symphonies, 2 poèmes symph., d'œuvres chor., de piano, de mélodies.

**GEISSLERLIEDER.** Ce sont des chants de péni-tence allem. du XIVe s. qui servaient lors des processions de flagellants.

**GEIST Christian.** Musicien allem. (Güstrow v. 1640--Copenhague 1711). Fils d'un cantor de la cath. de Güstrow, il suivit le duc Gustave-Adolphe de Mecklembourg à Copen-hague où, en 1670, il était basse à la chapelle de la cour ; la même année, il passa à la cour de Suède (1670–80), puis revint à Copenhague pour y être organiste dans div. églises ; ses compositions sont gar-dées en mss à l'université d'Upsal : 56 concerts spi-rituels (en latin et en allem.), 3 chorals d'orgue, 2 pièces profanes. Voir J. Mattheson, *Grundlage einer Ehrenpforte*, rééd. Schnei-der, 1910 ; T. Norlind, *Från Tyska k.glansdagar III*, Stockholm 1945.

**GEKKIN.** C'est un luth, à manche court, à caisse circu-laire et plate, muni de quatre cordes ; l'instrument est analogue au *yue-k'in* (voir à ce mot) chinois ; on dit aussi *genkan* (Japon, attesté depuis l'époque de Nara).
                                                                                                            E. H.-S.

**GÉLASIEN.** C'est une forme de la liturgie latine occi-dentale, codifiée par Gélase, pape de 492 à 496 ; l'aire d'expansion de cette forme recouvre à peu près celle de la liturgie gallicane (les livres gallicans sont en réalité des livres gélasiens) ; elle comprend en plus Rome, qui a certainement pratiqué la liturgie de Gélase. Le livre type est le ms. du Vatican *Reg 316* (VIIe s.) : le g. est carac-térisé d'abord par son calendrier, au long duquel les fêtes sont cataloguées en deux séries, celles du temps et de Dieu, celle des saints ; cette division a été reprise par la liturgie post-grégorienne. Il y a 3 lectures de la messe, alors que la prophétie est supprimée dans le grégorien, le style des oraisons est encore voisin de l'improvisation orale. Il reste que tout le rituel gré-gorien est en germe dans le g. Voir H.A. Wilson, *The gelasian sacramental...*, Oxford 1894 ; V. Leroquais, *Sacramentaires et missels mss des bibl. publiques de France*, I, Mâcon 1924 ; *Le Kyrie de la messe et le pape Gélase*, ds Rev. bénédictine, 1934 ; B. Capelle, *L'œuvre liturgique de saint Gélase*, ds *Journal of theological studies*, II, 1951 ; voir également art. *gallican*.                     S.C.

**GELINEK Guillaume.** Harpiste franç. (Paris 1767–?). Il jouait également de la contrebasse ; élève de son père et de Cousineau. en 1799, il était contrebasse à l'orch. de l'Opéra (il y resta 40 ans) ; il appartint aussi aux cha-pelles impériale, puis royale ; il publia *Exercices de modu-lation sur une progression ascendante* (1829), un recueil de danses pour la harpe, des romances avec acc. du même instrument.

**GELINEK Hermann Anton** (*Cervetti*). Mus. tchèque (Horineves 8.8.1709–Milan 5.12.1779). Prémontré, il fut violon. et org. au monastère de Zeliv, où en 1760 il était maître de chœur ; ses succès de virtuose au violon lui valurent la faveur des rois de France aussi bien que celle

C. GEIST

*Début du motet à 12 Quis hostis in cœlis (ms. aut. Upsal, 1672).*

des Italiens : il abandonna son monastère, vécut chez le grand-prieur de l'ordre de Malte de Prague, et exerça à Milan sous le nom de Cervetti ; celles de ses œuvres qui ont été conservées sont en manuscrits aux arch. du couvent de Zeliv (concerto et sonate de violon). Son frère — **Johann** (?–Prague 1780) fut org. de St-Wenceslas (1754) et de l'église des Barnabites à Prague ; il était luthiste ; a il laissé un recueil intitulé *Musica sopra il liuto* (Musée nat. de Prague). Voir E. Trolda, ds *Hudbni Rev.*, X, 1916–17 ; J. Racek, *Ceška hudba*, Prague 1958 ; G.J. Dlabacz, *Allg. hist. Künstler-Lex. f. Böhmen*, I, Prague 1815.

**GELINEK Joseph** (*Abbé*). Mus. tchèque (Selč 3.12.1758–Vienne 13.4.1825). Élève de N. Seger, d'Albrechtsberger, chapelain du comte Philippe Kinsky, ami de Haydn, de Mozart, de Beethoven, virtuose du piano, il fut au ser-vice des princes Esterhazy, de l'impératrice Maria-Ludovica et de l'aristocratie viennoise, composa pour le piano des variations et des sonates, des trios, des sonates de violon ; les éditions Steiner ont publié un catalogue thématique des variations de G. Voir J. Racek, *Ceška hudba*, Prague 1958 ; G.J. Dlabacz, *Allg. Hist. Künstler-Lex. . Böhmen*, I, *ibid.* 1815 ; K.M. Komma et F. Vernillat in MGG.

**GEMBLACO, GEMBLOUX.** Voir art. *Franchois*.

**GEMINIANI Alessandro.** Voir art. *Alfieri (Pietro)*.

**GEMINIANI Francesco Saverio.** Mus. ital. (Lucques

v. 1680–Dublin 17.9.1762). Il fut baptisé le 5.12.1687 ; il était le fils de *Giuliano*, qui appartenait à la chapelle palatine de Lucques ; son prof. de violon fut Carlo Ambrogio Lonati, à Milan ; ses autres prof. furent Corelli et A. Scarlatti à Rome ; de 1707 à 1710, il est violon. à l'orch. de la *Signoria* à Lucques, en 1711 maître de concert à Naples ; c'est de cette période que Burney dit qu' « aucun des exécutants ne pouvait le suivre dans son *tempo rubato* et dans ses changements de *tempo* inattendus » ; on dit d'ailleurs que Tartini l'appelait « *il furibondo G.* » : il semble en tout cas avoir échoué comme chef d'orch. ; en 1714, comme Veracini, il gagne l'Angleterre, où il acquiert rapidement une grande réputation de virtuose : le roi Georges Ier l'appréciait, aussi bien que Haendel qui était son accompagnateur au clavecin ; son goût du commerce de la peinture, art dans lequel il était pourtant loin d'être un connaisseur, lui fit commettre de telles imprudences qu'il fut incarcéré, et c'est *lord* Essex, son élève et ami, qui le sortit de prison ; en 1728, par les soins de ce même *lord*, il obtint le poste de *master and composer of the State music* en Irlande : catholique, il ne put occuper son poste, mais il fit de fréquents séjours à Dublin où, de 1733 à 1740, il se fit de nombreux élèves et donna des concerts ; en 1740, il était de retour à Londres, mais en 1749 il vint à Paris, où il avait déjà séjourné en 1740 : bizarrement on n'a aucun détail sur ses activités en France ; il y publia une nouvelle édition de ses sonates (*op.*5) et fit représenter *La forêt enchantée* aux Tuileries le 31.3.1754 (le livret était tiré de la *Jérusalem* du Tasse, l'architecte décorateur était Servandoni) ; en 1758, il est de retour à Londres, où il fonde *The harmonical miscellany*, sans aucun succès, puisque le périodique n'eut que 2 numéros ; en 1759, il est en Irlande, près de Charles Coote, le futur comte de Bellamont, puis près de son élève Dubourg à Dublin, où il mourra et sera enterré au cimetière St-André. L'œuvre de *G.* a considérablement enrichi la littérature violonistique ; son *Art of playing on the violin* est le premier traité de violon qui ait paru dans le monde.

**Œuvres :** instr. : *Sonate a v. solo* (op. 1, Bologne 1705), *Sonate a v., violone e cembalo* (op. 1, Londres 1716, 1739, Amsterdam 1717, Boivin, Paris v. 1740), *Six sonatas for 2 v. and a vcello or harpsichord with a ripieno bass... I, Six sonatas for 2 v. and a vcello..., Sonate a v. e basso* (op. 4, Londres 1739, Paris v. 1740), *Sonates pour le violon avec un vcelle ou clavecin* (La Haye 1746), *Le VI sonate di vcello e b.c.* (op. 5, Londres 1747), des sonates pour v. et *b.c.* dans un recueil imprimé à Londres en 1725, 2 duos (v. ou fl.) dans *Apollo's Collection* (Oswald, Londres) d'autres dans les 12 sonates publiées chez Lecène à Amsterdam ; 1 sonate pour v. et *b.c.* en mss à Dresde ; *concerti grossi : Conc. grossi op. 2*, Londres 1732, rééd. Amsterdam 1733-34 et Paris s.d. chez Le Clerc), *Six concertos...* (op. 2, rééd. des précédents revue et augmentée, Londres, rééd. Paris 1755), *C.g...* (op. 3, Londres, Amsterdam 1733, Paris s.d. ibid., nouvelle éd., revue et augmentée, Londres 1755), *Six c.* (op. 6, Londres 1741), *Six c.g... tirés de l'op. 4* (ibid. 1743), *c.g...* (op. 7, ibid. 1746), *Two c...* (Londres s.d.), *The inchanted forrest, an instr. Compos. Expressive of the same ideas as the poem of Tasso of that Title* (Johnson, Londres 1756) ; arrangements : *c.g.* de Corelli (1726-28), 12 solos de Mancini, *Pièces de clavecin tirées des différens ouvrages de Mr. F.G.* adaptées par lui-même à cet instrument (Londres 1743), *The second collection of pieces for the harpsichord...* (ibid. 1762), *G.'s celebrated six concerts... adapted for the harps., org. or pfte* (Goulding, Londres), *The celebrated adagio* (Cramer) etc. ; œuvres didactiques : *Rules for playing in*

GEMINIANI     Coll. Meyer
*Peinture de W. Hoare*

*a true taste on the violin, german flute, vcello and harps. particularly the thorough bass, exemplified in a variety of Compos. on the subjects of engl., scotch and irish tunes* (Londres 1745), *A treatise on good taste beeing the second part of the rules* (ibid. 1749), *The art of playing on the violin...* (Londres 1731, puis *op.* 9 v. 1740, 1751, Paris 1752, U.S.A. 1769, Vienne 1785, Londres v. 1790 etc.), *Guida armonica o dizionario armonico being a sure guide to harmony and modulation op. 10* (éd. angl. 1742, franç. et holl. 1756), *A supplement to the Guida armonica...* (Londres v. 1745), *The art of accompaniament or a new and well digested method to learn to perform the thorough bass on the harps. op. 11* (2 vol., Londres 1755), *The art of playing the gitar or cittra...* (ibid. 1760) ; les deux numéros de l'*Harmonical miscellany* furent édités par Johnson (Londres 1758) ; *The art of playing on the violin* a été rééd. en fac-similé par D.D. Boyden (ibid. 1752).

**Bibl. :** Ch. Burney, *A general history of music*, IV, Londres 1789 ; A. Betti, *La vita e l'arte di F.G.*, Lucques 1933 ; W.H. Grattau Flood, *G. in England and Ireland*, ds SIMG, XII, 1910-11 ; L. de La Laurencie, *L'école franç. de violon de Lully à Viotti*, III, Paris 1922-24 ; R. Hernried, *F. G. concerti grossi op. 3*, ds Acta mus., IX, 1937 ; D.D. Boyden, *Prelleur, G. and just intonation*, ds Journ. Amer. Mus. Soc., IV, 1951 ; F.T. Arnold, *The art of accompaniment from a th.-bass*, Londres 1931 ; F. Giegling in MGG.

**GENAST Eduard Franz.** Baryton allem. (Weimar 15.7.1797–Wiesbaden 4.8.1866). Fils d'un chanteur : *Anton G.* (Trachenberg 1765–Weimar 1831), il fut le protégé de Gœthe et débuta à Weimar dans *L'enlèvement au sérail* (1814), appartint ensuite aux Opéras de Dresde, de Hanovre et de Leipzig, fut dir. du théâtre de Magdebourg (1828), termina sa carrière à Weimar : ami de Wagner et de Liszt, il composa des *Lieder* et 2 opéras : *Die Sonnenmänner* (1828) et *Die Verräter in den Alpen* (1855) ; il publia ses mémoires : *Aus dem Tagebuch eines alten Schauspielers* (4 vol., Leipzig 1862–66, rééd. par R. Kohlrausch, sous le titre *Weimars klassische Zeit*, Stuttgart 1905) ; il était l'époux de *Christine Böhler* (Cassel 1798–Weimar 1860), elle-même chanteuse, et le père de *Wilhelm* (Leipzig 1822–Weimar 1877), auteur dramatique.

**GENDER.** C'est un métallophone dont les minces lames de bronze sont suspendues au moyen de cordes au-dessus de résonateurs tubulaires en bambou. On distingue notamment le *gender panerus* ou *barang* qui couvre plusieurs octaves, le *gender slentem* et le *gender demung*, qui couvrent chacun une octave. Les *gender* sont généralement utilisés pour accompagner le théâtre d'ombres (Wayang) tant à Java qu'à Bali.     M.H.

**GENDRON Maurice.** Vcelliste franç. (Nice 16.12.1920–). Élève du cons. de Paris, il fait une carrière internationale ; il a donné en 1re audition le concerto de vcelle de Prokofiev (Londres 1945) ; Jean Françaix l'a fréquemment accompagné ; il est prof. au cons. de Sarrebruck ; il a réédité ou transcrit des œuvres pour son instr. et prépare un manuel de vcelle.

**GENÉE Franz Friedrich Richard.** Compos. allem. (Dantzig 7.2.1823–Baden, Vienne, 15.6.1895), qui fut chef d'orch. aux théâtres de Reval, Riga, Cologne, Aix-la-Chapelle, Dusseldorf, Dantzig, Mayence, Schwerin, Prague, Vienne, et composa des opéras-comiques et opérettes fort populaires, des livrets (notamment pour R. Strauss), des chœurs, des mélodies. Son frère – **Rudolf**

(Dantzig 12.12.1824–Berlin 19.1.1914) était historien ; il fonda la *Mozartgemeinde* (Berlin) et traita de la musique dans ses écrits.

**GENERALBASS.** C'est, en allemand, le nom de la basse chiffrée.

**GÉNÉRALE.** C'est une batterie de tambour militaire qui sert aux ordres de rassemblement et aux signaux d'alarme ; la *g.* est un rythme établi sur 6 mesures répétées trois fois ; elle fut instituée par Louis XIV en 1670.

**GENERALI Pietro.** Compos. ital. (Masserano 4.10.1783–Novare 3.11.1832). Son patronyme est Mercandetti ; on dit que son père changea de nom à la suite de revers financiers ; il fut à Rome l'élève de G. Masi ; au début il écrivit de la mus. d'église, mais ses succès au théâtre furent tels qu'il s'y consacra : il devait ainsi occuper tous les théâtres d'Europe pendant les 20 premières années du XIXᵉ s. ; sa défaveur fut aussi rapide que ses succès et, de 1817 à 1821, il dut accepter le poste de dir. du théâtre *Santa-Cruz* à Barcelone ; il revint ensuite à Naples, puis à Novare où il fut maître de chapelle de la cath. (1827) et se consacra à l'enseignement ; il écrivit 52 opéras, dont son plus grand succès *I Baccanali di Roma* (Venise 1815), un grand nombre d'œuvres de mus. d'église, dont 1 oratorio (*Il voto di Jefte*, 1823), des messes, des psaumes. Voir C. Piccoli, *Elogio del maestro di capp. P.G.*, Novare 1835 ; L. Schiedermair, *Eine Autobiographie P.G.s*, ds *Fs. Liliencron*, Leipzig 1910 ; A. Della Corte in MGG et C. Sartori ds l'*Encicl. dello spettacolo*.

**GENERO** *chico* ou *grande*. Voir art. *flamenco*.

**GENET Elzéar.** Voir art. *Carpentras*.

**GENGENBACH Nicolaus.** Mus. allem. (Colditz, fin XVIᵉ s.–Zeitz 4.9.1636). Élève de Calvisius à l'école St-Thomas de Leipzig (1606), il fut cantor à Rochlitz, puis à Zeitz (1616), et publia un traité intitulé *Musica Nova, Newe Singekunst, So wol Nach der alten Solmisation, als auch newen Bobisation u. Bebisation* (Leipzig 1626). Voir A. Werner, *Städt u. fürstl. Musikpflege in Zeitz*, Buckebourg-Leipzig 1922 ; M. Ruhnke in MGG.

**GENGGONG.** C'est une guimbarde de bambou (Malaisie et Indonésie). Le même instrument est utilisé en Assam par les Garos sous le nom de *gonggina*.                          M.H.

**GÉNIE.** « *Ne cherche point, jeune artiste, ce que c'est que le génie. En as-tu, tu le sens en toi-même. N'en as-tu pas, tu ne le connoîtras jamais. Le génie du musicien soumet l'univers entier à son art ; il peint tous les tableaux par des sons ; il fait parler le silence même ; il rend les idées par des sentiments, les sentiments par des accents ; et les passions qu'il exprime, il les excite au fond des cœurs : la volupté, par lui, prend de nouveaux charmes ; la douleur qu'il fait gémir lui arrache des cris ; il brûle sans cesse, et ne se consume jamais : il exprime avec chaleur les frimas et les glaces ; même en peignant les horreurs de la mort, il porte dans l'âme ce sentiment de vie qui ne l'abandonne point, et qu'il communique aux cœurs faits pour le sentir ; mais, hélas ! il ne sait rien dire à ceux où son germe n'est pas, et ses prodiges sont peu sensibles à qui ne les peut imiter. Veux-tu donc savoir si quelque étincelle de ce feu dévorant t'anime ; cours, vole à Naples écouter les chefs-d'œuvre de Leo, de Durante, de Jommelli, de Pergolèse. Si tes yeux s'emplissent de larmes, si tu sens ton cœur palpiter, si des tressaillements t'agitent, si l'oppression te suffoque dans tes transports, prends le Métastase et travaille ; son génie échauffera le tien, tu créeras à son exemple : c'est là ce que fait le génie, et d'autres yeux te rendront bientôt les pleurs que les maîtres t'ont fait verser. Mais si les charmes de ce grand art te laissent tranquille, si tu n'as ni délire ni ravissement, si tu ne trouves que beau ce qui transporte, oses-tu demander ce qu'est le génie ? ô homme vulgaire, ne profane point ce nom sublime. Que t'importeroit de le connoître ? tu ne saurois le sentir : fais de la musique françoise* ». J.-J. Rousseau. N.d.l.r. Il nous a plu de reproduire l'article du dictionnaire de Rousseau, pour sa méthode ironique de la définition ; il nous déplairait fort que nos compatriotes s'en offusquassent : les temps ont bien changé depuis 1764.

**GENLIS Stéphanie-Félicité** *du Crest, comtesse* **de.** Femme de lettres et mus. franç. (Champcery 25.1.1746–Paris 31.12.1830). Gouvernante des enfants de France, elle composa de nombreuses œuvres littéraires, dont certaines pages ont trait à la critique musicale ou à l'enseignement de la musique (*Veillées du château, Adèle et Théodore, Mémoires, Leçons d'une gouvernante, Lettres à Casimir*) ; pratiquant plusieurs instruments, elle fut une remarquable virtuose de la harpe et publia une méthode pour cet instrument (Paris, 1802). Voir M. Brenet in *SIM*, 1912.                                                                 F.V.

**GENNRICH Friedrich.** Musicologue allem. (Colmar 27.3· 1883–). Elève des univ. de Strasbourg et de Paris (J· Bédier, A. Thomas, A. Lefranc, Mario Roques), docteur de Strasbourg (1908), maître d'études à Strasbourg, puis à Francfort (1921) où il eut son professorat en 1927, titulaire de la *venia legendi* pour la philologie romane (1929), prof. en 1934, il s'est spécialisé dans la littérature et la musique médiévales (trouvères, troubadours, *Minnesänger*) ; il édite depuis 1938 les *Literarhistorisch-musikwiss.* à Abhandlungen (Wurtzbourg) ; il a publié *Musikwiss. u. roman. Philologie* (Halle 1918), *Der musik. Vortrag der z. altfrz. Chansons de geste* (ibid. 1923), *Die altfrz. Rotrouenge* (ibid. 1925), *Rondeaux, Virelais u. Balladen* (I Dresde 1920, II Göttingen 1927), *Grundriss einer Formenlehre des ma. Liedes* (Halle 1932), *Trou-badours, Trouvères, Minne- u. Meistergesang* (Cologne 1951), *Altfrz. Lieder* (I Halle 1953, II Tübingen 1955, III ibid. 1956), 14 cahiers d'une série intitulée *Musikwiss. Studien-Bibliothek* (notation franconienne, 1946, notation du XIVᵉ et de la 1ʳᵉ moitié du XVᵉ s., 1948, les clausules de Saint-Victor, les formes médiévales, 1953, la rythmique de l'*ars antiqua*, l'ancien Lied allemand, 1954, Francon de Cologne, Pérotin le Grand, l'organum, 1955), un grand nombre d'articles dans divers périodiques et dans MGG ; il est également l'éditeur de la *Summa musicae medii aevi* (3 vol., Darmstadt 1957–58).

**GENRE.** Terme de métrique ancienne : c'est le caractère d'un pied, déterminé par la proportion qui existe entre ses deux parties (en grec, γένος) : il est ἴσον (1/1), διπλάσιον (1/2), ἡμιόλιον (2/3) ou ἐπίτριτον (3/4).

**GENRE.** — 1. Les Grecs reconnaissaient trois genres à mélodie :

1. *diatonique* (*dia-tonon*), progressant par tons (*dia-tonon*), deux tons et un demi-ton :

2. *harmonique* (*harmonia*) ou enharmonique (*en-har-monion*), qui semblait être le plus harmonique des genres ; celui-ci évolua en trois étapes (voir art. *harmonia*)

*Olympos*            *Lasos*                    *harmoniciens postérieurs*

3. *chromatique* (*chrôma*), formé de demi-tons ; de même que l'on nomme couleur (*chrôma*) ce qui est entre le blanc et le noir, ainsi on a appelé chromatique le genre qui tient le milieu entre les deux précédents :

(Sur les *nuances* des genres, voir à ce mot).
                                                                 M.D.-P.

— **2.** *Musique de genre :* C'est une locution mal ajustée, d'ailleurs désuète, qui servit à désigner des compositions mineures, de caractère descriptif, narratif ou intimiste : la plupart des compositeurs qui se servirent de cette locution sont médiocres et médiocres les œuvres (séré-nades, berceuses, rêveries etc.).

**GENSLE.** — **1.** C'est une ancienne lyre à archet découverte en Pologne ; d'un type apparenté au *crout* (voir à ce mot) gallois et à la *talharpa* (voir à ce mot) norvégienne, l'instr. a été daté du XIIe s. — **2.** C'est aussi une vièle ancienne, probablement d'un type apparenté à la *gusla* (voir à ce mot) actuelle (Pologne, XVIe-XVIIe s.). — **3.** C'est enfin une vièle à quatre cordes, d'usage montagnard (Pologne). C.M.-D.

**GENTIAN.** Mus. franç. du XVIe s., dont la biographie est inconnue et dont on conserve une vingtaine de chansons à 4 v. publiées entre 1540 et 1552, principalement chez Attaingnant et Du Chemin.

**GENTIL Jules.** Pian. franç. (Annecy 10.2.1898–), élève du cons. de Paris, dir. des classes de piano à la *Schola cantorum* (1936), dir. adjoint (1939), puis inspecteur des études instr. et prof. à l'École normale de musique (1941), prof. au cons. de Paris (*id.*).

**GENTILI Giorgio.** Mus. ital. (Venise v. 1668–ap. 1716), qui fut violon. de la chapelle de St-Marc de Venise (1708) et prit parti contre Bononcini dans la querelle qui opposa ce dernier à Lotti ; on a conservé de lui 12 *Suonate a 3, 2 v. e vcello col b. per l'organo* (1701), *Concerti da camera a 3* (1703), 12 *Capricci da Camera a v. e vcello o cimbalo* (1707), *Sonate di v. a 3* (*id.*), *Concerti a 4 e 5* (1708), *Concerti a 4* (1716). Voir F. Giegling in MGG.

**GENTY Jacques.** Pian. franç. (Paris 16.8.1921–), élève du cons. de Paris, qui fait une carrière internationale ; il a composé 6 mélodies (1941), *Ballade* (ballet, 1942), réalisé et orchestré des œuvres anciennes, dont la chacone de Vitali et le double-concerto de J.B. Wanhal ; il fait des tournées de concerts avec sa femme, *Lola Bobesco-Craïova*, violon. roumaine, prix Ysaye (1937).

**GENZMER Harald.** Compos. allem. (Blumenthal 9.2.1909–). Élève de H. Stefani (Marburg), de Hindemith, de Curt Sachs, de G. Schünemann (Berlin), il a été maître d'études à l'Opéra de Breslau (1934–37), prof. à la *Volksmusikschule* de Neukölln (Berlin 1938–40), au cons. de Fribourg-en-Brisgau (1946) ; il enseigne actuellement à l'*Akad. der Tonkunst* à Munich. (1957) ; on lui doit 2 symph. (1943, 1957), de la mus. de chambre, 1 messe (1953), des cantates, 2 concertos de fl. (1954, 1955), 1 de htb (1957), 1 de piano (1948), de la mus. chor., d'orgue, de piano, *Kokua* (*Tanzspiel*, 1952). Voir K.H. Wörner in MGG.

**GEOFFROY Jean-Baptiste.** Mus. franç. (diocèse de Clermont, 1601–Paris 30.10.1675), jésuite, qui fut dir. de la musique à l'église de son ordre à Paris de 1660 à sa mort ; il publia *Musicalia varia...* (Ballard 1650), *Musica sacra... I-II* (4 v., *ibid.* 1659 et 1661, exempl. au cons. de Toulouse), *Recueils de motets, psaumes, lamentations pour l'usage courant suivi d'une messe à 4 parties* ; quelques œuvres sont écrites avec acc. de théorbe ; il se range aux côtés de Moulinié et de Du Mont.

**GEOFFROY Jean-Nicolas.** Mus. franç., qui était en 1650 org. à St-Nicolas du Chardonnet à Paris ; il le fut ensuite à la cath. de Perpignan, ville où il mourut ; on a conservé de lui un *Livre de pièces de clavessin* et un *Livre d'orgue* (mss. bibl. du cons. de Paris), ainsi que des airs dans les *Recueils d'airs sérieux et à boire* de Ballard (1709–1713). Voir F. Raugel, *Les grandes orgues des églises de Paris et du département de la Seine*, Paris 1927 ; N. Dufourcq, *La musique française ancienne*, *ibid.* 

**GEOFFROY-DECHAUME Antoine.** Org. et claveciniste franç. (Paris 7.10.1905–). Élève de G. Tailleferre, de S. Plé, de G. Caussade, d'A. Dolmetsch, de M.R. Hublé, d'E. Gigout, org. et claveciniste des sociétés *Ars musica, Fiori musicali, Soc. de mus. d'autrefois*, à la RTF, il s'est spécialisé dans la réalisation d'œuvres des XVIIe et XVIIIe s., particulièrement de la mus. franç. : il s'efforce de retrouver et de faire admettre par les interprètes contemporains les indications données par les théoriciens et les auteurs du temps (notes inégales, etc.) ; il est l'auteur d'un ouvrage sur ce sujet (*Les secrets de la mus. ancienne*, sous presse).

**GEORGES Alexandre.** Compos. franç. (Arras 25.2.1850–Paris 18.1.1938). Élève de l'école Niedermeyer, où il fut ensuite prof. d'harmonie, maître de chapelle à Ste-Clotilde, org. à St-Vincent de Paul, il écrivit des mélodies (dont les célèbres *Chansons de Miarka*, 1888), des chœurs, de la mus. de chambre, d'orgue, d'église : *Notre-Dame de Lourdes* (oratorio, 1900), *La Passion* (mystère, 1902), 2 *Requiem* (1925), *Messe à la gloire de N.D. des Flots* (1926), de théâtre : *Le printemps* (1890), *Alceste* (1892), *Axel* (1894), *Le nouveau monde* (1895), *Myrrha* (*id.*), *Balthazar...*, *Charlotte Corday* (1901), *La Marseillaise...*, *Miarka* (1905), *Sangre y sol* (1912), *La maison du péché*, *Aucassin et Nicolette*, *Le baz volan* (inédits).

**GEORGES de BRESLE** (*Georget de Brelles*). Mus. franç. qui fut maître de chapelle à Béthune, puis maître des chanteurs à la cath. de Cambrai (1465-1466) ; il fut également un temps à Milan (comme chantre) ; Loyset Compère et Eloy d'Amerval le citent près de Dufay, de Binchois, d'Ockeghem ; aucune de ses compositions ne nous est parvenue.

**GEORGESCO George.** Chef d'orch. roumain (Sulina 12.9.1887–). Élève du cons. de Bucarest (D.G. Kiriac, A. Casteldi, D. Dinicou, E. Carini, C. Dimitresco, 1906-12), de la *Hochschule f. Mus.* de Berlin (H. Becker, R. Kahn, A. Kleffel), en 1914 il est vcelliste dans le quatuor Marteau ; en 1916, il travaille la dir. d'orch. avec A. Nikisch et R. Strauss : il fait ses débuts à la Philam. de Berlin en 1918 avec un grand succès ; après une tournée de concerts en Allemagne, il rentre en 1920 dans son pays où il est nommé chef de l'instr. du ministère de l'instruction publique, puis dir. du nouvel Orch. philharmonique (actuellement l'Orch. phil. d'état Georges Enesco) ; il a dirigé l'Opéra de Bucarest à plusieurs reprises entre 1922 et 1940 ; il fait une carrière internationale : son répertoire est vaste, comportant une préférence marquée pour les grands romantiques ainsi que pour l'école roumaine contemporaine. G.B.

**GEORGIADES Thrasybulos G.** Musicologue allem. d'origine grecque (Athènes 4.1.1907–). Élève de l'Odéon d'Athènes (piano), de l'univ. de Munich (R. v. Ficker), docteur avec sa thèse *Englische Diskanttraktate aus d. ersten Hälfte d. 15.Jh.* (Wurtzbourg 1937), élève d'Orff (1931–35), il a été prof., puis directeur à l'Odéon (1936, 1939–41), obtenu son diplôme de prof. à l'univ. de Munich (1947), enseigné à celle de Heidelberg (1948) ; depuis 1956, il est prof. à celle de Munich ; outre sa thèse, il a publié *Der griech Rhythmus, Musik, Reigen, Vers u. Sprache* (Hambourg 1949), *Mus. u. Sprache* (Berlin-Göttingen- Heidelberg, 1954), et collaboré à des ouvrages collectifs et à divers périodiques.

**GEORGII Walter.** Pian. et musicologue allem. (Stuttgart 23.11.1887–). Élève du cons. de Stuttgart (M. Pauer), des univ. de Leipzig, Berlin et Halle, docteur avec sa thèse *C.M. von Weber als Klavierkomponist* (Leipzig 1914), il a enseigné à l'école de musique de Voronez (1910–12), au cons. de Cologne (1914–25), à la *Rheinische Musikschule* (1925–30), à la *Hochschule f. Musik* (1930–38), au cons. de Munich (1946–55), tout en faisant une carrière de pianiste-virtuose ; outre sa thèse, il a publié *Kl.-Musik. Gesch. d. Mus. f. Kl. z. 2 Hdn...* (Berlin–Zurich, 1941–50), *Klavierspielerbüchlein* (Zurich-Fribourg, 1953, 1955), *Die Verzierungen i.d. Musik* (*ibid.* 1957), à quoi il faut ajouter des éditions d'auteurs classiques et des articles dans divers périodiques.

**GEORGIJEVIC** (*Georgiceus*) **Athanasius.** Mus. croate (Split v. 1590–v. 1640). Élève du *Ferdinandeum* de Graz, il fut le représentant diplomatique de l'empereur Ferdinand II en Pologne, en Russie et en Bosnie ; il était aussi bien poète, philosophe, théologien que musicien ; à ce dernier titre, on reconnaît en lui l'influence de l'org. de la cour impériale, G. Valentini ; il publia un recueil de chants (Vienne 1635, rééd. par J. Mantuani, Zagreb 1915), qui est probablement le premier livre de chants religieux en langue croate.

**GÉRARD Henri-Philippe.** Mus. belge (Liège 9.11.1760–Versailles 11.9.1848). Élève de Ballabene au collège liégeois de Rome, il se fixa à Paris en 1788, y enseigna : il fut prof. au cons. de 1802 à 1816 et de 1818 à 1828 ; il publia une *Méthode de chant en deux parties*, des *Considérations sur la musique en général et particulièrement sur tout ce qui a rapport à la vocale* (Paris 1819), *Traité méthodique d'harmonie* (ibid. 1834) ; il composa des œuvres polyph. d'église, 2 recueils de canons, 7 de romances, un *Hymne sur la naissance du duc de Bordeaux.*

**GÉRARDE** (*Gerard*) **Derick** (*Theodoricus*). Mus. du XVIᵉ s. dont la biographie est totalement inconnue ; on suppose, à cause du lieu de ses mss, qu'il a vécu en Angleterre et qu'il a été au service de la reine Marie ; le *British Museum*, la *Christ Church* à Oxford conservent de lui en mss 119 motets (4-10 v.), 4 mélodies spirituelles (8 v.), 87 compositions profanes (chansons, madrigaux, *graces*, 4-8 v.), qqs pièces instr. Voir D. Arnold in MGG.

**GERBER.** — **1. Heinrich Nikolaus.** Org. allemand (Wenigen-Ehrich 6.9.1702–6.8.1775). Élève de J.-S. Bach, il fut org. à Heringen (1728), à Sondershausen (1731), et composa nombre de pièces d'orgue et de clavecin qui sont restées manuscrites ; il s'occupa d'améliorer son instrument et construisit un *Strohfiedel* (xylophone) à clavier ; il était également secrétaire de la cour. Son fils – **2. Ernst Ludwig** (Sondershausen 29.9.1746–30.6.1819) fut son élève ; il fit des études de droit à Leipzig, tout en étant vcelliste ; en 1775, il succéda à son père comme org. de la cour ; il composa pour le clavecin et pour l'orgue, mais c'est comme lexicographe qu'il est célèbre ; il se constitua une remarquable bibliothèque qu'il vendit d'ailleurs à la Sté des amis de la musique de Vienne et, par sa seule documentation personnelle, rédigea *Hist.-biogr. Lexikon*

cons. de Paris        H. GERBERT

*d. Tonkünstler, welches Nachrichten v. d. Leben u. d. Werken mus. Schriftsteller, berühmter Komp., Sänger, Meister auf Instr. Dilettanten, Org.-u. Instr. -Macher enthält* (2 vol., Leipzig 1791–92), *Neues hist.-biogr. Lexikon d. Tonkünstler* (4 vol., Leipzig 1812–1814), *Wissenschaftlich geordnetes Verzeichnis einer Sammlung v. musik. Schriften...* (Sondershausen 1804) ; il collabora à des périodiques de l'époque : citons parmi ses articles *Versuch eines vollständigen Verzeichnisses v. Haydns gedruckten Werken.* (ds. Bosslers mus. Korrespondenz, 1792) ; son 1ᵉʳ ouvrage fut traduit en français par Fayolle qui le publia, avec Choron, sous le titre *Dictionnaire historique des musiciens* (2 vol., Paris 1810–11, 1817). Voir, pour *H.N.* : Ph. Spitta, *J.S. Bach*, II, Leipzig 1921 ; pour *E.L.* : F. Rochlitz, *Für Freunde d. Tonkunst*, II, Leipzig 1825 ; M. Schneider, *E.L.G. u. d. Musikwissenschaft*, ds. *fs. d. Hochschule f. Musik*, Sondershausen 1933.

**GERBER René.** Compos. suisse (Travers 29.6.1908–). Élève du cons. de Zurich (P. Muller, Andreae), de l'école normale de musique de Paris (Dukas, N. Boulanger), il a été dir. du cons. de Neuchâtel (1947–51) et publia *Histoire de l'orchestre, De l'unicité des arts* ; il a écrit pour l'orch. : *Hommage à Ronsard* (1933), *Aucassin et Nicolette* (id.), *Les heures de France* (1934), *3 Suites françaises* (1933–39), *Trois paysages de Breughel* (1942), *3 Danses espagnoles* (1945), *Le sablier, Le terroir animé*, 6 concertos, 1 quatuor, 3 psaumes, des chœurs et mélodies, 8 sonates, 1 ballet : *Les heures vénitiennes.*

**GERBER Rudolf.** Musicologue allem. (Flehingen 15.4.

1899–Göttingen 6.5.1957). Élève du cons. *Munzsche* à Karlsruhe, de H. Bassermann, de H. Rutkovski (Berlin), de H. Abert (Leipzig), docteur avec sa thèse *Die Arie in den Opern J.S. Hasses* (1922), il fut assistant au séminaire d'hist. de la mus. de l'univ. de Berlin (1923–28), *Privatdozent*, puis prof. (1932) d'hist. de la mus. à celle de Giessen, titulaire d'une chaire à celle de Francfort (1933–35), puis au cons. de la même ville (1938–43), enfin *Ordinarius* à l'univ. de Göttingen (1943) ; il publia *Der Operntypus J.A. Hasses...* (Leipzig 1925), *Das Passionsrezitativ b. H. Schütz* (Gütersloh 1929), *J. Brahms* (Postdam 1938), *C.W. Gluck* (ibid. 1941, 50), *Bachs Branderburgische Konzerte* (Cassel 1951), un grand nombre d'articles dans des périodiques, sur Mozart, Schütz, la musique baroque, le genre passion, Bach, Brahms, Wagner, Luther, Gluck etc. ; il assura de nombreuses éditions d'auteurs anciens, notamment les œuvres complètes de Gluck. Voir W. Boetticher, *R.G. zum Gedächtnis ds Die Musikforschung*, X, 1957.

**GERBERT** (*von Hornau*) **Martin.** Historien allem. (Horb 12.8.1720 – St-Blasien 13.5.1793). Ses prénoms authentiques sont *Franz Dominik Bernhard* ; quant au *von Hornau*, il ne l'a jamais porté lui-même, mais il appartient à la famille ; il entra à 16 ans dans l'ordre bénédictin, à l'abbaye de St-Blasien, où il fut bibliothécaire, prof. de théologie et de philosophie ; il fit des voyages d'études en France (Strasbourg, Paris, 1759), en Suisse et en Allemagne du Sud (1760–61), en Autriche et en Italie (1762–63 ; il connut à Bologne le P. Martini) ; en 1764, il fut élu prince-abbé de St-Blasien : à ce titre, il organisa son monastère en s'inspirant de l'abbaye de St-Germain de

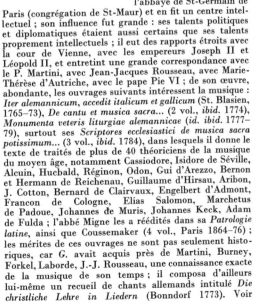

Paris (congrégation de St-Maur) et en fit un centre intellectuel ; son influence fut grande : ses talents politiques et diplomatiques étaient aussi certains que ses talents proprement intellectuels ; il eut des rapports étroits avec la cour de Vienne, avec les empereurs Joseph II et Léopold II, et entretint une grande correspondance avec le P. Martini, avec Jean-Jacques Rousseau, avec Marie-Thérèse d'Autriche, avec le pape Pie VI ; de son œuvre, abondante, les ouvrages suivants intéressent la musique : *Iter alemannicum, accedit italicum et gallicum* (St. Blasien, 1765–73), *De cantu et musica sacra...* (2 vol., ibid. 1774), *Monumenta veteris liturgiae alemannicae* (id. ibid. 1777–79), surtout ses *Scriptores ecclesiastici de musica sacra potissimum...* (3 vol., ibid. 1784), dans lesquels il donne le texte de traités de plus de 40 théoriciens de la musique du moyen âge, notamment Cassiodore, Isidore de Séville, Alcuin, Hucbald, Réginon, Odon, Gui d'Arezzo, Bernon et Hermann de Reichenau, Guillaume d'Hirsau, Aribon, J. Cotton, Bernard de Clairvaux, Engelbert d'Admont, Francon de Cologne, Elias Salomon, Marchetus de Padoue, Johannes de Muris, Johannes Keck, Adam de Fulda ; l'abbé Migne les a réédités dans sa *Patrologie latine*, ainsi que Coussemaker (4 vol., Paris 1864–76) ; les mérites de ces ouvrages ne sont pas seulement historiques, car G. avait acquis près de Martini, Burney, Forkel, Laborde, J.-J. Rousseau, une connaissance exacte de la musique de son temps ; il composa d'ailleurs lui-même un recueil de chants allemands intitulé *Die christliche Lehre in Liedern* (Bonndorf 1773). Voir

L. Kässle, *M.G.*, Lahr 1868 ; C. Krieg, *Fürstabt M.G.*, Fribourg-en-Brisgau 1896, et *Die hist. Studien zu St. Blasien...*, *ibid.* 1908 ; J. Bader, *Fürstabt M.G....*, *ibid.* 1875 ; A. Lamy, *M.G.*, Reims 1898 ; Chr. Grossmann, *M.G. als Musikhistoriker*, ds *Kirch. mus. Jahrbuch*, XXVII, 1932 ; A. Lederle, *Die Abstammung d. F. M.G.*, ds *Badische Heimat*, XXXVI, 1956 ; la correspondance de *G.* a été éditée par P. Pfeilschifter (Carlsruhe 1931–34); W. Müller vient de faire paraître les *Briefe u. Akten* (I, *ibid.* 1957).

**GERBERT d'AURILLAC** (ou *d'Aquitaine*), pape sous le nom de *Silvestre II* (en Aquitaine, v. 945–1003). Élevé à l'abbaye de St-Géraud d'Aurillac, *G.*, dont la valeur n'échappe pas à ses maîtres, suit à Vich le comte Borrel : son biographe Richer dit qu'il y étudia les mathématiques ; il semble qu'il y ait aussi appris la musique ; il est peu vraisemblable qu'il soit allé à Cordoue, quoi qu'en disent certains ; en 970, il accompagne le comte Borrel à Rome : le pape Jean XIII signala à l'empereur Othon Ier ce jeune moine exceptionnellement doué, et *G.* restera l'obligé aussi bien que le soutien de l'empereur Othon ; c'est ensuite à Reims qu'il apprend la dialectique et la logique, mais il y a enseigné déjà la musique et les mathématiques ; dès lors, son ambition est à la mesure de sa valeur, et ses qualités polémiques en font un adversaire redoutable ; il réforme et améliore l'enseignement de Reims, tout en y servant les intérêts des Carolingiens allemands contre les Français ; promu à l'abbaye de Bobbio (983), il n'y reste pas et revient à Reims ; en 987, il est partisan d'Hugues Capet contre Charles de Lorraine ; archevêque de Reims en 991, de Ravenne en 997, pape en 999, il élabore avec Othon III des projets de restauration d'un empire dans le style de la Rome antique : Othon III meurt en 1002, Silvestre II en 1003, sans avoir réussi. Le rôle de *G.* dans le monde musical est mal connu : certes il apprit la musique théorique, mais il n'a jamais été chantre, ce qui à l'époque était la seule manière d'exercer la musique ; peut-être était-ce en regard des mathématiques qu'il avait orienté ses théories musicales. Voir Richer, *Hist. de France*, éd. et trad. R. Latouche, 2 vol., Paris 1937 ; A. Olleris, *Œuvres de G.... précédées de sa biographie*, Clermont-Ferrand-Paris 1867 ; Chanoine J. Leflon, *G.*, coll. Figures monastiques, Paris 1946 ; A. Dumas, *L'église de Reims entre Carolingiens et Robertiens*, ds Rev. d'hist. de l'Église de France, XXX, 1945.                                    S.C.

**GERBIĆ Fran.** Compos. slovène (Cerknica 5.10.1840–Ljubljana 29.3.1917). Chanteur d'opéra à Prague, Zagreb, Ulm (Wurtemberg) et Lvov, prof. de chant au cons. de Lvov, dir. de l'école de musique et *regens chori* à l'église Saint-Jacques de Ljubljana, rédacteur de la revue de musique slovène *Glasbena Zora* (Aurore de la musique), il écrivit 2 opéras, *Kres* (Le feu de la Saint-Jean) et *Nabor* (La conscription), *Symphonie des chasseurs* (1916) et *Symphonie en sol majeur* (1915), ainsi que plusieurs autres compositions instrumentales ou pour piano, des cantates, des chœurs, des mélodies ; il est aussi l'auteur de travaux sur la théorie musicale.                                              D.C.

**GERDES Federico.** Pian. et chef d'orch. péruvien (Taena 19.5.1873–). Élève de Reinecke et de Jadassohn au cons. de Leipzig, il débuta comme chef d'orch. au théâtre de Düsseldorf, fit des tournées en Russie, résida à Berlin jusqu'en 1908, date à laquelle il fonda à Lima l'Académie de musique et de déclamation et la Société philharmonique ; il a écrit de la mus. de chambre, symph., des mélodies.

**GERGELY Jean.** Compos., prof. et musicologue hongrois (Budapest 23.5.1911–). Il a fait ses études à la Faculté des lettres de l'univ. de sa ville natale, ainsi qu'à la classe de composition de l'Académie de musique F. Liszt sous la direction d'Albert Siklós ; après avoir débuté comme prof., chef d'orch. et critique musical en Hongrie, il s'installe en France en 1938 : 1938–43, études de musicologie à la Sorbonne, sous la direction d'André Pirro et de Paul-Marie Masson, et à l'Institut grégorien ; de 1938 à 1947 il est maître de chapelle de la Mission catholique hongroise et, depuis 1947, chef du département de musique à l'Institut hongrois de Paris ; il est également répétiteur de hongrois à l'École nat. des langues orientales vivantes. — Œuvres principales : une *Sonate* (1948) et une *Sonatine* (1956), pour piano, *Mélodies populaires hongroises* p. chant et piano (1947), des motets, chœurs, compositions liturgiques, mélodies, *Sérénade* p. 2 violons et alto (1953), mus. de scène p. *La nuit des rois* de Shakespeare (Budapest 1947), mus. pour plusieurs pièces radiophoniques (Paris 1956–57) etc. ; écrits sur la musique : *Zoltán Kodály, músico húngaro e mestre universal* (Lisbonne 1954), *Les chœurs a cappella de Béla Bartók* (RM, Paris 1955), *25 ans d'enseignement de langues finno-ougriennes* (Inst. hongr. 1958), *La musique hongroise* (en collab. avec Jean Vigué, *ibid.* 1959), art. et études dans *Le guide du concert*, *Musique et radio*, *Bulletin du C.D.M.I.*, *Journal musical canadien*, *Gazeta musical* (Lisbonne), ds le présent ouvrage.

**GERHARD Roberto.** Compos. esp. (Valls 25.9.1896–). Élève de Hugo Strauss à Lausanne, il le fut ensuite de Granados (piano, 1915–1916) et de Pedrell (composition, 1915–1922) en Espagne, et de Schœnberg (1923–1928) à Vienne et à Berlin, il fut nommé en 1931 prof. à l'*Escola normal* de Barcelone, fonctionnaire à la bibl. mus. de la *Diputació*, poste qu'il conserva jusqu'à 1938 ; quoiqu'il fût affecté à la section de musique moderne, il publia qqs éditions de maîtres esp. du XVIIIe s. (Soler, Terradellas) ; après la guerre d'Espagne, il appartient à la section de musique du *King's College* (Cambridge, Angleterre). La production musicale de *G.* est ample et variée : presque toujours atonale et maintes fois dodécaphonique, son écriture ne se confine pas dans un système préétabli (même au cours de la même œuvre) ; il obtient des effets spéciaux par la *permutation* (réordination des degrés de la série dodécaphonique) ; les risques et périls d'un tel éclectisme sont déjoués par la forte personnalité du musicien, dont l'absence de dogmatisme l'apparente à Berg plutôt qu'à Webern ; il a composé 1 quintette (1928), 1 concerto pour piano et cordes (1951), 1 concerto pour violon (1942, revu en 1945 et en 1949), des cantates, des œuvres de mus. de chambre, l'opéra *The duenna* (*La duègne*, 1948, revu en 1950), 5 ballets, de la mus. de scène (Shakespeare, MacLeish) et de film, 1 symph. (1952–53) etc. ; il a traduit en espagnol d'importants traités techniques et historiques de Riemann, J. Wolf, Scholz, Volbach etc. Voir D. Drew, *The mus. of R.G.*, ds *The new Orpheus*, Londres 1952, et *The score*, sept. 1956.                           D.D.

**GERHARDT Carl.** Compos. allem. (Strasbourg 1.4.1900–disparu près de Berlin, 29.4.1945). Élève du cons. de Wurtzbourg et de la *Preuss. Akad. der Künste* (Pfitzner), aussi bien que de Berlin (Schering, J. Wolf, F. Blume), collab. de F. Jöde pour l'édition du *Chorbuch* (1928–31), ainsi que d'Ameln et de Mahrenholz pour l'édition du *Handbuch d. deutschen ev. KM* (1931), prof. de composition à l'école de mus. évangélique de Berlin-Spandau (1930–33), org. et chef de chœur de l'*E.M. Arndt-Gemeinde* à Berlin-Zehlendorf (1934–45). il a disparu lors des combats de Berlin ; il écrivit de la mus. symph., de scène, de chambre, chor. (1 messe) ; il publia sa thèse, *Die torgauer Walter-Handschriften* (BVK 1949) et 2 art. dans la *Monatss. f. Gott. u. kirchl. Kunst* (n[os] 43 et 44). Voir O. Söhngen, *C.G.*, ds *Musik u. Kirche*, 22, 1952, et K. Ameln in MGG.

**GERL Franz Xaver.** Chanteur autr. (Andorf 30.11.1764–Mannheim 9.3.1827). Élève de Léopold Mozart à la maîtrise de la cath. de Salzbourg, il appartint à la troupe de Schikaneder (1787–89) et créa *L'enlèvement au sérail* et *La flûte enchantée* de Mozart (*Osmin, Zarastro*) ; ce dernier écrivit pour lui *Per questo mano* (K. 612) ; il exerça ensuite à Brünn, puis à Mannheim ; il avait épousé la chanteuse *Barbara Reisinger* (v. 1770–1806), qui créa *Papagena* dans *La flûte enchantée*; il avait lui-même composé des airs. Son frère — **Judas Thaddaüs** (Andorf 28.10.1774–?) était également basse, appartint à la chapelle de Salzbourg et aux théâtres de Salzbourg et de Lemberg. Voir A. Orel, *Zarastro...*, ds *Mozart Jahrbuch*, 1955, et art. in MGG.

**GERLACH** (*Gerlatz*) **Dietrich** (*Theodor*). Imprimeur et libraire allem. (Erding ... –Nuremberg 17.8.1575), qui épousa la veuve de son confrère J. vom Berg, s'associa avec U. Neuber jusqu'en 1567 ; à sa mort c'est sa veuve, *Catherina* (?–12.8.1591), qui dirigea la maison ; il édita notamment Lassus et Kerle. Voir P. Cohen, *Die nürnberger Musikdrucker im 16 Jh.*, thèse d'Erlangen, 1927 ; R. Schaal in MGG.

**GERLACH Theodor.** Compos. allem. (Dresde 26.6.1861–Kiel 4.11.1940). Élève du cons. de Dresde, des univ. de Leipzig et de Berlin, chef d'orch. à Sondershausen, Cobourg et Cassel, dir. de la *Musikbildungsanstalt* à Carlsruhe (1904–10), dir. des théâtres de Ratisbonne et de Kaiserslautern, du cons. de Kiel, il écrivit des œuvres symph., chor., mus. de chambre, des mélodies, 2 opéras : *Matteo Falcone* (1898), *Liebeswogen* (opéra parlé, 1903, devenu *Das Seegespenst*, 1914).

**GERLE Hans.** Luthiste allem. (Nuremberg v. 1500-1570), fils présumé du luthier *Conrad G.*, qui était en même temps luthiste : il publia 2 recueils : *Musica teusch auf die Instrument der grossen unnd kleinen Geygen auch Lauten...* (Nuremberg 1532, 1537, 1546, *Tabulatur auff die Lauten...* (ibid. 1533), *Eyn newes sehr künstlichs Lautenbuch...* (ibid. 1552), qui contiennent surtout des transcriptions de pièces vocales; il fut le premier à publier en Allemagne des pièces pour viole de gambe. Voir R. Eitner, *Lautenbücher d. XVI. Jh.*, ds *MfM*, IV, 1872 ; W. Tappert, *Die Lautenbücher des H.G.*, ibid. XVIII, 1886 ; A. Einstein, *Zur deutschen Literatur f. Viola da Gamba im 16. u. 17. Jh.*, thèse de Munich, Leipzig 1905.

*cons. de Paris*        **GERLE**        *Giraudon*

**GERLIN Ruggero.** Claveciniste ital. (Venise 5.1.1899–) élève du cons. de Milan, de Wanda Landowska, avec qui il collabora de 1920 à 1940 (Paris), prof. au cons. de Naples (1941), à l'*Acad. Chigiana* de Sienne (1947), qui fait une carrière internationale et édite les clavecinistes italiens (Grazzioli, A. Scarlatti, Marcello).

**GERMAIN Pierre-André.** Chanteur franç. (Bordeaux 25.3.1923–), élève du cons. de Paris (Bourdin, Serventi), qui appartient aux théâtres de l'Opéra et de l'Opéra-Comique (1951), prof. au cons. de Rouen (1957).

**GERMANI Fernando.** Org. ital. (Rome 5.4.1906–). Élève de l'acad. Ste-Cécile et de l'Institut pontifical de musique sacrée à Rome, il a fait des tournées de virtuose, notamment aux États-Unis, donné des cours au *Curtis Institute* de Philadelphie (1926–32) ; il enseigne à l'*Acad. Chigiana* de Sienne (1932), au cons. de Rome (1935) ; il est depuis 1948 1er org. de St-Pierre de Rome ; il a édité des œuvres d'orgue, notamment de Frescobaldi et publié une méthode de son instrument (Rome 1942-1952).

**GERMER Heinrich.** Compos. allem. (Sommersdorf 30.12.1837–Dresde 4.1.1913), élève de l'acad. de Berlin, qui se consacra à l'enseignement et fonda à Dresde le *Dresdner Mus. pädagogischer Verein* (1884), écrivit des pièces de piano, édita des auteurs communément appelés classiques, publia des ouvrages pédagogiques. Voir R. Sietz in MGG.

**GERNSHEIM Friedrich.** Compos. allem. (Worms 17.7.1837-Berlin 10 ou 11.9.1916). Élève du cons. de Leipzig (Moschelès, Hauptmann, David), de Marmontel (Paris), prof. au cons. de Cologne (1865–74), dir. des concerts de la *Maatschappij* à Rotterdam (1874), prof. au cons. Stern (1890–97) et dir. du *Sternscher Gesangverein* à Berlin, dir. de l'*Eruditio music* à Rotterdam (1897), membre de l'acad. royale des beaux-arts à Berlin (id.), président d'une école de composition (1901), il écrivit 4 symph., des concertos, de la mus. chor., de chambre, des mélodies. Voir la correspondance de Brahms, éd. Schmidt, VII, Berlin 1910 ; K. Holl, *F.G. ...*, Leipzig 1928 ; W. Kahl in MGG.

**GERO Jhan** (*Jehan*). Mus. du XVIe s., dont l'origine et la biogr. sont inconnues et qui ne doit pas être confondu, comme l'a fait R. Eitner, avec Jehan Le Cocq ou avec Maistre Jhan de Ferrare ; il vivait sans doute en Italie, où ses œuvres parurent à partir de 1541, et a dû résider à Venise, puisqu'il fut en rapports directs avec son éditeur, G. Scotto ; comme l'a suggéré A. Einstein, il a peut-être été mêlé à la vie artistique de Florence ; on possède de lui qqs motets et surtout des madrigaux, qui appartiennent aux débuts de l'histoire de cette forme : 2 livres à 4 v. (1549), « *opera nova, artificiosa et dilettevole, come a'cantanti saro manifestato* », 2 livres à 3 v. (1553; plusieurs fois rééd.), 1 livre à 2 v. (1541), qui contient aussi des *canzoni francesi* et fut rééd. une vingtaine de fois jusqu'en 1687. — Dans plusieurs recueils imprimés en Italie et en Allemagne, ses madrigaux sont confondus avec ceux de C. Festa. Voir A. Einstein, *The italian madrigal*, 1949 ; L.F. Tagliavini ds MGG.
                                                        F.L.

**GÉROLD Théodore.** Musicologue franç. (Strasbourg 26.10.1866–Allenviller 15.2.1956). Il étudia la musicologie à Strasbourg avec Jacobsthal, le chant et la composition à Francfort avec J. Stockhausen et A. Urspruch ; il vint à Paris en 1892 et travailla avec Bussine, Giraudet et Ch. Bordes ; il enseigna l'hist. de la mus. à l'univ. de Bâle, puis à celle de Strasbourg (1919–1936) ; outre de nombreux articles, il a publié *Kleine Sängerfibel* (1908), *Das Liederbuch einer französischen Provinzdame um 1620* (1912), *Chansons populaires des XVe et XVIe s.* (1913), *Clément Marot, les psaumes avec leurs mélodies* (1919), *L'art du chant en France au XVIIe s.* (1921), *Le manuscrit de Bayeux* (1921), *Fr. Schubert* (1921), *J.-S. Bach* (1925), *Les plus anciennes mélodies de l'église protestante de Strasbourg* (1928), *Les Pères de l'Église et la musique* (1931), *La musique au moyen âge* (1932), *Hist. de la mus. des origines à la fin du XIVe s.* (1936). Voir F. Muller in MGG.        A.V.

**GERSHWIN George.** Compos. amér. (Brooklyn 26.9.1898-Hollywood 11.7.1937), auteur d'opérettes, de revues, de mus. symph., de film, de mélodies, toutes œuvres qui ont trouvé la plus large audience aux États-Unis et dans le monde entier ; signalons les récentes « *exhibitions* » de son opéra *Porgy and Bess* dans nos malheureuses contrées d'Europe occidentale, qui ont eu le triste privilège de consacrer avec vingt-cinq ans de retard la gloire inexplicable, trop explicable, d'un très mauvais auteur. Voir I. Goldberg, *G.G.*, New-York 1931 ; M. Armitage, *Id.*, *ibid.* 1938 ; D. Awen, *The story of G.G.*, *ibid.* 1943, 1950 ; R. Chalupt, *G.G.*, Paris 1949 ; B. Shipke, *G.G. u. d. Welt d. Musik*, Lörrach 1955.　　　　F.M.

**GERSON-KIWI Edith** (en hébreu, *Esther*). Musicologue israélienne (Berlin 13.5.1908–). Elève du cons. Stern à Berlin, des univ. de Fribourg, Leipzig et Heidelberg, docteur de cette dernière avec sa thèse consacrée à la mus. ital. des XVIe et XVIIe s. (1933), elle se fixa en Palestine (1935) ; elle s'oriente vers l'exploration des traditions orales de la mus. de l'Asie occidentale, plus particulièrement celle des communautés juives orientales : elle est considérée à l'heure actuelle comme chef de file en ce domaine; prof. d'hist. de la mus. à l'Acad. mus. israélienne et à l'École normale, elle dirige depuis 1950 les Archives phonographiques et mus. juives et orientales et poursuit depuis 1953 ses travaux dans le cadre de l'univ. hébraïque de Jérusalem, où elle détient un *Research fellowship* ; elle a publié *Studien zur Geschichte des ital. Liedmadrigals im 16.Jh.*,Wurtzbourg 1937 (thèse de Heidelberg,1933), *Les musiciens de l'Orient* (en hébreu), ds *Edoth* (1945) ; *Wedding songs and dances of the Jews of Bokhara*, ds *Journal of the int. folk music council* (1950), *Migrations and mutations of oriental mus. instruments* (*id.* 1952), *Towards an exact transcription of tone relations*, ds *AM* (1953), *Jewish folk music*, ds Grove, III, 5e éd.(1954), *Synthesis and symbiosis in musical folk styles of the Western Orient* (en hébreu et en anglais), ds *Bat-Qôl* (1956), *Musique dans la Bible*, ds Pirot, éd. *Dict. de la Bible*, suppl., V (*id.*), *Jüdische Volksmusik*, in MGG, VII (1958).　　　　I.A.

**GERSTENBERG Heinrich Wilhelm von.** Écrivain allem. (Tondern 3.1.1727–Altona 1.11.1823), qui fut lié avec beaucoup de musiciens de son temps, notamment Ph.-E. et J.-Chr. Bach; il était violon. amateur et organisait des concerts chez lui ; outre des livrets, 2 de ses écrits concernent la musique : *Ueber Rezitativ u. Arie in der ital. Sing.-Komp.* (1770, rééd. 1783), *Ueber eine neue Erfindung den Generalbass zu beziffern* (1780). Voir A.M. Wagner, *H.W.G. u.d. Sturm u. Drang*, Heidelberg 1920 ; H. Becker in MGG.

**GERSTENBERG Walter.** Musicologue allem. (Hildesheim 26.12.1904–). Elève des univ. de Berlin et de Leipzig (H. Abert, Th. Kroyer, H. Zenck), docteur avec sa thèse *Beitr. z. Problemgesch. d. ev. Kirchenmusik* (1935), assistant aux instituts de musicologie de Leipzig et de Cologne (1932–38), prof. d'hist. de la mus. à l'univ. de Rostock (1941–48), à l'univ. libre de Berlin (1948–52), à celles de Tübingen (1952–58) et de Heidelberg, où il est actuellement en poste, il a publié *Die Kl. komp. D. Scarlattis* (Ratisbonne 1933), *Zur Erkenntnis d. Bachschen Mus.* (Berlin 1951), *Die Zeitmasse u. ihre Ordnungen in Bachs Mus.* (Einbeck *id.*), nombre d'articles dans divers périodiques, des éditions de D. Scarlatti, L. Senfl, les œuvres complètes d'A. Willaert.

**GERSTENBUTTEL Joachim.** Mus. allem. (Wismar v.

1650–Hambourg 10.4.1721). Élève en théologie de l'univ. de Wittenberg, chanteur (basse), violon., claveciniste, il succéda à Chr. Bernhard comme cantor du *Johanneum* et dir. de la mus. dans 5 des principales églises de Hambourg (1675) ; il composa 31 cantates (*Bokemayer-Sammlung*, Bibl. nat. de Berlin, ms 7310). Voir L. Krüger, *Die Hamburg. Musikorganisation im 17.Jh.*, Leipzig-Strasbourg-Zurich 1933 (thèse de Heidelberg) ; F. Stein in MGG.

**GERSTER Ottmar.** Compos. allem. (Braunfels 29.6. 1897–). Elève du cons. de Francfort (Sekles, Rebner), alto dans le Quatuor Lenzewski (1924–26), prof. à la *Folkwangschule* d'Essen (1927–47), au cons. de Weimar

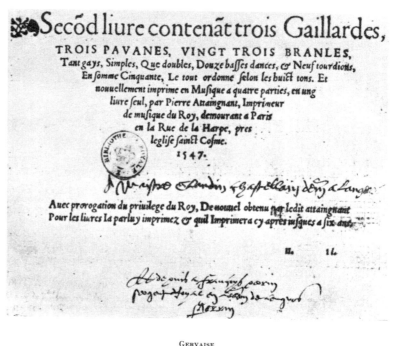

*Page de titre (G. et Du Tertre, Attaingnant, 1547). B.N.*

(1947–52), qu'il a dirigé depuis 1948, prof. de composition au cons. de Leipzig (1952), il a écrit 4 opéras : *Madame Liselotte* (1933), *Enoch Arden* (1936), *Die Hexe v. Passau* (1941), *Das verzauberte Ich* (1949), 1 ballet (1939), 2 symph. (1931, 1952), 2 ouv. d'orch. (1948, 1957). 1 concertino d'alto (1928), 2 concertos (vcelle, 1946, piano, 1956), d'autres œuvres symph. (*Dresdner Bilder*, 1956), des chœurs, 2 quatuors (1943,1954), 1 trio (1957), 1 sonate de violon (1951), 2 de piano et alto, entre autres œuvres de mus. de chambre, des mélodies.

**GERTLER André.** Violon. belge (Budapest 26.7.1907–). Elève de l'Académie Liszt de Budapest (Hubay, Kodály), ami de Bartók, il fait une carrière intern. et enseigne au cons. de Bruxelles ; de 1952 à 1957, il était également prof. au cons. de Cologne ; il a fondé un quatuor qui porte son nom ; il enseigne aux cours d'été de Salzbourg, Darmstadt, Stockholm, Bloomington.

**GERVAIS Charles-Hubert.** Mus. franç. (Paris 19.2.1671–15.1.1744), *Ordinaire de musique de S.A.R. Mgr le duc de Chartres*, le futur régent (1697), il devint en 1700 son surintendant de la musique ; en 1723, il fut nommé sous-maître de musique de la chapelle royale ; 45 motets pour plusieurs v., instr. et *b. c.* restent en mss à la Bibl. nat. ; il publia *Cantates françoises avec et sans simphonie, livre 1er* (Ballard 1712), *Pomone, nouvelle cantate ajoutée par M. G. à son ballet des Amours de Protée* (*ibid.* 1720), *Méduse* (tragédie, *ibid.* 1697), *Hypermnestre* (*id. ibid.* 1716), *Les*

*Amours de Protée* (ballet, *ibid.* 1720), des airs dans des recueils de Ballard (1695–1720), ds le *Mercure de France* et ds *Le tribut*.

**GERVAIS Laurent**, dit *de Rouen*. Mus. franç. du XVIIe s., qui naquit à Rouen ; maître de musique à l'académie de Lille, claveciniste, il se serait fait, d'après Fétis, marchand de musique à Paris (v. 1730) ; il publia *Cantates françoises, avec et sans simphonie, livre premier* (Boivin 1727), *livre second* (*ibid. s.d.*), *L'hiver* (cantate), *Ixion* (cantatille, Boivin 1741), *Ragotin ou La sérénade burlesque* (*ibid. s.d.*), *La rose* (*id.*), *Andromède et Persée* (cantate, Boivin s.d.), *Méthode pour l'accompagnement du clavecin qui peut servir d'introduction à la composition et apprendre à bien chiffrer les basses* (Boivin 1733), des *Airs sérieux et à boire* (3 livres, Ribou, 1744). Voir L. Lefebvre, *Le concert de Lille* (1726–1816), Lille 1911 — *Le théâtre de Lille au XVIIIe s.* (*ibid.* 1894) — *Hist. du théâtre de Lille* (5 vol., *ibid.* 1901–07).

**GERVAIS Pierre-Noël**. Violon. franç. (Mannheim v. 1746–Bordeaux v. 1805). Fils d'un musicien au service de la cour du Palatinat, élève d'I. Fränzl, il joua au Concert spirituel de Paris en 1785 et fut 1er violon au Grand théâtre de Bordeaux (1791) ; il publia 3 concertos de violon, édités par Imbault (Paris s.d.). Voir L. de La Laurencie, *L'école française du violon*, Paris 1923.

**GERVAISE Claude**. Mus. franç., dont l'activité se situe à Paris autour de 1550 et qui a été dit à tort par Fétis violon. de la chambre du roi ; il publia une quarantaine de chansons à 3 et 4 v. chez Attaingnant et chez Du Chemin entre 1541 et 1557 et 3 livres de *Danceries* (1550–55), dans lesquelles dominent les branles et les couples pavanes-gaillardes ; une anthologie en a été rééditée par H. Expert (1908) ; dans cette œuvre, le rôle de G. apparaît surtout comme celui d'un « arrangeur » ; il aurait publié en 1555 chez Attaingnant un *livre de violle* qui n'a pas été conservé et qui contenait une *brève instruction pour cet instrument*.                                   F.L.

**GERVASIO Raffaele**. Compos. ital. (Bari 26.7.1910-). Elève de Frazzi, de Respighi, engagé à l'*Incom*, où il a été nommé compos. titulaire et conseiller du bureau musical (1958), il a écrit de la mus. radiophonique de film, de chambre, de scène, des chansons.

**GERVASIUS de ANGLIA**. Mus. angl. du XVe s., probablement contemporain de Dunstable, de qui on a conservé (Bologne, Trente) 5 motets à 3 v. Voir W. Rehm in MGG.

**GERVILLE-RÉACHE Jeanne**. Chanteuse franç. (Orthez 26.3.1882–New-York 5.1.1915). Elève de Laborde et de P. Viardot, elle débuta en 1900 à l'Opéra-Comique de Paris où elle créa *Geneviève* dans *Pelléas et Mélisande* de Debussy (1902) ; en 1907, elle se fixa aux États-Unis (Chicago, New-York).

**GERVINUS Georg Gottfried**. Historien allem. (Darmstadt 20.5.1805–Heidelberg 18.3.1871). Admirateur de Haendel, collaborateur de Chrysander pour l'édition du même Haendel, il publia *Händel u. Shakespeare. Zur Æsthetik der Tonkunst* (Leipzig 1868) ; sa veuve – **Viktoria** (1820–1893) édita 7 vol. d'airs de Haendel et *Naturgemässe Ausbildung im Gesang u. Klavierspiel* (Leipzig 1892), ainsi que *Händels Oratorientexte* (1873). Voir R. Schaal in MGG.

**GERWIG Walter**. Luthiste allem. (Francfort-sur-l'Oder 26.11.1899-). Prof. au cons. de Cologne (1952), il fit une carrière de virtuose et a publié *Das Spiel der Lauteninstrumente* (Berlin s.d.).

**GES**. C'est, dans la nomenclature germanique, le nom du *sol bémol* ; *geses* : *sol double-bémol*.

**GESAKA**. C'est une petite timbale, de forme aplatie, en bois ou en poterie (Algérie) ; on dit aussi *kurketu*.
                                                                                          M.A.

**GESIUS Bartholomäus** (*Gese, Göse, Göss*). Mus. allem. (Müncheberg vers 1560–Francfort-sur-l'Oder 1613). Etudiant de l'univ. de Francfort-sur-l'Oder (théologie), cantor à Müncheberg (1582), puis au service du baron de Schönaich, enfin cantor à la *Marienkirche* de Francfort-sur-l'Oder (1593), il est un compos. typiquement XVIe s. ; on lui doit *Johannespassion* (2–5 v., 1588), *Teutsche*

*geistl. Lieder* (4 v., 1594), *Hymni* (5 v., 1595), *Novae melodiae* (id. 1596), *Hymni scholastici* (3–4 v., 1597, 1609, 1621), *Psalmodia choralis* (1600), *Geistl. deutsche Lieder D.M. Lutheri...* (4–5 v., 1601, 1605, 1607), *Enchiridium etl. deutschen u. latein. Gesängen* (4 v., 1603), *Hymni Patrum cum cantu* (id.), *Christl. Haus-u. Tisch. Mus.* (4 v., 1605), *Concentus ecclesiasticus* (4 v., 1607), *Cantiones sacrae chorales* (4–6 v., 1610), *Missae ad imitationem cantionum Orlandi et aliorum* (5 v., 1611), — un recueil des 2 dernières œuvres citées, une passion selon saint Matthieu (6 v.), sous le titre *Opus plane novum cantionum...* (1613), *Christl. Choral-u. Figuralgesänge...* (1611), *Epithalamia...* (1613), *Motettae latino-germanicae...* (1615), *Fasciculus etl. d. u. l. Motetten...* (4–8 v., 1616), *Canticum B.M.V.* (6 v., 1621), un grand nombre d'autres œuvres de mus. d'église ou de circonstance, certaines publiées dans des recueils de l'époque. Voir F.W. Schönherr, *B.G. ...*, thèse de Leipzig, 1920 (dact.) ; P. Blumenthal, *Der Kantor B.G.*, Francfort-sur-l'Oder 1926 ; O. Kade, *Die ältere Passionskomp. bis zum Jahre 1631*, Gütersloh 1893 ; F. Blume, *Die ev. Km.*, Postdam 1931 ; H. Borlisch, *B.G.*, ds *MuK*, XXII, 1952.

**GESTALT**. Voir art. *forme*.

**GESUALDO** (*Don*) **Carlo**, *principe di Venosa*. Mus. ital. (Naples v. 1560–8.9.1613). Il naquit dans une très vieille et très noble famille du royaume des Deux-Siciles, qui descendait du roi normand Roger II et possédait des titres de prince, duc, comte et marquis. A l'époque de don Carlo, cette famille avait un éclat plus grand encore, de par son alliance avec saint Charles Borromée, oncle de C. Le père de C. a peut-être été lui aussi compositeur ; il était en tout cas amateur de musique, et, quand il découvrit en son fils un goût précoce pour cet art, il réunit pour lui une *camerata* musicale, qui allait devenir aussi célèbre que l'était celle du comte Bardi à Florence. Le jeune G. s'entoura des meilleurs musiciens : il composait, il chantait, il était un célèbre virtuose du luth. En 1578, le groupe s'augmenta du Tasse : Torquato Tasso n'écrivit pas moins de 40 livrets de madrigaux pour son jeune patron, dans les quelques années qui suivirent (encore que fort peu de compositions de G. sur ces textes aient survécu).

G. devait avoir une vie tragique : dès 1586, un fait surgit, qui en est le début : il épouse *donna Maria d'Avalos*, fort belle fille, comme on peut encore le voir à son portrait que conserve l'église *S. Domenico maggiore* à Naples ; c'était le troisième mariage de la dame ; selon un chroniqueur, le premier époux avait trépassé d'« un excès de bonheur conjugal » ; quant au second, il avait en divorçant évité de justesse semblable destinée. Quant à don Carlo lui-même, il ne semble avoir eu aucune inclination quelconque pour le mariage, et personne ne fut surpris quand *donna* Maria se mit à chercher des compensations aux « négligences » de son époux. Bizarrement, G. en fut surpris ou tout au moins prétendit l'être, et, dans la nuit du 16 oct. 1590, au retour de la chasse, il prit son épouse en flagrant délit dans les bras du duc d'Andria : il donna ordre à ses gens de poignarder les deux coupables. La chose ne semble pas être due à un accès de passion vengeresse, elle paraît bien avoir été longuement préméditée : c'était un piège qu'il avait tendu lui-même, et il avait organisé sa retraite. On possède là-dessus une large documentation : comptes-rendus de serviteurs, témoignages de confidents, relation d'un ambassadeur vénitien etc. ; toutes ces pièces prouvent que l'acte de G., bien qu'il fût légitime d'un certain point de vue de l'honneur, fut unanimement considéré comme cruel et scandaleux : c'était pourtant le temps du drame webstérien. G. gagna d'abord son château de Gesualdo, à quelque 80 milles à l'est de Naples : il craignait des représailles des parents de sa victime, bien qu'il en eût été lui-même le cousin ; la chose est sûre : il déboisa sous sa forteresse et se prépara à un siège ; enfermé dans son château, doutant de la légitimité de son fils, il le supprima aussi, lui faisant « perdre le souffle » dans une partie de balançoire. Après plus de deux ans de retraite dans ses États, G. entreprit des négociations par le canal de son oncle, l'archevêque de Naples : il voulait épouser Léonore, fille d'Alphonse d'Este, 2ᵉ duc de Ferrare ; une lettre adressée à la duchesse d'Este, mère de Léonore, datée du 28 avril 1593, et les pièces de la donation de mariage (350.000 écus) nous sont parvenues : pour sa part, don Carlo s'engageait à doter son fils premier-né de la somme de « 150.000 ducats en argent du royaume de Naples » et à fournir à son épouse un revenu annuel et personnel de 600 ducats ; le contrat fut signé à la fin de 1593, les fiançailles annoncées. *G.* quitta Venosa, probablement quelque temps après Noël, accompagné d'une caravane de « nombreux cavaliers et domestiques » et de « trois cents caisses portées par 24 mules » (selon le chroniqueur Guarini) : c'est dans cet appareil qu'il se dirigea vers Florence et vers le mariage. Une description très détaillée de *G.* au cours de cette expédition a récemment été découverte, et c'est, je pense, un des documents les plus savoureux que nous ayons la chance de posséder sur lui. Son rédacteur était quelqu'un d'aussi extraordinaire que le prince lui-même : Alfonso Fontanelli, comte de Romagne (Reggio Emilia) et gentilhomme de la cour de Ferrare, était diplomate, homme de lettres, madrigaliste (« *Fontanelli represents the ferrarese madrigal style in its purest form* » - A. Einstein). C'est comme écuyer du duc qu'il accompagnait *G.* et qu'il fit son rapport sur lui ; il était bien qualifié pour cette mission : comme gentilhomme, il pouvait aborder le prince à peu près à égalité, comme diplomate, il était logique qu'il sût lui plaire, comme lettré, il pourrait rendre compte de sa redoutable mission dans des termes sinon exacts, du moins frappants. Chose encore plus importante que toute autre, à notre point de vue, il serait capable d'apprécier la musique de *G.* selon le goût de la cour de Ferrare : c'était le cercle musical le plus raffiné du moment en Europe. A la cour, un grand nombre de domestiques était des musiciens accomplis, capables de chanter et de jouer ; les instruments de musique étaient bien entretenus, prêts à servir ; beaucoup de courtisans étaient madrigalistes, jouaient d'un instrument, chantaient. Les musiciens qui avaient servi les ancêtres du duc avaient été Josquin des Prés, Brumel, Palestrina, Roland de Lassus, John Dowland, Luca Marenzio et bien d'autres encore. Le duc lui-même gardait près de lui les plus grands musiciens d'Europe : une telle cour devait être curieuse d'être informée même sur les capacités musicales sur Gesualdo.

La relation de Fontanelli se trouve dans une lettre au duc datée du 18 fév. 1594, expédiée d'Argenta, ville qui est à mi-distance de Ravenne et de Ferrare ; elle a été découverte dans les archives d'État à Modène : on en trouvera ci-dessus la première traduction française. Je ne puis expliquer la partie géographique du premier paragraphe, pourquoi *G.* aurait déjà passé le Pô, fleuve qui est au nord de Ferrare ; mais alors comment serions-nous venus de Venosa ? pas par Naples, car à Naples, *G.* aurait toujours risqué la vengeance des *bravi* de la famille de sa femme — c'est la période de ces professionnels du *stiletto*, qu'on trouve décrite dans *I promessi sposi* ; il est probable qu'il gagna Rome directement, visita Florence (c'est clair d'après une autre lettre de Fontanelli envoyée de Venise après le mariage) ; il s'arrêta peut-être à Mantoue ; il est possible que le Pô, en cette saison, ait été en crue, auquel cas il aura fallu le passer quelque part à l'est ou à l'ouest de Ferrare, et arriver en ville par le sud. Peut-être Fontanelli s'est-il trompé en écrivant « le Pô » : il ne s'agissait peut-être que de l'une des petites rivières qui coulent au sud de Ferrare. Quelle qu'ait été la route suivie, il reste que la scène de la lettre est la cité provinciale d'Argenta, l'époque, la moitié de l'hiver 1594 :

« Je rencontrai le prince qui venait en carrosse avec César Caracciolo, précédé du comte de Saponara sur une litière. Je proposai une barque découverte pour franchir le Pô : Son Excellence devait venir dans le bateau avec moi, avec les deux gentilshommes précités, jusqu'à Argenta. Demain, nous voyagerons jusqu'à Gaibana, que nous pouvons atteindre, si j'en crois d'autres gens. En quittant le bateau, il dit qu'avant de monter en carrosse il prend garde de ne pas se crotter, qu'il ne tient pas à changer de vêtements, car il craint qu'il ait à rencontrer madame la duchesse Leonora : en

quoi il se montre tout à fait napolitain. Il pense arriver à onze heures du soir, mais j'en doute, car il ne sort du lit que très tard. Bien qu'à première vue il n'ait pas le maintien du personnage qu'il est, le prince se fait petit à petit plus agréable, et, pour ma part, j'ai assez de satisfaction de sa manière d'être. Je n'ai pas pu voir sa tournure : il porte un manteau long comme une robe de chambre ; je pense que demain il s'habillera plus gaiement. Il parle beaucoup. Son seul caractère visible est un tempérament mélancolique ; il cause chasse et musique, deux matières dans lesquelles il se déclare une autorité. Sur la chasse, il ne s'est pas beaucoup étendu : il n'a pas trouvé grande réaction chez moi ; mais il a plus parlé de musique que je n'en ai entendu en un an ; il en fait ouvertement profession et expose ses connaissances à tout le monde, de manière telle qu'on ne peut que s'émerveiller de son art. Il a avec lui une grande quantité de livres de musique à 5 voix, toute son œuvre à lui, mais il dit qu'il n'a que quatre gens qui soient capables de chanter et que pour cette raison il sera forcé de prendre lui-même la cinquième voix, bien qu'il semble faire confiance à Rinaldo (¹) pour s'y mettre et s'en tirer bien. Il dit qu'il a abandonné son premier style, qu'il s'impose d'imiter Luzzasco, quelqu'un qu'il admire grandement autant qu'il le loue, encore qu'il dise que tous les madrigaux de Luzzasco ne sont pas tous de la même qualité d'écriture. Ce soir après souper, il envoya chercher un *cembalo* pour que je pusse entendre Scipion Palla et qu'il en jouât lui-même, en même temps que de la guitare, instrument qu'il a en grande estime ; mais nous ne pûmes trouver un *cembalo* dans tout Argenta : répugnant à passer une soirée sans musique, il joua du luth pendant une heure et demie. Ici, peut-être ne déplairait-il pas à Votre Altesse que je donnasse mon opinion, mais je préférerais, avec votre permission, suspendre mon jugement jusqu'à ce que des oreilles plus raffinées eussent donné le leur. Il va de soi que son art est infini, mais il prend des poses et fait des gestes extraordinaires. Il reste que tout est affaire de goût. Cela dit, ce prince se fait servir avec beaucoup de grandeur et des cérémonies un peu à l'espagnole : par exemple, il se fait apporter une torche allumée devant la coupe ».

*G.* se lève tard, il n'est pas à l'heure : travaillait-il la nuit, ou bien, comme Macbeth et pour la même raison, avait-il des insomnies ? Il est mélancolique, il aime chasser, il aime les cérémonies et dédaigne le vêtement, et, comme la plupart des musiciens, se plaît à longueur de temps à discourir au sujet de son art : Fontanelli, qui avait dû entendre des tas de conversations musicales, n'en a pas entendu autant d'une année. Musicalement, il est insatiable : il ne peut passer sans musique une soirée d'hiver dans une ville de province.

La lettre révèle aussi que le prince chantait lui-même la cinquième partie, probablement celle de basse : si *G.* écrivait des parties de basse pour lui-même, il ne devait pas avoir grande estime pour son talent de chanteur : c'est celle qui est le moins employée de toutes dans sa musique. Certes, beaucoup de madrigaux de *G.* sont, si j'ose dire, tout en hauteur ; il a dû lui plaire de découvrir que les plus délicieux chanteurs de Ferrare étaient un trio de « dames » ; pour ces *tre donne*, il a composé une scène dramatique, un dialogue, malheureusement perdus. Le commentaire de Fontanelli sur la musique est politique, par là décevant ; la musique de *G.* « se meut de manière extraordinaire ». Certes « tout est affaire de goût », mais nous ne pouvons dire si Fontanelli est naïvement décontenancé ou si simplement il ne veut pas risquer une opinion qui pourrait un jour se montrer le contraire de celle du duc.

La lettre précise un point important : *G.*, dans ses débuts, avant son séjour à Ferrare, a composé dans un style différent, sous l'influence de Luzzasco ; si la musique qu'entendit Fontanelli « se mouvait d'étrange manière », ce n'était pas celle des deux premiers livres de madrigaux, car elle est exempte de chromatismes et de dissonances : son inspiration est toute différente de la dernière manière. On suppose communément que le célèbre chromatisme

_____

(1) *Probablement Rinaldo de l' Arpa, chanteur de la cour de Ferrare.*

GESUALDO

Bacci soavi e cari *(ds* Partitura delli sei libri..., *Gênes 1613).*

de G. a été le résultat de sa rencontre avec Luzzasco Luzzaschi et d'autres chromatistes convaincus de Ferrare. Ses troisième et quatrième livres ont été publiés à Ferrare après sa visite : aussi attribuait-on à l'influence de ces compositeurs cette recherche déterminée d'un style chromatique. Il y avait aussi à Ferrare des instruments à clavier chromatique, notamment l'*archicembalo*, qui comportait 37 degrés chromatiques à l'octave — les Ferrarais étaient en avance sur nos expériences de quarts de ton, et G. a pu essayer ces instruments ou du moins les entendre. Mais la lettre de Fontanelli dit que G. a connu la musique de Luzzasco avant qu'il connût Luzzasco. De toute façon, même les plus poussés des madrigaux de Luzzasco, de Cipriano, de Marenzio sont sans comparaison avec certaines pièces du 4e livre de G. — celles que Fontanelli doit avoir vues ou entendues — pour la technique chromatique, la façon de mener les voix, le sens de l'équilibre tonal et de la direction. G. aurait trouvé sa voie même s'il n'avait jamais été à Ferrare. Sans doute a-t-il subi l'influence de Luzzasco et d'autres (il avait probablement une bibliothèque bien fournie), mais son propre chromatisme est sa démarche propre : c'est l'expression, à la fois réelle et conventionnelle, de la faute et du drame de sa vie ; c'est quelque chose de personnel jusqu'à la démence : qu'il soit religieux ou profane, le texte sur lequel compose G. traite exclusivement de mort, de meurtre et de remords, qu'il s'agisse de la mort du Christ, ou que, comme dans les madrigaux, il parle à la première personne, peu importe, c'est toujours sa propre affaire. Les mots *morte, ancide* etc., dans ses œuvres dernière manière, deviennent musique extatique, pleine d'invention chromatique de la plus surprenante originalité : ce n'est pas qu'invention, expérience « radicale » et « audacieuse », tentée pour et en elle-même, mais musique splendide, parfaitement satisfaisante, totalement cohérente. Comparer le chromatisme de G. avec celui des plus habiles compositeurs du demi-siècle qui suivit (comme Luzzo dans son *Medoro*, par exemple),

c'est apprécier à sa juste valeur la perfection de l'oreille de G. (et du même coup mesurer la justesse de la définition que J.-J. Rousseau donne d'une musique *baroque*, s'il pensait à Luzzo ou à d'autres, disant que c'est une musique « dont l'harmonie est confuse, chargée de modulations et dissonances, le chant dur et peu naturel, l'intonation difficile et le mouvement contraint »). G. possédait un instinct harmonique infaillible, si stupéfiant qu'il a fallu attendre notre époque et nos oreilles accoutumées à la musique contemporaine pour que nous puissions le suivre.

Finissons-en avec sa biographie : l'après-midi suivante, G. arrive à Gaibena, qui est à 6 milles au sud de Ferrare : il est accueilli là par le duc, les nobles et la garde à cheval ; des portes de la ville jusqu'au *Castello estense*, toute la population est rassemblée pour lui faire fête. Les festivités nuptiales commencent aussitôt, d'une grande somptuosité : banquets, représentations théâtrales, concerts, danses, chasses, tout cela quotidien. Les chroniques d'un certain Merenda, historiographe de la famille d'Este, témoignent de ces célébrations : il relate que le mariage de don Carlo et de Leonora eut lieu dans la chambre de la duchesse mère, qu'ils passèrent leur nuit de noces au palais Diamanti, qu'ensuite ils habitèrent le palais Marco Pio, dans la *strada degli Angeli* ; Merenda ajoute un détail caractéristique : quelques jours après les noces, le duc, son nouveau gendre et toute leur cour mélomane se rendirent aux églises de S. Silvestro et de S. Vito, non pour des motifs pieux, mais « pour entendre chanter les moines ». Au début de mai, les nouveaux mariés vont à Mesola, le *Xanadu* d'été des d'Este sur le delta, près de la glorieuse église de Pomposa ; venant de Mesola, G. passa par Venise, où il fut reçu avec les honneurs par le patriarche (comme neveu du grand saint Charles Borromée) ; le célèbre imprimeur Gardane lui fit présent de volumes de madrigaux (de Gabrieli ? G. fit-il la connaissance de G. Gabrieli ?). En juin, le prince et la princesse regagnèrent Gesualdo par la mer et débarquèrent à Barletta (Gesualdo est à mi-chemin de Naples et de Venosa). Fontanelli les accompagnait et les choses allaient toujours bien entre le prince et lui (peut-être trop bien, puisqu'en 1603 il devait suivre l'exemple de G. et assassiner à son tour l'amant de sa femme) ; G. regrettait Ferrare et, l'année suivante, il y revint sans Leonora : cette fois, sa conduite scandaleuse lui valut presque d'être expulsé, et le frère de Leonora fut tellement outré (Dieu sait ce que G. avait pu faire) qu'il fit tout ce qu'il put pour persuader à sa sœur de faire annuler son mariage ; mais Leonora ne quitta pas son époux : elle lui survécut 24 ans ; en 1596, le duc d'Este mourut, Ferrare fut cédée au pape, et G. revint à Naples et à la religion.

Ses premiers actes religieux furent de construire et de doter un monastère de capucins à Gesualdo ; il y avait son portrait peint sur les murs, en posture de pénitent et en compagnie de saint François, de sainte Catherine de Sienne, de son oncle saint Charles ; mais, dans la fresque, ce n'est pas son propre crime qui est puni, c'est celui de sa femme et de l'amant d'icelle. Le portrait est vraisemblablement fidèle : il est svelte, la *charpente* petite, le visage aigu, plutôt trop distingué ; il a de longs doigts, parfaits pour le luth ; il porte la fraise à l'espagnole de l'époque : on croirait vraiment un parfait gentilhomme espagnol.

Bien que nous ne puissions juger que sur des dates de publication, il semble que toute sa musique religieuse ait été composée dans les dernières années de son existence ; c'est une musique, aussi remarquable que les madrigaux, qui est restée presque entièrement inconnue jusqu'à nos jours. Il s'agit de 2 livres de motets, d'un livre de répons pour l'office des ténèbres de la semaine sainte et d'un recueil de psaumes pour les complies. Les textes peuvent tous s'appliquer au propre désespoir de l'auteur : le cri « Tu ne tueras point » ne cessait de retentir à ses oreilles, et la musique en est pleine. Les réalités contraires du doux et de l'amer, du plaisir et de la douleur, de la vie et de la mort, les *oxymorae*, monnaie courante des madrigalistes, tout cela pour lui sonnait terriblement vrai. Qu'il ait interprété la mort comme la délivrance suprême de la douleur, voilà qui est évident dans toute la musique qu'il écrivit pour illustrer ce mot. L'assertion que j'ai faite n'est pas arbitraire : quand je dis qu'on n'a pas pu facilement se faire une idée juste de Gesualdo avant l'époque contemporaine, ce n'est pas pour lui décerner une vision prophétique de notre siècle, c'est pour rendre hommage à son génie hors pair. Ce sont les maîtres de *notre* musique contemporaine qui nous ont donné une liberté, une technique, des oreilles, une sensibilité qui nous permettent de juger. Naturellement, il faut continuer d'étudier G. dans le contexte de la musique de *son* époque : il n'y a pas de miracle qui en explique l'origine, son œuvre se relie à celle de ses prédécesseurs et de ses contemporains. L'origine, soit ; et pourtant, pour quelques-unes de ses œuvres, je ne suis pas sûr du tout : il en est qui me paraissent purs miracles.

G. mourut le soir du 8 septembre 1613 ; on l'enterra au *Gesù nuovo* à Naples. Laissons là l'homme G. (prions pour le repos de son âme) : comme Fontanelli l'a écrit dans cette lointaine nuit de février, « son art est infini ».

*Musique instrumentale :* G. composa un recueil de 10 *gagliarde a 4 per suonare le viole* et une *sinf. a quattro antiche :* le ms. a été retrouvé en janvier 1958 à la bibl. du cons. de S. Pietro *a Majella* à Naples par Ruth Adams, étudiante américaine de la fondation Fulbright. C'est une copie manuscrite datée de 1629 ; *Principe di Venosa* est écrit en haut de la dernière gaillarde et l'abréviation « G.su » en haut de l'avant-dernière. Le mot *corna* est écrit sur chacune des 4 parties de la première gaillarde ; il est possible que ce soit une allusion au cocuage de G., car, dans le dossier de la Grande cour de la *Viceria* qui fit une enquête sur le crime de G., le mobile du crime est décrit comme une vengeance contre quelqu'un qui avait fait de la demeure de G. la *casa G. corna*. Les gaillardes datent probablement du milieu de l'année 1580. Les deux *canzonette, Come e vivi* et *All'ombra degli allori,* furent éditées à la fin du 8e livre de madrigaux de Pomponio Nenna (1618) : il est possible que ce dernier ait été l'élève de G. ; il était en tout cas très lié avec le prince, qui l'aida probablement en finançant la publication de quelques-unes de ses partitions ; il est très probable que Pomponio inséra ces *canzonette* dans son recueil en mémoire du prince, et il n'est pas impossible que ce soient des œuvres du début qu'il ait conservées. Les 3 voix de femmes requises pour les deux pièces sont des sopranos de tessiture égale.

*Psalmi delle compiete :* ils font partie d'un recueil de psaumes écrits par différents auteurs napolitains, publié par Ottavio Beltrano en 1620 ; un seul exemplaire de ce recueil nous est parvenu (à la bibl. de l'*oratorio Filippini* de Naples) ; c'est la seule œuvre de G. dans laquelle une basse continue soit écrite : cependant il est certain que cette partie de b.c. est un ajout fait par l'éditeur de la publication (posthume), qu'elle est purement et simplement un *basso seguente.* Les complies sont la dernière des heures ₵anoniales, et la simplicité d'écriture de G. est magnifiquement accordée à la tranquillité de la nuit : il y a 3 courts versets et un *Gloria Patri* ; la musique de chaque verset est essentiellement la même que celle du *Gloria,* mais elle est enrichie d'altérations harmoniques, rythmiques, accentuelles, mélodiques.

Les *Responsoria* n'ont probablement jamais été étudiés tout au long des trois siècles et demi qui nous séparent de G. ; aucun des commentateurs de G., Heseltine-Gray, Einstein, Vatielli, Pannain, ne les a connus ou du moins n'a écrit quoi que ce soit à ce sujet. La découverte de cette partition (en 1957 — on savait depuis 1917 qu'elle existait à l'*oratorio Filippini,* mais personne n'avait obtenu l'autorisation de l'étudier jusqu'il y a deux ans — modifie le *corpus* gésualdien jusqu'à rendre nécessaire de reconsidérer l'œuvre entière : ces répons ne constituent pas un simple additif à ce que nous savions déjà de l'œuvre de G., ils introduisent une toute nouvelle catégorie dans ses compositions : comparés aux *cantiones sacrae* à 5 v., la seule musique religieuse de G. dont la partition complète nous soit parvenue, ils vont très avant en direction du baroque ; leur manière théâtrale, due en grande partie à la structure dramatique de la forme, est baroque au premier chef ; cette forme, nouvelle chez G., est idéale pour les effets de contraste et de clair-obscur qui abondent dans sa musique. Il s'agit de différents épisodes de la passion du Christ : la trahison, la passion elle-même, la descente aux enfers, mais le théâtre n'en est pas moins théâtre, tout sacré qu'il est, ni la forme musicale moins dramatique, toute liturgique qu'elle est. On peut discerner les propriétés du style des répons en les comparant avec les *cantiones sacrae:* tandis que les répons sont des formes à refrains, les *cantiones sacrae* sont de structure unitaire, la ligne en est rarement brisée par des contrastes ; de plus, dans les répons, il est fait usage de plusieurs sortes de figurations rythmiques dans la même pièce ; dans les motets, le rythme est uniforme. Les lignes mélodiques des deux formes sont également très différentes : si on les compare aux répons et à leur mélodie tellement plus fleurie, les *cantiones* semblent appartenir à l'ancienne polyphonie du milieu du XVIe s. ; la structure des *cantiones* est plus traditionnelle, plus globale, celle des répons varie avec l'« instrumentation » ; quant à l'harmonie, on y trouve beaucoup plus de secondes et de septièmes accentuées que dans les *cantiones* connues par nous, bien que je soupçonne que ce ne soit pas vrai en ce qui concerne celles à 6 v., à en juger d'après les partitions incomplètes de certaines d'entre elles.

Les deux styles de G., le religieux et le profane, ne se confondent jamais, bien qu'il soit facile d'y reconnaître le même tempérament musical ; il existe un cas bizarre de similitude de style entre le répons *Ecce vidimus* et le madrigal *Se la mia morte :* dans un passage chromatique des deux pièces, la musique est approximativement la même ; cependant, la volupté pourrait définir les deux passages comparés est toute différente dans l'un ou dans l'autre, et, d'une pièce à l'autre, il n'y a ni solécisme ni faute de style.

On pourrait contribuer à fixer le caractère du baroque gésualdien en comparant G. avec un autre artiste plus manifestement baroque ; de frappantes coïncidences surgissent, si l'on met en parallèle la vie, l'art de G. et du Caravage, son quasi-contemporain : tous deux furent des meurtriers, tous deux eurent l'expérience du profond repentir et de la piété dans leurs dernières années, tous deux vécurent à Naples, y moururent prématurément. Dans leur cheminement, toutes choses égales d'ailleurs, ils étaient expressionnistes à l'extrême, réalistes, si on ose dire : le Caravage fut l'un des premiers à peindre d'après des modèles vivants, en pleine rue ; G., tout en respectant les conventions musicales, chercha à rendre musicalement un texte en lui donnant une intensité réaliste ; l'un fait tout converger vers l'effet dramatique, il exagère souvent, il y a de la fausseté et du théâtral dans la présentation, mais là encore, l'effet dramatique est la chose importante, non, par exemple, le déploiement de technique dans l'architecture d'arrière-plan ; pour G., l'effet expressif est non moins capital : il exagère aussi, il dépasse le contexte, mais là encore, il s'agit d'effet, non d'un déploiement de technique ni de *puzzles* contrapuntiques. La comparaison s'effondre, si l'on aborde la question de l'influence que ces deux maîtres ont eue dans l'histoire : G. est une fin, sa musique meurt avec lui, cependant que le Caravage suscitera tellement d'imitateurs que les écoles de peinture locales disparaîtront des villes italiennes et qu'une peinture européenne surgira, issue du Caravage et de ses imitateurs, de Georges de La Tour à Vélasquez et à l'école hollandaise. Ils ont pourtant encore un point commun, dans leur existence posthume (il ne s'agit d'ailleurs pas du tout de coïncidence) : après avoir été longtemps obscurs, ils ont exercé en même temps une grande attraction sur nos contemporains du milieu du XXe siècle.

**Œuvres :** *mus. d'église :* (19) *Sacrae cantiones a cinque voci, lib. I* (Naples 1603), (20) *Id. a sei voci, lib. II* (id. ibid. ; le *quintus* et la basse manquent ; le n° 20 est une pièce à 7 v. ; en 1957, I. Stravinsky a écrit les 2 voix manquantes pour cette pièce finale), (27) *Responsoria* à 6 v. (ibid. 1611), *Psalmi delle compiete* (ibid. 1620), 1 *Benedictus* (6 v., 1911), 1 messe (id.) ; *mus. profane :* 2 *canzonette* à 5 v. (Naples 1618), 4 recueils de madrigaux à 5 v. (80 en tout, 1594–95 ; dans le livre IV, l'un est à 6 v.), 2 recueils de madrigaux à 5 v. (V. [XXI], 1611, VI [XXIII] id.), 1 de madrigaux à 6 v. (VII [XVIII], 1626 ; il ne reste que le *quintus* de ce volume, au *Lic. mus.* de Bologne) ; le *BM* possède une pièce de .clavecin inédite.

**Éditions :** en 1613, une édition complète des 6 premiers volumes a été publiée à Gênes ; les 4 premiers furent imprimés à Ferrare, les V et VI sur les presses personnelles de G. à Gesualdo. — Éd. modernes : les madrigaux et les *responsoria* ont été publiés par les éditions Ugrino à Hambourg (1958–59), les *sacrae cantiones* à 5 v. (14) par *Istituzioni e monumenti dell'arte musicale ital.*, vol. 5, Milan 1934. Quatre disques ont été enregistrés par Columbia sous la direction de l'auteur de cet article.

**Bibl. :** un grand nombre de lettres de *G.*, de lettres de Fontanelli et de Léonore d'Este concernant *G.* (notamment celle de Léonore à son frère le cardinal Alphonse d'Este, où elle se plaint de *G.* en tant qu'époux) peuvent être consultées à l'Archivio statale de Modène : 500 sont de *G.*, beaucoup de sa main. Ouvrages sur *G.* : Francesco Vatielli, *Il principe di Venosa e Leonora d'Este*, Milan 1941 ; Heseltine-Gray, *C.G.*, *musician and murderer*, Londres 1926 ; F. Keiner, *Die Madrigale G. v. V.*, Leipzig 1914 ; A. Einstein, *The ital. madrigal*, Princeton 1949 ; G. Marshall, *The harmonic laws in the madrigals of C.G.*, Univ. de Michigan, 1957 ; un art. de R. Giazotto qui traite des poèmes du Tasse sur la mort de Marie d'Avalos se trouve ds *Ras. mus.*, Rome 1948.                    R.C.

**GETZ Stanley.** Saxo. ténor amér. (Philadelphie 2.2.1927–), d'abord contrebassiste, puis basson., qui a fait partie des orch. de Dick Rogers, Jack Teagarden, Stan Kenton, Jimmy Dorsey, Benny Goodman, célèbre par ses *combos* (orch. de Woody Herman, dep. 1947), un des inventeurs du *cool-jazz*, adepte du *be-bop*.

**GETZMANN** (*Gatzmann, Geltzmann*) **Wolfgang.** Mus. allem. du XVIIe s., qui fut org. à Saint-Barthélemy de Francfort-sur-le-Main (1610) ; nous n'avons qu'une seule autre date : en 1633, il avait quitté son poste de Francfort ; d'après Fétis, il aurait été également luthiste : cela n'a pas été prouvé ; on a conservé de lui *Phantasiae sive cantiones mutae* ... (4 v., 1613), *Epithalamium musicum* ... (8 v., 1609, perdu, mais qu'on croit semblable au motet *Veni de Libano* ds. Bodenstein). Voir M. G. Draudius, *Bibl. classica*, Francfort 1611 ; A. Göhler, *Verz. der... 1564 bis 1759 abgezeigten Musikalien*, Leipzig 1902 ; C. Valentin, *Gesch. d. Mus. in Frankfurt...*, Francfort 1806 ; M. Reimann in MGG.

**GEUCK Valentin.** Mus. allem. (Cassel v. 1572–3.11.1596), qui appartint comme chanteur à la chapelle de la cour de Cassel de 1585 à sa mort ; il rédigea un traité intitulé *Musica methodicè conscripta...* (posthume, 1598, ms. Cassel), composa *Novum et insigne opus continens textus metricos sacros...* (5, 6, 8 v., inachevé, complété par le landgrave Maurice de Hesse et publié en 3 vol., ibid. 1603–04) ; deux autres recueils de lui ont été perdus. Voir E. Zulauf, *Beitr. z. Gesch. d. Landgr. Hess. Hofkapelle...*, ds *Zs. d. Ver. f. hess. Gesch. u. Landeskunde*, *N.F. XXVI*, Cassel 1903 ; W. Brennecke in MGG.

**GEVAERT François-Auguste.** Compos. et musicologue belge (Huysse 31.7.1828–Bruxelles 24.12.1908). Elève du cons. de Gand, org. de l'église des Jésuites de la même ville (1843), 1er grand prix de Rome (1847), il séjourna à Paris (1849–50), puis en Espagne, en Italie, en Allemagne (1851) ; il s'établit ensuite à Paris, où il composa pour le Théâtre lyrique et l'Opéra-comique (occasionnellement pour le théâtre de Baden-Baden) ; en 1867, il fut pris comme dir. de la mus. à l'Opéra, rentré en Belgique (1870), il fut nommé dir. du cons. de Bruxelles (1871), succédant à Fétis ; maître de chapelle de la cour de Belgique, il fut anobli en 1907 (baron). Il écrivit 11 opéras (1848–1864), des mélodies, des chœurs, des motets, 1 quatuor, des œuvres symph., de la mus. d'orgue et de piano ; il rédigea des traités, surtout d'instrumentation (1863–1901, 1885, 1892), d'orchestration (1890) de plain-chant (1856) et *Traité d'harmonie théorique et pratique* (1905-1907), ainsi que des écrits musicologiques : *Les origines du chant liturgique de l'Eglise latine* (Gand 1890), *Histoire et théorie de la mus. de l'antiquité* (ibid. 1875–1881), *La mélopée antique dans le chant de l'église latine* (ibid. 1884–1896), *Les Problèmes musicaux d'Aristote* (av. J.C. Vollgraff, ibid. 1903) ; il assura de nombreuses éditions musicales. Voir F. Dufour, *Le baron F.-A.G.*, Bruxelles 1909 ; E. Closson, *G.*, Bruxelles 1929.

**GHAITA.** Voir art. *gaïta*.

**GHANTA.** C'est une cloche (Inde) : elle est frappée généralement avec un bâton recouvert d'étoffe ; on rencontre aussi des *g.* avec un battant ; les cloches jouent un rôle très important dans les cérémonies religieuses ; il y en a de toutes tailles.                    Al.D.

**GHATAM.** C'est une cruche de terre, sur laquelle on frappe avec les doigts ; certains joueurs arrivent sur ce simple instrument à produire des variations rythmiques très subtiles et très variées ; il sert parfois d'accompagnement pour la grande musique vocale ou instrumentale du sud de l'Inde.                    Al.D.

**GHEDINI Giorgio Federico.** Compos. ital. (Cuneo 11.7.1892–). Elève du *Liceo mus.* de Turin, chef d'orch. au *Teatro regio*, prof. à l'école municipale, puis prof. de compos. au cons. de Turin, prof. (1941), puis dir. (1951) du cons. de Milan, compos. très apprécié, il a écrit notamment l'opéra *Maria d'Alessandria* (1937), la cantate d'église *Lectio libri sapientiae* (v., tp., p., cordes, 1938), *Architecture* (orch., 1940), 7 *ricercari* (trio, 1943), *Concerto dell'Albatro* (trio, orch., réc., 1945) ; citons encore les opéras *Re Hassan* (1939), *La pulce d'oro* (1940), *Le baccanti* (1948), *Billy Budd* (1949), pour l'orch. : *Partita* (1926), *Concerto grosso* (1927), 2 concertos (p., 1946, 2 p., 1947), *Concerto « Il Belprato »* (v., 1947), *Id. « L'Alderina »* (fl., 1950), *Id. « L'Olmeneta »* (2vcelles, 1951), *Concerto per orch.* (1956), *Composizione* (1958), *Fantasia* (p. et cordes, 1958), toutes œuvres auxquelles il faut ajouter de la mus. chor., voc., de chambre, de scène, de film, des transcriptions de Monteverdi, Bach, Gabrieli, Schütz. Voir A.M. Bonisconti, *G.F.G. e le sue ultime op.*, ds. *Rass. mus.*, 1949.                    C.S.

**GHEERKIN** (*Gerard*) **de HONDT.** Mus. flamand, qui vécut dans la 1re moitié du XVIe s., vint de Bruges à Bois-le-Duc pour être *sangmeester* de l'*Illustre Lieve Vrouwe Broederschap* (1539–47), et vécut ensuite dans la Frise hollandaise ; on a conservé de lui 5 messes (mss., 4-5 v.), 4 motets (*id.*, 4 v.), 9 chansons à 4 v. (mss. ou recueils de l'époque). Voir A. Van der Linden in MGG.

**GHERARDELLUS** (*Gherardello*) **de FLORENTIA.** Mus. ital. du XIVe s., qui appartint à la génération des mus. florentins de l'*ars nova* ; il semble s'inscrire entre Giovanni da Cascia, Lorenzo et Donato ; il portait le titre de *ser*, qui désigna souvent des ecclésiastiques ou des notaires ; dans le *code Squarcialupi*, il est intitulé *magister* ; parmi les membres de cette famille, citons *Jacobus*, son frère, et **Giovannes**, son fils, auteurs respectivement de 2 ballades et de 2 madrigaux et de 2 ballades ; on a conservé de lui 1 *Gloria* et 1 *Agnus* à 2 v., 10 madrigaux (*id.*), 1 *caccia* (3 v.), 1 ballade (5 v.) : on les trouve dans le *codex* précité, dans le cod. *Panciatichiano 26*, dans le ms. 29987 du British Museum, dans les mss. ital. 568 de la Bibl. nat. à Paris. Voir N. Pirrotta, *Lirica monodica trecentesca*, ds. *Rass. mus.*, IX, 1936, *The music of 14th cent. Italy*, Amsterdam 1954 et art. in MGG ; K. v. Fischer, *Studien z. ital. Mus. d. Trecento...*, Berne 1956.

**GHERARDESCHI.** Famille de mus. ital. originaire de Pistoie. — **1. Atto Felice** naquit à Pistoie en 1674 ; il fut pendant 6 ans maître de chapelle de l'église d'Alessio en Albanie et composa de la mus. d'église. Son neveu — **2. Domenico** (*ibid.* 1733–?) fut org., élève de N. Valenti à Florence, org. et maître de chapelle de la cath. de Pistoie ; on conserve de lui des messes à 4 v., des hymnes, 1 *Ave Maria*, 1 *Magnificat* à 8 v. etc., toutes œuvres composées entre 1763 et 1783. Son frère, auquel il avait succédé comme maître de chapelle — **3. Filippo Maria** (*ibid.* 1738–Pise 1808), fut élève à Bologne du père Martini (1756–61), *accademico filarmonico* de cette ville en 1761, maître de chapelle à Volterra en 1763, puis org. de la cath. de Pise ; un peu plus tard, il était maître de chapelle à la cath. de Pistoie, mais il abandonna son poste au profit de son frère pour le même emploi à la *Chiesa conventuale dei cavalieri di S. Stefano* à Pise ; il fut encore maître de concert de la cour de Léopold Ier de Toscane et précepteur du dauphin ; il composa de la mus. instr. : *Tre sonate per cembalo o forte-piano* (Florence s.d.), *Sonata per cembalo* et *Concerto* pour cordes (mss cons. de Bologne), de la mus. d'église : 7 psaumes ou motets (4 v., acc. instr.), *Confitebor concertato* (instr. et *ripieni*, ms. cons. de Bologne), *Messa* (4 v., orch., ms. cons. de Florence), *Gran messa solenne concertata* (4 v., instr. et *ripieni*), 3 *Responsori e 5 assoluzioni* (ms. cons. de Naples), d'autres messes, *Requiem*, psaumes, hymnes, graduels etc., conservés à Pise, Pistoie et Vienne, des opéras : *L'amore artigiano* (1763), *Il curioso indiscreto* (1764), *I visionari* (1765), *La contessina* (1766), *L'astucia felice* (1767), *I due gobbi* (1769), *La notte critica* (*id.*) — de tous ces opéras, seuls des fragments subsistent — de la mus. profane : des airs, duos, 1 *canzone*, 1 polonaise, 1 cantate (mss à Pistoie et Parme) ; on a également conservé de lui des études contrapuntiques, des *Elementi per il cembalo* (ms. cons. de Bologne), des lettres, notamment au P. Martini. Le fils de Domenico — **4. Giuseppe** (Pistoie 1759–1824) fut également maître de chapelle à la cath. de sa ville natale et composa de la mus. d'église. Son fils — **5. Luigi** (*ibid.* 5.7.1791–21.3.1871) lui succéda ; il écrivit lui aussi de la mus. d'église. Enfin, le fils du précédent — **6. Gherardo** (?–19.2.1905) suivit les mêmes destinées. Voir L.F. Tagliavini in MGG.

**GHERARDI Biagio.** Mus. ital. dont l'activité se situe vers la moitié du XVII⁰ s., il fut maître de chapelle à la cath. de Vérone et publia chez Gardane à Venise *Mottetti concertati a 5 v.* (1650), *Id. a 8 v.*, *Compiete concertate a 3, 4, 5 e 6 v.*, *Salmi con istromenti.*

**GHERARDINI** (*Gerardini*) **Arcangelo.** Mus. ital., qui naquit à Sienne vers la moitié du XVI⁰ s. ; religieux de l'ordre des Servites de Milan, condisciple d'O. Vecchi, élève de S. Essenga, il fut maître de chapelle en divers lieux et publia des madrigaux à 5 v. (Ferrare 1585), des motets à 8 v. (Milan 1587), des messes, des vêpres.

**GHERSEM Géry (de).** Mus. belge (Tournai, entre 1572 et 1575–25.5.1630). Elevé à la maîtrise de la cath. de sa ville natale sous la direction de Georges de la Hèle, en 1582 il fait partie de la chapelle de Philippe II comme choriste : 'il le suivra d'ailleurs à Madrid ; en 1587, il est l'élève de Philippe Roger, musicien d'Arras, en 1593, chantre de la chapelle royale, en 1598 vice-maître de la chapelle, poste qui le fit séjourner en Espagne pendant 19 ans ; il fut ensuite maître de chapelle de la cour à Bruxelles, également chapelain de l'oratoire des archiducs Albert et Isabelle ; comme prêtre, il fut titulaire de différentes fonctions ecclésiastiques à la cath. de Tournai, à Ste-Gudule de Bruxelles, à Valenciennes, à Mons ; on a conservé de lui, impr. : la messe *Ave Virgo sanctissima* (6 v.), ds les *Missae sex* de Ph. Roger (Madrid 1598) ; la bibl. du roi Jean IV de Portugal possédait 287 compositions de G. : elles furent détruites lors de l'incendie de 1755. Voir E. Van der Straeten, *La mus. aux Pays-Bas*, t. II et VIII, 1872 ; *Biogr. nat. (belge)*, t. VII ; R. Wangermée dans MGG.

**GHEUSI Pierre-Barthélemy.** Librettiste et journaliste franç. (Toulouse 21.11.1865–Paris 30.1.1943), qui fut sous-directeur de l'Opéra de Paris en 1907 et deux fois dir. de l'Op.-Com. (1913–18, 1936) avec un succès discuté ; il est l'auteur de 18 livrets et de quelques brochures de souvenirs.

**GHEYN.** Voir art. *Van den G.*

**GHEZZI Ippolito.** Mus. ital. (Sienne ou Sinalunga v. 1650–?), religieux augustin, qui fut maître de chapelle (1679–1700) à la cath. de Montepulciano : il y eut comme élève Domenico Cavalcanti ; il vécut ensuite à Sienne et s'intitulait *baccelliere in sacra teologia* ; on a gardé de lui *Sacri dialoghi* à 2 v. (2 liv., Florence 1699, Bologne 1708), *Salmi concertati* à 2 v. (Bologne 1699), *Oratorii sacri* à 3 v. (*ibid.* 1700), *Lamentazioni...* (1 v., *ibid.* 1707), *Il setticlavio canoro di dare il solfeggio...* (*ibid.* 1709).

**G(H)IBELLINI Eliseo.** Mus. ital., qui naquit à Osimo v. 1520 et fut maître de chapelle à Ancône jusqu'en 1581 ; les éditeurs vénitiens Scotto et Gardane publièrent de lui *Mottetta...* (5 v., 1546, 1548), *Madrigali* (3 v., 1552, 4 v., 1554, 5 v., 1581), *Canzoni villanesche* (3 v., 1554), *Introitus...* (5 v., 1565).

**GHIJS** (*Ghys*) **Joseph.** Violon. belge (Gand 1801–St-Pétersbourg 22.8.1848), élève du cons. de Bruxelles, qui fit une carrière intern., au cours de laquelle il mourut du choléra en Russie ; il composa de la mus. de chambre.

**GHIRETTI Gaspare.** Mus. ital. (Naples 1747–Parme 1797). Violon., vcelliste, élève du *cons. della Pietà* à Naples, virtuose de la chambre du duc Ferdinand de Bourbon-Parme, maître de F. Orlandi et de F. Paër, il composa des œuvres de mus. d'église et instrumentale restées inédites.

**GHISELIN Jean** (*Johannes*), dit *Verbonnet*. Mus. néerl. de la fin du XV⁰ ou du début du XVI⁰ s., qui servit la cour de Ferrare entre 1491 et 1503, année où il ramena Josquin de Flandre à Hercule I⁰ʳ d'Este ; en 1507–08, il servait la confrérie Notre-Dame à Bois-le-Duc ; on lui doit un recueil de 5 messes impr. par Petrucci en 1503, toutes sur des thèmes de chansons (d'Agricola, d'Ockeghem), des motets, des chansons franç. et flamandes et une pièce instr. *La Alfonsina*. A. Pirro trouve quelque monotonie à sa « manière géométrique » et à son goût pour « les ornements rigides ».     F.L.

**GHISELIN DANCKERTS.** Voir art. *Danckerts.*

**GHISI Federico.** Musicologue et compos. ital. (Changhaï 25.2.1901–). Elève de l'univ. de Pavie, de C. Gatti, de G.F. Ghedini, du cons. de Turin, prof. à l'univ. de Florence depuis 1937 (hist. de la mus.) où il fait actuellement des cours pour les étrangers, il a été chroniqueur musical ; son activité musicologique s'étend au monde entier, au sein des congrès et des sociétés de spécialistes ; il a publié *I canti carnascialeschi* (Florence 1937), *Le feste mus. della Firenze medicea* (*ibid.* 1939), *Alle fonti della monodia* (Milan 1940), *Anciennes chansons vaudoises* (av. E. Tron, Torre Pellice 1947), *Strambotti e laude* (Florence 1953), des articles, dans divers périodiques ou ouvrages collectifs, sur *R. de Pareia* (N. d'arch., XII, 1935), *Poesie mus. ital.* (*ibid.* XV, 1938), l'*ars nova* (*AfMw* et Florence 1942, Cambridge 1946), *Le canzoni profane ital.* (Rev. belge de mus., 1947), *An early 17th cent. ms...*, ds *Acta mus.*, 1948), *Ballet entertainments in Pitti Palace* (Florence 1605–1630) (*MQ* 1948), *G. Carissimi* (*Rass. mus.*, 1948–51, *Kgr.-Ber. Lüneburg*, 1950), *La musique religieuse de M. da Gagliano* (*ds Kgr. Ber.* Bâle, 1949). *Un processionale inedito...* (*RMI* 1953), *L'aria di maggio* (Coll. intern..., Paris 1954), *Un aspect inédit des intermèdes de 1589 à la cour médicéenne* (Fêtes Renaissance, *ibid.* 1956), *Alcune canzoni stor. nelle valli valdesi del Piemonte* (Kgr.-Ber. Vienne, 1946), art. in *MGG* et *Encicl. dello spettacolo* ; il a écrit *Piramo e Tisbe* (op.-ballet, 1943), *Il passatempo* (div. chorégr., 1952), *Le istorie cinesi di messer Marco Polo* (radiodramma, 1956), pour l'orch. : *Sinf. ital.* (1939), *Sinf. per 2 orch. da camera* (1957), *Fantasia allegra* (1953), *Tre canzoni strum.* (1946), *S. Alessio, Vita, morte e miracoli* (av. ch., 1957), *Il dono dei Re Magi* (scène lyrique p. v. et instr., 1959), *Sequenza e giubilo* (ch., p., cuivres et batt., 1945), *Cantata da camera* (1938), 1 quatuor à cordes (1933), des mélodies.

**GHISLANZONI Alberto.** Compos. et critique ital. (Rome 28.12.1897–), qui a dirigé le périodique *Il Musicista* et collaboré notamment à la *RMI* ; il est inspecteur général de la musique au ministère de l'Instruction publique ; il a publié *Teatro e fascismo* (Mantoue 1929), *Il problema dell'opera* (Rome 1933), *Trattato di strumentazione* (1937), *Creazione artistica...* (Rome 1950), *G. Spontini* (*ibid.* 1951), *L. Rossi* (Milan 1954) ; il a écrit des œuvres symph., de mus. de chambre, des mélodies, 6 opéras : *Trittico* (1925), *Antigono* (1929), *Re Lear* (1937), *L'amor lunatico*, *Virginia*, *Mr. Poker*, 1 ballet : *Aladino...* (1938), 1 *Requiem* (1927), 1 oratorio, des chœurs, de la mus. de film.

**GHISLANZONI Antonio.** Librettiste et baryton ital. (Lecco 25.11.1824–Caprino Bergamasco 16.7.1893). Il débuta comme chanteur à Lodi en 1846, puis exerça à Milan, Plaisance, Codogno ; il fonda à Milan 2 journaux républicains en 1848 : déporté en Corse, il fit carrière en France, notamment à la tête d'une compagnie italienne ; il abandonna le chant en 1854, fonda le journal *L'uomo di pietra* (1857), dirigea *L'Italia musicale* et, après un bref séjour à Paris, la *Gaz. mus. di Milano*, collabora à d'autres périodiques, dirigea encore la *Riv. minima di scienze, lettere e arti* (1876), le *Giornale-Capriccio* (1877–78), eut des activités d'impresario, composa des livrets, notamment pour Verdi (*Aida*), publia entre

autres *Gli artisti di teatro* (1856), *Capricci letterari,*
*Reminiscenze artistiche, Libro serio, Libro allegro, Libro*
*proibito* (1878). Voir U. Rolandi in *Enc. dello spettacolo.*

**GIACOBBE Juan Francisco.** Compos. arg. (Buenos-Aires
7.3.1907–). Elève de M. Ugarte, dir. de la *Soc. polif.*
*argentina* (1934), secrétaire général de l'*Inst. prov. de arte*

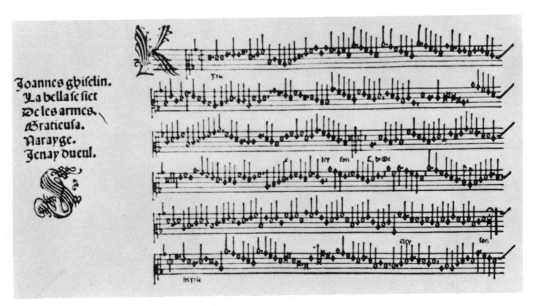

GHISELIN

*Page de titre de la messe* La belle se siet *(Petrucci, Venise 1503).*

**GHIVIZZANI Alessandro.** Mus. ital. (Lucques v. 1572–
Parme ? v. 1632). Il semble avoir été au service de la cour
de Florence ; en 1610, il est à Lucques, en 1612 à Mantoue,
en 1619 ou 1620 maître de chapelle .de la *signoria* de
Lucques, en 1622 à Parme, comme maître de la chapelle
ducale ; on ne sait rien de certain sur la fin de sa vie ; on a
conservé 2 pièces de lui dans des recueils publiés à Venise
en 1617 et 1618, des airs dans des recueils mss du *Lic. mus.*
de Bologne et de la bibl. nat. de Florence. Sa femme
– **Settima Caccini** (Florence v. 1585–?), fille de Giulio,
sœur de Francesca, fut une célèbre chanteuse (Monteverdi,
*Arianna* – Mantoue 5.1608, *Mercurio e Marte* – Parme
1628). Voir L. Torchi, *Eleganti canzoni;* L. Nerici,
*Storia della mus. in Lucca;* N. Pirrotta in MGG.

**GHIZZOLO Giovanni.** Mus. ital. (Brescia...–Novare
1625?). Franciscain, élève de C. Porta, maître de chapelle
du prince Siro de Correggio (1613), à la cath. de Ravenne
(1618), à la *Cappella antoniana* de Padoue (1621), à
Novare, il publia 2 recueils de madrigaux (5-6 v., Venise
1608, 1614), 4 livres de madrigaux et d'airs (1-2 v., *ibid.*
1609, Milan 1610–1613, Venise 1623), 1 de *canzonette*
et d'*arie* à 3 v. (*ibid.* 1609), 1 vespéral (Milan 1609),
3 livres de *concerti* (4 v., *ibid.* 1611–Venise 1623, 2-3-4 v.,
*ibid.* 1615–1623, *id.* Venise 1622–1640), *Messe, concerti,*
*Magnificat, falsi bordoni* (4 v., Milan 1612), *Messe, motetti,*
*Magnificat, canzoni francese* (8 v., *ibid.* 1613), *Salmi*
*intieri* (5 v., Venise 1618), *Messa, salmi, letanie* (5-9 v.,
*ibid.* 1619, 1622), *Salmi, messa et falsi bordoni concertati*
(3e éd. *ibid.* 1624, Milan 1625, Venise 1634), *Messe parte*
*per capella et parte per concerto* (4-5 v., *ibid.* 1625),
*Compieta, antifone et litanie...* (5 v., *ibid.* 1623), nombre
de pièces profanes ou religieuses dans des recueils de
l'époque ; un certain nombre de ses mss sont conservés
à Ratisbonne, Wolfenbüttel, Bologne. Voir L.F. Tagliavini
in MGG.

**GHRO Johannes.** Voir art. *Groh.*

**GHUNGHURA** (Inde). Les *g.* sont de petites clochettes
ou grelots que l'on attache sur des bandes d'étoffe fixées
aux chevilles des danseurs.                                              Al.D.

(1937–38), assistant du Théâtre nat. de comédie (1938–40),
dir. du cons. de Buenos-Aires, il a écrit 2 opéras, des
œuvres symph., de chambre, des mélodies, des messes etc.
Voir O. Schiuma, *Mus. arg. contemp.,* Buenos-Aires 1948.

**GIACOB(B)I Girolamo.** Mus. ital. (Bologne 1567–1629).
Enfant de chœur à la chapelle de *S. Petronio* à Bologne,
*pro-magister* (1594), enfin maître (1604) de cette chapelle
jusqu'en 1628, c'est évidemment là qu'il exerça son
activité musicale ; elle s'étendit néanmoins aux académies
de Bologne, *dei Gelati, dei Floridi, dei Filomusi* (au titre
de cette dernière, il reçut Monteverdi à Bologne chez lui
en 1627) ; il est un des premiers à s'être servi du style
concertant à plusieurs chœurs, avec instruments, dans
la mus. d'église ; on lui doit pour le théâtre : *Aurora*
*ingannata* (v. 1605), *Andromeda* (1610), *Amore prigioniero*
(1615), *Il Reno sacrificante* (1617), *La selva dei mirti*
(1623), des intermèdes pour la *Proserpina rapita* de
Campeggi (1613), pour l'église, impr. : (22) *Motecta*
*multiplici vocum numero conc.* (5, 6, 7, 8, 10 v., Venise
1601), (9)... *Salmi concertati a 2 o più cori* (jusqu'à 5 ch.,
Venise 1609), *Vespri... a 4 v. ...* (*ibid.* 1615), *Litanie e*
*mottetti da concerto e·da cappella a 8 v. per 2 cori*
(*ibid.* 1618), 2 litanies ds le *Ros. lit.* de L. Calvo
(*ibid.* 1626), 5 motets ds le *Promptuarium mus.* de
Schadæus (Strasbourg 1611–17), en mss : (19) *Hymnorum*
*lib. primus* (4 v.), *lib. secundus* (16, *id.*), *Deiparae*
*Canticum...* (4 v., 1628), 4 messes (4 v., copie de 1659).
Voir G. Gaspari, *Dei mus. bol. al XVII s.,* ds *Atti e*
*memorie...,* III, 1878 ; F. Vatielli, *Il primo melodramma a*
*Bol.,* ds *Strenna mus. bol.,* Bologne 1930 ; N. Pirrotta in
*Encicl. dello spett.;* G. Vecchi, qui a édité l'*Aurora*
[Bologne 1954], in MGG.

**GIACOMELLI** (*Jacomelli*) **Geminiano.** Mus. ital. (Parme
v. 1686 ou Plaisance 1692–Lorette 25.1.1740). Elève de
G.M. Capello à Parme, il aurait été envoyé à Naples pour
étudier près d'A. Scarlatti ; en 1723 il semble avoir été
maître de chapelle de la régente de Parme ; de 1727 à
1732, il fut maître de chapelle à St-Jean de Plaisance ;
il fut ensuite à Vienne au service de l'empereur Charles VI,
puis dir. des spectacles à Graz (1737) ; enfin, en 1738, il

avait le poste de maître de chapelle à Lorette ; on lui doit, pour le théâtre : *Ipermestra* (1724), *Epaminonda* (1727), *Lidiana* (1728), *Scipione...* (id.), *Gianguir* (1729), *L. Papirio* (id.), *Semiramide* (1730), *Annibale* (1731), *Rosbale* (1732), *Alessandro Severo* (id.). *Adriano* (1733), *La caccia in Etolia* (id.), *Merope* (1934), *Cesare in Egitto* (1735), *Arsace* (1736), *Nitocri* (id.), *Demetrio* (1737), *La costanza vincitrice in amore* (1738), *Achille in Aulide* (1739), *Egloga amebea*, des oratorios : *La conversione di S. Margherita da Cortona, S. Giuliana Falconieri*, de la mus. d'église, des cantates, 8 psaumes, des airs de concert. Voir G. Anguissola, *C.G.* ..., Plaisance 1935 ; A. Melica in *Enc. d. spettacolo.*

**GIACOMINI Bernardo.** Mus. florentin, gentilhomme, qui vécut dans la seconde moitié du XVIᵉ s. ; on a conservé de lui un recueil de 29 madrigaux à 5 v. (Venise 1563).

**GIACOMO Salvatore (di).** Voir art. *Di Giacomo* ds le supplément du présent ouvrage.

**GIAI** (*Giay*) **Antonio Giovanni.** Mus. ital. du XVIIIᵉ s., qui fut maître de chapelle à la cour de Turin de 1739 à 1764 ; on lui doit 8 opéras (1723–32) pour Turin et pour Milan.

**GIAMBERTI Giuseppe.** Mus. ital. (Rome v. 1600–entre 1657 et 1664). Elève de P. Agostini et de B. Nanini, maître de chapelle à la cath. d'Orvieto (1624), à Ste-Marie Majeure de Rome (1630–45), d'après Schmidl, il aurait été, les dernières années de sa vie, assistant de P. Tarditi à l'église de la *Madonna dei Monti* ; il publia *Poesie div poste in mus.* (1-3 v., Rome 1623), *Sacrae modulationes* (2-5 v., ibid. 1627), *Laudi spirituali...* (1-6 v., Orvieto 1628), *Antifonae et motecta...* (2-4 v., Rome 1650), *Duo tessuti con div. solfeggiamenti, scherzi perfide et oblighi* (ibid. 1657, 1664, 1677, 1689), 2 airs et un motet ds des recueils de l'époque (ibid. 1640, 1650) ; on a conservé de lui en mss (Berlin) des *Solfeggi a 2 v.*, des *ricercari*, 1 messe (4 v.) ; on lui doit également une édition de l'antiphonaire romain (Rome 1650). Voir N. Fortune in MGG.

**GIANELLA Luigi** (*Louis, Lodovico*). Flûtiste ital. (?–Paris 1817). Il appartint d'abord à la *Scala* de Milan (1790), ensuite (1800) à l'orch. du théâtre de la rue de la Victoire (peut-être aussi à l'*Opéra-Comique*) ; il débuta à Paris comme compos. avec *L'officier cosaque* (1803) ; on lui doit encore 3 ballets, des airs, un grand nombre de pièces pour son instrument, dont 3 concertos. Voir R. Cotte in MGG.

**GIANELLI Francesco.** Mus. ital., qui vécut à Ferrare dans la 2ᵉ moitié du XVIᵉ s., on lui doit un recueil de 21 madrigaux à 3 v. (Venise 1592).

**GIANELLI Pietro.** Musicographe ital. (Frioul v. 1770–Venise ? 1822). Etudiant à Padoue, ecclésiastique, il vécut la plupart du temps à Venise ; on lui doit le premier dictionnaire de musique italien : *Diz. della mus. sacra e profana...* (Venise, 3 vol., 1801, rééd. 1820, 7 vol., 1830), une *Grammatica raggionata della mus.* (ibid. 1801, rééd. 1820) et une *Biografia degli uomini illustri della mus.* (avec icon., ibid. 1822, t. Iᵉʳ seul publié).

**GIANETTINI** (*Giannettini, Zanettini*) **Antonio.** Mus. ital. (Fano 1648 ?–Munich 12.7.1721). Elève de Legrenzi, org. à St-Marc de Venise (1676–86), maître de chapelle de la cour de Modène (1686–1721), il mourut au cours d'un voyage à la cour de Bavière, où sa sœur, *Caterina-Maria*, était chanteuse ; il composa, pour le théâtre : *Medea* (ou *Teseo*) *in Atene* (1676), *L'Aurora in Atene* (1678), *Irene e Costantino* (1681), *Temistocle* (1683), *Hermione* (1686), *L'ingresso alla gioventù di Nerone* (1692), *La schiava fortunata* (1693), *Virginio consolo* (1704), *Artaserse* (1705), *I presagi di Melissa* (1707), *P. Scipione* (1710), *L'unione delle tre dee* (1716), *La gara di Minerva e Marte* (id.), *Il panaro...* (1717), *La corte in gala* (id.), *La fedeltà consolata, L'Eco ravvivata* (1681), *Il giuditio di Paride*, des psaumes à 4 v. (1717), des *Magnificat*, des oratorios ; la plupart de ses œuvres sont perdues ; une grande partie de sa correspondance est conservée à la *Bibl. estense* de Modène. Voir R. Luin, *A.G.* ..., Modène 1931 : L.F. Tagliavini in MGG.

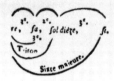

P. GIANOTTI

*Extrait du* Guide du Compositeur *(Paris 1759).*

**GIANNEO Luis.** Compos. argentin (Buenos-Aires 9.1.1897–). Elève de Drangosch, de Gaito et de Fornarini, il obtint une bourse pour le cons. de Turin ; auteur de mus. d'orch., de chambre, il réussit ses meilleures œuvres dans une atmosphère suavement impressionniste (*El tarco en flor*, poème symph., 1930) ; citons son *Concierto aimará*, pour viol., entièrement pentatonique, qui obtint le prix de la *Free Library* de Philadelphie en 1942.

**GIANNETTI Giovanni.** Compos. ital. (Naples 25.3.1869–Rio de Janeiro 10.12.1934). Elève de son père, de Rota, de Heller (Trieste, cons. de Vienne), dir. du *Lic. mus.* de Sienne (1912–13), il enseigna ensuite à Rome (1915), où il dirigea qqs années le *Teatro dei piccoli*; on lui doit 15 opéras (1891–1920).

**GIANNINI.** Famille de mus. amér. d'origine ital. : — **1. Ferruccio** (Ponte all'Ania 15.11.1868–Philadelphie 17.9.1948), ténor, fixé aux États-Unis (1885), il débuta à Boston en 1891 et fit une grande carrière dans son pays d'adoption. Son frère — **2. Francisco** fut également ténor et célèbre aux U.S.A. (1880–90). La fille de Ferruccio — **3. Dusolina** (Philadelphie 19.12.1902–), élève de ses parents (sa mère était la violon. *Antonietta Briglia*), de M. Sembrich, soprano, débuta en public à l'âge de 9 ans ; elle a fait une carrière internationale. Son frère — **4. Vittorio** (Philadelphie 19.10.1903–) a été élève du cons. de Milan, de l'école Juilliard, grand prix de Rome ; il a enseigné à l'école Juilliard (1939), à la *Manhattan School* de New-York (1940), au *Curtis Institute* de Philadelphie (dep. 1956) ; on lui doit 6 opéras (1934–1953), une tétralogie (*Christus*, 1956), un *Requiem* (1937), 2 symph. (1948, 1956), de la mus. symph., de chambre, des mélodies et de la mus. de film.

**GIANOTTI** (*Giannotti*) **Antonio.** Mus. ital., qui vécut dans la 2e moitié du XVIIe s. et fut au service du duc François II de Modène ; la *Bibl. estense* de cette ville a conservé de lui 2 oratorios (1685, 1689), 1 cantate, *Accad. della costanza nelle avversitate* (violons et *b.c.*), *Balli e sonate* (2 viol. et *b.c.*, 1 viol. *id.*, basse et *b.c.*), 3 *correnti* (viol. et basse).

**GIANOTTI** (*Giannotti*) **Pietro.** Mus. ital. (Lucques...– Paris 19.6.1765).·Il fut contrebassiste à l'Opéra et soliste au Concert spirituel de Paris (1739), ville où il avait publié ses premières œuvres en 1728 ; il fut le prof. de Monsigny ; on lui doit des traités : *Le Guide du compositeur...* (Paris 1759, 1775), *Méthode abrégée d'acc. à la harpe et au clav.* (ibid. 1764), des *Concertini à 4 parties* (*op.* 15), 8 *op.* de sonates en trio (dont *Les petits concerts de Daphnis et Chloé* et *Les amusements de Terpsicore*), à 2 vcelles ou 2 violes (*op.* 12), de violon (*op.* 1, 1728, et 2), de flûte *avec la basse* (*op.* 5), 1 cantatille à voix seule : *L'école des filles* (Paris s.d.). Voir R. Cotte in MGG.

**GIANSETTI** (*Gianzetti*) **Giovanni Battista.** Mus. ital., qui vécut à Rome, où il fut maître de chapelle à St-Jean de Latran de 1667 à 1675 ; on lui doit des motets et des messes dont une à 48 v. et 12 chœurs.

**GIAQUINTO** **Giuseppe.** Compos. ital. (?–Naples 15.6.1881). On ne sait rien de certain à son sujet, sinon qu'il fut compositeur d'opéras et de ballets pour différents théâtres, notamment pour le *San Carlo* de Naples ; on lui doit 3 opéras : *Gismonda* (1841), *La capanna savoiarda* (1844), *Il ritorno di un vagabondo* et 64 ballets. Voir F. Schnitzer in *Enc. dello spettacolo*.

**GIARDA** **Luigi Stefano.** Vcelliste ital. (Castelnuovo 19.3. 1868–Viña *del Mar*, Chili, 3.1.1953). Elève du cons. de Milan, prof. à l'Institut mus. de Padoue (1893–97), puis au cons. de Naples, enfin au cons. national du Chili (dep. 1902), il fonda un trio qui portait son nom ; on lui doit 2 opéras, des œuvres symph., de mus. de chambre (vcelle), des mélodies, 1 traité d'harmonie.

**GIARDINI** **Felice** (**de**). Violon. ital. (Turin 12.4.1716– Moscou 17.12.1796). Elève de Paladini à Milan, de Somis à Turin, violon. d'opéra à Rome et à Naples, il fit une carrière de virtuose en Allemagne (1748), à Paris (1748–49), Londres (1750) ; en 1752, il était maître de concert à l'Opéra italien de cette dernière ville ; il fit encore des tournées triomphales en Angleterre ; de 1774 à 1780, il était maître de concert des *Pantheon concerts* à Londres ; en 1784, il voyageait en Italie ; mais dès 1790, il était de retour à Londres où il fonda une troupe d'opéra-comique au *Haymarket*, avec laquelle il partit pour St-Pétersbourg en 1793 ; on lui doit 4 opéras, des *pasticci*, quantité d'œuvres de mus. de chambre : sonates, duos, trios, *concerti*, quatuors, pièces de clavecin, mélodies etc. ; la plupart de ses œuvres sont d'ailleurs perdues ; il rédigea 3 manuels : *Metodo di canto* (Londres 1858), *Istr. ed eserc. per il viol.* (ms. de Milan), *Eserc. per cemb. e per vcello* (*id. ibid.*). Voir Ch. Cudworth in MGG.

**GIAY.** Voir art. *Giai.*

**GIAZOTTO** **Remo.** Musicologue et critique ital. (Rome 4.9.1910–). Elève du cons. de Milan et de l'univ. de Gênes, de Paribeni, il a été chroniqueur dans divers périodiques ital. et appartient à la radiodiffusion ital., où il est adjoint à la direction centrale des programmes (dep. 1958) ; depuis 1957, il est prof. d'hist. de la mus. à l'univ. de Florence ; il a publié *Il melodramma a Genova nei s. XVII e XVIII* (Gênes 1941), *T. Albinoni...* (Milan 1945), *Busoni...* (ibid. 1948), *La mus. a Genova dal XIII al XVIII s. ...* (Gênes 1952), *Poesia melodrammatica e pensiero critico nel settecento* (Milan *id.*), *T. Albinoni e la sonata a tre* (Bergame 1953), *Il patricio di E. Botrigari...* (Florence *id.*), *La mus. ital. a Londra negli anni di Purcell* (Rome *id.*), *Armonici concenti in aere veneto* (Florence 1954), *G.B. Viotti* (Milan 1956), *Annali mozartiani* (*id. ibid.*), *Musurgia nova* (ibid. 1958).

**GIBBONS.** Famille de mus. angl. — **1. William** (Oxford v. 1540–Cambridge ... 10.1595). Il semble avoir été le fils de *Richard G.* ; il s'installa à Cambridge v. 1566 ; en 1567, il était l'un des *waits* de cette dernière ville ; en 1583, il était nommé *hanaster* à Oxford, où il fut ensuite *wait* ; il passa ses dernières années à Cambridge ; il eut 4 fils qui survécurent, Edward, Ellis, Ferdinando, Orlando, et

GIARDINI
*Page de titre (Londres 1765, cons. de Paris).*

4 filles. — **2. Edward** (Cambridge bapt. 21.3.1568–Exeter v. 1650) fut bachelier de musique de Cambridge et d'Oxford, maître de chœur au *King's College* de Cambridge (1593–98), dans les mêmes fonctions à la cath. d'Exeter (1608–45) et *succentor* (1615) ; il fut également *priest-vicar* de cette même cath. (1609) ; on a conservé de lui 1 *anthem* à 3 v., 1 *Kyrie*, 1 *Credo*, 1 *In nomine* à 5 v., 1 prélude d'orgue (mss). — **3. Ellis** (bapt. 30.9.1573–14 ? 5.1603) est jusqu'à maintenant réputé pour avoir été org. de la cath. de Salisbury ; il n'y en a aucune preuve ; il nous reste de lui 2 madrigaux des *Triumphes* de Morley (1601). — **4. Ferdinando** (Oxford 1581–?) fut comme son père *city wait.* — **5. Orlando** (bapt. Oxford 25.12.1583–Cantorbéry 5.6.1625) est un très grand musicien, qui a fait la gloire d'une famille dont il était le benjamin ; il semble avoir été élevé à Cambridge ; en tout cas, en 1596, il y faisait partie du chœur du *King's College* ; en 1605, il est nommé org. de la chapelle royale, poste qu'il gardera jusqu'à la fin de sa vie ; en 1606, il est bachelier de musique à Cambridge ; en 1607, on le trouve sur les registres d'Oxford ; c'est aux environs de cette date qu'il épouse Élisabeth Patten de Westminster, dont il aura 7 enfants ; en 1619, il reçoit le titre de *musician for the virginalls to attend in his highnes privie chamber* ; le 17.5.1622, il est reçu docteur d'Oxford, avec W. Hayther, le fondateur de la chaire d'hist. de la mus. dans cette université : c'est d'ailleurs une *anthem* de G. qui est exécutée pour la cérémonie ; en 1623, il a l'orgue de l'abbaye de Westminster : il aura ainsi l'honneur d'organiser la partie musicale des funérailles de Jacques Ier (5.4.1625) ; deux

mois plus tard, alors que les cérémonies de l'avènement de Charles Iᵉʳ et d'Henriette-Marie de France battent leur plein, il meurt d'une crise d'apoplexie, le mercredi 5 juin 1625 ; le lendemain, il est inhumé dans la cath. de Cantorbéry. Son œuvre comporte de la mus. d'église ; notons les *Verse anthems*, genre encore nouveau à l'époque ; tous ses *services* et *anthems* sont en anglais ; quant à sa musique profane, ce sont des madrigaux, des fantaisies, des pavanes et gaillardes, qui font date dans l'histoire de la mus. instrumentale et des pièces pour virginal ; c'est que *G.* était un grand virtuose, comme l'attestent des témoignages de son temps. Il a su, adoptant la tradition polyphonique du XVIᵉ s. pour ses œuvres vocales, l'enrichir et la porter à son point de perfection ; il a adapté cet héritage à la mus. instrumentale, savant dans

O. Gibbons

le contrepoint, recherché dans l'harmonie, heureux dans les ornements, et « exploré les possibilités de contrastes entre solistes et groupes vocaux et instrumentaux » (J. Jacquot) : toutes qualités qui en font l'égal de Byrd et le mettent au premier rang des musiciens élisabéthains. Il eut un fils musicien — **6. Christopher** (bapt. Londres 22.8.1615–20.10.1676), qui fut enfant de chœur à la chapelle royale, collaborateur de M. Locke (notamment pour le masque *Cupid and Death*) ; il fut org. de la cath. de Winchester (1638), puis org. de la chapelle

royale, org. de Charles II et de l'abbaye de Westminster (1660), docteur d'Oxford (1663) ; il a laissé un grand nombre de fantaisies pour cordes (2-3 p.) et qqs *anthems* (mss *Bodl.*, *B.M.*, *Chr. Ch.*, *R.C.M.* d'Oxford, *Marsh's Libr.*, cath. de Durham et d'Ely) ; E. Fellowes a réédité *Cupid and Death* (1951). Quant à — **7. Richard** *G.*, dont le nom est inscrit sur 2 fantaisies pour cordes de la *Marsh's Libr.* et de la bodléyenne, il ne semble pas avoir eu de rapports avec la famille *G.* ; il s'agit peut-être de R. Gibbs, qui fut org. de la cath. de Norwich (v. 1622–30). Voir E. Dent, *Foundation of english opera*, Cambridge 1928 ; M. Glyn, *About eliz. virg. mus.* ..., Londres 1924 ; E.H. Fellowes, *O.G.*, Oxford 1925 — *O.G. and his family*, ibid. 1952 — *English madrigal composers*, Londres 1921, 1948, et art. in dict. Grove ; E.H. Meyer, *English chamber music*, Londres 1946 ; F. Walker, *A hist. of mus. in England*, 3ᵉ éd., Oxford 1952 ; E.A. Kaynes, *The origin and early years of O.G.*, ds *Monthly mus. rec.*, LXVI, 1936 ; G.A. Thewlis, *Oxford and the G. family*, ds *Mus. and letters*, XXI, 1940 ; J. Jacquot, *Lyrisme et sentiment tragique dans les madrigaux d'O.G.*, ds *Mus. et poésie au XVIᵉ s.*, Paris 1954 ; W. Palmer, *G.'s verse anthems*, ds *Mus. lett.*, XXXV, 1954 ; Th. Dart, *The printed fantasies of O.G.*, ds *Music and letters*, XXXVII, 1956 ; H.F. Redlich in MGG.

| Œuvres d'Orlando Gibbons | |
|---|---|
| **Services** | |
| *First preces and psalms* | *Lord, grant grace* (8 v., cordes) |
| *Second preces and psalms* | *Lord, we beseech Thee* (orgue) |
| *First service* | *O all true faithful hearts* (5 v., cordes) |
| *Second service* | *O God, the King of glory* (5 v., orgue) |
| *Full anthems* | |
| *Almighty and everlasting God* (4 v.) | **Musique instrumentale** |
| *Deliver us*, 1ʳᵉ partie *(id.)* | *Four fantasies* (6 p., cordes, ms. Christ Church) |
| *Blessed be the Lord God* (2ᵉ partie, *id.*) | *Pavan and galliard (id.*, mss Marsh Lib., Dublin, Bodl. d'Oxford). |
| *Hosanna* (6 v.) | *Three In nomine* (5 p., *id.*, mss Bodl., Chr. Ch, Marsh Lib., |
| *I am the Resurrection* (5 v.) | Tenbury) |
| *Lift up your heads* (6 v.) | *Pavan (id.*, ms. B.M.) |
| *O clap your hands together*, 1ʳᵉ partie (8 v.) | *Two fantasies* (4 p., *id.*, Chr. Ch.) |
| *God is gone up*, 2ᵉ p. *(id.)* | *In nomine (id.*, ms Bodl.) |
| *O Lord, how do my woes* (4 v.) | *Nine fantasies* (3 p., *id.*, impr. v. 1610, mss B.M., Bodl., Chr. Ch.) |
| *O Lord, I lift my heart (id.*) | *Fifteen fantasies (id.*, mss Marsh Lib., Chr. Ch.) |
| *O Lord, in Thee is all my trust* (5 v.) | *Galliard (id.*, Marsh Lib.) |
| *O Lord, in Thy wrath rebuke me not* (6 v.) | |
| *O Lord, increase my faith* (4 v.) | **Musique de virginal** |
| *Out of the deep* | |
| *Why art Thou so heavy ?* | 6 *Almans* (allemandes) |
| | *French ayre* |
| **Verse anthems** | 5 *corantos* (courantes) |
| | 7 *galliards* (gaillardes) |
| *Almighty God, which hast given* (5 v., acc. d'orgue) | 3 *pavans* |
| *Almighty God, who by Thy Son (id.)* | 2 *preludes* |
| *Arise, O Lord God* | 13 *fantasies*, dont une pour double orgaine |
| *Behold, I bring you glad tidings (id.)* | 3 *fancies* |
| *Behold, Thou has made my days* (5 v., cordes) | 2 *In nomine* |
| *Blessed are all they (id.)* | 4 *maskes* |
| *Glorious and powerful God (id.)* |    *The fairest nimphs* |
| *Grant, Holy Trinity* (5 v., orgue) |    *Lincoln's Inn maske* |
| *Great King of Gods (id.*, cordes) |    *The temple maske* |
| *Have mercy upon me (id.*, orgue) |    *Welcome home* |
| *Have pity on me* (orgue) | 6 *variations* |
| *If ye be risen* (5 v., orgue) |    *Ground* |

| Œuvres d'Orlando Gibbons | |
|---|---|
| **Musique de virginal** *(suite)* | **Éditions** |

<table>
<tr><td>

**Musique de virginal** *(suite)*

*Pescod time (The hunt's up)*
*Queenes command*
*Saraband*
*Whoope do me no harm*
*Praise the Lord* (orgue)
*See, see, the Word is incarnate* (5 v., cordes)
*Sing unto the Lord (id.)*
*So God loved the world* (orgue)
*The secret sins* (5 v., orgue)
*This is the record of John* (5 v., cordes)
*Thou, God of wisdom*
*Unto Thee, O Lord*
*We praise Thee, O Father* (6 v., cordes)
D'autres *anthems* se trouvent dans le recueil de Barnard de 1641.
17 *hymn tunes*, impr. ds *Hymns and songs* de Witner (1623) et
1 ms. à la *Christ Church* d'Oxford.
On trouve des madrigaux religieux de *G.* ds *Leighton's Teares...*
(1614)

**Madrigaux**

*The first set of madrigals and motets of 5 parts, apt. for violes and
voyces* (Th. Snodhan, Londres 1612, 20 madrigaux)
*Cries of London, voices and strings* (mss British Museum, Christ
Church d'Oxford)
*The Woode soe wilde* (mss British Museum, Christ Church d'Oxford,
Publ. Libr. du Drexel College de New-York, bibl. du cons. de
Paris)

</td><td>

**Éditions**

*O.G., complete keyboard works,* éd. M.H. Glyn, Stainer-Bell,
Londres 1925
15 pièces ds *25 pieces... B. Cosyn's virginal book,* éd. A. Fuller-
Haitland et W. Barclay Squire, Londres 1923
6 pièces de Virginal ds *Parthenia,* éd. Deutsch, Cambridge 1943
(fac-similé) ;
3 pièces ds le *Fitzwilliam Virginal-Book,* Londres-Leipzig
1894-99
2 fantaisies in J.E. West, *Old engl. org. mus.,* XXXI, Londres
s.d.
Qqs pièces ds *Kl.-mus. d. 17 u. 18 Jh.,* II, éd. par K. Herrmann,
Leipzig-Zurich s.d. ;
*Fantasies of three parts,* éd. E. F.Rimbault, *Mus. ant. Soc.,* vol. IX,
Londres 1843 ;
9 fantaisies (3 v.), éd. E.H. Fellowes, Londres, s.d.
4 fantaisies, 1 gaillarde, 2 *In nomine,* éd. Tart et W. Coates,
ds *Mus. Brit.,* IX ;
2 fantaisies (4 v.), éd. E.H. Fellowes, Londres s.d.
*Id.,* E.H. Meyer, ds *Spielmusik d. Barock,* I, Cassel 1934.
*Pavan and galliard,* E.H. Meyer, Londres s.d.
*The first set of madrigals,* éd. G. Smart, *Mus. ant. Soc.,* IV,
Londres 1841, et E.H. Fellowes, ds *The Engl. Madr. School,* V ;
*A Craye of London,* éd. F. Bridge, Londres s.d.
La mus. d'église a été éd. ds *Tudor Church Music IV.*
L'anthem *Hosanna,* éd. E.H. Fellowes, Londres s.d.
Qqs pièces ds la *Cathedral Music* de W. Boyce (Londres 1760-72)
et ds *Coll. of the sacred compos. of O. G.,* par Ouseley, Londres
1873, rééd. F. Bridge, *ibid* 1907.

</td></tr>
</table>

**GIBBS Cecil Armstrong.** Compos. angl. (Great Baddow 10.8.1889–). Elève du Royal *College of music,* où il fut ensuite professeur, il a écrit 2 opéras, 3 symph., de la mus. symph., de chambre, 1 *concertino,* des œuvres pour chœur et orch., des chœurs *a cappella,* des mélodies, publié *The festival movement.*

**GIBBS Joseph.** Mus. angl. (Dedham 1699–Ipswich 12.12. 1788). Org. de St-Nicolas de Harwich (1734), de Dedham (1744), de *St. Mary-le-Tower* à Ipswich (1748), il nous a laissé *Eight solos for the violin with a thorough bass for the harpsichord* (Londres v. 1746), *Six quartettos for two violins, tenor and vcello or harpsichord* (ibid. v. 1777). Voir Ch. L. Cudworth in MGG.

**GIBBS Richard.** Org. angl. des XVIe-XVIIe s., qui fut org. de la cath. de Norwich ; on l'a souvent identifié avec *Richard Gibbons* (voir à ce mot) ; il a laissé 2 *services* et 2 *anthems.*

**GIBEL** *(Gibelius)* **Otto.** Mus. allem. (Burg, Fehmarn, 1612–Minden 20.10.1689). Elève de H. Grimm, lui-même élève de Praetorius, il fut cantor à Stadthagen (1634), puis à Minden (1642) où il resta jusqu'à sa mort ; il a laissé *1. Teil geistl. Harmonien* (1-5 v., Hambourg 1671, perdu), 2 cantates (mss, 1673), des traités : *Seminarium modulatoriae vocalis* (1645, 1657, 1658, avec de nombreux ex. mus.), *Compendium modulatoriae* (Iéna 1651), *Kurtzer, jedoch gründl. Bericht v. d. vocibus musicalibus* (Brême 1659), *Introductio mus. theoreticae didacticae* (ibid. 1660), *Proportiones mathematico-musicae* (Minden 1666 ; ce factum contient une lettre de Schütz à *G.*) Voir J. Mattheson, *Grundlage...,* rééd. Berlin 1910 ; G. Schüne-mann, *Gesch. d. deutschen Schulmusik,* Leipzig 1928 ; A. Ganse, *Der Cantor O.G.,* thèse de Kiel, Leipzig 1934.

**GIBELLI** *(Gibellone)* **Lorenzo.** Mus. ital. (Bologne 1719–5.11.1812). Elève du P. Martini, chanteur, membre de l'*Accad. filarm.* de Bologne dont il fut 5 fois *principe,* maître de chapelle à *San Salvatore* et dans d'autres églises de Bologne, prof. de chant au *Liceo filarm.* de la même ville, où il fut le maître de Rossini, il a laissé de la mus. d'église, 5 oratorios dont la mus. est perdue, 1 intermède (bibl. Martini de Bologne), 2 recueils de *Solfeggi (id.),* 3 opéras dont le texte seul nous est parvenu. Voir G. Pancanzi, *Vita di L.G. ...,* Bologne 1830 ; C. Sartori, *Il r. cons. ... di Bologna,* Florence 1942 ; L.F. Tagliavini in MGG.

**GIBELLINI Eliseo.** Voir art. *Ghibellini.*

**GIBERT Paul-César.** Mus. franç. (Versailles 1717–Paris 1787). Elevé à Naples, il fut ensuite prof. de chant à

Paris et compos. d'opéras-comiques ; il écrivit pour le théâtre *La Sibylle* (1758), *Le carnaval d'été* (1759), *La fortune au village* (1760), *Soliman second ou les trois sultanes* (Favart, 1761), *Apelle et Compaspe* (1763), *Deucalion et Pyrrha* (1772), 3 motets, *Mélange musical...* (Paris s.d.), *Deuxième recueil d'airs nouveaux... (id.),* *Traduction de Catulle... (id.),* des arrangements pour le clavecin, 1 traité : *Solfèges ou Leçons de musique sur toutes les clés et dans tous les tons, modes et genres, avec acc. d'une basse chiffrée très utile aux personnes qui veulent apprendre l'art du clavecin* (ibid. 1783). Voir L. de La Laurencie, *L'école franç. de violon,* Paris 1922–24, et M. Briquet in MGG.

**GIBERT y SERRA Vicente Maria.** Org. esp. (Barcelone 21.4.1879–1939). Elève de d'Indy, prof., org. de N.-D. de Pompeya (1909-13), de l'*Orfeo Catala,* de l'orch. Pau Casals, virtuose, un des fondateurs de la *RMC,* chroniqueur à *La Vanguardia,* il composa *Cants religiosos* (1914), *Cançons populars catalanes* (1917), *Cançons populars* (ch., 1918) etc.

**GIEBUROWSKI Waclaw.** Compos. et musicologue pol. (Bromberg [Bydguszcz] 6.2.1877–Varsovie 27.9.1945). Elève de l'école de mus. d'église de Ratisbonne, des univ. de Berlin (Kretzschmar, J. Wolf) et de Breslau (Kinkeldey), docteur avec sa thèse *Die Musica magistri Szydlovitae...* (Posen 1915), il fut maître de chapelle de la cath., dir. de la Société d'oratorios, prof. d'hist. de la mus. à l'univ. de Poznan ; outre sa thèse, il a laissé 2 études : l'une sur les neumes de Poznan (Lwow 1921), l'autre sur l'évolution du chant choral grégorien en Pologne du XVe au XVIIe s. (Poznan 1922), *Cantica selecta musices sacrae in Polonia, s. XVI et XVII* (1928-39), 1 *Requiem,* des cantates, motets, mélodies. Voir les art. de S. Duszyński, ds *Zycie Muzyczne,* 1947, de F. Lukasiewicz, ds *Zycie Spiewacze,* 1948, et de Z. Lissa in MGG.

**GIEGLING Franz.** Musicologue suisse (Buchs près d'Aarau 27.2.1921–). Elève du cons. et docteur de l'univ. de Zurich avec sa thèse *G. Torelli...* (Cassel 1949), chroniqueur à la *Neue Zürcher Zeitung* (1949-55), collab. de la nouvelle éd. des œuvres complètes de Mozart (cantates, 1957), il enseigne à l'univ. de Zurich.

**GIELEN Michael Andreas.** Chef d'orch. et compos. argentin d'origine allem. (Dresde 20.7.1927–). Il a été chef de chœur au théâtre Colón ; il est depuis 1951 maître de chapelle à l'Opéra de Vienne, ville à partir de laquelle il fait une carrière intern. de chef d'orch. ; il a écrit de la mus. de chambre (3 cantates) et symph., où il se montre disciple de Schönberg.

**GIEMBE.** C'est un tambour de danse, à une membrane et à sonnailles (Guinée, peuple Malinke). Voir art. *yimbo*.     **M.A.**

**GIESEKING Walter.** Pian. allem. (Lyon 5.11.1895–Londres 26.10.1956). Élève du cons. de Hanovre (Leimer), il fut prof. au cons. de Sarrebruck (1947) ; sa carrière de virtuose débuta tout de suite après la 1re guerre mondiale; ce fut un des plus grands pianistes de tous les temps ; il a laissé des manuels : *Moderne Anschlagsprobleme* (Prague 1931), *Modernes Klavierspiel* (av. K. Leimer, Mayence 1931) ; parmi ses articles, citons *Wie spielt man Ravels Kl.-Mus. ?* (ds *Melos*, Mayence 1947) ; il composa 1 quintette (1920), *3 Tanzimprovisationen* (1927), *21 Kinderlieder* (v. 1935), *Variationen über ein Thema von Grieg* (p. et fl., 1938), *Kleine Musik* (3 viol., 1942), *5 Richard Strauss-Lieder* (p.), *Sonatine* (p. et fl.), *Sérénade* (quatuor), *Spiel um ein Kinderlied* (p. 4 m.), *Konzert-Sonate* (p. vcelle). Voir K. Blaukopf, *W.G.*, ds *Grosse Virtuosen*, Stuttgart s.d., Corréa, Paris 1955 ; B. Gavoty et R. Hauert, *W.G.*, Monaco-Genève 1954 ; E. Laaff, *W.G.*, Wiesbaden 1957.

**GIESEN Hubert.** Pian. allem. (Cornelimünster 13.1.1898–). Élève de Fritz Busch, du cons. de Cologne, de Max Pauer, il a accompagné A. Busch, Y. Menuhin, Kreisler etc. ; il enseigne au cons. de Stuttgart.

**GIETMANN Gerhard.** Théoricien allem. (Birten 21.5.1845–Exaeten, Hollande, 14.11.1912). Jésuite, il publia *Grundriss d. Stilistik, Poetik u. Aesthetik* (Fribourg 1897), *Kunstlehre* (av. J. Sörensen, 5 vol., *ibid.* 1900 — le 3e vol. est une esthétique musicale), *Die Wahrheit in der gregor. Frage* (Paderborn 1904), des art. dans le *Kirchen-musikal. Jahrbuch*.

**GIGAULT** — **1. Nicolas.** Org. franç. (Paris 1627–20.8.1707). Fils d'un huissier-sergent à cheval, il fut tôt orphelin ; en 1646, il est org. de St-Honoré à Paris, en 1652 de St-Nicolas-des-Champs, en 1673 de St-Martin-des-Champs, en 1685 de l'hôpital du St-Esprit ; il avait épousé Marie Aubert, fille de Marie de Gournay (1662) dont il eut 5 enfants ; il était processif et prit une part active à la querelle des ménétriers contre les organistes-clavecinistes ; le 1er nov. 1706, avec Dandrieu et Montalent, il faisait partie du jury qui nomma Rameau à l'orgue de Ste-Madeleine-en-la-Cité ; il eut Lully parmi ses élèves ; il publia *Livre de musique dédié à la Très Ste-Vierge... contenant les cantiques sacrés qui se chantent en l'honneur de son Divin Enfantement — diversifiez de plusieurs manières à II, III et IV parties qui peuvent estre touchez sur l'orgue et sur le clavessin, comme aussi sur le luth, les violles, violons, flutes et autres instr. de mus.... le tout divisé en 2 parties* (Paris 1683), *Livre de mus. pour l'orgue* (« environ 180 pièces », *ibid.* 1685). Son fils — **2. Anne-Joseph** (Paris ...–av. 1720) fut org. à Rochefort (1701), puis à la primatiale de Bordeaux (1707) ; il signait *G. de Sainte-Colline*. Son frère — **3. Anne-Joachim** (Paris 17.5.1676–2.3.1765) succéda à son père à St-Nicolas-des-Champs (1701) au titre de survivancier : il garda son poste pendant 55 ans. Voir A. Pirro, *Un org. au XVIIe s.*, *N.G.* ds RM, III, 1903 ; P. Hardouin, *Quatre Parisiens d'origine...*, ds *R. de mus.*, juillet 1957.

**GIGLI Beniamino.** Ténor ital. (Recanati 20.3.1890–Rome 30.11.1957). Fils d'un sonneur de la cath. de Recanati, élève de M. Lazerini dans sa ville natale, il débuta à 17 ans, encore soprano, en travesti, dans la *Fuga di Angelica* d'A. Billi ; en 1911, il fut admis au *Liceo mus. di S. Cecilia* de Rome (E. Rosati) ; en 1914, il débutait, cette fois comme ténor, à Rovigo, inaugurant ainsi une carrière triomphale qui devait durer jusqu'en 1956, carrière qui lui valut l'idolâtrie du monde entier dans le répertoire-type de l'opéra italien ; il publia ses mémoires sous le titre de *Confidenze* (Rome 1942).

**GIGLI Giovanni Battista** (*il Tedeschino*). Mus. ital. dont l'activité se situe dans la 2e moitié du XVIIe s. ; originaire de Finale (Emilie), il servit le duc de Modène (1669–89) puis Ferdinand III de Toscane ; la *Bibl. estense* de Modène conserve de lui 2 oratorios, 2 cantates, celle du *Lic. Martini* de Bologne, 4 cantates et *Sonate da chiesa e da camera a 3 strum. col b.c. per l'organo...* (Bologne 1690).

N. GIGAULT

A la venue de Noël (*ds Mercure galant, oct. 1683, BN*).

**GIGLI Innocenzo Guido.** Mus. ital. (Finale [Emilie] 4.12.1708–Modène 16.7.1772). Élève du P. Martini, ecclésiastique, il fut maître de chapelle à l'église du St-Rosaire de sa ville natale (1736) puis à la *Chiesa del voto* et à la cath. de Modène (1738) ; il était en même temps maître de la chapelle privée du duc ; il composa des messes, psaumes, litanies, 1 *Stabat Mater* (4 v., 1741), 2 oratorios (1737, 1753), 1 *Regina caeli* (4 v. 1735). Voir U. Baldoni, *Il maestro don I.G. ...*, Bologne 1927.

**GIGLIO** (*Giglius*) **Tomaso.** Mus. ital. (Castro Giovanni, 1re moitié du XVIe s.–Palerme ?). Élève de T. Cimello, il a laissé *Libro primo di mottetti a 4 v.* (Venise 1563, bibl. Martini de Bologne), *Il secundo libro di madrigali a 6 v.* (*ibid.* 1601, basse seule, bibl. nat. de Vienne) ; on trouve 6 de ses compositions dans un recueil de Nuremberg (1604), 4 dans un autre d'Anvers (1613).

**GIGOUT Eugène.** Org. franç. (Nancy 23.3.1844–Paris 9.12.1925). Il commença ses études musicales à la maîtrise de la cathédrale de Nancy. Exceptionnellement doué, il remplaçait à l'âge de 10 ans soit au petit, soit au grand orgue, ses maîtres Maurice Bazile et Henri Hess (ce dernier devait, dans sa vieillesse, être le maître de Florent Schmitt), A 13 ans, E. Gigout entrait à l'école de musique religieuse récemment fondée par Niedermeyer à Paris. Là il rencontra Gabriel Fauré et ce fut le début d'une amitié que seule la mort devait briser. Parmi ses maîtres, il faut citer Clément Loret, lui-même brillant élève de Lemmens, et surtout Camille Saint-Saëns qui toute sa vie devait témoigner une affection profonde à son « petit 106 » : G. avait travaillé avec lui et orchestré le fameux *opus* de Beethoven. Après avoir obtenu toutes les récompenses possibles (au jury de son dernier concours figuraient entre autres Berlioz, Gevaert, Félicien David, Saint-Saëns), E. Gigout devint successivement professeur d'harmonie, de contrepoint et fugue, de piano et d'orgue dans « son » école. En 1867 il fit la connaissance de C. Franck et entretint dès ce moment avec le célèbre organiste de Sainte-Clotilde les plus cordiales relations. A la mort de celui-ci, la famille du défunt lui demanda de jouer aux obsèques de son ami et de corriger les épreuves des *Trois chorals* : le 3e, originalement, lui était dédié. Il devait de plus en donner aux concerts d'Harcourt la 1re audition. En 1885, Gigout ouvrit salle Albert-le-Grand un cours d'orgue et d'improvisation subventionné pendant plusieurs années par l'État. Il ne devait renoncer à celui-ci qu'en 1911, lorsqu'il recueillit au conservatoire la succession d'Alex. Guilmant à la classe d'orgue. Improvisateur né, qui enchantait à la fois le stoïcien Saint-Saëns et l'épicurien Rossini, lequel lui imposait volontiers des thèmes, exécutant scrupuleux en qui Guilmant voyait « l'exemple d'un toucher nerveux, d'une parfaite netteté et d'un style classique », G. ne tarda pas à attirer sur lui l'attention de l'élite musicale et intellectuelle parisienne. A la suite d'une extraordinaire série de concerts à l'ancien Trocadéro, *E.G.* entreprit une grande carrière de concertiste tant en France qu'à l'étranger, en Espagne en particulier, où il obtint de véritables triomphes. Cependant il se refusa toujours, malgré des offres réitérées, à franchir l'Atlantique et à aller dans le nouveau monde : il ne se résigna jamais à abandonner pour de longs mois ses élèves, son orgue et surtout ses petits-neveux et nièces qu'il avait recueillis à la mort de leurs parents : Léon Boëllmann et sa femme. Au printemps de 1863, alors que l'église actuelle sortait à peine de terre, *G.* devenait organiste titulaire de Saint-Augustin : son premier instrument fut... un harmonium ! A « sa » tribune devaient défiler toutes les notoriétés musicales : on pouvait y rencontrer fréquemment Charles Gounod, et Emmanuel Chabrier y eut la révélation de J.-S. Bach. *G.* fut un remarquable professeur d'écriture. Certains petits crayons avec lesquels il corrigeait les travaux de ses élèves sont restés célèbres dans le souvenir de ceux-ci : André Messager, Edmond Missa, Claude Terrasse, Henri Expert, Léon Boëllmann, Marie-Joseph Erb, Albert Roussel, André Marchal etc. — *E.G.* a laissé une œuvre musicale importante : nombre de motets, de mélodies, de pièces pour piano, pour orgue, quelques duos pour harmonium et piano, une *Méditation* pour violon et orch., un *Hymne à la France* dont la première exécution fut donnée à Nancy en 1892 par trois musiques militaires devant le président de la république Sadi Carnot qui en accepta la dédicace (la version pour mus. d'harmonie est due à André Josset, élève du maître). Il convient de citer à part les innombrables pièces dans les modes grégoriens — plus de 650 — destinées à l'orgue ou à l'harmonium : là, la personnalité de Gigout se révèle tout entière, de novateur — qui en 1889 se souciait d'écrire modal ? — et de traditionaliste, puisqu'il renouait en ces courtes pages avec le passé le plus lointain et le plus authentique de l'église catholique. On doit encore à *G.* des articles publiés principalement dans *Le Ménestrel*, dans la *Gazette et Revue musicale de Paris*, et une importante étude pour l'Encyclopédie de la musique de Lavignac « Musique religieuse et liturgique catholique. Les Noëls et les cantiques ». Sur ce musicien, on lira avec intérêt la brochure d'Eusébius, *M. G. professeur d'orgue...*, Avignon 1911, le numéro du 15.12.1925 de la rev. *L'orgue et les organistes* et surtout une précieuse plaquette de Gabriel Fauré (Floury éditeur, Paris 1923), offerte à E. Gigout à l'occasion du 60e anniversaire de sa carrière d'organiste : on trouvera en outre dans ce volume une bibliographie détaillée de ses œuvres. Ce sont ces ouvrages et aussi les souvenirs personnels de Mlle Boëllmann-Gigout, souvenirs qu'elle a bien voulu évoquer pour nous, ce dont nous la remercions très vivement, qui nous ont permis de rédiger le présent article.                                                                                                          J.B.

**GIGUE.** — **1.** C'est un instrument de musique, piriforme, du type vièle. Le terme est employé au moyen-âge ; en France il est cité avec son sens instrumental dès le XIIe s. ; en Allemagne, le mot *giga*, plus tard transformé en *geige* (violon) apparaît au début du XIIIe s. La *g.* est mentionnée dans le *Dictionarium* musique et

instruments) de Jean de Garlande (vers 1230), mais elle semble nettement plus ancienne. — **2.** Du vieux français *giguer* (= danser) : c'est une danse de cour ou de ballet, à la fin du XVIIe s., en France ; à l'époque, elle était dansée probablement en couples (*cf.* Feuillet, *Chorégraphie...*, 1699, « gigue à deux ») et composée de deux groupes de huit mesures. Elle fut fort en honneur à la cour d'Angleterre, dès le XVIe s., sous le nom de *jig*, lui-même d'origine française. Comme danse populaire, elle est toujours actuelle chez les Écossais et les Irlandais, qui l'exécutent en *solo* ou à plusieurs, avec virtuosité, accomplissant des mouvements de pieds vigoureux et rapides, pointes et talons alternés, le haut du corps demeurant immobile. « Giguer, aller danser la gigue », sont restées de nos jours des expressions synonymes de sauter, de danser, de danse en général, chez les paysans du centre de la France. Connue de la littérature anglaise pour virginal et luth (Robinson, 1603–Ford, 1609), la *g.*, en tant que pièce musicale, se répandit en Europe vers la première moitié du XVIIe s. (*cf.* Froberger en Allemagne, Chambonnières en France) et devint un mouvement de la suite instrumentale, généralement inséré à la fin, après la sarabande et les gavottes ou menuets. Sa faveur dans les formes musicales de l'époque est due, semble-t-il, non pas à ses traits chorégraphiques, mais plutôt à son rythme original, rapide, sautillant, qui permettait d'heureux contrastes avec celui des autres mouvements de la suite. De mesure ou de fractions de temps ternaires, souvent avec motif à note pointée (le schéma sera parfois découpé chez J.-S. Bach, en notation binaire), la *g.* était construite en deux parties, mais, dès la fin du XVIIe s., ce cadre se développa. Corelli, Hændel, Couperin, Rameau, l'utilisent tour à tour ; J.-S. Bach la traite en style fugué, introduisant parfois comme thème de la seconde partie le renversement de celui de la première (*cf. 4e, 5e* et *6e suites anglaises*, *1re suite française*, *6e partita* pour clavecin, *3e suite d'orchestre*, *6e concerto brandebourgeois* (*grande gigue*). La *brusque* et la *canarie* (voir à ces mots) sont des danses et des mouvements de suite de danses apparentés à la gigue.                                                                                      C.M.-D.

**GIL Vicente.** Voir art. *Vicente.*

**GIL GARCIA Bonifacio.** Compos. et musicologue esp. (S. Domingo de la Calzada 14.5.1898–). Membre honoraire de l'Institut esp. de musicologie, il a écrit de la mus. chor., voc., de piano ; il a publié *Canc. pop. de Extremadura* (Valls 1932), *Romances pop. de Extremadura* (Badajoz, 1944), 4 recueils de mélodies populaires d'Estrémadure.

**GIL-MARCHEX Henri.** Pian. franç. (St-Georges d'Espérance 16.12.1894–). Elève au cons. de Paris de L. Capet et de Cortot, il a fait une carrière intern., enseigné à l'Ecole normale de musique de Paris, dirige le cons. de Poitiers (1953) ; il a écrit pour le piano, pour l'orch., de la mus. de chambre et des mélodies.

**GILARDI Gilardo.** Violon. et compos. argentin (S. Fernando 25.5.1889–), co-fondateur du groupe *Renovación*, auteur de deux opéras, de mus. symph., chor., d'église, de chambre, de film, folklorique.

**GILES** (*Gyles*) **Nathaniel.** Mus. angl. (Worcester ? v. 1558–Windsor 24.1.1633). Fils de Thomas *G.*, qui fut de 1582 à 1590 org. de St-Paul à Londres, il fut lui-même org. de la cath. de Worcester (1581), bachelier de musique d'Oxford (1585), date à laquelle il fut également nommé org. et maître de chœur à la chapelle St-Georges de Windsor (il occupa ce poste jusqu'à sa mort) ; en 1596, il dirigeait les chanteurs de la chapelle royale ; 1622 le vit docteur d'Oxford ; il eut un fils, mêmement nommé, qui fut chanoine de Windsor ; on a gardé de lui, impr. : 2 *anthems* (ds les *Teares* de Leighton, Londres 1614), 1 *service* et 1 *anthem* (ds *The first book* de Barnard, *ibid.* 1641), en mss : 3 *services*, 21 *anthems*, 3 motets, 2 madrigaux, 3 *lessons in proportions*, 1 air avec *b.c.* Voir I. Atkins, *The early occupants...*, Worcester, 1918 ; E.H. Fellowes, *Org. and masters...*, Londres 1939 ; J. Pulver, *N.G.*, ds *Monthly mus. rec.*, LXIII, 1933 ; J.A. Westrup in MGG.

**GILLE li VINIER.** Trouvère franç. (Arras v. 1190–13.11.1252), qui fut chanoine de Lille, official d'Arras, chanoine d'Arras (1233) ; on a conservé de lui 5 chansons authentiques ; *cf.* l'édition d'A. Metcke, *Die Lieder des altfrz. Lyr. G. l. V.*, thèse de Halle, 1906 ; pour la musique, *cf.* A. Jeanroy, L. Brandin et P. Aubry, *Lais et descorts franc. du XIII^e s.*, ds *Mélanges de mus. crit.*, III, Paris 1901. Voir F. Gennrich in MGG.

**GILLEBERT de BERNEVILLE.** Voir art. *Guillebert.*

**GILLES** (*Maître*). Voir art. *Brebos.*

**GILLES Jean** (*de Tarascon*). Mus. franç. (Tarascon 1669–Avignon 5.2.1705). Enfant de chœur de la cath. d'Aix-en-Provence où il fut l'élève de Poitevin, à qui il succéda en 1693, en 1695, il est maître de chapelle à la cath. d'Agde ; en 1697, il dirigeait l'école des chanteurs de la cath. St-Étienne de Toulouse ; il vécut les dernières années de son existence, nanti d'un poste à N.-D. des Doms à Avignon ; son *Requiem* fut joué à ses obsèques, à celles de Rameau et de Louis XV ; les bibl. parisiennes ont conservé de lui en mss 7 psaumes, 10 motets (1 v. et *b.c.*), quelques pièces dans *Récits et duos de M. de Lalande*, le *Requiem* (Paris, 1764). Voir abbé Marbot, G., *Cabassol et Campra*, Aix 1903 ; T. Nisard, *Monographie de J.G. ...* Paris 1866 ; F. Raugel, *La maîtrise de la cath. d'Aix*, ds *XVII^e s.*, 1954 ; M. Barthélemy in MGG.

**GILLES Joseph.** Org. et compos. franç. (Darnétal 21.5.1903–Paris 12.10.1942), élève du cons. de Paris, org. puis maître de chapelle à St-Pierre de Chaillot, prof. à l'Ecole normale de mus., auteur de motets et d'une symph. d'orgue.

**GILLESPIE John Birks** (*Dizzy*). *Jazzman* amér. (Cheraw 21.10.1917–), trompettiste, chanteur, qui a appartenu aux orch. de F. Fairfax, Cab Calloway, Benny Carter, Charlie Barnet, Ellington, un des fondateurs du *be-bop*, associé de Charlie Parker, dont la renommée est mondiale. Voir L. Feather, *Jazz Encyclopedia*, N.-York 1955, et *The encyclopedia yearbook of jazz*, Londres 1957.

**GILLIER** (*Gilliers*). — **1. Pierre**, dit *l'Aîné* (Paris 1665–?). « Elevé page de la musique de la chambre du roi sous les plus habiles maîtres » (Michel Lambert), il publia *Livre d'airs et de symphonies meslés de qqs fragmens d'opéra* (Paris 1697) et 10 airs dans des recueils de Ballard (1694–1713) ; on a également conservé de lui 1 *Miserere* et des leçons de ténèbres. Son frère — **2. Jean-Claude**, dit *le Jeune* (Paris 1667–30.5.1737) fut enfant de chœur à N.-D. de Paris, élève de Jean Mignon ; il fut maître de mus. à Senlis, puis contrebassiste à l'orch. de la Comédie française (v. 1693), poste qu'il conserva trente ans : il le légua même à son fils ; il fut le fournisseur de ce théâtre et de celui de la Foire (à partir de 1715) ; il composa des comédies et divertissements, sur des livrets notamment de Dancourt et de Regnard : *Amphyon* (1696), *Les plaisirs de l'Amour et de Bacchus* (1698), *L'hyménée royal* (1699), *Le divertissement de Sceaux* (1705), *L'impromptu de Suresne* (1713), *La métempsicose* (1718), *L'impromptu du Pont-Neuf* (1729), 1 vaudeville (Mercure de France 1729), de la mus. pour une quarantaine de pièces de la Comédie franç. (1693–1713) — beaucoup d'airs furent publiés par Ballard ou dans un recueil intitulé *Airs de la Comédie française* (1705) — pour une trentaine d'opéras-comiques du Théâtre de la foire, des airs et des chansons (parfois devenus cantiques), pour la plupart publiés en Angleterre, 1 motet à 4 v. avec acc. instr. (Darmstadt). Son fils — **3.** dit *G. le Fils*, dont on ignore les dates d'état civil, succéda à son père à la Comédie française en 1723 et composa des airs et 2 opéras comiques. Son frère — **4.** dit *G. le Younger*, vécut à Londres où il enseigna la harpe et la mus. de chambre et publia 8 sonates (2 v., vcelle) et 1 concerto (clav.), 2 recueils de *lessons* et de sonates pour le clavecin. Voir J. Bonnassies, *La mus. à la Comédie française*, Paris 1874 ; M. Briquet in MGG.

**GILLIS Don.** Compos. amér. (Cameron 17.6.1912–). Elève de la Christian Univ. du Texas, trompettiste, tromboniste, il est en poste à la radiodiffusion des Etats-Unis depuis 1942, comme dir. de production (à N.-York depuis 1943) ; on lui doit 7 symph., 3 suites d'orch., 2 oratorios, de la mus. de chambre, de piano.

**GILMAN Lawrence.** Musicologue amér. (Flushing 5.7.1878–Franconia 9.9.1939). Mus. autodidacte, il fut chroniqueur au *Harper's Weekly*, à la *North. amer. Rev.*, au *Herald Tribune* (1929–39), il édita le *Harper's Magazine*, rédigea les programmes de la *N.-York Philharm. Soc.* et du *Philadelphia Orch.* ; il publia *Phases of modern music* (1904), *E. Macdowell* (1905, 1909), *The mus. of to-morrow* (Londres 1907), *Stories of symph. mus.* (1907, 1937), *A guide to Strauss's Salome* (Londres 1907), *Id. to Debussy's Pelléas et Mélisande* (1907), *Aspects of modern opera* (1908), *Nature in music* (1914), *A Christmas meditation* (1916), *Music and the cultivated man* (1929), *Wagner's operas* (1937), *Toscanini...* (1938), *Orchestre music* (posth., 1951), la plupart édités à N.-York.

**GILSON Paul.** Compos. belge (Bruxelles 15.6.1865–3.4.1942). Elève du cons. de Bruxelles, prix de Rome (1889), prof. d'harmonie au même cons. (1899–1909), à celui d'Anvers (1904–09), chroniqueur du *Soir* et de *Diapason* (1906–14), dir. de la *Rev. mus. belge* (1924), inspecteur de l'enseignement mus. en Belgique (1909), il fut le chef du mouvement flamand en musique, tout en s'inspirant de Wagner et du groupe des Cinq ; il écrivit 3 opéras : *Prinses Zonneschijn* (1903), *Zeevolk* (1905), *Roversliefde* (1906), 3 mélodrames, 3 ballets, des hymnes et cantates, mélodies, œuvres symph., de piano, 1 concertino de flûte, de la mus. de chambre, des traités, son autobiographie : *Notes de musique et souvenirs*. Voir le numéro de la RM belge du 15.6.1935 ; A. Meulemans, *P.G.*, Bruxelles 1955 ; R. Wangermée, *La mus. belge contemporaine*, Bruxelles, 1959.

**GIMÉNEZ Jeronimo.** Voir à *Jimenez.*

**GIMÉNEZ Remberto.** Compos. paraguayen (Coronel Orviedo 4.2.1889–). Elève de la *Schola cantorum* de Paris, il est dir. de l'École normale de musique et de l'orch. symph. d'Asunción ; il a écrit de la mus. symph., de chambre, des mélodies.

**GINASTERA Alberto.** Compos. arg. (Buenos-Aires 11.4.1916–). Elève du cons. de sa ville natale, bénéficiaire d'une bourse Guggenheim (1945–47), il est prof. de composition au cons. de Buenos-Aires et dir. de celui de La Plata ; il a écrit 3 ballets, 2 symph., 1 cantate, des chœurs, de la mus. de chambre, de film, de piano. Voir V. Mariz, *A.G.*, Rosario 1954.

**GINDRON François.** Mus. suisse, fils de Jehan, bourgeois de Lausanne, qui mourut en 1564 ; avant d'adhérer à la Réforme (1537), il faisait partie du clergé de la cath. ; en 1542, Pierre Viret affirme que les mélodies des psaumes composées par G. pour l'église de Lausanne sont plus agréables que celles de Genève ; en 1552, G. obtient du gouvernement bernois l'autorisation d'imprimer un livre de psaumes chez Appiarius à Berne ; ses psaumes n'ont pas été retrouvés, quoiqu'on sache qu'ils furent chantés à l'église de Lausanne jusqu'en 1556 ; il est possible qu'il en subsiste quelques mélodies parmi celles que publia Guillaume Franc en 1565 ; en 1555, G. publie 5 motets chez Du Bosc et Guéroult à Genève ; en 1556, il met en musique les *Proverbes de Salomon*, ainsi que l'*Ecclésiaste*, traduits en vers français par Accace d'Albiac (Rivery, Lausanne) ; 2 ans plus tard, Janequin publie les mêmes *Proverbes* en harmonisant à 4 v. les airs de G. ; en 1561, G. dédie au gouvernement bernois un *Chant de louange (Lobgesang)* qu'on n'a pas retrouvé.    J.Bt.

**GINÉS PÉREZ Juan.** Compos. esp. (Orihuela, bapt. 7.10.1548–1612). Il fut maître de chapelle à Orihuela puis à Valence (1581–1595) et retourna dans sa ville natale vers 1601 ; quelques-uns de ses psaumes, motets et *villancicos* ont été publiés par Pedrell dans son *Hispaniae schola musica sacra* (vol. V) ; il écrivit une partie de la musique du *Misterio de Elche*.    D.D.

**GINGARA.** C'est un idiocorde serbo-croate, cithare sur tuyau en bambou à deux cordes soulevées et frottées, instrument d'enfants. On dit aussi *djecje guslice.*
    C. M.-D.

**GINGIRU.** C'est une harpe-luth, utilisée en pays dogon (Afrique occidentale, Soudan).    M.A.

**GINGUENÉ Pierre-Louis.** Homme de lettres franç.

(Rennes 25.4.1748–Paris 16.11.1816). Dir. de l'Instruction publique, membre de l'Institut, ambassadeur (Sardaigne), il prit parti pour Piccinni contre les gluckistes ; il collabora à divers périodiques dont le Mercure de France, sous le pseudonyme de *Mélophile* et au dict. de musique de l'Encycl. méthodique (1791) : il publia l'ensemble de ses articles sous le titre *Lettres et art. sur la mus.* (Paris 1783) ; signalons d'autre part *Pomponius...* (ibid. 1777), *Notices sur la vie et les ouvrages de Piccinni* (ibid., an IX), *Journal de G.* (1807–08, rééd. Hazard, ibid. 1910), *Rapport fait à la classe des beaux-arts de l'Institut de France...* (sur la not. grecque, ibid. 1815) ; on trouve encore de ses art. ds l'*Hist. litt. de la France par les Bénédictins* et ds l'*Hist. de l'Italie* (14 vol., ibid. 1811–15, finie par Salvi). Voir P.C. Daunou, *Discours prononcé aux funérailles de G.*, Paris 1816 ; *Catalogue des livres de la bibl. de feu P.L.G.*, ibid. 1817 ; Dacier, *Éloge de G.*, ds Mém. de l'Acad. des Inscriptions, id. ibid. ; Prod'homme, *Gluck*, ibid. 1948 ; E. Haraszti in MGG.

**GINOT Etienne.** Altiste franc. (St-Etienne 22.3. 1901–) élève des cons. de St-Étienne et de Paris (M. Vieux), soliste des Concerts Lamoureux (1923 –40), de l'Opéra-comique (dep. 1925), prof. au cons. de Paris (1951).

**GINSTER Ria.** Chanteuse suisse d'origine allem. (Francfort 15.4.1898–). Elève de L. Bachner, elle a été le plus célèbre sopr. d'oratorio en Allemagne de 1926 à 1939 ; elle est prof. au cons. de Zurich (1938) et enseigne aux cours de Salzbourg.

**GINTZLER Simon.** Luthiste de nationalité in-certaine, né v. 1490, mort ap. 1550 ; il fut au service du prince-évêque de Trente, le cardinal Madruzzo ; il publia à Venise une *Inta-volatura de lauto* (Gardane 1547) ; on trouve 4 pièces de lui dans l'*Eyn newes... Lautenbuch* de Gerle (Nuremberg 1552) ; 7 pièces ont été rééd. ds les *DTÖ*, XVIII. Voir O. Chilesotti, *Laut.-Spieler des 16. Jh.*, Breitkopf 1891 ; A. Koczirz, ds *DTÖ*, XVIII, 2, 37, Vienne 1911 ; L. de La Laurencie. *Les luthistes*, Paris 1928 ; W. Boetticher in MGG.

**GIOIA Gaetano.** Danseur et chorégr. ital. (Naples 1764 ou 68–30.3.1826). Elève de Traffieri, il débuta à 19 ans, en travesti ; son 1er ballet (*Sofonisba*, 1789) eut plein succès : de Turin à Vicence, Venise, Lisbonne, Milan, Naples, Livourne, Florence, Gênes, Vienne, Rome, etc. ; il composa (jusqu'en 1826) 221 ballets ; il avait épousé une Caetani. Voir G. Tani in *Enc. d. spettacolo*.

**GIORDANI Domenico Antonio.** Mus. ital. des XVII– XVIIIe s., originaire de Rocca Sinibalda, qui fut maître de chapelle à Assise, Narni, Rieti, Rome ; il était franciscain ; il publia *Armonia sacra a 2 v.* (Rome 1724) ; on a conservé de lui des messes à 8 v. (Lic. Martini de Bologne), *Regole generali per sonare sopra la parte del basso* (1724, ibid.), *Responsori* (4 v., bibl. de Padoue),

*Salmi di vespero* (8 v., av. orgue), 1 oratorio : *Il tempio delle Grazie.*

**GIORDANI Tommaso.** Mus. ital. (Naples v. 1730–Dublin 25.2.1806). Fils de *Giuseppe G.*, chanteur, librettiste et impresario, qui avait formé une compagnie, il le suivit dans ses voyages à Senigaglia, Graz, Francfort, Amsterdam, Londres (1753) : c'est là que T. débuta comme compos. d'opéras, ds *La commediante fatta canta-trice* (1756) ; il vécut tantôt à Londres, tantôt à Dublin,

*Abbaye de Moissac*                    Gigue

ville où il se fixa en 1783, et où, en 1788, il fut dir. mus. du *Crow Street Theater* ; il y enseignait également le chant et le clavecin ; il se retira de la vie musicale en 1796 ; il composa plus de 20 œuvres dramatiques (intermèdes, ballets, pantomimes, opéras), collabora à 6 *pasticci*, au *Beggar's Opera* etc. Voir W.J. Lawrence, *T.G. ...*, ds *Mus. Antiquary*, no 6, Londres 1911 ; S. Rosenfeld, *Foreign th. Comp. ...*, in bull. no 4 de la *Soc. f. th. research*, ibid. 1954 ; F. Schlitzer in *Enc. d. spettacolo*.

**GIORDANO** (*Giordani*) **Carmine.** Mus. ital. (Serrato v. 1685–Naples 1758). Elève du *cons. della Pietà dei Turchini* (Ursino, Fago), il fut toute sa vie org. de la chapelle royale de Naples et composa 1 opéra (*La vittoria dell'amor coniugale*, 1712), 3 cantates, 1 *Credo*, des motets, conservés en mss. Voir U. Prota-Giurleo, *Mus. sanniti*, ds *Samnium*, I, 1, 1928.

**GIORDANO** (*Giordani, Giordanello*) **Giuseppe.** Mus. ital.

(Naples 9.12.1743–Fermo 4.1.1798). Élève du cons. de Ste-Marie de Lorette à Naples (Sacchini, Fenaroli), où il fut condisciple de Cimarosa et de Zingarelli, en 1774, il était maître de chapelle surnuméraire du Trésor de St-Janvier ; cependant il enseignait (*cf.* sa *Prattica della musica...*, cons. de Naples) ; à partir de 1779, il fut compos. d'opéras, ce qui le mena à Bergame, Bologne, Venise, Gênes, Florence, Modène, Rome, Trieste ; il revint à Naples en 1787, où il se mit à organiser des représentations théâtrales pour le carême, religieuses et profanes : sa *Destruzione di Gerusalemme* (1787) eut un immense succès, comme d'ailleurs toutes ses autres pièces ; en 1790, il fut nommé maître de chapelle de la cath. de Fermo ; il composa plus de 30 œuvres dramatiques, dont la plus célèbre fut peut-être *La disfatta di Dario* (Milan 1789). Voir U. Prota-Giurleo in *Enc. d. spettacolo*.

**GIORDANO Umberto.** Compos. ital. (Foggia 28.8.1867–Milan 12.11.1948). Élève du cons. de *S. Pietro a Maiella* à Naples (Serrao, E. Bossi, Martucci, Ferni), il écrivit son premier opéra en 1888, triompha avec *André Chénier* (1896), à Paris avec *Fédora* (Sardou, 1910) ; en 1929, il fut élu académicien d'Italie ; il écrivit 11 opéras et 1 ballet, de la mus. de scène, 1 œuvre symph. en 4 parties, *Piedigrotta*, des pièces de piano et des mélodies. Voir A. Galli, G. Macchi, C. Paribeni, *U.G. ...*, Milan 1915 ; R. Giazotto, *U.G.*, Milan 1949 ; D. Cellamare, *U.G.*, *id. ibid.*

**GIORNI Aurelio.** Pian. et compos. italo-amér. (Pérouse 15.9.1895–Pittsfield 23.9.1938), élève de Sgambati et de Busoni, de Humperdinck, fixé aux Etats-Unis (dep. 1914) où il enseigna dans différents conservatoires, auteur de 2 symph., d'un poème symph., de mus. de chambre, de sonates instr., de mus. vocale.

**GIORNOVICHI.** Voir art. *Jarnowick.*

**GIOSA Nicola de.** Voir art. *De Giosa* ds le supplément du présent ouvrage.

**GIOVANE G.D. del.** Voir art. *Del Giovane* ds le supplément du présent ouvrage.

**GIOVANELLI** (*Giovannelli*) **Ruggiero.** Mus. ital. (Velletri v. 1560–Rome 7.1.1625). Élève présumé, selon les uns, de Palestrina, selon d'autres, de Nanini, il fut maître de chapelle à St-Louis des Français de Rome (1583–91), membre de la *Virtuosa Compagnia dei musici di Roma*, maître de chapelle au *Collegium germanicum* de Rome (1591), successeur de Palestrina comme maître de chapelle de St-Pierre de Rome (1594), chanteur de la Chapelle Sixtine (1598), dont il fut le *puntatore* (1607), le *camerlingue* (1610–13), le maître de chapelle (1614–24) ; on a conservé de lui 2 livres de motets (5-8 v., 1588, 1604) et des madrigaux, soit 2 livres à 5 v. (1586, 1593), 1 livre de *Villanelle et arie alla napoletana* à 3 v. (1588) et 2 livres de *Sdruccioli* à 4 v. (1585–89) ; les arch. du Vatican conservent de lui un grand nombre de mss de mus. d'église à 2-12 v. ; les recueils de l'époque publiés entre 1583 et 1621 contiennent de nombreuses pièces de lui, tant profanes que religieuses ; Paul V le chargea d'éditer un graduel à l'usage de la chapelle pontificale (2 vol., 1614, 1615). Voir A. Gabrielli, *R.G. ...*, Velletri 1907, 1926 ; C. Winter, *R.G. ...*, Munich 1935 et K.G. Fellerer in MGG.

**GIOVANNETTI Julien.** Chanteur franç. (St-Paul, Constantine, 9.1.1914–). Élève du cons. de Paris (David, G. Dubois, Croiza), qui appartient à l'Opéra et à l'Opéra-Comique, où il a créé notamment 2 opéras d'H. Tomasi.

**GIOVANNI Scipione.** Org. ital. du XVIIᵉ s., originaire de Crémone, qui fut org. et maître de chapelle au *Monte-Oliveto* de Florence (1652), de qui on a conservé *Intavolatura di cembalo et organo...* (Pérouse 1650), qui fut suivie d'un *Secondo libro* (Venise 1652).

**GIOVANNI da CASCIA.** (*G. da Florentia, Johannes de F., Jean de Florence*). Mus. ital. du XIVᵉ s., sans doute originaire de Cascia, qui vécut à la cour de Mastino II della Scala à Vérone (1329–51), et à Milan, semble-t-il ; Villani, ds ses *Vite di uomini illustri fiorentini*, le dit fondateur de la réforme du *stile* : *Primus omnium antiquam consuetudinem chori virilis et organi aboleri cœpit* ; ses œuvres (16 madrigaux à 2 v., 3 *caccie* à 3) ont été publiés par N. Pirrotta, *The music of fourteenth c. Italy* (*Amer. Inst.*

*of musicology*, 1954). Voir J. Wolf, *Florenz...*, ds *SIMG*, III, 1901–02, et *Gesch. d. Mensurals notation*, 3 vol., Leipzig 1904 ; N. Pirrotta, ds *RMI*, XLI, 1946 et XLIX, 1947, et *Mus. Disc.*, IX, 1955 ; K. v. Fischer, *Studien z. ital. Mus. v. Trecento...*, Berne 1956.

**GIOVANNI del LAGO.** Théoricien ital., qui mourut, probablement à Venise, après 1543 ; il fut prêtre à Ste-Sophie de Venise, après avoir été l'élève de G.B. Zesso à Padoue ; il publia *Breve introduzione di mus. misurata...*, (Venise 1540), *Epistole composte in lingua volgare nelle quali si contiene la risolutione di molti recondti dubbi della musica...* (ms. 5318 Vatican). Voir C.V. Palisca in MGG.

**GIOVANNI MARIA da CREMA.** Luthiste ital. du XVIᵉ s., qu'il faut peut-être identifier avec un *Giovan* (*Joan*) *Maria* au service de la cour de Mantoue en 1513–15 et 1522, auteur des livres 1 et 3 de l'*Intabolatura de lauto* publiés en 1546 par Gardane, qui contiennent des *ricercari* et des transcriptions de chansons franç., de madrigaux, de motets et de danses.

**GIOVANNINI.** Violon. du XVIIIᵉ s. : on l'identifie avec assez de vraisemblance avec le célèbre comte de St-Germain, qui mourut le 27.2.1784 à Eckernförde ; il utilisa d'ailleurs une quinzaine de noms ; dans deux recueils de Ballard (1697, 1706), on trouve 5 mélodies attribuées à M. de St-Germain : la biographie et les conjectures auxquelles elle donne lieu, d'un personnage aussi énigmatique, sont hors de notre propos ; quant à Giovannini, 7 mélodies de lui ont été publiées dans des recueils de Gräfe à Halle (1741–43) ; on a émis l'hypothèse que le *Willst du dein Herz mir schenken* du 2ᵉ *Clavier-Büchlein* d'Anna-Magdelena Bach, signé Giovannini, avait été composé par lui ; on lui attribue également un certain nombre de compositions publiées à Londres entre 1748 et 1765 ; les *incipit* de 7 sonates de violon du catalogue de Breitkopf de 1762 donnés sous le nom de *G.* ; les auteurs qui sont ennemis de cette identification estiment que le responsable en est Gerber. Voir J. Franco, *The count of St-Germain*, in *MQ*, 1950 ; A. Loewenberg in *Grove's Dict. of mus.* et H. Becker in MGG.

**GIPPENBUSCH Jacob.** Mus. allem. (Spire 1612–Xanten 3.7.1664), jésuite, qui fut prof. (1632–50) au *Gymnasium tricoronatum* de Cologne, où il était en même temps préfet de chœur ; il publia *Cantiones musicae* 4 v. ... (Cologne 1642), *Psalteriolum harmonicum...* (4 v. et b., ibid. 1642, 1650, 1652, 1662) ; il semble également avoir participé au *Trutz-Nachtigall* de Spee (ibid. 1649). Voir : A. Schmitz in *ZfMw*, IV, 1921 ; J. Kuckhoff, *Die Gesch. d. Gymn. tric.*, ibid. 1931 ; W. Kahn, *Studien z. kölner Mg...*, Cologne-Crefeld 1953 ; J. Gotzen, in *KmJb*, XXXVII, 1953.

**GIPPS Ruth.** Pian., htb. et compos. angl. (Bexhill-on-sea 20.2.1921–), élève du *Royal College of music*, chef d'orch., auteur d'un ballet, de 2 symph., de concertos, de mus. de chambre, instr. de mélodies.

**GIRALDILLA.** C'est une danse espagnole des Asturies, à mesure binaire, similaire à la *rueda* (danse en rond) castillane : son nom, dérivé de *girar* (tourner en rond) renforce cette parenté ; on donne aussi le nom de *giraldilla* à une chanson dont la mélodie se répète indéfiniment, ou dont le refrain répète la mélodie des strophes sur un temps un peu plus rapide et plus fortement accentué.

D.D

**GIRALDONI Leone.** Baryton franco-ital. (Paris 1824–Moscou 1.10.1897). Il débuta en 1847, fit une grande carrière, se retira de la scène en 1885, fut enfin prof. de chant au cons. de Moscou (1891) ; on lui doit 2 manuels de chant (Milan 1889, Bologne 1864, 1884). Son fils —
**Eugenio** (Marseille 20.5.1871–Helsinki 23.6.1924), également baryton, débuta dans *Carmen* à Barcelone en 1891 ; il créa la *Tosca* de Puccini (1900), fit une carrière de premier plan.

**GIRALDUS CAMBRENSIS** (*Gerald de Barri*). Clerc gallois (Manorbeer 1147–Lincoln ? 1223). Élève de l'univ. de Paris, il fut archidiacre de Brecknock, prof. de droit canon, à la cour de Henri II d'Angleterre (1184), légat de Richard Cœur de Lion au pays de Galles ; il voyagea également en Irlande ; ses écrits bien qu'ils intéressent

avant tout l'ethnographie, offrent un intérêt musico-
logique en maint endroit : *Topographia hibernica* (1187),
*Expugnatio hibernica* (1188), *Vita Ganfredi ...* (1193),
*Itinerarium Cambriae* (1897), *Gemma ecclesiastica* (id.),
*Descriptio Cambriae* (1198), *Res gestae* (1205), *Speculum
ecclesiae* (1216) ; les passages qui concernent la musique
sont inclus surtout ds la *Topographia* et la *Descriptio*,
qui ont été éditées en anglais ds l'*Everyman's Library*
(Londres 1908, 1935). Voir H. Riemann, *Gesch. d.
MTh.* ..., Berlin 1920 ; J. Handschin, in *Fs. f. G. Adler*,
Vienne-Leipzig 1930 ; E.M. v. Hornbostel, ds *Deutscher
Islandforsch.*, I, 1930 ; M. Schneider, *Gesch. d. Mehrst.*, II,
Berlin 1935 ; M. Bukofzer, *Gesch. des engl. Discants...*,
Strasbourg 1936, et art. in *MQ*, XXVI, 1940 ; L. Hibberd,
G.C., ds *JAMS*, VIII, 1955, et ds *Fs. A. T. Davison*,
Cambridge U.S.A., 1955 ; H. Huschen in MGG.

**GIRAMO Pietro Antonio.** Mus. ital. du XVIIᵉ s., qui vécut
à Naples, puis à Florence, où il semble avoir été au service
de la cour de Toscane ; la Bibl. nat. de Florence a conservé
de lui *Arie a più voci* (Naples 1630), *Il pazzo...* (dédié à
Anne de Médicis, 7 pièces à 1 v., 1 chœur de « fous » à
3 v.), *Hospedale per gl'infermi d'amore* (25 pièces à 1·4 v.
et 1 chœur de « folles » à 5 voix).

**GIRARD André.** Chef d'orch. franç. (Paris 30.3.1913-).
Elève du cons. de Paris (Tourret, Delvincourt, Désor-
mières), d'A. Bloch, de Charles Munch, fondateur de
l'orch. de chambre A.G. (1944-50) chef d'orch. des ballets
des Champs-Élysées (1950-53), de Radio-Maroc, du
Grand ballet du marquis de Cuevas, il fait une carrière
intern. ; on lui doit des mélodies, des pièces pour piano,
vcelle, 1 trio, 1 messe.

**GIRARD Narcisse.** Violon. et chef d'orch. franç. (Nantes
27.1.1797-Paris 16.1.1860). Elève de Baillot, chef d'orch.
de l'Opéra italien (1831-32), de l'Opéra-comique (1837),
de l'Opéra (1846), prof. au cons. de Paris (1847), dir. de
la Soc. des concerts, de l'Opéra (1856), il fut ami de
Berlioz, pour qui il dirigea la 1ʳᵉ audition d'*Harold en
Italie* (1834) ; il mourut subitement, lors d'une représentation des *Huguenots*.

**GIRARDON Renée.** Voir art. *Masson P.M.*

**GIRAUD François-Joseph.** Vcelliste franç. du XVIIIᵉ s. ;
venant de Laon, il est engagé à l'orch. de l'Opéra et au
Concert spirituel (1752) à Paris ; il fut également,
jusqu'en 1767, *vcelliste ordinaire* de l'Académie royale ;
on lui doit *6 psaumes à grand chœur* (1752-63), *6 sonates
de vcelle et b.c.*, op. 1 (Paris s.d.), *Id. op. 2* (*id.*), pour le
théâtre : *Les hommes* (comédie-ballet, 1753), *L'amour fixé*
(ballet, 1754), *La gageure de village* (1756), *Deucalion et
Pyrrha* (ballet, av. P. Berton, 1755), *L'opéra de société*
(comédie-ballet, 1762), *Achante et Cydipe* (parodie, 1764).
Voir M. Briquet in MGG.

**GIRAUDEAU Jean.** Ténor franç. (Toulon 1.7.1916-).
Elève du cons. de Toulon, 1ᵉʳ ténor à l'Opéra (1947),
prof. au cons. de Paris (1956), 5 fois grand prix du disque,
il a créé plus de 25 opéras de 1947 à 1955.

**GIRDLESTONE Cuthbert.** Musicologue angl. (Bovey
Tracey 17.9.1895-), qui a fait ses études à Paris et
Cambridge et enseigne le français à l'univ. de Durham ;
il a publié 2 ouvrages remarquables : *Mozart et ses
concertos de piano* (1939, 1952) et *J.-Ph. Rameau, his life
and work* (1957), la meilleure monographie que l'on
possède à ce jour sur ce compositeur.

**GIRELLI Santino.** Mus. ital., originaire de Brescia, dont
l'activité se situe dans le 1ᵉʳ quart du XVIIᵉ s. ; on dit
qu'il fut élève de L. Bertani, son compatriote ; on lui doit
*Salmi brevi...* (8 v., Venise 1620), *Salmi intieri...* (5 v.,
ibid. 1626), *Messe concertate...* (5-8 v., ibid. 1627). Voir A.
Valentini, ds *Mus. bresciani...*, Brescia 1894 ; L.F.
Tagliavini in MGG.

**GIRNATIS Walter.** Compos. allem. (Posen 16.6.1894-).
Elève de Krause, il a été en poste à Radio-Hambourg ; on
lui doit de la mus. symph., des concertos, des cantates,
de la mus. de chambre, 4 opéras radiophoniques, des
mélodies, etc.

**GIRO Manuel.** Compos. esp. (Lerida 5.9.1848-Barcelone
20.12.1916). Etudiant à Lerida, puis à Paris où il résida

11 ans, il est l'auteur d'une dizaine d'opéras, d'œuvres
symph., chor., d'église, de chambre.

**GIROD Marie-Louise.** Org. franç. (Paris 12.10.1915-).
Elève du cons. de Paris, elle est org. de l'Oratoire du
Louvre depuis 1940 ; on lui doit 1 *tryptique* sur l'hymne
*Sacris solemniis* (1953), 1 fugue sur un psaume de Claude
Le Jeune (1954), des répons liturgiques, des chants popu-
laires, le chapitre *L'orgue* dans *Musique et protestantisme*,
Paris 1957.

**GIROLAMO da UDINE** (*G. dalla Casa*). Voir art. *Dalla
Casa* ds le supplément du présent ouvrage.

**GIROUST François.** Mus. franç. (Paris 10.4.1738-
Versailles 28.4.1799). Elève de la maîtrise de N.-D. de
Paris (Goulet, maître de mus. de St-Germain l'Auxerrois),
il fut joué dès qu'il eut 14 ans ; nommé maître de mus. de
la cath. d'Orléans (1756). il dirigea dans cette ville l'orch.
de l'Acad. de musique (1762) et celui de la *Société des
donateurs et des professeurs* (1670) ; il avait déjà eu de
grands succès au Concert spirituel en 1769, il est nommé
maître de mus. à la maîtrise des Sts-Innocents à Paris ;
en 1775, il est maître de mus. de la chapelle de Louis XVI,
pour le sacre duquel il écrit sa messe *Gaudete* ; en 1780, il
est surintendant de la mus. de la chambre du roi ; à la
chute de la royauté, il fut compos. des fêtes de la Révolution ; en 1796, il entrait à l'Institut, toutes choses qui
ne l'empêchèrent pas de mourir fort pauvre ; on lui doit
4 oratorios, 7 messes, 3 *Magnificat*, un grand nombre de
psaumes et de motets, un opéra : *Télèphe*, des hymnes et
cantates maçonniques, un grand nombre d'œuvres révolutionnaires, un ballet (*Amphion*) et un divertissement (*La
guerre*) etc. ; la plupart de ses œuvres sont conservées
en mss au cons. de Paris. Voir M.-F. de Beaumont (veuve
de G.), *Éloge historique sur F.G.* Versailles 1799, 1804 ; J.
Brosset, *F.G.* ..., Blois 1911 ; J. Prim in MGG.

**GIRSCHNER Christian Friedrich Johann.** Mus. allem.
(Spandau 1794-Libourne... 6.1860). Elève à Berlin de
Zelter et de B. Klein, org. à la *Neuekirche* (1820), il fut
propagandiste du système pédagogique de Logier ; en
1833, il édite à Berlin la *Berliner musikalische Zeitung*, qui
n'eut qu'un an d'existence ; en 1835, il est prof. de piano
à Postdam ; en 1837, il est à Dantzig, en 1839 à Aix-la-
Chapelle, où il est à la fois chef d'orch. du théâtre et org.
de la cath. ; en 1842, il est nommé prof. d'orgue au cons.
de Bruxelles, d'où il est renvoyé en 1848 ; en 1851, il est
chef d'orch. du théâtre de Rochefort en France ; il mourut
org. du séminaire de Libourne ; on lui doit des écrits sur
le système de Logier et sur la facture d'instruments,
3 opéras, de la mus. instr. et vocale, notamment des
motets, des chœurs, une messe. Voir H. Becker in MGG.

**GIS.** C'est, dans la nomenclature germanique, le nom du
*sol dièse* ; *Gisis* : *sol double-dièse*.

**GISTOU** (*Gistow*) **Nicolas.** Mus. de nationalité incertaine,
mort à Copenhague le 19.7.1609, qui fut de 1598 à sa mort
altiste à la chapelle de Christian IV de Danemark ; on lui
doit 2 pavanes et 2 gaillardes à 5 (ds le recueil
d'Hildebrandt de 1609, Hambourg), 2 madrigaux dans le
*Giardino novo II* de Borchgrevinck (Copenhague 1606).
Voir A. Van der Linden in MGG.

**GIULIANI Giovanni Domenico.** Mus. ital. (Lucques 1670-
v. 1730), où il fut maître de chapelle à la collégiale
*S. Michele in Foro* ; les archives du séminaire de cette
collégiale conservent de lui en mss des messes et des
psaumes à 4 v., 4 offices de ste-Cécile à grand orchestre
(1700-1708) etc.

**GIULIANI Giovanni Francesco.** Violon. ital. (Florence
v. 1760-ap. 1820). Elève de Nardini, il fut maître de
concert du Nouveau théâtre à Florence ; il composa
2 quatuors à cordes, (op. 2), 3 concertos de clavecin
(op. 4), 6 sonates de piano (op. 6), 1 quintette avec flûte
(op. 13), publiés à Londres ou à Florence ; on cite encore
de lui 1 symph. (1818) et 6 quatuors (mandoline, v., vcelle,
luth). Voir J. Zuth, ds *ZfMw*, XIV, 1931-32.

**GIULIANI Mauro.** Mus. ital. (Barletta 1781-Naples
8.5.1828). Guitariste, chanteur, il est à Vienne de 1807
à 1819, puis en Angleterre, en Russie, à Parme, à Naples ;
il a laissé quelque 200 compositions (concertos, quintettes,
trios, duos) où toujours intervient son instrument. Sa

fille — **Émilia**, épouse Giulelmi, fut également guitariste ; son fils — **Michele** (Barletta 16.5.1801–Paris 8.10.1867) fut nommé en 1850 prof. de chant au cons. de Paris. Voir R. Ferrari, *M.G.*, Bologne 1934.

**GIULINI Carlo Maria.** Chef d'orch. ital. (Barletta 9.5.1914–). Élève du cons. Ste-Cécile de Rome, il a débuté dans cette ville en 1945, été dir. de la radiodiffusion ital. à Rome et à Milan (1945–52), puis chef d'orch. à la *Scala* et pour différents festivals ; il fait une carrière internationale.

**GIUNTA** (*Junta*). Éditeurs vénitiens des XVe–XVIe s., qui publièrent de nombreux livres liturgiques. **Luca Antonio** (Florence 1457–Venise v. 1530) publia en outre plusieurs recueils de mus. polyphonique (*frottole*, messes et motets) entre 1517 et 1526. Voir C. Sartori, *Diz. degli ed. mus. ital.*, Florence 1958.

**GIUSTINI Luigi** (*Lodovico*). Mus. ital. (Pistoie 12.12.1685–?), dont la biographie n'a pas été établie à ce jour ; ses *12 sonate da cimbalo di piano e forte detto volgarmente di martellatti* (Florence 1732) seraient les premières qui aient été imprimées pour le piano à marteaux. Voir G.C. Rospigliosi, *Notizie...*, Pistoie 1878 ; R.E.M. Harding, *The earliest piano-forte music*, ds *Mus. and letters*, XIII, 1932, et éd. des 12 sonates en fac-similé, Cambridge 1933 ; L. Hoffmann-Erbrecht, ds *Jenaer Beitr. z. M.*, I, Leipzig 1954. ·

**GIUSTINIANA** (*Justiniana*). C'est une chanson profane qui fut très répandue en Italie jusqu'à la fin du XVe s. et qui tire son nom de celui du poète Giustiniani*. Le succès en fut très grand et Piero Parleone affirme que pas un musicien n'ignore ces *justinianas*, car elles sont chantées partout, aux mariages, aux banquets et par le peuple au coin des rues. Dans le 6e livre de *frottole* publié chez Petrucci en 1505, *Frottole, strambotti, ode Justiniane numero sesanta sei*, on peut identifier quatre chansons qui diffèrent totalement des autres, comme étant les *giustiniane* annoncées au titre : *Aime sospiri*, *Chui dicesse*, *Moro di doglia*, *Aime cha torto* (ces deux dernières sur des poésies de Giustiniani). Ces pièces à 3 voix se signalent par l'absence totale du style d'imitation, le rôle primordial donné à la voix supérieure qui s'orne de *colorature* alternant avec de courtes phrases déclamatoires, tandis que la basse constitue le support harmonique. Les ornements de la voix supérieure, qui dérivent du style fleuri de l'*ars nova* tardive du début du XVe s., n'étaient généralement pas notés, et les *g.*, destinées à un chanteur soliste avec accompagnement instrumental, participaient de cet art d'improvisation où le talent de l'exécutant joue le plus grand rôle, et qui caractérise la musique italienne du XVe s. La mélodie de ces *g.*, sous le nom d'*aere venetiano* ou plus simplement *vinitiana*, a été utilisée jusqu'à la fin du siècle dans le procédé de travestissement des *laude**. Les *justiniane* composées par Andrea Gabrieli et son école dans le dernier tiers du XVIe s. (*Il primo libro delle justiniane a 3 voci*, Venise 1570 par exemple) n'ont aucun rapport avec celles du siècle précédent : il s'agit alors de chansons comiques à 3 voix égales, écrites en pur dialecte vénitien, conçues plutôt comme des parodies de la forme ancienne et qui ont le ton de la *canzone villanesca*. Voir A. Einstein, *The greghesca and the giustiniana of the 16th. century*, ds *Journal of Renaissance and baroque music*, I, 1946 : W. Rubsamen, *The justiniane or viniziane of the 15th century*, ds *Annales musicologiques*, V, 1957. **N.B.**

**GIUSTINIANI** (*Giustinian, Giustiniano, Ziustiniani*) **Leonardo.** Homme d'état, humaniste et poète ital. (Venise, entre 1381 et 1386–nov. 1446), qui a joué un rôle important dans l'hist. de la mus. en Italie : appartenant à l'une des plus anciennes familles patriciennes de Venise, il a occupé dans cette ville des charges élevées, comme membre du *Consiglio dei Dieci* à partir de 1428 et procurateur de *San Marco* où il est élu en 1443. Cet humaniste, qui avait été à Vérone l'élève de Guarino, qui traduisit Plutarque et a laissé des *Epistolae* très estimées, doit sa plus grande renommée à ses poésies en langue vulgaire, *canzonette* et *strambotti*, que l'on

trouve dans de nombreux mss et dont la première édition date de 1482 à Venise : mises en musique par *G.* lui-même, elles remportèrent partout un grand succès sous le nom de *giustiniane**. A la fin de sa vie, sur les injonctions de son frère Lorenzo, patriarche de Venise, *G.* composa des *laude** qu'il mettait aussi en musique et dont un recueil fut imprimé à Venise en 1475. Bien qu'aucune de ces compositions ne nous soit parvenue, bien des témoignages viennent attester du talent de musicien de *G.* Lui-même d'abord, dans une lettre qu'il

GIUNTA
*Frontispice du* Cantorinus (*Venise 1513*).

adresse en 1420 à son maître Guarino, écrit « *ad musicae oblectamenta diverto* », fait que ses contemporains soulignent aussi : Ambrogio Traversari qui constate que les *laudi* de *G.* mises en musique par lui-même étaient partout répandues ; l'humaniste Piero Parleone qui affirme que *G.* « *in musico quoque studioso recreabatur* ». Sans doute *G.* exécutait-il lui-même ses œuvres en s'accompagnant au luth, à la *lira da braccio* ou à la viole, car Pietro Bembo dans ses *Prose* affirme que bien plus que son talent littéraire c'est son talent de musicien qui lui avait valu la plus grande réputation. Dans ses chansons, le plus souvent sur des sujets amoureux, écrites en dialecte vénitien volontairement italianisé, il a su marier heureusement le ton de la poésie populaire avec le goût aristocratique du lettré. Dans ce domaine, *G.* doit être considéré comme un précurseur par l'intérêt qu'il porta précocement au *volgar* et par la liaison étroite qu'il établit entre musique et poésie. S'il resta de son temps un isolé, à la fin du siècle, les poètes-musiciens héritiers de sa tradition, allaient perpétuer ce style typiquement national et fort éloigné de l'écriture polyphonique des Franco-flamands. Il n'est pas facile de dénombrer avec exactitude les *canzonette* composées par *G.* Billanovitch, après une étude poussée des sources, pense pouvoir lui en attribuer 89.

**Bibl. :** F. G. Agostini, *Notizie storico-critiche intorno la vita e le opere degli scrittori veniziani*, Venise 1752 ; G. Billanovitch, *Per l'edizione critica delle canzonette di Leonardo Giustiniani* dans *Giornale storico della letteratura italiana*, vol. CX, 1937 ; R. Sabbadini, *Sugli studi volgari di Leonardo Giustiniani*, id. vol. X, 1887 ; H. Springer, *Zu Leonardo Giustiniani und den Giustinianen*, dans *SIMG*, XI ; B. Wiese, *Poesie edite ed inedite di Leonardo Giustiniani*, Bologne 1883.                                                                  N.B.

**GIUSTINIANI Vincenzo,** *marchese di Bassano.* Aristocrate ital. (Chio 13.9.1564–Rome 28.12.1637). Issu d'une noble famille génoise, installée à Chio, qu'elle dut quitter lors de l'invasion turque (1566) pour s'installer à Rome, près du cardinal *V.G. ;* quant à *V.*, il voyagea en Allemagne, en Belgique, en Angleterre, en France ; à Rome, il ne semble pas avoir eu d'autre activité que celle de dilettante : il suscitait en son palais une « *conversazione di cavalieri e uomini letterati d'ogni professione che non era tale in Europa* » (T. Ameyden) ; de ses écrits, l'un concerne la musique : *Discorso sopra la musica*, qui a été édité à Lucques en 1878 et à Turin en 1903 (par Solerti). Voir E.P. Rodochanachi, *Aventures d'un grand seigneur ital. à travers l'Europe, 1606...*, Paris 1899 ; N. Pirrotta in MGG.

**GIUSTO SYLLABIQUE.** C'est le nom donné par Constantin Braïloiu à un système rythmique étudié par lui, d'abord, dans le folklore roumain (*Anuario* VII de l'Institut espagnol de musicologie, Barcelone, 1952), mais qui a pu être identifié aussi dans la musique populaire française, allemande, italienne, hongroise, espagnole et judéo-espagnole, grecque, russe, kabyle etc., ainsi que dans le chant liturgique oriental et dans certaines parties du répertoire grégorien (hymnes, notamment). Dans sa dénomination, « giusto » indique que le mouvement y est toujours strictement régulier.

Le système diffère de l'occidental classique par sa totale dépendance de la parole, dont il ne peut se détacher : il est d'essence vocale, et, par conséquent, métrico-rythmique.

Le *g.s.* ne fait usage que de deux durées invariables, longue et brève, dont le rapport est de 1:2 ou 2:1 (noire et croche, par exemple) : il est « bichrone ». Aucune syllabe ne pouvant s'articuler sur une valeur plus brève que la brève (croche) ni plus longue que la longue (noire), il s'ensuit que le fractionnement de l'une comme de l'autre n'a lieu que dans les mélismes : d'où « syllabique ». Aux groupes bi- ou trisyllabiques du texte littéraire (poésie aussi bien que prose) le *g.s.* adapte des groupes rythmiques de deux ou trois temps :

*2 temps*                                     *3 temps*

Ces groupes alternant dans n'importe quel ordre, ni incises ni périodes ne visent à l'isochronie ; le plus souvent, elles sont asymétriques.

Les notations s'appliquent aujourd'hui encore à ramener les combinaisons rythmiques du *g.s.* à nos mesures, au moyen de divers subterfuges graphiques (anacrouses, syncopes, mesures inconnues à la théorie classique etc.) au risque de le défigurer. Ainsi, Gastoué note à $\frac{14}{8}$ $\left(\frac{6}{8}\frac{8}{8}\right)$ un *Iste confessor* ambrosien :

Is  te con fes sor        Do mi ni  sa cra tus

---

Des barres pointées, sans référence à la rythmique occidentale, auraient suffi à isoler les groupes rythmiques et à les faire reconnaître du premier coup d'œil, n⁰ˢ 5, 2, 1, 1, 4 du tableau :

Is  te con        fes sor     Do mi        ni sa        cra tus
                                                             C.B.

**GIVELET Armand.** Ingénieur français (Reims 1889–). Il est l'un des créateurs de la musique électronique ; ses premières expériences (avec casques) datent de 1918 ; des expériences plus complètes réalisées en 1927 et 1928 ont permis au général Ferrié de présenter cette nouvelle technique à l'Académie des sciences en 1930 ; il poursuit actuellement des travaux assez secrets sur la « musique ondulante ».                                                          J.M.

**GIZZI Domenico.** Ténor ital. (Arpino 1680–Naples ap. 1758), qui fonda une école de chant à Naples, à laquelle vinrent F. Feo, la Celestina, la Tilla, Guglietti, G. Conti *(il Gizziello)* ; il avait composé, puis abandonné cette activité ; aucune de ses œuvres n'a été conservée. Voir F. Florimo, *La scuola musicale di Napoli*, Naples 1882 ; Andrea Della Corte in MGG.

**GIZZIELLO** (*Il*). Voir art. *Conti Gioacchino.*

**GLACHANT Jean-Pierre.** Mus. franç. (?–Paris 1792). Violon., il joua à l'orch. de l'Opéra de Paris de 1770 à 1787, et, en 1785, comme 1er violon au Concert spirituel ; en 1791, il était au théâtre Louvois ; il publia un recueil de guitare et 6 trios (perdus). Son fils — **Antoine-Charles** (Paris 19.5.1770–Versailles 9.4.1851), fut son élève et comme lui violoniste ; il débute à 20 ans au *Théâtre du délastement comique* ; en 1792, il s'engage dans les armées de la Révolution ; en poste à Arras, il y fonde une société philharmonique et une école de musique ; en 1823, il est violon. à l'orch. du Théâtre-français, mais en 1830, il est de retour à Arras ; en 1846, il se retire à Versailles ; il publia 4 opéras-comiques (1790–96), 6 duos, 3 trios, 3 quatuors, 1 symph. concertante. Voir M. Briquet in MGG.

**GLADWIN Thomas.** Mus. angl. du XVIIIe s., qui était en 1750 org. de l'église St-Georges à Londres ; il fut également org. et compos. pour *Vauxhall Gardens ;* il publia un recueil de *Lessons for the harpsichord or organ* (av. acc. viol., Londres v. 1750) et 3 mélodies. Voir Ch. L. Cudworth in MGG.

**GLAESER Joseph Franz.** Compos. austro-tchèque (Obergeorgenthal 19.4.1798–Copenhague 29.8.1861). Élève du cons. de Prague, chef d'orch. de théâtre à Vienne, à Berlin, à la chapelle royale de Copenhague (1842), il est l'auteur d'un opéra, d'œuvres théâtrales, de cantates d'ouvertures etc. (Bibl. royale de Copenhague). Voir H. Pfeil, *F.G.*, Leipzig 1870. Son fils — **Joseph** (Vienne 25.11.1835–Hilleröd 29.9.1891), fut org. à Copenhague et à Hilleröd, prof. et compositeur.

**GLAESER** (*Gläser*) **Paul.** Compos. allem. (Untermarxgrün 22.3.1871–Grossenhain 4.4.1937). Élève du cons. de Leipzig, dir. de mus. à l'église de Grossenhain, il est l'auteur d'un oratorio, de mélodies, de motets, de chorals d'orgue, d'un opéra.

**GLANNER Caspar.** Mus. allem. du XVIe s., qui mourut, probablement à Salzbourg, avant 1577 ; il est peut-être originaire de Radstadt ; il fut org. au service de la cour du prince-archevêque de Salzbourg (dep. 1556) ; son frère Ruprecht et son neveu furent organiers ; ils travaillèrent notamment à Salzbourg ; il publia 2 recueils de *Teutscher geistl. u. weltl. Liedlein* (Munich 1578, 1580) et une pièce ds la tablature de luth d'Ochsenkun (Heidelberg 1558). Voir H. Spies, *K.G....*, Salzbourg 1895 ; M.L. Lascar, *Glannerstud.*, thèse de Bonn 1927 ; O. Wessely in MGG.

**GLANVILLE-HICKS Peggy.** Compos. australien (Melbourne 29.12.1912–). Élève du *Royal College of music* à Londres (V. Williams), de Nadia Boulanger (Paris), de Wellesz (Vienne), elle s'est fixée aux États-Unis (1942), a été chroniqueur au *N.-York Herald Tribune* (1946), écrit des ballets, 1 opéra, de la mus. symph., chor., de chambre, de film, des mélodies.

**GLARÉAN** (*Heinrich Loriti*, dit). Théoricien suisse (Mollis ... 6.1488–Fribourg-en-Brisgau 28.3.1563), qui fit ses études à Berne et à Cologne, où Cochlaeus lui enseigna la musique ; couronné en 1512 *poeta laureatus* par l'empereur Maximilien, il ouvrit une école à Paris en 1517 : il s'y entretint avec Lefèvre d'Étaples et avec J. Mouton, mais déçu par la vanité des discussions en Sorbonne, il s'en fut à Bâle jusqu'en 1529 ; il se retira alors à Fribourg, où il vécut jusqu'à sa mort ; ami de nombreux savants, en particulier de Juste Lipse et d'Érasme, il publia d'abord un court ouvrage théorique *Isagoge in musicen* (1516), puis un traité d'une importance capitale : *Dodecachordon* (1547), divisé en 3 livres, où il traite surtout, en se fondant sur Boèce et sur Gafori, des théories modales et dans lequel il commente de ce point de vue l'art polyphonique de son temps ; l'un des points les plus importants en est l'augmentation du nombre des modes ecclésiastiques qui passe avec lui de 8 à 12. Le *Dodecachordon* a été traduit en allemand par P. Bohn (1888), le livre III en anglais par O. Strunk, *Source readings in music hist.*, 1950. Voir O.F. Fritzsche, *G.*, Frauenfeld 1890 ; H. Birtner, *Studien zur niederländisch-humanistischen Musikanschauung*, Heidelberg 1930 ; H. Albrecht in MGG ; B. Meier, monographie en préparation.

**GLASENAPP Carl Friedrich.** Wagnériste allem. (Riga 3.10.1847–14.4.1915). Prof. de lettres au *Polytechnicum* de Riga (1898–1912), converti au wagnérisme depuis l'âge de 16 ans, il consacra son existence au culte de son dieu et publia *R. Wagners Leben u. Wirken* (2 vol., Cassel-Leipzig 1876–77, 6 vol. chez Breitkopf, 1894–1911), *W.-Lexikon...* (Stuttgart 1883), *W.-Enzyklopädie...* (2 vol., Leipzig 1891), *Siegfried W.* (Berlin 1906), *S.W. u. seine Kunst* (ibid. 1911), *Bayreuther Briefe R.W.*, 1871–83 (Berlin 1907), *Familienbriefe von R.W., 1832–74* (id. ibid.), *Gedichte von R.W.* (ibid. 1905) ; il était naturellement collaborateur des *Bayreuther Blätter*. Voir J. Bergfeld in MGG.

**GLASKOVSKY Arséni Pavlovitch.** Compos. russe (St-Pétersbourg 21.5.1894–Léningrad 31.7.1945). Licencié de mathématiques de l'univ. de Pétrograd, élève de V. Kalafati et de M. Steinberg au cons. de la même ville (1919–1924), prof. de théorie mus. et de compos. à de nombreux cours et écoles musicaux, membre du bureau de l'Union des compositeurs soviétiques, il est l'auteur de plusieurs opéras, d'un ballet, de comédies musicales, de mus. de scène, symph., de chambre, de chansons de masses.

**GLASS Louis Christian August.** Compos. et chef d'orch. danois (Copenhague 23.3.1864–22.1.1936). Élève de son père (qui était lui-même compos. et prof., et s'appelait Christian Hendrik, 1821–1893), de N. Gade, de Zarembski et de J. Wienawski (Bruxelles), il écrivit 1 ballet, 6 symph., 1 suite et des ouvertures d'orch., 1 concerto de htb., 1 fantaisie pour p. et orch., des quatuors, 1 quintette, 1 sextuor, des mélodies etc. Voir N. Schiørring in MGG.

**GLASS HARMONICA.** C'est une série de bols en verre, frottés (Europe, fin XVIIIᵉ-XIXᵉ s.). Issu des verres à boire dont le bord est frotté avec les doigts, le principe du futur *g.h.* aboutit à un instrument de musique vers le milieu du XVIIIᵉ s. : c'est vers 1761 que l'instrument fut inventé, par l'Américain Benjamin Franklin, dans sa première forme ; il reçut des perfectionnements jusqu'à la fin du XVIIIᵉ s. ; il est connu sous deux formes, à marteau et à clavier. C.M.-D.

**GLAUCOS de RHEGION.** C'est l'un des plus anciens musicographes grecs (v. 422 av. J.C.), auteur de l'ouvrage intitulé *Des anciens poètes et musiciens*, par lequel il nous renseigne sur les musiciens les plus anciennement connus : Orphée, Homère, Terpandre, Olympos, Clonas, Archiloque etc. et sur les débuts de la citharodie et de l'aulodie (VIIIᵉ-VIIᵉ s.) ; cet ouvrage fut utilisé par Héraclide

du Pont ds son recueil sur la musique, dont des fragments ont été reproduits par Plutarque dans son *De musica.* M.D.-P.

**GLAZOUNOV** (*Glasunov*) **Alexandre.** Compos. russe (St-Pétersbourg 10.8.1865–Paris 21.3.1936). Il descendait de la plus ancienne famille d'éditeurs russes, qui fut anoblie à titre héréditaire à l'occasion du centenaire des « Editions classiques *G.* » ; son père, qui continua l'activité de ses ancêtres, jouait du violon ; sa mère était une pianiste extrêmement douée. Il fut lui-même un enfant prodige : il commença le piano en 1873 et écrivit à l'âge de 11 ans ses premières compositions ; à 16 ans, il avait déjà terminé sa 1ʳᵉ symphonie *op.* 5 et son 1ᵉʳ quatuor à cordes *op.* 1 : la 1ʳᵉ audition de ces deux œuvres eut lieu en 1882, à St-Pétersbourg — celle de la 1ʳᵉ symph. le 29 mars sous la direction de Balakirev ; lorsque le public enthousiasmé réclama le compositeur, on vit s'avancer sur la scène, à la surprise générale, un lycéen. Rimsky-Korsakov, dans sa « *Chronique de ma vie* », écrit de cette journée qu'elle fut « véritablement une grande fête pour nous tous, les musiciens de la jeune école russe ». Rimsky-Korsakov dirigea la 2ᵉ exécution de cette symphonie, la même année 1882, lors de l'exposition pan-russe à Moscou : d'un seul coup, le jeune *G.*, qui n'avait pas encore atteint sa 16ᵉ année, acquit une réputation universelle comme symphoniste et comme compositeur de musique de chambre. Balakirev le célébrait comme « un petit Glinka », Borodine comme « un enfant béni des dieux », Stassov, le plus célèbre critique musical de son temps, comme « une force musicale de la nature » et l'appelle « un jeune Samson » : dans leur cercle, *G.* fut reçu comme un égal. Dans la littérature musicale, on l'a souvent désigné comme élève de Rimsky-Korsakov : en fait, il n'avait pris près de Rimsky que quelques brèves leçons d'harmonie, certains jours de congé (1880) ; il n'avait étudié que pendant quelques mois le contrepoint et l'étude des formes, et Rimsky-Korsakov l'a lui-même constaté : « Il lui suffit d'étudier quelque temps avec moi, pour devenir pour moi un jeune ami ». Financièrement indépendant, *G.* ne vécut, à partir de 1883, que pour sa musique ; en 1884, l'*Allgemeine Deutsche Musikverein* fit exécuter à Weimar, en présence du jeune *G.*, âgé alors de 19 ans, et de Franz Liszt, qui venait d'atteindre sa 73ᵉ année, la 1ʳᵉ symph. du compositeur ; Liszt fit cette prédiction : « Le monde entier parlera de ce compositeur ». Après avoir séjourné à Weimar et à Bayreuth, *G.* voyagea en Espagne et au Maroc espagnol avec le riche mélomane M.P. Belaiev, son admirateur : en 1884, Belaiev fonda les « Concerts de la musique russe » à St-Pétersbourg, pour faire exécuter les œuvres de *G.*, et, en 1885, les « Éditions Belaiev », à Leipzig, pour les publier : l'œuvre de *G.* fut le fonds de l'importante maison d'édition ainsi que de toutes les entreprises de Belaiev. Après l' « Ouverture sur trois thèmes grecs », *op.* 6, et le 2ᵉ quatuor à cordes, *op.* 10 (tous les deux de 1884), le compositeur, qui venait d'atteindre sa 20ᵉ année, écrivit en 1885 son *Stenka Razine*, poème symphonique pour grand orchestre, *op.* 13, devenu mondialement célèbre, et au sujet duquel Paul Dukas déclara : « *Stenka Razine apparaît comme une des meilleures productions de l'école russe, tant par la fraîcheur et l'agrément des idées que par l'originalité avec laquelle elles se combinent et l'éclat de l'instrumentation* ». Le groupe des compositeurs pétersbourgeois de l'époque vivait dans une étroite amitié : on se retrouvait au cours des réunions musicales chez Rimsky-Korsakov, chez Borodine, chez Stassov ; les vieux maîtres venaient également souvent chez *G.*, leur jeune confrère ; aux soirées du vendredi, chez Belaiev, soirées devenues célèbres, *G.* jouait de la musique de chambre qu'il composait souvent spécialement pour ces rencontres : c'est ainsi qu'il écrivit les 5 *Novelettes*, *op.* 15 (1886), suite pour les différents morceaux de laquelle il imagina des thèmes dans le style de nations et d'époques les plus diverses ; Borodine et Hans de Bülow apprécièrent particulièrement ce quatuor. De ces rencontres privées, naquirent les soirées musicales publiques du cercle Belaiev, dont *G.* était le centre. Dans la suite, *G.* put répondre au vœu de Borodine et collabora pendant 2 ans

# GLAREANI

# ΔΩΔΕΚΑΧΟΡΔΟΝ

| Plagij | Authentæ |
|---|---|
| A Hypodorius | D Dorius |
| Hypermixolydius Ptolemæi | |
| B Hypophrygius | E Phrygius |
| Hyperæolius Mar. Cap. | |
| C Hypolydius | F Lydius |
| | Hyperphrygius Mar. Cap. |
| D Hypomixolyd. | G Mixolydius |
| Hyperiastius uel Hyperionicus Mar. Cap. | Hyperlydius Mart. Cap. |
| E Hypoæolius | A Aeolius |
| Hyperdorius Mart. Capell. | |
| G Hypoionicus | C Ionicus Porphyrio |
| Hypoiastius Mart. Cap. | Iastius Apuleius & Mar. Cap. |
| ·F Hyperphrygius | ·B Hyperæolius |
| Hyperlydius Politia. sed est error | |

## BASILEÆ.

(1887–88) avec Rimsky-Korsakov, pour achever l'opéra *Le prince Igor*, que Borodine avait laissé, à sa mort en 1887, sous forme d'esquisses et de fragments désordonnés ; G. écrivit l'ouverture, le 3e acte, compléta de nombreuses parties qu'il orchestra : si *Le prince Igor* est devenu un des plus importants opéras russes, il le doit à cette aide musicale, grâce à laquelle il est devenu jouable. D'autre part, G. fit éditer la 2e symph. de Borodine, acheva et orchestra la 3e.

En 1889, commencèrent les rapports de G. avec la France, qui devaient s'étendre sur plusieurs dizaines d'années : chef d'orchestre depuis 1888, il dirigea à Paris, en 1889, à l'occasion de l'exposition universelle, au cours des premiers « Concerts russes », le 22 juin, *Stenka Râzine* et le 29 juin sa 2e symph., *op.* 16. Debussy, Massenet, Delibes, Messager, Fauré, l'orchestre Colonne et son chef Édouard Colonne étaient pleins d'admiration pour lui et le fêtèrent, ainsi que Rimsky-Korsakov, qui, grâce à ces deux concerts mémorables, au Trocadéro, avaient fait connaître pour la première fois la musique russe en Europe occidentale, et en avaient donné une impression durable. Les compositeurs français et la presse parisienne trouvaient avec raison G. « plus russe » que Tchaïkovsky, qui, de son côté, proclamait le génie de G. et s'employait à le faire connaître à Moscou, ainsi qu'en Europe occidentale, En 1892, G. reçut la commande d'une marche triomphale pour l'exposition universelle de Chicago ; en 1896, il dirigea pour la première fois quelques-unes de ses œuvres en Angleterre, où ses

symphonies sont restées jusqu'aujourd'hui très populaires. En même temps, il composait, avec une rapidité extraordinaire, d'autres œuvres symphoniques et de la musique de chambre de toute sorte. En 1897, il acheva son ballet en 3 actes *Raymonda*, *op.* 57, dont la première eut lieu à l'Opéra impérial de St-Pétersbourg, dans une chorégraphie de Marius Petipa, avec Pierinina Lagnani dans le rôle principal. En 1898, eurent lieu également à St-Pétersbourg les créations de deux ballets en un acte, « *Ruses d'amour* », *op.* 61, et « *Les saisons* », *op.* 67, en l'espace de 3 semaines (les 17 janvier 1900 et 7 février 1900, tous deux au Théâtre impérial de l'Ermitage, avec Anna Pavlova) : ces trois œuvres appartiennent depuis au répertoire international des ballets. En 1889, G., qui n'avait jamais lui-même fréquenté le conservatoire, fut nommé prof. de composition et d'instrumentation au cons. de St-Pétersbourg, la plus ancienne école supérieure de musique de Russie. Il jouait, outre le piano, du violoncelle, de la clarinette, du cor, du trombone et des instruments à percussion. En 1900, il prit la direction des « Concerts symphoniques russes » à St-Pétersbourg ; de 1903 à 1904, il composa son concerto de violon en *la*, *op.* 82 (l'œuvre fut créée le 17 février 1905 à St-Pétersbourg, sous la direction du compositeur, par Léopold Auer, auquel elle est dédiée). En 1903, Belaïev mourut, léguant l'ensemble de son immense fortune à ses fondations : il désigna par testament G., Rimsky-Korsakov et Liadov comme curateurs (administration de la maison d'édition, des Concerts symphoniques russes, du prix Glinka pour œuvres symphoniques, du concours de musique de

chambre, du fonds de soutien pour les musiciens russes). G. avait reçu 17 fois le prix Glinka, entre 1885 et 1903, et à chaque fois en avait fait une donation : désormais, il y renonça pour toujours ; en 1908, il devint président du conseil de curatelle des fondations Belaïev, et le demeura jusqu'à sa mort.

En 1905, les professeurs « d'avant-garde », Rimsky-Korsakov en tête, proclamèrent l'indépendance du conservatoire de St-Pétersbourg, et leur premier acte d'autonomie fut d'élire G. à l'unanimité, au cours de leur première séance, comme directeur, fonction qu'il assuma pendant toute sa vie ; la même année 1905, année de sa 8e symph., *op.* 83, le compositeur, âgé alors de 40 ans, fut nommé membre du directoire de la Société impériale russe de musique, à laquelle était subordonné l'ensemble des écoles musicales de Russie : peu après il en devint président ; il remplit ces deux fonctions, ainsi que celle de président du jury du concours international Rubinstein et de nombreuses autres charges honorifiques, en leur sacrifiant beaucoup de son temps et de ses forces. La valeur de ses travaux de compositeur, l'ampleur de son activité de pédagogue et d'administrateur fit de lui la personnalité la plus marquante de son temps dans la vie musicale russe. Avec un parfait désintéressement, il consacrait ses appointements à la fondation de bourses ; au conservatoire, il créa l'orchestre des étudiants et un studio d'opéra. Dimitri Tiomkine disait de lui : « *Plus que tous ses confrères musiciens, il fut aimé en Russie, de ses étudiants et du grand public: je dirai même qu'il en fut idolâtré* ».

Au cours de la première « saison russe » de Paris, que Diaghilev organisa en mai 1907 à l'Opéra, sous la forme de 5 concerts avec l'orchestre Lamoureux, G. dirigea ses propres œuvres ; la même année, il reçut le titre de docteur *honoris causa* des universités d'Oxford et de Cambridge ; en 1908, eut lieu à St-Pétersbourg la 1re représentation du ballet *Chopiniana*, avec sa suite d'orchestre *op.* 46, dans une chorégraphie extrêmement colorée de Michel Fokine : sur sa proposition, G. y ajouta également une valse de Chopin orchestrée par lui (en *ut dièse* mineur, transposée en *ré* mineur). Fokine présenta ce ballet dans une nouvelle version chorégraphique, sans argument, au cours de la « saison russe » de 1909 au théâtre du Châtelet, sous le titre *Les sylphides*, avec Anna Pavlova, T. Karsavina, M. Baldina et Nijinsky : sa poésie singulière a fait de ce ballet un des plus joués du monde. La contribution de G. à la « saison russe » de Paris en 1910 fut son *Carnaval*, arrangé et orchestré d'après Schumann, dans une chorégraphie de Fokine, avec Nijinsky, T. Karsavina, B. Nijinskaya, à l'Opéra.

En 1910, G. écrivit son 1er concerto de piano, en *fa*, *op.* 92, suivi en 1916 du 2e concerto, en *si*, *op.* 100. En 1910, il écrivit aussi « *Introduction et danse de Salomé* », d'après le drame d'Oscar Wilde (créée par Ida Rubinstein). La musique de scène pour « *Le roi des Juifs* » (chœur et orch., *op.* 95), créé le 9 janvier 1914 à St-Pétersbourg au Théâtre impérial de l'Ermitage (chorégraphie de Fokine) et la musique pour le drame « *Le bal masqué* » de Lermontov, *op.* 102 (créé le 28 février 1916 au Théâtre Alexandrinsky de St-Pétersbourg, mise en scène de

Meyerhold) furent les dernières œuvres qu'il composa pour la scène.

En 1928, G., en tant que représentant de la musique russe, fit partie du jury international du concours de composition organisé à Vienne à l'occasion du centenaire de la mort de Schubert. La même année, il vint résider à Paris, avec sa femme et sa fille : de là il entreprit des tournées, de 1929 à 1931, avec sa fille Elena, tournées au cours desquelles il dirigea de ses propres œuvres (1929 : Paris, Espagne, Portugal et États-Unis ; 1930 : Pologne et Tchécoslovaquie ; 1931 : Hollande et Angleterre). Son activité professorale, la guerre mondiale, la révolution, les tournées limitèrent naturellement sa création personnelle, mais il serait injuste d'affirmer que son génie créateur soit devenu par la suite moins fécond : toutes ses œuvres pour instruments solo et orchestre et de nombreuses œuvres symph. et de mus. de chambre datent de la seconde moitié de sa vie. G. écrivit en 1929, en France, son *Elégie* pour quatuor à cordes, *op.* 105, en 1930, son 7e quatuor à cordes, *op.* 107 (à Antibes), en 1931, son *Concerto-Ballata* pour vcelle et orch., *op.* 108 (dans le Jura, où Prokofiev lui rendit visite), en 1932, son quatuor pour saxophones, *op.* 109, dédié « aux artistes des saxophones de la Garde républicaine », en 1933, le concerto pour saxophone et orch. à cordes et le *Poème épique* pour grand orch. (réplique de son « *Poème lyrique* » de 1882, que Tchaïkovsky aimait tant) : il est dédié à l'Académie des beaux-arts de Paris, et G. y nota de sa propre main : « Les premières six notes du premier thème figurent le mot « académie » : A. C. A. D. MI. E. ». En 1934, G. ajouta à ses importantes œuvres pour orgue sa dernière composition pour cet instrument *Fantaisie* pour orgue, dédiée à Marcel Dupré.

G. fut membre des académies de Paris, Bruxelles, Berlin, Rome, Budapest etc., membre d'honneur de nombreux conservatoires, chevalier de la légion d'honneur (1916) ; à l'Académie des beaux-arts de Paris, aux séances de laquelle il assista assidûment, Widor, en tant que secrétaire perpétuel, le célébra comme « un des plus grands musiciens du siècle ». Le 21 mars 1936, G. devait présider un festival G. donné par l'orchestre Lamoureux : il mourut ce jour-là, et le chef d'orchestre Eugène Bigot ne put qu'annoncer sa mort au public bouleversé. G. repose au nouveau cimetière de Neuilly. Sa femme et sa fille prennent soin des *Archives G.* à Paris. La plupart de ses mss se trouvent aux *Archives G.* de la bibliothèque

d'État de Léningrad. La salle de concerts du conservatoire de cette ville, ainsi qu'une école de musique à Moscou, portent son nom. Le quatuor G., ainsi nommé dès le vivant du compositeur, existe toujours en Russie. G. fut un des compositeurs les plus précoces et les plus accomplis (dans la forme) de l'histoire de la musique, d'une puissance de création qui ne se démentit pas jusqu'à la fin de sa vie ; il aborda tous les genres. G. fut un musicien-né, d'une rare originalité. « *G. est une force de la nature, possède un génie propre, qui ne doit rien à personne. Il est même curieux de voir jusqu'à quel point il s'est écarté de Rimsky-Korsakov : point de nationalisme spectaculaire, mais un caractère russe en profondeur*

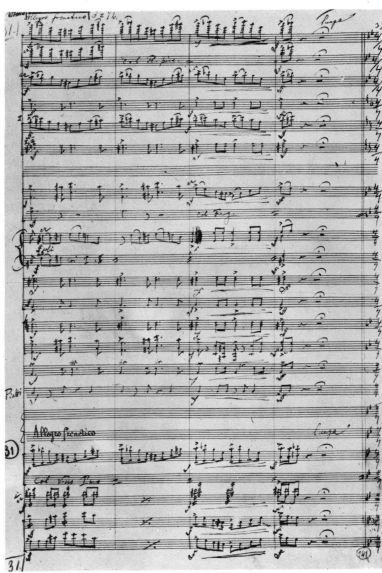

*Poème épique (ms. autographe, 1933).*

*(une âme, un sentiment russe et non pas de constantes références au folklore)... La pure symphonie, un domaine où il s'avère un architecte remarquable, digne continuateur de Beethoven, plus objectif, plus net, plus conséquent et plus entier qu'un Tchaïkovsky.* » (R. Hofmann, *Musique en Russie*, Paris 1956). Ses œuvres symph., d'une grande

*Tableau d'I. Repin (1890).*

diversité, sont remarquables par leur architecture monumentale, leur esprit polyphonique, qui demeure transparent à travers toutes les constructions, et par la richesse colorée de leur orchestration, qui est une des qualités principales de *G.*; déjà ses premiers critiques français avaient admiré son art de l'orchestration : « *Il possède une merveilleuse clarté, une logique, une force et un éclat souvent éblouissant. G. a une incomparable sûreté de main* » (A. Bruneau). Maître du contrepoint, *G.* réunit sous une forme originale une substance purement russe, avec la plus fine culture musicale européenne. Ses musiques de ballet elles-mêmes sont, dans leur dessin et dans leur écriture, plus symphoniques et plus profondes que de coutume, dans de telles compositions. De ses poèmes symphoniques, de ses fantaisies, de ses ouvertures, il convient de citer, en dehors de *Stenka Razine*, « *La mer* » (*op.* 28, 1889), « *Le Kremlin* », *op.* 30 (1890), *Ouverture solennelle*, *op.* 73 (1900), et, parmi ses suites, « *Moyen-âge* », *op.* 79 (1902). Avec toute sa richesse sonore, *G.* est un musicien si subtil que ses plus petites œuvres ont la même perfection formelle que les grandes. Son concerto de violon, *op.* 82, appartient à la littérature universelle, avec sa *structure symphonique* parfaite et la virtuosité de la partie de violon : presque tous les grands violonistes du monde l'ont inscrit à leur répertoire ; David Oïstrakh et Nathan Milstein ont commencé leur carrière avec cette œuvre, sous la direction du compositeur. Les deux concertos de piano sont beaucoup moins connus, chose inexplicable : tous deux sont écrits dans un grand style concertant, le 1er, avec ses variations d'une grande richesse d'inspiration, le 2e, avec une extrême variété dans l'élaboration du thème. Tous ces concertos sont admirablement adaptés à l'instrument auquel ils sont destinés.

On a souvent appelé *G.* « le Brahms russe », bien qu'il ait plus d'invention harmonique que Brahms : cette qualification ne vaut que dans la mesure où *G.*, comme

Brahms, a une égale importance comme symphoniste et comme compositeur de musique de chambre. La critique française a aussi reconnu, de très bonne heure, le rang occupé par *G.* dans ce domaine : Soubies, dès 1898, parle dans sa *Musique russe* de la « *production volumineuse* (de *G.*), *où débordent la verve, le tempérament et le talent* », et il fait l'éloge de ses *Cinq novelettes pour quatuor d'archets*, *op.* 15 (1886), d' « *une rare distinction de formes* ». Mais ce jugement ne vaut pas seulement pour les œuvres de jeunesse : quarante ans plus tard, Adolphe Boschot, dans son article nécrologique consacré à *G.*, écrit à propos de son 7e quatuor à cordes, *op.* 107 (1930) : « *Un quatuor pour cordes, qui date de ses dernières années, montre de même le persistant talent d'un musicien qui sait construire une œuvre, l'écrire avec aisance et clarté, et qui emploie les instruments de façon à en obtenir le plus riche rendement de belles sonorités. Dans ce quatuor, l'apport de la sensibilité et de la rêverie russes était uni à la haute tradition d'expression musicale, qui se rattache au Beethoven de la seconde manière et à Schumann.* » Son *quatuor slave*, *op.* 26, où se trouve intégré avec beaucoup d'art l'esprit oriental de la musique russe, est particulièrement connu. Dans le domaine de l'orgue, *G.* est le compositeur le plus éminent de la jeune école d'orgue russe, par la construction savante de ses fugues et doubles-fugues. Par sa musique de piano, pleine d'audacieuses et surprenantes trouvailles harmoniques, il appartient au petit nombre des compositeurs russes d'envergure (4 *préludes et fugues*, *op.* 101, 1918 ; *Prélude et fugue*, *op.* 62, 1898 ; 2e *sonate*, *op.* 75, 1901 ; *Idylle*, *op.* 103, 1926).

*G.* se situe entre le « groupe des cinq » et ses successeurs et élèves : déjà son métier, sa précision le distinguent des « cinq » qui, dans l'ensemble, étaient des amateurs ; sans dépendre d'eux, il s'est rallié à leur tradition, mais il les a laissés derrière lui par le caractère personnel de son art, en avance sur son temps. Il a donné à la symphonie une structure thématique plus solide que celle de ses prédécesseurs de l'école de St-Pétersbourg. En plus des harmonies hardies de ses œuvres de jeunesse jusqu'au chromatisme de la 8e symph. et à l'introduction du saxophone dans les œuvres de sa maturité, avec une inépuisable fraîcheur d'inspiration, il a trouvé jusqu'à la fin de sa vie des effets sonores toujours nouveaux, modernes dans le meilleur sens du terme. Ses ballets représentent également un progrès, car ils lient organiquement la ballerine et l'argument. L'ensemble de son œuvre, aussi bien dans ses motifs que dans son rythme, unit les composantes caractéristiques russes avec l'invention mélodique et une rigueur pleine de force dans le développement ; G. se domine constamment : son œuvre est apollinienne, mais jamais plate, passionnée, mais jamais hystérique ; sa profondeur et son étendue, son équilibre et sa maîtrise de soi, sa personnalité et son œuvre qui est celle d'un maître en font un classique parmi les compositeurs russes.

L'influence de G. a été grande : Stravinsky a reconnu, dans ses *Chroniques de ma vie* (Paris 1935), que jadis *« G. régnait comme un maître absolu dans la science symphonique. Chacune de ses nouvelles production était accueillie comme un événement musical de premier ordre, tant on appréciait la perfection de sa forme, la pureté de son contrepoint, l'aisance et la sûreté de son écriture. Je partageai alors entièrement cette admiration... et pris surtout ses symphonies comme modèles pour la mienne. »* Beaucoup de vieux et de jeunes confrères eurent recours à l'aide de G. : Rachmaninov, pour l'orchestration de sa *Rhapsodie* pour piano et orchestre, Tanéiev, pour l'instrumentation de son opéra *Oreste* ; Rimsky-Korsakov luimême lui demanda un *intermezzo* pour son opéra *Mlada* et composa, en 1907, pour le 25e anniversaire des débuts de G. dans la carrière de compositeur, un *Toast symphonique à G.* Plus essentielle encore fut l'influence indiscutable de G. sur Scriabine, N.N. Tcherepnine, Prokofiev, Miaskovsky et Chostakovitch, qu'il découvrit et à qui il accorda une bourse à titre personnel, pour la durée de ses études au conservatoire de St-Pétersbourg ; il le conseilla à ses débuts, comme il avait fait pour Prokofiev. Dans la Russie d'aujourd'hui, G. continue à jouir de la plus grande popularité : ses œuvres symphoniques et ses ballets sont toujours inscrits au répertoire, et chacune de ses œuvres, a dépassé le tirage d'un million de disques. Dans le reste du monde, 25 ans après sa mort, la statistique des représentations de ses œuvres est constamment en progrès, fait extrêmement rare.

**Œuvres** : mus. symph. : *symphonies* no 1 en *mi majeur* (1881–84), no 2 en *fa dièse* mineur (1886), no 3 en *ré majeur* (1890), no 4 en *mi bémol* majeur (1892), no 5 en *si bémol* majeur (1895), no 6 en *ut* mineur (1896), no 7 en *fa* majeur (1902), no 8 en *mi bémol* majeur (1905) ; poèmes symph. : *Stenka Razine* (1885), « *Le Kremlin* » (1890), « *Le printemps* » (1891), « *Légende carélienne* » (1915) ; ouvertures : « *Ire Ouverture sur trois thèmes grecs* » (1881–84), « *2e Ouverture sur trois thèmes grecs* » (1882), *Carnaval* (gd orch. et orgue, 1895), « *Ouverture solennelle* » (1900), « *Le chant du destin* » (1907) ; suites : *Suite caractéristique* (1881–85), *Chopiniana* (1893), « *Scènes de ballet* » (1894), « *Suite de Raymonda* » (1898), « *Au moyen-âge* » (1902), « *Petite suite de ballet* » (ms) ; fantaisies : « *La forêt* » (1887), « *La mer* » (1889), *Fantaisie* (1894), « *Fantaisie finnoise* » (1909) ; pièces symph. : *Sérénade* (1883), « *A la mémoire d'un héros* » (élégie, 1885), « *Poème lyrique* » (1882–87), 2 pièces d'orch. (*Idylle* et « *Rêverie romantique* », 1886), *Mazurka* (1888), « *Marche nuptiale* » (1888), « *Fête slave* » (id.), « *Rhapsodie orientale* » (1889), « *Marche triomphale* » (gd orch. et chœur, 1892), « *Valse de concert* » op. 47 (1893), « *2e Valse de concert* » (1894), *Cortège solennel* (1895), « *Valse lente* » (ms., 1901), *Intermezzo romantico* (id.), « *Marche sur un thème russe* » (id.), *Ballade* (1902), *Pas de caractère* (id.), « *Scène de danse* » (1904), « *Chant des bateliers* » (1905), 2 *Préludes* (1906, 1908), « *A la mémoire de Gogol* » (prologue symph., 1909), « *Esquisses finnoises* » (1912), *Poème épique* (ms., 1933) ; ballets : *Raymonda* (L. Pachkoff et M. Petipa, 3 actes, janv. 1898, Théâtre Marie de St-Pétersbourg, 1897–98), *Ruses d'amour* (1 acte, M. Petipa, ibid. 1898), « *Les saisons* » (1 acte, M. Petipa, 1900 ibid.) ; œuvres théâtrales : « *Introduction et danse de Salomé* » (d'après Oscar Wilde, 1910), « *Le roi des Juifs* » (mus. de scène pour le drame en 4 actes et 5 tableaux, Théâtre impérial de l'Ermitage, St-Pétersbourg 1914), musique grecque (Lermontov, ms., 1916) ; pièces pour petit orch. : *2e Sérénade* (1884) ; *Concertos* et pièces pour instr. solistes avec orch. : concerto de violon en *la* mineur (1903), concertos de piano en *fa* mineur (1910) et en *si b.* maj. (1916), *Concerto-Ballata* pour vcelle en *ut* majeur (1931), concerto pour saxophone-alto et orch. à cordes (Paris, 1935), 2 pièces pour vcelle et orch. (*Mélodie* et « *Sérénade espagnole* », 1888), *Méditation* pour viol. et orch. (1890), « *Rêverie* » pour cor et

orch. (id.), *Chant du Ménestrel* pour vcelle et orch. (1900), *Oberek* (mazurka) pour viol. et orch. (ms) ; mus. instr. : *Elégie* pour vcelle et piano (1887), *Elégie* pour alto et piano (1893), « *Mélodie arabe* » pour viol. et piano ; vcelle et piano, « *2 Etudes de Chopin* » (vcelle et piano), « *Prélude et fugue* » en *ré* mineur (orgue, 1898), « *Prélude et fugue* » en *gd* majeur, 1912), 2e « *Prélude et fugue* » en *ré* mineur (1916), « *Prélude et fugue* » en *mi* mineur (orgue, 1927), *Fantaisie* pour orgue (ms., 1934), « *Fanfares* » (av. Liadov, 1890), « *Fantaisie russe* » (pour orch. de balalaïkas, 1906) ; mus. de chambre : quintette en *la* mineur (1892), quatuors no 1 en *fa* mineur (1882), no 2 (*fa* maj.) (1884), 5 *Novelettes* pour quatuor à cordes (*Alla espagnola, Orientale, Interludium in modo antico, Valse, All'ungherese*, 1886), *Quatuor slave* en *ut* mineur (*Moderato, interludium, alla Mazurka*, finale : « *Une fête slave* », 1888), *Suite* en *ut* majeur (1887), 4e quatuor à cordes en *la* majeur (1894) et en *ré* mineur (1899), 2 pièces (« *Prélude et fugue, Courante*, 1902), 6e quatuor à cordes en *si b* majeur (1921), *Elégie* (pour quatuor à cordes, 1929), 7e quatuor à cordes en *ut* majeur (1930), « *Quatuor sur le nom de B-LA-E-F* » (avec Rimsky-Korsakov, Liadov et Borodine, 1886), *Les chanteurs de Noël* (dans « *Jour de fête* », av. Liadov et Rimsky-Korsakov, 1888), ds *Les vendredis*, 1er cahier, no 1 : *Prélude et fugue* en *ré* mineur, 2e cahier, no 6, *Courante* en *sol* majeur (1898) : ds « *Variations sur un thème russe* » (av. Scriabine, Rimsky-Korsakov, Liadov etc.), no 3 (1898) ; quatuor pour cuivres : *In modo religioso* (trompette en *si*, cor en *fa*, trombone-ténor, trombone-basse, 1886), quatuor pour saxophones (1933) : mus. de piano : « *Suite sur le thème S.a.s.ch.a* » (1883), *Miniature* (1883), *Barcarolle* (sur les touches noires, 1887), *Prélude* et *2 Mazurkas* (1888), *Nocturne* (1889), *3 Etudes* (*ut* maj., *mi* mineur, *mi* majeur « *La nuit* », 1889–91), 2 pièces (*Barcarolle, Novelette*, 1890), « *Valse sur le thème S-a-b-e-l-A* » (1890), « *Grande valse de concert* » (1891), *3 Miniatures* (*Pastorale, Polka, Valse*, 1893), « *Valse de salon* » (id.), « *Ire Valse de concert* » op. 47 (transcr. de F. Blumenfeld, id.), « *3 Pièces* » (*Prélude, Caprice-Impromptu, Gavotte*, 1894), 2 *Impromptus* (*ré bémol* majeur, *la bémol* majeur, 1895), *Pizzicato* de *Raymonda* (arrangt d'A. Siloti), « *Prélude et fugue* » (1898), « *Thème et variations* » (1901), *Ire sonate* (id.), 2e *sonate* (1902), *1er Prélude-Improvisation* (ms., 1917), *2e Prélude-Improvisations* (ms., 1918), *Fantaisie* pour *2 pianos* (1920), *4* « *Préludes et fugues* » (*la* mineur, *ut* dièse mineur, *ut* mineur, *ut* majeur, 1923), *Idylle* (1926) ; mus. vocale, chœur et orch., chœur mixte : « *Marche triomphale* » pour l'exposition universelle de Chicago 1892 (1893), « *Cantate du couronnement* » (1895), « *Cantate solennelle pour le centenaire de Pouchkine* » (1899), « *Cantate pour le 50e anniversaire du cons. de St-Pétersbourg* » (ms.), « *Chant des bateliers de la Volga* » (1905) ; chœur de femmes : « *Cantate solennelle* » (avec solo et 2 pianos — 1re m., 1898), « *Hymne à Pouchkine* » (avec piano, 1899) ; chœurs *a cappella* (chœur mixte) : *Liebe* (Schukowsky, 1912) ; duo avec piano : *Chants sans bornes* (Severtsky, 1903) ; pièces voc. avec orch. : 5 *Lieder* (*Romance, Le Rossignol, Lorsque je vois tes yeux, Chanson espagnole, Mélodie arabe*, 1883), « *6 Mélodies* » pour voix moyenne (*Pouchkine, Pétrarque, Korinfsky, Maïkoff*, 1897), « *Romance de Nina* » (Lermontov, 1916), *Romance* (Pouchkine), « *Mélodie russe* », *Tannhäusers Busslied* (XIIIe s., ms).

**Bibl.** : A.V. Ossovsky, *A.K.G.*, St-Pétersbourg 1907 ; V. Belaiev, *G.* (2 vol.), *ibid.* 1922 ; V. Derjanovsky, *A.K.G.*, Moscou *id.* ; I. Glebov, *G.*, Ed. Svetosar, 1924 ; N.P. Malkov, « *La 6e symph. de G.* », Leningrad 1941 ; G. Feodorov, *A.K.G.*, Moscou 1947 ; V. Vanslov, « *La création symph. de G.* », *ibid.* 1950 ; E. Dobrinine, « *La 5e symph. de G.* », *ibid.* 1953 ; A.K.G., « *Lettres, articles, souvenirs* », 2 vol., Moscou 1958.                                                                          H.G.

**GLEBOV Igor.** Voir art. *Assafiev.*

**GLEE.** C'est un terme anglais (dérivé de l'anglo-saxon *gligge* : musique), qui désigne au XVIIIe s. et au début du XIXe une certaine forme de compositions *a cappella* ; le g., très répandu en Angleterre, était une pièce à 2 ou 3 voix d'hommes, d'un genre facile et harmoniquement très peu recherché, sur des sujets gais (*cheerful g.*) ou sérieux (*serious g.*) ; le g. se caractérisait par de courtes phrases perpétuellement hachées de cadences parfaites ; l'origine du g., quoiqu'incertaine, peut être recherchée dans le madrigal, qu'il a complètement vidé de sa substance polyphonique. Les plus célèbres compositeurs de g. furent Benjamin Cooke (1734–1793), Samuel Webbe (1740–1816) : *Glorious Apollo*. Le « *Ye spotted snakes* » de Richard Stevens (1757–1837) passe pour un modèle de g. pour la perfection de sa construction ; à la fin du XVIIIe s., de nombreuses sociétés d'amateurs se consacrèrent à l'exécution de g. : « *Noblemen's and gentlemen's catch club* », « *The g. club* » etc.                          G.A.

**GLEISSNER Franz.** Compos. allem. (Neustadt a.d. Waldnab 1759 ou 60–Munich 18.9.1818), qui était v. 1795 au service de la chapelle de la cour de Bavière ; il composa de la mus. de chambre, symph., d'église, de théâtre ; mais c'est surtout comme imprimeur qu'il est resté dans l'histoire : il fonda à Munich en 1796, comme associé d'A. Senefelder, l'inventeur de la lithographie, une firme d'imprimerie musicale. Voir C. Wagner, *A. Senefelder*, Leipzig 1914 ; R. Schaal in MGG.

**GLENCK Hermann von.** Compos. suisse (Zurich 5.1.1883–Thun 2.3.1952), élève du cons. de Berlin, chef de chœur à Weimar, à Metz, chef d'orch. au théâtre de Stuttgart, auteur de 2 concertos, d'1 opéra, de mus. symph., de chambre, de mélodies.

**GLETLE Johann Melchior.** Mus. suisse (Bremgarten ... 7.1626-Augsbourg 6.9.1683). On sait peu de chose de lui, sinon qu'il fut maître de chapelle à la cath. d'Augsbourg et publia *Expeditionis musicae classis I* (36 motets, Augsbourg 1667), *II* (39 *psalmi breves*, *ibid.* 1668), *III* (8 *missae concertatae*, *ibid.* 1670), *IV* (36 motets à 1 v., *ibid.* 1677), *V* (31 litanies, *ibid.* 1681), *Musica genialis latino-germanica* (des concerts, 1-5 v., 2 sonates, 36 pièces pour trompette), *Id. II* (*ibid.* 1684) ; H.J. Moser l'identifie avec *J.M. de Glesle* (*cf.* ms. 2490 Strasbourg). Voir H.J. Moser, *Corydon...*, Brunswick 1933 ; A. Geering, ds *Schw. Musikbuch*, I, 1939 ; W. Vogt, *Die Messe...*, Schwarzenbourg 1940 ; H.P. Schanzlin, *J.M.G. Motetten*, Berne 1954 ; E. Refardt in MGG.

**GLICIBARIFONO.** C'est un instrument européen, une clarinette basse, inventée en 1835 à Bologne par Catterini.
M.A.

**GLIÈRE Reinhold Morecevitch.** Compos. russe (Kiev 12.1.1875-Moscou 23.6.1956). Son père était fabricant d'instruments à vent ; G. joue très jeune du violon et à 14 ans écrit un quatuor à cordes ; il commence ses études musicales à l'école de mus. de Kiev et les termine au cons. de Moscou : entré en 1894, il en sort en 1900, après avoir suivi les cours de Sokolovski (viol.), de Serge Taneiev (contrepoint), d'Arenski et de Konius (harmonie), d'Ippolitov-Ivanov (compos. et orchestration) ; ses premières œuvres datent de 1900, précisément : ce sont des œuvres de musique de chambre, ainsi qu'une *Symphonie nᵒ 1* ; c'est alors qu'il a pour élève le jeune Prokofiev ; de 1905 à 1907, *G.* séjourne à Berlin, où il étudie la direction d'orch. avec Oskar Fried et commence à se faire connaître comme compos. ; en 1908, son poème symph. *Les sirènes* (*op.* 33) est écrit dans un langage qui s'apparente à la fois à celui de Liszt et à celui des impressionnistes français ; en revanche, sa *Symphonie nᵒ 3* (1909–1911), dite « *Ilya Murometz* », est une grande œuvre au souffle épique, l'une de ses pages les plus connues ; de 1913 à 1920, *G.* est prof. et, dès 1914, directeur du cons. de Kiev ; en 1920, il est nommé prof. de composition au cons. de Moscou : il y enseignera jusqu'en 1941 ; c'est là qu'il forme plusieurs générations de compos., parmi lesquels figurent Miaskovski, Prokofiev, Liatochinski, Davidenko, Novikov et Rakov ; la production de *G.* va être désormais orientée à la fois vers des buts pédagogiques (c'est ainsi qu'il écrit de très nombreuses pièces pour piano à 2 et 4 mains) et vers la mus. de scène, pour satisfaire aux nouvelles orientations musicales de l'U.R.S.S. ; en 1924, il écrit l'opéra *Chakh-Senem* d'après la légende azerbaïdjanaise, du XVIᵉ s., sur les amours du barde achug Kerib et de la belle Chakh-Senem : cet opéra sera remanié en 1934 et créé à Bakou le 4 mai de la même année ; en 1924 également paraît sa « *Marche de l'armée rouge* » pour musique d'harmonie ; le 14 juin 1927 est présenté « *Le pavot rouge* » (remanié en 1949), l'un des premiers ballets soviétiques à sujet révolutionnaire, qui fut consacré par un succès populaire ; *G.* continue cependant à écrire des œuvres de mus. de chambre (quatuors, sextuors, octuors à cordes), des mélodies, et aussi des mus. de film ; en 1936, paraît l'opéra *Gul-Sara* écrit sur des thèmes populaires ouzbèques, et, en 1940, « *Leile et Medjnun* », opéra écrit en collab. avec le compos. ouzbèque T. Sadykov — cette activité fut d'une grande importance dans l'évolution de la mus. et des jeunes compos. classiques d'Ouzbékistan ; en 1938 est publié son intéressant *Concerto pour harpe*, l'un des rares concertos écrits en U.R.S.S. pour cet instrument ; en 1943, *G.* écrit un curieux concerto pour *colorature et orchestre* où la voix, toute en vocalises, est traitée en

instrument soliste : cette œuvre fut couronnée par un prix Staline en 1946 ; les événements de l'année 1944 lui inspirent une ouverture symph. « *Victoire* » ; en 1949 paraît un nouveau ballet, « *Le cavalier de bronze* », d'après Pouchkine : comme on le voit, les œuvres de *G.* sont le plus souvent en rapport avec les préoccupations de son pays, tant sociales que culturelles ; sa mus. s'inscrit dans la tradition des grands maîtres classiques russes : langage clair, souffle romantique, mélodie expressive, orchestration colorée.
V.F.

**GLINGBU.** C'est une triple flûte, instrument pastoral (Tibet).
M.A.

**GLINKA Michaïl Ivanovitch.** Compos. russe (1.6.1804–15.2.1857). La famille de *G.*, qui appartenait à la noblesse de la région de Smolensk, est de souche polonaise, mais déjà un de ses ancêtres s'était converti à l'orthodoxie grecque. Le père du compositeur était un capitaine en retraite qui s'occupait de ses terres à Novospasskoïe, où est né *G.* (cette propriété fut envahie par les armées de Napoléon et complètement détruite pendant la dernière guerre mondiale) ; il était marié à l'une de ses parentes éloignée, Eugénie (Glinka, elle aussi), dont il eut 10 enfants. Le fils aîné étant mort en bas âge, ce fut Michel *G.* qui eut les prérogatives de l'aînesse. Après sa naissance, *G.* fut confié à sa grand-mère paternelle, qui lui infligea, durant plusieurs années, un régime de vie douillet et malsain, ce qui lui fit dire plus tard que c'est cette enfance qui avait altéré sa santé pour toute sa vie, contribué à lui donner son caractère craintif et mou ; d'ailleurs il se nommait souvent lui-même « le mimosa » et c'est ainsi qu'il s'amusait à signer certaines de ses lettres. Sa maladie (héréditaire ?) n'a pas été bien définie ; il fut malade toute sa vie, et l'on est pris de stupeur à lire les détails de tous les traitements qu'on lui fit subir. Toute sa famille était éprise de musique, particulièrement un de ses oncles, qui avait son orchestre privé, composé de serfs, et c'est en l'écoutant que *G.*, vers sa 11ᵉ année, eut la révélation de ses dons musicaux. Le répertoire comprenait les ouvertures de Méhul, de Boïeldieu, de Cherubini, de Mozart, de Beethoven, les symphonies de Haydn, les sonates de Steibelt, les pièces de Gyrowetz... et des chansons russes arrangées la plupart du temps pour des instruments à vent. En 1817, *G.* fut conduit à St-Pétersbourg et mis dans une institution réservée aux enfants nobles. Les professeurs et les surveillants étaient, selon l'usage de cette époque, des Allemands, des Français, des Anglais, des Piémontais, des Polonais, d'une culture médiocre, mais il y avait parmi eux W. Kuchelbeker, qui devait devenir un des conspirateurs importants de l'émeute des « décembristes » (1825). *G.* commença à travailler le piano avec le célèbre pianiste John Field (1782–1837) ; bien que ces leçons n'aient pas duré longtemps, le jeu de Field eut sur lui une influence durable : il le préféra même au jeu de Liszt. *G.* travailla le violon et l'harmonie avec les professeurs allemands Zeuner et Karl Mayer (1779–1862). Le théâtre, les ballets l'enthousiasmaient ; bien que la musique italienne fût en pleine vogue, quelques chanteurs russes se distinguaient déjà. D'après les mémoires d'un de ses amis, à cette époque, *G.* était un jeune homme de petite taille, plutôt bien fait ; ses mouvements parfois brusques et convulsifs surprenaient les gens ; sa voix était vibrante et sonore (une vraie voix de ténor) ; il avait le teint mat, basané, des yeux clignotants ; il jouait magnifiquement du piano, improvisait avec une facilité sans égale ; de l'entendre chanter sa musique était un plaisir sans pareil ; la poésie sentimentale lui faisait verser des larmes... De 1824 à 1828, il fut fonctionnaire à la chancellerie des Ponts et chaussées. En 1826, *G.* eut l'idée de composer un opéra sur un sujet de Walter Scott (*Mathilda Rokeby*). Le style de ses premiers essais de composition (1820–25) se rattache à la musique de salon de l'époque, à laquelle il participait avec passion, en chantant, accompagnant, jouant du piano et du violon, faisant du théâtre : c'étaient des mélodies d'un genre sentimental (souvent d'un « romantisme de cimetière »), dont certaines restèrent célèbres, et des pièces de musique de chambre, la plupart restées inachevées, dans lesquelles le piano et la harpe dominaient. Il composa des variations (sur un thème de

Mozart, sur ses propres thèmes), un quatuor dans le style de Haydn (1830), une sonate pour alto et piano, des pièces à 4 voix, avec accompagnement de deux violons, un septuor pour hautbois, basson, cor, 2 violons, violoncelle et contrebasse, des variations pour piano sur une mélodie à la mode, *Benedetta sia la Madre* (1827), revues par K. Mayer (première œuvre de *G.* qui ait été éditée), une cantate (*Prologue*), dédiée à la mémoire d'Alexandre I$^{er}$ et à l'avènement de son successeur, Nicolas I$^{er}$, pour chœur, piano et contrebasse (!), qui fut exécutée à Smolensk (1826)... ; plus tard, après le voyage en Italie, le sextuor pour piano et cordes (1832), le *Capriccio* pour piano à quatre mains sur des thèmes russes (1834), le *Trio pathétique*, pour piano, clarinette et basson (1833) etc.

En avril 1830, *G.* quitte Novospasskoïe pour l'Italie et l'Allemagne, accompagné d'un chanteur, Ivanov, qui va perfectionner sa technique vocale. A Aix-la-Chapelle, il assiste aux représentations de *Fidelio*, du *Freischütz* et du *Faust* de Spohr ; à Francfort, il entend la *Médée* de Cherubini, à Milan, la *Norma*, la *Sonnambula*, *Beatrice di Tenda* de Bellini, *Anna Bolena*, *Gianni di Calais* de Donizetti, la *Sémiramis*, le *Turco in Italia* de Rossini, *Roméo et Juliette* de Zingarelli, *Il crociato* de Meyerbeer. *G.* est d'abord ébloui par ces musiques : il fait connaissance de Bellini, de Donizetti, rencontre Mendelssohn, fait maints arrangements des airs d'opéra, compose des variations et des pots-pourris, use de toute son affabilité envers le milieu théâtral et musical ; il prend des leçons de chant, il accompagne lui-même, dédie ses pièces à droite et à gauche, dont quelques-unes sont éditées par Ricordi ; il fréquente les grands chanteurs Rubini, Tamburini, Galli etc. Mais la nostalgie de son pays le fait changer d'avis, il trouve peu à peu que le « *sentimento brillante* » italien diffère de la psychologie musicale russe ; le pressentiment d'une mission historique prend à ce moment naissance en lui.

Sur le chemin du retour, il écoute à Vienne les orchestres de Lanner et de Strauss et fait, pour la première fois, un séjour de 5 mois à Berlin auprès du prof. Siegfried Dehn, théoricien, collaborateur d'une revue musicale à Leipzig et directeur de la section musicale de la bibliothèque royale de Berlin : c'est à lui que *G.* se fiera, en élève respectueux, jusqu'à la fin de ses jours, pour tout ce qui concerne les problèmes et la technique de la composition musicale. C'est sous son égide qu'il se mit à composer (1834) une symphonie russe (*Sinfonia per l'orchestra sopra due motive russe*) : cette œuvre, restée inachevée, fut revue en 1938 par le compositeur soviétique V. Chebaline, exécutée et éditée à Moscou.

En 1835, *G.* se marie avec Maria Petrovna Ivanova (sa parente lointaine) ; ce mariage malchanceux et grotesque, après maintes scènes de ménage, racontées en détail par *G.* lui-même dans ses *Notes*, se termina par un divorce. C'est ici que se situe la première grande époque de la vie musicale de *G.*, l'époque de son opéra *La vie pour le tsar* (*Ivan Soussanine*) ; mais avant cela il avait eu un moment l'idée de composer un opéra sur un récit du poète Joukovsky, *Mariina Rošca*. *G.* fréquente les grands poètes et écrivains de son temps : Pouchkine, Joukovsky, Gogol,

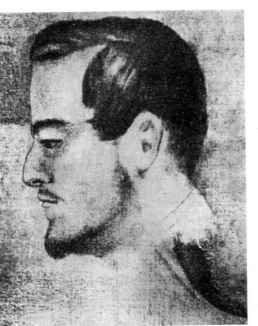

*Esquisse de K. Brjulov.*

Griboïedov, Delvig, le prince Odoïevsky, Mitzkevitch..., mais il se trouve plus à son aise près d'écrivains et de poètes secondaires, formant avec des peintres et des artistes une sorte de confrérie bohème, Nestor Koukolnik en tête, qui prêchait un romantisme réactionnaire, pour tout dire : un romantisme de pauvre. C'est aussi à ce moment que *G.* rencontre Dargomyzsky, qui devint plus tard le trait d'union entre lui et la demi-génération des musiciens du groupe de Balakirev.

C'est Joukovsky qui lui donna l'idée de l'opéra patriotique *La vie pour le tsar* : l'histoire se passe en 1612, lors de l'occupation polonaise (un vieux paysan, Soussanine, fait le sacrifice de sa vie pour sauver le jeune Michel Romanov, futur fondateur de la dynastie, en égarant, en hiver, dans une forêt inextricable, un détachement ennemi à la recherche du monastère où s'est réfugié le jeune Romanov). Ce qui séduisit particulièrement *G.*, c'est l'opposition des deux éléments, le polonais et le russe. Le baron Rozen, d'origine allemande et secrétaire du tsarévitch, Koukolnik, un certain Sollogoüb et *G.* lui-même composèrent le texte du livret, d'un style pseudo-populaire et maladroit, mais non dénué d'un caractère pittoresque. L'élaboration de ce texte ne devait pas être facile : très souvent la composition de la musique précédait les vers, qu'il fallait adapter et ajuster aux exigences musicales, auxquelles *G.* tenait beaucoup (en 1942, ce texte fut remanié et encore une fois réajusté par le poète S. Gorodetzky). La plus grande partie de l'opéra fut composée à Novospasskoïe ; plus il y avait de réjouissances et de bruit autour de lui, plus le travail de *G.* était prospère. Beaucoup de ses amis lui donnaient leurs avis sur le côté scénique de l'œuvre, K. Mayer et Gunke le guidaient dans l'instrumentation. La première exécution de *La vie pour le tsar*, opéra en 4 actes avec épilogue, eut lieu le 9 déc. 1836, sous la direction du chef d'orchestre italien C. Cavos, lui-même auteur d'une œuvre sur le même sujet et du même nom (1815). L'empereur, les plus hauts personnages de la cour et de l'administration y assistèrent. N. Koukolnik note : « *Ce fut un succès délirant... beaucoup de dames et de messieurs pleuraient d'admiration* », ce qui n'empêcha pas les cercles aristocratiques de surnommer cette musique « la musique des cochers ». La critique musicale à proprement parler n'existait pas à ce moment en Russie, cependant il y eut, à côté des articles explicatifs et élogieux (même Gogol en fit un !), des comptes-rendus incompétents et malveillants (Boulgarine). Mais c'est au prince V. Odoïevsky, philosophe dilettante, adepte des idées de Schelling, grand connaisseur de Bach et amateur de musique (1803–1869) que l'on doit cette formule : « *Avec La vie pour le tsar a été posé et résolu le problème de la musique et de l'opéra russe... Cet opéra ouvre pour l'Europe une nouvelle période, la période de la musique russe ; c'est un exploit de génie* ». (Cependant A. Herzen [1812–1870], futur grand publiciste politique russe, mort en émigration, et le grand critique littéraire V. Bélinsky [1810–1848] firent des réserves sur le sujet par trop monarchique de cette œuvre). En fait, cet opéra, malgré des paroles défectueuses, a une consistance et un développement vraiment dramatiques, fait d'autant plus curieux qu'au départ *G.* pensait à un oratorio scénique en 3 tableaux (tableau rustique, tableau polonais et apothéose). De ces récitatifs (qui annoncent le récitatif mélodique de Moussorgsky), de ces mélodies, traitées à l'italienne, et de la conception générale de cet ouvrage, dont l'écriture ne révèle aucune audace particulière, se dégagent néanmoins une résonance essentiellement nationale et populaire jamais atteinte par les précurseurs de G. : c'est cela qui lui confère une valeur historique dans le développement de la musique russe. La scène polonaise est traitée comme un divertissement — suite de danses (polonaises, valse, cracovienne). L'opéra finit par un *hymne*, sorte de cantique patriotique, devenu légendaire en Russie.

En récompense, G. fut nommé par Nicolas I$^{er}$ chef des chœurs de la chapelle impériale, avec une mission spéciale : « désitalianiser » la musique religieuse ; ce poste lui donna l'occasion d'écrire quelques compositions religieuses, et il le conserva jusqu'en 1839.

Une page pittoresque de la vie de G. est fournie par son voyage (1838) en Ukraine (pour recruter des enfants et de jeunes choristes destinés à la maîtrise de la cour) ; son séjour à Katchénovka est irrésistible de drôlerie, remarquablement décrit par G. dans ses *Notes*, illustré par des caricatures et des dessins. En 1840, en trois semaines, G., influencé par l'*Egmont* de Beethoven, compose la musique pour un drame (du reste raté) de Koukolnik, *Le prince Kholmsky* (ouverture, 4 entr'actes, chanson russe, mélodie « Le rêve de Rachel »), mais, dès 1836, il pense à son second opéra « *Rousslan et Ludmilla* » qui devait être son « opéra martyr », comme l'a nommé V. Stassov. L'idée d'écrire un opéra sur le poème de Pouchkine lui fut suggérée par le prince Chakhovskoï, (réputé pour son humour) ; Pouchkine lui-même était prêt à remanier son poème, mais la mort (1837) l'en empêcha. Cinq librettistes s'acharnèrent désespérément sur le texte ; l'œuvre fut écrite dans l'atmosphère de désordre intérieur et extérieur qui est celle de toute la vie de G. à cette époque. Il voulait fuir à l'étranger afin d'y trouver la tranquillité, sans que ce projet eût de suite ; cette fois encore, la composition de la musique précède le texte ; le travail se poursuit par bribes, selon un plan imprécis et peu respecté ; en 1842, il présente sa partition à la direction des théâtres impériaux ; commencent les démêlés au sujet des décors, des danses, des coupures etc. : on a retrouvé dans le journal du chef d'orchestre allemand Albrecht, qui conduisait les répétitions, tous les détails pénibles de cette mise en scène ; après maints accrochages du dernier moment, la 1$^{re}$ représentation eut lieu le 9 déc. 1842. Ce fut un four officiel ; l'empereur quitta la salle avant la fin de la représentation, on siffla, le public était dérouté... même certains amis de G. émirent des jugements sévères : le peintre Brullov déclara que cet opéra était « de la bière mal fermentée » ; Vielhorsky dit à haute voix, en s'adressant à G. : « Mon cher, c'est mauvais ! » ; Senkovsky, tout en considérant cet opéra comme un chef-d'œuvre, trouva que cette musique était fatigante et difficile ; Boulgarine, carrément hostile, disait que c'était « une perle de Cléopâtre dissoute dans une coupe de vinaigre » — il écrivit aussi que le public, venu pour acclamer l'auteur, sortit comme d'un office funèbre, chacun s'écriant : « Quel ennui ! ». Liszt, qui entendit *R. et L.* durant la saison 1842–43 et en apprécia la musique, dit à G. : « Vous êtes avec Weber comme deux rivaux qui courtisez la même femme. » ... Jusqu'en 1845, on donna 21 représentations ; ce n'est qu'en 1858, après la mort de G. que l'opéra fut repris à St-Pétersbourg. Il faut reconnaître (en dépit de la juste appréciation du prince Odoïevsky et de tous les commentaires dithyrambiques qui vinrent plus tard) qu'à propos de *R. et L.* un malentendu, une erreur esthétique et de diagnostic se développèrent : cet opéra n'est ni un drame musical raté ni une épopée héroïque, il est une suite musicale et théâtrale dans le genre des divertissements italiens. Du reste, le sujet se prête parfaitement à cette forme (la fille du grand-duc Svietozar de Kiev est mystérieusement enlevée par le magicien Tchernomor, lors du festin nuptial auquel assistaient les deux prétendants évincés de Ludmilla ; le père promet la main de sa fille en récompense à qui la ramènera ; le jeune époux Rousslan et les prétendants se mettent en route ; l'opéra représente

toutes les péripéties de leurs aventures, qui se terminent par l'union de *R.* et de *L.*).

La musique de cet opéra féerique en 5 actes est superbement décorative, mais d'un style inégal : cavatines vocalisantes, rondos-bouffes, airs de bravoure, duettins, danses, genre divertissement, genre féerique (turc, arabe, caucasien), mélodies orientales (persanes) — s'enchaînent et se mêlent à des récitatifs mélodiques, ensembles, chœurs, parties d'orchestre (telles l'ouverture, la marche grotesque de Tchernomor et ses envolées — en gamme par tons) d'une haute valeur musicale et expressive. C'est une œuvre savante, écrite avec beaucoup de recherches contrapuntiques ; mais l'ensemble de ces morceaux, qui constitue une illustration musicale, donne l'impression d'une volonté désemparée, d'un curieux amusement musical, compliqué et recherché ; à l'audition, cette musique, belle et plaisante, est à la longue presque fastidieuse. *R. et L.*, plus que toute autre œuvre, prouve que G. était un compositeur de formes classiques bien définies, lesquelles offraient un bon site à son goût, à la finesse de ses perceptions, mais que les grandes structures et les grands concepts de développement (*Durchführung*) et de durée dépassaient les moyens de sa pensée musicale. Le cas est d'autant plus pénible qu'il se rendait compte lui-même de ses limites, se forçant à la fin de sa vie à composer une symphonie dont les développements savants seraient conçus selon d'autres règles que celles de l'école allemande de Siegfried Dehn : il y échoua. A côté de ses deux opéras, de ses pièces symphoniques — les mélodies de G., qui se sont succédé tout au long de sa vie, forment une partie importante de son œuvre : elles sont l'expression, souvent improvisée, mais savamment réfléchie, de sa sensibilité humaine et musicale, toujours prête à se manifester. Quelques-unes de ses mélodies peuvent être considérées comme des esquisses pour ses grands airs d'opéra ; d'autres ont forme de ballade, de barcarolle, de boléro, de valse, de mazurka, de mélodie orientale, de récit musical, de simple chanson. La plupart sont en forme de couplets à trois parties, simples ou doubles, et là, G. a beaucoup d'aisance ; les courbes mélodiques et les intonations de ces « romances vocales » restent toujours dans le style de la chanson courante de l'époque, style auquel il faut ajouter (dans les années 60–70) la « romance violente et satirique » de Dargomyzsky, pour aboutir aux grandes recherches d'intonation et de déclamation de Moussorgsky. (On retrouve l'influence de G. dans l'autre branche de développement de la mélodie russe — chez Tchaïkovsky : cependant, les nombreuses mélodies « psychologiques » de ce dernier, aux accents acerbes, languissants ou pathétiques, n'ont ni la tenue ni le style « objectif » des mélodies de G.). Des mélodies (et des pièces pour piano) ont circulé sous son nom dès son vivant ou tout de suite après sa mort, qui étaient des faux.

Après l'échec de *R. et L.*, G. n'avait plus qu'une idée : quitter la Russie. En juin 1844, en équipage particulier, en diligence et en chemin de fer, il arrive à Paris, qui le séduit aussitôt : il s'installe dans un appartement, mène une vie de bohème, fréquente les petits théâtres, donne des leçons de chant, accompagne des chanteuses, a de multiples aventures avec des « grisettes » (qu'il nomme dans ses *Notes*, bien paternellement, des « *nianias* »), mais il rencontre aussi Berlioz ; leur amitié est quelque peu intéressée : Berlioz prépare son premier voyage en Russie, G. désire être joué à Paris ; Berlioz, en mars, inscrit à son programme la *Lesginka* de *Rousslan* et la cavatine de *La vie pour le tsar*. En avril 1845, dans la salle Herz, G. donne à ses frais un concert pour se faire jouer : il reconnaît dans ses *Notes* qu'il n'obtient qu'un succès d'estime. En mai 1845, accompagné de Don Pedro Fernandez, un Espagnol qui sera de longues années son compagnon et secrétaire, G. part pour l'Espagne ; c'est une des périodes les plus pittoresques de sa vie : il écoute la musique populaire espagnole, participe aux fêtes et aux danses, découvre des affinités entre la musique russe et l'espagnole ; tous ces va-et-vient de deux années sont, encore une fois, racontés avec esprit et drôlerie. Le résultat en est la *Jota aragonaise* (1845) et *Une nuit à Madrid* (1851). Durant l'été 1847, G. regagne Novospasskoïe et Smolensk, mais ses malaises, les crises douloureuses de sa maladie le reprennent. C'est en 1848, à Varsovie, qu'il compose son scherzo russe *La Kamarinskaïa* (variations sur deux thèmes russes), une de ses meilleures œuvres symphoniques, qu'il s'intéresse à la musique de Bach et fait aussi, avec enthousiasme, des improvisations sur les orgues de l'église évangélique. Durant son bref séjour à St-Pétersbourg, chez sa sœur, il est entouré d'amis, d'A. Serov (qu'il connaissait déjà depuis 1842), de V. Stassov. En 1852, *G.* subit un nouvel échec dans sa patrie : au concert du cinquantenaire de la Société philharmonique, on devait exécuter une de ses œuvres ; elle fut contremandée au dernier moment. Plus tard, sa sœur organise à ses frais l'exécution de la *Kamarinskaïa*, de l'*Ouverture espagnole* et de quelques mélodies, mais *G.* repart aussitôt pour Varsovie, Berlin, où il rencontre Meyerbeer, et Paris : ce 2e séjour est plus paisible que le premier ; un projet de voyage en Espagne ne se réalise pas, à cause de sa santé, et, comme la guerre francorusse devient imminente, il regagne Berlin en avril 1854. Un mois plus tard, il va rejoindre sa sœur à Tzarkoïe-Selo. La dernière période de sa vie se passe dans une apathie maladive et un engourdissement pesant. Dès 1852–53, il renonce à l'idée d'écrire une symphonie ukrainienne, ne pouvant, comme il l'avoue lui-même, se défaire du «sillon allemand» dans le développement musical. Il renonce encore au projet d'un 3e opéra, «*La bigame*» (ou «*Les brigands de la Volga*»). Mais il rédige ses fameuses *Notes*, voit beaucoup Dargomyzsky, qu'il encourage dans son travail sur *La Roussalka*, et rencontre le jeune Balakirev. Un jour, il va revoir son opéra *La vie pour le tsar*, mais quitte la salle, l'exécution étant lamentable. Il veut une nouvelle fois fuir la Russie. En mai 1856, il se retrouve auprès de Siegfried Dehn à Berlin, où il travaille avec acharnement le contrepoint, la fugue, les canons, les tons ecclésiastiques ; il entend Mozart, Beethoven, mais c'est surtout Gluck qui le passionne. Le 21 janvier, à la dernière réunion musicale à laquelle il devait assister, on exécuta le trio de *La vie pour le tsar*, sous la direction de Meyerbeer : en sortant du concert, il prit froid, ce qui provoqua sans doute l'aggravation de sa maladie ; il mourut le 27 février 1857 ; ses obsèques eurent lieu en présence de Meyerbeer, de Dehn et de quelques amis ; peu de temps après, son corps fut ramené à St-Pétersbourg. La lettre qu'il adressa à Koukolnik le 19 janv. 1855, deux ans avant sa mort, exprime bien son état d'âme : « *Je n'ai jamais été Hercule dans l'art. Depuis un certain temps*

je ne me sens plus la vocation, je ne suis plus attiré à écrire. Que dois-je donc faire, si, en me comparant aux grands maîtres, je les admire à tel point que, sincèrement, je ne suis pas à mon aise et que je n'ai plus le désir d'écrire ?...* ». Grand gagnant dans la vie, *G.* apparaît aussi comme quelqu'un qui a beaucoup perdu, plus qu'il n'aurait dû : il

*D'après une aquarelle de V. Samoïlov (Paris 1854).*

écrivit un jour à son propre sujet : « *Ce qui vient par la flûte s'en va par le tambour !...* ». Il est aisé et réconfortant de reclasser, de rétablir des valeurs historiques oubliées, méconnues ou mal définies, mais on éprouve toujours quelque scrupule en essayant de reconsidérer des noms glorieux, des œuvres prestigieuses, que l'opinion publique croyait définitivement mises à l'abri (au-dessus) de tout jugement critique. Souvent prestige et renommée sont fonction d'un champ magnétique momentané ; les mythes posthumes issus d'un même fait historique peuvent remettre en forme la version première, l'affirmer, la transformer... ou la détruire. Le cas de *G.* est instructif à cet égard : la valeur incontestable et absolue de son œuvre se transforma en mythe presqu'immédiatement après sa mort, un mythe posthume qui n'en est pas moins devenu pour la musicologie russe (et soviétique) un dogme infaillible, fondamental, sacré. Ce dogme, partiellement justifié, justifiable, demanderait quelques rectifications et quelques mises au point : une étude impartiale et bien ordonnée sur *G.* (cas hautement significatif et pittoresque) devrait distinguer les deux aspects du phénomène : le musicien russe, promoteur d'une école nationale, et le musicien-tout-court, pour aboutir à établir deux mesures différentes, en ce qui concerne l'efficacité de sa mission historique et la valeur de son génie à proprement parler ; par là les généralités sur toute cette époque de la musique russe seraient mieux établies.

De son vivant, *G.* est mal jugé et mal compris : fêté au début de sa carrière, il végète, va mourir en Allemagne, désenchanté et dégoûté de sa patrie (« *... Ma célébrité... plaisanterie ! Que je voudrais ne plus revoir ce triste pays !* » mai 1856). La plupart de ses contemporains ne se sont pas rendu compte de la juste valeur d'un musicien que certains considéraient comme un « contrapuntiste savant », d'autres comme un dilettante. A vrai dire, étant les deux à la fois, *G.* n'a pas lui-même aidé à l'épanouissement de sa renommée, voire de son génie : bien qu'il évoluât dès le début de sa carrière parmi une élite littéraire et que, vers la fin de sa vie, il fût entouré par des musiciens tels que Dargomyzsky, Serov et Balakirev, sa célébrité date seulement des années 1870 ; c'est alors qu'il fut reconnu et par le clan des musiciens « nationalistes » (le groupe des Cinq et leur animateur et conseiller littéraire attitré, Stassov) et par le « cosmopolite » Tchaïkovsky ou par Hermann Laroche (1845–1904), professeur d'histoire de la musique aux conservatoires de Moscou et de St-Pétersbourg, classique invétéré, émule de Hanslick, prêchant le purisme musical, abominant Moussorgsky. Dès lors, les études glinkiennes ne comportèrent plus le moindre doute sur *G.*, qui est devenu le « Mozart russe », « le deuxième Mozart », le « Pouchkine de la musique russe ». Les récents écrits de B.V. Assafiev (Igor Glébov, 1884–1951) à ce sujet, écrits dans lesquels le lyrisme débordant du musicologue (dont l'éclectisme a tourné en un académisme zélé) va de pair avec de minutieuses analyses, ne font que confirmer cet état d'esprit. Évidemment le rôle historique que l'on attribue à *G.* dans la musique russe n'est plus sujet à caution, encore que l'on voudrait mieux connaître ses précurseurs immédiats et l'atmosphère musicale de l'époque de son avènement et de sa formation. Il est indéniablement le premier grand classique de la musique russe, qui lui a conféré d'un seul coup un style, une idée conductrice et les moyens techniques grâce auxquels l'art musical russe pourra essayer de rivaliser avec les musiques allemande, italienne et française.

Néanmoins on reste songeur, s'il vous est proposé de voir en *G.* l'égal de Bach, de Mozart, de Beethoven, comme le veut H. Laroche ; *G.* n'a pas surgi *ex nihilo* — postulat qui a fait longtemps partie du mythe *G.* : son avènement a été préparé non seulement par ses grands éducateurs occidentaux, mais encore, sur le sol russe, par l'évolution culturelle qu'a subie la Russie dans les dernières décades du XVIIIe et au début du XIXe siècles ; alors qu'un siècle auparavant il ne pouvait être question que d'une culture musicale russe, les indices d'une évolution créatrice apparaissent nettement à l'époque. Les échos et les thèmes, les chants et les refrains d'une musique populaire russe se faisaient de plus en plus vivants, indispensables dans la pratique musicale quotidienne des dilettantes et des amateurs de musique, dans toutes les couches de la société russe. *G.* doit beaucoup à des musiciens tels que Sokolovski, Pachkevitch (1742 ?–1800), Matinsky (1750–1820 ?), Fomine (1761–1800), S. Davydov (1777–1825), Alabiev (1787–1851), Verstovsky (1799–1862) etc., qui, par leur activité de compositeurs d'opéras-comiques, de vaudevilles, de couplets et de musique de scène, souvent sur des sujets « populistes », avec force thèmes folkloriques russes, concurrençaient déjà les musiques étrangères.

Les premières œuvres de *G.* datent de 1820–1825 ; il commença sa carrière dans l'atmosphère et le rayonnement d'une renaissance culturelle russe de courte durée, qui se rattache particulièrement à Pouchkine. Cela explique le fait que *G.*, typologiquement, ne soit pas un musicien du XVIIIe siècle, comme on l'a souvent prétendu ; son inspiration, ses intonations vivantes, ses structures mélodiques italianisantes se sont formées par un contact direct avec des musiciens italiens tels que Bellini, Donizetti, Rossini, avec les œuvres romantiques de Berlioz, de Weber, de Beethoven (l'essence russo-italienne de *G.* subsiste dans la musique russe jusqu'à *Mavra* de Stravinsky). Mais sa formation savante le faisait curieusement pencher vers les concepts et l'esthétique de Cherubini et de son école (du reste, le professeur allemand de *G.*, Siegfried-W. Dehn [1799–1858] a été lui-même instruit à l'école de Paris), et son éducation théorique, ses recherches de procédés d'écriture et de forme, se sont modelés sur les ouvertures et les opéras de Cherubini, de Boïeldieu, de Méhul peut-être plus que sur Mozart. Ce côté « savant » de *G.* devint dans la suite une des bases de l'académisme stagnant et officiel de l'époque post-moussorgskienne, dont Glazounov fut le promoteur et le garant funeste, qui marqua même Prokofiev, Chostakovitch, et même le génie novateur d'un Stravinsky (symphonie en *mi bémol, op.* 1, 1905–1907).

Tout en recherchant pour la musique russe un langage authentique, libre et indépendant, *G.* ne voulut ou ne put jamais rompre avec les traditions et les formes classiques occidentales ; il fut plutôt un adaptateur de génie qu'un véritable novateur (« *Je suis presque sûr que l'on peut unir la fugue occidentale aux formes de notre musique par les liens d'une union légale* », lettre à K.A. Boulgakov, 15 nov. 1856). Fait curieux et, peut-être, révélateur, la musique de *G.*, ni de son vivant ni plus tard, n'a eu de prise vraiment efficace sur la musique occidentale : en dépit des élogieuses critiques de Berlioz (*Journal des Débats*, avril 1845), qui dirigea les œuvres de *G.* dans un de ses concerts, bien que l'on ait parlé de *G.* dans la *Revue musicale, L'Illustration*, la *Revue britannique*, en dépit des opinions admiratives et des transcriptions de Liszt, de la bienveillance (quelque peu condescendante) de Meyerbeer, de l'article d'Henri Mérimée (*Revue de Paris*, mars 1854), de celui de Hans de Bulow, des représentations de *Rousslan et Ludmilla* à Prague (1866–1867), de *La vie pour le tsar* à Milan (1874), sa gloire fut très vite dépassée par celle de la génération suivante des musiciens russes, qui, à cause même de leurs affinités avec *G.*, s'attirèrent à l'étranger l'audience qui aurait dû lui revenir. Ce à quoi prétendait *G.*, c'est Moussorgsky et Stravinsky qui l'obtinrent et le réalisèrent : élever la musique russe à un niveau universel, influencer directement la musique occidentale, pénétrer au fond même de l'art musical européen. Les empreintes de Borodine et surtout de Rimsky-Korsakov sur la musique française des années 1900–1910, sur Ravel et même sur Debussy (voir la scène du royaume sous-marin de *Sadko* pour la représentation de 1897 à Moscou et de 1900 à St-Pétersbourg et *La mer*, 1905) sont moins importantes mais bien nettes aussi. Malchance symbolique : les premières copies des partitions complètes d'orchestre de *La vie pour le tsar* et de *Rousslan et Ludmilla* furent détruites en 1853, lors de l'incendie du Grand théâtre de Moscou ; en 1859, la partition de *R. et L.* brûla avec le Théâtre Marie de St-Pétersbourg ; les copies et les exemplaires en circulation étaient pleins de fautes ; ce n'est qu'en 1879, sur l'initiative de la sœur de *G.*, que Balakirev, Rimsky-Korsakov et Liadov entreprirent la révision et l'édition des deux opéras de *G.*

Comme on le sait, *G.* voyagea beaucoup à travers l'Europe ; il vécut en Pologne, en Italie (1830–32), en France (1844–45, 1852–54), en Espagne (1845–47), en Allemagne (1832, 1856–57), mais ces voyages furent plutôt des randonnées, des séjours de diversion, d'amusement, voire d'éducation, que des tournées d'artiste professionnel (« *Je n'ai pas l'habitude de colporter mes productions* », dit-il un jour à Meyerbeer). Nonobstant sa présence en Europe, beaucoup de choses lui échappèrent : il ne réagit ni à l'œuvre de Schumann, qui était exactement son contemporain, ni à Wagner (*Tannhäuser* fut représenté en 1845 et *Lohengrin* en 1850). D'après Laroche, *G.* jeta un jour un furtif regard sur la partition de l'ouverture de *Tannhäuser* : sa curiosité s'arrêta là. D'ailleurs ses jugements sur Meyerbeer et même sur Weber sont bien sévères.

Son dernier voyage en Allemagne était une fuite ; sitôt après la *Kamarinskaïa* (1848), son inspiration musicale déclina nettement : sa symphonie *ukrainienne* (*Tarass Boulba*, 1852) fut détruite, son opéra *La bigame* (1855) resta en projet ; il finit sa carrière en réinstrumentant sa *Valse-fantaisie* (1839-45-56), une polka d'enfant, pour sa filleule, une *Grande polonaise* sur le thème d'un boléro espagnol, pour le couronnement de l'empereur Alexandre II ... Il rédige aussi ses *Notes* (*Zapiski*, 1854-55), qui se terminent à l'année 1854 et n'ont pas été publiées de son vivant : la première édition date de 1871. Ce texte, comme celui des nombreuses lettres de *G.*, est souvent déconcertant ; toutes les contradictions de sa nature y apparaissent : tantôt naïf et inconsciemment cynique, tantôt fin et pénétrant, tantôt ignare, il parle de lui-même, de tout et de tout le monde sans se gêner. Ses écrits surprennent par leur inégalité, comme sa musique, allant du sublime au commun.

La nature musicale de *G.* est de haute classe : la sonorité, les timbres, les registres et l'efficacité de son instrumentation, dans ses belles pages, égalent les grands maîtres de l'orchestre ; certaines de ses mélodies et maintes pages de ses deux opéras portent les plus profonds accents, contiennent les plus beaux découpages mélodiques de l'art vocal russe. D'où lui venait le besoin de composer ces innombrables pièces de circonstance, ces chœurs pour jeunes filles (genre patronage), ces « trots de cavalerie », ces variations sur des thèmes d'opéras italiens etc. ? On ne peut tout de même pas admettre que toute cette musique soit conditionnée par son milieu et par son époque. Il est vrai que *G.* était à la fois le participant, le témoin, la victime même de cette période de l'histoire russe, tandis qu'une renaissance à peine entreprise devait sombrer vite dans la sinistre réaction du règne de Nicolas Ier. Il y a une coïncidence de dates : l'année 1842 marque à la fois l'insuccès de *R. et L.* et la publication des *Âmes mortes* de Gogol. Ce fut pour la musique russe une période de dégénérescence subite, d'envoûtement néfaste des opéras italiens, de désagrégation de la technique d'exécution musicale : on désapprit soudain de diriger, de jouer et de chanter la musique de *G.* Mais la nature de *G.* portait en elle-même une tare mystérieuse : elle était étrangement faible, elle n'était pas de taille à supporter ni à aider son génie musical. Sa compréhension de la vie, sa manière de vivre, ses goûts se sont formés et manifestés dès sa jeunesse et n'ont jamais changé. Il se considérait comme un musicien professionnel, tout en restant profondément dilettante et amateur. Le besoin de toujours parfaire son éducation musicale trahissait une inquiétude persistante au sujet de son érudition ; il était conscient de son génie et de l'importance de son œuvre (il disait à sa sœur : « On comprendra ton *Micha* quand il ne sera plus, et *R. et L.* dans cent ans »), mais il ne savait pas se défendre et capitulait devant la moindre contrariété, se révolter, tombant dans une dépression et une apathie morbides. Il recherchait et aimait la fréquentation des gens de modeste condition — la bohème — sans oublier jamais ses titres de noblesse ; le besoin constant qu'il avait de faire de la musique tournait au gaspillage de son temps et de ses forces ; il était attiré par les voyages et comprenait la valeur des différentes musiques populaires (il fut le premier à transcrire à l'orchestre des thèmes espagnols dans sa *Jota aragonaise*, 1845, et dans sa *Nuit à Madrid*, 1851), mais il gardait une nostalgie aiguë de son pays. Fils respectueux et docile, il était particulièrement sensible à l'entourage des femmes et fut durant toute sa vie la victime d'une sorte d'érotomanie sensuelle et émoliente, dénuée de tout caractère tragique : ce que reflète son lyrisme musical, mélancolique, nostalgique, mais sans paroxysme ni angoisse, rarement pathétique. Et cette passion qu'il garda toute sa vie pour les oiseaux ? Il en avait des dizaines dans les volières, certains le suivaient... Ces vues sur *G.*, cette brève tentative d'évoquer sa personnalité ne sont aucunement conditionnées par une conception occidentalisante de la culture russe. Du reste, la position de l'Europe à l'égard de la conscience russe demeure jusqu'à nos jours un drame idéologique complexe, névralgique et contradictoire : la lutte acharnée à laquelle se sont livrés les slavophiles et les occidentaux n'est qu'un épisode de ce drame. Les contradictions inhérentes à ces deux conceptions historiques se sont reflétées même dans le domaine musical : conscient de son messianisme russe, Moussorgsky était attiré par l'Europe, prêt, comme *G.*, à faire appel à elle pour lui faire apprécier et consacrer son génie (« *Que dira Liszt ou plutôt que pensera-t-il quand il verra Boris, même en partition pour piano ?... Peut-être arriverai-je tout de même à aller en Europe, à venir jusqu'à lui... Quel horizon le commerce de Liszt n'ouvrirait-il pas* ? Le Te Deum colossal... ne pouvait se dresser que sous la boîte crânienne de cet autre audacieux Européen, Berlioz* », lettre à V. Stassov du 23 juillet 1873). D'un autre côté, n'est-ce pas Tchaïkovsky, cet Européen par excellence, qui a le mieux exprimé par sa musique le lyrisme et les passions musicales russes les plus populaires ?

La création est un phénomène éminemment, mystérieusement hiérarchique ; on ne mesure ni ne pèse les dons des créateurs, mais chaque œuvre se rapporte à une ou plusieurs autres : ce sont les conditions de ce rapport qui forment une hiérarchie vivante et mouvante du classement historique des valeurs et des choses. Qu'on le veuille ou non, cette hiérarchie s'établit d'elle-même et l'usage en est courant, utile, indispensable même.

Grâce à sa signification nationale (et locale), le destin de *G.* ne fut pas celui d'un musicien qui se serait mal réalisé : sa mission russe le sauve, le reclasse dans la hiérarchie. Abstraction faite de ses origines et de l'efficacité de son rôle historique dans la musique russe, jugés formellement, ses dons ne lui auraient peut-être pas conféré le titre de grand musicien, de musicien de génie. Il l'est devenu, et il le mérite, car c'est lui, le premier, qui donna à l'art musical russe ses traits caractéristiques, son empreinte, sa résonnance, qui le distinguent de toutes les autres musiques du monde.

**Principales œuvres :** *La vie pour le tsar (Ivan Soussanine),* opéra en 4 actes avec épilogue (1836) ; *Rousslan et Ludmilla,* opéra féerique en 5 actes (1842) ; *Le prince Kholmsky,* ouverture, 4 entr' actes, chanson russe, mélodie « *Le rêve de Rachel* », pour le drame de N. Koukolnik (1840) ; *Symphonie-ouverture,* 1834 (achevé par V. Chébaline) ; *Valse-fantaisie,* pour orch. (1839-1856) ; *Jota aragonaise* (1845) ; *Une nuit à Madrid* (1851) ; *La Kamarinskaïa* (1848) ; *Trio pathétique* (1827) ; *Sonate pour alto et piano* (1824) ; *Quatuor* (1830) ; *Sextuor* (1832) ; *Mélodies et chansons.* Écrits : *Notes [Zapiski]* (1854-1855) ; *Notice biographique sur M. G.* par lui-même, ds la *Biographie univ. des musiciens et bibl. générale de la mus.* de Fétis.

Voir E. Carozzi, *M.G., appunti critico-biografici,* Milan 1874 ; M.D. Calvocoressi, *G.,* Paris 1931 ; R. Newmarch, *The russian opera,* Londres s.d. ; N. Findejzen, *Žizn' i tvorčestvo G.,* Pétrograd 1922 ; O. von Riesemann, *G., ds Monographien zur russischen Mus.,* I, Monaco 1923 ; G. Abraham, *On russian mus.,* Londres s.d. ; R. Hofmann, *Un siècle d'opéra russe. De G. à Stravinsky,* Paris 1946 ; B.V. Asaf'ev, *G.,* Moscou 1947 — *Izbrannye trudy,* I, ibid. 1952 ; B. Zagurskij, 2e éd., ibid. 1948 ; *M.I.G. Issledovanija materialy,* Léningrad 1950 ; *M.I.G. Sbornik materialov i statej,* Moscou id. ; E. Kann Novikova, *M.I.G. Novye materialy i dokumenty,* I-III, ibid. 1950-55 ; *M.I.G. Literaturnoe nasledie,* I-II, Léningrad 1952-53; *M.I.G. Letopis' zizni i tvorčestva,* Moscou 1952 ; A. Altaev, *M.I.G.,* ibid. 1955 ; T.N. Livanova et V.V. Protopopov, *G. : Tvorčeskij put',* id. ; V. Fédorov, *Le voyage de M.I.G. en Italie,* ds *Collačtanea hist. mus.,* II, Florence 1956, et art. in *Enc. dello spettacolo.*                    P.S.

*Signature de Glinka.*

**GLINSKI** Mateusz. Compos. pol. (Varsovie 6.4.1892-). Élève du cons. de sa ville natale, puis de Riemann, de Schering, de Nikisch (Leipzig), de Glazounov et de

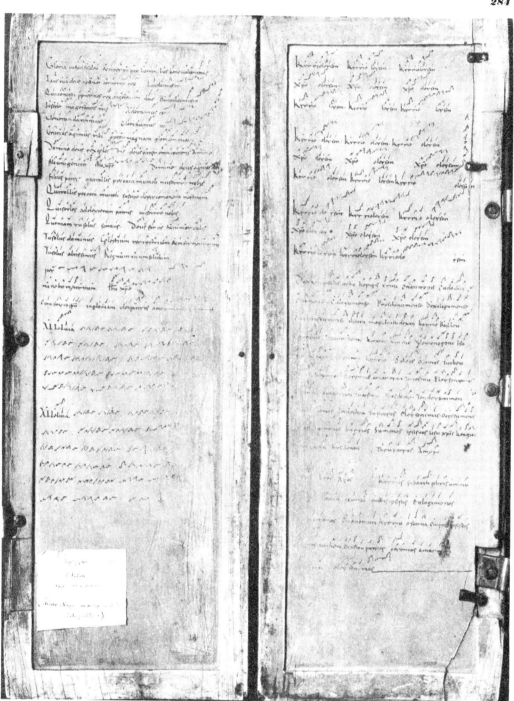

BN      GLORIA      Giraudon

*Revers du dyptique de Philoxenus (IX<sup>e</sup> s., ms. 25706).*

Tcherepnine (St-Pétersbourg), il a été chef d'orch. à St-Pétersbourg et à Varsovie, critique, rédacteur de *Muzyka* (1924–39) ; en 1940, il se fixe à Rome, où il dirige sa revue sous le titre *Musica ;* on lui doit un opéra, des œuvres symph., chor., de piano, des mélodies ; il a publié *A. Scriabine* (Varsovie 1933), *A. Pacelli* (Rome 1941), *Paderewski* (Florence 1942), les œuvres complètes d'A. Pacelli (Rome 1948 *sqq.*).

**GLISSANDO.** C'est le terme italien qui signifie « en glissant ». C'est un effet instrumental qui consiste à parcourir rapidement une partie de l'échelle tempérée en « glissant » d'une note à une autre. — Au clavier, le *g.* s'effectue avec le pouce et le médius, soit sur les touches blanches (gamme d'*ut majeur*), soit sur les touches noires (gamme pentaphonique : *Laideronette impératrice des pagodes,* Ravel) : il ne peut donc jamais être chromatique. — Sur les instruments à cordes, le *g.* s'exécute en glissant le long de la touche, soit *arco* soit *pizzicato ;* il peut être lent ou rapide ; il se différencie toujours du *portamento* (voir à ce mot) ; on trouve de nombreux exemples de *g.* de cordes dans la mus. contemporaine (Bartók, *Quatuors,* Ravel, *g.* en triples cordes, *pizzicato,* du violoncelle dans la sonate pour violon et violoncelle). — Aux instruments à vent, le *g.* est possible à la clarinette (célèbre *g.* de la *Rhapsody in blue* de Gerschwin), à la trompette, au cor (*g.* sur les notes harmoniques d'un son fondamental) et au trombone (Ravel, *Boléro,* Concerto de piano en *sol majeur*) ; à ces instruments, le *g.* ne peut guère s'exécuter que par mouvement ascendant (voir art. *instrumentation*). — A la harpe, le *g.* est un des effets principaux ; il n'est jamais chromatique, mais il peut s'exécuter sur n'importe quel arpège préalablement accordé à l'aide des enharmoniques en glissant le long des cordes. — A la batterie, les cymbales dites chromatiques (système à pédales) permettent l'exécution d'un « roulement glissé » (Bartók, *Musique pour cordes, percussion et célesta,* 2ⁿᵈ mouvement). — Enfin le *g.* est possible sur les instruments électroniques tels que l'onde Martenot (jeu au ruban), le *Mixtur-trautonium* etc. — Le *g.* au clavier fut utilisé dès le XVIIIᵉ s. par les clavecinistes français, puis par Mozart (*Variations sur Lison dormait*), Beethoven (*Waldstein-Sonate*) et par tous les auteurs de piano du XIXᵉ s. : on écrivit même des *g.* en tierces, sixtes ou octaves ; en revanche, le *g.* ne fut appliqué que beaucoup plus tard aux autres instruments (harpe, fin XIXᵉ s. : *g.* de harpe du *Prélude à l'après-midi d'un faune* de Debussy), et l'influence du jazz semble avoir fortement déterminé son emploi aux instruments à vent. Le *g.* de cordes peut être d'un effet particulièrement saisissant, surtout à l'orchestre où les parties peuvent être divisées, effectuant des *g.* sur différents ambitus : il se crée alors des interférences de fréquences très voisines ; un effet un peu différent a été obtenu par Stravinsky dans *L'oiseau de feu* (introduction) par une superposition de *g.* sur des cordes à vide effleurées, donnant la série des harmoniques de cette corde.                                                     G.A.

**GLOCK William.** Pian. et critique angl. (Londres 3.5. 1908–). Elève du *Caius College* à Cambridge (Dent), de Schnabel (Berlin), critique au *Daily Telegraph,* à l'*Observer,* il dirige une école de mus. d'été à Bryanston (dep. 1948), la revue musicale *The score,* la section anglaise de la *SIMC* ; il fait partie du Trio Haydn ; il a publié une biographie de Schubert (*Penguin B.,* 1934).

**GLOCKENSPIEL.** C'est un métallophone. *G.* est le terme allemand par lequel on désigne encore parfois le carillon (voir à ce mot, sens 4) d'orchestre (*g.* du *Saül* d'Haendel, de *La flûte enchantée* de Mozart, de la 7ᵉ symphonie de G. Mahler).                               C.M.-D.

**GLOEGGL** (*Glöggl*). Famille de mus. autr. : — **1. Franz Xaver** (Linz 21.2.1764–16.7.1839). Fils de Joseph *G.,* mus. du théâtre de Vienne (1739–1806), il fut dir. de mus. et homme de théâtre à Linz et à Salzbourg (1790), maître de chapelle de la cath. (1798) et fondateur d'une école de mus. (1797) à Linz ; il publia notamment *Erklärung d. mus. Hauptzirkes* (Linz 1810), *Allg. mus. Lexikon* (ibid. 1812), *Der mus. Gottesdienst* (ibid. 1822) ; sa collection est devenue la propriété des Amis de la musique à Vienne. Son frère — **2. Joseph** (v. 1759–Pesth 5.9.1821) fut violon. et lui

succéda comme chef d'orch. du théâtre de Linz ; il exerça aussi à Ofen et à Pesth. *Fr. X.* eut 2 fils musiciens — **3. Franz** (Linz 2.4.1796–Vienne 23.1.1872), élève de son père et de Salieri, qui fut à Vienne secrétaire de la Société des Amis de la musique (1830–49), prof. au cons. (1831–33), fondateur d'une *Akad. der Tonkunst,* dont il fut chancelier (1849–55), rédacteur de la *Neue wiener Musik-zeitung* (1852–60) ; il entreprit également un commerce de musique qu'il céda à son fils — **4. Anton** (Vienne 29.12. 1826–24.2.1858), lequel fonds fut acheté par Bösendorfer en 1872. L'autre fils de Franz-Xaver — **5. Anton** (Linz 10.5.1797–Prague 24.2.1814) fut org. de l'église des Carmélites de Linz et mourut sur le champ de bataille. Le fils de Joseph — **6. Joseph** *junior* (Linz 11.3.1799–Lemberg 8.5.1858) entreprit des tournées théâtrales à Salzbourg, Leybach, Brünn, Presbourg, Lemberg. Voir O. Wessely, *Das linzer Musikleben...,* Linz 1953, et art. in MGG.

**GLOESCH** (*Glösch*) — **1. Peter.** Mus. allem., qui mourut probablement à Berlin av. 1754 ; il fut hautboïste à la cour de Prusse (1706–13), après quoi on ne sait plus rien de certain à son sujet. Son fils — **2. Karl Wilhelm** (Berlin 1732–21.10.1809) fut son élève, celui de Quantz (flûte) ; claveciniste, il fut maître de mus. à la cour de la princesse Ferdinand de Prusse (1765) ; il publia à Berlin des duos et des concertos de flûte, 6 sonatines pour le clavecin, des *Lieder,* 1 *sinfonia,* d'autres pièces de clavecin, 1 comédie lyrique : *L'oracle ou la fête des Vertus et des Grâces* (1773). Voir C. Sachs, *Mus. u. Oper am Kurbrdbg. Hof,* Berlin 1910 ; H. Becker in MGG.

**GLORIA in excelsis Deo.** C'est une hymne en forme d'acclamations, qui fait partie de l'ordinaire de la messe, où il suit le *Kyrie ;* son introduction, à cette place, remonterait au pape Télesphore (*cf.* Mgr Duchesne, *Liber pontificalis, I*) ; dans le rite gallican, le *Benedictus* prenait sa place (*id.*) ; l'origine grecque de cette pièce ne fait pas de doute : les sources grecques l'appellent parfois « le chant des anges au sépulcre » ; le graduel moderne a conservé 18 mélodies sur ce texte ; il en existe d'autres en mss, aucun témoin ne remonte au-delà du Xᵉ, à l'exception d'un ms. de Fleury (Vat. *Reg.* latin). Voir, sur la mélodie : Dom Huglo, *La mélodie grecque du G...,* ds Rev. grég., 1950 ; P. Staquet, *Les mélodies du G.,* ds *Mus. sacra,* Malines 1955 ; sur l'histoire et le texte : abbé P. Paulin, *Léon IX...,* ds *Caecilia* IV et V, Strasbourg 1950 (la mélodie du *G.* I de l'éd. vaticane serait l'œuvre de Léon IX) ; B. Capelle, *Le texte du G.,* ds Rev. d'hist. eccl., LXIV, 3-4, Louvain ; G.K., *Le G.,* ds Rev. dioc. de Namur, V, 1950 ; W. Stapelmann, *Der Hymnus angelicus...,* ds *Phil. sacra,* I, Heidelberg 1948 ; A. Raumstark, *Der Cherubhymnus...,* ds *Gottesminne,* VI, 1911–12 ; sur la forme ambrosienne : Dom Pothier, ds *Mélodies grégoriennes...,* 1889 ; Garbagnati, ds *Ambrosius,* 1930 ; M. Busty, *Un'antica melodia ambrosiana del G.,* ibid. 1926 ; sur la forme hispanique : G. Prado, *Un G. mazarabe,* ds Rev. grég., 1933, et *Una nueva recension del G.,* ds *Ephemerides liturgicae,* nº 46, 1938 ; sur l'origine grecque : Dom L. Brou, *Les chants en langue grecque dans les liturgies latines,* ds *Sacris erudiri,* 1952 ; B. Stäblein in MGG.                               S.C.

**GLORIA. laus.** C'est un poème en forme de *versus,* qui se chante pour la bénédiction des palmes, le dimanche des Rameaux : il est attribué à Théodulfe, évêque d'Orléans, qui mourut en disgrâce à Angers en 821.                               S.C.

**GLOSA.** C'est un mot espagnol qui équivaut au mot français *glose* (avec le même sens d'explication et commentaire), mais qui prit des significations musicales et poétiques particulières : en poésie, *g.* signifia tout d'abord « paraphrase », mais le nom s'appliqua bientôt à une composition poétique dont la fin reprenait un texte déterminé à la manière d'un refrain, ou dont chaque strophe finissait par le même refrain ou par des vers successifs d'un poème donné qui y faisaient figure de refrains (un *romance,* par exemple, dont deux vers successifs apparaissaient à des intervalles réguliers). Le type le plus fréquent de *glosa* comprend un quatrain glosé en 4 strophes de 10 vers, chacune finissant par un des vers du quatrain ; très employé dans le théâtre classique espagnol (on en rencontre d'admirables exemples chez Lope de Vega), ce genre est devenu folklorique en Amérique latine. — En musique, le sens de « paraphrase » engendra deux genres différents : *g.* désigne, chez les vihuélistes et organistes espagnols du XVIᵉ s., soit une courte composition similaire au *tiento* (ou *ricercare*), espèce de prélude où la main droite exécute toutes sortes de traits sur des accords plaqués par la main gauche, soit simplement des variations : telles les *Glosas* [variations] *sobre el canto del caballero* [de Olmedo] de Cabezón.                                      D.D.

**GLUCK Christoph Willibald.** Mus. allem. (Erasbach par Berching, Haut-Palatinat, 2.7.1714–Vienne 15.11.1787). Dans la mesure des connaissances actuelles, on sait que ses ancêtres venaient de la région frontière du Haut-Palatinat et de la Bohême, qu'ils étaient de souche allemande. Du côté paternel, on remonte jusqu'à l'arrière-grand-père de Christoph Willibald, *Simon G.* de « Rockenzahn » (probablement Rokitzan/ Rokycany, à l'ouest de Pilsen). Le grand-père de Christoph Willibald était établi à Neustadt sur la Waldnaab comme garde-chasse à la cour du prince Lobkowitz. Sa première femme, Anna Maria, née Köttnath, venait d'Erbendorf (Haut-Palatinat), où les Köttnath étaient cloutiers depuis des générations. Leur fils, *Alexandre*, père de Christoph Willibald, débuta comme son père et tous ses frères dans le métier de la chasse et prit l'emploi de garde-chasse à Erasbach en 1711 /12. On ignore la date de son mariage ; on n'a pas non plus retrouvé jusqu'à présent le nom de jeune fille ni l'origine de sa femme, Anna Walpurga, si bien que l'obscurité règne encore sur les ancêtres de *G.* du côté maternel.

GLUCK
*Portrait de Duplessis.*

En automne 1717 — *Chr. W.* venait d'avoir 3 ans — la famille alla s'établir à Reichstadt (par Böhmisch-Leipa) où Alexandre *G.* devint *Oberförster* de la duchesse de Toscane ; au printemps 1722, il entra au service du comte Kinsky et s'installa avec les siens dans la maison forestière de Kreibitz (près de Böhmisch-Kamnitz) ; enfin, en automne 1727, il partit pour Eisenberg (par Komotau) et fut engagé par le prince Lobkowitz comme *Forstmeister* (il renonça à son métier en 1736 pour se retirer dans sa propriété près des environs de Brüx acquise entre-temps, où il mourut en 1743, trois ans après sa femme). *Ch. W.* est sans doute allé en classe à Reichstadt déjà. C'est là, puis à Kreibitz, qu'il dut apprendre les premières notions de musique, près de ses maîtres d'école ; en dehors du chant, il apprit le violon, peut-être le violoncelle, la guimbarde, comme il le raconta plus tard au peintre Chr. von Mannlich. Son père, qui l'élevait durement et le destinait sans doute à être garde-chasse selon la tradition familiale, s'inquiétait de l'amour toujours croissant de *Ch. W.* pour la musique : lorsque celui-ci déclara qu'il voulait être musicien, il se heurta à un refus sans réplique ; ce fut la brouille : le fils ne trouva de solution qu'en fuyant le toit paternel. Christoph Willibald profita de sa liberté toute nouvelle. Il parcourut le pays et gagna sa vie en chantant et en jouant de la guimbarde : le dimanche, il faisait de la musique dans les églises de village. Des religieux l'aidèrent

à gagner Prague. Il semble qu'il se soit alors réconcilié avec son père, qui vint dès lors à son aide, comme peut-être le prince Lobkowitz, maître de son père. A Prague, où il joua et chanta dans diverses églises (en particulier l'église du Teyn), il a dû poursuivre avec énergie sa formation musicale ; on ne sait malheureusement rien de plus. On constate qu'il entre à l'université de Prague en 1731, comme *logicus* (c.à.d. étudiant en philosophie de 1ʳᵉ année) : on n'a aucune trace d'un examen de fin d'études.

De Prague, il se rendit à Vienne, où il joua pendant l'hiver 1735–36 avec les musiciens particuliers du palais Lobkowitz : c'est là que le prince lombard Antonio Maria Melzi a dû le rencontrer ; il l'attacha en 1736 à la chapelle privée de Milan. Nous ne savons rien du travail de Gluck à cette chapelle, mais il est évident que son séjour à Milan eut une grande importance pour lui. S'il avait grandi à Prague et à Vienne dans le style italien qui régnait partout à l'époque (sauf en France), c'est seulement à Milan qu'il reçut la dernière consécration musicale d'un des chefs italiens de tendance « moderne », G.B. Sammartini. Sammartini était voué par profession à la musique d'église mais, par leur nombre et leur importance dans l'histoire de la musique, ses œuvres instrumentales sont de premier plan : dans l'enseignement que *G.* reçut de lui, la composition instrumentale a dû entrer en première ligne, à considérer les six sonates pour trio que *G.* fit graver à Londres en 1746 ; elles sont certainement le fruit de ses études près de Sammartini à Milan.

Elles durent être moins fructueuses pour la composition dramatique, Sammartini étant un mince auteur d'opéras : il est d'autant plus remarquable que *G.* se soit bientôt consacré toute son énergie, presque exclusivement (selon ce que nous pouvons savoir) à ce domaine et que son premier essai ait été un brillant succès : l'opéra *Artaserse*, d'après Métastase, qui fut joué le 26 décembre 1741 au *Teatro Regio Ducal* de Milan. Les commandes affluèrent alors — et pas seulement de Milan, où il devait fournir tous les ans (jusqu'en 1745) un opéra pour ce même *Teatro Regio Ducal* : 1742 *Demofoonte*, 1743 *Arsace* (le 1ᵉʳ acte seul est de Gluck), 1744 *Sophonisbe*, 1745 *Ippolito* ; *G.* devait aussi écrire des opéras pour d'autres villes d'Italie du Nord : pour Venise, en 1742, *Cleonice (Demetrio)*, 1744 *La finta schiava* (pot-pourri écrit avec G. Maccari, Lampugnani et Vinci) et *Ipermnestra* ; pour Crema, en 1743, *Il Tigrane* et pour Turin, en 1744, *Poro*.

Dans toutes ces œuvres de jeunesse, que nous ne connaissons généralement que par fragments, on devine fort peu le réformateur de l'opéra que *G.* sera plus tard : pour le texte, elles rappellent les livrets à la mode, pour la plupart sur des poèmes de P. Métastase. La musique de *G.* est remarquable par le goût et la richesse d'invention ; à l'occasion, on y rencontre des tournures peu conventionnelles, qui surprennent par leur expression fougueuse et passionnée. Mais en général, les œuvres théâtrales de jeunesse de *G.* répondent à l'idéal d'alors, à un goût dont J.A. Hasse donnait le ton : cela vaut

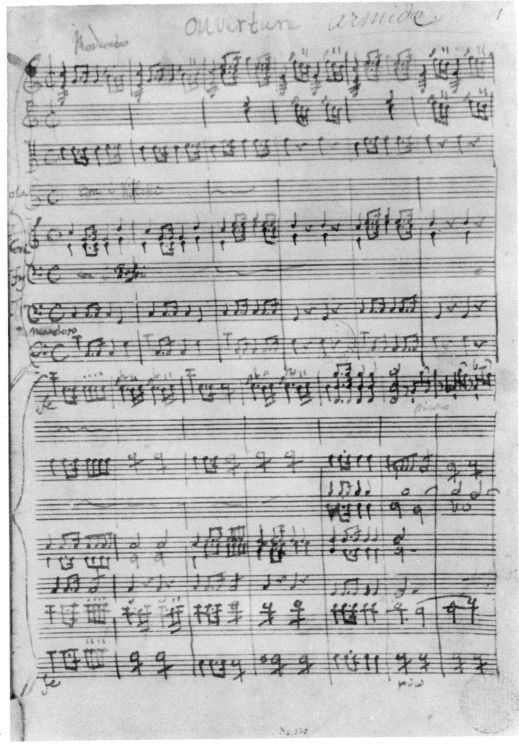

*Ms. autographe de l'ouverture d'Armide.*

3e page du ms. autographe d'Orphée.

aussi pour beaucoup de ses opéras italiens postérieurs. La réputation de G. grandit tellement jusqu'en 1745 qu'il fut invité à Londres et engagé à composer pour le Théâtre de Haymarket : il entreprit le voyage, peut-être en compagnie du jeune prince Lobkowitz ; rien ne prouve, comme on l'affirme quelquefois, qu'il soit passé par Paris et qu'il y ait connu Rameau et l'opéra français. Lorsqu'il arriva à Londres, il trouva les théâtres fermés par suite de troubles politiques : Charles-Edouard, de la maison des Stuart, tentait de faire reconnaître par la force ses prétentions au trône anglais et s'avançait sur Londres avec une bande armée ; c'est seulement lorsqu'il eut battu en retraite — il ne fut écrasé que le 27 avril 1746 à Culloden — que la vie théâtrale reprit à Londres. On donna à G. le livret plein d'allusions à l'époque de *La caduta dei Giganti* pour le mettre en musique : il reprit surtout d'anciens airs d'opéras de lui, et l'œuvre fut jouée le 18 janvier 1746 ; elle ne trouva pas d'échos. Les choses n'allèrent pas mieux pour son second opéra londonien, *Artamene*. Si son voyage en Angleterre fut pourtant un événement décisif, c'est à cause de sa rencontre avec Haendel : ce dernier aurait donné une opinion défavorable des talents contra- puntiques de G. ; il montra pourtant à quel point il estimait son jeune compatriote en donnant un concert avec lui ; G. garda toute sa vie de Haendel un souvenir empreint de vénération.

Jusqu'à la fin de 1752, peu de dates émergent de la vie de G. : en été 1747, pour le double mariage du prince- électeur Max Joseph de Bavière avec la princesse Maria Anna de Saxe et du prince Friedrich Christian de Saxe avec la princesse Maria Antonia Walpurga de Bavière il devait écrire l'opéra-sérénade *Le nozze d'Ercole e d'Ebe*, qui fut joué le 29 juin au château de Pillnitz près de Dresde par la troupe d'opéra de Pietro Mingotti. G. était peut-être déjà membre de la troupe à cette époque, mais alors à un échelon subalterne ; il se peut d'ailleurs fort bien qu'il y ait joui d'une grande considération, puisqu'il reçut l'ordre de composer un opéra *(La Semiramide riconosciuta)* pour Vienne, le printemps suivant, à l'occasion de l'ouverture du *Burgtheater* rénové : c'est alors qu'il a dû rencontrer personnellement Métastase. C'est à cette époque en tous cas qu'il fit la connaissance de sa future femme, Marianne Pergin, fille d'un riche marchand viennois. A la fin de 1748, il se rendit à Hambourg et à Copenhague — comme maître de chapelle maintenant — dans la troupe de Mingotti. Pour la naissance du prince héritier danois (29 janvier 1749), il écrivit l'opéra-sérénade *La contesa dei Numi*, dont l'ouverture, qui annonce l'action et s'enchaîne sans interruption avec le 1er acte (« *Introduzione* »), doit peut-être sa forme aux conseils du maître de chapelle et théoricien J.A. Scheibe, qui était alors en fonctions à Copenhague. Il semble que G. se soit ensuite séparé de Mingotti et soit entré en rapport avec la troupe d'opéra de Locatelli : c'est cette dernière qui joua, au carnaval de 1749-50, à Prague, le nouvel opéra de G., *Ezio*, et au carnaval de 1751-52, toujours à Prague, son *Issipile* ; au moment de la représentation de cet opéra, G. devait être maître de chapelle de la troupe. Le 15 septembre 1750, il s'était marié avec Marianne Pergin en l'église St-Ulrich de Prague. Après l'intermède de Prague pour *Issipile* et un voyage à Naples, où G. refusa le texte d'*Arsace* qui lui était proposé et lui préféra *La clemenza di Tito* qui fit sensation, le ménage G. s'installa définitivement à Vienne en décembre 1752.

Passionné de musique, le prince de Saxe-Hildburghausen, feldmaréchal d'Empire, avait eu vent du succès de G. à Naples, et il chercha aussitôt à sa connaissance et le gagna à ses concerts hebdomadaires (académies) pour lesquels G. fournit quelques-unes de ses œuvres, surtout des symphonies et des airs ; il les anima lui-même comme premier violon *(Konzertmeister)* et bientôt comme maître de chapelle. Grâce à sa distinction d'homme du monde et à la culture qu'il avait acquise, il devint rapidement un « familier » (Dittersdorf) du prince. C'est pour une fête champêtre que le prince donna en septembre 1754 pour le couple impérial au château de Schlosshof, que G. écrivit l'opéra-sérénade *Le Cinesi* ; le succès de l'œuvre, qui fut reprise au

*Burgtheater* l'année suivante sur l'ordre de l'empereur François Ier, dut inciter le comte Durazzo, qui venait d'être nommé directeur du théâtre de la cour à Vienne, à engager G. à la cour pour composer de la « musique théâtrale et académique ». (Cependant G. ne fut nommé « compositeur attitré de la cour royale et impériale » que beaucoup plus tard). G. écrivit successivement pour une fête dans le parc du château impérial de Laxenburg, en 1755, l'opéra-sérénade *La danza*, pour les fêtes d'anni- versaire de l'empereur, la même année, *L'innocenza giustificata*, l'année suivante *Il rè pastore* et, le 8 octobre 1760, *Tetide*, pour les fêtes des (premières) noces du prince-héritier. On ne sait à quelle époque il se dégagea de son service auprès du prince de Saxe-Hildburghausen ; en tout cas, il passait encore pour son maître de chapelle en 1756, lorsqu'il donnait à Rome une représentation de son nouvel opéra *Antigona*, qui lui avait été commandé par le théâtre di Torre Argentina ; il reçut alors le titre de « comte palatin du Latran » et de « chevalier de l'Éperon d'or ».

Ces œuvres de circonstance vont être dépassées en intérêt (exception faite peut-être pour *L'innocenza giustificata*, dont le livret avait été composé par Durazzo sur des airs de Métastase et des récitatifs écrits par lui, qui, à bien des égards, comporte déjà une réforme de l'opéra par les travaux de G. dans le domaine de l'opéra- comique français, issu de l'ancienne comédie-vaudeville, en partie grâce à l'influence de G. : c'est le mérite de Durazzo d'y avoir incité G. ; il lui tenait à cœur d'intro- duire ce genre à Vienne, et il se faisait toujours envoyer de Paris, d'abord par l'ambassadeur d'Autriche à Paris, le comte de Starhemberg, puis directement par Charles- Simon Favart, les comédies-vaudevilles dont il avait besoin (éventuellement adaptées sur les indications de Durazzo), que G. devait alors avant tout arranger et faire représenter au *Burgtheater* ou aux châteaux de Schönbrunn ou de Laxenburg. En procédant à l'adap- tation, G. prenait de plus en plus de liberté, comme Duni, Monsigny et Philidor le faisaient à Paris à la même époque. Dans *Tircis et Doristée*, de 1756, (dans la mesure où il s'agit vraiment d'une adaptation de G.) il remplaça différents vaudevilles par ses propres mélodies. A partir de 1758, il écrivit pour les pièces — *La fausse esclave*, *L'île de Merlin* ; 1759 : *Le diable à quatre*, *L'arbre enchanté* ; 1760 : *L'ivrogne corrigé* ; 1761 : *Le cadi dupé* — des ouvertures et un nombre toujours croissant d'« airs nouveaux » qui prenaient la place des vaudevilles originaux, jusqu'à *La rencontre imprévue* (1764), où il n'y a plus le moindre vaudeville : nous sommes alors en présence d'un opéra-comique de composition entièrement originale, dans sa forme caractéristique.

Mais le grand mérite de Durazzo, c'est d'avoir suscité la collaboration de G. et de Raniero (di) Calzabigi (1714-1795) qui, venant de Bruxelles, était arrivé à Vienne depuis quelque temps. Calzabigi, aventurier, spéculateur et grand séducteur comme son ami Casanova, avait composé son premier livret en 1745, lancé une édition de Métastase à Paris en 1755 et, étant entré en contact avec les poètes et les écrivains parisiens — Diderot, Grimm, Rousseau, Voltaire, etc. — fit siennes leurs idées de réforme de l'opéra (qui étaient en partie dirigées contre Métastase). A Vienne, il lut devant Durazzo son dernier livret, fait d'après ces idées, *Orfeo ed Euridice*. Durazzo lui-même enclin à la réforme, comme il a été dit, fut tout de suite séduit et adressa Calzabigi à G. : le premier fruit de leur collaboration fut un ballet dramatique (écrit d'après les théories de Noverre et de Cahusac) *Le festin de pierre* (*Don Juan*, 1761) que G. fit suivre des ballets *Semiramis* (1765) et *Orfano della China* (1774) ; le scénario de tous ces ballets était du maître de ballet viennois Gasparo Angiolini. La collaboration de G. et de Calzabigi nous valut les opéras *Orfeo ed Euridice* (1762), *Alceste* (1767) et *Paris ed Elena* (1770).

Dans ces trois « *Reformopern* » italiens, Calzabigi et G. (selon la préface d'*Alceste*), recherchaient « la simplicité, la vérité et le naturel ». La différence entre ces opéras et la production italienne en vogue tient d'abord dans la forme du livret : au lieu d'une fable savamment agencée, soutenue d'intrigues, noyée dans une foule d'épisodes, on se trouve — selon le modèle du drame antique — devant une action simple, au déroulement linéaire ; « au lieu des descriptions maniérées, des comparaisons superflues, des maximes froides et plates, le langage du cœur, les émotions fortes, les situations vraies » ; au lieu du conventionnel de cour, le sentiment humain. Le chœur, qui se limitait à des exercices décoratifs dans les opéras italiens à la mode (si vraiment il était présent) prend place aux côtés des personnages principaux et se mêle étroitement à l'action dramatique. A la musique, il revient alors de « servir le drame à travers son expression propre et ses images successives, sans interrompre et refroidir l'action par des ornements superflus ». L'utilisation schématique des airs *da capo*, avec leurs longues ritournelles, leurs intermèdes et leurs *colorature* absurdes devait disparaître, de même que la brusque succession d'un récitatif non accompagné et de numéros de chant avec orchestre complet. Avec cette réforme, les opéras de *G.* (à l'exception d'*Alceste*) ne comportent donc plus un simple récitatif. Comparés avec les opéras italiens de l'époque, les « *Reformopern* » italiens de *G.* font preuve d'un style plus déclamatoire pour le chant, plus expressif pour l'orchestre, ainsi que d'une préférence pour des formes plus restreintes : *ariosi*, chants proches du *Lied*, chœurs plus courts et pantomimes ; mais ils sont assemblés, par une intention architectonique grandiose, en scènes et groupes de scènes qui se répondent symétriquement, quant au choix des moyens musicaux employés. Ce n'est qu'en fonction de leur position à l'intérieur de tels ensembles que les morceaux particuliers prennent leur véritable effet.

De sa collaboration avec Calzabigi, *G.* a reconnu qu'il lui doit d'avoir entrepris la réforme de l'opéra. Il ne faut pas oublier pourtant que les idées de Calzabigi (comme il a été dit) étaient déjà fort élaborées dans les milieux littéraires parisiens, que certains traits musicaux essentiels de la réforme, ainsi le traitement du récitatif et l'architecture scénique monumentale, étaient le mérite propre de *G.* et que la supériorité du « *Reformoper* » italien, ainsi que le succès durable qui s'attacha au moins à *Orfeo* et à *Alceste*, ne sont dus à la fin qu'au génie musical et dramatique de *G.*

A côté des « *Reformopern* » italiens que *G.* composa en dehors de tout engagement, il s'acquitta d'un nombre considérable de commandes d'opéras ; pour être en harmonie avec les livrets, il redevenait plus conventionnel : pour l'inauguration du Théâtre communal de Bologne en 1763, il eut à mettre en musique *Il trionfo di Clelia* de Métastase ; la même année, il adapta son *Ezio* de 1750 pour une nouvelle représentation à Vienne et écrivit l'opéra-comique déjà cité *La rencontre imprévue*. Au début de 1764, il fit un court passage à Paris, où la gravure d'*Orfeo* allait être achevée. Ces quelques semaines virent la chute du comte Durazzo, consommée par une intrigue préparée contre lui de longue main. Il avait encore réussi peu de temps auparavant à obtenir une pension pour *G.*, mais il ne semble pas que la chute de son influent protecteur ait mis en danger la situation de *G.* à la cour. A l'occasion du couronnement de Joseph II, élu roi des Romains, qui avait lieu le 3 avril 1764 à Francfort, il eut à composer un morceau de bravoure qu'il reprit plus tard dans la partition d'*Orphée*. Pour les fêtes des secondes noces de Joseph II, année suivante, *G.* dut écrire trois nouveaux ouvrages à la suite : l'opéra-sérénade *Il Parnasso confuso*, le grand opéra *Telemacco* et le ballet *Semiramis* (déjà cité). L'opéra-sérénade *La corona*, qu'il avait préparé pour l'anniversaire de l'empereur en 1765, ne fut jamais représenté, puisque François Iᵉʳ mourut : il n'a probablement jamais été joué jusqu'à présent. Au début de 1767, il se rendit à Florence pour y diriger un petit opéra de circonstance, *Prologo*, pour une fête donnée chez l'archiduc Léopold. L'année suivante, il remania son *Innocenza giustificata* de 1755 et la produisit au *Burgtheater* sous le titre de *La vestale* ; la musique de cette nouvelle version a malheureusement été perdue. En été 1769, il alla à Parme pour représenter son nouvel opéra, *Le feste d'Apollo*, à l'occasion des noces de l'archiduchesse Maria Amalia et de l'infant d'Espagne. Dans la vie privée de *G.* à l'époque, on relève qu'il s'installa en 1768 avec sa femme et sa nièce Marianne,

âgée de 8 ou 9 ans, qu'il avait adoptée à la mort de sa sœur, dans une belle maison dont il était propriétaire, à Rennweg, dans le faubourg St-Marc à Vienne. Son mariage, très heureux, ne lui ayant pas donné d'enfants, *G.* s'attacha tendrement à Marianne. Il fut particulièrement satisfait qu'elle fît preuve de dons musicaux et il lui fit travailler le chant avec le castrat Millico. Marianne fit des progrès rapides et, à 13 ans, elle faisait déjà le ravissement de tous par sa voix magnifique et sa diction inspirée. En 1769, *G.* subit une lourde perte financière : il avait essayé d'éviter la ruine du nouveau directeur de théâtre viennois, Giuseppe d'Affligio, aventurier et homme à l'honneur suspect, qui avait eu néanmoins le mérite de la première représentation d'*Alceste*.

C'est également à cette époque que doit remonter l'intérêt de *G.* pour Klopstock, dont la *Bataille d'Arminius*, qui venait d'être imprimée en 1769, l'enthousiasma, et il composa aussitôt quelques strophes sur les chants de bardes ; il en jouait et chantait des passages de temps en temps pour ses amis, mais on ne put jamais le décider à mettre ses compositions par écrit, si bien qu'il ne nous en reste pas une note. Nous ne possédons que quelques odes de Klopstock mises en musique, sans doute un peu plus tard. C'est en 1771-72 que *G.*, comme le rapporte l'historien de la musique anglais Charles Burney, qui se trouvait alors à Vienne, eut l'intention de composer un morceau dramatique d'après l'*Ode for St Cecilia's day* de Dryden ; mais, de toute évidence, ce projet n'eut pas de suite.

C'est peut-être parce qu'il s'était entre-temps consacré à un autre projet, celui d'*Iphigénie en Aulide* : le livret, adaptation de la tragédie de Racine, était dû au marquis Lebland du Roullet, attaché de l'ambassade de France à Vienne, admirateur fervent de *G.* La composition, achevée dès l'automne 1772, n'était pas écrite ; *G.* la joua presque tout entière par cœur devant Burney. A cette époque, du Roullet s'adressa dans une lettre ouverte (Mercure de France, 1ᵉʳ octobre 1772) à A. d'Auvergne, un des directeurs de l'Opéra de Paris, pour proposer la représentation de l'œuvre : Du Roullet ne recevant aucune réponse, *G.* renouvela l'offre (Mercure de France, 1ᵉʳ février 1773 ; cet écrit, où il attaque la « ridicule distinction des musiques nationales » et exprime le vœu de travailler en collaboration avec le « fameux M. Rousseau de Genève » est un document important concernant l'esthétique musicale de *G.*). D'Auvergne se fit à la fin envoyer un acte d'*Iphigénie* à Paris, et, après l'avoir examiné, déclara qu'il s'engagerait à accepter l'opéra, si *G.*, de son côté, prenait l'engagement de livrer six ouvrages équivalents : *G.* accepta sans hésiter et se fit mettre en congé à la cour de Vienne pour un an ; en automne 1773, il entreprit le voyage à Paris.

Aussitôt arrivé, il commença les répétitions, et la première représentation, le 19 avril 1774, fut un succès éblouissant. L'adaptation française d'*Orfeo* qui fut représentée pour la première fois en été suscita un enthousiasme presque plus grand encore. En dépit des intrigues à surmonter et des critiques qui se faisaient déjà entendre, *G.* était le héros du jour : il pensa un temps s'installer définitivement à Paris. A l'automne, il revint pour quelques semaines à Vienne — il fut enfin nommé « compositeur attitré de la cour royale et impériale » avec un traitement annuel de 2.000 *gulden* —, reprit aussitôt congé et repartit pour Paris.

A l'aller comme au retour, il rencontra Klopstock, qui résidait alors à la cour de Bade, et ils eurent des échanges passionnés. Pour être représentés au cours de l'année 1775, il avait préparé des arrangements de deux de ses opéras-comiques de 1759, *L'arbre enchanté* et *La Cythère assiégée*. Tandis que le premier n'était que peu remanié, le second avait subi une profonde transformation. *G.* fut d'autant plus sensible à son échec complet ; il l'attribua au fait qu'il n'avait pu diriger lui-même ; il tenta obstinément, pourtant en vain, de redonner l'ouvrage sous sa propre direction.

Cependant il travaillait à Vienne de toutes ses forces à arranger *Alceste* pour Paris : cet ouvrage, quand il le dirigea le 23 avril 1776, ne trouva d'abord aucun écho ; ce n'est que trois mois plus tard qu'il s'imposa devant le public, mais G. avait quitté Paris : à la fin du mois d'avril, il avait eu l'émotion d'apprendre que sa nièce Marianne était morte. il était parti tout de suite.

Pour combattre les résistances qui se multipliaient à Paris, G. se mit aussitôt à composer deux nouveaux opéras *Armide* et *Roland* d'après Ph. Quinault. A Paris, les partis se formaient : d'un côté, les partisans de G.,

pouvait prétendre à un franc succès ; du moins le théâtre fit-il recette.

Au début de 1778, G. revint à Vienne ; à la fin de l'année, et pour la dernière fois, il reprit la route de Paris. Il avait composé ses deux opéras, *Iphigénie en Tauride* et *Echo et Narcisse* : tandis que la représentation d'*Iphigénie*, le 18 mai 1779, fut un véritable triomphe, le plus grand que

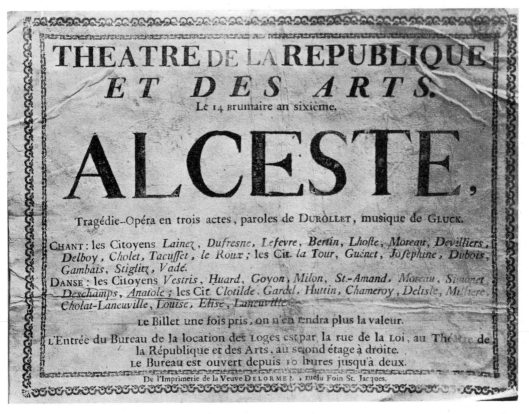

*Affiche d'Alceste*

fervents pour la plupart de la vieille tragédie lyrique française, sous la direction de J.-B. Suard et de l'abbé Arnaud ; de l'autre, ses adversaires, en général amateurs de l'opéra italien et menés par La Harpe et Marmontel, qui réussirent à faire appeler à Paris Nicolo Piccinni pour être le rival de G. : Marmontel adapta le *Roland* de Quinault pour lui, afin que G. et Piccinni combattent avec les mêmes armes. Quand G. l'apprit, furieux il détruisit tous ses projets pour *Roland* et fit savoir qu'il refusait d'entrer en concurrence ouverte avec Piccinni. La première représentation d'*Armide*, le 23 septembre 1777, tomba au milieu des combats les plus âpres entre gluckistes et piccinnistes : ceux-ci reprochaient à G. d'écrire sans mélodie, d'exagérer l'expression au détriment de la beauté et de surcharger l'instrumentation; ceux-là lui reconnaissaient le mérite d'avoir rétabli le drame dans ses droits, défendaient ses dons mélodiques et faisaient remarquer que son respect de la prosodie et sa rigueur d'expression étaient dans la meilleure tradition française. Au fond, la discussion se resserrait autour de l'esthétique de l'opéra : opéra ou drame musical ? Mais la qualité de la querelle descendait toujours plus bas et se noya finalement dans des discussions mesquines. Il est évident que dans de telles circonstances *Armide* ne

G. devait connaître à Paris, *Echo* demeura incompris (même l'arrangement de 1780 n'y put rien changer ; il ne suscita l'enthousiasme qu'en août 1781, joué dans une petite salle). Profondément aigri, G. quitta Paris le 7 octobre 1779 pour toujours.

Pour le style, les grands « Reformopern » français de G. — les deux *Iphigénie*, *Orphée*, *Alceste* et *Armide* — sont des applications des principes de G. visant la réforme de l'opéra, qui ont été énoncés ci-dessus, à la tragédie lyrique française. Si on les compare avec les « Reformopern » italiens, ils témoignent d'un style déclamatoire encore plus accentué, d'une intensité encore plus grande de la couleur et de l'expression de la partie d'orchestre. L'étendue des formes musicales est encore plus limitée, elles s'enchaînent souvent de façon inaperçue ; en renonçant en partie au caractère monolithique de la construction scénique, on atteint au paroxysme du mouvement dramatique et psychologique.

Au cours des huit dernières années de sa vie, G. ne quitta plus Vienne et ses alentours. Il avait pris très à cœur les événements de Paris et sa santé s'était affaiblie : après une attaque d'apoplexie qu'il avait subie au cours des répétitions d'*Echo et Narcisse*, il ne se remit jamais complètement. Entouré de soins par sa femme, il ne

## OPÉRAS (suite)

| Titre | Librettiste | Lieu et date de la 1re représentation |
| --- | --- | --- |
| *Le feste d'Apollo* | C. Frugoni | 24.8.1769, Parme |
| *Paride ed Elena* | R. Calzabigi | 3.11.1770, Vienne, Burgtheater |
| *Iphigénie en Aulide* | F.-L.-G. Lebland du Roullet, d'après Racine | 19.4.1774, Paris, Académie royale |
| *Orphée et Eurydice* (2e version d'*Orfeo ed Euridice*) | P.-L. Moline, d'après Calzabigi | 2.8.1774, Paris, Académie royale |
| *L'arbre enchanté* (II) | P.-L. Moline | 27.2.1775, Versailles |
| *La Cythère assiégée* (II) | Ch.-S. Favart | 1.8.1775, Paris, Académie royale |
| *Alceste* (II) | F.-L.-G. Lebland du Roullet, d'après Calzabigi | 23.4.1776, Paris, Académie royale |
| *Armide* | Ph. Quinault | 23.9.1777, Paris, Académie royale |
| *Iphigénie en Tauride* (I) | N.-F. Guillard et du Roullet, d'après Guymond de la Touche | 18.5.1779, Paris, Académie royale |
| *Echo et Narcisse* (I) | L. Th. von Tschudi | 24.9.1779, Paris, Académie royale |
| id. (II) | id. | 8.8.1780, Paris, Académie royale |
| *Iphigenie auf Tauris* (II) | J.-B. von Alxinger, d'après Guillard et du Roullet | 23.10.1781, Vienne, Burgtheater |

## BALLETS

| Titre | Argument et chorégraphie | Lieu et date de la 1re représentation |
| --- | --- | --- |
| *Le festin de pierre* (Don Juan) | G. Angiolini (avant-propos de R. Calzabigi) | 17.10.1761, Vienne, Burgtheater |
| *Semiramis* | G. Angiolini, d'après Voltaire (avant-propos de R. Calzabigi) | 31.11.1765, Vienne, Burgtheater |
| *Alessandro* (= *Alexandre et Roxane?*) | (G. Angiolini ?) | (21.5.1765, Laxenburg ?) |
| *L'orfano della China* | G. Angiolini, d'après Voltaire | 1.4.1774, Vienne |
| *Ballo Achille* | ? | ? |

## OPÉRAS

| Titre | Librettiste | Lieu et date de la 1re représentation |
| --- | --- | --- |
| *Artaserse* | P. Métastase | 26.12.1741, Milan, T. Regio Ducal |
| *Cleonice* | id. | 2.5.1742, Venise T. San Samuele |
| *Demofoonte* | id. | 26.12.1742, Milan, T. Regio Ducal |
| *Il Tigrane* | C. Goldoni, d'ap. F. Silvani | 9.9.1743, Crema |
| *Arsace* (pasticcio, en collab. av. G.B. Lampugnani) | A. Salvi | 26.12.1743, Milan, T. Regio Ducal (peut-être plutôt 23.11.1743 ; Venise, T. Grimani ?) |
| *La Sofonisba* | F. Silvani, airs d'après diff. liv. de Métastase | 17.1.1744, Milan, T. Regio Ducal |
| *La finta schiava* (pasticcio, en collab. av. G. Maccari, G.B. Lampugnani et L. Vinci) | F. Silvani | 13.5.1744, Venise, T. Sant'Angelo |
| *Ipermnestra* | P. Métastase | 21.11.1744 (?) Venise, T. San Giovanni Crisostomo |
| *Poro* | id. | 26.12.1744, Turin, T. Regio |
| *Ippolito* | G.G. Corio | début février (ou peut-être 31 janvier) 1745, Milan, T. Regio Ducal |
| *La caduta dei Giganti* | F. Vanneschi | 18.1.1746, Londres, T. Haymarket |
| *Artamene* | id., d'ap. B. Vitturi | 15.3.1746, Londres, T. Haymarket |
| *Le nozze d'Ercole e d'Ebe* | P. Métastase | 29.6.1747, Pillnitz |
| *La Semiramide riconosciuta* | P. Métastase | 14.5.1748, Vienne, Burgtheater |
| *La contesa dei Numi* | | 9.4.1749, Copenhague, château de Charlottenburg |
| *Ezio* (I) | id. | Carnaval 1749-50, Prague |
| *Issipile* | id. | id. 1751-52, Prague |
| *La clemenza di Tito* | id. | 4.11.1752, Naples, T. San Carlo |
| *Le Cinesi* | id. | 24.9.1754, Schlosshof près Vienne |
| *La danza* | id. | 5.5.1755, Laxenburg près Vienne |
| *L'innocenza giustificata* | comte Durazzo, airs d'après diff. liv. de Métastase | 8.12.1755, Vienne, Burgtheater |
| *Antigono* | P. Métastase | 9.2.1756, Rome, T. a Torre Argentina |
| *Tircis et Doristée* | Ch.-S. Favart | 10.5.1756, Laxenburg près Vienne |
| *Il rè pastore* | P. Métastase | 8.12.1756, Vienne, Burgtheater |
| *La fausse esclave* | L. Anseaume et Marcouville | printemps ? 1758, Vienne |
| *L'île de Merlin ou Le monde renversé* | L. Anseaume, d'après Le Sage et d'Orneval | 3.10.1758, Schönbrunn |

## MUSIQUE VOCALE

Sept odes de Klopstock : *Vaterlandslied* / *Wir und sie* / *Schlachtgesang* / *Der Jüngling* (2 versions) / *Die Sommernacht* (2 versions) / *Die frühen Gräber* / *Die Neigung*

Ode de Klopstock: *An den Tod* (récrite par J.-F. Reichardt après audition).

Cantate solo : *I lamenti d'amore* (faite de fragments de l'*Alceste* ital.)

Airs spirituels (pour la plupart des parodies d'airs d'opéras)

*De profundis* (ch. et orch.)

(Perdu : 1 Miserere et 1 psaume 8, attribués à G.)

## MUSIQUE INSTRUMENTALE

18 symphonies et ouvertures (4 douteuses)

1 concerto de flûte (douteux)

9 sonates en trio (1 inachevée)

| Œuvre | Librettiste | Date, lieu |
|---|---|---|
| Le diable à quatre ou La double métamorphose | J.-M. Sedaine | 28.5.1759, Laxenburg |
| L'arbre enchanté ou Le tuteur dupé (1) | P.-L. Moline, d'après Vadé | 3.10.1759, Schönbrunn |
| La Cythère assiégée (I) | Ch.-S. Favart | 1759, Vienne et Schwetzingen |
| L'ivrogne corrigé | L. Anseaume et Lourdet de Sarterre | avril (?) 1760, Vienne, Burgtheater |
| Tetide | G. Migliavacca | 8.10.1760, Vienne, château impérial |
| Le cadi dupé | P.-R. Le Monnier | décembre 1761, Vienne, Burgtheater. |
| Orfeo ed Euridice | R. Calzabigi | 5.10.1762, Vienne, Burgtheater |
| Il trionfo di Clelia | P. Métastase | 14.5.1763, Bologne, T. Comunale |
| Ezio (II) | id. | décembre 1763, Vienne, Burgtheater |
| La rencontre imprévue | L.-H. Dancourt, d'après Le Sage et d'Orneval P. Métastase | 7.1.1764, Vienne, Burgtheater |
| Il Parnaso confuso | M. Coltellini, d'après C.S. Capeci | 24.1.1765, Schönbrunn |
| Telemacco o sia Lisola di Circe | | 30.1.1765, Vienne, Burgtheater |
| La corona | P. Métastase | composé en 1765, non représenté |
| Prologo | L.O. del Rosso | 22.2.1767, Florence, T. della Pergola |
| Alceste (I) | R. Calzabigi | 26.12.1767, Vienne, Burgtheater |
| L'innocenza giustificata | comte Durazzo, airs d'après diff. liv. de Métastase | 1768, Vienne, Burgtheater |
| La Vestale (2e version de L'innocenza giustificata) | | |

resta pourtant pas inactif : il suivit avec un vif intérêt la vie musicale de Paris et de Vienne — là surtout, l'ascension du jeune Mozart — et conçut encore des projets de voyage ou de composition ; il reprit notamment la *Bataille d'Arminius* de Klopstock. En 1780, il fit un nouvel arrangement d'*Echo et Narcisse* (voir ci-dessus), puis il établit, avec la collaboration du jeune poète J.B. von Alxinger, une version allemande d'*Iphigénie en Tauride*, qui fut représentée aux fêtes données à l'occasion de la visite à Vienne du grand-duc Paul Petrovitch de Russie (le futur tsar Paul Ier). En dépit d'une seconde attaque, au printemps de 1781, après laquelle il fit une cure à Baden près de Vienne et s'installa avec sa femme dans le village voisin de Perchtholdsdorf, il chanta et joua encore avec fougue en 1783 des extraits de ses œuvres pour les compositeurs J.F. Reichardt et J.M. Kraus qui lui rendaient visite. Mais il se mit ensuite à baisser de plus en plus. Quelque temps avant sa mort, il remit à son élève Salieri son *De profundis* (peut-être déjà composé à la fin de sa 70e année), soi-disant pour l'incorporer à la collection impériale de musique, en réalité pour qu'on le donne à son enterrement. Le 15 novembre 1787, G. eut encore une attaque au cours d'une promenade en voiture, et il mourut aussitôt après à son domicile de Vienne, *Auf der Wieden* : les funérailles solennelles eurent lieu deux jours après ; pendant la messe des morts, Salieri dirigea le *De profundis*.

A l'exception de Pergolèse, G. est le compositeur d'opéras le plus ancien dont les œuvres ne disparaissent jamais complètement des scènes d'Europe. On n'a pourtant retenu qu'un petit nombre d'œuvres, *Orfeo* par exemple, *Alceste*, les deux *Iphigénie* ; la plupart des autres opéras attendent encore leur reprise. Il s'en faut de beaucoup que l'on trouve actuellement toutes ses œuvres dans des éditions récentes et sans défaut du point de vue scientifique. Après les six grands opéras parisiens publiés en édition de luxe par F. Pelletan et d'autres à la fin du XIXe s., puis, dans la première moitié du nôtre, quelques œuvres particulièrement intéressantes pour l'histoire de la musique insérées dans les *Denkmäler der Tonkunst in Bayern* et les *Denkmäler der Tonkunst in Österreich*, ce n'est qu'en 1951, sous la direction de Rudolf Gerber, qu'une édition critique complète de l'œuvre de Gluck a été entreprise : six volumes sont déjà sortis à l'heure actuelle.

**Bibl. :** C.H. Riedel, *Ueber die Musik des Ritters... G.*, Vienne 1775 ; G.M. Lebland, *Mémoires pour servir à l'histoire de la révolution opérée dans la musique par M. le Chevalier G.*, Naples 1781 ; H. Berlioz, *Voyage musical en Allemagne et en Italie*, 1844, et *A travers chants*, Paris 1862 ; A. Schmid, *Chr. W. Ritter von G.*, Leipzig 1854 ; A.B. Marx, *G. und die Oper*, Berlin 1863 ; G. Desnoiresterres, *G. et Piccinni*, Paris 1872, rééd. 1875 ; H. Barbedette, *G.*, Paris 1882 ; E. Newman, *G. and the opera*, Londres 1895 ; A. Wotquenne, *Catalogue thématique des œuvres de Chr. W.G.*, Leipzig 1904, et *Compléments...* publ. par J. Liebeskind, Leipzig 1911 ; J. d'Udine, *G.*, Paris 1906 ; E. Piovano, *Un opéra inconnu de G.*, SIMG, IX, 1907-08 ; J. Tiersot, *G.*, Paris 1910 ; E. Kurth, *Die Jugendopern G.s*, ds *Studien zur Muzikwissenschaft*, I, 1913 ; *G.-Jahrbuch*, édité par H. Abert, 4 vol, Leipzig 1913-18 ; St.Wortsmann, *Die deutsche G.-Literatur*, thèse, Leipzig 1914 ; M. Arend, *Zur Kunst G.s*, Ratisbonne 1914, et *G.*, Berlin-Leipzig 1921 ; W. Vetter, *G.s Entwicklung zum Opern-reformator*, AfMw, VI, 1924, et *G.s Stellung zur tragédie lyrique und opéra-comique*, ZfMw, VII, 1924-25 ; R. Haas, *G. und Durazzo im Burgtheater*, Zurich-Vienne- Leipzig 1925 ; G. Kinsky, *G.s Reisen nach Paris*, ZfMw VIII, 1925-26, et *G.s Briefe an Franz Kruthoffer*, Vienne 1927 ; L. de La Laurencie, *Orphée de G.*, Paris 1934 ; M. Cooper, *G.*, Londres 1935 ; A. Einstein, *G.*, Londres 1936 ; H.J. Moser, *Chr. W.G.*, Stuttgart 1940 ; R. Gerber, *Chr. W.G.*, Potsdam 1941, rééd. 1950, et *Unbekannte Instrumentalwerke von Chr. W.G.*, ds *Die Musikforschung*, IV, 1951 ; P. Landormy, *G.*, Paris 1941 ; A. Della Corte, *G. e i suoi tempi*, Florence 1948 ; J.G. Prod'homme, *G.*, Paris 1948 ; C. Hopkinson, *A bibliography of the works of Chr. W.G.*, Londres 1959.
                                                                          F.-H.N.

**GLYCONÉEN.** Terme de métrique ancienne : c'est un vers éolo-choriambique, composé d'une base, d'un choriambe et de deux syllabes :

$$\circ\circ \mid \text{—}\,\cup\cup\,\text{—} \mid \circ\circ.$$

S'il est catalectique, il s'appelle *phérécratéen* :

$$\circ\circ \mid \text{—}\,\cup\cup\,\text{—} \mid \circ.$$

**GLYKYS Jean.** Mélurge byzantin et éminent professeur de chant religieux. Aucun détail de sa vie ne nous est parvenu : certains chercheurs supposent qu'il vécut au IXᵉ s. ; une anthologie byzantine le montre vêtu en moine ; dans un autre ms., un dessin le représente enseignant la musique à Jean Koukouzelès ; si le fait est exact, *G.* aurait vécu au XIIIᵉ siècle : c'était d'ailleurs la grande époque des mélurges ou « embellisseurs », musiciens qui ornaient de mélismes les anciennes mélodies liturgiques de style récitatif. *G.* « embellit » ainsi les *Anastasima dogmatika doxatika* de Jean Damascène, les onze *Eothina doxatika* de Léon VI le Sage, des chants de la liturgie de Basile le Grand et de l'ancien *Sticherarium.* Il a laissé aussi de nombreux exercices à l'usage des chantres, qui étaient obligés de cultiver leur voix pour pouvoir exécuter toutes les fioritures et modulations des œuvres des mélurges. *J. G.*, mélurge, est souvent confondu avec un autre *Jean Glykys*, grammairien, mémorialiste et rhétoricien byzantin, qui fut patriarche de Constantinople de 1316 à 1320.          V.P.

**GLYN Margaret Henriette.** Musicologue angl. (Ewell 28.2. 1865–3.6.1946). Spécialiste de la mus. anglaise de virginal, elle publia *The rhythmic conception of music* (1909), *Analysis of the evolution of musical forms* (id.), *About elizabethan virginal music and its composers* (Londres 1924), *Theory of musical evolution* (1934), *The national school of virginal music...* (1917) ; elle a assuré des éditions ou des rééditions des œuvres de John Bull, de Farnaby, des œuvres complètes d'O. Gibbons (5 vol., 1925), *The Parthenia* (Londres 1927), de la mus. d'orgue angl. ancienne ; elle composa 6 symph., des ouvertures, 6 suites d'orch., des mélodies, des pièces d'orgue etc.

**GMELCH Joseph.** Müsicologue allem. (Mülhausen 22.4. 1881–). Ecclésiastique, docteur de Fribourg (Suisse) avec sa thèse *Die Vierteltonstufen in Messtonale von Montpellier* (Eichstätt 1930), chapelain d'Eichstätt, il a publié en outre *Neue Aktenstücke z. Gesch. d. regensburger Medicaea* (ibid. 1912), *Die Kompositionen der heil. Hildegard* (Düsseldorf 1913), *Die Musikgesch. Eichstätts* (Eichstätt 1914), *R. Schlecht* (ibid. 1931).

**GNATTALI Radamés.** Compos. brésilien d'origine ital. (Porto-Alegre 27.1.1906–). Elève de l'Institut des beaux-arts de Rio Grande do Sul et de l'École nat. de mus. de Rio de Janeiro, pian., altiste, co-fondateur de l'École nat. du Brésil, et directeur musical de la radiodiffusion du Brésil, il a écrit des concertos, de la mus. symph., de chambre, des mélodies, des arrangements de mus. populaire. Voir L.-H. Correa de Azevedo, *Música e músicos do Brasil,* Rio de Janeiro 1950, et art. in MGG.

**GNECCHI Vittorio.** Compos. ital. (Milan 17.7.1876–1.2. 1953). Il doit son heure de gloire à la bizarre ressemblance de son opéra *Cassandra* (Bologne 1905) avec l'*Elektra* de R. Strauss : la *RMI* organisa des 1909 sur cette sorte de télépathie dans deux de ses numéros de 1909 ; naturellement, la chose lui valut encore plus de déboires que de célébrité ; on lui doit 3 autres opéras, des œuvres symph., de la mus. d'église, notamment 1 cantate, 1 messe et 2 motets. Voir R. Rolland, ds Bull. de la *SIM*, juin 1909 ; F.B. Pratella, *Luci ed ombre,* Rome 1933.

**GNECCO Francesco.** Mus. ital. (Gênes 1769–Milan 1810), qui fut maître de chapelle à la cath. de Savone ; ses (26) opéras, populaires, furent joués à Gênes, Venise, Florence, Livourne, Naples, Bologne ; citons *La prova di un' opera seria* (Venise 1803) et *Carolina e Filandro* (Rome 1804) ; on lui doit également 2 quatuors, 2 trios, 1 cantate. Voir A. Della Corte in MGG.

**GNESSINE** (*Gnesin*) **Mikhaïl Fabianovitch.** Compos., prof. et musicologue russe (Rostov 2.2.1883–). Il achève ses études musicales en 1908 au cons. de St-Pétersbourg dans les classes de Rimsky-Korsakov et de Liadov ; ses premières œuvres témoignent d'un raffinement harmonique de tendance impressionniste : parmi elles, « *Balagan* » (1909) est écrit sur un poème d'Alexandre Blok ; puis il s'intéresse au système harmonique de Mahler : extrêmement sensible à la souffrance et au tragique, il écrit tour à tour « *Dédicace* » à la mémoire de Tolstoï (1910), un *Requiem* (1912–13), une œuvre à la mémoire de la mort tragique des enfants d'Isadora Duncan (1913) ; à la suite des pogroms de 1913, il s'inté-

resse au folklore juif et fonde une « Société de musique juive » ; après un voyage en Palestine (1912), il écrit « *La jeunesse d'Abraham* »: gagné aux idées culturelles du nouveau régime, il écrit une grande fresque dédiée aux révolutions de 1905 et 1917, « *Monument symphonique* » (1ʳᵉ audition, Leningrad, 6.11.1927), d'un style vigoureux ; dès lors, ses œuvres vont de plus en plus prendre appui sur les folklores de son pays ; ainsi seront écrits « *Chants populaires d'Azarbaidjan* » (quatuor à cordes), « *Adigué* » (sextuor à cordes), « *Cinq chants des peuples de l'URSS* » (p. 4 m.) ; en 1946, sa « *Sonate-fantaisie* » (trio à cordes et piano) lui vaut un second prix Staline ; parallèlement à son activité créatrice, *G.*, docteur en histoire de l'art, fut prof. aux cons. de Moscou, de Leningrad, et à l'Institut de pédagogie musicale « Gnessine » à Moscou ; il reçut le titre de « Maître émérite ès arts » de la RSFSR.          M.F.

**GNOCCHI Pietro.** Mus. ital. (Alfianello 1677–Brescia 4.9. 1771), qui fut à partir de 1762 maître de chapelle de la cath. de Brescia, ds les arch. de laquelle on conserve de lui 60 messes et *Requiem* (4-5-6-8 v.), 2 recueils de vêpres (8 v.), 4 de chorals (4 v.), 1 office de tierce pontifical, des répons, des hymnes, 1 office de Noël, etc. ; les arch. du *Santuario delle Grazie* de la même ville possèdent également de ses œuvres, toujours religieuses. Voir A. Valentini, *Mus. bresciani,* Brescia 1894 ; P. Guerrini in MGG.

**GNOMIQUE.** La poésie gnomique chantée fleurit surtout en Allemagne aux XIIIᵉ–XIVᵉ s. ; les poètes s'inspirent de sujets politiques ou moraux, parfois érudits et pédants ; ces auteurs appartiennent à la dernière période du *Minnesang* et marquent le déclin de la poésie lyrique courtoise qui évolue vers la subtilité technique, la rareté de la facture métrique, aspects prédominants de l'art des *Meistersinger*. Le genre préféré des gnomiques est le *Spruch* ; les principaux gnomiques sont Tannhäuser, Conrad von Wurzbourg, Hermann der Damen, Reinmar der Fiedler, Spervogel etc. Voir A. Schmidt-Schuckholl, *Die politische Spruchdichtung,* Munich 1940.          J.Md.

**G.O.** C'est une abréviation utilisée dans la mus. d'orgue française, qui signifie *grand orgue*.

**GOBBI Alajos.** Violoniste et prof. de viol. hongrois (Pest 1844–Budapest 1932), dir. de l'Éc. nat. de mus. de Budapest ; son frère — **Henrik** (Pest 1842–Budapest 1920), comp. et pianiste, élève de Thern, de Volkmann (composition) et de Dunkl (piano), prof. à l'Acad. de mus. de Budapest, a écrit des compositions p. piano, dont la *Grande sonate dans le style hongrois* (1867), une *Liszt-cantate* (1872) etc.

**GOBBI Tito.** Baryton ital. (Bassano del Grappa 24.10. 1913–). Elève de G. Crimi et de l'école de la *Scala,* il débuta en 1938 à Rome dans la *Traviata,* créa *Wozzeck* en Italie, fait une carrière intern., qui comporte de nombreuses réalisations cinématographiques. Voir G. Lauri-Volpi, *Voci parallele,* Milan 1955.

**GOBELINUS PERSON** (*Persona*). Ecclésiastique allem. (Paderborn ? 1358–Böddeken 17.11.1421). Elève de l'univ. d'Erfurt, il fut le familier d'Urbain VI, à la mort duquel il revint à Paderborn (1389), à Marburg (1405) ; en 1410, il était l'official de l'évêque de Paderborn ; chanoine en 1411, doyen de *St. Marien in Bielefeld* (1416), en 1418, il vécut au couvent des ermites de St-Augustin de Böddeken, qu'il entreprit de réformer ; il jouissait de l'estime de l'empereur Sigismond ; son chef-d'œuvre est *Cosmodromius, id. est chronicon universale...* (éd. par Meibom, Francfort 1599) ; on lui doit en outre un *Tractatus musicae scientiae* (1417), que H. Müller édita en 1907 (ds *KmJb,* XX) ; c'est un traité de chant choral (plain-chant), dans lequel il en dénonce les corruptions à son époque. Voir E.A. Bayer, *G.P. ...,* thèse de Leipzig 1874 ; P. Eickhoff, ds *Ravensberger Blätter,* IV, 1904 — art. in *ZmFw,* VII, 1924–25 ; G. Pietzsch, ds *AfMf,* VI, 1941 ; H. Hüchen in MGG.

**GOBERT Thomas.** Mus. franç. (?–Paris 26.9.1672). Il semble être né en Picardie au début du XVIIᵉ s. ; enfant de chœur de la Sainte-Chapelle du Palais, chanoine de St-Quentin (1630), maître de chapelle à Péronne, maître de mus. (1638), puis compos. (1664) de la chapelle de

Louis XIII, il se retira en 1669 ; il était le correspondant de Mersenne et de Huygens et conseillait à ce dernier l'usage du *basso continuo* ; il surveilla l'éd. de la *Pathodia* ; la plus grande partie de ses œuvres sont perdues ; restent *Paraphrase des psaumes de David* (Paris, 5ᵉ éd. 1659, puis 1661, 1672, 1676, 1686), quelques airs ds le recueil de Bacilly (*ibid.* 1661), un *Audite caeli*. Voir M. Brenet, *Les musiciens de la Sainte-Chapelle du Palais*, Paris 1910 ; Jonckbloet et Land, *Correspondance et œuvres mus. de Huygens*, Leyde 1882 ; D. Launay in MGG.

**GODARD Benjamin.** Compos. franç. (Paris 18.8.1849–Cannes 10.1.1895). Élève du cons. de Paris (Reber, Vieuxtemps), où en 1887 il fut nommé prof. de la classe d'ensemble, il débuta avec sa symphonie dramatique : *Le Tasse* (1878) ; on lui doit 6 opéras : *Pedro de Zalaméa* (1884), *Jocelyn* (1888), *Le Dante et Béatrice* (1890), *Ruy Blas* (1891), *La vivandière* (1895), *Les Guelfes* (1902), 3 drames lyriques, 5 symph. (*gothique*, 1883, *orientale*, 1884, 1ʳᵉ *symph.*, 2ᵉ *Symph. descriptive* inéd.), 3 concertos (1 de p., 2 de v.), une centaine de mélodies, de la mus. de chambre, chor., quantité de pièces de piano. Voir M. Cherjot, *B.G.*, Paris 1902 ; M. Clavie, *B.G.*, *ibid.* 1906 ; E. Haraszti in MGG.

**GODARD Robert** (?). Mus. franç. du XVIᵉ s., dit à tort par Fétis chantre à la Sainte-Chapelle et qui était en 1540 org. de la cath. de Beauvais, auteur d'une vingtaine de chansons à 4 et 5 v. publiées entre 1536 et 1561 chez Attaingnant, Moderne, Le Roy-Ballard.      F.L.

**GODEAU Antoine.** Évêque franç. (Dreux 1605–Vence 21.4.1672). Ami de Conrart et de l'hôtel de Rambouillet, académicien, il fut évêque de Grasse et de Vence (1636) ; de ses écrits historiques ou spirituels, un seul concerne la musique : *Paraphrase des psaumes de David* (Paris 1648) ; un certain nombre de ces paraphrases furent mises en musique par Louis XIII, d'autres, publiées chez Ballard et Le Petit de 1650 à 1663 par J. de Gouy, A. Auxcousteaux, A. Lardenois, T. Gobert, H. Du Mont ect.

**GODECHARLE.** Famille de mus. belges — **1. Jacques-Antoine** (Bruxelles 14.10.1713–11.12.1782) fut basse à la chapelle royale (1737–80) et maître de chapelle à St-Nicolas de Bruxelles (1749). Son fils aîné — **2. Eugène-Charles-Jean** (*ibid.* 15.1.1742–1814) fut violon. « surnuméraire » de la même chapelle (1770–94) et maître de mus. (1794) à St-Géry ; il était également altiste (et peut-être harpiste) ; il composa des sonates de violon, violon et clavecin, de harpe avec v., 7 symph., 12 quatuors. Son frère — **3. Joseph-Antoine** (*ibid.* 17.1.1746–21.3.1829) fut htboïste de la même chapelle (1766–94) et membre de l'orch. des *Spectacles de Bruxelles*. Leur frère — **4. Louis-Joseph-Melchior** (*ibid.* 5.1.1749–?) y fut basse-taille (1771–94) et chanteur aux Sts-Michel-et-Gudule. Leur frère — **5. Lambert-François**, dit *G. cadet* (*ibid.* 12.2.1753–20.12.1819), y fut également basse-taille (1778–94) ; il succéda à son père à St-Nicolas et composa 11 motets avec acc. instr. ; le reste de son œuvre a été perdu. Voir S. Clercx. *Les G.*, ds Mélanges Closson, Bruxelles 1948 ; A. Van der Linden in MGG.

**GODEFROID.** — **1. Jules-Joseph** (Namur 23.2.1811–Paris 27.2.1840), mus. belge, était harpiste-virtuose ; élève de Lesueur, il écrivit pour son instrument et 2 opéras-comiques : *Le Diadesté* (1836), *La chasse royale*. Son frère — **2. Félix-Dieudonné** (*ibid.* 24.7.1818–Villers-s.-Mer 12.7.1897), élève du cons. de Paris, également harpiste-virtuose, composa pour son instrument, écrivit encore 1 oratorio, 2 messes, des pièces de piano, 3 opéras : *A deux pas du bonheur* (1855), *La harpe d'or* (1858), *La fille de Saül* (1883). Voir F. Vernillat in MGG.

**GODENDACH Johannes.** Voir art. *Bonadies.*

**GODESCALCUS Lintpurgensis.** Moine allem. (? 1010/20–24.11.1098). Il fut bénédictin aux monastères de Limburg an der Hardt et de Klingen ; il fut chapelain de l'empereur Henri IV ; on lui doit 24 séquences publiées par Dreves (la mélodie de 15 d'entre elles nous est parvenue). Voir *Analecta hymnica*, 50, Leipzig 1907 ; G.M. Dreves, *G.L. ...*, *ibid.* 1897 ; O. Drinkwelder, *Ein deutsches Sequenziar...*, Graz-Vienne 1914 ; M. Melnicki in MGG.

**GODET Robert.** Musicologue suisse (Neuchâtel 21.11.1866–Paris 1950). Élève de Ferroni (Paris), de L. Thuille (Münich), ami de Debussy, il publia *En marge de Boris Godounov* (Londres-Chester 1926), une édition de la partition originale de cet opéra (*id. ibid.*), des recueils de mélodies populaires ou enfantines, une trad. franç. de *La jeunesse du XIXᵉ s.* de Chamberlain, 78 lettres de Debussy (*Lettres à deux amis*, J. Corti, Paris 1942) ; il était également compositeur.

**GODFREY.** Famille de mus. angl., qui débuta avec **Charles** (1790–1863) ; le plus connu d'entre eux fut **Sir Daniel Eyers** (Londres 20.6.1868–Bournemouth 20.7.1939), qui fut chef d'orch. et publia son autobiographie (Londres 1924). Voir H.G. Farmer in MGG.

**GODIÉ.** — **1.** C'est le nom de la vièle monocorde, répandue en Afrique occidentale du Niger au golfe du Bénin : la caisse de l'instrument est généralement faite d'une petite calebasse hémisphérique, tendue d'une peau sur laquelle s'appuie un chevalet fourchu portant un cran où passe la corde (en crin de cheval) ; l'archet, en crin de cheval lui aussi, est un simple arc, avec ou sans manche : c'est souvent un instrument de griot (voir à ce mot) — On écrit ou dit aussi *godyé* et *gogié*. — **2.** C'est encore un arc musical utilisé par les Baoulé (Afrique occidentale, Côte-d'Ivoire).

         G.R. et M.

**GODOWSKY Léopold.** Pian. et compos. pol. (Wilna 13.2.1870–New-York 31.11.1938). Élève du cons. de Berlin, de Saint-Saëns (Paris), pian.-virtuose de renommée mondiale, prof. au cons. de Chicago (1890–1900), à l'*Akad. d. Tonkunst* à Vienne (1909), il se fixa aux États-Unis en 1914 ; il écrivit de la mus. de piano, de chambre. Voir M. Aronson, *Key to the Miniatures of L.G.*, New-York 1935 ; I. Philipp, *Rec. of L.G.*, ds *A birthday greeting...* de G. Reese, *ibid.* 1943 ; K.S. Sorabji, *L.G. ...*, Londres 1947.

**GOEDICKE Alexander Fedorovitch.** Pian., org. et compos. russe (Moscou 20.2.1877–). Fils et élève de l'org. de l'ancienne église franç. et élève du cons. de Moscou (Safonov, Arenskij, Konius), prix Rubinstein (1900), il a été prof. à ce même cons. dep. 1907 (piano, orgue, ensemble) ; on lui doit des œuvres symph. (3 symph., 2 concertos (cor, viol.), 1 cantate : *Slava sovjetskim pilotam* (1933), de la mus. de chambre, 6 recueils de mélodies pop. (chant et trio av. piano, 1920–24), 21 recueils d'une « Grande bibliothèque pour instr. à vent » (1930–35), 4 opéras (mss).

**GOEHLER** (*Göhler*). — **1. Karl Georg.** Compos. allem. (Zwickau 29.6.1874–Lubeck 4.3.1954). Élève du cons. et de l'univ. de Leipzig, il fut chef d'orch. (Leipzig, Altenburg, Carlsruhe, Hambourg, Lubeck, Halle) ; critique, il découvrit Mahler ; il écrivit 3 symph., 2 concertos, de la mus. symph. et de chambre, 1 opéra ; il publia *Ueber musikalische Kultur* (Leipzig 1908), édita Freundt, Haendel, Hasse. Mozar t, Haydn, Schubert, Liszt. Voir K. Matthias, *G.G.*, 1954. Son frère — **2. Karl Albert** (*ibid.* 18.4.1879– sur le front franç., 9.1914) fut docteur de l'univ. de Leipzig avec sa thèse *Die Messkataloge im Dienste der mus. Geschichtsforschung* (*SIMG*, III, 1901–02), fut conservateur au musée Bach et publia un *Verzeichnis d. i. d. frankfurter u. leipziger Messkatalogen 1564–1759 angezeigten Musikalien* (Leipzig 1902).

**GOEHLINGER François-Auguste.** Musicologue et org. franç. (Mackenheim 1877–), qui fit ses études à Bâle (1905–09) et fut org. de St-Martin de Colmar (1941–53), auteur de publications sur l'hist. de la mus. en Alsace, notamment d'une *Hist. du chapitre de l'église collégiale de Colmar* (Colmar 1951).

**GOEHR.** — **1. Walter.** Chef d'orch. et compos. angl. (Berlin 28.5.1903–), élève de la *Preussische Akad. der Künste* (Schönberg), auteur du 1ᵉʳ opéra radiophonique à Berlin (*Malpopita*, 1930), éditeur de la *Poppée* de Monteverdi et de mus. de l'époque baroque ; il exerce à la B.B.C. Son fils — **2. Alexander** (Berlin 10.8.1932–) a travaillé avec Richard Hall (*Royal College of music* de Manchester), Olivier Messiaen (cons. de Paris) ; fondateur du groupe *New Music* de Manchester, il a écrit notamment des mélodies, 1 sonate de p. (déd. à la mémoire de S. Prokofiev, 1952), des pièces pour clar., 3 fantaisies symph., dont une avec p. et cl. (1955) et l'autre avec p. (1957), *Narration* (s. et p., 1955), 1 quatuor à cordes (1958). D.Ch.

**GOELLERICH** (*Göllerich*) **August.** Prof. autr. (Linz 2.7. 1859–16.3.1923), élève de Liszt et de Bruckner, dir. du *Musikverein* de Linz, qui publia la grande biographie de Bruckner (4 vol., Ratisbonne 1923–37, 1938) et des études sur Liszt, Wagner, Beethoven. Voir *A.G.*, Linz 1927 (anon.).

**GOEPFERT Carl Andreas.** Clarinettiste allem. (Rimpar 16.1.1768–Meiningen 11.4. 1818). Élève de Philipp Meissner, il entra dès l'âge de 20 ans à la chapelle de la cour de Meiningen où il dirigea également jusqu'à sa mort la musique militaire ; il composa 5 concertos de clar., 1 decor, 1 symph. concertante (cl. et basson), des duos de clar., de cor, de guitare et fl., de guitare et basson, 5 quatuors, 1 quintette, 1 octuor à vent etc. Voir H. Becker in MGG.

**GOERBIG** (*Görbig*) **Johann Anton Thaddeus.** Mus. austro-tchèque (Brüx 1684–Prague - Pohoreletz 2.3. 1737). D'abord chanteur, musicien et org., « volontaire » de la chapelle de la cath. St-Veit à Prague (1703), il y devint vcelliste attitré, puis organiste (1727, successeur de Liehre), enfin maître de chapelle (1734) ; on le voit aussi org. au service des Lobkowitz et à l'église des prémontrés de Strahov ; il nous est resté de lui 2 messes avec acc. instr., des litanies ; le reste a été perdu. Voir R. Quoika in MGG.

**GOERNER** (*Görner*) **Hans Georg.** Compos. allem. (Berlin 23.4.1908–). Élève du cons. et de l'univ. de Berlin, org. virtuose, chef de chœur, cantor et org. de St-Nicolas et de la *Klosterkirche* (1937), *Musikdirektor* de la *Propstei* de Berlin (1938), fondateur de la *Berliner Kantorei* (id.), dir. d'un séminaire au cons. de Schwerin (1945–52), prof. de composition au cons. de Halle (1953), à l'univ. Humboldt de Berlin (1956), il a écrit 2 symph., 1 messe, 1 concerto de piano, 1 *Wartburgkantate*, de la mus. symph., de chambre, de piano, des mélodies. Voir P. Hau, *H.G.G.*, ds *Musica*, 1954.

**GOERNER** (*Görner*). — **1. Johann Gottlieb.** Org. allem. (Penig, bapt. 16.4.1697–Leipzig 15.2.1778). Élève de la *Thomasschule* et de l'univ. de Leipzig, où il fut en 1716 org. de St-Paul, en 1721 de St-Nicolas, rival de Bach, il dirigea un *Collegium musicum* (1723–56), un peu plus tard, le *Gelehrtenkonzert* (1764) ; la plupart de ses œuvres ont été brûlées ou perdues ; restent 3 cantates et 2 messes. Son frère — **2. Johann Valentin** (*ibid.* 27.2.1702–Hambourg 30 ? 7.1762) fut également l'élève de l'univ. de Leipzig ; il appartint à différentes cours allem. comme claveciniste et compos. ; en 1728, il est à Hambourg où, en 1756, il sera dir. de la mus. à la cath. ; on a conservé de lui 3 recueils d'*Oden und Lieder* (Hambourg 1742, 1744, 1752),

2 pièces de p. dans un recueil de Telemann de 1728, peut-être 1 cantate. Voir A. Dürr in MGG.

**GOEROLDT** (*Göroldt*) **Johann Heinrich.** Mus. allem. (Stempeda 13.12.1773–Quedlinburg 18.6.1834). Il fut cantor et prof. à Quedlinburg (1803), composa des hymnes, des cantates, des chorals, des pièces de p. ; il publia *Leitfaden zum gründl. Unterrichte im Generalbass...* (2 vol., *ibid.* 1815–16, Qu.–Leipzig 1832), *Die Kunst nach Noten zu singen* (*id. ibid.*), *Die Orgel...* (Qu., 1925), *Ausführliche theor.-prakt. Horenschule* (*ibid.* 1830).

**GOES Damiao de.** Lettré port. (Alenquer 1502–30.1.1574). C'est l'un des grands esprits de la Renaissance portugaise : écrivain, musicien, compos., il entra fort jeune au service des rois de Portugal Manuel Ier et Jean III et fut, à partir de 1523, chargé de missions auprès des cours européennes ; résidant à Anvers, il s'y lia avec Erasme, Guillaume Budé ; Jean III lui proposa de résider au Portugal avec une charge importante : mais G. refusa, vécut quelque temps chez Erasme, partit pour Padoue, où il étudia jusqu'en 1538, date à laquelle il gagna Louvain et épousa Jeanne de Hargen ; rappelé à Lisbonne (1544), il y fut nommé dir. des archives de l'État et chroniqueur du royaume : c'est alors qu'il écrivit ses chroniques des règnes de Manuel Ier et de Jean III ; dénoncé à l'Inquisition, il fut condamné à la réclusion perpétuelle, puis gracié, mais il mourut peu de temps après son élargissement ; en tant que musicien portugais, il est considéré comme le principal représentant de la période de transition entre le style vocal accompagné et le style *a cappella* ; il semble avoir été org. et chanteur ; il réunissait ses amis pour exécuter des motets ; on a conservé de lui 2 motets : *Ne laeteris* (3 v., ds *Dodecachordon*, Bâle 1547), *Surge, propera, amica mea* (5 v., ds *Salminger*, *Cantiones*, Augsbourg 1545) ; on hésite sur l'attribution du motet *In die tribula-*

DAMIAN' A GOES.
*Musicas Poëta, Orator, et Historic,*

GOES

*tionis*, publié ds *Libro secundo... de Scotto* (Venise 1549) et ds *Tricinia II* de Montanus et Neuber (Nuremberg 1560) : il est signé *Damianus*. Voir J.C. Guilherme Henriques, *Ined. goesianos*, Lisbonne 1896–98 ; S. Viterbo, *Est. s. D.d.G.*, Coimbre 1900 ; Mario de Sampayo Ribeiro, *Achegas para a historia da musica em Portugal. — D.d.G. na livraria real da musica*, ds *Trabalhos da Associação dos arqueologos portugueses*, Lisbonne 1935 ; Marcel Bataillon, *Le cosmopolitisme de D.d.G.*, ds *Études sur le Portugal au temps de l'humanisme*, Coimbre 1952 (repris ds la Revue de litt. comparée, 1949) ; A.T. Luper, ds *JAMS*, III, 1950 ; Luis de Matos, *La correspondance latine de D.d.G.*, thèse complémentaire (à paraître). S.C.

**GOETHE Johann Wolfang von.** Écrivain allem. (Francfort-sur-le-Main 28.8.1749–Weimar 22.3.1832). La musique est un des rares points sur lequel on a pu contester son universalité. Ce qui est apparu à la postérité comme des erreurs de jugement n'est pourtant pas à attribuer à une atmosphère défavorable ou à un manque de connaissances techniques. Goethe a reçu une bonne éducation musicale d'amateur. Il était capable de lire une partition d'orchestre, et, sans en avoir jamais fait état, il s'est essayé à la composition. La musique l'a accompagné à travers toute son existence : à Francfort où ses parents, exécutants amateurs, fréquentaient les concerts (en 1763, il a entendu Mozart âgé de 7 ans), à Leipzig en 1765 où il a eu de nombreuses relations dans le cercle d'artistes autour de la famille de l'éditeur Breitkopf, à Strasbourg où Herder lui a fait connaître le chant populaire, à Weimar enfin, sa résidence à partir de 1775, où il a trouvé dans l'entourage de la duchesse Amélie un milieu passionné de musique. En Italie (1766-88) il a élargi sa connaissance du répertoire d'opéra et surtout d'*opera buffa*, et a découvert à la Chapelle Sixtine, pendant le carême de 1788, la polyphonie religieuse catholique (Morales, Palestrina, Allegri, Marcello). En 1800, il installa chez lui à Weimar un salon de musique et, en 1807, créa une véritable société musicale avec chœurs et orchestre. Haendel, Haydn, Mozart, Fasch, Jommelli, Salieri, Ferrari, ainsi que les musiciens amis Chr. Kayser, K. Fr. Zelter, Joh. Fr. Reichardt ont été au programme des concerts hebdomadaires. Dans la dernière période de sa vie, il eut de nombreuses visites de musiciens : F. Mendelssohn, qui vint pour la première fois en 1827 et fut toujours un hôte fêté, Weber, qui en revanche reçut en 1825 un accueil décourageant, Paganini en 1829, Spontini en 1825 et 1830, enfin en 1832 Clara Wieck, alors âgée de douze ans, qui devint plus tard Clara Schumann.

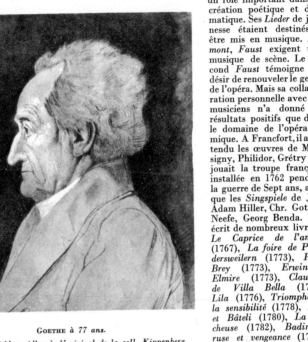

GOETHE à 77 ans.
*Pastel de Sebbers (d'après l'original de la coll. Kippenberg, cons. de Paris).*

de direction du théâtre de Weimar (1791-1817), Mozart a été avec 280 représentations, le compositeur le plus joué (*La flûte enchantée* : 82 *Don Juan* : 68 ; *l'enlèvement* : 49 ; *Cosi* : 39 ; *Titus* : 28 ; *Les noces de Figaro* : 20).

Le nom de Bach ne lui était pas inconnu, mais il ne découvrit directement son art qu'en 1814 lorsque son ami J.H. Schütz lui joua le *Clavecin bien tempéré* (à certaines périodes, il s'est fait jouer les préludes et les fugues 3 à 4 heures par jour). Il n'a connu les grandes œuvres vocales qu'à travers les descriptions de son ami Zelter.

Goethe n'a pas été seulement auditeur. La musique joue un rôle important dans sa création poétique et dramatique. Ses *Lieder* de jeunesse étaient destinés à être mis en musique. *Egmont*, *Faust* exigent une musique de scène. Le second *Faust* témoigne du désir de renouveler le genre de l'opéra. Mais sa collaboration personnelle avec des musiciens n'a donné de résultats positifs que dans le domaine de l'opéra-comique. A Francfort, il a entendu les œuvres de Monsigny, Philidor, Grétry que jouait la troupe française installée en 1762 pendant la guerre de Sept ans, ainsi que les *Singspiele* de Joh. Adam Hiller, Chr. Gottlob Neefe, Georg Benda. Il a écrit de nombreux livrets : *Le Caprice de l'amant* (1767), *La foire de Plundersweilern* (1773), *Pater Brey* (1773), *Erwin et Elmire* (1773), *Claudine de Villa Bella* (1775), *Lila* (1776), *Triomphe de la sensibilité* (1778), *Jery et Bâteli* (1780), *La pêcheuse* (1782), *Badinage, ruse et vengeance* (1784), 2e partie de *La flûte enchantée* (1796). Il y avait en lui une vocation

Aux époques de crise, la musique a été pour Goethe un besoin. Après la grande maladie de l'hiver 1800, le désir d'entendre de la musique a marqué son retour à la vie. En 1823, après sa déception amoureuse de Marienbad, le jeu de la pianiste polonaise Maria Szymanowska (1790-1832), pour qui il écrit le poème *Aussöhnung* (Réconciliation), l'émeut aux larmes. Il note en 1820 : « Je puis toujours mieux travailler quand j'ai entendu de la musique ». On pourrait aisément multiplier ces exemples qui montrent l'action profonde des sons sur sa sensibilité. Goethe a manifesté de l'intérêt pour la musique polyphonique de la Renaissance, mais ses préférences allaient aux grands classiques. A Gluck d'abord ; en 1774, il lui a fait proposer de mettre ses poèmes en musique, il a étudié sa déclamation rythmée et a fait jouer au théâtre de Weimar ses opéras, qu'il admirait. En 1781, il découvre Haendel (*la Fête d'Alexandre*, *le Messie*) et lui conserve son admiration jusqu'à la fin de sa vie où il étudie encore la construction du *Messie*, de *Samson*, de *Judas Macchabée* (1829-32) s'intéressant au problème posé par l'alliance de la déclamation et de la mélodie. Mozart fut peut-être son musicien préféré. En 1829, il regrette que Mozart n'ait pu mettre son *Faust* en musique (*Conversations avec Eckermann*, 12.2.1829). Il le place à côté de Raphaël et de Shakespeare (*ibid*, II, 3, 1832), et déclare encore : « Toutes les œuvres de Mozart ont en elles-mêmes une force fécondante dont l'action se prolonge de génération en génération et qui ne peut être de sitôt épuisée ni consumée » (*ibid.*, II, 3, 1828). Pendant ses 26 années

de librettiste. Sa correspondance avec un de ses collaborateurs, le musicien Kayser, le montre très soucieux des problèmes du théâtre en musique (déclamation, rythme, alternance du repos et du mouvement). Parti du *Singspiel* et de l'opéra-comique français, il a élargi ses conceptions par des éléments empruntés à l'*opera buffa* italien et s'est mis à l'école de Gluck et de Mozart pour essayer de créer un véritable théâtre musical allemand. Malheureusement, il n'a jamais collaboré directement avec un musicien digne de lui. Les grands musiciens n'ont pas manqué à son temps, mais il est passé à côté d'eux. Gluck, qui ne s'était pas intéressé aux poésies du jeune Goethe, était trop âgé lorsque plus tard ils sont entrés en relations. C'est un hasard qui a mis *La violette* sous les yeux de Mozart qui semble avoir ignoré Goethe. En 1812 seulement, aux bains de Teplitz, il fait la connaissance de Beethoven qui, depuis sa jeunesse, l'admirait profondément et désirait collaborer avec lui (il avait déjà mis en musique de ses poèmes en 1809-10 et composé la musique de scène pour *Egmont* ; la pensée d'un opéra tiré de *Faust* l'a longtemps hanté). Ils eurent pendant quelques semaines des relations assez suivies, mais la différence foncière de leurs caractères fit qu'ils se quittèrent assez mal satisfaits l'un de l'autre (lettre de Goethe à Zelter, 22 sept., lettre de Beethoven à Breitkopf, 9 août 1812). L'art de Beethoven apparut à Goethe comme l'expression d'un titanisme, comme une libération des puissances du cœur, qu'après la période tumultueuse du *Sturm und Drang*, il s'est efforcé de dépasser pour atteindre un idéal d'équilibre et d'humanité harmonieuse. Malgré les efforts d'amis ou d'admirateurs de Beethoven, sa sympathie ne revint pas, bien qu'il ait fait représenter à Weimar *Egmont* en 1814 et *Fidelio* en 1816. Lorsqu'en 1830, trois ans après la mort de Beethoven, Mendelssohn lui joua au piano le 1er mouvement de la *5e Symphonie*, Goethe dit « Cela n'émeut en rien, cela étonne seulement ; ... c'est très grand, c'est absolument fou ! On aurait peur que la maison s'écroule ». Il retrouvait en Beethoven le « daimon » de sa jeunesse dont il était parvenu à se libérer pour conquérir l'ordre de son art et de sa vie. Schubert a été pour lui un inconnu. Goethe n'a eu de contacts suivis qu'avec des musiciens de second plan qui n'ont pu satisfaire à ses exigences : Wolf, Seckendorf, Kayser, Zelter, Reichardt, Eberwein. Du vivant de Goethe, ses grands poèmes sont restés inachevés ou n'ont pas reçu la forme musicale qu'ils méritaient. La musique de Beethoven pour *Egmont* et sa cantate *Calme plat et heureuse traversée* sur deux poèmes de Goethe (1815) restent des exceptions.

Goethe a eu sur les problèmes de l'histoire musicale et de l'évolution des genres des vues très sûres. Une note à sa traduction du *Neveu de Rameau* de Diderot en 1805, montre la distinction des deux courants musicaux : celui du Midi, essentiellement vocal, qui sacrifie l'idée à la mélodie, et celui du Nord, essentiellement instrumental et harmonique. Annonçant l'école romantique, il attend le musicien qui, réunissant ces deux courants, fera pénétrer dans la musique instrumentale les forces du sentiment. Son désir d'explication scientifique l'a mené à chercher à établir à côté de sa *Théorie des couleurs* une *Théorie des sons* qui réduirait à une unité originelle la multiplicité des phénomènes et ramènerait à une antithèse systole-diastole de la *monade sonore* la différence entre le majeur et le mineur (*cf.* Lettres à Schlosser, 1815-16). Nombreux sont les passages de ses écrits qui montrent que la musique a été pour lui une des plus hautes expressions de l'humanité et un reflet de l'harmonie universelle.

Mais il est indéniable que Goethe ne possédait pas en musique la sûreté qu'il a montrée dans d'autres domaines, artistiques ou scientifiques. Son attitude à l'égard de Schubert dont il a ignoré l'envoi de Lieds, de Weber qu'il a reçu en 1825 en prenant soin de ne lui point parler de musique, de Beethoven qu'il a voulu ignorer après le séjour de Teplitz, de Berlioz qu'il a laissé sans réponse après l'envoi des *8 scènes de Faust*, peut apparaître comme une grave lacune dans son jugement musical. Si on veut comprendre sa position, il ne faut pas négliger l'influence des musiciens dont il prenait toujours l'avis — en particulier son ami Zelter — et aussi le fait que son goût le portait en musique vers l'école classique, contemporaine de sa jeunesse, et qu'il n'a pas su s'adapter aux nouveautés techniques introduites par les musiciens de la génération suivante. Et encore, il retrouvait chez eux un univers du sentiment qui risquait de menacer un équilibre classique péniblement conquis.

Si Goethe n'a pas su profiter de l'admiration que lui ont témoignée d'authentiques génies musicaux de son temps, si ses tentatives de collaboration musicale ont échoué avec des artistes de second plan, il est sans doute le poète qui, aux XIXe et XXe siècles, a inspiré le plus grand nombre de compositeurs. Ses poésies sont un élément essentiel de la naissance du *Lied* au XIXe siècle (Spohr, Beethoven, Schubert, Schumann, Brahms, Hugo Wolf). Il a inspiré aussi Mendelssohn : *Première nuit de Walpurgis* (1832) ; Brahms : *Rinaldo* (1869), *Rhapsodie* (1869) sur des extraits du *Voyage d'hiver dans le Harz*, le *Chant des Parques* (1883) extrait d'*Iphigénie* ; Schumann : *Requiem pour Mignon* (1849), scènes tirées de *Faust* (1844–1853). *Faust* a inspiré de nombreux musiciens. On peut citer : Spohr (*Faust*, 1814), Berlioz (*la Damnation de Faust*, 1846), Wagner (*Ouverture*, 1840), Liszt (*Faust Symphonie*, 1854), Gounod (*Faust*, 1859), Boïto (*Mephistofele*, 1868), Reutter (*Doktor Johannes Faust*, 1936). Voir *Correspondance de G. avec Zelter* ; W. Reich, *G. u. d. Musik, aus den Werken, Briefen u. Gedichten*, Zurich 1949 ; les travaux de Friedländer, W. Bode, *Die Tonkunst in Goethes Leben*, Berlin 1912 ; L. Pinck, *Volkslieder von G., in Elsass gesammelt*, Metz 1932, Sarrebruck 1935 ;

R. Rolland, *Goethe et Beethoven*, Paris 1930 ; G. Kinsky, *Zeitg. G.-Vert.*, ds *Philobiblon*, V, 1932 ; A. Della Corte, *La vita mus. di G.*, Turin id. ; E. Schramm, *G. u. Diderots Dialog...*, ds *ZfMw*, XVI, 1934 ; F. Küchler, *G. Mus. verständnis*, Leipzig-Zurich 1935 ; K. Blechschmidt, *G. in seinen Bez. z. Oper*, thèse de Francfort, 1937 ; H. Loiseau, *G.*, Paris 1943 ; F. Blume, *G. u. d. Mus.*, Cassel 1949 — art. in MGG ; H.J. Moser, *G. und die Musik*, Leipzig id ; W. Danckert, *G...*, Berlin 1951 ; M. Treich, *G. Singspiele...*, thèse de Berlin, 1951 (dact.) ; M. Unger, *Ein Faust-Opernplan Beethovens u. G.*, Ratisbonne 1952 ; A. Orel, *Mozart auf G. Bühne*, ds *Moz.-Jb.*, 1953 ; F.W. Sternfeld, *G. and music*, New-York 1954.

J.-P.B.

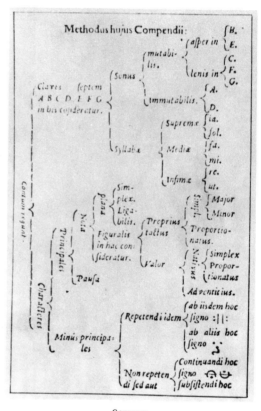

**GOETTING**

Plan du Compendium musicae (*Erfurt 1587*).

**GOETTING** (*Götting*) **Valentin**. Mus. allem. du XVIe s., qui fut cantor ou prof. à Erfurt (1586), où il publia *Compendium musicae modulativae* (1587), *Psalmus CXII...* (8 v., 1589). Voir M. Ruhnke in MGG.

**GOETZ** (*Götz*) **Franz**. Mus. austro-tchèque (Straschitz 29.7.1755–Kremsier 17.12.1815). Novice au couvent des Bénédictins de Brevnov, puis violon. au théâtre de Brünn, il séjourna ensuite en Silésie : Dittersdorf lui fit obtenir le poste de maître de concert à la chapelle du prince-évêque de Breslau ; il est ensuite à Breslau, à Brünn, à la chapelle d'Olmütz (1770–1811) et au château de Kremsier ; il était encore virtuose de la viole de gambe ; on lui doit de la mus. d'église (une dizaine de messes, dont 1 *Requiem*), symph., de chambre. Voir R. Quoika in MGG.

**GOETZ Hermann Gustav**. Compos. allem. (Königsberg 7.12.1840–Hottingen-Zurich 3.12.1876). Élève de L. Köhler, du cons. Stern de Berlin (Bülow), org. à Winterthur (1863), puis résidant à Zurich, il écrivit 2 opéras : *Der Widerspenstigen Zähmung* (1874), *Fran-*

*cesca da Rimini* (inachevé), 1 symph., 1 ouverture, 2 concertos pour v., des chœurs, des psaumes, 1 trio, 1 quatuor et 1 quintette, des pièces de p. et des mélodies. Voir H. Kreuzhage, *H.G.*, Leipzig 1916 ; G.R. Kruse, *Id.*, Leipzig 1920 ; R. Hunziker, *H.G. u. J. Brahms*, Zurich 1940 ; W. Kahl in MGG.

**GOGAVA Antonius Hermannus.** Humaniste néerl. (Grave 1529–Madrid 1569). Médecin à Venise (1550), à la demande de Zarlin, il traduisit en latin les *Harmoniques* d'Aristoxène (Venise 1562) et 2 livres de Ptolémée (Leyde 1546, 1548) : ses traductions, où les erreurs sont trop fréquentes, ont beaucoup servi, tout au moins à l'époque.

**GOGEN-BIWA.** C'est une variété de *gakubiwa* (voir à ce mot), à cinq cordes (Japon, époque de Nara), obsolète.
E. H.-S.

**GOGERAJAN.** C'est une petite vièle qu'utilisent les populations Saora (Inde centrale) : la caisse de résonnance est faite de la moitié d'une noix de coco, tandis que les cordes sont tendues sur une table de bambou.
M.H.

**GOJIA BANA.** C'est un luth à cinq cordes, joué avec un plectre par les Pardhan, musiciens professionnels attachés aux tribus Gond de l'Inde centrale.
M.H.

**GOKIELI Ivan Rafaelovitch.** Compos. russe (Tiflis 21.10.1899–). Elève de V. Chtokerbatehet et de H. Kouchnarev au cons. de Léningrad (1928–1931), il fut l'un des fondateurs de l'orch. symph. de Tiflis, où il exerça également une activité de chef d'orch., fut président de la société des compos. géorgiens (1928–42) prof. et dir. du cons. (1942–45) et de la Philharm. (1946) ; il a écrit de la mus. de ch., symph. (1 symph., 1948), un opéra (1942), des mélodies, de la mus. de scène, de film.

**GOLDBECK Frederik.** Critique franç. d'origine néerl. (Scheveningen 13.2.1902–). Elève d'H. Vönnmar (La Haye), de W. Mengelberg (Amsterdam), de G. Bagier (Wiesbaden), de M. Ciampi et R. Baton (Paris), il fut secrétaire de rédaction de la RM à Paris (1930–35), titulaire d'une classe d'orch. à l'École normale de musique (1936–39), fondateur de la revue *Contrepoint ;* il a collaboré à la RM, à *Melos*, à *Preuves*, et publié la première partie du catalogue de la bibl. d'A. Cortot (Argenteuil 1936) et *The perfect conductor.* (N.-York, 1951, en franç. : *Le parfait chef d'orch.*, Paris 1952) ; avec J.G. Prod'homme, il a traduit les *Gespräche über Musik* de Furtwängler (Paris 1953).

**GOLDBERG Johann Gottlieb.** Mus. allem. (Dantzig, bapt. 14.3.1727–Dresde 15.4.1756). Claveciniste, élève de son père (luthiste et violon.), il suivit le comte H.K. Keyserlingk à la cour de Dresde, où il fut l'élève de J.-S. Bach, ainsi que de Wilhelm Friedemann B. ; c'est pour lui que J.-S. composa les variations qui furent appelées communément *Variations G.* ; en 1751, il succéda à G. Gebel comme *hochgräfl. Kammermusikus* du comte G.H. von Brühl : il garda cet emploi jusqu'à sa mort, ayant acquis une grande renommée de virtuose et d'improvisateur ; on lui doit 2 cantates, 4 recueils de clavecin (*24 Polonaisen in allen Tonarten*), des chorals d'orgue, 6 sonates en trio, 2 concertos de clavecin. Voir le catalogue thématique de son œuvre ds. *Bach-J.B.*, XL, 1953 (ainsi qu'une étude d'A. Dürr sur une de ses sonates) ; E. Dadder, *J.G.G.*, thèse de Bonn, 1923 (dact.) ; *B.J.*, XX, 1923.

**GOLDBERG Szymon.** Violon. amér. d'origine pol. (Wloclawek 1.6.1909–). Elève de Michalowicz (Varsovie), de C. Flesch (Berlin), il fut *Konzertmeister* des philharmoniques de Dresde et de Berlin ; il a fait une carrière intern. et s'est fixé aux États-Unis depuis 1945.

**GOLDENVEISER Alexandre Borisovitch,** pian. et compos. russe (Kichinev 10.3.1875–). Elève du cons. de Moscou (Taneev, Arensky, Ippolitov-Ivanov, Ziloti) il a été prof. au cons. de Moscou (1906), il y fut dir. de 1922 à 1924 et de 1939 à 1942 ; son influence pédagogique a été très importante ; on lui doit 3 opéras, une cantate, des œuvres symph., de chambre, des mélodies ; il a écrit

des souvenirs (2 vol., Moscou 1922–23), édité une correspondance de Chopin (*ibid.* 1929) et publié des œuvres de piano de Bach, Mozart, Beethoven et Schumann.

**GOLDFADEN Abraham.** Compos. russe (Starokonstantinov 12.7.1840–N.-York 19.1.1908). Animateur d'une troupe de théâtre, auteur d'une cinquantaine d'opérettes et de mélodrames, il fut le fondateur du théâtre populaire *yiddish ;* fondée à Jassy en 1876, sa troupe fit des tournées en Europe orientale, à New-York, à Paris (v. 1900) ; parmi ses opérettes, citons *La sorcière*, *Le fanatique* (Varsovie 1887), *La Sulamite* (*ibid.* 1886) ; sa musique est d'inspiration juive et ukrainienne ; il écrivait lui-même les livrets de ses pièces : bien qu'elles aient peu de qualités littéraires et musicales, elles sont l'exact reflet de la vie quotidienne dans les anciennes communautés juives de l'Europe orientale.
I.A.

**GOLDMAN Edwin Franko.** Chef d'orch. et compos. amér. (Louisville 1.1.1878–N.-York 21.2.1956). Elève du cons. de N.-York et de Dvorak, il fonda des fanfares, dont les programmes étaient de bon goût (*Guggenheim Memorial Concerts*, 1930) : il y fit entendre notamment Milhaud, Piston, Roussel, Schoenberg, Thomson ; il écrivit plus de cent marches, des solos pour le cornet et la trompette etc. ; il publia *The foundation to cornet playing* (1914), *Band batterment* (*ibid.* 1934), *The G. band system* (*ibid.* 1936). Son fils — **Richard Franko** (N.-York 7.12.1910–) fut son assistant ; il est lui-même compos., arrangeur, prof. et critique (*The band's music, ibid.* 1938).

**GOLDMARK Karoly** (*Karl*). Compos. hongrois (Feszthely, 18.5.1830–Vienne 2.1.1915), très apprécié vers la fin du XIXᵉ s. ; fils de *Ruben G.* originaire de Lublin (Pologne), installé comme chantre de la communauté israélite à Keszthely (il séjournera plus tard à Tab et à Németkeresztur) ; son enfance et sa jeunesse se passent dans des conditions particulièrement difficiles ; autodidacte, il apprend à lire et à écrire à 12 ans, il prend des leçons de violon à partir de 11 ans ; en 1842, il est à Sopron, en 1844 à Vienne où, tout en poursuivant des études techniques, il finit par s'inscrire au conservatoire et devient l'élève de J. Böhm ; de 1848 à 1858, il est violon. de théâtre à Sopron, Györ, Buda et Vienne ; entre temps, il apprend le piano tout seul et compose sans connaître la technique du métier ; à Vienne, il se lie avec la famille Bettelheim, en qui il trouvera des amis fidèles et dévoués jusqu'à la fin de ses jours ; en 1858, il donne des leçons de piano à Pest et joue de la mus. de danse dans un estaminet d'Obuda, en compagnie d'Hans Richter, le futur grand chef d'orch. ; le 15 avril 1859, il donne un concert de ses œuvres à Pest ; la même année, il retourne à Vienne, où il jouera un rôle de plus en plus actif dans la vie musicale ; le concert qui est consacré à ses œuvres en 1860 obtient de bonnes critiques ; en 1863, on lui alloue une bourse d'état de 600 florins ; en 1865, il termine sa suite p. vl. et p. et sa *Sakuntalaouverture*, qui le rendra célèbre ; entre-temps, il écrit des critiques musicales dans lesquelles il se montre un partisan fidèle de Wagner ; en 1871, il termine son premier opéra, *La reine de Saba*, qui lui vaudra un succès mondial (1ʳᵉ à Vienne en 1875, Budapest 1876, Bologne 1880, Londres 1910) : entouré de nombreux amis et disciples, il vit désormais à l'abri de tout souci matériel, partage sa vie entre Gmunden et Vienne, tout en restant en rapport permanent avec son pays natal ; il dirige lui-même la 1ʳᵉ audition de son ouverture *Zrinyi* (thèmes hongrois ) à Budapest, lors du cinquantenaire, en 1903, de l'Orch. philh. ; en 1910, pendant sa dernière visite en Hongrie, il assiste à l'inauguration de la plaque commémorative apposée à sa maison natale de Keszthely ; c'est à Budapest qu'a eu lieu la première mondiale de son dernier opéra, « *Conte d'hiver* » (1908). — En dépit de l'inégalité de son œuvre, G. a laissé un certain nombre de compositions qui sont toujours aux répertoires : « *La reine de Saba* », les ouvertures *Sakuntala* et « *Au printemps* », le *concerto* p. vl. et orch. en *la mineur*, la symphonie « *Noces villageoises* » et quelques œuvres de mus. de chambre ; elles sont appréciées pour leur fraîcheur et spontanéité, pour leur ton et ambiance souvent populaires, pour leur ardeur et pour leur couleur

« orientale », qualités qui assurent à G. une place honorable dans l'histoire musicale du XIXᵉ s., dans ses opéras, il fait preuve d'un éclectisme fécond (procédés wagnériens, influence de Meyerbeer) et d'un profond sens théâtral.

**Œuvres :** Six opéras (« *La reine de Saba* », *Merlin*, « *Le grillon du foyer* », « *Le prisonnier de guerre* », *Götz von Berlichingen*, « *Conte d'hiver* »), 2 symph., 7 ouvertures (*Sakuntala*, *Penthesilea*, « *Au printemps* », « *Prométhée enchaîné* », *Sapho*, « *En Italie* », « *Souvenirs de jeunesse* »), *Zrinyi* (poème symph.), 2 concertos (vl. et orch.), 2 *Scherzi* (orch.), 1 cantate, mus. de chambre (2 quintettes, quatuor à cordes, sonates (vl. et p., vcelle et p.), de piano, chœurs, mélodies ; de 1910 à 1914, il a écrit ses mémoires (*Erinnerungen aus meinem Leben*).

**Bibl. :** O. Keller, *K.G.*, 1901 ; E. Vajda, *G.K.*, Györ 1911 ; M. Kalman, *G.K.*, Budapest 1930 ; K. Klempa, *G.az ember (« G., l'homme »)*, 1930 ; *G.K.*, publication de la Bibliothèque municipale de Budapest pour le centenaire de la naissance du compositeur ; Étude bibliographique sous la direction de L. Koch, 1930 ; les nᵒˢ 4-5 de la revue *Muzsika*, Budapest 1930 ; art. d'A. Molnar, in *Zenei Lexikon*, Budapest 1935 ; Varnai, *G.K. élete képekben* (« *La vie de K.G. en images* »), ibid. 1957.

J.G.

**GOLDOVSKY Boris.** Mus. amér. d'origine russe (Moscou 7.6.1908–). Élève de l'Acad. Liszt à Budapest et du *Curtis Institute* de Philadelphie, il a fait une carrière de dir. d'opéra : il est actuellement à Boston et au *Berkshire music Center* ; il a publié *Accents on opera* (N.-York 1953).

**GOLDSCHMIDT Berthold.** Chef d'orch. et Compos. angl. d'origine allem. (Hambourg 18.1.1903–). Élève de W. Wolff (Hambourg), de F. Schreker (Berlin), du cons. de cette dernière ville, il a été répétiteur au théâtre de Dessau et à l'Opéra de Berlin (1926–27), chef d'orch. au théâtre de Darmstadt (1927–29), dir. artistique de l'Opéra de Berlin (Charlottenbourg) et chef d'orch. à la radiod. de Berlin (1931–33) ; émigré en Angleterre dep. 1935, il collabore à la B.B.C. et fait une carrière de chef d'orch. ; on lui doit 3 opéras, 1 ballet, des concertos de viol., d'alto, de clar., 1 quatuor à cordes, de la mus. symph. et des mélodies.

**GOLDSCHMIDT Harry.** Musicologue suisse (Bâle 17.6.1910–). Élève de Scherchen, critique, il enseigne au cons. du secteur est de Berlin, à l'univ. Humboldt (*id.*), en Chine ; il a organisé des expositions Bach et Beethoven (Leipzig, Berlin), et publié *F. Schubert*, Berlin 1954, « *Cours sur la musique allemande* » (en chinois, Pékin 1957), des articles.

**GOLDSCHMIDT Hugo.** Musicologue allem. (Breslau 19.9.1859–Wiesbaden 26.12.1920). Élève (chant) de J. Stockhausen (Francfort), d'E. Bohn (Breslau), il enseigna au cons. Klindworth-Scharwenka de Berlin ; il publia *Die ital. Gesangsmethode d. 17 Jh.* (Breslau 1890), *Der Vokalismus. d. neuhochdeutschen Kunstgesangs..* (Leipzig 1892), *Handbuch d. deutschen Gsg. pädagogik* (ibid. 1896), *Studien z. Gesch.d. ital. Oper im 17 Jh.* (2 vol., Leipzig 1901–04, avec un rééd. de l'*Incoronazione di Poppea de Monteverdi*), *Die Lehre v.d. vok. Ornamentik* (Charlottenbourg 1907) *W. Heinse...* (Leipzig 1909), *Die Musikästhetik d. 18 Jh.* (Zurich 1915), des art. sur Cavalli, sur l'opéra italien de la 2ᵉ moitié du XVIIIᵉ s., sur les cantates de Bach ; il édita des opéras de Traetta (*DTB*, XIV, 1, XVII).

**GOLDSCHMIDT Otto.** Pian. et chef d'orch. allem. (Hambourg 21.8.1829–Londres 24.2.1907). Élève de Mendelssohn et de Chopin, il fit une carrière intern. et se fixa à Londres à partir de 1849 : il y épousa Jenny Lind et y fonda le *London Bach Choir* (1875) ; il composa notamment 1 oratorio, 1 cantate, de la mus. de chambre, des mélodies.

**GOLDWIN** (*Golding*) **John.** Mus. angl. (? v. 1667–Windsor 7.11.1719). Élève de W. Child, il lui succéda comme org. de la chapelle St-Georges de Windsor (1697) : il y fut également maître de chœur ; on a conservé de lui 1 *service* et des *anthems* (notamment à la *Christ Church* d'Oxford). Voir E.H. Fellowes, *Organists and masters of the choristers of St-George's chapel*, Londres 1940.

**GOLÉA Antoine.** Critique franç. d'origine roumaine (Vienne 30.8.1906 –). Élève d'Enesco (harmonie), d'A. Gastaldi (contrepoint), de P.-M. Masson (hist. de

la mus.), il est critique mus. dans plusieurs journaux franç. et allem. ; il a publié *Esthétique de la mus. contemporaine* (PUF 1953, trad. allem. Beck, Munich 1955), *Entretiens avec P. Boulez* (Julliard, 1958), *G. Auric* (1959).

**GOLEMINOV Marin.** Compos. bulgare (Küstendil 28.9.1908–). Élève de ses parents, de la *Schola cantorum* (d'Indy), prof., altiste, chef d'orch. à Radio-Sofia, élève de J. Haas et d'A. Lorenz (Munich 1938–39), il est depuis 1943 prof. de compos. et dir. du cons. de Sofia ; G. est l'un des compos. les plus fins de la jeune école bulgare : parmi ses œuvres de mus. de chambre, il faut citer son quatuor à cordes, et, parmi ses œuvres symph., son concerto de vcelle (1950) ; à quoi il faut ajouter 1 ballet, des œuvres voc. et chorales.

M.F.

**GOLESTAN Stan.** Compos. roumain (Vaslui 26.5.1875–Paris 22.4.1956). Élève de P. Dukas, d'A. Roussel, de V. d'Indy, il fut pendant 20 ans chroniqueur du *Figaro* à Paris et prof. à l'Ecole normale de musique ; de ses œuvres, il faut citer *Rhapsodie roumaine*, *Tzingarella*, *Rhapsodie concertante*, 2 concertos, 2 quatuors à cordes, des chansons populaires roumaines harmonisées.

**GOLIARDS.** C'est un groupe de poètes, qui furent en général d'église, trouvères (entre le XIᵉ et le XVᵉ s.), qui écrivirent des pièces profanes, la plupart du temps en latin : ce sont des poètes du plaisir. Leur surnom vient soit de Goliath, qui fut longtemps pris pour le prototype du vice, soit du mot gourmandise latin (*gula*, *gulositas*). Il semble qu'ils aient tous été des clercs en rupture de ban : on les a souvent assimilés aux clercs vagants, les auteurs des offices rythmiques ; il n'y a pas de raison précise de les distinguer les uns des autres, comme le prouve l'exemple de Gautier de Châtillon, clerc régulier, dont la vie fut fort honorable, qui écrivit d'ailleurs des satires et des chansons qui lui donnent place parmi les g. Le fait qu'ils aient écrit des satires, des chansons quasi immorales est la raison pour laquelle leur identité est rarement établie : on connaît quelques noms, comme Hugues d'Orléans, surnommé *le primat* ou *prince des poètes*, le précité G. de Châtillon, celui qui prit le pseudonyme d'*Archipoète de Cologne*, qui vécut dans l'entourage de Raynaud de Dassel. Il n'y a pas de rapport entre les vagants ou les g. et les trouvères ou troubadours (ces derniers de langue vernaculaire). Leur répartition géographique est assez nette, on peut orienter les recherches : les grands mss de g. furent copiés en Angleterre (10 sur les 20 actuellement connus) ; la plus grande partie vient de la vallée du Rhin, le reste de France du Nord et d'Espagne. On leur attribue l'invention et la propagation du vers dit *léonin*, à rimes intérieures, fondé sur le rythme accentuel du lai. Il n'y a pas de g. avant le XIᵉ s. (le ms. de Cambridge, édité par C. Breul, est copié au XIIᵉ sur un modèle du XIᵉ : il semble que les *preces* hispaniques et certains offices rythmiques leur soient un peu antérieurs. Ils utilisent des vers de toutes sortes : le seul ms. de Cambridge G 5 35 contient une pièce de Fulbert de Chartres, *Aurea personet*, un fragment d'Hrotswitha, un de Virgile (noté dans une dizaine de mss, donc destiné à être chanté, un fragment de Stace (qui figure aussi avec des neumes dans d'autres mss), l'hymne de Fortunat *Salve festa dies*, une ode d'Horace (également avec neumes dans qqs mss), plusieurs poésies déjà connues par des mss antérieurs, un fragment versifié de théorie musicale — c'est dire que la proportion de compositions originales du recueil est plutôt mince (en tout 49 pièces). Il semble que ces poètes latins aient été hantés par le souvenir de la culture classique : comme dans le ms. de Cambridge, plusieurs de leurs chansonniers contiennent des fragments des grands classiques, et, si les plus tardifs n'en ont plus, ils les ont remplacés par des paraphrases : c'est ainsi qu'une des récitations, la plus populaire (*Les plaintes de Didon*), a été adaptée et paraphrasée plusieurs fois en plein XIVᵉ s., et l'on a même pu consacrer un ouvrage aux décalques d'Ovide dans les œuvres de l'*archipoète de Cologne*. Tous ces fins lettrés, dont le répertoire fut satirique, léger, voire immoral, avaient le culte de la haute latinité et gardaient sans aucun doute les traditions de la cantillation épique : il est curieux de voir un G. de Châtillon écrire une *Alexandréide* en 10 livres, dont le succès est attesté par le grand nombre des mss ; on lui doit également un *Dialogue contre les Juifs*, une paraphrase de fragments des *Géorgiques*, 2 recueils de poèmes, les uns de pièces satiriques, les autres de chants d'amour : les g. semblent avoir été fort érudits.

La bibl. est immense : nous ne pouvons donner ici que quelques titres. Le ms. de Munich, qui provient de l'abbaye de Beuron, a été le premier retrouvé : d'où le nom fréquent de *Carmina burana* donné aux pièces des g. L'édition classique est : A. Hilka et O. Schumann, *C.B., mit Benutzung d. Vorarbeitung W. Meyers*, 2 vol., Heidelberg 1930, 1941 (énum. des sources, soit 21 mss) ; le ms. de Cambridge est édité par C. Breul : *The Cambridge songs...*, Cambridge 1915 ; K. Strecker, *Die cambridger Lieder...*, Berlin 1926 ( ds *Mon. Verm. Hist.*, rééd. des poèmes et études) ; le ms. d'Oxford, qui contient les œuvres d'Hughes Primat (Oxf. Rawl. G. 109), est éd. par W. Mayer ds *Nachrichten v. d. königl. Gesell. d. Wiss. zu Göttingen, Phil.-Hist. Klasse*, I, 1907 ; différentes pièces récemment trouvées sont éditées ds *Liber floridus...*, St. Ottilien 1950. — Les ouvrages sur les g. sont nombreux : voir notamment H. Unger, *De Ovidiana in carminibus buranis*, thèse de Berlin, 1913–14 (très important pour les décalques des poètes classiques) ; vues d'ensemble ds Manitius, *Gesch. d. latein Lit. d. Mittelalters*, III, Munich 1931 (av. index bibl.) ; des références plus récentes sont données par F.J.E. Raby, ds *A hist. of secular latin poetry*, II, Oxford 1934 (avec bibl.) ; l'art. le plus récent sur Hughes Primat semble être celui de B.M. Marti, *H.P. and Arnulf of Orleans*, ds *Speculum*, XXX, 1955. Voir également O. Dobiache-Rojdestvensky, *Les poésies des g.*, Paris 1931 ; A. Machabey, ds *Mélanges Masson*, I, *ibid.* ; H. Waddll, *The wandering scholars*, Londres 1926.        **S.C.**

**GOLITZINE** (*Golicyn*) **Nikolaï Borisovitch** (*prince*). Mécène russe (? 1794–Korotska 1866), qui fonda à St-Pétersbourg la Société philharmonique (1820) et la Société des amis de la musique (1828) ; il jouait du vcelle et sa femme du piano ; il était l'ami de Beethoven, à qui il fit commande de l'ouverture *Die Weihe des Hauses* op. 124 ; il la lui paya 50 ducats ; Beethoven la lui dédia, ainsi que trois de ses derniers quatuors à cordes (*op.* 127, 130 et 132) ; c'est par ses soins que la *Missa solemnis* de Beethoven fut exécutée pour la première fois en Russie (1824) ; il publia des *Essais poétiques* (en franç., 1839). Son fils — **Yourii Nikolaevitch** (St-Pétersbourg 1823–1872) fut en musique l'élève de Lomakine, de Reichel (Dresde), de Hauptmann (Leipzig) ; il fonda à Moscou en 1842 un chœur de 70 de ses serfs : à la libération de ces derniers, il dirigea d'autres chorales en mus. symph. en Russie et à l'étranger ; il fut exilé de Russie de 1860 à 1862 ; il composa 2 messes, 2 fantaisies symph., des mélodies, des pièces de piano et écrivit ses mémoires.

**GOLLER Vinzenz** (pseud. : *Hans v. Berchthal*). Compos. autr. (St-Andrä b. Brixen 9.3.1873–St-Michael im Lungau 11.9.1953), qui dirigea la section de mus. d'église de la *Wiener Akad. d. Tonkunst* et fonda la *Kirchenmusikverein*

*Schola austriaca* (1913), auteur de plus de 100 pièces de mus. d'église, y compris des messes, des mélodies et des chœurs, d'un recueil : *Meister-Werke kirchl. Tonkunst in Österreich*. Voir K.G. Fellerer, *Gesch. d. kath. KM.*, Düsseldorf, 2e éd. 1949.

**GOLOVANOV Nicolaï Semionovitch.** Chef d'orch., compos. et pian. russe (Moscou 9.1.1891–). Elève de l'école synodale et du cons. de sa ville natale (M.M. Ippolitov-Ivanov et S.N. Vasilenko), il a d'abord été maître de chœur (1915) puis chef d'orch. au *Bolchoï* (1918–28), prof. au cons. de Moscou (1925–29), chef d'orch. à la

**GOMBERT**
*Page de titre (Musica quatuor vocum, Scotto, Venise 1539).*

radiodiffusion russe (1937), de nouveau 1er chef d'orch. de l'Opéra de Moscou (1948) ; il a écrit 2 opéras, de la mus. symph. (1 symph.), des chœurs et plus de 200 mélodies.

**GOLOUBENZEV** (*Golubenzev*) **Alexandre Alexandrovitch.** Compos. russe (Kalouga 25.12.1899–). Elève de Glazounov et de Kalafaty au cons. de Pétrograd, fixé à Moscou depuis 1924, dir. de la mus. de nombreux théâtres moscovites, il a écrit un opéra, de la mus. symph., de scène (plus de 100 œuvres), de film, de chambre, des mélodies.

**GOLOUBEV** (*Golubev*) **Evgueni Kirillovitch.** Compos. russe (Moscou 16.2.1910–), élève de N.I. Miaskovski au cons. de sa ville natale, prof. au même cons., auteur de 4 symph., de 3 oratorios, de mus. de chambre et de piano (3 concertos), de chœurs, de mélodies, de mus. de scène, radiophonique.

**GOLTZ Christel.** Sopr. dram. allem. (Dortmund 8.7.1912–), élève de Th. Schenk, qui a appartenu à l'Opéra de Berlin (1947) et exerce à celui de Vienne (1951) ; elle fait une carrière internationale.

**GOLYCHEV** (*Golyčev*) **Efim.** Compos. russe (Kherson 8.9.1895–) qui, lors de la révolution russe, émigra à Berlin ; dodécaphoniste, il a écrit 2 opéras, de la mus. symph., de chambre, vocale. Voir H. Eimert, *Lehrbuch d. Zwölftontechnik*, Wiesbaden 1954 ; H. Stuckenschmidt, *Neue Musik*, Berlin 1951.

**GOMBERT Nicolas.** Mus. des anciens Pays-Bas (Bruges ? v. 1500–1556 ou 57). Il fut, d'après H. Finck, élève de Josquin, dont il célébra la mort par une pièce à 6 v., *Musae Jovis* ; en 1526, il est chantre de l'empereur et devient peu après maître de chapelle de sa cour, dont il suit les déplacements en Espagne (1537), en Autriche

*d, Sept. 25 1970*

et en Italie ; il écrivit une messe pour le couronnement de Charles-Quint et un motet célébrant la rencontre du pape et de l'empereur en 1533 à Bologne ; chanoine de Tournai depuis 1534, il passa peut-être dans cette ville les dernières années de sa vie ; on a de lui 10 messes à 4-6 v. qui montrent la technique de la parodie sous ses divers aspects, 169 motets à 4-8 v., publiés principalement à Venise chez Scotto entre 1539 et 1541, enfin 60 chansons à 3-6 v. éditées surtout à Anvers chez Susato (1544-50). Finck dit de lui qu'il ouvrit la voie à ses contemporains dans la technique des imitations : stricte dans les pièces à 4 v., elle est chez lui plus librement suivie dans celles à 5 et à 6 v. ; avec Clemens et Willaert, il est l'un des principaux compositeurs qui ont illustré l'art polyphonique entre Josquin et Lassus. Une éd. de ses œuvres complètes est en cours, par les soins de J. Schmidt-Görg (*American Institute of musicology*, depuis 1951). Voir J. Schmidt-Görg, *N.G., Kpm. des Kaiser Karls V, Leben u. Werk*, Bonn 1938.

**GOMBOSI Otto Johannes.** Musicologue hongr. (Budapest 23.10.1902–Lexington, E.U., 17.2.1955). Élève du cons. de Budapest et de l'univ. de Berlin (Hornbostel, C. Sachs, J. Wolf) dont il est docteur avec sa thèse sur J. Obrecht (éd. Leipzig 1925), il fut critique à Berlin (1929), membre de l'Institut hongrois à Rome (1935), résidant à Bâle (1936), prof. à l'univ. de Seattle (1940-46), au *Michigan State College* (1946-48), aux univ. de Berne et de Chicago (1949), enfin à l'univ. Harvard de Cambridge (1951) ; il publia une étude sur *Bakfark...* (Budapest 1935), *Tonarten u. Stimmungen d. antiken Musik* (Copenhague 1939), ainsi qu'un grand nombre d'articles concernant pour la plupart le moyen-âge et la Renaissance ; il assura des éditions savantes, notamment la tablature de Capirola (Soc. de musique d'autrefois, Neuilly 1955). Voir C. Sachs, *O.G.*, ds *JAMS*, VIII, 1955 ; H. Albrecht, *Id.*, ds *Mf.*, IX, 1956.

**GOMBOY.** C'est un tambour d'aisselle, à deux membranes tendues par laçage, frappé avec une baguette recourbée, utilisé par les Dogon (Afrique, Soudan).        M.A.

**GOMES** [*Antonio*] **Carlos.** Compos. brésilien (Campinas 11.6.1836–Belem 10.9.1896). Fils d'un musicien d'origine esp. (*Manuel José G.*), il apprit de son père les principes de l'art musical et de la composition (*Messe*, 1854) avant de quitter la maison paternelle pour se perfectionner à Rio de Janeiro ; là, le succès de ses premiers opéras (*Noite do Castelo*, 1861, *Joana de Flandres*, 1863) lui valut une pension qui lui permit de parfaire ses études au cons. de Milan, dont le directeur était Lauro Rossi ; G. se fit connaître d'abord par deux pièces légères, et la première d'*Il Guarany* (Scala, 1870) lui apporta une consécration définitive entière par le succès mondial de cette œuvre ; sa voie est désormais tracée ; il connaîtra succès et insuccès, comme tout compos. de mus. de théâtre : *Fosca* (1873, version revisée, 1878), *Salvator Rosa* (1874), *Maria Tudor* (1879) ; après l'échec total de cette dernière œuvre, G. rentre au Brésil, où il est accueilli triomphalement et compose son *Hino a Camoes* pour le tricentenaire de la mort du poète lusitanien ; au retour en Italie, il entreprend *Lo schiavo* (représenté finalement à Rio en 1889), suivi de *Condor* (Scala, 1891) ; sa santé et ses déboires économiques lui imposèrent le retour — cette fois définitif — au pays natal, où il composa l'oratorio *Colombo*, sa dernière œuvre, pour les fêtes du 4e centenaire de la découverte du nouveau monde.

L'œuvre de G. appartient autant au Brésil qu'à l'Italie. Brésiliens par leurs sujets et leur climat spirituel, ses meilleurs ouvrages sont italiens par leur langue littéraire et musicale, celle-ci reflétant les problèmes esthétiques qui agitaient alors l'Italie : abandon de certaines formules trop faciles, influence du drame wagnérien. En tant que musicien du Brésil, G. est le plus grand de son époque : il est en outre le premier musicien d'Amérique qui franchisse les frontières de son pays natal. En tant que musicien italien, mieux : en tant que musicien tout court, il mérite une place de choix dans l'hist. de la mus. théâtrale, car il fut, après Verdi, le premier comp. d'opéras de la fin du XIXe s. Voir G. da Rocha Rinaldi, *C.G.*, Sao Paulo 1955 ; J. Britto, *Id.*, 1956.        D.D.

**GOMEZ GARCIA Domingo Julio.** Compos. esp. (Madrid 20.12.1886–). Élève du cons. de Madrid, il a été dir. du musée archéologique de Tolède (1911-13), du département de la mus. de la Bibl. nat. de Madrid (1913-15), bibliothécaire du Cons. de Madrid (?-1956) ; il est le rédacteur d'*Harmonia*, l'auteur d'opéras de cantates, de mus. symph., chor., de chambre ; il a publié *Los cuartetos de M. Canales, Don Blas de Laserna* (1926, 1952), *Los problemas de la ópera esp.* (Madrid 1956).

**GOMIS José Melchor.** Compos. esp. (Onteniente 6.1.1791–Paris 26.7.1836). Il fut d'abord chef de mus. militaire (1817-23), puis gagna Paris, Londres (où il fut de 1826 à 1829 prof. de chant) ; mais c'est à Paris qu'il vécut les 7 dernières années de sa vie, ayant composé 10 opéras ou opéras-comiques, *Le diable à Séville* (1831), *Le portefaix* (1835), de la mus. de scène, vocale, une méthode de solfège et de chant (Paris 1825).

**GOMOLIAKA Vadym.** Compos. ukrainien (Kiev 30.10.1914–). Élève, puis prof. au cons. de Kiev, il a écrit des ballets : *Les Zaporogues* (1954), *Sorotchinsky Yarmarok* (1955), de la mus. symph. : 1 symph. (1952), *Esquisses carpathiques* (1950), *Lettre du front* (1947), *En Moldavie* (1953), 1 ouverture (*id.*), 8 danses (1948-49), 1 concerto de violon (1949), 1 quintette à vent (1948), *Humoresque* (p.-basson, *id.*), de la mus. de film.        A.W.

**GOMOLKA Mikolaj.** Mus. pol. de la 2e moitié du XVIe s., originaire de Sandomir ; on n'a pu préciser les dates de son état-civil ; d'après les archives, on peut savoir qu'il fut membre de l'orch. royal de Wawel à Cracovie, puis de l'orch. de Jan Zamoyski ; il est possible qu'il ait exercé des activités musicales aux monastères de Pinczow et de Miechow ; la seule œuvre qu'on ait conservée de lui est *Melodiae ná psalterz polski przez M.G. ... uczynione:* c'est un psautier dont le texte est dû au grand poète pol. de la Renaissance Jan Kochanowski, édité chez Lazarz Andrysowicz à Cracovie (1580). Voir Z. Lissa et J. Chominski, *La mus. de la Renaissance en Pologne*, 1953.        K.W.C.

**GO-PHONG.** C'est une vièle à 4 cordes, à caisse ronde et chevillier sculpté parfois en forme de tête de cheval (Tibet).        C. M.-D.

**GONELLI Giuseppe.** Mus. ital. (Crémone 1669-1745), qui fut org. de la cath. de sa ville natale de 1708 à sa mort ; on a conservé de lui en mss des messes et des motets pour voix et instruments.

**GONET Valérien.** Mus. franç. des XVIe-XVIIe s., originaire d'Arras, qui fut maître de chapelle à Cambrai ; on conserve de lui une fantaisie instrumentale à 4 (1613), des *Magnificat* à 3-10 v., dont certains à double-chœur (bibl. de Cambrai, ms. 14).

**GONG.** Sous ce nom, d'origine extrême-orientale et vraisemblablement malaise (*gung, kong*), on désigne un instrument composé d'un disque de métal (bronze ou cuivre), plus ou moins mince, au bord recourbé et dont on frappe la surface extérieure avec une mailloche. Le gong se distingue ainsi du disque sonore « à bords libres », de la cymbale et de la cloche. Le disque même est plat, ou légèrement bombé, ou renflé au centre ; dans ce dernier cas, la protubérance ou *mamelon* sert exclusivement de point de frappe et produit un son de hauteur précise. La surface extérieure ou intérieure du disque peut être polie ou avoir subi un martelage irrégulier qui détruit l'homogénéité de la plaque et augmente la complexité des sons (*cf.* art. *tam-tam*). Le bord est plus ou moins relevé, plus ou moins large : étroit, il forme un cadre circulaire, tel le rebord droit du gong annamite ; plus développé, il donne à l'instrument l'aspect d'un vase ou chaudron renversé, comme dans la plupart des gongs javanais à paroi tronconique ou bi-tronconique. Les *g.* sont de dimensions différentes ; à Java, les plus grands (*gong ageng*, voir à ce mot) mesurent près d'un mètre de diamètre. Ils sont joués le plus souvent par paire ou par groupe de trois, quatre, cinq, jusqu'à dix-huit, pouvant composer un instrument entier que frappe un seul exécutant. Ils se présentent soit verticalement soit horizontalement :

dans le premier cas, ils sont tenus à la main ou suspendus à une potence ; dans le second, ils sont posés sur un réseau de corde ou de rotin, sinon suspendus par des lanières, à l'intérieur d'un caisson (*kenong* — voir à ce mot — javanais), d'un sommier rectangulaire (*bonang* — *cf.* art. *gamelan* — javanais) ou d'un cadre annulaire (*khong* — voir à ce mot — cambodgien ou siamois). Ils peuvent constituer à eux seuls un petit orchestre (comme au Laos) ou se répartir dans un ensemble de métallophones (*gamelan* javanais ou balinais). L'origine du *g.* demeure encore obscure : son invention est certainement postérieure aux cymbales comme aux plaques ou disques sonores à bords libres, dont l'existence est attestée dans la Grèce ancienne. Le gong semble provenir du sud-est de l'Asie, ou il est figuré sur plusieurs monuments (Angkor-Vat, XIIe s. ; temple de Panataran à Java, XIVe s. etc.). Il fut signalé par les premiers voyageurs occidentaux aux Indes orientales et au Siam (*cf.* notamment La Loubère, *Du royaume de Siam*, 1691). Le compositeur Destouches est sans doute le premier musicien européen qui ait entendu cet instrument sur les lieux. Le gong ne fut employé en Occident qu'à partir de la fin du XVIIIe s., et d'abord sous la forme du tam-tam chinois, dans des musiques funèbres ou dramatiques (Gossec, Lesueur, Spontini. Meyerbeer etc.). A.Sch.

GONG
*Bornéo (Gem. Museum, La Haye).*

**GONG AGENG.** C'est un grand gong (voir à ce mot) à mamelon suspendu verticalement et dont le diamètre peut mesurer jusqu'à un mètre (Java). Le *g.a.* fait toujours partie des *gamelan* (voir à ce mot) les plus importants : il est utilisé dans les compositions en système *pelog* comme en système *slendro*, pour marquer la fin des périodes mélodiques les plus longues. On dit aussi *gong gede*.                                                M.H.

**GONG RING.** C'est une cithare de bambou des Bu Neur du Cambodge : le corps de l'instrument est fermé aux deux extrémités, tandis qu'une fente longitudinale le maintient ouvert par un petit coin de bois.      M.H.

**GONGON.** C'est le nom commun des tambours en sablier, à tension variable, qu'utilisent les griots (voir à ce mot) en pays Yoruba, Nigeria, Afrique occidentale, il y a plusieurs sortes de *g.*, de taille différentes, portant chacune un nom particulier. On écrit aussi *gangan*.
                                                                                    G.R.

**GONTIER de SOIGNIES.** Trouvère hennuyer des XIIe-XIIIe s., dont la biographie n'est pas établie ; on lui attribue 25 chansons authentiques, 11 douteuses (avec notation). Voir A. Scheler, *Trouvères belges...*, Louvain 1879 ; F. Gennrich, *Die altfrz. Rotrouenge*, Halle 1925 —

art. in MGG ; H. Spanke, *Eine altfrz. Liedersammlung*, Halle 1925 ; P. Dygvve, *Onomastique des trouvères*, *Annales Acad. scient. fennicae*, XXX, Helsinki 1934.

**GONZAGUE Guglielmo de.** *duc de Mantoue* (1538–87). Il est le plus marquant des Gonzague-Mantoue en ce qui concerne la musique : c'est qu'il était lui-même compositeur (madrigaux, motets) ; sous sa régence, la cour de Mantoue fut une des plus brillantes d'Europe : citons quelques noms de musiciens qui en furent membres : Jachet de Wert, Striggio, Gastoldi, Pallavicino, Rovigo, Rizzi, Testore ; le duc était d'ailleurs en correspondance avec V. Galilei, Marenzio, Palestrina ; il fit en outre approuver une liturgie (pour laquelle il fit éditer un missel et un bréviaire) par le pape Grégoire XIII (1583) : il fit d'ailleurs construire à cet usage la chapelle Santa Barbara. Son successeur — **Vincenzo I**o (1562–1612) fut digne de lui : il eut à sa cour Monteverdi comme chanteur et comme violoniste ; c'est à Mantoue qu'eut lieu la 1re représentation de l'*Orfeo* (1607) et d'*Arianna* ; parmi les autres musiciens de sa cour, citons Da Gagliano, Biendada, S. Rossi. Voir A. Bertolotti, *Musici alla corte dei G. in Mantova dal S. XV al XVIII*, Milan 1890 ; G. Cesari, *L'archivio musicale di S. Barbara* ds Kroyer-Fs., Ratisbonne 1933 ; K. Jeppesen, *Palestrina...*, ds *Acta* *mus.*, XXV ; A. Luzio et P. Torelli, *L'archivio di G. di M.*, 2 vol., Ostiglia 1920–22.

**GONZALEZ Victor.** Organier franç. d'origine esp. (Hacinas 2.12.1877–Paris 3.6.1956). Elève de Cavaillé-Coll, il fonda une fabrique à Châtillon-sous-Bagneux (1925) et construisit ou restaura 200 instruments.

**GONZALEZ INIGUEZ Hilario.** Compos. cubain (La Havane 24.1.1920–). Elève d'Ardévol, critique et chroniqueur mus., il a écrit notamment 1 concerto de piano (1943) et une *Suite de canciones cubanas* (1941–43).

**GOODMAN Benjamin David** (*Benny*). Clarinettiste et chef d'orch. de jazz amér. (Chicago 30.5.1909–). Elève du *Lewis Institute* de Chicago, de Schœpp, de Schillinger, il a fait partie des orch. de B. Méroff, de Ben Pollack ; c'est en 1934 qu'il a formé son 1er orch., avec lequel il fut un grand interprète du *swing* ; il a fondé en outre le *G.*-Trio, le *G.*-Quatuor, le *G.*-Sextuor ; sa célébrité est mondiale ; le quatuor de Budapest a collaboré avec lui, Bela Bartók a écrit pour lui ; il existe un film sur lui, intitulé *The Goodman story* ; de ses œuvres il faut citer *Stompin' at the Savoy*, *Lullaby in rhythm*, *Don't be that way*, *Flying home*, *Two o'clock jump*, *Seven come eleven*.

**GOODSON. — 1. Richard** : mus. angl. (? 1655–Great Tew 13.1.1718), qui fut org. du *New College* et prof. de mus. à l'univ. d'Oxford (1682), puis org. de la *Christ Church* (1691) ; il composa un opéra, *Orpheus and Eurydice*, dont 3 airs sont contenus dans *Musica oxoniensis* (1698), 2 *services*, 4 *anthems*, 6 « musiques de fête », 2 odes, quelques pièces instr. (*Christ Church*, Oxford). Son fils — **2. Richard** (? –Oxford 9.1.1741) fut d'abord org. à Newbury (1709), puis succéda à son père à Oxford (1718) : il légua sa riche bibl. mus. à la *Christ Church*.

**GOOLI.** C'est un tambour à friction (Afrique, Côte d'Ivoire) ; la liane de friction est interne. Le *g.* est utilisé en pays Baoulé. R.M.

**GOOSSENS. — 1. Eugene** (*Sir*) : chef d'orch. et compos. angl. (Londres 26.5.1893–), qui a fait carrière à Liverpool, Londres, Cincinnati, Sydney, où il est depuis 1947 dir. du cons. et des concerts symph. ; il a écrit 2 opéras (*Judith* 1929, *Don Juan de Mañara* 1937), 2 symph., 1 *sinfonietta*, des concertos de p., viol., htb., de la mus. symph., de chambre, des mélodies, *Silence* (chœur et orch.), 1 ballet, de la mus. de scène ; il a publié *Overture and beginners* (Londres 1951). Son frère — **2. Léon** (Liverpool 12.6.1897–) fait une carrière de hautboïste et de professeur. Voir A. Van der Linden in MGG.

**GOOVAERTS Alphonse.** Musicologue belge (Anvers 25.5.1847–Bruxelles 25.12.1922). Il fut chef de chœur et bibliothécaire, notamment conservateur général des Archives royales ; il publia, entre autres écrits, *Hist. et bibl. de la typographie mus. dans les Pays-Bas* (Anvers 1880), *Notice bibl. sur Pierre Phalèse* (Bruxelles 1869), *La mus. d'église...* (Leyde 1876), de nombreux art. dans des périodiques belges ; on lui doit aussi de la mus. d'église à 4 v. Voir A. Van der Linden in MGG.

**GOPAK.** Voir art. *hopak*.

**GOPI-YANTRA.** C'est un instrument similaire à l'*ekatantri*, fait d'un large cylindre ; une membrane est tendue à une extrémité ; un bambou, fendu à partir de son milieu, est ouvert, pour que ses deux moitiés se fixent aux deux bords du cylindre ; une corde, fixée au centre de la membrane, est tenue par une cheville en haut du bambou : en appuyant sur les deux branches du bambou fendu, on altère la tension de la corde et sa note. Cet instrument sert aux moines errants du Bengale et du sud de l'Inde. Al.D.

**GORA.** C'est un arc musical des Hottentots d'Afrique australe ; Curt Sachs l'appelle « guimbarde-arc musical » : c'est en effet une combinaison de l'un et de l'autre instrument : le manche est tendu d'une corde qui est mise en branle non point, comme c'est généralement le cas pour les arcs musicaux, par le frappement d'une petite baguette mais bien par la vibration d'une plume d'oiseau qui y est fixée et sur laquelle souffle le musicien

qui la tient entre ses deux lèvres ouvertes. L'instrument a été emprunté par certains Bochimans et aussi par des populations bantou d'Afrique du Sud qui y ont apporté des perfectionnements. On dit aussi *gorra*, *goura*, *gorah* et encore *lesiba*, qui est le nom de la plume d'un autre oiseau. G.R.

**GORCZYCKI Grzegorz Gerwazy.** Mus. pol. (? entre 1664 et 1668–Cracovie 30.4.1734). Il fit ses études théologiques et peut-être musicales à Prague ; en 1694, il est vicaire de la cath. de Wawel et membre de l'orch. royal de Cracovie, en 1698, maître de chapelle ; il composa de la mus. d'église : on a conservé de lui 30 œuvres, la plupart *a cappella*, qqs-unes avec 4 instr. : messes, proses, motets, hymnes, etc. Voir A. Sowinski, *Slownik muzykow polskich* (Dictionnaire des musiciens polonais), 1874 ; J. Zurzynski, *Monumenta musices sacrae in Polonia*, I/II, 1885–87, et *Muzyka figuralna w kosciolach polskich* (La musique figurative dans les églises polonaises), 1889 ; A. Polinski, *Dzieje muzyki polskiej* (Hist. de la mus. pol.), 1907 ; A. Wyzocki, *Seminarium zamkowe w Krakowie* (Séminaire au château royal de Cracovie), 1910 ; A. Chybinski, *Przyczynki do historii krakowskiej kultury muzycznej w XVII i XVIII wieku* (Contributions à l'histoire de la culture mus. de Cracovie aux XVIIe et XVIIIe s.), 1925 ; G.G.G., 1928, *Slownik muzykow dawnej Polski* (Dictionnaire des mus. anciens de la Pologne), 1948–49 ; H. Feicht, *Do biografii G.G.G.* (Contribution à la biographie de *G.G.G.*), 1936 ; on trouve des œuvres de G. éd. des Surzynski, *Monumenta musices sacrae in Polonia*, II, 1887 ; W. Gieburowski, *Cantica selecta musicae sacrae in Polonia*, 1928 ; J. Cichocki, *Spiewy koscielne na kilka glosow dawnych kompozytorow polskich* (Chants religieux à pl. v. des anciens compos. pol.), II, 1839 ; *Wydawnictwo Dawnej Muzyki Polskiej* (Éditions de l'ancienne musique polonaise), VII (Chybinski et Rutkow) et XIV (Chybinski et Sikorski). K.W.C.

**GORDIGIANI. — 1. Giovanni Battista** : compos. ital. (Modène... 7.1795–Prague 2.3.1871), chanteur, prof. au cons. de Prague (1822), auteur de mus. d'église, de mélodies, de 3 opéras. Son frère — **2. Luigi** (Modène 21.6.1806–Florence 30.4.1860) est l'auteur de 10 opéras, de qq. 300 mélodies et de 3 recueils de chansons populaires toscanes.

**GORGHEGGIAMENTO.** Voir art. *roulade*.

**GORGHEGGIO.** Voir art. *roulade*.

**GORINI Gino.** Pian. et compos. ital. (Venise 22.6.1914–). Elève du cons. de Venise (Tagliapietra et G.F. Malipiero), auquel il est prof. de p. depuis 1940, il fait une carrière de virtuose, notamment avec Lorenzi (deux p.) ; parmi ses œuvres, citons un *concertino* (p., 7 instr.), 1 quintette avec piano.

**GORLIER Simon.** Mus. et éditeur franç. du XVIe s., qui obtint en 1558 un privilège d'imprimer toutes sortes de musique et édita à Lyon des œuvres d'A. Layolle, d'A. Hauville et de G.P. Paladino ; ses propres tablatures pour la flûte, l'épinette, le cistre et la guitare n'ont pas été conservées ; il engagea avec le musicien genevois L. Bourgeoys une longue polémique musicale et religieuse, dont on conserve des factums. F.L.

**GORODTZOV** (*Gorodcov*) **Alexandre Dimitrievitch.** Chef de chœurs russe (1857–1918). Chanteur, élève de Kachperov, il fit carrière de virtuose, puis mit son zèle à propager la musique dans les masses : il fonda de nombreux chœurs populaires dans l'Oural, organisa des cours de musique gratuits, des conférences et des concerts ; on lui doit une anthologie de la musique chorale russe (1912–13).

**GORR Rita.** Chanteuse belge (Selzaete 18.2.1926–). 1er prix du concours intern. de Lausanne (1952), elle a fait 3 saisons à l'Opéra de Strasbourg, 1 à Bayreuth (1958) ; elle appartient depuis 1952 à l'Opéra de Paris.

**GORRETTI** (*Goretti*) **Antonio.** Humaniste ferrarais du XVIIe s., auteur d'un « tournoi » mis en musique : *Discordia superata*, qui fut donné à Ferrare pour le carnaval de 1635 (le texte était dû à Ascagno Pio de

GOSSE

Blanc et clairet sont les couleurs *(ms. 205, bibl. de Munich)*.

Savoie et le livret fut imprimé à Ferrare en 1638) ; on a conservé de lui 1 madrigal à 5 v., ds le *Giardino* de Vincenti (1691) ; il publia *Dell'eccellenze e prerogative de la musica* (Ferrare 1612). Voir A. Superbi, *Apparato degli homini illustri ferraresi*, Ferrare 1620.

**GORZANIS Giacomo.** Luthiste ital. (en Apulie, v. 1525–Trieste ? ap. 1575). Aveugle de naissance, il est décrit dans sa tablature de luth comme « *cieco pugliese, abitante della città di Trieste* » ; il publia 4 tablatures de luth (Venise 1561, 1563, 1564, s.d.), où l'on trouve la première pièce qui soit intitulée *sonata*, 2 livres de *napolitane* (*ibid.* 1570–1571) ; la bibl. de Munich (ms. 245-1511 A) possède de lui une tablature ms. qui contient, outre des *napolitane*, 24 *passamezzi-saltarelli* ; il est daté de 1567, noté en tablature italienne, copié par un Vénitien. Voir O. Chilesotti, *Lauten-Spieler d. 16. Jh.*, Leipzig 1891 ; H.D. Bruger, *Alte Lt. Kunst. ...*, Berlin 1923 ; H. Halbig, *Eine hs. Lautentabulatur d. G.G.*, ds *Fs. Kroyer*, Ratisbonne 1934 ; L. de La Laurencie, *Les luthistes*, Paris 1928 ; W. Boetticher in MGG.

**GORZINSKI Zdzyslaw.** Chef d'orch. pol. (Cracovie 1885–). Elève de F. Schalk (Vienne), il a été chef de l'orch. de la radiodiffusion pol. (1939) ; depuis 1945, il dirige celui de l'Opéra et de la philharmonie de Varsovie.

**GOSHEM.** C'est un orgue à bouche des populations Naga de la région de Manipur (N.E. de l'Inde) ; les tribus voisines du Nord de la Birmanie désignent le même instrument par les termes de *gu chem* chez les Thado et de *rotchen* chez les Lushei Kuki.          M.H.

**GOSLICH Siegfried.** Chef d'orch. allem. (Stettin 7.11. 1911–). Elève de l'univ. de Berlin (Schering, Schünemann, C. Sachs, H.J. Moser, F. Blume), dont il est docteur (1936), il a été *Orch. Referent* à la *Reichsmusikkammer* (1936), dir. du poste de radio et du cons. de Weimar (1945), ds les mêmes fonctions à Brême (1948) ; il est dep. 1958 dir. de mus. à Remscheid et en même temps prof. au cons. de Cologne ; il a publié notamment *Beitr. z. Gesch. d. deutschen romant. Oper* (Leipzig 1937) et de nombreux art. dans des ouvrages collectifs ; il prépare *Der Musikunterricht*.

**GOSSE** (*Maistre*). Mus. du XVIe s., dont la biographie est inconnue ; quant à son identité, elle est elle-même incertaine ; il apparaît fréquemment dans les mss sous le nom de *G. Jonckers* (ou *Junckers*) ; Ch. Van den Borren, dans MGG, note que le duc Erich de Brunswick avait au début du XVIe s. un Antoine Jonckers comme organiste à son service à Maestricht ; Fétis, lui, signale un *G. Jonckers*, qui figure dans les registres des musiciens d'Henri II de France de 1547 à 1549 : il est plausible que ce soit notre *Maistre G.*, puisque beaucoup de ses œuvres furent imprimées à Lyon, chez Moderne, et à Paris, chez Attaingnant et chez Le Roy et Ballard, entre 1532 et 1546 ; on lui doit en effet 11 chansons à 4 v., 10 motets à 2-6 v., publiés dans des recueils de ces éditeurs, ainsi qu'à Nuremberg, Venise, Anvers. Voir Ch. Van den Borren in MGG.

**GOSSEC François-Joseph.** Mus. franç. d'origine belge (Vergnies 17.1.1734-Passy-Paris 16.2.1829). Fils de paysans, il commence ses études de musique à l'église de Walcourt, à St-Pierre de Maubeuge et à la maîtrise de Notre-Dame d'Anvers, où il fut l'élève d'André Blavier ; en 1751, il gagne Paris, où il fait tout de suite partie du cercle de La Pouplinière : il y deviendra violon. de l'orchestre privé du fermier général (1754) ; il y connut J. Stamitz ; dès 1753, il a publié un recueil de sonates en trio ; en 1760, il fait exécuter sa messe des morts chez les jacobins de la rue St-Jacques ; en 1762, à la mort de La Pouplinière, il entre au service du prince de Conti : en 1761, le prince fait représenter chez lui un *intermezzo* de G. intitulé *Le Périgourdin*, en 1765, il arrange pour le théâtre italien *Le tonnelier* d'Audinot ; c'est la même année, le 27 juin, qu'a lieu la première de son *Faux Lord*, qui est un échec total ; l'année d'après, ses *Pêcheurs* ont un succès durable, de même que *Toinon et Toinette*, que l'on joue aussi à Bruxelles et à La Haye ; en revanche, *Le double déguisement* est un four : G. abandonne pour longtemps le Théâtre italien ; en 1766, il est intendant de la musique de la princesse de Condé à Chantilly ; en 1769, il dirige le Concert des amateurs, où en avril 1773, il fait jouer pour la 1re fois en France une symphonie de Haydn ; la même année, avec Simon Leduc l'Aîné et Gaviniès, il prend la direction du Concert spirituel : cette fonction lui vaut la gloire, tant comme animateur de concerts ou de spectacles que comme compositeur ; en 1774, il trouve en Gluck un nouveau rival, comme Grétry l'a été auparavant : son *Sabinus* est représenté à Versailles et à l'Académie royale de musique deux mois avant la 1re d'*Iphigénie en Aulide* à Paris ; la même année, on donne *Berthe* à Bruxelles ; c'est encore à la fin de cette même année qu'il est *maître de musique pour le service du théâtre à l'Académie royale de musique* : il y sera chef de chœur en 1778 ; bon compère, il se manifeste comme un fervent gluckiste et écrit un divertissement ; pour *Iphigénie en Tauride* ; mais il doit se replier sur les ballets et les divertissements pour trouver ses vrais succès ; en 1784, il est choisi comme directeur de chant de l'Académie de musique ; à partir de 1789, il collabore avec Sarette pour organiser les cours de l'orchestre de la garde nationale : il y est lieutenant et maître de musique ; en 1795, il est l'un des 5 inspecteurs du nouveau conservatoire : il en sera le président, tout en y enseignant la composition et gardera ces postes jusqu'en 1814-1816. De 1799 à 1804, il est président du comité de lecture, de 1809 à 1812, membre du jury d'examen des créations à l'Opéra ; il sera également membre de l'Institut dès sa fondation ; révolutionnaire convaincu, c'est de la 1re république qu'il aura reçu le plus d'honneurs : il les lui a rendus en composant nombre d'œuvres de propagande, intitulées œuvres « civiques » : son prosélytisme cessa à partir du coup d'État du 18 brumaire, encore que Napoléon 1er ne lui ait pas ménagé sa faveur ; il mourut quasi centenaire, passablement amoindri.

**Œuvres.** Œuvres symph. : *Six symph. à 4 parties* (op. 3), *Sei sinfonie a più stromenti* (op. 4, Paris 1759), *id.* (op. 5, ibid. 1761), *Six symphonies dont les trois 1res av. des htb. obligés et des cors ad lib. et les trois autres en quatuor* (op. 6, ibid. 1762), *Trois grandes symphonies* (op. 8, ibid.), *Six trios pour deux violons, basses et cors ad lib., dont les trois 1ers ne doivent s'exécuter qu'à trois personnes et les trois autres à grand orchestre* (op. 9, ibid. 1766), *Six symph. à grand orchestre* (op. 12, ibid. 1769), *Symph. périodique a più stromenti* (Paris v. 1762), *Deux symph.* (ds *Trois symph. à grand orchestre* de G. et Rigel, Paris v. 1773), *Symph. no 1* (ibid. v. 1771-1774), *Symph. no 2* (ibid. et ds *Three symph. composed by Le Duc and G.* op. 1, Londres), *Symph. concertante no 2 en fa majeur à plusieurs instr.* (Paris 1778), *Symph. en fa majeur* (ds *Trois symph. ... composées par Mrs. G., Haydn et Bach*, ibid. v. 1774), *Symph. de chasse* 1776), *Symph. en ré* (ds *Trois symph. à 8 parties composées par Mrs. Leduc l'aîné, Stamitz et G.*, ibid. 1776), *Symph. en ré* (ds *Trois symph. à grand orchestre... composées par Mrs Troeschi, Wannhall et G.*, ibid. 1777), *Sinfonia périodica a più stromenti* (ibid.), *The periodical overture in 8 parts* (Londres), *3 symph. concertantes* (mss), *Concertante du ballet de Mirza* (ms.), *Symph. à 17 parties* (1809, ms.), *2 symph.* (ds *Vari autori* de La Chevardière, op. 4 no 1 et op. 5 no 1, perdues) ; mus. de chambre : *Sei sonate a due violini e basso... opera prima* (Paris v. 1753), *Six duos pour 2 fl. ou 2 v.* (op. 2, ibid., perdus), *Six trios...* (op. 9, ibid. id.), *Sei duetti per due violini* (op. 7, Paris 1765), *Sei quartetti per flauto e violino o sia per due violini, alto e basso* (op. 14, ibid. 1769), *Six quatuors à deux violons, alto et basse* (op. 15, ibid. 1772) ; œuvres instr. : *Contredanse pour les enfants de la fête de village* (1778, ms.), *Gavotte en ré* (fl. et cordes, ms.), *Rondeau* (fl. et orch.), *Les tricotets, Vive Henri IV* et *Allemandes I et II* (danses, cordes, ms.), *Pièces pour*

2 cl., 2 cors et 2 bassons pour S.A.S. *Mgr le Prince de Condé* (ms.), *Bostangis ou marche turque* (ms.), *Charmante Gabrielle* (ms.), *Concertante à 10 instruments* (ms.) ; mus. de théâtre : *Le Périgourdin* (op. com.), *Le tonnelier* (id., Paris 1765), *La chasse* (ballet, de la comédie *Le faux Lord*, ibid. 1765), *Les pêcheurs* (ibid. 1766), *Toinon et Toinette* (op. 11, Paris 1767), *Le double déguisement* (ibid. id.), *Les agrémens d'Hylas et Sylvie* (ibid. 1768), *Sabinus* (Versailles 1773, Paris 1774), *Berthe* (Bruxelles 1775), *Alexis et Daphné* (Paris 1775), *Philémon et Baucis* (id. ibid.), *La fête de village* (intermezzo, mêlé de chants et de danses, ibid. 1778), *Annette et Lubin* (id. ibid.), *Mirza* (ibid. 1779), *La fête de Mirza* (ibid. 1781), *Thésée* (ibid. 1782), *Electre* (1782), *Athalie* (pour la tragédie de Racine, 1785), *Rosine ou L'épouse abandonnée* (Paris 1786), *Le pied de bœuf* (ibid. 1787), *Le triomphe de la République ou Le camp de Grand-Pré* (ibid. 1793), *Callisto* (ballet), *Nitocris* (ms.), *Gustave Vasa* (dr. lyr.), *Perrin et Perrette* (ouv., ms.) ; arrangements : *Castor et Pollux* (Rameau), *Les Scythes enchaînés* (ballet pour l'*Iphigénie en Tauride* de Gluck, 1781), *Alceste* (Gluck), *Céphale et Procris* (Grétry), *Les amours des dieux* (J.J. Mouret), *Roland* (Piccinni) ; mus. voc. : *Le papillon léger* (ms.), *Bouquet* (1785), *Chagrin d'amour, L'amour piqué par une abeille* (ds *Neuf odes d'Anacréon mises en mus. par Mrs Cherubini, G., Le Sueur et Méhul*, av. acc. de piano ou harpe, Paris s.d.) ; mus. révolutionnaire, voc. : *Te Deum* 14.7.1790), *Domine salvam fac rempublicam, salvos fac consules, Le chant du 14 juillet* (1791), *Hymne sur la translation du corps de Voltaire au Panthéon, Chœurs patriotiques* (1791), *Invocation* (id.), *Chœur à la liberté* (1792), *Ronde nationale* (id.), *Chant funèbre en l'honneur de Simoneau* (id., perdu), *Hymne à la liberté* (id.), *Hymne pour l'inauguration des bustes de J.-J. Rousseau, Voltaire et Mirabeau* (id.), *Hymne à la liberté ou Hymne à la Nation* (1793), *Hymne à la nature ou Hymne à l'Égalité* (id.), *Quel peuple immense* (id.), *Hymne à la statue de la Liberté ou hymne à la liberté* (id.), *Airs des Marseillais pour le camp de la Fédération* (id.), *Chant patriotique pour l'inauguration des bustes de Marat et Lepelletier* (id.),

GOSSEC

*d'après une gravure de Quenedey (1813).*

*Hymne à la Liberté : descends, ô Liberté, fille de la nature* (id., perdu), *Chanson patriotique sur le succès de nos armes* (1794), *Hymne à l'Etre suprême* (id.), *Hymne pour la fête de Bara et Viala* (id.), *Hymne à la Liberté* (id.), *Hymne à J.-J. Rousseau* (id.), *Chant funèbre sur la mort de Ferrand* (id.), *Hymne à l'Humanité* (1795), *Serment républicain* (id.), *Ode sur l'enfance* (1794), *Aux mânes de la Gironde, hymne élégiaque* (1795), *Hymne guerrier* (1796), *Chant martial pour la fête de la Victoire* (id.), *Chant pour la fête de la vieillesse* (id.), *Cantate funèbre pour la fête du 20 prairial an VII* (1799), *Chant religieux sur la destruction de l'athéisme* (perdu), *Le pardon des injures* (1797) ; instr. : *Marche lugubre* (harmonie, 1793), *Marche religieuse* (id.), *Marche funèbre* (id., 1794), *Marche victorieuse* (id.), *Marche* (id.), *Marche* (id. 1795), *Symph. militaire* (1794), *Symph.* (id.), mus. d'église : *Messe des morts, O salutaris, Quatuor sur la prose des morts, Dixit Dominus, Caeli enarrant, 1re suite de Noëls, 2e suite de Noëls, Seigneur messe des vivants, Domine salvum fac imperatorem, Deux marches religieuses pour la procession de la Fête-Dieu, Messe, des motets, La Nativité* (or., Paris 1774), *L'arche d'alliance* (id. ibid. 1781) ; œuvres théoriques : *Canon en écrevisse ou rétrograde, logographe mus.* (ms.), *Les moulins ou le pont de Pontoise* (id.), *Principes élémentaires de mus. arrêtés par les membres du cons., suivis de Solfèges par les citoyens Agus, Catel, Cherubini et G.* (an VII, an X), *Méthode de chant du cons. de musique* (de Cherubini, Méhul et G., an XI).

**Bibl. :** M. Brenet, *Les concerts en France sous l'ancien régime*, Paris 1900 ; G. Cucuel, *La Pouplinière et la mus. au XVIIIe s.*, ibid. 1913, *Études sur un orch. du XVIIIe s.*, id. ibid. ; L. Dufrane, Paris-Bruxelles 1927 ; A. Gastoué, *G. et Gluck...*, ds *Rev. de mus.*, mai 1935 ; E.-G.-J. Grégoir, *Notice biogr. sur G...*, Mons 1877 ; P. Hédouin, *G. ...*, Valenciennes 1852 ; F. Hellouin, *G. ...*, Paris 1903 ; C. Pierre, *Les hymnes et chants de la Révolution*, ibid. 1904 ; M. Pincherle, *Mus. peints par eux-mêmes...*, ibid. 1939 ; J. Tiersot, *Autographes de G. ...*, ds *Bull. de la soc. franç. de mus.*, avril 1919 et nov. 1921 – *Lettres de mus.*, 2 vol., Turin 1924 ; F. Tonnard, *G. ...*, Bruxelles 1938 ; R. Wangermée in MGG.

**GOSSWIN** (*Cosswin, Josquinus* etc.). Mus. (peut-être) liégeois (v. 1540–Freising fin XVIe s.). Chanteur à la chapelle de Munich sous Roland de Lassus (1562 ou 1568), maître de chapelle de l'*Erbprinz* Wilhelm de Bavière à Landshut (1569–70), il revint ensuite à la cour de Munich, séjourna dans les Pays-Bas, à la cour de Vienne (il fut anobli par l'empereur), à Ratisbonne ; en 1577, il était org. de St-Pierre de Munich, en 1580 maître de chapelle de l'évêque-duc de Freising (qu'il suivit à Bonn en 1584 et à Liège) ; on lui doit, impr. : *Neue teutsche Lieder* (3 v., Nuremberg 1581), *Cantiones* (4 v., *id. ibid.*), *Cantiones sacrae* (5-6 v., *ibid.* 1583), *Madrigali* (5 v., *ibid.* 1615, perdus), 2 madrigaux et 2 psaumes des recueils de l'époque ; mss : 8 messes (4-5 v.), 4 motets (3-6 v., avec acc. instr.). Voir B. Hirzel, *A. G.*, Munich 1909 ; A. Auda, *La mus. et les musiciens de l'ancien pays de Liège*, Liège 1930 ; J. Quitin, *A propos d'A. G.*, ds Rev. belge de mus., VI, 1952 ; Ch. Van den Borren in MGG.

**GOSTENA Giovanni Battista della.** Mus. et luthiste ital. (Gênes v. 1540–déc. 1598), qui fut, à la cour de Maximilien II, élève de P. de Monte, puis maître de chapelle du dôme de Gênes au moins depuis 1582 ; il eut pour élève son neveu, Simone Molinaro ; de son vivant parurent 1 livre de madrigaux à 4 v. (1582), un autre à 5 v. (1584) et deux de *canzonette* à 4 (1589) ; son neveu publia de lui 4 motets à 5 v. (1609) et 25 fantaisies et qqs *canzone* dans son *Intavolatura di liuto* (1599), rééd. en notation moderne par G. Gullino (Florence 1949).     F.L.

**GOTHIQUE** (*Notation*). On appelle *n.g.* une notation neumatique, sur lignes, qui succéda en Allemagne à l'écriture de type neumatique qui avait été adaptée directement des mss du type St-Gall : elle se caractérise par une certaine épaisseur, le renforcement des hampes, l'aspect anguleux qu'on retrouve dans l'écriture littéraire de même nom ; ce type d'écriture se répandit en Lorraine (Toul, Nancy, Charleville), mais y fut supplanté par la notation carrée, classique, reprise au plain-chant, des provinces françaises ; on trouve de nombreux exemples de *n.g.* dans tous les grands recueils de paléographie musicale. Voir Suñol, *Introduction à la paléographie mus. grégorienne*, 2e éd., 1935.     S.C.

**GOTKOWSKY Ida.** Compos. franç. (Calais 26.8.1933–). Elève du cons. de Paris (Ciampi, Hugon, Noël Gallon, Tony Aubin), elle a écrit *Trio d'anches* (1955), *Quatuor à cordes* (*id.*), *2 mélodies* (*id.*), *Une mélodie* (1956), *Thème et variations* (p., *id.*), *Scherzo* (orch., *id.*), *Suite* (10 instr., 1957), *5 préludes* (p., *id.*), *Jongleries* (orch., *id.*).

**GOTOVAC Jakov.** Compos. croate (Split 11.10.1895–). Il étudia le droit et la musique à Zagreb et à Graz ; il est actuellement chef d'orch. à l'Opéra de Zagreb ; sa musique, fondée sur des éléments populaires, est caractérisée par sa richesse mélodique, rythmique et harmonique extraordinaire, dont font preuve surtout l'opéra « *Ero le coquin* », le *Kolo symphonique*, ainsi que les deux excellents chœurs *Koleda* (Chant de Noël) et *Jadovanka za teletom* (complainte pour le veau) ; G. est un des plus remarquables compositeurs croates de sa génération : c'est surtout son opéra qui lui a valu une renommée internationale.
**Œuvres :** opéras : *Dubravka* (1928), *Morana* (1930), *Ero z onoga sveta* (Ero le coquin, 1935), *Kamenik* (La carrière, 1946), *Mila Gojsalica* (1952) ; mus. symph. : *Kolo symphonique* (1935), *Chant et danses des Balkans* pour orch. à cordes (1940), *Les Laboureurs*, poème symph. pour gd orch. (1940), *Guslar*, *Portrait symph.* pour gd orch. (*id.*), *Dinarka* pour gd orch. (1947) ; pour voix et orch. : *Deux sonnets* (baryton et orch., 1923), *Rizvan-Aga* (*id.*, 1940), *Chants de nostalgie* (voix de femme et orch., *id.*) ; des mélodies, des chœurs.
**Bibl. :** J. Andreis, *J.G.*, *Mogucnost*, IV, 1957 ; D. Cvetko, *J.G.*, in MGG.     D.C.

**GOTTFRIED de STRASBOURG.** Poète allem. (v. 1170–1230), d'extraction bourgeoise, auteur d'une belle adaptation inachevée du *Roman de Tristan* de Thomas (entre 1204 et 1215) : cette œuvre, qui compte environ 30.000 vers, contient d'intéressantes allusions aux coutumes musicales médiévales et des critiques souvent pertinentes des *Minnesänger*, ses contemporains.     J.Md.

**GOTTHARD Johann Peter** (*Pazdirek*). Compos. austro-

tchèque (Drahowitz 19.1.1839–Vöslau 17.5.1919), qui dirigea à Vienne l'*Orchesterbund*, ainsi qu'une maison d'édition ; il écrivit 1 opéra-comique, de la mus. symph., de chambre, des mélodies, des chœurs ; avec son frère, F. Pazdirek, il publia *Universal-Handbuch d. Mus.-Literatur* (Vienne 1904–10).

**GOTTRON Adam Bernhard.** Musicologue allem. (Mayence 11.10.1889–). Prélat, élève des univ. de Fribourg-en-Brisgau, Innsbruck, Giessen, responsable des chœurs du diocèse de Mayence (1933), fondateur et rédacteur en chef de *Musik und Altar* (1947–52), il a publié *Liturg. Kirchenchor* (Mayence 1936), *Km. u. Liturgie* (Ratisbonne 1937), *Tausend Jahre Mus. in Mainz* (Berlin 1941), ~~d Oct 29 1971~~

*Handbuch der Liturgik* (Paderborn 1950), *Mozart u. Mainz* (Mayence 1952), un grand nombre d'art. dans des périodiques, des éditions de Buchner, Stich, Zach, Fux, Haydn, Haendel etc.

**GOTTSCHALG Alexander Wilhelm.** Org. allem. (Mechelrode 14.2.1827–Weimar 31.5.1908). Elève de Töpfer et de Liszt, il fut prof. et org. à la cour de Weimar, prof. d'hist. de la mus., rédacteur des revues *Urania* (1865) et *Chorgesang* ; on lui doit *Repertorium f. d. Orgel* (av. Liszt) ; *Kleines Handlexikon der Tonkunst* (1867) *Liszt u. sein legend. Kantor* (1908), *F. Liszt in Weimar u. seine letzten Lebensjahre* (posth., 1910).

**GOTTSCHALK.** Théologien et poète allem. (808–868). Elève de Raban (Fulda), de Wiettin (Reichenau), ordonné prêtre contre son gré, il fut condamné pour hérésie (848) et privé de ses pouvoirs sacerdotaux ; le poète humaniste, le voyageur surpasse beaucoup en lui le clerc : il tranche nettement sur les autres poètes du IXe s., utilisant un mètre classique avec rime ; on lui attribue (comme à Florus et à Strabon) la paraphrase du *Benedicite omnia opera domini : Omnipotentem semper adorant*, et surtout une série de poèmes dont un certain nombre de mss comportent des neumes. Voir Manitius, *Gesch. d. latein. Lit. d. Mitt.*, II, 1911 ; Otto Herding, *G.v. Fulda*, ds

*Fs. P. Kluckholm u. H. Schneider*, Tubingen 1948 ; K. Vielhaber, *G. d. Sachse*, Bonn 1956. S.C.

**GOTTSCHED Johann Christoph.** Philosophe et poète allem. (Juditten 2.2.1700–Leipzig 12.12.1766). *Magister* de l'univ. de Kœnigsberg (1723), il fut *Privatdozent* à celle de Leipzig (1725), puis prof. de poésie (1730), de logique et de métaphysique (1734), recteur (1739) ; son influence sur les idées de son temps fut très grande ; il fut ami de Grimm et de J.-S. Bach, qui composa de la mus. pour des textes de *G.*, ainsi que J.G. Görner, J.A. Hiller ; parmi ses œuvres théoriques, citons *Nötiger Vorrat z. Gesch. d. deutschen dramatischen Dichtkunst* (Leipzig 1757–65) : c'est un catalogue des pièces théâtrales du répertoire allem. écrites depuis 1450, y compris les opéras : il se montre un violent adversaire de cette forme de musique. Sa demeure était un centre musical : sa femme. Luise Adelgunde (qui mourut à Leipzig en 1762) était claveciniste et luthiste. Voir E. Reichel, *J.C.G.*, 2 vol., Leipzig 1908–1912 ; W. Serauky, *Die mus. Nachahmungsästh. im Zeitraum v. 1700 bis 1850*, Munster 1929 — art in MGG ; S. Bing, *Die Nachahmungstheorie bei G. ...*, thèse de Cologne, 1934 ; F.J. Schneider, *Die deutsche Dichtung d. Aufklärungszeit*, Stuttgart 1948.

**GOTTSCHOVIUS Nikolaus.** Mus. allem. (Rostock v. 1575– ?). Il fut org. de Ste-Marie de Rostock (1604/05–1619), puis à Stargard ; on lui doit *Centuriae sacrarum cantionum et motectarum*, 5, 6, 7, 8 et pl. v., Rostock, I 1608, II id., III 1610, IV ?), *Cantio sacra...* (6 v., ibid. 1609), *Dialogismus latino-germanico-musicus* (ibid. 1610), *Weihnachts-Gesang...* (5 v. ibid. 1613), *Invitatio Christi ad nuptias* (1618), *Villanellen...* (5 v., id. ibid.), *Quadriga harmoniarum...* (5 v., Stettin 1620), *Harmonia musica* (8 v., Rostock id.), *Cunae puerili Christi...* (7 v., ibid. s.d.), *Reminiscere miserationum* (6 v., ms.). Voir M. Ruhnke in MGG.

**GOTTUVADYAM.** Instrument à cordes, le *g.* est, par sa forme, identique à la large *vînâ* (voir à ce mot) du sud de l'Inde, mais il est dépourvu de frettes : il se joue posé à plat par terre, le musicien faisant glisser un morceau de bois poli sur les cordes, qu'il fait résonner avec des plectres de fil d'acier, fixés au bout des doigts ; la tension des cordes est plus forte que sur la *vînâ* usuelle, aussi la sonorité est-elle plus puissante et plus riche. C'est l'un des instruments favoris de l'Inde du Sud, mais il est assez difficile d'y dessiner les ornements de grande amplitude et les vibratos larges mais précis, qui sont un des caractères de la musique du pays tamoul ; aussi seuls des musiciens très experts se risquent-ils à en jouer en public. Al.D.

**GOUDARD Ange.** Diplomate franç. (Montpellier 1720–Paris 1791), qui séjourna fréquemment en Italie et en Angleterre et publia des pamphlets, intitulés *Observations sur les trois derniers ballets qui ont paru aux Italiens et aux Français...* (1759) et *Le brigandage de la mus. italienne* (1777, 1780) sous le pseudonyme de *Jean-Jacques Sonnette* : c'était ironiser sur Rousseau et ses manies italianisantes ; il avait épousé une veuve anglaise, Mrs Sarah G. (? –Paris 1800), qui publia elle aussi des *Remarques sur la musique et la danse ou Lettre à Mylord Pembroke* (Venise 1773) : c'est une dramaturgie du ballet (elle fut traduite en ital. à Venise en 1773). Voir E. Haraszti in MGG ; A. Ademollo, *Un aventuriere francese in Italia nella seconda metà del settecento*, Bergame 1891.

**GOUDIMEL Claude.** Mus. franç. (Besançon v. 1520–Lyon, août 1572). On ne sait rien de ses années de jeunesse, la vieille légende qui en faisait à Rome le maître de Palestrina étant sans aucun fondement ; en 1549, il est à Paris, étudiant à l'université, où il doit côtoyer Janequin, et publie ses premières œuvres : des chansons ; vers 1551, son éditeur Nicolas Du Chemin le prend comme correcteur et même comme associé : il le restera jusqu'en 1555, après avoir jeté les bases des séries de « chansons nouvelles » et de messes qui devaient constituer ensuite le fonds de cette maison d'éditions ; il fréquenta le cercle humaniste de Jean de Brinon, où il connut Ronsard : celui-ci semble s'en être remis à Goudimel de l'organisation musicale d'un nouveau genre

qu'il tenta dans les *Amours* (1552), dont le supplément musical (dû à Janequin, Certon, Muret et Goudimel) fut probablement imprimé chez Du Chemin ; le compositeur tenta d'ailleurs un effort particulier pour mettre en musique les œuvres les plus « difficiles » du poète, comme l'*Ode à Michel de L'Hospital* et l'*Hymne sur la mort de Marguerite de Valois* ; vers 1560 (?), Goudimel est à Metz, où le protège le maréchal de Vieilleville, tolérant pour les réformés : c'est à cette époque que se dessinent définitivement ses tendances religieuses et qu'il se consacre exclusivement à la composition des psaumes ; il correspond avec l'humaniste P. Melissus ; à une date inconnue, il gagna Lyon, où le surprit la saint-Barthélemy.

Malgré la condamnation qu'il porta très tôt contre ce genre, Goudimel publia une soixantaine de chansons

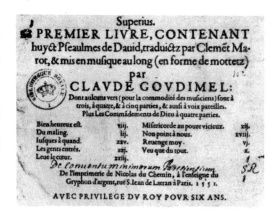

GOUDIMEL

*Page de titre (N. Du Chemin, Paris 1551, BN).*

françaises, auquel il faut ajouter un recueil d'*Odes d'Horace* édité en 1555 chez Du Chemin, qui n'a pas été retrouvé et qui était dédié à Gérard Gryphe, ainsi que 19 chansons spirituelles de M. A. Muret à 4 v., perdues également ; tout le reste appartient à la musique religieuse : 5 messes à 4 v. (dont 4 sur des thèmes de chansons de Maillard, Sandrin et Arcadelt), qui se rattachent au type de la messe brève alors en usage en France, mais qui dénotent un sens profond de la liturgie ; 3 *Magnificat* et une dizaine de motets à 3 et 4 v., dont il faut cependant exclure le *Salve regina* à 12 v. récemment rééd. sous son nom et qui n'est qu'une mystification ; enfin et surtout 4 versions polyphoniques successives du psautier dans la traduction de Marot et Bèze sur lesquelles les récents travaux de P. Pidoux permettent de jeter une pleine lumière : 1/8 livres de psaumes « en forme de motets » (Du Chemin, puis Le Roy-Ballard, 1551–1566) ; 2/ 83 *Pseaumes... nouvellement mis en musique à 4 p... dont le subject se peut chanter en taille ou en dessus* (Le Roy-Ballard, 1562) note contre note sur les mélodies de Genève de 1551, recueil dont A. Le Roy publia la même année une version pour luth ; 3/ *Les 150 Pseaumes de David* (id., 1564, rééd. 1565), éd. augmentée et assez largement remaniée de celle de 1562, le chant donné y est toujours confié au *superius* ou au *tenor* mais l'écriture de 27 de ces ps. est moins homophone et les voix plus librement conduites ; 4/ *Les 150 Pseaumes de David* (id., 1568, dédicace à R. de Bellegarde), tous en contrepoint plus orné : c'est cette dernière version qui a été rééd. en 1580 à Genève par P. de Saint-André (et en 1897 par H. Expert), rééd. qui a été longtemps considérée comme l'éd. originale ; elle a eu très rapidement un succès considérable, qui se poursuit encore de nos jours dans tous les pays protestants.

O. Douen, *C. Marot et le Ps. huguenot*, 1878 ; M. Brenet,
*C.G.* dans *Annales franc-comtoises*, 1898 ; F. Lesure
et G. Thibault, *Bibliogr. des éd. mus. publ. par
N. Du Chemin*, dans *Annales mus.*, 1953 ; P. Pidoux,
*Notes sur quelques éd. des ps. de C.G.*, dans *Rev. de mus.*,
déc. 1958.                                                    F.L.

**GOUDKOV** (*Gudkov*) **Victor Panteleïmonovitch.** Compos.
et folkloriste russe (Voronèje 16.9.1899–Frounzé
17.1.1942). Il consacra sa vie à l'étude du folklore
musical des Finnois de la Carélie un joua un rôle de
premier plan dans le développement de la culture
musicale de cette région ; il améliora l'instrument
populaire finnois, le *kantele*, créa un orch. de
joueurs de cet instr. ; il fit des arrangements de chansons
populaires, écrivit des mélodies, des chansons de masse,
des pièces pour un orch. de
*kantele* ; on lui doit une
série d'études sur la mus.
populaire finnoise et le
livret d'un opéra sur des
thèmes du *Kalevala*.

**GOUGELET Pierre-Marie.**
Mus. franç. (Châlons-s.-
Marne 1726–Paris 1790),
qui fut org. de St-Martin-
des-Champs à Paris, auteur
de motets et de *2 Recueils
d'airs choisis avec acc. de
guitare* (1768) ; sa femme,
maître de clav. à Paris,
publia 1 méthode pour cet
instrument.

**GOULAK ARTEMOVSKY**
(*Gulak Artemovskij*) **Semen
Stepanovitch.** Chanteur et
compos. ukrainien (1818–
1873). Elève du séminaire
de Kiev, engagé par Glinka
à la chapelle impériale en
1838, il séjourna en Italie
(1839–42), se produisit à
Florence, puis fit carrière
à l'opéra russe et à l'opéra
italien de St-Pétersbourg
(1842–64) ; on lui doit un
opéra-comique encore po-
pulaire en Ukraine (« *Le
Zaporogue d'au-delà du Danube* », (1863), un divertissement (« *Le mariage
ukrainien* », 1851), un vaudeville (« *La veille de la
St-Jean* » 1852), Voir G. Kisilev, *G.A.*, 1951.

**GOULART Simon.** Pasteur et mus. franç. (Senlis
20.10.1543–Genève 3.2.1628). Converti au protestantisme
(1566), il fut pasteur à Chancy et à Cartigny (1570)
en Suisse, puis à St-Gervais (1571), et publia une dizaine
de recueils d'œuvres de Lassus, Arcadelt, Goudimel etc.
dont il avait travesti les paroles originales. Voir
L.C. Jones, *S.G.*, Genève 1917 ; E. Droz, *S.G.* ..., ds *Bibl.
d'humanisme et Renaiss.*, *ibid.* 1952.

**GOULD Morton.** Chef d'orch. et compos. amér.
(Richmond Hill 10.12.1913–). Elève de l'école Juilliard,
il fait, depuis 1930, une carrière de pianiste, compos.
et chef d'orch. ; on lui doit 3 symph., des *spirituals*,
1 concerto d'alto, 1 de piano, des ballets etc.

**GOULÉ Jacques-Nicolas.** Mus. franç. (St-Jean du Car-
donnay 1774–Rouen 30.5.1818). Elève de la maîtrise
de la cath. de Rouen. condisciple et ami de Boïeldieu,
il composa dès l'âge de 15 ans et fut le musicien officiel de
Rouen après le départ de Boïeldieu ; on lui doit 3 messes
(1789, 1791, 1800), 3 ouvertures, 1 duo (p. et harpe),
1 *Hymne à la paix* (1802), 2 cantates (1805, 1810), des
romances. Voir J. Favre, *Boïeldieu*..., 2 vol., Paris 1944–45.

**GOUNOD Charles.** Compos. franç. (Paris 17.6.1818–
18.10.1893). Petits-fils de Nicolas-François Gounod,
dernier fourbisseur du roi, il est le fils de François-Louis
Gounod, peintre, prix de Rome, et de son épouse,

GOUNOD                                   coll. Meyer

*Dessin à la plume de Carpeaux.*

Victoire Lemachois. Ce fut la mère, fille d'un avocat au
parlement de Normandie, disciple de Louis Adam et de
Hullmandel, qui éleva ses deux enfants. « Ma mère
était excellente musicienne », écrit G. dans ses mémoires ;
« elle avait en outre cette précision et cette clarté
méthodiques si nécessaires chez un professeur, et qui lui
permirent de se livrer à l'enseignement lorsque la mort
de mon père la laissa veuve, sans autre fortune que
deux enfants à élever ». Ayant obtenu pour Charles
une bourse au lycée Saint-Louis, elle y fit entrer son fils
comme pensionnaire. en 1829. Les premières impressions
musicales de l'enfant : la Malibran dans l'*Otello* de Rossini,
*Don Juan* à l'Opéra, la *Pastorale* et la *Neuvième*, le
*Freischütz*, lui portèrent un tel choc qu'il décida de devenir
musicien à l'encontre de la volonté maternelle. Il devint
bientôt l'élève de Reicha. En 1836, il passait le baccalauréat de philosophie. Rei-
cha étant mort, il entra
dans la classe d'Halévy
(contrepoint et fugue) et
dans celle de Lesueur
(composition). Après avoir
remporté le second prix de
Rome (cantate : *Marie
Stuart et Rizzio*), en 1836,
à la suite de la mort de
Lesueur, il ne put con-
courir qu'en 1839 ; son
nouveau professeur était
Ferdinand Paer. Cette fois,
le premier prix de Rome
lui fut décerné pour sa
cantate *Fernand*, sur un
texte du sénateur-comte
de Pastoret. Ce fut encore
en 1838 que les élèves de
Lesueur organisèrent un
service à l'église Saint-
Roch : nous lisons dans la
*Revue et gazette musicale*
(4 nov. 1838) un compte
rendu de la plume de Ber-
lioz : « On a remarqué ...
surtout un *Agnus Dei* à
trois voix seules avec
chœur de M. G., le plus
jeune des élèves de
Lesueur, que nous trou-
vons très beau. Tout y
est neuf et distingué, le
chant, la modulation, l'harmonie. M.G. a prouvé qu'on
peut tout attendre de lui ». Après l'exécution de sa
première messe à Saint-Eustache, le jour de la
sainte-Cécile, dédiée à la mémoire de Lesueur, il
prit le chemin de la Ville éternelle, où il arriva,
après un voyage de près de deux mois, le 27 janv. 1840.
Le directeur de la villa Médicis était le peintre Ingres,
ami de feu son père. Le jeune pensionnaire se trouva
fort à son aise dans la société romaine. Il lisait le *Faust*
de Goethe (traduction de Gérard de Nerval), Lamartine,
composait quelques mélodies et dessinait... Ingres lui dit
qu'il dessinait aussi bien que son père et lui proposa
de revenir à Rome avec le grand prix de Rome de
peinture. G. allait fréquemment au théâtre (Donizetti,
Bellini), à la Chapelle sixtine (Palestrina) ; il étudia les
partitions de Lully, de Gluck, de Mozart, de Rossini.
Bientôt il eut une aventure sentimentale avec la sœur
de Mendelssohn, Fanny, femme du peintre Henselt.
Celle-ci note dans son journal que G. était très exalté
et que la musique allemande le troublait, « le rendait
à moitié fou ». Il fit la connaissance de Lacordaire, le
futur grand orateur dominicain, qui faisait son noviciat
à Viterbe : cette amitié déclencha chez le jeune compositeur une crise de mysticisme, accentuée encore par
la rencontre d'un condisciple de la classe de Reicha,
Charles Gay, le futur évêque de Poitiers ; G. voulait
devenir prêtre lui aussi, mais sa mère et son frère aîné,
l'architecte Urbain, le lui déconseillèrent. L'été, il habitait
Naples, passait ses nuits sur les collines qui entourent

la baie : « Ce fut dans une de ces excursions nocturnes »,
écrit G. dans ses mémoires, « que me vint la première
idée de la *Nuit de Walpurgis* de Goethe. Cet ouvrage
ne me quittait pas, je l'emportais partout avec moi
et je consignais dans mes notes éparses les différentes
idées de la nuit que je supposais pouvoir me servir
le jour où je tenterais d'aborder ce sujet comme opéra,
tentative qui ne s'est réalisée que dix-sept ans plus tard ».
A Rome, il composa un *Te Deum* à huit et dix voix
et une messe pour chœur et orchestre pour le 1er mai,
fête du roi Louis-Philippe, qui fut chantée à l'église
Saint-Louis des Français (Spontini condamna ce *Te Deum*
dans son rapport à l'Académie des beaux-arts : « cette
composition du jeune athlète est dépourvue de
mélodies » etc.). A Rome, G. fait la connaissance de
Pauline Viardot-Garcia qui, plus tard, aura une grande
influence sur lui. Il rentra en France en passant à travers
l'Autriche et l'Allemagne. A Vienne, dans la *Karlskirche*,
on exécuta sa messe et son *Requiem* (soli, chœur et orch.)
sous sa direction. A Leipzig, Mendelssohn organisa pour
lui un concert d'orchestre au *Gewandhaus (Symphonie
écossaise)* et, à la *Thomaskirche*, exécuta pour lui quelques
œuvres de Bach. G. à son tour lui fit entendre le *Dies irae*
de son *Requiem*, que Mendelssohn trouva digne d'être
signé par Cherubini.
A Paris (mai 1843), il devient organiste et maître de
chapelle de la paroisse des Missions étrangères. La *Revue
et gazette musicale* (15 fév. 1846) annonce que G. va
entrer dans les ordres. La crise de Rome se renouvelle.
Sa famille le retient ; cependant il porte la soutane,
habite chez les Carmes, suit comme externe les cours
de Saint-Sulpice et signe ses lettres « l'abbé G. ». De
cette époque date sa *Messe brève*.
Une rencontre avec Pauline Viardot l'arrache à son
mysticisme. Il compose pour elle son premier opéra,
*Sapho*, sur le texte d'Emile Augier. La création eut lieu
le 16 avril 1851 et fut suivie de sept représentations.
Sa déclamation se fit remarquer. A Londres, Pauline
Viardot essaya de lancer cet opéra, mais ce fut un échec.
L'année suivante, G. épousait Anne Zimmermann, fille
d'un professeur au conservatoire, et fut nommé directeur
de l'enseignement du chant dans les écoles communales
de Paris et inspecteur des orphéons.
Il compose alors une série d'œuvres dont sa messe dite
*aux Orphéonistes*, en 1853 ; lui-même dirige la première
audition à l'église Saint-Germain l'Auxerrois. En 1854,
à Lyon, on exécute de lui un petit oratorio, *Ange et Tobie*.
Sa prochaine œuvre théâtrale fut *La nonne sanglante*
(18 oct. 1854) à l'Opéra ; le sujet avait été tiré par
Delavigne et Scribe de *Moine*, du romancier anglais
Lewis. En dépit de la critique élogieuse de Th. Gautier
(*La Presse*, 24-31 oct. 1854), cet opéra romantique n'eut
qu'onze représentations. La même année, Pasdeloup
dirigea sa première symphonie, l'année suivante, la
seconde, dont le *scherzo* recueillit un succès considérable.
Ce fut également sous la direction de Pasdeloup que G.
remporta son premier triomphe avec sa *Méditation*,
qui n'est autre qu'une mélodie dont le texte est l'*Ave
Maria* et l'accompagnement, le 1er prélude de Bach.
Saint-Saëns a relaté les nombreuses métamorphoses de
cette composition ; la dernière, la plus remarquée,
fut une transcription pour grand orchestre, chœur,
nombreuses harpes, grosse-caisse et cymbales donnée
en 1857 au Cirque des Champs-Élysées. L'activité
créatrice de G. subit un arrêt tragique cette année-là :
il fut victime d'une crise mentale. Berlioz écrit, dans sa
lettre du 8 oct. 1857 à Escudier : « Tu sais sans doute
le nouveau malheur qui vient de frapper la famille
Zimmermann : ce pauvre G. est devenu fou ; il est
maintenant dans la maison du docteur Blanche ; on
désespère de sa raison. » Quoiqu'elle fût la troisième,
cette crise ne fut heureusement que passagère. Il acheva
son petit opéra-comique sur le texte de Molière, *Le
médecin malgré lui* (Théâtre lyrique, 15 janv. 1858).
L'année 1859 vit la création de *Faust* au même théâtre
(19 mars) : le texte était de Barbier et Carré et
Mme Miolan-Carvalho, Barbot et Balanqué tenaient
les trois rôles principaux. Cette première version de *Faust*
était un opéra demi-caractère avec des dialogues parlés.
Le 5e fut la *nuit de Walpurgis*. Dans un palais, Méphisto

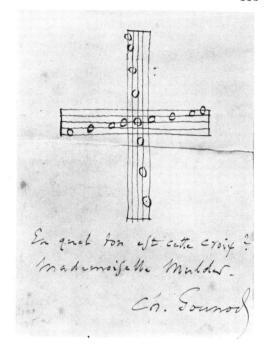

*Devinettes autographes*

et Faust assistent à une orgie avec la participation des
plus belles courtisanes de l'antiquité. La nouvelle œuvre
fut accueillie avec succès, mais pas autant qu'on l'avait
espéré. La seconde première eut lieu le 3 mars 1869
à l'Académie impériale de musique. Les dialogues avaient
été remplacés par des récitatifs, la *nuit de Walpurgis*
par un divertissement chorégraphique. De la presse
contemporaine de 1859, nous relevons le long feuilleton
de Berlioz (*Journal des
debats*, 26 mars). Vers 1869, G. subit encore une crise
mystique ; il voulut confier à Saint-Saëns la composition
du ballet de *Faust* (commandé par l'Opéra). A cette
première de la seconde version, les trois protagonistes
furent Christine Nilsson, J.-B. Faure et Colin. C'est
à Darmstadt que commença la carrière triomphale
de *Faust* à l'étranger. Presque toutes les grandes villes
allemandes l'inscrivirent à leur répertoire. A Dresde,
l'ouvrage fut appelé *Margarethe*. Cette victoire de *Faust*
stimula G. : de nouvelles créations se succédèrent à une
allure accélérée : *Philémon et Baucis*, opéra en trois actes
(Théâtre lyrique, 18 févr. 1860), sur le texte des mêmes
librettistes, *La colombe*, petite opérette créée à Bade
par la troupe française (3 août 1860), reprise en 2 actes
à la salle Favart le 7 juin 1866 ; *La reine de Saba* (opéra,
28 fév. 1862), sur le texte de ses librettistes habituels :
cette dernière œuvre fut un échec total. Après un sujet
biblique, G. se plongea dans le chef-d'œuvre de Mistral,
*Mireille* : par des thèmes folkloriques, il voulut composer
une évocation musicale de la Provence (Théâtre lyrique,
19 mars 1864) ; l'ouvrage, grâce à quelques tableaux
réussis, grâce surtout à Mme Miolan-Carvalho dans
le rôle principal, eut un certain succès, mais il fallait
réduire les cinq actes à trois (16 déc. de la même année).
En 1866, G. fut élu membre de l'Académie des beaux-
arts (fauteuil de Clapisson). Le dernier grand succès
de G. fut la création de *Roméo et Juliette* (Théâtre lyrique,
27 avril 1867), toujours avec Mme Miolan-Carvalho
comme vedette ; le rôle de Roméo fut chanté par le
ténor Michot. Après un passage à la salle Ventadour,
l'œuvre fut reprise à l'Opéra-Comique (20 janv. 1873),
puis à l'Opéra avec Adelina Patti et Jean de Reszke
(28 nov. 1888), et, l'année de l'exposition de 1889,

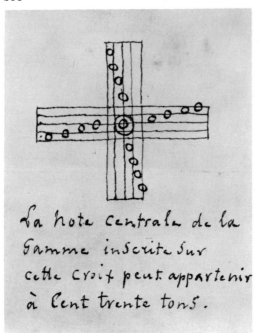

*La note centrale de la
gamme inscrite sur
cette croix peut appartenir
à cent trente tons.*

de G. (coll. Meyer).

avec Mme Melba. Pour la 1re à l'Opéra, *G.* écrivit un ballet. *Roméo et Juliette* a vite trouvé le chemin de l'étranger : la première station fut *Covent Garden* avec la Patti et le ténor Mario (11 juil. 1867). Après un court séjour à Rome, où il a l'intention de composer un oratorio, *Sainte-Cécile*, sur le livret d'Anatole de Ségur, *G.* revient à Paris. Une période très mouvementée, aggravée par une crise érotique, commence après 1870. Fuyant la guerre franco-allemande, il se réfugie en Angleterre avec sa famille. A Londres, il fait la connaissance d'une belle Anglaise, incomprise de son mari, Mrs Georgina Weldon : elle fut intimement liée à la carrière musicale de *G.* en Angleterre. Mrs Weldon avait une jolie voix, elle chantait notamment *Marguerite. G.* composa une élégie biblique, *Gallia*, créée au *Royal Albert Hall* pendant l'exposition internationale de 1871. Il habita chez l'Anglaise, avec qui il eut une longue liaison ; là, il travailla à ses oratorios *Mors et vita, Rédemption*, à différentes mélodies, mais surtout à son opéra *Polyeucte. Gallia* fut chantée à Paris le 29 oct. 1871 au conservatoire, puis, avec mise en scène, à la salle Favart (nov. 1871). *G.* retourna à Londres et reprit ses travaux à *Tavistockhouse*, maison de Mrs Weldon. Dans un feuilleton (*Le siècle*, 5 mai 1873), O. Commettant décrit cette maison : « un temple de la musique, dont *G.* est le dieu, Mrs Weldon l'ardente prêtresse et Mr. Weldon (le mari) l'apôtre convaincu ». Après maintes vicissitudes, les amis de *G.* enlevèrent le compositeur, littéralement sequestré par Mrs Weldon (fin mai 1874). Par vengeance, cette dernière retint le manuscrit de *Polyeucte*, ce qui donna lieu à un long procès que *G.* gagna : la partition autographe lui fut restituée, toutefois le compositeur fut condamné par le tribunal anglais pour rupture de contrat à 10.000 livres de dommages et intérêts. Ce jugement empêcha *G.* de se rendre à Birmingham en août 1885 où, en présence de la reine Victoria, sous la direction de Hans Richter, fut exécuté *Mors et vita.* Ses trois dernières créations furent *Cinq-Mars*, opéra dialogué (Opéra-Comique, 5 avril 1877), d'après le drame de Vigny, qui reflète une tardive influence meyerbeerienne (il disparut après 57 représentations), *Polyeucte*, d'après la tragédie de Corneille (c'est un grand oratorio,

avec quelques pages d'une noble élévation, comme la lecture de l'évangile faite par Polyeucte à Pauline dans la prison : créé le 7 oct. 1878, il eut 29 représentations), et un opéra à grand spectacle, *Le tribut de Zamora*, paroles de D'Ennery et Brésil (Opéra, 1er avril 1881), qui met en musique une histoire hispano-arabe du IXe s. et fut un échec total : la critique et le public n'ont pas changé d'opinion lors de la reprise de 1885. *G.* mourut en 1893 ; il eut des obsèques nationales.

Dès le début de sa carrière, la sottise ne cessa d'accuser *G.* de wagnérisme, en France et en Allemagne : la fameuse *Augsburger allgemeine Zeitung* assure que « la musique de ce Flamand (!) est germanique, et réellement bien plus allemande que celle du Berlinois Meyerbeer ou celle du Francfortois Offenbach » (19-20 janv. 1862). Pierre Scudo blâme *G.* de s'être penché sur les derniers quatuors de Beethoven « d'où sont sortis les mauvais musiciens de l'Allemagne moderne, les Liszt, les Wagner, les Schumann, sans omettre Mendelssohn pour certaines parties équivoques de son style. » Mais Debussy voit clair quand il proclame que *G.* a su échapper au genre impérieux de Wagner et représente un moment de la sensibilité française (ds *M. Croche antidilettante*). *G.* est par excellence un mélodiste : bien avant ses œuvres théâtrales, il avait composé des mélodies où il renouvelle avec succès la romance française, s'inspirant du genre opéra-comique (*Le soir, La vallée, Venise la rouge*). La ligne mélodique est d'une pureté mozartienne, nuancée de mélancolie, le rythme d'une grâce légère. Sa phrase musicale épouse la phrase littéraire, son respect de la prosodie est un modèle : il sait tous les secrets de la langue française. C'est à partir de *G.* que devait évoluer le *parlando* de Debussy. Son goût musical mettait *G.* à l'abri de l'effet facile ou vulgaire ; son sens de la rêverie, de l'effusion, du songe aussi bien que son travail minutieux d'orfèvre sont remarquablement personnels. Le style recherché de ses mélodies se reflète dans ses opéras : *G.* révèle le contenu psychique du livret ; l'orchestre illustre dans le domaine sonore l'invitation de Faust : « *Prenez mon bras un moment* ». Lorsque le halo du clair de lune baigne le jardin, quand retentit l'invocation passionnée : « *Oh nuit d'amour* », la musique exhale les parfums d'une nuit lourde de mystère. Le principal personnage de l'opéra de Gounod n'est pas Faust, mais Marguerite, dont le drame est évoqué par des rappels et des réminiscences, traitement dramatique voisin de la technique de l'idée fixe de Berlioz. Bien entendu, il ne faut chercher chez *G.* ni *Leitmotiv* ni caractérologie musicale. Les deux amoureux sont mieux réussis que Méphisto : pas plus que César Franck n'a su évoquer dans ses *Béatitudes* l'être diabolique, la naïve bonté de *G.* ne pouvait l'imaginer ; rebelle à tout satanisme, il fit du Prince des ténèbres un élégant entremetteur. Le trio final est l'épreuve concluante de la force dramatique de *G. Roméo et Juliette*, malgré son lyrisme sincère, quelquefois ardent, est un duo d'amour infini ; Verdi a envisagé sous un autre angle la tragédie des amoureux de Vérone : comme il l'a raconté à Estienne Destranges, il en fit « un drame de Renaissance et non une tragédie immobile » (*Le monde artistique*, 1890). Musicien de théâtre pur sang, *G.* avait le sens du comique, une verve gouailleuse qui étincelle dans *Le médecin malgré lui*, où l'on entend quelques pages dignes de la farce de Molière. L'opéra à grand spectacle n'est pas son domaine, des échecs l'y guettaient. *G.* avait la foi, c'était un croyant ; toutefois, même dans ses œuvres religieuses, on ne cesse d'évoquer le musicien de théâtre. Plusieurs influences s'y entrecroisent, dont celle de Mendelssohn (notons que Bach conquit *G.* grâce à Mendelssohn lors de leur rencontre à Leipzig). La première partie de sa trilogie sacrée, *Mors*, a pour introduction un long *Requiem* : on y remarque quelques accents du *Requiem* de Verdi, l'insistance mélodique de César Franck, mais on y trouve un effet nouveau, le chromatisme, dû à l'influence de Liszt avec qui *G.* avait été en relations personnelles durant son séjour à Rome.

Reconsidéré aujourd'hui, *G.* apparaît comme le chef de l'école française, l'inspirateur de Bizet, de Gabriel Fauré etc. Le dessin de Bizet, sa construction de

Mireille. *Extrait du ms. autographe* (cons. de Paris).

l'orchestre accusent une très forte ascendance gouno-
dienne surtout dans ses opéras, à partir des *Pêcheurs
de perles* jusqu'à la *Jolie fille de Perth*, même dans *Carmen*
(duo de Michaela et de Don José, romance de la rose).
Le système prosodique de G. est celui des mélodies de
Gabriel Fauré, comme son hellénisme, son esprit religieux.
Maintes couleurs des impressionnistes ont surgi de la
pénombre et des demi-teintes de G. *Faust et Carmen* sont
les opéras les plus populaires du répertoire lyrique du
monde entier depuis un siècle. Ni ses contemporains
ni les nouveaux dieux (en premier lieu son détracteur
R. Wagner) ne purent détourner le public du génie de
Gounod.

**Œuvres**, *théâtre : Sapho* (E. Augier), 3 actes, 16.4.1851, Opéra -
repris en 2 actes : 26.7.1858, en 4 actes : 2.4.1884 (Choudens,
Paris 1860) ; *Le bourgeois gentilhomme* (Molière), *cérémonie et
divertissement* de G., janv. 1852, Comédie française ; *Ulysse* (F.
Ponsard), tragédie en 5 actes, *mus. de scène et chœurs de G.*, 18.6.
1852 — repris avec qqs changements, *ibid.* 1854 (Bureau central
de mus., Paris 1853) ; *La nonne sanglante* (Scribe et G. Delavigne),
opéra en 5 actes, 18.10.1854, Opéra — réd. pour piano de G. Bizet
(Jeannot, *ibid.* 1860) ; *Le médecin malgré lui* (Barbier et Carré,
d'après Molière), opéra-comique en 3 actes, 15.6.1858, Théâtre
lyrique — 22.5.1872 ; Opéra-comique — 15.5.1886 *ibid.* (Colombier,
Paris 1858) ; *Faust* (Barbier et Carré), opéra avec dialogues en
prose en 5 actes, 19.3.1859, Théâtre lyrique — repris avec récitatifs
et ballets 3.3.1869, Opéra (Choudens, s.d.) ; *Philémon et Baucis*
(Barbier et Carré), opéra en 4 actes, 18.2.1860, Théâtre lyrique —
29.2.1862, Opéra — repris en 2 actes Opéra-comique 16.5.1876 (*ibid.*
1862) ; *Mireille* (Barbier et Carré, d'après Mistral), opéra avec
dialogues en prose en 5 actes, 19.3.1864, Théâtre lyrique — réd. à
3 actes, 15.12.1864, *ibid.* — repris en 5 actes, 10.11.1874, Opéra
comique — en 5 actes, *ibid.* 29.11.1889 (*ibid.*) ; *La colombe*
(Barbier et Carré, d'après La Fontaine), opéra-comique en 1 acte,
7.6.1866, Baden-Baden, 4.11.1879, Nouveau Lyrique (*ibid.*) ;
*Roméo et Juliette* (Barbier et Carré, d'après Shakespeare), opéra en
5 actes, 27.4.1867, Théâtre lyrique — repris 20.1.1873, Opéra-
Comique (avec ballet), Opéra 28.11.1888 (*ibid.*, 1870) ; *Les deux
reines de France* (E. Legouvé), drame en 4 actes, mus. de scène
et chœurs de G., 27.11.1872, théâtre Ventadour (*ibid.*) ; *Jeanne
d'Arc* (J. Barbier), drame en 5 actes, mus. de scène et
danses de G., 8.11.1873, théâtre de la Gaîté — janv. 1890, Porte
Saint-Martin — réd. pour piano de G. Bizet, 1873 (E. Gérard
et Cie) ; *Cinq-Mars* (P. Poirson et Gallet), opéra avec dialogues
en prose, 5.4.1877, Opéra-Comique — repris avec qqs changements,
14.11.1878 (L. Grus) ; *Polyeucte* (Barbier et Carré, d'après Corneille),
opéra en 5 actes, 7.10.1878, Opéra (H. Lemoine, id.) ; *Le tribut
de Zamora* (Ph. D'Ennery et J. Brésil), opéra en 5 actes, 1.4.1881,
Opéra ; *Drames sacrés* (A. Sylvestre et E. Morand), drame lyrique
en 3 actes, 17.3.1893, Théâtre du vaudeville ; *Ivan le Terrible*,
1857, inachevé et détruit ; *Georges Dandin* (Molière), opéra-comique
commencé v. 1873, inachevé ; *Maître Pierre* (L. Gallet), commencé
v. 1877, inachevé, revu et complété par Max d'Ollone, radiodiffusé

en 1951. — *Mus. vocale :* 5 recueils de 20 mélodies pour voix et
piano (Choudens, 1867-1880) ; *La frontière*, chant patriotique
pour solo et chœurs, 8.8.1870, Opéra ; *Méditation (Ave Maria)*,
mélodie religieuse, adaptation du 1er prélude de J.S. Bach ;
6 cantiques avec piano ou orgue (Choudens 1870) ; *Les chants sacrés
pour messes, fêtes, mariages, etc.*, 3 vol. (Lebeau, Paris 1878-79) ;
5 recueils de 20 mélodies *duos, airs de concours* (Choudens) ;
*14 grands chœurs* pour 4 v. et piano (Lebeau, 1854) ; *15 mélodies
enfantines* avec piano (*ibid.* 1878) ; *La prière et l'étude* (*ibid.* 1869) ;
*Te Deum* pour soli, chœurs, orgue avec fanfare pour 8 trompettes
(Lemoine et fils, 1887) ; *Messe solennelle* pour soli, chœur, orch.
et orgue pour la fête de sainte Cécile (Lebeau, 1855) ; *Hymne à
sainte Cécile*, pour solo de violon, harpes, timbales, contrebasses
et instr. à vent (*ibid.* 1865) ; *Messe du Sacré-Cœur de Jésus* pour
soli, chœur et orch. (Lemoine, 1876) ; *Messe de st-Jean*, grégorienne
(Lemoine et fils, 1877) ; *Messe dite de Clovis*, grégorienne, avec
orgue (Choudens, 1895) ; *Messe funèbre* pour 4 v. et orgue (Lebeau,
1883) ; 10 motets 1856–57 (*ibid.*) ; *L'ouvrier*, scène lyrique pour
v. et piano (Lemoine, 1873) ; *La chasse*, chœur d'hommes, à 4 v.
(Choudens, 1867) ; *Chant pour le départ des missionnaires* du séminaire des Missions étrangères (Lecoffre, 1856) ; *Les châteaux en
Espagne* (Véron), duos pour ténor et baryton (Lebeau, 1858) ;
*La cigale et la fourmi*, chœur d'hommes (*ibid.* 1856) ; *Le corbeau
et le renard*, chœur d'hommes (*ibid.*, 1857) ; *Itala may*, pour chant
et piano, *in commemoration of David Livingston* (Londres s.d.,
Sampson) ; *Le loup et l'agneau*, chœur d'hommes (Lemoine, 1876) ;
*Près du fleuve étranger*, paraphrase du *Super flumina*, chant
d'hommes à 4 v. (Lebeau, 1890) ; *Le vin des Gaulois et la danse de
l'épée*, légende bretonne pour chœur et orch. (*ibid.* 1861) ; *Mors
et vita* (texte de G.), trilogie religieuse pour soli, chœur et orgue
(Novello, Londres, 1885) ; *La rédemption* (texte de G.), trilogie
religieuse pour soli, chœurs et orch. (Londres, *ibid.*, 1882). —
*Mus. instrumentale : Scherzo* (1837) ; *Symphonie en ré*, 1854 ;
*Symphonie, II, en mi bémol* (Colombier, 1885) ; *Marche funèbre
d'une marionnette*, pour orch. (Lemoine, 1879) ; *Six morceaux pour
piano* (Leduc) ; *Méthode de cor à piston*. — *Écrits : Autobiographie*
de Ch. G. et articles sur la routine en matière d'art, édités et compilés,
avec une préface par Mme G. Weldon (Londres s.d. [1875]) ; *Le don
Juan de Mozart*, communication à l'Acad. des beaux-arts, 25.10.
1882 (Paris, id.), *Préface aux Lettres intimes de Berlioz* (*ibid.*),
*A propos d'Henry VIII de Saint-Saëns*, art. ds *Nouvelle revue*
(1.4.1883), *Préface aux Soirées parisiennes de 1883* par un monsieur
de l'orchestre (Paris 1884), *Considérations sur le théâtre contemporain*,
préface aux *Annales* (*ibid.* 1886), *Proserpine de C. Saint-Saëns*,
ds *La France* (18.3.1887), *Le don Juan de Mozart* (Ollendorf, *ibid.*
1890), *Ascanio de C. Saint-Saëns*, ds *La France* (23.3.1890), *Mémoires
d'un artiste* (Paris 1896, 5e éd. 1909).

**Bibl.** : C. Bellaigue, G., Paris 1910 ; H. Berlioz, *Les musiciens et
la musique*, *ibid.* 1908 ; G. Bizet, *Lettres, Impressions de Rome*
(id. *ibid.*) ; Blaze de Bury, *Musiciens du passé, du présent et de
l'avenir* (*ibid.* 1880), M. A. de Bovet, *Ch. G.* (*ibid.* 1890) ; M. Brenet,
G., *mus. religieux*, ds *Le correspondant*, 10.12.1893 ; M. Cooper,
*Ch. G. and his influence on french mus.*, ds *Mus. and Letters*, XXI,
1940 ; M. Curtiss, *G. before Faust*, ds *MQ*, XXXVIII, 1952 ; H. de
Laborde, *Notice sur la vie et les œuvres de G.*, Institut, 3.11.1894 ·

Th. Dubois, *Notice sur G.* (*ibid.*) ; P.L. Hillemacher, *G.*, Paris 1906 ; P. Landormy, *G.*, *ibid.* 1842 — *Le Faust de G.*, étude et analyse, *ibid.* 1944 ; L. Pagnerre, *G.*, *ibid.* 1890 ; A. Pougin, *Les ascendants de G. ds Rev. libérale*, 1884) — *G. écrivain*, ds *Riv. mus. ital.* XVIII, 4, et XIX, 2 ; J.G. Prod'homme et A. Dandelot, *G.*, 2 vol., Paris 1911 ; J.G. Prod'homme, *Une famille d'artistes : les G.*, ds *Riv. mus. ital.*, VII, 1910 ; C. Saint-Saëns, *G. et le don Juan de Mozart*, Paris 1894 ; A. Soubies et H. de Curzon, *Documents inédits sur le Faust de G.*, *ibid.* 1912 ; E.A. Spoll, *Mme Carvalho...*, *ibid.* 1885 ; G. Weldon, *La destruction de Polyeucte de G.*, *ibid.* 1875 ; *Mon orphelinat et G. en Angleterre*, 3 vol., *ibid.* 1875 ; Ch. Lalo, *Bach et G.*, ds *RM*, 1946 ; M. d'Ollone, *G. et l'opéra-comique*, *ibid.* 1933.                       E.H.

**GOUPILLET Nicolas.** Mus. franç. du XVII⁰ s., qui fut l'élève de Pierre Robert à N.-D. de Paris ; ecclésiastique, il fut maître de chapelle à la cath. de Langres (1666–1681), puis à Meaux ; on le trouve en 1683 maître de musique de la chapelle royale, poste qu'il dut quitter en 1692 pour s'être arrogé la paternité d'un motet de Desmarets : on lui attribua alors un canonicat à St-Quentin.

**GOURDET Georges.** Saxophoniste franç. (Pruniers 26.2.1919-), élève du cons. de Paris, conférencier des J.M.F., membre du Quatuor de sax. Marcel Mule (dep. 1951), prof. d'hist. de la mus. à l'Acad. de mus. de chambre de Paris.

**GOURILEV** (*Gurilev*) **Alexandre Lvovitch.** Compos. et pian. russe (Moscou 4.9.1803–12.9.1858). Serf du comte Orlov, élève de son père, *Lev Stepanovitch* (1770–1844), lui-même musicien serf et compos. de mus. d'église, il fut libéré avec toute sa famille à la mort du comte Orlov ; on lui doit plus de 200 mélodies qui l'apparentent à Alabiev et surtout à Varlamov (un choix en a été publié en 1899), de la mus. de danse, des variations pour piano.

**GOUSSAKOVSKY** (*Gusakovskij*) **Apollon Selivstrovitch.** Compos. russe (1841–1875). Musicien non-professionnel, élève de Balakirev, sympathisant du « groupe des 5 », de talent original, il fut trahi par une nature bizarre et maladive : la plupart de ses œuvres importantes sont restées inachevées ; on lui doit néanmoins une mus. de scène pour le *Faust* de Gœthe, un *Allegro* symphonique, une *Sonate* et d'autres pièces pour piano, une cantate sur un texte de Lermontov (*Bojarin Orcha*).

**GOUSSEAU Lélia.** Pian. franç. (Paris 11.2.1909-). Élève du cons. de Paris (Lazare-Lévy), lauréate de maintes compétitions, soliste des grands orch. mondiaux, elle fait une carrière internationale.

**GOÛT.** « De tous les dons naturels le *goût* est celui qui se sent le mieux et qui s'explique le moins : il ne seroit pas ce qu'il est, si l'on pouvoit le définir, car il juge des objets sur lesquels le jugement n'a plus de prise, et sert, si j'ose parler ainsi, de lunettes à la raison.

Il y a, dans la mélodie, des chants plus agréables que d'autres, quoique également bien modulés ; il y a, dans l'harmonie, des choses d'effet et des choses sans effet, toutes également régulières ; il y a dans l'entrelacement des morceaux un art exquis de faire valoir les uns par les autres, qui tient à quelque chose de plus fin que la loi des contrastes ; il y a dans l'exécution du même morceau des manières différentes de le rendre, sans jamais sortir de son caractère : de ces manières les unes plaisent plus que les autres, et, loin de les pouvoir soumettre aux règles, on ne peut même pas les déterminer. Lecteur, rendez-moi raison de ces différences, et je vous dirai ce que c'est que le *goût*.

Chaque homme a un *goût* particulier, par lequel il donne aux choses qu'il appelle belles et bonnes un ordre qui n'appartient qu'à lui. L'un est plus touché des morceaux pathétiques ; l'autre aime mieux les airs gais : une voix douce et flexible chargera ses chants d'ornements agréables ; une voix sensible et forte animera les siens des accents de la passion : l'un cherchera la simplicité dans la mélodie ; l'autre fera cas des traits recherchés : et tous deux appelleront élégance le *goût* qu'ils auront préféré. Cette diversité vient, tantôt de la différente disposition des organes, dont le *goût* enseigne à tirer parti, tantôt du caractère particulier de chaque homme, qui le rend plus sensible à un plaisir ou à un défaut qu'à un autre, tantôt de la diversité d'âge ou de sexe, qui tourne les désirs vers des objets différents ; dans tous ces cas, chacun n'ayant que son *goût* à opposer à celui d'un autre, il est évident qu'il n'en faut point disputer.

Mais il y a aussi un *goût* général sur lequel tous les gens bien organisés s'accordent ; et c'est celui-ci seulement auquel on peut donner absolument le nom de *goût*. Faites entendre un concert à des oreilles suffisamment exercées et à des hommes suffisamment instruits, le plus grand nombre s'accordera, pour l'ordinaire, sur le jugement des morceaux et sur l'ordre de préférence qui leur convient. Demandez à chacun raison de son jugement ; il y a des choses sur lesquelles ils la rendront d'un avis presque unanime : ces choses sont celles qui se trouvent soumises aux règles ; et ce jugement commun est alors celui de l'artiste ou du connoisseur ; mais de ces choses qu'ils s'accordent à trouver bonnes ou mauvaises, il y en a sur lesquelles ils ne pourront autoriser leur jugement par aucune raison solide et commune à tous ; et ce dernier jugement appartient à l'homme de *goût*. Que si l'unanimité parfaite ne s'y trouve pas, c'est que tous ne sont pas également bien organisés, que tous ne sont pas gens de *goût*, et que les préjugés de l'habitude ou de l'éducation changent souvent, par des conventions arbitraires, l'ordre des beautés naturelles. Quant à ce *goût*, on en peut disputer, parce qu'il n'y en a qu'un qui soit le vrai : mais je ne vois guère d'autre moyen de terminer la dispute que celui de compter les voix, quand on ne convient pas même de celle de la nature. Voilà donc ce qui doit décider de la préférence entre la musique françoise et l'italienne.

Au reste, le génie crée, mais le *goût* choisit ; et souvent un génie trop abondant a besoin d'un censeur sévère qui l'empêche d'abuser de ses richesses. Sans *goût* on peut faire de grandes choses ; mais c'est lui qui les rend intéressantes. C'est le *goût* qui fait saisir au compositeur les idées du poète ; c'est le *goût* qui fait saisir à l'exécutant les idées du compositeur ; c'est le *goût* qui fournit à l'un et à l'autre tout ce qui peut orner et faire valoir leur sujet ; et c'est le *goût* qui donne à l'auditeur le sentiment de toutes ces convenances. Cependant le *goût* n'est point la sensibilité : on peut avoir beaucoup de *goût* avec une âme froide ; et tel homme transporté des choses vraiment passionnées est peu touché des gracieuses. Il semble que le *goût* s'attache plus volontiers aux petites expressions, et la sensibilité aux grandes. »        J.-J. Rousseau.

**GOÛT-DU-CHANT.** « C'est ainsi qu'on appelle en France l'art de chanter ou de jouer les notes avec les agréments qui leur conviennent, pour couvrir un peu la fadeur du chant françois. On trouve à Paris plusieurs maîtres de *goût-de-chant*, et ce *goût* a plusieurs termes qui lui sont propres ; on trouvera les principaux au mot *agréments*.

Le *goût-du-chant* consiste aussi beaucoup à donner artificiellement à la voix du chanteur le timbre, bon ou mauvais, de quelque acteur ou actrice à la mode ; tantôt il consiste à nasillonner, tantôt à canarder, tantôt à chevrotter, tantôt à glapir ; mais tous ce sont des grâces passagères qui changent sans cesse avec leurs auteurs. »        J.-J. Rousseau.

**GOUTNIKOV** (*Gutnikov*) **Boris Lvovitch.** Violon. russe (Vitebsk 4.7.1931-). Enfant prodige, élève du cons. de Léningrad (Edlin, élève d'Auer), prix Long-Thibaud (1957), il fait une carrière de virtuose, est professeur adjoint de la classe de violon au cons. précité.

**GOUVERNÉ Yvonne.** Chef de chœur franç. (Paris 6.2. 1890-). Élève d'André Caplet, elle fait carrière depuis 1920 : Concerts André Caplet (1920–25), Concerts W. Straram (1925–33), Soc. de mus. ancienne (dep. 1928), Concerts Charles Münch (1935–49), RTF (dep. 1935) ; elle a publié des art. dans divers périodiques et ouvrages collectifs, ainsi qu'une étude sur André Caplet, sous le pseudonyme d'*Yves-Marc* (1925).

**GOUVY Louis-Théodore.** Compos. franç. (Goffontaine 2.7.1819–Leipzig 21.4.1898). Élève d'Henri Hertz, d'Elwart, de Charles Hallé, il connut Berlioz, Chopin et débuta comme compos. en 1846 ; on lui doit 6 symph., des cantates, 1 messe, de la mus. de chambre, de piano, d'église, des scènes dramatiques. Voir O. Klauwell, *Th. G.*, Berlin 1902 ; E. Haraszti in MGG.

**GOUY Jacques de.** Mus. franç., mort vers 1650. Chanoine d'Embrun et de la cath. de Briançon, il s'intéressa à la notation de Lemaire et publia une pièce en usant de ce nouveau système d'écriture : *Estrennes pour MM. et Dames du Concert de la Musique almérique, présentées par M. de Gouy, premier professeur en icelle, en l'année 1642*, pièce que A. Pirro (RSIM, 1908) a déchiffrée ; on a aussi de lui des *Airs à 4 parties sur la paraphrase des pseaumes de Godeau* (Ballard, 1650) qui empruntent l'écriture harmonique de l'air de cour ; la préface donne de précieux renseignements sur les concerts avant 1650 et sur les musiciens du temps (P. Chabanceau de La Barre, Vincent, Granouilhet, M. de La Guerre, Hotman, Henry le jeune etc.). Voir D. Launay in MGG ; M. Brenet, *Les concerts en France sous l'ancien régime*, 1900 ; E. Van der Straeten, *J. d. G., chanoine d'Embrun. Recherches sur la vie et les œuvres de ce musicien du XVIIe siècle*, 1863.
A.V.

**GOW.** Famille de mus. écossais. — **1. Niel** (Strathbrand 22.3.1727–Inver 1.3.1807), violon., publia *Collection of strathspey reels* (6 vol., Edimbourg 1784, v. 1822 ; ce sont des danses écossaises écrites pour le violon avec basse de vcelle ou clavecin). Son fils — **2. Nathaniel** (Inver 26.5.1763–Edimbourg 19.1.1831), était violon. et trompette ; en 1791 il dirigeait l'« Assemblies Band » d'Edimbourg ; à partir de 1796 il fut éditeur ; on lui doit *A collection of Strathspey reels* (Edimbourg 1797), *The complete repository of the original scotch slow tunes, strathspeys and dances* (4 vol., 1799–1817), *The vocal melodies of Scotland* (3 vol., ibid. 1820), *A select collection of original dances* (ibid. v. 1814), *The ancient curious coll. of Scotland* (ibid. 1823) ; la plus célèbre de ses compositions est *Caller Herrin* (il y imite les cris de rue des marchandes de poisson). Voir H.G. Farmer, *History of music in Scotland*. Londres 1947.

**GPÉTÉ.** C'est une flûte à encoche, du Dahomey (peuples Fon et Goun).
G.R.

**GRAAF.** Voir art. *Graf*.

**GRABBE Johann.** Mus. allem. (Lemgo 1585–Bückeburg 1655). Elève de Cornelius Conradius à Brake-Detmold, il lui succéda comme org. de la cour du comte Simon VI : ce dernier l'envoya près de G. Gabrieli (1607–10) à Venise, où il trouva H. Schütz ; en 1614, le comte Ernst von Schaumburg-Lippe le prit comme vice-maître de chapelle à Bückeburg : il devait y devenir maître de chapelle ; outre Schütz, il eut Praetorius pour ami ; il publia 1 liv. de madrigaux à 5 v. (Venise 1609) et, ds des recueils de l'époque, des *Cantiones sacrae* (bibl. Cassel), 2 pavanes, *Der Ritter Mascharada* et 3 pièces instr. ; les similitudes entre son madrigal *Alma afflitta* et la pièce de Schütz du même titre sont intéressantes à noter. Voir M. Ruhnke in MGG.

**GRABERT Martin.** Compos. allem. (Arnswalde 15.5.1868–Berlin 23.1.1951), qui fut chef d'orch. au théâtre de Rostock, org. à Berlin et écrivit de la mus. d'église, d'orgue, de chambre, vocale. Voir H. Becker in MGG.

**GRABNER Hermann.** Compos. allem. (Graz 12.5.1886–). Altiste, élève du cons. de Graz, de Reger, qu'il assista à Meiningen (1912–13), il enseigna la théorie mus. au cons. de Strasbourg (1913), à Mannheim et à Heidelberg (1919–24), la composition aux cons. de Leipzig (1930) et de Berlin (1938–45) ; il fut également prof. à l'univ. de Leipzig (1930) ; il a écrit 1 opéra (*Die Richterin*, 1930), des œuvres chor. et symph. (1 *Requiem*), 3 quatuors, de la mus. d'orgue, des mélodies etc. et publié : *Regers Harmonik* (Munich 1920), *Die Funktionstheorie H. Riemanns* (id. 1923), *Allg. Musiklehre* (Stuttgart 1924, 1949), *Der lineare Satz* (ibid. 1925, 1950), *Anleitung z. Fugenkomp.* (Leipzig 1934, 1944), *Die wichtigsten Regeln d. funkt. Tonsatzes* (ibid. 1935, 1952), *Generalbassübungen* (ibid. 1936, 1951), *Handbuch d. Harmonielehre* (2 vol., Berlin 1944–55), *Neue Gehörübung* (ibid. 1950), *Musikal.*

*Werkbetrachtung* (Stuttgart 1950), *Die Kunst des Orgelbaus* (Berlin 1958). Voir H. Becker in MGG.

**GRABU(T) Louis.** Violon. franç. du XVIIe s. On ne sait rien de lui jusqu'en 1665, date à laquelle il était compos. de la cour de Charles II à Londres ; en 1666, il était *master of the King's music* (il succédait à M. Lanier) ; en 1667, il dirigeait la bande des violons ; il assista Cambert pour la fondation de la *Royal Academy of music* (1673) ;

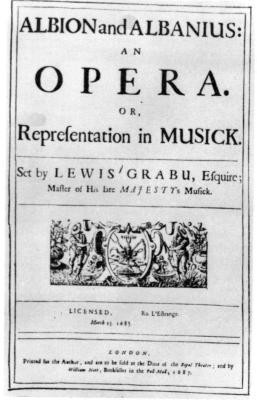

GRABU

l'année suivante, il quittait son emploi, après l'échec de la représentation de son opéra *Ariane* : il séjourna alors 4 ans en France, revint en Angleterre (1684–94), pour finir à Paris chez Lebègue ; on lui doit pour le théâtre : *Pastoralle* (1684), *Albion and Albanius* (1685), des airs pour des pièces de mus. anglaise, vocales ou instrumentales. Voir le *Journal* de S. Pepys ; W.H. Grattan Flood, ds RM, août 1928 ; J.A. Westrup in MGG.

**GRACA Fernando Lopes.** Voir art. Lopes (*Fernando Lopes G.*).

**GRAD Gabriel.** Compos. lithuanien (Retowo 9.7.1890–). Elève du cons. d'Ekaterinoslav et du cons. Klindworth-Scharwenka à Berlin, il fut prof. à Kowno, où il fonda une école de mus. (1920) ; il se fixa en Palestine en 1924 : il y dirige le cons. Benhetov (Tel-Aviv) ; on lui doit des mélodies, des chœurs, de la mus. de chambre, 1 opéra (*Judith et Holopherne*).

**GRADENIGO Paolo.** Mus. ital., dont l'activité se situe dans la seconde moitié du XVIe s. ; il publia 1 recueil de madrigaux à 5 v. (Venise 1574) ; on trouve 1 madrigal de lui ds un recueil de G.L. Primavera (Venise 1569).

**GRADENTHALER** (*Kradenthaller*) **Hieronymus** Org. allem. (Ratisbonne 27.12.1637–22.7.1700). Fils et élève d'*Augustin G.*, qui fut org. à St. Oswald de Ratisbonne, il exerça les mêmes fonctions à la *Neue Pfarre* dans la même ville ; on lui doit *Deliciarum musicalium 1 [-Anderer] Theil* (2 vol., Nuremberg 1675-76 — ce sont des partitas), *Musical. Recreation* (v. et b., Ratisbonne 1672), des airs spirituels, 1 traité : *Horologium musicum* (*ibid.* 1676).

**GRADENWITZ Peter.** Musicologue israélien (Berlin 24.1.1910-). Elève des univ. de Fribourg-en-Brisgau et de Berlin, de G. Weismann et de Rufer, docteur de Prague (1934), il s'est fixé à Tel-Aviv en 1936, y a fondé la section israélienne de la Société intern. de mus. contemporaine, les éditions *Israeli Music Publications* ; il a publié *J. Stamitz...* (Vienne-Brünn–Leipzig 1926), *The music of Israel* (New-York 1949), *Music and musicians in the land of Israel* (Jérusalem 1951), en langue hébraïque : « *Le monde des pianistes* », (Tel-Aviv 1952), « *Le monde de la symphonie* » (*ibid.* 1945, 1953), « *La mus. de chambre* » (*ibid.* 1948, 1953), « *Hist. de la mus.* » (Jérusalem 1939, 1954), « *La mus. en Israël* » (*ibid.* 1945, 1954), nombre d'articles ds des périodiques ; on lui doit des compositions, notamment un *Hommage à Schönberg*, et des éditions savantes de Stamitz, duquel il a établi le catalogue d'œuvres pour la *N.-York Public Library*.

**GRADSTEIN Alfred.** Compos. pol. (Tschenstochau 30.10. 1904-Varsovie 1954). Elève du cons. de Varsovie, de l'acad. de mus. de Vienne (J. Marx), pian., il vécut à Paris de 1928 à 1947, revint à Varsovie où il fut secrétaire général de la Soc. des compos. pol. ; on lui doit 2 ballets, 1 concerto de p., de la mus. de chambre, 2 cantates, des chœurs, des mélodies.

**GRADUEL.** — **1.** C'est une pièce en forme de répons, chantée à la messe entre l'épître et l'*Alleluia* ou le trait ; il en est ainsi parce que la lecture de la prophétie a été supprimée ; il était donc autrefois séparé de l'*Alleluia*. Son nom lui vient de *gradus*, à savoir les degrés de l'ambon, où il était chanté. Cette pièce, dans son état actuel, comporte 2 parties : un corps de répons, un verset en psalmodie ornée ; dans la messe primitive, il est vraisemblable que le corps du répons était suivi d'un psaume entier, auquel il servait de refrain. Voir Dom Froger, *Les chants de la messe aux VIII^e et IX^e s.*, ds Rev. grég., 1947-48 ; Dom Mocquereau et Dom Gajard, *Paléographie musicale...*, II et III, 1891-92. — **2.** Le même terme sert aussi à désigner le livre qui contient les chants du propre de la messe ; cette appellation n'est pas très ancienne ; on trouve d'abord *cantatorium* (les pièces chantées par le soliste), puis *antiphonale missarum*, puis *liber gradualis* : c'est ce dernier terme qui a été pris en français. Une étude de ce livre comporte celle du missel et du sacramentaire ; il en existe d'innombrables éditions. Voir celles de Solesmes, notamment l'édition critique dont le tome II (les sources) a paru en 1957, le tome Ier restant à paraître ; pour l'identification, la datation, la forme, voir P. Leroquais, *Les sacramentaires et missels mss....*, Mâcon 1924 : qqs éditions à titre d'exemples : A. Colette, H. Loriquet et Dom Pothier, *Le graduel de l'église cathédrale de Rouen au XIII^e s.* ... *Remarques sur la liturgie, le chant et le drame... Breve officiorum... Liber gradualis eccl. rothomagensis*, 2 vol., Rouen 1907 ; W.H. Frere, *Graduale sarisburiensis...*, Londres 1894 ; F. Bussi, *L'antifonario grad. della basilica di S. Antonino in Piacenza (S. XII)...*, Plaisance 1956 ; M. Melnicki-B. Stäblein in MGG.                                    S.C.

**GRAEDENER** (*Grädener*). — **1. Karl.** Compos. allem. (Rostock 14.1.1812-Hambourg 10.6.1883), vcelliste, chef d'orch., prof. (Helsinki, Kiel, Hambourg, Vienne), auteur de mus. symph., de chambre, de p., de mélodies, de 3 opéras, il publia *Bach u. die hamburger Bach-Gesellschaft* (Hambourg 1856), *Beethoven-Gedächtnisrede* (*ibid.* 1870), *Gesamm. Aufsätze* (*ibid.* 1872), *System d. Harmonielehre* (*ibid.* 1877). Son fils — **2. Hermann** (Kiel 8.5.1844-Vienne 18.9.1929), élève du cons. de Vienne, fut org., violon., prof. (Vienne) ; on lui doit de la mus. symph. (2 symph., 5 concertos), chor., de chambre, 2 opéras, des mélodies.

**GRAEFE** (*Gräfe*) **Johann Friedrich.** Mus. allem. (Brunswick 1711-8.2.1787). Secrétaire d'État et maître des postes de Brunswick, ami de C. Graun, de Gottsched, il

publia 4 recueils d'odes (Hurlebusch, Graun, Giovannini, C. Ph. E. Bach, *J.F.G.* Halle 1737-43), *Oden u. Schäfergedichte* (Leipzig 1744), *Sonnet ...* (*ibid.* 1755), *50 Psalmen* (Brunswick 1760), *6... Oden u. Lieder* (Leipzig 1762), *Id.* (Hambourg 1767, 1768), 1 opéra : *Herkules auf dem Œta* (Hanovre 1771) ; 2 de ses sonates de clavecin nous sont restées en mss. Voir M. Ruhnke in MGG.

bibl. de Limoges          GRADUEL          Arch. phot.

*G. du chapitre de St-Junien (XIII^e s.).*

**GRAENER** (*Gräner*) **Georg.** Compos. allem. (Berlin 20.11. 1876-Potsdam 30.4.1945). Critique mus., prof. de piano et d'harmonie (Berlin–Charlottenbourg), il écrivit 1 opéra, 4 symph., 1 oratorio, des mélodies, de la mus. symph., et publia un ouvrage sur *Paul Graener* (Leipzig 1922).

**GRAENER Paul.** Compos. allem. (Berlin 11.1.1872-Salzbourg 13.11.1944). Chef d'orch. de théâtre (Bremerhaven, Königsberg, Berlin, Londres), prof. de composition au cons. de Vienne (1908), dir. du *Mozarteum* de Salzbourg (1910-13), prof. de compos. au cons. de Leipzig (1920-24), dir. du cons. Stern à Berlin (1930), vice-président de la *Reichsmusikkammer* (1933), où il dirigea la section des compositeurs (1935-41), il écrivit 1 symph., 7 opéras, des chœurs, de la mus. de chambre, symph. Voir G. Gräner, *P.G.*, Leipzig 1922 ; P. Grümmer, *Verz. d. Werke P.G.*, Berlin 1937 ; L.K. Mayer in MGG.

**GRAETZ Joseph.** Pian. allem. (Vohburg 2.12.1760-Munich 17.7.1826). Elève de Michael Haydn, *Hofklaviermeister* à Munich, il composa 3 messes, des litanies, 1 oratorio, 2 opéras, 150 mélodies, et rédigea *Gründe zur Tonsetzkunst* (ms.). Voir A. Scharnagl in MGG.

**GRAETZER Guillermo.** Compos. argentin d'origine autr. (Vienne 5.9.1914-). Elève du cons. de Vienne, il se fixa en Argentine en 1939, fonda le *Collegium musicum* de Buenos-Aires (1946) et la *Liga argentina de compositores* ;

il enseigne à l'univ. de La Plata et à l'École nat. de danse ; on lui doit des œuvres symph., de mus. de chambre, des chœurs, des mélodies ; il a publié *Nueva escuela coral* (1949), *Bach-Antología para piano* (1950), *La ejecución de los adornos en las obras de J.S. Bach* (1956), *Antología coral* (1957).

**GRAF Ernst.** Org. suisse (Schönholzerswilen 26.6.1886–Berne 19.8.1937). Elève du cons. de Bâle, il fut org. et prof. à l'univ. et au cons. de Berne ; il composa des chœurs et des mélodies et collabora à *Der Organist*.

**GRAF. — 1. Max** : musicologue autr. (Vienne 1.10.1873–24.6.1958). Elève de Hanslick et de Bruckner, chroniqueur mus., prof. à l'Acad. de mus. de Vienne (1902), éditeur du *Musikal Kurier* (1921–22), il émigra (1938) aux États-Unis, où il enseigna ; en 1947, il revint à Vienne et y fut chroniqueur à la *Weltpresse* ; il publia *Deutsche Musik im 19.Jh.* (Berlin 1898), *Wagner-Probleme* (Vienne 1900), *Die Musik im Zeitalter der Renaissance* (Berlin 1905), *Die innere Werkstatt d. Musikers* (Stuttgart 1910), *Gespräche über die deutsche Musik* (Ratisbonne 1931), *Legend of a musical city* (New-York 1945), *Modern music* (ibid. 1946), *En France* (Paris 1948), *Composers and critics* (New-York 1946, Paris 1949), *From Beethoven to Shostakowich* (ibid. 1947), *Gesch. u. Geist d. modernen Musik* (Vienne–Stuttgart 1953), *Die wiener Oper* (Vienne-Francfort 1955), ainsi que d'autres études et des traductions de Romain Rolland et d'A. Bruneau. Son fils — **2. Herbert** (Vienne 10.4.1903–) a été élève de l'Acad. de mus. de Vienne ; il est régisseur d'opéra (Münster, Oslo, Francfort, Bâle, Philadelphie, New-York, Salzbourg).

*d.*
*Apr. 5*
*1973*

**GRAFF** (*Graf, Graaf*). Famille de mus. allem. — **1. Johann** (?–Rudolstadt v. 1745) était violon. et htboïste ; il exerça d'abord dans un régiment hongrois à Nuremberg, puis comme maître de concert, enfin comme maître de chapelle à la cour de Rudolstadt ; on lui doit 12 sonates pour son instrument avec *b.c.* (1718, 1723). Son fils — **2. Christian Ernst** (Rudolstadt v. 1726–La Haye, entre 1802 et 1804) lui succéda, mais, en 1762, il devint le maître de la chapelle du prince d'Orange-Nassau à La Haye ; on lui doit des symph., des quatuors, des sonates de viol. (dont 6 en trio), 6 quintettes (avec fl.), *25 Fables dans le goût de M. De La Fontaine* (*op. 21*), 2 sonates de clavecin ou pianoforte à 4 m. (*op.* 29) et un écrit sur la nature de l'harmonie (La Haye 1782). Son frère — **3. Friedrich Hartmann** (Rudolstadt 1727–Augsbourg 19.8.1795) fut timbalier militaire, puis flûtiste et chef d'orch. à Hambourg (1759–64) ; il fit une carrière de virtuose (flûte), se mit au service du comte Bentheim, séjourna à La Haye (1769), fut cantor à Augsbourg (1772), où il fonda une société de concerts (1779) ; après quoi il fit des tournées à Vienne et à Londres ; on lui doit 2 symph., 1 oratorio, des cantates, des quatuors et des quintettes, des trios, des duos, des concertos de flûte, 1 de vcelle. Voir B. Engelke, *Die rudolstädter Hofkapelle...*, ds *AfMw*, I, 1918–19 ; A. Scharnagl-H. Haase in MGG.

**GRAISLE.** Voir art. *grelle.*

**GRAM Hans.** Compos. danois des XVIIIᵉ-XIXᵉ s., qui fut org. à Boston (av. 1790) : il est l'auteur de la 1ʳᵉ œuvre symph. qui ait été publiée aux États-Unis : *The death song of an indian chief.*

**GRAM Peder.** Compos. danois (Copenhague 25.11.1881–4.2.1956). Elève du cons. de Leipzig, il fut chef d'orch. et écrivit 3 quatuors, 1 sonate de vcelle, 1 quintette à vent, 3 symph., 2 ouvertures, 1 concerto de violon, des mélodies etc. ; il publia 3 écrits (en danois) : *Sur les formes musicales* (1916), *Sur la musique moderne* (1934) et un traité d'harmonie analytique (1940).

**GRAMATJES Harold.** Compos. cubain (Santiago de Cuba 26.9.1918–). Elève de Roldán et d'Ardévol au cons. de La Havane, il est l'auteur de qqs œuvres instrumentales (dont le ballet *Icare*, écrit sur le canevas rythmique de Lifar) et chorales, il est aussi critique musical. D.D.

**GRANADOS Enrique.** Compos. esp. (Lérida 27.7.1867–en mer, 24.3.1916). Fils d'un père cubain et d'une mère née à Santander, le terroir musical de Granados se délimite surtout par exclusion : il n'est pas un musicien catalan — comme Pedrell — ni hispano-mauresque comme Albéniz — ni du pays basque comme Guridi, Usandizaga ou le P. Donostia —, ni de Galice, ni des Asturies : il est tout simplement espagnol ; au dire d'un de ses biographes, « Granados n'est enrichi que du trésor de la Castille et de l'Aragón, de la sève la plus pure de notre terre d'Espagne », sans être toutefois un musicien castillan ni aragonais. Granados fut élève de Pedrell, puis, à Paris, de Bériot (1887–1889). Ses *Danzas españolas* (1892) attirent sur lui l'attention des musiciens européens (Massenet, Saint-Saëns, Grieg, César Cui) et lui assurent déjà une place de choix dans la musique de son pays. Deux seuls événements font date dans sa vie, vouée à l'enseignement : le premier, la consécration en Espagne, due au succès de son opéra *Maria del Carmen* (1898), qui lui vaut une décoration royale ; le second, et définitif, est son succès à Paris, lorsqu'il joue ses *Goyescas* pour piano (dont la 1ʳᵉ audition avait eut lieu le 9 mars 1911 au Palais de la musique à Barcelone) à la Salle Pleyel en 1914. Devant cette consécration unanime, l'Opéra lui propose de monter le drame lyrique auquel il travaille, et dans lequel il compte incorporer les deux suites des *Goyescas* et quelques-unes de ses *tonadillas* vocales. Granados part pour la Suisse pour mettre la dernière main à sa partition ; c'est là que la guerre le surprendra. Tout espoir perdu de se voir jouer à Paris, il accepte l'invitation du *Metropolitan* de New-York et se rend avec sa femme en Amérique pour assister à la première de ses *Goyescas*, qui a lieu le 26.1.1916, avec un succès immédiat. « Enfin — écrit l'auteur à Ricardo Vinès — j'ai vu mon rêve réalisé... Il est vrai que ma tête est pleine de cheveux blancs, et que je commence à peine mon œuvre, mais j'ai confiance et je travaille avec enthousiasme... Toute ma joie actuelle, je la ressens plus pour ce qui doit venir que pour ce que j'ai fait jusqu'ici. Je songe à Paris et je nourris un monde de projets ».

Mais le destin avait décidé autrement : un concert à la Maison blanche, commandé par le président Wilson, lui fait manquer le bateau direct qui devait le ramener en Europe ; il s'embarque donc pour l'Angleterre et prend à Liverpool le *Sussex* qui devait le conduire à Dieppe, mais qui fut torpillé par un sous-marin allemand au milieu de la Manche le 24 mars 1916 : recueilli dans un canot de sauvetage, Granados se jette à l'eau pour rejoindre sa femme et ne l'atteint que pour couler avec elle ; ainsi furent-ils unis dans la mort comme ils l'avaient été pendant vingt ans d'un bonheur sans nuage.

L'œuvre de G. est assez vaste, et comprend toute une partie — pièces de piano, mélodies — où l'auteur sacrifie au goût (au mauvais goût) de son temps. Musique de salon, ou musique de virtuose, elle ne mérite pas qu'on s'arrête à la décrire. Mais deux séries de compositions sont à retenir, qui suffisent à placer leur auteur parmi les musiciens importants de son pays et même de son époque : la première est constituée par les *Danses espagnoles* pour piano, qui peuvent soutenir la comparaison avec les danses norvégiennes de Grieg ou une partie de la production de Brahms. Il ne faut pas oublier que les musiciens espagnols de son temps, tout comme les russes et les musiciens de l'Europe centrale, devaient se forger une tradition musicale pour renouer avec les écoles du passé et combler le vide produit par l'invasion de l'art lyrique italien : rien de mieux que de se tourner vers la musique populaire pour lui reprendre le biens qu'elle avait hérités des anciennes écoles nationales. L'autre groupe de réussites de Granados comprend les *Goyescas* pour piano et les *tonadillas* pour chant et piano : ces œuvres s'inspirent, à travers Goya, de l'Espagne populaire du XVIIIᵉ s., qui fit de la *tonadilla* scénique le bastion contre l'italianisme envahisseur. G. unissait à son talent de musicien de riches dons pour d'autres arts, en particulier la peinture ; il lui arriva d'écrire de lui-même, et avec justesse : « Je ne suis pas un musicien, je suis un artiste », et il fit son portrait en *majo* de Goya, peintre qu'il affectionnait entre tous et dont il possédait quelques toiles de choix. Il dit en 1913 à Jacques Pillois son admiration pour Goya : « Goya est le génie représentatif de l'Espagne. A l'entrée du musée du Prado, à Madrid, sa statue s'impose au regard, la première. J'y vois un enseignement : nous devons, à l'exemple de cette belle figure, tenter de contribuer à la grandeur de notre pays. Les chefs-d'œuvre de Goya l'immortalisent en exaltant notre vie nationale. Je subordonne mon inspiration à celle de l'homme qui sut traduire aussi parfaitement les actes et les moments caractéristiques du peuple d'Espagne ». Les *goyescas* et les *tonadillas* sont nées de cette admiration; Granados entreprit de transposer en elles les jeux et les passions des *majos* et *majas* du XVIIIe s., immortalisés par le pinceau de Goya [1]. Le passage des *Goyescas* du piano à la scène lyrique n'est pas un accident fortuit non plus qu'une astucieuse manière de profiter du succès de ces pièces. Granados se sentit toujours attiré par le théâtre musical — il écrivit quantité d'œuvres lyriques dont la plupart reste inédite — et, d'autre part, ces pièces de piano, de même que ses *tonadillas*, portent en elles le germe d'une action lyrique. Issues de la *tonadilla escénica*, elles y reviennent. N'empêche que quelques-uns de ces morceaux isolés — il en doit être autrement à la représentation complète — ne se ressentent pas de la pauvreté du texte littéraire et ne trahissent quelquefois leur caractère de « transcription vocale » que par la fragmentation parfois malencontreuse de leur ligne mélodique entre la voix et l'orchestre. Mais en tant qu'œuvres musicales, dans leur version originale — et mainte fois sous leur travestissement orchestral — elles restent l'un des plus beaux titres de gloire de leur auteur. Son fils **Eduardo** (Barcelone 28.7.1894–Madrid 2.10.1928) fit carrière de compositeur et de chef d'orchestre.

Voir G. de Boladeres Ibern, *E.G.*, Barcelone 1921 ; H. Collet, *Albéniz et G.*, Paris 1929, 2e éd. 1948 ; J. Subirá, *E.G.*, Madrid 1926 ; L. Villalba Muñoz, *E.G., semblanza y biografía*, Madrid s.d.                                                   D.D.

**GRANATA Giovanni Battista.** Mus. ital. du XVIIe s., originaire de Turin, qui fut un célèbre guitariste, vécut à Bologne (1650–84), où il publia *Capricci armonici sopra la chitarriglia spagnuola* (1646), *Nuove sinf.* (id.), *Nuova scielta di capricci...* (1651), *Soavi concenti ...* (1659), *Nuovi capricci...* (1674), *Nuovi soavi concenti...* (1680), *Armoniosi toni...* (1684), tous pour son instrument.

**GRANCINO** (*Grancini*) **Michel'Angelo.** Mus. ital. (Milan v. 1605–1669). Il est à 17 ans org. de la *Chiesa del Paradiso*, en 1624 au St-Sépulcre, en 1628 à St-Ambroise, en 1630 à la cath. (il y fut maître de chapelle en 1650) de Milan ; on lui doit 8 livres de *Concerti ecclesiastici* (1-7 v. et *b.c.*), 2 livres intitulés *Messa e salmi ariosi* (3, 4, 5 v. et *b.c.*), 3 de *Sacri concerti* (4-6 v.), un grand nombre de recueils d'œuvres polyph. d'église, 1 de madrigaux (2-4 v.) ; 80 de ses mss sont conservés aux archives de la cath. de Milan. Voir G. Biella, *Un musicista milanese*, ds *Coll. hist. mus.*, Florence 1957 ; C. Sartori, *Le cappella mus. del duomo di Milano, catalogo*, Milan 1957.

**GRAND.** Cet adjectif fait locution avec un certain nombre de substantifs : *g. barré* : voir art. *barrer* ; *g. chœur* : dans la mus. de théâtre des XVIIe-XVIIIe s., cette locution désigne l'ensemble de l'orchestre, par opposition au soliste accompagnateur ; — à l'orgue, c'est une indication qui réclame de registrer avec la totalité des fonds, anches et pleins-jeux (le demi *g.ch.* ne désigne qu'une partie seulement des anches et du plein jeu) ; *g. détaché* : dans la technique du violon, c'est un coup d'archet qui se différencie du petit détaché et du *staccato* ; *g. jeu* : à l'orgue, cette locution désigne le *tutti* des anches ; *g. orchestre* : par opposition au petit orchestre de chambre, c'est l'orch. complet, avec toutes les cordes et tous les instr. à vent ; *g. orgue* : c'est ou bien le clavier ou bien l'orgue principal (dans une église où le grand orgue est doublé par un petit orgue ou orgue de chœur).

(1) *Qu'est un majo ou une maja ? Il n'y a peut-être pas de meilleure définition que celle de Max Daireaux : « Les majas, vous le savez, sont des personnes brillantes et belles, qui aiment les robes voyantes, les châles chatoyants, les fards, les bijoux et l'amour. Elles se disent fleuristes ou lingères, mais consomment plus de fleurs et de linge qu'elles n'en vendent... Les majos, leurs compagnons de jeux, trop élégants pour travailler, indolents, complaisants et jaloux, échangent avec elles des regards qui brûlent, des mots qui sont des flèches d'amour, et parfois, entre eux, des coups de couteau. »*

**GRANDE.** C'est le nom donné en Auvergne à une des formes du chant populaire de France : c'est un chant sans paroles, à mélodie généralement astrophique, d'expression libre et de large ambitus ; sa fonction est d'être un chant de labour aux bœufs.            C.M.-D.

GRANDE-BRETAGNE

*Ms. original du* Sumer is icumen in.

**GRANDE-BRETAGNE** (*La musique en*). — **I.** *Musique savante* — **1.** *Du VIe au XVIe siècles.* L'histoire de la musique anglaise du moyen-âge est variée, mais difficile à établir. Les différentes invasions, celle des Angles et des Saxons au Ve s., celle des Danois un siècle ou deux après, et finalement les Normands en 1066, sans oublier les premiers Celtes établis dans l'ouest, ont produit une multiplicité de petits établissements musicaux de toutes sortes, qui avaient généralement leurs particularités liturgiques et musicales. Comme on peut le penser, les églises, cathédrales ou monastères, ont été les centres principaux de l'activité musicale. Vers la fin du moyen-âge, dans les châteaux et les collèges, comme *Eton* et *King's College* à Cambridge, les chapelles acquièrent de l'importance avant tout, pour la culture et l'exécution de la musique polyphonique. La christianisation de l'Angleterre a commencé tôt, avec les conversions d'Augustin au VIe s., dans le sud de l'Angleterre, et les missionnaires irlandais en Northumbrie au VIIe s. Augustin apporta la liturgie et le chant romain avec lui, et l'arrivée de Jean, chantre de St-Pierre, fut encore plus décisive : il voyagea à travers le pays en enseignant le chant en différentes régions, puis s'installa au monastère de Wearmouth, où les chanteurs vinrent à lui. Le concile de Cloveshoe (747) imposa le plain-chant romain dans toutes les églises, et Worcester devint un grand centre de ce chant grâce à la présence de deux chantres de Corbie qui l'enseignaient d'après un antiphonaire datant du pape Eugène II. Le propre le plus important qui se soit développé en Angleterre fut celui de Sarum ou Salisbury, qui gagna peu à peu de nombreuses régions, bien que d'autres centres importants comme Hereford, Exeter et York eussent gardé des variantes locales : à York, on pratiquait les séquences, à Exeter. la polyphonie.

The Agincourt song *(1415, Oxford, Bodl. Libr.)*.

Tout cela nous mène à une époque où les documents sont nombreux, aux XIIe et XIIIe s. Auparavant, nous n'avons que quelques références éparses, à ce que fut par exemple le fameux orgue de Winchester (Xe s.) avec ses 26 soufflets et ses 400 tuyaux ; Winchester fut en effet un centre de musique religieuse, et il nous en reste deux tropaires qui datent du XIe s. : le second est particulièrement célèbre, car c'est le premier manuscrit qui contienne un ensemble considérable de musique polyphonique, pas moins de 164 *organa* à 2 voix ; malheureusement, comme presque tous les manuscrits antérieurs au XIIIe s., il est noté en neumes sans portée, si bien qu'une transcription exacte est hors de question ; le reste en est écrit dans une partie du manuscrit plus tardive que le plain-chant original pour lequel il est composé : parmi ces compositions, on a des *introït* tropés, des *Kyrie* et des *Gloria*, en partie tropés, et des *Alleluia*, graduels, séquences et traits. Ce manuscrit est unique pour une autre raison : c'est qu'il est probablement le plus ancien manuscrit conservé qui comporte le célèbre trope de Pâques, *Quem quaeritis*, sous forme de dialogue, qui se chante à matines. Le tropaire de Winchester est enfin le seul manuscrit anglais complet qui contienne de la polyphonie écrite avant 1420 environ, date du manuscrit de l'*Old Hall* ; toutes les autres sources conservées sont fragmentaires, parce que le manuscrit original fut découpé et que les pages servirent de feuilles volantes, ou qu'on s'est souvent servi de feuillets de manuscrits non musicaux pour noter une ou deux pièces musicales qui semblaient dignes de cet honneur.

Il n'est pas facile de définir la situation des ménestrels du moyen-âge ; de toute façon, on ne possède pratiquement rien de leur musique. Il semble que quelques danses du XIIIe s., en forme d'*estampie* ou de *ductia*, soient tout ce que nous ayons pour nous faire une opinion. Il est presque certain que les *scops* anglo-saxons et les bardes celtes, qui s'accompagnaient sur des instruments tels que la harpe ou la rote, chantaient des poèmes épiques sur une musique analogue à celle de la chanson de geste en France. Toutes les strophes étaient chantées sur la même musique et l'on jouait sur l'instrument des préludes, des postludes, des accompagnements primitifs, des bourdons etc. Comme sur le continent, les ménestrels et les jongleurs anglais étaient méprisés par les autorités religieuses, et pourtant bien accueillis par les nobles et les seigneurs, voire par les évêques et les moines, à qui ces distractions plaisaient. Même lorsqu'ils étaient au service d'un prince ou d'un ecclésiastique, les ménestrels voyageaient beaucoup, et ils avaient la liberté de se rassembler pour les noces, pour les victoires, bien qu'on les considérât comme des domestiques. Généralement payés quelques sous à la journée, il leur arrivait de recevoir plusieurs livres en certaines circonstances : Edouard III donna 100 livres à ceux qui avaient joué aux noces de sa fille Isabelle.

Giraldus Cambrensis, dans sa *Descriptio Cambriae*, nous offre un tableau intéressant de la musique populaire du XIIIe s. : on y remarque l'importance particulière du chant à plusieurs voix. Dans d'autres régions, dit-il, on chante à l'unisson, mais au pays de Galles il y a autant de voix que de chanteurs, bien qu'ils finissent à l'unisson. Dans le Yorkshire, ils ont un système analogue, mais à deux voix seulement. En outre, dans le Yorkshire et le pays de Galles, il est rare d'entendre un chant monodique, car on apprend même aux enfants à chanter en polyphonie. Giraldus pense que cette manière de chanter devait leur venir des Danois ou des Norvégiens, car on ne la trouvait que dans ces régions-là. Le chant à deux voix, qu'on appelait *gymel*, peut fort bien être d'origine scandinave : un hymne à deux voix, *Nobilis, humilis*, tout entier à la tierce, a été retrouvé dans un manuscrit provenant des îles Orkney, qui appartenaient à la Norvège au moyen-âge. On retrouve sans cesse cette prédilection pour les tierces dans la musique anglaise de cette période, et des théoriciens comme Theinred, qui semble avoir vécu au XIIe s., essaient de trouver une explication théorique à cette habitude bien ancrée. Une chanson comme *Edi beo, thu hevene quene*, ou la séquence *Jesu Cristes milde moder* ne sont faites, à peu de chose près, que de tierces et d'unissons. Il est à noter au passage que l'usage de l'anglais est tout à fait inhabituel au moyen-âge, qu'on ne connaît qu'un petit nombre de chansons en anglais antérieures au XVe s. : peut-être est-ce dû à l'hégémonie française et à l'influence des troubadours et des trouvères. Étant au service d'Éléonore d'Aquitaine, qui épousa le roi d'Angleterre Henry II en 1152, Bernart de Ventadorn semble avoir séjourné en Angleterre. Les chansons de Godric, un ermite du XIIIe s., sont pour la plupart en plain-chant, mais nous avons en anglais des morceaux surprenants des XIIIe et XIVe s. : deux sont des lamentations sur la brièveté de la vie et la nécessité de la pénitence. *Bryd one brere* est une jolie petite chanson d'amour écrite vers 1300 au dos d'une bulle papale du XIIe s. Une autre pièce, en forme de lai, avec texte en français et en anglais, est une prière pour être délivré de prison. Le très populaire *Angelus ad Virginem*, que cite Chaucer, ne se trouve pas seulement à une, deux ou trois voix, il a été en outre doté d'un texte anglais dans un des manuscrits. Dans une des sources, une des lamentations qui viennent d'être citées a la forme d'un motet à deux voix, avec le ténor *Domino*, mais la mélodie n'est pas la même que celle de la chanson.

L'influence française est évidente dans deux sources majeures de polyphonie latine provenant de St-Andrews en Écosse (XIVe s.) : la musique s'inspire largement de l'école de Notre-Dame de Paris, mais un des manuscrits contient un fascicule de compositions à deux voix de caractère insulaire, à savoir des tropes pour l'ordinaire, les *Alleluia*, les séquences et les offertoires. Aux XIIIe et XIVe s., les Anglais avaient une prédilection pour les tropes, et il arrivait qu'une œuvre déjà tropée soit la source d'un nouveau trope : c'est le cas pour un arrangement du morceau en prose *Inviolata*, lui-même trope du répons *Gaude, Maria virgo* ; ce morceau provient d'une importante collection de Worcester, dont il ne reste malheureusement que des fragments de quelque cinq manuscrits. Quoiqu'un bon nombre aient été destinés à rester fragmentaires, beaucoup sont complets, et d'autres peuvent être complétés par la technique bien anglaise connue sous le nom de *voice exchange* (échange de voix) : dans un motet à trois voix par exemple, les deux voix supérieures chantaient au-dessus du ténor, puis, pendant que le ténor reprenait, ces deux mêmes voix « échangeaient leurs parties » ; on peut donc, à partir d'une des voix supérieures, reconstruire l'autre ; le chanteur avait l'impression d'exécuter une partie nouvelle, alors que l'auditeur entendait chaque phrase deux fois. Le motet *Ave, magnifica Maria — Ave, mirifica Maria*, qu'on trouve dans un manuscrit français de motets ainsi qu'à Worcester en deux copies, est un exemple excellent : outre l'échange de voix, on y trouve un ténor qui s'amplifie à chaque phrase nouvelle, pour donner une impression de développement progressif. La plupart des pièces de Worcester, qui datent de la fin du XIIIe s., sont en forme de motet ou de conduit, mais on y trouve en *organum* l'*Alleluia « Nativitas »* avec la clausule de Pérotin *Ex semine* insérée dans le texte. Les paroles des pièces de Worcester, tropées ou non, sont empruntées à l'ordinaire de la messe ou surtout aux *introït*, graduels et *Alleluia*. Un développement de conduit en forme de canon était coutumier en Angleterre à cette époque, le *rondellus*, dont la technique essentielle est celle du canon perpétuel, par exemple, dans *Rosa fragrans*, seconde strophe du conduit *Flos regalis*, dont la première strophe a la forme commune du conduit. Alors que, dans le *rondellus*, toutes les voix commencent ensemble, la pièce exceptionnelle et célèbre qu'est *Sumer is icumen in* est un simple canon à quatre voix sur une base harmonique à deux voix. L'œuvre comporte un texte latin qui double l'anglais, lequel est de très bonne venue, d'où il est difficile de décider quel texte a été écrit le premier. Il semble que l'œuvre ait d'abord été écrite en binaire, puis récrite en ternaire, mètre si populaire au XIIIe s. On relève des rythmes binaires dans beaucoup de pièces anglaises des XIIIe et XIXe s., bien qu'en France la musique semble avoir été hypnotisée par le rythme ternaire jusqu'à l'*ars nova*.

Dans la musique anglaise, la méthode d'improvisation connue sous le nom de déchant anglais a également une grande importance : dans les grandes lignes, c'est la même chose que l'ancien *organum*, dont la structure harmonique comportait des parties d'un bout à l'autre parallèles au plain-chant, à la quinte, à l'octave, à la douzième etc. : le déchant anglais s'en distingue en se

*Psautier de la reine Marie (XIVe s.). BM Royal 2 B VII fol. 56.*

déplaçant à intervalles de tierce et de sixte à partir de la consonnance parfaite initiale ; on en trouve des exemples de la fin du XIIIe s., mais il semble que cette technique ait été courante dans la musique, habituellement ornée et variée, composée au XIVe s. Le *cantus firmus* était souvent chanté à la voix intermédiaire, bien qu'on le trouve naturellement aussi à la basse de l'œuvre-type à trois voix. Les compositions à quatre voix étaient encore exceptionnelles au XIVe s. : les compositeurs anglais continuaient à étudier les méthodes françaises de composition comme auparavant, mais l'importance grandissante du chant polyphonique en France semble leur avoir échappé ; ils continuèrent à écrire des motets, des parties de messe et autres formes de polyphonie liturgique, tout en prenant bien soin d'employer les nouvelles formes de notation prônées par Philippe de Vitry. En vérité, tout comme l'Anglais anonyme qui était venu étudier la musique à Paris dans la seconde moitié du XIIIe s., d'autres Anglais y vinrent au XIVe s., et, dans les deux cas, ce sont probablement eux qui nous ont laissé les exemples les plus utiles et les plus complets de l'art pratiqué successivement aux époques de Pérotin et de Philippe de Vitry. Vers la fin du siècle, le motet isorythmique devint à la mode en Angleterre, et John Aleyn, membre de la chapelle royale entre 1364 et 1373, en écrivit un exemple qui égalait ceux du continent. Le manuscrit de l'*Old Hall* révèle un répertoire où l'isorythmie tient déjà une place importante, bien que les pièces de cette source soient principalement des parties de messe : elles étaient destinées à être chantées à la messe de chaque jour par la *Royal Household Chapel*, et attestent les capacités d'hommes comme Burell, Cook, Damett, Sturgeon, Gervais etc. Les victoires d'Henry V en France attirèrent sur la musique anglaise l'attention des compositeurs continentaux, qui semblent avoir été grandement impressionnés par la suavité du déchant anglais : une forme fut particulièrement populaire, qui est connue sous le nom de faux-bourdon, terme qui décrit très bien la position du *cantus firmus* au soprano. Le célèbre théoricien Tinctoris, qui écrivait vers 1475, faisait remonter cet art musical de son époque au tout début du XVe s., et notait que la dissonance avait régné en maître jusqu'à ce que Dunstable et les Anglais eussent montré la voie vers la perfection de l'harmonie. Ce style nouveau semble avoir été un mélange de déchant anglais et d'harmonie continentale, dans lequel les dissonances les plus rudes étaient extirpées, où le premier pas était fait vers les suspensions strictement réglées et les notes de passage du style de Palestrina. Dunstable lui-même a écrit 12 motets isorythmiques, dont 4 sont à quatre voix ; il semble avoir préféré des formes plus libres, bien qu'on y trouve des paraphrases du plain-chant, souvent aux voix aiguës. On sait que Dunstable était surtout préoccupé de musique liturgique, motets, parties de messe, antiennes etc. ; il reste que, sur les trois chansons qui peuvent lui être attribuées, aucune ne l'est avec certitude. Lionel Power, le plus important de ses contemporains, qui mourut 8 ans avant lui (1445), composa d'abord dans un style plutôt archaïque de conduit, mais il rattrapa très vite Dunstable, de sorte qu'il est souvent difficile de distinguer leurs œuvres. Il y a beaucoup de compositeurs de talent en Angleterre à cette époque, encore qu'ils aient généralement laissé un petit nombre d'œuvres : on peut citer John Benet, Forest et Walter Frye ; quant à John Plummer, remarquable compositeur, il se situe au milieu du siècle : son motet à quatre voix, *Anna, mater*, est un exemple très précoce d'imitation raffinée. Loin d'être purement conservateurs, les compositeurs de cette période étaient très audacieux, et l'on ne s'en rend compte nulle part aussi bien que dans leur traitement de la messe cyclique, où toutes les parties de l'ordinaire étaient unifiées par un *cantus firmus* au ténor. Les deux ouvrages les plus anciens de ce type sont respectivement de Power et de Dunstable, et c'est à partir de tels modèles que Dufay, Ockeghem et les autres « Néerlandais » ont pu aller de l'avant. Bedingham, Frye et Sandley ont également laissé des messes cycliques, et Frye emploie même une technique parodique dans la messe *Summae Trinitati*. Enfin, les compositions du manuscrit d'Eton, spécialement écrites pour la chapelle du collège, constituent l'aboutissement glorieux de la musique religieuse anglaise du XVe s. Sur 93 compositions dont la liste est dressée dans la table des matières, beaucoup ont été perdues, mais il reste 39 motets et 4 *Magnificat* de Browne, Lambe, Davy, Wylkynson, Cornysh, Horwood, Kellyk etc. ; 33 pièces sont des antiennes à la Vierge, dont 15 *Salve Regina* : ces œuvres sont des compositions de grande envergure, généralement à cinq

voix ou plus ; l'une des œuvres de Wylkynson est à neuf voix, une autre à treize. Cependant on ne décèle pas une véritable tentative de faire de l'imitation la fin en soi d'œuvres d'ailleurs impressionnantes par leur majesté, leur animation rythmique et leur plénitude.

Les chansons profanes en anglais sont encore rares au XVe s., mais la carole, qui pouvait être en anglais, en latin, ou dans les deux langues à la fois, était en quelque sorte une cote mal taillée entre l'hymne et la chanson. Ces œuvres étaient généralement polyphoniques et avaient une forme qui rappelle le virelai : on y trouve un refrain au début et après chaque stance. Dans de nombreux cas, elles devaient remplacer le conduit que l'on substituait au *Benedicamus* à certaines fêtes, car plusieurs caroles finissent par les mots *Benedicamus Domino*. Certaines se rapportaient au temps de Noël, bien qu'une œuvre comme la célèbre chanson d'Azincourt eût un sujet purement profane : elle célébrait la victoire d'Henry V en 1415. Les premières caroles sont écrites dans le style tout simple du déchant anglais, habituellement à deux voix, avec éventuellement une troisième voix pour le refrain ; mais la musique en devint plus complexe, et la carole perdit de son charme médiéval et printanier. Les chansons à plusieurs voix qui nous restent du XVe s. sont parfois quelque peu primitives pour l'harmonie, mais une chanson à boire animée comme *Tappster, dryngker*, à trois voix, et une autre, plus raffinée, en latin, isorythmique, *O potores exquisiti*, donnent un aperçu des trésors perdus.       G.Ry.

**2.** *Du XVIe au XVIIIe siècles.* L'avènement d'Henri VII, premier des Tudor (1485), met fin à une longue guerre dynastique, consacre le déclin de la féodalité et inaugure une période de centralisation monarchique. Il correspond aussi au début d'une phase nouvelle d'activité musicale. Non qu'il y ait véritable rupture. Au contraire, dès 1463 l'université de Cambridge décerne le diplôme de docteur en musique, et celle-ci est à l'honneur chez les derniers Plantagenet. Le manuscrit d'*Eton College* témoigne du degré de richesse et de beauté atteint par la polyphonie vocale vers la fin du XVe s. Mais, avec l'affermissement du pouvoir royal sous Henri VII et Henri VIII, l'importance de la cour, l'éclat des cérémonies et des fêtes s'accroissent.

La chapelle royale est le principal foyer d'activité,

*Taverner*

les autres sont les chapelles des cathédrales, des abbayes, des collèges universitaires ou celles d'importants personnages comme le cardinal Wolsey. C'est pour la célébration solennelle du culte que composent principalement des musiciens comme Robert Fayrfax (v. 1460–1521) ou Richard Davy (1467–1516), qui souvent sont des clercs. Mais William Cornysche (+ 1523), en tant que maître des enfants de la Chapelle royale, fut appelé à écrire et à mettre en scène des pièces de théâtre et des divertissements de cour dont il composait aussi la musique, et ses successeurs à ce poste conservèrent ce rôle d'ordonnateurs des réjouissances. Cette double fonction, religieuse et profane, de la chapelle d'Henri VIII, est bien mise en évidence au Camp du drap d'or. Le jeune souverain est lui-même un amateur qui cultive avec les compositeurs de la cour la musique de chambre pour les instruments et les voix : il est vrai que plus tard il la délaisse pour s'absorber dans la procédure de divorce et les controverses théologiques.

Lorsqu'après la rupture avec Rome il devient chef suprême de l'Église, la suppression des monastères entraîne une destruction de richesses musicales, mais, rendant à la vie civile de nombreux praticiens, favorise aussi la diffusion de la musique dans la classe moyenne. L'emploi de musiciens professionnels pour la célébration du culte n'est d'ailleurs pas mis en cause. La réforme de la liturgie ne s'accomplit que sous le règne d'Édouard VI (1549 et 1552) et ne s'impose définitivement qu'à l'avènement d'Élisabeth Iʳᵉ, en 1559, après un retour de six années au catholicisme sous le règne de Marie. Le *Livre de prières*, s'il substitue l'anglais au latin, offre d'amples ressources à l'esprit créateur des musiciens avec ses services du matin, du soir et de la communion, et l'on peut, à la langue près, considérer les *anthems* comme les équivalents des motets latins, qui gardent d'ailleurs une place dans le culte.

Cette crise et ce renouvellement n'allèrent pas, chez les compositeurs, sans conflits de conscience ni démêlés avec les autorités ; les plus doués de la génération qui succède à Fayrfax et à Cornysche réagirent diversement. Après avoir écrit des messes et des motets qui comptent parmi les plus beaux de la première moitié du siècle, John Taverner (+ 1545) renonça à la musique et fit preuve d'un zèle fanatique au service de la Réforme. Au contraire, Christopher Tye (+ v. 1572) et Thomas Tallis (+ en 1585), nés au début du siècle et qui fournirent de longues carrières, composèrent en abondance pour le culte catholique, puis pour l'anglican, faisant preuve pour le second d'une plus grande sobriété d'écriture, sans rompre toutefois avec le style ancien : ils assurèrent ainsi la continuité de la musique d'église en ce siècle.

Sous le long règne d'Elisabeth Iʳᵉ (1559–1603), la monarchie s'efforce de consolider l'unité politique et religieuse en même temps qu'elle encourage l'expansion économique et maritime. En 1588, la puissance espagnole est mise en échec par la destruction de l'Armada : cette date correspond assez exactement à celle où, dans les domaines du théâtre, de la poésie et de la musique, la civilisation anglaise atteint son apogée. Nulle période n'est plus riche à cet égard que les vingt ou trente années qui suivent, mais ce suprême épanouissement est longuement préparé.

William Byrd (1543–1623), l'un des grands compositeurs de la Renaissance, réussit une ample synthèse : disciple de Tallis, il prolonge cette tradition de la polyphonie sacrée que la Réforme n'avait pas interrompue. Catholique de conviction, bien qu'au service de l'Église anglicane, il compose pour l'une et l'autre liturgie. Sans rompre non plus avec les habitudes d'écriture de l'école anglaise, il s'ouvre aux influences franco-flamandes et italiennes et accueille les innovations, introduisant par exemple l'usage des *soli* dans certains *anthems*. Il pratique divers genres vocaux sérieux ou légers : le chant accompagné de violes, qu'il étend notamment au domaine du théâtre, le psaume, la chanson polyphonique à la française, voire le madrigal à l'italienne. Dans le domaine instrumental pur, il récapitule et étend les acquisitions de ses devanciers anglais depuis le début du règne d'Henri VIII. Après Taverner, Tallis et Tye, il écrit pour des ensembles de violes des *In nomine*

*Page de titre de la* Parthenia *(1611).*

(sur le *cantus firmus Gloria tibi, Trinitas*) et des fantaisies, et il contribue à donner à ces formes dérivées du contrepoint vocal leur caractère spécifiquement instrumental. Organiste de la chapelle royale, il continue l'œuvre de Redford, Tallis, Blitheman, Allwood etc., conservée dans quelques manuscrits comme le livre d'orgue de Mulliner. Mais, s'il cultive les pièces sur *cantus firmus* et les fantaisies, il enrichit le domaine de la danse pour clavier, pavane et gaillarde surtout, dont le livre de virginal de Dublin offrait des exemples encore rudimentaires. Enfin il développe l'art de la variation sur des mélodies populaires.

Dans les divers genres qu'il pratique avec bonheur et que souvent il perfectionne, on voit à sa suite se manifester des talents nombreux : Morley, Tomkins, Weelkes, pour la musique d'église ; Alfonso (II) Ferrabosco, Lupo, Coperario, M. East etc., pour les violes ; la pléiade des « virginalistes » des manuscrits de Tregian (Fitzwilliam), Cosyn, Forster etc. pour le clavier. Des deux maîtres du clavier élisabéthains égaux de Byrd, l'un, John Bull (v. 1562–1628), est élève de Blitheman : il écrit volontiers sur *cantus firmus* liturgique des compositions de figuration et de rythmique complexes, développe la variation dans le sens de la virtuosité, et, dans les pavanes et gaillardes couplées, met une écriture savante au service d'une rhétorique ornée et d'une expression véhémente.

Tandis qu'il écrit principalement pour le clavier, l'autre, Orlando Gibbons (1583–1625), compose beaucoup pour les voix : des services et des *anthems*, des chansons polyphoniques plus « spirituelles » que profanes. La beauté linéaire de son contrepoint vocal se retrouve dans ses fantaisies, pavanes et gaillardes pour clavier et pour violes, jointe à une science consommée des ressources instrumentales. Avec ce continuateur de Byrd,

*Frontispice de* Divine Harmony *(1716, BM).*

un art encore « renaissant » est porté à son apogée, cependant que dans ses *verse anthems* il explore les possibilités de contrastes entre solistes et groupes vocaux et instrumentaux.

La chanson profane est également très cultivée et donne lieu à de nombreuses publications : *madrigali, canzonette* et *ballette* italiens connaissent une vogue dont témoignent plusieurs anthologies éditées à Londres à partir de 1588 ; ces genres ne tardent pas à servir de modèles à des compositions originales. Thomas Morley (1557–v. 1603) est le principal artisan de cette acclimatation progressive, qui n'eût pas été possible sans l'existence d'une tradition anglaise de la chanson à plusieurs voix et de la poésie lyrique légère. Les grands madrigalistes comme Wilbye, Weelkes et Ward, ne se contentent d'ailleurs pas des conventions amoureuses et pastorales ; les vers dont ils s'inspirent représentent une gamme de sentiments et d'émotions très étendues ; ils rivalisent avec Marenzio, Cyprien de Rore et Gesualdo dans leurs recherches expressives, leur raffinement dans l'usage des harmonies et des timbres.

L'exemple de John Dowland (1563–1626) donne naissance à une autre école non moins nombreuse, celle du chant au luth ; des airs qu'il publie à partir de 1597, certains existent d'ailleurs en version à 4 parties vocales aussi bien que pour solo accompagné. Il connaît le madrigal italien aussi bien que l'air de cour français, mais ses chansons ont des accents qui ne sont qu'à lui, dont la sensibilité moderne redécouvre la profondeur. Avec lui, John Daniel, Robert Jones, Campion, Rosseter, Pilkington et maints autres se distinguent en ce genre. Mais Dowland, qui dans ses pavanes pour violes élève un monument à la mélancolie élisabéthaine, laisse aussi une œuvre abondante pour luth seul, dont la perfection d'écriture égale la valeur expressive ; à sa suite, il faudrait

nommer Francis Cutting, Daniel Batchelor, Brewster, Pilkington et quelques autres : dans le domaine instrumental pur, les luthistes ne sont pas inférieurs aux virginalistes.

Une musique intimement liée à l'action dramatique tient une place de choix dans les représentations théâtrales des troupes d'enfants et d'adultes. Certains compositeurs comme Robert Johnson écrivent principalement pour le théâtre et les masques de cour : ces derniers nécessitent d'importants effectifs vocaux et instrumentaux ; ils atteignent leur apogée sous le règne du premier des Stuart, Jacques Ier, où un éminent poète, Ben Jonson, collabore avec l'architecte-metteur en scène Inigo Jones et des musiciens comme Alfonso (II) Ferrabosco, Coperario et Nicholas Lanier. Sous Charles Ier, ils conservent leur splendeur, mais perdent, avec Jonson, une partie de leur charme poétique. Les frères Lawes, Henry (1596–1662) et William (1602–1645), en fournissent la musique. Le premier fut également apprécié pour ses « airs et dialogues » où il se mit modestement au service de la prosodie, le second laissa une musique instrumentale d'ensemble souvent remarquable par l'originalité des combinaisons et la hardiesse de l'écriture.

Cependant la tension s'accroît entre un monarque aux prétentions absolutistes, allié à un haut clergé enclin à atténuer les différences entre le culte anglican et le culte romain, et une bourgeoisie consciente de ses droits politiques et intransigeante en matière de religion : la guerre civile éclate en 1642 ; Charles Ier est exécuté en 1649, et Cromwell établit son protectorat. Jusqu'à la restauration de 1660, la musique n'est plus associée aux fêtes de la cour ni aux solennités de l'église : par goût de la simplicité, les puritains ne tolèrent que les psaumes chantés à l'unisson ; mais ils considèrent la musique comme une honnête recréation, et beaucoup d'entre eux sont des amateurs éclairés. Le nombre des traités et des recueils vocaux ou instrumentaux édités ou réédités par John Playford atteste l'importance de la vie musicale durant cette période. On continue à composer abondamment pour les archets. John Jenkins (1592–1678) et Matthew Locke (v. 1630–1677) cultivent le style ancien (fantaisies, pavanes) soit un style nouveau plus concertant, plus léger. Mais dans *Musick's Monument* (1670), Thomas Mace fait l'éloge des temps révolus. Comme le vieux Tomkins dans ses fantaisies et pavanes pour clavier qu'il compose vers 1650, le jeune Purcell, dans ses fantaisies et *In nomine* pour violes de 1680, élève au passé un monument d'une suprême beauté.

L'interdiction des théâtres, en 1642, ne fut pas appliquée avec une rigueur absolue, et diverses représentations en musique précédent leur réouverture officielle en 1660. Henry Lawes, Locke, Henry Cooke (v. 1616–1672) et le dramaturge W. Davenant préparent à cet égard l'œuvre de la restauration : celle-ci consacre une transformation du goût qui s'ébauchait lors du règne des deux premiers Stuart sous l'influence de l'Italie et de la France. Charles II, en exil à Paris, avait pris plaisir aux opéras et ballets ; à l'église comme à la cour, il goûte un style brillant et une métrique aisée ; il veut avoir comme le Roi Soleil ses « 24 violons ». Henry Cooke reconstitue la Chapelle royale et forme des élèves dont les plus brillants sont Pelham Humphrey (1647–1674) et John Blow (v. 1649–1708). On compose surtout des *anthems* et des odes pour *soli*, chœurs et orchestre, et beaucoup de musique de théâtre. Tantôt on lui réserve un rôle épisodique, tantôt on introduit de vastes intermèdes de chants et de danses ; c'est ainsi que l'œuvre de Shakespeare est mise au goût du jour. Enfin l'on compose des semi-opéras où les rôles parlés et chantés sont distincts : Henry Purcell (1659–1695) et le poète John Dryden en donneront les meilleurs exemples ; *Vénus et Adonis* de Blow, *Didon et Enée* de Purcell, œuvres entièrement chantées, font exception, bien que leur émouvante beauté leur ait acquis la faveur des auditeurs modernes. Quoique le théâtre en musique doive beaucoup à l'exemple de Lully, ces auteurs emploient un langage expressif qui est bien à eux et qui s'inscrit dans une tradition nationale dont ils possèdent une connaissance intime. C'est aussi pourquoi Purcell, après avoir assimilé l'art de la fantaisie, adapte la *sonata da chiesa* au génie anglais, avec autant d'aisance que jadis les élisabéthains le madrigal italien.

Au contraire, au début du XVIII<sup>e</sup> s., la vogue de l'opéra italien devient irrésistible, et l'Angleterre, sous le charme de la voix des *castrati*, ne dispose plus de compositeur capable d'assimiler l'influence étrangère. Les virtuoses du continent affluent vers Londres qui devient un centre musical cosmopolite : c'est en compositeur « italien » que l'on accueille Haendel, qui pendant cinquante ans (1710-1760) va dominer la scène ; grâce à la souplesse de son génie, il saura non seulement rassasier cette fringale d'opéra, mais s'imposer dans l'oratorio, qui répond aux aspirations profondes d'une nation nourrie de textes bibliques.

Cependant Thomas Tudway, William Turner et William Croft, formés à la restauration, poursuivent une honorable carrière de musiciens d'église. Maurice Greene (1695-1755), profondément marqué par l'influence de Haendel, et William Boyce (v. 1710-1779), ajoutent au répertoire du culte anglican et publient une importante collection de musique sacrée.

Les opéras-ballades, comme l'*Opéra des gueux* de Gay et Pepusch demeuré célèbre, ajoutent au charme des vieilles chansons anglaises celui d'une satire des opéras à l'italienne. Mais Thomas Arne (1710-1778) connaît un succès légitime comme auteur de « masques » et d'opéras et s'essaie aussi à l'oratorio, avec Greene.

Au cours du siècle, les sociétés de musique et les festivals se multiplient ; il en va de même pour les concerts en salle ou en plein air et J. C. Bach, qui passe à Londres les vingt dernières années de sa vie (1762-1782), est associé à leur histoire : c'est dans ce milieu accueillant aux compositeurs étrangers que Mozart et Haydn se feront entendre.

*Frontispice d'A pocket companion for gentlemen and ladies, II (v. 1725, BM).*

**Éléments de bibliographie. Recueils et éditions :** *Musica britannica*, Londres, depuis 1951, en cours de publication — *Tudor Church Music*, 9 vol., Londres 1923-29 ; E.H. Fellowes, *The english madrigal school*, 36 vol., Londres, 1913-24 ; *The english lutenist song-writers*, 31 vol., Londres 1920-32 ; *The complete works of W. Byrd*, 20 vol., Londres 1937-50 ; Fuller Maitland-Barclay Squire, *The Fitzwilliam virginal book*, Leipzig 1899, réed. Ann Arbor, Michigan 1949 ; H. Andrews, *My Ladye Nevells Booke* (W. Byrd), Londres 1926 ; Thomas Mace, *Musick's Monument*, éd. du CNRS, Paris 1958, vol. II en préparation ; J.P. Cutts, *Musique de scène de la troupe de Shakespeare*, id., sous presse.
**Études :** E. Walker, *A history of music in England* (3<sup>e</sup> éd., révisée par J.A. Westrup, Londres 1951), ch. III-IX, Bibl. ; C. Van den Borren, *Les origines de la musique de clavier en Angleterre*, Bruxelles 1912 (version anglaise, Londres 1913) ; E.H. Fellowes, *The english madrigal composers*, Oxford 1921. ; M.H. Glyn, *About Elizabethan virginal music and its composers*, Londres 1924 ; E.J. Dent, *Foundations of english opera*, Cambridge 1928 ; P.A. Scholes, *The Puritans and music in England and New England*, Londres 1934 ; G. Bontoux, *La chanson en Angleterre au temps d'Elisabeth*, Oxford 1936 ; M.C. Boyd, *Elizabethan music and musical criticism*, Philadelphie 1940 ; E.H. Fellowes, *English cathedral music*, Londres 1941 ; B. Pattison, *Music and poetry of the english Renaissance*, ibid. 1948 ; A. Orbetello, *Madrigali italiani in Inghilterra*, Milan 1949 ; E.H. Meyer, *English chamber music*, Londres, 2<sup>e</sup> éd. 1951 ; D. Stevens, *The Mulliner book, a commentary*, ibid. 1952 ; W.L. Woodfill, *Musicians in english society*, Princeton 1953 ; articles d'E. Cole, J.P. Cutts, R.T. Dart, J. Jacquot, W. Mellers, J. Noble, F.W. Sternfeld, D. Stevens, J. Ward, J.A. Westrup, ds *Musique et poésie au XVI<sup>e</sup> s.*, 1954, *La musique instrumentale de la Renaissance*, 1955, *Les fêtes de la Renaissance*, 1956, Paris, éd. du CNRS.    J.J.

**3. *Du XIX<sup>e</sup> au XX<sup>e</sup> siècles.*** Le XIX<sup>e</sup> fut un siècle perdu pour la musique anglaise : hormis trois ou quatre compositeurs, Field, Sullivan, Parry, Sterndale Bennett, il en est peu dont les noms soient aujourd'hui connus hors d'Angleterre. Les causes en sont médiocrité sont complexes : elles proviennent d'abord de changements d'ordre économique. La noblesse était moins fortunée que par le passé et par conséquent moins disposée à subvenir aux besoins des arts ; depuis le règne de Charles II, vers la fin du XVII<sup>e</sup> s., le monarque lui-même avait montré de moins en moins d'intérêt pour la musique : ce sont là des faits d'importance, car tout au long des trois siècles précédents, les meilleurs musiciens avaient été attachés au service de la cour, et la noblesse s'était efforcée de contribuer à l'éclat de celle-ci. Le retrait de l'appui royal, qui cessa presque totalement à la fin du XVIII<sup>e</sup> s., entraîna la suppression de la fonction la plus importante qui pût échoir à un compositeur de valeur, et, au début, rien ne vint la remplacer. La défection de la noblesse poussa les artistes à chercher de nouveaux appuis parmi les classes moyennes ; mais avec leur fortune nouvelle, celles-ci n'avaient pas acquis du même coup le goût des arts, elles voulaient une musique qui flatte les oreilles et fasse naître l'émotion : il y avait loin de cela à la musique plus profonde et plus intellectuelle qui se jouait à la même époque dans les salles de concert du continent. Seuls les opéras étrangers les plus superficiels eurent quelque succès en Angleterre. Mais le goût de la musique se développa peu à peu chez les classes moyennes pendant le XIX<sup>e</sup> s., et ce fait eut une portée incontestable sur la renaissance de la musique anglaise qui devait survenir.

Les conditions économiques n'étaient cependant pas seules responsables de la pauvreté de la musique anglaise : il n'y avait dans l'Angleterre d'alors aucune impulsion artistique, aucun élan qui pût faire pièce au mauvais goût des classes moyennes. Les facteurs qui donnaient à la musique européenne un nouvel essor, n'existaient pas ou n'agissaient pas en Angleterre. Le romantisme littéraire d'écrivains comme E.T.A. Hoffmann ou Jean-Paul Richter n'enflamma pas l'imagination de compositeurs anglais, comme il enflamma celle de Weber ou de Schumann ; l'œuvre de poètes comme Wordsworth, Shelley ou Keats n'eut guère d'écho près des musiciens leurs contemporains, et Lord Byron exerça plus d'influence sur Berlioz que sur n'importe quel compositeur anglais. Lorsque le romantisme musical atteignit enfin l'Angleterre, ce fut sous la forme la plus insipide, celle de la musique sentimentale et « comme il faut » de Mendelssohn, qui eut, avec Spohr, l'effet le plus désastreux sur la composition anglaise.

Les musiciens étrangers ont toujours été accueillis à bras

ouverts en Angleterre, bon nombre y ont vécu : parmi eux, c'est incontestablement Haendel qui eut l'influence la plus profonde ; il découvrit l'amour des Anglais pour le chant choral et adapta en conséquence la forme musicale qui avait été la sienne jusque là (l'opéra), développant, ce faisant, l'oratorio, genre qui est resté très goûté du public et qui laissa une empreinte durable sur la musique anglaise. Au cours du XIXᵉ s., un grand nombre de compositeurs renommés séjournèrent en Angleterre, et beaucoup y connurent le plus vif succès, mais aucun n'y demeura : citons Haydn, Weber, Liszt, Chopin, Mendelssohn, Spohr, Dvorak et Tchaïkovsky.

Le goût du public pour l'oratorio fit organiser des festivals de musique en province, chose qui représente un des meilleurs côtés de la musique anglaise au XIXᵉ s. Les oratorios commandés pour ces festivals annuels (les plus importants étaient les Trois Chœurs de Hereford, Worcester ou Gloucester) furent souvent des désastres, mais il y en eut quelques-uns d'intéressants, et ceux de Haendel demeuraient toujours aussi appréciés. La musique d'église marqua non moins ces festivals : nous y reviendrons plus loin.

Au XIXᵉ s., les Anglais jouaient sans doute plus de musique chez eux, qu'à aucun autre moment de leur histoire ; mais cet heureux état de choses était gâché par le goût du public, qui n'avait jamais été aussi mauvais : sentimentalisme plutôt que sentiment, confection plutôt qu'ouvrage de qualité, telles étaient ses préférences. Les classes moyennes aisées choisissaient des succédanés douceâtres plutôt que la forte nourriture romantique ; d'ailleurs, avant la fin du siècle, on ne trouve pas trace d'un sentiment national stimulant dans le domaine musical.

L'énoncé des compositeurs anglais qui vécurent à cette époque sera donc rapidement fait. Sterndale Bennett fut considéré comme un génie par Schumann ; cependant, ce sont ses premières œuvres qui furent les meilleures, car il devait tomber sous une trop forte influence de Mendelssohn, tandis que ses énergies étaient peu à peu sapées par les besognes administratives auxquelles il était astreint pour gagner sa vie. Sullivan voulait que la postérité le retînt pour ses vues grandioses, notamment pour un opéra qu'il n'écrivit jamais : s'il est encore en mémoire aujourd'hui, c'est surtout pour la musique brillante et satirique qu'il composa pour les comédies de W.S. Gilbert, comme *Le Mikado*, *Les gondoliers*, *Les pirates de Penzance*. Bennett et Sullivan composèrent l'un et l'autre des oratorios qui sont rarement joués aujourd'hui, mais n'en demeurent pas moins supérieurs à ceux de leurs contemporains. John Stainer est un autre compositeur d'oratorios, qui fut fort populaire ; mais ses œuvres sont trop écœurantes pour nous. L'Irlandais John Field est l'auteur d'œuvres de piano très estimables ; ses nocturnes influencèrent profondément Chopin ; il quitta l'Angleterre fort jeune et n'y revint que pour peu de temps, de longues années plus tard.

Ce tableau de la musique anglaise au XIXᵉ s. n'est donc guère réjouissant ; néanmoins il y a deux aspects plus brillants, dont nous n'avons pas encore parlé : la musique d'église et la musicologie. Si la meilleure musique d'église anglaise est inconnue au-delà des frontières, c'est qu'elle n'est pas adaptée au concert et qu'elle ne convient qu'à la liturgie anglicane. Mais les cathédrales anglaises ont une tradition ininterrompue de bonne musique, qui remonte à Byrd, en passant par Fayrfax et Dunstable : elle a donné d'excellents compositeurs, dont beaucoup laissèrent des traces en dehors de l'église ; il est certain que l'Église anglicane a toujours été une loyale protectrice de la musique. Pendant la première moitié du XIXᵉ s., de belles œuvres furent écrites par Samuel Wesley, Thomas Attwood (un élève de Mozart), T.A. Walmisley, surtout par Samuel Sébastien Wesley, qui composa plusieurs chefs-d'œuvre, dont la magnifique *anthem The wilderness*.

La musicologie prit pied au XVIIIᵉ s., avec le succès des histoires de la musique de Hawkins et de Burney. Au XIXᵉ s., les érudits redécouvrirent les compositeurs d'avant le XVIIᵉ s., la force et la grandeur de leur musique : ils entreprirent des recherches sur la musique

et les musiciens d'autrefois, étudièrent partitions et instruments oubliés depuis longtemps. Des hommes comme R.L. Pearsall remirent en vogue la carole et le madrigal, s'efforcèrent de réveiller chez les musiciens de leur époque la conscience de la richesse du patrimoine musical anglais : c'est sans doute à eux que l'on doit le renouveau d'intérêt que connut la musique populaire à la fin du siècle. Bon nombre d'entre eux étaient des amateurs ; mais les recherches qu'ils ont commencées sont toujours en honneur et poursuivies à un rythme croissant : elles sont maintenant devenues une discipline universitaire. Si, à la fin du XIXᵉ s., les universités (plus particulièrement celles d'Oxford et de Cambridge) n'étaient pas encore à l'avant-garde des études musicales, elles n'en négligeaient pas pour autant les meilleures traditions de la musique anglaise : la musique avait comme centres les chapelles de collège où l'on jouait surtout la musique de cathédrale, encore qu'il y eût mainte occasion pour d'autres genres de musique : le niveau était élevé ; là plus qu'ailleurs en Angleterre, le talent était reconnu : les meilleurs compositeurs du continent se virent décerner des diplômes d'honneur.

Si nous recensons ici des influences et facteurs importants dans la musique anglaise du XIXᵉ s., nous pouvons citer d'aventure l'Eglise, les universités, la musicologie (madrigaux et chansons folkloriques), les amateurs, les festivals de musique, ajoutant les progrès constants du goût musical dans les classes moyennes, nous aurons réuni les principales composantes du renouveau musical à la fin du XIXᵉ s., dont les premiers prophètes furent Parry, Stanford et Elgar.

Parry (1848-1918) naquit de parents riches et commença ses études musicales à Oxford ; il ne devint musicien professionnel qu'après sa trentième année, et pendant longtemps ne composa aucune œuvre importante ; il fut nommé ultérieurement directeur du *Royal College of music*, puis professeur de musique à Oxford : c'était un homme doué pour la littérature, un compositeur plein de sensibilité, mais trop fécond, le type même du « gentilhomme anglais ».

Stanford (1852-1924) était le fils d'un avocat irlandais ; comme Parry, c'est à l'université de Cambridge, où il était inscrit comme étudiant ès lettres, qu'il fit ses études musicales ; et il vécut la plupart du temps dans une atmosphère académique ; dès l'âge de 35 ans, il avait une chaire de musique à Cambridge ; il s'inspira fortement dans son œuvre de la chanson folklorique irlandaise et de la musique de cathédrale anglaise ; passionnément nationaliste, il composa beaucoup et fut un grand professeur.

Elgar (1857-1934) grandit dans l'atmosphère du festival des Trois Chœurs : catholique, fils d'un organiste, il fut autodidacte et fit peu parler de lui avant la quarantaine ; les vingt années qui suivirent, il écrivit une série d'œuvres de valeur, mais, après la mort de sa femme (1920), sa production fut restreinte ; sous l'apparence d'un officier de cavalerie, Elgar dissimulait une nature poétique et sensible, et la trempe foncièrement anglaise de sa musique est difficile à expliquer aussi bien qu'à définir.

Ces trois compositeurs usaient d'un langage traditionaliste, ils étaient non moins nationalistes : ils tirèrent la musique anglaise du bourbier où elle croupissait depuis près d'un siècle. Le langage de la génération suivante devait être encore plus nationaliste : la musique et les arts de l'époque des Tudor les inspirèrent non moins que les chansons populaires que l'on se mit à recueillir avec zèle, avant qu'elles n'eussent totalement disparu. Le cataclysme des révolutions musicales étrangères eut des répercussions sur la musique anglaise, bien qu'en général l'atonalisme, le dodécaphonisme, les microtons et autres excès n'y aient trouvé que peu d'écho ; la plupart des compositeurs continuent en gros à suivre la ligne de leurs prédécesseurs.

Vaughan Williams (1872-1958), fils d'un pasteur, fit ses études au *Royal College of music* et à Cambridge ; il fut l'élève de Stanford, de Bruch et de Ravel : son cheminement fut lent mais sûr ; comme compositeur, il ne rencontra aucun succès avant 35 ans ; la musique, la poésie, le mysticisme de l'époque des Tudor sont, avec la chanson populaire, ses principales sources d'inspiration ; il reste que, pendant la dernière partie de son existence, il sut s'en faire un langage très personnel, hardi et vigoureux, servi par une technique pleine de ressources.

Holst (1874-1934) fut élève de Stanford ; il débuta comme musicien d'orchestre, puis enseigna ; il subit lui aussi l'influence de la chanson populaire ; il avait en outre des tendances au mysticisme, qui s'expriment sous des formes très variées, comme on peut s'en rendre compte dans *The planets* (astrologie) et *Savitri* (philosophie indienne) ; son sens du rythme et de l'orchestre était peut-être plus aigu que celui d'aucun de ses prédécesseurs ou contemporains. Avec Holst et Vaughan Williams, on assiste aux prémices d'un opéra spécifiquement anglais, ne serait-ce que par le choix du livret.

Delius (1862-1934) sort un peu de la tradition anglaise, car il fit la majeure partie de ses études à l'étranger, subit grandement l'influence de Grieg et vécut presque toute sa vie hors d'Angleterre ; cependant il demeura très attaché à la campagne anglaise, s'inspira parfois du folklore, et sa musique possède souvent des qualités nettement anglaises ; homme d'affaires, il ne vivait pas de musique.

Avant d'en venir à l'époque contemporaine, disons encore quelques mots de compositeurs qui ne sont plus. Ethel Smyth (1858-1944), fille d'un général, femme excentrique et énergique, élève de maîtres allemands, écrivit autant qu'elle composa : ses essais littéraires sont vivants et amusants, mais sa musique, grandie dans l'ombre de Beethoven, n'est ni très originale ni très intéressante ; elle reste néanmoins le premier compositeur féminin anglais d'importance, et sa musique fut fort estimée de son temps, surtout en Allemagne. Citons quelques autres femmes — compositeurs : Elisabeth Lutyens, Élisabeth Maconchy et Elisabeth Poston.

Warlock (1894-1930) était à la fois musicologue et compositeur (c'était un miniaturiste au goût délicat), et sa musique en témoigne : la forme des « *Ayres* » de John Dowland marque le style de nombre de ses mélodies. Bax (1883-1953) avait une grande attirance pour la culture celtique : l'influence en est patente dans ses sources d'inspiration (*cf.* son poème symphonique *Tintagel*) comme dans sa musique. Moeran (1894-1950) s'inspira en partie du folklore, plus spécialement de l'ouest de l'Angleterre : d'où nombre de mélodies (chorals ou *soli*) et de pièces pour piano, qui constituent une certaine part de sa musique si caractéristique.

Le caractère spécifiquement anglais de la musique contemporaine est plus difficile à déterminer. Le folklore et la musique du XVIᵉ s., qui stimulèrent la renaissance de la musique anglaise, ont fait leur synthèse en s'incorporant à l'ensemble de l'expérience. Il faut encore citer certaines influences musicales. Tippett et Rubbra ont tenté délibérément d'utiliser les techniques polyphoniques du XVIᵉ s. ; Rubbra dans ses symphonies et ses madrigaux ; Tippett, lui, s'est servi de « *Sprung rhythms* », de structures contrapuntiques dans un fort beau quatuor à cordes et dans d'autres œuvres. Le folklore a inspiré Hadley et peut-être un ou deux autres. Britten fait montre d'un goût très prononcé pour la musique de Purcell et l'influence d'Elgar se retrouve dans la musique de Walton.

Il serait impossible et hors de propos d'analyser en si peu de lignes les musiciens anglais contemporains : bon nombre d'entre eux sont pleins de talent ou d'avenir, mais, de la génération relativement la plus ancienne, il faut citer John Ireland, Herbert Howells, Sir Arthur Bliss, Arthur Benjamin et Alan Rawsthorne.

Il est certain que la musique est actuellement florissante en Angleterre : les bons auteurs abondent ; accessible à tout le monde, la bonne musique n'a jamais connu une vogue comparable à celle d'aujourd'hui. Quelques problèmes demeurent cependant inquiétants qui concernent le domaine économique et l'éducation, mais dans l'ensemble il y a tout lieu d'être satisfait.

Le compositeur n'a jamais encore connu de conditions aussi favorables ; les disques, la radio et les films lui fournissent un appui financier qu'il n'avait pas autrefois ; l'activité de la *Performing rights Society*, qui recueille

les droits d'auteur, a permis à un ou deux d'entre eux de vivre presque exclusivement de ces droits.

La musique occupe une place de plus en plus large dans l'éducation : elle est prise de plus en plus comme sujet d'étude et même dans les écoles d'examen. Cet état de choses remarquable comporte malheureusement certains abus ; il arrive fréquemment que des étudiants fort documentés sur la musique n'en aient pas beaucoup entendu : on se préoccupe de leur inculquer plutôt la connaissance que l'amour de l'art.

Cette critique s'adresse également aux universités, et il nous est arrivé de rencontrer un étudiant diplômé de musique, qui n'avait jamais entendu une seule symphonie de Beethoven ni au concert, ni à la radio, ni en disques. Mais dans l'ensemble les universités sont devenues de plus en plus libérales dans leurs jugements et là, comme dans les académies de musique, les techniques de composition sont enseignées avec plus de sens artistique et plus de références à la musique elle-même qu'autrefois. Nombre de compositeurs importants font partie du corps enseignant des universités : citons Rubbra (Oxford), Hadley, Tranchell et Exton (Cambridge), Orr (Glasgow) et Warren (Belfast) ; quant aux académies de Londres, elles comptent parmi leurs professeurs des compositeurs comme Benjamin, Jacob, Berkeley et Fricker.

La musicologie est fermement établie dans les universités : Westrup et Harrison à Oxford, Dart et John Stevens à Cambridge ; plusieurs universités de province comptent, elles aussi, des musicologues importants.

La ville de Londres subventionne plusieurs orchestres ; la *B.B.C.* a un excellent orchestre symphonique et plusieurs orchestres régionaux. La musique symphonique jouit d'une grande vogue : la série annuelle des *Promenade Concerts* a lieu dans des salles combles, bien que leurs programmes comportent un nombre croissant d'œuvres modernes. Néanmoins, il est pratiquement impossible à un orchestre d'équilibrer ses finances, et certaines formations de province vivent perpétuellement au bord de la faillite et de la dissolution.

L'opéra, lui aussi, est fort goûté du public. *Covent Garden* a donné, pendant ces quelques dernières années, nombre de représentations parfaites ; ses programmes ont été louablement audacieux et la salle est toujours comble. Il est souvent difficile d'avoir des places à Glyndebourne, où le niveau est toujours élevé et le répertoire étendu (outre Mozart, on y donne désormais aussi des opéras intéressants et peu joués de Gluck, Rossini et Verdi). Il existe deux autres compagnies d'opéra : le *Sadlers Wells*, dont le répertoire de choix maintient à Londres un haut niveau, et le *Carl Rosa*, qui gagne de grands mérites à faire des tournées. En dépit de leurs succès certains, les difficultés financières causées par des dépenses croissantes demeurent une source d'inquiétude constante au sujet de ces deux compagnies : il ne se passe guère d'année qui n'apporte sa menace de dissolution à l'une ou à l'autre. Plusieurs compositeurs se sont voués à l'opéra avec bonheur ; citons parmi ceux qui ont le mieux réussi : Britten, Vaughan Williams, Walton, Bliss et Tippett.

Les anciens festivals de musique maintiennent leur prospérité et de nouveaux ont fait leur apparition depuis la guerre, comme les festivals d'Edimbourg, de Cheltenham (musique contemporaine), d'Aldeburgh (ville natale du compositeur Benjamin Britten qui en est l'animateur).

Depuis la fin de la guerre et sous l'impulsion de Lord Keynes, le gouvernement s'est efforcé, par l'entremise de l'*Arts Council*, de faire entendre de la musique dans des régions où la chose n'était pas possible naguère, grâce surtout à des subventions offertes sans conditions aux associations qui se vouent à cette tâche. De nombreuses sociétés musicales de province ont ainsi reçu une aide ; il en va de même, dans de grands centres urbains, pour des sociétés musicales qui n'eussent pu survivre sans cette assistance.

Les meilleures traditions de la musique religieuse se perpétuent dans les églises ; mais comme les compositeurs viennent de moins en moins des centres de la musique de cathédrale, il s'en écrit beaucoup moins qui soit régulièrement liturgique ; cependant Vaughan Williams et Howells notamment en ont composé de bonne. D'ailleurs, dans les chapelles de collège et les cathédrales, on joue régulièrement des œuvres de la période 1400–1650.

La musique jouit actuellement en Angleterre d'une santé meilleure qu'à aucun autre moment de son histoire : il n'y a pas lieu de rester sur ces lauriers, il reste encore des problèmes, mais il est indubitable que les 60 dernières années ont vu une renaissance de la musique tout à fait remarquable.

**Bibl. :** H. Davey, *Hist. of english music*, Curwen, 1921 ; W.H. Hadow, *English music*, Longmans, 1931 ; E. Walker, *Hist. of music in England*, éd. Westrup, Oxford, 1952. **H.B.**

**II.** *Musique populaire.* On fait en anglais une distinction entre mus. populaire, mus. folklorique et mus. traditionnelle.

« Populaire » est un terme non scientifique, signifiant populaire par destination et non par origine ; ainsi en est-il de ces chansons éphémères, œuvres de compositeurs connus, largement diffusées, celles par exemple que chantaient les soldats durant les deux dernières guerres européennes. Certaines chansons d'auteurs inconnus entrent dans cette catégorie, telle la chanson élisabéthaine *Greensleeves*, qui fut un des airs les plus en vogue du XVIIe s. et connut à notre siècle un regain de popularité à la suite de l'adaptation qu'en fit Vaughan Williams dans son opéra *Sir John in love*. Mais cette chanson a aussi survécu sous une forme plus rapide destinée à être dansée ; de ce fait elle peut être considérée comme un air folklorique. *Chanson folklorique* est un terme emprunté à l'allemand, *Volkslied* ; il désigne un type de chanson de tradition orale, transmise de génération en génération sans intervention de l'écriture. Dans le grand débat sur les origines des récits, coutumes, chansons, ballades et danses folkloriques, mené par les philologues et universitaires allemands dans les beaux jours du mouvement romantique, Boehme s'opposa aux Grimm (célèbres par leurs contes), militant pour une origine commune : il déclarait que, « avant toute chose, un homme chante une chanson, laquelle est reprise par d'autres qui en modifient ce qui leur déplaît ». Cette théorie fut reprise par le plus grand des folkloristes anglais, Cecil Sharp (1859–1924), qui la développa en établissant que « le procédé de la transmission orale n'est pas seulement celui par lequel vivent les chansons folkloriques, mais que c'est par lui qu'elles sont créées et se développent ». Ainsi, en anglais, le terme de chanson folklorique désigne toujours une chanson d'origine paysanne qui a survécu tout au long des siècles sans être écrite ou imprimée, et qui doit certains de ses caractères à cette tradition orale, telles la prédominance des modes ecclésiastiques et les variantes.

Le terme traditionnel est habituellement réservé ou à des chansons folkloriques ou à des chansons d'auteurs inconnus, qui ont été imprimées. Ainsi une chanson comme *The Vicar of Bray* est appelée traditionnelle et non folklorique, parce que la seule forme sous laquelle nous la connaissons est celle dans laquelle elle est écrite dans les opéras-ballades du XVIIIe s. : cette chanson était populaire par sa diffusion, inconnue dans ses origines ; de ce fait, comme bon nombre de *Christmas carols*, elle fut cataloguée comme traditionnelle. Nombre de chansons du grand recueil de William Chappell (1809–1888), qu'il avait intitulé *Popular music of the olden time*, publié en 1859 (avant l'existence de ces subtilités de nomenclature), sont traditionnelles : c'est ainsi qu'il y fait figurer la chanson de Morley-Shakespeare *O Mistress Mine*, qui en aucun cas ne peut être considérée comme une chanson folklorique, mais il y fait figurer aussi *Greensleeves* qui pourrait l'être, ainsi que la ballade de *Barbara Allen* qui nous a été transmise à la fois par tradition orale, écrite et littéraire.

L'in-plano (*broadside*) représente une autre tradition populaire en ce sens qu'il est une feuille grossièrement imprimée qui contient les paroles des ballades et chansons folkloriques accompagnées d'une gravure sur bois et une mélodie (*tune*), qu'il est destiné à être vendu dans les foires à la ville et par les colporteurs à la campagne :

*Une* London ballad (XVIIIe s.).

bref la chanson en in-plano a pour public la population qui sait lire, alors que les paysans illettrés ne disposaient que de la tradition orale. On a conservé de grandes collections de ces in-plano elles reflètent une tradition qui est située dans les classes intermédiaires entre les illettrés et les gens cultivés. Il suffit que surgisse un événement *ad hoc* pour que revivent impression et vente des ballades en in-plano : il y en eut pendant la seconde guerre mondiale qui célébraient l'évacuation de Dunkerque et la bataille de Narvik.

En ce qui concerne l'Angleterre (l'Écosse, l'Irlande et le pays de Galles sont à part), c'est la tradition orale, découverte par les musiciens cultivés de la dernière décade du XIXe s., qui a fourni la tradition la plus pure et la plus riche des chansons folkloriques anglaises. On a cru que la révolution industrielle avait anéanti le genre en Angleterre : Carl Engel, musicologue allemand qui vint à Londres aux environs de 1850 et publia en 1866 *An introduction to the study of national music*, ne put trouver des matériaux authentiquement anglais pour son ouvrage, cependant il donna à entendre qu'ils existaient sûrement en dehors des villes ; il avait raison, car, dans les trente années qui suivirent, on recueillit des spécimens de musique folklorique dans chaque district d'Angleterre, que publièrent, dans le célèbre recueil *English county songs*, Lucy Broadwood et J.A. Fuller-Maitland, alors critique musical au *Times*. Le mot *county*, qui figure au titre, mettait l'accent sur la répartition géographique des chansons. Cela se passait en 1893. Cinq ans plus tard, la *Folk song Society* fut fondée, qui se donna pour but de noter tout ce qui pouvait être recueilli de valable chez les chanteurs populaires traditionnels, d'en imprimer la mélodie et le texte dans le *Folk song Journal*, sans harmonisation mais avec les variantes. La *Folk song Society* publia son journal annuel jusqu'en 1931, date à laquelle elle fusionna avec l'*English folk dance Society*, fondée par Cecil Sharp (1911), qui s'étaient rendu compte que la tradition de certaines danses (*morris* et *sword dances*) était toujours vivante. Ainsi notre époque assiste-t-elle à une renaissance consciente de la chanson et de la danse folkloriques anglaises.

En Ecosse, ce travail a été, au cours du XVIIIᵉ s., l'œuvre des milieux cultivés d'Edimbourg, puis de Robert Burns et du romancier Walter Scott. Allan Ramsay (1686–1758) fut le pionnier avec *Tea-Table Miscellany : a collection of choice songs scots an english*, publiés en séries entre 1724 et 1727. Le *Scots Musical Museum*, en 6 volumes (1787–1803), est du même genre ; Burns y collabora avec certaines strophes qui sont des adaptations très libres de poèmes folkloriques originaux (ex. : *Ca'the yowes*) ; il sauva la mélodie de l'oubli et y adapta des paroles.

D'autres publications suivirent jusqu'au dernier quart du XIXᵉ s. Les folkloristes anglais profitèrent de leur exemple : ils furent des éditeurs plus consciencieux : on ne réécrivit plus librement les paroles pour le plaisir d'une société policée, on renonça à transformer les mélodies pour les adapter aux tonalités majeure ou mineure. Les régions de langue galloise d'Écosse, les Highlands et les Hébrides ont conservé jusqu'à nos jours leur tradition orale, bien qu'il existe certaines mélodies imprimées plus anciennes. Certaines de ces chansons sont de forme cyclique, telle *Deirdre's Farewell*, et de mode pentatonique.

Les principaux recueils de chansons folkloriques irlandaises ont été l'œuvre de Bunting (1773–1843), dont l'intérêt fut éveillé d'abord par les harpistes et leurs airs, de Petrie (1789–1866), qui fonda une société pour la conservation et la publication des mélodies irlandaises un demi-siècle avant son équivalent anglais, et de Joyce, qui publia des recueils en 1872 et 1909. Les paroles anglaises pour les airs de Bunting furent l'œuvre du poète Thomas Moore (1729–1852), qui fut encore moins scrupuleux que Burns dans le respect de

l'original ; mais son anthologie, *Irish melodies*, fut célèbre, rééditée et révisée par le compositeur C. Villiers Stanford en 1895.

Le pays de Galles est bilingue, comme l'Écosse et l'Irlande, et la tradition du chant folklorique y est restée vivante jusqu'à ce jour ; mais la conservation de ces chants sous forme imprimée n'est intervenue qu'au XXᵉ s. suivant l'exemple anglais. Cependant la tradition de la danse s'est perdue. Le *penillion* est caractéristique du chant gallois ; sur un chant folklorique donné, on improvise un accompagnement de harpe et une seconde voix.

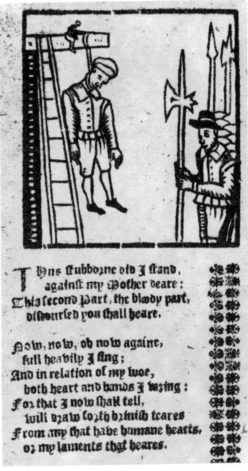

Comme point de départ d'une discussion sur le chant folklorique anglais, la chanson *The seeds of love* peut être utilisée aussi bien pour l'histoire que pour la description et l'analyse : c'est une des chansons les plus répandues et connues parmi les chanteurs traditionnels, près de qui les premiers folkloristes la recueillirent ; le motif des fleurs prises comme symboles des différents amours peut être retrouvé dans d'autres chansons du folklore anglais.

Les caractères de cet air sont l'ambitus d'une 9ᵉ, une structure organique en cinq phrases sans répétition (la 4ᵉ ligne du poème est répétée), le mode ionien. C'est la première chanson que recueillit Cecil Sharp ; il la nota d'après le chant d'un jardinier qui était en train de tondre la pelouse d'un presbytère dans le Somerset, et qui, ô symbole, portait le nom de John England. Le même Sharp recueillit encore environ

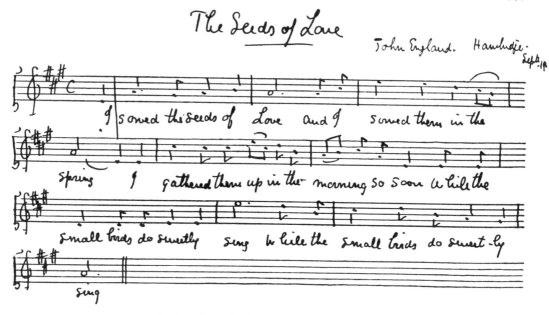

*Fac-similé du premier chant populaire noté par C. Sharp.*

3.000 chansons folkloriques anglaises en Angleterre et aux Etats-Unis, où il trouva dans les montagnes du Kentucky une tradition intacte de chansons importées deux siècles auparavant par des émigrants anglais.

Cecil Sharp n'était pas cependant le premier folkloriste à pénétrer dans le domaine de la chanson anglaise de tradition orale : on a déjà cité les *English county songs* ; 50 ans avant, l'oncle de Lucy Broadwood avait constitué un petit recueil de chansons chantées à Noël et à la moisson, dans le Sussex ; il s'était appliqué à les noter telles qu'elles étaient chantées, sans modifier les intervalles pour transformer les modes en tonalités majeures ou mineures. Citons ici le révérend Sabine Baring-Gould, qui travailla dans l'ouest de l'Angleterre à partir de 1888 et publia *Songs of the west* (1905). Dans le nord de l'Angleterre, Anne Gilchrist, qui mourut en 1954 à l'âge de 91 ans, et Frank Kidson, antiquaire à Leeds, furent tous deux des érudits qui possédaient une connaissance approfondie des airs folkloriques. Le compositeur R. Vaughan Williams entreprit de recueillir des airs folkloriques en 1905 : sa première chanson, *Bushes and briars*, peut être citée comme exemple d'air pastoral anglais dans le mode éolien, mais encore comme chanson qui a fait date, puisque c'est l'influence du chant folklorique anglais qui permit finalement au langage personnel de Vaughan Williams de s'affirmer davantage.

Toutefois Sharp fut le chercheur le plus actif, le principal propagandiste et un adaptateur assidu, car, malgré l'épineux problème de savoir ce qui est convenable ou bon en matière d'adaptation de chansons folkloriques,
l'accompagnement au piano constituait une aide précieuse pour les faire chanter.

Il devint évident, aux environs de 1920, que le travail de sauvetage du patrimoine perdu des mélodies folkloriques anglaises avait réussi, qu'il était virtuellement achevé : on n'en a retrouvé depuis que quelques-unes, qui sont d'ailleurs des variantes d'autres déjà connues ; mais, avec l'aide de la B.B.C., on a entrepris de nouvelles recherches. Il devint clair aussi que la première méthode d'édition, qui consistait à assigner à chaque chanson recueillie son district d'origine, n'avait pas la valeur scientifique qu'on lui avait d'abord attribuée ; la répartition des chansons couvre la totalité du pays, la seule région qui possédât des traits caractéristiques et des airs inconnus ailleurs étant le Northumberland, dont la population, d'origine scandinave, a conservé sa propre danse du sabre, son propre instrument de musique, le *small-pipe*, sorte de cornemuse avec bourdon et tuyau mélodique. *Elsie Marley* est une chanson qui illustre ces deux points : la supertonique bémolisée montre l'influence du *small-pipe*, le texte est en dialecte northumbrien :

On distingue habituellement deux grandes catégories de chansons folkloriques : les ballades et les chansons lyriques. Les ballades sont de longs poèmes narratifs destinés à être chantés (batailles, querelles, tragédies amoureuses), dont beaucoup remontent au moyen-âge : ainsi *Chevy Chase*, qui traite de la querelle entre les Percy, famille du Northumberland, et les Douglas, des Écossais, querelle qui fut tranchée par une guerre aux frontières des deux royaumes, était connue comme une ancienne chanson consacrée à Sir Philip Sidney, le courtisan qui fut tué à la bataille de Zutphen dans les Pays-Bas, sous le règne d'Élisabeth Ire ; elle fut conservée dans sa forme littéraire, avec plusieurs versions mélodiques du XVIIe s. ; l'air qui lui est resté attaché est celui que Gay a employé dans le *Beggar's Opera* (1728).

Deux cas, plus remarquables encore, d'événements historiques devenus thèmes de ballades (peut-être obscurcis
par le temps et la tradition orale) sont *Six dukes went
a fishing*, recueilli par Percy Grainger en 1905, qui se
réfère au meurtre de William de la Pole, 1ᵉʳ duc de
Suffolk (1450) :

et *Down by the riverside* ou *The bold fisherman*, qui, sous
l'histoire d'une dame qui se mésallie avec un pêcheur,
cache une allégorie du Christ et de l'âme, qui paraît
remonter aux croyances mystiques de l'église primitive.

La mesure à 5/4 n'est pas inhabituelle dans la chanson
folklorique anglaise : dans certains cas, elle peut être
attribuée à une incapacité des chanteurs de soutenir le
temps voulu la dernière note d'une phrase à 6/4 ; dans
d'autres cas, ce rythme est inhérent à la mélodie : il
représente la liberté de construire la phrase musicale
au mieux des exigences de la prosodie, chose qui est
toujours la préoccupation première du chanteur folklorique (qui n'est pas nécessairement la nôtre), car certains
de ces airs sont d'une grande beauté, tels *Searching for
lamps* ou *Dives and Lazarus*. La ballade de *Barbara Allen*
contient une chanson qui nous est venue d'une époque
très reculée, par la voie des trois traditions : la tradition
littéraire, les in-plano et la tradition orale. Voici
l'air de tradition orale recueilli par Cecil Sharp (c'est
encore un air à 5/4) :

Les chansons lyriques sont habituellement des poèmes
d'amour ; elles ont parfois pour thème un paysan qui
se réjouit de ses activités saisonnières, labourage,
tonte des moutons, moisson, ou qui simplement sort
de chez lui par une belle matinée de mai (début très
fréquent) pour entendre le chant de l'alouette. Les chants
religieux sont rares, tel *The evening prayer* ou *The white
paternoster*, recueilli dans le Devonshire par Baring Gould,
exemple de mélodie de mode phrygien.

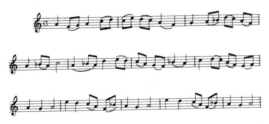

A côté de ces catégories principales, on trouve de rares
fables chantées *(fable-chants)*, de nombreux *Christmas
carols*, quelques jeux d'enfants chantés, une ou deux
énigmes chantées. Dans *The english dancing master*
(1651), qui eut 18 éditions, dont la dernière publiée en
1827, Playford a recueilli des airs de danses dont certains
sont des mélodies de chansons ou de ballades dont le
rythme a été accéléré ; ce livre est un magasin des airs
en usage à la fin des Tudor et au début des Stuart
(environ 1550–1640), tout comme le *Fitzwilliam virginal
book*, où des airs du jour tels que *Sellinger's round*,
*The carman's whistle*, *Roland*, *Walsingham* et *The woods so
wild*, servent de thème à des variations pour clavier.
On trouve mention d'autres airs populaires de cette
époque dans Shakespeare.

La carole, à l'origine chanson à danser dont chaque
élément pouvait être considéré comme accompagnement
de l'autre, n'est pas pur folklore, bien que certaines
d'entre elles, telle *The holly and the ivy*, aient été chantées
par tradition orale pendant des siècles. Au sens strict du
mot, la carole est un poème chanté, strophique, avec
refrain ; le refrain est l'élément qui a survécu de la ronde
dansée. Jusqu'au milieu du XVᵉ s., il est possible que
la musique de ces caroles médiévales ait été une polyphonie à 3 voix et qu'elles fussent destinées à des
cérémonies et festivités comme Noël ou *May day*. Dans
la dernière partie du XVᵉ s., les caroles devinrent plus
solennelles, chantèrent plus souvent la crucifixion que
la nativité ; *The holly and the ivy* traite des deux thèmes
à la fois et contient en plus un mythe de la végétation
dérivé du *Yule* scandinave. Le puritanisme mit l'accent
sur l'idée de *memento mori* aux dépens de Noël. L'Écosse,
avec l'église presbytérienne, n'a pas chanté de *Christmas
carol* jusqu'il y a environ 20 ans, encore était-ce sous
l'influence des programmes de musique radiodiffusée,
comme les émissions annuelles de caroles, le soir de Noël,
du *King's College* à Cambridge. La connexion avec Noël
se fit plus étroite au XVIIᵉ s., après la restauration
des Stuart, et bien que la *carole de mai* ait survécu
traditionnellement jusqu'au début de notre siècle, la
carole, nouvellement libérée de toute obligation de forme
ou de définition, a acquis une vogue immense qui a
commencé il y a environ un siècle, sous l'influence du
Mouvement d'Oxford (mouvement qui, au sein de l'Église
d'Angleterre, relève de la *High Church*). Parmi les caroles
qui sont en circulation aujourd'hui, on trouve celles qui
furent découvertes par Sharp et autres folkloristes, mais
la plupart sont d'origine médiévale, non sans liens avec
le latin : c'est qu'elles furent mises à la mode par les
moines et que leur origine est cléricale. Le flot des caroles
a été grossi par des emprunts à l'étranger (ex. : les noëls
français), par des auteurs d'hymnes et de compositions
modernes, au point qu'il existe aujourd'hui une tradition
de musique de Noël, aux limites imprécises, mais très
riche, dont on pourrait dire *grosso modo* qu'elle est
populaire.

Le chant en commun, traditionnel ou folklorique, en
usage au temps de Noël, s'est combiné depuis 1950 avec
le phénomène temporaire du *skiffle* ; c'est, de la part
d'amateurs sans qualification particulière, une tentative
pour faire leur propre musique sur des instruments
simples, pour provoquer, dans un milieu assez inattendu,
celui des jeunes citadins, de l'intérêt pour le chant
folklorique anglais. Jusqu'ici, le chant folklorique avait
dû ses origines à la paysannerie, sa renaissance aux
musicologues, sa propagation à l'école et, dans une plus
faible mesure, au concert, mais une très grande part,
à la musique faite chez soi par des amateurs ou quelques
rares musiciens professionnels. Ce nouveau mouvement,
né 50 années après la grande renaissance du chant
folklorique, peut être éphémère, mais il aura donné aux
chansons un nouveau bail de vie et une forme différente,
puisqu'elles sont accompagnées non plus au piano,
mais à la guitare.

L'effet stimulant des chants folkloriques sur les compositeurs anglais est un autre effet important de cette
renaissance. Le mouvement nationaliste a fait son
apparition en Angleterre plus tard qu'en Russie, en
Bohême, en Espagne ou en Scandinavie, mais il a eu dans

le domaine de la composition les mêmes effets féconds. La situation anglaise correspond à celle de la Hongrie, où Bartók et Kodály sont la contrepartie de Vaughan Williams et de Holst. La musique anglaise a été soumise pendant deux siècles à l'influence allemande ; l'effort accompli pour son émancipation a correspondu avec la renaissance de la musique élisabéthaine et du chant folklorique. Il n'y a pas eu d'école nationaliste en Grande-Bretagne depuis que Holst et Vaughan Williams ont d'un seul coup conquis la liberté ; on trouvait chez ces deux hommes aussi bien une pensée vigoureuse que l'amour de la tradition ; Moeran et Finzi sont des compositeurs moins importants, mais ils sont nourris de folklore ; quant à Britten, bien qu'il soit plus directement influencé par Purcell que par le folklore, c'est un arrangeur enthousiaste des chansons folkloriques anglaises.

**Bibl. :** Cecil Sharp, *English folk-song, some conclusions*, A.H. Fox-Strangways, *Cecil Sharp* ; *Journal of the folk-song society*, 1898–1931 ; *Journal of the english folk dance and song society*, 1932 ; Margaret Dean-Smith, *Playford's english dancing master*. **F.H.**

**GRANDI Alessandro.** Mus. ital. (en Sicile ?–Bergame 1630). Élève présumé de G. Gabrieli, maître de chapelle de l'*Accad. della morte* à Ferrare (1597), à San Spirito (1610), chanteur (1617) puis vice-maître de chapelle de St-Marc de Venise (1620), maître de chapelle à Ste-Marie Majeure de Bergame (1624), il publia 6 livres de motets (2-8 v., Venise, Anvers, 1613–1630), *Motetti a 5 v.* ... (Ferrare 1614, Venise 1619, 1620, 1640), 2 livres de madrigaux (2-4 v., 1615–26, 1622–26), 4 de *Cantade et arie a voce sola* (1620–1629), 3 de motets avec *b.c.* et acc. instr. (1621–1629 et 1639), des *Salmi brevi* (8 v., 1629), des *Messe et salmi concertati* (3 v., 1630, 1637), des *Messe concertate* (8 v. 1637), un grand nombre de pièces séparées, religieuses ou profanes dans des recueils de l'époque. Son rôle fut essentiel dans les débuts de la cantate, terme qu'il fut d'ailleurs le premier à utiliser en 1620 ; comme musicien d'église, il introduisit dans le motet le nouveau style, monodique ou concertant, à la manière de Monteverdi (*cf.* ses *Motetti a voce sola* de 1628) ; s'il a subi la double influence de G. Croce et de Monteverdi, en revanche la sienne fut très profonde, surtout dans les pays germaniques du Sud (H. Schütz). Voir H. Prunières, *La cantate ital. à v. seule au XVIIe s.*, ds Encicl. Lavignac, II, t. 5 — *The italian cantata of the 17th cent.*, ds *ML*, VII, 1926 ; D. Arnold, *A.G., a disciple of Monteverdi*, in *MQ*, 1957.

**GRANDI Ottavio Maria.** Mus. ital. du XVIIe s., servite, qui fut org. à Reggio Emilia (v. 1610), maître de violon, auteur de 22 sonates (1-6 parties av. b.c., Venise 1628).

**GRANDIS de.** Mus. ital. — **1. Vincenzo**, dit *Il Vecchio* (Montalboddo ... –Rome 18.3.1646), fut maître de chapelle à Santo-Spirito *in Sassia*, puis chanteur à la cour pontificale de Rome (1605–1630) ; il publia 1 recueil de psaumes et de motets à 8 v. (Rome 1604, 1625), 1 de *Cantiones sacrae* (2-5 v., ibid. 1621), d'autres livres dans des recueils de l'époque. — **2. Vincenzo**, dit *Il Giovanne* (Montalboddo v. 1640–v. 1700), ecclésiastique, fut maître de chapelle à Ste-Agnès et au *Gesù* à Rome (1672), à la cour de Brunswick (1675–1680), à celle de Modène (1682), à Lorette (1685–1692) ; la *Bibl. estense* de Modène conserve de lui en mss 5 cantates, 2 motets, 3 oratorios ; on trouve des compositions de lui dans des recueils publiés entre 1670 et 1675.

**GRANDJANY Marcel.** Harpiste et compos. franç. (Paris 3.9.1891–). Après de nombreuses tournées en Angleterre et au Canada, il s'est fixé définitivement aux États-Unis, où il enseigne la harpe à l'école Juilliard de N.-York (dep. 1938) ; il a fondé (1943) une classe de harpe au cons. de Montréal ; on lui doit de nombreuses transcriptions pour harpe d'œuvres classiques et modernes, ainsi que des compositions qui figurent au répertoire des harpistes contemporains. **F.V.**

**GRANDJEAN Axel.** Chef d'orch. et compos. danois (Copenhague 9.3.1847–11.2.1932), qui exerça au *Dagmar-Theater* de Copenhague et au théâtre royal, et écrivit des opéras, des ballets, des mélodies, de la mus. de piano, son autobiographie (Copenhague 1919).

**GRANDRUE Eustache.** Mus. franç., établi à Paris, auteur d'une vingtaine d'airs de cour à 4 v. et à 1 v. avec acc. de luth, publiés chez Ballard entre 1613 et 1621 ; son testament, rédigé en 1625, prouve qu'il était luthiste et théorbiste. **F.L.**

**GRANDVAL Marie** de Reiset, *vtesse de*. Compos. franç. (Le Mans 21.1.1830–Paris 15.1.1907). Élève de Flotow et de Saint-Saëns, elle écrivit 7 opéras, 1 oratorio, des *Esquisses symph.*, des cantates, de la mus. de chambre, des mélodies, des chœurs ; parmi ses pseudonymes, citons *Valgrand*, *Blangy*.

**GRANDVAL Nicolas Racot de.** Mus. franç. (Paris 1676–16.11.1753). Issu d'une famille d'acteurs, il semble l'avoir été lui-même, tout au moins directeur d'une troupe ; tout en étant org. à St-Eustache, claveciniste, il composa de la mus. pour la comédie Dancourt et pour le Théâtre français (1692–1744) : il n'en reste que quelques airs et le divertissement de la *Comédie du mariage* ; on lui doit encore 13 cantates françaises (1720–posth., 1755), des pièces de clavecin (mss Bibl. nat.), des pièces de théâtre, un *Essai sur le bon goust en musique* (Paris 1732), divers écrits littéraires ; son *Essai* est à la vérité un plagiat de la *Comparaison de la mus. ital. et de la mus. franç.* de Lecerf de la Viéville. Voir R. Wangermée, ds Rev. belge de mus., V, 1951, et art. in MGG.

**GRANET.** Troubadour provençal dont l'activité se situe dans la 2e moitié du XIIIe s., de qui 5 chansons nous sont conservées, dont une *tenson* échangée avec Bertran d'Alamanon.

**GRANIER.** Mus. franç., chanoine de la métropole d'Avignon (1581), qui a laissé quelques chansons à 4 v. dont l'une est datée de 1599, dans un ms. (non coté) conservé aux Arch. départementales d'Avignon (lequel contient aussi des pièces de S. Intermet).

**GRANIER François.** Mus. franç. (? 1717–Lyon 18.4.1779). Violon., vcelliste, contrebassiste, qui fut prof. à Grenoble, Chambéry (v. 1750), Lyon (1751) — il y fut pensionnaire du *Concert* —, à l'orch. de la Comédie italienne à Paris (1760–66) ; revenu à Lyon, il y reprit ses occupations de vcelliste, avec le titre d'« accompagnateur du Concert » ; il composa de nombreux ballets pour Noverre (*L'Amour corsaire*, 1757), 6 solos pour le vcelle (Lyon 1754) et publia 11 recueils d'airs choisis surtout dans les opéras-comiques (1762–77/78), ainsi que les *Menuets de MM. Exaudet et G.*, mis en grande sinfonie, avec des variations pour 2 violons, hautbois et flûte, alto viola, 2 cors, vcelle et basson (Paris s.d.) ; des adversaires de J.-J. Rousseau lui avaient attribué la musique du *Devin de village*. Voir *Éclaircissement sur la mus. du Devin de village.*, ds Journal Encyclopédique, Paris déc. 1752–oct. 1781 ; A. Pougin, *J.-J. Rousseau musicien*, Paris 1901 ; L. Vallas, *La mus. à Lyon au XVIIIe s.*, et *Un siècle de mus. théâtrale à Lyon*, Paris 1932.

**GRANIER Louis.** Mus. franç. (Toulouse 1740–1800). Fils présumé d'un directeur de l'Opéra de Bordeaux, il fut lui-même dès 20 ans chef d'orch. de ce théâtre, puis prof. de composition à Paris ; en 1765, il est à Bruxelles comme maître de musique, et l'pensionnaire du Languedoc, de 1773 à 1786 à Paris, comme violon. de la chapelle de la cour, de l'Académie royale et du Concert spirituel ; ses chœurs d'*Athalie*, ses *Faux-monnayeurs* (opéra) ont été perdus ; il reste 3 ballets pour Noverre, des arrangements d'opéras, un opéra écrit en collab. avec Trial et Berton : *Théonice...* (1767) ; ses sonates et ses airs de violon ont été également perdus. Voir M. Briquet in MGG.

**GRANJON Robert.** Éd. franç. établi à Paris dès 1547, il obtint en 1550 un privilège pour imprimer toute sorte de musique et s'associa la même année avec M. Fezandat : ensemble ils imprimèrent au moins deux livres de guitare de G. Morlaye et une tablature de S. Gorlier ; l'association fut rompue après 1553 : Granjon s'installa à Lyon, où il conçut les « caractères de civilité » qu'il voulut appliquer à la musique en s'associant avec G. Guéroult et J. Hiesse (1557) ; c'est ainsi finalement qu'il édita en « civilité » 2 vol. de *Trophée de musique*, les œuvres de B. Beaulaigue et les psaumes de M. Ferrier (1559). **F.L.**

d. Feb. 24 1975

**GRANOM Lewis Christian Austin.** Mus. angl. du XVIIIe s., dont la biographie est inconnue ; il était flûtiste et composa 10 recueils pour son instrument (sonates, duos, concertos, solos, menuets), publiés aux alentours de la moitié du XVIIIe s., nombre d'œuvres vocales (oratorios, hymnes, airs, ballades), un traité : *Plain and easy instructions for playing on the german-flute*. Voir S. Sadie in MGG.

**GRAPHEUS Hieronymus.** Voir art. *Formschneider*.

**GRASSET Jean-Jacques.** Violon. franç. (Paris v. 1769-25.8.1839). Élève de Bertheaume, membre de l'orch. de l'Opéra (1800), prof. au cons. de Paris (1801-16), chef d'orch. à la Comédie italienne (1801-29), il composa 3 concertos, 9 duos concertants, des sonates, etc. (pour violon). Voir L. de La Laurencie, *L'école française de violon*, II, Paris 1923.

**GRASSI Bartolomeo.** Org. ital., qui fut org. à *Santa Maria in Acquirio* à Rome (1628) ; élève de Frescobaldi, il publia à ses frais un recueil d'œuvres de son maître intitulé *In partitura il primo libro delle canzoni a 1, 2, 3 e 4 v.* (Rome 1628).

**GRASSI Eugène Cinda** (G. Sargis). Compos. franç. (Bangkok 5.7.1881-Paris 8.6.1941). Élève de d'Indy, de Bourgault-Ducoudray, il écrivit *La fête du Zakmoukou* (mus. de scène pour la *Judith* de Bernstein, 1923), des mélodies, et de la mus. instr. et symph., inspirée du folklore siamois ; il publia *D'une musique nouvelle* (Heugel 1926).

**GRASSI Francesco.** Mus. ital. des XVIIe-XVIIIe s., qui fut maître de chapelle de St-Jacques des Espagnols et du *Gesù-Bambino* à Rome, auteur de mus. polyph., d'église, dont des messes et un oratorio : *Il trionfo dei giusti*.

**GRASSINEAU James** (*Jacques*). Musicographe angl. d'origine franç. (Londres v. 1715-Bathford 4 ou 5.4.1767). D'abord pharmacien, puis secrétaire de Pepusch, il publia sous le titre *Dictionnaire des termes et signes musicaux* une traduction et adaptation du dictionnaire de Brossard (Londres 1740) : l'édition de 1769 comporte au début l'appendice du dictionnaire de Rousseau ; dans la seconde édition (1769), il y introduisit des ajouts qu'il avait choisis dans le dictionnaire de Rousseau.

**GRASSINI Giuseppina** (*Joséphine*). Chanteuse ital. (Varèse 18.4.1773-Milan 3.1.1850). Contralto, élève d'E. Zucchinetti, d'A. Secchi, elle débuta à Parme en 1789-90 ; elle fit une carrière triomphale, notamment à Paris (elle jouissait de la faveur de Napoléon), et se retira de la scène en 1822. Voir F. Masson, *Napoléon et les femmes*, Paris 1897 ; A. Pougin, *G.G.*, *ibid.* 1920 ; A. Gavoty, *La G.*, *ibid.* 1947 ; E. Gara, *G.G.*, ds *La Scala*, mars-avril 1952.

**GRATIOSUS de PADUA.** Mus. ital. des XIVe-XVe s., dont la biographie est inconnue ; on a conservé de lui un *Gloria* et un *Sanctus* à 3 v. (avec instr.), et une ballade (*Alta Regina*) ; ces pièces, des *unica*, font partie du codex Padoue UB 684 ; quant à la musique, les auteurs s'accordent à y trouver des influences françaises. Voir G. de Van, *Les monuments de l'ars nova*, Paris s.d. ; J. Wolf, *Gesch. d. Mensuralnotation*, II-III, Leipzig 1904, et *L'Italia e la mus. relig. medievale*, *RMI*, XLII, 1938.

**GRATTAN FLOOD.** Voir art. *Flood*.

**GRAUMANN.** Voir art. *Marchesi*.

**GRAUN.** Famille de mus. allem. issus d'*August*, fonctionnaire à la cour de Saxe-Pologne — **1. August Friedrich** (Wahrenbrück 1698 ou 99-Mersebourg 5.5.1765) fut à partir de 1729 cantor et *collega quartus* à l'école de la cath. de Mersebourg ; il fut candidat à la succession de J.-S. Bach à Leipzig (1750) ; de ses œuvres on ne connaît qu'un *Kyrie* et un *Gloria* à 4 v. avec instr. Son frère — **2. Johann Gottlieb** (Wahrenbrück 1702 ou 1703-Berlin 27.10.1771) était violon. et chanteur, élève de Grundig, puis de la *Kreuzschule* à Dresde (Pisendel), de l'univ. de Leipzig ; en 1723, il semble qu'il ait accompagné son jeune frère à Prague, où il connut Tartini : il y revenait la même année pour y séjourner 3 ans (il y fut élève de

Tartini pendant 6 mois) ; en 1726, il est *Konzertmeister* à Mersebourg (il y eut W.F. Bach comme élève), en 1728 « directeur de la chapelle » du prince de Walbeck à Arolsen, en 1732 au service du *Kronprinz* de Prusse (le futur Frédéric II) à Rheinsberg : il resta à son service après son avènement, comme *Konzertmeister* de la chapelle royale à Berlin, poste qu'il garda jusqu'à sa mort, où il eut comme successeur F. Benda, son élève préféré. Il adopta le style fleuri, dans le goût de ce qu'on a appelé depuis l'école de l'Allemagne du nord : les commentateurs le situent entre celle de Vienne et celle de Mannheim ; au reste, tout le style de l'époque est italianisant ; on lui doit plus de 60 concertos de violon, 8 sonates de flûte (ou v., avec *b.c.*, Londres s.d.), *Sei sonate per il violino e cembalo...* (1726 ou 27), *Six concertos for the harpsicord or organ...* (*id. ibid.*), plus de 100 symph. (3 furent imprimées dans des recueils), quantité de trios (2 impr.). qes quatuors et quintettes, plus de 150 sonates en trio, 26 sonates de violon, 28 *concerti grossi* et concertos, 17 ouvertures et 1 suite pour orch., une Passion en italien (*La Passione di G.C.*), 3 cantates spirituelles (4 v., *Auf, frohe, Christen, Gott man lobet, Herr leite mich*), 1 messe, 8 cantates profanes (*Circe, Destatevi o pastori, Ecco voi cari sassi, Gia la sera si avvicina, Sorgi lucente aurora, Oh Dio, Fileno, Piangete occhi dolenti, Heute bin ich selber mein*) ; tous les mss ne sont pas sûrs : s'agit-il de *J.G.* ou de Carl Heinrich (?) *L'Amalienbibliothek* du *Joachimsthalsches Gymnasium* de Berlin possède 10 recueils de mss. Leur frère — **3. Carl Heinrich** (Wahrenbrück 1703 ou 1704-Berlin 8.8.1759) fut également l'élève de la *Kreuzschule* de Dresde ; on l'y appréciait, il était *Extraordinär-Diskantist* en cette ville ; comme son frère *J.G.*, il fut aussi étudiant à l'univ. de Leipzig ; ses professeurs furent, pour le chant, Z. Grundig, pour l'orgue E. Benisch, pour le clavecin E. Petzoldt, pour la composition J.C. Schmidt ; en 1723, il est vcelliste à Prague, sous la direction de Caldara (pour le couronnement de Charles VI : il s'y lie avec Quantz, Selenka, S.L. Weiss ; son frère l'accompagne sans doute) ; en 1725, il est ténor à l'Opéra de Brunswick pour lequel il compose ; il en est, en 1727, le *Vize-Kapellmeister ;* c'est en 1723 que le futur Frédéric II fait sa connaissance à Brunswick ; en 1735, il le convie à Rheinsberg, où *C.H.* compose de nombreuses cantates sur des textes de l'Altesse ; à son avènement (1740), le royale protecteur l'envoie en Italie (Venise, Bologne, Florence, Rome, Naples) pour y quérir des chanteurs destinés au futur Opéra de la cour : on débuta le 7.12.1742 avec *Cesare e Cleopatre*, opéra composé par *C.H.*, qui inaugura la série des 27 composés pour Berlin ; Frédéric II lui maintint emploi, estime et amitié jusqu'à sa mort ; *C.H.* fut enterré dans la *Petrikirche ;* parmi ses élèves, citons Kürzinger, Seyffarth, F. Benda, Nichelmann, Kirnberger, Stoltz et le roi Frédéric II lui-même : c'est dire que son enseignement fut de première importance (il avait d'ailleurs mis au point une méthode de solmisation, d'après Hiller et Nopitsch : *Damenisation*) ; parmi ses amis, il convient de ne pas omettre Marpurg ; il composa dans tous les genres ; on s'accorde généralement à donner une valeur de premier plan à sa mus. d'église ; son rôle et son influence marquèrent toute son époque ; on lui doit en mss des opéras : *Sancio u. Sinilde* (1727), *Polydorus* (1726 ou 28), *Iphigenia in Aulis* (1731), *Scipio Africanus* (1732), *Lo specchio della fedeltà* (1733), *Pharao tubaetes* (1735), *Rodelinda...* (1741), *Cesare e Cleopatra* (1742), *Artaserse* (1743), *Catone in Utica* (1744), *Lucio Papirio* (1745), *Adriano in Siria* (1746), *Demofoonte* (*id.*), *Cajo Fabrizio* (*id.*), *Le feste galanti* (1747), *Cinna* (1748), *L'Europa galante* (id), *Ifigenia in Aulide* (*id.*), *Angelica e Medoro* (1749), *Coriolano* (*id.*), *Fetonte* (1750), *Il Mitridate* (*id.*), *L'Armida* (1751), *Britannico* (*id.*), *L'Orfeo* (1752), *Il giudiuzio di Paride* (*id.*), *Silla* (1753), *Semiramide* (1754), *Montezuma* (1755), *Ezio* (*id.*), *I fratelli nemici* (1756), *La Merope* (*id.*), 5 prologues, 1 Passion (v. 1723), 2 *Passionskantaten*, 1 « *Petite Passion* », 3 *Trauerkantaten*, 1 cantate de mariage, 16 d'église, 9 autres, qui sont peut-être de son frère *J.G.*, 4 motets (*id.*), 1 *Te Deum* à 8 v., 5 messes, 10 *Kyrie*, 3 *Gloria*, 7 *Sanctus*, 2 *Magnificat*, 5 motets ou psaumes, plus de 100 cantates profanes (dont un certain nombre sont peut-être de son frère), des *Arien*, 31 *Solfeggien*, plus de 100 concertos, dont 30 de clavecin, 1 de cor, qqs-uns de flûte écrits pour Frédéric II, 3 quintettes, 1 quatuor, quelque 35 sonates en trio (certains lui en attribuent 80 autres), des sonates et duos de flûte, une douzaine de pièces de clavecin ou d'orgue (*La battaglia di Praga*, 1740) ; imprimé : *Cantata in obitum Friderici Guilielmi...* (4 v., Berlin 1741), *Te Deum* (Leipzig 1757), *Der Tod Jesu* (cantate, ibid. 1760), (24) *Auserlesene Oden...* (Berlin 1761, 1764, 1774), *The battle of Rossbach* (sonate pforte, Londres s.d.) ; ds des recueils : une cinquantaine de *Lieder* ; 1 psaume (2 v. b.c., 1760), *Das aufgehobene Geboth* (id., clav., 1760).

**Bibl. :** A. Meyer-Reinhard, *C.H.G. als Opernkomp.*, ds *SIMG*, I, 1899–1900 ; — Préface à *D.D.T.* XV — art. ds *SIMG*, IV, 1902–03 ; C. Mennicke, *Zur Biogr. d. Brüder G.*, ds *NZfM*, 1904 — *Hasse u. d. Br. G. als Symphoniker* Leipzig 1906 ; B. Kitzig, *C.H.G.*, ds *Mitteld. Lebensbilder*, IV, Magdebourg 1929 — *Wahrenbrück u. d. drei G.*, ds *Die schwarze Elster*, Liebenwerda 1927–28 — *Briefe C.H.G.s.*, ds *ZfMw*, IX, 1926–27 ; L. Schneider, *Gesch. d. Bln. Opernhauses*, Berlin 1952 ; F. Chrysander, *Gesch. d. Braunsch.-Wolfenb. Kapelle u. Oper*, ds *Jb. f. Mus.*, I., Leipzig 1863 ; J. Blaschke, *G.s Bedeutung als Kirchenkomp.*, ds *Die Orgel*, IX, Brême 1909 ; H. Lungershausen, *Probleme d. Übergangszeit*, thèse de Berlin, 1928 ; M. Flueler, *Die norddeutsche Symphonie*, ed. 1908 ; H. Hoffmann, *Die norddeutsche Triosonate d. Kreises um J.G.G...*, Kiel 1927 ; E. Schenk, *Zur Bibliogr. d. Trioson. v. J.G. u. C.H.G.*, ds *ZfMw*, XI, 1928-29 ; M. Friedlaender, *Das deutsche Lied im 18.Jh.*, Stuttgart-Berlin 1902 ; W. Freytag in MGG.

**GRAUPNER Christoph.** Mus. allem. (Hartmannsdorf b. Kirchberg 13.1.1683–Darmstadt 10.5.1760). Elève de l'École St-Thomas de Leipzig (Schelle, Kuhnau), de l'univ. de Leipzig, claveciniste à l'opéra de Hambourg (1707), vice-maître (1709), puis 1er maître de chapelle (1712), de la cour de Hesse-Darmstadt, il fut nommé cantor à St-Thomas de Leipzig comme successeur de Kuhnau, mais ne rejoignit pas son poste, retenu à Darmstadt par le landgrave de Hesse : c'est alors que J.-S. Bach, qui l'admirait beaucoup, fut nommé à sa place ; les 15 dernières années de sa vie, il fut affligé de cécité ; il fut l'ami de Telemann, de Grünewald, le maître de J.F. Fasch ; c'est l'un des meilleurs musiciens de l'époque de J.-S. Bach ; on lui doit 8 opéras (*Dido*, 1707, *L'amore ammalato...*, 1708, *Il fido amico...*, id., *Bellerophon*, id., *Der Fall d. grossen Richters in Israel*, 1709, *Berenice*, 1710, *Telemach*, 1711, *La costanza vince l'inganno*, 1715), 1418 cantates d'église (1709-54), 24 profanes, 113 symph., 87 ouvertures, 50 concertos, 20 sonates en trio, 4 de violon (entre autres œuvres de mus. de chambre), de la mus. de clavecin ; impr. : *8 Partien auf das Clavier* (1718), *Monatliche Clavier-Früchte*, *Vier Partiten*, (1733), *Neues vermehrtes darmstädtisches Choral-Buch* (1728) ; c'est la *Hess. Landes-u. Hochschulbibl.* de Darmstadt qui conserve ses mss ; l'autobiographie de G. est incluse ds *Grundlage einer Ehren-Pforte* de Mattheson. Voir F. Noack, *Bachs u. G.s Kompos.*, ds *Bach-Jahrbuch*, 1913 - *C.G.s Kirchenmusiken*, Leipzig 1916 - *J.S. Bach. u. C.G...*, ds *AfMw* II, 1919-20 - *Die Opern v. C.G. in Darmstadt*, Leipzig 1926 – art in MGG ; W. Kleefeld, *Bach u. G.*, ds *Jhb. Mus. Peters*, IV, 1897 ; B.F. Richter, *Die Wahl J.S. Bachs z. Kantor d. Thomasschule*, ds *Bach-Jahrbuch*, II, 1905 ; W. Nagel, *Das Leben C.G.S.*, ds *SIMG*, X, 1908–09 – *C.G. als Sinfoniker*, Langensalza 1912 ; H. Kaiser, *Barocktheater in Darmstadt*, Darmstadt 1951 ; L. Hoffmann-Erbrecht, *J.C.G. als Klavier-komponist*, ds *AfMw*, X, 1953 – *Deutsche u. ital. Klaviermusik z. Bachszeit*, Leipzig 1954 ; H.C. Wolff, *Die Barockoper in Hamburg*, 2 vol., Wolfenbuttel 1957 ; H.J. Moser, *Die Mus. d. deutschen Stämme*, Vienne 1957.

**GRAUPNER Johann Christian Gottlieb.** Hautboïste allem. (Verden 6.10.1767–Boston 16.4.1836). Il exerça d'abord dans un régiment du Hanovre, puis résida à Londres (1788), où il joua sous la direction de Haydn ; en 1797 il est à Boston, comme prof. de violon, de flûte, de htbois ; il y ouvre un magasin de musique (1800) et participe à la fondation de la *Philharm. Society* (1810–11). Voir O.G. Sonneck, *Early concert-life in America*, Leipzig 1907 ; H.E. Johnson, *Mus. interlude in Boston*, New-York 1943.

**GRAVANI Peregrinus.** Mus. austro-tchèque (Jaromeritz 12.1.1732–Brno 18.4.1815). Issu d'une famille de musiciens qui servait les Questenberg, élève de Mica, il fut de 1756 à sa mort maître de chapelle de l'église St-Jacques de Brno ; parmi ses élèves il faut citer Gyrowetz ; son neveu W.A. Ružiczka fut le professeur de Schubert ; on lui doit de la mus. liturgique, dont 1 messe et 7 *Requiem* (les mss sont conservés pour la plupart au musée de Brno). Voir R. Quoika in MGG.

**GRAVE.** — 1. Comme qualificatif de mouvement, *g.* désigne un passage ou une œuvre d'allure lente ou modérée, de caractère sérieux (grandeur, tristesse) ; — 2. Comme qualificatif de hauteur, *g.* désigne les sons les plus bas d'une étendue déterminée de l'échelle des hauteurs (le *g.* d'une voix de soprano) ou de l'échelle tout entière : à ce titre, par sa génération ascendante et par la disposition des sons successifs dont les intervalles se resserrent au fur et à mesure de leur apparition (voir art. *résonnance*), la résonnance naturelle a deux effets essentiels sur les sons graves : *1.* elle les charge d'une sorte de spécificité pondérable supérieure à celle des sons aigus, qui explique plusieurs des règles traditionnelles : position fondamentale des accords, règlementation des accords de sixte et de quarte et sixte, de la position des accords de neuvième, des intervalles altérés par rapport à la basse etc. ; *2.* elle nécessite, dans le resserrement des sons graves, certaines précautions (inutiles pour l'aigu). E.C.

**GRAVICEMBALO COL PIANO E FORTE.** C'est le nom que B. Cristofori, le célèbre facteur de Florence, donna au premier piano construit par lui au début du XVIIIe s. Voir art. *piano.* M.A.

**GRAY Alan.** Compos. angl. (York 23.12.1855–Cambridge 27.9.1935), org. du *Trinity College* à Cambridge, dir. de la *Cambridge University Musical Society*, auteur de cantates, de mus. d'église, d'*anthems*, de motets, de pièces d'orgue, d'*A book of descants* (1920, 1926), d'éditions de Purcell etc.

**GRAY Allan** (pseud. de *Joseph Zmigrod*). Chef d'orch. et compos. anglo-pol. (Tarnow 23.2.1902-), élève de Schönberg, de Breithaupt, fixé en Angleterre (1933), auteur d'une opérette, de suites d'orch., de mus. de théâtre et de film, de mélodies.

**GRAY Cecil.** Compos. et critique écossais (Edimbourg 19.5.1895–Worthing 9.9.1951). Il fonda avec Heseltine le mensuel *The Sackbut* (1920) et collabora avec le même pour *Musician and Murderer* (1926), biographie de Gesualdo, reprise par lui ds *Contingencies* (1947) ; il collabora au *Daily Telegraph*, au *Manchester Guardian* ; on lui doit 3 opéras, 1 prélude symph., d'autres écrits : *Survey of contemporary music* (Londres 1924), *History of music* (ibid. 1928), *Sibelius* (ibid. 1931), *Peter Warlock* (ibid. 1934), *48 preludes and fugues of Bach* (ibid. 1938), *Musical chairs* (ibid. 1948), *Gilles de Rais* (ibid. 1945) et un ouvrage sur les symph. de Sibelius (*ibid.* 1935). Voir R. Gorer, *The music of C. G.*, ds *Music review*, 1947 ; E. Lockspeiser in MGG.

**GRAY Gerry.** Chef d'orch. de jazz amér. (Boston 3.7.1915–), fondateur d'un orch. à l'âge de 16 ans, collaborateur d'Artie Shaw, de Glenn Miller, auquel il a succédé.

**GRAZIANI** (*Gratiani*) **Bonifazio.** Mus. ital. (Marino v. 1605–Rome 15.6.1664), qui fut maître de la chapelle du *Gesù* à Rome (1648), ainsi que de celle du Séminaire romain ; il composa un grand nombre de motets, psaumes, litanies, antiennes, messes, répons, qui furent publiés en partie après sa mort par son frère ; en musique profane, on sait de lui *Il secondo libro delle muse a 4, 5 e 8 v.* (Rome 1674) ; on trouve de ses compositions, religieuses ou profanes, dans des recueils de l'époque ; notons encore, en mss, un oratorio et des pièces de mus. d'église. Voir L.F. Tagliavini in MGG.

**GRAZIANI Carlo.** Vcelliste ital. (Asti ?–Potsdam 1787), qui joua à Londres, Francfort, succéda à L.C. Hesse comme vcelliste et mus. de la chambre du *Kronprinz* de Prusse, publia 18 sonates pour son instrument (Paris-Berlin), 1 concerto (*id.*), 1 sonate (*id.* 1778) ; la plupart de ses mss sont conservés à la bibl. de Berlin. Voir C. Sartori in MGG.

**GRAZIANI** (*Gratiani*) **Tommaso** (*Padre*). Mus. ital. (Bagnacavallo v. 1553–... 3.1634). Élève de C. Porta (Ravenne), moine franciscain, maître de chapelle du couvent de Milan (1587), du couvent de Ravenne (1589–95), puis de la cath. de Ravenne (1599), à Reggio Emilia (1605), enfin *maestro di musica e vicario* au couvent franciscain de sa ville natale (1613), d'après certains auteurs, il aurait également séjourné à Venise ; on lui doit *Missa cum introitu ac tribus motectis...* (3 ch. 12 v., Venise 1587), *Psalmi omnes...* (4 v., id. ibid.), *Missarum 5 v. Liber I* (ibid. 1599), *Completorium romanum* (8 v., ibid. 1601), *Vesperi...* (8 v., ibid. 1603), *Symphonia parthenici litaniarum modulaminis coelestis aulae Reginae*, 4, 5, 6, 8 v. (av. orgue, ibid. 1617), *Responsoria...* (4 v., ibid. 1627), 1 motet à 4 v. ds un recueil de Milan (1590), 1 livre de madrigaux à 5 v. (Venise 1588).

**GRAZIOLI Filippo.** Compos. ital. (Rome 1773–24.3.1840). Élève de son père, il fut org. de St-Eustache, de St-Jacques-des-Espagnols, de l'église *dell'Anima* à Rome ; on lui doit nombre d'œuvres de mus. d'église, dont 1 oratorio (*Jefte*), 1 messe, 1 *Requiem*, des psaumes, et des opéras.

**GRAZIOLI Giambattista.** Mus. ital. (Bogliaco 6.6.1746–Venise v. 1820), élève de F. Bertoni, qui fut org. de St-Marc de Venise (1782–85), et composa 2 motets et 18 sonates de clavecin dont 12 ont été rééd. par R. Gerlin, (*I classici musicali italiani*, t. 12, 1943).

**GRAZIOSI Giorgio.** Critique ital. (Sansepolcro 21.11.1911–). Élève du cons. de Pesaro (1930), collaborateur de la *Ras. mus.*, du *Meridiano di Roma*, de la *Ruota*, de *Musica*, d'*Ulisse* etc., membre du comité artistique de l'*Acad. filarm.* de Rome (1946), chroniqueur à l'*Avanti* (1946–51), à *Domenica* (1944–46), à la *Fiera letteraria* (1948–49), il a écrit des articles pour différents ouvrages collectifs et publié *R. Wagner* (Turin 1938), *F. Liszt* (ibid. 1940), *L'interpretazione musicale* (ibid. 1952).

**GREATOREX Thomas.** Org. angl. (North Wingfield 5.10.1758–Hampton 18.7.1831), qui exerça à la cath. de Carlisle (1781–84), séjourna à Rome (1786–88), fut prof. de musique, chef d'orch. du *Concert of ancient music* (1793), org. de l'abbaye de Westminster (1819) ; on lui doit 2 recueils de mus. d'église et *Twelve glees from engl., irish and scotch melodies...* (Londres v. 1732). Voir Ch. L. Cudworth in MGG.

**GREAVES Thomas.** Luthiste angl. des XVIe et XVIIe s., qui fut au service des Pierrepoint et composa un recueil d'airs accompagnés au luth et à la basse de viole, de chansons et de madrigaux (5 v., Londres 1604). Voir E.H. Fellowes, *Engl. madr. verse 1588 bis 1632*, Oxford 1920 – *The english madrigal composers*, id. 1948 ; M.C. Boyd, *Elizabethan music...*, Philadelphie 1940 ; N. Fortune in MGG.

**GRÉBAN Arnoul.** Poète-mus. franç. (Le Mans...–v. 1471), maître ès arts de l'univ. de Paris, qui fut chanoine, org. et dir. de la maîtrise de Notre-Dame de Paris (1451–56) ; on suppose qu'il mourut au Mans ;

MUS. GRECQUE

*Dionysos au milieu des ménades et des silènes (amphore de Cleophrades, v. 500 av. J.-C., Munich).*

son chef-d'œuvre, *Le Mystère de la Passion*, comporte des chants profanes, religieux, des pièces d'orgue et autres instruments : la musique ne nous en est pas parvenue ; quant au *Mystère des Actes des apôtres*, il est dû à la collaboration d'Arnoul avec son frère Simon. Voir H. Stein, *A.G...*, Bibl. de l'école des chartes, LXXIX, 1918 ; R. Lebègue, *La Passion d'A.G.*, ds *Romania*, avr. 1934 ; N. Bridgman in MGG.

**GREBER Jakob.** Mus. allem., mort à Mannheim entre 1723 et 1734 ; on ne sait rien de lui, avant son séjour à Londres en compagnie de la chanteuse Françoise-Marguerite de l'Épine (1703), qui devait épouser J.C. Pepusch ; en 1705, son opéra *Gli amori d'Ergasto* fut donné pour l'inauguration du *Queen's Theatre* à Haymarket ; il fut ensuite maître de chapelle du duc palatin Charles-Philippe, ensuite en Silésie, à Innsbruck (1708), à Neubourg (1717), à Heidelberg, à Mannheim , on lui doit en tout 5 opéras, 2 sérénades, 5 cantates; Voir J.A. Westrup in MGG ; A. Einstein, ds *SIMG*, IV. 1907–08 ; W.J. Lawrence, ds *MQ*, VII 1921 ; W. Senn, *Mus. u. Theater am Hof zu Innsbruck*, Innsbruck 1954.

**GRECANINOV.** Voir art. *Gretchaninov*.

**GRECO Gaetano.** Mus. ital. (Naples v. 1657–1728?). Élève d'A. Scarlatti, il fut prof. au cons. *dei Poveri di Gesù Cristo* à Naples (1695/96–1706, 1709–1728), compos., viol., *mastricello* ; parmi ses élèves, citons D. Scarlatti, Porpora, peut-être Pergolèse, Vinci, Durante ; on a conservé de lui en mss des pièces de clavecin et d'orgue, des litanies (4 v., 2 viol., alto, basse et orgue). Voir G. Pannain, *Composizioni per cembalo di antichi autori napoletani*, Naples 1922 – *Le origini e lo sviluppo dell'arte pianistica...*, Naples 1917 ; R. Kirkpatrick, *D. Scarlatti*, Princeton 1953 ; A. Della Corte in MGG.

**GRECQUE** (*Musique*). **I. Grèce ancienne.** Il est encore prématuré de vouloir présenter avec quelque certitude l'histoire des formes musicales qu'ont pratiquées les anciens Grecs. D'abord parce que nous ignorons tout des origines. Quelle musique les peuplades helléniques jouaient-elles et chantaient-elles avant d'envahir ces territoires où nous les voyons installées à la fin du 2e millénaire avant notre ère ? Quelle fut leur dette à l'égard des civilisations qui les y ont précédées ? Qu'ont-elles ensuite emprunté à leurs voisins asiatiques, dont les noms (phrygien, lydien) demeurent attachés à certaines échelles des sons ? Que dissimulent les traditions plus ou moins mythiques sur les enrichissements successifs apportés aux procédés d'expression, depuis Apollon ou Hermès inventeurs de la lyre jusqu'à Terpandre, Sappho ou Lamproclès, créateurs de l'ἁρμονία mixolydienne ? Autant de questions auxquelles nous ne pouvons répondre clairement, soit parce que les textes manquent, soit parce que nous comprenons mal ceux dont nous disposons.

*Les sources.* Il s'en faut pourtant que les œuvres des théoriciens antiques aient complètement disparu, mais ces exposés ont été menés selon les habitudes de l'époque, qui ignorait nos exigences critiques. Aristoxène de Tarente (*Éléments harmoniques*, 2nde moitié du IVᵉ s. avant J.-C.) étale un orgueil de novateur, plein de hargne à l'égard de ses prédécesseurs ou de ses contemporains, et cela ne nous garantit pas l'objectivité ni l'intégrité de son message. Cléonide (*Initiation harmonique*, époque romaine ?) reste fidèle à l'enseignement d'Aristoxène. Nicomaque de Gérase traîne encore en plein 2ⁿᵈ siècle de notre ère le lourd boulet des spéculations pythagoriciennes sur les nombres et les corps célestes régisseurs suprêmes des sons musicaux. Claude Ptolémée (*Harmoniques*, milieu du même 2ⁿᵈ siècle) essaye de repenser tout l'ensemble, en serrant de plus près les spéculations mathématiques de l'école pythagoricienne et en tentant d'aboutir à un système plus rapproché des procédés réels d'exécution, mais le fait même qu'il dédaigne les conceptions classiques, tout en les supposant connues, nous met dans un embarras d'autant plus grand. Aristide Quintilien (3 livres *Sur la musique*, encore du 2ⁿᵈ siècle), Alypios (*Initiation à la musique*), Gaudence (*Initiation harmonique*), Bacchios l'Ancien (*Initiation à l'Art musical*), tous trois d'époque romaine, le philosophe Boèce (mort en 524, *De Institutione musica*), un anonyme publié par F. Bellermann en 1841 sont d'accord pour reproduire bien des éfinitions assez précises et enrichies de *diagrammes*, c'est-à-dire de tableaux séméiographiques, mais ils laissent dans l'ombre trop de notions qui pour eux allaient de soi. D'une façon générale, nous devinons que la terminologie restait assez sottement conservatrice, malgré l'évolution du goût et des faits. Quant à la séméiographie, elle était loin de répondre à l'idéal qui veut qu'un symbole représente un objet et un seul. Des non-spécialistes, comme Plutarque (si le *De musica* est de lui) et st Augustin (*De musica*) n'avaient pas à se préoccuper d'enseigner ce qu'était la musique, mais de disserter sur elle. C'est encore dans Aristote (*Problèmes musicaux* et divers passages d'autres œuvres qu'on trouvera dans les *Musici scriptores graeci* de von Jan) que l'on sent le plus de réalité tangible, parce qu'il s'y intéresse de près à

la pratique et qu'en pareil domaine la pratique compte avant tout.

C'est précisément ce qui devrait faire l'intérêt des monuments extraits des sols antiques par les fouilleurs et qui nous conservent des témoignages, cette fois irrécusables, des activités musicales de l'antiquité grecque : des textes écrits pour les voix ou les instruments par des compositeurs. Ils sont malheureusement encore fort peu

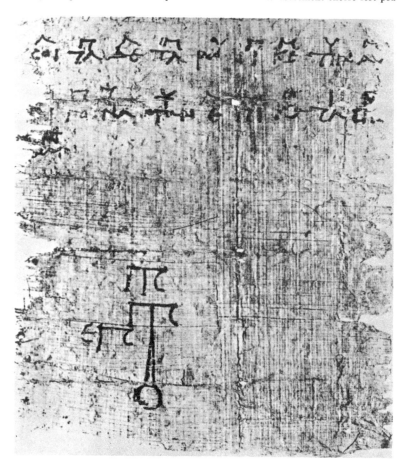

*Le plus ancien texte noté de la mus. grecque (P. Zenon IV, 59533 du musée du Caire, vers 250 av. J.-C.). On remarquera les signes de la notation « vocale » au-dessus des lettres du texte poétique. La signification des dessins, au bas du papyrus, demeure mystérieuse.*

nombreux et pour la plupart très fragmentaires. Ce sont : un papyrus d'Égypte, conservé au musée du Caire, de la première moitié du IIIᵉ s. av. J.-C. (*P. Zénon 59533*) ; un hymne à Apollon découvert à Delphes dans les ruines du Trésor des Athéniens (vers 138 av. J.-C. ; transcription dans Th. Reinach, *La musique grecque*, p. 177-182) ; un second hymne à Apollon, découvert au même endroit (vers 128 av. J.-C. ; transcription *ibid.* p. 183-192) ; un petit fragment d'un chœur de l'*Oreste* d'Euripide (papyrus trouvé à Hermoupolis d'Égypte et conservé à Vienne, de l'époque d'Auguste, ce qui ne garantit pas que nous ayons la musique d'Euripide lui-même ; *ibid.* p. 174-175) ; l'épitaphe d'un nommé Seikilos (sur une colonnette provenant des fouilles d'Aïdin (l'ancienne Tralles en Lydie) disparue dans l'incendie de Smyrne en 1923 ; *ibid.* p. 171 et 193) ; des morceaux d'un *péan*, d'un solo extrait d'une tragédie sur Ajax, deux morceaux instrumentaux et une ligne d'une pièce lyrique, groupés au verso du papyrus 6870 du musée de Berlin (*ibid.* p. 58, n. 2 et 204-206) de la fin du 2ᵉ ou du début du 3ᵉ s. ; un papyrus d'Égypte encore, du 2e s. et conservé à Oslo (*Symbolae Osloenses*, XXXI [1955] p. 1-87) portant des fragments d'un texte tragique inconnu : enfin une hymne chrétienne, trouvée dans l'Oxyrhynchos d'Égypte, de la fin du 3e s. (*P. Oxy* 1786 ; Reinach, p. 207-208). Bien qu'ils n'aient été transmis que par des manuscrits médiévaux, on peut encore considérer comme authentiques les deux préludes citharodiques et les deux hymnes de Mesomède de Crète, que V. Galilée révéla en 1581 (*ibid.* p. 194-201) : ce Mésomède vivait dans la première moitié du 2e s. de notre ère.

Signalons pour terminer que l'histoire de l'organologie a beaucoup à tirer des monuments figurés. D'abondants dessins au trait, reproduisant des stèles, des statues, des peintures de vases, des monnaies, illustrent l'importante contribution de Maurice Emmanuel à l'*Encyclopédie de la musique et Dictionnaire du conservatoire* (1re partie, 1913, p. 377-537, avec un appendice sur les *Lyres et cithares*, par C. Saint-Saëns, p. 538-540) et les différents articles musicaux du *Dictionnaire des antiquités* de Daremberg-Saglio-Pottier (Paris, 1877 *sqq*.), en particulier ceux que Th. Reinach a consacrés à la *lyra* et à la *tibia*.

*Tétracordes, genres* et *nuances.* Ces éléments de documentation, pour tardifs qu'ils soient (et parce qu'ils sont tardifs), nous permettent de dégager quelques notions moins obscures que d'autres. Tous les érudits, par exemple, admettent que le groupe fondamental dont la multiplication engendra par la suite toute échelle musicale fut une suite de quatre sons, un « tétracorde », dont les deux extrêmes sonnaient une quarte juste :

On remarquera que l'intervalle a été disposé de l'aigu vers le grave ; c'est en effet le sens dans lequel pendant longtemps les Grecs ont présenté leurs mouvements mélodiques (alors que nous « montons » une gamme). Ils avaient pour cela une bonne raison, c'est qu'ils sentaient à leur manière la nécessité d'une sorte de sensible subissant l'attraction naturelle de la dernière note de la série : or cette dernière note était celle du bas. Si en effet les deux sons intermédiaires du tétracorde ont été remplacés ci-dessus par une ligne sinueuse, c'est pour ne pas préjuger de leurs hauteurs, même à titre d'exemple : ces deux sons étaient « mobiles » (κινούμενοι), alors que les deux extrêmes étaient « fixes » (ἐστῶτες), c'est-à-dire que les deux sons « mobiles » pouvaient se présenter à des distances variables du son « fixe » grave, dont ils constituaient pour ainsi dire l'annonce, la promesse. L'intervalle qui sépare le dernier son « mobile » du dernier son « fixe » n'excède jamais un demi-ton et celui qui sépare les deux sons « mobiles » n'est jamais plus grand que l'intervalle placé, à l'aigu, entre le son « fixe » du haut et le premier son « mobile ». Cela donne par exemple un dispositif du type suivant (ici et dans la suite, on marquera les sons « fixes » par des figures ordinaires et les sons « mobiles » par des figures losangées) :

On vient de se servir de l'expression « demi-ton » : il n'y a pas là d'anachronisme : les Grecs ont pris de bonne heure la seconde majeure comme étalon de leurs intervalles mélodiques et ce « ton » (τόνος) a eu la même valeur que le nôtre, puisque leurs musicographes le définissaient comme la différence entre les deux seuls intervalles (outre l'octave) auxquels ils reconnaissaient la qualité de consonances parfaites : la quinte et la quarte. Ce sont les divisions du « ton » qui vont permettre de mesurer les distances que les sons « mobiles » vont laisser entre eux et les sons « fixes » et leurs places marqueront à quel « genre » (γένος) ressortit le tétra-

corde. Supposons la disposition de l'exemple précédent, soit, de l'aigu au grave : ton, ton, demi-ton, nous sommes dans le genre « diatonique » (διάτονον γένος). Si la série est : tierce mineure, demi-ton, demi-ton nous exerçons dans le genre « chromatique » (χρωματικὸν γένος). Enfin, le genre « enharmonique » (ἐναρμόνιον γένος) exige la succession : tierce majeure, quart de ton, quart de ton :

Les anciens Grecs disposaient donc de cette fine sensibilité mélodique que nos écoles musicales occidentales avaient perdue jusqu'à ces derniers temps, mais que l'on retrouve dans bien des civilisations (en particulier orientales, et par bien des caractères c'est à ces dernières que se rattache la musique grecque).

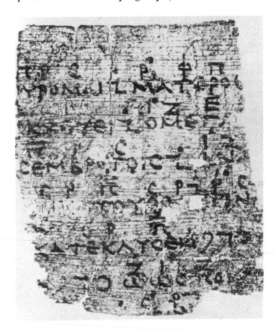

*Fragment d'un chœur de l'Oreste d'Euripide sur un papyrus d'Égypte conservé à Vienne et copié à l'époque d'Auguste (C. Wessely, Mitteil. aus der Sammlung der Papyrus Erzherzog Rainer, V, Vienne, 1892). Au-dessus de la notation mélodique, on distingue les traces des signes rythmiques.*

Il y eut bien mieux ! Mais on peut se demander si la masse du public a suivi sans difficulté les compositeurs, quand ils en vinrent à déformer les schémas précédents en étirant légèrement ces intervalles soit vers le grave, soit vers l'aigu. Ainsi naquirent en effet les « nuances » (exactement les « couleurs », χρόαι) : à côté du diatonique normal ou « tendu » (σύντονον) que nous connaissons déjà, il y eut un diatonique « amolli » (μαλακόν) qui se définissait, toujours de l'aigu au grave, en fractions du ton par la succession 5/4, 3/4, 1/2. On admit également à côté du chromatique ordinaire ou « tonié » (τονιαῖον) un chromatique « amolli » : 1 ton et 5/6, 1/3, 1/3, et un chromatique « sesquialtère » (ἡμιόλιον) : 1 ton 3/4, 3/8, 3/8. De pareilles subtilités méritent peut-être de notre part mieux que le dédain : il fallait une réelle acuité auditive pour les apprécier. Encore les chiffres précédents sont-ils ceux d'Aristoxène (fin du IVe s. av. notre ère), dont le génie tendait plutôt à la simplification. Mais son prédécesseur et compatriote Archytas et la tradition pythagoricienne après lui, jusqu'à Ptolémée, tirèrent de l'étude des sons, faite au monocorde, des définitions beaucoup plus subtiles encore des intervalles dans les trois genres : c'étaient sans doute là spéculations d'acousticiens plutôt que de musiciens, et il est peu probable qu'elles aient exercé une influence profonde sur les exécutants. On peut prétendre à coup sûr qu'il y avait plus de musique sous les doigts d'une humble joueuse d'*aulos* alexandrine que dans tant de laborieux rouleaux de papyrus traitant d'acoustique, d'autant que leurs auteurs, en définitive, n'ont pu aller bien loin, parce qu'il leur manquait encore les instruments mathématiques indispensables, entre autres les logarithmes. En revanche, les conceptions grecques, toutes polarisées qu'elles étaient vers la musique « horizontale », évoquent parfois des valeurs auxquelles devait s'attacher plus tard notre harmonie classique. Leurs sons « fixes », leurs quartes et quintes privilégiées, ne font-elles pas penser à nos « bonnes notes du ton » et leurs sons « mobiles », tantôt à nos notes de passage, tantôt à nos sensibles ? La tierce, qui pour les Grecs n'était pas une consonance, mais la plus agréable des dissonances, la sixte et encore une fois la sensible, qui évoluent selon le mode, ne sont-elles pas nos sons « mobiles » à nous ?

*Les octaves.* On ignore si ce prestige du tétracorde tient à ce que les premières mélodies ne sortaient pas de la quarte. A priori, c'est bien peu vraisemblable, et les traditions mythiques voulaient que la lyre primitive comptât sept cordes : c'est donc que l'on accolait deux tétracordes, soit en confondant la dernière note du plus aigu avec la première du plus grave, soit en les faisant se succéder à distance d'un ton, mais en rendant défectif l'un d'entre eux :

ou par exemple :

On voit tout de suite que le premier procédé a contre lui de ne pas faire sonner la note du bas à l'octave de celle du haut. Cet inconvénient, les Grecs l'ont senti. Non pas qu'ils eussent fondé comme nous leurs gammes sur la toute-puissance d'une note tonique (notre gamme d'*ut* commence par ut), mais parce que la première note et la dernière de leur octave devaient sonner la quinte et la quarte (toujours les deux consonances mères) d'une note centrale, la *mèse* (μέση, la note du milieu), qui effectivement commandait tout, du centre du dispositif, et au niveau de laquelle les deux tétracordes entraient en contact. Ce contact se réalisait des deux façons ci-dessus : ou bien la *mèse* était à la fois la dernière note du tétracorde aigu et la première du tétracorde grave : on disait alors que le premier était « conjoint » (συνημμένος) au second ou « des conjointes » ; ou bien la *mèse* demeurait la première note du tétracorde grave, mais le tétracorde aigu se terminait un ton avant elle et il était qualifié de « disjoint » (διεζευγμένος) ou des « disjointes », soit, en prenant les exemples dans le genre diatonique :

*tétracorde des conjointes*

ou

*tétracorde des disjointes*

Bien entendu, les musiciens adoptant la seconde échelle (les Grecs disaient un « système » [σύστημα]) durent ajouter une huitième corde à leur lyre. Quant au maintien du tétracorde des « conjointes » à côté de l'autre, il avait sans doute pour avantage de permettre l'amorce de modulations, au sens moderne du mot.

*Le grand système parfait.* Il semble que ces échelles, l'heptacorde et l'octocorde, aient longtemps suffi à encadrer les mélodies. De nouveaux tétracordes sont bien venus se joindre aux deux premiers, mais cela prit du temps, comme si les convenances avaient freiné l'évolution des usages dans ces cités qui attribuaient tant de valeur à la musique sur les plans moral et social et se défiaient naturellement des nouveautés. Au début du IIIᵉ s. avant notre ère, Aristoxène le révolutionnaire n'a encore ajouté à l'octave primitive qu'un « tétracorde des hypates » (ὕπαται, les « extrêmes »), conjoint au grave de cette octave. C'est seulement à l'époque romaine que nous constatons dans les textes des théoriciens (mais pendant quatre siècles et demi nous n'avons rien) l'existence de cette échelle qui va être la base de leurs spéculations : le « grand système parfait » (exactement « immuable » : σύστημα τέλειον ἀμετάβολον). Au tétracorde grave de l'octocorde, dénommé « des moyennes » (μέσαι) et orné de ses deux prolongements possibles vers l'aigu, le tétracorde des conjointes et celui des disjointes, demeure soudé en conjonction le tétracorde des hypates d'Aristoxène, prolongé par un son « surajouté » (προσλαμβανόμενος, proslambanomène), qui sonne l'octave inférieure de la mèse. Celle-ci garde sa place à l'extrémité haute du tétracorde des moyennes ; mais à l'aigu de l'ensemble, conjoint au tétracorde des disjointes, se dresse celui des « hyperbolées » (suraiguës, ὑπερβολαίαι), dont le son extrême est à l'octave supérieure de la mèse. Enfin chaque note porte à l'intérieur de son tétracorde le nom de la fonction (δύναμις) qu'elle y remplit et qui s'explique soit par le doigté sur un instrument à cordes (*lichanos* : l' « indicatrice », pincé au moyen de l'index), soit par sa position dans l'ensemble (*trite* : la troisième en descendant le tétracorde ; *nète* : la dernière, la plus au bout ; *paramèse* : auprès de la mèse etc.). Voici le diagramme de ce *grand système parfait*, toujours dans le genre diatonique ; il va de soi qu'on pourrait facilement le réaliser dans les deux autres genres :

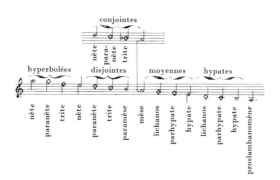

Donc deux octaves et 15 notes, avec une variante modulante *ad libitum* à partir de la mèse ; de quoi couvrir l'ambitus moyen d'un chœur d'hommes (barytons et ténors) ou, à l'octave écrite, de femmes (*contralti* et *soprani*) et des tessitures d'instruments que la technique antique ne savait pas faire très étendues. On a supposé ici que la mèse était à la hauteur du *la³* actuel : c'est un choix parfaitement arbitraire et traditionnel et qui s'impose ici simplement parce qu'il évite de charger l'armure de la clef. Il faudrait naturellement transposer d'une octave au-dessous pour être au niveau réel des voix d'hommes et, de toute façon, rien dans les textes conservés ne nous indique, même vaguement, qu'on ait jamais rien utilisé qui eût ressemblé à un diapason étalonné. Il est plus que probable que chefs de chœurs et instrumentistes devaient tenir compte des possibilités des chanteurs. On estime que la mèse devait correspondre à peu près à un *fa*.

*Les « modes »*. Tous les exemples donnés ci-dessus sont fondés sur un tétracorde de base supposant la succession descendante *la–sol–fa–mi*, soit ton–ton–demi-ton, et les réalisations qu'on aurait pu opérer dans les autres genres auraient amené, nous l'avons vu, à des schémas fondés sur des rapports analogues entre les notes, à savoir dans chaque tétracorde un intervalle de plus en plus important à l'aigu et deux autres, de plus en plus restreints, au grave, comme disaient les Grecs, formant, le « resserré » (πυχνόν) du tétracorde : soit, dans la *nuance* normale, tierce mineure — 1/2 ton, 1/2 ton pour le chromatique et tierce majeure — 1/4 de ton — 1/4 de ton pour l'enharmonique. Mais pourquoi cantonner systématiquement le *pycnon* à la basse ? Pourquoi par exemple, en diatonique, ne pas chanter un tétracorde du type *ut–si–la–sol* ? Voici donc un caractère nouveau pour définir une échelle sonore : les places occupées par les demi-tons et les quarts de tons. C'est ce que nous appelons le « mode » (les Grecs parlaient d' « harmonies » ou d' « espèces d'octaves », εἴδη ὀϰταχόρδων). C'est dans Aristoxène et Cléonide qu'on en trouve la définition la plus claire. Le premier part de la partie centrale de ce qui vient d'être appelé « le grand système parfait », l'octocorde formé du tétracorde des disjointes et de celui des moyennes. Remarquons au passage que c'était conférer à cet octocorde une valeur éminente, fondamentale ; comme de plus il coïncidera, nous allons le voir, avec le « mode » dit « dorien », il y a bien des chances qu'il ait constitué la gamme hellénique par excellence. A cet octocorde, Aristoxène faisait subir ce qu'il appelait la « ronde des intervalles » (περιφορά τῶν διαστημάτων), c'est-à-dire qu'il retirait successivement l'intervalle de basse à chacun des degrés de la gamme hellénique pour le reporter à l'aigu : cela permettait d'obtenir 7 échelles, dont Cléonide nous donne les qualificatifs dans l'ordre suivant :

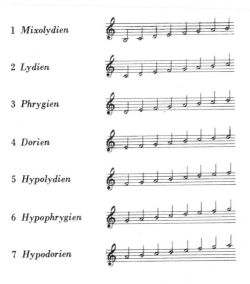

1 *Mixolydien*

2 *Lydien*

3 *Phrygien*

4 *Dorien*

5 *Hypolydien*

6 *Hypophrygien*

7 *Hypodorien*

Comme plus haut, il serait facile de dresser des tableaux analogues pour le chromatique et l'enharmonique ; mais, quel que soit le tableau considéré, une conclusion s'impose : tout cet enseignement d'école aboutit à un cadrage trop parfait pour ne pas être inquiétant ; en particulier, les gammes exotiques se logent trop miraculeusement à des places qui ont l'air préparées d'avance. Il est évident qu'il y a eu au cours des siècles un travail d'adaptation et de réduction aux seules normes permises

*Joueur de cithare.*

par cette gamme dorienne dont partait Aristoxène. La preuve en serait que d'une part les musicologues antiques nous ont conservé les souvenirs d'autres « modes » que les sept énumérés ci-dessus et que, de l'autre, dès le IIIe siècle avant notre ère, s'amorce une évolution dans le sens de la simplification. La plupart des « modes » tombent en désuétude, sauf le dorien et le phrygien, et quelques rares membres de leurs familles, notamment l'hypodorien.

*Les tons de transposition*. En tout cas, ce sera encore le *« grand système parfait*, disposé en gamme dorienne »*, qui va servir à définir les tons de transposition (τόνοι, τρόποι) ; entendons par là les 15 niveaux de l'échelle générale des sons où pourront successivement s'installer les deux octaves du « système », du degré le plus bas que puisse chanter une basse au plus haut que puisse atteindre un soprano. Alypios, entre autres, nous en a conservé les diagrammes dans les trois genres. On constate avec surprise qu'ils portent parfois des noms déjà en usage pour les « modes » : du *fa*[1] au *fa*[3], c'est le ton « hypodorien » ; du *la*[2] au *la*[4], le phrygien » ; du *sol*[2] au *sol*[4] l' « hyperlydien » : on ne peut expliquer ce phénomène qu'en supposant qu'à une date ancienne une gamme modale déterminée occupa un niveau non moins déterminé de la lyre hellénique, qui prit le même nom (voy. Th. Reinach, *op. cit.*, p. 51 *sqq.*). Par la suite un beau diagramme, bien régulier, répartit également une série de 5 tons *hypo*- (c'est-à-dire graves) et une série de 5 *hyper*- (c'est-à-dire aigus) de chaque côté d'un groupe central : dorien (ayant sa prime en *la*), iastien (en *si*), phrygien (en *ut*), éolien (en *ut*) et lydien (en *ré*).

*L'harmonie simultanée*. Les mélodies des musiques orientales peuvent sans doute nous donner actuellement une idée des charmes que les anciens Grecs goûtaient dans les leurs. Comptait avant tout la délicatesse recherchée d'une ligne aux intervalles peu étendus, à moins que la mélopée ne rappelât, avec un conformisme un peu fruste, un timbre traditionnel. Il n'est pas impossible cependant de trouver, çà et là, dans les textes des théoriciens et dans les représentations d'instruments, des faits qui confirment que l'harmonie simultanée n'a pas été complètement ignorée. Il y a d'abord que les spéculations sur les consonances de quarte et de quinte et sur les dissonances amorçaient inévitablement des recherches en ce sens. Il y a aussi que l'aulos double est souvent représenté sur les monuments figurés, ce qui nous atteste qu'il y eut couramment des effets de « pédale » ou de « teneur », sinon de véritable déchant. Mais nous savons de façon irrécusable : 1. que ces effets ne sont pas sortis de la musique instrumentale, la vocale ignorant même le simple duo ; 2. que si un instrument accompagnait les voix, il le faisait d'abord à l'unisson ou à l'octave dans sa partie principale, la partie secondaire, celle d'accompagnement proprement dit, se trouvant à l'aigu et rejoignant le chant à la cadence soit à l'unisson encore, soit à l'octave : les textes notés qui nous sont parvenus ne contenant que des interludes instrumentaux et non des accompagnements, on ne peut en dire plus. De toute façon la superposition de trois sons étant proscrite, même dans la pratique des instruments, il y avait, comme disaient les Grecs, « hétérophonie » et non véritablement harmonie.

*La rythmique.* Les rythmes poétiques de nos grandes langues de civilisation occidentales sont fondés sur le retour dans un vers d'accents d'intensité en nombre convenu. On sait que Grecs et Latins appliquaient un principe tout différent : l'alternance des syllabes brèves ou « temps premiers » (∪) et des syllabes longues (—). Par suite leur rythmique musicale a été dans son essence très proche de leur métrique ; c'est ce que nous confirme le peu qui nous reste des ouvrages qu'Aristoxène et ses successeurs ont consacrés au rythme : leur langage et leurs symboles sont ceux des métriciens, puisque la musique chantée, au moins au début, a suivi de près les schèmes que lui imposaient les textes poétiques. Pourtant les rythmiciens éprouvaient le besoin de s'élever au-dessus des spéculations sur les mesures élémentaires, les « pieds » : iambe (∪ —), trochée (— ∪), dactyle (— ∪ ∪), anapeste (∪ ∪ —), spondée (— —), crétique (∪ — ∪), bacchée (∪ — —) etc. Le groupement des pieds en mesures (μέτρα) complexes, en membres et périodes ; les « catalexes », c'est-à-dire l'emploi expressif des silences ; les durées « composées » (longues de 2, 3, 4, 5 temps premiers) ou « irrationnelles » (un temps premisr et demi) ; la considération de *tempi* (ἀγωγαί) plus ou moins rapides ; le classement des genres rythmiques en trois espèces : égal (rapport 1/1), double (2/1) et « hémiole » (3/2) forment la base d'études aussi subtiles, pour ne pas dire artificielles, que celles des intervalles mélodiques. En revanche, les textes et les monuments figurés nous apprennent que les temps frappés ou « posés » (θέσεις) étaient assez brutalement distingués des temps « levés » (ἄρσεις), à l'intention des choreutes, chanteurs ou danseurs, par la percussion d'une sorte de claquette attachée au pied d'un instrumentiste. C'est en effet que la place du temps posé ne s'imposait pas d'elle-même aux exécutants.

Il subsistait déjà assez d'obscurités dans la métrique des anciens pour nous rendre prudents sur la reconstitution de leur rythmique musicale ou chorégraphique. On a observé en outre, dans les quelques monuments authentiques qui nous sont parvenus, que les compositeurs n'hésitaient pas à donner à des syllabes longues du texte poétique des durées diverses ou à les monnayer en plus de brèves et en brèves parfois plus courtes que la métrique classique ne l'enseigne : c'est donc qu'ils jouissaient d'une réelle liberté et que le goût demeurait le maître. N'oublions pas en lisant par exemple une ode de Pindare qu'il ne nous reste que le tiers de l'œuvre, puisqu'il nous manque la musique et la mise en scène des figures dansées : nos éditions actuelles ne présentent du point de vue qui nous occupe qu'une valeur de référence toute relative.

Il n'est pas besoin de dire que la musique instrumentale a joui d'une liberté encore plus grande à mesure qu'elle s'est développée de façon autonome, d'autant que si les rythmes grecs ont souvent pratiqué l'isochronisme des mesures et le parallélisme des membres et des périodes, rien n'exista avant la fin de l'antiquité qui ressemblât à nos « temps forts » ou aux exigences factices de la barre de mesure.

*La notation.* Les musicographes anciens, et surtout Alypios, sont parvenus à nous rendre plus clairs leurs messages grâce à deux systèmes de notations mélodiques, dont les inscriptions et papyrus mentionnés plus haut

attestent l'emploi par les professionnels. L'un, dit « notation vocale », parce qu'il était en principe réservé à l'écriture des voix, l'autre, dit « notation instru mentale », parce qu'il permettait sans doute de mieux rendre certains doigtés. En fait, ils étaient à peu près interchangeables, parce qu'il y avait correspondance absolue entre leurs signes et que, les instruments accompagnant le chant à l'unisson, on pouvait noter ce dernier en « instrumentale » : c'est le cas dans le second hymne delphique à Apollon.

Rien de plus clair que la « vocale » : pour symboliser l'octave médiane des voix d'hommes (exactement du $fa^2$ au $fa^3$), la série complète de l'alphabet attique, officiel depuis l'extrême fin du $V^e$ s. avant J.-C. De part et d'autre de cette série médiane, une série grave et une série aiguë reprenaient le même alphabet en déformant, couchant, renversant, mutilant ou doublant les lettres, ou en les ornant d'un trait diacritique, soit à leur intérieur, soit en haut et à droite.

La notation « instrumentale » a été pendant longtemps considérée comme plus ancienne que l'autre et empruntée à l'écriture des voix, l'autre paraît plutôt avoir été réalisée d'après l'autre par des gens qui devaient précisément éviter presque partout des signes trop proches de leurs correspondants de la « vocale », recourant à des expédients du même ordre que pour les séries grave et aiguë de celle-ci : renversements, mutilations de lettres etc. Leur tâche n'était pas facilitée par la nécessité où ils étaient de présenter leurs signes par groupes de trois, le signe de base devant basculer successivement deux fois d'un quart de tour vers la gauche, afin de rendre mieux sensible l'évolution des doigtés.

Pour des raisons paléographiques, il est difficile d'attribuer aux deux systèmes une date antérieure aux premiers temps de l'époque alexandrine. Mais Aristide Quintilien nous parle d'une ancienne notation par quarts de tons, qui n'a laissé dans ses manuscrits que des traces bien confuses.

Les deux notations, « vocale » et « instrumentale », s'inscrivaient au-dessus du texte poétique, et on leur superposait encore une séméiographie rythmique très claire et très simple, qui permettait de symboliser soit des durées vocaliques, soit des silences, jusqu'à 5 temps premiers. Un point marquait la syllabe où se posait la *thésis*.

*Les instruments.* Comme toutes les autres civilisations, celle de la Grèce antique a connu, outre naturellement la voix humaine, des instruments à cordes pincées ou frappées, des instruments à vent et à percussion. Il n'y a jusqu'ici aucune trace de membre de la famille des violes, à cordes frottées.

Il y a des représentations d'une lyre primitive dans les hiéroglyphes crétois. Les traditions mythiques nous décrivent le même instrument en Grèce, formé d'un résonateur en carapace de tortue, de bras en cornes de chèvre et d'un « joug » qui supportait les dispositifs tendeurs des cordes en boyaux ; elles étaient écartées de la table du résonateur, elle-même en peau de bœuf, grâce à un chevalet en corne. L'histoire des principaux enrichissements du langage musical primitif est faite de l'augmentation du nombre des cordes, de 7 à 18. Ce fut là l'instrument hellénique par excellence, celui de l'art que l'on se plaît à appeler apollinien, celui des éducateurs. Assez tôt, on substitua aux cordes des débuts une caisse en bois percée en son centre d'une large ouïe aux découpures souvent artistiques : ce fut la cithare (κιθάρα), beaucoup plus sonore. L'instrumentiste portait la lyre (λύρα ou φόρμιγξ) ou la cithare verticalement, contre le corps, maintenue par un baudrier. La main droite frappait la mélodie principale avec un plectre (πλῆκτρον), petit bâton en matière dure, tandis que la main gauche attaquait les cordes en les « pinçant » (ψάλλειν) pour l'accompagnement. Selon certains commentateurs des monuments figurés, il n'est pas impossible que la main gauche ait parfois maintenu étouffé le son des cordes inutiles, tandis que le plectre exécutait un arpège rapide sur les autres. L'emploi exclusif des mains permettait aux artistes de chanter, tout en s'accompagnant, et la citharodie fut souvent

l'attraction favorite des auditeurs de concerts, au
moins des plus cultivés.
On ne saurait en dire au-
tant du principal des instruments à vent qu'ait
connus l'antiquité grecque :
l'*aulos* (αὐλός, en latin
*tibia*), que trop de gens,
même d'une bonne culture
musicale, s'obstinent à appeler encore une « flûte » :
mieux vaut encore conser-
ver le terme grec d'aulos.
C'est en effet un instru-
ment de la famille des anches, et même des haut-
bois, puisque, sauf peut-
être à l'origine, il comportait une anche double. Dans
la mesure où l'opposition
entre « art dionysiaque »
et « art apollinien » n'est
pas artificielle, l'aulos se
rattacherait cette fois au
premier. Il figure pourtant
sur des monuments préhel-
léniques, mais on sent parfois dans les textes anciens
qu'on traitait l'aulos en
parent pauvre, en produit
d'importation exotique.
Son emploi dans les cultes
orientaux, dans les rassemblements de travailleurs
(moissonneurs, vendan-
geurs), de marins, de soldats, dont les mouvements
étaient rythmés à sa sonorité aigre, facilement entendue de tous (la formule
« travaillez en musique »
n'est pas d'aujourd'hui),
ne le plaçait pas sur un
plan social aussi relevé que
celui de la lyre-cithare.
Et puis ses qualités acoustiques, les perfectionne-
ments techniques dont il
bénéficia, son emploi,
en tant qu'instrument
« dionysiaque », au thé-
âtre, valurent à l'aulos
une promotion méritée,
comme celle dont profita
la famille des saxophones
de nos jours.

*Hydria. Phintias (v. 510 av. J.-C., Munich).*

L'aulos était presque toujours double. L'instrumentiste
soufflait dans deux tuyaux de perce cylindrique et
ouverts, dont des trous latéraux lui permettaient de
varier la hauteur sonore. Le tube de gauche jouait
l'accompagnement à l'aigu de la voix dans les cas
d'« aulodie », c'est-à-dire de soutien d'un solo ou d'un
chœur chanté, que doublait le tube de droite. De même
que la lyre accrut le nombre de ses cordes, l'aulos compta
assez d'orifices pour couvrir deux octaves. A cet effet
des colliers mobiles percés d'un trou permettaient à
l'artiste, par le moyen de crochets manœuvrés par les
doigts, non seulement d'agir sur des régions du tube
qu'il n'aurait pu atteindre autrement, mais encore de
ne découvrir que partiellement ces orifices et par ce
moyen de rendre les plus fines différences de hauteur
exigées par les « genres » et les « nuances ».
Ce fut une véritable flûte que la *syrinx monocalame*
(à un seul roseau) flageolet insufflé par le bord de l'orifice
supérieur et percé de trous. L'assemblage de plusieurs
roseaux du même ordre, mais sans trous latéraux,
simplement de longueur inégale, donna la *syrinx polycalame*, notre « flûte de Pan ». Quant à l'*ascaule*, c'est
l'ancêtre directe de notre cornemuse : deux *auloi* prenant

leur souffle dans une outre que l'exécutant pressait
du bras, après l'avoir gonflée de son souffle à lui, ce qui
permettait naturellement une continuité dans le jeu
bien supérieure à celle des *auloi* ordinaires.
Ce sont sans doute à la fois les tuyaux parallèles de la
flûte de Pan et le sommier élémentaire de l'ascaule qui
inspirèrent l'Alexandrin Ctésibios, quand, au milieu
du IIIe siècle avant notre ère, il inventa l'*hydraulis*,
l'ancêtre direct de nos orgues : des tuyaux d'*auloi* en
bronze, à anches de bois, insufflés par un courant d'air
produit par des soufflets, mais dont le débit était régu-
larisé par son passage dans une cloche retournée sur une
cuve pleine d'eau. L'exécutant touchait un véritable
clavier commandant les soupapes d'admission aux
tuyaux. L'instrument sonnait naturellement de façon
éclatante ; il était susceptible de voir augmenter sa taille,
le nombre de ses tuyaux et même leurs variétés, de
s'enrichir, comme nous dirions maintenant, de nouveaux
« jeux ». Nous le voyons pleinement développé à Rome
et à Byzance en tant qu'instrument de plein air, aux fêtes
de la cour, au théâtre et au cirque.
Bien d'autres noms pourraient encore figurer dans la
liste sommaire que nous dressons ici. Le *barbitos* de la

lyrique lesbienne fut une lyre très allongée et de tessiture grave ; le *psaltérion* était une harpe de cadre triangulaire, aux cordes simplement pincées et de tailles inégales ; la famille des luths, où la hauteur du son varie selon le niveau de la corde où le doigt la presse sur une touche, était représentée par un instrument venu d'Asie, la *pandoura* (notre mandore) et par le monocorde, qui servit aux calculs des acousticiens. Dans le *plagiaule* (aulos « oblique », πλάγιος), l'anche était ajustée à l'extrémité d'un petit tube qui s'enfonçait dans le flanc du tuyau principal (*cf.* notre basson), ce qui fit croire, peut-être à tort, quand on le trouva sur les monuments figurés, que les Grecs avaient connu la flûte traversière ; la trompette en bronze (σαλπιγξ), à embouchure ou à anche, servait surtout aux signalisations, lors des rassemblements de foule, à l'armée ou dans certaines cérémonies religieuses.

Un mot pour finir sur les instruments à percussion. On a déjà signalé l'existence de la claquette, qui rythmait les chants et les danses. De la famille des tambours, les Grecs ne paraissent avoir connu que des espèces de petite taille, des tambourins (τύμπανα), tenus à la main et, comme les *cymbales* (κύμβαλα) métalliques, caractéristiques avant tout des rites orgiastiques de Dionysos et de la Mère des dieux. Quand le culte d'Isis se répandit, on adopta le *sistre* égyptien. Les danseuses professionnelles soutenaient le rythme de leurs ébats au moyen des *crotales* (κρόταλα), sortes de castagnettes en bois, en bronze ou même en terre cuite.

*Les genres musicaux et les mœurs.* Faute d'un nombre suffisant de textes notés, ce n'est que par les allusions des écrivains et les inscriptions que nous pouvons reconstituer la vie musicale des anciens Grecs. On peut cependant affirmer que la musique joua un rôle immense à toutes les époques, malgré les variations non moins évidentes que l'on peut déceler dans les caractères techniques des instruments et des genres de compositions, dans la situation sociale des exécutants et la place de l'art musical dans l'éducation.

Les textes homériques nous révèlent que le trouvère qui chantait les exploits des héros devant les barons achéens, l'« aède » (ἀοιδός), était traité fort honorablement. Son débit devait consister en une sorte de psalmodie étroitement modelée sur le rythme métrique des vers. Nous n'avons plus ensuite aucun renseignement avant le VIIᵉ s., si l'on excepte les traditions relatives au mythique Olympos (les anciens eux-mêmes se demandaient s'il s'agissait d'un seul personnage), un Phrygien ou un Mysien, qui aurait inventé le *nome* (air, morceau) aulétique et les premiers modes. Il est bien dommage que nous n'en sachions pas plus sur ce point, car cette association du *nome* et du mode a été présentée par certains érudits (par ex. L. Laloy, *Aristoxène de Tarente*, p. 81 sqq.) comme déterminante pour expliquer à la fois la nature des gammes modales, l'origine exotique de plusieurs d'entre elles et le caractère moral qu'on attachait à telle ou telle, encore à l'époque classique.

Si l'on en croit Plutarque (et d'autres textes appuient cette tradition), c'est Sparte qui fut au VIIᵉ s. et au début du VIᵉ la capitale musicale de la Grèce. Une première génération de compositeurs est dominée par le nom de

Terpandre (vers 675), qui illustre l'art citharodique et donne au *nome* le caractère qui sera le sien par la suite, celui d'un air de concert consacré à Apollon. Vers 600, fleurit une seconde école, à laquelle se rattachent les grands noms de Xénocrite de Locres, de Sacadas d'Argos, de Polymnestos de Colophon, qui crée l'aulodie. Sparte attire même des artistes étrangers : son grand poète patriote, Tyrtée, serait venu d'Athènes et Alcman le charmant auteur du *Partheneion*, ode chorale pour un ensemble de jeunes filles, de Sardes. A partir de 666,

*Peinture grecque (Munich).*

les Spartiates célèbrent les *gymnopédies*, cérémonies où chantent et dansent deux chœurs, l'un de jeunes gens, l'autre d'hommes mariés. A cette date en effet et pendant plusieurs siècles encore, ce sera l'usage de confier l'exécution des œuvres chorales (aussi bien dans les cités doriennes que dans le monde ionien, dans les îles, en Asie ou en Béotie) à des citoyens, à des amateurs, dirions-nous. Mais la pratique du chant, de la danse, de la lyre-cithare, et parfois de l'aulos, fait partie de toute éducation même élémentaire. L'État exerce une surveillance sévère sur les élèves et sur les maîtres ; toute nouveauté est suspecte. Damon, l'un des confidents de Périclès, considère que changer les normes musicales reviendrait à ébranler les bases mêmes de la cité. Platon, Aristophane et, encore à la fin du IVᵉ s., Aristoxène de Tarente, le grand théoricien, d'ailleurs si novateur, demeurent attachés aux goûts et aux usages du passé. Tout homme libre était exécutant, et l'on connaît l'histoire de ces Athéniens qui, après le désastre de Sicile, recouvrèrent leur liberté, grâce au talent avec lequel ils chantaient de l'Euripide. Malgré ce climat défavorable, les VIᵉ et Vᵉ s. ont connu une magnifique expansion des formes musicales hors des limites étroites qu'on aurait voulu leur imposer : ce fut d'abord la floraison de genres plus indépendants de la littérature des grands sanctuaires, avec Alcée et Sappho, à Lesbos, où se fondèrent de véritables conservatoires, rivaux les uns des autres. Archiloque et Anacréon avaient déjà fait figure de compositeurs profanes. En effet, la lyrique chorale voit peu à peu ses espèces se fixer et par suite se subdiviser. Il y avait toujours la grande ode de caractère purement religieux, exécutée soit lors des fêtes des sanctuaires, soit lors des grands congrès panhelléniques, à laquelle restent attachés les noms de Stésichore, de Simonide, de Bacchylide et surtout de Pindare, sagement fidèle à la disposition en triades (strophe, antistrophe et épode), que ce soit un *hymne* (en l'honneur d'un dieu quelconque), un *péan* (tout spécialement apollinien), un *dithyrambe* (pour le culte de Dionysos), un *épinikion* (à la gloire d'un athlète vainqueur ou du propriétaire de chevaux ou de mules, qui avaient gagné une course). Mais des formes plus libres dans leur essence rythmique et mélodique gagnaient du terrain. Le *thrène*, chant de deuil, le *scolion*, chanson de table, prenaient de l'indépendance, du fait qu'il n'y avait guère d'occasions, même dans la vie privée, qui n'eussent exigé la présence de musiciens : fêtes de famille, mariages, funérailles, banquets etc.

Parmi les genres religieux traditionnels, il en est un dont l'évolution fut la plus nette et qui apporta le plus d'éléments à un art nouveau : on ne s'étonnera pas qu'il s'agisse du dionysiaque *dithyrambe*. Du temps de Lasos d'Hermione, le maître de Pindare, ce n'était encore qu'un hymne en triades racontant un récit héroïque. Un certain Mélanippide, puis, dans le dernier tiers du IVᵉ s., Philoxène de Cythère en firent un véritable opéra, de rythmes très libres, d'une mélopée très modulante, dont les effets imitatifs n'étaient pas le moindre charme et ces effets étaient confiés à l'aulos. En effet, cet instrument s'était imposé de plus en plus dans la pratique musicale ; sa technique s'était considérablement perfectionnée, grâce aux travaux d'une remarquable école d'aulètes qui avait illustré la ville de Thèbes dès les débuts du Vᵉ s. En 582, le clergé de Delphes avait inscrit le *nome* exécuté par des *pythaules* parmi les attractions de ses jeux panhelléniques. On en arriva, au IVᵉ s., à des compositions où sonnaient, paraît-il, les sifflements du serpent Python, exécutés à l'aulos ! Th. Reinach (*op. cit.*, p. 143) parle avec raison de « musique à programme ». L'aulos ne pouvait être absent de formes d'art d'origine dionysiaque comme la tragédie et la comédie. Les chœurs y étaient soutenus par des aulètes, qui de plus jouaient à l'occasion des airs, pendant le débit parlé des acteurs (le grec disait en *parakatologè* : c'est notre « mélodrame ») ou accompagnaient, à la fois à l'unisson et à l'aigu, en hétérophonie, des cavatines tragiques ou des ariettes comiques.

Les influences parallèles du genre dithyrambique et de l'aulétique dominent l'histoire de la musique grecque à la fin de l'époque classique. Euripide et Agathon introduisent dans la tragédie un style nouveau, moins grave, plus varié et riche en *pathos*, dont les libertés du dithyrambe leur donnaient l'exemple ; dans les chœurs et les *soli*, ils font appel plus largement aux *modes* exotiques ; or on s'accordait pour attribuer à un mode déterminé un caractère moral (ἦθος) : le dorien était grave, majestueux, le phrygien était dionysiaque, invitait à l'agitation, au tumulte, tandis que le lydien inspirait des sentiments funèbres et l'hypolydien la mollesse voluptueuse. Le nome cithharodique, avec Phrynis de Mytilène et Timothée de Milet, ne se contente plus de l'hexamètre qui avait été jusque-là son support métrique et lui adjoint les rythmes brillants et libres du dithyrambe.

Quant aux instruments, leur étendue, leur facilité de manœuvre engageaient les exécutants, surtout les aulètes, à perfectionner leur jeu, et leur vogue devint grande auprès du public. L'Odéon que Périclès fit construire à Athènes n'abrita pas seulement des concours de chant : les concerts d'instruments se firent de plus en plus nombreux. Le genre enharmonique, qui avait fait fureur au milieu du Vᵉ s., à côté du diatonique, céda la place au chromatique, que l'on jugeait moins fruste, plus pathétique.

Les époques hellénistique et romaine verront l'aboutissement logique de cette évolution. La disparition de la vie de la Cité, de la πολις, amena celle de cette âme commune, qui avait jadis favorisé la collaboration de tous aux fêtes du pays. Et surtout la musique s'était si bien perfectionnée et compliquée qu'elle n'était plus affaire d'enseignement général, mais de technique professionnelle. Déjà Aristote, dans le livre VIII de sa *Politique*, constate qu'il ne peut plus être question d'amener tout un chacun au niveau artistique des spécialistes. L'éducation musicale devra se maintenir, mais seulement pour

former le goût et mettre un public forcément passif à même de mieux savourer l'habileté des virtuoses. Des inscriptions de Chios, de Magnésie, de Téos nous apprennent qu'au IIᵉ s. encore avant notre ère la musique figurait au programme des concours scolaires, mais ses palmarès n'ont pas l'importance de ceux des études littéraires et gymnastiques. Il y eut donc rupture entre la masse et le monde proprement musical.

Les conséquences de cet état de choses furent importantes. Sur le plan social d'abord : en haut de l'échelle, il y eut les grands solistes, qui se firent payer leurs exhibitions à des taux énormes. Inversement les traditions nous révèlent qu'un certain discrédit frappait le plus grand nombre des exécutants ; on les accusait de mauvaises mœurs et certains règlements tarifaient leurs services. Il ne faudrait peut-être pas accepter aveuglément ce qui n'est qu'une impression d'ensemble ; il y eut des nuances. Sans doute bien des chanteuses ou danseuses qu'on louait pour les banquets ne furent-elles que de simples hétaïres ; mais les papyrus d'Égypte nous ont conservé des contrats d'engagement pour des fêtes publiques ou privées, pour l'accompagnement rythmé du travail aussi, dans les champs et les ateliers, où les droits et les devoirs réciproques des artistes et de leurs employeurs sont définis comme pour tout autre métier honorable. Il y eut des corporations officielles, qui groupaient les musiciens et leur permettaient de défendre leurs intérêts moraux et professionnels. Du point de vue technique maintenant, le divorce entre la masse et la pratique musicale aboutit d'une part à une certaine réduction dans l'emploi des moyens, d'autre part à l'envahissement des genres à effets sûrs, où les spécialités étaient plus tranchées qu'autrefois : ce n'étaient plus les mêmes artistes qui chantaient, qui dansaient et formaient « l'orchestre ». L'enharmonique disparaît et ne subsiste plus qu'à l'état théorique dans les traités savants : le genre de base redevient le diatonique, amplement brodé d'ailleurs de chromatique. Dès le IVᵉ s., bien que les modes étaient en voie de disparition ; à la fin de l'époque hellénistique, ne subsistent plus que le dorien et le phrygien. Quant aux grandes formes d'art, les exigences de la vie religieuse maintiennent l'hymne et le péan, mais les concerts sont de plus en plus envahis par les cithardodies et les *soli* d'aulos ; l'aulodie demeure florissante, mais c'est un art populaire, assez méprisé des délicats. On continue à « reprendre » les tragédies des grands classiques, mais il est vraisemblable que le plus souvent le chœur a été réduit à sa plus simple expression, c'est-à-dire au coryphée ; en tout cas on n'écrit plus d'œuvres proprement tragiques autrement que comme exercices de lettrés. Toute la substance de la tragédie et les moyens brillants du dithyrambe-opéra passent dans un nouveau genre dramatique, qui se maintiendra jusqu'à la fin de l'antiquité, la *pantomime* : il s'agit d'un ballet dansé et mimé, à sujet mythologique, farci de préludes et d'interludes instrumentaux, de récits parlés, de chœurs et de *soli* chantés, spectacle très complet par conséquent, qui combinait tous les arts, même celui de la décoration, souvent fort somptueux.

**Bibl. :** Très poussés, mais touffus sont les exposés de M. Emmanuel dans l'*Encyclopédie de la musique* d'A. Lavignac (tome I, Paris, 1911, p. 377-537) et dans son *Histoire de la langue musicale*, tome Iᵉʳ, Paris, 1951, p. 3-165). Le précis le plus commode et le plus clair demeure Th. Reinach, *La musique grecque*, collection Payot, *ibid.* 1926. Tous doivent beaucoup à la thèse fondamentale de L. Laloy, *Aristoxène de Tarente et la musique de l'antiquité*, *ibid.* 1904. Sept auteurs musicographes ont été réunis dans les *Antiquae musicae auctores* de M. Meibom (Amsterdam, 1652), et C. von Jan a réédité dans ses *Musici scriptores graeci* des ouvrages d'Aristote et d'Euclide et les manuels de Cléonide, de Nicomaque, de Bacchios l'Ancien, de Gaudence et d'Alypios (Leipzig 1895) ; des transcriptions d'airs notés, parfois discutables, terminent l'ouvrage : il vaut mieux se reporter aux transcriptions du précis de Reinach. Ch. Em. Ruelle, dans la *Collection des auteurs grecs relatifs à la musique* (Paris 1871–1895), a traduit les *Problèmes musicaux* d'Aristote et les auteurs du *corpus* de Meibom, sauf Aristide Quintilien. F. Lasserre a réédité, traduit et commenté le *De musica* de Plutarque (Lausanne 1954). Très récents également, seront à consulter, sur les formes mélodiques : A. Auda, *Les gammes musicales* (Ixelles 1947) et O.J. Gombosi, *Tonarten und Stimmungen der antiken Musik* (Copenhague 1939) ; sur les formes rythmiques : les *Ricerche sulla notazione ritmica greca* de G.B. Pighi, dans les tomes 21 (1941) et 23 (1943) de la revue italienne de papyrologie,

*Aegyptus* (Milan) et l'*Essai sur l'évolution des rythmes dans la lyrique grecque monodique* (Paris 1952), du R.P.É. Martin, qui donne l'opinion d'un rythmicien « exécutant ». Sur l'éducation musicale, l'essentiel se trouve dans l'*Histoire de l'éducation dans l'antiquité* d'H. Marrou (2e éd., Paris 1950) et dans l'introduction que F. Lasserre a placée en tête de sa traduction de Plutarque.

A.B.

**II. Grèce moderne. — 1.** *Musique populaire.* D'être l'héritier direct du Grec antique est, pour le Grec moderne, une gloire funeste. En musique, comme dans tous les autres domaines, l'envoûtement exercé par l'antiquité a paralysé l'étude de la réalité vivante. Même pour la musique de l'Église orthodoxe grecque, on a préféré s'appuyer sur les manuscrits et les théoriciens plutôt que sur la tradition conservée par les chantres. Pourtant la pratique actuelle de l'Église grecque, dans les provinces et les églises où elle n'a pas été contaminée par l'introduction, relativement récente (deuxième moitié du XIXe s.) d'une harmonisation à quatre voix, offre, en plein XXe s. une musique monodique, uniquement vocale, ne connaissant d'autre harmonisation que le bourdon (*ison*), et allant de la mélodie la plus ornée, la grande vocalise à peine soutenue de quelques syllabes euphoniques, au chant syllabique le plus dépouillé, obéissant aux règles très simples du *giusto bichrone.* Or il n'existe que de rares transcriptions en notation européenne des chants de l'Église grecque, restée fidèle à une notation neumatique, simplifiée d'ailleurs au début du XIXe s. Mais surtout on n'a procédé à aucun enregistrement systématique des exécutions des chantres grecs, et les quelques enregistrements réalisés à Athènes en 1930-31 attendent toujours la transcription qui permettrait de confronter l'exécution et le texte écrit traditionnel.

La musique populaire n'a pas été mieux traitée. Bien qu'elle conserve, indéniablement, certains des caractères de la musique populaire antique, on a préféré accumuler les ouvrages sur la musique de l'antiquité plutôt que d'étudier ce que chante encore le peuple grec. En conséquence, de toutes les musiques des Balkans, la musique populaire grecque est aujourd'hui la plus mal connue. Nous ne possédons aucune transcription d'un précieux recueil de chansons populaires du XVIIe s., conservé, en notation neumatique, dans le couvent des Ibères (mont Athos), et l'on ignore ce que sont devenus les matériaux recueillis sur le terrain au XVIIIe s. par l'abbé Martini, matériaux qu'il montra à Burney lorsque celui-ci lui rendit visite à Venise en 1770. On trouvera dans l'*Histoire de la musique grecque* de C.F. Weitzmann une quarantaine de mélodies gauchement notées par des voyageurs des XVIIIe et XIXe s. Le premier recueil musical de quelque importance est celui de Bourgault-Ducoudray ; il ne comprend cependant pas de vraies chansons populaires, mais des chansons urbaines, de Smyrne en particulier. C'est à un autre Français, l'helléniste Hubert Pernot, que revient le mérite d'avoir enregistré sur le terrain les premières chansons grecques. Sa collection de mélodies de Chio, transcrites très approximativement par P. Le Flem, a fourni à Maurice Ravel les matériaux de ses *Chansons grecques.* Il faut attendre 1930 pour que, grâce à une initiative du même Hubert Pernot, Mme M. Merlier, avec le concours de M.D. Loukopoulos, enregistre la première collection importante de musique populaire grecque. Malheureusement une infime minorité de ces disques (dont une série est déposée à la Phonothèque nationale de Paris) a été jusqu'ici transcrite et publiée. Plus récemment, les Archives de folklore de l'Académie d'Athènes ont créé un département musical et ont entrepris des enregistrements systématiques dans diverses provinces, mais là encore les publications tardent à paraître. A ces collections d'enregistrements, il faut ajouter celles que le prof. James A. Notopoulos a recueillies sur le terrain et déposées à la *Library of Congress* de Washington. (Un disque a été publié par la *Folkways Records*, p 454). Pour les disques du commerce, ils sont de valeur très inégale, et, dans une grande proportion, ne représentent que des formes hybrides de la musique populaire grecque.

Quant aux notations réalisées sous dictée des chanteurs, elles sont dues surtout à des musiciens grecs (Pachtikos, Psachos, Merlier, D. et Sp. Peristeris, Papadopoulos,

Papaspyropoulos, Kallinikos, Kavakopoulos, Rhigas, Karas etc.), et, sans prétendre à une précision absolue, elles constituent un matériel précieux. Les plus anciennes collections n'ont été publiées qu'en notation neumatique byzantine, mais les archives de Mme Merlier, à Athènes, en ont établi la transcription en notation européenne, sans pouvoir à ce jour envisager leur publication.

Ces indications étaient nécessaires pour indiquer à quel point il est prématuré de prétendre donner un tableau d'ensemble de la musique populaire de la Grèce moderne. Elle se divise d'ailleurs en dialectes musicaux différenciés, et c'est de nos jours seulement, par l'action des instrumentistes professionnels, du disque et de la radio, que se constitue peu à peu une sorte de *koinê* musicale du peuple grec.

D'une manière très générale, on notera, du point de vue *modal*, que le pentatonisme pur est rare, sauf dans la Grèce continentale, encore que des structures pentatoniques, voire tétratoniques et tritoniques soient fréquentes (ex. 1), que le mode le plus répandu est, comme si souvent, le mode de ré, (ex. 2) avec comme degrés fixes *do, ré, sol,* le *mi* étant souvent attiré par le *ré,* le *la* parfois par le *sol.* A ce mode, fondé sur la quarte, s'opposent deux modes fondés sur la tierce, l'un dont les degrés fixes sont *do, mi, sol,* le *ré* et le *fa* étant souvent haussés par attraction (ex. 3), l'autre, plus rare et probablement influencé par la musique d'église, dont les degrés fixes sont *mi* et *sol,* le *fa* et le *la* étant susceptibles d'être attirés par le *sol.* La chanson grecque est essentiellement diatonique ; les modes à seconde augmentée y sont plutôt rares dans la chanson populaire authentique. Les professionnels tziganes, il est vrai, ont tendance, comme ailleurs, à introduire du chromatisme dans des mélodies purement diatoniques à l'origine. La *polyphonie* semble peu répandue, et limitée à des effets de bourdon ;

l'imitation de la cornemuse est évidente dans certains cas.

Du point de vue du *rythme*, les chansons narratives des îles et les chansons de quête sont le plus souvent en *giusto syllabique bichrone*. Un cas particulièrement intéressant est celui d'une chanson de quête du printemps, recueillie à Rhodes, et dont le texte remonte à l'antiquité (Athénée, VIII 60), sans que son rythme se soit sensiblement modifié (ex. 3).

Les anciennes ballades — poèmes épiques dansés — n'existent plus qu'à l'état de survivance (île de Karpathos). Les danses les plus fréquentes sont de rythme binaire dans le bassin de l'Égée et les îles ioniennes ; dans la Grèce continentale, on trouve le *tsamikos*, ternaire, dont le rythme de base est : ♩ ♪ ¦ ♩ ♪

le *syrtos*, tantôt binaire, tantôt, sous le nom de *kalamatianos*, aksak du type ♩. ♩ ♩. Ce rythme est d'ailleurs devenu une sorte de rythme national, et les compositeurs savants en font un emploi parfois abusif. Il semble qu'un rythme de nature analogue ait été celui de l'hexamètre de l'épopée homérique lorsqu'il accompagnait la danse. D'autres types d'aksak, en particulier ♩ ♩ ♩ ♩., ♩. ♩ ou ♩ ♩., se rencontrent, particulièrement dans les provinces limitrophes de la Turquie, le Pont et Chypre.

Quant aux chansons *de table*, c'est-à-dire toutes les chansons non dansées qui ne sont pas liées à un rituel, elles comprennent essentiellement les îles des mélodies sur lesquelles se chantent des distiques improvisés, chaque distique étant constitué de deux vers de 15 syllabes, avec césure après la 8e, réunis par la rime. La strophe musicale correspond normalement à un vers (ex. 2). Leur ornementation est relativement sobre et elles sont souvent d'une grande pureté de ligne. Dans la Grèce continentale et la Crète occidentale, les textes sont épico-lyriques, et la strophe englobe le plus souvent un grand vers de 15 syllabes et le premier hémistiche du vers suivant (ex. 1). La mélodie est habituellement surchargée d'ornements, qui, avec l'introduction de syllabes adventices et la répétition de fragments du vers, rendent prafois le texte presque inintelligible. La chanson grecque reste cependant toujours construite par strophes musicales et présente souvent un heureux équilibre entre la rigueur du schéma d'une part, la liberté de l'exécution et l'invention ornementale d'autre part.

Les instruments populaires grecs sont encore imparfaitement étudiés, et il faut nettement distinguer les instruments rustiques des instruments adoptés par les semi-professionnels. Aujourd'hui, le violon a presque partout pris la place de l'ancienne *lyra* piriforme, et la clarinette, celle du chalumeau, du hautbois primitif, des flûtes et de la cornemuse.

En même temps, la musique populaire tend toujours davantage à devenir l'apanage de professionnels, souvent tziganes. Depuis la dernière guerre, le snobisme a fait un grand succès à un hybride fleuri dans les « tavernes » athéniennes : ces *rebetika*, accompagnés par un instrument à cordes pincées, le *bouzouki*, sont, en fait, la dernière forme prise par la chanson urbaine grecque, qui s'est développée, tantôt sous l'influence de la musique turque, tantôt de la musique occidentale, dans les centres de Constantinople, de Smyrne, de Candie, de Janina, au XIXe s., d'Athènes aujourd'hui. Leur érotisme, non plus que leur ironie, souvent plaisante d'ailleurs, n'ont rien à faire avec la véritable musique populaire, et leur valeur est assurément surestimée.

Il faut souhaiter que tant les archives de l'Académie que celles de Mme Merlier disposent enfin des moyens financiers qui leur permettent de compléter et de transcrire leurs collections d'enregistrements. La connaissance de la musique populaire grecque, outre sa valeur propre et les lueurs qu'elle jette sur la musique byzantine et la musique populaire de l'antiquité, est en effet essentielle à l'étude comparative des musiques des Balkans et d'Anatolie.

**Bibl. :** B. Bouvier, *13 Chansons populaires tirées d'un manuscrit de l'Athos*, Athènes 1959 ; C.F. Weitzmann, *Geschichte der griechischen Musik*, Berlin 1855 ; L.A. Bourgault-Ducoudray, *30 mélodies populaires de Grèce et d'Orient*, Paris 1876 ; H. Pernot, *Mélodies populaires grecques de l'île de Chio*, Paris 1903 ; G. Lambelet, *La musique populaire grecque*, Athènes 1934 ; S. Baud-Bovy, *Chansons du Dodécanèse*, Athènes 1935–1938 ; M. Merlier, *Essai d'un tableau du folklore musical grec*, Athènes 1935 ; S. Michaelides, *Folk Music Greek*, ds *Grove's Dictionary*, 1954 ; M. Dounias, *Griechenland*, *Volksmusik und neuere Musik*, in *Musik in Gesch. u. Gegenwart*, 1957 ; S. Baud-Bovy, *Sur le chelidonisma*, ds *Byzantina-Metabyzantina*, I, 23–32, New-York 1946 ; Thr. Georgiades, *Der griechische Rhythmus*, Hambourg 1949 ; S. Baud-Bovy, *Études sur la chanson cleftique*, Athènes 1958 ; D. Mazaraki, *La clarinette dans la musique populaire grecque*, Athènes 1959.      S.B.-B.

— 2. *Musique savante.* Pour des raisons historiques, les îles ioniennes, Corfou et Zante en particulier, sont le berceau de la musique savante des Grecs modernes comme elles sont de leur littérature. Mais alors qu'un poète comme Solomos, par l'étude attentive qu'il entreprit des textes des chansons populaires, fonda réellement une poésie nationale, des musiciens tels que N. Mantzaros (1795-1875) ou Sp. Samaras (1863-1917) n'ont rien de spécifiquement grec : leur culture musicale est purement italienne, et si l'on chante toujours l'hymne national du premier, les opéras du second sont tombés dans l'oubli. De P. Carrer (1829-1896), il reste au moins une chanson, celle du Vieux-Dimos, où perce une influence de la musique populaire grecque. Le rôle de D. Lavrangas (1864-1941) et des frères Lambelet est celui de précurseurs.

Le père de la musique grecque moderne, se représentant le plus marquant aujourd'hui encore, est un Smyrniote, originaire de Samos, Manolis Kalomiris (\*1883), qui, formé à Vienne et enrichi par un séjour en Russie, a su, dans ses opéras, ses œuvres orchestrales ou de musique de chambre, exprimer les enthousiasmes, les espoirs et les déceptions de sa génération. Plusieurs de ses contemporains, plus raffinés parfois, mais d'un tempérament moins puissant, doivent à la France leur culture musicale : c'est le cas de Th. Spathis (1880-1943), de D. Levidis (1886-1951), d'E. Riadis (1890-1935), mort trop tôt pour donner la mesure de son grand talent, de M. Varvoglis (\*1885), de G. Poniridis (\*1892). De quelques années plus jeunes, Loris Margaritis (1895-1953), A. Kontis (\*1899), A. Evangelatos (\*1903) et J. Constantinidis (\*1903) ont fait leurs études en pays germaniques ; les *Variations sur un chant grec* d'Evangelatos, les *Suites dodécanésiennes* de J. Constantinidis mériteraient d'être plus souvent jouées à l'étranger.

Petro Petridis (\*1892), qui a, lui aussi, longtemps vécu en Occident, est un indépendant, dont l'œuvre volontaire en impose par sa vigueur et son effort de créer une musique représentative de la culture grecque sans recourir à un folklorisme facile. Plus isolé encore, à la manière d'un aérolithe, Nikos Skalkottas (1904-1949), élève de Schönberg, a accumulé pendant sa courte vie un nombre impressionnant d'œuvres de toutes sortes, dont il n'entendit jamais une note et qui voient peu à peu le jour grâce à un cercle d'amis groupés autour du musicologue J.G. Papaïoannou et à l'*Universal Edition* à Vienne.

Il faut encore citer les noms au moins de G. Sklavos (\*1888), d'A. Nezeritis (\*1897), de T. Karyotakis, de G. Platon, de L. Zoras, du Chypriote S. Michaelides, compositeur et musicologue, nés tous quatre en 1905, de S. Papadopoulos (\*1906), de C. Perpessas (\*1907), de G. Kazassoglou (\*1910), de J.A. Papaïoannou (\*1910), lauréat du Concours Reine Élisabeth en 1953, et de M. Pallantios (\*1914). Bien doués, des jeunes comme G. Sicilianos, M. Hadjidakis, N. Theodorakis, A. Kounadis, n'ont pas encore donné d'œuvres définitives. L'orchestre d'État à Athènes, que dirigent Th. Vavayannis et A. Paridis, et celui de la radiodiffusion grecque font une large place à la musique des compositeurs nationaux. Ils sont composés exclusivement d'instrumentistes grecs, formés dans les conservatoires d'Athènes et de Salonique. L'opéra national, la *Scène lyrique*, a peine à s'imposer, malgré le talent de ses chefs et les qualités vocales du peuple grec. Nombreux en effet sont les chanteurs grecs de renommée mondiale : il suffira de rappeler les noms de N. Moschonas et de Maria Callas. Il faut regretter que les efforts de Ph. Economides (1889-1957) pour entretenir à Athènes un grand chœur soient restés sans lendemain.

GREETING

*Page de titre (Londres 1675).*

Les dispositions naturelles du Grec pour la musique sont illustrées par la personnalité de D. Mitropoulos (*1896), pianiste brillant, compositeur notable, qui, après avoir dirigé pendant plus de dix ans l'orchestre d'Athènes, fait une carrière internationale de premier plan. Voir T. Synadinos, *Histoire de la musique néogrecque,* Athènes 1919 (en grec) ; Sp. Mocenigo, *Musique néo-grecque,* ibid. 1958 (id.) ; M. Dounias, *Griechenland, Volksmusik u. neuere Musik* in MGG — L'Union des compositeurs hellènes et l'Institut français d'Athènes ont publié des partitions d'orchestre de compositeurs grecs, avec de bonnes notices biographiques en grec et en français.

**GREEF Arthur de.** Voir supplément à *De Greef.*

**GREENE Eric.** Ténor angl. (Londres 1903–), qui fut également org. et maître de chœur, qui se distingue dans les passions de J.-S. Bach.

**GREENE Harry Plunket.** Baryton-basse irlandais (Old Connaught House, comté de Wicklow, 24.6.1865–Londres 19.8.1936). Il fit ses études à Stuttgart, Florence, Londres, où il débuta dans *Le messie* en 1888 ; il fit carrière au théâtre et au concert, avec un répertoire très varié ; quand il eut quitté la scène, il enseigna ; on lui doit *Interpretation in song, From blue Danube to Shannon* (ses souvenirs), une vie de Stanford (Londres 1935).

**GREENE Maurice.** Mus. angl. (Londres v. 1695–1.12.1755). Elève de la maîtrise de la cath. St-Paul de Londres, de l'org. Brind ; il fut org. de St-Dunstan (1716), de St-André (1717), successeur de son maître à St-Paul (1718) à Londres, org. et compos. de la chapelle royale (1727), prof. de mus. à Cambridge (1730), *master of the King's band of music* (1735), membre fondateur de la *Royal Society of musicians* (1738) ; son amitié avec Haendel fut altérée par la non moins grande qu'il éprouvait pour le rival de ce dernier, Bononcini ; il composa, impr. : 64 *anthems,* 1 *service,* des cantates, des *catches* et canons, des mélodies des *glees,* Spenser's

*amoretti... for the voice harpsichord and violin* (Londres 1739), *A collection of lessons for the harpsichord* (ibid. 1750), *Six overtures* (7 p., id. ibid.), nombre de *voluntaries* (1770–80) ; mss : *Te Deum (RCM), Anthem services* (RCM, BM, Ox. Bodl.), *Odes for New Year's day and royal birthdays* (O.B.), *Ode for New Year's day* (1745, RCM), *Ode for St-Cecilia's Day* (1730, RCM, BM, RML, OB), *Song of Deborah and Barak* (1732, RCM, BM), *The spacious firmament* (RCM, BM), *Phoebe* (drame pastoral, BM, OB), *Florimele* (id., 1737, BM), *Judgment of Paris* (BM), *3 overtures* (RML), *Gloria in excelsis* (BM), des *catches* et des canons (BM), des pièces de clavecin (RCM, BM), 1 *Magnificat* (1737) ; ajoutons qu'il est à l'origine de la publication de la collection intitulée *Cathedral music,* laquelle fut continuée par W. Boyce ; c'est l'un des plus grands musiciens anglais du XVIIIe s. Voir E.H. Fellowes, *English cathedral music,* Londres 1941 ; F.W. Shaw, *Eighteenth-century cath. mus.,* ibid. 1952 ; E. Walker, *The bodl. mss of M.G,.* ds *The Mus. Ant.,* II, 1910 ; R. Graves, *The forty anthems of M.G.,* ds *Mus. Times,* XCI, 1950 — *The achievement of M.G.,* ibid. XCVI, 1955 ; Th. Dart, *M.G. and the national anthem,* ds *ML,* XXXVII, 1956.

**GREETING Thomas.** Mus. angl. du XVIIe s., joueur de flageolet, qui mourut à Londres en 1682, après avoir été mus. ordinaire de Charles II (1662), l'un des 24 violons du roi (1668), *musician in ordinary for the violin and also for the sackbutt with fee* (1673), au service du duc d'York et de la reine Anne (1677) ; parmi ses élèves et amis, il faut citer Samuel Pepys et sa femme ; on lui doit *The pleasant companion...* (J. Playford, Londres s.d., qui fut 7 fois rééd.). Voir le *Journal de S. Pepys* ; Sir F. Bridge, *S. Pepys, lover of music* (Londres 1903) ; S. Godman, *G.'s Pleasant companion for the flagelet,* ds *Monthl. Mus. Record,* 86, janv. 1956.

**GREFINGER Wolfgang.** Mus. autr. (Krems v. 1480–?). Elève de Hofhaymer, ecclésiastique, org. de la cath. St-Étienne (1505), élève de l'univ. (1509) à Vienne, org.

à la cour de Hongrie (1515–25?), il nous a laissé, ds des recueils ou en mss, 5 motets ou hymnes en latin (4-5 v.), des *Lieder* (4 v.), un recueil d'hymnes intitulé *Aurelii Prudentii Cathemerinon* (Vienne 1515) et un *Psalterium patauiense* (ibid. 1512) ; une messe figurait parmi les œuvres de lui qui ont été perdues. Voir O. Gombosi, *Zur Biogr. W.G.*, ds *Acta mus.*, IX, 1937 ; O. Wessely in MGG.

**GREGHESCA.** C'est le nom d'un madrigal vénitien du XVIe s., dont le texte était « *in lingua greghescà e stradiotesca* » : c'est dire que le texte était en partie en grec, en partie en vénitien, langage qui devait être celui des soldats grecs au service de la république vénitienne ; l'invention de la forme littéraire est due, semble-t-il, à Antonio Molino, le style musical proche de celui de la villanelle, la pièce d'un caractère comique ; le premier recueil qui en fut composé est celui de M. Blessi (Venise 1564) : il contient des œuvres de Willaert, Rore, Merulo, Porta, Guami, Padovano, Bonaldi ; citons surtout les *G. e giustiniane* d'A. Gabrieli (*ibid.* 1571). Voir A. Einstein, *The g...*, ds *Journ. of Renaissance...*, I, 1946 ; N. Pirrotta in MGG.

**GRÉGOIR.** — **1. Jacques-Mathieu-Joseph.** (Anvers 17.1.1817–Bruxelles 29.10.1876), mus. belge, fut pian., élève d'H. Hertz et de C. Rummel, fit une carrière de virtuose, de prof., de compos. (1 opéra, *Le gondolier de Venise*, 1848, qq. 120 pièces pour piano et des duos concertants). Son frère — **2. Édouard-Georges-Jacques** (Turnhout 7.11.1822–Wijnegem 28.6.1890) fut également pian., élève de Rummel, il composa 1 symph., 2 oratorios, 2 opéras (*Marguerite d'Autriche*, 1850, *Willem Beukels*, 1856), des chœurs, des mélodies etc. ; il publia notamment *Essai hist. sur la mus. et les musiciens dans les Pays-Bas* (Bruxelles 1861), *Les artistes musiciens belges au XVIIIe et au XIXe s.* (3 vol., ibid. 1885–90), *Hist. de l'orgue...* (Anvers 1865), *Notice hist. sur les soc. et écoles de mus. d'Anvers* (Bruxelles 1869), *A. Willaert* (id. ibid.), *Recherches hist. concernant les journaux de mus. depuis les temps les plus reculés jusqu'à nos jours* (Anvers 1872), *Les art. mus. belges au XIXe s.* (ibid. 1874), *Les gloires de l'Opéra et la mus. à Paris* (3 vol., ibid. 1878–81), *Souvenirs artistiques* (3 vol., ibid. 1888–89), nombre d'art. ds des périodiques belges.

**GRÉGOIRE Ier** (*Saint*), **le Grand.** Saint Grégoire le Grand, Pape de 590 au 12 mars 604, nous apparaît comme l'une des plus grandes figures de l'Histoire. Il possédait une personnalité très marquée, son activité fut universelle et c'est un penseur original. A ces trois titres, mais surtout au dernier, il peut être considéré comme le père du moyen-âge : à beaucoup d'égards, cette époque s'ouvre avec lui. Romain de race, moine de profession, prêteur, préfet de Rome, administrateur rompu à l'art de gouverner, évêque de la Ville éternelle, pape, il fonda la Rome pontificale qui se substitua à la Rome impériale. Faisant table rase des préjugés anciens, il se tourna vers les peuples barbares qui étaient l'avenir de l'Occident. Celui qui a mérité le titre de « consul de Dieu » (*Hisque Dei consul factis laetare triumphis*) trouve naturellement sa place dans cette encyclopédie pour son œuvre liturgique et pour l'œuvre musicale qu'on lui attribue.

Grégoire naquit à Rome vers 540. Il appartenait à une famille patricienne. Après avoir rempli les fonctions de sénateur et de préfet de Rome, il embrassa la vie monastique dans sa propre maison, sur le mont Coelius. On ne peut pas affirmer qu'il ait été moine bénédictin, comme l'assure la tradition. Il protégea la vie monastique, fonda 6 monastères en Sicile, mais mena surtout une carrière ecclésiastique et administrative. De 579 à 584, il séjourne à Constantinople comme apocrisiaire. Il se retire ensuite sur le Coelius jusqu'à son élection pontificale (590). Il s'efforça de rétablir la discipline, en Italie surtout. Son action doctrinale s'étend à l'ensemble de l'Église. Ce qui le caractérise, c'est sa sollicitude pour les royaumes barbares et son souci de les convertir à l'orthodoxie. Il se tourne plus vers l'Occident que vers l'Orient. Son caractère se définit par sa bonté et sa charité, son énergie et son amour de l'ordre, une tournure mystique, un grand zèle pastoral. On peut lui reprocher, comme à tous ses contemporains, une trop grande crédulité à accepter les faits merveilleux. Mais sa doctrine sur les miracles est ferme et il place la vertu au-dessus des prodiges.

SAINT GRÉGOIRE

*Le roi David à l'orgue, st G. au monocorde (bibl. de Munich).*

Ses écrits ont marqué tout le moyen-âge. On lui doit le *Liber regulae pastoralis*, un des classiques de la littérature spirituelle, les *Moralia in Job*, commencées à Constantinople, les *Dialogues*, œuvre historique dont le deuxième livre, consacré à saint Benoît, a beaucoup contribué à la diffusion de la règle bénédictine. Son pontificat est l'un des mieux connus de l'antiquité chrétienne grâce à une collection de 848 lettres qui nous sont parvenues.

Il remania le *Sacramentaire*. On a voulu ajouter à sa gloire en en faisant le créateur du chant liturgique appelé pour ce motif *chant grégorien*. L'expression est ancienne : le pape Léon IV (847-855) l'emploie dans une lettre à l'abbé Honorat (sans doute abbé de Farfa). Jean Diacre, vers 872, écrit que « Grégoire compila dans l'intérêt des chantres le recueil appelé *Antiphonaire* ». Hildeme (838–855), Walafrid Strabon (807–849), Amalaire (809–814), Agobard (779–840), font aussi allusion à cette œuvre de saint Grégoire, mais aucun de ces auteurs n'affirme qu'il ait composé les mélodies. Cependant, dès la fin du VIIIe s., l'*Antiphonarium missae* — non noté — est mis sur le compte d'un Grégoire. (cf. ms. du Mont-Blandin, dans le *Sextuplex* de Don Hesbert : « *Antifonarius ordinatus a sancto Gregorio...* »). Le *graduel de Monza* (fin du VIIIe s.) contient une pièce de vers célèbre, le *Gregorius praesul*, qui sert de prologue à l'antiphonaire, datant de l'époque du pape Adrien Ier (772–795) :

« *Gregorius praesul...*
« *composuit hunc libellum musicae artis.*
« *Scholae cantorum anni circuli : Ad te levavi...* »

Il faudrait aussi faire mention de l'épitaphe du pape Honorius (+ 638), contenant l'expression *divino in carmine pollens* se rapportant à saint Grégoire. Mais le texte de cette épitaphe a été critiqué.

On a discuté sur ces différents témoignages qui peuvent concerner aussi bien Grégoire Ier que Grégoire II. Mais

St Grégoire dictant
*(antiphonaire dit de Hartker, cod. St-Gall 390-391).*

la tradition, à partir de la deuxième moitié du IX^e s., est en faveur de Grégoire I^er. Jean Diacre (*Vita S. Gregorii, lib.* II, *cap.* VI, § 6) lui attribue la centonisation de l'antiphonaire et la fondation de la *Schola cantorum.* D'après lui, Rome conserve l'antiphonaire authentique et aussi la férule dont le pontife menaçait les enfants trop turbulents de la *Schola.* Rome conservait en effet le lit sur lequel, pensait-on, le pape était mort. Quant à la férule, il n'en est pas question avant Jean Diacre. On avait cru retrouver cet antiphonaire « authentique » dans les manuscrits du IX^e au XI^e s. Le Père Lambillotte édita en 1851 le codex 359 de Saint-Gall, qu'il considérait comme l'œuvre de saint Grégoire. Mais il a été prouvé depuis que ce manuscrit n'était pas l'antiphonaire en question. On a aussi voulu ajouter à la gloire du pontife en en faisant un hymnographe et l'auteur d'un traité de chant : en réalité, rien n'autorise à faire de pareilles suppositions.

L'œuvre pourtant volumineuse de saint Grégoire, en particulier le *Regeste* de ses lettres, ne contient aucune allusion au chant. La gracieuse image du Saint-Esprit lui dictant à l'oreille, sous la forme d'une colombe, les chants sacrés, est une transposition d'un passage de la *Vita Gregorii,* qui concerne le commentaire sur l'Écriture Sainte. Il est fort possible que saint Grégoire ait procédé à une organisation (ou réorganisation) de la *Schola cantorum,* au moins sur le plan économique. La question est discutée. D'après Smits van Waesberghe, la *Schola* n'apparaît qu'au VIII^e s. Dom Froger remarque qu'il n'est fait allusion à cette *Schola* dans aucun texte digne de foi, et pense qu'elle devait exister avant saint Grégoire. On sait avec certitude, par le *Liber pontificalis,* qu'il envoya en Angleterre une mission sous la conduite du moine Augustin. Les moines y apportèrent le chant qu'ils pratiquaient à Rome. Mais ce n'est qu'au VIII^e s. que l'influence liturgique et musicale de Rome s'exerça sur l'île. Cependant, à la fin du VII^e s., Bède le Vénérable parle des chantres formés par les disciples de saint Grégoire : on n'est pas encore parvenu à faire la lumière sur ce sujet.

Le rôle du pape se serait borné à réglementer le chant de l'*Alleluia,* et non pas, comme on l'a souvent dit, à le supprimer. Il le rendit au contraire obligatoire le dimanche et les jours de fête, sauf durant la septuagésime et le carême. Il interdit aux diacres de chanter le *graduel* « pour faire admirer leur voix ». Désormais le chant des pièces ornées fut confié à des spécialistes. La question du chant est toujours en suspens. Il ne paraît pas possible d'y voir une œuvre personnelle du pontife. A-t-il patronné une réforme ? Il serait imprudent de se prononcer. Il semble bien qu'une œuvre liturgique et pastorale doit être attribuée à saint Grégoire : sacramentaire et lectionnaire. Cette œuvre liturgique avait une telle ampleur qu'elle suppose des répercussions sur le chant. Quelles ont été ces répercussions ? S'est-on borné à mettre en ordre, en les réutilisant, des compositions antérieures ? A-t-on ajouté des compositions nouvelles ? Dans ce second cas, quelles sont ces compositions ? Quelle est leur mélodie ? Les études provoquées par l'examen du répertoire romain appelé maintenant *vieux-romain* ont conduit plusieurs musicologues à dater l'ensemble du répertoire *grégorien* d'une époque sensiblement postérieure à saint Grégoire : en ce cas, saint Grégoire, ou son entourage, ne saurait être le compositeur de ce que nous appelons aujourd'hui *chant grégorien.* Les travaux de Dom Michel Huglo ont prouvé que les seuls manuscrits romains antérieurs à 1250 constituent un répertoire littéraire semblable à celui des manuscrits *grégoriens,* mais les mélodies sont différentes : ce serait peut-être ce répertoire mélodique, dit *vieux-romain,* qui serait celui de saint Grégoire, des basiliques romaines et du moine Augustin. Faudrait-il alors attribuer à l'époque de saint Grégoire le *chant romain,* c'est-à-dire le chant contenu dans les manuscrits des basiliques romaines ? On peut le supposer, mais rien ne permet de l'affirmer. C'est un point important qu'il faudra que l'histoire de la musique éclaircisse un jour, si la chose est possible.

Bibl. : sur saint Grégoire en général : bonne bibliographie dans *Histoire de l'Église,* d'A. Fliche et V. Martin, t. 5, *Grégoire le Grand, les États barbares et la conquête arabe,* Paris, 1938. — Sur saint Grégoire et le chant : Dom Rombaut van Doren, *Étude sur l'influence musicale de l'abbaye de Saint-Gall (VIII^e au XI^e s.),* Bruxelles 1925 (donne des références relatives à la controverse entre Gevaert et Dom Morin au sujet du rôle de saint Grégoire) ; Dom R.-J. Hesbert, *Antiphonale missarum sextuplex,* Bruxelles 1935 ; *Morales sur Job,* trad. ds coll. « *Sources chrétiennes* », Paris 1950 ; Dom J. Hourlier et Dom Michel Huglo, *Un important témoin du chant « vieux-romain » : le graduel de Ste-Cécile du Transtévère,* ds Rev. Grég., 31, 1952, p. 26-37 ; Dom Michel Huglo, *Les antiennes de la procession des reliques, vestiges du vieux-romain dans le Pontifical,* ds ibid. 1952, p. 136-139 ; *Le chant vieux-romain, liste des manuscrits et témoins indirects,* ds *Sacris eruditi,* 6, 1954, p. 92-124 ; H. Hucke, *Die Einfuehrung des gregotianischen Gesangs in Frankenreich,* ds *Roemische Quartalschrift,* 49, 1954, p. 172-187 ; *Gregorianischer Gesang in altroemischer und fraenkischer Ueberlieferung,* ds *Archiv. fuer Musikwissenschaft,* 12, 1955, p. 75-87 ; *Die Tradition des gregorianischen Gesangs in der roemischen Schola cantorum,* ds *Actes du Congrès de Vienne,* 1954, p. 120-128 ; J. Handschin, *La question du chant vieux-romain,* ds Annales musicologiques, 2, 1954, p. 49-60 ; J. Smits Van Waesberghe, *Neues ueber die Schola cantorum,* ds *Actes du Congrès de Vienne,* 1954, p. 111-119 ; *The two versions of the gregorian chant,* ds *Sixth Congr. of the I.M. Soc.,* Oxford 1955 ; W. Apel, *The central problem of the gregorian chant,* ds *Journal of the amer. musicological Soc.,* 9, 1957, p. 118-127.

S.C.

**GREGOR Joseph.** Écrivain autr. (Czernowitz 26.10.1888-) Docteur de l'univ. de Vienne, avec sa thèse, *Das Problem des mus. Ausdrucks* (1911), élève de R. Fuchs, de Max Reinhardt (théâtre), il est à 41 e bibliothécaire de la Bibl. nat. de Vienne, fonda l'*Archiv. f. Filmkunde,* enseigna au séminaire Max Reinhardt et à l'univ. de Vienne ; de ses écrits citons 3 *libretti* pour Richard Strauss (*Friedenstag,* 1938, *Daphne,* id., *Die Liebe der Danae,* 1944), *Wiener Barocktheater* (Vienne 1922), *Wiener szenische Kunst* (2 vol., *ibid.* 1924–25), *Weltgesch. d. Theaters* (2 vol., *ibid.* 1933, Munich 1949), *R. Strauss* (trad. franç., Paris 1942), *Kulturgesch. der Oper* (Vienne 1941), *Kulturgesch. des Balletts* (ibid. 1944), *Cl. Krauss* (Vienne-Zurich 1953) ; il a également édité *Denkmäler des Theaters* (Munich 1926-30). Voir sa correspondance avec R. Strauss, éditée par R. Tenschert, Salzbourg 1955 ; la correspondance Strauss-Zweig, éd. par W. Schuh, Francfort 1957 ; W. Pfannkuch in MGG ; F. Hadamowsky etc., *Festschr. J.G.,* ds *Das Antiquariat,* V, Vienne 1948.

**GREGORA Franz.** Compos. austro-tchèque (Netolice 9.1.1819–Pisek 27.1.1887). Elève de Nusky, de Drechsler, de Preyer, il dirigea des chœurs à Vodnany (1849) et à Pisek (1851) ; il fut également professeur ; on lui doit 17 messes, 1 *Requiem* (entre autres œuvres de mus. d'église), des mélodies, des chœurs, 17 concertos de contrebasse etc. et un traité d'harmonie (Prague 1866). Voir F. Varvazovsky, *F.G.*, Prague 1879 ; B. Brandejs, *F.G.*, Pisek, 1899, 1912 ; R. Quoika in MGG.

**GREGORI Annibale.** Mus. ital. (Sienne, fin XVIe s.–1633). Fils d'un maître de chapelle de l'hospice et du palais de Sienne, cornettiste à la chapelle du *Pubblico Palazzo*, il fut ensuite maître de chapelle à la cath. de Sienne et membre de l'*Acad. degli Intronati* ; excellent contrapuntiste, il publia 2 recueils de *Cantiones sacrae* (Sienne 1620, Rome 1625), 1 de madrigaux à 5 v. (Venise 1617), un d'*Ariosi concenti* (posth., *ibid.* 1635) ; la cath. de Sienne possède en outre 4 autres livres de madrigaux et 1 *mascherata, Imeneo d'Amore.* Voir R. Morrocchi, *La mus. in Siena,* Sienne 1886.

**GREGORI Giovanni Lorenzo.** Mus. ital. (Lucques 1663–...1.1745), qui fut violon. et maître de chapelle à la *Cappella palatina* de sa ville natale (1688–1742) ; on lui doit un recueil d'*Arie in stile francese* (1-2 v., Lucques 1698), des *concerti grossi* (*ibid.* 1698), des *Cantate da camera* (*ibid.* 1698, 1709), 4 autres cantates, 3 oratorios, 2 écrits théoriques (*ibid.* 1697, 1716). Voir L. Nerici, *Storia della mus. in Lucca, ibid.* 1879 ; A. Schering, *Gesch. d. Instr.-Konzerts,* Leipzig 1927.

**GRÉGORIEN** (*Chant*). C'est un terme qui désigne le répertoire de chant strictement liturgique de l'église romaine dans son ensemble, sous la forme où il apparaît dans les livres du IXe s., aussi bien, par extension, que dans les livres modernes de plain-chant. On date des années qui environnent 770 l'usage de ce terme : il s'agissait de donner de l'autorité à ce plain-chant qui, jusque-là, portait le nom de *cantus romanus.* C'est que la grande figure de Grégoire Ier, qui mourut en 604, domine le moyen-âge, que son rayonnement fut immense : il reste qu'on ne peut en aucune façon lui attribuer la composition du plain-chant, même par codification ou centonisation. Pour nous, le terme *g.* oppose ce répertoire à la musique polyphonique et instrumentale non moins qu'aux autres groupes du plain-chant ecclésiastique : plain-chant byzantin, la plupart des rites orientaux, et, du côté latin, ambrosien et hispanique. De plus, il existe une grande différence entre le *g.* au sens strict et le contenu des livres ecclésiastiques, qui ne distinguent pas le *g.* authentique des pièces à lui postérieures : hymnes, séquences, *versus,* ordinaires de composition tardive (*cf.* la messe de Dumont, celle *des Anges*), ou même, parmi les pièces classiques, celles qui ont été composées tout à fait à la fin de la période de création : les offices des morts, de la Trinité, de la Toussaint.

Le *g.* est écrit sur portée de 4 lignes (5 dans l'Espagne médiévale), avec clés d'*ut* et de *fa,* notation carrée faite de figures qui groupent certaines notes : ce sont les neumes, dont la première notation est du Xe s. (voir art. *neume*). La lecture en est simple, on en trouve la clé dans un « solfège grégorien » placé en général au début du *Liber usualis.* La forme musicale en est strictement monodique ; il a été composé pour les voix masculines : seuls les hommes avaient le droit de chanter à l'église

(*Mulieres in ecclesia taceant*). Cette monodie se meut dans un ambitus très étroit (6 degrés à l'époque classique, d'après les théoriciens, car ce n'est là qu'un idéal : bien des pièces anciennes s'étendent sur une dixième, et l'on trouve une onzième dans l'offertoire *Jubilate Deo* et le graduel *Tibi Domine*) ; il est plus juste de constater dans ce chant la préférence pour un ambitus restreint. A l'intérieur de cette étendue, la mélodie se meut à l'aide d'intervalles étroits, le plus souvent par degrés conjoints ; le saut de quinte est usuel dans certaines introductions classiques (*ré-la-si-ré, sol-ré*) mais ces écarts relativement larges se rapportent à des formules modernes déterminées ; en dehors de ces cas précis, l'intervalle de quinte est franchi en deux fois (2 tierces ou bien 1 quarte et 1 seconde), la sixte est rare, et d'emploi tardif. Cette mélodie ignore naturellement la tonalité, au sens moderne de ce mot : elle utilise la modalité, qui repose sur la disposition des intervalles autour d'une note appelée *finale,* laquelle est en réalité la note la plus grave d'une échelle déterminée. Il existe quatre échelles : celles de *ré, mi, fa, sol* ; seul le ton de *fa* rappelle une tonalité moderne par la disposition de sa finale : 1/2 ton en dessous, 2 tons pleins au-dessus. L'échelle modale du plain-chant *g.* s'étend sur une quinte ascendante à partir de la finale ; le mode (échelle) peut s'annexer l'ambitus d'une quarte supérieure à la quinte (mode *authente*), ou celui d'une quarte inférieure à la finale (mode *plagal*).

Outre sa position préférentielle ci-dessus indiquée, chacune de ces 4 finales se transpose deux fois, ce qui permet des mélodies assez variées et même des modulations : d'un mode à l'autre ou à l'intérieur d'un même mode sur ces différentes positions (le mode de *ré* se transpose sur *la* et sur *sol* avec *si* bémol, le mode de *mi* sur *si* naturel etc.). D'ailleurs les mélodies du plain-chant ignorent le principe de la hauteur absolue : le système modal est très précisément décrit dans les traités, mais la hauteur dépend des voix des interprètes et n'a été

Alinari-Brogi-Giraudon

Florence. S. Maria Novella. Détail de la messe (A. Orcagna).

fixée qu'à l'époque où des instruments d'accompagnement apparaissent, en contradiction avec la vraie nature du plain-chant, qui exclut accompagnement et polyphonie. En dépit de quoi, diverses tentatives de caractère quasi polyphonique ont été faites au cours des siècles : les Grecs se servirent de l'*ison* : c'est une note tenue à la quinte de la tonique par une voix grave ; lorsqu'il y a modulation, l'*ison* change en conséquence — le principe est ancien, il est toujours en usage et a même été adopté par certaines communautés juives. En Occident, on trouve les formes de l'*organum* et de la diaphonie pratiquées à partir du IXe s. : en mouvements parallèles (à la quinte), en mouvements contraires ; mais la complexité des mélismes du chant orné s'adaptait mal

*Couverture du graduel grégorien
de Monza. David.*

Giraudon

à ce système, et certaines formes d'une grande difficulté d'exécution, d'ailleurs hors liturgie, étaient réservées à certaines solennités. La question de l'accompagnement instrumental est mal connue ; les premiers essais ne semblent pas antérieurs au XIIᵉ s., ils suscitèrent une forte opposition peut-être pour des raisons relevant du purisme, plus certainement à cause de la morale esthé-

tique qui légiférait en la matière. L'introduction de l'orgue à l'église remonte au IXᵉ s. La législation ecclésiastique tâcha à en restreindre l'intervention dans la liturgie : le concile de Trente (décret *Quanta cura*) prescrit de bannir toute musique qui serait « sensuelle » ; Benoît XIV (encyclique *Annus qui*) loue encore les églises qui, à l'instar de la chapelle papale, l'excluent : le même pape a plus de tolérance pour les instruments et leur assigne comme fonction de « souligner les paroles et le chant, pour frapper plus profondément les auditeurs ». De nos jours, l'usage de l'orgue est encore interdit en avent et en carême, sauf les dimanches *Gaudete* et *Laetare*, aux messes votives de la passion et (!) aux messes et offices des morts... Il reste que la tolérance qu'est l'accompagnement du plain-chant à l'orgue, à la condition qu'il soit le plus discret possible, évite en partie la fausseté des voix, si fréquente lorsqu'elles sont *a cappella*. Comment le plain-chant grégorien a-t-il pris forme ? on l'imagine par analogie avec des musiques de même type encore vivantes, par l'analyse des pièces, par ce qui en a été dit dans des écrits à diverses époques. Dans le plain-chant byzantin, dans la musique liturgique juive, dans le chant liturgique copte, on ne compose ni apprend une pièce notée d'un bout à l'autre : on part de formules, évidemment modales, de début, de liaison, d'ornement, de terminaison etc. C'est au chantre de les enchaîner selon certaines lois traditionnelles, par routine : le premier principe est la tradition orale, la notation n'intervenant que fort tardivement (sans doute lorsque la source traditionnelle est déjà tarie). Le chantre est donc le dépositaire légitime de la tradition, avec tous les droits qui en découlent : d'embellir, orner, abréger, constituer des ensembles nouveaux en variant l'ordre des incises etc. Quand on parle de compositeur, il faut se hâter de rectifier, la notion d'art, d'artiste, de compositeur étant totalement absente de la musique de plain-chant, que ce soit en Orient ou dans l'Occident médiéval. Lorsque les tardifs hagiographes de st Grégoire parlent d'une œuvre à lui attribuée, ils s'empressent de préciser qu'il n'en a pas composé la musique, qu'il l'a *centonisée* : le latin *cento* signifie morceau d'étoffe ou, par analogie (Ausone), un fragment littéraire emprunté à un autre auteur et inséré tel quel dans une pièce de sa composition. Si on se porte vers la musique elle-même, on est frappé par le retour de certaines formules aux mêmes endroits, même dans les copies les plus médiocres : une étude détaillée de ce procédé a été publiée, d'après le répertoire grégorien, par Dom Ferretti (*Esthétique grég.*, Paris 1938) ; il y donne la preuve de la centonisation du plain-chant, avec des altérations partielles, justifiées par les nécessités de la prosodie.

Le résultat de cette technique complexe est une mélodie flexible, un peu hiératique, parfaitement adaptée aux besoins de l'office. L'ensemble du répertoire a été divisé sommairement en chant syllabique et chant orné : disons qu'on trouve des lectures cantillées (proses), des phrases de psalmodie simple et ornée, des pièces syllabiques, d'autres mélismatiques et ornées. Bien que les séquences et les hymnes ne soient pas du plain-chant, encore moins du grégorien, leur notation n'est pas différente des autres pièces.

*Cantillation :* elle est en usage pour les lectures : leçons de l'office, lectures de la messe (prophétie, épître, évangile), récitatifs solennels (préface, *Exsultet*). Cantiller, c'est chanter sur une formule simple et ajustable. La formule comporte en général une intonation, une teneur et une finale plus ou moins ornée ; dans les livres usuels, seuls la préface et l'*Exsultet* sont notés : il est impossible de noter tous les textes, encore qu'il soit fort difficile d'éviter les erreurs dans l'articulation des syllabes et de la musique et l'emplacement des accents.

*Psalmodie :* c'est le chant des psaumes ; elle utilise les 8 modes du plain-chant et le ton pérégrin. La formule de chaque mode dispose de plusieurs terminaisons ou finales : d'où les difficultés de la psalmodie, d'autant plus grandes que chaque psaume peut se chanter sur tous les tons.

*Antiennes :* la majorité d'entre elles sont syllabiques. Elles servaient en quelque sorte de refrain aux psaumes, suivant le principe universel de l'antiphonie, dont il reste encore des survivances dans certaines pièces actuellement en usage ; mais, la plupart du temps, celles de la messe ont été privées de leur suite psalmodique, sauf dans l'*Introït*, où subsistent un verset et la doxologie ; on assiste aujourd'hui à une tentative de restauration psalmodique pour les offertoires et les communions, parfaitement adéquate. Pour les psaumes de l'office, le principe de l'antiphonie est abandonné : l'antienne (la plupart du temps syllabique) ne se chantant plus qu'au début et à la fin du psaume.

*Chants mélismatiques* : ce sont les répons, les traits, les *Alleluia* : c'est dans cette dernière forme que l'on trouve le mélisme le plus développé.

Quant à l'*ordinaire de la messe* (*Kyrie, Gloria, Credo, Sanctus, Agnus Dei* — et *Ite missa est* ou *Benedicamus Domino*), matières du *Kyriale*, son *èthos* est particulier, les thèmes du *Kyrie* (et donc de l'*Ite missa est* — *Benedicamus Domino*) comportant plus de mélismes que les autres.

L'exécution du grégorien a suscité de grandes querelles. Il est certain qu'il s'est alourdi considérablement au cours des âges, probablement dès le IXe s., sous l'influence de la polyphonie naissante : au XIXe s., il était devenu si « lourd » et si lent qu'il était à peu près abandonné au profit de la musique solfégiée et d'œuvres de circonstance, dont certaines sont belles, mais ne possèdent pas l'éminente qualité d'être la musique liturgique, traditionnelle, approuvée par l'autorité ecclésiastique, désignée par le rituel, investie d'un caractère sacré. Une réforme fut entreprise par Dom Guéranger, le restaurateur de l'abbaye de Solesmes : entreprise difficile, vu la réticence des ecclésiastiques, le manque de livres, l'état douteux des textes imprimés. Il devint nécessaire de recourir aux manuscrits ; l'emploi généralisé de leur reproduction photographique ne remonte qu'aux années 1945 ; auparavant, Dom Jausions fut chargé d'établir des copies : conservées, à Solesmes, elles sont excellentes. Les recherches théoriques furent l'œuvre de Dom Pothier et de Dom Mocquereau : c'est à ce dernier que l'on doit le rétablissement des épisèmes, signes qui correspondent à différents types d'allongement des notes et qui proviennent des manuscrits sangalliens.

A mesure que le plain-chant revenait en honneur, de graves divergences d'interprétation naquirent. En gros, deux théories se sont affrontées depuis près de 100 ans, sans commune mesure entre les deux : les érudits voient le plain-chant, par conséquent le grégorien, soit comme un texte musical de rythme libre, comme le chant byzantin ou oriental, soit comme le résultat d'une métrique sur laquelle l'accord est loin d'être fait. Il faut avouer que l'exemple des liturgies orientales, même du chant synagogal, est frappant : sauf certaines pièces de composition tardive (certaines hymnes syriennes, certaines pièces grecques en dehors du fonds liturgique), le chant proprement liturgique est exécuté selon un rythme libre, sans préjudice pour l'unité des pièces ni la vivacité du *tempo*. C'est le vieux fond oriental qui ressort dans l'« égalité des temps premiers », principe d'exécution de base dans nos églises occidentales.

Les fauteurs de l'exécution mesurée du plain-chant divergent : les uns y voient une transcription des brèves et des longues du latin liturgique, ou des syllabes accentuées et des syllabes atones ; d'autres recherchent les bases d'une métrique à l'intérieur même de la notation neumatique ou des modes mélodiques du chant.

On trouve facilement un *consensus* sur le rythme libre : le solfège composé par l'école de Solesmes y aide beaucoup ; s'il ne crée pas le talent — mais quel solfège pourrait le faire ? — il donne un cadre très général dans lequel un maître de chapelle, bon musicien, peut facilement régler une exécution.

Les difficultés sont beaucoup plus grandes d'imposer une exécution selon des principes métriques : la première vient de la nécessité de respecter le caractère actuel de l'office religieux, et toutes les solutions proposées aboutissent à des transformations de la mélodie et des paroles telles qu'elles n'ont pu trouver place à l'église. Des métriciens convaincus, comme Joseph Samson ou Dom Jeannin, qui ont traité du mètre et de la mesure des

pièces grégoriennes, se sont abstenus de passer de la théorie à la pratique : on peut objecter qu'ils ont fait exécuter des hymnes et des séquences suivant une mesure précise, que très récemment encore l'Église de Milan faisait de même ; mais nous venons de dire qu'hymnes et séquences ne sont pas à proprement parler du plainchant : elles ont été composées à d'autres fins et à une autre époque que le grégorien (voir art. *hymne* et *séquence*) ; en fin de compte, aucune théorie d'exécution mesurée ne s'est encore imposée.

Il semble que le caractère du grégorien supporte fort bien une égalité d'exécution (qui peut d'ailleurs confiner à la monotonie) : son but n'est ni de récréer ni de distraire, c'est une technique de concentration comme une autre. Les pères de l'Église ont toujours insisté sur la réserve et la discrétion de règle en matière de chant liturgique ; ils reprennent à l'envi le mot de la Bible : « *Chantez dans vos cœurs* » et prêchent la modestie de la musique à l'église. Il est certain qu'on touche ici à une opposition profonde des conceptions de l'Orient et de l'Occident : chantres juifs et grecs exécutent un chant triomphant et individualisé ; l'Occident médite en commun, avec prudence, sans laisser place à la jubilation individuelle.

                              S.C.

**Bibliographie** (extraite de la *Bibliogr. grégorienne, 1935–1956* publ. en ronéotypie par l'abbaye de Solesmes, 1956). Les sources pour l'étude du chant grégorien. — **1.** *Catalogues de manuscrits généraux ou partiels.* Manuscrits reproduits en fac-similés : H. Anglès, *La música a Catalunya fins al segle XIII* (Catalogue de mss aquitains et catalans écrits en Catalogne, Barcelone 1935 ; L. de La Laurencie et A. Gastoué, *Catalogue des livres de mus. de la bibl. de l'Arsenal à Paris*, Paris 1936 ; M. Avery, *The Exultet rolls of South Italy*, Princeton 1936 ; V. Leroquais, *Les pontificaux mss des bibl. publiques de France*, Mâcon 1937 — *Les psautiers mss des bibl. publ. de France*, id. 1940-41 ; Dom Strittmatter, *Liturg. Handschriften in amer. Bibliotheken*, ds *Jahrbuch f. Lit. wiss.*, XIV, 1938 ; P. Rado, *Index codicum ms. liturgicorum regni Hungariae*, Budapest 1941 ; H. Anglès et J. Subira, *Catalogo mus. de la B.N. de Madrid*, I, mss, Barcelone 1946 ; L. Colombo, *I codici liturg. della diocesi di Pavia*, ds *Fontes ambrosiani*, XXIV, Milan 1947 ; R. Rado, *Libri liturgici ms. bibl. Hungariae*, I, *Libri lit. ad missam pertin.*, Budapest 1947 ; W. von den Steinen, *Notker der Dichter*, Berne 1948 ; E. Mundig, *Die Kalendarien v. Sankt-Gallen*, Beuron 1948 ; L. Agustoni, *Die Mus. in Kloster Allerheiligen*, ds *Schaffhauser Beitr. z. vaterl. Gesch.*, 26, 1949 ; B. Stäblein, art. *Antiphonar, Agnus Dei, Cantatorium* etc. in MGG ; P. Rado, *Mittelalteriche liturg. Handschriften deutscher, ital. u. franz. Herkunft in d. Bibl. Südosteuropas : Miscellanea Mohlberg*, II, ds *Ephm. lit.*, Rome 1949 ; J. Miquell Rossel, *Mss biblicos y liturg...*, Univ. d. Barcelona, ds *Estudios bibl.*, VIII, 1949 ; C. Santoro, *Codices trivultiani antiquiores*, Milan 1950 ; E.A. Lowe, *Codices latini antiquiores*, I, 1954, VI, 1956, Oxford ; A. Bruckner, *Scriptoria medii aevi helvetica* Genève, I, 1935, VI, 1948 ; A. Servolini, *I corali e gli offici miniati della bibl. communale di Forli*, ds *Gutenberg-Jahrbuch*, 19-24, Mayence 1949 ; A. Garbelotto, *Codici mus. della bibl. capitolare di Padova*, ds RMI, LIII, 1951, LIV, 1952 ; E. Jammers, *Die essener Neumenhandschr. der Landes-u. franz. Bibliothek Düsseldorf*, Ratingen 1952 ; G. Vecchi, *Atlante paleografico musicale*, Bologne 1951 — *Antifonario visigotico-mozarabe de la Cat. de Leon*, Centro de Est. e investig. S. Isodoro, 1953 ; L. Nowak, *Neumens. aus wiener Bibl.*, ds *Singende Kirche*, I, 1954 ; Dom R.J. Hesbert, *Les mss mus. de Jumièges*, ds *Monumenta mus. sacrae*, II, Mâcon 1954 — *Les mss enluminés de l'ancien fonds de Jumièges*, ds *Jumièges, Congrès scient. II*, Rouen 1955 — *Les mss liturg. de Jumièges*, ibid. — *Les mss mus. de Jumièges*, ibid. ; S. Corbin, *Le fonds ms. de Cadouin*, ds Suppl. au Bull. archéol. de la Soc. hist. et arch. du Périgord, 81, 1954. *N.B.* A ces ouvrages, il faudrait ajouter les catalogues de mss qui mentionnent les neumes et précisent l'école à laquelle ils appartiennent : celui de la B.N. de Paris (I, 1937 — III, 1952) ou celui du fonds de la Reine de la bibl. vaticane (I, 1937, II, 1945). La liste des catalogues de mss a été dressée par P.O. Kristeller *(Latin ms. books before 1600 — A bibl. of the printed catalogues of extant collections*, ds *Traditio*, VI, 1948. Cette liste doit être complétée par les bibl. de *Scriptorium*, rev. intern. des études relatives aux mss., I (1946-47) sq q. On tiendra compte des mss exposés à Naples (1950), Padoue (id.), Limoges (id.), Oxford (1952), Rome (1953), Paris (1954 et 1956) et Toulouse (1954-1955) : les catalogues de ces expositions fournissent la bibl. des mss liturgiques exposés (cf. *Scriptorium*, 1952). — **2.** *Paléographie mus. grégorienne : a. Études sur les notations.* H. Anglès, *La música, cf.* ci-dessus, Ét. sur la not. catalane ; E. Jammers, *Zur Entwicklung d. Neumenschrift in Karolingerzeit*, ds *Festschr. O. Glauning*, Leipzig 1936 ; H. Sidler, *Zum Messtonale v. Montpellier* ds *Kirchenmus. Jhb.*, 31-33, Cologne 1939 ; H. Sanden, *Die Entzifferung d. latein. Neumen*, Cassel 1949 ; E. Jammers, *Grundsätzl. z. Erforschung d. rythm. Neumenschr.*, ds *Buch u. Schrift*, 1942-43 — *Grundsätzl. Vorbemerkung z. Erforschung d. rythm. Neumen.*, ds *Eph. lit.*, 1944 ; W. Tappolet, *La notation mus. et son influence sur la pratique de la mus. du moyen-*

âge à nos jours, Neuchâtel 1947 ; D. Delalande, *L'insuffisance du système d'écriture guidonien..*, ds *Actes du congrès de Rome*, 1950 ; Dom R.J. Hesbert, *Groupes neumatiques à signification mélodique*, *id.* ; H. Sanden (Sowa), *Neumen ohne Linien ? Neue Forschungen*, *id.* ; Dom J. Hourlier, *Le domaine de la notation messine*, ds *R.G.*, 1951 ; L. Agustoni, *op. cit.* — *Notation neumat. et interprétation*, ds *R.G.*, 1951 et 52 ; Dom J. Hourlier, *Remarques sur la notation clunisienne*, *ibid.* 1951 ; J. Smits van Waesberghe, *The mus. notation of G. of Arezzo*, ds *Mus. disc.*, 5, 1951 ; S. Corbin, *La mus. relig. portug. au moyen-âge*, Paris 1952. — *Les notations neumatiques à l'époque caroling.*, ds *Rev. d'hist. de l'église de France*, 38, 1952 ; A. Machabey, *La notation mus.*, Paris 1952 ; Dom E. Cardine, *Signification de la désagrégation terminale*, ds *R.G.*, 1952 ; H. Potiron, *Origines de la notation alphabétique*, *ibid.* ; M.J. Blanc, *Introduction to greg. paleogr.*, *Toledo (Ohio)*, 1951 — *Notation paléofranque :* J. Handschin, *Eine alte Neumenschr.*, ds *Acta mus.*, 22, 1950, 25, 1953 ; E. Jammers, *Die essener Neumenhandschr. der Landes-u. Stadtbibl. Düsseldorf*, Ratingen 1952 — *Die palaeofrank. Neumenschrift*, ds *Scriptorium*, 7, 1953 ; G. Vecchi, *La notazione neumat. di Nonantola, problemi di genesi...*, ds *Atti e mem. d. deputazione prov. modenesi*, *IX*, 5, 1953 ; K. Dreimüller, *Neumen als Korrekturzeichen in mittelalt. Handschr.*, ds *Mf.*, 7, 1854 ; S. Corbin, *La représentation des neumes ds les livres peints au IXe s.*, ds *E.G.*, *I*, 1954 ; *Dom* J. Gajard, *Les récitations modales des 3e et 4e modes et les mss bénéventains*, *id. ibid.* ; Dom E. Cardine, *La corde récitative du 3e ton psalmodique dans l'antique tradition sangallienne*, ds *E.G.*, 1954 ; L.B. Spiess, *Some remarks on notation. advances in the St Victor mss*, ds *Journal of amer. mus. soc.*, 7, 1954 ; S. Corbin, *Valeur et sens de la notation alphabétique à Jumièges et en Normandie*, ds *Jumièges, congrès scient...*, *II*, Rouen 1955 ; Dom M. Huglo, *Le domaine de la notation bretonne*, ds *E.G.*, 1959 ; J. Vos et Dom F. de Meeus, *La notation neumatique et la trad. rythm. grég.*, ds *Scriptorium*, 9, 1955.

b. *Études ou notices sur des mss grégoriens isolés :* A. Schmitz, *Ein schles. Cantional aus d. 15 J.*, ds *Afmw*, *I*, 1936 ; J. Handschin, *The two Winchester tropers*, ds *Journal of theol. studies*, 37, 1936 et 1956 ; W.M. Whitehill et G. Prado, *Liber s. Jacobi, Code Calixtinus : I, texto, II*, música..., *III*, *estúdios e indices*, St-Jacques de Compostelle, 1944 ; E. Omlin, *Beneventan. Missale v. Zurich u. Payerne aus d. begin. XI. Jh.*, ds *Innerschweiz. Jahrb. f. Heimatkunde*, *VIII-X*, 1944-46 ; O. Oster, *Ein mainzer Hymnar mit usualen* Neumen *aus dem 12. Jh.*, thèse de Bonn, 1946 (dact.) ; P. Gutfleisch, *Das Kiedricher Kyriale*, Mayence 1946 : L. Agustoni, *op. cit.* ; Dom A. Dold, *Gesch. eines karoling. Plenarmissales nebst Nachweis eines unbek. Skriptoriums des IX. Jh., aus frühen oberital.-oberbayer. Archivalien des Hauptstaatsarchivs München*, ds *Archiv. Zeitschrift*, 1950 — *Neuendecktes luzerner Doppel — blatt zu den schnon im Jh. 1934*, ds *Texte u. Arbeiten*, 43, 1952 — *Ein merkwürd. Liturgiefragment aus HB Inc. 3513 der Württ. Landesbibl. zu Stuttgart*, ds *Sacris erudiri*, 4, 1952 : Dom P. Siffrin, *Eine Schwersterhandschrift des Graduale von Monza : Reste zu Berlin, Cleveland u. Trier*, ds *Eph. lit.*, 64, 1950 ; Dom R.J. Hesbert, *Le prosaire de la Ste-Chapelle*, ds *Mon. mus. sacrae*, *I*, Mâcon 1952 ; A. Vidakovic, *Sakramentar MR 126 metropolit. kniiznice u Zagrebu*, Zagreb 1952 ; S. Corbin, *Le ms. 201 d'Orléans*, ds *Romania*, 74, 1953 ; E. Pirani, *Il cod. piacentino n° 65 della bibl. capitolare*, ds *Riv. accad. e bibl. Italia*, 22, 1954 ; W. Irtenkauf, *Das neuervorbene Weingartner Tropar der stuttgarter Landesbibl. (cod. brev. 160)*, ds *AfMw*, *11*, 1954 ; K. Dreimüller, *Ein niederrhein. Antiphonar*, ds *Der kult. Gesang... Johner-F.*, 1950 : W. Lipphardt, *Ein quedlinburger Antiphonale des XI. Jh.*, *Berlin 40047*, ds *Kirchenmus. Jhb*, 38, 1954 : Dom R.J. Hesbert, *Un curieux antiphonaire palimpseste de l'office*, ds *Rev. bénéd.*, 64, 1954. — *L'évangéliaire de Zara*, ds *Scriptorium*, 8, 1954 ; Dom E. Cardine, *Le sens de iusum et inferius* aus St-Gall 381), ds *E.G.*, *I*, 1954 ; Dom H. Huglo et Dom G. Benoît-Castelli, *L'origine bretonne du graduel n° 47 de la bibl. de Chartres*, ds *E.G.*, *I*, 1954 ; U. Franca, *Antiphonale-lectionarium monasterii Fontis Avellane*, ds *Actes du congrès de Vienne*, 1954 ; Dom J. Hourlier, *Un diurnal noté de l'ordre de Grandmont, Le Mans 352*, ds *E.G.*, *I*, 1954 ; R.L. Greene, *Two med. mus. mss : Egerton 3307 and some univ. of Chicago fragments*, ds *Journ. of amer. Soc.*, 7, 1954 : Dom M. Huglo, *Un nouveau prosaire nivernais*, ds *Eph. lit.*, 70, 1956 : Dom J. Hourlier, *Le bréviaire de St-Taurin* (en préparation).

c. *Études sur la tradition ms. de diverses pièces liturgiques :* H. Sicler, *Studien zu alten Offertorien mit ihren Versen*, ds *Veröff. der Greg. Akad. zu Freib. Schweiz*, 20, Baden 1939 ; L. Brou, *L'alleluia gréco-latin « Dies sanctificatus »*, ds *R.G.*, 1939 et 39 — *Le répons Ecce quomodo moritur dans les traditions romaines et esp.*, ds *Rev. bénéd.*, 51, 1939 ; Dom R.J. Hesbert, *Le répons Tenebrae...*, ds *R.G.*, 1934-1939 (tiré à part en 1940 sous le titre : *Le problème de la transfixion du Christ*) ; Dom E. Cardine, *La psalmodie des introït*, ds *R.G.*, 1947 — *A propos de l'Alleluia Ego vos elegi*, *ibid.*, 1949 ; C.A. Moberg, *Die liturg. Hymnen in Schweden*, *I*, Copenhague 1947 ; W. Irtenkauf, *Method. zur Arbeit an Choralhandschriften*, ds *C.V.O.*, 76, 1956 ; Dom R.J. Hesbert, *Les pièces chantées des messes pro defunctis ds la tradition ms.*, ds *Congrès de Rome*, 1950 ; Dom E. Cardine, *De l'éd. critique du graduel*, ds *R.G.*, 1950 ; Dom J. Froger, *L'éd. critique de l'Antiphonale missarum romain par les moines de Solesmes*, ds *E.G.*, *I*, 1954 ; Dom J. Gajard, *Du rôle des principales familles de mss pour l'établissement de la leçon grég. authentique*, ds *Congrès de Rome*, 1950, et *R.G.*, 1951 ; B. Stäblein, *Der themat. Katalog der mittelalt. einstimm. Melodien*, ds *Kgss. des 2 Weltkongresses der Mus. bibl.*, Lüneburg 1950, Cassel 1951 : Dom L. Brou, *L'ancien R. Videte miraculum*, ds *Colligere fragmenta-Fs.*, A. Dold, 1952 ; Dom G. Frénaud, *L'antienne mariale Virgo Dei genitrix pour le temps de Noël*, ds *R.G.*, 1952 ; Dom G. Benoît-Castelli, *Le preconium paschale*, ds *Eph. lit*, 67, 1953 ; *Monumenta monodica medii aevi, I, (Hymnes)*, Cassel 1956.

— **3.** *Les théories médiévales :* a) *Éditions de textes :* D. von Bartha, *Das Musiklerbuch einer hungar. Klosterschule in der Handschrift v. Fürstorimas Szalkai (1490)*. Budapest 1934 ; S. Cserba, *Der Musiktraktat des Hieronymus v. Mähren*, ds *Freiburger Studien z. Mw.*, 1935 ; H. Sowa, *Quellen zur Transformation der Antiphonen, Tonar u. Rythmusstudien*, Cassel 1935 ; Cassiodore, *Senatoris institutiones*, éd. d'après les mss par R.A.B. Mynors, Oxford 1937 ; G. Finaert et F.J. Thonnard, *St Augustin, opuscules philos.*, *IV*, Paris 1947 ; H. Hüschen, *Das Cantuagium des Heinrich Eger v. Kaltar 1328-1408* ds *Beitr. z. rhein. Mg.*, II, 1952 ; *Corpus scriptorum de musica : I, Johannes Afflighemensis De musica cum Tonario*, ed. J. Smits van Waesberghe, Rome amer. inst. of musicology, 1950 — *II, Aribo, De musica*, 1952 ; *IV Guidonis Aretini Micrologus*, *id.*, Florence 1955.

b. *Études*. H. Sowa, *Textvariationen zur Musica enchiriadis*, ds *Zeitschr. f. Mw.*, 17, 1935 ; M. Appell, *Terminologie in den mittelalt. Musiktraktaten*, 1935 : L. Balmer, *Tonsystem u. Kirchentöne bei Joh. Tinctoris*, 1935 ; L. Ellinwood, *Musica Hermanni Contracti*, 1936 ; Dom J. Gagard, *Les traités des auteurs du moyen-âge et la restauration grégorienne*, ds *R.G.*, 1938 ; O. Gombosi, *Studien zur Tonartenlehre des frühen Mitt.*, ds *Acta mus.*, *X*, 1938, *XI*, 1939 ; L. Kunz, *Die Tonartenlehre des Boethius*, ds *Kirchenmus. Jhb.*, 31, 1936, 33, 1938 ; Dom P. Thomas, *St Odon et son œuvre musicale*, ds *« A Cluny »*, Dijon 1950 ; W.F. Jackson, *St Augustine's De musica : a synopsis*, Londres 1948 ; Dom P. Thomas, *Principes de la théorie hexacordale ds les théoriciens médiévaux et principalement ds Gui d'Arezzo*, ds *Actes du congrès de Rome*, 1950 ; A. Auda, *Les gammes mus. : essai hist. sur les modes et les tons de la mus. dep. l'antiquité jusqu'à l'époque moderne*, Woluwé St-Pierre, 1947 ; J. Smits van Waesberghe, *De Vitzonder lijke plaats van de ars musica in den ontwikkeling der wetenschappen gedurende de ceuw der Karolingers* (trad. franç. de Dom Froger, ds *R.G.*, 31, 1952, sous le titre : *La place exceptionnelle de l'ars musica ds le développement des sciences au siècle des Carolingiens*, La Haye, 1947 — *Muzikgesch. der Middeleeuwen, I, Deel*, Tilburg s.d., *II*, *ibid.* 1939-1942 — *Some mus. treatises and their interrelations. A school of Liege, ca 1040-1200 (?)*, ds *Mus. disc.*, *2*, 1949 — *School en muz. in d. Middeleeuwen*, Amsterdam 1949 — *De musico paedagogico et theoretico Guidone Aretino ejusque vita et moribus*, Florence 1953 ; A. Caretta — L. Cremascoli — L. Salamina, *Franchino Gaffurio*, Lodi 1951 ; H. Potiron, *La notation grecque et Boèce*, Tournai 1951 ; Dom M. Huglo, *Les noms des neumes et leur origine*, ds *E.G.*, *I*, 1954 ; J. Smits van Waesberghe, *Cymbala*, ds *Mus. studies and documents*, *I*, Rome 1951 ; Dom R. Weakland, *Hucbald as musician and theorist*, ds *MQ*. 42, 1956 ; J. Smits van Waesberghe, *Melodieleer (de melodia)*, Amsterdam 1950 — *A textbook of melody*, Rome 1953 ; H. Oesch, *Guido v. Arezzo. Biograph. u. theorit. unter besonderer Berücksichtigung der sogennanten odonischen Traktate*, Berne-Stuttgart 1954.

— **4.** *Paléographies musicales comparées :* a. **Chant byzantin.** Voir les divers vol. de la grande collection *Monumenta musicae byzantinae*. Autres études : Dom L. Tardo, *L'antica melurgia b.*, Grottaferrata 1938 ; O. Tiby, *La mus. b.*, Milan 1938 ; F. Balilla Fratella, *Il canto liturgico greco-b. e le origini dell' organum*, ds *RMI*, 47, 1943 ; M. Mila, *La melurgia b.*, *ibid.* ; Dom L. Brou, *Les chants en langue grecque dans les liturgies latines*, ds *Sacris erudiri*, *I*, 1948, *IV*, 1952 ; E. Wellesz, *A hist. of byzant. mus. and hymnography*, Oxford 1949 (la bibl. de cet ouvrage doit être complétée par la bibl. de l'auteur, publiée ds *MQ*, 42, 1956, et par l'art. H.J.W. Tillyard, *Gegenwärtiger Stand der byz. Musikforschung*, 7, ds *Mf.*, 1954. b. **Chant oriental** : E. Wellesz, *Mus. of the eastern churches*, ds *New Oxford Hist. of mus.*, *II*, 1954 — *Ein Ueberblick über die Mus. der Ostkirchen : Stand, Aufgaben u. Probleme*, ds *Actes du congrès de Vienne*, 1954. Pour les diverses branches du chant oriental, on ne donnera ici que des indications sommaires concernant l'ensemble de chaque répertoire. *Chant syrien* : A. Raes, *L'étude de la liturgie syrienne, son état actuel*, ds *Misc. lit. in honorem L.C. Mohlberg*, *I*, Rome 1948. *Chant copte* : H. Hickmann, *Qqs observations sur la mus. lit. des Coptes d'Égypte*, ds *Congrès de Rome*, 1950 : R. Ménard, *La mus. c., problème insoluble*, ds *Cahiers comptes*, n° 1, 1952 — *Notes sur les mus. arabes et c.*, *ibid.* — *Une étape de l'art mus. égyptien : la mus. c. Recherches actuelles*, ds *Rev. de mus.*, 36, 1954. *Chant arménien* : *Les hymnes de l'église a.*, notation du P.Dr Dayan, mekhitariste, v. *IV*, Venise 1952 (les vol. I-III ne sont pas encore publiés). Chant *éthiopien* : études en cours de l'abbé Velat, de l'Inst. cath. de Paris. *Chant slave :* R. Palikarova-Verdeil, *La mus. byz. chez les Bulgares et les Russes*, ds *M.M.B. Subsidia*, *III*, Copenhague 1953 ; J. Handschin, *Le chant eccl. russe*, ds *Acta mus.*, 24, 1952. Voir aussi les communications de Zagiba, ds actes du Congrès de Vienne, 1954, et de L. Pichler, *ibid.* c. **Chant ambrosien :** Dom G. Suñol, éd. de l'*Antiphonale missarum*, 1936, et du *Vesperale*, 1939 — *Metódo completo di canto gregoriano con un appendice per il canto ambrosiano*, Rome 1935 (les art. de Dom Suñol sont énumérés dans les *Note storiche* de Dom E. Cattaneo) ; Don E. Cattaneo, *I canti della frazione e communione nella lit. ambr.*, ds *Misc. lit. L.C. Mohlberg*, *II*, Rome 1949 — *Note stor. sul canto ambr.*, ds *Arch. ambr.*, *III*, Milan 1950 ; M. Altissent,

*Ordinarium missae et canti varii juxta ritum eccl. mediolan. ex antiph. typico, ibid.* 1937 — *Missa pro defunctis, ibid.* 1936 ; Mgr. P. Borella, *Rassegne di studi ambr.*, ds *Ambrosius*, 30, 1954 ; Dom M. Huglo — Don L. Agustoni — Dom E. Cardine — Don E. Moneta-Caglio, *Fonti e paleografia del canto ambr.* ds *Archiv. ambros.*, VII, Milan 1956. d. **Chant d'Aquilée et de Hte-Italie :** Dom M. Huglo, *Vestiges d'un ancien répertoire mus. de Hte-Italie*, ds *Actes du congrès de Vienne*, 1954 — *Antifone antiche per la fractio panis*, ds *Ambrosius* 31, 1955. *Chant bénéventain :* Dom R.J. Hesbert, *L'Antiphonale missarum de l'ancien rit bénév.*, ds *Eph. lit.* 1936–1939 ; Dom M. Huglo, *L'invitation à la paix ds l'ancienne lit. bénév.*, ds *Actas del XXXV congr. eucarist. intern.*, Barcelone 1952. f. **Chant vieux-romain :** B. Stäblein, *Zur Frühgesch. des röm. Chorals*, ds *Actes du congrès de Rome*, 1950 ; Dom J. Hourlier — Dom M. Huglo, *Un important témoin du chant v.-r. : le graduel de Ste-Cécile du Transtévère*, ds *R.G.*, 31, 1952 ; Dom M. Huglo, *Les antiennes de la procession des reliques, vestiges du vieux chant rom. dans le Pontifical*, ds *R.G.*, 1952 — *Le chant v.-r., liste des mss et témoins indirects*, ds *Sacris erudiri*, 6, 1954 ; H. Hucke, *Die Einführung des gregor. Ges.s in Frankenreich*, ds *Röm. Quartalschrift*, 49, 1954 — *Gregor. Ges. in altröm. u. fränk. Ueberlieferung*, ds *Archiv. f. Mw.*, 12, 1955 — *Die Tradition des gregor. Ges.s in der röm. Schola cantorum*, ds *Actes du congrès de Vienne*, 1954 : J. Handschin, *La question du chant v.-r.*, ds *Annales mus.*, 2, 1954 ; J. Smits van Waesberghe, *Neues über die Schola cantorum*, ds *Actes du congrès de Vienne*, 1954. g. **Chant gallican :** A. Gastoué, *Le chant g.*, Grenoble 1939 ; B. Opfermann, *Die lit.. Herrcerakklationen des Mittelalters*, Weimar 1953 ; Dom M. Huglo, *L'auteur de l'Exultet pascal*, ds *Vigiliae chris.*, 7, 1953 — *Les preces hisp. des graduels aquitains*, ds *Hisp. sacra*, 9, 1956 ; B. Stäblein, art. *Gallikan. Liturgie* ds *MGG*. h. **Chant mozarabe.** *Antifonario visigotico - mozarabe de la cat. de Leon*, 1953 ; *Archivos leoneses*, 8, 1954 : Dom L. Brou, *Le psallendum*, ds *Eph. lit.*, 1947 — *Le trisagion, id. ibid.* — *L'Alleluia ds la lit. moz.*, ds *Anuario mus.*, 6, 1951 — *Fragments d'un antiphonaire moz. du monastère de S. Juan de la Pena*, ds *Hisp. sacra*, 5, 1952 — *Un antiph. moz. de Silos d'après les fragments du B. M., id. ibid.* — *Bull. de la lit. moz.*, ds *Hisp. sacra*, *II*, 1949 — *L'antiphonaire wisigothique et l'a. grég. au début du VIII^e^ s.*, ds *Anuario mus.*, 5, 1950, et *Actes du congrès de Rome*, 1950 — *Notes de paléographie mozarabe*, ds *An. mus.*, 7, 1952 — *Source hagiopolite d'une antienne hisp. pour le dimanche des Rameaux*, ds *Hisp. sacra*, 5, 1952. i. **Mus. religieuse médiévale :** 1^er^ *chant monodique post-grégorien :* J. Maier, *Studien z. Gesch. der Marieantiphon Salve Regina*, Ratisbonne 1939 ; D. Bonvilliers, *Salve Regina*, Boston 1939 ; Dom J. Gajard, *L'antienne Montes Gelboe*, ds *R.G.*, 1946 ; C. Lambot J. Fransen, *L'office de la Fête-Dieu primitive : textes et mélodies retrouvés*, Maredsous 1946 ; S. Corbin, *Les offices de la Ste-Face*, ds *Bull. des études portug.*, 1946 — *L'office portug. de la Sepultura Christi*, ds *Rev. de mus.*, 29, 1948 — *L'office de la Conception de la Vierge*, ds *Bull. des études portug.*, 1948 — *L'office en vers Gaude Mater Ecclesia pour la conception de la Vierge*, ds *Actes du congrès de Rome*, 1950 — *Le cantus sybillae ; origine et premiers textes*, ds *Rev. de mus.*, 34, 1952 ; Dom R.J. Hesbert, *L'office de la commémoraison des défunts à St-Benoît-sur-Loire au XIII^e^ s.*, ds *Misc. lit. in honor. L.C. Mohlberg*, *II*, Rome 1949 ; Dom B. Capelle, *Ave Regina caelorum*, ds *Quest. liturg. et paroiss.*, 31, 1950 ; I.M.J. Delaisse, *A la recherche des origines de l'office du Corpus Christi*, ds *Scriptorium*, 4, 1950 ; Dom M. Huglo, *Origine de la mélodie auth. du Credo de la Vaticane*, ds *R.G.*, 39, 1951 ; Dom L. Brou, *L'antienne Dignum namque est*, ds *Sacris erudiri*, 4, 1952 — *Un office pour le 2 nov. dans le nord de la France au XI^e^ s.*, ds *Sacris erudiri*, *V*, 1953 ; H. Sylvestre, *Antiennes d'un ancien office de l'Assomption ou de la Purification*, ds *Eph. lit.*, 87, 1953 ; A. Kern, *Das Offizium de Corpore Christi in österreich. Bibl.*, ds *Rev. bénéd.*, 64, 1954 ; F. Zagiba, *Die älstesten musikal. Denkmäler zu Ehren des hl. Leopold*, Zurich — Leipzig — Vienne 1954 ; Dom C. Lambot, *Canis decoratus angelicis*, ds *Rev. bénéd.*, 64, 1954 ; J. Marilier, *L'office rythmé de St-Philibert à Tournus et à Dijon*, ds *Jumièges, Congrès scient.*, *I*., Rouen 1955 ; Dom R.J. Hesbert, *L'hymnologie de St-Philibert, les hymnes de Tournus et Mâcon, ibid. ;* R. Derivière, *La compos. littéraire à Jumièges : les offices de St-Philibert et de St-Aycadre, ibid. :* Dom R.J. Hesbert, *La compos. musicale à Jumièges..., ibid.* ; Mgr H. Villetard, *Office de St-Savinien et de St-Potentien, texte et chant publiés d'après le ms. l'Odoranne*, Mâcon 1956. 2° *Tropes, séquences, drame liturgique, versus :* Maria de Vito, *L'origine del drama lit.*, Milan 1938 ; Dom Johner, *Zur Melodie der Fronleichnamm-Seq.*, ds *Benedikt. Monatschr.*, 1939 ; Dom R.J. Hesbert, *Une prose irlandaise pour le St-Sacrement Ave Verbum incarnatum*, ds *R.G.*, 25, 1946 — *La prose sangallienne Ave verum Corpus Christi, ibid* ; N. Weisbein, *Le « Laudes Crucis attollamus » de Maître Hugues d'Orléans dit le Primat*, ds *Rev. du M. A. lat.*, 1947 ; Dom R.J. Hesbert, *Le réemploi des mélodies dans les compos. rythm.*, ds *R.G.*, 1947 ; W. von den Steinen, *Die Anfänge der Sequenzdichtung*, ds *Rev. d'hist. ecclés. suisse*, 1946 et 1947 — *Notker der Dichter*, Berne 1948 ; Y. Rokseth, *Danses cléricales du XIII^e^ s.*, Paris 1947 ; W. Lipphardt, *Die Weisen der lat. Osterspiele des 12 u. 13. Jh.*, Cassel 1948 ; G. Reichert, *Strukturprobleme der ält. Seq.*, ds *Dt. Vierteljahrschr. f. Literaturw. u. Geistgesch.* 23, 1949 ; P. Hooreman, *St-Martial de Limoges au temps de l'abbé Odolric : essai sur une pièce oubliée du répertoire limousin*, ds *Rev. belge de mus.*, 3, 1949 ; S. Corbin, *Les textes musicaux de l'Auto da Alma*, ds *Mélanges L. Halphen*, Paris 1950 ; E.A. Schuler, *Mus. der osterf. Osterspiele u. Passionen des Mittel.*, Cassel 1951 ; Dom L. Brou, *Séquences et tropes dans la lit. mozarabe*, ds *Hisp. sacra*, 4, 1951 ; G. Zwick, *Les proses en usage à l'église de St-Nicolas à Fribourg jusqu'au XVIII^e^ s.* (annexe : 19 proses inédites), thèse de Fribourg, Suisse, 1950 : Dom R.J. Hesbert, *La prose Gloria sanctorum*, ds *Traditio*, 7, 1949–1951 ; E. Jammers, *Rhythm. u. tonale Studien zur ält. Seq.*, ds *Acta mus.*, 23, 1951 ; G. Vecchi, *Pietro Abelardo, I Planctus*, Modène 1951 — *Poesia lat. medievale*, Parme 1952 ; N. de Goede, *Il sequenziario med. della dioc. di Utrecht*, ds *Boll. degli amici del P.I. Mus. sacr.*, 4, 1952 ; Dom R.J. Hesbert, *Le prosaire de la Ste-Chapelle*, ds *Mon. mus. sacrae*, Mâcon 1952 ; Dom M. Huglo, *La prose à N.-D. de Grâce de Cambrai*, ds *R.G.* 31, 1952 ; S. Corbin, *Le ms. 201 d'Orléans : drames lit. dits de Fleury*, ds *Romania*, 74, 1953 ; S. Kroon, *Ordinarium missae, Studier kring Melodie na till Kyrie, Gloria, Sanctus och Agnus Dei*, Lund 1953 ; D. Norberg, *La poésie lat. rythmique du haut moyen-âge*, Stockholm 1954 ; B. Stablein, *Von der Seq. z. Strophenlied*, ds *Mf.*, 7, 1954 ; Dom G. Benoît-Castelli, *L' « Ave Maria... Virgo serena »*, ds *R.G.*, *I*, 1954 ; H. Husmann, *Die St. Gallen Sequenztradition bei Notker u. Ekkehard*, ds *Acta mus.*, 26, 1954 — *Sequenz u. Prosa*, ds *Ann. mus.*, 2, 1954 ; Dom D. Catta, *Aux origines du Kyriale*, ds *R.G.*, 34, 1954 ; L. Kunz, *Textrythmus u. Zahlenkomp. in frühen Seq.*, ds *Mf.*, 8, 1955 ; J. Chailley, *Jumièges et les séq. aquitaines*, ds *Jumièges, Congrès scient.*, *II*, Rouen 1955 ; Dom R.J. Hesbert, *Les séq. de Jumièges*, *ibid.* — *Les tropes de Jumièges*, *ibid.* 3° *Chant des ordres religieux :* a. **Chant cistercien :** F. Kovacs, *Fragments de chant c. primitif*, ds *Anal. ord. cist.*, 6, 1950 : J.M. Canivez, *Le rite c.*, ds *Eph. liturg.*, 63, 1949 ; S.R. Marosszeki, *Recherches sur le chant c. au XII^e^ s.*, ds *Anal. ord. cist.*, 8, 1952 ; Dom J. Hourlier, *Les réformes du chant c.*, ds *R.G.*, 31, 1952 ; Dom M. Huglo, *L'innario ambrosiano e l'innario c.*, ds *Ambrosius*, 28, 1952 ; W. Jerger, *Die Musikpflege in der ehemal. Zisterzienserabtei St. Urban...*, ds *Mf.*, 7, 1954 ; Dom Maur Cocheril, *L'évolution hist. du Kyriale c.*, Port-du-Salut 1956 — *Le Graduel de Citeaux et la tradition grég.*, *id. ibid.* (polycop.). b. **Chant prémontré :** *Antiphonarium ad usum S.O. Praem.*, Tournai 1934 ; Pl. F. Lefèvre, *L'ordre de P. d'après les mss du XII^e^ et du XIII^e^ s.*, Louvain 1941 — *La liturgie de P.*, ds *Eph. lit.*, 1948 : W. Roscher, *Studien z. gregor. Choral in der praem. Ordenstradition*, thèse d'Erlangen, 1951 ; Pl. F. Lefèvre, *Coutumiers lit. de P. du XIII^e^ et du XIV^e^ s.*, Louvain 1953 — *Un témoin nouveau pour la reconstitution des textes et des chants dans la liturgie de P. au XIII^e^ s.*, ds *Anal. praem*, 15, 1939 — *Un témoin nouveau de la lit. de P. au XII^e^ s. : le missel d'Anvers*, ds *Scriptorium*, 9, 1955. c. **Chant dominicain :** S.M. Cserba, *Hieronymus de Moravia O.P. Tractatus De musica*, Ratisbonne 1935 ; P. Bonhomme, *La discipline des voix ds notre récitation chor. de l'office divin*, Rome 1936 ; G Solch, *Codex XII L 3, saec CIII, des dom. Ordensarchiv in Rom...*, ds *Eph. lit.*, 54, 1940 ; D. Delalande, *Vers la version auth. du graduel grég., le graduel des Prêcheurs*, Paris 1949 ; G. Wellesz, *The origins of dom. chant*, *Blackfriars*, Oxford 31, 1950 ; B. Opfermann, *Das Dominikanerbrevier*, ds *Bibel u. Lit.*, oct. 1952. d. **Chant des frères mineurs :** Dausend, *S. Francisci Assiensis et S. Antoni Patavini officia rythmica, auctore fr. Juliano a Spira*, Rome 1935 ; J. Handschin, *Über die Laude* (« à propos d'un livre récent »), ds *Acta mus.*, 10, 1938 ; Umberto, *Ricerca e riesumazione della produzione mus. francescana*, Florence 1952. — 4° *Chant populaire en rapport avec le chant grégorien :* F. Biron, *La chanson populaire et la cantilène grég.*, ds *Rev. de l'univ. d'Ottawa*, déc. 1939 ; W. Wiora, *Die Frühgesch. d. Mus. in den Alpenländer*, Bâle 1950 — *Der europ. Volksgesang*, Cologne 1951 ; Y. Rokseth, *Danses cléricales du XIII^e^ s.*, Paris 1950 ; S. Corbin, *Une parodie du Sanctus*, ds *Romania*, 73, 1952 ; F. Gennrich, *Mittelalt. Lieder mit textloser Melodie*, ds *AfMw*, 1952 ; *Obras del cançones popular de Catalunya :* 2 vol. ; M. Garcia Matos — M. Schneider et J. Romeu Figueras, *Cancionero popular esp.*, Barcelone–Madrid 1951 ; P. Coirault, *Formation de nos chansons folkloriques*, Paris 1953.

**Ouvrages didactiques.** *Monographies.* a. *Modalité, tonalité :* K. Wachsmann, *Untersuchungen z. vorgregor. Gesang*, Ratisbonne 1936 ; F.S. Andrews, *Medieval modal theory*, thèse de la *Cornell univ.*, 1935 ; H. Sowa, *Quellen z. Transformation der Antiphonen...*, Cassel 1935 ; Dom L. Kunz, *Ursprung u. textl. Bedeutung der Tonartensilben Noieane, Noeagis*, ds *Kirchenmus. Jhb.*, 1925 ; T. Seelgen, *Der Tritonus im « Ordo virtutum » der hl. Hildegard*, ds *C.V.O.*, 1935 ; M. Schneider, *Der Wechsel der Modalitätsbestimmung im Lichte der Tonalitätskreistheorie*, ds *Kirchenmus. Jhb.*, 1936 ; O. Gombosi, *Studien z. Tonartenlehre des frühen Mittelalters*, ds *Acta mus.*, *X*, 1938, *XI*, 1939 ; O. Ursprung, *Die antiken Transpositionesskale u. die Kirchentöne*, ds *AfMw* 1940 ; Dom P. Thomas, *Studio nella modalità greg.*, Rome 1947 (polycop.) ; L. Agustoni, *Die Lehre v. der Modalität des lat. liturg. Gesunges*, Sarnen 1945 ; Dom G. Suñol, *La modalità greg.*, ds *Ambrosius*, 1947 ; H. Potiron, *Les origines des modes grég.*, Tournai 1948 — *L'analyse modale du chant grég.*, *ibid.* 1948 ; A. Auda, *Les gammes mus., essai hist.*, 1947 ; E. Werner, *The origin of the eight modes of mus.*, ds *Hebrew union college annual*, Cincinnati 1948 ; H. Potiron, *La terminologie modale*, ds *R.G.*, 1949 — *La modalité grég.*, ds *Actes du congrès de Rome*, 1950 ; J. Smits van Waesberghe, *L'évolution des tons psalmiques au moyen-âge*, *id. ibid.* ; Dom M. Huglo, *Un tonaire du graduel de la fin du VIII^e^ s.*, ds *R.G.*, 31, 1952 ; H. Potiron, *La compos. des modes grég.*, Tournai 1953 ; C. Hoeg, *Études sur l'hist. de l'octoèchos*, ds *M.M.B.*, *Subsidia* (en prépar.). b. *Rythmique :* H. Sowa, *Quellen z. Transformation...*, Cassel 1935 ; Dom J. Gajard, *Pourquoi les éditions rythmiques de Solesmes*, ds *Monogr. grég.*, Tournai 1935 — *Le nombre musical grég.*, *id. ibid.*, *III* — *Notions sur la rythmique grég.*, ds *R.G.*,

1936–37, Paris 1936 ; Dom Murray, *Rythmique grég. Les étapes d'un pèlerin*, ds *R.G.*, 1936–1937 ; E. Jammers, *Der greg. Rythmus. Antiph. Studien*, Strasbourg 1937 ; W. Lipphardt, *Rythm.-metrische Studien*, ds *Jahrb. f. Lit.wiss.*, 14, 1938 ; Dom L. David, *Les signes rythm. d'allongement et la trad. grég. auth.*, ds *R.C.G.* 1938 et 1939 ; Dom P. Ferretti, *Caractère de l'accent tonique ds le chant grég.*, ds *R.G.*, 1938 ; Dom B. Botte, *La scansion des hymnes de l'office*, ds *Questions lit. et paroiss.*, 1940 ; E. Jammers, *Der Rythmus der Psalmodie*, ds *Kirchenmus., Jhb.*, 1939 — *Grundsätzl. Vorbemerkungen. Erforschung d. rythm. Neumenschriften*, ds *Eph. lit.*, 1944 ; Dom B. de Malherbe, *Le chant grég., son rythme primitif*, Paris 1943 ; Dom Mercure, *Rythmique grég.*, St Benoît-du-Lac, 1937, 1943 ; L. Kunz, *Aus der Formenwelt des Chorals (cf. infra)* — *2. Rythmus u. Form.* Munster 1947 ; A. Le Guennant, *Précis de rythmique grég. d'après les principes de Solesmes, ds Cahiers de l'Institut grég.*, 1948 ; J. Jeanneteau, *Essai de synthèse chironomique*, ds *R.G.*, 1950 ; P. Carraz, *L'accent et l'ictus de la métrique latine*, id. *ibid.* ; Dom M.A. Rivière, *L'épisème horizontal, ibid.* 1951 ; E. Thibault, *The Kyriale, a chironomized ed.*, Toledo (Chio) 1951 ; E. Jammers, *Struktur u. Vortrag im greg. Choral, ds Kirchenmus. Jhb.*, 35, 1951 ; B. Stäblein, *Die tegernsee mensurale Choralschr. aus dem 15. Jh. ...*, ds *KB Intern. Gesellsch. f. Mw.* 1952 ; F. Gennrich, *Grundsätzl. z. Rythmik der mittelalt. Monodie, ds Mf.*, 7, 1954 ; R. Dumesnil, *Rythme et mesure*, ds *Musica*, Paris 1954 ; J. Kemper-J. Aegenvoort, *Zum Problem des Choralrythmus, ds Mus. u. Altar*, 6, 1954 ; Dom J. Claire, *L'œuvre rythmique de Dom Mocquereau*, ds *R.G.*, 34, 1955 ; J. Vos–Dom F. de Meeus, *L'introduction de la diaphonie et de la rupture de la tradition grég. au XIᵉ s.*, ds *Sacris erudiri*, 7, 1935 ; Dom F. de Meeus, *Orientations nouvelles en musicologie médiévale, ds Annales de la fédération hist. et archéol. de Belgique*, 3ᵉ congrès, Courtrai 1953 ; W. Apel, *Greg. Chant* (important ouvrage d'initiation), Bloomington 1958.

**GREGORY William.** Mus. angl. (?–Londres 20.8.1663), qui fut chanteur à la chapelle royale de Londres (1626–1649) et composa, outre quelques *anthems*, des airs et des pièces de clavecin dans des recueils de l'époque.

**GREIG Gavin.** Compos. écossais (Parkhill 10.2.1856–Whitehill 31.8.1914). Issu de la même famille qu'Édouard Grieg, il fut maître d'école à Whitehill, écrivit des poèmes, des pièces, des nouvelles, recueillit des chants populaires de l'*Aberdeenshire*; on lui doit des mélodies, des *anthems*, 1 opérette, de la mus. de scène etc. Voir G. Farmer in MGG.

**GREINDL Josef.** Chanteur allem. (Munich 23.12.1912–), basse, qui débuta en 1936, a exercé à Crefeld, Dusseldorf, aux Opéras de Berlin (1942–48) et de Vienne (1956) ; il fait une carrière internationale.

**GREITER Mathias.** Mus. allem. (Aichach, fin XVᵉ s.-Strasbourg 20.12.1550). D'abord religieux et *cantor praebendarius* à la cath. de Strasbourg, il se convertit au protestantisme, servit dans différentes églises de Strasbourg et revint au catholicisme en 1549, tout en demeurant chapelain de Saint-Étienne de Strasbourg ; on lui doit un traité : *Elementale musicum...* (Strasbourg 1544, 1546), 15 *Lieder* (4-5 v.), 1 *bicinium*, 1 pièce à 4 v., sur un texte d'Ovide, dans le *Musicae practicae* de G. Faber (Bâle 1553), 20 mélodies évangéliques : 2 dans le psautier de Genève, le reste dans le *Strassburger-Gesangbuch*. Voir M. Vogeleis, *Quellen u. Bausteine z. Gesch. d. Mus. im Elsass*, Strasbourg 1911 ; Th. Gérold, *Les plus anciennes mélodies de l'église protestante de Strasbourg...*, Paris 1928 ; A. Pirro, *Hist. de la mus. de la fin du XIVᵉ à la fin du XVIᵉ s.*, Paris 1940 ; E. Lowinsky, *M.G.'s Fortuna*, ds *MQ*, 1956–57 ; F. Muller in MGG.

**GRELLE.** C'est un instrument à air, probablement hautbois (France médiévale) : cité dans des textes français des XIIᵉ et XIIIᵉ s., il y est désigné aussi par les mots *graille, graile, gresle, graisle, greille*. C.M.-D.

**GRELOT.** C'est un idiophone (voir à ce mot), qui est fait d'une coque ajourée ou d'un anneau fendu, en métal et contenant une bille ; celle-ci, sous l'effet d'un secouement, ébranle la paroi de la cavité. Le *g.* est un accessoire de danseurs (*g.* de tête, de cou et de jambes), notamment en Afrique du Nord et dans l'Inde : *g.* des bracelets de chevilles des danseuses (voir aussi à *ghunghura*). C'est également un instrument de rythme : *g.* de chevilles des joueurs de cabrette (voir art. *musette*) en Auvergne, p. ex. C'est encore un instrument de sonorité accessoire combiné à d'autres (manche de luths,

cadre de tambours, extrémité de claquettes, p. ex.). Le *g.* conserve un caractère magique dans plusieurs de ses emplois : *g.* de bâtons de divination et *g.*-anneau de cérémonies d'initiation en Afrique, *g.*-anneau des charmeurs de serpents dans l'Inde, *g.* cousus aux vêtements de masques en Europe, *g.* portés par les enfants (Cameroun, Suisse), et même colliers de *g.* portés par les bêtes de trait. Certains instruments peuvent prendre la forme extérieure sphérique courante du *g.* sans en avoir le principe organologique : c'est ainsi qu'en Asie le *mo*, le *mo-yu*, le *mokuyo* (voir à ces mots), qui sont frappés extérieurement, sont des tambours de bois en forme de grands grelots. C.M.-D.

**GRÉNERIN Henri.** Théorbiste et guitariste franç. du XVIIᵉ s., qui était en 1641 musicien du roi à Paris et participa aux ballets de la cour (1656–61) ; on lui doit *Livre de théorbe* (déd. à Cully, Paris v. 1670), un *Livre de guitare et autres pièces de musique...*, 1680, et qqs pièces dans le ms. Barbe de la Bibl. nat. Voir F. Lesure, ds *Rev. de mus.*, 1955.

**GRENET François-Lupien.** Mus. franç. (Paris v. 1700–Lyon ... 2.1753), enfant de chœur à la Sainte-Chapelle (1705–12), maître de musique à l'Opéra (1733), à l'Acad. de Lyon (1739), auteur d'un divertissement : *Le triomphe de l'amitié* (1714), d'un ballet héroïque : *Le triomphe de l'harmonie* (1737).

**GRENIÉ Gabriel-Joseph.** Inventeur franç. (Bordeaux 1756–Paris 3.9.1837), qui construisit aux alentours de 1810 un instrument à anches libres, dont l'intensité était réglée par un système de pédales ; il s'était inspiré d'un jeu d'orgue *expressif* qu'il avait découvert ; il construisit un orgue mixte et expressif pour le cons. impérial de musique (1812) : il est ainsi aux origines de l'harmonium.

**GRENON Nicolas.** Mus. franç. des XIVᵉ-XVᵉ s., qui appartint à la cour de Bourgogne (1385), fut chanoine du St-Sépulcre à Paris (1399), maître des enfants à la cath. de Laon (1403), à celle de Cambrai (1408), au service de Jean sans Peur (1412), maître de mus. à la cath. de Cambrai (1421–24), chantre à la chapelle pontificale de Rome (1425–27), chanoine à Cambrai (1427), vécut à Bruges (1437), enfin à Cambrai (au moins jusqu'en 1449) ; les auteurs le situent entre Machaut et Dufay ; on a conservé de lui 5 chansons à 3 v., 3 à 4, 1 motet isorythmique à 3, 1 *Et in terra*. Voir J. Marix, *Hist. de la mus. et des musiciens de la cour de Bourgogne...*, Paris 1939 ; Ch. Van den Borren, *Études sur le XVᵉ s. musical*, Anvers 1941 ; E. Dannemann, *Die spätgotische Musiktradition...*, Strasbourg 1936 ; A. Pirro, *Hist. de la mus. de la fin du XIVᵉ à la fin du XVIᵉ s.*, Paris 1940.

**GRENSER** (*Gränser*). Famille de luthiers et de mus. allem. : — **1. Karl Augustin** (Wiehe 11.11.1720–Dresde 4.5.1807), luthier (flûte, htb, basson, clarinette), contemporain de J.-S. Bach. Son neveu et gendre — **2. Johann Heinrich Wilhelm.** (Lipprechts Roda 5.3.1764–Dresde 12.12.1813) ; son fils — **3. Heinrich Otto** (Dresde 14.2.1808–?) ; le fils de Karl Augustin. — **4. Karl Augustin II** (Dresde 2.5.1756–8.1.1814). — Ses fils — **5. Karl Augustin III** (Dresde 14.12.1794–Leipzig 26.5.1864), fut flûtiste au *Gewandhaus*, prof. au cons., compos., historien et musicographe. — **6. Friedrich August** (Dresde 6.7.1799–Leipzig ¡10.12.1861), fut violon. et timbalier au *Gewandhaus*. — **7. Friedrich Wilhelm** (Dresde 5.11.1805–Leipzig 5.1.1859), fut vcelliste au même *Gewandhaus*; le second fils de Karl Augustin I.— **8. Johann Friedrich** (Dresde 1758–Stockholm 17.3.1794), fut htboïste, mus. de la chambre à la cour de Suède et compositeur. Voir P. Rubardt in MGG.

**GRENZ Arthur.** Compos. allem. (Brême 17.4.1909–). Élève du cons. de Berlin, de P. Hindemith, chef d'orch., il a fondé un cons. à Kissingen et vit à Hambourg ; on lui doit 1 ballet : *Der Zauberlehrling* (1939), 1 *Sinfonietta* (1943), 1 concerto de violon (1948), 1 quatuor, 1 symph. (1953), 2 trios etc.

**GRESEMUND Dietrich.** Ecclésiastique et humaniste

allem. (Spire 1472–Mayence 1512), à qui l'on doit *Lucubratiunculae bonarum septem artium liberalium* (Mayence 1494, Deventer 1497, Leipzig 1501, 1505), dans le 5ᵉ chapitre duquel il définit et classifie la musique. Voir H. Hüschen in MGG.

**GRESNICH** (*Gresnick*) **Antoine-Frédéric.** Mus. belge (Liège, bapt. 2.3.1755–Paris 16.10.1799). Elève de la maîtrise de la cath. de St-Lambert de Liège, du collège Darchis à Rome, du cons. *della Pietà de'Turchini* à Naples (N. Sala), il voyagea en Angleterre (1782–1785) : lors de son second séjour, il fut choisi comme surintendant de la musique par le prince de Galles (le futur Georges IV) ; on le trouve ensuite à Paris (1786 ou 1791) ; il est plus tard chef d'orch. du Grand théâtre de Lyon, puis revient finir son existence à Paris ; on lui doit 22 opéras-comiques, dont *Il Francese bizzarro* (1784), *L'amour exilé de Cythère* (1793), *Claudine...* (1795), *Léonidas...* (1799), 1 *Sinfonia* (ms. cons. de Liège, 1722), 1 *Symphonie concertante*, 1 *concerto de basson*, 12 *Romances séparées* (Paris, s.d.). Voir A. Pougin, *G.*, Paris 1862 ; A. Auda, *La mus. et les musiciens de l'ancien pays de Liège*, Bruxelles 1930 ; L. Vallas, *Un siècle de mus. et de théâtre à Lyon*, Lyon 1932.

**GRESS Richard.** Compos. allem. (Endersbach 3.12.1893–). Elève du cons. de Heidelberg, de l'*Akad. d. Tonkunst* de Darmstadt, du cons. de Stuttgart, de l'univ. de Tübingen, dont il est docteur avec *Die Entwicklung d. Klaviervariation von A. Gabrieli bis zu J.S. Bach* (Cassel 1929), il a été dir. de la *Westfälische Schule f. Mus.*, fondé un cons. et un séminaire de musique à Cassel (1939), écrit des œuvres symph., de chambre, 4 cantates, des chœurs, des mélodies.

**GRETCHANINOV Alexandre Tikhonovitch.** Compos. russe (Moscou 25.10.1864–New-York 3.1.1956). D'une famille de petits commerçants sans fortune, G. ne peut faire des études qu'à force de sacrifices et de ténacité ; et ce n'est qu'à dix-sept ans qu'il entre au conservatoire : il y reste jusqu'en 1890, suivant successivement les classes de Raskin et de Safonov (piano), de Taneev (formes musicales) et d'Arenski (harmonie et fugue) ; puis, grâce à une bourse, G. peut terminer ses études musicales au cons. de St-Pétersbourg dans les classes de Rimsky-Korsakov (composition et instrumentation) et de Jahansen (fugue) : il en sort en 1893 et doit vivre de leçons de musique. La même année cependant, son *Ouverture de concert* est jouée à Pavlosk ; l'année suivante le *quatuor nᵒ 1* reçoit le prix Beljaev ; en 1895, Rimsky-Korsakov dirige sa *symphonie nᵒ 1* ; ses mélodies, ses chœurs religieux et profanes sont bien accueillis ; en 1896, G. revient à Moscou : c'est alors que Stanislavsky lui demande la première d'une série de musiques de scène pour son théâtre — il s'agit du *Tsar Feodor Ivanovitch* de Tolstoï, représenté en 1898 ; en 1901, G. termine son premier opéra : *Dobrynia Nikititch*, entrepris en 1895 sur un livret qu'il avait écrit d'après une légende russe (1ʳᵉ représentation en 1903) ; en 1909, il termine un second opéra, tout différent, *Sœur Béatrice* (d'après la pièce de Maeterlinck) : on y perçoit les influences conjuguées de Debussy et de Reger ; l'opéra est monté en 1911, mais la censure religieuse le fait interdire dès sa 3ᵉ représentation. Cependant, de 1910 à 1917, G., dont la vie matérielle est toujours difficile, reçoit une pension du gouvernement ; en 1922, comme ce fut le cas d'un certain nombre de compositeurs russes dans la première décade du nouveau régime soviétique, G. vient faire une tournée en Europe. Prof. à l'École de musique Gnessine, il écrivit de nombreuses œuvres pour enfants, notamment trois petits opéras sur des contes populaires pour soli, chœurs d'enfants et piano, dont *Le songe du petit arbre de Noël* (op. 55). En 1925, il s'installe à Paris ; il continue à beaucoup écrire pour les enfants : *La journée d'un enfant* (op. 109), *Historiettes* (op. 118), *Album du grand-père* (op. 119), *Album d'Andrucha* (op. 133) et bien d'autres pièces pour piano ; en 1934, il fait paraître à Paris un livre autobiographique : « *Ma vie musicale* », en langue russe ; en 1936, il écrit sa *symphonie nᵒ 5* (op. 153) et en 1938 un *Concerto pour flûte, harpe et orchestre à cordes* (op. 159) ; en 1939, il s'exile une nouvelle

GRETCHANINOV
*Caricature de M. Pincherle.*

fois : il gagne les États-Unis, où il résidera jusqu'à sa mort ; il y écrit encore un autre opéra, *Le mariage*, sur le texte de Gogol ; terminé en 1946, l'opéra ne sera présenté intégralement qu'en 1950 à Paris par le Théâtre de chambre russe de N.A. Karganov. Enfin, G. écrit beaucoup de musique d'église chorale : en 1898, il avait déjà écrit une *Liturgie de st Jean Chrysostome* (op. 13) ; tout au long de sa carrière, il resta fidèle à l'inspiration religieuse : dans ce domaine, son apport est considéré comme très important.

La musique de G. s'inscrit dans la tradition du « *Groupe des Cinq* », tant par son utilisation des modes et des rythmes du folklore russe que par son goût d'une orchestration très colorée ; cependant il est peu attiré par le contrepoint ou les recherches harmoniques ; c'est un romantique, mais ce ne sont pas les grandes fresques bruyantes qui l'attirent : il est plus l'interprète des sentiments intimes, du mystère, et souvent sa musique plaît plus par son côté aimable qu'elle n'attire l'attention par quelque choc nouveau.

Le catalogue des œuvres de G. comprend quelque deux cents numéros d'*op.* : il faut rappeler 2 opéras, *Dobrynia Nikititch* (1903) d'après une légende russe, *Sœur Béatrice* (1912) d'après Maeterlinck, 5 symph., des suites d'orch., 1 concerto de vcelle, un autre de flûte, de nombreuses pièces de piano et de mus. de chambre : quatuors, trios, *Deux Miniatures pour saxophone, alto et piano* (op. 145), *Sonate pour clarinette et piano* (1942), des mélodies (dont un intéressant recueil de mélodies enfantines), de la musique d'église pour le culte orthodoxe (liturgies, chœurs, psaumes) et pour le culte catholique (2 *messes*, 1953), enfin de la mus. de scène. Voir G. Abraham in MGG.        M.F.

**GRÉTRY André-Ernest-Modeste.** Compos. belge (Liège 11.2.1741–Montmorency 24.9.1813). Il reçoit sa première éducation de son père, François-Pascal, violoniste d'église. A 9 ans, il est choral à l'église collégiale de St-Denis à Liège. Après la mue, il travaille le violon, le clavecin et la composition avec Nicolas Rennekin

*Portrait de Grétry*                    coll. Meyer

et Henri Moreau. En 1759, il obtient une bourse pour se rendre en Italie : pensionnaire du Collège liégeois à Rome, il prend des leçons chez G.B. Casali. Admirateur de Piccinni et de Pergolèse, il compose un intermezzo à 3 personnages, *La vendemmiatrice*, pour le carnaval de 1765. Après avoir reçu des conseils du P. Martini à Bologne, il est admis, après concours, à l'*Accad. dei Filarmonici* de cette ville. En 1766, il quitte l'Italie, s'arrête à Genève, où il a l'occasion de prendre contact avec l'opéra-comique français et compose sa première œuvre dans ce genre, *Isabelle et Gertrude*, représentée six fois avec succès. En automne 1767, il est à Paris et entreprend de composer dans le goût italien sur prosodie française. Son premier essai, *Les mariages samnites*, est un échec ; mais en 1768 *Le huron* consacre son talent, où les qualités mélodiques s'associent à un sens dramatique authentique. Quelques mois plus tard, *Lucile*, œuvre d'émotion chère à la sensiblerie de l'époque, et la comédie-parade *Le tableau parlant*, rayonnant d'humour et de grâce, achèvent de montrer toutes les possibilités du compositeur qui, pendant trente ans, connaîtra le succès. Parmi les quelque cinquante œuvres qu'il écrira, *Zémire et Azor*, *Céphale et Procris*, *Richard Cœur de Lion* et *Guillaume Tell* sont encore reprises de nos jours.
Bénéficiaire des faveurs royales, G., à la Révolution, se tourne vers le nouveau régime en composant des œuvres de circonstance (*Pierre le Grand*, *La rosière républicaine*) et en acceptant le poste d'inspecteur des études du nouveau conservatoire de musique de Paris. A la création de l'Institut de France (1795), il est un des premiers musiciens à faire partie de la classe des beaux-arts. Mais il s'accommodera aisément de l'Empire, qui lui accordera la légion d'honneur (1802).
Dès 1789, G. s'adonne aux lettres en publiant le premier volume de ses *Mémoires ou Essai sur la musique* ; les deux volumes suivants, mélanges philosophico-littéraires, paraissent en 1797. En 1801, un essai vide et prétentieux, *De la vérité, ce que nous fûmes, ce que nous sommes, ce que nous devrions être*, est suivi bientôt d'une petite *Méthode pour apprendre à préluder* (1802). En outre, dans son désir de ressembler à J.J. Rousseau, G. laissera 4 gros volumes de *Réflexions d'un solitaire*, qu'il rédige dans

l'ermitage de Jean-Jacques, à Montmorency, où il finira ses jours.
G. a porté à la plus haute perfection l'opéra-comique, genre cultivé avant lui par Duni, Monsigny, Dauvergne et Philidor. L'interprétation mélodique, abondante et naturelle, est chez lui empreinte d'une grande justesse d'expression, propre à traduire scéniquement le caractère de chacun des personnages. La virtuosité vocale n'apparaît que lorsque le texte le requiert ou le motive. Son harmonie, au contraire, est pauvre et offre de nombreux redoublements ; mais son instrumentation, fondée sur un matériel orchestral assez réduit, ne manque pas d'intérêt. L'art de G. est plein de vie et de variété, avec un fond de sentimentalité d'où l'humour ni le sens du comique ne sont absents. Ses dons se manifestent avec plus d'aisance dans le comique et dans le sentimental que dans le tragique ou l'héroïque. Le temps n'a guère infirmé le jugement de Méhul, qui voyait en lui « le Molière de la comédie lyrique ».

**Œuvres**, lyriques (sauf indication contraire, création à Paris) : *La vendemmiatrice* (Rome 1765), *Isabelle et Gertrude* (Genève 1767), *Le huron* (1768), *Lucile* (1769), *Le tableau parlant* (id.), *Silvain* (1770), *Les deux avares* (Fontainebleau, id.), *L'amitié à l'épreuve* (id. ibid.), *L'ami de la maison* (ibid. 1771), *Zémire et Azor* (id. ibid.), *Le Magnifique* (1773), *La rosière de Salency* (Fontainebleau id.), *Céphale et Procris* (Versailles id.), *La fausse magie* (1775), *Les mariages samnites* (1776), *Matroco* (Versailles 1777), *Les trois âges de l'opéra* (1778), *Le jugement de Midas* (id.), *Les fausses apparences ou L'amant jaloux* (id.), *Les événements imprévus* (1779), *Aucassin et Nicolette ou Les mœurs du bon vieux temps* (id.), *Andromaque* (1780), *Émilie* (1781), *La double épreuve ou Colinette à la cour* (1782), *L'embarras des richesses* (id.), *La caravane du Caire* (Fontainebleau 1783), *Théodore et Paulin* (id. 1784), *L'épreuve villageoise* (id.), *Richard Cœur de Lion* (id.), *Panurge dans l'isle des lanternes* (1785), *Amphitryon* (Versailles 1786), *Les méprises par ressemblance* (id.), *La nouvelle amitié à l'épreuve* (Fontainebleau id.), *Le comte d'Albert* (id. ibid.), *Le prisonnier anglais* (1787), *Le rival confident* (1788), *Raoul Barbe-Bleue* (1789), *Aspasie* (id.), *Pierre le Grand* (1790), *Guillaume Tell* (1791), *Cécile et Hermance ou Les deux couvents* (1792), *Basile ou A trompeur, trompeur et demi* (id.), *Clarice et Belton* (1793), *La fête de la Raison ou La rosière républicaine* (1794), *Le congrès des rois* (id.), *Joseph Barra* (id.), *Denys le Tyran, maître d'école à Corinthe* (id.), *Callias ou Amour et patrie* (id.), *Lisbeth* (1797), *Anacréon chez Polycrate*, *Elisca ou l'Amour maternel* (1799), *Le casque et les colombes* (1801), *Delphis et Mopsa* (1803), *Elisca ou L'habitante de Madagascar* (1812); religieuses : *Confitebor tibi domine*, *Dixit Dominus* (ms) ; instrumentales : *Sei quartetti*, op. 3 (Borelly, Paris) ; concerto pour fl. et orch. (ms. *Library of Congress*, Washington): il reste à prouver que cette œuvre est réellement de Grétry ; vocales : diverses romances, plusieurs hymnes et chants révolutionnaires ; écrits : *Mémoires ou Essai sur la musique* (Paris, 1789, 1797), *De la vérité, ce que nous fûmes, ce que nous sommes, ce que nous devrions être* (id. 1801), *Méthode pour apprendre à préluder* (id. 1802), *Réflexions d'un solitaire* (Bruxelles-Paris 1919–22). Le gouvernement belge a subventionné une édition de la « Collection complète des Œuvres de Grétry » ; de 1883 à 1937, ont paru 49 volumes (Bruxelles-Leipzig, Breitkopf et Härtel).

**Bibl. :** A. Auda, *La mus. et les musiciens de l'ancien pays de Liège*, Liège 1930 ; S. Bormans, *Lettres inédites de G.*, ds Bull. arch. liégeois, XVII, 1883 ; M. Brenet, *G., sa vie et ses œuvres*, Bruxelles 1883 ; J. Bruyr, *G.*, Paris 1931 ; S. Clercx, *G. 1741–1818*, Bruxelles 1944 ; E. Closson, *A.-M. G.*, Turnhout 1920 ; H. de Curzon, *G.*, Paris 1907 — *Qqs notes sur les portraits de G.*, ds *L'opéra-comique*, I, 1929 ; M. Degey, *A.-M. G.*, Bruxelles 1939 — *Les échos imprévus de la mort de G.*, Liège 1938 ; S. de Schrijver, *Un autographe inédit de G...*, Bruxelles 1892 — *Quatorze lettres inédites de G.*, ibid. 1891 ; Flamand-Grétry, *L'ermitage de J.-J. Rousseau et de G.*, Paris 1820 — *Cause célèbre relative à la consécration du cœur de G.*, ibid. 1825 ; G. de Froidcourt, *Quarante-trois lettres inédites de G...*, Liège 1937 — *G., Rouget de l'Isle et la Marseillaise*, ibid. 1945 — *Le Confiteor de G.*, ds *Le Vieux-Liège*, oct.-déc. 1947 — *La date et le lieu de naissance d'A.G.*, ibid. 1952 ; Gérard Gailly, *G. à Honfleur*, Bruxelles 1938 ; E.C. de Gerlache, *Essais sur G.*, Liège 1821, Bruxelles 1842 ; E.G.J. Grégoir, *G.*, ibid. 1883 — *Souvenirs artistiques*, III, ibid. 1889 ; A.J. Grétry neveu, *G. en famille...*, Paris 1814 ; F.M. Grimm, *Correspondance...*, ibid. 1877–1882 ; J. Hogge, *G. son époque*, ibid. 1918 ; S.W. Kenny, *The literary works of A.-M. G.*, ms. univ. Yale, 1948 ; P. Lasserre, *Philosophie du goût mus...*, Paris 1931 ; J. Le Breton, *Notice hist. sur la vie et les ouvrages d'A.-M. G.*, ibid. 1814 ; H. de Livry, *Recueil de lettres écrites à G. ou à son sujet*, ibid. 1809 ; M. Long des Clavières, *La jeunesse de G.*, Besançon 1921 ; P.M. Marsick, *A.-M. G.*, Bruxelles 1944 ; J. Martiny, *G...*, Liège 1892 ; L. Parkinson-Arnoldson, *Sedaine et les mus. de son temps*, Paris 1934 ; C. Pierre, *Les hymnes et chansons de la Révolution*, ibid. 1904 ; Ch. Piot, *Qqs lettres de la corr. de G. avec Vitzthumb*, ds Bull. de l'acad. royale de Belgique, XL, 1875 ; *Remise solennelle du cœur de G. à la ville de Liège : notice hist. du procès que cette ville a soutenu pour en obtenir la restitution*, Liège 1829 ;

Portraits de Grétry (coll. Meyer).

J.G. Rongé - F. Delhasse, *G.*, Bruxelles 1883 ; J. Sauvenier, *A.G.*, *ibid.* 1934 ; O.G. Sonneck, *Footnote to the bibl. hist. of G.'s operas*, La Haye 1925 ; A. Thil-Lorrain, *Hist. de G.*, Bruxelles 1884 ; J. Tiersot, *Lettres de mus. écrites en français*, Turin 1924–1936 ; A. Van der Linden, *La 1re version d'Elisca de G.*, ds *Bull. de la classe des beaux-arts*, *XXXV*, Bruxelles 1953 — *Réflexions bibl. sur les Mémoires de G.*, ds R. belge de mus., III, 1949 ; F. Van Hulst, *G.*, Liège 1842 ; R. Wangermée — A. Van der Linden, in MGG ; H. Wichmann, *G. u. das mus. Theater in Frankreich*, Halle 1929.

A.v.L.

**GRETSCH Johann Konrad.** Vcelliste allem. (? v. 1710-Ratisbonne 1778), qui fut vcelliste et *Hofmusikus* à Ratisbonne (1766) ; il composa pour son instrument (1 symph., 3 concertos et 3 sonates, en partie conservés en mss). Voir K. Stephenson in MGG.

**GREVILLIUS Nils.** Chef d'orch. suédois (Stockholm 7.3.1893–), élève du cons. de Stockholm, violon. à l'Opéra de cette ville (1911–14), qui a fait une carrière intern., notamment à la tête de l'orchestre royal de Suède.

**GREY Madeleine.** Chanteuse franç. (Villaines-la-Juhel 11.6.1897–). Elève de Cortot (piano), de Hettich (chant), elle a débuté en 1921 et voué son talent à la mus. franç. contemporaine : elle a notamment créé les *Chansons hébraïques* de Ravel (1922).

**GRGOSEVIĆ Zlatko.** Compos. croate (Zagreb 23.5.1900–), qui a fait ses études mus. à Zagreb, Paris, Prague et Vienne, enseigné à l'École supérieure de pédagogie à Zagreb ; on lui doit de la mus. de chambre, voc., de piano, des cantates ; il est aussi l'auteur de remarquables ouvrages de pédagogie musicale.                                    D.C.

**GRIEG Edvard.** Compos. norvégien (Bergen 15.6.1843-4.9.1907). Son arrière-grand-père, Alexandre Grieg, sujet écossais, était devenu en 1779 citoyen de Bergen et y était mort consul général de Grande-Bretagne. Le père du musicien était également consul britannique. Sa mère, Gesine Indet Hagerup, fille d'un président de tribunal norvégien, était d'une famille de pasteurs et de fonctionnaires : bonne pianiste, nourrie de romantisme allemand, elle donna à son fils des leçons de piano à l'âge de dix ans. Malgré son penchant musical, les parents voulurent faire d'Edvard un pasteur ; mais l'adolescent n'avait aucune disposition pour la théologie. Ole Bull, le célèbre violoniste norvégien, l'a conduit à la musique. *G.* avait 15 ans (1858) lorsqu'il partit pour Leipzig ; il y suivit pendant quatre ans, au conservatoire, les cours de piano de Moscheles, ceux d'harmonie de Hauptmann, de Papperitz et de Richter, et, pour la composition, ceux de Reinecke : cet enseignement, caractérisé par le dogmatisme arriéré de Hauptmann, le dégoûta. Quarante-quatre ans après, il écrivait à son ami hollandais Jules Roentgen ces mots durs : « Ce maudit conservatoire de Leipzig, où je n'ai absolument rien appris. » (30 oct. 1884). La nature lyrique du jeune homme cherchait de nouveaux chemins et répugnait à la pédanterie et au conservatisme stériles. Toutefois, l'air de Leipzig le contamina par des microbes mendelssohniens et schumanniens qui furent nuisibles à son originalité et retardèrent son évolution. Au printemps de 1860, une grave pleurésie le contraignit à interrompre ses études : il perdit l'usage du poumon gauche ; ce sont les conséquences de cette maladie qui l'enlevèrent presque un demi-siècle plus tard. En 1862, il donne un concert à Bergen ; au programme, figurent ses premières œuvres : un quatuor à cordes et des pièces de piano. Quoique difficilement, sa personnalité commence à percer. L'année suivante, il rencontre à Copenhague Gade et Hartmann, musiciens romantiques danois ; mais ce fut le jeune compositeur norvégien Nordraak, mort si prématurément (1866), qui lui révéla la mélodie populaire norvégienne et lui montra son chemin. *G.* raconte dans ses lettres comment Nordraak et lui jurèrent de « déclarer la guerre à ce mendelssohnianisme mélangé de scandinavisme que représentaient Gade et son style ». De 1866 à 1874, il vit à Christiania (Oslo) ; il y dirige les concerts de la Société philharmonique, puis des concerts d'abonnement sous sa propre régie. Il séjourne à Rome durant l'hiver 1865–66, y compose son ouverture *En automne* pour grand orchestre, pendant longtemps morceau favori des concerts. Il épouse en 1867 sa cousine, Nina Hagerup, cantatrice, interprète de ses mélodies. Lors de la Noël 1867, le premier cahier de ses *Pièces lyriques* pour piano, dont la série ne s'achèvera qu'en 1901 (par le 66e morceau), lui vaudra une réputation mondiale. Derechef, à Rome, en 1869–70, il rend visite à Liszt, lui joue plusieurs de

# UNE FIÈVRE BRULANTE

*ROMANCE*

Chantée par M$^{rs}$ MASSET et ROGER.

LE DILETTANTE.

N° 16a.

CELESTIN NANTEVIL
1841

DANS

# RICHARD CŒUR DE LION

Paroles de **SEDAINE**, Musique de **GRETRY**

à Paris, chez Bernard Latte, Editeur, Boulevard Italien, 2. Passage de l'Opéra.

1841

ses compositions que le maître écoute avec grand intérêt ; il le félicite dans une lettre ; grâce à lui, le gouvernement norvégien lui accorde une bourse très importante. Liszt écrit dans sa lettre : « La première sonate pour piano et violon témoigne d'un talent de composition vigoureux, réfléchi, inventif, d'excellente étoffe ; il n'a qu'à suivre sa voie naturelle pour monter à un rang élevé. » Ne se sentant pas assez expérimenté dans l'orchestration, le jeune musicien demanda au maître français Édouard Lalo, qu'il rencontra à Leipzig chez Breitkopf et Härtel, de lui donner des leçons ; mais le projet n'eut pas de suite. En 1870, il fonde avec le compositeur Svendsen une association pour grandes auditions musicales. Ce fut encore en 1865–66 que G. rencontra (à Rome) le poète Henrik Ibsen, qui vivait dans la Ville éternelle : le poète demanda au musicien (1874) d'écrire une musique pour son *Peer Gynt:* G. accepta la proposition ; il céda la direction de la Philharmonie d'Oslo à Svendsen, s'établit à Sandviken et se mit à l'œuvre. « C'est un sujet intraitable », écrit-il à son ami F. Beyer, le 27 août 1874, « à part quelques passages, par exemple ceux que chante Solvejg. Quant au morceau que j'ai écrit pour la Halle du Roi des montagnes, je ne peux véritablement le souffrir. » D'autres lettres il ressort également que ce fut un « cauchemar » pour lui que de composer cette musique. Il est fort curieux de voir face à face ces deux illustres représentants du génie norvégien : apparemment, l'un ne comprenait pas le poème national de l'autre, *Peer Gynt*, expression énigmatique de l'âme norvégienne. Heureusement la musique de G. dément ses propres assertions ; sa sensibilité, son sentiment national entrèrent en jeu, peut-être inconsciemment. Avec les morceaux composés pour *Peer Gynt*, il fit deux suites d'orchestre qui jouissent encore aujourd'hui d'une grande popularité. G. se rendit à deux reprises à Bayreuth et s'enthousiasma pour Wagner (voir ses articles dans le *Bergenpost*). Parmi les écrivains de son pays, c'est Björnson qui est le plus proche de lui, avec son drame *Sigurd Jorsalfar*, G. a écrit une musique qui survit sous la forme d'une suite. Il rêvait aussi d'un opéra national, mais il se rendit compte qu'il n'avait pas de talent pour le théâtre ; son héros, *Olaf Trygvason* (Björnson), dut se contenter d'un fragment. Le mélodrame *Bergliot* (toujours sur le texte de Björnson) reflète l'influence des mélodrames de Liszt et celle de Wagner. A Leipzig, en 1883, il rencontre pour la dernière fois son protecteur d'autrefois, Liszt, « terriblement vieilli ». Il dirige pendant deux ans la Philharmonie d'Oslo, vit à Troldhaugen dans sa propriété (où il sera enterré dans une caverne, au bord de la mer). G. dirigea ses œuvres dans presque tous les pays d'Europe. En 1894, l'université de Cambridge lui décerne le titre de *doctor honoris causa*, et, en 1897, l'Académie des arts de Berlin l'élit comme membre. Pianiste remarquable sans être virtuose, G. fut un bon chef d'orchestre : par son esprit pénétrant et par sa force communicative, ses œuvres renaissaient sous la baguette. Sa correspondance jette une lumière curieuse sur ses opinions musicales. Cet élève d'un conservatoire allemand n'aimait ni n'appréciait, excepté Wagner, les musiciens allemands en vogue alors : il est fermé à Brahms, dont le quatuor est pour lui du même ordre qu'une œuvre de Godard ; Max Reger n'est qu'un indigeste ; il reste stupéfié devant la technique de Richard Strauss, mais c'est tout. G. aime Saint-Saëns, admire le quatuor de Franck et son « chef-d'œuvre », *Les béatitudes*, qu'il entend à Oslo. C'est là aussi qu'il fait la connaissance du *Prélude à l'après-midi d'un faune* de Debussy : « Musique extravagante, mais pleine de talent et qui m'est dix fois plus sympathique que le *plum-pudding* des jeunes Allemands » (lettre à J. Roentgen, oct. 1902 ; la 1re de l'*Eglogue* de Debussy à Oslo eut lieu le 7 mai 1902). S'il aime beaucoup Wagner, il aime autant Rossini et surtout Verdi, qu'il préfère à tous.

G. fut un naturaliste, un peintre de genre : du paysan, de sa vie laborieuse, simple et saine ; il en donne des instantanés intéressants, aux tons francs ; ce sont des miniatures d'une technique soignée, aux couleurs vigoureuses. Certes, il y a çà et là des effets schumanniens, des remplissages mendelssohniens, mais il y a aussi beaucoup d'originalité évocatrice. Les scènes de la vie des paysans,

cultivateurs, matelots, ouvriers, pêcheurs, défilent devant nous sur une toile de fond : le paysage mélancolique des *fjords*, surtout celui de Hardanger où il a beaucoup séjourné, montagnes couronnées de neige, eaux calmes, vert foncé des sombres forêts de sapins ; la gaieté exubérante des *gangars*, des *springars*, des *hallings* emporte l'auditeur. Ses tableaux de genre reflètent le jeu des musiciens populaires, leur viole de Hardanger (4 cordes principales, 4 cordes de résonnance), accordée selon plusieurs systèmes, leurs procédés individuels et personnels, surtout ceux du violoniste paysan Myllargutte. L'abondante série des *Pièces lyriques* est d'une valeur inégale : si l'on y rencontre quelquefois de la musique de salon, dans le genre de celle de Sinding, on y retrouve aussi de petits chefs-d'œuvre. Nature contemplative et rêveuse, sa musique descriptive répand un lyrisme frais, mais triste, qui n'atteint pas le mal du siècle, *la morbidezza* ou la décadence. La vie norvégienne est une lutte perpétuelle contre les éléments : c'est la raison pour laquelle toutes ses œuvres ont un programme, même si le titre ne l'indique pas. Ses thèmes ne sont pas d'une longue haleine ; le joyeux et l'élégiaque y alternent. Sa thématique abonde en mélodies populaires, mais il en a composé beaucoup de son propre cru. L.N. Lindemann, d'une célèbre famille de musiciens de Drontheim, publia vers 1840 un grand recueil de chansons norvégiennes : *Fjeldmelodier*, 540 chansons et danses populaires (un grand nombre reste encore inédit) : ce recueil était le livre de chevet de Grieg. La charpente de ses sonates est d'une technique sûre : le récitatif initial de sa première sonate pour piano et violon (*Lento doloroso*), avec ses accents pathétiques, accuse l'emphase lisztienne, mais bientôt tout change, le piano attaque un *springar* (*saltarello*) que le violon reprend ; le 3e mouvement est aussi un *springar*. Les numéros 1, 2, 4 de ses *Humoresques* sont des *springars* déguisés en *tempo di valse*, *tempo di minuetto* et *allegro burla* ; le n° 1 contient des quintes de bourdon, des doubles-cordes résonnantes, particularité commune à tous les instruments rustiques de tous les peuples, surtout au *bagpipe* écossais de son ascendance paternelle. La sonate pour piano porte la marque du romantisme allemand. Trois influences s'entrecroisent dans son concerto : Chopin, Schumann et Liszt ; le 3e mouvement, d'un rythme primesautier (*rondo*) est d'une force explosive, mais la *coda* boursouflée est manquée. C'est aux retouches lisztiennes que se rapporte la remarque ironique de Debussy : « Je n'ai jamais compris pourquoi ce concerto était traversé çà et là par des sonneries de trompettes guerrières annonçant qu'un petit *cantabile* où l'on se pâme va commencer. » *Peer Gynt* a des pages qui regorgent de poésie : la forêt printanière, la nostalgie de Solvejg, le charme oriental d'Anitra, le mystère de la montagne ont des accents originaux. Dans *Sigurd Jorsalfar*, la marche triomphale, grandiose dans sa simplicité et qui resplendit d'un héroïsme mélancolique, est une vraie vision nordique, dépourvue de toute sauvagerie *viking*. L'ouverture *En automne* est une peinture vivante d'un paysage mourant. Parmi ses 125 mélodies, dont quelques-unes avec orchestre, il y en a de bien réussies : *Berceuse*, *Barcarolle*, etc. *L'adieu*, sur le texte de Heine, montre un procédé cher à G. : deux voix de l'accompagnement progressent par demi-ton au-dessous ou au-dessus, deux autres formant ainsi des pédales. Ses mélodies reflètent quelques échos wagnériens, mais surtout l'influence de Gounod et de Bizet. Mme Rokseth y relève une vague fauréenne (mélodies sur le texte de Benzon et ailleurs) : G. a-t-il connu les œuvres de Gabriel Fauré ? Son nom n'apparaît pas dans sa correspondance, comme le constate Mme Rokseth elle-même ; mais certaines idées sont enveloppées dans une vague fauréenne. Dans le domaine de l'harmonie, G. était très original : il y a 50 ans, on le considérait comme le trait d'union entre Liszt et Debussy ; aujourd'hui qu'on connaît mieux les dernières œuvres de Liszt et Fauré prédécesseurs de Debussy, ce jugement n'est pas tout à fait juste, mais, pour l'époque, il fut un harmoniste audacieux ; ses accords ne sont pas nés d'un travail très systématique, ils puisent leur vitalité dans le chant rustique : il annonce Falla et Bartók. Le compositeur D. Monrad Johansen note avec raison que G. se serait libéré beaucoup plus vite du romantisme allemand s'il avait fait connaissance plus tôt des impressionnistes français et de Moussorgsky. Fondateur et maître incontestable de l'école norvégienne, il a créé un nouveau langage national. Le jugement de l'orthodoxe allemand Breithaupt selon lequel G. serait resté enfermé dans le *fjord* sans en sortir jamais est inexact et stupide. La plus grande valeur de sa musique est son nationalisme, d'un style quelquefois révolutionnaire : les compositeurs scandinaves, Alf Harum en tête, marchent sur ses traces au service de l'idéal d'un art national.

**Œuvres** pour piano : *Humoresques* (scènes de la vie populaire) ; *Danses et chansons norvégiennes* (25 pièces) ; *Improvisata* pour p. ; *Ballade* en *sol mineur* en forme de variations : Suite *Au temps de Holberg* (d'abord pour p., puis orch.) ; *4 Danses norvégiennes* pour p., puis orch. ; 10 cahiers de *Pièces lyriques* ; concerto en *la mineur* (1868) ; *Feuilles d'album* ; *Vieille mélodie norvégienne* avec variations, pour 2 p. ; mus. de chambre : 3 sonates pour v. et p., 1 pour vcelle et p., 1 quatuor à cordes ; mus. symph. : *En automne*, ouverture ; 2 suites tirées de la musique de scène pour *Peer Gynt* d'Ibsen ; suite tirée de la musique de scène pour *Sigurd Jorsalfar* de B.Björnson ; *Bergliot*, mélodrame de Björnson avec orch. ; œuvres pour chœur et orch. sur textes de Björnson : *Devant la porte du cloître*, *Landkjenning*, *Olaf Trygvason* ; *Quatre vieux psaumes a cappella* ; 125 mélodies avec p. ou avec orch. ; nombreuses transcriptions de danses populaires.

**Bibl. :** E. Closson, *E. G.*, Bruxelles 1893 ; G. Schjelderup, *E. Grieg og hans vaerker*, Copenhague 1903 ; G. Capellen, *Die Freiheit oder Unfreiheit der Töne*, Leipzig 1904 ; Schjelderup-Niemann, *E.G.*, *Biographie und Würdigung*, Leipzig 1908 ; E. Haraszti, *L'élément national dans la mus. de G.*, Budapest 1913 ; Sergio Leoni. *L'arte pianistica in G.*, Padoue 1915 ; Yvonne Rokseth, *G.*, Paris 1933 ; Kurt v. Fischer, *G.s Harmonikund die nordländische Folklore*, Berne 1938 ; K.G. Fellerer, *G.*, Potsdam 1942 ; Gerold Abraham, *G.*, a *symposium*, Londres 1948 : Dag Schjelderup-Ebbe, *A study of G.'s harmony*, Oslo 1953.　　　　　　　　　　E.H.

**GRIEPENKERL Friedrich Conrad.** Philosophe allem. (Peine 10.12.1782–Brunswick 6.4.1849). Élève de l'univ. de Göttingen, de Forkel (mus.), il enseigna à Hofwyl en Suisse (1808), puis au *Catharineum* (1816), au *Carolineum* (1821), enfin à l'*Obergymnasium* de Brunswick ; on lui doit *Centifolium* (journal de 1820), *Lehrbuch Æsthetik* (1827), *Id. Logik* (1828, 1831), *Briefe an einen jüngern gelehrten Freund über Philosophie* (1832), des articles : il s'y montre un disciple d'Herbart ; il édita, avec F.H. Roitzsch, l'œuvre d'orgue de J.-S. Bach (7 vol., Leipzig 1845–47) et 4 vol. de l'œuvre de clavecin (*ibid.* 1837–51) ; les mss de J.-S. Bach qu'il possédait ont été acquis par la Bibl. Peters. Son fils — **2. Wolfgang Robert** (Hofwyl 4.5.1810–Brunswick 16.10.1868), élève des univ. d'Iéna et de Brunswick, fut également prof. ; il collabora à la *Neue Zeitschrift f. Mus.* de Schumann, écrivit des drames et des nouvelles, publia *Das Musikfest oder die Beethovener* (Brunswick 1838, 1841), *Ritter Berlioz in Braunschweig* (*ibid.* 1843), *Die Oper der Gegenwart* (Leipzig 1847) ; c'était un fidèle ami de Berlioz. Voir O. Sievers, *R.G.*, Wolfenbuttel 1879 ; H. Sievers, *F.K.G...*, ds *Berichte über d. Wiss. Bachtagung*, Leipzig 1950.

**GRIESINGER Georg August.** Diplomate allem. (?–Vienne 27.8.1828), qui fut collaborateur de Breitkopf et grand ami de Joseph Haydn, sur qui il publia *Biographische Notizen über J.H.* (Leipzig 1810), écrit dont s'inspira N.E. Framery pour sa biographie de Haydn (Paris 1810). Voir R. Bernhardt, ds *ZfMw*, XII, 1929–30.

**GRIGNY Nicolas de.** Mus. franç. (Reims, bapt. 8.9.1672–30.11.1703). Il appartient à une vieille famille de musiciens rémois. Quels furent ses premiers maîtres ? Son père ? ses oncles ? on ne sait. Quoi qu'il en soit, G. vint achever ses études à Paris sous la férule, si l'on en croit le *Mercure de France* (janv. 1698), de Nicolas Le Bègue, l'un des plus célèbres organistes de la capitale ; de 1693 à 1695, notre écolier, devenu entre-temps un maître, « toucha » à l'abbaye de Saint-Denis, où le sous-prieur n'était autre que son propre frère, André de G. en 1695, son nom figure sur les listes ou rôles de la capitation parmi les noms des organistes de 1re classe taxés de 15 livres ; cette même année voit son mariage avec la fille d'un marchand parisien, de qui il aura 7 enfants,

et aussi son retour dans sa ville natale : il y est nommé organiste de la cathédrale (la date exacte de cette nomination demeure inconnue) et y meurt à 31 ans, après avoir publié à Paris en 1699 un *Premier livre d'orgue contenant une messe et les hymnes des principales festes de l'année* ... Ce volume, qui eut une réédition en 1711, fut intégralement recopié par J.-S. Bach, et l'on peut voir dans la *Fantaisie* à 5 voix en *ut mineur* de celui-ci l'émouvant « tombeau » de celui-là ; ce *Livre d'orgue* est composé de versets destinés à être alternés avec le plain-chant du chœur. Dans le domaine de la forme, si l'on excepte la fugue à cinq qu'il sera le seul organiste en France à pratiquer et pour laquelle il semble avoir une prédilection, il n'a pas innové : ainsi que ses prédécesseurs, il écrit des pleins-jeux, des duos, des trios, des récits, des dialogues etc. Mais, dans ces vieilles outres, quel vin nouveau ne verse-t-il pas ! Son *Livre d'orgue* ne connaît qu'un égal, celui de François Couperin : deux livres, mais surtout deux hommes ; certes, l'organiste de Saint-Gervais se laisse aller quelquefois à de mélancoliques confidences, mais il n'est jamais plus lui-même que dans ses pièces vives, impeccablement ordonnées, développées avec une rigueur, une continuité inconnues jusqu'à lui ; son chef-d'œuvre est l'extraordinaire *Offertoire* en *ut*, véritable symphonie aux trois panneaux admirablement contrastés. G., au contraire, est un rêveur, un poète, un mystique ; la technique n'étouffe jamais chez lui le lyrisme inquiet d'une âme que déchire et réjouit tout à la fois le pressentiment d'une mort prochaine : il n'est qu'à écouter pour s'en convaincre sa célèbre *Tierce en taille* ou mieux encore son *Point d'orgue sur les grands jeux* ; comme on comprend l'attrait que devait exercer sur le jeune J.-S. Bach une musique où s'exprime si fortement la nostalgie de l'au-delà. Le *Livre d'orgue* de G. a été réédité par A. Guilmant, ds *Arch. des maîtres d'orgue* (1904), puis par N. Dufourcq et N. Pierront (1953) avec d'abondantes notices biographiques.　　　　　　　　　　J.Bs.

**GRILL Franz.** Mus. autr. (?–Œdenburg 1795), qui semble avoir été l'élève de J. Haydn et, comme musicien, servit une noble famille hongroise ; on lui doit 12 sonates de p. et v., 12 quatuors, des pièces de piano, le tout édité à Vienne, Offenbach et Leipzig (1790–91).

**GRILLER Sydney.** Violon. angl. (Londres 10.1.1911–), qui a fondé le G. String Quartet, avec *Jack O'Brien* (Grahamstown 25.10.1909–), *Philip Burton* (Daventry 1.5.1907–), *Colin Hampton* (Londres 6.6.1911–), à la tête duquel il fait une carrière internationale.

**GRILLET Laurent.** Compos. franç. (Sancoins 22.5.1851–Paris 5.11.1901), qui fut violon. au Grand théâtre de Lyon, chef d'orch. aux Folies-Bergère de Paris et au Nouveau Cirque, co-fondateur de la Société des instruments anciens (1895) ; on lui doit des ballets, des pantomimes, 1 opéra (*Graziosa*, 1892), des œuvres symph., de piano, des mélodies, un écrit en 2 vol. : *Les ancêtres du violon et du violoncelle* (Paris 1901).

**GRILLO Giovanni Battista.** Mus. ital., qui mourut probablement à Venise en nov. 1622, après avoir été semble-t-il, à la cour de Bavière, puis (1615) org. à la S. Madonna dell'orto à St-Marc de Venise (1619) ; il publia 1 vol. de *Sacri concentus ac symph.* (6-12 v., Venise 1618), des motets, des *canzonette*, *3 canzoni* instrumentales dans des recueils de l'époque. Voir F. Caffi, *Storia della mus. sacra...*, Venise 1854, Milan 1931.

**GRILLPARZER Franz.** Poète autr. (Vienne 15.1.1791–21.1.1872). Musicien amateur, élève de Sechter, il composa quelques musiques sur des vers d'Homère et de Heine ; il est connu pour son admiration de Beethoven, Schubert, Paganini, Rossini, pour sa haine de Berlioz et de Wagner ; il tenta de faire adopter par Beethoven un livret d'opéra intitulé *Mélusine*, sans succès : le livret servit à Kreutzer (1833) ; il publia des *Erinnerungen an Beethoven* (1841–45) et prononça deux discours sur sa tombe (1827) ; il amitié avec Schubert, qu'il rencontra chez les sœurs Fröhlich, lui permit de collaborer avec ce musicien. Voir E.F. Saverio. *The mus. elements...*, thèse d'Austin, 1925 ; A.Ch. Wutzky, *G. u. die Musik*,

Ratisbonne 1940 ; W.J. Cooley *jr.*, *Music in the life and works of F.G.*, thèse d'Ann Harbour, 1954 ; D.W. Mac Ardle, *Beethoven and G.*, ds ML, 1959 ; R. Schaal in MGG.

**GRIMACE.** Mus. franç. du XIVe s., dont la biographie est inconnue, de qui 3 ballades (3-4 v.), 1 virelai (4 v.) et 1 rondeau nous ont été conservés en mss (Paris, Strasbourg, Berne) ; c'est un disciple de Machaut. Voir G. Reaney in MGG.

**GRIMALDI Nicola** (*Nicolino, Nicolini*). Chanteur ital. (Naples, bapt. 5.4.1673–1.1.1732), castrat, beau-frère de N. Fago, qui débuta à l'âge de 12 ans, fut chanteur de la chapelle royale de Naples (1691), fut extrêmement célèbre en Italie et à Londres (où il chanta les opéras de Haendel). Voir Faustini-Fasini, ds *Note d'arch.*, 1935, et H.R. Beard in *Enc. d. spettacolo*.

**GRIMALI** (*Gruzimali*) **Ivan Voïtechovitch.** Violon. et prof. russe d'origine tchèque (Prague 1844–1915), élève du cons. de Prague (M. Mildner), chef d'orch. à Amsterdam (1862–69), prof. au cons. de Moscou (1869), chef du quatuor de la Société musicale russe (1875–1906), qui exerça une grande influence par son enseignement et publia diverses méthodes de violon.

**GRIMANI Maria-Margherita.** Mus. ital., d'origine vénitienne ; elle fut compositeur pour la cour de Vienne (1715–1718) ; on connaît d'elle *Pallade e Marte* (2 v., 1713), *La visitazione di S. Elisabetta* (4 v., 1713), *La decollazione di S. Giovanni-Battista* (5 v., 1715). Voir R. Klein in MGG.

**GRIMAREST Jean-Léonor-Gallois,** *sieur de.* Homme de lettres franç. (Paris v. 1659–23.8.1713). Outre sa *Vie de de M. de Molière*, il a laissé un *Traité du récitatif dans la lecture, dans l'action publique, dans la déclamation et dans le chant, avec un traité des accents, de la quantité et de la ponctuation* (Paris 1707), ouvrage pertinent, qui donne de bonnes indications sur la manière juste d'observer les règles de la prosodie pour mettre un texte en musique, heureux conseils que l'auteur passait pour ne pas savoir mettre en pratique.

**GRIMAUD Yvette.** Pian. et compos. franç. (Alger 29.1.1920–), Élève au cons. de Paris de J. Gallon, d'O. Messiaen, de L. Lévy et de J. Gentil, elle fait depuis 1932 une carrière internat. et a créé de nombreuses œuvres contemporaines (Boulez, Jolivet, Nigg, Honegger, Obouhov etc.) ; elle a composé des *Préludes* pour piano, *4 Chants d'espace* à quarts de tons non tempérés (1944–47), un *Chant de courbe* pour 2 pianos, une pièce pour vcelle et piano ; élève de C. Brăiloiu pour l'ethnomusicologie, elle est attachée au CNRS et a fait des études sur la mus. des Bochiman et des Pygmées.

**GRIMBERT Jacques.** Compos. franç. (Colombes 10.5.1929–). Élève du cons. de Paris, dir. de l'ensemble vocal de l'Institut catholique (1954), dir. des stages de formation de chefs de chœur à la Fédération musicale populaire, il fait une carrière intern. de chef de chœur ; on lui doit un recueil de mélodies sur des poèmes de Ronsard (1953), *Une ou plusieurs* (ch. de femmes, 1956), *Suite* (grand orch., 1957), *Chansons de troubadours* (id.), *Les armes de la douleur* (cantate, id.), *Messe de Royaumont* (id.), 2 études : *L'art et le temps social* (1955), *Musique de l'Équateur : Pérou, Bolivie* (1956).

**GRIMM Friedrich Karl** (*Enrico Cavallesco*). Pian. et compos. allem. (Chemnitz 9.1.1902–). Élève de Krehl et de Graener à Leipzig, il a fait une carrière de pianiste, enseigné au cons. Stern, écrit des poèmes symph., de la mus. de chambre, de film, des mélodies, des mélodrames.

**GRIMM Hans.** Compos. allem. (Weissenbrunn 7.1.1886–). Élève de Beer-Walbrunn, il a écrit des œuvres symph., de piano, 2 ballets, 4 opéras, des mélodies.

**GRIMM Heinrich.** Mus. allem. (Holzminden 1593–Brunswick 10.7.1637). Élève de Praetorius, il succéda à Weissensee comme cantor à Magdeburg (1619) ; il eut ensuite le même poste au *Catharineum* (1631), puis à St-André de Brunswick (1632–37) : il est un des

premiers à avoir adopté en Allemagne le style vénitien (ou concertant avec *b.c.*) ; son fils et disciple *Michael* fut org. de la cour à Celle ; on doit à *H.G.* 44 psaumes (4-9 v., 1623–25), (32) *Tyrocinia* (1624), 1 recueil de messes et de psaumes à 5 et 6 v. (1628), une Passion selon St Matthieu (1629–1636), *Prodromus musicae eccl.* (12 *bicinia*, 1636), *Vestibulum hortuli harmonici sacri* (*tricinia*, éd. par Michael, 1643), des *bicinia*, concerts spirituels, pièces de circonstance, arrangements de chorals, *ritornelle* (instr.) ; il publia *Unterricht...* (1624), *Instrumentum instrumentorum...* (1629), une édition avec préface de la *Melopoeia* de S. Calvisius et des *Pleiades musicae* d'H. Baryphonus (1630) ; le musée de Brunswick conserve de lui un *Dekachordum* ; parmi ses élèves, citons outre son fils, O. Gibel et K. Matthaei. Voir H. Lorenzen, éd. de pièces du *Programmus musicae*, Cassel 1954, 1955, 1956 — *Der Kantor H.G...*, thèse de Hambourg, 1940, et art. in MGG.

**GRIMM Julius Otto.** Compos. allem. (Pernau 6.3.1827–Münster 7.12.1903). Élève du cons. de Leipzig, ami de Brahms, de J. Joachim, de Clara Schumann, il fonda un chœur à Göttingen (1854–60), dirigea le *Cäciliumverein* de Münster (1860), fut maître de conférences à l'univ. de cette ville (1878), eut le titre de *Königlicher musik-direktor* ; on lui doit notamment 3 suites en forme de canon, 1 symph., 1 sonate de violon, des pièces de piano, chor., des mélodies ; il publia *Erinnerungen* (ds *Jahresb. d. westf. Prov. f. Wiss. u. Kunst*, XXIX, 1900–01). Voir la correspondance de Brahms avec *J.O.G.* et avec Clara Schumann ; F. Ludwig, *J.O.G.*, Bielefeld-Leipzig 1925 ; R. Sietz in MGG.

**GRIMM Friedrich Melchior,** *baron von.* Écrivain allem. (Ratisbonne 26.12.1723–Gotha 18.12.1807). Il résida à Paris, rue du faubourg St-Honoré, de 1749 à la Révolution ; il y fut lié avec les milieux mondains et intellectuels : Rousseau, Diderot, Helvétius, d'Alembert ; il collabora à l'*Encyclopédie* et au *Mercure de France* ; à partir de 1753, à l'instigation de la duchesse Dorothée de Saxe-Gotha, il rédigea sa *Correspondance littéraire, philosophique et critique*, qui était adressée à plusieurs cours européennes et fut publiée, après sa mort, en 1829 (éd. complète de Tourneux, 16 vol., Paris 1877–82) ; on y trouve toutes sortes d'anecdotes sur la vie musicale de Paris, sur la plupart des « premières », sur Rameau, sur la Querelle des bouffons, sur les concerts de l'époque ; il fut en 1763 le principal introducteur des Mozart dans les divers milieux de la cour et c'est lui aussi qui prit l'initiative d'écourter le séjour de Wolfgang à Paris en 1778 ; sa *Lettre sur Omphale* (1752) marqua le début de la Querelle des bouffons, où il fut le partisan déclaré de la musique italienne. Voir J. Carlez, *G. et la mus. de son temps*, Caen 1872 ; A. Jullien, *La mus. et les philosophes*, Paris 1873 ; E. Schérer, *M.G.*, *ibid.* 1887 ; H. Kretzschmar, *Die Correspondance littéraire als Mg. Quelle*, ds *Jahrb. Peters*, X, 1903 ; L. de La Laurencie, *La grande saison ital. de 1752*, RSIM, Paris 1912 ; P.M. Masson, *La lettre sur Omphale*, ds Rev. de mus., Paris 1945 ; G. Rubensohn, *Die Correspondance littéraire*, thèse de Berlin 1917 ; A Cazes, *G. et les encyclopédistes*, Paris, 1933 ; L. Reichburg, *Contribution à l'hist. de la Querelle des bouffons*, thèse de Philadelphie, 1937 ; A.R. Oliver, *The encyclopedists as critics of music*, N.-York 1947 ; F. Lesure, *Mozartiana gallica*, ds R. de mus., déc. 1956 ; E. Haraszti in MGG.

**GRINBERG Lev Samoïlovitch.** Chef d'orch. et compos., russe (Vinniza 21.12.1920–). Élève des classes de piano et d'orch. du cons. de Kiev, où il fut prof. (1947–51), il a dirigé les orch. de Saratov (1952–53), de Nicolaïev (1953–54), le théâtre d'opérettes de Kiev (1954) ; on lui doit des œuvres de mus. symph., de chambre, un concerto de piano, des mélodies, des chansons.

**GRIOT.** En Afrique occidentale, c'est le nom du musicien professionnel, attaché à la personne d'un chef, ou indépendant et itinérant, appartenant à une caste et vivant exclusivement de son talent. Les *griots* se rencontrent chez tous les peuples, de la Mauritanie au Cameroun, où existent l'institution des chefferies et la présence — ou au moins l'influence — de l'Islam. Leurs attributions sont variées, différentes suivant les peuples ou les régions. Surtout généalogistes et historiens dans l'empire du Mali, dépositaires de la tradition musicale en Mauritanie, musiciens de cour ou hérauts d'armes dans les sultanats du Nord-Cameroun, instrumentistes et chanteurs que l'on fait venir pour l'accomplissement de rituels (danse de possession des Songhay du Niger), les *griots* peuvent cumuler ces diverses fonctions auxquelles s'attachent, selon les cas, respect, crainte, prestige ou mépris. Certains griots (Malinké et Bambara) prêtent serment et ne peuvent trahir la vérité dans l'exercice de leur profession. Partout les *griots* célèbrent les louanges ou vantent les exploits de qui les rétribue. Certains peuples, les Haoussa par exemple, ont la réputation de fournir à leurs voisins d'excellents musiciens. L'art des *griots* se transmet de père en fils et leurs femmes sont pareillement vouées à la musique, avec parfois une spécialisation différente ; ainsi les épouses des xylophonistes malinké sont des chanteuses, batteuses de cloches. Dans les sociétés peu soumises à l'influence de l'Islam ou dans des régions limitrophes d'Afrique occidentale, on trouve des musiciens semi-professionnels qui remplissent parallèlement à d'autres activités et de façon intermittente, la fonction de *griots* : le terme peut leur être appliqué dans la mesure où leurs qualité de spécialistes de la musique leur confère un état spécial et où leurs talent et leurs connaissances, reconnus comme tels, font l'objet de sollicitations et de rémunérations.                    S.D.-R.

**GRISAR Albert.** Compos. belge (Anvers 26.12.1808–Asnières 15.6.1869). Élève de Reicha à Paris, il débuta à Bruxelles avec *Le mariage impossible* (1833) ; suivirent les opéras-comiques *Sarah* (1836), *L'an mil* (1837), *La Suisse à Trianon* (1838), *Lady Melvil* (av. Flotow, 1839, repris en 1862 sous le titre *Le joaillier de St-James*), *Les porcherons* (1850), *Bonsoir M. Pantalon* (1851), *Voyage autour de ma chambre* (1859), *Le procès* (1867) etc. ; on lui doit encore une cinquantaine de romances. Voir A. Pougin, *A.G.*, Paris 1870 ; A. Van der Linden in MGG.

**GRISI.** — 1. **Giuditta** (Milan 28.7.1805–Robecco 1.5.1840), épousa le comte Barni ; élève du cons. de Milan, mezzo-soprano, elle débuta en 1834, triompha dans les opéras de Rossini et de Bellini, en Italie, à Paris et à Vienne ; elle se retira de la scène en 1838. Sa sœur — 2. **Giulia** (Milan 28.7.1811–Berlin 29.11.1869) épousa le comte de Melcy, puis le ténor Mario ; soprano, elle débuta en 1832, fit une grande carrière à l'Opéra de Paris, à Londres, aux Etats-Unis et en Russie ; ses grands triomphes étaient la *Norma* ou *Le barbier de Séville* ; elle se retira de la scène en 1866 ; Bellini écrivit pour elle *I Puritani*, Donizetti, *Don Pasquale* ; notons que Bellini avait réservé des rôles aux deux sœurs dans *I Capuleti e I Montecchi*. Leur cousine — 3. **Carlotta** (Visinada 28.6.1819–Genève 20.5.1899) fut à la fois chanteuse et ballerine, sous le nom de son professeur puis époux *Joseph Perrot* ; elle débuta en 1840 à Paris, créa notamment *Giselle* et se retira de la scène en 1853. Voir Th. Gautier, *Hist. de l'art dramatique en France*, Paris-Bruxelles 1859 ; J. Gautier, *Le roman d'un grand chanteur*, Paris 1912 ; S. Lifar, *C.G.*, ibid. 1941 — *Giselle*, ibid. 1942 ; R. Celletti, ds *Enc. d. spettacolo*.

**GROB-PRANDL Gertrud.** Chanteuse autr. (Vienne 7.11.1917–). Élève du cons. de Vienne, elle débuta à l'Opéra de Vienne en 1943 et fait une carrière intern., avec un vaste répertoire qui inclut Wagner.

**GROCHEO.** Voir art. *Jean de Grouchy*.

**GROH** (*Ghro*) **Johann** (*Johannes*). Mus. allem. (Dresde v. 1575–Wesenstein? 1627?). Il fut org. à l'école St. Afra à Meissen (1604–13 et même probablement jusqu'en 1621), puis prédicateur et musicien de la chapelle de Wesenstein, au service de Rudolf v. Bünau ; on a conservé de lui *Trifolium sacrum musicum* (Nuremberg 1625), qqs motets ds des recueils de l'époque, un *Quodlibet* (4 v., ibid. 1606, 1612), 36... *Intraden* (ibid. 1603, 1611), 30... *Padouane u. Gaillard* (5 v., ibid. 1604, 1612), 8 autres *Paduanen* ds l'*Allegrezza mus.* d'Obern-dorffer (Francfort 1620). Voir R. Eitner, *J.G.*, ds *MfM*,

*XVIII*, 1886 ; H. Kümmerling, *Id.*, ds *Festgabe... Max Schneider*, 1950 — art. in MGG.

**GRONAU Daniel Magnus.** Org. allem. (?–Dantzig 2.2.1747), qui exerça à Dantzig à partir de 1717, notamment à St-Jean (1730–47) ; on connaît de lui 84 chorals variés, 60 préludes, 516 fugues pour son instr., un traité : *Von Transitionen in der Mus...* (ms. Dantzig). Voir G. Frotscher–H. Haase in MGG.

**GRONEMAN Johannes Albertus.** Mus. néerl. d'origine allem. (Cologne v. 1710–La Haye? ... 5.1778). Violon., carillonneur, fixé à Leyde (v. 1732), puis à La Haye, où il fut nommé org. de la *Grote Kerk* (1741), il a composé des sonates pour violon et b.c., des sonates en trio pour 2 fl. et b.c., des sonates pour 2 fl. Voir W. H.Thijsse, *A.G.*, ds *Jaarbock Die Haghe*, 1948–49.

**GROOT Cor de** (*Cornelis Wilhelmus*). Pian. et compos. néerl. (Amsterdam 7.7.1914–). Élève du cons. d'Amsterdam, 1er prix du concours intern. de Vienne, il fait une carrière de pianiste intern. ; on lui doit 1 ballet (*Vernissage*), 3 ouvertures et 1 *divertimento* (orch.), 8 concertos, 2 concertinos, 1 quatuor, de la mus. de chambre, de la mus. de film, des mélodies.

**GROOTE Maurice de.** Chanteur belge (Schaarbeek 14.7.1910–), basse, élève du cons. de Bruxelles, qui fait une carrière intern. et appartient au Théâtre royal de la Monnaie depuis 1937.

**GROS-FA.** « Certaines vieilles musiques d'église, en notes carrées, rondes ou blanches, s'appelaient jadis du *g.-f.* ».                    J.-J. Rousseau.

**GROSBAYNE Benjamin.** Chef d'orch. et critique amér. (Boston 7.4.1893–). Élève de l'univ. de Harvard, de F. Weingartner, il a collaboré au *New-York Times* (1930–31), enseigné au *Brooklyn College* (1931), édité *The musical Mercury* (1937) ; violon., il fait en outre carrière de chef d'orchestre.

**GROSBOIS.** C'est un hautbois grave (France, XVIe-XVIIe s.), qui s'opposait, par sa dénomination même, au hautbois, « bois haut ».                    C.M.-D.

**GROSHEIM Georg Christoph.** Compos. allem. (Cassel 1.7.1764–18.11.1841), qui fut au service de la cour de Cassel, puis prof. et marchand de musique ; on lui doit des œuvres d'orgue, de piano, symph., des *Lieder*, 3 opéras, des chœurs, *Die zehn Gebote* (1-4 v., av. orgue), des écrits : *Über den Verfall der Tonkunst* (Göttingen 1805), *Chronologisches Verzeichnis vorzüglicher Beförderer u. Meister d. Tonkunst* (Mayence 1831), *Versuch einer aesthetischen Darstellung...* (ibid. 1834), *Selbstbiographie* (Cassel 1819) etc., des articles. Voir G. Heinrichs, *Beitr. z. Gesch. d. Mus. in Kurhessen*, 4 vol., Homberg 1921–25 — *G.C.G...*, Marbourg 1939 ; H. Kummer, *Beitr. z. Gesch... der Hofoper u. d. Mus. in Kassel...*, thèse de Francfort, 1922 ; W. Brennecke, *Das Hoftheater in Kassel...*, Cassel 1906 — art. in MGG.

**GROSJEAN.** —1. **Jean-Romary.** Org. franç. (Rochesson 21.1.1815–St-Dié 13.2.1888), qui eut l'orgue de la cath. de St-Dié, entreprit un *Journal des organistes*, édita des Noëls lorrains. Son neveu — 2. **Ernest** (Vagney 18.12.1844–Versailles 28.12.1936), fut org. à Verdun et au Chesnay, composa pour son instr., pour le piano, publia *Théorie et pratique d'accompagnement du plain-chant*.

**GROSS.** — 1. **Johann Gottlieb.** Hautboïste allem. (? 1748–Berlin 8.6.1820), qui exerça au théâtre national de Berlin (1786–92). Son fils — 2. **Heinrich** (?–Berlin 1806?) fut vcelliste, séjourna en Suède, fut à la chapelle royale de Berlin (1795) ; on lui doit des œuvres pour son instr. et des *Lieder*. Son frère — 3. **Friedrich August** (Berlin 17.5.1780–v. 1861) fut hautboïste, appartint au Théâtre royal (1795), fut *Kammermusiker* au service de Frédéric-Guillaume II à Berlin. Voir H. Becker in MGG.

**GROSS Johann Benjamin.** Vcelliste et compos. allem. (Elbing 12.9.1809–St-Pétersbourg 1.9.1848), qui fut 1er vcelliste à l'orch. de la cour à St-Pétersbourg et écrivit de la mus. de chambre, notamment pour son instrument.

GRISAR

**GROSS Paul.** Compos. allem. (Schwäbisch Gmünd 3.2.1898–) qui réside à Stuttgart, qui a écrit de la mus. symph., des concertos, des chœurs, de la mus. de chambre, de piano.

**GROSS Wilhelm.** Pian., chef d'orch. et compos. autr. (Vienne 11.8.1894–N.-York 10.12.1939), élève de F. Schreker, de G. Adler, auteur de mus. symph., de chambre, de mélodies.

**GROSSE Samuel Dietrich.** Mus. allem. (Berlin 1757–1789). Violon., élève d'A. Lolli, violon. de la chapelle du prince de Prusse (1779), il joua au Concert spirituel de Paris (1780), au long d'une carrière située à Berlin ; de ses œuvres, seuls *Trois Concerts* (v.), une *Simphonie concertante*, 6 duos, 6 trios, 6 quatuors ont été conservés.

**GROSSE-CAISSE.** C'est la plus grande des caisses (voir à ce mot) des orchestres militaires, symphoniques, d'harmonie, de jazz, etc. ; elle se fait à corde et à tringles, avec ou sans porte-cymbale ; la *g. c.* a été introduite dans des ensembles instrumentaux populaires, tant en Europe que hors d'Europe.            C.M.-D.

**GROSSETESTE Rober.t** Eccl. angl. (Stradbroke 1175–Buckden 9.10.1253). Elève des univ. d'Oxford et de Paris, *magister* à celle d'Oxford (1210–1235), il fut évêque de Lincoln et ami du pape Innocent IV comme du roi Henri III ; dans ses ouvrages, qui le situent entre Albert le Grand et Roger Bacon, il traite de la musique : *De artibus liberalibus*, *De generatione solorum*, *De anima rationali*, *De anima sensitiva*. Voir E. de Bruyne, *Études d'esthétique médiévale*, III, Bruges 1946 ; S. Thomson, *The writings of R.G.*, Cambridge 1940 ; H. Hüschen in MGG.

**GROSSI Carlo.** Mus. ital. qui naquit dans la 1re moitié du XVIIe s. à Vicence ; il fut maître de chapelle au service de la cour de Modène, puis à la cath. de Reggio Emilia, à l'Accad. olimpica de Vicence, chanteur à Saint-Marc de Venise (1671), *maestro di cappella universale* à Mantoue (1687) ; on lui doit un recueil de messes (4-5 v.), de psaumes (2-8 v.) et de litanies (8 v.) sous le titre *Armoniosi accenti* (Venise 1657), 4 livres de *concerti ecclesiastici* (2-4 v., *ibid.* 1657, 1659 ?), des cantates (1 v., *ibid.* 1653), des *Moderne melodie* (1 v., Bologne 1676), des œuvres profanes : *La cetra d'Apollo...* (Venise 1673), *L'Anfione...* (2-3 v., *ibid.* 1675), *Il divertimento di grandi...* (*id.*, *ibid.* 1681), des opéras : *La Rovilda* (1659), *L'Artaxerse* (1669), *La Giocasta* (1677), *Il Nicomede* (*id.*), des airs ; en mss. : 1 motet, des airs, 1 cantate, 2 duos. Voir F. Caffi, *Storia della mus. sacra...*, Venise 1854–55 ; T. Wiel, *I codici mus. contariniani...*, *ibid.* 1888 ; H.C. Wolff, *Die venez. Oper...*, Berlin 1937 ; L.F. Tagliavini in MGG.

**GROSSI Giovanni Antonio.** Mus. ital., mort à Milan en 1682, qui fut maître de chapelle à la cath. de Milan depuis 1663, après l'avoir été à Crema, à Plaisance et à Novare ; il publia 6 messes à 4 v. (s.d.), des *Sacri concenti a 2-4* (Milan 1653), un *Celeste tesoro...*, *op. 5* (1664) et un *Libro 1º de Magnificat et Pater noster a 4-6 v.* (1675) ; la cath. de Milan conserve de lui environ 600 compositions de mus. d'église, messes, motets, *Magnificat*, psaumes etc. Voir C. Sartori, *Le musiche della cappella del duomo di Milano, catalogo*, Milan 1957.

**GROSSI Giovanni Francesco.** Voir art. *Siface*.

**GROSSI Lodovico.** Voir art. *Viadana*.

**GROSSIN Estienne** (*de Paris, de Parisiis*). Mus. franç., dont l'activité se situe dans la 1ʳᵉ moitié du XVᵉ s. ; il était originaire du diocèse de Sens ; en 1418, il était chapelain à Saint-Merry de Paris, en 1421, clerc de matines à N.-Dame ; ses mss sont conservés à Aoste, Bologne (*Lic. mus., Bibl. univ.*), Oxford (*Bodl.*), Trente, Munich : ce sont 1 messe à 3 v. (sans *Agnus* et avec un contraténor *trompette*), des fragments de messes : *Et in terra* (3 v.), *Patrem* (*id.*), *Sanctus* (3 v.), 2 *Agnus Dei* (3-4 v.), 1 motet (3 v.), 3 chansons (*id.*) ; la bibl. de Varsovie possède également 1 *Et in terra*, 1 *Credo* et 1 *Crucifixus* (3 v.). Voir A. Pirro, *La mus. à Paris sous le règne de Charles VI*, Strasbourg 1930 — *Hist. de la mus...*, Paris 1940 ; W. Rehm in MGG.

**GROSSMANN Chrysostomus.** Bénédictin allem. (Fribourg-en-Brisgau 27.3.1892–Weiler 28.2.1958). Elève de W. Gurlitt, docteur avec sa thèse *Die einleitenden Kapitel d. Speculum musicae v. J. de Muris* (Leipzig 1924), élève de P. Wagner à Fribourg en Suisse, il fut de 1948 à 1953 prof. à l'univ. de Fribourg-en-Brisgau ; outre sa thèse, on lui doit un article sur Gui d'Arezzo, un autre sur M. Gerbert.

d.
Dec 5
1970

**GROSSMANN Ferdinand.** Chef d'orch. et compos. autr. (Tulln 4.7.1887–). Elève de Göllerich, de Weingartner, il a fondé le *Volkskonservatorium* (1923) et fait une carrière de chef de chœur et d'orch., notamment à l'Opéra de Vienne, à la *Staatsakademie* de Munich ; il est à la tête des *Wiener Sängerknaben* ; on lui doit de la mus. de chambre et 1 messe a *cappella* en allemand (1952).

**GROSZ Wilhelm.** Compos. autr. (Vienne 11.8.1894–N.-York 10.12.1939). Elève de la *Musikakademie* et de l'univ. de Vienne, docteur avec sa thèse *Die Fugenarbeiten in W.A. Mozarts Vokal-u. Instr. werken* (1920), il vécut à Mannheim, Vienne, Berlin, Londres, N.-York (1938), comme pian. et compos. ; on lui doit 1 opéra, des œuvres de théâtre, d'orch., de chambre, de piano et des mélodies. Voir R.S. Hoffmann, *W.G.*, ds *Mus. Blätter d. Anbruch*, IV, avril 1922 ; F. Racek in MGG.

d
July 26
1976

**GROTE Gottfried.** Chef de chœur allem. (Oberfrohna 15.5.1903–). Elève des cons. de Berlin et de Cologne, org. à Mönchen-Gladbach et à *Wupperfeld*, cantor à Berlin (1935), chef de chœur de la cath. et de la ville (1955), prof. au cons. de Berlin, il a édité le périodique *Kirchenchordienst* et des chorals. Voir A. Adrio in MGG.

**GROTRIAN-STEINWEG.** Voir art. *Steinway*.

**GROUCHY Jean de.** Voir art. *Jean de Grouchy*.

**GROUND** (*bass*). C'est, en anglais, le nom de l'*ostinato* : voir à ce mot.

**GROUODIS** (*Gruodis*) **Uosas.** Chef d'orch. et compos. lithuanien (1884–1948). Fils d'un luthier, élève d'Ippolitov-Ivanov au cons. de Moscou, il acheva ses études à Leipzig, fut chef d'orch. à l'Opéra de Kaunas (1924–27), ville dans laquelle il fut également prof. et dir. du conservatoire ; on lui doit de nombreuses mélodies ainsi que des arrangements de chansons populaires lithuaniennes ; il tient sous presse une hist. gén. de la mus.

**GROUPE des SIX.** Phénomène de création spontanée, beaucoup plus que produit par une volonté esthétique préalablement et sentencieusement établie, tel nous apparaît aujourd'hui le groupe des six, dont l'avènement dans le ciel musical d'après la guerre 1914–1918 suscita tant de mouvements contraires et qui est pourtant devenu historique. C'est tout aussitôt après les représentations du ballet *Parade*, dû à la collaboration de Jean Cocteau (pour le livret), de Pablo Picasso (pour les costumes et les décors), de Massine (pour la chorégraphie) et enfin d'Erik Satie (pour la musique), en 1917, aux *Ballets russes*, représentations qui provoquèrent de terribles scandales (et pas seulement d'ordre esthétique, mais politique et même social) que quelques jeunes musiciens furent attirés par l'odeur de nouveauté surprenante qui se dégageait d'une œuvre qui rompait délibérément avec tout ce qui était alors l'expression sensible d'une époque (soit autour de Claude Debussy,

de Maurice Ravel, ou autour de Stravinsky ou d'Arnold Schönberg) et qui entrait avec une telle franchise d'allures dans la lice musicale, apportant en outre avec elle un air naïf et provocant qui n'avait point été encore entendu jusque-là et qui faisait cette musique proche parente des arts révolutionnaires d'Apollinaire et de Picasso.

Le poète Blaise Cendrars, qui achevait son grand poème *La fin du monde* (et devait peu après se voir confier la direction du département musical des Éditions de la sirène, qui publiaient les ouvrages les plus significatifs de ce mouvement de poésie nouvelle : Apollinaire, Max Jacob, P. Reverdy, R. Radiguet, Cendrars, Cocteau, etc.), eut l'idée de grouper quelques-uns de ces jeunes musiciens, qu'il venait de connaître, et de faire entendre leur musique au cours de concerts pendant lesquels seraient lus quelques poèmes des écrivains de la nouvelle avant-garde. Les premiers réunis (autour d'Erik Satie, bien sûr) furent Georges Auric, Louis Durey et Arthur Honegger. Un peu après, sur la suggestion de Satie, que les tendances et l'esprit de ces jeunes gens intéressaient, se forme un groupe exclusivement composé de musiciens cette fois et qui prend le titre de *Nouveaux jeunes*, groupe qui comprenait les trois musiciens susnommés, auxquels se joignit Germaine Tailleferre. De son côté, Arthur Honegger propose le nom de Darius Milhaud, son condisciple au conservatoire (ils fréquentaient les mêmes classes) et qui se trouvait encore alors au Brésil, auprès de Paul Claudel, avec lequel il avait déjà écrit plusieurs œuvres impprtantes (*Les choéphores, L'ours et la lune, L'homme et son désir*). La cantatrice Jane Bathori, grande artiste, découvreuse de talents nouveaux (elle a été la créatrice des *Histoires naturelles* de Maurice Ravel, et Debussy lui confia plusieurs fois de ses œuvres en première audition), qui organisait des séances musicales au Vieux-Colombier de Jacques Copeau (alors aux Etats-Unis), propose de consacrer des séances à ces « Nouveaux jeunes » qui commencent tout aussitôt à faire parler d'eux. Leur personnalité est fort diverse, comme leurs goûts, leurs esthétiques ; leur musique répond à des impératifs souvent tout à fait opposés. Il n'importe, un but commun les anime : échapper aux emprises envoûtantes de l'impressionnisme, qui est en train de mordre sa queue de comète étincelante, comme aux charmes ensorcelants du slavisme et des enlacements chromatiques post-wagnériens. On veut une musique qui soit dénuée d'arrière-pensées, bien franchement orientée vers, d'une part, une restauration du sentiment classique (et même et surtout du français classique) et, d'autre part, l'exaltation du réel. C'est le poète Jean Cocteau, tout désigné par sa fréquentation des groupes d'avant-garde (ami de Max Jacob et d'Apollinaire, il l'est aussi de Modigliani et de Picasso, de Serge de Diaghilev et de Stravinsky, comme du tout jeune Auric, qui, à peine âgé de 18 ans, semble avoir déjà tout lu, tout vu, tout compris, tout entendu), qui prend la plume du « théoricien » et dans une sorte de tracte-manifeste, *Le coq et l'arlequin*, qui a symbolisé toute cette époque, consigne quelques-unes des idées maîtresses du groupe et, avec son brio, son bonheur d'expression, ses images frappantes, sa vivacité de ton, traçait les itinéraires impératifs que devait emprunter la nouvelle orientation musicale. Cependant, aux cinq musiciens déjà nommés, un sixième était venu se joindre, un jeune élève de l'illustre pianiste Ricardo Vinès, le jeune Francis Poulenc. Les concerts consacrés aux jeunes œuvres de ces jeunes hommes se continuaient ici et là (au Vieux-Colombier, dans un gymnase de la rue Huygens), et la petite foule, qui ne manque jamais à Paris pour les manifestations d'avant-garde, se précipitait partout où la jeune musique se trouvait. La critique, alertée, finit elle-même par montrer le bout de son oreille, et c'est le rédacteur musical du journal *Comœdia* qui, rendant compte des dernières manifestations des musiciens du groupe des *Nouveaux jeunes*, eut l'idée de rapprocher les tendances nouvelles de celles des musiciens russes du fameux « groupe des Cinq ». Dans un article intitulé *Les Cinq Russes, les Six Français et M. Erik Satie*, il parlait pour la première fois d'un « groupe des six » : MM. Auric, Durey, Honegger, Milhaud, Poulenc, Mlle Tailleferre. L'appellation a fait la fortune que l'on sait. Désormais unis par l'événement, les six musiciens durent faire face à la renommée. Mais très vite, l'un d'entre eux se détacha du groupe : Louis Durey partit faire retraite dans le midi de la France. Les six, n'étant plus que *Cinq*, ont signé seulement une œuvre en collaboration : c'est la musique qu'ils écrivirent pour les représentations aux Ballets suédois (1920) du spectacle imaginé par Jean Cocteau *Les mariés de la tour Eiffel*, pour lequel le peintre Jean Hugo composa décors et costumes. Auric fit l'*ouverture*, Poulenc, le *discours du général*, Germaine Tailleferre, un *quadrille*, Darius Milhaud, une *marche nuptiale*, pendant qu'Honegger écrivait une *marche funèbre*. Cette musique, en partie perdue aujourd'hui, suffit-elle à représenter l'esprit musical qui animait le groupe des six tout entier ? Évidemment non. Cet esprit, exprimé par des personnalités aussi diverses, on peut encore le trouver dans presque toutes les œuvres que Georges Auric, surtout, et Francis Poulenc, encore, ont écrites de 1918 à 1925 par exemple. On peut le trouver encore dans une œuvre comme *Le bœuf sur le toit* de Darius Milhaud (dont la représentation, dans un décor de Raoul Dufy, une mise en scène de Jean Cocteau, des masques imaginés par le décorateur Fauconnet, avec la présence des clowns Fratellini, connut un succès considérable, qui vint couronner la renommée du groupe tout autant que celle de son auteur, qui avait rapporté sa partition du Brésil). On n'en trouve que quelques traces bien vagues chez Arthur Honegger. Mais il reste cependant un air de famille à ces musiques si différentes : celle de la jeunesse d'une époque, d'un temps ; une extraordinaire docilité au plaisir et au mouvement ; un ton primesautier, facile, aimable et turbulent. Mais évidement, c'est bien plus Erik Satie qui incarne cet époque en profondeur, cette époque qui marque non un « retour à la simplicité » comme on l'a dit à tort, mais la naissance d'une esthétique *volontairement* dépouillée, dénudée, d'une recherche de pureté essentielle, d'humble soumission de l'artiste aux exigences communicables de son art. Quoi qu'on puisse en penser aujourd'hui (en 1959), époque où les tendances de la nouvelle avant-garde sont tellement orientées vers une extrême complication de la matière sonore comme de la pensée conductrice de cette matière, il n'est pas très sûr que cet état de l'esprit musical qui s'est, pour un temps, donné le nom de *groupe des six* ait dit tout à fait son dernier mot.                                                    H.S.

**GROUT Donald Jay.** Musicologue amér. (Rock-Rapids 28.9.1902–). Élève des univ. de Syracuse et de Harvard, il a enseigné aux univ. de Harvard (1936–42), du Texas (1942–45), Cornell (dép. 1945) ; il a été rédacteur en chef du *Journal of the amer. mus. Soc.* (1948–52) ; on lui doit *A short hist. of opera* (2 vol., N.-York Oxford 1947) et de nombreux articles.

**GROUZY** (*Grousil*) **Nicole.** Mus. franç. du XVIe s., qui fut maître de musique à la cath. de Chartres, au moins dep. 1563, et mourut le 8.6.1568 ; on lui doit 11 chansons à 4 v., publiées entre 1549 et 1567 chez Attaingnant, Duchemin et Le Roy-Ballard.                              F.L.

**GROVE** (*Sir*) **George.** Musicologue angl. (Londres 13.8.1820–28.5.1900). Il fut d'abord ingénieur, puis secrétaire de la *Soc. of Arts* (1850), du *Crystal Palace* (1852) à la direction duquel il collabora (1873) ; il donna des chroniques au *Times*, au *Spectator*, au *McMillan's Magazine* et publia la 1re éd. du *Dictionnary of music and musicians* (4 vol. et un supplément, 1879–89), ouvrage dont la 5e éd., en 9 vol., due à E. Blom, parut en 1954 ; il fut nommé directeur du *Royal College of music* (1882) et anobli ; il collabora également au *Dict. of Bible* de W. Smith (il assura lui-même des fouilles en Palestine) et fut l'ami de Stanley ; on lui doit *Beethoven and his nine symph.* (Londres 1896), une préface à *A short hist. of cheap music* (Londres-N.-York 1887), des art. dans son dict., notamment *Schubert, Beethoven, Mendelssohn*. Voir C.L. Graves, *The life and letters of Sir G.G.*, Londres 1904 — art. in dict. Grove.

**GROVÉ Stefans.** Pian. et compos. sud-africain (Bethlehem 23.7.1922–). Élève de W.H. Bell, de Piston, de Copland, diplômé de Harvard, il a écrit de la mus. symph. (*Élégie* 1948, *Ouverture* 1953, *Turmmusik* 1954), de chambre (3 trios, 1 quatuor, 2 quintettes, 2 sonates, 3 pièces de

piano) et publié : *Die nuwe mus. eu sy tydgenote*, (ds *Standpunte*, VII, 12, Le Cap 1952), *Probleme van die Suid-Afrikaanse Komponis* (*ibid.*, 69).

**GROVEN Eivind.** Compos. et musicologue norvégien (Lårdahl 8.10.1901–). Autodidacte, conseil de la radio nat. norvégienne pour la mus. populaire, il a écrit 2 symph., 6 suites symph., 1 ouverture, 1 cantate, 1 concerto de piano etc. ; on lui doit encore des études ethnomusicologiques : *Naturskalaen* (Skien 1927), *Temperering og renstemning* (Oslo 1948), *Eskimomelodier fra Alaska* (1956).

**GROVLEZ Gabriel.** Chef d'orch. et compos. franç. (Lille 4.4.1879–Paris 20.10.1944). Issu d'une famille où la musique était en honneur (sa grand-mère avait été l'élève de Chopin, sa mère, polonaise, fut son premier prof. de piano), il fut au cons. de Paris l'élève de Diémer, de Lavignac, de Gédalge, de Fauré ; encore très jeune et en possession d'une bonne voix d'enfant, il participait à des chorales, notamment à celle de St-Jacques, où il reçut les conseils de Charles Bordes ; il débuta comme virtuose en accompagnant le violoniste H. Marteau ; dès 1899, il était prof. de piano à la *Schola cantorum*, poste qu'il garda 10 ans ; de 1905 à 1908, il était chef de chœur et chef d'orch. suppléant à l'Opéra-Comique, de 1911 à 1913, chef d'orch. au Théâtre des arts : il assura les premières auditions de *Dolly* (Fauré), du *Festin de l'araignée* (Roussel), de *Ma mère l'Oye* (Ravel) ; de 1914 à 1934, il fut le successeur de Rouché comme dir. de l'Opéra, tout en exerçant sa carrière intern. ; en 1939, il succéda à Charles Tournemire à la classe de mus. de chambre du cons. de Paris ; il fut chroniqueur à *Excelsior* (1907–17) et à *L'art musical* (1937–39) ; on lui doit 2 opéras : *Cœur de rubis* (1906), *Psyché*, 1 conte lyrique : *Le marquis de Carabas* (1926), 3 ballets : *Maïmouna* (1916), *La princesse au jardin* (1914), *Le vrai arbre de Robinson* (1921) ; des œuvres symph., notamment *Dans le jardin* (1907), *La vengeance des fleurs* (1910), *Le reposoir des amants* (1914), de la mus. de chambre et des mélodies ; il édita *Les plus belles pièces de clavessin de l'école française* (2 vol., Londres 1919), collabora à l'éd. de Rameau et rédigea *De l'initiative à l'orchestration* (posth. Paris 1946). Voir P. Bertrand, *Le monde de la musique*, Genève 1947 ; G. Samazeuilh, *Musiciens de mon temps*, Paris 1947 ; G. Ferchault in MGG.

**GRUA.** — 1. **Carlo Luigi Pietro** (*Pietragrua*). Mus. ital. (Florence v. 1665–?). Alto au chœur de la chapelle de la cour de Dresde (1691), il y fut en 1693 *Vice-Kapellmeister*, poste qu'il tint ensuite à Düsseldorf, Heidelberg et Mannheim, près du comte palatin Johann-Wilhelm ; il composa 4 opéras en italien, vraisemblablement la sérénade *Das fünfte Element der Welt* (1718), 1 messe (5 v.), des motets, une vingtaine de duos de chambre. Son fils présumé — 2. **Carlo Pietro** (Milan ? v. 1700–Mannheim 1773) fut maître de chapelle (dep. 1734) et compos. à la cour de Mannheim ; il écrivit 2 opéras, 5 oratorios, des messes (entre autres œuvres de mus. d'église). Son fils — 3. **Francesco de Paula** (*Paul*) (Mannheim 2.2.1754–Munich 5.7.1833) fut à Mannheim l'élève de Holzbauer, du P. Martini à Bologne, de Traetta à Parme, tout en étant au service de la cour palatine qu'il suivit à Munich (1778), où il fut maître de chapelle (1784) ; on lui doit 1 opéra : *Telemaco* (1780), une trentaine de messes, 29 offertoires, un grand nombre de motets et d'hymnes (entre autres œuvres de mus. d'église), des concertos de clarinette, de flûte et de piano. Voir K.M. Komma in MGG.

**GRUBER Erasmus.** Musicographe allem., qui fut surintendant à Ratisbonne dans la seconde moitié du XVIIe s. ; il y publia *Synopsis musica...* (1673). Voir M. Ruhnke in MGG.

**GRUBER Franz Xaver.** Org. autr. (Unterweizberg 25.11.1787–Hallein 7.6.1863), chef de chœur, auteur du célèbre *Stille Nacht* (2 v., ch., guitare). Voir O.E. Deutsch, *F.G.s Stille Nacht*, Vienne 1937.

**GRUBER Georg.** Chef d'orch. autr. (Vienne 27.7.1904–). Élève du cons. de Vienne, docteur avec sa thèse *Das*

E. GRUBER

*Titre de la Synopsis Musica (Ratisbonne 1673).*

*deutsche Lied in der innsbrücker Hofkapelle des Erzherzogs Ferdinand*, qui fait une carrière intern. (il dirigea notamment les *Wiener Sängerknaben*, 1930–37).

**GRUBER Georg Wilhelm.** Violon. allem. (Nuremberg 22.9.1729–22.9.1796). Elève de Dretzel, de J. Siebenkee, de Hemmerich, il fit une carrière de virtuose, fut *Kapellmeister* (1765), éditeur ; il composa des oratorios et des passions, de la mus. de chambre, des *Lieder*. Son fils — **2. Johann Sigmund** (*ibid.* 4.12.1759–3.12.1805), avocat, publia *Literatur der Musik* (Nuremberg 1783), *Beitr. z. Literatur der Mus.* (*ibid.* 1785), *Biographien einiger Tonkünstler* (Francfort-Leipzig 1786).

**GRUBER Josef.** Compos. autr. (Wösendorf 18.4.1855–Linz 2.12.1933). Elève de Bruckner, org. à St-Florian (1878), prof. à Linz (1906), il composa 58 messes, 17 *Requiem*, entre autres œuvres de mus. d'église, *Handbuch f. Organisten*, un manuel de chant ; il publia *Meine Erinnerungen an Dr. Anton Bruckner* (Einsiedeln 1928). Voir R. Quoika in MGG.

**GRUBER Roman Ilitch.** Musicologue russe (Kiev 14.12.1895–). Elève du cons. de St-Pétersbourg, puis d'Asafiev à l'Institut d'hist. des arts, où il enseigna lui-même à partir de 1922, il a été prof. de St-Pétersbourg (1936–42) et de Moscou ; on lui doit des biographies de Wagner (1934), de Hændel (1935), une « *Histoire de la culture musicale* » (3 vol. Moscou-Léningrad 1941–53), et surtout des art. d'esthétique.

**GRUEBER** (*Grüber*) **Arthur.** Chef d'orch. et compos. allem. (Essen 21.8.1910–). Elève des *Folkwangschulen* d'Essen et du cons. de Cologne, il a été chef d'orch. aux Opéras de Francfort (1934–38), Wuppertal (1938),

Berlin (1939), *Generalmusikdirektor* à Halle (1943), dir. de l'Opéra de Hambourg (1947), de l'Opéra-Comique de Berlin (1951–55), *Generalmusikdirektor* à Brunswick (1955), où il dirige l'école de musique ; on lui doit, entre autres, 1 opéra et 1 cantate.

**GRUEMMER** (*Grümmer*) **Paul.** Vcelliste et gambiste allem. (Gera 26.2.1879–). Elève du cons. de Leipzig (Klengel), de H. Becker (Francfort), il a été soliste à l'Opéra de Vienne, membre du Quatuor Busch (1913–30), prof. à la *Musikakad.* de Vienne, aux cons. de Cologne et de Berlin, à Zurich et à Zermatt ; il a publié des méthodes (viole de gambe, Leipzig 1925, vcelle, Berlin 1956), et des éditions du répertoire de vcelle.

**GRUENBAUM** (*Grünbaum*) **Therese.** Chanteuse autr. (Vienne 24.8.1791–Berlin 30.1.1876). Née *Müller*, soprano, elle débuta en 1807 au Théâtre de Prague, fit une grande carrière, au cours de laquelle elle créa notamment l'*Euryanthe* de Weber (1823) et appartint au *Kärntnertortheater* de Vienne et à l'Opéra de Berlin, ville dans laquelle elle ouvrit une école de chant ; son mari, *Johann Christoph G.* (Haslau 28.10.1785–Berlin 10.10.1870), fit une carrière de ténor et traduisit des livrets, notamment le *Traité d'instrumentation* de Berlioz ; leur fille, **Caroline** (Prague 18.3.1814–Brunswick 26.5.1868), soprano, débuta à Vienne en 1828, fit une aussi une grande carrière, notamment à l'Opéra de Vienne, et se retira de la scène en 1844.

**GRUENBERG Eugène.** Violon. et compos. amér. d'origine russe (Lvov 1854–Boston 1928). Elève du cons. de Vienne, il exerça au *Gewandhaus* de Leipzig et au *Boston Symph. Orch.*: il fut prof. de violon au cons. de New-England ; on lui doit des œuvres symph., de la mus. de chambre, des ballets, des mélodies, des manuels.

**GRUENBERG** (*Grünberg*) **Louis.** Compos. amér. d'origine russe (Brest-Litovsk 3.8.1884–). Elève de Koch (Berlin), du cons. de Vienne, de Busoni, il fit une carrière de pianiste en Europe et aux États-Unis ; on lui doit 4 symph., 4 concertos, des opéras, des oratorios, de la mus. de chambre etc. Voir N. Broder in MGG.

**GRUENER** (*Grüner*)**-HEGGE Odd.** Compos. norvégien (Oslo 23.9.1899–). Elève du cons. d'Oslo, pian., chef d'orch., critique mus., il a écrit de la mus. de piano, 1 trio, 1 élégie pour orch. à cordes, 1 sonate de piano et violon.

**GRUENEWALD** (*Grünewald*) **Gottfried.** Mus. allem. (Eywau 1675–Darmstadt 19.12.1739). Fils d'un org., il fut basse et compos. à l'Opéra d'Hambourg (1703), *Vizekapellmeister* et *Kammermusikus* à Weissenfels (1709–11), puis à Darmstadt ; son opéra, *Germanicus* (1704), a été perdu ; restent 7 partitas de clavecin conservées en ms. à la bibl. de Darmstadt. Voir W. Nagel, *G.G.*, ds *SIMG, XII*, 1910–11 ; F. Noack in MGG.

**GRUETZMACHER** (*Grützmacher*). — **1. Friedrich Wilhelm.** Vcelliste allem. (Dessau 1.3.1832–Dresde 23.2.1903). Elève de son père (lui-même vcelliste, de Drechsler, de F. Schneider, il se fixa à Leipzig (1848) où il fut 1er vcelliste au *Gewandhaus* et prof. au cons., puis, en 1860, à Dresde, où il fut virtuose de la chambre ; il fit une carrière internat. de virtuose et fut un prof. estimé ; il a laissé de la mus. symph., de chambre, de piano, des mélodies, et surtout des œuvres pour son instrument. Son frère et élève — **2. Leopold** (Dessau 4.9.1835–Weimar 26.2.1900) fut 1er vcelliste à la cour de Schwerin, puis aux théâtres de Prague et de Weimar ; comme son frère il composa pour son instrument. Son fils — **3. Friedrich jr** (Meiningen 2.10.1866–Cologne 25.7.1919), fut vcelliste à la cour de Sondershausen et au théâtre de Budapest, enfin prof. au cons. de Cologne. Voir K. Stephenson in MGG.                    A.G.

**GRUMIAUX Arthur.** Violon. belge (Villers-Perwin 21.3.1921–). Elève des cons. de Charleroi et de Bruxelles (il est depuis 1949 prof. à ce dernier cons.), il fait une carrière internationale.

**GRUND Friedrich Wilhelm.** Compos. allem. (Hambourg 7.10.1791–24.11.1874). Violon., vcelliste, il fit une carrière de virtuose et de prof., fonda (1819) une école de chant à Hambourg, ville où il dirigea les concerts philharmoniques (1828–63) ; on lui doit des opéras, des symph., de la mus. de chambre, 1 messe, des pièces de piano. Voir R. Schumann, in *NZM*, 1836 ; J. Sittard, *Gesch. d. Mus.- u. Concertwesens in Hamburg*, Altona-Leipzig 1890 ; K. Stephenson, *Hundert Jahre philh. Gesch. in Hamburg*, Hamburg 1928 — art. in MGG.

**GRUNENWALD Jean-Jacques.** Org. franç. d'origine suisse (Annecy 2.2.1911–). Elève du cons. de Paris, de l'Ecole nat. des beaux-arts, 1er prix d'orgue, d'improvisation, de composition aussi bien qu'architecte DPLG et, à ce dernier titre, second grand prix de Rome, il est titulaire du grand orgue de St-Pierre de Montrouge (1956) et de la classe d'orgue à la *Schola cantorum*, tout en faisant une carrière de virtuose internationale ; il a composé *Six impromptus* (p., 1933), *Thème et variations* (p., 1937), *2 suites* (orgue, *id.*), *Fantasmagorie* (p., 1938), *4 Élévations* (orgue, 1939), *Concerto* (p., 1940), *Hymne aux mémoires héroïques* (orgue, 1939), *Hymne à la splendeur des clartés* (1940), *Fantaisie-arabesque* (clav., trio d'anches, 1943), *Bethsabée* (poème symph., *id.*), *Concert d'été* (p., cordes, 1944), *Suite de danses* (clav., 1946), *Variations sur un Noël* (orgue, 1949), *Cinq pièces pour l'office divin* (1952), *Fugue sur les jeux d'anche* (1954), *Sardanapale* (opéra, 1950–55), *Ouverture pour un drame sacré* (orch., 1956), *Diptyque liturgique* (orgue, *id.*), *Variations sur un thème de Machaut* (clav., 1957), *Ouverture pour un drame sacré* (gd orch., *id.*), *Diptyque liturgique pour orgue* (Preces et Jubilate Deo, *id.*), *Hommage à Josquin des Prés* (orgue, 1958), *Introduction et aria* (*id.*), *Psaume 129*, *De profundis* (ch., orch. et orgue, *id.*). Voir A. Machabey, *Portraits de 30 musiciens français contemporains*, Paris 1949 ; C. Rostand, *La mus. franç. contemporaine*, *ibid.* 1952 ; P. Denis, *J.-J.G.*, ds *L'orgue*, 72, 1954.

**GRUNER Nathanael Gottfried.** Mus. allem. (Zwickau, bapt. 5.2.1732–Gera 2.8.1792). Elève de son père, qui était cantor, il lui succéda (1764) à l'église St-Jean de Gera ; on lui doit des sonates et concertos de clavecin, des psaumes, 2 cantates, 3 quatuors, des pièces d'église et des chœurs scolaires. Voir L. Hoffmann-Erbrecht in MGG.

**GRUNSKY Karl.** Musicologue allem. (Schornbach 5.3.1871–Vaihingen 2.8.1943). Docteur de l'univ., écrivain politique, chroniqueur du *Schwäb. Merkur* (1895–1908), du *Kunstwart* (1904–05), collaborateur du *Wagner-Jahrbuch* (1906–13) président de la *Soc. Bruckner* du Wurtemberg ; il publia notamment *Musikästhetik* (Leipzig, 1916, 1923), des hist. de la mus. des XVIIe, XVIIIe et XIXe s. (*ibid.* 1902, 1905), *Die Technik d. Klavierauszugs* (*ibid.* 1911), *Das Christus-Ideal in der Tonkunst* (*ibid.* 1920), *A. Bruckner* (Stuttgart 1922), *F. Liszt* (Leipzig 1924), *H. Wolf* (*ibid.* 1928), *R. Wagner* (Stuttgart 1933), *Lessing u. Herder als Wegbereiter R. Wagners* (*id. ibid.*), *Volkstum u. Musik* (Esslingen 1934), *Fragen d. Bruckner-Auffassung* (Stuttgart 1936).

**GSOVSKY Tatiana.** Ballerine et chorégr. russe (Moscou 18.3.1902–), qui a été maître de ballet à l'Opéra de Berlin (1945–52) et dirige le *Berliner Ballett* ; son mari — **Victor** (St-Pétersbourg 12.1.1902–) fait une carrière internat. de chorégraphe. Voir I. Kahrstedt et Aurel M. Milloss in *Enc. d. spettacolo*.

**GU.** C'est une trompe de petite taille, du nord de la Birmanie. Du mot *gu* sont dérivés plusieurs noms d'instruments à air chez les Thado (Birmanie) : minuscule *gu chang pol :* clarinette à 4 trous de doigté, *gu shumkol :* trompe traversière faite de sections de bambou emboîtées les unes dans les autres, *gu chem :* orgue à bouche.
                                                                           M.H.

**GUADAGNI Gaetano.** Chanteur ital. (Lodi ou Vicence v. 1725–Padoue ap. 11.1792). Castrat, il est en 1747 contralto à Parme, en 1748 à Londres dans une troupe de vaudeville et dans les opéras de Haendel, en 1751 à Dublin, en 1754 à Paris (Concert spirituel), en 1755 à Lisbonne, puis en Italie ; il créa à Vienne l'*Orphée* de Gluck (1762), lequel écrivit pour lui *Telemacco* (1765) ; en 1769, il est encore à Londres, en 1774 à Padoue,

retiré de la scène, comme chanteur à la *Cappella del Santo*. Voir H. Kühner in MGG ; R. Celletti ds *Enc. d. spettacolo*.

**GUADAGNINI.** Famille de luthiers ital. : **Lorenzo** (Crémon XVII-XVIIIe s.), son fils — **Gianbattista** (Crémone ? v. 1711–Turin 18.9.1786), ses fils — **Giuseppe** (*I*) (*ibid.* 1736?–Pavie ap. 1805) — **Gaetano** (*I*) (Milan v. 1750–Turin 5.2.1817), **Lorenzo** (*II*) (Milan 1753?–Turin?, début XIXe s.) — **Carlo** (Parme v. 1768–20.11.1816) — **Filippo**, dont la présence est attestée à Turin en 1787 ; les fils de Carlo — **Gaetano** (*II*), qui mourut à Turin après 1852, — **Gioacchino**, connu à Paris en 1827, peut-être — **Felice**, qui vécut à Turin dans la 1re moitié du XIXe s. ; les fils de Gaetano II — **Antonio** (Turin 1831–v. 1881), son fils — **Francesco** (Turin 1863–15.12.1948) ; son frère (?) — **Giuseppe** *II*, qui vécut à Rome et à Turin dans la 2e moitié du XIXe s. ; le fils de Francesco — **Paolo** (Turin 1908–en mer, 28.12.1942). Voir W.L. v. Lütgendorff, *Die Geigen- u. Lautenmacher...*, 2 vol., Francfort 1904, 1922 ; E.N. Doring, *The G. family*, ds *Violins and violinists*, 1924, Chicago 1949 ; W. Senn in MGG.

**GUAITOLI** (*Guaitolius*) **Francesco Maria.** Mus. ital. (Carpi 29.12.1563–3.1.1628), maître de chapelle de la cath. de sa ville natale (1593), maître d'Angela d'Este ; on lui doit 4 recueils de motets et de messes (Venise 1603–16), 1 de psaumes (5 v., *ibid.* 1604), 13 motets et 3 madrigaux dans des recueils de l'époque (1606–16), 1 recueil de madrigaux à 5 v. (*ibid.* 1600), un de *canzonette* (3-4 v., *ibid.* 1604). Voir D. Arnold in MGG.

**GUAJIRA.** C'est une chanson et danse cubaine, très populaire, caractérisée par le changement constant du rythme (6/8 combiné avec 3/4 ou 3/8), et par l'alternance du mode majeur avec le mineur. D'après Pedro San Juan, son origine n'est pas claire : elle serait purement cubaine selon certains auteurs ; d'autres lui assignent une origine andalouse et l'on prétend même qu'elle procède de la musique africaine : quoique celle-ci soit plus ou moins présente dans toute la musique de l'île, le nom de la danse semble écarter toute possibilité d'ascendance nègre (*guajiro* est le nom qu'on donne aux campagnards blancs de Cuba). Mais la combinaison rythmique et tonale qui lui est propre se retrouve dans le *zarandillo* espagnol du XVIIIe s., avec lequel la g. semble avoir beaucoup d'autres points communs.                                     D.D.

**GUALAMBO.** C'est un arc musical, avec résonnateur en calebasse (Paraguay).                                           S.D.-R.

**GUALTIERI Alessandro.** Mus. ital., originaire de Vérone, qui était en 1620 org. et maître de chapelle· à l'église Ste-Marie de sa ville natale ; on lui doit 1 livre de motets (1-4 v., Venise 1616), 1 recueil de messes à 8 v. (*ibid.* 1620), 2 pièces dans la *Corona* de Phalèse (Anvers 1626). Voir D. Arnold in MGG.

**GUALTIERI Antonio.** Mus. ital. des XVIe-XVIIe s., qui vécut d'abord à Rovigo, à l'*Accad. di musica* de Gasparo-Campo, puis fut maître de chapelle de la collégiale et de 7 églises de Monselice (1608–25) ; on connaît de lui *Amorosi diletti* (3 v., Venise 1608), 2 recueils de madrigaux (1-5 v., *ibid.* 1613, 1625).

**GUAMI** (*Guammi*). Famille de mus. ital. — **1. Francesco** (Lucques v. 1544–1601) fut de 1568 à 1580 trombone à la chapelle de la cour de Munich, en 1587, maître de chapelle à la cour du margrave Philippe II de Bade, en 1593, *maestro* à l'église S. Marciliano de Venise, en 1596, à la cath. d'Udine, en 1598, *capo della musica dell'Illustrissima Signoria di Lucca ;* on lui doit 4 livres de madrigaux (4-5 v., Venise 1575–98), 1 de *ricercari* à 2 v. (*ibid.* 1588), 7 madrigaux, 1 *sacra cantio*, 1 pièce instr. dans des recueils de l'époque. Son frère — **2. Gioseffo** (Giuseppe) (Lucques, entre 1530 et 1540–v. 1611) fut peut-être l'élève de Willaert ; en 1568, il est avec son frère Francesco au service d'Albert V de Bavière à Munich, en 1574, org. de St-Michel de Lucques, en 1582, en poste à la cath. St-Martin de la même ville, en 1585, maître du prince G.A. Doria à Venise, en 1588, org. à St-Marc, en 1591 de retour à la cath. de Lucques, où son fils Vincenzo lui succéda en 1612 ; on a conservé de lui 3 livres de madrigaux à 5 v.(Venise 1565–1591), 2 de *Sacrae cantiones* (5-10 v., *ibid.* 1585, Milan 1608), 1 de *Canzonette alla francese* (4, 5, 8 v., Venise 1601, Anvers 1612), des *canzoni* voc. et instr., madrigaux, messes, motets dans des recueils de l'époque. Son fils — **3. Domenico** (*ibid.* v. 1560–1631), ecclésiastique, fut chanteur et compos. ; son frère — **4. Valerio** (1567–Lucques 4.9.1649) était en 1615 org. à St-Martin, en 1632, surintendant de la chapelle de la *Signoria* de Lucques ; il composa des motets, des oratorios des *tasche* ; leur frère — **5. Vincenzo** (?–Lucques 1615) succéda en 1612 à son père comme org. à St-Martin de Lucques, fut en 1613 dans les mêmes fonctions à la chapelle de la cour de l'archiduc Albert à Anvers, redevint ensuite org. à St-Martin ; leurs frères — **6. Pietro** et — **7. Guglielmo** sont connus comme musiciens lucquois du début du XVII⁰ s. Voir A. Bonaccorsi, *I.G. da Lucca*, ds *Note d'arch.*, XV, 1938 ; L. Nerici, *Storia della mus. in Lucca*, Lucques 1880 ; D. Arnold in MGG.

**GUARACHA.** C'est une danse andalouse adoptée par les Cubains et qui prit les caractères rythmiques de la musique cubaine : elle devint similaire au *zapateado*, et se dansa et chanta sur un rythme rapide binaire (2/4 ou 6/8, très rarement en 6/8). Auber introduisit une *g.* dans le ballet de son opéra *La muette de Portici* ; vers la fin du siècle dernier, cette danse disparut à peu près complètement (E. Grenet, *Música popular cubana*) ; elle eut, vers 1940, un regain de popularité ; elle est connue dans d'autres régions de l'Amérique latine, en particulier au Venezuela, où l'on nomme *g.* une chanson dansée, propre aux *llaneros* (habitants de la plaine, *el llano*). D.D.

**GUARDASONI Domenico.** Ténor et impresario ital. (Modène...–Vienne 13 ou 14.6.1806). On le trouve pour la première fois en 1764 comme chanteur d'opéra à Venise, puis à Dresde, à Vienne (chanteur d'église, 1772) ; en 1776, il dirige l'Opéra de Dresde, en 1787, celui de Prague : il y régla la première du *Don Juan* de Mozart ; il est ensuite à Varsovie, où il organisa un grand nombre de représentations du répertoire italien, puis de nouveau à Prague (1791) où il fit représenter *Les noces de Figaro*, *Don Juan*, *Cosi fan tutte*, des œuvres de Paisiello, Zingarelli, Salieri, Paradies etc. ; il mourut à Vienne. Voir P. Nettl in *Enc. d. spettacolo*.

**GUARDUCCI Tommaso.** Chanteur ital. (Montefiascone v. 1720–?). Castrat, élève de Bernacchi, ami de Farinelli, qui l'appela près de lui à Madrid (1750), il fit ensuite carrière au *Burgtheater* de Vienne (1755), au *Ducale* de Milan (1756–57), au *San Carlo* de Naples (1758 sqq), à l'*Argentina* de Rome (1765), au *Haymarket* de Londres (1766), à Florence (1768), à Rome (1770), année pendant laquelle il se retira de la scène. Voir R. Celletti ds *Enc. d. spettacolo.*

**GUARINO Piero.** Pian., chef d'orch. et compos. ital. (Alexandrie 20.6.1919–). Élève du cons. d'Athènes, de Casella, il a fait carrière de virtuose et fondé le cons. d'Alexandrie (1950) ; on lui doit *Sinfonia per archi con quartetto principale* (1946), 12 pièces pour 10 instr. (1945), 1 concerto de piano (1948), de la mus. de chambre, de piano et des mélodies.

**GUARNERI** (*Guarnerio, Guarnerius, Guarnieri*). Célèbre famille de luthiers ital. — **1. Andrea** (Crémone ?, av. 1626–Crémone 7.12.1698) fut élève d'Amati ; son fils et élève — **2. Pietro Giovanni** (*ibid.* 18.2.1655–Mantoue 26.3.1720) exerça à Crémone et à Mantoue, où il fut également violoniste à la cour du duc Ferdinand-Charles ; son frère — **3. Giuseppe Giovanni (Gian) Battista** (Crémone 25.11.1666–1739 ou 1740) continua l'entreprise de son père ; son fils — **4. Pietro** (*ibid.* 14.4.1695–Venise 7.4.1762) exerça à Venise ; son frère — **5. Giuseppe**, dit *del Gesù* (Crémone 21.8.1698–17.10.1744), fut le plus célèbre de tous, dont les instruments rivalisent avec ceux de Stradivarius ; de vie peu recommandable, il semble être mort en prison. Voir G. de Piccolellis, *Liutai antichi e moderni*, Florence 1885, 1886 ; W.L. v. Lütgendorff, *Die Geigen- u. Lautenmacher...*, 2 vol., Francfort 1904, 1922 ; H. Petherick, *J.G.*, Londres 1906 ; H. Wenstenberg, *J.G. del G.*, Berlin 1921 ; W.H., A.F. et A.E. Hill, *The violinmakers of the G. family*, Londres 1931 ; W. Senn in MGG.

**GUARNIERI Camargo.** Compos. brésilien (Tietê 1.2.1907–). Élève de Koechlin, membre de l'Acad. brésilienne de musique, prof. de composition à l'*Acad. paolista* de mus. et chef de l'orch. symph. municipal de Sao-Paulo, il a écrit 1 opéra-comique : *Pedro Malazarte* (1932), 3 symph., des suites d'orch., 4 concertos, de la mus. de chambre, de piano, 1 cantate, des chœurs, des mélodies.

**GUARNIERI de.** — **1. Francesco.** Violon. et compos. ital. (Adria 5.6.1867–Venise 16.9.1927). Élève du *Lic. B. Marcello* de Venise, du cons. de Paris, de C. Franck, de d'Indy, membre de l'orch. Lamoureux, il fit une carrière de virtuose (seul ou avec un quatuor), fonda à Paris la *Soc. intern. de mus. de chambre*, à laquelle on est redevable de la 1ʳᵉ audition du quatuor de Debussy, fut prof. (1885) au *Lic. B. Marcello* de Venise, écrivit 2 opéras, des sonates de piano et violon, entre autres œuvres de mus. de chambre. Son frère — **2. Antonio** (Venise 2.2.1883–), vcelliste, a été chef d'orch. à la *Scala* de Milan ; on lui doit 1 opéra, des œuvres symph., des mélodies.

**GUASTAVINO Carlos.** Pian. et compos. argentin (Santa Fé 5.4.1912–). Élève d'A. Palma, il a écrit des pièces symph. de piano, des chœurs et des mélodies, le tout souvent inspiré de son folklore national.

**GUATÉMALTÈQUE** (*Musique*). La musique du Guatémala, comme la plupart des musiques de l'Amérique latine, tâche d'établir un compromis entre le folklore et la musique savante. La plupart des compositeurs du pays ont fait leurs études à l'étranger : José Molina Pinillo (1889) fut élève de Julián Carrillo (Mexique) et de Scharwenka (Berlin) ; Ricardo Castillo (1894) fut élève de Paul Vidal ; Salvador Ley (1907) le fut d'Hugo Leichtentritt et d'Egon Petri : leurs œuvres, nées de la connaissance de la grande tradition musicale de l'Occident, s'inspirent néanmoins de la mus. populaire, qui est une synthèse de la musique espagnole, des pratiques musicales des aborigènes américains et des esclaves africains. Aux compositeurs déjà cités, ajoutons les noms d'Alberto Mendoza (1889). José Castaneda (1898), Raúl Paniagua (1898), Felipe Seliézar (1903) et le folkloriste et compositeur Jesús Castillo (1877–1946). D.D.

**GUBGUBI.** C'est un instrument de musique utilisé au Bengale par les moines mendiants Bauls, soit pour accompagner le chant soit en solo. Le *g.* se compose d'une petite caisse en bois cylindrique, fermée à sa partie inférieure par une peau ; cette peau est traversée en son milieu par une double corde de boyau, qui est tendue vers l'extérieur, hors de la caisse, par une poignée de bois ; l'instrument, suspendu en bandoulière, est maintenu sous le bras de l'exécutant qui, d'une main, peut modifier la tension de la corde grâce au jeu de la poignée, et, de l'autre, gratte la corde avec un petit plectre. Le *g.* se rapproche de l'instrument désigné en sanskrit par le terme *ananda lahari*. M.H.

**GUDEHUS Heinrich.** Ténor et org. allem. (Altenhagen 30.3.1845–Dresde 9.10.1909), qui exerça (orgue) à Goslar, puis fut chanteur à l'Opéra de Berlin (1870–71), à Riga, Lubeck, Fribourg-en-Brisgau, Brême, à l'Opéra de Dresde (1880–90), à N.-York ; il créa *Parsifal* à Bayreuth (1882).

**GUDEWILL Kurt.** Musicologue allem. (Itzehoe 3.2.1911–). Élève des univ. de Berlin et de Hambourg (Schering, Blume, Vetter, Heinitz), docteur avec sa thèse *Das sprachliche Urbild bei H. Schutz* (Cassel 1936), il enseigne à l'univ. de Kiel, où il est prof. titulaire depuis 1952 ; il a publié *Die Formstrukturen d. deutschen Liedtenores d. 15 u. 16 Jh.* (Kiel 1944, dact.), collaboré à des ouvrages collectifs et à des périodiques, édité G. Forster, M. Franck ; il dirige la collection de textes musicaux *Das Chorwerk*.

**GUDOK.** C'est une vièle (U.R.S.S.) : le *g.* est monté de trois cordes (une corde mélodique et deux bourdons); c'est un instrument paysan. M.A.

**GUEDEN** (*Güden*) **Hilde.** Chanteuse autr. (Vienne 15.9.1922–), qui débuta à l'opéra de Zurich, appartint à l'Opéra de Munich (1942), exerça à Rome, Florence, Salzbourg ; elle fait partie, depuis 1947, de l'Opéra de Vienne et de la *Scala* de Milan, dep. 1952, du *Metropolitan Opera* de N.-York ; sa carrière intern. se fait au concert aussi bien qu'à l'opéra.

**GUEDEONOV** (*Gedeonov*) **Alexandre Mikhaïlovitch.** Burocrate russe (St-Pétersbourg ... 1790–1867), qui fut de 1833 à 1848 dir. du théâtre, puis des théâtres impériaux russes ; sa gestion peut être considérée comme une période difficile de l'opéra national. Son fils — **Stepan Aleksandrovitch** (*ibid.* 1816–1878) eut les mêmes fonctions que son père de 1867 à 1875 et fut en outre historien et écrivain ; il défendit mieux les intérêts de la musique et du théâtre russes ; il est l'auteur de l'argument du ballet (1879, par les « Cinq »), puis de l'opéra-ballet *Mlada* (1892, Rimsky-Korsakov).

**GUEDIKE** (*Gedike*) **Alexandre Féodorovitch.** Compos., pian., org. et prof. russe (Moscou 20.2.1877-). Né dans une famille de musiciens, lauréat du cons. de Moscou (1898, classes de Safonov, piano, de Conus et d'A. Arensky, composition), prix Rubinstein (1900 à Vienne, avec le *Konzertstück* pour p. et orch., 1 sonate pour p. et vl. et des pièces de p.), il est lui-même, depuis 1909, prof. au cons. de Moscou (piano, puis orgue et mus. d'ensemble) ; parmi ses très nombreuses compositions, citons 4 opéras, dont *Virineja* (1916) et *Macbeth* (1944), 3 symph., des cantates, des ouvertures, des marches, de la mus. de chambre, de p., d'orgue, des mélodies ; c'est un des rares organ. russes qui a composé pour cet instrument.

**GUÉDON de Presles Honoré-Claude.** Mus. franç. qui naquit dans le dernier quart du XVIIe s., fut ordinaire de la mus. de la chambre et de la chapelle du roi ; il semble avoir été également chanteur ; il publia un recueil de cantates françaises (1-2 v., Paris 1724) et des airs ou chansons dans des recueils de Ballard (1715, 1729). — Quant à *Mlle G. de P.*, dont le prénom et l'état civil sont inconnus, aussi bien que son degré de parenté avec le précédent, elle vécut dans la 1re moitié du XVIIIe s. à Paris, fut chanteuse et actrice au Théâtre royal ; elle composa des chansons, chansonnettes, vaudevilles, brunettes, ariettes, musettes, airs bachiques, la plupart publiés par Ballard. Voir M. Briquet in MGG.

**GUÉDRON** (*Guesdron*) **Pierre.** Mus. franç., né dans la seconde moitié du XVIe s., mort vers 1620 ou 21, un des plus importants compositeurs de musique vocale profane (au moment où se développe en France la monodie accompagnée). Sa famille était originaire du Dunois ; chantre de la chapelle royale en 1590, il succéda en 1601 à Claude Le Jeune comme compos. de la mus. de la chambre du roi ; vers 1613, il était intendant des musiques de la chambre du roi et de la reine-mère : il conserva cette charge, dont son gendre A. Boesset devait recueillir la succession, jusqu'à sa mort ; très estimé à la cour, G. collabora avec d'autres musiciens, Bataille, Mauduit, Le Bailly, Auget, aux ballets d'Henri IV et de Louis XIII ; doué d'un riche tempérament dramatique, il contribua, en marge du ballet-mascarade, à l'élaboration du *ballet mélodramatique*, préfiguration de l'opéra, qui connut avec lui (*Ballet d'Alcine*, 1610, *Ballet du triomphe de Minerve*, 1615, *Ballet de la délivrance de Renaud*, 1617, *Ballet de Tancrède*, 1619) une période brillante mais sans lendemain ; il a publié 6 livres d'*Airs de cour à quatre et cinq parties* (1602, 1608, 1613, 1617, 1618, 1620). De nombreux airs de sa composition, publiés aussi le plus souvent dans les recueils précédents, figurent dans la collection d'*Airs de différents autheurs mis en tablature de luth* (1608, 1609, 1611, 1613, 1615, 1617, 1618, 1620), commencée par G. Bataille et éditée par Ballard, dans les recueils à 1 v. de Ballard (1615–1621) et dans les chansonniers de Jacques Mangeant (1608 et 1615). G. a mis en musique de nombreux poètes du temps (N. Rapin, Du Perron, Motin, Malherbe), dont certains collaborèrent aux ballets (Malherbe, Maynard, Boisrobert). Ses airs, d'une belle inspiration mélodique, témoignent d'un effort pour se soustraire à l'influence de la « musique mesurée à l'antique », en recherchant une carrure plus nette. Ses récits de ballet, particulièrement ceux qui sont composés uniquement pour chant et luth, trahissent la connaissance de la réforme florentine ; le récitatif y est adapté au goût français (la forme strophique de l'air étant malheureusement conservée)

et use d'un style de déclamation naturel et expressif dont les accents vigoureux ne se retrouveront plus dans la musique française avant Cambefort et Lully. G. connut de son vivant une grande popularité : un grand nombre de ses œuvres furent parodiées dans des recueils de cantiques ou noëls publiés au Mans (1611, 1615), à Lyon (*Amphion sacré*, 1615), à Paris (*La despouille d'Aegypte*, 1629 et dans les Pays-Bas (*La Philomèle séraphique*,

P. GUÉDRON
*Début d'un air de cour.*

Tournay, 1631 et 1632) ; quelques-unes furent éditées en Angleterre (Filmer, *French-Court Ayres*, 1629). Voir A. Verchaly in MGG ; Th. Gérold, *L'art du chant en France au XVIIe s.*, 1921 ; H. Prunières, *Le ballet de cour en France avant Benserade et Lully*, 1914.                               A.V.

**GUEINZ Christian.** Théoricien allem. (Kohlo 13.10.1592– Halle 3.4.1650). Fils de pasteur, élève puis *magister* à l'univ. de Wittemberg, avocat consistorial, recteur à Halle, il publia, outre des écrits sur le latin, la réthorique, l'éthique, l'histoire, la théologie, le droit, la langue allemande, *Pars generalis musicae...* (Halle, 1634), *...Mnemosynon mus. eccl.* (*ibid.* 1646) ; deux autres traités signalés par Gerber semblent être perdus. Voir M. Runhke in MGG.

**GUEMBRI.** C'est un luth piriforme, du Maroc, généralement à deux ou trois cordes de boyau tendues par des chevilles opposées. Sous le mot *guembri* ou *guemvri* ou sous les formes synonymes de *gunitri* ou *gunbri* (voir à ces mots) sont désignés quantité de luths de la région marocaine, soudanaise et même algérienne, variant par la forme de la caisse (qui est parfois carrée, dans le sud) et aussi par sa matière (elle peut être faite d'une carapace de tortue). C'est un instrument paysan, mais on le trouve aussi entre les mains de musiciens professionnels, notamment ceux qui accompagnent au Maroc les éphèbes danseurs. On dit encore *gumbri*.        G.R.

**GUENICHTA** (*Genista*) **Joseph Josephovitch.** Pian., compos. et chef d'orch. russe d'origine tchèque (Moscou 1795–1853), enfant prodige, élève de I.V. Gessler, qui a laissé des opéras-comiques, une sonate de piano, une de vcelle, 15 mélodies (dont une composée sur un texte de Pouchkine, qui fut plus tard orchestrée par Glinka), des harmonisations de chansons populaires. Voir E. Tynjanova, *I.I. Genista*, ds *Sovetskaja muzyka*, n° 2, 1941.

**GUÉNIN Marie-Alexandre.** Violon. franç. (Maubeuge 20.2.1744–Étampes 22.1.1835). Elève de Capron, de Gaviniès, de Gossec, 1er viol. à l'orch. de l'Opéra et au Concert spirituel (1771), il fut intendant de la musique du prince de Condé (1777), succéda à Berthaut en 1783 comme violon solo de l'Opéra, poste qu'il garda trente ans ; en 1784, il fut prof. de violon à l'École royale de chant (le futur conservatoire) ; mis à la retraite en 1802, il suivit alors le roi d'Espagne Charles IV, mais Louis XVIII le rappela à sa chapelle (1814) ; on lui doit 6 trios, 1 concerto, 6 symph., 3 sonates de clavecin avec v., 15 duos ou sonates à 2 v., 3 duos de vcelle, *Ouverture et airs de ballets de Télémaque de Lesueur* (pour 2 vl. Paris s.d.). Voir L. de La Laurencie, *L'école franç. du violon*, Paris 1922–24 ; E. Borrel in MGG.

**GUÉRANGER Prosper** (*Dom*). Bénédictin franç. (Sablé-sur-Sarthe 4.4.1805–Solesmes 30.1.1875). On doit au célèbre réformateur de l'ordre bénédictin en France, qui fut en même temps l'initiateur de la réforme du plain-chant, *Institutions liturgiques* (1840), *L'année liturgique* (1841–1901), *Lettre sur le chant grégorien* (ds *L'univers*, 23.11.1843), *Lettre au congrès de Paris* (1860), *Sainte Cécile et la société romaine* (1874). Voir Dom Delattre, *Dom G.*, 2 vol., Paris 1909.

**GUÉRAU Francisco.** Mus. esp. du XVIIe s., eccl., qui appartint à la chapelle royale de Madrid (1659–1694) ; on lui doit *Poema harmónico conpuesto de varias cifras por el temple de la guitarra esp.* (Madrid 1694), ouvrage qui contient une quarantaine de pièces (*passacalles*, *jácaras*, *gallardas*, *folías* etc., avec leurs *diferencias*).

**GUÉRIN Emmanuel.** Vcelliste franç. (Versailles 3.3.1779–?), élève de Levassor, qui appartint à l'orch. du théâtre Feydeau (1799–1824) et composa des duos, des trios etc. pour son instrument.

**GUERINI Francesco.** Violon. ital. du XVIIIe s., qui semble être né à Naples et mort à Londres entre 1770 et 1775. Gerber le dit musicien de la chambre du prince d'Orange (1740–60) ; il vécut ensuite à Londres : ses sonates à 2 vl., publiées à La Haye en 1760, sont signées « M. Guerini de Naples, musicien de l'ambassadeur d'Hollande » ; on lui doit 30 sonates pour son instr. (à 2, avec *b.c.*, avec clav.), 12 trios, 6 solos de vcelle, 6 sonatines pour 2 vl., 6 solos pour le violon, 6 sonates pour le piano, 6 autres pour le clavecin.

**GUÉROULT Guillaume.** Poète, éd. et mus. franç., né à Rouen, mort v. 1565. Ami d'Eustorg de Beaulieu, il vint en 1547 à Genève, d'où il fut expulsé quatre ans plus tard ; en 1554–55, on le retrouve dans cette ville associé avec Simon Du Bosc pour l'éd. de 4 livres de motets et de chansons spirituelles, dont un livre de *Pseaumes, cantiques et chansons spirituelles* mis en musique par G. de La Moeulle et dont la plupart des poèmes étaient de sa composition ; en 1559, il publia à Paris chez N. Du Chemin des *Chansons spirituelles* mises en musique par Didier Lupi et d'inspiration protestante ; on ignorait jusqu'à présent qu'il figure comme compositeur de deux chansons spirituelles à 4 v. dans le *Tiers livre de chansons spirituelles* de Le Roy-Ballard (1553). **F.L.**

**GUERRA PEIXE Cesar.** Compos. brésilien (Petropolis 18.3.1914–). Elève de l'*Escola nac. de música* de Rio de Janeiro, de Koellreutter, il adhéra au groupement *Música viva*, avec son maître et qqs-uns de ses condisciples ; sa production, assez nombreuse, comprend des œuvres orch. (*Symphonie, Variations, Marche funèbre, Scherzo*) et de chambre (quatuor, trio, pièces pour piano, violon, chant) ; il préfère les compositions courtes, d'écriture très soignée, sans redites inutiles, et d'un climat fortement expressif, voire expressionniste. **D.D.**

**GUERRERO Antonio.** Mus. esp. (Séville ... –Madrid

début 1776). Il fut musicien dans les théâtres madrilènes; on lui doit 110 *tonadillas* (parmi les premières écrites, dont qqs-unes sont des versions abrégées de pièces de Lope et de Moreto), des intermèdes, des *sainetes*, de la mus. de scène, un prologue. Voir J. Subirá, *La tonadilla escénica*, 3 vol., Madrid 1928–30–art. in MGG.

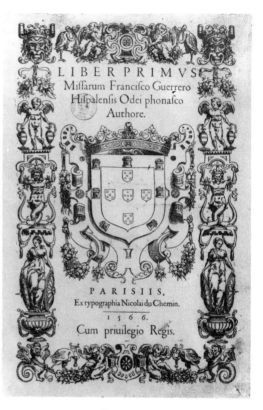

F. GUERRERO
*Page de titre du recueil de messes de 1566 (Paris).*

**GUERRERO.** — **1. Francisco.** Mus. esp. (Séville 1527 ou 1528–8.11.1599). Elève de son frère *Pedro*, de Cristobal de Morales, il fut maître de chapelle de la cath. de Jaén (1546–48), chanteur à celle de Séville (1550), maître de chapelle de celles de Malaga (successeur de Morales, 1554) et de Séville (1555) ; protégé de Charles-Quint, de Philippe II, du pape Jules III etc., il fut si célèbre que, à partir de 1555, ses œuvres furent imprimées en France, en Italie et en Flandre aussi bien qu'en Espagne ; en 1588–89, il entreprit un pèlerinage en terre-sainte d'où il tira un récit qu'il publia à Valence en 1590 : *El viage de Hierusalén...* ; il publia 2 livres de messes (1566–1582), 2 de motets (1570–1589), 2 passions (1585), 1 livre de *Magnificat* sur les 8 tons (1563), des *Sacrae cantiones* (1555), 1 *Liber vesperarum* (1584), *Psalmorum 4 v. Liber I* (1559) et des *Canciones y villanescas* (1589), travestissements en langue vulgaire de mélodies religieuses. Dans cet ensemble, qui comporte notamment 18 messes, 104 motets et une trentaine d'hymnes, la liturgie mariale domine, ce qui explique le qualificatif de *cantor de María* que lui donnèrent ses contemporains. Moins tendu et moins caractéristique que celui de Morales, son art tend vers plus de calme et de recueillement. Les *opera omnia* sont en cours de publication dans les *Mon. de la mús. esp.* : le 1er vol., éd. par M. Querol, a paru en 1957. Son frère et prof. — **2. Pedro**, qui fut un temps chanteur à la chapelle pontificale de Rome, est l'auteur de messes, de motets, de madrigaux. Voir R. Mitjana, *F.G.*, Madrid 1922 ; M. Querol, *Canciones* *y vill. de G.*, Barcelone 1955 ; H. Anglès, *C. de Morales y F.G.*, ds *An. mus.*, *IX*, 1954 et art. in MGG.

**GUERRERO Jacinto.** Compos. esp. (Ajofrín 16.8.1895–Madrid 15.8.1951). Élève de Conrado del Campo, il est auteur de nombreuses *zarzuelas*, dont *Los gavilanes*, exemple classique du genre.

**GUERRINI Guido.** Compos. ital. (Faenza 12.9.1890–). Élève du *Lic. mus.* de Bologne (Torchi, Busoni), il a été prof. au cons. de Parme (1924–28), dir. du cons. Cherubini à Florence, du cons. Martini à Bologne (1948–50) ; il est depuis dir. du cons. Ste-Cécile à Rome, de l'*Orch. da camera di Roma*, du collège de musique du Foro italico, membre du conseil supérieur de l'Instruction publique ; il a écrit 5 opéras dont *Nemici* (1919), *La vigna* (1935), *Enea* (1948), de la mus. d'église (dont 5 messes), des œuvres symph., de chambre, de piano, d'orgue, des chœurs, des mélodies ; il a édité nombre d'œuvres du répertoire italien des XVIIe et XVIIIe s., composé des livrets et publié *Trattato di armonia complementare* (1922), *Origine, evoluzione e caratteri degli strum. mus.* (Milan 1926), *Prontuario dei tempi e colori mus.* (Florence 1939), *Verdi e le scuole di mus.* (Rome 1940), *F. Busoni* (Florence 1941), des articles ds des périodiques. Voir P. Fragapare, *G.G.*..., 1938 ; M. Saint Cir, *G.G.*, ds *Rass. dor.*, juin 1932 ; A. Dameri, art. in MGG.

**GUERRINI Paolo.** Historien ital. (Bagnolo Mella 18.11.1880–). Archiviste de la curie épiscopale, prof. d'hist., bibliothécaire, chanoine, il a notamment traduit en ital. l'*Hist. de la mus. d'église* du cardinal Katschthaler (Turin 1910), fondé le périodique *Brixia Sacra* (1910–25) et une soc. d'hist. eccl. à Brescia ; ds *Note d'archivio*, on trouve de lui les art. *G. Contini* (*I* 1924), *Di alcuni organisti* (*III*, 1926), *Per la storia della mus. a Brescia* (*XI*, 1934), *Gli organi e gli organisti d. due catt. di Brescia* (*XVI*, 1939), *G.B. Fachetti* (*XIX*, 1942). Voir *P.G.*, *bibl. giubilare*, ds *Miscellanea bresc.*, *I*, Brescia 1953.

**GUERRLICH** (*Gürrlich*) **Joseph Augustin.** Mus. allem. (Münsterberg 1761–Berlin 27.6.1817). Org. de Ste-Hedwige (1784), contrebassiste (1790), *Mus. dir.*, puis maître (1816) de la chapelle royale à Berlin, il composa des opéras, des ballets, entre autres œuvres de mus. de théâtre, des cantates et oratorios, des mélodies, des pièces de piano. Voir H. Becker in MGG.

**GUERSON** (*Gerson*) **Guillaume.** Théoricien franç. du XVe s. (Longueville près Dieppe ... –Paris 31.1.1503), Ami des imprimeurs M. Toulouze et Jehannot, fixé à Paris, il publia *Utilissime musicales regule cunctis summopere necessarie plani cantus simplicis contrapuncti rerum factarum tonorum et artis accentuandi, tam exemplariter quam practice compilate ...* (Paris s.d.) ; on lui attribue un autre traité intitulé *Utilissimum gregoriane psalmodie enchiridion...* (*id.*) ; il édita également, avec Toulouze ou Johannot, *Ordinaire en françoys* (Paris 1495), *Missae solemniores...* (*ibid.*, s.d.), *Noelz tres excelens et contemplatifz* (*ibid.*), *Passiones dom. nostri J.C...* (*ibid.*), *Devout contemplation* (poèmes, *ibid.*), le *Confessionale de st-Thomas d'Aquin* (*ibid.*) ; il publia une édition d'Aristote. Voir M. Brenet, *La plus ancienne méthode franç. de mus.*, ds Tribune de St-Gervais, 1907 ; P.H. Renouard, *G.G. mus.*, ds Rev. des livres anciens, I, 1913–14 ; H. Haase in MGG.

**GUEST George.** Chanteur et org. angl. (Bury St. Edmunds 1.5.1771–Wisbeach 10 ou 11.9.1831). Fils et élève de son père, org., il fut choriste à la chapelle royale, puis org. à Eye (1787) et à Wisbeach (1789) ; on lui doit des quatuors (fl. et cordes), des *anthems*, des *glees*, des œuvres d'orgue et de mus. militaire. Voir H.G. Farmer in MGG.

**GUETFREUND Peter** (*Bonamico Pietro*). Mus. ? (v. 1570–Salzbourg 1625). On ne sait rien de sa jeunesse : il apparaît pour la première fois en 1588 comme alto à la chapelle du comte Eitelfriedrich IV de Hohenzollern à Hechingen (il italianisait déjà son nom, signant *Petrus Bono amico*), sous la direction de Lassus ; en 1602, il est à la chapelle de l'archevêque de Salzbourg ; il y est maître en 1608, succédant à Stadlmayr ; on a conservé

de lui en ms. *Melos divinarum laudum* (70 motets 5-8 v., 2 vol.), 1 *Miserere* à 5 v., des *introït* et des motets ds un recueil de l'époque ou en mss. Voir H. Spies, *Die Tonkunst in Salzburg...*, Salzbourg 1931–32 ; C. Schneider, *Gesch. d. Mus. in Salzburg...*, *ibid.* 1935 ; E.F. Schmid in MGG.

**GUETTLER** (*Güttler*) **Hermann.** Compos. et musicologue allem. (Königsberg 7.10.1887–). Élève du cons. et de l'univ. de sa ville natale, il a été chroniqueur à l'*Ost-*

GUERSON

Titre des *Utilissime musicales regule* (rééd. posth., Paris 1510).

*preussische Zeitung*; docteur avec sa thèse *Königsbergs Musikkultur im 18. Jh.* (Königsberg 1925) et sa thèse complémentaire *Das Leben d. königsberger Kantors G. Riedel*, il s'est fixé à Berlin ; on lui doit des opéras, 3 symph., 2 concertos, des œuvres symph., de chambre, des mélodies ; il a publié *Musik und Humanismus* (Berlin 1946) et des art. ds des périodiques.

**GUGLIELMI Filippo.** Compos. ital. (Ceprano 15.6.1859–Tivoli, fin 1941). Élève de m d'Arienzo (Naples), de Terziani (Rome), ami de Liszt et de Wagner, auteur de 4 opéras, d'1 cantate, de poèmes symphoniques.

**GUGLIELMI. — 1. Pietro** (*Pier Alessandro*). Mus. ital. (Massa 9.12.1728–Rome 19.11.1804). Élève de son père *Jacopo G.*, qui fut maître de chapelle du duc Alderano Cybo, de son oncle *Domenico G.*, org. de la cath. de Massa, de Durante (Naples), il débuta à Naples comme compos. d'opéras en 1757, séjourna à Londres de 1767 à 1772, puis à Dresde et à Brunswick, revint en Italie en 1776, fut maître de chapelle de St-Pierre de Rome (1793) ; on lui doit quelque 103 opéras : citons *I due soldati* (1760), *I cacciatori* (1762), *Il ratto della sposa* (1765), *I viaggiatori ridicoli* (1768), *Enea* (1785), *La pastorella mobile* (1788), *La bella pescatrice* (1789), *La serva innamorata* (1790), *Ippolito* (1798), 9 oratorios, 1 *Requiem*, 1 messe à 5 v. avec orch., des psaumes, des motets, 13 symph., 18 quatuors, 1 trio, 6 *divertimenti* (clav., vl.) entre autres œuvres de mus. de chambre. Son fils — **2. Pietro Carlo** (Naples v. 1763–28.2.1817), élève du cons. de *Santa Maria di Loreto* à Naples, débuta comme compos. d'opéras à Madrid en 1794 ; il fut ensuite joué à Rome, Naples, Florence, Venise, Padoue, Londres (1808–10) ; en 1814, il était maître de chapelle de la duchesse de Massa ; on lui doit 47 opéras, dont *Amor tutto vince* (1805), *Guerra aperta* (1807), *Paolo e Virginia* (1817), des messes, des *solfeggi*. Voir F. Piovano, *Elenco cronologico delle opere di P.G.*, *RMI, XII*, 1905, *XVII*, 1910 — *Notizie stor. - bibl.*, ds *RMI, XVI-XVII*, 1909–10 ; G. Bustico, *P.A.G.*, Massa 1899 ; G. de Saint-Foix, *Les maîtres de l'opéra-bouffe dans la mus. de chambre*, ds *RMI, XXXI*, 1924 ; E. Zanetti in MGG.

**GUGLIELMO EBREO da Pesaro.** Maître de danse ital. du XVe s., célèbre pour son traité intitulé *De pratica seu arte tripudii vulgare opusculum* (1463) qui contient des *balli* et des basses-danses avec leur chorégraphie ; il exerça dans le nord de l'Italie, notamment à Milan (1435), Ferrare (1437) ; il avait été l'élève de Domenichino da Piacenza ; la plus récente édition de son traité est due à C. Mazzi (*Bibliofilia, XVI*, 1915). Voir O. Kinkeldey, *A Jewish dancing master of the Renaissance*, ds *Stud. Jew. bibl...*, New-York 1929 ; C. Sartori in MGG.

d.
Oct. 16
1975

**GUI Vittorio.** Chef d'orch. et compos. ital. (Rome 14.9.1885–). Élève du cons. Ste-Cécile de Rome, il a fait carrière de chef d'orch., notamment comme assistant de Toscanini à la *Scala* (1923–25), dirigé le Théâtre de Turin à sa fondation (1925), participé à l'élaboration du *Mai musical florentin* ; on lui doit notamment des œuvres symph., 1 cantate, 1 opéra, des mélodies, des transcriptions et arrangements, 2 écrits : *Nerone di A. Boito* (Milan 1924), *Battute d'aspetto* (Florence 1944). Voir M. Mila in MGG.

**GUI d'AREZZO** (*Guido, Gui l'Arétin*). Bénédictin ital. (v. 990–v. 1050). Originaire de la ville d'Arezzo, il a été parfois surnommé *Guido Aretinus, Guido a Sancto Mauro, G. Canturariensis* (à cause d'un séjour qu'il aurait fait en Angleterre) ; on l'a parfois confondu avec Gui d'Eu, *G. Augensis* ; il appartint d'abord au monastère de Pompose ; ap. 1006, il dut partir « pour le nord », exilé pour des raisons inconnues ; il est certain qu'il séjourna à l'abbaye de St-Maur près de Paris, où il collabora avec l'abbé Odon, lequel, abbé de St-Maur des environs de 1006 à 1030, avait dirigé la *scola cantorum* de Cluny ; il semble probable qu'il ait séjourné à Cantorbéry (bien qu'on n'en ait aucune certitude, mais la qualité des mss anglais de son *Micrologus* le fait présumer) et à Brême ; on peut imaginer son site d'après l'aire de son rayonnement (de ses contemporains, ceux qui le citent sont Jean Cotton, Aribon d'Orléans, l'écolâtre de Freysing, Rudolf de Saint-Trond, Sigebert de Gembloux, Frutolf de Bamberg), par le lieu des copies de son œuvre et les emprunts qu'il fit : Odon de St-Maur, Hucbald de St-Amand, Otger de Tornières : tout cela le situe entre Metz et Liège, avec Paris comme centre ; on sait encore qu'il se retira de sa ville natale, dans la solitude », au début de la vieillesse (ce qui, à l'époque, signifie la cinquantaine) ; en fait, il semble avoir été abbé de Ste-Croix d'Avellana, monastère de Camaldules ; l'évêque d'Arezzo lui confia la direction de sa *scola* : c'est d'ailleurs pour elle qu'il a écrit le *Micrologus* ; son œuvre eut un tel succès que le pape Jean XIX le convoqua à Rome ; il se réconcilia avec l'abbaye de Pompose, qui le supplia de revenir chez lui : ce qu'il fit après des hésitations : il serait mort dans ce monastère, un 17 mai, v. 1050. Les détails biographiques qui viennent d'être énoncés sont tirés de ses préfaces au *Micrologus* et de sa lettre au moine Michel.
Son œuvre principale est le *Micrologus de arte musica*, déjà cité, composé après 1023 : ce livre devint immédiatement célèbre et fit école dans toutes les *scolae* occidentales : on y trouve une préface (de récente découverte), une épître dédicatoire, 20 chapitres, dont les 14 premiers concernent la notation alphabétique, la division du monocorde, les intervalles, les modes, les trois derniers, la diaphonie (selon Hucbald et Otger) et l'expérience des marteaux de Pythagore ; c'est dans les chapitres 15 à 17 qu'il fait à proprement parler œuvre

originale, notamment dans le 15e intitulé *De commoda componenda modulatione*, véritable traité de composition rythmique, règle du plain-chant, formulé à partir d'une comparaison avec la métrique et la prosodie anciennes. On lui doit en outre *Epistola ad Michaelem*, qui comporte une description des intervalles et des modes, un tonaire, l'énoncé de la méthode de solmisation, quelques règles de l'*organum*, des éléments autobiographiques ; *Regulae rhythmicae* ou *Liber trocaicus*, qui porte en sous-titre *In antiphonarii sui prologum prolatae* : elles débutent par l'acrostiche *Gliscunt corda meis hominum mollita Camoenis | Un amihi virtus numeratos contulit ictus : | In caelis summo gratissima carmina fundo | Dans aulae Christi munus cum voce magistri. | Ordine me scripsi, primo qui carmina finxi.* suivi du célèbre adage : *Musicorum et cantorum magna est distantia : | Isti dicunt, illi sciunt quae componit musica.* Quant aux *Regulae de ignoto cantu*, elles portent le même sous-titre : elles concernent plus spécialement la notation sur ligne. Le *De modorum formulis* et son supplément, le *Tractatus correctorius* (dont l'authenticité est contreversée) traitent de la « correction » des genres et des modes ; le *De modorum formulis et cantuum qualitatibus*, l'*Omnibus ecce modis...*, le *Metrologus, liber argumentorum et specierum*, ne semblent pas authentiques ; reste l'antiphonaire, qu'il présenta au pape Jean XIX, lequel en fut émerveillé.
On sait que *G. d'A.* composa : il fait fréquemment allusion à des *symphoniae*, écrites en vue de l'enseignement, sur des formes rythmiques, qu'il faut probablement rapprocher de la mélodie de l'*Ut queant laxis*, hymne de st Jean-Baptiste, patron des musiciens choisi par lui : la première syllabe de chaque vers de la première strophe a donné son nom à ses notes de solmisation ; elle tombe d'ailleurs sur la note désignée (à l'exception de celle du dernier vers : le *si* est la réunion des initiales des deux mots qui le composent, et la première note n'est pas un *si*).

L'importance de *G. d'A.* dans l'histoire de la musique occidentale ne peut être minimisée : qu'il nous suffise ici d'énumérer brièvement ses apports : c'est lui qui instaura la méthode de la portée musicale (il conseillait des lignes de couleur), des clés d'*ut* et de *fa* et du « bémol à la clé » ; c'est à lui qu'on doit l'élimination des genres chromatiques et enharmonique et la règle du diatonisme ; on lui doit encore la solmisation et la gamme, et la célèbre « main guidonienne », méthode de solmisation mnémotechnique, que Sigebert de Gembloux définit ainsi : « *Hisque vocibus, per lexuras digitorum levae manus distinctis, per integrum diapason se oculis et auribus ingerunt intentae et remissae elevationes vel depositiones earumdem sex vocum* ».

**Éditions :** Gerbert, *Scriptores*, II, repris par Migne, ds *Patr. lat.*, *CXLI* ; Coussemaker, *Scriptorum... nova series*, II, Paris 1864, 1876 ; A.M. Amelli, *G. monachi Micrologus*, Rome 1904 ; J. Smits van Waesberghe, *Micrologus de musica*, ds *Corpus scriptorum de musica*, *IV*, Rome 1955 ; M. Hermesdorff, *Epistola ad Michaelem*, Trèves 1884. Dom G. Morin, la préface du *Micrologus*, ds *Revue de l'art chrétien*, 1888.

**Bibl. :** Mgr Foucault, *Le rythme du chant grégorien d'après G. d'A.*, Paris 1904 ; U. Chevalier, *Répertoire bio-bibliographique*, 1877–1888 ; M. Brenet, ... *G. d'A...*, ds *Tribune de St-Gervais*, *VIII* ; Dom C. Vivell — A. Gastoué, ... *Notes biograph. et bibliogr. sur G. d'A.*, *ibid.*, *XVI* ; A. Gastoué, art. *G. d'A.*, ds *Dict. d'archéol. chrét. et de lit.*, *VI*, Paris s.d. ; E. Oesch, *G. v. A.*, thèse de Berne, 1954 ; J. Smits van Waesberghe, *De musico-paedagogico et theoretico G.A. ejusque vita et moribus*, Florence 1953 — art. in MGG.

I.B. CIPRIANI INVEN.    C. GRIGNION SCULP.

GUIDO ARETINUS A BENEDICTINE MONK, HAVING REFORMED THE
SCALE OF MUSIC AND INVENTED A NEW METHOD OF NOTATION,
COMMUNICATES HIS IMPROVEMENTS TO POPE JOHN XX,
WHO INVITES HIM TO ROME AND BECOMES HIS DISCIPLE.

GUI D'AREZZO

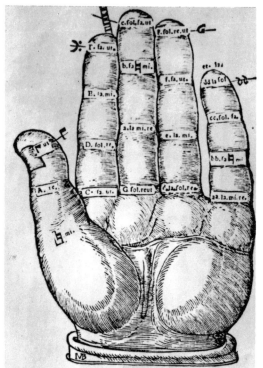

Vr'autē pueti huius ſcalæ diſpoſitionē facilius diſcant, non inutile fuerit, ſi iuuandæ pueritiæ cauſa, in ſubſequenti manus forma ediſcenda proponatur, clauibus ſignandis, de quibus dicendum, in qualibet digiti ſummitate, deprehenſis. Caput.

GUI D'AREZZO

*La main guidonienne (ds Practicae mus. praecepta...
de J. Zanger, 1554).*

**GUI de CHAALIS, GUI d'EU.** Voir art. *Gui de Cherlieu*
et *Gui de Longpont.*

**GUI de CHERLIEU.** On ne possède pas de renseignements pour établir la biographie de ce personnage.
L'abbaye de Cherlieu (dép. de la Haute-Saône, arr.
Vesoul, canton de Vitrey, commune de Montigny-lès-
Cherlieu) avait été fondée dans le premier quart du
XIIe s. pour des chanoines réguliers. Le comte de Bourgogne Rainaud III, devant la misère qui y régnait,
s'adressa à saint Bernard, abbé de Clairvaux, pour
l'affilier à l'ordre de Cîteaux : cette transformation eut
lieu le 17 janvier 1132. Saint Bernard plaça à la tête de
la nouvelle communauté un de ses moines nommé Gui.
Deux lettres de saint Bernard au pape Innocent II
plaident en faveur de Gui, abbé de Cherlieu, en butte à
des persécutions (ép. 198 et 199). Gui était donc avant
moine de Clairvaux. On lui a attribué la paternité du
traité *De cantu.* dans lequel sont exposés les principes
de la réforme du chant cistercien. L'antiphonaire corrigé
d'après ces principes est connu sous le nom d'*Antiphonaire
de Gui.* Mais la personnalité de l'auteur du traité en
question a été longuement discutée. Un ms. vu par
Mabillon dans la bibliothèque de l'abbaye de Foigny
porte ce titre : *Epistolae domni Guidonis abbatis Chariloci
de cantu.* Un autre ms. conservé à l'abbaye de Bucilly
(ordre des Prémontrés), portait le même titre. En 1867,
Coussemaker publia un autre traité intitulé : *Domni
Guidonis in Cariloloco abbatis Regulae de Arte Musica,*
d'après le codex 2284 de la bibl. Sainte-Geneviève de
Paris. On remarque que les deux ouvrages en question
présentent de grandes analogies et que le traité *De cantu*
placé en guise de préface au début de l'antiphonaire
cistercien un résumé des *Regulae.* Cependant le titre
des *Regulae* doit être erroné. *Carililocus* est le nom latin

de l'abbaye de Châlis (Oise). On a donc attribué à *Gui
de Châlis* la paternité des *Regulae.* Ceci est impossible,
car il n'y eut pas d'abbé du nom de Gui à Châlis au
XIIe s. Reste l'attribution à Gui de Cherlieu : celle-ci
est aussi inacceptable que l'autre. On lit en effet dans le
traité *De cantu* cette phrase, au sujet de l'église de
Soissons : *sive Suessionensis Antiphonario quod quasi ad
januam habes* » ; cette expression : « laquelle est presque
à notre porte », ne peut s'appliquer à Cherlieu (*Charus-
locus*), qui se trouve dans la Haute-Saône, alors que
Soissons est dans l'Aisne. L'auteur des *Regulae* et du
*De cantu* est en réalité un autre moine de Clairvaux, *Gui
d'Eu,* appelé aussi *Gui de Longpont* (voir à ce mot), du
nom du monastère où il fut envoyé. Le rôle de Gui de
Cherlieu se serait réduit à la rédaction d'une sorte de
préface placée au début du *De cantu.* Plus tard, chose
fréquente à cette époque, l'œuvre tout entière aurait été
attribuée à l'abbé de Cherlieu : il n'est d'ailleurs pas
exclu que celui-ci n'ait pas pris part à la réforme du chant
cistercien. Enfin, comme il est normal, c'est lui qui dut,
en sa qualité d'abbé, présenter les livres corrigés au
chapitre général : de là viendrait le nom d'*Antiphonaire
de Gui* attribué au moyen-âge à l'antiphonaire cistercien.
Quoi qu'il en soit, il convient de rendre à chacun son dû.
On se reportera donc à l'article *Gui de Longpont* pour y
trouver l'exposé des principes de la réforme cistercienne
du chant grégorien.

**Bibl. :** *Epistola seu Prologus ad Tractatum de cantu,* ds Migne,
*Patr. lat.,* t. 182, c. 1121–1122 ; *Praefatio seu Tractatus de cantu seu
Correctione antiphonarii, ibid.,* c. 1121–1132 ; *Tonale Sancti Bernardi,
ibid.,* c. 1153–1166 ; *Sancti Bernardi Tractatus cantandi graduale,
ibid.,* c. 1151–1154 ; *Regulae Artis Musicae Domni Guidonis Abbatis
Cariloloci,* éd. E. de Coussemaker, *Scriptores de musica medii aevi,
nova series,* II, Paris 1857 ; Mabillon, *Admonitio ad Tractatum de
cantu, Patr. Lat.,* t. 182, c. 1118 ; R.P. Othon Ducourneau, *Les
origines cisterciennes,* Ligugé 1933 ; R.P. Dominique Delalande, *Le
graduel des Prêcheurs, Recherches sur les sources et la valeur du
texte musical,* Paris 1949 ; F. Kovacs, *Fragments du chant cistercien
primitif,* ds *Analecta S.O. Cist.,* Rome 1950, fasc. 1-4, pp. 140-150 ;
K. Weinmann, *Das Hymnar der Zisterzienserabtei Pairis im Elsass.
Aus zwei Kodices des 12. und 13. Jahrhunderts herausgegeben und
kommentiert,* Ratisbonne, 1904 ; R.P. Solutor R. Marosszeki, *Les
origines du chant cistercien, Recherches sur les réformes du plain-chant
cistercien au XIIe s.,* Rome 1952.                                    M.C.

**GUI de COUCY** (*Châtelain de C.*). Trouvère du XIIe s.,
mort à la croisade en 1203 ; il était originaire du sud
de la Picardie ; son activité littéraire et musicale se
situe dans les 15 dernières années du XIIe s. ; grand
seigneur, plusieurs fois croisé, il ne tarda pas à devenir
légendaire ; des 30 chansons qui lui sont attribuées,
plusieurs sont douteuses. Voir F. Fath, *Die Lieder d.
Castellans v. Coucy,* thèse de Heidelberg, 1883 ; J. Bédier
et P. Aubry, *Les chansons de croisades, ibid.* 1909 ; F.
Gennrich, art. in MGG.

**GUI de LONGPONT** (*d'EU*). Moine cistercien de l'abbaye
de Clairvaux, envoyé à Longpont (dép. Aisne, arr.
Soissons), monastère fondé en 1132 : on l'appelle aussi
*Gui d'Eu,* peut-être parce qu'il aurait été chanoine de
N.-D. d'Eu (chanoines réguliers de Saint-Victor). C'est
à lui, et non à Gui de Cherlieu (voir à ce mot) qu'il faut
attribuer la paternité du traité *De cantu* et les *Regulae
de arte musica.* Dans le *tonale* attribué à saint Bernard,
on lit ceci : « Voyez le traité de musique adressé par Gui
d'Eu à son pieux maître Guillaume, premier abbé de
Rievaulx ». Ce traité n'est autre que les *Regulae de arte
musica,* dans lequel l'auteur rappelle à Guillaume de
Rievaulx qu'il était novice à Clairvaux quand celui-ci
était père-maître des novices de ce monastère, et qu'il
s'entretenait souvent avec lui du chant. Gui, envoyé
en 1132 à Longpont, aurait composé les *Regulae* qu'il
aurait envoyées à son ancien maître. Cette attribution
est confirmée par le *De cantu,* qui n'est qu'un résumé des
*Regulae.* L'allusion à l'église de Soissons « laquelle est
presque à notre porte » se comprend parfaitement s'il
s'agit de Longpont, alors qu'il n'y a aucun sens de la
l'appliquer à Cherlieu (Haute-Saône), où l'autre réformateur du chant cistercien, Gui, était alors abbé. La
part de ce dernier dans la rédaction du *De cantu* se réduit
à une simple préface, tandis que la seconde partie :
« *Praemunitos autem esse volumus...* », très développée,
doit être attribuée à Gui de Longpont. On admet main-

tenant que saint Bernard, chargé par le chapitre général de Cîteaux de corriger l'antiphonaire, mais trop occupé pour se livrer à ce travail de spécialiste pour lequel, quoi qu'on en ait écrit, il n'était peut-être pas qualifié, aurait chargé de cette correction son ancien moine, dont il connaissait la science musicale. Gui de Longpont aurait résumé son traité des *Regulae* pour en faire la préface du nouvel antiphonaire (*Tractatus de cantu seu de correctione antiphonarii*), et Gui de Cherlieu, qui avait sans doute collaboré à ce travail, aurait rédigé un prologue placé au début de cette préface. Par la suite le nom du moine de Longpont est tombé dans l'oubli, et l'ensemble fut attribué à l'abbé de Cherlieu, de même que la réforme musicale fut placée sous l'égide de saint Bernard, qui avait composé une lettre pour présenter à l'ordre le nouvel antiphonaire (*Epistola seu Prologus ad tractatum de cantu*). Gui de Longpont était un savant musicien doublé d'un théoricien : il connaissait admirablement les théories des musicologues de son temps et savait comment les appliquer. Il avait longuement réfléchi aux corrections à apporter au chant liturgique, ainsi qu'il le rappelle à Guillaume : « ... lorsque j'étais à Clairvaux dans la celle des novices... j'avais coutume de vous entretenir souvent du chant » (*Regulae de arte musica* ; éd. Coussemaker, *II*, p. 150). Si l'on doit distinguer l'œuvre du moine et celle de l'abbé du même nom, en revanche, leur accord et leur identité de vues ne peuvent être mis en doute. Vacandard (*Vie de saint Bernard*, Paris 1895, 2 vol., t. II, p. 102 et suiv.) est dans l'erreur, qui attribue au seul abbé de Cherlieu l'œuvre de réforme musicale ; mais il a raison en écrivant que la part de st. Bernard se réduit à la simple rédaction d'une préface sous forme de lettre pour recommander la nouvelle version à tout l'ordre de Cîteaux.

*L'œuvre de Gui de Longpont.* La réforme du chant cistercien a été exposée au mot *cistercien* (chant), dans le 1er vol. de cette encyclopédie par S. Corbin. On croit cependant utile de donner ici quelques développements à cette question. Étienne Harding, 3e abbé de Cîteaux, fit copier les livres de chant de l'église de Metz. L'expression *Ire réforme du chant* par laquelle on qualifie habituellement ce travail est erronée : il y eut choix et copie littérale d'un texte musical déjà existant, mais non correction. Ce texte fut accepté par l'ordre, en dépit des plaintes de quelques moines musicologues, et l'abbé Étienne l'imposa en vertu de son autorité. Il est à remarquer que, tous les livres de chant de Metz ayant disparu, on ne peut décider avec certitude de la valeur de ce texte ; cependant il est admis que si on parvenait à retrouver un ms. du *graduel de saint Etienne Harding* on aurait, par le fait même, le graduel de Metz. Dans l'importante collection de graduels rassemblée à Solesmes pour l'édition critique du graduel romain, seul manque cet élément essentiel. Malheureusement les recherches entreprises pour retrouver le graduel primitif cistercien n'ont pas abouti. Les auteurs de la réforme de Gui en firent disparaître. On possède au contraire plusieurs témoins de l'antiphonaire primitif, mais le travail de grattage et de lavage a été fait avec une telle perfection qu'il n'a pas été possible, même en recourant aux procédés les plus modernes, de faire réapparaître le texte éliminé. L'opposition au texte de Metz venait de Clairvaux, avec surtout Guillaume de Rievaulx, d'abord secrétaire de saint Bernard, Guy de Cherlieu (maître des novices) et Gui de Longpont. Après la démission et la mort de l'abbé Etienne, on décida de codifier les usages et les livres liturgiques de l'ordre. Ce fut alors qu'une commission présidée par saint Bernard (ce qui confirme la part prépondérante de Clairvaux dans cette affaire) fut chargée de la révision des livres de chant, travail qui fut achevé au plus tard en 1148 ; il se fit en deux temps : on corrigea d'abord le graduel. Celui-ci était tellement remanié qu'il y eut de vives protestations de la part de certains abbés : les correcteurs furent priés de modérer leur zèle. L'antiphonaire souffrit moins que le graduel. Cela explique la disparition complète de ce dernier, dont le texte primitif devait différer beaucoup trop du nouveau. Au contraire, l'antiphonaire, comme le prouve l'examen des deux mss. actuellement conservés à l'abbaye de Westmalle (Belgique, prov. d'Anvers) pouvait

subsister moyennant certaines corrections. L'étude de cet antiphonaire montre qu'il est étroitement apparenté avec le codex *Metz, Bibl. munic.* 83, disparu pendant la dernière guerre. Une étude approfondie du *kyriale* contenu dans le nouveau graduel cistercien a permis de le rattacher au groupe des mss de l'Ile-de-France : cela confirme l'assertion des correcteurs, qui déclarent avoir examiné les livres de Reims, Beauvais, Amiens, Soissons (*Tract. De cantu*).

Le travail fut exécuté avec une remarquable habileté : on doit reconnaître que l'auteur était un maître et qu'il a su appliquer ses principes avec une science consommée. A l'exception d'un ou deux principes, tel celui du « décacorde », il n'y a rien d'original dans cette réforme. Ce qui la caractérise, c'est l'application systématique de règles déjà énoncées par des théoriciens antérieurs, Réginon de Prüm, Odon de Cluny, Bernon, Guy d'Arezzo, Jean Cotton. Voici quels furent les principes qui servirent de normes pour la correction :

1. *Unité de mode* : il ne doit pas y avoir compénétration des modes dans une même pièce (cf. Réginon de Prüm, *De harmonica institutione*, ds Coussemaker, *Script.*, *II*, pp. 3 à 73 ; Odon de Cluny, *Dialogus de musica*, ds Gerbert, *Script.*, I, pp. 251-264 ; Bernon, *Tonarius, ibid.*, II, pp. 61-124 ; Guy d'Arezzo, *Micrologus de disciplina artis musicae, ibid.*, pp. 1-61). La règle précise peut s'exposer ainsi : chaque pièce, qu'elle soit dans le mode authentique ou dans le plagal, *doit finir sur sa note de départ*. Une statistique établie d'après le graduel *Oelenberg* 47 (aujourd'hui conservé à l'abbaye cistercienne de Tre Fontana, près de Rome, cote inconnue) montre que 57 pièces furent remaniées. L'application du principe n'a pas été rigoureuse.

2. *Loi de l'ambitus* : trois principes. Le premier est une raison mystique conforme à la mentalité de l'époque : l'autorité du psautier (*In psalterio decachordo psallam tibi*, ps. 143, v. 9). Le 2e se déduit des nécessités de l'exécution : il ne faut pas qu'une mélodie descende trop bas et monte trop haut, sous peine d'être trop difficile. Le troisième fut sans doute inspiré par le désir d'éviter l'emploi des lignes supplémentaires (*notandi necessitas*). Il résulte de tout cela deux restructions : a. interdiction de dépasser le décacorde ; b. proscription de la compénétration de l'authente et du plagal. En conséquence, toute mélodie ayant plus de 10 notes était soit simplement amputée, soit remaniée en tout ou en partie. Les répons graduels dans lesquels la première partie est ordinairement dans le plagal, et le verset dans l'authente, furent remaniés en ramenant la première partie à l'authente. 78 pièces furent corrigées d'après l'un ou l'autre de ces principes.

3. *Exclusion du bémol* : chaque fois qu'il est possible de supprimer le signe du bémol dans la notation *au moyen d'une transposition*, on doit le faire. Ce principe n'a pas été formellement défini avant les cisterciens, mais il était appliqué, en fait, dans beaucoup de cas : l'originalité des correcteurs fut d'en faire une application systématique. Remarquons qu'il faut éviter ici une équivoque : supprimer le bémol ne signifie pas supprimer le demi-ton qu'il indique et prendre le ton entier : ce demi-ton est conservé grâce à la transposition. Par exemple, l'intonation du type « *Gaudeamus* » : *ré-la-si bémol*, transposée à la quinte devient *la-mi-fa*. Ce principe appliqué avec trop de rigueur aboutissait à des impasses quand, pour continuer à noter dans le ton transposé, il aurait fallu faire usage du dièse ou de plusieurs bémols. Dans certains cas, il y eut même adjonction du bémol là où les mss d'autres familles n'en avaient pas : il semble que ce soit pour éviter le *triton*. Les cisterciens n'ont donc pas renoncé aux modulations introduites par le bémol. Ils désiraient simplement éliminer ce signe, probablement pour des raisons de simplicité ou de commodité. En bref, l'application de ce principe doit être entendue dans un sens limité : il y a beaucoup d'exceptions à cette règle de l'écriture ; très rares au XIIe s., elles sont fréquentes au XIIIe, et les éditions modernes imprimées, en supprimant les transpositions, ont rétabli, et parfois exagéré, le nombre des bémols. On trouve 144 pièces dans le graduel plus ou moins affectées par ce principe.

4. *Coupures, amputations, simplifications* : ce principe

n'est pas aussi clairement formulé que les précédents. Il aboutit, en fait, à trois sortes de mutilations dites *horizontales* : a. suppression, dans quelques offertoires, de répétitions du texte littéraire, ex. : offert. *Jubilate* (IIe dim. après l'Épiphanie), où la répétition *jubilate Deo omnis terra* est omise, en dépit de la magnifique vocalise qui l'accompagne et qui aurait dû, d'ailleurs, être mutilée conformément au 2e principe ; b. amputation de vocalises longues (motifs mélodiques, *jubilus*, *cauda*) ; c. simplification de quelques *strophicus* répercutés. — En dehors des *alleluia*, on trouve 23 mélodies dont les vocalises ont été amputées. La plupart des *alleluia* ont subi l'amputation de leur vocalise finale, mais ce procédé, en soi déjà condamnable, est un peu arbitraire dans son application, puisqu'on trouve des pièces de même type traitées de façons différentes.

*N.B.* : Dans le graduel cistercien on rencontre une grande quantité de menues variante (réduction de *strophicus*, suppression de petits neumes, petits décalages etc.). Une autre particularité de ce livre est l'absence du *quilisma* ; celui-ci est traité de différentes manières : ou bien il est purement et simplement supprimé, ou bien il est conservé sous forme de note ordinaire, ou bien cette note passe au degré supérieur ou descend au degré inférieur. On a tiré de ces menues variantes des conclusions arbitraires en affirmant, par exemple, que les cisterciens avaient voulu exclure systématiquement le *quilisma* et réduisaient dans toute la mesure possible les *longues*. Il n'en est rien : le *quilisma*, sous forme de note spéciale, avait aussi disparu des mss français dont s'inspirèrent les correcteurs. Quant aux *strophicus*, les mêmes mss se montraient eux aussi infidèles dans leur notation. Il arrive même que le graduel cistercien note une *tristropha* là où l'édition type vaticane n'a qu'une *distropha*. Des sondages ont permis de constater que très souvent le graduel cistercien est plus fidèle que ses congénères français sur ces points et a conservé avec une relative fidélité, sous une forme ou une autre, un grand nombre de *quilisma* et de *strophicus* : ce n'est donc pas là qu'il faut chercher les caractères du chant « cistercien ». Sous ce rapport, le graduel n'est qu'une version, entre tant d'autres, du chant grégorien altéré du XIIe s. Ces menues variantes l'apparentent au groupe des mss de l'Ile-de-France, criblés de petites altérations, et les correcteurs, souvent, n'ont fait que copier, avec leurs fautes, les livres dont ils s'inspiraient.

On reconnaîtra sans difficulté un graduel manuscrit cistercien à quelques particularités bien définies : il suffira de connaître les grandes variantes intentionnelles (offertoires à vocalises réduites, r.gr. avec transposition d'incises mélodiques type *Qui sedes* etc.) pour affirmer, sans qu'il puisse y avoir erreur, l'origine cistercienne du livre. On doit ajouter aussi que le soin apporté à la présentation du codex, son écriture ordinairement très soignée, la disposition des pièces quand elles se répètent dans différentes messes (v.g. : graduels ou offertoires de carême utilisés aussi pour le temps après la Pentecôte), l'ordre et la clarté dans l'ordonnance du ms., sont des indices qui ne trompent guère le paléographe. La graphie de la notation n'est pas uniforme. Si, assez vite, beaucoup de mss apparaissent avec la notation *carrée*, la remarque de S. Corbin (voir art. *cistercien* [*chant*], p. 551 du 1er vol. du présent ouvrage) demeure valable.

*Critique de cette réforme* : Il ne s'agit pas ici, évidemment, de juger les intentions des auteurs de cette réforme. Le R. P. Delalande a écrit qu'ils « étaient parfaitement conscients du caractère anti-traditionnel de leur œuvre et ne s'en cachaient pas ». Disons plutôt qu'en face du désaccord qu'ils constataient dans les manuscrits qu'ils avaient consultés, ils ont conclu que la tradition était gravement altérée et qu'on ne pouvait la retrouver. On ne peut leur reprocher leur conduite au nom d'une tradition que nous essayons de retrouver en usant de tous les moyens que la science et la technique modernes mettent à notre disposition, mais qu'ils ne pouvaient absolument pas déceler, ni même soupçonner. De là leur conduite. Ils conviennent qu'ils ont agi avec une complète indépendance d'esprit par rapport à l'usage des autres Églises : « *contra usum* omnium Ecclesiarum Antiphonarium hoc corrigere *coacti sumus* ». Ce *coacti*

*sumus* est très fort et suffirait à prouver que l'audace de leur conduite ne leur échappait pas. Après avoir constaté que la plupart des versions qu'ils avaient examinées étaient en désaccord entre elles, ils en ont conclu que le chant sacré était altéré parce qu'il avait oublié les lois de la composition, ce qu'ils appellent la *nature* et qu'ils opposent à l'*usage* (*usui praevalet natura*) : ils devaient donc retrouver d'abord les règles de la composition, puis confronter avec elles les mélodies, enfin les corriger. Ils ont voulu faire œuvre scientifique. Les connaissances et l'ambiance du XIIe s. ne favorisaient pas cette œuvre. Ils ont procédé en formulant des règles déduites de quelques faits : ces règles, énoncées sur le tard, ne tenaient pas compte des nombreuses exceptions, qui auraient dû servir à corriger les règles. Au contraire, on n'a pas hésité à violenter les mélodies pour les contraindre à se soumettre à des lois trop strictes. C'est agir à l'inverse des méthodes modernes, qui donnent d'abord la parole aux textes et n'admettent une règle que si elle rend compte de tous les faits. Nos correcteurs étaient tellement persuadés de la justesse de leur raisonnement et de la légitimité de leur œuvre qu'ils exprimèrent loyalement leur regret de n'avoir pu appliquer leurs principes jusqu'au bout par suite de la résistance de quelques membres du chapitre général auquel fut soumis le graduel et, d'avoir, par conséquent, fait un travail imparfait (*Reclamantibus patribus nostris... multa retinuimus de veteri antiphonario quae quidem tolerabilia sunt sed multo melius possent haberi*). Pour juger équitablement cette réforme si radicale, on n'avait encore aucun exemple, il convient de ne pas se placer uniquement sur le plan de la musicologie. L'ordre de Cîteaux est essentiellement caractérisé par la volonté de ses fondateurs de revenir à l'observance exacte de la règle de saint Benoît, dans sa lettre comme dans son esprit : en tout, ils recherchèrent ce qu'ils appellent d'une expression qui revient souvent dans leurs textes la rectitude *de la règle* (*sicque rectitudinem regulae supra cunctum... ducentes...*). Dans leur zèle, ils ne voulurent admettre aucune demi-mesure. Cela nous a valu une architecture qui fait aujourd'hui encore l'admiration des artistes. La logique les contraignait à étendre à tous les domaines ce principe fondamental exprimé sous une nouvelle forme dans le *De cantu* : *la recherche de l'authentique* (*quod magis authenticum invenirent*). Le chant liturgique, élément important de la vie de moines voués à l'office choral, ne pouvait échapper à la règle. L'abbé Étienne, quand il envoyait des scribes à Metz, désirait retrouver l'*authentique tradition grégorienne* au témoignage de saint Bernard (*Metensis ecclesiae antiphonarium nam id gregorianum esse dicebatur*). Les promoteurs de la réforme estiment que ce chant est défectueux (*et cantu et littera vitiosum*). A leur tour, ils veulent un texte *authentique*, et, puisque cette authenticité ne peut être garantie par les textes, ils la cherchent dans les règles. Ils ont agi rigoureusement selon leurs principes, comme ils l'ont fait dans tous les autres domaines de leur vie. On doit s'incliner devant une telle attitude, qui suppose un réel courage, car les critiques, du dedans et du dehors, ne manquèrent pas. Une autre réforme tout aussi radicale, celle du XVIIe s. (cf. *plain-chant mesuré*) n'est qu'un travail de théoriciens et d'esthètes. Celle-ci s'en distingue par l'attitude franche et loyale de ses promoteurs et le motif d'ordre supérieur, profondément spirituel (et même « surnaturel ») qui les pousse à agir : cela est si vrai que l'on a souvent recours à certaines déclarations de principe contenues dans le *De cantu* pour expliquer l'architecture des églises cisterciennes ou d'autres aspects de la vie des moines de Cîteaux. Il importe donc de se montrer prudent et de faire un peu de psychologie avant de porter un jugement trop sévère.

Cependant l'œuvre subsiste. La réforme du chant cistercien inspira celle du chant dominicain. Ses principes abritèrent d'autres tentatives postérieures et même, ce qui peut paraître un comble, ce sont eux que les fauteurs du plain-chant mesuré, cette caricature par excellence du chant grégorien, allégueront pour se justifier. Elle n'a pourtant pas eu qu'un aspect négatif : pendant que le chant sacré se dégradait de plus en plus au cours des âges pour aboutir à la lamentable édition de Ratisbonne, les moines cisterciens conservaient leur version à peu près intacte, au moins jusqu'à la fin du XVIIe s. Placé sous le patronage de saint Bernard, « en ce chant, a-t-on écrit, semble revivre tout le passé glorieux et malheureux de l'ordre de Cîteaux. Il est devenu comme un trésor dont il paraîtrait sacrilège de vouloir se dessaisir sans motifs sérieux ». Il est certain que les cisterciens du XXe s. n'accepteront de l'abandonner que si on leur présente enfin cette version *authentique* que désiraient saint Etienne Harding et Gui. En agissant ainsi, ils se comporteront comme eux, et comme eux ils seront fidèles au principe essentiel de leur vie : *rectitudinem regulae*.

Au contraire, le musicologue qui dispose des ressources actuelles de la paléographie musicale ne peut accepter la version élaborée par les correcteurs ; il doit faire effort pour comprendre et excuser ces moines, mais il a le droit de juger l'œuvre. Il admettra que Gui était un théoricien du XIIe s. imbu des règles qu'on apprenait à l'école comme toute autre discipline : Gui ne pouvait se soustraire à l'ambiance de son époque, pas plus que nous n'échappons à celle de la nôtre ; la théorie expliquait tout, résolvait toutes les difficultés, assurait l'union et l'uniformité du chant. Gui était parfaitement logique : son attitude était celle des premiers cisterciens désireux d'établir l'uniformité complète dans toute la vie monastique (*In actibus nostris nulla sit discordia, sed una caritate, una regula, similibusque vivamus moribus*). Une chose est pourtant certaine : en appliquant leurs principes, les correcteurs ont abandonné une partie de l'ancienne tradition. Il n'est pas question ici de disputes d'écoles, de savoir quelle pouvait être la véritable interprétation du chant, si l'œuvre de restauration grégorienne de nos jours est légitime ou non. En comparant le graduel et l'antiphonaire cisterciens avec les nombreux témoins de la tradition qui existent encore, on doit convenir que l'attachement inébranlable des correcteurs à des règles et à des principes dont il aurait d'abord fallu contrôler la valeur (mais comment auraient-ils pu le faire ?) les a jetés en dehors de la tradition grégorienne. L'erreur est involontaire, la bonne foi est indéniable : il n'en reste pas moins vrai que l'erreur existe et que les correcteurs nous donnent ici une grave leçon de prudence.

Sans chercher à faire une critique détaillée de la réforme, ce qui demanderait plus de place qu'on n'en dispose ici, on peut indiquer brièvement les inconvénients du système. Disons d'abord que les quelques avantages que pourrait offrir la nouvelle version en raison de la simplification des vocalises est peu de chose comparée à la perte des nuances expressives de modulation. De très belles mélodies (comm. *Passer*, ant. *Immutemur habitu*, off. *Jubilate Deo*) ont été tellement appauvries soit par la mutilation d'une vocalise, soit par l'emploi systématique de clichés que l'on rencontre à chaque instant dans tout le graduel et qui se substituent à des formules originales et fort belles, que l'esthétique suffirait à elle seule pour condamner l'œuvre.

L'unité de mode est une conception arbitraire des théoriciens cités plus haut : elle est contredite par l'organisation interne de certains genres, ceux, justement qui furent jugés défectueux. Dans les répons-graduels, le chœur chantait la première partie ; le verset était confié soit à un chantre, soit à la *schola*, composée d'enfants : il est donc normal qu'il soit écrit dans une tessiture plus élevée, en rapport avec le timbre des voix enfantines ou les possibilités d'un chantre exercé. On trouve ce principe appliqué magistralement dans les versets d'offertoire, tels que du *Precatus et Moyses*, qu'il serait impossible de faire exécuter convenablement par un même soliste. Normalement, dans les répons-graduels, la partie du chœur doit être facile à chanter et sera écrite dans le ton plagal. Le verset, dans l'authente, permettra de développer plus aisément les vocalises à l'aigu. Il y a donc encore ici une raison d'esthétique. De surcroît, si l'on tient compte du mode d'exécution, la pièce est plus facile à chanter sous sa forme *authentique*. En ramenant la première partie à l'authente, on risque d'imposer à un chœur, où les virtuoses sont peut-être une exception, des difficultés d'exécution. Autre inconvénient : en *nivelant* l'ensemble de la pièce, on lui ôte son intérêt en faisant disparaître le contraste *voulu* par le compositeur entre ses deux parties bien distinctes (et bien distinguées). Reste encore que pour opérer la conversion du plagal à l'authente dans la première partie, on a dû presque toujours (surtout dans le 5e mode) recourir à l'emploi de formules stéréotypées, au détriment de formules originales. Une dernière raison, d'ordre presque moral, peut être alléguée : le correcteur ne devait pas mutiler une œuvre à moins de la restituer dans son intégrité si elle avait été manifestement altérée. Or, ici, il n'est pas question d'altération préalable : celle-ci résulte de la correction, un peu comme si on prétendait supprimer le chœur final de la 9e symphonie sous prétexte que, celle-ci étant une pièce instrumentale, il est anormal et contraire à toutes les règles et à la raison d'y faire intervenir un élément choral. Le principe des correcteurs, dans ce cas précis, portait à faux. On ne devait pas juger l'*ensemble* du r.-gr. et décider qu'il y avait plusieurs fautes (compénétration des modes, violation de l'ambitus), mais examiner *les deux parties séparément*, puisque chacune devait être exécutée par des chanteurs différents. On aurait alors constaté que souvent l'unité de mode existe (6e pour le début, 5e pour le verset) et que la loi de l'ambitus est respectée.

C'est encore au nom de l'esthétique et de la liberté du compositeur qu'on peut condamner l'application de ces lois. Il arrive qu'on a voulu obtenir un effet de musique imitative comme dans le r.gr. *Sciant gentes* (dim. de la Sexagésime). Dans le verset, sur le mot *rotam*, on a cherché, par une courbe audacieuse à l'aigu, à imiter la roue. Quoi qu'il en soit de l'intention du compositeur, la phrase musicale est très belle : la suppression de trois notes dans la version cistercienne a fait disparaître l'essentiel, ce qui est regrettable. Voici un autre cas où, malgré l'habileté du correcteur, l'esthétique de la pièce est sacrifiée : il s'agit du répons-graduel *Qui sedes* (IIIe dim. de l'Avent) ; dans la première partie, la phrase *excita potentiam tuam et veni* module au grave ; la finale est une admirable prière : le correcteur, pour la ramener à l'authente, l'a transposée à la quarte supérieure, d'abord, puis à la quinte ; les notes et leur groupement sont à peu près respectés et, au point de vue technique, l'opération est remarquable, mais l'équilibre des masses sonores est entièrement détruit.

La règle de l'exclusion du bémol, simple artifice d'écriture, en principe, altère parfois si gravement une mélodie que cette seule raison devrait la faire condamner. Il est aisé de comprendre qu'on aboutit à des impasses dont on ne sait comment sortir, si l'on tient à être fidèle jusqu'au bout aux normes qu'on s'est imposées. L'exemple devenu classique est celui de la communion *Dicit Dominus* (IIe dim. après l'Épiphanie) : pour éviter d'écrire le *si bémol* dans l'intonation *fa-la-la-si b.*, le correcteur a élevé la pièce d'un ton et noté : *sol-si-si-do...* La difficulté surgit en arrivant au passage : *servasti vinum bonum* : il lui faudrait écrire *do dièse* et *fa dièse*, ce qui est impossible ; il se trouve contraint de redescendre d'un ton. Puis, en vertu du premier principe qui exige que la pièce termine sur la note par laquelle elle commence, il lui faut remonter de nouveau la finale d'un ton : non seulement l'ordonnance mélodique de cette communion est bouleversée, mais les chantres savent par expérience les difficultés qu'ils rencontrent pour l'exécuter.

Les correcteurs ont apporté un esprit de système qui était inconnu avant eux. Ils ont été les premiers à oser entreprendre une réforme aussi radicale. « Quelle que soit leur pureté d'intention », les raisons qu'ils allèguent pour la justifier « sont inadmissibles au point de vue strictement scientifique. Sans doute... les modifications, bien que très réelles, sont moins nombreuses et moins importantes qu'on ne le croit en général ; il n'en demeure pas moins vrai qu'elles étaient de trop » (P. Solutor Marosszeki, *Les origines du chant cistercien*, p. 135). Pour la *bibl.*, *cf.* celle de l'art. *Guy de Cherlieu*, et R. P. Jean de la Croix Bouton, *La réforme du chant*, ds Bernard de Clairvaux, Commission d'hist. de l'ordre de Cîteaux, Paris 1953.                                    M.C.

**GUI d'USSEL.** Troubadour franç. (Ussel v. 1170–av. 1225). D'une noble famille, il fut chanoine et nous a laissé 20 compositions, dont 8 chansons seulement sont notées, 3 pastourelles, 9 tensons ou jeux-partis ; ses frères *Pierre* et *Eble*, son cousin *Elias* étaient également troubadours. Voir J. Audiau, *Les poésies des quatre troubadours d'Ussel*, Paris 1922 ; H. Carstens, *Die Tenzonen aus dem Kreise der Trobadors G.E.E. u. P. d'U.*, thèse de Königsberg, 1914 ; F. Gennrich in MGG.

**GUIBALINE** (*Gibalin*) **Boris Dmitrievitch**. Compos. russe (Niazepetrovsk 24.4.1911–), élève de V. Zolotarev et de M. Frolov à l'École de musique et au cons. de Sverdlovsk (1931–1939), puis de N.I. Miaskovsky au cons. de Moscou (1939–1941), prof. au cons., dir. de la philharmonique (1948–) et secrétaire de l'Union des compos. soviétiques à Sverdlovsk, auteur de 6 opéras radiophoniques pour enfants, de nombreuses cantates, de mus. symph. chorale, de chambre, de scène.

**GUICCIARDI Giulietta.** Voir art. *Gallenberg*.

**GUICHARD François.** Mus. franç. (Le Mans 26.8. 1745–Paris 24.2.1807). Elève des maîtrises des cath. du Mans et de Paris, il fut sous-maître de la musique à cette dernière, poste qu'il perdit à la révolution ; on lui doit *Essais de nouvelle psalmodie, ou Fauxbourdons 1-3 v.* (Paris, s.d.), *Supplément...* (*ibid.*), 2 motets, 1 messe de carême, des recueils de chansons et romances ou desairs séparés dans des recueils, des pièces pour guitare ou des airs accompagnés à cet instrument. Voir J. Prim in MGG.

**GUICHARD Louis-Joseph.** Mus. franç. (Versailles 25. 10.1752–Paris 25.3.1829). Chanteur, page à la musique du roi (1760–68), soliste au Concert spirituel (1775) memb. de la *Soc. des enfants d'Apollon*, ordinaire de la mus. de la chambre (1776), prof. à l'École royale de chant et de déclamation (1784), membre du comité des artistes de l'Opéra (1793), prof. de vocalisation au conservatoire (1795), il composa l'opéra-comique : *Nicette et Colin* (1799), des romances, des hymnes. Voir M. Briquet in MGG.

**GUIDETTI Giovanni Domenico.** Mus. ital. (Bologne, bapt. 1.1.1531–Rome 30.11.1592). Elève et ami de Palestrina, chanteur à la chapelle papale (1575), *beneficiatus perpetuus* de St-Pierre de Rome, chapelain de Grégoire XIII, il obtint en 1582 le privilège d'éditer la nouvelle édition du graduel et de l'antiphonaire ; il publia *Directorium chori ad usum sacro sanctae bas. vat. et aliarum cath.* (Rome 1582 ; l'ouvrage, qui contient des règles de chant et de liturgie, eut de nombreuses rééd.), *Cantus eccl. passionis* (Rome 1586), *Cantus eccl. officii maioris hebdomadae* (ibid. 1587), *Praefationes in cantu fermo* (ibid. 1588), *Cantus diversi...* (posth., Lyon 1727) ; il composa 3 *Benedictus* à 4 v. Voir G. Baini, *Memorie... di G.P. da Palestrina*, 2 vol., Rome 1828 ; R. Molitor, *Die nach-tridentinische Choral-Reform*, id., Leipzig 1901–02 ; K.G. Fellerer in MGG.

**GUIDO.** Voir art. *Gui d'Arezzo*.

**GUIDO.** Mus. franç. du XIVe s., dont la biographie est inconnue ; on l'identifie parfois avec le *G. Pictavensis*, que décrit Coussemaker dans son catalogue du manuscrit de Strasbourg perdu, comme l'auteur d'*Inde Henrico dimicat* ; le ms. 1047 de Chantilly contient de lui 1 ballade

et 2 rondeaux à 3 v. : on pense généralement que ces pièces comportaient un accompagnement à la cornemuse ; quant à la forme, elle respecte le *tempus imperfectum cum prolatione perfecta*. Voir G. Reaney ds MGG et ds *Mus. disc., VIII*, 1954.

**GUIDO Giovanni Antonio.** Mus. franco-ital., né à Gênes à la fin du XVIIe s., mort vraisemblablement à Paris. Dès 1700, il est connu à Paris comme violon. et compos. ; peu après, il est maître de la mus. du duc d'Orléans ; il participe aux soirées de Crozat (1714–24) ; il Lecerf de la Viéville le cite comme un des meilleurs violonistes du temps ; on lui doit 6 motets, (Paris 1707), 6 sonates (v. vcelle, clav., *ibid.*, 1726), *Sinfonia a 4*, 1 cantate, des airs, 1 duo (mss bibl. du cons. de Paris), *Concerto de trompettes, htbois, cors de chasse et les chœurs de toute la symphonie* (1728). Voir L. de La Laurencie, *L'école franç. de violon...*, Paris 1922.

**GUIDON.** C'est un signe typographique du plainchant, utilisé pour annoncer en fin de ligne la première note de la ligne suivante : l'usage en est toujours en vigueur.

**GUIDONIEN.** Cet adjectif qualifie ce qui se rapporte aux théories de Gui d'Arezzo.

**GUIGNON Jean-Pierre** (*Giovanni Pietro Ghignone*). Violon. franco-piémontais (Turin 10.2.1702–Versailles 30.1.1774). Elève de Somis, il débuta au Concert spirituel (1725) : il y fit connaître en 1728 les concertos de Vivaldi (entre-temps, il avait été incarcéré sur ordre du prince de Carignan) ; en 1730, il appartient à la chapelle privée du même prince de Carignan ; en 1733, il fait également partie de la chapelle et de l'orch. de la chambre du

JEAN PIERRE GUIGNON de Turin, *Roy des Violons*.

*Paris chez Odieuvre M.dE.A. rüe d'Ünion la dern P.Gochere agauche entrant par celle Dauphine C.P.R.*

GUIGNON                    cons. de Paris

roi ; en 1741, naturalisé Français, il devient *roi des violons*, titre qui était resté vacant depuis 1695, tout en poursuivant sa carrière de virtuose, à Paris et en province ; en 1751, il signe parfois « *chef des violons de M. de La Pouplinière* » ; il avait en 1747 refait les statuts de la corporation des musiciens ; il quitta la chapelle royale en 1762 ; on lui doit, impr. : 36 sonates (v. et b., 2 vcelles, basse, 2 v., fl. et p., en trio), 6 duos (2 v.), des arrangements et des variations ; en mss : 2 sonates, 2 concertos, 1 *Grande symphonie* pour 2 cors, des *messes en symphonie*, des variations. Voir L. de La Laurencie, *L'école française de v., II*, Paris 1923 ; M. Pincherle, *Feuilles d'hist. du viol.*, 1927 ; M. Briquet in MGG.

**GUILAIN Jean-Adam-Guillaume.** Mus. franç. des XVIIe-XVIII[e] s., d'origine allem. (il s'appelait *Freinsberg*) ; org. et claveciniste, il se fixa à Paris (1702), où il enseigna ; on ne sait de lui que son amitié pour Louis Marchand, le célèbre org. de Louis XIV ; il composa 2 recueils de pièces d'orgue et de clavecin (Paris, 1706, 1739), 1 messe (5 v., *ibid.* v. 1707, perdue) ; son livre d'orgue a été rééd. par Guilmant dans les *Arch. des maîtres de l'orgue*, avec une préface d'A. Pirro.

**GUILELMUS MONACHUS.** Théoricien du XVe s., dont la biographie est inconnue, qui écrivit en Italie, vers 1480–90, un traité intitulé *De praeceptis artis mus. et practicae compendiosus libellus* (bibl. de St-Marc de

Venise) : ce traité, fort important pour la connaissance de la musique anglaise, décrit deux sortes de faux-bourdon et le gymel et donne neuf règles de contrepoint ; il a été partiellement publié par Coussemaker (*Scriptores, III*). Voir G. Adler, *Stud. z. Gesch. der Harmonie*, Vienne 1881, 1882 ; M.F. Bukofzer, *Gesch. des engl. Diskants...*, Strasbourg 1936 — *Fauxbourdon revisited*, ds *MQ*, 38, 1952 ; J. Handschin, *Eine umstrittene Stelle bei G.M.*, ds *Kgr.-Ber. Basel*, 1949, Cassel-Bâle 1950 ; H. Besseler, *Bourdon u. Fauxbourdon*, Leipzig 1950 ; H. Hüschen in MGG.

**GUILELS** (*Gilel's*) **Emile Grigorievitch**. Pian. russe (Odessa 1916–). Elève des cons. d'Odessa (B.M. Reingbald) et de Moscou (G.G. Neuhaus), où il est actuellement prof., 1er prix des interprètes de l'U.R.S.S. (1933), prix Isaye (1938), prix Staline (1946), c'est l'un des plus grands virtuoses contemporains, qui fait une grande carrière internationale.

**GUILLAMAT Ginette**. Pian. et chanteuse franç. (Paris 13.5.1911–), élève du cons. de Paris, prix G. Fauré, soliste de la R.T.F., des concerts Colonne, du Conservatoire.

**GUILLAUME Eugène**. Poète et compos. belge (Namur 29.6.1882-Scheerbeek 1953). Son œuvre mus. s'étend à tous les genres : mus. symph. (2 symph., 7 suites, dont la célèbre *Versailles*, 4 concertos, 1 fantaisie pour p. et orch.), de chambre (5 quatuors, 1 quintette, 4 trios, sonate p. v.), de piano (2 sonates, 6 sonatines, 4 suites dont les *Scènes enfantines*, 2 études de concert), 2 opéras (*La princesse Maleine* et *L'Appassionata*), une opérette (*La Potie*), des cantates, des chœurs et de nombreuses mélodies ; la langue mus. de G., très marquée par le chromatisme, dénote une nette évolution de l'école mus. belge du style franckiste vers la tendance atonale des jeunes générations ; son activité pédagogique (Bruxelles, Namur) lui confère une place de choix aux côtés de son contemporain Joseph Jongen.    J.Md.

**GUILLAUME d'AMIENS** (*Paignour*). Trouvère franç., contemporain d'Adam de la Halle, dont l'activité artistique se situe dans la 2e moitié du XIIIe s., auteur d'un poème à 14 strophes, *Vers d'amour*, de 3 chansons, dont une seule notée, et de 10 rondeaux (ms. bibl. Vatican). Voir P. Heyse, *Roman. Inedita auf ital. Bibl.*, Berlin 1856 ; H. Petersen Dyggve, ds *Neuphilolog Mitt.*, 30, 1929, 31, 1930 ; F. Gennrich, *Rondeaux, Virelais u. Balladen*, ds *Ges. f. rom. Lit.*, 43, 1921, 47, 1927 — art. in MGG.

**GUILLAUME d'AQUITAINE**. Voir art. *Guillaume de Poitiers*.

**GUILLAUME de FÉCAMP** (*Volpiano*). Moine de Verceil, qui, après avoir fondé avec ses frères l'abbaye de Fruttuaria, vint à Dijon pour réformer celle de St-Bénigne ; en 1001, il passa de Dijon à Fécamp, abbaye qui devint avec lui la tête d'une congrégation qui engloba plusieurs monastères normands ou picards (Blangy, Bernay, St-Taurin d'Évreux etc.) ; d'où son influence en musique : notation alphabétique (peu de temps après la réforme de St-Bénigne, le tonaire de Montpellier (Éc. de médecine H 159) est copié pour cette abbaye, toute la notation neumatique y est doublée d'une notation alphabétique) ; on trouvait également la notation alphabétique, avec le même système (d'*a* à *p*) à Fécamp et dans les abbayes environnantes), notation neumatique (dans les mêmes livres, suivant le même trajet, on trouve une notation neumatique qui se confond pratiquement avec le type français, mais qui ne se retrouve que dans les monastères de la congrégation de G. de F. : c'est un type vertical, très fin, caractérisé par l'emploi particulier de l'aurisque) ; enfin certains auteurs attribuent à G. l'introduction d'usages musicaux (chant nouveau ? *organum* ?) qui troublèrent beaucoup les anciennes pratiques : les moines de Glastonbury en Angleterre, réformés à la fin du XIe s. par un moine de Fécamp, Turstin, résistèrent à ces nouveautés et leur révolte fut consignée dans les chroniques. Voir, sur le tonaire de Montpellier : M. Huglo, *Le tonaire de Dijon*,

ds *An. mus.*, 1957 ; S. Corbin, *La notation musicale neumatique*, VI, sous presse ; sur la notation alphabétique : S. Corbin, *ibid. — Sens... de la notation alphabétique*, ds *Jumièges, Congrès scientifique*, II, Paris 1955 ; R.P. Smits van Waesberghe, ds *An. mus.*, sous presse ; sur la notation neumatique normande : S. Corbin, *op. cit.*, VI — *Le florilège de Fécamp* (en préparation) ; sur la réforme musicale introduite en Angleterre : J. Handschin, *G. de F.*, ds Rev. du chant grég., 1935 — *L'organum à l'église et les exploits de l'abbé Turstin*, *ibid.* 1937 ; A. Gastoué, *Sur le chant de st G. et les jongleurs à l'abbaye de Fécamp*, *ibid.* 1937.    S.C.

**GUILLAUME l'HÉBREU**. Voir art. *Guglielmo Ebreo*.

**GUILLAUME de HIRSCHAU**. Bénédictin allem., qui fut abbé du monastère de Hirschau, au diocèse de Spire, de 1068 à sa mort (1091). On a conservé les constitutions qu'il a données à son monastère, qui sont un monument considérable ; d'autre part, il laisse un traité de musique, qui témoigne de l'état peu avancé de ses connaissances dans cette discipline. Voir *Patrol. lat.*, CL, col. 1147–78, *Bibliotheca bollandiana* N° 8919–8921 ; Müller, *Die Musik Wilhelms v. Hirschau, Wiederherstellung, Uebersetzung und Erklärung seines musiktheoritisches Werkes*, Francfort 1883.    S.C.

**GUILLAUME de MACHAUT**. Voir art. *Machaut*.

**GUILLAUME de POITIERS** ou **d'AQUITAINE**. Troubadour franç. (1071–1127). Neuvième duc d'Aquitaine, septième comte de Poitiers, il est le plus ancien troubadour connu ; il hérita de son père en 1086 le Poitou, l'Angoumois, le Limousin, la Gascogne, s'empara à deux reprises du comté de Toulouse, participa à la croisade, vint en aide à Alphonse le Batailleur dans sa lutte contre les Almoravides ; il fut excommunié ; les mss nous ont transmis 12 pièces de G. de P., dont la mus. a été perdue : il y exprime des sentiments parfois violents, dans un langage cru. Voir A. Jeanroy, *Les chansons de G. IX d'Aquitaine*, Paris ; E. Hoepffner, *Les troubadours*, Paris 1955.

**GUILLAUME li VINIER**. Trouvère franç. (v. 1190–1245). Originaire d'Arras, frère de *Gille*, ami d'Adam de Givenci, de Rasset, de Bérengier, d'Huon, de Jehan Bretel etc., autour du Pui d'Arras, il échangea avec eux des jeux-partis (peut-être avec le célèbre Thibaut de Champagne) ; il fut chanoine d'Arras ; on a conservé de lui 32 chansons (mss Bibl. nat. de Paris, bibl. du Vatican, Sienne, Arras) : chansons en l'honneur de la Vierge, jeux-partis, pastourelles, descorts, une ballade. Voir E. Ulrix, *Les chansons inédites de G. le V.*, ds Mél. Wilmotte, Paris 1910 ; A. Guesnon, *Recueil biographique...* ds Bull. hist. et phil..., *ibid.* 1894 ; H. Petersen Dyggve, *Onomastique des trouvères*, ds *Ann. acad. sc. fen., B, XXX*, 1 ; F. Gennrich, *Rondeaux, Virelais u. Balladen* — art. in MGG.

**GUILLEBERT de BERNEVILLE**. Trouvère franç. du XIIIe s., d'origine picarde, qui participa à la vie artistique du Pui d'Arras, ami d'Henri III de Brabant, de Béatrice d'Audenarde, de Charles d'Anjou, d'Erart de Valery, du banquier Audefroi Louchart, etc. ; on a conservé de lui 33 chansons, 4 jeux-partis, 2 pastourelles. Voir H. Weitz, *Der krit. Text d. Ged. v. G. de B.*, Halle 1899 ; H. Petersen Dyggve, ds *Ann. acad. sc. fenn. B, XXX* ; F. Gennrich, in MGG.

**GUILLEM Adémar**. Troubadour languedocien des XIIe-XIIIe s., sire de Meyrueis (actuellement ds le département de la Lozère), qui termina sa vie comme religieux ; il nous a laissé 12 chansons, dont une avec notation musicale.

**GUILLEM AUGIER NOVELLA**. Troubadour provençal (v. 1185–1240). Originaire de l'actuel département de la Drôme, il fut jongleur, passa une partie de son existence en Lombardie, d'où il revint en Provence vers 1225 ; poète remarquable, il excella dans le descort et la *sirventes* ; on a conservé de lui 9 pièces mss, dont 2 d'authenticité douteuse, 4 avec notation musicale.    J.Md.

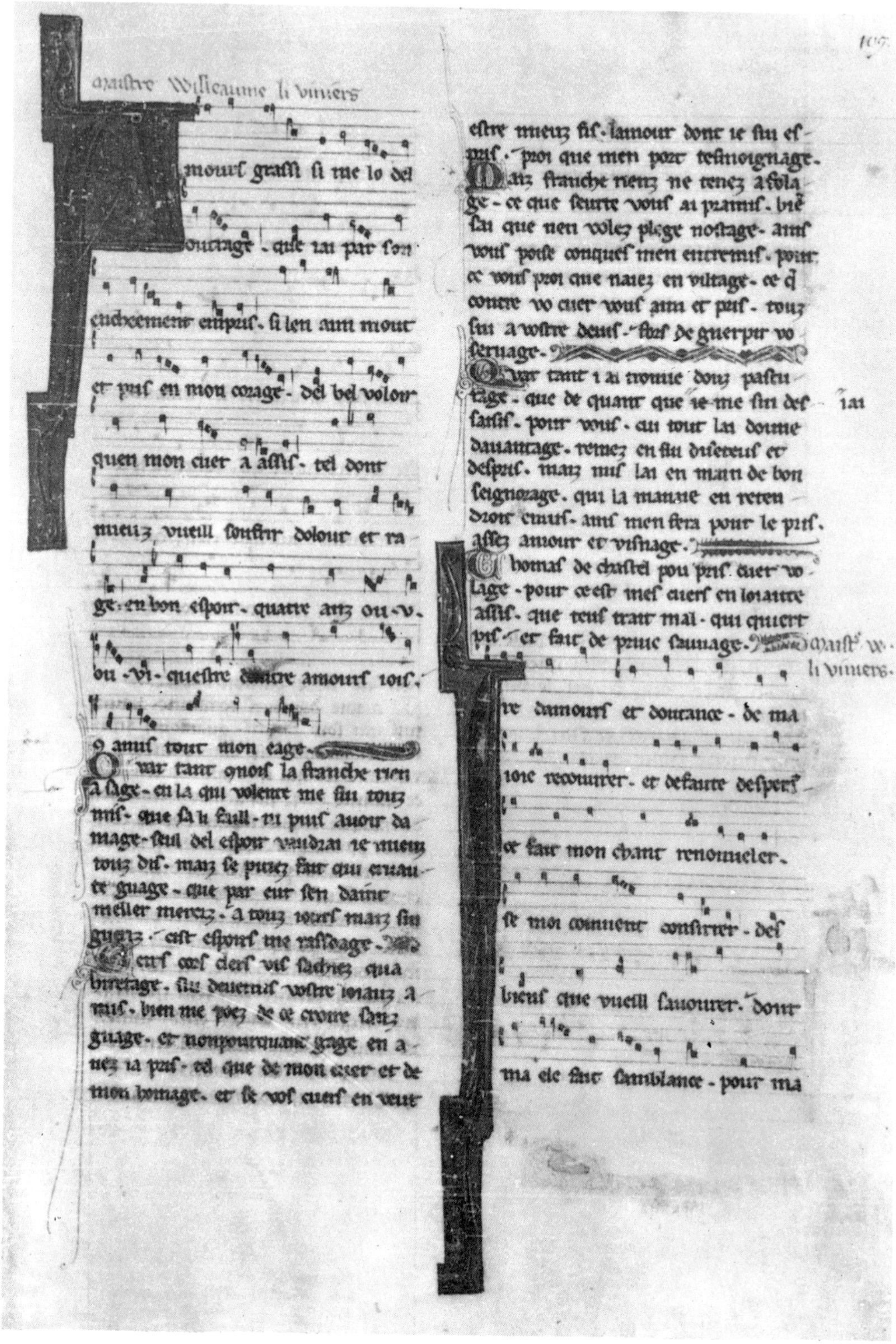

107.

maistre Willeaume li viniers

[musical notation and Old French text of chansons by Guillaume li Vinier]

Amours grasst si me lo del
outrage · que iai par son
enchcement enpris · si len aim mout
et pluf en mon corage · del bel volou
quen mon cuer a assis · tel dont
mieuz vueill souffrir dolour et ra
ge · en bon espoir · quatre anz ou · v ·
ou · vi · queistre encore amours iois ·

O amis tout mon eage
var tant gnois la franche rien
a lage · en la qui volente me fu touz
mis · que sa li faill · ni puis auoir da
mage · seul del espoir vaudrai ie mieuz
touz dis · maiz se puiez fair qui cruau
te guage · que par eur sen daine
meiller merciz · a touz iours maiz sin
gugiz · cest espoir me raffoage ·
Cuers cors clers vif sachiez qua
hiretage · sui deuenus vostre ioianz a
mis · bien me poez de ce croire sanz
guiage · et nonpourquant gage en a
uez ia pris · tel que de mon cuer et de
mon homage · et se vos cuers en veut

estre mieuz sis · l'amour dont ie sui es
mis · proi que men port tesmoignage ·
Maiz franche riens ne tenez a foila
ge · ce que seurte vous ai pramis · bie
sai que rien volez plege nostage · ainz
vous poise conquest men entremis · pour
ce vous proi que naiez en viltage · ce q
contre vo cuer vous ai enpris · touz
sui a vostre deuis · fors de guerpir vo
seruage ·
Car tant i ai trouue douz pastu
rage · que de quant que ie me sui des
saisis · pour vous · au tout lai donne
dauantage · remez en sui diseteus et
despris · maiz mis lai en main de bon
seignorage · qui la manaie en reten
droit cruis · ainz men fera pour le pris ·
assez amour et visnage ·
Thomas de chastel pou pris cuer vo
lage · pour ceest mes cuers en loiaute
assis · que tens trait mal · qui quiert
pris · et fait de priue sauuage ·

maistre W.
li viniers.

re d'amours et doutance · de ma
ioie recouurer · et defaute desperir

ne fair mon chant renoueler ·

se mon conuent consiurer · des

biens que vueill sauourer · dont

ma cie fait samblance · pour ma

**GUILLAUME LI VINIER**
*BN, ms franç. 844, fol. 107.*

**GUILLEM MAGRET.** Troubadour provençal des XIIe-XIIIe s., qui vécut longtemps en Espagne et y mourut dans un monastère ; on a conservé 8 pièces de lui, dont 2 avec notation musicale.

**GUILLÉM,** *vicomte* **de Bergadan.** Troubadour catalan du XIIe s., protecteur d'Aimeric de Peguilhan, qui fut de l'entourage d'Alphonse VIII, auteur de *sirventes.* Voir K. Bartsch, *G.v.B.,* ds *Jhb. f. rom. u. engl. Literatur,* VI, 1865.

**GUILLÉM de CERVERA.** Troubadour catalan du XIIIe s., dont le nom jongleresque est *Serveri* (*Serveries*) *de Girona ;* outre les 16 pièces authentiques qu'on connaît de lui, on lui attribue avec vraisemblance près de 90 poèmes anonymes d'un chansonnier de Saragosse ; il rédigea les « *Enseignements de sa vie* ». Voir Martin de Riquer, *Obras completas del prov. C. de G.,* Barcelone 1947 ; et H. Hœpffner, *Les troubadours,* Paris 1955. J.Md.

**GUILLEM de ST-LEIDIER.** Troubadour provençal des XIIe-XIIIe s., originaire du Dauphiné, de qui on a conservé 17 chansons, dont une avec notation musicale.

**GUILLEMAIN Louis - Gabriel.** Mus. franç. (Paris 15.11.1705–1.10.1770). Protégé du comte de Roche-chouart, violon., élève, en Italie, de Somis, *symphoniste* à l'Opéra de Lyon, puis à Dijon (1729), musicien ordinaire de la chapelle et de la chambre du roi (1737), après avoir été virtuose, il se fit fort apprécier comme compositeur : on le joua aux Tuileries, chez le duc de Chartres, au théâtre des Petits-Cabinets, à la Comédie italienne, au Concert spirituel ; en 1759, il entra au service de la reine ; neurasthénique, il se suicida lors d'un voyage de Paris à Versailles ; on lui doit 8 recueils de sonates (v., v. fl., 2 v., en trio, clav. av. v., 1734–45), 2 *amusements* (1740–62), des pièces pour 2 vielles, 2 musettes, fl. ou v., 3 recueils de symph. (1740–1748–52), 6 *concertinos* à 4 (1740), 6 sonates en quatuor (1743), *Divertissements de symph. en trio* (1751), 2 livres de sonates en quatuor (1743–56), 1 comédie-ballet : *La cabale* (1748), 1 concerto (4 vl.), inachevé, archives d'Agen) ; on lui attribue également des sonates de clav. avec acc. de vl. (ms. bibl. du cons. de Paris) ; c'est avec Jean-Marie Leclair le plus grand violon. du XVIIIe s. : Marpurg le vante à l'envi « quitte à le trouver bizarre », aussi bien comme virtuose que comme compositeur. Voir L. de La Laurencie, *L'école franç. de violon, II,* Paris 1922 ; L. Boulay in MGG.

**GUILLEMANT Benoît.** Mus. franç. du XVIIIe s., flûtiste, qui vécut entre 1746 et 57 à Paris, où il joua au Concert spirituel ; on lui doit 4 recueils de sonates (1746–52), des pièces de basson ou vcelle, 3 *Suites d'airs harmonieux et chantants* (1757). Voir L. de La Laurencie et G. de Saint-Foix, *Contribution à l'hist. de la symph. franç. v. 1750,* ds *L'année mus.,* Paris 1911 ; R. Cotte in MGG.

**GUILLÉN de MUR.** Troubadour du XIIIe s., qui fut au service du roi Jaime et échangea des tensons avec G. Riquier. Voir Anglade, *Le troubadour G. Riquier.*

**GUILLET Charles.** Org. flamand (Bruges, fin du XVIe s. – ... 4.1654), org. de Charles de Fonsègues, baron de Surgères, puis conseiller (1616), *hoofdman* (1618) et échevin (1620–21) de sa ville natale ; on lui doit *24 fantaisies* selon les 12 modes, publiées par Ballard (1610) et un traité intitulé *Institution harmonique* (ms. daté 1642, bibl. nat. de Vienne) ; ses fantaisies ont été rééd. dans les *Mon. mus. belg.,* IV (A. Piscaer–J. Watelet).

**GUILLIAUD Maximilien.** Mus. franç. (Chalon-sur-Saône v. 1522–Châtillon-sur-Loing v. 1598), qui fut prof. au collège de Navarre à Paris (1552), précepteur du cardinal de Bourbon, chanoine et chanteur à Châtillon-sur-Loing, prieur du cloître de Ste-Geneviève-aux-Bois ; on lui doit 1 *Magnificat,* 11 chansons ds les recueils de Du Chemin (1549–54), un traité : *Rudiments de musique practique* (Paris 1554). Voir F. Lesure in MGG.

**GUILLON Henri-Charles.** Mus. franç. du XVIIIe s., dont la biographie est inconnue ; il publia des chansons ou airs sérieux et à boire ds des recueils (*Mercure de France,* Ballard, 1726–35), 2 cantates (1736–37), 2 livres de sonates en trio, 1 livre *pour la musette et la vielle* (1744). — Un autre Guillon (ou *de Guillon*), compos., vivait peu avant la Révolution à Paris et à Lyon : il était officier dans le régiment allem. de Bouillon (1776–89) : il a laissé 6 duos (1776), 1 quatuor (1778), 6 symph. à grand orch. (Paris s.d.). Voir R. Cotte in MGG.

**GUILLON-VERNE Claude.** Compos. franç. (Paris 1870–Oudon 1957), élève de d'Indy et de Roussel, auteur d'œuvres symph., de mélodies, de mus. de scène (*Les tribulations d'un Chinois en Chine*).

**GUILMANT Alexandre.** Org. franç. (Boulogne-s.-mer 12.3.1837–Meudon 29.3.1911). Élève de son père (*Jean-Baptiste,* 1793–1890, org. de St-Nicolas de Boulogne), de G. Carulli, il fut à 16 ans org. de cette même église, puis maître de chœur et prof. de chant ; en 1860, il est à Bruxelles, près de Lemmens ; en 1871, il tient l'orgue de la Trinité à Paris : il le garda 30 ans, sans préjudice pour sa carrière de virtuose (ses concerts au Tracadéro sont restés célèbres) ; il se fit construire par Mutin (Cavaillé-Goll) un orgue dans sa maison de Meudon, maison et instrument qui sont devenus la propriété de Marcel Dupré ; il fut l'un des fondateurs de la *Schola cantorum,* où il enseigna l'orgue, ainsi d'ailleurs qu'au conservatoire, où il succéda à Widor (1896) ; parmi ses élèves, citons R. Vierne, J. Bonnet, A. Philip, G. Jacob, N. Boulanger, A. Cellier, M. Dupré ; on lui doit 10 recueils pour son instr., dont 8 sonates, des pièces pour orgue et orch., *1re symphonie op. 42,* 4 pièces instrumentales, de la mus. vocale, d'église, dont 7 messes (5 de Dumont harmonisées), des éditions : *Concert historique d'orgue* (pièces d'auteurs du XVIe au XIXe s., Paris 1892–97), *Répertoire des concerts du Trocadéro* (id. ibid., 4 livres), *École classique de l'orgue* (id. ibid. 1898–1903, 25 livraisons), surtout les *Archives des maîtres de l'orgue des XVIe, XVIIe et XVIIIe s...* (10 vol., ibid. 1898–1914, avec des préfaces d'A. Pirro) ; c'est lui qui rédigea l'art. *musique d'orgue* pour l'encyclopédie de Lavignac. Voir l'*In memoriam* de la *Tribune de St-Gervais, XVII,* 1911 ; N. Dufourcq, *La mus. d'orgue franç.,* Paris 1941, 1949 : F. Raugel in MGG.

**GUIMARD Madeleine.** Danseuse franç. (Paris 1743–1816), qui débuta à l'Opéra en 1761 et se retira en 1789 ; elle eut de grands succès dans Rameau, Gluck, Gardel, avec des chorégraphies de Noverre qu'elle fit d'ailleurs évincer de l'Opéra. Voir *Enc. d. spettacolo.*

**GUIMBARDE.** — 1. C'est un idiophone (voir à ce mot) qui produit des sons de hauteur déterminée. La g. se compose d'une languette dégagée d'un cadre en fixée dans celui-ci. Selon sa facture, la g. peut être idioglottique — voir à ce mot — (g. de bambou) ou hétéroglottique (g. de métal). La g. use de la bouche comme résonnateur, la languette étant pincée devant les lèvres du joueur. « C'est par la réaction du résonnateur buccal — position variable des lèvres et de la langue — que l'instrument donne des sons différents » (A. Schaeffner, *Origine des instruments de musique,* 1936). La g. est soit en bois ou en bambou (Asie sauf septentrionale, Océanie), soit en métal (Europe, Asie sept.). Trois continents donc connaissent la guimbarde, et elle est employée aussi en Afrique et en Amérique (g. métallique, ou g. mixte en fil de laiton dans mâchoire de roseau, Haïti) mais elle y semble le plus souvent d'importation européenne (à Madagascar, au Cameroun p. ex.). De métal, elle affecte la forme d'une petite lyre (*scaccia pensieri* — voir à ce mot — de Sicile, p. ex.) ; de bambou, elle est foliforme, allongée et étroite (*gengong* — voir à ce mot — de Bali, p. ex.). C'est un instrument ancien. Un traité chinois de la fin du XIe s. en fait mention (g. métallique) ; en Europe médiévale, elle est signalée comme jeu d'enfant ou de carnaval. De nos jours, c'est un instrument joué autant par les adultes que par les enfants, même en Europe. On distingue, dans les utilisations de la g., l'accompagnement de danses ou de chants (Italie, France, Norvège p. ex.), le jeu d'airs de divertissements (Formose, Turkestan, p. ex.) ; son emploi comme instrument de remplacement est assez fréquent. L'appellation anglaise *jew's harp* semble erronée : il s'agirait plutôt de *jaw's harp* (harpe de bouche) à la manière du terme allemand *Maultrommel* (guimbarde), qui signifie littéralement « tambour de bouche ». Voir aussi les art. *marranzanu, riebula, yezobue.* — **2.** C'est encore une danse ancienne franç. ; le terme est encore appliqué en Anjou à une danse populaire.                                        C.M.-D.

**GUINZBOURG Semion Lvovitch.** Musicologue russe (Kilb 23.5.1901–). Élève d'Asafiev, il est prof. lui-même, depuis 1923, à Leningrad ; il a publié les biographies de K.J. Davydov (Moscou–Leningrad 1950) et de F. Schreker (*ibid.* 1925), ainsi que de nombreux articles ; il a apporté de nouvelles contributions à l'étude de la musique russe avant Glinka en éditant une monumentale histoire de la musique russe en exemples musicaux (Moscou 1940–1952) et une anthologie du théâtre lyrique russe de 1700 à 1835 (*ibid.* 1941).

**GUIOMAR Michel.** Esthéticien franç. (Landernau 3.11.1921–). Élève du cons. de Paris, de l'École normale de musique, prof. d'hist. de la mus. à la *Schola cantorum* (1953), attaché de recherches au CNRS (1955), il a publié plusieurs art. d'esthétique dans des revues et ouvrages coll. ; il prépare une thèse de doctorat sur l'esthétique de la mort. Sa femme — **Paule Chaillon** (Paris 11.11.1927–), élève du cons. de Paris, est diplômée de l'École pratique des Htes-Études, avec une thèse sur *Le chansonnier de Françoise* (ms. *Harley 5242, Brit. Museum*), dont un résumé a paru dans la *R. de mus.* (juillet 1953).

**GUIOT de DIJON.** Trouvère franç., dont l'activité artistique se situe dans le 1er quart du XIIIe s., près d'Erart II de Chassenay, d'Andrieu III de Montbard, de Jehan Ier d'Arcis ; on a conservé de lui 10 chansons, dont 3 d'une authenticité douteuse et 3 avec notation musicale. Voir E. Nissen, *Les chansons attribuées à G. de D.*, Paris 1929 ; H. Petersen Dyggve, *Onomastique des trouvères*, ds *Ann. acad. sc. fenn., B,XXX* ; F. Gennrich in MGG.

**GUIOT de PROVINS.** Trouvère champenois, originaire de Provins (v. 1145–ap. 1208). Il avait étudié la philosophie à Arles et semble avoir été longtemps au service du comte de Mâcon, Gérart de Vienne ; il prépara une croisade, fut moine de Cluny (1195) ; on a conservé de lui 5 chansons, dont 2 avec notation musicale, et 2 poèmes satiriques, *La bible G.* et *L'armure du chevalier* ; son identité avec le G. qui continua la rédaction de Perceval, tenu pour [provençal par Wolfram d'Eschenbach, n'est pas certaine. Voir J.F. Wolfart et San-Marte, *Des G. v. P. bis jetzt bek. Dichtungen*, Halle 1861 ; A. Baudler, *G. v. P.*, thèse de Halle, 1902 ; J. Orr, *Les œuvres de G. de P.*, Manchester 1915 ; A. Petersen Dyggve, ds *Ann. acad. sc. fenn., B, XXX, 1* ; M. Delbouille, *Du nouveau sur « Kyot der Provenzal »*, ds *Marches romanes*, III, 1953 ; F. Gennrich in MGG.

**GUIRAUD.** — **1.** **Jean-Baptiste.** Compos. franç. (Bordeaux 1803–La Nouvelle-Orléans 1864) : élève du cons. de Paris, 1er prix de Rome (1827), il émigra à la Nouvelle-Orléans où il enseigna. Son fils et élève — **2.** **Ernest** (La Nouvelle-Orléans 23.6.1837–Paris 6.5.1892), élève du cons. de Paris, prix de Rome (1859), fut timbalier à l'Opéra-Comique, pour lequel ensuite il composa ; en 1876, il eut la chaire d'harmonie, et en 1880, celle de composition au cons. de Paris ; parmi ses élèves (il était un prof. fort apprécié), citons P. Dukas et Debussy, qu'il qualifiait de « nature bizarre mais intelligente » et avec qui il se lia quand *D.* revint de Rome ; on lui doit 6 opéras-comiques, dont *Madame Turlupin* (1872), 1 opéra, *Frédégonde*, achevé par Saint-Saëns (représenté en 1895), 1 ballet, 2 suites d'orch. etc., surtout un *Traité pratique d'instrumentation* (1895), plusieurs fois rééd., toujours en usage. Voir H. Imbert, *E.G.*, ds *Médaillons contemporains*, Paris 1903 ; E. Haraszti in MGG.

**GUIRAUT de BORNELH.** Troubadour périgourdin, originaire de Boureix (v. 1140–ap. 1200). Il jouissait d'une grande réputation parmi ses contemporains, participa à la 3e croisade avec Frédéric Barberousse, Philippe-Auguste, Richard Cœur de Lion, et séjourna aux cours d'Antioche et de Castille ; sa *Vida* nous apprend qu'il

faisait don de ses gains à des parents nécessiteux, qu'il légua toute sa fortune à St-Gervais, église de son bourg natal ; on a conservé quelque 80 œuvres de lui (chansons, *sirventes,* tensons, pastourelles, *alba,* romances), dont 4 seulement avec notation musicale : la plus célèbre est l'*alba Reis glorios, verais lums e clartatz,* dont la mus. n'est peut-être pas de lui. Voir P. Aubry, *Trouvères et troubadours,* Paris 1910 ; Th. Gérold, *Hist. de la mus., ibid.* 1932 ; A. Kolsen, *Sämtl. Lieder des Trobadors G. de B.,* 2 vol., Halle 1910–35 ; E. Hoepffner, *Les troubadours,* Paris 1955, F. Gennrich in MGG.                           J.Md.

BN                                    GUIRAUT DE BORNELH

**GUIRAUT de CALANSON.** Troubadour bordelais du XIIIe s., qui fut au service des Plantagenet et du roi Pierre II d'Aragon ; on a conservé de lui 13 pièces sans notation musicale, plus un *Fadet joglar,* qui est un catéchisme de l'art des jongleurs de son époque. Voir K. Bartsch, *Denkmäler der prov. Literatur,* Stuttgart 1856 ; A. Jeanroy, *Annales du Midi,* XVII, 1805.

**GUIRAUT d'ESPAIGNA** (de *Tholoza*). Troubadour languedocien, dont l'activité artistique se situe à la fin du XIIIe s., de qui on a conservé 16 pièces (*dansas*), dont qqs-unes d'une authenticité douteuse et 1 avec notation musicale.

**GUIRAUT RIQUIER.** Troubadour languedocien, originaire de Narbonne (v. 1230–1292). Il est considéré comme le dernier troubadour ; il dut quitter sa ville natale à la suite de difficultés d'argent et fut longtemps en relations avec la cour de Castille (Alphonse le Sage) ; on a conservé plus de 80 de ses œuvres, dont 48 avec notation musicale (22 chansons, 7 en l'honneur de la Vierge, 6 pastourelles, 21 tensons, 17 *sirventes,* 5 cantiques 3 *retroenchas,* 2 *albas,* 1 descort etc.), ainsi que plusieurs lettres et suppliques ; si ses compositions mus. représentent toujours la perfection du genre, ses textes sont en général considérés comme décadents par rapport aux œuvres de ceux qui le précédèrent ; H. Anglès a rééd. ses 48 chansons dans *Les mélodies del trob. G.R.,* ds *Estudis univ. Catal.,* XI, Barcelone, 1926. Voir aussi A. Restori, *Per la storia del trov. prov.,* ds *RMI, III,* 1896 ; J. Anglade, *Le troubadour G.R.,* Bordeaux-Paris 1905 ; L.H. Pfaff — A.F. Mahn, *Die Werke d. Troub....,* Berlin 1853 ;

A. Jeanroy, *La poésie lyrique des troubadours*, I, Toulouse-Paris 1934 ; F. Gennrich, *Troubadours, trouvères...*, Cologne 1951 — art. in MGG ; E. Hoepffner, *Les troubadours*, Paris 1955.

**GÜIRO.** C'est un idiophone très employé dans la musique populaire cubaine, qui consiste en une calebasse sèche, entourée d'un filet qui porte des noix, des fruits durs ou des perles de verre enfilés ; lorsqu'on secoue l'instrument, les objets qui entourent la calebasse la heurtent et la font résonner ; les *g.* sont utilisés généralement par groupe de trois : le *salidor* (le plus petit, et, comme son nom l'indique, celui qui commence l'exécution), le *dos golpes*, qui suit le premier, et la *caja* (la « caisse »), le plus grand et donc le plus grave, qui est le véritable virtuose de l'ensemble rythmique. Voir F. Ortiz, *Los instrumentos de la música afrocubana*, 5 vol., La Havane 1952–1955 ; G. Törnberg, *Afro-cuban rattles*, ds *Miscellanea F. Ortiz, III, ibid.*, 1957.                            D.D.

**GUITARE.** C'est un instrument de la famille des luths (voir à ce mot) avec caisse à éclisses. La *g.* (de l'arabe *qitāra* et du grec *kithara*) possède une caisse plate, légèrement étranglée, contrastant en cela avec les luths européens et arabes ; cependant, au XIIe s., en Espagne même, deux types de *g.* voisinaient : la *g.* « latine », à caisse étranglée, et la « mauresque », à caisse ovale. Au XVe s. la *guitarra*, instrument populaire à quatre cordes, coexistait avec la *vihuela* (le terme fut appliqué à un type de guitare), instrument de cour à cinq cordes doubles, pincées avec le doigt ou avec un plectre, selon la variété de l'instrument. Le XVIe s. espagnol fut marqué par une importante école de vihuélistes, qui correspond dans le pays à celle des luthistes de l'étranger, et la *vihuela* (voir à ce mot) fut un temps l'instrument favori en Espagne. Mais la *guitarra*, se perfectionnant et acquérant une cinquième corde, supplanta la *vihuela* vers la fin du XVIe s. L'Espagne connaît alors, au XVIIe s., une grande école de guitaristes parmi lesques G. Guéran, Amati et Gaspar Sanz, qui écrit le grand traité de guitare du XVIIe s. La *g.* se répand ensuite à travers l'Europe, entraînant, par son succès, l'adaptation de danses espagnoles telles que la *folía*, la passacaille, la sarabande et la chaconne — espagnoles d'origine ou d'adoption — dans la musique instrumentale. Le XVIIIe s. prolonge le succès du XVIIe avec l'enrichissement qu'apportent les œuvres de musique de chambre avec guitare de Boccherini et les débuts de Sor. A la fin du siècle, la *g.* s'enrichit d'une sixième corde. Si Giuliani fut, au début du XIXe s., le virtuose par excellence, Sor fut le technicien en même temps que le compositeur le plus sensible. A leur mort, la *g.* est délaissée : une société nouvelle et un contexte musical tout à l'opéra, au volume sonore, à la virtuosité, furent responsables de cette situation. Il faut atteindre la fin du XIXe s. pour que la *g.* ressurgisse du domaine populaire où elle était retombée : ce sera l'œuvre de Tarrega, « le Paganini de la *g.* » qui, par ses concerts, ses trans-

GUIRAUT RIQUIER
*BN, ms. franç. 22543, fol. 105 v.*

criptions d'œuvres classiques, ses compositions et son enseignement deviendra le véritable maître de l'école moderne de *g.* Emilio Pujol, son élève, écrit le traité de *g.* moderne que Tarrega, mort prématurément, ne put publier. L'école contemporaine espagnole est illustrée

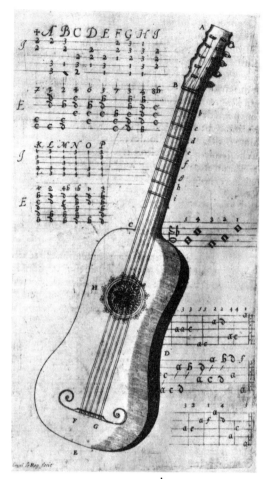

GUITARE

*Mersenne.* Harmonie universelle.

par des interprètes tels que Segovia, Lagoya, Ida Presti et Sebastian Maroto, tandis que, sous l'impulsion de Llobet et Ponce, naît une école en Amérique du Sud, avec Domingo Prat et Josefina Robledo.   M.F.

**GUITARE d'amour.** Voir art. *arpeggione.*

**GUITERNE.** C'est un ancien terme français, cité dès le XIIIᵉ s. parmi ceux des instruments de musique à cordes pincées, encore usité au XVIIIᵉ s. (La Borde) pour désigner la guitare (France).   C.M.-D.

**GUITERRON.** C'est une grande guitare, à 14 cordes (France, XVIIᵉ s.).   C.M.-D.

**GUMBERT Ferdinand.** Chanteur et compos. allem. (Berlin 21.4.1818–6.4.1896), qui fit carrière à Sondershausen et à Cologne, fut chroniqueur à la *Täglische Rundschau* (1881), écrivit des *Liederspiele*, plus de 400 *Lieder*, publia *Musik. Gelesenes u. Gesammeltes* (Berlin 1860). Voir W. Neumann, *F.G.,* Cassel 1856 ; H. Becker in MGG.

**GUMELA.** C'est un vase de poterie, sur l'orifice duquel est tendue une membrane en peau de chèvre : le *g.,* porté en bandoulière, est utilisé comme tambour par les Raj Gonds de l'Inde centrale. Un instrument analogue est appelé *gumra* par d'autres tribus Gond.   M.A.

**GUMPEL(T)ZHAIMER Adam.** Mus. allem. (Trostberg 1559–Augsbourg 3.11.1625). Élève de Lassus (Munich), après avoir reçu sa première éducation mus. à Augsbourg,

il séjourna en Italie, doté par les Fugger ; en 1581, il est *praeceptor* et cantor au *Gymnasium* Ste-Anne d'Augsbourg, poste qu'il gardera jusqu'à sa mort (sauf un séjour à Stuttgart en 1606) ; il reprit pour le publier le *Compendium musicae* de H. Faber (1591 — la rééd. de 1595 est d'ailleurs sous son nom, avec comme titre *Compendium musicae latino-germanicum*) : cet ouvrage, orné de nombreux exemples musicaux à 2-8 v., eut 13 éditions jusqu'en 1681, c'est dire sa popularité (dans le sud de l'Allemagne) ; on connaît encore de lui 2 doubles recueils de *Geistl. Lieder,* en allem. et en latin (3-4 v., 1611, 1619), 2 de *Sacri concentus* (8 v., 1601, 1614), 2 chants de Noël (4 v., 1618), toutes publications faites à Augsbourg, ainsi que nombre de pièces ds des recueils de l'époque ou en mss. Voir O. Mayer, *A.G.,* thèse de Munich 1908 ; K. Köberlin, *Beitr. z. Gesch. d. Kantorei bei St.Anna,* ds *Zs. d. hist. Ver. f. Schwaben, u. Neuburg, XXXIX,* Augsbourg 1913 — *Gesch. d. hum. Gymn. ...,* ibid. 1931 ; A. Adrio in MGG.

**GUMPRECHT Johann.** Luthiste et théorbiste strasbourgeois, membre de la chapelle de Stuttgart en 1688, dont les œuvres sont conservées dans une tablature de l'ancienne collection Wollheim, dans le ms. Milleran de la bibl. du cons. de Paris et dans des mss de Leipzig, Londres, Rostock et Berlin.

**GUNBRI.** C'est un luth piriforme (Afrique, Soudan). Voir art. *guembri.*

**GUNDISSALINUS** (*Gundisalvo*) **Dominicus.** Philosophe esp. du XIIᵉ s., qui fut archidiacre de Ségovie et fit partie de ce collège de traducteurs qui assurèrent, à Tolède, la pérennité des philosophies arabe et aristotélicienne ; il traduisit des œuvres d'Avicenne et d'Al-Farabi et composa un *De divisione philosophiae* (v. 1150), où l'on trouve un chapitre sur la musique ; ce traité, édité par L. Baur (Munster 1903), a exercé une grande influence sur les théoriciens de l'époque. Voir A. Loewenthal, *D.G.,* thèse de Kœnigsberg, 1890 ; C. Bauemker, *Les écrits phil. de D.G.,* ds *Rev. thomiste,* V, 1897 ; W. Grossmann, *Die einl. Kap. d. Speculum musicae,* Leipzig 1924 ; H.G. Farmer, *Hist. of arabian music,* Londres 1929 — *Al Farabi's arabic-latin writings on music,* Glasgow 1934.

**GUNDRY Inglis.** Compos. angl. (Londres 8.5.1905–), élève du *Royal College of music,* prof. à l'univ. de Londres (1945), auteur d'opéras, d'un ballet, d'œuvres chor., de chambre. Voir N. Fortune in MGG.

**GUNGL.** Famille de mus. austro-hongrois. — **1. Joseph** (Zsambek 1.12.1810–Weimar 31.1.1889) fut chef de mus. militaire et composa des marches et des airs qui furent fort populaires ; son neveu — **2. Johann** (Zsambek 5.3.1828–Fünfkirchen 27.11.1883) fut *Tanzkapellmeister,* violoniste, exerça à Berlin et à St-Pétersbourg ; on lui doit une centaine de compositions ; sa fille — **3. Virginia** (v. 1850–Weimar ? ...) fut chanteuse d'opéra à Munich, Francfort, Schwerin, puis prof. au cons. de Weimar. Voir H. Becker in MGG.

**GUNIBRI.** C'est un luth piriforme (Afrique du nord, Kabyles). Voir art. *guembri.*

**GUNKE.** Voir art. *Hunke.*

**GUNN Barnabas.** Org. angl. (Birmingham v. 1680–6.2.1753), qui exerça à l'église St-Philippe dans sa ville natale, puis à la cath. de Gloucester (1730–40), enfin à St-Philippe, à St-Martin et à l'hôpital Chelsea de Birmingham ; on lui doit un recueil de solos de violon et de vcelle (av. clav., Birmingham 1745) un de *Lessons* pour le clavecin (Londres 1751), 2 cantates et 6 mélodies (Gloucester 1736), 1 poème lyrique (1742), 1 recueil de psaumes (ibid. 1750), 12 chansons anglaises et 2 motets. Voir S. Sadie in MGG.

**GUNN John.** Vcelliste et flûtiste écossais (Edimbourg v. 1765–v. 1824), qui enseigna à Cambridge ; on lui doit notamment 40 airs écossais pour v. ou fl. et vcelle (1789), un essai sur les instr. à archet (1793), *The art of playing the german fl. on new principles* (1794), *Theory and practice of fingering on the vcello* (1793), *Essay theorical and practical on the application of harmony, thorough bass and* *modulation to the vcello* (1801), des recherches sur le jeu de la harpe dans les Highlands (1807) ; sa femme, *Ann*, était également prof. de musique : elle publia *Introduction to music* (Edimbourg 1803).                                          A.G.

**GUNSBOURG Raoul.** Compos. roumain (Bucarest 25.12.1859–Monte-Carlo 31.5.1955), qui dirigea les Opéras de St-Pétersbourg (*Op. franç.*), de Nice, de Paris (1891), de Lyon, de Monte-Carlo (1892–1950) ; on lui doit 6 opéras et un livret. Voir F. Gaussen in MGG.

**GURA.** — **1. Eugen.** Chanteur allem. (Pressern 8.11.1842–Aufkirchen 26.8.1906), baryton, qui débuta à Munich en 1865 et fut un des grands chanteurs wagnériens (il faisait partie du 1er festival de Bayreuth en 1876) ; ses *Mémoires* parurent à Leipzig en 1905. Son fils — **2. Hermann** (Breslau 5.4.1870–1940), également baryton, débuta à Weimar en 1890 et, à partir de 1897, fit une carrière de dir. d'Opéra et de professeur. Voir J. Lansky in MGG.

**GURIDI Jesús.** Org. et compos. esp. (Vitoria 25.9.1886–). Elève de d'Indy (1903), de J. Jongen (Bruxelles), de Neitzel (Cologne), il a été prof. à l'*Acad. de mús.* puis au cons. de Bilbao, à celui de Madrid (1938), enfin dir. mus. des Films *Ufisa* ; on lui doit notamment 2 opéras, 5 *zarzuelas*, des arrangements de chansons basques (sa production s'étendit à tous les genres). Voir J.A. de Donostia in MGG.

**GURILEV.** Voir art. *Gourilev.*

**GURLITT.** — **1. Cornelius.** Org. et compos. allem. (Altona 10.2.1820–17.6.1901). Élève de Reinecke, de J.E. Hartmann et de C.E.F. Weyse (Copenhague), il fut d'abord prof. à Hirscholm (1845) ; il séjourna à Rome, voyage au cours duquel il fit à Leipzig la connaissance des Schumann, de Lortzing et R. Franz ; lors de la guerre des duchés, il revint dans sa patrie : il fut org. à Altona et prof. au cons. d'Hambourg ; on lui doit des œuvres symph., de piano, chor., des mélodies, 2 opérettes, 1 opéra-comique. Son petit-neveu — **2. Wilibald** (Dresde 1.3.1899–) est musicologue : fils d'un architecte historien de l'art, élève des univ. de Heidelberg et de Leipzig (Riemann, Schering etc.), il a été l'assistant de H. Riemann à l'Institut de musicologie de l'univ. de Leipzig et travailla à l'éd. du célèbre dictionnaire de son maître ; docteur (1914) avec sa thèse sur Michel Praetorius (Leipzig 1915), prof. à Halle, puis à l'univ. de Fribourg-en-Brisgau (1919) où il fonda une chaire et un institut de musicologie, à celle de Breslau (1929–37), de nouveau à Fribourg (1945), maître de conférences à celle de Berne (1946), prof. au cons. de Fribourg-en-Brisgau (1948), il publia notamment *Burgundische Chansons u. deutsche Liedkunst* (Leipzig 1924), *J.S. Bach, der Meister u. seine Werke* (Berlin 1936), un grand nombre d'études et d'art. dans des périodiques ou ouvrages collectifs ; il a édité Binchois, J. Walter, M. Praetorius, D. Pohle, Buxtehude etc. ; il est le rédacteur en chef d'*Archiv. f. Musikwissenschaft* depuis 1952 et préside à la nouvelle éd. du dictionnaire Riemann, en cours de publication. Son cousin — **3. Manfred** (Berlin 6.9.1890–) est chef d'orch., élève de Humperdinck ; il a été répétiteur à l'Opéra de Berlin (1908–10), assistant

au festival de Bayreuth (1911), chef d'orch. des Opéras d'Essen et d'Augsbourg, de Brême (1914 — il y fonda une association musicale), *Generalmusikdirektor* à l'Opéra et prof. au cons. de Berlin (1924–37) ; depuis 1939, il dirige à Tokio l'Opéra qu'il y a fondé sous son nom ; on lui doit 8 opéras, 2 symph., de la mus. de chambre, des concertos, des mélodies. Voir W. Gurlitt in MGG.

**GURNEY Ivor Bertie.** Compos. angl. (Gloucester 28.8.1890–Dartford 26.12.1937). Elève du *Royal College of music*, gravement blessé pendant la guerre de 1914, il mourut prématurément ; on lui doit notamment des mélodies. Voir N. Fortune in MGG.

**GURVIN Olav.** Musicologue norvégien (Tysnes 24.12.1893–). Elève de l'univ. d'Oslo dont il est docteur (1938), chef de chœur, prof. à la même univ. (1937–42, 1945–47), il y dirige depuis 1947 la section musicologique (aussi bien que l'Institut de musique populaire, 1951) ; il a été le rédacteur en chef de la *Norsk Musikkliv* (1942–51) et publie depuis 1945 des chroniques mus. dans le *Verdens Gang* ; il a publié *Fra tonalitet til atonalitet* (1938), *R. Nordraaks samlede verker* (av. Ö. Anker, 1942–44), *Musikkleksikon* (id. 1949), ainsi que des art. ds des revues musicologiques.

**GUSIĆ Dora.** Pian. croate (Zagreb 11.4.1908–). Elève de l'acad. de mus. de sa ville natale, de Wanda Landowska, elle fait une carrière de virtuose et enseigne à la même acad. depuis 1951.

GUMPELZHAIMER                    *cons. de Paris*

**GUSLA.** C'est une vièle à une corde (Yougoslavie) : c'est l'instrument dont se servent les chanteurs populaires pour accompagner notamment des chansons épiques. La *g.* a une caisse petite, de forme ovoïde, à fond aplati, et recouverte d'une membrane qui joue le rôle de table d'harmonie ; une cheville de bois est fichée dans le haut du manche, lequel, au-delà de la cheville, est souvent orné de sculptures (tête de cheval par exemple). La *g.* est jouée avec un archet courbe tendu de crins de cheval. L'instrument se rencontre chez les Slaves du sud, son joueur se nomme un *guslar*.                    M.A.

**GUSLI.** C'est une cithare sur caisse (U.R.S.S., Votiaks, Tchouvaches, Tchérémisses). Le *g.*, dont la caisse est en forme de bicorne, se joue posé horizontalement sur les genoux. C'est l'instrument classique traditionnel russe. D'anciens *g.* sont représentés dans des mss russes du XIVe s. et des miniatures du XVIe s. ; c'était alors une variété de psaltérion. Le *g.* ancien était monté en cordes de crin de cheval. L'instrument a été modernisé et a acquis jusqu'à une trentaine de cordes, en boyau ou en métal ; il est apparenté aux cithares à table trapézoïdale d'Iran, de Turquie et d'Irak (voir art. *qanoun* et *santour*) d'une part et aux *kantele* (voir à ce mot) baltes d'autre part.                    C.M.-D.

**GUSLICE.** C'est une vièle piriforme, à manche court et à trois cordes, une mélodique et deux bourdons (Yougoslavie) : à rapprocher de la *gadoulka* et de la *lira* (voir à ces mots).                    M.A.

**GUSSAGO** (*Gussaco*) **Cesario.** Mus. ital. (Ostiano v. 1550–?). Docteur de l'univ. de Pavie, vicaire général de l'ordre de St-Jérôme à Brescia (1599), il fut dans la même ville org. de Ste-Marie des Grâces ; on lui doit 3 recueils de mus. d'église polyphonique (3-8 v., Venise 1604, 1610, 1612), 1 de *Sonate a 4, 6 et 8 con alcuni concerti a 8 con le sue sinfonie* (*ibid.* 1608), ainsi que des hymnes et motets ds des recueils de l'époque.

**GUSTAVE de SUÈDE.** Prince suédois (Christiania 18.6.1827–Oslo 24.9.1852), fils du roi Oscar Ier, élève des univ. d'Upsal et de Christiania, d'A.F. Lindblad, il composa de la mus. de scène, des chœurs, des marches, des mélodies. Voir G. Geijer, *Prins G.*, Göteborg 1912.

de 2 recueils d'œuvres de J.B. Comes (Madrid 1888) et de nombreuses œuvres de mus. d'église (en mss à la cath. de Valence et à Montserrat) ; il mourut bénédictin au monastère précité.

**GWERZ.** C'est un mot breton qui désigne une catégorie littéraire de chants du répertoire musical de Bretagne ; le *gwerz* (pluriel *gwerziou*) est un chant strophique et narratif sur un sujet légendaire, épique ou parfois religieux et de caractère dramatique ; son genre s'oppose à celui des *soniou* (voir à ce mot). Luzel, au XIXe s.,

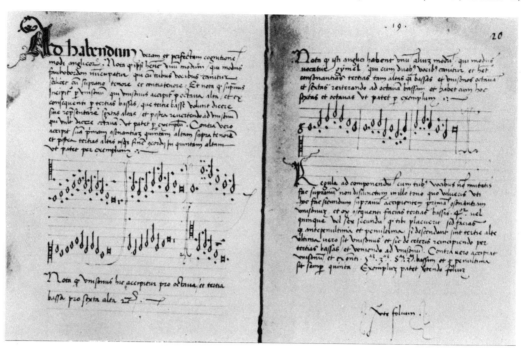

GYMEL

*Extrait du* De praeceptis artis mus. *de Guilelmus Monachus (bibl. St-Marc, Venise).*

**GUTHEIL-SCHODER Maria.** Chanteuse allem. (Weimar 16.2.1874–Ilmenau 4.10.1935). Mezzo-soprano, élève du cons. de Weimar, elle appartint aux Opéras de Weimar (1891–1900) et de Vienne (1926), où elle joua un rôle important à l'époque de G. Mahler : elle avait notamment à son répertoire Schönberg et R. Strauss, sur lequel elle publia *R. Strauss in Weimar* (1919) ; elle était l'épouse de *Gustav Gutheil* (1868–1914), qui fut chef d'orch. à Strasbourg, Weimar et Vienne.

**GUTTMANN Alfred.** Chanteur allem. (Posen 30.7.1873–). Médecin, il a fait carrière de chanteur à partir de 1894, puis étudié à Berlin (1901) la psychologie et l'hist. de la mus. (Friedlaender) ; il a publié plusieurs recueils de chorals.

**GUY.** Voir art. *Gui.*

**GUYON Jean.** Mus. franç. (v. 1514–ap. 1574). Enfant de chœur (1523), chanoine (1545) à la cath. de Chartres, il y succéda en 1541 à Le Bouteiller comme dir. de la maîtrise : G. Galles lui succéda ; on lui doit 2 messes, 1 motet et des chansons, publiés dans des recueils de l'époque (1535–78), notamment chez Du Chemin et chez Attaingnant. Voir J. Clerval, *L'ancienne maîtrise de N.-D. de Chartres*, Paris 1899.

**GUYOT Jean.** Voir art. *Castileti.*

**GUZMAN Juan Bautista.** Org. esp. (Aldaya 19.1.1846–Montserrat 18.3.1909), qui exerça à Covadonga, Salamanque, Avila, Valladolid, Valence ; on lui doit l'édition

a réuni une collection célèbre de *g.*, dont les mélodies furent recueillies ultérieurement par Maurice Duhamel (*cf.* première partie de ses *Musiques bretonnes*, Paris 1913).　　　　　　　　　　　　　　　　　C.M.-D.

**GWYNNETH John.** Mus. angl. (v. 1500–v. 1562), d'origine probablement galloise, docteur d'Oxford (1531), qui fut maître de chapelle à St-Pierre de Londres ; il résista énergiquement contre le schisme anglais ; on n'a gardé de lui qu'une seule pièce dont seule reste la partie de basse. Voir B.L. Trowel in MGG.

**GYMEL.** En musique anglaise médiévale, ce terme s'applique à des pièces ou plus souvent à des fragments de pièces écrits pour deux solistes de même tessiture. L'origine étymologique semble être (*cantus*) *gemellus, i.e. chant jumeau*. Le mot apparaît dans les manuscrits anglais de la fin du XVe s. — on trouve aussi *semel*, avec le même sens. La chose peut se comparer avec les parties de messe composées par Guillaume Le Grant au début du XVe s., où l'on trouve, contrastés, un chœur à trois parties et des duos, et l'usage tantôt du mot *duo* tantôt du mot *unus*. Bien qu'il s'applique souvent à la musique anglaise antérieure, qui procédait la plupart du temps par tierces, le mot *g.* semble appartenir strictement au XVe s. ; peut-être ne devrait-on pas le considérer comme une forme bien définie. La seule description théorique que nous connaissions est celle qu'en a donnée l'Italien Guilelmus Monachus, qui écrivait vers 1475 ; il le considère comme une méthode d'improvisation anglaise et y voit deux possibilités harmoniques principales : dans l'une, l'unisson forme l'harmonie initiale ou finale dans chaque division, tandis que les autres harmonies sont des tierces parallèles ; dans l'autre, c'est l'octave qui est l'harmonie initiale et finale de chaque division, tandis que les autres accords sont des sixtes parallèles. D'ajouter une troisième partie (ou *contra*) semble être une contradiction formelle, puisque *g.* signifie *à deux parties :* cependant, cette forme à trois parties semblait s'adapter à la forme caractéristique du déchant anglais, où le *cantus firmus* est à la partie intermédiaire des trois voix. Il existe des œuvres qui n'ont que deux parties (sur texte anglais), comme *Edi beo* et *Jesu Cristes milde moder :* elles appartiennent à la catégorie de compositions où l'on ne trouve d'habitude que des tierces, souvent croisées. Bien qu'il se rencontre moins souvent, on peut trouver un traitement similaire de sixtes parallèles dans nombre de textes du XIVe s. — les exemples que nous venons de citer seraient plutôt de la fin du XIIIe. Les morceaux tropés d'un *Sanctus* de Roullet, du début du XVe s., et deux parties ajoutées par Bedingham au *cantus* de Dunstable *O rosa bella* fournissent de précoces exemples de l'emploi du mot *g.*; ces 2 dernières parties ne viennent pas former un *g.* à trois parties : on peut les utiliser séparément pour former deux *g.* différents. Dans

GYROWETZ                *cons. de Paris*

les livres de chœur plus tardifs d'Eton, du *Lambeth Palace*, du *Caius College* (Cambridge), tous composés vers 1500, le *g.* peut être ultérieurement subdivisé en trois et jusqu'à six parties : ainsi un *Magnificat* de Cronysh (ms. Caius) contient un *g.* à 4 parties, à savoir deux parties qui se sont l'une et l'autre subdivisées. Le mot disparut petit à petit : on le rencontre à l'occasion chez des compositeurs comme Taverner et Tye.          G.Ry.

**GYMNOPÉDIE.** « Air ou nome sur lequel dansaient nues les jeunes Lacédémoniennes. » — J.-J. Rousseau. — Ce mot a servi de titre à Erik Satie.

**GYOKU.** Voir art. *waniguchi.*

**GYROWETZ Adalbert.** Mus. austro-tchèque (Budeïovice 19 ou 20.2.1763–Vienne 19.3.1850). Fils et élève d'un chef de chœur à la cath. de Budeïovice (Budweis), secrétaire du comte Franz von Fünfkirchen (Brno, Vienne, 1786), il composait dès lors, et ses symph., appréciées, furent connues de Haydn et de Mozart ; devenu secrétaire du

prince Ruspoli. il séjourna en Italie et fut l'élève à Naples de Paisiello et de N. Sala ; on le voit ensuite chef d'orch. à Milan, Paris, Londres (1792) ; à partir de 1793, il fut secrétaire de légation impériale dans les cours allemandes. de 1804 à 1831, compositeur et chef d'orch. du théâtre de la cour de Vienne ; on lui doit un grand nombre de compositions, des opéras, ballets, qq. 40 symph., sérénades, divertissements, 2 concertos de piano, 43 quatuors à cordes, des quintettes, des trios, 19 messes, des mélodies etc. ; son autobiographie (Vienne 1848) a été rééd. par A. Einstein (Leipzig 1915). Voir H.C. Robbins Landon in MGG.

**GYSI Fritz.** Musicologue suisse (Zofingen 18.2.1888–). Élève des univ. de Zurich, Berne et Berlin, il étudia également à Florence et à Rome ; docteur avec sa thèse *Die Entwicklung d. kirchl. Architektur in der deutschen Schweiz im 17. u. 18. Jh.* (Aarau 1913), il a été prof. à l'univ. et à l'acad. de mus. de Zurich (1921), rédigé des chroniques mus. ds des journaux suisses (Bâle, Zurich) ; on lui doit *Mozart in seinen Briefen* (Zurich 1919–21), *M. Bruch* (ibid. 1922), *Debussy* (ibid. 1926), *R. Wagner u. die Schweiz* (Frauenfeld 1929), *R. Wagner u. Zürich* (Zurich 1933), *R. Strauss* (Potsdam 1934) ; *H.G. Nägeli* (Zurich 1936), ainsi que nombre d'art. dans des périodiques.

**GYULAI Elener.** Compos., pian. et musicologue hongrois (1904–1945). Docteur en droit, élève d'Albert Siklos à l'Ec. des hautes études mus. de Budapest, disparu à la 2e guerre mondiale, il a écrit des *sonates* de piano (prix Liszt 1937, prix Chopin 1938), de la mus. de chambre (*quatuors à cordes* primés en Belgique et en Hongrie), *Divertimento* (orch., 1944), des mélodies etc., comme musicologue, il s'intéressait surtout aux domaines sociologique et psychologique ; attaché à l'Institut social-politique, il a consacré une grande partie de son activité à l'initiation musicale des masses populaires ; il a résumé ses observations dans son livre *A zene Hatasa* (« L'effet de la musique », 1936) ; d'autres ouvrages (« *La musique visible* », « *Sur l'extase* ») sont restés en mss.          J.G.

**GYURKOVICS Maria.** Célèbre chanteuse hongroise, soprano colorature, membre de l'Opéra nat. de Budapest depuis 1937, prix Kossuth, « artiste éminent » de la République hongroise, qui a chanté avec grand succès à Bruxelles, Rome, Vienne, Prague, Berlin, Moscou, Bucarest, Sofia ; elle est l'épouse du chef d'orch. et prof. M. Forrai.

**H.** C'est le nom du *si bécarre* en allemand.

**HA-EUL-TCHA-K'Ö.** C'est un instrument à cordes frottées de l'orchestre musulman dans l'ancien èmpire chinois. La caisse est faite dans une noix de coco recouverte de peau de cheval. Le manche, en bois, est assez gros ; il est muni de dix chevilles, cinq de chaque côté, qui tendent des cordes sympathiques en acier passées au préalable à travers les trous du chevalet ; l'archet est en bois et en crin de cheval, les deux cordes, en crin.
M.H.T.

**HAACK Karl.** Mus. allem. (Postdam 18.2.1751–28.9.1819) Violon., élève de F. Benda, il appartint à la chapelle du *Kronprinz* de Prusse, y fut *Konzertmeister* (1782), puis à la chapelle royale, comme musicien de la chambre (1796) ; on lui doit 6 concertos de violon, 12 sonates. Son frère — **Friedrich Wilhelm** (*ibid.* 1760–Stettin 1827), élève de K.F.C. Fasch, fut violon. à la chapelle du *Kronprinz* à Postdam jusqu'en 1779, date à laquelle il fut nommé org. à Stargard ; en 1793, il était dir. de mus. à Stettin ; on lui doit 1 concerto de piano, 1 de violon, 6 trios, 1 sonate de piano, *Die Geisterinsel* (opéra, 1798).

**HAACKE Walter Julius** (*J. Uncus*). Compos. et musicologue allem. (Schwerin 1.2.1909-), docteur de l'univ. de Berlin, org. de la cath. de Naumburg, prof. au cons. de Wiesbaden depuis 1956, auteur de cantates, de mélodies, de mus. pour la flûte, d'*Entwicklunggesch. d. Orgelbaukunst im Lande Mecklenbu⁻g-Schwerin* (Wolfenbuttel 1935). d'art. d'hist. de la musique.

**HAAG Herbert.** Org. et musicologue allem. (Mannheim 3.12.1908-). Elève des univ. de Heidelberg et de Leipzig, docteur avec sa thèse *C. Franck als Orgelkomponist* (Cassel 1936), prof. (1931), puis dir. (1956) de l'*Ev. Kirchenmusik Institut* de Heidelberg où il est org. de la *Christuskirche* (1952), ex-dir. du cons. de Fribourg-en-Brisgau (1942–45), il a publié *Musik und Liturgie* (Carlsruhe 1956) et un certain nombre d'art. sur l'orgue et la mus. d'église.

**HAAPANEN Toïvo.** Chef d'orch. et musicologue finlandais (Karvia 15.5.1889–Asikkala 22.7.1950), docteur de l'univ. d'Helsinki avec sa thèse sur les neumes finlandais (1924), qui rédigea des travaux sur la musique finlandaise (notamment le plain-chant) et dirigea l'orch. de la radio finlandaise.

**HAARKLOU. — 1. Johannes.** Compos. norvégien (Förde 13.5.1847–Grefsen 26.11.1925), élève du cons. de Leipzig, org., chef d'orch., critique, il écrivit 1 oratorio, 5 opéras, 4 symph., de la mus. chor., symph., de chambre. Voir O. Gurvin in MGG. Son fils — **2. Andreas Nikolaï** (Oslo 11.10.1896-) est pian. et org., élève de Schnabel et de Widor ; il a composé des œuvres symph., chor., de la mus. de chambre, des mélodies.

**HAAS Alma** (née *Holländer*). Pian. allem. (Ratibor 31.1.1847–Londres 12.12.1932), élève de Kullak, qui fit une carrière intern. et enseigna en Angleterre.

**HAAS** (*Dom*) **Ildephons (Johann Georg).** Bénédictin allem. (Offenbourg 23.4.1735–Ettenheimmünster 30.5.1791). Violon., maître de chœur et prieur de son couvent d'Ettenheim, il fut notamment l'élève de W. Stamitz et le protégé de l'abbé Vogler ; il s'inspira de Mattheson, de Marpurg, de Fux et composa 7 recueils de mus. d'église (hymnes, offertoires, airs spirituels, une dizaine de messes),1 *Schauspiel ;* on lui doit également des œuvres d'ascétisme et de théologie. Voir P. Vetter in MGG.

**HAAS Joseph.** Compos. allem. (Maihingen 19.3.1879-). Elève de Reger à Munich (1904–08), du cons. de Leipzig (1904–08), prof. de compos. au cons. de Stuttgart (1911), prof. à l'*Akad. der Tonkunst* à Munich (1929–50 — il présida d'ailleurs à sa reconstruction après la dernière guerre), il a exercé un grand rôle par son enseignement : une *J.H. Gesellschaft* a été fondée en 1949 ; il dirigea un certain temps le festival de Donaueschingen, avec H. Burkard et P. Hindemith (il contribua à sa fondation en 1924) ; on lui doit 23 recueils de mélodies (1904–44), 19 de chœurs, 1 messe en allemand (A. Silesius, 1924), des vêpres (*id.*, 1929), 1 cantate : *Speyerer Domfest-Messe* (ch. 1 v., 1930), *Ecce sacerdos* (*id.*, 1931), 3 cantates (1-3 v., 1930–41), 1 *Volksoratorium : Die heilige Elisabeth* (1931), *Christnacht* (soli, récitant, chœur et orch., 1932), *Das Lebensbuch Gottes* (or., 1938), *Christ-König Messe* (1935), *Das Lied v. d. Mutter* (or., 1939), *Münchner Liebfrauen-Messe* (1944), *Te Deum* (1945), *Totenmesse* (*id.*) *Das Jahr im Lied* (Volkslieder, 1952), *Deutsche Weihnachts messe* (1954), *Die Seligen* (or., 1956), *Schiller-Hymne* (bar., ch. et orch., 1957), *Deutsche Kindermesse* (1 v. et orgue, 1958), 2 opéras : *Tobias Wunderlich* (1937) et *Die Hochzeit des Jobs* (1943), 21 recueils de piano, 7 d'orgue, 2 sonatines de piano et violon (1905), quatuor à cordes (*id.*), 1 sonate de violon (1928), 1 *divertimento-trio* (1909), *Ein Kränzlein Bagatellen* (p., htb., op. 23), 2 *Grotesken* (p., vcelle, 1910), 1 sonate de cor (*id.*), *Ein Sommermärchen* (vcelle, *id.*, p. et vcelle, 1923), 1 *divertimento* pour quatuor à cordes (1911), 1 *Kammertrio* (p., 2 v., 1912), *Grillen* (p. v., *id.*), quatuor à cordes (1919), 2 sonates d'église (orgue et v., 1926), *Variationen u. Rondo über ein altdeutsches Volkslied* (orch., 1917), *Variationen-suite über ein altes Rokokothema* (*id.*, 1924), *Ouv. zu einem frohen Stil* (1943), *Lyrisches Intermezzo* (*id.*, 1937), des arrangements, des art. publiés dans des périodiques ou dans des ouvrages collectifs. Voir *Festgabe J.H. ...*, Mayence 1939 ; K.G. Fellerer, *J.H.*, Cologne 1949 — *J.H. Verzeichnis d. Werke*, *J.H.-Ges.*, 1950, 1953 — art. in MGG ; K. Laux, *J.H.*, Mayence 1931, *J.H.*, Hambourg 1940, Dusseldorf 1954 ; *Mitt.bl. d. J.-H.-Ges.*, Jachenau, à partir de 1950.

**HAAS Monique.** Pian. franç. (Paris 20.10.1909-). Elève du cons. de Paris (Lazare-Lévy), elle fait une carrière intern. ; son interprétation de J.-S. Bach lui a conquis le public allemand, son enregistrement des *Etudes* de Debussy lui valut le grand prix du disque en 1954 : elle est au premier rang des pianistes français et l'épouse de Marcel Mihalovici.

**HAAS Pavel.** Compos. tchèque (Brno 21.6.1899–camp d'Auschwitz, 17.10.1944), élève de Janacek, auteur d'un opéra, *Sarlatán* (1934–37), de mus. de théâtre, de film, d'œuvres symph. (1 symph., 1940–41), d'une cantate, de mus. de chambre, de mélodies etc. (il mourut en déportation). Voir J. Bužga in MGG.

**HAAS Robert-Maria.** Musicologue autr. (Prague 15.8.1886-). Elève des univ. de Prague, Berlin et Vienne, docteur de Prague avec sa thèse *Das wiener Singspiel* (1908), assistant de G. Adler à l'Institut de musicologie de Vienne, chef d'orch. (Münster, Erfurt, Constance, Dresde), secrétaire du *Corpus scriptorum de musica medii aevi* et des *DTÖ* (1914–17), attaché à la Bibl. nat. de Vienne (1918), de laquelle il dirigea le département de la mus. (1920–45), *Privatdozent* (1923), puis prof. (1929) à l'univ. de Vienne, il a publié *Gluck u. Durazzo...* (Vienne-Zurich-Leipzig 1925), *Die wiener Oper* (Vienne 1926),

*Wiener Musiker...* (*ibid.* 1927), *Die estensischen Musikalien* (Ratisbonne *id.*), *Die Musik des Barocks* (1929), *Aufführungspraxis d. Musik* (Potsdam 1931, U.S.A. 1949), *W.A. Mozart* (Potsdam 1933, 1949), *A. Bruckner* (*ibid.* 1934), *Bach u. Mozart in Wien* (Vienne 1951), *Ein unbekanntes Mozartbildnis* (*ibid.* 1955), publié un grand nombre d'art. ds des périodiques, collabore à de nombreux ouvrages collectifs, édité notamment *Gassmann*, *Monteverdi*, *Gluck*, *Bruckner* (œuvres complètes), Hugo Wolf, composé de la mus. de chambre, de piano et des mélodies.

**HABA** – **1. Alois.** Compos. tchèque (Vizovice 21.6.1893–). Élève du cons. de Prague (V. Novak), de F. Schreker (Vienne et Berlin), sur l'instigation de Busoni, il étudia à Berlin l'acoustique et les musiques extra-européennes ; dès les années 1920, il consacrait ses recherches à la musique en quarts de ton et se préoccupait de faire fabriquer des instruments adéquats, notamment des pianos, chez Förster à Georgswalde ; depuis 1923, il enseigne au cons. de Prague : en 1945 il a été nommé dir. du deuxième Opéra de Prague ; il est d'ailleurs au centre de la vie musicale de cette ville ; son œuvre est à mettre tout à fait part dans la production contemporaine ; adepte des théories anthroposophiques, il est le porte-drapeau d'une musique entièrement chromatique, en quarts et sixièmes de ton, de laquelle il proscrit le thématisme ; on lui doit 3 opéras : *Die Mutter* (1931), *Neue Erde* (1936), *Es komme Dein Königreich* (1942), 1 cantate : *Für den Frieden* (1950), une dizaine de quatuors, 1 *Nonette* (1931–53), 1 duo (2 v., 1937), des pièces de viano, d'orgue, instr., vocales ; il a publié *Die harm. Grundlage des Vierteltonsystems* (Prague 1922), *Von der Psychologie der mus. Gestaltung...* (*ibid.* 1925, en tchèque — trad. allem., Vienne *id.*), *Neue Harmonielehre des diatonischen, chromatischen, Viertel-Drittel-Sechstel-u. Zwölfteltonsystems* (Leipzig 1927), ainsi que qqs articles. Son frère — **2. Karel** (*ibid.* 21.5.1898–), violon., élève du cons. de Prague, (Novak, K. Hofmann), de son frère *A.*, a été successivement prof. à l'École normale de Prague (1917–27), chroniqueur à la « République tchécoslovaque » (1928–32), membre de l'orch. (1929), puis chroniqueur à Radio-Prague (1936) ; prof. à l'École pédagogique de Prague (1951), membre de l'Acad. des sciences et des arts de Tchécoslovaquie, dont il a été le secrétaire ; il a écrit 3 opéras (*Janošik*, 1930, *Alte Historie*, 1937, *O Smoličkovi*, 1949), 1 cantate (1951), 2 symph. (1948–54), 2 concertos, de la mus. symph., de chambre, de piano, des chœurs, des mélodies, des manuels et des études de violon, toutes œuvres dont une bonne partie est écrite selon les théories de son frère. Voir H.H. Stuckenschmidt, *Neue Mus.*, Berlin 1951 ; P. Collaer, *La mus. moderne*, Bruxelles 1955 ; K. Haba., *Komp. über sich*, ds *Rhythmus*, *VII*, 1941–42 ; E. Herzog in MGG.

**HABANERA.** C'est une chanson et une danse cubaines, dont la popularité envahit le continent européen au siècle dernier. On n'est pas d'accord sur son origine : certains musicologues la prétendent purement africaine et importée en Europe à travers l'île de Cuba (d'où son nom) ; d'autres, peut-être avec plus de vraisemblance, lui assignent une origine espagnole, un stage cubain pendant lequel elle prit son caractère spécial sous l'influence de la musique nègre, et un retour en Espagne, pays à travers lequel elle gagna l'Europe romantique. Le principal compositeur cubain de *habaneras*, Ignacio Cervantes, les nomme — ce qui est assez significatif — *contradanzas*, ou *contradanzas criollas*. Chabrier, Saint-Saëns, Ravel, Debussy, Albéniz, Falla ont écrit des *habaneras* ; Raoul Laparra a composé un ouvrage lyrique de ce titre. Pour Bizet, voir art. *Iradier*.          D.D.

**HABAS VERDES.** C'est une chanson à danser esp., dont l'aire est limitée à qqs lieux de Vieille-Castille et d'Andalousie : c'est un air vif, généralement à 3 temps, de mode mineur.

**HABENECK.** Famille de mus. franç. — **1. François-Antoine** (Mézières 22.1.1781–Paris 8.2.1849). Fils d'un mus. de Mannheim qui se mit au service de l'armée franç., il apprit le violon près de son père et de Baillot (cons. de Paris), appartint aux orch. de l'Opéra-Comique et de

l'Opéra ; de 1806 à 1815. il dirigea les concerts du conservatoire et assuma la direction de la Soc. des concerts dès sa fondation (1828) ; il succéda à Kreutzer comme 1er chef d'orch. de l'Opéra de Paris (1824–46), après avoir été dir. de ce même Opéra de 1821 à 1824 ; c'est lui qui fit entendre la première audition intégrale des symph. de Beethoven à Paris (1828–1831) ; il fut également prof. de violon (1825–48) et inspecteur au cons. de Paris ; on lui doit notamment une méthode de violon, 2 concertos de violon, 3 duos concertants (2 v.), des variations (quatuor, orch.). Son frère — **2. Joseph** (Metz 1.4.1785–Paris 23.3.1850), fut de même violon., membre des orch. de l'Opéra-Comique et de l'Opéra (1819–37). Leur frère — **3. Corentin** (? 25.12.1786–?) fut lui aussi violon. à l'orch. de l'Opéra (1814–45), et mus. de la chapelle royale. Voir H. Berlioz, *Les soirées de l'orch.*, Paris, 1853, 1854 — *Mémoires*, 2 vol., *ibid.* 1870, 1878 ; M. Dandelot, *La Soc. des conc. du cons.* (*ibid.* 1898) ; E. Haraszti in MGG.

**HABERHAUER Maurus.** Bénédictin autr. (Zwittau 13.3.1746–Raigern 18.2.1799), qui fut maître de chœur au monastère de Raigern et composa de la mus. d'église : 51 messes, 2 *Requiem*, 16 vêpres, 5 motets, 6 *Miserere* etc. (Bibl. des amis de la mus. à Vienne). Voir A. Kornmüller, *Die Pflege d. Mus. i. Benediktinerorden*, ds *Stud. u. Mitt. aus. d. Ben.*, II, 4, Wurtzbourg 1881.

**HABERL Ferdinand.** Compos. allem. (Lintach 15.3.1906–) Ecclésiastique, élève de l'univ. de Munich et de l'Institut pontifical de musique sacrée à Rome (ville où il fut org. de *S. Maria dell'anima*, 1934–38), dir. de l'Ecole de mus. d'église de Ratisbonne (1939), prof. de mus. à l'École de théologie et de philosophie de la même ville (dep. 1945), président diocésain du *Cäcilien-Verband*, il a publié *Der Kirchenchorleiter* (Tubingen 1949), *Das deutsche Amt u. die Enzyklika Mus. sacrae disciplina* (Ratisbonne 1956), des art. dans le *Cäcilienverbandsorgan*, ds le *Chorwächter* et l'*Alpenländische Kirchenchor*, édité G. de la Hèle, Anerio, Aichinger, *Die Chorsammlung* (av. E. Quack, Ratisbonne dep. 1952).

**HABERL Franz Xaver.** Musicologue allem. (Oberellenbach 12.4.1840–Ratisbonne 5.9.1910). Ecclésiastique, org. de *S. Maria dell'anima* à Rome (1867–70), maître de chapelle de la cath. (1871–82), fondateur de l'Ecole de mus. d'église de Ratisbonne (1874), il présida à partir de 1899 l'*Allg. Cäcilienverein* ; il se spécialisa dans les études de la mus. polyph. des XVe–XVIIe s., édita le *Cäcilien-Kalender* (dep. 1876), qui devait devenir le *Kirchenmusik. Jahrbuch* (1886), publia *Theoretisch-praktische Anweisung z. harm. Kirchenges.* (Passau 1864), *Magister choralis* (Ratisbonne *id.*, 12 éd. jusqu'à 1900), *Lieder-Rosenkranz* (1866), un acc. à l'orgue de l'ordinaire de la messe, du graduel et des vêpres (av. Hanisch), *Kleines Gradual u. Messbuch* (1892), *Officium hebdomadae sanctae* (1887), *Psalterium vespertinum* (1888), *Bausteine f. Musikgesch.* (3 vol., Leipzig 1885–88) ; il succéda à Schrems (1872) comme dir. de *Musica divina*, à Witt (1888) de *Musica sacra*, rédigea les *Fliegender Blätter f. kath. Kirchenmusik* (qui devaient devenir le *Cäcilienverbandsorgan*), fonda une société Palestrina (1879), collabora aux éditions des œuvres complètes de Palestrina (33 vol., 1862–94), de Roland de Lassus, édita les solfèges de Bertalotti (Ratisbonne, 1880, 1888), l'œuvre d'orgue de Frescobaldi (Leipzig 1889), une nouvelle publication de la médicéenne. Voir A. Weinmann, *Gesch. d. KM*, Kempten-Munich 1913 ; *Dr. F.X.H.*, ds *Musica sacra* 1910 ; C. Bachtefel, *Erinnerungen an Dr. F.X.H.*, *id. ibid.*, K.G. Fellerer, *Gesch. d. kath. KM.*, Dusseldorf 1949.

**HABERMANN Franz Johann Wenzel.** Mus. austrotchèque (Königswart 20.9.1706–Eger 7.4.1783). *Magister* de l'univ. de Prague, il fit des voyages d'étude à Rome et à Naples, fut maître de chapelle du prince de Condé à Paris (1731), du grand-duc de Toscane à Florence, rentra en Bohême en 1740, où il enseigna dans l'aristocratie ; il fut notamment maître de chœur de l'église des Théatins, org. de l'église de l'ordre de Malte (1750), maître de chœur à St-Nicolas d'Eger (1773–83) ; parmi ses élèves, citons F.X. Dussek, J. Mysliweczek, C. Vogel ; on lui doit de la mus. d'église en mss (messes, litanies, vêpres etc.), impr. : 6 messes à 4 v., 2 viol., 2 clar. (ou *litui*) et orgue (Graslitz 1747), 12 messes (Prague 1746), 6 litanies (*ibid.* 1747), 3 oratorios (dont la partition est perdue), des sonates et des symph. en mss. Voir M. Seiffert, *F.H.*, ds *KmJb*, 1903 ; M.K. Komma in MGG.

**HABERT** **Johann** **Evangelist.** Compos. autr. (Oberplan 18.10.1833–Gmunden 1.9.1896). Il enseigna à Naaren *a. d. Donau* (1852), à Waizenkirchen (1857), fut org. (1861), puis maître de chœur (1878) à Gmunden ; on lui doit un grand nombre de messes, offertoires, motets, litanies, des œuvres symph., de mus. de chambre, de piano, d'orgue, des mélodies, des éditions de R. Führer, de J.J. Fux, de J. Stadlmayr, *Beiträge z. Lehre v. d. musik. Komposition* (4 vol., Leipzig 1889 sqq.), des traités d'orgue, de piano, de chant choral, le périodique *Zeitschrift f. kath. KM* (1868–83). Voir A. Hartl, *J.E.H.*, Vienne 1900 ; R. Quoika in MGG.

**HACKBRETT.** C'est un instrument du type tympanon, très populaire de nos jours en Bavière et au Tyrol : la caisse est en forme de trapèze ; les cordes, métalliques, sont frappées avec deux petits marteaux. De sa forme et de sa technique de jeu, la *h.* tient son nom : *Hackbrett* qui désigne en allem. le tympanon et signifie aussi hachoir. S. Virdung et M. Agricola au XVIe s., M. Praetorius au XVIIe s. décrivent la *h.* et la citent comme instrument d'usage populaire. C.M.-D.

**HACKER** **Benedikt.** Mus. autr. (Metten 30.5.1769–près de Salzbourg 2.5.1829). Élève de J.B. Sternkopf (1753–1817), de L. Mozart et de M. Haydn à Salzbourg (viol.), il ouvrit une librairie mus. dans cette dernière ville : ses affaires furent mauvaises et il se suicida ; on lui doit nombre d'œuvres de mus. d'église, des œuvres chor., des *Lieder*, 1 opéra de carnaval pour 4 d'hommes : *List gegen List* (Salzbourg 1801). Voir O. Wessely in MGG.

**HACQUART** **Carolus.** Mus. néerl. (Bruges v. 1640 ou 1649–La Haye ? v. 1730). Il vécut à Amsterdam et à La Haye, fut org., joueur de viole de gambe au service du prince Maurice d'Orange, ami de Huyghens, composa des *Cantiones sacrae, 2, 3, 4, 5, 6, 7 tam vocum quam instrumentorum* (Amsterdam 1674), *Harmonia parnassia sonatarum 3 et 4 instr.* (Utrecht 1686), *Chelys* (La Haye *id.*), *Pièces de basse de viole et basse continue* (Amsterdam v. 1706), de la mus. de scène pour *De triom'eerende Min de* D. Buysero (*ibid.* 1680). Voir S.M.A. Bottenheim, *De opera in Nederland*, *ibid.* 1946 ; W.J. Jonckbloet et J.P.N. Land, *Corr. ... de C. Huyghens*, Leyde 1882 ; G.J. Grégoir, ds *Bibl. mus. populaire*, I, 1877 ; A. van der Linden in MGG.

**HADDEN** **Cuthbert.** Org. et musicographe écossais (Banchory-Ternan 9.9.1861–Edimbourg 2.5.1914), qui exerça à Edimbourg et publia des monographies sur Hændel (Londres 1888), Mendelssohn (*id. ibid.*), G. Thomson (Edimbourg 1898) etc., des chroniques (notamment ds le *Scottish Mus. Monthly*, 1893–96). Voir H.G. Farmer in MGG.

**HADJIDAKIS** **Manos.** Compos. grec (Xanthi 1925–), auteur de 3 ballets, de mus. de scène, de piano, de mélodies.

**HADJIEV** **Paraskov.** Compos. bulgare (1912–), élève de P. Vladigerov (Sofia), de J. Marx (Vienne), secrétaire de la Soc. des compos. bulgares, prof. de compos. au cons. de Sofia, auteur d'une opérette, de mus. symph., de chambre, de mélodies.

**HADLEY** **Henry.** Chef d'orch. et compos. amér. (Somerville 20.12.1871–N.-York 6.9.1937), qui fit une carrière intern. et écrivit 13 opéras ou opérettes, des ballets, des œuvres symph. (4 symph.), de la mus. chor., de chambre, de film. Voir P. Berthoud, *The mus. works of Dr. H.H. ...*, N.-York 1942 ; H.R. Boardman, *H.H. ...*, *ibid.* 1932 ; N. Broder in MGG.

**HADLEY** **Patrick.** Compos. angl. (Cambridge 5.3.1899–), prof. au *Royal College of music*, à l'univ. de Cambridge (1938), auteur d'œuvres symph., chor., de mus. de scène, de chambre, de mélodies. Voir Ch. L. Cudworth in MGG.

**HADOW** (*Sir*) **William** **Henry.** Musicologue angl. (Ebrington 27.12.1859–Londres 8.4.1937). Il termina sa

carrière comme vice-chancelier de l'univ. de Sheffield et publia l'*Oxford History of music* (Oxford 1901–05, Londres 1929, 1938), *Studies in modern music* (2 vol., Londres 1892, 1893), *Sonataform* (*ibid.* 1896), *Notes toward the study of J. Haydn* (ibid. 1897), *Beethoven* (ibid. 1917), *William Byrd* (ibid. 1923), *Music* (ibid. 1924), *Church music* (ibid. 1926), *Beethoven's op. 18 quartets* (id. ibid.), *Collected plays* (ibid. 1928), *English music* (ibid. 1931), *The place of music among the arts* (Oxford 1933), *R. Wagner* (*ibid.* 1934) ; il composa des cantates, hymnes, sonates de violon, d'alto, de piano. Voir R.A. Harman in MGG.

**HADRIANUS** **Emanuel.** Voir art. *Adriaensen.*

**HAEBLER** **Ingrid.** Pian. autr. (Vienne 20.6.1929–). Élève de l'*Akad. f. Mus. u. darstellende Kunst* (Vienne), du *Mozarteum* (Salzbourg), du cons. de Genève, de Marguerite Long (Paris), elle fait une carrière internationale.

**HAEFFNER** **Johann** **Christian** **Friedrich.** Mus. germano-suédois (Oberschönau 2.3.1759–Upsal 28.5.1833), qui fit carrière de chef d'orch. de théâtre, se fixa à Stockholm en 1780, où il fut org. et chef d'orch. du théâtre de la cour (1799), puis à Upsal (1808), où il fut org. de la cath. (1820) ; il publia un recueil d'œuvres vocales (1809) et des éditions et arrangements de mélodies, chorals, messes du répertoire de la mus. suédoise. Voir C.A. Forssman, *Om J.C.F.H....*, Upsal 1872 ; G. Morin, *J.C.F.H.*, et *H. musik. skapande*, ds *Tidskrift f. kyrkomusik...*, *VIII*, 1933 ; R. Engländer in MGG.

**HAEFLIGER** **Ernst.** Ténor suisse (Davos 6.7.1919–), élève du cons. de Zurich, qui a débuté en 1942 et fait une carrière intern., notamment à l'Opéra de Berlin, où il est 1er ténor depuis 1952.

**HAEGEMANN** **Christian** **Franz** **Severin.** Mus. allem. (? v. 1724–Plön 23.4.1812). On ne sait rien de ses débuts ; à partir du 1er sept. 1744, on le trouve au service du duc F.C. v. Schleswig-Holstein-Plön (comme *neuer Trompeter*), en 1754 *Hoffourier*, en 1761, violon. à la chapelle de la cour du roi Frédéric V de Danemark, où il demeurera jusqu'en 1776 pour revenir à Plön ; il composa *Clavier Versuche in sechs Son.* (1777), 6 trios, 3 *Geistl. Lieder f. Clavier.* Voir Th. Holm in MGG.

**HAEGG** (*Hägg*). Nom de deux compos. suédois : — **1. Gustaf.** (Bisby 28.11.1867–Stockholm 7.2.1925) fut org. et prof., auteur de mus. symph., de chambre, d'orgue, de piano, de mélodies. — **2. Jacob** **Adolf** (Östergarn 29.6.1850–Bjurakar 1.3.1928) composa de la mus. symph. (4 symph.), voc., de chambre, de piano, d'orgue, de piano et vcelle. Voir G. Hetsch, *J.A.H.*, Leipzig 1903.

**HAEHNEL** (*Hähnel*, *Händl*). Voir art. *Gallus Jacobus.*

**HÆNDEL** (*Händel*) **Georg** **Friedrich.** Mus. allem. (Halle 23.2.1685–Londres 14.4.1759). *Sa vie.* Hændel était le fils d'un vieux barbier-chirurgien de Halle : Georg H. Très tôt il apprit à jouer du clavecin, contre le gré de son père, dit-on. Lorsqu'il eut 6 ou 7 ans, il accompagna celui-ci à la cour du duc de Weissenfels ; le duc fut impressionné par la précocité de l'enfant et conseilla à son père de développer ses talents musicaux. Le jeune garçon fut donc confié au maître de musique Zachau, tout en suivant pour son éducation générale les cours du gymnase luthérien. Quelques années plus tard, il se rendit à Berlin et joua devant la cour ; cependant son père insista pour qu'il préparât son droit, plutôt que de se consacrer à la musique. H. obéit et, même après la mort de son père, en 1697, il poursuivit ses études de droit à l'université de Halle : c'est là, pense-t-on, qu'il rencontra G.-Ph. Telemann, avec qui il noua une amitié durable. Mais, tout en étudiant, il gagnait sa vie en jouant de l'orgue, et, lorsque ses études furent achevées, en 1703, il décida de se consacrer à la musique. Il se rendit à Hambourg, pour jouer du violon et du clavecin à l'Opéra de la ville et apprendre les méthodes de Reinhard Keiser, le compositeur d'opéra allemand le plus en vue de l'époque. *H.* se lia d'amitié avec Johann Mattheson, le futur célèbre musicographe, qui était engagé à Hambourg comme chanteur et compositeur. Les deux jeunes gens firent à Lubeck

HÆNDEL
*Gravure de Turner, d'après Hogarth* (coll. Meyer).

un voyage fameux : il était en effet question, à ce moment-là, de trouver un successeur pour l'organiste Buxtehude, mais comme cette nomination comportait la nécessité d'épouser la fille de Buxtehude, les deux amis s'abstinrent de poser leur candidature. Une querelle vint quelque temps gâcher leur amitié ; elle se termina même par un duel, mais ils se réconcilièrent peu après. En 1705, H. présenta son premier opéra, *Almira*, qui connut un grand succès. Il en présenta alors un second, inspiré de l'histoire de *Néron* et deux autres *Florinda* et *Daphné*. L'année suivante, en 1706, il se rendit en Italie où il rencontra A. Scarlatti et son fils Domenico, Corelli, Gasparini et autres compositeurs renommés.

H. fut profondément influencé par leur musique. Il présenta plusieurs opéras, cantates et oratorios dans les villes italiennes, avec tant de succès qu'il fut bientôt connu comme *il caro Sassone*. Ces œuvres comprennent *La resurrezione*, *Il trionfo del tempo*, *Apollo e Dafne*, *Aci, Galatea e Polifemo* et les opéras *Rodrigo* et *Agrippina*. En 1710, H. fut nommé maître de chapelle de l'électeur de Hanovre ; des amis anglais le persuadèrent de se rendre à Londres, où il fut accueilli si chaleureusement qu'il y resta jusqu'à l'année suivante et présenta avec grand succès son opéra *Rinaldo*, le 24 février 1711. Il rentra en Allemagne, mais ne tarda pas à retourner à Londres, où il donna ses opéras *Il pastor fido* (1712) et

*Teseo* (1713) ; il composa en outre un *Te Deum* pour la paix d'Utrecht et une ode pour l'anniversaire de la reine Anne, laquelle lui octroya une rente de 200 livres par an. La reine mourut en 1714, et le vrai maître de *H.*, l'électeur, devint alors le roi Georges Ier d'Angleterre, dont *H.* chercha à regagner les faveurs. S'étant lié d'amitié avec lord Burlington, le célèbre mécène du XVIIIe s., il rencontra chez lui les artistes et les écrivains les plus renommés. En 1715, il présenta son opéra *Amadigi* et deux ans plus tard une partie au moins de la *Water musick*, composée à l'occasion d'une fête nautique donnée par le roi sur la Tamise. De 1718 à 1721, *H.* fut le maître de musique du duc de Chandos, à Canons, dans le Middlesex, où il présenta plusieurs *Chandos anthems*, ainsi que ses masques anglais *Esther* et *Acis and Galatea* (une de ses plus belles œuvres). Un vieil ami allemand, J.-C. Schmidt, travaillait maintenant à ses côtés ; il s'installa définitivement en Angleterre comme l'*amenuensis* de *H.* ; son fils, John Christopher Smith, devint un compositeur d'un certain renom dans les années qui suivirent.

A partir de 1721, *H.* se trouva continuellement mêlé à de violentes rivalités théâtrales, non seulement avec ses chanteurs, mais encore avec d'autres compositeurs comme Buononcini, Ariosti, Porpora etc. A un moment donné, Londres se trouva même posséder deux Opéras italiens concurrents, alors que la ville pouvait à peine en subventionner un. *H.* présenta néanmoins plusieurs opéras pendant cette période, dont *Floridante* (1721), *Ottone* (1723), *Giulio Cesare* (1724), *Rodelinde* (1725), *Scipione* et *Alessandro* (1726). Cette année-là, il prit la nationalité anglaise, se nommant désormais *George Frideric Handel*, et fut nommé « compositeur de musique de la chapelle royale ». En 1727, il composa une série d'hymnes à l'occasion du couronnement de George II, et présenta ses opéras *Admeto* et *Riccardo I* : l'année suivante, ce furent *Siroe* et *Tolomeo*. Cependant sa compagnie d'opéra subissait de sérieuses difficultés financières, auxquelles la popularité énorme du *Beggar's Opera* n'était pas totalement étrangère. Une nouvelle compagnie fut constituée et *H.* se rendit en Italie pour écouter de nouveaux opéras et engager des chanteurs. Sur le chemin du retour, il fit un détour par l'Allemagne pour visiter sa mère âgée et infirme. Plus tard dans l'année (1729), il présenta son nouvel opéra *Lotario*, suivi en 1730 de *Partenope* et, l'année suivante, de *Poro* et d'*Alessandro nell'Indie*. L'événement le plus marquant de cette année 1731 fut un plagiat de son *Acis and Galatea*, commis par J. Rich, qui fit comprendre à *H.* les avantages à tirer de livrets en anglais. De nouvelles représentations de ses œuvres anglaises furent données, avec ou sans son consentement :

une reprise d'*Acis*, et *Esther*. *H.* n'en composa pas moins deux nouveaux opéras italiens : *Ezio* et *Sosarme* ; ce dernier est d'ailleurs une de ses meilleures œuvres italiennes.

L'année suivante, 1733, fut à divers points de vue une de celles qui comptèrent le plus dans la vie du compositeur. Après un nouvel opéra, *Orlando*, il présenta un oratorio anglais, *Deborah*, et commença à pousser son talent d'organiste, transcrivant certains de ses morceaux en concertos d'orgue, qu'il fit jouer entre les actes de ses opéras : cette innovation eut le plus grand succès. *H.* visita Oxford, où il donna *Esther*, *Deborah* et une œuvre nouvelle, *Athalia*. De retour à Londres, ce fut l'opéra *Arianna* et une nouvelle version d'*Il pastor fido*, cette dernière à *Covent Garden*, inaugurant ainsi une longue succession de représentations dans ce théâtre. A cette même occasion, il donna *Terpsichore*, ballet composé pour Mlle Sallé, ballerine française engagée par Rich ; *H.* composa pour elle des ballets charmants, qui figurèrent dans ses opéras de 1735, tels *Ariodante* et *Alcina*.

Gagnant peu d'argent avec ses opéras, *H.* entreprit avec ardeur de mettre en musique des textes anglais, comme l'*Alexander's feast* de Dryden. C'est à cette époque qu'il composa plusieurs œuvres instrumentales, dont 6 *concerti grossi* (*op.* 3, souvent appelés les « concertos pour hautbois ») et diverses sonates en solo

*Caricature anonyme* (coll. Meyer).

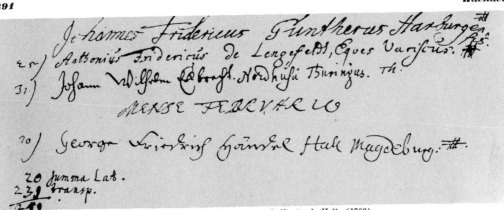

*Inscription de H. sur les registres de l'univ. de Halle (1702).*

ou trio, sans abandonner pour autant l'opéra italien : *Atalanta* (1736, à l'occasion du mariage du prince de Galles), *Berenice, Arminio* et *Giustino* (1737). Cette même année, l'Opéra italien de Londres fut dans des difficultés financières insurmontables, et les deux compagnies firent faillite. H., rongé par l'anxiété et fatigué par un travail excessif, fut frappé d'une attaque de paralysie : il partit faire une cure à Aix-la-Chapelle, où il se remit, et rentra à Londres juste à temps pour composer un hymne funèbre pour la reine Caroline, qui fut chanté à l'abbaye de Westminster. Son vieil ami Heidegger réunit les débris des deux compagnies pour en former une seule et invita H. à composer de nouveaux opéras pour la lancer : ce furent *Faramondo, Serse* et le pasticcio *Alessandro Severo*, tous du début de 1738. Peu après, à *Vauxhall Gardens,* la fameuse statue de H., sculptée par le Français Roubillac, fut érigée ; dans le courant de la même année, le compositeur créait ses oratorios *Saül* et *Israel in Egypt,* et publiait les six concertos d'orgue (*op.* 4) et les sonates pour trio (*op.* 5), Les deux oratorios furent exécutés au début de l'année suivante (1739) : H. était à cette époque à l'apogée de sa puissance créatrice, comme le prouvent ses douze grands concertos (*op.* 6), qui comptent parmi les chefs-d'œuvre de la musique baroque instrumentale. La même année, il mit également en musique l'*Ode on St. Cecilia's day* de Dryden, qui fut présentée le 22 novembre, jour de fête de la sainte.
H. espérait toujours créer un renouveau d'intérêt pour l'opéra italien, avec *Imeneo* (1740) et *Deidamia* (1741), sans succès. Il se retrouva une fois de plus accablé par les soucis d'argent, car ses oratorios ne lui avaient rien rapporté. C'est pourtant cette année-là qu'il composa, en l'espace de trois semaines, son œuvre la plus célèbre, *Le messie,* suivie de cet autre chef-d'œuvre, *Samson,* composé en un laps de temps aussi court. Il fut invité à Dublin par le duc de Devonshire, lord-lieutenant d'Irlande : c'est là que *Le messie,* fut présenté pour la première fois le 13 avril 1742. Le succès fut énorme. H. rentra à Londres quatre mois plus tard ; au début de l'année suivante (1743), il y présenta *Samson* et *Le messie ;* fait curieux, la capitale accueillit froidement *Le messie,* qui n'eut de succès que petit à petit. L'été de 1743, H. composa un oratorio profane, *Semele,* un oratorio sacré, *Joseph,* ainsi qu'un *Te Deum* pour la paix de Dettingen. L'été suivant (1744), ce fut un autre oratorio profane, *Hercules,* et, en automne, une magnifique composition biblique, *Belshazzar,* l'une et l'autre présentées au début de 1745. (En dépit de ce travail acharné, de nouveau malade, il n'arrivait pas à surmonter ses difficultés financières). Il eut avec le jeune Gluck, qui séjourna en Angleterre cette année-là, des conversations qui montrent à quel point le public anglais le décevait. Période agitée en Angleterre, 1745 vit le jeune prétendant, le prince Charles Edward Stuart, faire une tentative manquée pour s'emparer du trône. H. composa, ou plutôt compila, un *Occasional oratorio* (présenté au début de 1746), pour fêter l'échec du

prétendant, ainsi que *Judas Maccabeus,* plus célèbre que le précédent, créé avec quelque succès en avril 1747. C'est de cette époque que date l'amélioration de ses finances ; il trouva dans la bourgeoisie aisée un auditoire de plus en plus vaste et fort disposé à se laisser édifier par un récit moral admirablement mis en musique. H. abandonna alors complètement l'opéra italien, se consacrant à son genre nouveau, l'oratorio anglais. Chaque été, il en composait plusieurs qu'il présentait à *Covent Garden* le carême suivant : *Alexander Balus* et *Joshua* (composés en 1747, représentés en 1748), *Salomon* et *Susanna* (composés en 1748, représentés en 1749) ; le 27 avril 1749, il donna à Green Park à Londres sa fameuse *Musick for the royal fireworks,* qui célèbre la paix d'Aix-la-Chapelle. En juillet de la même année, il termina *Théodora,* oratorio qu'il aimait particulièrement, mais qui eut peu de succès de son vivant. En 1750, il fut élu membre du conseil d'administration de l'Hospice des enfants trouvés ; à cette occasion, on donna une fête de charité, au cours de laquelle il dirigea *Le messie,* chose qu'il renouvela chaque année. H. vieillissait, ses maux reprenaient, sa vue baissait, et il eut beaucoup de peine à terminer son dernier grand oratorio, *Jephta,* qui fut donné en 1752 à *Covent Garden,* pendant le carême, la meilleure saison musicale de Londres. En mai 1752, il fut opéré de la cataracte, mais l'opération ne réussit pas, et il perdit complètement la vue. Il continua à diriger ses concerts de mémoire et put même, avec l'aide de ses *amenuenses,* les Smith, réviser quelques-unes de ses premières œuvres. Sa santé déclinait de plus en plus, mais le 6 avril 1759, il dirigeait encore une représentation du *Messie.* Huit jours plus tard, le 14 avril 1759, il mourait, considéré partout comme le plus grand musicien d'Angleterre : celle-ci lui rendit un dernier hommage, en l'inhumant à l'abbaye de Westminster.
*Caractère.* H. fut un grand homme dans tous les sens du mot, physiquement et spirituellement, l'un des plus grands et des plus éminents compositeurs, lutteur infatigable qui n'acceptait jamais une défaite. Profondément chrétien, généreux et charitable, c'était aussi un homme coléreux, bien qu'il fût disposé à reconnaître ses torts. Il sut garder ses amis toute sa vie. Ce fut un exécutant remarquable, l'un des plus grands virtuoses de son temps à l'orgue et au clavecin ; il dirigeait aussi bien les opéras, les oratorios et les concerts. Il avait du caractère, un goût inépuisable pour la nourriture et la boisson, une totale absence de scrupules à l'égard des œuvres d'autres compositeurs. Il est incontestable qu'il a « emprunté » beaucoup d'idées musicales à Clari, à Stradella, à Muffat et même à son ami Telemann ; qu'il ait tiré le plus grand parti de ces idées ne change rien au problème moral : il est curieux qu'un homme aussi droit, riche d'une telle capacité créatrice, se soit laissé aller à voler tant d'idées à d'autres compositeurs.
*Style.* H. fut un éclectique : bien qu'il soit né en Allemagne, qu'il y ait fait ses études, son style est essentiellement

## 1. a) OPÉRAS

| Titre | Librettiste | Création | N° de la HG |
|---|---|---|---|
| Almira. | Feustking et Pancieri. | Hambourg, 8.1.1705. | 55 |
| Nero. | Feustking. | » 25.2.1705. | perdu |
| Florindo and Daphne. | Hinsch. | » 1.1708. | perdu |
| Rodrigo. | Anon. | Florence, v. 1707 ou 08. | 56 |
| Agrippina. | Grimani. | Venise, 26.12.1709. | 57 |
| Rinaldo. | Rossi, d'après Hill et Le Tasse. | Londres, 24.2.1711. | 58 |
| Il pastor fido (1). | Rossi, d'après Guarini. | » 22.12.1712. | 59 |
| Teseo. | Haym. | » 10.1.1713. | 60 |
| Silla. | anonyme. | ? | 61 |
| Amadigi di Gaula. | Heidegger. | Londres, 25.5.1715. | 62 |
| Radamisto. | Haym, d'après Lalli. | » 27.4.1720. | 63 |
| Muzio Scevola (3e acte seulement). | Rolli. | » 15.4.1721. | 64 |
| Floridante. | Rolli. | » 9.12.1721. | 65 |
| Ottone. | Haym. | » 12.1.1723. | 66 |
| Flavio. | Haym, d'après Corneille. | » 14.5.1723. | 67 |
| Giulio Cesare. | Haym. | » 20.2.1724. | 68 |
| Tamerlano. | Piovene, arr. Haym. | » 30.10.1724. | 69 |
| Rodelinda. | Salvi, arr. Haym. | » 13.11.1725. | 70 |
| Scipione. | Rolli, d'après Zeno. | » 12.3.1726. | 71 |
| Alessandro. | Rolli, d'après Mauro. | » 5.5.1726. | 72 |
| Admeto. | Haym ou Rolli, d'après Aureli. | » 31.1.1727. | 73 |
| Riccardo Primo. | Rolli. | » 11.11.1727. | 74 |
| Siroe. | Métastase, arr. Haym. | » 17.2.1728. | 75 |
| Tolomeo. | Haym. | » 30.4.1728 | 76 |
| Lotario. | Salvi. | » 2.11.1729. | 77 |
| Partenope. | Stampiglia. | » 24.2.1730. | 78 |
| Poro. | Métastase. | » 2.2.1731. | 79 |
| Ezio. | Métastase. | » 15.1.1732. | 80 |
| Sosarme. | Noris. | » 15.2.1732. | 81 |
| Orlando. | Braccioli, d'après l'Arioste. | » 27.1.1733. | 82 |
| Arianna. | Pariati. | » 26.1.1734. | 83 |
| Pastor Fido (II). | Rossi, d'après Guarini. | » 18.5.1734. | 84 |
| Pastor Fido (III) avec Terpsichore. | » » | » 9.11.1734. | 84 |
| Ariodante. | Salvi, d'après l'Arioste. | » 8.1.1735. | 85 |
| Alcina. | Marchi, id. | » 16.4.1735. | 86 |
| Atalanta. | Valeriani. | » 12.5.1736. | 87 |
| Arminio. | Salvi. | » 12.1.1737. | 89 |
| Giustino. | Beregani. | » 16.2.1737. | 88 |
| Berenice. | Salvi. | » 18.5.1737. | 90 |
| Faramondo. | Zeno. | » 3.1.1738. | 91 |
| Serse. | Minato. | » 15.4.1738. | 92 |
| Jupiter in Argos. | Lucchini etc. | » 1.5.1739. | ms. FW. |
| Imeneo. | Anon. | » 22.11.1740. | 93 |
| Deidamia. | Rolli. | » 10.1.1741. | 94 |
| fragments divers au Brit. Museum et FWM. | | | |

## c) Airs (catalogue détaillé dans Grove)

| Titre | | | Publication ou source |
|---|---|---|---|
| 3 Deutsche Lieder. | | v. 1698 | Liliencron-Festschr. 1910 |
| 9 Deutsche Arien (paroles de Brockes). | | | |
| 7 Airs françois. | | v. 1729 | Roth 1921. |
| Venus and Adonis, cantate. | | v. 1707-09 | BM, RM. 20 d. 11 |
| Divers airs en anglais (Minuet songs), bep. arr. de pièces instr.). | | | |
| 72 cantates en italien. | solo et b.c. | v. 1711 | Smith, 1938. |
| 28 cantates en italien. | solo et instr. | | HG. 50-51 |
| 20 duos en italien. | 2 v. et b.c. | | HG 52; a-b |
| Spero indarna, duo en italien. | 2 v. et b.c. | | BM.Add.mss. 5322 et 31573 |
| 2 trios en italien. | 3 v. et b.c. | | HG 32 |
| Handel non può mia musa, cantate. | solo, c., b.c. | | Fitzwilliam |
| Pastorella vagha bella. | s. et b.c. | | éd. Seiffert, 1935. |
| Quel fior che all'alba ride. | s. et b.c. | | Fitzwilliam. |

## 3. MUSIQUE D'ÉGLISE. a) Passions en allemand.

| Titre | | | Publication ou source |
|---|---|---|---|
| Johannespassion. | Evang. selon st Jean et Postel. | Hambourg 1704 | 9 |
| Brockespassion. | B.H. Brockes. | ? Hambourg 1716 | 15 |

### b) En latin

| Titre | | | Publication ou source |
|---|---|---|---|
| Laudate pueri ps. 112 (I). | s., c., b.c. | v. 1702 | 38 |
| » » (II). | s. solo, chœur s.a.t.b., 2 htb. | v. 1707 | 38 |
| Dixit Dominus ps. 109. | c., org., b.c. | v. 1707 | 38 |
| Nisi Dominus et Gloria Patri ps. 127. | s.s.a.t.b. solo et chœur, c. b.c. | v. 1707 | 38 |
| Salve Regina. | s. solo c. org. solo b.c. | v. 1707 | 38 |
| Silete venti (motet). | s. solo htb. bass. c. | v. 1707 | 38 |
| Seviat tellus. | id. | v. 1707 | |
| 6 Alleluia. | s. solo et b.c. | | |

### c) En anglais

| Titre | | | Publication ou source |
|---|---|---|---|
| Te Deum et Jubilate (Utrecht). | s.s.a.a.t.t.b. soli et chœur, 2 trp. 2 hbt. fl. bass. c. b.c. | 1713 | 31 |
| Te Deum en ré majeur. | a. solo chœur s.a.a.t.b., 2 trp. fl. c. b.c. | v. 1714 | 37 |

## b) PASTICHES (en majeure partie de H.)

| Titre | Librettiste | Création | N° de la HG |
|---|---|---|---|
| Oreste. | Anon. | Londres, 18.12.1734. | |
| Hermann von Balcke. | | non représenté. | |

**Œuvres dramatiques (suite) et théâtrales**

| Œuvre | Livret | Lieu et date | N° |
|---|---|---|---|
| *Alessandro Severo.* | Zeno. | Londres, 25.2.1738. | |
| *Lucio Vero.* | Zeno. | » 14.11.1747. | |

### c) Autres œuvres théâtrales

| Œuvre | Livret | Lieu et date | N° |
|---|---|---|---|
| *Haman and Mordecai.* | Pope et Arbuthnot? (1re version d'Esther). | Canons, v. 1720. | 40 |
| *The alchymist.* | Ben Jonson. | Londres, 7.3.1732. | |
| *Alceste.* | Smollett. | non représenté. | 46 |

### 2. a) ORATORIOS

| Œuvre | Livret | Lieu et date | N° |
|---|---|---|---|
| *La resurrezione.* | Capece. | Rome, 8.4.1708. | 39 |
| *Il trionfo de tempo e del desinganno* (1). | Panfili. | » 1708. | 24 |
| *Esther (Haman and Mordecai).* | Pope, Arbuthnot et Humphreys. | Londres, 2.5.1732. | 41 |
| *Deborah.* | Humphreys. | » 17.3.1733. | 29 |
| *Athalia.* | Humphreys, d'après Racine. | Oxford, 10.7.1733. | 5 |
| *Il trionfo del tempo e del verita* (II). | Panfili. | Londres, 23.3.1737. | 24 |
| *Saul.* | Jennens. | » 16.1.1739. | 13 |
| *Israel in Egypt.* | d'après la Bible. | » 4.4.1739. | 16 |
| *Messiah.* | Jennens, d'après la Bible. | Dublin, 13.4.1742. | 45 |
| *Samson.* | Milton, arr. Hamilton. | Londres, 18.2.1743. | 10 |
| *Joseph and his brethren.* | Miller. | » 2.3.1744. | 42 |
| *Belshazzar.* | Jennens. | » 27.3.1745. | 19 |
| *Occasional oratorio.* | Morell? | » 14.2.1746. | 43 |
| *Judas Maccabeus.* | Morell. | » 1.4.1747. | 22 |
| *Joshua.* | Morell. | » 9.3.1748. | 17 |
| *Alexander Balus.* | Morell. | » 23.3.1748. | 33 |
| *Susanna.* | Anon? Morell. | » 10.2.1749. | 1 |
| *Salomon.* | Anon? Morell. | » 17.3.1749. | |
| *Theodora.* | Morell. | » 16.3.1750. | 8 |
| *Jephta.* | Morell. | » 26.2.1752. | 44 |
| *The triumph of time and truth* (III). | Panfili, arr. Morell. | » 11.3.1757. | 20 |

### b) Œuvres chorales profanes.

| Œuvre | Livret | Lieu et date | N° |
|---|---|---|---|
| *Aci, Galatea e Polifemo.* | Anon. | Naples, 19.7.1708. | 95 |
| *Acis and Galatea.* | Gay etc. | Canons, v. 1718-20. | 3 |
| *Ode for the burthday of Queen Anne (Eternal source).* | Anon. | Windsor?, 6.2.1714. | 46 |
| *Il Parnasso in festa.* | Dryden. | Londres, 13.3.1734. | 54 |
| *Alexander's feast.* | Dryden. | » 19.2.1736. | 12 |
| *Ode for St. Cecilia's day.* | | » 22.11.1739. | 23 |
| *L'allegro, il pensieroso ed il moderato.* | Milton et Jennens. | » 27.2.1740. | 6 |
| *Hymen (Imeneo).* | Anon. | Dublin, 24.3.1742. | |
| *Semele.* | Congreve. | Londres, 10.2.1744. | 7 |
| *Hercules.* | Broughton. | » 5.1.1745. | 4 |
| *The choice of Hercules.* | Anon, d'après Spence. | » 1.3.1751. | 18 |

**Musique religieuse**

| Œuvre | Effectif | Date | N° |
|---|---|---|---|
| *Te Deum en si mineur.* | s.t.t.t.b. soli et chœur, fl. solo, c. b.c. | v. 1718 | 37 |
| *Te Deum en la majeur.* | a.b.b. soli, chœur s.a.t.b. fl. htb. bass. c. b.c. | v. 1727 | 37 |
| *Te Deum (Dettingen).* | s.s.a.t.b. soli et chœur, 3 trp. tymp. 2 htb. bass. c. b.c. | 1743 | 25 |
| Chandos anthems nos 1-6. | s.t.b. soli et chœur 2 htb. bass. c. b.c. | v. 1717-20 | 34 |
| 1. *O be joyful.* | | | |
| 2. *In the Lord I put my trust.* | | | |
| 3. *Have mercy upon me.* | | | |
| 4. *O sing unto the Lord.* | | | |
| 5. *I will magnify Thee.* | | | |
| 6. *As pants the heart,* versions ultérieures de 4 | a.b. soli, chœur s.a.t.b. htb.fl. c. b.c. | ? | 36 |
| » » 5 | t.a.b. soli, chœur s.a.t.b. htb. c. b.c. | ? | 34 |
| » » 6.a | s.s.a.t.b. soli et chœur htb. c. b.c. | ? | 36 |
| » b | id. av. b.c.seul. | ? | 36 |
| » c | id. | ? | 36 |
| Chandos anthems nos 7-11. | s.a.t.b. soli et chœur htb. bass. c. b.c. | v. 1717-20 | 35 |
| 7. *My song shall be alway.* | | | |
| 8. *O come let us sing.* | | | |
| 9. *O praise the Lord with one consent.* | | | |
| 10. *The Lord is my light.* | | | |
| 11. *Let God arise.* version ult. de 11. | a.b. soli etc. | | |
| Anthems diverses: | | | |
| *O praise the Lord, ye angels.* | s.a.t.b. soli et chœur, 2 trp. 2 htb. bass., c. b.c. | ? | 36 |
| *This is the day* (Wedding anthem). | s.a.t.b. soli chœur s.s.a.t.t. b.b., 2 trp. 2 cors tymp. 2 fl. 2 htb, bass. c. b.c. | 1734 | 36 |
| *Sing unto God* (id.). | s.t.b. soli, s.a.t.b. chœur, 2 trp. tymp., 2 htb. bass. solo c. b.c. | 1736 | 36 |
| Dettingen anthem, *The King shall rejoice.* | a.b. soli chœur s.s.a.t.b. 3 trp. tymp. 2 htb. bass. c. b.c. | 1743 | 36 |
| Foundling Hospital anthem (*Blessed are they*). | s.s.a.t. soli, chœur s.s.a.t.b. 2 trp. c. b.c. | 1749 | 36 |
| Coronation anthems: | | | |
| *Zadok the priest.* | chœur, s.a.a.t.b.b. 3 trp. tymp. 2 htb. 2 bass. c. b.c. | 1727 | 14 |
| *The King shall rejoice.* | chœur s.s.a.t.b.b., 3 trp. tymp. 2 htb. c. b.c. | 1727 | 14 |
| *My heart is inditing.* | chœur s.s.a.t.b.b. 3 trp. tymp. 2 htb. c. b.c. | 1727 | 14 |
| *Let thy hand be strengthened.* | chœur s.a.a.t.b. 2 htb. c. b.c. | 1727 | 14 |
| Funeral anthem, *The ways of Zion do mourn.* | s.a.t.b. soli et chœur, 2 htb. bass. c. b.c. | 1737 | 11 |
| 3 hymnes sur des paroles de Ch. Wesley. | | v. 1750 | éd. S. Wesley 1826 |
| 1. *O Love divine.* | | | |
| 2. *Rejoice, the Lord is King.* | | | |
| 3. *Sinners, obey.* | | | |

## 2° Mus. instr. (sans n° d'op.) [suite]

| Title | Details | Date | Ref. |
|---|---|---|---|
| *Concerto grosso en ut maj.* (Alexander's feast). | 2 htb. c. b.c. | 1736 | 21 |
| Concerto en si bémol (1). | htb. solo, c. b.c. | ? | 21 |
| » (2). | id. | ? | 21 |
| » en fa (fragm. du précédent). | | | 21 |
| Concerto en sol min. (id.). | 2 htb., 2 cors c. b.c. | ? v. 1703 | 21 |
| Concerto en fa majeur. | id. | v. 1749 | 47 |
| Concerto en ré majeur. | 2 htb. bass., 4 cors c. b.c. (org.). | v. 1749 | 47 |
| Fireworks Music en ré. | 2 trp., 4 cors, tymp., 2 htb., bass. c. b.c. | 1749 | 47 |
| *Concerto a due cori* n° 1 en si bémol, | Grand orch. à vent, c. | v. 1749 | 47 |
| » n° 2 en fa majeur. | double orch. à vent (htb. bass.) c. | v. 1749 | 47 |
| » n° 3... | double orch. à vent | v. 1749 | 48 |
| Sinfonie diverse (horn pipes, marches etc.), c., instr. à vent etc. | | 1734 | 48 |
| Ouverture en la mineur (Oreste), 2 htb. c. b.c. | id. | 1738 | 48 |
| » en sol mineur (Alessandro Severo) id. | | v. 1745-50 | Coopersmith 1950 |
| » en ré mineur, 2 clar. et Corno da caccia. | | ? | BM.RM 20.g.13 |
| Arias (2), rigaudon, bourrée, instr. à vent and march. | | ? | Haas 1958 |

## 3° Concertos d'orgue

| Title | Details | Date | Ref. |
|---|---|---|---|
| Concertos en fa majeur et la majeur. | (autre version de l'op. 6, n° 11). | v. 1739 | 48 |
| Concerto en ré mineur. | org. et c. | ? | 48 |
| Concerto en fa majeur. | org., 2 htb. bass. cors c. (version fragmentaire de l'op. | ? | 48 |
| Concerto en ré mineur. | 7, n° 4) 2 orgues. | | 48 |

## 4° Musique de clavecin

| Title | Date | Ref. |
|---|---|---|
| Suites de pièces, vol. 1 (8 suites). | v. 1720 | 2 et HHA |
| » 2 (9 suites). | v. 1733 | 2 |
| 6 fugues (3e recueil). | v. 1735 | 2 |
| Pièces, suites, sonates etc. (4e recueil). | différ. dates | 2 |
| The Aylesford pieces, 2 vol. | » | Barclay Squire et Fuller Maitland 1928 |
| 12 fantaisies etc. | » | Walter 1942 |
| Forest music. | v. 1742 | Ware 1803 |
| Clock music. | v. 1740 | Barclay Squire 1919 (ds MQ) |

Différents menuets, marches etc., impr. dans des ouvrages pédagogiques du XVIIIe s. et in mss. au British Museum, au Fitzwilliam Museum de Cambridge et dans des collections privées.

## Apocryphes, œuvres douteuses

*Gloria in excelsis.*

*Dank sei dir, Herr* (aries) probablement de S. Och...

---

## d) En allemand

| Title | Date | Ref. |
|---|---|---|
| *Lobe den Herrn, meine Seele,* cantate 4 v. c. b.c. | 1719 | BM.RM.18.b.13 éd. Seiffert 1926 |
| *Ach, Herr, mich armen Sünde,* cantate. | | |

## 4. MUSIQUE INSTRUMENTALE    a) Avec n° d'op. (publ. au XVIIIe s.)

| Title | Date | Ref. |
|---|---|---|
| (12) Solos for a german flute, a hoboy or violin, with a thorough bas for the harpsichord or bass violin, op. 1, Londres, Walsh. | v. 1733 | 27 et HHA |
| Six sonates à deux violons, deux hautbois ou deux flûtes traversières et basse continue. Second ouvrage, ibid. | v. 1735 | 27 |
| Concerti grossi con due violini e violoncello di concertino obligati e due altri violini, viola e basso di concerto grosso ad arbitrario. Opera terza (L'instrumentation comporte aussi 2 htb., 2 bass., 2 fl. et 1 clavecin solo), ibid. | v. 1734 | 21 |
| Six concertos for the organ and harpsichord : also for violins, hautboys and other instr. in 7 parts... Opera quarta, ibid. | v. 1738 | 28 |
| Seven sonatas or trios for two violins or german fl., with thorough bass for the harpsichord or violoncello... Opera quinta, ibid. | 1739 | 27 |
| Twelve grand concertos in seven parts for four violins, a tenor violin, a vcello with a thorough bass for the harpsichord. Op. 6, ibid. for the Author. | 1740 | 30 |
| A third set of six concertos for the organ and harpsichord with the instrumental parts for violins, hoboys etc. in 7 parts. Opera 7 ma., ibid. | v. 1760 | 28 |

## b) Mus. instr. (sans n° d'op.)  1° Musique de chambre

| Title | Instrumentation | Date | Ref. |
|---|---|---|---|
| 6 sonates ou trios. | 2 htb. et b.c. | v. 1696 | 27 |
| Sonate en ut. | viole de gambe et clav. | v. 1705 | 48 |
| 3 sonates en solo. | viol. et b.c. | v. 1730 | 27 |
| id. | fl. et b.c. | v. 1730 | 48 |
| id. | pte fl. et b.c. | ? | éd. Dart 1948 |
| 3 trios en sol mineur et mi maj. | 2 viol. et b.c. | ? | 27 |
| 3 trios en sol mineur, ré mineur et mi mineur. | | ? | RCM.MS 270 |
| Sonate en sol majeur. | 2 viol. et b.c. | ? | éd. Seiffert 1924 |
| Sonate en ré majeur. | viol et b.c. | ? | |
| Trio en sol mineur. | viol., vcelle (v. de gambe) et b.c. | ? | 1934 |
| » en fa majeur. | htb., bass. et b.c. | ? | 1934 |
| » en si. | htb., viol. et b.c. | ? | éd. Hinnenthal, Hortus mus. 15, 1949 |
| » en ré majeur. | fl. et b.c. | ? | éd. Hinnentahl, Hortus mus. 3, 1949 |
| Sonate en trio (concerto) en ré mineur. | viol. et b.c. | v. 1725 | éd. Zobeley 1935 |
| id. ( id.) en ré maj. | 2 viol. et b.c. | v. 1725 | éd. Zobeley 1935 |
| Sonate en ré majeur. | vcelle et b.c. | ? | 1949 |

**D'après certains auteurs du XVIIIᵉ s., les sonates op. 1, nᵒˢ 10 et 12, ne seraient pas de H.**

**2ᵒ Mus. instr. (sans nᵒ d'opus)**

| | 2ᵒ Mus. instr. | | | |
|---|---|---|---|---|
| Sonate (concerto) à 5. Concerto en fa majeur. | viol. solo, htb. c. et b.c. 2 htb., bass., 2 cors c. et b.c. | v. 1710 v. 1715 | 21 47 | |
| The water music (3 suites en une). 1ʳᵉ suite en fa majeur. 2ᵉ » en ré majeur. 3ᵉ » en sol majeur. The famous Water Peice. | 2 htb., bass., 2 cors c. et b.c. 2 htb., bass., 2 trp., 2 cors c. b.c. 2 htb., bass. fl. c. b.c. trp. solo, c. | v. 1717 v. 1717 | 47 | Pendlebury Libr. Cambridge |
| Concerto en fa majeur op. 3, nᵒ 4. | 2 htb. c. b.c. | v. 1730 | | Redlich et Hudson 1958 |

**ABRÉVIATIONS INCLUSES DANS LE TABLEAU DES ŒUVRES DE H.**

| | | | |
|---|---|---|---|
| HG | Händel Gesellschaft (Gesamtausgabe). | b | basse. |
| HHA | Hällische Händel Ausgabe. | chor. | chœur. |
| BM | British Museum. | trp. | trompette. |
| RM | Royal Music Library, maintenant au British Museum. | tymp. | tympani. |
| RCM | Royal College of Music, Londres. | htb. | hautbois. |
| MGG | Die Musik in Geschichte und Gegenwart. | bass. | basson. |
| s | soprano. | fl. | flûte. |
| a | alto. | c. | cordes. |
| t | ténor. | b.c. | basso continuo. |
| | | org. | orgue. |

italien, et l'influence d'Alessandro Scarlatti et de Corelli est sensible dans toutes ses œuvres. Il subit également celle de Lully et des compositeurs d'opéra français, de Purcell et autres musiciens anglais, même des chansons et danses traditionnelles de l'Angleterre. Il est incontestable que, s'il n'avait vécu en Angleterre, il n'aurait pas atteint à la même maturité musicale, n'aurait pas composé ses grands oratorios ni mérité le titre de « musicien-lauréat » pour des œuvres comme la *Fireworks musick*. Il eut beau s'en plaindre à Gluck, l'Angleterre et les Anglais exerçaient sur lui un attrait certain ; il reste aujourd'hui encore leur compositeur préféré, et surtout le créateur de leur œuvre favorite : *Le messie*. Ils aiment avant tout la franchise directe de son style (« le style mâle de Hændel », comme disaient les Anglais du XVIIIᵉ s.), la simplicité et la beauté de ses mélodies, si bien écrites pour les voix, même en musique instrumentale. Plus que toute autre chose, c'est cette qualité « vocale » qui différencie sa musique de celle de J.-S. Bach, lequel pensait toujours aux instruments, même quand il composait de la musique vocale. Pourtant *H.* était un grand maître du contrepoint, qui restait serré même dans ses grandes compositions chorales. Pour la musique instrumentale, la variété des formes est remarquable : ses ouvertures sont faites pour la plupart sur le modèle de celles de Lully, tandis que ses concertos sont à l'italien. *H.* créa un genre à lui de concerto d'orgue : il en est l'un des maîtres incontestés. En général, son style est celui du baroque tardif : il le modifia fort peu, même lorsque, vers les dernières années de sa vie, les symphonies des plus jeunes compositeurs italiens et allemands apportèrent des changements dans la manière d'orchestrer ; c'est que celle de *H.* lui convenait parfaitement. De nos jours, avec le renouveau d'intérêt pour les instruments et les méthodes d'exécution, et les instruments anciens, la musique d'orchestre de *H.* a été reprise avec d'immenses succès.

*Œuvres.* 1. *Opéras, cantates etc. en italien. H.* se considérait avant tout comme un musicien de théâtre, comme le prouve la succession d'opéras italiens qu'il composa pendant 30 ans ou plus. Ses oratorios eux-mêmes, y compris *Le messie*, furent joués au théâtre avant de l'être dans les églises. C'est aux fêtes du centenaire de l'abbaye de Westminster, en 1784, soit un quart de siècle après sa mort, qu'il fut consacré comme compositeur de musique d'église. On est donc fondé, lorsqu'on analyse son œuvre, à considérer d'abord ses opéras, dont le premier fut *Almira*, en 1705, et le dernier *Deidamia*, en 1741. *H.* vécut à une époque où l'*opera seria* italien était prisonnier d'une stylisation excessive, subissait la tyrannie des chanteurs : pourtant il composa plusieurs chefs-d'œuvre dans le genre. *Rinaldo, Rodelinda, Giulio Cesare, Sosarme* et *Alcina* sont des œuvres brillantes, puissantes, et tous ses opéras comportent de fort beaux passages, en dépit de la prépondérance de l'intérêt lyrique sur l'intérêt proprement théâtral. A ces opéras, s'ajoutent un certain nombre de cantates et de duos italiens, ainsi qu'un ou deux oratorios, sérénades etc. en italien, conçus en tout ou en partie pour le théâtre. Plus tard, *H.* en adapta certains en anglais. 2. *Oratorios etc. en anglais.* C'est presque par hasard que *H.* se mit à composer des oratorios anglais, lorsqu'il s'aperçut que son premier amour, l'opéra italien, ne lui rapportait plus de quoi vivre. Il est probable qu'à l'origine il les conçut pour la scène, mais l'interdit des autorités ecclésiastiques l'obligea à renoncer à ce projet. Ses oratorios sont fréquemment plus scéniques que ses opéras, comme en témoignaient déjà les premiers essais qu'il fit à Canons, dans les années 1720, et ainsi que le prouve la maîtrise dramatique de *Saül, Samson, Belshazzar, Jephtah* et *Theodora*, des années 40 et 50. D'autres sont moins dramatiques, mais parfois plus beaux, comme *Salomon*, sorte de *festa teatrale*. Les moins caractéristiques de tous sont *Israel in Egypt*, succession impressionnante, mais lourde, d'ensembles choraux, et *Le messie*, qui reste à part : bien que cette œuvre relate la plus grande tragédie de tous les temps, elle le fait indirectement, contrairement à la passion à l'allemande de J.-S. Bach, contrairement même au style habituel de *H.* Outre ses oratorios « sacrés », il composa de nombreuses œuvres « profanes » sur des textes anglais, certaines fort scéniques comme *Acis et Galatée*, aussi frais aujourd'hui qu'alors, d'autres des drames classiques, comme *Hercules* et *Semele*, qui sont l'un et l'autre des chefs-d'œuvre du genre. Le joyeux *Susanna* (décrit comme un « oratorio comique » par les contemporains) est un oratorio charmant, trop peu connu. Il composa également des cantates et des odes anglaises, comme *Alexander's feast, Ode on St. Cecilia's day* et l'*Allegro ed il pensieroso* qui est, nonobstant son titre italien (tiré comme le libretto du célèbre poème de Milton), la plus anglaise des œuvres de *H.*, par ses évocations émouvantes du paysage anglais. Ces œuvres comportent toutes des airs d'une grande beauté mélodique et des ensembles choraux imposants. — 3. *Musique d'église. H.* composa un certain nombre d'œuvres de musique religieuse, généralement à l'occasion de quelque célébration nationale, comme une cérémonie pour la paix, un couronnement etc. La plupart comportaient un accompagnement orchestral complet : odes pour des funérailles ou des mariages royaux, *Te Deum* pour les traités d'Utrecht et de Dettingen, psaumes mis en musique, dont plusieurs pour la chapelle de Canons, lorsqu'il était le maître de musique du duc de Chandos. On retrouve dans ces œuvres le style italien de ses opéras, mais avec une forte influence de la musique d'église de Henry Purcell. Il composa également des hymnes sur des vers de Charles Wesley, dont le *Rejoice, the Lord is King*, chanté encore partout dans le monde anglo-saxon. Pendant ses années italiennes, il avait mis en musique *Dixit Dominus*, 2 *Laudate Pueri*, 1 *Nisi Dominus*, 1 *Salve Regina*, 1 *Silete venti* (sur texte latin) et 6 *Alleluia* (en dehors de ceux qui sont inclus dans des oratorios). Il écrivit deux passions en allemand, la première selon st Jean, avec des airs de Postel (1704), la seconde sur un texte de B.H. Brockes (1716). — 4. *Musique instrumentale.* Bien qu'il fût avant tout un compositeur de musique vocale, *H.* écrivit de la très belle et très émou-

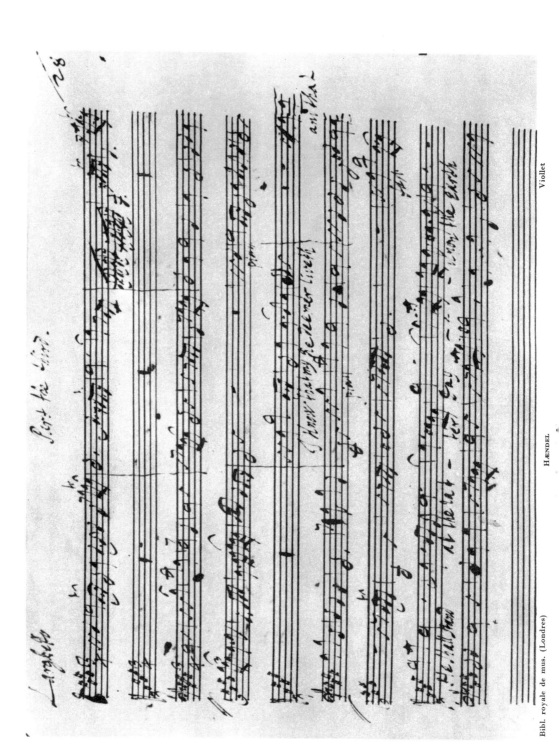

vante musique instrumentale, depuis de simples pièces de clavecin jusqu'aux concertos pour orchestre complet. Parmi ses œuvres de musique orchestrale, citons d'abord ses quelques 70 ouvertures, pour la plupart dans le style de Lully, composées pour ses opéras, oratorios, cantates etc., souvent jouées alors comme morceaux de concert, moins connus aujourd'hui. De charmantes « symphonies », danses etc. surgissent souvent au beau milieu de ses œuvres vocales, notamment dans des opéras-ballets comme *Alcina* et *Il pastor fido* (II) : elles prouvent amplement qu'il dominait aussi les petites formes orchestrales : sa *Symphony in Salomon*, plus connue aujourd'hui sous le titre de *The entry of the queen of Sheba*, est un excellent exemple de son aisance et de sa maîtrise dans le genre. Il dominait non moins dans les formes plus vastes, tel le *concerto grosso* ; son *op.* 6 n'a de comparable que les concertos brandebourgeois de Bach, l'*op.* 6 de Corelli ou l'*op.* 3 de Vivaldi. Les *concerti grossi* (*op.* 3) de *H.* pour instruments à vent et à cordes, sont fort beaux, bien qu'ils soient moins connus que l'*op.* 6. Parmi ses œuvres orchestrales les plus brillantes sont les suites de *Water Music*, *The musick for the royal fireworks* et les divers concertos pour cordes et instruments à vent, en formations massives, dans lesquelles on trouve même l'emploi de deux orgues ; on range parmi les plus populaires les nombreux concertos d'orgue, dont les Six concertos d'orgue (*op.* 4) sont les plus complets. Dans plusieurs, plus tardifs, on trouve des passages non écrits, où *H.* improvisait lors de l'exécution. Il composa également des pièces de musique de chambre, de plus petite dimension, comme les nombreuses sonates pour violon, flûte ou hautbois et *b.c.*, dont 12 furent publiées de son vivant, comme *op.* 1. Ses sonates en trio, y compris celles des *op.* 2 et 5, sont moins connues, bien qu'elles contiennent de beaux passages, notamment celles en *sol mineur*. Ses études, suites etc. de clavecin sont souvent charmantes, mais elles sont un peu éclipsées par celles de J.-S. Bach.

*Œuvres de Haendel. Sources.* 1. La plupart des mss de *H.* sont conservés à la *Royal music Library* du *British Museum* et au *Fitzwilliam Museum* de Cambridge. Des copies, de la main de son *amenuensis* J.-C. Smith et autres copistes, s'y trouvent également, ainsi qu'à la *Staats-und-Universitäts Bibliothek* de Hambourg et dans diverses autres bibliothèques, publiques ou privées. 2. *Editions imprimées.* Les œuvres les plus importantes furent publiées de son vivant, mais souvent incomplètes et erronées ; c'est le cas en particulier de ses opéras et oratorios, publiés sous forme de mélodies (airs) seules, sans les chœurs ni les récitatifs. Une partie de sa musique instrumentale parut de son vivant comme *op.* de 1 à 6 ; l'*op.* 7 parut peu après sa mort. Vers la fin du XVIIIe s., Samuel Arnold publia une édition prétendue complète de ses œuvres (en 180 numéros) ; personne n'avait encore tenté la publication des œuvres complètes d'un compositeur. En 1843, une *Handel Society* fut fondée à Londres, qui se donna comme but de faire paraître une « édition courante des œuvres de *H.* » : 14 volumes avaient paru lorsque cette société cessa d'exister, en 1848 (elle fut prolongée jusqu'en 1858 pour les besoins de la publication). En Allemagne, une *Händel-Gesellschaft* fut en projet en 1856 et fondée en 1859 ; l'essentiel de l'édition fut assuré par le Dr. Friedrich Chrysander, éminent spécialiste haendelien : son travail monumental sert encore aujourd'hui de base à toutes les exécutions et à toutes les rééditions de *H.* ; son « édition complète » mérite bien son nom, à quelques lacunes près : certaines œuvres mineures, certaines variantes en sont absentes etc. : en tout, près de cent volumes parurent, suivis d'une série de 6 volumes supplémentaires. En 1955, une nouvelle *Georg-Friedrich Händel-Gesellschaft* fut fondée sous la direction de Max Schneider et de Rudolf Steglich, avec pour objet de publier une nouvelle « édition complète » des œuvres de *H.* Cinq volumes ont déjà paru, dont les 3 premiers : *Klaviermusik I (Die acht grossen Suiten)*; *Elf Sonaten für Flöte und bezifferten Bass* ; *Alexander's Feast.*

**Bibl. :** La source principale de toutes les études biographiques de *H.* est actuellement le livre d'O.E. Deutsch : *H., a documentary biography*, (Londres 1955), qui contient une bibliographie très

complète. Voir aussi l'art. *H.* de W. Schmieder et J. Müller-Blattau in MGG, v., Cassel 1956. L'excellent art. de W.C. Smith sur *H.* dans le dict. de Grove comporte aussi une bonne bibliographie, 5e éd., vol. 4, Londres 1954. Voir en outre J. Mainwaring, *Memoirs of the life of the late G.F.H.*, Londres 1760 (rééd.) ; F. Chrysander, *G.F.H.*, 3 vol. (inachevé), Leipzig 1858–67 — *Geschichte der hamburger Oper* (1703–1706), ds *Allg. Musikzeitung*, XV, 1880 ; F Prout, *H.'s orchestration*, ds *Mus. Times*, XXV, 1884 ; A. Schering, *Zweit. Kl.-Satz bei Bach u. H.*, ds *Zeitschr. f. Mus.*, LXX, 1903 ; M. Brenet, *H.*, Paris 1903 ; M. Seiffert, *Die Verziehung der Sologsge. in H.s Messias*, ds *Sammelb. d. Intern. Musikgesellschaft*, VIII, 1906–07 — G.Ph. Telemann, *Musique de table als Quelle f. H.*, ds Bull. de la Soc. de mus., IV, 1924 ; S. Taylor, *The indebtedness of H. to works by other composers*, Londres 1906 ; P. Robinson, *H. and his orbits*, ibid. 1908 ; R.A. Streatfeild, *H.*, ibid. 1909 ; R. Rolland, *H.*, Paris 1910 ; R. Steglich, *H.s Oper Rodelinde u. ihre neue göttinger Bühnenfassung*, ds *Zeitschrift f. Musikwiss.*, 1920–21 ; H. Leichtentritt, *G.F.H.*, Stuttgart-Berlin 1924 — *H's harmonic art*, ds *MQ*, XXI, 1935 ; H. Abert, *Die Aufgaben der heutigen H.-Firschung*, ds *H.Jahrbuch*, I, 1928 ; J.M. Coopersmith, *A list of portraits, sculptures etc. of G.F.H.*, ds *ML*, XIII, 1932 ; E.J. Dent, *Engl. Einflüsse auf ds H.-Jahrbuch*, II, 1929 — H., Londres 1934 ; W. Ford, *H.'s cantatas*, ds *Proc. of the royal mus. assoc.*, LVIII, 1932 ; J. Müller-Blattau, *G.F.H.*, Postdam 1933 ; G. Abraham, *H.'s Clavier Mus.*, ds *ML*, XVI, 1935 — *H.: a symposium*, Londres 1954 ; W. Hitzig, *G.F.H. sein Leben in Bildern*, Leipzig 1935 ; E.H. Meyer, *Has H. written works for 2 fl. without a bass*, ds *ML*, XVI, 1935 ; P.M. Young, *H.*, (*Master Mus. Series*), Londres 1946 — *The orctorios of H.*, ibid. 1949 ; P. Hirsch, *Dr. Arnold H. Edition* (1787–1797), ds *Mus. Rev.*, VIII, 1947 ; W.C. Smith, *Concerning H., his life and works*, Londres 1948 ; H.F. Redlich, *H.'s Agrippina* (1709), *problems of a practical edition*, ds *Mus. Rev.*, XII, 1951 ; O.E. Deutsch, *H. : a documentary biography*, Londres 1955 ; W. Serauky, *Bach-H.-Telemann in ihrem mus. Verhältnis*, ds *H. Jahrbuch*, VII, 1955 — *G.F.H., sein Leben u. Werke*, 4 vol. en cours de publ., Cassel-Leipzig 1956 sqq. ; J.P. Larssen, *H.'s Messiah*, Londres 1957 ; W. Dean, *H.'s dramatic oratorios and masques*, Oxford 1959.                    Ch.L.C.

**HAENDEL Ida. Violon. pol.** (Chelm 15.12.1924–), élève de C. Flesch et de G. Enesco, qui fait une carrière internationale.

**HAENNI Georges. Org. suisse** (Sion 2.9.1896–). Élève du cons. de Genève, org. de la cath., prof. au grand séminaire, dir. du cons. et dir. du chœur mixte de la cath. de Sion, il a fondé dans cette ville la Soc. des amis de l'art, « *La chanson valaisanne* », le cons. cantonal, et écrit une *Suite valaisanne*, une *Fête des vendanges*, des *Danses valaisannes*, 1 messe *a cappella*, plusieurs centaines de chansons populaires.

**HAENSEL** (*Hänsel*) **Peter. Mus. allem.** (Leippe 29.11.1770– Vienne 18.9.1831). Il appartint dès 1787, comme violon., à l'orch. du prince Potemkine (St-Pétersbourg) et en 1791, il est à Vienne comme maître de concert du prince Lubomirski : l'année suivante, il prend des leçons de compositions près de Haydn ; il séjourna à Paris en 1802 et 1803 et composa 55 quatuors, 4 quintettes, 6 trios, 3 quatuors (fl., clar., basson), des œuvres pour son instr. (15 duos, des variations etc.) et pour le piano ; il rédigea son autobiographie (ms. Soc. des amis de la musique à Vienne). Voir R. Klein in MGG.

**HAENTJES Werner. Compos. allem.** (Bocholt 16.12.1923–). Élève du cons. de Cologne et du *Krainischsteiner Institut de Darmstadt* (1947–51), il a exercé aux théâtres de Bielefeld (1946) et de Heidelberg (1947), à différents postes de radiod. allem., et écrit des *Hörspiel-musiken*, 1 suite de ballet, 1 symph. (1953), des variations d'orch. (1951), 1 psaume (XXIX), 2 quatuors à cordes (1952, 1957), des chœurs *a cappella* et des mélodies.

**HAERTEL** (*Härtel*). Voir art. *Breitkopf.*

**HAESCHE William Edwin. Compos. amér.** (New-Haven 11.4.1867–Roanoke 26.1.1929), qui fut violon. au *New-Haven Symph. Orch.* et prof. à l'univ. Yale et au *Hollins College*, auteur d'œuvres symph., d'une cantate, de mus. de chambre, de chœurs et de mélodies.

**HAESER. Famille de mus. allem. — 1. Johann Georg** (Gersdorf 11.10.1729–Leipzig 15.3.1809). Membre de l'orch. du *Gross Conzert* de Leipzig (1763), dir. de mus. à l'église de l'univ. (1785), dir. de mus. de l'univ. (1800), chef d'orch. de théâtre à Leipzig, il fonda le *Leipziger Orchesterpensionsfond* (1786). Son fils — **2. August**

**Ferdinand** (Leipzig 15.10.1779–Weimar 1.11.1844), élève de l'école St-Thomas de Leipzig, fut cantor à Lemgo (1800–17, sauf un séjour en Italie, 1806–13), chef de chœur de l'Opéra (1817) et *Kirchenmusikdirektor* (1829) à Weimar, il composa 3 opéras, 1 oratorio, de la mus. symph., d'église, de piano, des mélodies, publia 2 ouvrages sur le chant. Sa sœur — **3. Charlotte Henriette** (Leipzig 24.1.1784–Rome ... 5.1871) épouse de *G. Vera*, fut chanteuse d'opéra (Dresde, Vienne, Italie). Le fils d'*A.F.* — **4. Heinrich** (Rome 15.10.1811–Breslau 13.9.1885), médecin, publia *Die menschliche Stimme...* (Berlin 1839). Voir H.C. Wolff in MGG.

**HAESSLER** (*Hässler*) **Johann Wilhelm**. Mus. allem. (Erfurt 29.3.1747–Moscou 29.3.1822). Neveu et élève de J.C. Kittel, il fut dès l'âge de 16 ans org. de la *Barfüsserkirche* de sa ville natale, donna des concerts dans toute l'Allemagne, fonda à Erfurt (1780) une organisation de concerts et une librairie mus. (1784), séjourna en Angleterre (1790), fut maître de la chapelle impériale à St-Pétersbourg (1792), se fixa enfin à Moscou (1794) où il enseigna le piano ; il composa un grand nombre d'œuvres pour cet instr. (sonates, dont les 4 vol. des *Leichten Sonaten* (1786–90), concertos, fantaisies, variations), pour l'orgue, pour le chant (œuvres dans lesquelles il se montre le disciple de C.P.E. Bach). Sa femme, *Sophie*, née *Kiel*, était chanteuse. Voir son autobiographie, publiée par W. Kahl, ds *Selbstbiogr. deutscher Musiker*, Cologne-Crefeld 1948 ; H. Strobel, *J.W.H. ...*, thèse de Munich, 1922 (dact.) ; A. Mooser, *Annales de la musique...*, II, Genève 1951 ; N. Hoffmann-Erbrecht in MGG.

**HAEUSLER** (*Häusler*) **Ernst**. Compos. allem. (Stuttgart 1760 ou 61–Augsbourg 20.2.1837). Vcelliste virtuose, il donna de nombreux concerts dans les cours allem. à partir de 1785 ; après avoir été un temps mus. à la cour des princes Furstemberg à Donaueschingen, il résida à Zurich (1789), Stuttgart, Vienne (1796), enfin Augsbourg (1800) où il fut cantor à Ste-Anna et dir. des « concerts d'amateurs » (1803), avec le titre de dir. de la mus. de la cour de Bavière ; on lui doit un grand nombre d'œuvres de mus. d'église, de *Lieder*, de concertos, concertinos, divertissements, 1 sextuor, 6 nocturnes pour 2 cors et 2 bassons. Voir A. Scharnagl in MGG.

**HAFFNER Johann Ulrich**. Luthiste allem. (? 1711–Nuremberg 22.10.1767), qui ouvrit en 1742 une librairie mus. dans cette ville : il y publia 3 recueils de sonates de clavecin : *Œuvres mêlées* (72 sonates en 12 parties, 1755–65), *Raccolta musicale* (30 sonates en 5 parties, 1756–65), *Collection récréative* (12 sonates en 2 parties, v. 1760) ; parmi les auteurs y inclus, citons Agrell, C.P.E. Bach, Mattheson, C. Förster ; après sa mort, la maison passa à W. Winterschmidt. Voir L. Hoffmann-Erbrecht in *Acta mus.*, 1954–1955, et in MGG.

**HAGEL** — **1. Karl**. Chef d'orch. et compos. allem. (Voigtstedt 12.12.1847–Munich 7.11.1931), qui exerça à Nordhausen et à Bamberg, écrivit 4 symph., des ouvertures, 5 quatuors, 1 quintette, des trios avec piano. Son fils et élève — **2. Richard** (Erfurt 7.7.1872–Berlin 1.5.1941) fut chef d'orch. du théâtre de Leipzig (1902–10), du *Riedelverein* (1906–09), du chœur philh. qu'il fonda (1909–13, 1914), de la cour de Brunswick (1911–14), de l'Orch. philh. de Berlin (1919–25), prof. à l'*Akad. f. Kirchen-u. Schulmusik* de Berlin (1920–35) ; il publia *Lehre vom Partiturspiel* (Potsdam 1937).

**HAGEMAN Richard**. Pian. et compos. néerl. (Leeuwarden 9.7.1882–), qui accompagna M. Marchesi, Yvette Guilbert, fut chef d'orch. au *Metropolitan Opera* de N.-York (1908–22), aux Opéras de Chicago (1922–23), de Los Angeles, à Philadelphie, où il enseigna au *Curtis Institute* ; on lui doit 1 opéra et des mélodies.

**HAGEN Adolf**. Chef d'orch. allem. (Brême 4.9.1851–Dresde 6.6.1926), qui dirigea à Wiesbaden, Dantzig, Brême, Fribourg-en-Brisgau, Hambourg, Riga, composa 1 opéra et 1 opérette.

**HAGEN Friedrich Heinrich von der**. Prof. allem. (Schmie-derberg 19.2.1780–Berlin 11.6.1856), prof. de litt. allem. à l'univ. de Berlin, qui publia *Minnesänger* (mss avec notations en fac-similé), *Jenaer Liederhandschrift, Neithart Handschrift* etc. (1856), et *Melodien zu der Sammlung deutscher, flämischer und französischer Volkslieder* (av. Büsching, 1807).

**HAGER Johannes** (pseud. de *Johann Hasslinger von Hassingen*). Compos. autr. (Vienne 24.2.1822–9.1.1898), qui fut conseiller au ministère des Affaires étrangères de son pays, élève de Mendelssohn, auteur de 2 opéras (*Jolantha*, 1849, *Marfa*, 1886), d'un oratorio, de mus. de chambre.

**HAGERUP Nina**. Voir art. *Grieg*.

**HAGIUS** (*von Hagen*) **Conrad**. Mus. allem. (Rinteln 1550–1616). Élève de l'univ. de Königsberg, il fut à la cour du comte Ezard von Ostfriesland (1584), à celle du duc Johann-Wilhelm, l'électeur de Düsseldorf (1586), à celles de Detmold, Stuttgart (1600), Heidelberg et Mayence (1603), Stuttgart (1607), Buckebourg (1609) ; en 1610, il était de retour à Rinteln, avec le titre de compos. de la cour de Buckebourg ; on lui doit *Die Psalmen Davids* (4 v., Düsseldorf 1589), des recueils de *Deutsche Tricinien* (1604–10), de *Teutsche geistl. Psalmen u. Gesänge* (4-6 v., 1612), *Canticum Virginis* (id., 1606), des *Teutsche Gesänge* (2-8 v., 1614), 1 recueil de suites de danses, fantaisies et fugues (2-6 v., Nuremberg 1616), des pièces détachées dans des recueils de l'époque. Voir R. Eitner, G. Vecker et W. Bäumker, *C.H. v. H.*, ds *MfM*, XIII, 1881, *XIV*, 1882 ; S. Fornaçon, *K. Ulenberg u. K. v. H.*, ds *Mf*, IX, 1956 ; W. Brennecke in MGG.

**HAGIUS** (*Hagen*) **Johann**. Mus. allem. (Marktredwitz v. 1530–ap. 1575). Élève de l'univ. de Wittemberg, où il fut *magister* en 1556, ecclésiastique luthérien, il vécut à Reichenbach, Eger, dans le Palatinat (notamment dans l'entourage du margrave Georges-Frédéric de Brandebourg) ; on a conservé de lui 2 motets, 4 recueils de *Symbola* (4–6 v., Nuremberg 1569, 1572) et 3 ouvrages littéraires. Voir W. Brennecke in MGG.

**HAGUE Charles**. Violon. angl. (Tadcaster 4.5.1769–Cambridge 18.6.1821). Docteur de Cambridge (1801), il y fut prof. de mus. (1801) et composa des *glees*, *rounds*, canons, des mélodies, 1 ode (1811), 1 *anthem*, des arrangements etc. Voir Ch. L. Cudworth in MGG.

**HAHN Georg Joachim Joseph**. Mus. allem. du XVIIIᵉ s., dont l'état-civil n'a pas été précisé à ce jour ; il habita Münnerstadt où il occupait des fonctions municipales ; en 1769, il s'était fait bénédictin à Gegenbach ; on lui doit 12 messes (2-4 v., acc. instr., 1747–54), *Officium vespertinum* (1759), 22 *Antiphonae* (1-2 v., 1762), 3 recueils de *Deutsche Arien* (1752–59), 2 recueils et 1 sonate pour le clavecin, un traité : *Der wohl unterwiesenen Generalbass-Schüler* (Augsbourg 1751, 1768). Voir M. Ruhnke in MGG.

**HAHN Reynaldo**. Compos. franç. (Caracas 9.8.1875–Paris 28.1.1947). Élève du cons. de Paris (Dubois, Lavignac, Massenet), il dirigea, fut chroniqueur au *Figaro* (dep. 1934), dir. de l'Opéra de Paris (1945) ; s'il ne fut pas un compos. de 1ᵉʳ ordre, le rôle qu'il tint à Paris pendant de longues années, où il fut l'ami de tout ce qui comptait dans le monde des arts et des lettres, en avait fait une des personnalités les plus marquantes de sa génération ; on lui doit 6 opéras : *L'île du rêve* (1898), *La carmélite* (1902), *Nausicaa* (1919), *Colombe de Bouddha* (1921), *Le temps d'aimer* (1926), *Le marchand de Venise* (1935), des ballets : *Fin d'amour* (1892), *Le bal de Béatrice d'Este* (1909), *La fête chez Thérèse* (1910), *Le dieu bleu* (1912), *Le bois sacré* (id.), *Aux bosquets d'Idalie* (1937), 2 comédies musicales : *Mozart* (1925), *Le « oui » des jeunes filles* (achevé par H. Busser, 1949), 4 opérettes : *Ciboulette* (1923), *Brummel* (1931), *O mon bel inconnu* (1933), *Malvina* (1935), de la mus. de scène, 1 mystère, 1 cantate, des œuvres symph. (3 concertos), de chambre, de piano, avant tout des mélodies qui ont fait le bonheur des salons d'entre les deux guerres, des écrits : *Du chant* (Paris 1920), *Notes — Journal d'un musicien* (ibid. 1933), *L'oreille au guet* (ibid. 1937), *Thèmes variés* (ibid., 1946).

R. Hahn

*Caricature de Sem.*

Voir M. Proust, *Lettres à R.H.*, éd. Ph. Kolb, *ibid.*, 10ᵉ éd. 1956.

**HAIBEL** (*Haibl*) **Jakob.** Mus. autr. (Graz 20.7.1762–Djakovar 27.3.1826), qui fit partie de la troupe de Schikaneder (1789) et fut, de 1806 à sa mort, chef de chœur à la cath. de Djakovar ; on lui doit nombre de *Singspiele* (*Der Tyroler-Wastl*, 1796, *Das medizinisch Konsilium*, 1797), des ballets (*Le nozze disturbate*, 1795, d'où Beethoven tira le thème de ses variations sur le *Menuet à la Vigano*), 16 messes (mss perdus) ; il épousa en secondes noces (1807) *Sophie Weber*, belle-sœur de Mozart. Voir E.K. Blümml, *Aus Mozarts Freundes-u. Familienkreis*, Leipzig 1923 ; H. Federhofer in MGG.

**HAIDEN.** Voir à *Heyden*.

**HAÏEFF Alexei.** Compos. amér. d'origine russe (Blago-vechtchensk 25.8.1914–). Il se fixa aux Etats-Unis en 1931 : à la *Juilliard School*, il fut l'élève de R. Goldmark et de F. Jacobi, à Cambridge et Paris, de Nadia Boulanger ; en 1947–48, il est à l'Acad. amér. de Rome ; on lui doit, pour le théâtre : mus. de scène pour *The house of Remsen* (1934), *Song of the scorched earth* (1943), des ballets : *Divertimento* (1944), *The princess Zandilda...* (1946), pour l'orch. : *Symphony* (1942), *Divertimento* (1944), concerto de violon (1948), de piano (1950), *Ballet in E* (1955), pour le chœur : *Russian Lullaby* (1939), *La bonne chanson III* (*id.*), pour le chant : *Mutovka* (4 soli, 2 v., vc. et b., 1938), *In the early hours* (1940), pour le piano : *Business as usual* (4 m., 1936), *Juke box pieces* (1939–46), *Sarabande* (4 m., 1941), *Sonata* (2 p., 1945–46), 5 *Kl.-Stücke* (1947), *Gifts and semblances* (1940–48), *Sonata* (1955), de la mus. de chambre : 3 *Bagatelles* (htb., bass., 1939–55), *Suite* (p. v., 1940–46), *Sérénade* (htb., cl., bass. et p., 1942), *Scherzo* (p. vc., 1940), 3 *Pieces* (p., 1944–45), *Eglogue* (p. vc., 1945–47), *Suite* (du ballet *Princess Zandilda*, fl., bass., trompette, v., vc., p., 1947), *String quartet* (1951), *La nouvelle Héloïse* (av. quatuor 1953–54).

**HAIGH Thomas.** Mus. angl. (Londres v. 1769–... 4.1808), qui fut l'élève de Haydn (1792), vécut à Manchester (1793–1801), puis à Londres ; il était pian. et violon. et composa un grand nombre d'œuvres de piano, de mus. de chambre, de mélodies. Voir C.F. Pohl, *Mozart u. Haydn in London* (2 vol.), Vienne 1867 ; Ch. L. Cudworth in MGG.

**HAINDL Franz Sebastian.** Mus. allem. (Altötting 11.1.1727–Passau 23.4.1812). Issu d'une famille de musiciens

d'origine autrichienne, élève de son beau-père, le ténor W. Stängelmayr, il fit ses études de violon à la chapelle de la cour de Munich ; en 1748–50, il était à Innsbruck, en 1752, 1ᵉʳ violon et virtuose de la chambre à Munich, tout en gardant ses attaches avec Innsbruck, où il joue un concerto de Mozart chez le comte L. Künigl en 1769 et où il résidera à partir de 1800 comme virtuose de la chambre du duc de Deux-Ponts, puis comme maître de concert, chef d'orch., compos., prof. ; en 1785, il est 1ᵉʳ violon et *Anticamera Kammerdiener* de l'évêque de Passau ; on lui doit 2 messes (entre autres œuvres de mus. d'église), 1 *Singspiel* : *Der Kaufmann v. Smyrna*, 2 symph., 1 concerto etc. Voir W. Senn in MGG.

**HAINL Georges François.** Chef d'orch. franç. (Issoire 19.11.1807–Paris 2.6.1873). Elève du cons. de Paris, vcelliste virtuose, chef d'orch. du grand théâtre de Lyon (1840), de l'Opéra de Paris (1863 – il y créa *Faust* de Gounod), de la Soc. des concerts (1863–72), maître de chapelle de la cour impériale, chef d'orch. des concerts de la cour, il dirigea les concerts de l'exposition de 1867, publia *De la musique à Lyon depuis 1713 jusqu'à 1852* (Lyon 1852) ; on lui doit qqs compositions. Voir E. Haraszti in MGG.

**HAI-TI.** Littéralement flûte marine : c'est un instrument à anche double, qui s'apparente au *siao-souo-na*, hautbois court (voir à ce mot). Chine.                                    **M.H.T.**

**HAJDU Mihály.** Compos. hongrois (Oroszháza 1909–). Elève de Kodály (compos.) et de J. Thomán (piano) à l'Ecole des hautes études mus. de Budapest, il est actuellement prof. au cons. B. Bartók de la même ville ; œuvres : *Kádár Kata* (opéra, prix Erkel, Budapest 1959), 2 suites pour orch., sonate, sonatine, pièces de piano, mélodies sur des poésies de Petőfi, d'Ady, de József, mus. de chambre (sonate pour viol. et piano, trio pour viol., vcelle et piano, quatuor à cordes, « Chants de berger » pour fl. et piano, pièces pour clar. et piano, trio pour instr. à vent), compositions didactiques ; dans ses œuvres, il s'inspire souvent du folklore.     **J.G.**

**HAKANSON Knut Algot.** Compos. suédois (Kinna 4.11.1887–Helsinki 13.12.1929), qui fut chef d'orch et critique, à qui on doit des œuvres symph., chor., de mus. de chambre, de piano, 1 ballet, des mélodies.

**HAKE J.** Mus. angl., dont l'état-civil n'est pas éclairci, que l'on identifie parfois avec un autre *H., Edward* ; on ne sait rien de sa biographie : son activité se situe dans le début de la seconde moitié du XVIᵉ s. ; on connaît de lui 1 *Kyrie* à 4 v., 18 psaumes (Londres 1563), 1 *In nomine* (5 v.). Voir J. Noble in MGG.

**HAKENBERGER Andreas.** Mus. allem. (Köslin v. 1574–Dantzig... 6.1627). Il fut chanteur et luthiste de la chapelle de Sigismond III de Pologne (1602–1607–08), puis maître de chapelle à Ste-Marie de Dantzig (1608) ; on lui doit des *Deutsche Gesänge* (5 v., Dantzig 1610), des *Sacri modulorum concentus* (8 v., Stettin 1615, Francfort-s.-Oder 1616, Wittemberg 1619), *Harmonia sacra* (6–12 v., Francfort-s.-Oder 1617), des *Odae sacrae...* (3 v., Leipzig 1619), *Odaria suavissima...* (3 v., Francfort-s.-le-Main 1628), des messes et motets en mss (bibl. Dantzig et Breslau). Voir H. Rauschning, *Gesch. d. Mus. ... in Danzig...*, Dantzig 1931 ; G. Kittler, *Mg. d. Stadt Köslin... ds Mus. in Pommern*, VI, 1937 ; K. Gudewill in MGG.

**HALASZ Laszlo.** Chef d'orch. amér. d'origine hongr. (Debreczen 6.6.1905–). Pian., élève de Budapest, il a été chef d'orch. adjoint des Opéras de Budapest (1929–30) et Prague (1930–32), chef d'orch. du *Wiener Volksoper* (1933–36) ; il émigra aux Etats-Unis (1936), où il fut dir. de la *Saint-Louis Grand Opera Association* (1939–42), puis dir. art. du *New-York City Opera* (1943–51).

**HALASZ Kalman.** Compos. et org. hongrois (Pécs 1919–). Elève de Kodály à l'Ecole nat. des hautes ét. mus. de Budapest ; après avoir été org. dans différentes villes de province, il est actuellement prof. au cons. B. Bartók à Budapest ; œuvres principales : concertinos (piano et orch. 1945, orch., 1947, p. vcelle et orch.) ; 2 quatuors à cordes (1947, 1954), « Cantate p. la fête du pain nouveau » (1950), Suite pour orch. pop. (1955), Rhapsodie pour piano et orch. (*id.*), Suite pour orch. (1954, prix Erkel 1956).

**HALBIG Hermann.** Musicologue allem. (Düsseldorf 26.3. 1890–Scharbeutz 7.10.1942). Violon., élève de l'univ. de Heidelberg (Kroyer), où il fut docteur avec sa thèse *Die Gesch. d. Klappe an Flöten...* (1921), assistant à l'Institut d'hist. de la mus. (1922), *Privat-dozent* (1924), il fut prof. d'hist. de la mus. et de chant grégorien à l'*Akad. f. Kirchen-u. Schulmusik* de Berlin (1927); on lui doit *Klaviertänze d. 16. J.* (Stuttgart 1928), *Kleine gregorianische Formenlehre* (Cassel 1930), *Geist der Musik* (Potsdam 1940), *Musikgesch. leichtgemacht* (Berlin-Lichterfelde 1942), des art. ou des contributions à des ouvrages collectifs.

**HALE Philip.** Critique mus. amér. (Norwich 5.3.1854– Boston 13.11.1934). Elève de D. Buck et de Haupt (Berlin), de Rheinberger (Munich), de Guilmant (Paris), org. à Roxbury (1899–1905), critique au *Boston Post* (1890–91), au *Boston Journal* (1891– 1903), au *Boston Herald* (1903–33), il publia *Famous composers and their works* (1900), *Modern french songs* (2 vol., 1904) ; J.N. Burk a édité ses programmes du *Boston Symph. Orch.* (N.- York 1935).

**HALES Hubert.** Compos. angl. (Bradford 29.4. 1902–). Elève de Cambridge, il a occupé des postes dans l'enseignement mus. et écrit 1 opéra : *Joviall Hall* (op. 35), de la mus. symph., de chambre, de scène, chor., des mélodies.

**HALÉVY Jacques-François-Fromental** (*Elias Lévy*). Compos. franç. (Paris 27.5.1799–Nice 17.3.1862). Elève du cons. de Paris (Cherubini), 1er grand prix de Rome (1819) avec sa cantate *Herminie*, élève à Rome de Baini, il composa en 1820 un *De profundis* hébreu pour la cérémonie qui eut lieu à la synagogue de la rue Ste-Avoye lors de l'assassinat du duc de Berry ; il revint de Rome en 1822, séjourna à Vienne (1823), débuta comme compos. à Paris au Théâtre Feydeau (avec *L'artisan*, 1827), à l'Opéra en 1835, avec 2 ballets ; en 1827, il est prof. d'harmonie et d'accompagnement au cons. de Paris, aussi bien que *maestro al cembalo* du Théâtre italien, en 1830, chef de chant à l'Opéra en 1833, prof. de contrepoint et de fugue, en 1840, de compos. au cons. de Paris ; membre de l'Acad. des beaux-arts à partir de 1836, il en est le secrétaire en 1854 ; en 1840, il avait été nommé dir. de la mus. du duc d'Orléans ; parmi ses élèves, citons Bizet (qui devait devenir son gendre), Gounod, Lecocq, Massé ; il triompha comme compos. d'opéras : *La juive* date de 1835 ; malade, il se retira à Nice (1859) où il mourut : son enterrement eut lieu à Paris le 24.3.1862.

**Œuvres** : opéras et opéras-comiques : *Les bohémiens* (1819–20), *Pygmalion* (1823–24), *Erostrate* (1824), *Les deux pavillons ou Le jaloux et le méfiant* (*id.*), *L'artisan* (1827), *Le roi et le batelier* (*id.*), *Clari* (1828), *Le dilettante d'Avignon* (1829), *Attendre et courir* (1830), *Manon Lescaut* (*id.*), *La langue mus.* (1831), *La tentation* (1832), *Yella* (*id.*), *Les souvenirs de Lafleur* (1833), *Ludovic* (*id.*), *La juive* (1835), *L'éclair* (*id.*), *Guido et Ginevra ou La peste de*

Florence (1838), *Les treize* (1839), *Le shérif* (*id.*), *Le drapier* (1840), *Le guitarrero* (1841), *La reine de Chypre* (*id.*), *Charles VI* (1843), *Le lazzarone ou Le bien vient en dormant* (1844), *Les mousquetaires de la reine* (1846), *Les premiers pas* (1847), *Le val d'Andorre* (1848), *La fée aux roses* (1849), *La tempestà* (1850), *La dame de pique* (*id.*), *Le juif errant* (1852), *Le nabab* (1853), *L'inconsolable* (1855), *Jaguarità l'Indienne* (*id.*), *Valentine d'Aubigny* (1856), *La magicienne* (1858), *Noé ou Le déluge* (terminé en 1868–69 par G. Bizet, repr. en 1885), *Vanina d'Ornana* (fragment) ; œuvres diverses : 5 cantates : *Les derniers moments du Tasse* (1816), *La mort d'Adonis* (1817), *Herminie* (1819), *Marche funèbre* et *De Profundis* (en hébreu, 3 v. et gd orch., 1820), *Prométhée enchaîné* (1849), *Les plages du Nil* (1846), *Italie* (1859), *Messe de l'orphéon* (4 v. d'hommes, sopr. et orgue, 1851), *Leçons de lecture mus. pour les écoles de la ville de Paris* (1857), *Les cendres de. Napoléon* (marche funèbre composée à l'occasion de la translation des cendres), *Sonate pour piano* (4 m.), et *Rondeau ou Caprice pour piano*, 3 *Canzonetti en style napolitain* (1824), *Three Airs de ballet... from Halévy's opera* (La juive) *arranged for the piano-forte by J. Herz* (1835), *Airs de l'opéra La reine de Chypre... pour 2 violons par R. Wagner*, en 4 suites (1845) ; écrits : *Notice sur Berton* (1839), *Notice sur la vie et les ouvrages de Cherubini* (1843), *Britton le charbonnier* (1852), *L'organiste Froberger* (1853), *Notice sur la vie et les ouvrages d'Ad. Adam* (1859), *Gregorio Allegri ou Le Miserere de la chapelle Sixtine* (ds *Le moniteur*), *Cherubini* (*id.*), *Mozart* (*id.*), *Souvenirs et portraits, études sur les beaux-arts* (Froberger, Gluck, Lully, Onslow, Perrin, Rameau, 1862), *Derniers souvenirs et portraits, précédés d'une notice par P.B. Fiorentino* (Mozart, Boucher-Desnoyers, Nourrit, Berton, « Lettre sur la musique », 1863), *Souvenirs d'un ami pour joindre à ceux d'un frère* (*id.*).

HALÉVY
*Dessin à la plume d'Horace Vernet* (coll. Meyer).

J.F.F.H. eut 3 enfants : **Esther**, **Geneviève** (Paris 1850–1926), qui épousa Georges *Bizet*, puis Emile *Strauss*, et eut à Paris une situation mondaine de premier plan. Le fils — **Ludovic** (Paris 1.7.1834–7.5.1908), fut un librettiste fort populaire (Offenbach — *La belle Hélène*, *La vie parisienne*, *La grande-duchesse de Gérolstein* — Bizet, *Carmen*, Lecocq, Delibes etc., en collaboration avec Meilhac ou H. Crémieux). Le frère de *J.F.F.H.*, **Léon** (Paris 14.1. 1802–St-Germain-en-Laye 2.9.1883) fut également librettiste, pour son frère, pour Flotow et Bizet, et publia une biographie de *J.F.F.* (Paris 1852, 1863).

**Bibl. :** Beulé, *Notice sur la vie et les ouvrages d'H.*, ibid. 1862 ; A. Castelino, *F.H.*, id. ibid. ; M. Curtiss, *Unpublished letters by G. Bizet*, ds *MQ*, XXXVI, 1950 — *F.H.*, ibid., XXXIX, 1953 ; E. Hanslick, *J.F.H.*, ds *Die moderne Oper*, IX, Berlin 1900 — « *Der Blitz* »..., ibid., III, 1889 ; Ch. de Lorbac, *F.H.*, Paris 1862 ; E. Monnais, *F.H.*..., ds *Rev. et gaz. mus.*, ibid. 1863 ; A. Pougin, *F.H. écrivain*, ibid. 1865 ; Sainte-Beuve, art. ds *Journ. gén. de l'Instr. pub.* et ds *Le constitutionnel*, 14.4.1862 ; R. Wagner, *Bericht über eine neuer pariser Oper*, ds *Ges. Schriften u. Dichtungen*, I, Leipzig 1897 — *H. et La reine de Chypre*, ds *Rev. et gaz. mus.*, févr.-mai 1842.

**HALFFTER Ernesto.** Compos. esp. (Madrid 16.1.1905–). Elève de Falla, il subit aussi l'influence d'Oscar Esplá et d'Adolfo Salazar ; son premier contact avec le public (*Deux esquisses symphoniques*, 1923) fit admirer des dons que sa *Sinfonietta* (1923–1927) et le ballet *Sonatina* (dansé par l'Argentina en 1928) ne firent que confirmer ; un quatuor, la *Sonatina-fantasia* pour quatuor, des pièces de piano, et quelques œuvres lyriques qui ne quittent point le métier, constituent le bagage de ce compositeur très doué, enfant terrible, qui s'est décidé à beaucoup (peut-être même trop ?) réfléchir. Son frère — **Rodolfo**

(Madrid 30.10.1900–) fut quelque temps l'élève de Falla, mais il préfère se considérer ce qu'il est en fait, un auto-didacte ; chef de la section de musique du ministère de la propagande pendant la guerre d'Espagne, il s'établit au Mexique depuis 1939 ; il est prof. au cons. nat. de Mexico, où il a fondé en 1946 la revue *Nuestra música* ; il a écrit des ballets, de la mus. de film, des œuvres de piano et des mélodies ; sa production, presque toute orientée vers le néo-classicisme, se place entre la noble allure de l'*Homenaje a Antonio Machado* pour piano (1944) et l'indigence de son *Concerto pour violon*, dans lequel, sous prétexte de classicisme et de dépouillement, on trouve trop d'improvisation et de pauvreté.                              D.D.

**HALFPENNY Eric.** Contrebassiste et basson. angl. (Londres 28.5.1906–). Spécialiste d'instr. anciens, membre de la *Royal Mus. Association* (1947), co-fondateur et secrétaire honoraire de la *Galpin Society* (1946), de l'*Acoustic Group* de la *Physical Society* (1947) qu'il préside depuis 1953, fondateur du *Kammerton Group*, il est un des organologues les plus distingués : à ce titre, il a publié depuis 1927 un grand nombre d'art. dans des périodiques ou dans des ouvrages collectifs.

**HALHALLATU.** C'est un hautbois de l'antiquité mésopo-tamienne, l'équivalent du *halil* (voir à ce mot).   C.M.-D.

**HALIL.** C'est un hautbois des Hébreux, probablement double ou utilisé par paire ; il servait aussi bien aux divertissements qu'aux cérémonies funéraires. D'après le Talmud, le *h*. est un instrument analogue à l'*abub*. Israël ancien.                                               C.M.-D.

**HALILE.** C'est une paire de cymbalettes en cuivre, fixées au pouce et à l'index, qui servent à marquer le rythme (Turquie). C'est un instrument analogue au *zeng* (voir à ce mot) d'Iran.                               S.J.

**HALIR Karol.** Violon. tchèque (Hohenelbe 1.2.1859– Berlin 21.12.1909). Elève de Bennewitz au cons. de Prague, de Joachim, membre du Quatuor Joachim, il en fonda un lui-même, enseigna à la *Staatl. Hochschule f. Mus.* de Berlin, fut *Hofkonzertmeister* à Weimar (1884), à Berlin (1893).

**HALL Edmond.** Clar. de jazz amér. (New-Orleans 15.5.1901–), qui appartint aux orch. de Bud Russell, Cl. Hopkins, Joe Sullivan, Teddy Wilson, Eddie Condon etc. ; il eut son propre ensemble de 1944 à 1950.

**HALL Henry.** Org. angl. (New Windsor v. 1655–Hereford 30.3.1707). Choriste de la chapelle royale à Londres, org. des cath. d'Exeter (1674), de Hereford (1688), il eut également le poste de *vicar choral*, composa de la mus. d'église (motets, *anthems*, *catches*) ; il était poète. Son fils — **Henry** (?–Hereford 22.1.1713), comme lui org. et poète, lui succéda à Hereford en 1707.

**HALL John.** Chirurgien angl. (? v. 1529–v. 1566). Membre de la *Worshipful Company of chirurgeons*, il semble avoir exercé à Maidstone ; il publia, outre des œuvres littéraires et médicales, *The courte of vertu : contayninge many holy songes, sonettes, psalmes and balletes* (30 mélodies et 1 chanson à 4 v., 1565). Voir J. Stevens in MGG ; R.A. Fraser in *Mus. Disciplina*, 1953.

**HALL Marie.** Violon. angl. (Newcastle-on-Tyne 8.4.1884– Cheltenham 11.11.1956), qui débuta à Vienne en 1903 et fit une carrière internationale.

**HALL Pauline.** Pian. norvégienne (Hamar 2.8.1890–), qui a joué un grand rôle dans l'activité mus. de son pays et écrit de la mus. symph., chor., de scène, de film, des mélodies, des articles de critique.

**HALL Walter Henry.** Org. angl. (Londres 25.4.1862– N.-York 11.12.1935), qui se fixa aux Etats-Unis en 1883, où il exerça ou enseigna à Germantown, Albany, N.-York, Brooklyn, à l'univ. Columbia, composa de la mus. d'église et publia *Essentials of choir boy training* (N.-York 1906).

**HALLÉ** (*Sir*) **Charles** (*Carl Halle*). Pian. et chef d'orch. angl. d'origine allem. (Hagen 11.4.1819–Manchester 25.10.1895). Elève de son père, de Rink (Darmstadt) et

de Kalkbrenner à Paris (où il fut l'ami de Chopin, de Liszt, de Berlioz, de Cherubini, de Wagner, et fonda avec Alard et Franchomme des concerts de mus. de chambre à la salle du conservatoire), il débuta dans la carrière de pian. en Angleterre en 1843, dirigea à Man-chester les *Gentlemen's Concerts* (1850), la *Cecilia Society*, dirigea son propre orch. (1857), puis la *Philharmonie* de Liverpool, fonda et dirigea le *Royal Manchester College of music* ; on lui doit qqs compositions. Voir C.E. et M. Hallé, *Life and letters of Sir Ch. H.*, Londres 1896 ; H. Bielenberg, *K.H.*, Hagen 1949 ; C. Rigby, *Sir Ch. H…*, Manchester 1952.

**HALLELUJAH.** Voir art. *juive (musique)* et *alleluia*.

**HALLÉN Andreas.** Chef d'orch. et compos. suédois (Göteborg 22.12.1846–Stockholm 11.3.1925). Elève du cons. de Leipzig, de Rheinberger, de Rietz (Dresde), chef de la soc. de concerts de Göteborg (1872–78, 1883–84), prof. de chant à Berlin (1879–83), chef des Concerts philharm. (1885–95) et chef d'orch. de l'Opéra royal de Stockholm (1892–97), chef de la *Philharm.* de Malmoe (1902–07), prof. de compos. au cons. de Stockholm (1909–19), critique mus., il composa 3 opéras, des œuvres symph., chor., de la mus. d'église, de chambre, des mélodies, et publia *Musikaliska kåserier* (Stockholm 1897). Voir P. Vretblad, *A.H.*, Stockholm 1918 ; M. Pergament, *A.H. …*, ds *Svenska tonsättare*, ibid. 1943 ; M. Tegen, *Musiklivet i Stockholm 1890–1910*, ibid. 1955 ; R. Engländer in MGG.

**HALLER Hermann.** Compos. suisse (Burgdorf 9.6.1914–). Elève du cons. de Zurich, de N. Boulanger, de Cz. Marek, prof. au cons. précité (1943–46) et au *Lehrerseminar Kussnacht-Zürich* (dep. 1946), il a écrit 1 *Concertino* (1941), *Verkündigung* (sopr. et orch., 1943), *Konzertante Musik* (1944), 2 concertos (viol., 1945, orgue 1947), *Phantasie* (vc. et orch., 1947), *Concerto da camera* (1949), *Exoratio* (v. et acc. symph., 1956), *Toccata, fantaisie, sonatine* (orgue, 1942), sonate (p. v., 1943), *id.* (fl., 1946), des mélodies, et publia *Leitfaden z. Einführung i. d. Harmonielehre* (Zurich 1949).

**HALLER Michael.** Compos. allem. (Neusaat 13.1.1840– Ratisbonne 4.1.1915). Ecclésiastique, chef de la maîtrise de Ratisbonne (1864), élève de J. Schrems, *Inspektor d. Realinstituts* et *Kapellmeister d. Alten Kapelle* (1867), prof. de contrepoint et de compos. à la *KM.- Schule* (1874–1910), il écrivit un grand nombre d'œuvres de mus. d'église polyph., des mélodrames, des quatuors à cordes, des chœurs, des mélodies ; il restitua des œuvres de Palestrina (ds le vol. XXVI des œuvres complètes), publia des études sur la technique de compos. polyph., l'enseignement du chant, les modes ecclésiastiques, 1 recueil *Exempla polyphoniae eccl.* (Ratisbonne 1904). Voir H. Kammerer, *Leben und Werke M.H.s*, thèse de Munich, 1956 ; A. Scharnagl in MGG.

**HALLING.** C'est une danse populaire de Norvège : de *tempo* alerte, généralement à deux temps, elle est jouée sur le *hardangerfele* (voir à ce mot) ; Grieg l'a utilisée dans sa *Suite lyrique*.                                C.M.-D.

**HALLMANN von STRACHWITZ Paul.** Mus. allem. (Friedland b. Schweidnitz 11.8.1600–Breslau 11.1.1650). Conseiller et membre de la chapelle princière à Liegnitz, il composa un concert : *Wer sich wider die Obrigkeit setzet* (5 v. instr.), 2 messes à 6, 1 à 5 v., des motets ou chorals (en latin ou en allem.). Voir W. Scholz in MGG.

**HALLNÄS Johan Hilding.** Compos. suédois (Halmstad 24.5.1903–). Org., élève du cons. de Stockholm, d'A. Cellier (Paris), de Grabner (Leipzig), prof. à l'Ecole royale de Strömstad (1932), org. et cantor à Göteborg, il a écrit 4 symph., 1 suite de ballet (1955), 2 concertos (viol., 1945, piano, 1956), 1 quatuor à cordes (1949), 1 quintette (1954), 2 sonates (p.-alto, p.-v.), 1 cantate, 1 messe, des mélodies, de la mus. d'orgue et de piano.

**HALLSTRÖM Ivar.** Compos. suédois (Stockholm 5.6.1826– 11.4.1901). Bibliothécaire du prince héritier de Suède, dir. de l'école de mus. de Lindblad (1861), il écrivit 3 opéras, des opérettes, des ballets, des chœurs, de la mus. de chambre, de piano, et des mélodies. Voir L. Lagerbielke, *I.H.*, ds *Svenska tonsättare*, Stockholm 1908 ; M. Tegen, *Musiklivet i. Stockholm 1890–1910*, id. 1955 ; R. Engländer in MGG.

**HALM Anton.** Compos. autr. (Altenmarkt 4.6.1789– Vienne 6.4.1872), qui enseigna pendant plus de 60 ans, notamment à Vienne à partir de 1815, et écrivit de nombreuses œuvres de mus. de chambre, 1 messe, des mélodies, des études de piano ; il fut l'ami de Beethoven. Voir Th. Bolte, *A.H. ...*, ds *Musiklit. Blätter*, *IV*, n⁰ 11, Vienne-Leipzig 1907 ; W. Nohl, *id.*, ds *Die Mus.*, *XXX*, 1, 1937–38 ; H. Federhofer in MGG.

**HALM August.** Compos. et musicologue allem. (Gross-Altdorf 26.10.1869–Saalfeld 1.2.1929). Elève de l'univ. de Tubingen, d'E. Kauffmann, ami de Hugo Wolf, de l'École royale de mus. de Munich (1892), prof. à Heilbronn, Haubinda (1903–06), Wickersdorf (1906–10), dir. des *Liedertafel* à Ulm (1910), critique à Stuttgart (1913), prof. à Esslingen (*id.*), enfin à Wickersdorf (1920), il exerça une grande influence par ses écrits : *Harmonielehre* (Berlin 1905), *Von zwei Kulturen der Musik* (Munich 1913, Stuttgart 1947), *Die Symphonie A. Bruckners* (1913, 1923), *Von Grenzen u. Ländern der Musik... (ibid.* 1916), *Ueber J.S. Bachs Konzertform* (BJ. XVc, 1919), *Einführung in die Mus.* (Berlin 1926), *Beethoven* (*id. ibid.*), à quoi s'ajoutent un grand nombre d'art. et de chroniques ; on lui doit 2 symph., 1 concerto de piano, de la mus. de chambre, chor., de piano, de théâtre, d'études. Voir R. Schilling, *Die Musikanschauung A.H.*, thèse de Strasbourg, 1944 (dact.) ; R. Stephan in MGG.

**HALM Hans.** Bibliographe allem. (Munich 5.4.1898–). Elève de l'univ. de sa ville natale (docteur avec sa thèse : *Die Zeitung f.d. elegante Welt...*, 1924), Referendar à la bibl. de Munich (1926), bibliothécaire à celle de Bamberg (1930–33), de nouveau à celle de Munich (depuis 1938, il y dirige le département de la musique), il a achevé et publié le catalogue thématique et bibl. de l'œuvre de Beethoven de G. Kinsky (Munich-Duisbourg 1955).

**HALSKI Czeslaw Raymund.** Compos. pol. (Lwow 31.8.1908–). Elève du cons. de sa ville natale, il a exercé à la radiod. pol. ; naturalisé anglais, il a été engagé à la *B.B.C.* ; il a publié des chroniques mus. dans le *Polish Daily* (1945–48), écrit 1 concerto de piano, 1 suite d'orch., des mélodies, de la mus. de scène, de piano.

**HALTER Wilhelm Ferdinand.** Compos. allem. (?–Königsberg 10.4.1806), org., qui publia des *Lieder beym Klavier* (1782), des sonates de piano (1788, 1797), 1 cantate : *Die Kantonsrevision* (1792). Voir H. Güttler, *Königsbergs Musikkultur 18. Jh.*, Königsberg 1925.

**HALVORSEN Johan.** Chef d'orch. et compos. norvégien (Drammen 15.3.1864–Oslo 4.12.1935). Violon. virtuose, il fut notamment chef d'orch. à l'Opéra d'Oslo et écrivit de la mus. symph. (3 symph.), des œuvres chor., de la mus. de chambre, des mélodies, une quarantaine de compositions de mus. de scène. Voir O. Gurvin in MGG.

**HALVORSEN Leif Fritjof.** Violon. et compos. norvégien (Oslo 26.7.1887–), qui a exercé à Oslo et écrit des pièces symph., de piano, des mélodies, de la mus. de scène pour *Segen der Erde* de K. Hamsun.

**HAMAL.** Famille de mus. belges — **1. Henri-Guillaume** (Liège 3.12.1685–3.12.1752). Elève de Lambert Pietkin, de Trevisan Bolompré, claveciniste, vcelliste, chanteur, maître de chapelle de l'église de St-Trond (1707), 2ᵉ *succentor* à St-Lambert de Liège (1711), il aurait composé des mélodies, de la mus. d'église, des cantates : aucune de ses œuvres n'est parvenue jusqu'à nous. Son fils — **2. Jean-Noël** (*ibid.* 23.12.1709–26.11.1778), élève de son père et de Denis Dupont à la maîtrise de la cath. St-Lambert, fut envoyé à Rome comme pensionnaire de la fondation Darchis (1728) ; en 1731, il est bénéficier du chapitre de St-Lambert, en 1738 successeur de Dellexhaille comme dir. de la maîtrise de la même cath. ; la même année, il organise des concerts spirituels à l'hôtel de ville ; en 1749, il est à Rome, en 1750 à Naples : il y bénéficie des conseils de Jommelli et de Durante ; en 1745, il était devenu chapelain impérial ; en 1759,

il a le titre de *chanoine de la petite Table* ; le 23.1.1757, il fait représenter le 1ᵉʳ opéra-comique wallon : *Li Voyèdge di Chaudfontaine :* c'est le plus grand musicien liégeois, qui fut fort admiré de Grétry, et de qui on connaît 3 autres opéras-comiques : *Li Liegeois égadgî* (1757), *Li fiesse du Houte si plou* (1758), *Les Hypocondes* (*id.*), 4 oratorios : *David* (1745), *Jonathas* (1746), *Jonas* (1748), *Judith* (1756), *6 ouv. da camera a 4* (Paris 1743), *6 sinf.*, 6 sonates, 1 recueil de pièces de clavecin, nombre d'ouvertures en mss, qq 48 messes et fragments, 92 motets, 2 Te Deum, 23 psaumes, 3 livres de symph., 32 cantates, des lamentations (mss fonds Terry de la bibl. du cons. de Liège). Son neveu et élève — **3. Henri** (Liège, 20.7.1744–27.9.1820) fut également pensionnaire de la fondation Darchis à Rome (1765–70) ; il fut l'assistant et le successeur de son oncle (1778) à la cath. St-Lambert ; pendant la Révolution, d'abord en disgrâce, il fut choisi en 1797 comme secrétaire du jury de l'instruction publique ; on lui doit nombre de messes, motets, cantates, symph., concertos, sonates (mss fonds Terry), *Le triomphe du sentiment* (op.-com.), *Pygmalion* (mélodrame, J.-J. Rousseau, ms. Bibl. royale de Belgique) ; il rédigea des mémoires, des annales, des notices sur l'art et les artistes liégeois. Voir A. Auda, *La mus. et les musiciens de l'ancien pays de Liège*, Liège 1930 ; Dwelshauwers, *La forme mus. ...*, ds *Annales du Congrès arch. de Belgique*, *ibid.* 1909 ; Schoolmeesters, *H.H. ...*, *ibid.* 1914 ; Ch. Van den Borren, *Le fonds de mus. ancienne...*, ds *Ann. du cons. royal de mus. de Bruxelles*, Bruxelles 1928–29 ; P. Harsin, *La révolution liégeoise*, Liège 1954 ; S. Clercx, *Le XVIIᵉ et le XVIIIᵉ s.*, *La mus. en Belgique*, *ibid.* 1950 — art. in MGG ; M. De Smet, *La mus. au pays de Liège au XVIIIᵉ s. : J.M.H.*, ds *Rev. belge de mus.*, *X*, 1956.

**HAMBOURG.** Famille de mus. d'origine russe — **1. Mark Mihaïlovitch** (Bogoutchar-Voronej 31.5.1879–), pian., élève de son père et de Leschetizky à Vienne, débuta à Moscou en 1888 ; à partir de 1895, il fit des tournées de concerts en Australie et en Nouvelle-Zélande avec son frère Boris, et donna des concerts de piano en Europe, au Canada, aux États-Unis et en Afrique du Sud ; s'est fixé à Londres ; on lui doit de la mus. (*Variations sur un thème de Paganini*) et des manuels de piano : *How to become a pianist* (1922), *From piano to forte* (1931), *The eighth octave* (1952). Son frère — **2. Jan** (Voronej 27.8.1882–Tours 29.9.1947), élève d'Ysaye, fut violon. virtuose. Leur frère — **3. Boris** (Voronej 27.12.1884–Toronto 24.11.1954) fut vcelliste et se fixa au Canada, d'où il fit une carrière intern., notamment avec son frère Mark et au sein d'un quatuor. La fille de Mark — **4. Michal** (Londres 9.6.1919–), fait une carrière de pian. internationale.

**HAMBRAEUS Bengt.** Compos. suédois (Stockholm 29.1.1928–). Elève de l'univ. d'Upsal, d'A. Linder (orgue), des cours de Darmstadt, où il suivit l'enseignement d'Olivier Messiaen, il a écrit une œuvre déjà assez abondante, qui comporte diverses pièces vocales et instrumentales, dont les plus caractéristiques sont à ce jour *Musique pour trompette, violon et piano* (1951), *Spectrogram pour vocalise de soprano, flûte, vibraphone et batterie* (1953), *Gacelas y Casidas de F. G. Lorca*, pour voix et instruments (1954).    D.Ch.

**HAMEL Fred.** Musicologue allem. de nationalité angl. (Paris 19.2.1903–Hambourg 9.12.1957). Elève des facultés des sciences des univ. de Bonn et de Berlin, étudiant d'hist. de la mus. à la dernière citée (Abert, Friedländer, Wolf, Sachs, Schering, Hornbostel, Blume) et à celle de Giessen (Gerber), de laquelle il est docteur avec sa thèse *Form-u. Stilprinzipien i. d. Vokalmusik J. Rosenmüllers* (1930), critique à la *Deutsche Allgemeine Zeitung* et au *D. Zukunft* (pseud. : *H. Lyck*), prof. d'hist. de la mus. à l'école de mus. de Hanovre (1945–46), chef du département de la mus. à la bibl. de Hambourg (1947), dir. de la production de la *Grammophon-Gesell.* (*Archiv-Produktion*) à partir de 1948, fondateur (av. A. Vötterle) du périodique *Musica* (1947), il a écrit *Thematische Verzeichnis d. Komp. J. Rosenmüllers — 1619–1684* (ms., 1930), *Die Psalmkompos. J. Rosenmüllers* (Strasbourg 1933), *Gesch. d. Mus. im europ.*

*Kulturkreis* (ds M. Hürlimann, *Atlantisbuch d. Mus.*, Berlin 1934, Zurich 1953), *J.-S. Bach...* (Göttingen 1952), nombre d'art. dans des périodiques ou ouvrages collectifs ; il a édité J. Rosenmüller. Voir O. Söhngen, *In memoriam F.H.*, ds *Musica, XII*, 1958.

**HAMEL Marie-Pierre.** Organologue franç. (Auneuil 24.2.1786–Beauvais 25.7.1879). Issu d'une famille de juristes, fondateur de la Société archéologique de l'Oise (1847) dont il fut le vice-président, fondateur de la Société philharm. de Beauvais (1825), il fit construire le grand orgue de la cath. de Beauvais et publia notamment *Nouveau manuel complet du facteur d'orgues* (3 vol., Paris 1849), dans lequel il reprenait et corrigeait les travaux de Dom Bedos. Voir J. Bonfils in MGG.

**HAMERIK** (*Hammerich*) — **1. Asger.** Compos. danois (Copenhague 8.4.1843–Frederiksberg 13.7.1923). Frère d'A. Hammerich, disciple de Bülow, de Berlioz (1864), dir. de la section mus. au *Cons. Peabody* de Baltimore (1871–98), il vécut ensuite à Copenhague et composa notamment des opéras, 6 symph., 1 *Requiem*, des cantates, des mélodies et 1 quatuor. Son fils — **2. Ebbe** (Copenhague 5.9.1898–noyé, dans le Cattegat, 15.8.1951), débuta en 1919 comme chef d'orch. et composa 5 opéras (*Stepan*, 1924), 1 ballet, des symph., de la mus. de chambre, de chœur.

**HAMILTON Catherine** (*Lady*), née *Barlow*. Claveciniste amateur angl. (Colby v. 1738–Portici 27.8.1782). Femme d'un ambassadeur angl. à Naples, elle y créa un centre de vie mus., connut les Mozart, F. Giardini, P. Guglielmi, Beckford, J. Burton, F.X. Sterkel, Burney. Voir C. Burney, *The present state of mus. in Italy*, Londres 1771 ; O.E. Deutsch, *The first lady H.*, ds *Notes and Queries*, Londres 6 et 20.12.1952.

**HAMILTON Foreststorn** (*Chico*). Mus. de jazz amér. (Los Angeles 21.9.1921–), qui collabora avec L. Hampton, L. Young, Count Basie, Ch. Barnet : depuis 1955, il est à la tête d'un quintette qu'il a fondé ; il est l'auteur de nombreux arrangements.

**HAMILTON Iain.** Compos. écossais (Glasgow 6.6.1922–). Élève de la *Royal Acad. of music* à Londres, prof. au *Morley College* (1952), à l'univ. de Londres (1955), chroniqueur à la *B.B.C.*, il a écrit 1 ballet (1951), *The Bermudas* (1957), 2 symph. (1950, 1951), 3 concertos, des œuvres symph., de mus. de chambre, de piano, de chant. Voir H.G. Farmer in MGG.

**HAMM Adolf.** Org. suisse d'origine alsacienne (Wickersheim 9.3.1882–Bâle 15.10.1938). Élève d'E. Münch, d'H. Riemann, de K. Straube, il fut org. à la cath. de Bâle de 1906 à sa mort, fut prof. au cons. de la même ville, y fonda le *Bach-Chor*. Voir *A.H., Erinnerungsschrift*, éd. P. Sacher, Bâle 1942.

**HAMM Gabriel.** Facteur de pianos franç. (Paris 12.12.1909–), président de la chambre syndicale des pianos, du Syndicat confédéré de la musique (1956), du Syndicat national des commerces de la musique de France et de l'Union française (SYCOMUS, 1957), qui dirige à Paris la maison de pianos dont il porte le nom.

**HAMMERICH Angul.** Musicologue danois (Copenhague 25.11.1848–26.4.1931). Frère d'Asger Hamerik, vcelliste, élève puis prof. à l'univ. de Copenhague, fondateur du musée d'hist. de la mus. dans cette même ville, critique, il publia *Musikforeningens historie* [1836–86] (Copenhague 1886), *Musiken ved Christian d. Fjerdes Hof* (*ibid.* 1892), *Kammermusikforeningen* [1868–93] (*ibid.* 1893), *Id.* 1868–1918 (*id.* 1918), *Musik-Mindesmaerker fra middelalderen i Danmark* (Leipzig 1912), *J.P.E. Hartmann* (Copenhague 1916), *Dansk musikhistorie indtil ca.* 1700 (*ibid.* 1921) et qqs art. dans des périodiques. Voir N. Schiørring in MGG.

**HAMMERKLAVIER.** Voir art. *pianoforte*.

**HAMMERSCHLAG János.** Org. et musicologue hongrois (Prague 10.12.1885–Budapest 21.5.1954). Élève de H. Koessler et d'Antalffy-Zsiross à l'Académie F. Liszt, fondateur, en 1923, d'une « société pour la propagation des motets et des madrigaux », auteur de plusieurs mouographies et études très approfondies (*J.S. Bach*, « *Problèmes des ornements mus.* » etc.), prof. puis dir. de l'École nat. de mus. de Budapest.

**HAMMERSCHMIDT Andreas.** Mus. austro-tchèque (Brüx 1611 ou 12–Zittau 29.10 ou 8.11.1675). Org. à Wesenstein (1633–34), à Freiberg (1635), puis à Zittau (1639), il fut l'un des compos. les plus populaires de son temps : on lui doit *Erster Fleiss* (pavane, gaillarde, ballet, mascarade, air à la fran-

HAMMERSCHMIDT
*par S. Weishun (1646).*

çaise, courante, sarabande à 5 v. pour viole et b.c., 2 vol. 1636–39), *Musikal. Andachten* (1-6 v., 5 vol. 1638–1652), *Dialogi...* (1-2-4 v., 2 vol., 1645), *Missae* (5-12 v., 1663), *Weltliche Oden* (3 vol., 1642–49), *Sirachs Lob-u. Danklied...* (9 v., 1652), *Motetta* 1 et 2 v. (1649), *Musikal. Bethaus*, *Musikal.* (ou *Geistl.*) *Gespräche über die Evangelia* (4-8 v. et b.c., 2 vol., 1655–56), *Fest-Buss-u. Danklieder* (5 v., 5 instr. avec b.c., 1658–59), *Kirchen-u. Tafelmusik* (1662), *Fest-u. Zeit-Andachten* (6 v., 1671). Voir *DTÖ, VIII,* 1 — *DDT, XL* ; A. Tobias, *A.H.*, ds *Mitt. d. Ber. f. d. Gesch. d. deutschen Böhmen, IX*, 1870 ; *Id.* et P. Staube, *id., ibid., XXXIX*, 1900 ; G. Schünemann, *Beitr. z. Biogr. H.s.*, ds *SIMG, XII*, 1910–11 ; E. Steinhard, *Zum 300. Geburtstage d. ... A.H.*, ds *Slggem. Vortr.*, 424–25, Prague 1914 ; St. Temesvari, *H.s Dialogi*, thèse de Vienne, 1911 (dact.) ; E. Richter, *Die Dialoge A.H.s*, ds *Die Singgem., I*, 1924–25 ; H.-O. Hudemann, *Die prot. Dialogkompos. im 17. Jh.*, thèse de Keil, 1941 ; H.J. Moser, *Die ev. KM in Deutschland*, Berlin-Darmstadt 1953 ; A. Adrio in MGG.

**HAMMERSTEIN Reinhold.** Musicologue allem. (Lämmerspiel 9.4.1915–). Élève des univ. de Munich, de Prague et de Fribourg-en-Brisgau, docteur avec sa thèse : *Chr. F.D. Schubart* (dact., 1940), prof. à l'univ. de cette dernière ville (1954), à celle de Bâle (1955–56), collab. du *Südwestfunk* (dep. 1950), il a publié des art. et prépare l'impression de *Die Mus. der Angel : Studien zu den musikal. Jenseitsvorstellungen des Mittelalters.*

**HAMMOND** (*Orgue*). Voir art. *orgue*.

**HAMMOND Richard.** Compos. amér. d'origine angl. (Kent 26.8.1896–), élève de Nadia Boulanger, auteur de ballets, de mus. symph., vocale, de chambre, d'articles.

**HAMPEL Anton Joseph.** Corniste germano-tchèque (? v. 1705–Dresde 30.3.1771), qui appartint à la chapelle de la cour de Dresde à partir de 1737 ; il améliora la technique de son instrument ; un traité de lui fut édité par son élève Punto (W. Stich) : *Seule et vraie méthode pour apprendre facilement les éléments des I. et II. cors* (2ᵉ éd., 1798) ; son fils — **Joseph**, lui succéda dans son emploi (1771), après avoir été au service des Tour-et-Taxis à Ratisbonne. Voir R. Engländer, *Zur Mg. Dresdens gegen 1800*, ds *ZfMw*, IV, 1921–22.

**HAMPTON Lionel.** Mus. de jazz amér. (Louisville 12.4.1913–), pian., batteur, joueur de vibraphone, qui appartint aux ensembles de P. Howard, L. Armstrong, B. Goodman, fonda le sien propre et connaît la célébrité.

**HAN.** C'est un phonoxyle fait d'une planche suspendue percutée ; l'instrument est composé d'une plaque rectangulaire, finement travaillée, en bois de Keyaki (*Zelkova acuminata*) de 1,20 × 0,18 × 0,03 m. ; frappé avec un morceau de bois, le *h*. a un son clair, précis, et très agréable ; il existe des modèles différents, mais ils donnent toujours une hauteur de son déterminée ; l'instrument, d'usage bouddhique, est utilisé avec d'autres, pour les « concerts de percussion » correspondant aux divisions du jour. Japon.     E.H.S.

**HANARD** (*Hénard, Hémart*) **Martin.** Mus. du XVᵉ s., que Coussemaker dit avoir été chanoine de Cambrai, élève de Dufay ; Haberl a vérifié sa présence à la chapelle pontificale à Rome en 1469, 1473, 1479 et 1482 ; Tinctoris lui dédia son *De notis ac pausis* ; on a conservé de lui 1 motet à 3 v. dans les 150 *Canti* de Petrucci (Venise 1503). — Il faut se garder de le confondre avec **Jehan Héniart** ou *Hémart*, qui fut dir. de l'école de chant de Cambrai de 1465 à 1493. Voir F. Haberl, *Bausteine f. Mus. gesch.*, I, III, Leipzig 1885, 1888 ; A. Pirro, ds *Tijdschrift*, 2, 1927.

**HANBOYS** (*Hamboys*) **John.** Théoricien mus. angl. du XVᵉ s., auteur d'un traité intitulé *Summa super musicam continuam et discretam* (ms. *BM*), publié par Coussemaker, dans lequel on trouve des vues intéressantes sur la notation musicale de l'époque ; un autre traité lui attribué, intitulé *Quatuor principalia totius artis musicae*, semble devoir l'être à S. Tunstede. Voir R.A. Harman in MGG.

**HAND Ferdinand Gotthelf.** Musicographe allem. (Plauen 15.2.1786–Iéna 14.3.1851). Prof. à l'univ. de cette dernière ville, il publia une esthétique musicale (2 vol., Leipzig 1837–Iéna 1841, 1847). Voir C. Dahlhaus in MGG.

**HANDBASSL.** C'est une vièle grave, comparable à l'*alto-violoncello* de Boccherini (Europe, XVIIIᵉ s.) ; elle est citée par Léopold Mozart (*Méthode de violon*) et, selon certains, utilisée pour la danse.    C.M.-D.

**HANDL** (*Händl, Handel*). Voir art. *Gallus (Jacobus)*.

**HANDLO Robert de.** Théoricien angl. du XIVᵉ s., auteur de *Regulae cum maximis Magistri Franconis, cum additionibus aliorum musicorum compilatae* (1326) : s'inspirant de Jean de Garlande, il suit à peu près sa classification des valeurs ; il est repris par Th. Morley dans son *Introduction to practicall musicke* (1577) et édité par Coussemaker. Voir R.A. Harman in MGG.

**HANDSCHIN Jacques.** Musicologue suisse (Moscou 5.4.1886–Bâle 25.11.1955). Il fit des études d'histoire et de mathématiques à Bâle et Munich, de musique, en Allemagne et en France, avec Max Reger, K. Straube et C.M. Widor ; prof. d'orgue au con. de St-Pétersbourg entre 1909 et 1920, il joua un rôle important dans le développement d'une école d'orgue en Russie ; après avoir fondé avec V. Kovalenkov un laboratoire d'acoustique, il quitte St-Pétersbourg et s'établit en Suisse, soutenant sa thèse de doctorat à Bâle en 1921 sur la musique du XIIIᵉ s. ; d'abord org. à St-Pierre de Zurich (1924), il fut à l'Univ. de Bâle *Privat-dozent*, puis en 1930 prof.

avant de succéder à K. Nef en 1935 ; il est l'auteur d'un très grand nombre d'articles concernant surtout la mus. médiévale et la mus. russe, dont la bibliogr. a été établie après sa mort par H. Oesch (Berne 1956), et de deux ouvrages : *Musikgesch. im Überblick* (Lucerne 1948), dont une bonne partie a paru ensuite en français dans l'ouvrage collectif *Musica aeterna* (1950), et *Des Toncharakter eine Einführung in die Tonpsychologie* (Zurich 1948). Esprit original et anticonformiste, *H.*, qui a formé des savants tels que M. Bukofzer et O. Gombosi, a été l'un des premiers musicologues de sa génération.

**HANDY William Christopher.** Mus. et éditeur de jazz amér. (Florence, Alabama, 16.11.1873–New-York 28.3.1958), cornettiste, qui fonda un ensemble et fut surnommé « le père des *blues* » : on lui en doit un certain nombre ; il publia *Blues, an anthology* (N.-York 1926), *The birth of the blues* (*ibid.* 1941), *A treasury of the blues* (*ibid.* 1949), son autobiographie : *Father of the blues* (*ibid.* 1941).

**HANFF Johann Nicolaus.** Mus. allem. (Wechmar 1665–Schleswig 1711 ou 12). Org. à Hambourg v. 1688 (il y eut Mattheson comme élève) puis au service de l'évêque de Lübeck à Eutin (1696–1705), de nouveau à Hambourg, enfin en poste à la cath. de Schleswig, il a laissé 6 préludes pour choral d'orgue et 3 Cantates : le reste a été perdu. Voir H. Schilling, T. Eniccellius, F. Meister, *N.H. ...*, thèse de Kiel, 1934 ; Th. Holm in MGG.

**HANISCH Joseph.** Org. allem. (Ratisbonne 24.3.1812–9.10.1892), élève de Proske, titulaire de l'orgue de la cath. de Ratisbonne à partir de 1829, prof. à la *KMSchule* (1875), auteur de messes, psaumes, préludes d'orgue, d'un livre d'acc. à l'orgue du graduel et du vespéral romain (av. Haberl). Voir F.X. Haberl, *J.H.*, ds *KmJb*, VIII, Ratisbonne 1893.

**HANKE Karl.** Mus. allem. (Rosswalde v. 1750–Flensburg 10.6.1803). Élève de Gluck à Vienne (1774), maître de chapelle des comtes Hadic-Rosswalde (1776–78), chef d'orch. des théâtres de Brno (1778–81), de Varsovie (1781–83), il séjourna à Breslau, Berlin, Hambourg, Schleswig, avant d'être *Stadtsmusiker* à Flensburg (1791) ; on lui doit 5 opéras, de la mus. de scène, des cantates, des ballets, des symphonies et concertos, des cassations, sérénades, quatuors, trios, duos, des pièces de violon et de flûte, des mélodies, pour la plupart en mss. Voir A. Einstein, *Ein Schüler Glucks*, ds *AMl*, X, 1938 ; K. Stephenson in MGG.

**HANKISS János.** Homme de lettres et musicologue hongrois (1893–1959). Docteur ès lettres, prof. de langue et de litt. françaises et chargé de cours d'hist. de la mus. à l'univ. de Debrecen, il a publié notamment « *F. Liszt écrivain* » (en hongrois, 1941), *Wenn Liszt ein Tagebuch geführt hätte* (Budapest 1958), *Titre et frontispice des publications de musique* (*Ann. bibl. Univ. debreceniensis*, 1950), « *La correspondance de F. Liszt* » (étude et traduction, sous presse).

**HANLET.** Fabrique de pianos belgo-franç., fondée en 1866 par **Alexandre-Joseph** *H.* (1840–1895) ; son fils **Alexandre-Thomas** (1871–1940) s'installa à Bruxelles en 1901, aux environs de laquelle il construisit une usine moderne (1908) : après la 1ʳᵉ guerre mondiale, il chargea son fils **André** d'étudier différents modèles de pianos de format réduit et de conception nouvelle ; actuellement, les nouveaux aspects du marché de cet instrument ont provoqué l'industrialisation d'un petit piano qui correspond aux besoins du moment ; parallèlement, la maison *H*. est depuis 1920 l'agent général de Steinway pour la France et la Belgique.

**HANNENHEIM Norbert von.** Compos. autr. (Hermannstadt 15.5.1898–). Eève de Graener à Leipzig, de Jemnitz à Budapest, de Schönberg à Berlin (1929–31), il a écrit de la mus. symph., 1 concerto de piano, 1 sonate d'orgue, de la mus. chor., de chambre, des mélodies.

**HANNIKAINEN.** Famille de mus. finlandais : — **1. Pekka Juhani** (ou *Pietari*) (Nurmes 9.12.1854–13.9.1924) fut chef de chœur, compos. (chœurs et mélodies), critique et prof. de mus., rédacteur du périodique *Säveleitä* (1887–91), arrangeur de mélodies et de danses populaires. Son fils — **2. Ilmari** (Jyväskylä 19.10.1892–Helsinki 25.7.1955), élève de l'univ. d'Helsinki et de la *Musikakad.* de Vienne (Schreker), de Siloti (St-Pétersbourg), de Cortot (Paris), prof. de piano au cons. d'Helsinki, à l'Acad. Sibélius (1939–55), fit une carrière intern., fonda un trio avec ses frères, composa 1 opéra (*Talkoottanssit*, 1930), 1 quatuor, de la mus. de piano (1 concerto), des mélodies. Son frère — **3. Tauno** (*ibid.* 26.2.1896–), est vcelliste et chef d'orch. : il fait une carrière intern. Leur frère — **4. Arvo** (*ibid.* 11.10.1897–1.8.1942) fut violon., prof., chef d'orch. Leur frère — **5. Väinö** (*ibid.* 12.1.1900–) est harpiste et compos. : il a écrit 1 ballet (*Onnen linna*), de la mus. symph., de harpe, de théâtre, des cantates et des mélodies.

**HANON Charles-Louis.** Org. franç. (? 1820–Boulogne-s.-mer 19.3.1900). Élève du cons. de Paris, il fut org. et prof. de piano à Boulogne-s.-mer et publia la célèbre méthode intitulée *Le pianiste-virtuose* (3 vol., Schott), *Extraits des chefs-d'œuvre des grands maîtres*, *Méthode élémentaire de piano*, *Cinquante cantiques...*, *Système nouveau pratique et populaire pour accompagner tout plain-chant* etc.

**HANOT François.** Mus. franç. (Dunkerque 6.7.1697–Tournai 26.2.1770), qui vécut à Dunkerque, Lille, Tournai, Mons, Rouen ; en 1742, il se fixa à Tournai ; il s'intitulait maître de danse et de violon ou maître de ballet ; on lui doit 12 sonates (fl. ou viol. av. *b.c.*, 1740–45), des airs. Voir L. Boulay in MGG.

**HANS von KONSTANZ.** Voir art. *Buchner Hans.*

**HANSEN Cecilia.** Violon. russe (Stanitza Kamenskaïa 16.2.1897–). Élève de Léopold Auer au cons. de St-Pétersbourg (1910–1916), elle débuta dès 1910, fit à partir de 1922 des tournées de concerts en Europe, en Amérique et en Asie, dirige actuellement la classe de violon au cons. de Heidelberg.

**HANSLICK Eduard.** Musicologue autr. (Prague 11.9.1825–Baden [Vienne] 10.8.1904). Fils de l'esthéticien *Joseph Adolf H.* (1786–2.2.1859), élève de Tomašek à Prague, docteur en droit de l'univ. de Vienne, fonctionnaire, il fut critique à la *Wiener Musikzeitung* (1846), à la *Wiener Zeitung* (1848), à la *Presse* et à la *Neue Freie Presse* (1833–64) ; il enseigna l'esthétique et l'hist. de la mus. à l'univ. de Vienne de 1856 à 1895 et eut le titre de *Hofrat* (1886) ; son ouvrage principal est intitulé *Vom Musikalisch-Schönen* (Leipzig 1854) : il fut rééd. maintes fois et traduit dans un grand nombre de langues : il y expose sa théorie de l'esthétique mus., fondée sur une conception de la musique pure et excluant de la mus. toute fonction d'expression ; à partir de quoi, il fut le grand adversaire de Wagner, de Bruckner, de Tchaïkovsky, mais grand défenseur de Brahms et de Verdi ; sa vivacité en fit un polémiste redouté ; outre cet ouvrage, on lui doit *Gesch. d. Konzertwesens in Wien* (2 vol., Vienne 1869–70), *Aus dem Concertsaal 1848–68* (Francfort 1872, Munich-Berlin 1886), *Galerie französ. u. ital. Tondichter* (Berlin 1874), *Die moderne Oper* (9 vol., Berlin 1875–1900, rééd. 1911), *Suite* (Vienne-Teschen 1884), *Concerte, Componisten u. Virtuosen d. letzten 15 Jahre 1870–85*

(Berlin 1886, 4ᵉ éd. 1896), son autobiographie : *Aus meinem Leben* (2 vol., *id.* 1894, 4ᵉ éd. 1911), l'édition du *Wer ist musikalisch ?* de Billroth (*ibid.* 1895, 4ᵉ éd. 1912). Voir F. Stade, *Vom Musikalisch-Schönen*, Leipzig 1870–1904 ; O. Hostinsky, *Das Mus.-Sch. u. d. Gesamtkunstwerk v. Standpunkt d. form. Ästhetik*, *ibid.* 1877 ; F. v. Hausegger, *Die Mus. als Ausdruck*, *ibid.* 1885 ; R. Hirschfeld, *Das krit. Verfahren E.H.s*, 3ᵉ éd. Vienne 1895 ; F. Printz, *Zur Würdigung d. mus.-ästh. Formalismus E.H.s*, Leipzig 1918 ; R. Schäfke, *E.H. u. d. Musikästhetik*, *ibid.* 1922 ; R. Haas, *E.H.*, ds *Sudetendeutsche Lebensbilder*, *I*, Reichenberg 1926 ; S. Deas, *In defence of H.*, Londres

HANSLICK

*H. et Wagner. Caricature d'O. Böhler.*

1940 ; M. Mila, *Verdi e H.*, ds *Rass. mus.*, 1951 ; E. Stange, *Die Musikanschauung E.H.s*, thèse de Münster, 1954 (dact.) ; F. Blume in MGG.

**HANSON Howard.** Compos. amér. d'origine suédoise (Wahoo 28.10.1896–). Élève de l'Institut d'art musical de N.-York et de l'univ. d'Evanston, prof., puis doyen du cons. de mus. du *Pacific College* de San José, prix de Rome de l'Acad. de mus. amér. (1921), dir. de l'*Eastman School of music* de Rochester (1924), il a écrit 1 opéra, de la mus. symph. (5 symph.), d'orgue, de chambre, de piano (1 concerto), des mélodies. Voir B.C. Tuthill, *H.H.*, ds *MQ*, *XXII*, 1956.

**HANSSENS Charles-Louis-Joseph** (*l'aîné*). Mus. belge (Gand 4.5.1777–Bruxelles 6.5.1852). Violon., élève de Wauthier et de Verheym (Gand), de Berton (Paris), de son frère Joseph et d'A. Femy (Gand), il dirigea le *Théâtre de rhétorique* (1802), la troupe de Mlle Fleury (Amsterdam, Utrecht, Rotterdam), l'orch. des théâtres d'Anvers (1804), de Gand, de la Monnaie à Bruxelles (1825), ville où il fut également inspecteur de l'école qui devait devenir le conservatoire (1827) ; compromis pendant la révolution de 1831, il reprit le théâtre de la Monnaie de 1835 à 1838 et en 1840, cette dernière fois avec des responsabilités financières qui provoquèrent sa ruine ; on lui doit 4 opéras ou opéras-comiques : *Les dots* (1804), *Le solitaire de Formentera* (1807), *Partie de tric-trac...* (1812), *Alcibiade* (1829), 6 messes avec orch., 2 psaumes (4 v.), 1 album, 1 cantate. *Cf.* dict. de Fétis.

**HANSSENS Charles-Louis** (*le jeune*). Chef d'orch. et compos. belge (Gand 12.7.1802–Bruxelles 8.4.1871), autodidacte, 2ᵉ vcelliste, puis 2ᵉ chef d'orch. (1822) au théâtre d'Amsterdam, prof. d'harmonie au cons. de Bruxelles (1827) ; compromis lors de la révolution de 1830, il se retira en Hollande ; en 1834, il fut 3 mois chef de l'orch. du théâtre Ventadour à Paris, puis fut nommé dir. de l'Opéra franç. de La Haye ; on le trouve ensuite à Paris et à Gand, enfin à Bruxelles, où il fut chef d'orch. du théâtre de la Monnaie de 1848 à 1869 et fonda l'Association des artistes musiciens ; on lui doit des opéras, 14 ballets, 9 symph., 26 ouvertures, des fantaisies d'orch., 4 concertos, 1 symph. concertante (v. et clar.), des messes, 1 *Requiem*, des cantates, de la mus. de chambre. Voir L. de Burbure, *Notice sur Ch.-L.H.*, Bruxelles 1872 ; L. Bärwolf, *Ch.-L.H.*, id. 1894.

**HANUS Jan.** Compos. tchèque (Prague 2.5.1915–). Elève de la *Handelsakad.* (V. Dregrova, O. Jeremiaš), et du cons. de Prague (P. Dedeček, R. Karel, O.S. Sin, I. Kritchka), il s'occupa des éditions F.A. Urbanek, de la société *Pritomnost* ; il exerce des fonctions aux Éditions musicales d'État (1948), à l'Assoc. des compos. tchécoslovaques (1955) ; on lui doit 1 opéra : *Plameny* (1944), des œuvres symph. (3 symph., 1942, 1951, 1954), des chœurs, des ballets, des cantates, 3 messes, *Karpatske Requiem* (1945), des mélodies. Voir J. Bužga in MGG.

**HAO-T'ONG.** C'est une longue trompette de métal télescopique. Chine. On dit aussi *ta-t'ong-kio*. M.H.T.

**HAPETAN.** C'est un luth à deux cordes des Bataks Karo (Sumatra) ; on dit aussi à Sumatra *hasapi* et *kachapi* (voir ce mot) à Bornéo. C.M.-D.

**HARANC Louis-André.** Mus. franç. (Paris 12.6.1738–1805), qui fut violon. du dauphin, puis ordinaire de la mus. du roi (1770), dir. des concerts privés de la reine (1775), soliste du Concert spirituel (1769), violon. au théâtre Montansier de Versailles, auteur de sonates pour violon avec *b.c.* et de duos pour violons.

**HARANT Christoph,** *Freiherr von Polschitz, auf Weseritz und Pecka.* Mus. austro-tchèque (Klenau-Klatovy 1564–Prague 21.6.1621). Page de l'archiduc Ferdinand (1576–84), élève de G. van Roo, d'A. Utendal, de P.M. de Losy, il vécut à Prague à partir de 1584, fit un pèlerinage en terre sainte (1598), fut conseiller et camérier de l'empereur Rodolphe II (1600), ambassadeur à Madrid (1614–15) sous le règne de Mathias ; il fut fusillé après la bataille de la Montagne-blanche, ayant pris le parti des protestants contre l'empereur Ferdinand II ; on a conservé de lui 2 motets (5-6 v.), 1 messe (5 v.), son récit de voyage en terre sainte (Prague 1608). Voir J. Berkovc, K.H., thèse de Prague, 1951 (dact.) ; Z. Nejedly, *C.H. z Polžic*, (ibid. 1921) ; R. Quoika, *C.H. v. P. u. seine Zeit*, Mf, VII, 1954 et art. in MGG ; W. Senn, *Mus. u. Theater...*, Innsbruck 1954 ; J. Racek, *Česka hudba*, Prague 1958.

**HARASZTI Émile.** Musicologue hongrois (Nagyvarad 1.11.1885–Paris 27.12.1958). Elève d'A. Geiger et d'E. von Farkas, il obtint son doctorat en 1907, fut prof. au cons. et à l'univ. de Budapest (1916), chef du département de la musique à la Bibl. nat. Szechenyi, directeur du cons. de Budapest (1920) ; depuis 1944, il résida à Paris ; outre de nombreux articles de périodiques et de dictionnaires, il écrivit *La mus. hongroise* (Paris 1933), *Bela Bartók, his life and works* (ibid. 1938), *Berlioz et la marche hongroise d'après des documents inédits* (ibid. 1946) ; il était surtout le meilleur connaisseur de F. Liszt et, s'il ne put achever la monumentale monographie qu'il avait en préparation, il nous laisse d'importants articles sur des points particuliers relatifs à ce compositeur : *Die Autorschaft der literar. Werke F.L.* (Ungar. Jahrbüchern, XXI, 1940), *F.L. écrivain et penseur. Hist. d'une mystification* (R. de mus., 1944), *F.L. author despite himself* (MQ, 1949), *Le problème L.* (Acta mus., 1937–38), *Les origines de l'orchestration de L.* (R. de mus., 1952), *Genèse des Préludes de L., qui n'ont aucun rapport avec Lamartine* (ibid., 1953), *Un romantique déguisé en tzigane (les rhapsodies hongroises* (Rev. belge de mus., 1953), *Trois faux documents sur L.* (R. de mus., 1958) etc. L'article Liszt de la présente encyclopédie est le dernier article important qui ait été rédigé par l'auteur avant sa mort.

**HARBORDT Gottfried.** Mus. allem. (Darmstadt 1768–Offenbach 1837), élève de Portmann, qui fut au service

de la cour de Darmstadt (à partir de 1790) comme violon., altiste, flûtiste ; on lui doit 3 cantates, 1 *Singspiel*, 1 opérette, 24 entr'actes (orch.), 1 marche funèbre, 1 concerto de flûte. Voir H. Knispel, *Das Grossherzogl. Hoftheater zu Darmstadt v. 1810–1890*, Darmstadt 1891.

**HARBURGER Walter.** Théoricien allem. (Munich 26.8.1888–), qui a publié notamment *Grundriss. d. musikal. Formvermögens* (1912), *Metalogik, die Logik in der Musik als Ausschnitt einer exakten Phänomenologie* (1920), *Form und Ausdrucksmittel in der Musik* (1926).

**HARCOURT Eugène d'.** Compos. franç. (Paris 2.5.1859–Locarno 4.3.1918). Elève de Savard, de Durand, de Massenet au cons. de Paris, d'A. Schulze et de Bargiel à Berlin, fonda à Paris les Concerts éclectiques populaires (1892–95), puis en 1900 les Grands oratorios de St-Eustache ; on lui doit 1 messe, 3 symph., 1 opéra (*Le Tasse*, 1903), 2 quatuors, des articles, des traductions de livrets, 2 études : *La musique actuelle en Italie* (Paris 1907), *La mus. actuelle en Allemagne, en Autriche et en Hongrie (ibid.* 1908).

**HARCOURT Marguerite Béclard d'.** Voir art. *Béclard.*

**HARDANGERFELE.** Voir art. *hardingfela.*

**HARDEL** (*Ardel*) **Guillaume.** Claveciniste franç., mort en nov. 1679. Les documents d'état-civil le situent à Paris entre 1640 et 1663 comme « maître faiseur et joueur d'instruments », marié à Marguerite Hurel, laquelle appartenait à une famille de facteurs d'instruments (BN, fichier Laborde) ; Le Gallois affirme qu'il fut le meilleur disciple de Chambonnières « dont il possédait tout à fait le génie » et dont il avait recueilli les mss ; il s'associa avec A. Gautier, également élève de Chambonnières, qu'il tint pour son héritier, et à qui il laissa par testament toutes ses pièces ; toujours d'après Le Gallois, Louis XIV tenait à entendre *H.* « toutes les semaines avec le luthiste L. Porion ; on conserve de lui 7 pièces pour clavecin en forme de suite dans le ms Bauyn (BN), qui ont été rééd. en 1906 par H. Quittard (suppl. à la RM) et 3 pièces pour luth dans les mss Vaudry de Saizenay (bibl. de Besançon) ; des pièces de lui se trouvent encore dans un ms. qui contient des œuvres de Chambonnières et de Couperin, conservés dans une collection particulière en Angleterre. Voir H. Quittard, *H.*, ds R. de mus., 1906. F.L.

**HARDER August(in).** Mus. allem. (Schönerstadt b. Leisnig 17.7.1775–Leipzig 22 ou 29 (?).10.1813). Etudiant de théologie à l'univ. de Leipzig, il se consacra ensuite à la musique, fut chanteur, pian., guitariste, compos., écrivain ; on lui doit de nombreuses mélodies, qui furent fort populaires, des pièces pour la guitare, des art. dans des périodiques. Voir L. Gelber, *Die Liederkomp. A.H. ...*, thèse de Berlin, 1936 ; H. Becker in MGG.

**HARDIN Lil** (*Lilian*). Pian. de jazz amér. (Memphis 1903–), qui collabora avec King Oliver et L. Armstrong, dont elle est l'épouse ; depuis 1952, elle fait carrière dans des music-halls et cabarets européens.

**HARDING Harry Alfred.** Org. angl. (Salisbury 25.7.1856–Bedford 28.10.1930), qui exerça dans cette dernière ville, composa de la mus. d'église, de théâtre, de piano, de chant, et publia 3 ouvrages d'analyse musicale.

**HARDING James.** Flûtiste angl. (v. 1560–1626), qui figure dans les archives de comme flûtiste de 1581 à 1625 ; on connaît de lui 2 *fancies* pour virginal (BM), 1 *gailliard* à 5 v. (*id.*), une autre (*id.*) dans le recueil de Füllsack de 1607 ; les 2 *fancies* sont signées *Jeames Harden.*

**HARDINGFELA.** C'est une viole (Norvège). Muni de cordes sympathiques, cet instrument populaire, encore très en faveur en Norvège de nos jours, évoque la *viole d'amour* du XVIIIᵉ s. en dépit de son plus petit nombre de cordes : quatre mélodiques et quatre ou cinq sympathiques. Le *h.*, bien qu'il soit le plus souvent de fabrication rurale, est orné de riches incrustations de nacre ou d'ivoire sur la touche et d'un décor en marqueterie sur les éclisses ; la tête du chevillier est, à la manière des anciennes violes, sculptée d'une tête de dragon ; le fond et la table sont fortement voûtés, le plus ancien spécimen connu date de 1651. Le *h.* fut source d'inspiration pour E. Grieg et pour

Ole Bull. C'est actuellement un instrument d'accompagnement de danses populaires. On dit aussi *hardangerfele*.
C.M.-D.

**HARDOUIN Henri.** Mus. franç. (Grandpré 7.4.1727–13.8.1808). Elève de la maîtrise de la cath. de Reims, il fut ensuite maître de musique (1749), poste qu'il conserva jusqu'à 1801 (il était ecclésiastique) ; il dirigea les concerts de l'acad. de mus. de Reims à partir de 1750, collabora avec Giroust et Rebel, fut ami de Rameau, se retira en 1801 ; on lui doit un grand nombre de messes, dont 21 « avec symphonie », 24 à 4 v., 5 des morts, 91 hymnes, 85 motets, 6 *Te Deum*, 9 *Magnificat*, des compositions pour l'avent, le carême, la semaine sainte, des faux-bourdons, des proses, des psaumes, une musique du sacre (pour Louis XVI, 4 v. *a cappella*), *Principes de la musique, Leçons de musique, Méthode nouvelle courte et facile pour apprendre le plain-chant*... (Charleville 1818, Reims 1828). Voir J. Leflon, *H.H. et la mus. du chapitre de Reims au XVIIIᵉ s.*, Reims 1933 ; J. Prim in MGG.

**HARDOUIN Pierre-Jean.** Musicologue franç. (Paris 9.8. 1914–). Agrégé de l'Université, élève d'A. Pirro, de P. Brunold, de P.M. Masson, il a écrit *Les influences dialectales dans les chœurs d'Eschyle* (diplôme E.S. de Sorbonne, 1937), *Le grand orgue de St-Gervais à Paris* (Paris 1951, 1955), *Les instruments que pouvaient toucher les musiciens parisiens aux alentours de 1600* (CNRS, ibid. 1955), *Où en est l'hist. de la facture d'orgue en France ?* dans *Acta Mus.*, 1958, *La facture d'orgue à Paris du XVIᵉ au XIXᵉ s.* (en préparation) ; des art. dans des périodiques (*L'orgue, Revue de mus.*).

**HARDT** (*Hard, Hart*) **Johann Daniel.** Mus. allem. (Francfort 8.5.1696–? ap. 1755), qui fut camérier et mus. de la chambre du roi Stanislas, appartint à la chapelle du prince-évêque de Wurtzbourg (1720), à la cour de Wurtemberg, où il fut *Kapellmeister* (jusqu'en 1755) ; Eitner cite de lui une sonate de clavecin, *Six sonates à une gamba et basse cont. de chiffré, Duetto per due viole di gambe, 2 Soli per la viola da gamba c.b.c., Trio à un dessus de viole, v. et b.c.* Voir E. Preussner, *Die mus. Reisen des Herrn v. Uffenbach*, Cassel 1949 ; K. H. Pauls in MGG.

**HARELBECCANUS Siger Paul.** Mus. flamand du XVIᵉ s., né à Harelbeke, bourgeois de Cologne (v. 1590), qui composa *Psalmodia davidica* (3-6 v., 50 psaumes en allem., 1590).

**HAREWOOD Earl of** (*George Henry Hubert Lascelles*). Aristocrate angl. (Harewood House 7.2.1923–). Septième *earl* of Harewood, neveu de George VI, il a épousé Maria Donata Stein, fille du Viennois Erwin Stein ; musicien amateur distingué, il a publié *Kobbé's complete opera book* (Londres 1954), la partie biographique de B. Britten. *A symposium* (ibid. 1952), des articles, des critiques etc. ; il a fondé le périodique *Opera* (1950) ; depuis 1953, il est administrateur de *Covent Garden* ; il a participé à la fondation du festival d'Aldeburgh.

**HARIB.** C'est un hautbois du Tibet, d'origine vraisemblablement islamique.
M.A.

**HARICH-SCHNEIDER Eta.** Claveciniste, pian., prof. et musicologue allem. (Berlin-Oranienbourg 16.11.1897–). Elève de R.M. Breithaupt et de G. Bertram (piano), de W. Landowska, elle a fait ses études de musicologie aux univ. de Berlin et de N.-York, de sociologie à la *New School of social research* de New-York, d'ethnomusicologie à la *Columbia Univ.* (id.), *master of arts* (sociologie, 1954), *J.S. Guggenheim memorial foundation grant* (1953–55), *Wenner-Gren found. grant* (1956), prof. de clavecin à la *Hochschule f. Mus.* de Berlin (1932–39), à l'Acad. de mus. de Vienne (dep. 1955), prof. à l'univ. de Chicago (1–2, 1957), elle a fait une carrière de virtuose et s'est spécialisée dans les études d'ethnomusicologie japonaise ; on lui doit *Kunst und Anmut am Klavichord* (trad. de Tomas de Santa Maria, Leipzig 1937), *Die Kunst des Cembalospiels* (Cassel 1938, 1958), *François Couperin in seiner Zeit* (Berlin 1938), *Shakespeares Sonette in Deutscher Sprache* (Pékin 1943), *Moderne Musik und japanische Komponisten* (en japonais seulement, Tokyo 1949), *A survey of the remains of Gagaku* (Stockholm 1951), *Koromogae* (ds *Monumenta nipponica*, Tokyo 1952), *The present condition*

*of japanese court music* (MQ, N.-York 1953), *The rhytmical patterns in Gagaku and Bugaku* (Leyde 1954), *The remolding of Gagaku under the Meiji restoration* (ds *Transactions of the asiatic society of Japan*, 1957), *Roei, the mediaeval court songs of Japan* (ds *Mon. nipp.*, 1958), *A hist. of japanese music* (The University of Chicago Press, en préparation) ; elle a rédigé notamment l'article (*musique*) *japonaise* pour la présente encyclopédie.

**HARINGTON** (*Harrington*) **Henry.** Mus. angl. (Kenston 29.9.1727–Bath 15.1.1816). Médecin, mus. amateur, il fut *composer and physician* de l'*Harmonic Soc.* de Bath (1784) ; on lui doit des *glees* et de la mus. voc. d'église. Voir Ch. L. Cudworth in MGG.

**HARLAN Peter.** Luthier allem. (Berlin-Charlottenbourg 26.2.1898–), qui fonda en 1921 un atelier de fabrication d'instr. anciens ; il a installé (en 1945), à Sternberg-Lippe, une bibl. musicologique, dont le conservateur est E. Valentin, et une école pour les musiciens amateurs.

**HARLING William Franke.** Compos. amér. (Londres 18.1.1887–?... 11.1958), élève de la *Royal Acad. of mus.* de Londres, d'Ysaye à Bruxelles, org. (Bruxelles, West-Point), qui écrivit de la mus. de film, de théâtre, d'orch., des chœurs et des mélodies.

**HARMAN Carter.** Compos. et critique amér. (Brooklyn 14.6.1918–). Elève des univ. Princeton et Columbia, de R. Sessions, d'O. Luening, il est chroniqueur au *N.-York Times* ; on lui doit 1 ballet (1947), 1 fantaisie musicale (*The tansy patch*), des œuvres symph., de piano, de mus. de chambre, des mélodies.

**HARMAN Richard Alexander.** Musicologue angl. (Gooty, Inde, 19.11.1917–). Elève du *Royal Coll. of mus.* de Londres et de l'école de Durham, il enseigne à l'univ. de cette dernière ville ; on lui doit *A hist. of mus. for univ. students* (en préparation), *Catalogue of the printed ms. books and music in the Charter library, Durham cathedral* (id.), *Anthology of writings on english music bef. 1625* (id.), des art. dans des périodiques, des éditions de Morley, de Marenzio, un arrangement de la *Household music* de R. Vaughan Williams.

**HARMAT Artur.** Chef d'orch. compos., musicologue et prof. hongrois (Nyitrabajna 27.6.1885–). Il fit ses études à Nagyszombat, Esztergom, Prague, Beuron, Berlin et Budapest (classe de compos. de Herzfeld à l'Académie de mus.) ; il est tour à tour prof. de mus. dans des écoles sec., inspecteur de l'enseignement mus. de la ville de Budapest et prof. à l'École des hautes études mus. F. Liszt (dep. 1924), où, au cours des 35 dernières années, il a enseigné le chant grégorien, l'harmonie, le contrepoint et la dir. d'orch. ; il y a dirigé également les cours de préparation du professorat de mus. dans l'enseignement gén. et celui des maîtres de chapelle, jusqu'en 1939 ; il était lui-même maître de chapelle d'une église paroissiale de Budapest (1922–38), puis à la basilique St-Etienne (1938–56) ; auteur d'un traité de contrepoint et de nombreuses compos. de mus. d'église (messes, chœurs liturgiques, « L'étoile de Bethléhem » [cantate], œuvres d'orgue etc.) ; il a encore écrit des chœurs profanes et des mélodies ; sa cantate *Szép Ilonka* (poésie de Vörösmarty) a obtenu le prix Erkel ; il est le spécialiste de la mus. d'église de son pays (transcriptions et rééditions de textes anciens). J.G.

**HARMATI Sandor.** Violon., chef d'orch. et compos. hongrois (Budapest 9.5.1892–Flemington 3.4.1936). Elève de l'Acad. de mus. de Budapest, il se fixa aux États-Unis en 1914, collabora à des quatuors, dirigea notamment le *Symph. Orch. Omaha* (1925–30), écrivit 3 quatuors, des œuvres symph., de violon, de scène, des mélodies.

**HARMONIA. I. Système. 1.** *Qu'entendait-on par le terme harmonia ?* — Le terme, en tant que notion d'ordre et de disposition, se rencontre déjà chez Homère (*Il.*, X, 255 ; *Od.*, E, 248, 361) ; Harmonia même était une des filles de Zeus, mère des Muses ; mais, en tant qu'expression musicale, le mot fut employé par Pythagore de Samos après l'introduction de la huitième corde (Nicomaque, pp. 9-10 M. ; *cf.* M. Dabo-Peranic, *Harm. class.*, pp. 61-63) : il servait à désigner la concordance parfaite (*harmonia*) entre tous les systèmes consonnants (*symphônia*) d'un octacorde : *dia-tessaron, dia-pente, dia-pason*. L'*harmonia* est définie selon les auteurs grecs (Philolaos, *De natura*, fr. B 6, Diels ; Platon, *Timée*, p. 36 a-b ; Aristote, *Eudemus sive De natura*, fr. 47, Rose ; Nicomaque, pp. 16-17 M ; Thrasylle ap. Porphyre, *In Ptol. harm.*, pp. 270-271, Wallis) comme le premier système consonnant (*symphonia*), *dia-pason*, composé des systèmes consonnants (*symphonia*) ; *dia-tessarôn* et *dia-pente* (M. Dabo-Peranic, *ibid.*, pp. 182-186) :

2. *Identification des termes* harmonia, dia-pason *et* tropos (*mode*). L'*harmonia* était tout au début une notion mathématique, une conception philosophique. Le terme *dia-pason* étant une notion de la musique pratique, l'expression *harmonia*, elle aussi, fut appliquée à la pratique, et l'on possède, sur cette identification des termes *harmonia* et *dia-pason*, des passages de Platon (*Philèbe*, 17 c-d), d'Aristote (*Probl.*, XIX, 7, 25, 32, 44, 47), d'Aristoxène (*Elém. harm.*, II, p. 36 M.), de Phérécrate (*Transfugae*, fr. 26, Koch), de Théophraste (*op. cit.*, p. 270), d'Aristide (*De mus.*, I, 17 et II, 91, Meib.) et de Nicomaque (pp. 16-17 M.). Puisque les divers aspects de *dia-pason* étaient propres aux divers instruments, qui, selon la disposition de leurs cordes, étaient nommés jusqu'à cette époque soit *phorminx* dorienne (Pindare, *Olymp.*, I, 26-27), soit *magadis* lydienne (Anacréon, fr. 18, Bergk), soit *trigônos* phrygien, *aulos* phrygien etc., à partir de ce moment, ce fut le terme *harmonia* qui fut lié à ces noms topiques. D'où les expressions : *harmonia* dorienne, *harmonia* phrygienne, *harmonia* lydienne etc., de Platon, Aristote, Aristoxène, Héraclide du Pont, et, auparavant, de Damon, Pindare, Pratinas, Lasos d'Hermione, Pythagore de Samos et autres. — Le terme actuel *mode*, latin médiéval *modus*, s'identifie (contrairement à toutes les opinions de la théorie usuelle de quelque auteur que ce soit) au *modus* de Censorinus (*De die natali*, fr. XI, 2), selon lequel le mode s'impose comme une certaine loi qui régit l'ordre des sons et des intervalles et la différence de ces sons et ces intervalles, ce qui constitue la classification des sept modes :

La source de Censorinus provient d'un ouvrage d'Aristoxène qui a été perdu. Néanmoins, dans les *Eléments harmoniques* de ce dernier, on trouve la même idée : certains harmoniciens, prédécesseurs d'Aristoxène connaissaient les sept aspects de *dia-pason*, et les autres, toujours aux dires d'Aristoxène, qui traite les trois grandeurs de systèmes (*dia-tessaron, dia-pente, dia-pason*), n'énuméraient aucun de leurs modes (*tropos*) (Aristoxène, *Élém. harm.*, II, p. 36 M.) ; d'où une identification catégorique entre le *tropos* d'Aristoxène et le *modus* de Censorinus. Bien que le terme *tropos* se rencontre dans le sens de *mode*, il n'était pas usuel dans la théorie grecque : pour désigner la notion de *mode*, on se servait d'expressions plus précises, telles que *dia-pason* et *harmonia*, qui, déjà dans leur nature, comportaient la notion des huit sons. Cependant, les termes « les *tropes* de musique » de Damon d'après Platon (*Resp.*, III, p. 424 c), « concernant l'un et l'autre *trope* » de Damon d'après Aristide (*De mus.*, II, p. 95, cf. Dabo-P., *Harm. pettéiques*, pp. 273-281), « dans le *trope* lydien » de Pindare (*Olymp.*, XIV, 24-27) et de son scholiaste (*Olymp.*, XIV, 23 c), laissent entendre que le terme *tropos* au sens de mode était déjà connu à l'époque classique grecque.

3. *Théorie des sept harmonies* (dia-pasons, modes). La théorie des *harmonies* est bien connue : il y avait sept aspects d'*harmonia* (*dia-pason* ou *mode*), l'intervalle du ton (*tonos*), le seul ton dans les trois genres : diatonique, chromatique et enharmonique, occupant respectivement chacun des degrés au grave ou à l'aigu :

enharmonique

chromatique

diatonique

Telle est la théorie des *harmonies*, des *modes* ou des aspects de *dia-pason* (Pseudo-Euclide, pp. 15-16 M. ; Aristide, *De mus.*, pp. 17-18 M. ; Ptolémée, *Harm.*, II, 15, pp. 92-101 Wallis ; Gaudence, pp. 19-20 M. ; Bacchius l'Ancien, pp. 18-19 M.), adoptée par la théorie usuelle, dont les principaux représentants sont Boeckh, Fortlage, Bellermann, Westphal, Gevaert, Monro, Reinach, M. Auda et autres. Donc, si les aspects de *dia-pason* sont considérés par les auteurs grecs, de façon très explicite, comme synonymes des *harmonies*, l'opinion des ethnomusicologues modernes, qui voient les *harmonies* grecques comme un groupement de sons des systèmes irréguliers sans aucune relation avec les aspects de *dia-pason*, est privée de tout fondement (J. Chailley, *Le mythe des modes grecs* dans *Acta mus.*, XXVIII, 4, pp. 137-163). La définition de la notion d'*harmonia* (*mode*), telle qu'elle était conçue à l'époque classique grecque, serait la suivante : c'est un système, un et multiple, d'une certaine disposition des tons et des demi-tons, dont la qualité est déterminée par rapport au son le plus grave. C'est la définition qui résulte des opinions réunies des auteurs grecs, tels Aristoxène, Platon, Aristide, pseudo-Euclide, Censorinus et autres. Voici l'une d'elles, la plus proche de la définition ci-dessus, dans laquelle Aristide fait en outre coïncider les termes *dia-pason* et *harmonia* : « Le *dia-tessaron* était nommé par les anciens *syllabe*, » le *dia-pente di-oxéia*, le *dia-pason harmonia*, qui a reçu, » vu les (différents) aspects, les différents noms : celui » de l'*hypate hypaton* était nommé... celui de la *parhypate*... » celui de la (*lichanos*) *diatonique*... celui de l'*hypate* » *meson*... celui de la *parhypatè*... celui de la (*lichanos*) » *diatonique*... celui de la *mése*... Il est dès lors clair » que la première note des systèmes cités, note qui était » nommée différemment selon la valeur éthique diffé-

» rente du son, réalise, avec la suite des sons successifs, » la qualité bien évidente de l'*harmonia*. »

4. *Les Grecs avant Aristoxène connaîtraient sept harmonies.* A côté de l'erreur citée auparavant que les Grecs ne connaissaient pas les *modes* (*harmonia*, aspect de *dia-pason*), il existe une autre opinion sur le sujet, celle que l'on peut nommer « classique », défendue par Westphal, Gevaert et d'autres, selon laquelle les *harmonies* grecques étaient celles qui furent transmises par Aristide Quintilien (*De mus.*, pp. 21-22 M.) :

*mixolydienne*      *ionienne*      *dorienne*

*phrygienne*   *syntonolydienne*   *lydienne*

(*cf.* Dabo-P., *Harm. pettéiques*, pp. 200-312), et les sept aspects de *dia-pason* s'étaient formés au temps de la conquête de l'Orient par Alexandre le Grand. — Il est possible d'accepter que les *harmonies* transmises par Aristide doivent être attribuées à l'époque classique grecque, mais elles n'étaient ni les *harmonies* d'une époque archaïque ni les *harmonies* des aspects irréguliers : c'étaient les *harmonies* de l'école athénienne de Damon, et, quand à leurs aspects, elles étaient réellement les *harmonies* des aspects réguliers, *harmonies* « pettéiques », formées selon le principe que les Grecs nommaient *pettéia* (voir à ce mot).

En ce qui concerne les débuts des sept *harmonies*, les textes des auteurs grecs contestent, d'une part, les opinions de la théorie usuelle, et, de l'autre, les situent plusieurs siècles auparavant :

1° Les harmoniciens Lasos d'Hermione (Aristoxène, *Elém. harm.*, p. 7 M. ; voir art. *Lasos*) et Eratoclès (*ibid.*, pp. 5-6 et 36 M.) traitaient les sept *harmonies*.
2° Lamproclès connaissait déjà la théorie des sept aspects de *dia-pason* (Aristoxène, *Hist. de l'harmonique*, fr. ap. Plutarque, *De mus.*, 1136 D-E).
3° Aristote (Mét., XIII, 6, 4) parle des sept *harmonies*.
4° Les Grecs, encore vers 586 av. J.-C., ne connaissaient que trois *harmonies* ; dorienne, phrygienne, lydienne (Plutarque, *op. cit.*, 1134 A-B ; *cf.* Dabo-P., *Harm. class.*, p. 39) ; l'ionienne fut introduite immédiatement après cette date par Polymnestos (Plutarque, *ibid.*, 1141 B ; *cf.* Dabo-P., *Harm. pettéiques*, p. 70) ou, selon les autres, par Pythermos (Héraclide du Pont, *De mus.*, III, fr. 84a, Voss ; *cf.* Dabo-P., *ibid.*, pp. 76-77), et la mixolydienne par Sapho (Aristoxène, *De poet. trag.*, fr. 42, Müller, FHG II 283 ; Dabo-P., *ibid.*, 19-57). C'était avant Pythagore de Samos, époque à laquelle la classification des sept *harmonies* n'existait pas encore. Mais, puisque Lasos d'Hermione connaissait déjà l'hypo-dorienne, *harmonie* de la classification des sept *harmonies* (Héraclide du Pont, *op. cit.*, III, fr. 84 a, Voss), il connaissait donc toute la classification : celle-ci avait donc dû être introduite, par lui-même ou par un de ses prédécesseurs. Bien plus, puisqu'une autre *harmonie* de cette classification, l'hypophrygienne, était connue d'un autre théoricien, plus compétent que lui et même son maître, Pythagore de Samos (Boèce, *De inst. mus.*, I, 1, Friedlein, pp. 184-185) et que la classification des sept *harmonies* était inconnue avant ce dernier, il est logique de supposer qu'elle fit son apparition à l'époque de Pythagore : la renommée de ce dernier permet de conclure qu'il en était lui-même l'auteur.

5. *Le véritable aspect des harmonies grecques.* Nous avons expressément laissé de côté la dénomination des aspects de *dia-pason* dans le passage d'Aristide cité

ci-dessus. Bien qu'Aristide (*De mus.*, pp. 17-18 M.), pseudo-Euclide (pp. 15-16 M.), Ptolémée (*Harm.*, II, pp. 92-101, Wallis), Gaudence (pp. 19-20 M.) et Bacchius l'Ancien (pp. 18-19 M.) aient transmis la classification suivante, acceptée par la théorie usuelle comme grecque :

*mixolydien*
*lydien*
*phrygien*
*dorien*
*hypolydien*
*hypophrygien*
*hypodorien*

les écrivains de l'époque classique grecque s'y opposent catégoriquement et en font surgir une autre, identique aux modes médiévaux :

*hypodorienne*
*hypophrygienne*
*hypolydienne*
*dorienne*
*phrygienne*
*lydienne*
*mixolydienne*

Argumentation : 1. La teneur du texte du fragment du chœur d'Euripide (voir le mot *Oreste*) est plaintive « Je gémis, je gémis... »), le rythme du même fragment, dochmiaque, est plaintif, lui aussi (*scholiaste d'Eschyle*). L'*harmonie* de ce fragment ne peut aucunement être la dorienne, comme le prétendent Wessely, Jan et d'autres, car celle-ci n'était jamais « plaintive » : c'est la phrygienne, « plaintive » selon Aristote (*Probl.*, XIX, 48), Aristoxène (*De mus.*, I, fr. 68, Müller, FHG II 286), Aristophane (*Equit.*, 7-11), scholiaste d'Aristophane (*Equit.*, v. 7), Pollux (*Onom.*, IV, 78-79) et Suidas [sous le mot *xynaulia*] (*cf.* Dabo-P., *Harm. pett.*, pp. 180-182). 2. Il est vrai que Pindare ne lie pas expressément la 1ᵉ Pythique avec une *harmonie* du groupe dorien-éolien (voir au mot *locrienne*), mais la teneur de son texte — « pour Hiéron d'Etna, vainqueur à la course des chars » — la réclame catégoriquement. La mélodie de cette ode, du mode *ré*, par conséquent, était une *harmonie* du groupe *dorien-éolien*. 3. La phrygienne d'Olympos était *mi-mi* (Aristoxène ap. Plutarque, *ibid.*, 1137 C-D). 4. Outre la classification des sept *modes*, l'école athénienne en connaissait une autre de cinq *harmonies* (voir au mot *pettéia*) :

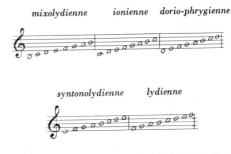
*mixolydienne*      *ionienne*      *dorio-phrygienne*

*syntonolydienne*      *lydienne*

Bien que cette dernière se fût éloignée de la classification des sept *harmonies* au cours de son évolution, les harmonies authentes de l'une et de l'autre demandent un point de départ commun, c'est-à-dire les trois *harmonies*, les seules connues encore vers 586 av. J.-C. (*cf.* Dabo-P., *Harm. classiques*, pp. 37-39) :

5, 6, 7. Aristoxène a transmis trois variétés des sons (= *harmonies*) des écoles anonymes de ses prédécesseurs, analogues à ceux de l'école athénienne (*Elém. harm.*, II, p. 37 M.) :

toutes exigeant d'être classées comme *inconnues*. 8. Aristoxène connaissait bien la phrygienne d'Olympos (Plutarque, *ibid.*, 1137 C-D, voir ci-dessus nᵒ 3), de même que la dorienne, la lydienne et l'ionienne, appelée postérieurement l'hypolydienne (*ibid.*, 1141 B ; *cf.* Dabo-P., *Harm. pett.*, pp. 69-70) de Platon (Aristoxène, *De mus.*, II, fr. 71 Müller FHG II 287 ; Aristide, pp. 21-22 M. ; *cf.* Dabo-P., *Harm. pett.*, pp. 201-312) :

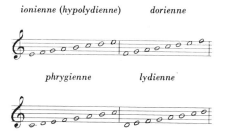

Or ce sont les *harmonies* primitives de la classification inconnue. 9. Le système harmonieux (*em-mélès*) d'Aristoxène (voir au mot *système* et Dabo-P., *Harm. class.*, pp. 103-110) :

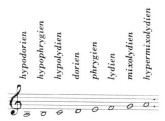

10, 11, 12, 13. Lasos d'Hermione (fr. 5 Bergk) et le scholiaste de Pindare (*Olymp.*, III, 17e) appellent l'hypodorienne (éolienne) : *grave :* au contraire, la lydienne était, selon Ion (fr. 39 Nauck) et Télestès (fr. 5 Bergk), una *harmonia aiguë*, ce qui n'a de sens que dans la même classification *inconnue ;*
hypodorienne (éolienne)     lydienne

14. L'hypodorienne, qui se trouve au-dessous (*hypo*) de la dorienne, devait son nom, selon Héraclide du Pont (*De mus.*, III, fr. 84 a Voss), à sa ressemblance avec cette dernière ; puisqu'en outre il parle de la mixolydienne et de l'hypermixolydienne, ces quatre *harmonies*

se rapportent, elles aussi, à la même classification *inconnue*. 15. La phrygienne d'Olympos aussi bien que la dorienne, lydienne et hypolydienne (ionienne) de Platon (voir ci-dessus, 3-5) sont transmises par Plutarque (*ibid.*, 1136 E-F). Celui-ci fait également mention de la mixolydienne (1136 C et 1142 F), de l'hypermixolydienne (1144 F), de l'hypodorienne (1142 F), de l'hypophrygienne (1142 F) : c'est bien qu'il connaissait toute la classification *inconnue*. 16. Les échelles transposées (*tonoï, tropoï*) firent leur apparition après Aristoxène, à l'époque hellénistique (Dabo-P., *Harm. class.*, pp. 1-166 ; voir également au mot *tonos*) ; puisqu'elles résultent d'une évolution de la musique de l'antiquité grecque, elles se réclament non pas de la classification transmise par le pseudo-Euclide et ses émules, Aristide, Ptolémée, Gaudence et Bacchius l'Ancien, mais de l'*inconnue ;*

*échelles transposées*

*modes de l'antiquité grecque*

Bien que les auteurs de l'époque hellénistique (pseudo-Euclide, Aristide, Ptolémée, Gaudence et Bacchius l'Ancien) s'opposent à la classification des écrivains de l'époque classique grecque, nous devons accorder toute notre confiance non pas aux auteurs qui ont vécu quatre, cinq, six, sept siècles après ceux dont ils exposaient la musique, mais à ceux qui étaient témoins de ces harmonies et qui les pratiquaient. Il reste que la tradition du pseudo-Euclide et de ses émules doit être erronée. Elle se contredit elle-même : 1. Les classifications des échelles transposées montrent bel et bien le rapport des *tonoï* plagaux vis-à-vis de leurs authentes : les *hypo-tonoï* se trouvaient au-dessous (*hypo*), les *hyper-tonoï* au-dessus (*hyper*) (pseudo-Euclide, Aristide, Ptolémée, Censorinus, Gaudence, Bacchius l'Ancien, Cassiodore, Boèce). C'est logique, car *hypo* veut dire *au-dessous, hyper au-dessus*; la classification du pseudo-Euclide est donc en contradiction non seulement avec le sens des termes *hypo* et *hyper*, mais également avec une tradition fortement attestée par l'existence des *tonoï* dans la théorie comme dans la pratique. 2 et 3. Héraclide du Pont (*ibid.*, III, fr. 84 a Voss) et Ptolémée (*Harm.*, II, 10, p. 70, Wallis) déterminent explicitement la position des *hypo-harmonies* au-dessous de leurs authentes. 4. Selon le pseudo-Euclide et ses émules, la classification de leurs aspects de *dia-pason* était ainsi appelée « par des anciens » (pseudo-Euclide, p. 15 M., Aristide, p. 17 M., etc.). C'est une erreur. Les anciens connaissaient une autre classification, comme l'attestent les seize arguments présentés ci-dessus. Le texte du pseudo-Euclide, source des autres manuels, se contredit donc une fois de plus. D'où provient donc cette erreur ? C. von Jan (*Mus. Gr.*, p. 177) a relevé de nombreuses interpollations dans le traité du pseudo-Euclide, Menge dans son édition la plus récente du pseudo-Euclide l'a suivi (*Euclide*, VI, pp. 189, 207, 211). Si la dénomination en question des pseudo-aspects de *dia-pason* se trouve à côté des passages mis en cause, cette dénomination devrait être, elle aussi, considérée comme interpollée. Elle est sans aucun doute le résultat d'un copiste malhabile, qui, complétant le texte endommagé du pseudo-Euclide, aurait confondu les noms.

**Bibl.** : A. Auda, *Les gammes musicales*, Ixelles 1947 ; F. Bellermann, *Die Tonleitern u. Musiknoten d. Griechen*, Berlin 1847 ; A. Boeckh, *De metris Pindari*, Leipzig 1811–1821 ; J. Chailley, *Le mythe des modes grecs*, ds *Acta mus.*, IV, 1954 ; F.A. Gevaert, *Hist. et théorie de la mus. de l'antiquité*, 2 vol., Gand 1857–1881 ; K.v. Jan, *Musici scriptores graeci*, Leipzig, 2 vol., 1895–1899 ; D.B. Monro, *The modes of ancient greek music*, Oxford 1894 ; Th. Reinach et H. Weil, *Plutarque. De la musique*, Paris 1900 ; C. Wessely, *Mitteil. aus der Slg d. Papyrus Erzherzogs Rainer*, V, Vienne 1892 ; R. Westphal, *Griech. Harmonik u. Melopoeie*, Leipzig 1886 — *Die Mus. d. griech. Altertums*, ibid. 1883 ; M. Dabo-Peranic, *Les harm. classiques grecques, ces inconnues*, thèse de Paris, 1958 — *Les harm. pettéiques*, id. ibid. 1958.

**II. Genre harmonique.** C'est le genre de la mélodie, dans l'antiquité grecque, nommé *harmonia* ou *enharmonion*, qui consiste dans la suppression de la *lichanos* et fut introduit par Olympos v. 650 av. J.-C. :

Les Grecs le considéraient comme plus harmonique (*harmonia*) que le diatonique (*diatonon*) et le chromatique (*chrôma*), d'où son nom. Sous cette forme, il fut longtemps en usage chez les émules d'Olympos, et ce fut Lasos d'Hermione, le plus ancien des harmoniciens (théoriciens qui se servaient exclusivement du genre harmonique) cités par Aristoxène, qui divisa les demi-tons en deux *diésis* :

La forme harmonique connue actuellement comme « classique » grecque débuta dans la 2e moitié du Ve s. av. J.-C., après l'invention de la lydienne *épaneïméne* (d'un caractère relâché) par Damon, lydienne du lydisme exagéré :

Les harmoniciens prédécesseurs d'Aristoxène fixèrent ce genre, de telle sorte que les *Problèmes musicaux* d'Aristote contiennent déjà cette forme du genre harmonique, la seule connue par les manuels de l'époque hellénistique et romaine.

M.D.-P.

**HARMONICA.** — **1.** C'est un instrument à air, composé d'une série, variant selon l'importance des modèles, d'anches libres, constituées par des languettes métalliques de tailles inégales, fixées alternativement sur les deux faces d'une plaque de métal et logées dans les perforations correspondantes pratiquées dans celle-ci : cette plaque est montée sur un châssis de bois qui ménage un conduit isolé pour chaque languette ; selon leur point d'attache, sur ou sous le cadre, les anches sont mises en vibration par le souffle ou l'aspiration du joueur. Il existe des *h.* diatoniques ou chromatiques de différentes tailles et étendues (d'une à quatre octaves). On connaît en Allemagne, outre le prototype de Ch. Fr. C. Buschmann (1825), des *h.* de la première moitié du XIXe s. Messner et Mathias Hohner perfectionnèrent l'instrument. L'un des principaux facteurs actuels reste Hohner à Trossingen (Allemagne). L'instrument, dit en Allemagne *Mund-harmonika* (accordéon à bouche) est soit un jouet, soit un instrument soliste ou d'ensemble ; il atteint aujourd'hui une grande popularité (associations de jeunesse, harmonies etc.). L'*h.* est utilisé dans le jazz et la musique légère. Des compositeurs ont écrit pour lui : D. Milhaud, Vaughan Williams (*Romance pour h. et orchestre*), Spinakowsky (*concerto*) notamment. On peut citer parmi ses virtuoses contemporains : Albert Raisner (France), Larry Adler (U.S.A.). — **2.** Le terme *h.* fut employé pour qualifier des instruments divers, par exemple le *glass harmonika* (voir à ce mot), fait de bols de verre à frotter, et le *Nagel harmonika* (voir à ce mot), fait de tiges d'acier à frotter.

M.A.

**HARMONICIEN.** Voir art. *harmonia* (II).

**HARMONICON.** — **1.** C'est un piano double, inventé par A. Stein (Bavière, 1789) et apprécié par Mozart. — **2.** C'est aussi une variété d'harmonica, perfectionnée par G.C. Müller (Brême, 1795).

C.M.-D.

**HARMONIE.** Ce substantif féminin vient du grec ἁρμονία, qui signifie littéralement : arrangement, ajustement (ἁρμος, assemblage). Par extension, c'est l'« agencement entre les parties d'un tout, de manière qu'elles concourent à une même fin » (Littré). Appliqué à la musique, le mot *h.* signifie, avant toute autre chose : organisation, ordre. Mais le fait que, sous ce sens littéral, se cachent une infinité d'acceptions est la preuve que nous sommes en présence d'une des notions fondamentales de l'esprit humain, dont il importe d'examiner de près les multiples aspects. 1) Pourvu de véritables vertus créatrices, le *sentiment d'h.* se trouve, chez tous les peuples, à la source des divers systèmes musicaux. 2) Chez les Grecs, *h.* était synonyme de gamme, succession coordonnée de sons. 3) Comme tel, il comportait des interprétations esthétiques. 4) Pendant une longue période, ce terme ne concerne que les manifestations mélodiques ; à partir du moyen-âge occidental, il s'applique à des combinaisons polyphoniques. 5) Au XVIIIe s., il prend un sens très particulier, de caractère structurel et fonctionnel d'une part, didactique de l'autre. 6) Il s'applique également à des considérations plus générales concernant les formes. 7) On lui prête volontiers un caractère hédonique, en l'assimilant à l'agrément. 8) A partir de la fin du XIXe s., il tend à s'intégrer des impressions de couleur sonore (Wagner, Debussy). 9) Il reprend son acception littérale d'organisation avec le dodécaphonisme, en même temps que, depuis Stravinsky, il se dépouille de toute signification hédonique. 10) Dans un sens dérivé, il signifie « ensemble d'instruments à vent » : « l'*h.* », comme on dit « les cordes », « la batterie ». — Il désigne aussi une formation instrumentale uniquement constituée d'instr. à vent : « l'harmonie » du 4e régiment d'infanterie.

— **1.** **Encycl.** : *Le sentiment d'harmonie*, sinon son expression verbale, est apparu dès le moment que l'homme, prenant conscience d'un des caractères essentiels du son musical, la fixité de son intonation, s'efforça de déterminer des rapports entre des sons d'intonations différentes. Sans qu'il soit possible d'assigner une date, même approximative, à l'apparition de cette opération organisatrice, il est certain que ses premiers balbutiements remontent aux temps les plus reculés. On peut en effet présumer que les premiers musiciens y ont été conduits, eu égard au caractère magique que l'on attribue généralement à l'art des sons en son aurore, par l'idée qu'un chant incantatoire ne pouvait conserver son efficace que dans la mesure où il était exactement reproduit, ceci en application du principe d'analogie, essentiel à toute opération magique.

Un fait, en tout cas, ressort clairement des théories des *sutras* védiques et des théories helléniques : tout comme l'alphabet est né du moment où l'on eut l'idée de décomposer les phonèmes en voyelles et en consonnes, de même la notion précise de groupement des sons musicaux n'est devenue possible que lorsque l'on eut réalisé le concept d'intervalle, élément primordial de toute construction, de toute organisation sonore, et donc de toute *harmonie*. Le rôle joué par les instruments dans cette détermination des intervalles fut considérable. Il s'en faut cependant que les divers procédés plus ou moins empiriques, tout au moins à l'origine, utilisés pour la fabrication des instr. de musique aient abouti à un résultat identique, à une norme universelle. Sans doute peut-on admettre que la résonnance de certaines pierres sonores, ainsi qu'elle peut être observée sur le lithophone vietnamien du Musée de l'homme à Paris, ou d'autres faits matériels, comme l'octaviation et le quintoiement, qui se produisent si aisément avec des tuyaux ouverts sans anche, telle l'antique syringe monocalame, ont pu dicter les intervalles fondamentaux de quinte et d'octave, dont on trouve la trace un peu partout sur la surface du globe. Pourtant, dès que l'on s'efforça d'imaginer un troisième son, puis un quatrième, l'intervention de l'esprit se révéla indispensable.

Celle-ci, se manifestant en fonction de processus différents selon les peuples, donna naissance à des systèmes musicaux qui, à l'heure actuelle, s'opposent au point d'apparaître incompatibles les uns avec les autres ; ce qui revient à dire que le *sentiment d'harmonie* peut différer selon les latitudes. Pour nos oreilles européennes, par exemple, certaines musiques exotiques sont « fausses », cependant que, de leur côté, arabes, turcs, persans, javanais, et beaucoup d'autres peuples encore, portent à l'encontre de nos intonations musicales un jugement tout aussi péjoratif.

— **2. Diatonisme.** Pour ce qui touche la musique dite « occidentale » (par opposition à ce que nous appelons « musique exotique »), l'origine doit en être cherchée dans le « genre » diatonique en usage en Grèce de temps immémorial. Cette gamme de sept sons résulte du procédé d'accord utilisé par les joueurs de lyre et prenant pour armature le partage de l'octave, par le ministère des quintes, en deux intervalles de quarte :

De ce système, appelé par Aristote le « corps de l'harmonie », naquit, par l'extension de la chaîne de quintes et de quartes, l'échelle dorienne, « harmonie » hellénique par excellence :

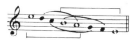

*Harmonie — consonnance — fusion.* Les cordes de la lyre étant de longueur égale, leurs diverses intonations provenaient donc uniquement d'une différence de tension. D'où nous devons déduire que cette opération d'accord impliquait une intervention de l'esprit ; en l'espèce, un choix se fondant sur un phénomène psycho-physiologique décrit par les premiers pythagoriciens — particulièrement Philolaüs — comme étant « l'unité du multiple et l'accord du divers », un mélange (κρᾶσις), une « réduction à l'un » ἑνωσις) ; phénomène dont la détermination par l'oreille apparut si précise qu'il fut pris comme critère de la consonnance (συμφωνία) ; ce même phénomène grâce auquel, encore aujourd'hui, violonistes, violoncellistes,

harpistes assurent la justesse de leurs instruments, et que nous connaissons sous le nom de « fusion ».

Ἁρμονία συμφωνία εστί (« l'échelle musicale est consonnance »), disait au VIe s. avant notre ère Pythagore qui, par des calculs effectués sur les longueurs de cordes, conféra à ces consonnances de quinte et de quarte le prestige des proportions numériques, et par là, apportant l'ordre dans les rapports intervalliques, contribua à donner au diatonisme une valeur normative, grâce à laquelle, par delà le moyen-âge, il s'est perpétué jusqu'à nous.

*Harmonie-échelles.* L'un des privilèges de la Grèce fut d'accueillir, pour les façonner selon son génie propre, les apports des civilisations étrangères. C'est ainsi que Lydiens, Phrygiens, Eoliens concoururent, au long des siècles, à la constitution d'un système musical qui, prenant la gamme dorienne pour centre, était parvenu, dès le temps d'Aristoxène (IVe s. av. J.-C.) à un remarquable degré de cohérence. Voici, d'après Théodore Reinach, tels qu'ils se présentent dans les manuels gréco-romains, les sept modes (ou « harmonies » selon la terminologie antique) que comportait le genre diatonique :

C'est de cette construction — dont l'aspect dogmatique trahit l'œuvre de théoriciens — que s'est inspiré le chant liturgique chrétien pour constituer les échelles du plain-chant.

*Autres aspects du sentiment harmonique.* Il s'en faut de beaucoup que, du sentiment harmonique propre à l'art hellénique — dont on a bien compris qu'il émanait de la succession des sons, et non de leur simultanéité — le genre diatonique soit le seul aspect. Il fut même un temps, au Ve s. av. J.-C., à l'époque des grands tragiques, où on le considéra comme inférieur. Il est certain qu'entre le VIe et le IVe s., la faveur des professionnels se partagea entre deux autres genres, le chromatique et l'enharmonique, bien que ni l'un ni l'autre ne fussent tributaires de la génération par chaîne de quintes. De celle-ci ne subsistaient alors que les piliers immuables du « corps de l'harmonie », au milieu desquels s'inséraient des groupes de sons mobiles. Le genre enharmonique admettait même le partage du demi-ton par un son intermédiaire (noté par le signe x sur notre graphique).

Il en résultait des

micro-intervalles (δίεσις) qui pouvaient d'ailleurs, par le moyen de différentes *nuances*, prendre une valeur variable. Aussi s'efforça-t-on en vain de les mesurer. *Le genre chromatique*, en faveur au VIᵉ s., est exclu de la lyrique chorale au Vᵉ, mais est accueilli par le dithyrambe. Au IVᵉ s., il supplante l'enharmonique tombé en désuétude. Ce genre se caractérise par une consécution de deux demi-tons,

Toutefois, là encore, on ne peut prendre au pied de la lettre cette notation, qui ne rend pas compte des *nuances* auxquelles était soumis le son intercalaire partageant le ton.
Ainsi, de la pratique des genres et des nuances, il ressort que le sentiment harmonique propre à l'art hellénique n'était pas toujours en accord avec les calculs des pythagoriciens, lesquels symbolisent pourtant à nos yeux l'esprit rationaliste qui devait prévaloir en Occident, cependant que des normes différentes s'imposaient en d'autres parties du globe.
*Orient.* — L'origine asiatique des micro-intervalles (plus petits que le demi-ton) n'est pas douteuse ; et nous pouvons imaginer que le genre enharmonique, cher à Euripide, devait se rapprocher de ces « musiques exotiques » qui sonnent si étrangement à nos oreilles. C'est un fait que dans l'Inde, en certaines parties de la Chine (Formose), en Indonésie, chez les Indiens du Brésil central, les Arabes, les Turcs, les Persans, nous voyons se perpétuer des musiques qui ne doivent pas plus au phénomène de fusion, instaurateur de la notion de consonance, qu'aux spéculations pythagoriciennes sur la beauté des rapports numériques. Il apparaît donc

que, dans ces systèmes exotiques, l'organisation des sons s'établit sur un sentiment de l'intervalle évalué de tout autre façon que dans le diatonisme. Nous n'en voulons pour exemple que cette gamme pentatonique indonésienne, dite *slendro*, qui partage l'octave en cinq parties égales. La notion d'ordre n'en existe pas moins, qui nous interdit de refuser *a priori* à ces musiques le *sentiment d'h*. Il nous faut bien plutôt admettre que celui-ci s'est constitué, à la suite d'une éducation séculaire de l'oreille, hors des normes qui nous sont devenues familières.
— 3. *Des pouvoirs magiques au sentiment esthétique.* Sur la foi d'une éducation non moins séculaire, mais divergente, nous pourrions être tentés de dénier aux musiques exotiques tout caractère esthétique. Ce serait une erreur tout aussi grave que celle qui consisterait à rejeter comme inesthétique l'art japonais pour la raison qu'il ignore ou néglige nos lois de la perspective. Cela dit, l'histoire de la musique et les quelques monuments qui nous ont été conservés nous apprennent que, de la croyance en ses pouvoirs magiques, l'art a évolué, un peu partout vers d'autres fins. Les Grecs se sont montrés particulièrement sensibles aux facultés expressives de leurs structures sonores. On vantait pour leur gravité majestueuse les vieux airs de libation, dits spondiaques, que l'on faisait remonter au légendaire Olympos. Au IVᵉ s. avant notre ère, Aristoxène comparait la gravité du genre enharmonique aux beautés des dialogues philosophiques de Platon. Si l'on en croit Plutarque, « le chromatique amollit », alors que « l'enharmonique donne la fermeté. » D'autre part, Héraclide du Pont nous informe que le mode iastien qui, à l'origine, avait un caractère rude, austère et fier, sombra par la suite dans la mollesse et l'ivrognerie. Ce dernier trait donnerait à penser que les anciens entendaient par « mode » un ensemble de caractères où l'échelle, le genre n'étaient pas tout, des éléments

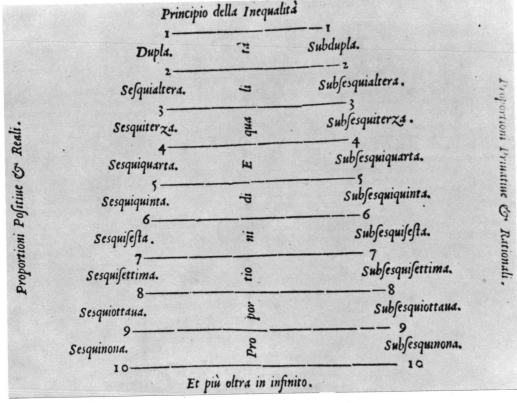

Zarlin. *Extrait des* Istitutioni *(éd. de 1562).*

rythmiques, des dispositions de tessiture y jouant probablement leur rôle. Les vicissitudes subies au cours des siècles par les nomenclatures modales ne permettent pas de discuter de façon précise sur l'*èthos* des différentes échelles. Il n'en est pas moins certain qu'on leur reconnaissait des vertus esthétiques.

Disons bien d'ailleurs que la Grèce ne posséda pas le privilège de cette manière de voir, car il en fut de même, si l'on se réfère aux livres sacrés, dans l'Inde et en Chine ; et le fait qu'en Corée certaines gammes sont réservées au service des temples atteste un esprit tout semblable. Ainsi voyons-nous, parallèlement au développement des civilisations, le mot *h.* se parer de couleurs nouvelles.

— **4.** *La prodigieuse carrière du diatonisme.* Lorsqu'on considère l'extraordinaire vitalité de ce diatonisme qui, par-delà les bouleversements des civilisations et des empires, par-delà même la profonde révolution spirituelle et sociale du christianisme, survécut dans les chants de la nouvelle Eglise, pour ensuite accomplir, au cours des siècles, la prodigieuse carrière que nous lui connaissons, on ne peut se défendre d'imaginer qu'un système musical à tel point fécond recèle quelque pouvoir secret. A la vérité, l'histoire de cette évolution n'est que la réalisation de plus en plus lucide de cette puissance interne, de ce dynamisme que pressentait déjà Aristoxène lorsqu'il évoquait « l'idée d'un effort ou d'un abandon, d'un élan joyeux ou d'une tristesse lassée » que lui inspiraient les échelles musicales.

On ne peut nier en effet que les processus mélodiques qui sont la marque distinctive de l'art hellénique et, à sa suite, de l'art occidental, recèlent, dès les origines, des tendances attractives. Tous ceux qui se sont penchés sur les monuments musicaux de l'art antique sont d'accord pour constater, dans les mélodies, la prépondérance de l'orientation descendante, laquelle se trouve d'ailleurs schématisée par la présence, dans le mode dorien, au grave de chaque tétracorde, d'une « sensible inférieure ».

Ainsi se trouve mis en évidence le pouvoir attractif du demi-ton, et en général de tout « intervalle serré », lorsqu'il intervient dans le développement direct, descendant ou ascendant, du *cursus* mélodique.

Ce dynamisme, issu du jeu des demi-tons au milieu des autres intervalles, est à la base des caractères particuliers de chacun des modes possibles du diatonisme. L'examen des vénérables mélopées grégoriennes, héritières modales de leurs ancêtres païennes, révèle un renversement des tendances mélodiques qui, de descendantes qu'elles avaient été en majeure partie au temps d'Aristote, adoptent au cours du moyen âge un aspect neutre dû à la situation du mode de *ré* :

pour ensuite, au cours des siècles suivants, se tourner délibérément vers l'aigu. Ce renversement de l'orientation mélodique est rendu sensible par le schéma suivant, qui oppose les structures descendantes de l'antique dorien aux structures ascendantes de notre mode majeur :

De sorte que, nous plaçant au terme de cette évolution, si nous en considérons l'ensemble, ce mode majeur (mode d'*ut*) apparaît comme un centre attractif puissant, une manière de soleil lointain absorbant peu à peu dans son orbite les délicates structures modales qui, dans l'antiquité et le haut moyen-âge, avaient fait la richesse de l'art monodique.

*Le sentiment harmonique issu de la simultanéité.* — Cette conversion vers l'aigu sera peut-être provoquée, en tout cas accélérée, par un événement qui remonte pour le moins au IXe s. : la naissance de la polyphonie en Occident, fait capital qui aura sur les destinées de l'art musical occidental une action décisive. Du fait même que les sons ne vont plus seulement se succéder « horizontalement », mélodiquement, mais aussi se superposer « verticalement » selon un processus de simultanéité, un nouvel aspect du *sentiment harmonique*, en même temps qu'une notion jusqu'alors inconnue de l'espace sonore vont se faire jour et place.

A la neutralité des chants en mode de *ré* va tout d'abord répondre une forme polyphonique de tendance analogue : l'*organum*, constitué par une succession de quintes ou de quartes, d'où ne pouvait naître, par suite de ce parallélisme, aucune fonction harmonique, aussi longtemps que l'on restait dans les limites de la même échelle diatonique. De telles fonctions n'apparaissent que, lorsqu'à ce collier de consonances toutes semblables, on a l'idée de substituer des intervalles différents qui, par leur succession créent aussitôt des rapports de parenté et de hiérarchie, dont la nature demeurera longtemps inaperçue. C'est ainsi que les premiers polyphonistes furent particulièrement intrigués, et même inquiétés, par cet intervalle de triton, ce *diabolus in musica*, détenteur de forces inconnues qui ne devaient se révéler que peu à peu.

Entre temps se développait l'esprit du contrepoint, dont le but est l'indépendance des parties du concert polyphonique. L'origine doit en être recherchée dans ces « diminutions » brodées par la « voix organale » sur le thème grégorien (*cantus firmus*) ; fioritures sans doute naïves au début, dans leur forme improvisée de « chant sur le livre », mais qui peu à peu prirent l'aspect d'une simultanéité de mélodies rythmiquement individualisées, les valeurs brèves se superposant aux valeurs longues, à la manière des enluminures s'enroulant autour de la lettrine ornée dans les évangéliaires et psautiers de l'époque romane.

Bientôt, en même temps que s'augmente le nombre des parties, apparaît — vers le XIIIe s. — la technique de l'imitation, dont le canon n'est qu'une variété développée, et qui, avec la variation, le contrepoint renversable et divers autres dispositifs techniques, sera pour la polyphonie une source d'inépuisables richesses. Grâce

# HARMONIE
## VNIVERSELLE,
### CONTENANT LA THEORIE ET LA PRATIQVE DE LA MVSIQVE.

Où il est traité des Consonances, des Dissonances, des Genres, des Modes, de la Composition, de la Voix, des Chants, & de toutes sortes d'Instrumens Harmoniques.

*Par F. MARIN MERSENNE de l'Ordre des Minimes.*

Les caracteres de Musique sont de l'impression de Pierre Ballard
Imprimeur de la Musique du Roy.

# A PARIS,
Par RICHARD CHARLEMAGNE, ruë des Amandiers à la Verité Royalle.

### M. DC. XXXVI.
*Auec Priuilege du Roy, & Approbation des Docteurs.*

*Page de titre de l'Harmonie universelle du P. Mersenne.*

à ces artifices d'écriture, l'intérêt se partage entre les différents interlocuteurs de l'ensemble vocal ou instrumental, établissant un dialogue qui peut atteindre à une impression de mouvement et de vie sonores très remarquable, ainsi que l'attestent les chefs-d'œuvre des maîtres de la Renaissance : Josquin des Prés, Janequin, Roland de Lassus, d'autres même plus obscurs, et, après eux, en plein XVIIIᵉ s., les cathédrales sonores du grand Jean-Sébastien Bach.

On comprend aisément que, de ce concert de parties mélodiques, naissent inévitablement des constellations verticales. Cependant aux yeux des contrapontistes primitifs, ces agrégations de sons simultanés ne sont qu'une conséquence des conjonctions linéaires, et non une fin en soi. L'idée d'accord est étrangère à ces premiers compositeurs de motets, qui réaliseront ce tour de force de s'en tenir à peu près exclusivement aux quintes, quartes et octaves, seuls intervalles alors admis comme consonnants. Les admirables polyphonies de Pérotin (XIIᵉ s.) n'admettent les tierces que très passagèrement, de sorte que la matière sonore demeure d'une extraordinaire transparence.

*Le triomphe de l'esprit harmonique.* Aussitôt que, de ces tierces, et de leurs reflets, les sixtes, se généralisera l'usage (sous l'influence du faux-bourdon anglais) et surtout dès le moment que ces intervalles s'affirmeront en tant qu'éléments sonores individualisés, la notion d'accord apparaîtra. C'est alors que, s'opposant à la conception contrapontique s'établira l'*esprit de l'h.*, le mot étant dorénavant entendu dans un sens nouveau, très particulier et restreint, celui-là même que, de nos jours encore, on lui confère dans les écoles. La marche vers la tonalité ira s'accélérant, en même temps que se démasqueront les nouvelles puissances de la substance sonore : les *fonctions harmoniques*. De celles-ci l'emprise se fera si forte qu'elle s'imposera aux formes contrepointées elles-mêmes. La modalité deviendra indésirable, en même temps que les parties constitutives de la polyphonie verront s'aliéner une part importante de leur indépendance originelle.

Au cours de cette première période de son développement, l'art polyphonique fut codifié par de nombreux théoriciens, dont les plus connus sont : Hucbald (IXᵉ-Xᵉ s.), auquel on a attribué le traité *Musica enchiriadis*, Guy d'Arezzo (995–1050), inventeur de la portée de quatre lignes et qui fixa le nom des notes de la gamme, Francon de Cologne (XIIᵉ s.), à qui l'on doit la notation du rythme (notation proportionnelle), Philippe de Vitry (1200–1361), travaux sur la notation rythmique et règles contrapontiques (*Ars nova*, *Liber musicalium*) ; en Angleterre, Walter Odington (mort en 1316), et Jean Hothby (XVᵉ s.) ; en France de nouveau, Jean de Muris (XIVᵉ s.) auteur d'un des plus vastes et plus anciens traités de musique, le *Speculum musicae:* Glareanus en Suisse (1488–1563), qui rédigea une étude sur les modes ecclésiastiques : le *Dodekachordon:* Zarlino, en Italie (1517–1590), appartient déjà à la Renaissance : travaux sur les lois physiques et mathématiques de la musique (*Institutioni harmoniche*).

*L'hégémonie de la tonalité.* — Bien des raisons d'ordre psychologique, social, esthétique, devaient intervenir en faveur de la victoire du tonal sur le modal, laquelle ne sera acquise de façon définitive que vers le milieu du XVIIᵉ s. Ces raisons s'incarnent en une tendance générale à la simplicité, à la logique, à un sentiment d'ordre, et plus tard, à la recherche d'une synthèse formelle. Simplicité : l'engouement, dans l'Italie du XVIᵉ s. pour la mélodie accompagnée, d'où devait sortir l'art de l'opéra ; simplicité aussi, les formes à reprises des danses ; ordre, logique : la disposition des diverses pièces d'une suite sous l'égide d'une tonalité unique ; recherche de synthèse enfin, de la sonate, du concerto, de la symphonie, créant l'unité entre divers éléments thématiques et harmoniques.

Cette vue perspective d'une évolution qui s'étend sur plus de trois siècles ne peut être que schématique et ne prétend nullement rendre compte d'une conquête continue qui devait aboutir au classicisme. Aussi serait-il inexact de rendre la notion d'accord seule responsable de la disparition regrettable des échelles modales. Nous n'en voulons pour preuve que les œuvres de la Renaissance qui, bien qu'accueillant l'accord, ne rejettent pourtant pas les ressources de la modalité. A la vérité, les trois fonctions harmoniques, piliers de la tonalité, sont déjà parfaitement définies à deux parties (a) ; car si on néglige le jeu des demi-tons, essentiel dans la formation de la fonction cinétique, les deux enchaînements d'accords parfaits : dominante-tonique (b), et tonique-sous-dominante (c), isolés l'un de l'autre, sont identiques.

Sans doute, l'adjonction d'un quatrième son à l'accord de dominante (+) vient-elle préciser les choses. Mais point n'est besoin de la notion d'accord pour que se réalise la fonction essentielle de la tonalité, en majeur comme en mineur. Le simple intervalle de triton ou son enharmonique la quinte diminuée y suffisent.

*C'est le diabolus in musica*, qui intrigua si fort les premiers polyphonistes. On voit donc que les fonctions tonales peuvent aussi bien émaner du successif linéaire que des conjonctions du simultané ; l'accord, en les soulignant et souvent, en les alourdissant, ne fit qu'élargir les voies.

— **5.** *L'harmonie naturelle.* Le XVIIIᵉ s. marquera une étape importante dans la détermination de la notion classique d'h. En 1700, le physicien Sauveur présente à l'Académie des sciences son mémoire sur la résonnance du corps sonore, expliquant clairement un phénomène déjà pressenti au siècle précédent par le P. Mersenne.

Jean-Philippe Rameau, déjà célèbre a cette époque comme compositeur, s'emparant de cette découverte, entreprend d'en faire la base de la science musicale. Prenant prétexte de ce que les six premiers sons fournis par la résonnance d'une corde (ou d'un tube) constituent l'accord parfait majeur de trois sons, il décrète aussitôt que l'h. est dans la nature. Son *Traité de l'h. réduite à ses principes naturels*, publié en 1722, n'est qu'une série de spéculations autour de cette idée qui était appelée à une fortune singulière, puisqu'elle est encore à la base de l'enseignement traditionnel.

La théorie ramiste n'est pourtant pas exempte de lacunes ; l'une des plus graves est que l'accord mineur, élément harmonique d'une importance égale à celle de l'accord majeur, n'est pas explicable par la résonnance. Cette objection, qui n'est que la plus éloquente parmi beaucoup d'autres tout aussi bien fondées, devrait suffire à démontrer que la prétention d'établir l'art musical sur un phénomène naturel n'est qu'une vue de l'esprit.

Les théories cependant ont la vie dure. A la suite de Rameau, des savants éminents entreprirent de répondre aux critiques formulées à l'encontre de la théorie ramiste. Ce fut d'abord Helmholtz qui, dans sa *Théorie physio-*

*logique de la musique fondée sur l'étude des sensations auditives* (1868–1874) chercha à résoudre l'énigme de la consonance, jusqu'ici demeurée sans solution satisfaisante. Sa doctrine fut bientôt battue en brèche par celle due à Carl Stumpf, de la fusion des sons (*Ton psychologique*, 1883–1890). Quant à l'accord mineur, il attend encore, en dépit des travaux de Von Oettingen et de Hugo Riemann, qu'on lui ait trouvé son paradigme dans la nature. Aussi, l'idée de rapporter les combinaisons de l'harmonie à des « principes naturels », comme le voulait Rameau, a-t-elle perdu la plus grande part de son crédit.

Le corpus des *lois harmoniques* n'en garde pas moins de valeur. Ce réseau, complexe en apparence, de prescriptions, d'interdictions, n'est pas, comme on s'est plus à le dire, purement arbitraire. Fondé sur un aspect particulier des attractions issues de la simultanéité des sons, il répond au contraire à son objet, qui est essentiellement la science des accords et de leur « concaténation » dans l'orbite du système tonal, *substratum* sonore de la conception classique de l'art musical. La préoccupation majeure de l'esprit classique, épris de logique, est en effet que soit toujours nettement comprise la situation des sons et de leurs rapports réciproques relativement à deux gammes : le mode majeur et le mode mineur dit « harmonique ». Ces deux échelles, nous l'avons dit, réalisent l'équilibre absolu par le moyen de trois *fonctions harmoniques* principales : dominante, sous-dominante, éléments de mouvement, prenant pour centre la tonique, à la manière de satellites gravitant autour d'une planète : si bien que le système tonal peut être comparé à un système solaire en miniature. Les accords des autres degrés prennent rang dans cette gravitation, contribuant ainsi à compléter cette hiérarchie dynamique qu'est la tonalité.

L'accord, élément primordial de l'h., est constitué par trois sons au moins, cinq au plus. A l'état fondamental, le « son générateur » est à la basse. Les autres sons doivent alors pouvoir se ramener à une superposition de tierces. Ceci, même lorsqu'il s'agit de « renversements », obtenus par le passage à la basse d'un autre son de l'accord.

On distingue deux sortes d'accords : 1° les accords *consonnants*, ou accords *parfaits*, majeurs ou mineurs, de trois sons, stables ; 2° les accords dissonants, de septième et de neuvième, de quatre et cinq sons, instables, c'est-à-dire impropres à la fonction de repos.

Les lois qui règlent l'enchaînement des accords répondent à la préoccupation primordiale du système tonal : la définition constante et claire des *fonctions harmoniques*. Elles sont l'affaire des traités spécialisés et ne peuvent trouver place en ces lignes. Nous nous contenterons de tirer au clair la raison de quelques-uns des préceptes fondamentaux de l'h. traditionnelle : a. l'interdiction des quintes successives : elles détruisent le sentiment de *rapport harmonique*, ainsi que nous l'avons constaté avec l'*organum*. — b. Celle de la « fausse relation de triton » : elle est déterminatrice du mode de *fa*, concurrent du mode d'*ut*. — c. Celle du redoublement des « mauvais degrés » : ce redoublement renforce l'action des satellites secondaires, créant ainsi un déséquilibre dans le système. — d. obligation de résoudre les dissonances : soumission aux attractions organiques du système, issues de l'instabilité.

— **6.** On n'a peut-être pas suffisamment souligné que l'aspiration à la clarté, à la logique, propre à la musique classique, fut dictée en grande partie par les nécessités inhérentes à la « grande forme », celle de la sonate bithématique, de la symphonie, de dimensions sensiblement plus vastes que les formes antérieures, et de plus, réalisant une des plus hautes aspirations de l'art : celle de la musique pure, existant par elle-même, hors de toute action, de tout argument scénique ou littéraire,

hors même de tout support poétique verbal. Il est évident qu'une telle forme devra être appréhendée dans son ensemble par la seule vertu de ses éléments sonores réalisant leur unité.

Le système tonal fut un moyen d'atteindre ce but : et les chefs-d'œuvre nés sous son égide témoignent de son efficace. Ceci dit, la tonalité est-elle le seul agent possible de cette unité ? C'est la question qui s'est posée dès le XIXᵉ s. et qui continue d'animer les entreprises de l'époque présente.

*Transformation du sentiment d'harmonie.* A l'orée du XIXᵉ s., Beethoven apparaît tout à la fois comme le dernier des grands classiques et le premier des romantiques. Ses élans de communion avec la nature, avec le *cosmos*, sa profonde humanité animent sa pensée d'un dynamisme qui, s'accommodant mal des cadres trop rigides légués par ses prédécesseurs, tendra à les faire éclater. Les structures de la « grande forme » s'en trouveront ébranlées.

Après lui, le grand souffle romantique ne fera qu'accentuer ce mouvement de renouveau, dont Weber, Schumann, Liszt en Allemagne, Berlioz en France seront les principaux artisans et trouvera en Richard Wagner son aboutissement. Dramaturge avant tout, le maître de Bayreuth devait, en cherchant l'union du drame et de la musique, achever de briser les moules de la symphonie. Sa doctrine de la « mélodie infinie » — ce perpétuel devenir — se situe à l'opposé de l'idéal d'ordre, de symétrie ; elle est l'antithèse de la conception d'unité et d'harmonie formelles des classiques. A cette transformation de l'h. des formes correspond une évolution de cet autre aspect de l'h. que sont les structures polyphoniques. La notion même d'accord se modifie. Au diatonisme va se substituer le chromatisme. L'accord consonnant ne sera plus l'élément principal du discours ; il sera supplanté dans son rôle coordinateur, dans sa *fonction harmonique* de point central de repos par l'accord dissonant instable, qui se présentera non comme un point d'arrêt, mais comme un point d'articulation, de rebondissement du mouvement musical, la substance musicale devenant ainsi ductile à l'extrême. Ce processus est mis en pleine lumière dans *Tristan*, dès les premières mesures du prélude, où l'on peut observer la fréquence des accords dits « altérés », lesquels, du fait de cette altération, voient s'affaiblir la précision de leur fonction harmonique et tendent à un véritable polymorphisme tonal, encore accentué par la pratique presque constante des « résolutions exceptionnelles ».

— **8.** Avec le chromatisme, les fondements classiques de la tonalité sont profondément bouleversés en même temps que l'aspect qualitatif de la matière musicale — qui est aussi une face du *sentiment de l'h.* — acquiert des pouvoirs de suggestion jusqu'alors inconnus.

*Visages nouveaux du sentiment d'h.* Claude Debussy, bien qu'il s'opposât à Richard Wagner sur le plan esthétique, a pourtant poursuivi cette libération de la polyphonie vis-à-vis des tutelles du tonal. A l'image des peintres impressionnistes, il accordera lui aussi, et de manière très personnelle, une faveur toute spéciale à la couleur du son, à son aspect qualitatif. L'accord ne sera plus envisagé sous la livrée d'une *fonction harmonique*, mais pour sa sonorité propre. Il sera donc le plus souvent délié de tout rapport de parenté tonale avec ses voisins. Le parallélisme de l'antique *organum* sera remis en honneur, instaurateur d'une autre parenté : celle de la qualité sonore ; il prendra comme cellule, non seulement les quintes hiératiques, mais aussi les purs accords parfaits, les somptueux accords de neuvième et les agrégations menaçantes, inquiétantes ou fantastiques par leur indécision tonale — nées de la gamme par tons entiers. Cette échelle hexaphone, par suite de l'absence de demi-tons — et donc de centre d'attraction — qui la caractérise, est ainsi la première manifestation de l'atonalisme.

Avec Maurice Ravel (danse finale de *Daphnis et Chloé*, entre autres), Igor Stravinsky (*Pétrouchka*, *Le sacre* etc.), Darius Milhaud (La trilogie d'Eschyle), apparaît l'audition simultanée de plusieurs tonalités : la polytonalité.

Devant la caducité de plus en plus évidente des principes de l'*h. traditionnelle*, plusieurs théoriciens s'efforcent de forger à la musique de nouvelles lois. Paul Hindemith, dans son étude, *Unterweisung im Tonsatz* (1940), tente même de reprendre l'idée ramiste d'un fondement naturel de l'harmonie, compte tenu des sons partiels de la résonnance ignorés du temps de Rameau, et aussi des sons résultants découverts par Tartini au XVIIIᵉ s. Son argumentation, échafaudée en vue d'établir, relativement à un « pôle » (remplaçant la tonique) de nouveaux liens de parenté entre les douze sons, étendant ainsi l'orbite de la tonalité, n'est pas sans receler une grande part d'arbitraire.

— **9.** Avec Schœnberg, l'idée de la destruction totale de toute impression tonale se trouve réalisée, d'abord par la « tonalité suspendue », puis par le recours à la méthode sérielle : c'est le dodécaphonisme, où les douze sons de l'échelle chromatique sont tous égaux entre eux. Non seulement la fonction centrale de tonique a disparu, mais aussi celle de pôle, prônée par Hindemith et Stravinsky. L'accord, répudiant toute attache avec les modèles antérieurs, issus de la génération par tierces superposées, se présente comme un conglomérat complexe de tensions qui interdit tout recours valable à la notion ramiste de renversement. Ainsi, par le dodécaphonisme, il semble que soient atteintes les limites de la liberté dans le cadre du système sonore de douze sons, héritage indirect du diatonisme.

*Musiques expérimentales.* C'est à franchir ce cercle des douze sons que s'emploient actuellement les créateurs de la musique expérimentale (*musique concrète, musique électronique*) ; et nous assistons à une nouvelle transformation du *sentiment d'h.* qui, étant donné qu'elle affecte la notion même de son musical telle que nous la concevons, pourrait bien prendre l'aspect d'une véritable mutation. Il n'est pas interdit de penser que cette tentative cherche à réaliser musicalement la conjonction de deux esprits jusqu'ici opposés : l'oriental et l'occidental. Des analogies qui peuvent être relevées entre le matériau musical électronique et certains aspects offerts par des polyphonies primitives, objets de récentes découvertes de l'ethnologie musicale, sont en tout cas troublantes ; et l'on peut se demander si le *sentiment d'h.* ne chercherait pas actuellement à se retremper à ses sources originelles.

Quoi qu'il en soit, on peut conclure de cet exposé que ces multiples visages du *sentiment d'h.* ne ressortent en pleine lumière qu'à la condition de les regarder comme les reflets de ce cristal aux mille facettes qu'est l'esprit humain ; alors qu'ils s'estompent dans une pénombre confuse, aussitôt que l'on cherche à lire leur secret dans des faits ou des phénomènes extérieurs à la conscience.

R.S.

**Communication sur l'harmonie contemporaine.** *Situation actuelle de l'harmonie.* L'*h.* traditionnelle est devenue impuissante à rendre compte des musiques de toutes sortes qui, depuis les débuts du siècle, ont renouvelé les données de la musique. C'est qu'elle prétend ramener tout instant de toute musique à une gamme diatonique déterminée par sa tonalité. Or non seulement les gammes diatoniques elles-mêmes se montrent inopérantes lorsqu'il s'agit de gammes non diatoniques (voir art. *gamme*) de musiques dodécaphoniques, sérielles, par quarts de ton, électroniques ou concrètes (voir à ces mots), mais encore les critères les plus éprouvés de la détermination d'une tonalité (Chailley et Challan, *Théorie de la musique*, nᵒˢ 177 sqq., Paris 1947) deviennent trop souvent caducs : l'*accord conclusif*, parce qu'à l'intérieur du diatonisme lui-même il peut désormais définir un autre mode diatonique que les modes usuels (voir art. *mode*) ou une agrégation polytonale (voir art. *polytonalité*), et qu'il n'est lui-même souvent plus identifiable comme accord parfait et même comme accord de tonique ; les *cadences parfaites*, car les accords de dominante sont souvent délibérément abolis, ou tout au moins difficilement identifiables, et

qu'ils peuvent d'ailleurs n'être point résolus, ou subir toutes sortes de résolutions non parfaites, que les traités traditionnels eux-mêmes n'ignorent point (Koechlin, *Traité de l'harmonie*, p. 139, Paris 1928).

*Échec des théories extensives de l'h. traditionnelle.* C'est pourquoi toute extension des moyens du diatonisme est inopérante, même sous la forme d'une prolifération des notions de notes étrangères, de notes ajoutées et d'effets de résonnance (Olivier Messiaen, *Technique de mon langage musical*, Paris 1944), puisque, par définition, ces notions échappent précisément aux disciplines de l'harmonie. La résonnance elle-même est impuissante à servir seule de base à une discipline générale de l'*h.* (E. Costère, *Peut-on fonder sur la résonnance une discipline générale des harmonies musicales ?* ds Rev. de mus., juillet 1958). Et lorsqu'Hindemith a tenté de fonder exclusivement sur elle une théorie cohérente de l'harmonie (*Unterweisung im Tonsatz*, Schott, Mayence 1940, *Craft of musical composition*, Londres 1942) il s'est heurté à la difficulté d'incorporer l'accord parfait mineur aux côtés de l'accord parfait majeur dans le phénomène des harmoniques, et certains harmoniques dans l'échelle tempérée demi-tonale ; il a finalement eu recours à l'arbitraire le plus choquant dans l'établissement de ses prétendues listes de parentés sonores. De leur côté, certains théoriciens du dodécaphonisme sériel ont avancé le principe du complément (H.H. Stuckenschmidt, *Mus. nouvelle*, Paris 1956), selon lequel une agrégation de sons tendrait vers la gamme complémentaire des sons qui la complètent dans l'échelle dodécaphonique. Mais il ne s'agit là que d'une extension abusive de quelques rares constatations authentiques portant sur un nombre très limité de cas : la cadence de sixte augmentée du genre *ré    fa sol    si – do mi sol*, qui d'ailleurs ne met en jeu que sept sons, et les agrégations par tons entiers et par tierces mineures, qui effectivement tendent vers les uns et les autres des sons extrinsèques (voir art. *résolution*). On a cru également trouver le mécanisme naturel des mouvements de l'*h.* dans la tendance à l'augmentation des intervalles majeurs ou augmentés, et à la diminution des intervalles mineurs ou diminués (Robert Siohan, *Horizons sonores*, Paris 1956), en oubliant que les intervalles ne sont majeurs, mineurs, augmentés ou diminués que selon les caprices d'une orthographe arbitraire, évidemment étrangers au dynamisme inné de l'*h.*

Devant une telle carence de l'*h.* traditionnelle et de ses prolongements, on est allé jusqu'à se demander si l'*h.* elle-même n'était pas vouée à disparaître avec elle (Bernard Gavoty et Daniel Lesur, *Pour ou contre la mus. moderne*, Paris 1957 ; E. Costère, *Mort ou transfiguration de l'h.*, ds *Feuilles musicales*, Lausanne 1958). Et des théoriciens ont contribué à accréditer pareille idée, soit en présentant l'*h.* traditionnelle comme une organisation arbitraire (Robert Bogdali, *Essai pour une mus. non attractive*, ds *Polyphonie*, Paris 1954, Siohan, *op. cit.*; Claude Ballif, *Introduction à la métatonalité*, ibid. 1956), soit en passant sous silence tous les problèmes de l'*h.* à laquelle ils prétendent substituer *la* discipline sérielle qui ne constitue qu'une organisation extérieure des douze sons (René Leibowitz, *Schoenberg et son école*, Paris 1947 — *Introduction à la mus. des douze sons*, ibid. 1949).

*Domaine actuel de l'h.* En réalité, c'est la notion même d'*h.* qui doit être entièrement révisée. Tant que l'univers sonore total, le milieu sonore particulier à l'œuvre et leur polarisation tonale se trouvaient définis par l'échelle demi-tonale d'une part, l'une des gammes diatoniques de l'autre, et enfin l'accord parfait de tonique correspondant, seuls entraient en ligne de compte, pour définir l'*h.*, l'agencement simultané des sons et leurs enchaînements. Aussi, bien loin d'en restreindre le domaine, l'apparition de nouveaux univers sonores : échelles par quarts de ton, musiques électroniques ou concrètes, et de nouveaux milieux sonores particuliers : gammes non diatoniques, dodécaphonisme, ainsi qu'une discrimination plus précise des éléments du son : hauteur, durée, timbre, intensité, toucher (Pierre Schaeffer, *A la recherche d'une mus. concrète*, Paris 1952 ; Abraham Moles, *Théorie de l'information et perception esthétique*, ibid. 1958) n'ont fait tout au contraire que l'agrandir aux dimensions d'une science véritable des sons considérés selon leur hauteur respective. Et ce n'est pas seulement pour déterminer le choix de l'univers total et du milieu sonore particulier aux sons mis en œuvre, que l'*h.* demeure, mais aussi parce qu'elle reste capable d'en régir la hiérarchie, la simultanéité, l'enchaînement.

C'est que l'*h.* classique n'était pas fondée seulement sur la résonnance comme Rameau l'a montré (voir art. *Rameau, résonnance*), mais aussi sur un principe d'attraction (Abramo Basevi, *Introduction à un nouveau système d'h.*, Paris 1865 ; Vivier, *Traité d'harmonie*, ibid. 1890 ; Loquin, *L'h. rendue claire*, ibid. 1895), qui trouve son fondement dans la loi très générale de l'attraction au plus court chemin et de l'attirance des densités faibles vers les densités fortes (Chailley, *Principes de la mus. et de son hist.*, *L'éducation mus.*, Paris 1954 ; E. Costère, *Lois et styles des h. mus.*, ibid. 1954).

*Rôle de l'attraction dans l'h.* Ce principe d'attraction (voir art. *attraction* dans le supplément, tome III du présent ouvrage) trouve sa source à la fois dans l'un et l'autre des deux seuls phénomènes de l'acoustique des hauteurs : le phénomène de résonnance (voir à ce mot) et le phénomène du glissement sonore, selon lequel le son émis par un mobile accéléré ou ralenti, monte ou descend progressivement l'échelle continue des hauteurs (sirènes, enregistrements mécaniques etc.). Les affinités naturelles d'octave, de quinte et de quarte dues à la résonnance, et les affinités naturelles de demi-ton que le phénomène de glissement fait apparaître en notre univers sonore demi-tonal, engendrent toute une série de conséquences dont la portée est immense : non seulement elles montrent que l'*h.* traditionnelle n'est nullement arbitraire, mais encore elles permettent d'en prolonger sinon la réglementation, du moins les rudiments essentiels et leur suite logique.

Elles mettent en effet en évidence la notion capitale de potentiel attractif (voir art. *potentiel*) de chaque son et de chaque groupe de sons à l'intérieur du milieu sonore utilisé. Dans l'univers sonore des douze sons, par exemple, et à l'intérieur du milieu sonore constitué par les sept sons diatoniques *do ré mi fa sol la si*, dont les intervalles sont symétriques par rapport à *ré* (voir art. *symétrie*), l'accord parfait *do mi sol* et son symétrique, *la do mi*, sont les accords parfaits les plus chargés de potentiel attractif relativement à l'ensemble des sept sons mis en œuvre (voir art. *potentiel*). C'est l'explication de la suprématie acquise sur les autres modes du plain-chant par le mode d'*ut majeur* usuel et par son relatif mineur (Chailley, *Traité hist. d'analyse mus.*, p. 90-93, Paris 1951).

Si d'autre part on cherche quel est le potentiel attractif de chacun des douze sons, ainsi que de chacun des accords parfaits majeurs relativement à trois sons *do mi sol*, on constate que ce sont d'une part *do, fa, sol* et *si* (affinités d'octave et de quinte du *do* relativement à *do* et *sol*, affinités de quinte et de demi-ton du *fa* relativement à *do* et *mi*, affinités de quinte et d'octave du *sol* relativement à *do* et *sol*, affinités de demi-ton et de quinte au *si* relativement à *do* et *mi*), d'autre part *sol si ré* et *fa la do* (aux affinités précitées de *sol* et *si* relativement à *do mi sol* s'ajoutent celle de *ré* relativement à *sol*, aux affinités précitées de *fa* et *do* relativement à *do mi sol* s'ajoutent celle de *la* relativement à *mi*). Or ces deux sons et ces accords parfaits constituent les piliers de la tonalité de *do mi sol*, en qualité de bons degrés (*do, fa* et *sol*), de sensible (*si*), et d'accords parfaits de dominante et de sous-dominante (*sol si ré, fa la do*).

*Stabilité, instabilité.* Bien mieux, puisqu'on dispose ainsi de la faculté de connaître tout à la fois, relativement aux sons d'une entité donnée, le potentiel attractif de ses sons constitutifs et le potentiel attractif des sons extrinsèques, il est désormais possible de déterminer si une agrégation est stable ou instable. De deux choses l'une en effet, ou bien, grâce à la richesse de leurs affinités réciproques, les sons mis en œuvre se trouvent d'un potentiel élevé relativement au faible potentiel attractif des sons extrinsèques, et l'agrégation tend à se stabiliser sur elle-même (voir art. *stabilité*), ou bien, en raison de la rareté de leurs liens d'affinité réciproque, les sons mis en œuvre sont affectés d'un faible potentiel, relati-

vement au potentiel attractif élevé que les sons extrinsèques doivent à la richesse des affinités qui les unit aux sons mis en œuvre, et l'agrégation tend à basculer vers eux (voir art. *instabilité*). Tel est par exemple l'accord de dominante *sol si ré fa*, qui est instable, car les affinités naturelles précitées n'y unissent que le *sol* au *ré*, alors que le son extrinsèque *do*, par exemple, est chargé de 3 unités de potentiel attractif en raison de son affinité naturelle avec *sol* (quinte), avec *si* (demi-ton), et avec *fa* (quinte). Si l'on fait le compte des affinités naturelles de *sol si ré fa* avec chacun des vingt-quatre accords parfaits majeurs et mineurs, on s'aperçoit que c'est l'accord parfait *do mi sol* qui en réunit le plus grand nombre, grâce aux affinités précitées du *do* avec *sol*, *si* et *fa*, du *mi* avec *si* et avec *fa*, du *sol* avec *sol* et avec *ré* (voir art. *potentiel*). Ainsi se trouve légitimée la cadence parfaite *sol si ré fa* – *do mi sol*, fondement du dynamisme de l'*h.* traditionnelle.

De même, en appliquant aux accords de sixte et de quarte les principes attractifs propres aux renversements d'accords (voir art. *renforcement*), on explique l'imperfection tonale du premier et les précautions traditionnelles sur le redoublement de sa médiante, ainsi que la puissance tonale et la résolution traditionnelle du second. C'est dans les mêmes conditions que s'expliquent et se justifient toutes les résolutions et tous les mouvements obligés de l'*h.* traditionnelle (E. Costère, *Lois et styles, op. cit.*, pp. 55 sqq.).

*Harmonies de résonnance, h. spatiales.* Ces principes de l'attraction au plus court chemin et de l'attirance des densités faibles vers les densités fortes restent valables en toutes musiques. Ce qui a vieilli peut-être, dans l'*h.* traditionnelle, c'est tout ce qui est dû à son imbrication dans la résonnance (voir à ce mot) : hégémonie de l'accord parfait, organisation des accords par tierces superposées, rattachement de l'accord à sa position fondamentale, prohibitions des octaves et des quintes consécutives, et surtout l'omnipotence de la fonction de dominante qui a fini par s'attacher à tout accord formé par superpositions de tierces sur un accord de septième de dominante, et la monopolisation abusive en cet accord de toute la fonction cadentielle sur l'accord de tonique (voir art. *fonction de dominante*).

Qu'il s'agisse du diatonisme modal de Debussy (organisant l'échelonnement diatonique sur d'autres accords parfaits que ceux du mode d'*ut*), de la polytonalité de Milhaud (qui ne se polarise qu'autour de ses divers accords de tonique), ou des gammes non diatoniques de Scriabine, de Bartok, de Messiaen ou de Jolivet, toutes les musiques contemporaines ne sont qu'une vivante réaction contre cette fonction de dominante jugée abusive. Quant aux musiques dites « atonales », aux musiques sérielles et à celles qui transgressent les cadres de notre échelle demi-tonale (quarts de ton, musiques électroniques etc.), elles ne se contentent pas d'abolir toute fonction de dominante ; elles rejettent tout assujettissement aux autres impératifs de la résonnance, à l'exception toutefois du principe d'équivalence des sons à l'octave qu'elles admettent le plus souvent (voir art. *octave*), et de l'accord parfait, auquel elles se réfèrent parfois comme à une entité organiquement indissociable et stabilisante (notamment la plupart des dernières œuvres de Webern : *op.* 24, 25, 26, 29, 31 etc.). Cette distinction des *h. de résonnance*, caractérisées par leur fonction de dominante, et des autres *h.* qu'on a appelées « *spatiales* » (Ivan Wyschnegradsky, *L'énigme de la mus. moderne*, ds Rev. d'esth., Paris, juin 1949), est capitale pour qui veut comprendre les données harmoniques de la musique contemporaine.

*Discipline générale des h.* Aucune de ces musiques ne peut échapper au principe inéluctable des polarisations psychiques (voir art. *polarisation*) ; à la moindre suspension de la tension musicale, c'est une polarisation organique qui se cristallise autour d'un son ou d'un groupe de sons privilégiés (voir art. *tonalité*) ; à la moindre velléité dialectique ou simplement affirmative, la polarisation prend vie enfin, grâce à tout un dynamisme attractif ou par l'opposition de l'instable et du stable (voir art. *potentiel* et *cadence*, suppl., t. III du présent ouvrage).

Toutefois les attractions ne se manifestent pas chaque fois avec la même vigueur, ne serait-ce que dans le choix de l'entité polarisatrice. Si celle-ci est le centre de gravité attractive du milieu sonore du moment, on se trouve en présence d'un style en quelque sorte « *dialectique* », car il est particulièrement attractif et apparenté au langage par l'opposition de ses interrogations et de ses affirmations. Si l'entité ayant fonction de tonique par l'agencement du milieu sonore autour d'elle, ne bénéficie pas du maximum des moyens attractifs possibles, elle caractérise alors un autre style, capable de tout ce qui est statique et peut-être ineffable, et qu'on peut appeler « *modal* », par analogie avec les modes anciens du diatonisme médiéval (E. Costère, *op. cit.*, pp. 167 *sqq.*). *Exemples d'h. contemporaines.* Voici la dernière ligne de la sonate pour piano d'Alban Berg (*Universal Edition*, Vienne 1926) :

*Alban Berg*

L'accord de tonique est *si ré fa♯*. Ses notes les plus attractives, dont nous allons voir le rôle prépondérant, sont *si* (par affinités d'octave et de quinte), *do ♯* (par affinités de glissement au *ré* et par affinités de quinte avec *fa♯*), *fa* (par affinités d'octave et de quinte), et *sol* (par affinités de quinte avec *ré*, de glissement avec *fa♯*). Quant au *sol ♯*, seule note entièrement dépourvue d'attraction avec *si ré fa*, il ne figure pas une fois dans le texte. Or *si ré fa♯* affirme chaque fois sa fonction de tonique sous la pression des unes ou des autres de ses notes particulièrement attractives, exercée selon le mouvement de quinte ou de sensible qui en souligne l'affinité naturelle, et même, à sa dernière apparition, au 1er temps de la 5e mesure citée, sous la pression de la tonalité de ses quatre notes les plus attractives entendues simultanément. On est d'ailleurs ici à la limite de l'*h.* traditionnelle, car on peut identifier cet accord cadentiel à l'accord d'onzième de dominante *fa♯ la♯ do♯ mi sol si*, qui se manifeste au 3e temps de la 1re mesure citée, et reconnaître au 3e temps de la 2e mesure la cadence traditionnelle de sixte napolitaine.

En revanche, voici un exemple indéchiffrable par les moyens traditionnels, car il appartient à une musique généralement qualifiée d' « atonale », en dépit d'une organisation très attractive qui vient en réalité s'ingérer en profondeur dans un mécanisme de stricte obédience sérielle :

Il s'agit du passage de la *Valse op. 23* de Schœnberg (*Universal Edition*, Vienne 1923), qui va de la mesure 15 à la mesure 31. Il est manifestement articulé sur *fa*, non seulement par l'emplacement prédominant de celui-ci comme aboutissement de figures de toutes sortes aux mesures 17 (deux fois), 21, 25, 27, 28 et 31, mais encore par la polarisation qu'exercent sur lui ses notes attractives : *do mi sol ♭ et si ♭*, malgré l'emploi systématique des douze sons du dodécaphonisme sériel : la polarisation est directe à la mesure 17, à la fois par les mouvements de sensible *sol ♭ fa* et *mi fa* et par le mouvement de quinte *do fa*, avec saut d'octave (voir art. *cadence* au supplément), et à la mesure 31, par résolution du triton mélodique *fa ♯ – do* (voir art. *triton*). Elle est également immédiate dans la mesure 21, par résolution du triton mélodique grave *si ♭ – mi*, et par l'emplacement autour de ses notes attractives *fa, mi, sol ♭ et do*. Elle résulte enfin, mesure 27, de l'audition, immédiatement avant *fa*, de *fa ♯ – si ♭* au grave, et de *do – mi* à l'aigu. Le rôle fonctionnel des notes attractives de

*Schœnberg*

*fa* se manifeste également ici en tant que degrés maîtres (voir art. *fonction*), avec une particulière vigueur pour le *mi* de la mesure 21 et surtout de la mesure 23, et le *do* de la mesure 25. Notons enfin la vaste cadence par opposition de l'instable et du stable, résultant de l'audition successive des trois figures comparables des mesures 22-23, 24-25, et 26-27, dont la première se termine sur un *mi* ♭ et la seconde sur un *fa*, dont la polarisation, déjà faible en raison de l'effacement de la plupart de leurs notes attractives, se trouve singulièrement affaiblie par l'instabilité propre aux tritons *la-mi* ♭ et *si-fa* où ils s'inscrivent (voir art. *triton*), alors que la troisième se polarise très fortement, nous l'avons montré, sur la pédale *fa* qui la clôt.

De telles polarisations, courantes chez les maîtres du dodécaphonisme sériel, permettent, en dépit d'une opinion encore tenace, d'inscrire leurs œuvres, comme celles des autres compositeurs contemporains, dans la continuité logique, mais autrement pensée, de l'*h.* de toujours. 
E.C.

**HARMONIEUX.** « Tout ce qui fait de l'effet dans l'harmonie, et même quelquefois tout ce qui est sonore et remplit l'oreille dans les voix, dans les instruments, dans la simple mélodie ». J.-J. Rousseau.

**HARMONIPHON.** — **1.** C'est un instrument à air, à anches libres, inventé par Paris à Dijon en 1836 ; l'air est insufflé à la bouche au moyen d'un tuyau ; les anches, contenues dans une boîte, sont actionnées par un clavier. — **2.** C'est aussi un harmonica à sourdine, de Messner (Paris, 1899). 
C.M.-D.

**HARMONIQUE.** C'est une des parties du *mèlos* (science musicale), chez les Grecs, qui traitait de l'étude du chant harmonique : ses parties, au nombre de sept, étaient les suivantes : genres, intervalles, sons, systèmes, tons, métabolée, mélopée. 
M.D.-P.

**HARMONIQUES.** — **1.** Voir art. *fréquence* (fréquence *fondamentale*). — **2.** Un son fondamental étant donné, ses *h.* sont les notes dont la fréquence est un multiple de la fréquence de celui-ci. Dans le phénomène de la résonnance (voir à ce mot), les *h.* se manifestent au cours de l'émission du son fondamental. Mais dans la pratique, seuls les uns ou les autres se font entendre, déterminant ainsi le timbre propre à l'objet sonore mis en œuvre. On s'est demandé si un son engendrait également une succession naturelle d'*h.* inférieurs, selon une succession inverse de celle de la résonnance (voir le mot *mineur-inverse*). Les sonogrammes, qui reproduisent l'image des *h.* naturels, enregistrent parfois des *h.* inférieurs qui semblent dus à des vibrations de l'objet sonore comme partie aliquote du double ou du triple de lui-même : ce pourrait être l'explication des *h.* inférieurs que, dès 1754, Tartini disait entendre, et dont beaucoup de musiciens contestent encore l'existence, alors que les physiciens actuels les considèrent, sous certaines conditions, comme un phénomène naturel (A. Derbisky, *Sur la démultiplication des fréquences*, Herman, Paris 1939 ; Y. Rocard, *Dynamique générale des vibrations*, p. 297, Masson, Paris 1949). 
E.C.

**HARMONISER.** — **1.** C'est construire une structure harmonique sur une mélodie donnée (on trouve également le substantif **harmonisation**). — **2.** En organerie, c'est ajuster les tuyaux d'un même jeu de telle sorte que la sonorité soit homogène.

**HARMONIUM.** Destiné principalement au remplacement de l'orgue, c'est un instrument à clavier et à anches libres mises en vibration par un système de soufflerie actionné par deux pédales, qui déterminent également le volume sonore ; son étendue est généralement de cinq octaves, parfois six. Conçu en France au début du XIXᵉ s. par G. Grenié, il reçut des perfectionnements successifs dus notamment à A-F. Debain qui, au milieu du XIXᵉ s., donna à l'instrument son nom d'harmonium ; à J. Alexandre, qui construisit des *h.* à deux claviers et plusieurs jeux ; à Mustel, qui a amené l'*h.* à sa forme actuelle. Selon les modèles, l'*h.* comporte un nombre variable de jeux qui enrichissent sa sonorité. Les instruments les plus perfectionnés en comptent jusqu'à quinze. 
M.A.

**HARNISCH Otto Siegfried.** Mus. allem. (Reckershausen v. 1568–Göttingen 18.8.1623). Elève de l'univ. de Helmstedt, cantor à St-Blaise de Brunswick (1588), à Helmstedt (1593), Wolfenbuttel (1594–1600), maître de chapelle à la cour de Brunswick-Lunebourg, enfin cantor à Göttingen, il publia *Neue kurzweilig deutsche Liedlein* (3 v., 1587–1591), *Gratulatio harmonica* (5 v., *id.*, perdue), *Neuer deutscher Liedlein* (3 v., 1588, incomplet), *Neue ausserlesne deutsche Lieder* (4-5 v., *id*), *Neue lustige deutsche Liedlein* (3 v., 1591, 1651), *Fasciculus novus selectiss imarum cantionum 5, 6 et pl. v.* (1592), *Hortulus... deustcher Lieder* (4-8 v., 1604), *Rosetum musicum...* (3-6 v., 1617), *Psalmodia nova...* (4 v., 1621), *Passio dominica* (5 v., *id.*), *Resurrectio dominica* (1-5 v., *id.*), *Cantiones gregorianae* (1624), 2 traités : *Idea musicae* (1601) et *Artis musicae delineatio* (1608). Voir W. Vetter, *Das frühdeutsche Lied*, 2 vol., Münster 1928 ; H.O. Hiekel, *O.S.H.* ..., thèse de Hambourg, 1956 (dact.) et art. in MGG.

**HARPANETTA.** C'est un instrument européen, à cordes métalliques pincées, présentant un double plan de cordes tendues de part et d'autre d'une caisse de résonnance dressée ; l'instrument se jouait posé sur une table. La *h.*, connue au XVIIᵉ s., fut en vogue au XVIIIᵉ s., notamment en France, en Italie, en Allemagne et en Norvège. 
C.M.-D.

**HARPE.** C'est le nom qui désigne une famille d'instruments à cordes pincées, dont la première ébauche est l'arc musical et le type le plus voisin la lyre (voir à ce mot). Arc musical à corde unique et à résonnateur, arc-double, pluriarc avec résonnateur en calebasse ou en bois constituent en effet des étapes vers la *h.* Dans les instruments de la famille *h.*, les cordes, parallèles, de longueurs inégales, sont tendues verticalement ou obliquement entre un bras dit communément « console » et une caisse de résonnance qui, dans la *h.* d'orchestre (voir seconde partie du présent article) est en forme de tronc de cône. Le plan de cordes est perpendiculaire à la table de la caisse, ce qui différencie la *h.* du luth ; certains instruments tiennent d'ailleurs à la fois du luth et de la harpe (voir art. *harpe-luth*, sens 1 et 2). On distingue, selon les époques ou les pays, plusieurs types de harpes : la *h.* arquée, dans la mesure où sa caisse de résonnance participe à la courbure de l'arc et la prolonge, acquérant ainsi une forme de bateau, et dans la mesure où son manche — la future console — résulte de la compression en un bras unique des différents arcs du pluriarc, semble le premier modèle de la *h.* L'art sumérien fournit les plus anciennes figurations de la *h.* arquée, laquelle disparaît ensuite de Mésopotamie (voir ci-dessous *h.* angulaire) ; la *h.* arquée est aussi représentée maintes fois dans l'art égyptien de l'ancien empire : à ces époques, elle existe sous deux modèles verticaux et horizontaux. A Sumer, les cordes sont soit enroulées autour du manche, soit attachées des chevilles, comme elles le sont aussi dans les plus anciens modèles de l'antiquité égyptienne. L'enroulement direct suppose une chute du bout des cordes retombant hors du manche-console. C'est ce que l'on remarque de nos jours sur les *h.* arquées birmanes, à cordes en soie enroulées et nouées. La *h.* arquée d'un type proche du sumérien fut connue aussi des Etrusques et se retrouve dans l'Inde du IIᵉ s. av. au IXᵉ s. ap. J.-C. environ. Elle en a disparu et a suivi dès le VIᵉ s. les voies d'expansion du bouddhisme dans les pays « des mers du sud » d'une part et d'autre part en Haute-Asie. C'est ainsi qu'on la trouve figurée dans l'art ancien javanais et khmer notamment et dans celui du Turkestan. De nos jours la *h.* arquée, avec caisse de résonnance sphérique en calebasse ou naviforme en bois, s'est conservée en Afrique, en Asie, dans le sud du Pamir (voir art. *harpe « du Nouristan »*), sous une forme parfaite en Birmanie (*saun*, voir à ce mot), enfin, sous une forme plus simple, chez les Finnois et chez des peuples de Sibérie occidentale (Vogoules, Ostiaks, Samoyèdes). La *h.* angulaire, qui semble avoir succédé au second millénaire avant notre ère en Mésopotamie à la harpe arquée, s'oppose à celle-ci en ce que la caisse de résonnance et la console où sont fixées les cordes dessinent un angle aigu ou droit et non une courbe, la caisse de résonnance se trouvant située à l'inverse des cas précédents et de la *h.* européenne, non à la base de l'instrument, mais à la place même qu'occupe la console en ces derniers types. La *h.* angulaire est connue surtout par les antiquités assyriennes et plus tardivement par les antiquités égyptiennes d'époque perse. Les cordes sont soit pincées avec les doigts soit jouées avec un plectre battant, c'est-à-dire un plectre qui au lieu d'être utilisé pour gratter une corde à la fois, est passé sur toutes les cordes, tandis que l'instrumentiste, de sa main gauche, élimine celles qui ne doivent pas résonner. La *h.* angulaire, répandue très anciennement en Asie, semble avoir été importée vers le IVᵉ s. de notre ère en Chine de l'Asie centrale où elle était d'influence iranienne. On peut la qualifier de spécifiquement persane, étant donné la longue carrière qu'elle a fait en Iran. Dans l'Inde, elle n'apparaît que tardivement (XVIIᵉ s.) et semble précisément d'importation musulmane. Aujourd'hui la *h.* angulaire, vestige du courant iranien vers l'ouest, se retrouve dans les *h.* du Caucase (Géorgie). La *h.* « *triangulaire* », qui devait devenir notre *h.* d'orchestre avec les trois éléments : caisse de résonnance, console et colonne, semble avoir eu pour plus ancienne épithète celle que des historiens romains lui donnèrent, à savoir « celtique ». Mais la confusion est grande au moyen-âge entre les noms d'instruments qui peuvent s'appliquer à la *h.* et leur typologie. Il semble cependant que les *h.* européennes les plus anciennes aient existé en Irlande et que les bardes irlandais les aient répandues sur le continent européen avant l'an mille. De cette appartenance aux îles britanniques, certains types de *h.* furent dits irlandais et gallois ; ils gardèrent ce discriminant au-delà du moyen-âge pour désigner une *h.* à trois plans de cordes accolés, dont les deux latéraux donnaient chacun la gamme diatonique et le plan médian les altérations dièses ou bémols. Deux variétés surtout sont connues en Europe occidentale jusqu'à la Renaissance, l'une avec colonne incurvée et l'autre avec colonne droite (dite *h.* gothique), celle-ci surtout en usage à partir du milieu du XVᵉ s. La harpe devait sous cette forme atteindre le XVIᵉ et jusqu'au début du XVIIIᵉ s. : elle diffère seulement de ses ancêtres médiévaux par son plus grand nombre de cordes ; son accord était encore diatonique. Bientôt un nouveau procédé de facture devait lui apporter un enrichissement capable de la faire devenir l'instrument soliste et d'ensemble bien connu des musiciens.

C. M-D.

La harpe, délaissée sous la Renaissance, fait une brillante réapparition dans la vie musicale au cours du XVIIIᵉ s. Reprenant l'invention de facteurs tyroliens qui, à l'aide de crochets actionnés à la main, raccourcissaient les cordes d'un demi-ton, Hochbrücker inventa et mit au point (1720) un système pour faire mouvoir ces crochets par un rang de pédales, permettant ainsi à la *h.* de moduler ; la manœuvre des crochets modifiait l'accord des cordes d'un demi-ton (cette harpe était accordée en *mi bémol*). En 1811, Sébastien Erard, à Paris, perfectionna cette invention en ajoutant une seconde rangée de pédales, créant la *h.* dite « à double-mouvement », qui peut moduler dans tous les tons. La *h.* d'Erard a subi peu de modifications : elle s'accorde en *ut bémol* ; son étendue est de six octaves et demie. La partie la plus importante est le corps sonore ; il est formé de plaques de hêtre cintrées et collées sur champ. Sur cette coque, plaquée d'acajou, de palissandre etc., se place la table d'harmonie, exécutée en sapin, le fil du bois étant placé « en travers ». La tension des cordes sur cette table approche deux tonnes. Le socle, également en hêtre, est percé, à sa base, de sept encoches où viennent se placer les sept pédales correspondant aux notes de la gamme. Chaque pédale peut prendre la position : *bémol*, *bécarre* et *dièse*. Chaque mouvement de pédale altère toutes les notes correspondantes. La colonne, composée de deux pièces de bois évidées, renferme des tringles, qui servent de transmission entre les pédales et le mécanisme de l'instrument. Celui-ci est accroché à la console : pièce en forme de col de cygne, qui constitue la partie supérieure de la *h.* Sur le côté gauche de la console, on remarque les fourchettes : deux petits disques munis chacun de deux boutons en saillie. En position *bémol*, la corde passe

librement entre les fourchettes, la rotation de la fourchette supérieure raccourcit la corde d'un demi-ton (*bécarre*), celle de la fourchette inférieure permet d'obtenir le *dièse*. Grâce au mécanisme, la *h.* est un instrument à « son fixe » ; chaque corde pouvant donner trois sons différents. Le côté droit de la console supporte les chevilles d'accord. Les cordes sont en boyau de mouton pour l'aigu, pour le médium, en acier filé de soie, et en acier recouvert de laiton pour le grave. Certains essais de harpes chromatiques à deux et même trois rangées de cordes n'ont pas jusqu'ici donné de résultats concluants. Les principaux facteurs de harpe furent : au XVIIIᵉ s., Hochbrücker (Bavière), Cousineau et Nadermann (France) ; au XIXᵉ s., Sébastien Erard (France) et Morley (Angleterre) ; actuellement, Lyon et Healy (Chicago), Erard (Paris), Victor Salvy (Gênes), Martin et Smith (Paris et Londres). — L'iconographie permet de suivre l'évolution de la technique harpistique. Nous pouvons distinguer en Asie occidentale ancienne, deux techniques bien distinctes, fondées sur la tenue de l'instrument. La *h.* tenue horizontalement se joue presque toujours à l'aide d'un plectre à la main droite, la main gauche servant à étouffer les cordes qui ne doivent pas être mises en vibration. La *h.* tenue verticalement semble être l'objet d'une technique plus recherchée : la main droite pince la corde tandis que la gauche, faisant ici l'effet d'un sillet, la raccourcit, lui permettant de donner plusieurs sons et même d'effectuer des harmoniques. Dans le jeu à 2 mains, le pouce est souvent employé pour subdiviser la corde. On remarque également que le harpiste étouffe les cordes à l'aide de la main appliquée à plat, ainsi qu'il se pratique aujourd'hui pour obtenir des sons étouffés. Au moyen-âge, en Occident, le harpiste emploie les deux mains, la main gauche jouant le registre aigu, tandis que la droite joue le grave. Il se sert du pouce, de l'index et du médius. En Irlande, où l'on connaît deux formats de *h.* : elle est selon sa taille, soit posée à terre, soit posée sur les genoux ; les cordes sont pincées entre l'ongle et la chair, technique qui se poursuivra jusqu'à la fin du XVIIIᵉ s. Au XVIIIᵉ s., les écoles allemandes et françaises, avec Christian Hochbrücker, Jean-Baptiste Krumpholtz et Jacques-Georges Cousineau, posent les bases de la technique harpistique actuelle. La *h.* se joue à 2 mains, employant chacune 4 doigts ; quelques essais de l'emploi de l'auriculaire (Petrini et Mme de Genlis, au XVIIIᵉ s. et A.C. Prumier au XIXᵉ) sont restés sans résultats probants ; le haut du corps sonore repose sur l'épaule droite de l'exécutant. La *h.* peut produire une grande variété d'effets sonores : harmoniques, sons en guitare, sons étouffés, homophones, *glissando* : cette possibilité de sons homophones permet de nombreuses combinaisons de *glissando* fondées sur les accords de 7ᵉ. — Parmi les principales œuvres écrites pour orchestre citons : *Concerto für harfe oder Orgel* (Hændel, 1738), 6 *Concerti, pour harpe ou clavecin* (J.-Ch. Bach, Londres 1763), *Concerto pour flûte et harpe* (Mozart, Paris 1778) ; au XIXᵉ siècle, les concertos de Boïeldieu, de Bochsa et de Parish-Alvars ; au XXᵉ s., *Choral et variations* (Widor), *Concertstück* (G. Pierné), *Deux danses* (Cl. Debussy), *Introduction et allegro* (Ravel), *Concerto pour clavecin, piano et harpe* (Frank Martin), *Concertino* (J.M. Damase), *Concerto* (Darius Milhaud), enfin un *Concerto-Jazz* de Roger-Roger. La *h.* tient une place importante dans la musique de chambre, écrite en général par les principaux harpistes de l'époque : au XVIIIᵉ s., J.B. Krumpholtz, Francesco Petrini, Jean Baur, J.-B. Cardon, Joseph Kohaut ; au XIXᵉ, F.J. Nadermann, Charles Bochsa, Elias Parish-Alvars, François-Joseph Dizi ; au XXᵉ, Henriette Renié, Marcel Grandjany, Marcel Tournier et Carlos Salzedo. Des compositeurs modernes, non harpistes, se sont intéressés aussi à la harpe : citons Florent Schmitt, Arnold Bax, Paul Hindemith, Albert Roussel, Laszlo Lajtha, Henri Martelli, Georges Migot, O. Respighi, V. d'Indy, A. Caplet, Daniel Lesur, A. Jolivet, René Leibowitz.

**Bibl. :** Mersenne, *Harmonie universelle*, Paris 1636 ; *Encyclopédie*, art. harpe, Paris 1751 ; Prony, *Rapport sur la harpe de Sébastien Erard* (Académie des sciences et des beaux-arts), Paris 1815 ; C. Pierre, *Les facteurs d'instruments de musique, ibid.*, 1893 ; M. Brenet, *Les concerts en France sous l'ancien régime, ibid.* 1900 ; Grattan

*Fresque de Tavant.*

Flood, *Story of the harp*, Londres 1905 ; Kastner, *The harp as solo instrument and in orchestra*, ds *Proc. Mus. ass. T.*, 1908 ; Cucuel, *Etude sur un orchestre au XVIIIᵉ s.*, Paris 1913 ; Lavignac, *Encyclopédie de la musique*, ibid. 1925 ; Zingel, *Harfe und Harfenspiel*, Halle 1933 ; Guiraud-Busser, *Traité pratique d'instrumentation*, Paris 1933 ; Zingel, *Zur Geschichte des Harfenkonzerts*, ds *ZfMw*, *XVII*, Leipzig, 1935–36 ; A. Schaeffner, *Les origines des instruments de musique*, Paris 1936 ; Hickmann, *Le jeu de la harpe dans l'Egypte ancienne*, ds *Diatribae Lexa* (*Arch. orientalni*, *XX*), Prague 1952.

F.V.

**HARPE** (*suite*). Le mot *h.* entre fréquemment en composition dans le vocabulaire d'organologie : — **1. h.-cithare.** C'est un instrument caractéristique des régions congolaises et gabonaises d'Afrique équatoriale : il est constitué par un long bâton fait d'une nervure de palme dont on a détaché, sur presque toute la longueur, six à huit lanières d'écorce : celles-ci sont écartées du manche par un chevalet unique qui porte plusieurs échancrures permettant d'étager les cordes en les distribuant les unes à côté des autres sur un seul plan. De petits anneaux coulissants permettent de régler la tension. Le type le plus répandu porte un résonnateur en calebasse fixé sur le bâton à l'opposé du chevalet. Chez les Mboshi, une *h.-c.* de dimensions exceptionnelles, atteignant presque deux mètres de long, porte une table de résonnance en bois très léger, disposée du même côté que le chevalet. L'instrument est utilisé parfois seul, parfois pour accom-

HARPE

*XXIV^e s. av. J.-C. Lagash. Bas-relief liturgique*

*(musée du Louvre).*

pagner le chant, et généralement en tierces parallèles. G.R. — **2.** C'est aussi un instrument à cordes pincées, qui possède à la fois des caractères de harpe et de cithare, formé qu'il est d'une part d'un manche courbé muni de chevilles ainsi que d'une colonne, d'autre part d'une longue touche munie de tons avec des cordes mélodiques et bourdons. La *h.-c. (Harpe-zither)* apparut dans la seconde moitié du XIX^e s. en Allemagne du Sud. C.M.-D. — **2. H. à clavier** : imaginant d'ajouter un clavier à la *h.*, Berger, facteur à Grenoble, inventa (1774) cet instrument, qui tomba rapidement dans l'oubli. M.A. — **3. H. ditale** : c'est une variété de *h.-luth* (voir à ce mot, sens 2) ; faussement attribuée à Pfeiffer (1830), la *h.d.* est une forme perfectionnée (mécanisme à clavier à portée des doigts) de la *h.-luth* de Light, instrument que son auteur avait déjà mené au stade de la *h.d.* dès 1816 (Europe). M.A. — **4. H. éolienne** : c'est essentiellement une cithare sur caisse, dont les cordes sont mises en vibration par le vent : l'instrument se plaçait en effet en plein air. La *h. é.* est composée d'une caisse légère, hémicylindrique ou trian-

gulaire, posée verticalement et montée de six ou huit cordes en boyau, de différentes sections, tendues d'une extrémité à l'autre de la caisse. La tension des cordes doit être assez faible, afin que la brise les attaque facilement. Effleurées par le vent, les cordes émettent les harmoniques de leur son fondamental. La sonorité obtenue est fine et étrange, d'une intensité variable selon la force du vent. La *h. é.* est connue, après les attestations parfois confuses du moyen-âge, au milieu du XVII^e s., en Italie. Il existe des spécimens européens du début du XIX^e s. La *h. é.* fut en vogue en Angleterre et en Allemagne, principalement aux XVIII^e et XIX^e s. et inspira des poètes : on la trouvait alors fréquemment dans les parcs, ou disposée sur le toit des maisons et dans les ruines de châteaux anciens. Empreinte d'un certain caractère immatériel, étant donné d'une part sa sonorité et d'autre part son jeu indépendant de toute intervention humaine, la *h. é.*, qui se rattache en un sens au domaine légendaire, fut un instrument romantique favori. On dit aussi *h. d'Éole.* M.A. — **5. H. fourchue** : c'est un instrument caractéristique de l'Afrique occidentale (forêt guinéenne et savanes limitrophes) : il est constitué par la combinaison d'une fourche en bois et d'un résonnateur en calebasse fixé à sa base ; entre ces deux branches sont tendues, sur un même plan, cinq à sept cordes, suivant les régions ; les cordes sont parfois parallèles, parfois au contraire elles s'écartent les unes des autres en éventail : on joue de cette harpe en appuyant la base ouverte du résonnateur sur la poitrine. C'est un instrument dont on se sert souvent pour accompagner en tierces parallèles le chant d'un soliste ou d'un petit chœur. G.R. — **6. H. d'harmonie** : c'est un instrument inventé par Thory à Paris en 1815 ; cette grande harpe (2 m.×1,60 m.), dressée sur un socle et montée de cordes métalliques, possédait un clavier et quatre pédales ; elle imitait la sonorité du piano, du tambour et des « sonnettes chinoises », en y joignant celle de la harpe. M.A. — **7. H. intégrale** : c'est une harpe inventée à Paris par Gustave Lyon, qui combine les avantages de la *h.* chromatique et de la *h.* à pédale et permet le *glissando.* — **8. H. « du Nouristan »** : dans le Nouristan afghan, pays très isolé dans les hautes vallées du sud du Pamir, peuplé par une race blanche théoriquement islamisée de force au début du XX^e s., se retrouvent des formes très anciennes de musique et des instruments archaïques, en particulier, sous une forme populaire, l'ancienne harpe indo-iranienne disparue depuis environ un millénaire dans l'Inde même et depuis plusieurs siècles en Iran. La *h.* du Nouristan est faite d'une barquette en bois, d'environ cinquante centimètres de long, resserrée en son milieu et couverte d'une peau tendue. Un arc de bois est fixé à cette peau qu'il traverse deux fois ; des cordes de boyau sont attachées à la base de l'arc, près du résonnateur, terminées par des cordelettes de soie qui s'enroulent autour du manche par des nœuds coulants. On accorde l'instrument en faisant glisser ou tourner ces attaches. Les modèles courants aujourd'hui n'ont que quelques cordes. Al.D. — **9. H. « du roi David »** : voir art. *kinnor.*

**HARPE-LUTH.** — **1.** C'est un instrument spécial à l'Afrique noire : il tient à la fois de la harpe et du luth en ceci que les cordes s'organisent en même temps sur deux plans qui se recoupent, l'un perpendiculaire à la caisse (harpe), l'autre parallèle (luth). En effet, les cordes qui, à une extrémité, s'étagent le long du manche et à l'autre se regroupent à la base de la caisse, se divisent de part et d'autre d'un chevalet érigé sur la peau qui sert de table de résonnance à l'instrument. Chez certains peuples, la caisse est petite, en bois et plutôt carrée, il n'y a que peu de cordes : quatre ou six ; chez d'autres, la caisse est très grande, en calebasse hémisphérique, il peut y avoir jusqu'à vingt et une cordes, ce qui est le cas pour la *kora* (voir à ce mot). C'est en général un instrument de musicien professionnel. On le rencontre en Guinée, au Ghana, en Côte d'Ivoire et au Soudan. G.R. — **2.** C'est aussi un instrument européen, qui tient lui aussi de la harpe (colonne, manche courbé, crochets mobiles) et du luth (caisse de résonnance, attache des cordes au peigne sur la pale supérieure, table ornée d'une rosette) : il fut

inventé durant les dernières années du XVIIIe s. et appartient à la série d'instruments imaginés à cette époque pour remplacer ou perfectionner la guitare. Construit pour la première fois, semble-t-il, par E. Light à Londres, il fut amélioré par son inventeur en 1816, sous la forme de *harpe ditale* (voir à ce mot) ; puis de nouveau amélioré par A.B. Ventura, sous le nom de *harp Ventura*, grâce à l'adjonction du mécanisme permettant de hausser la corde d'un demi-ton.
C.M.-D. — **3.** C'est enfin un instrument européen inventé par Gustave Lyon (Paris, 1857–1936), construit sur les mêmes principes que la harpe chromatique sans pédales, mais dont toutes les cordes sont métalliques ; il a été notamment utilisé au théâtre (*Maîtres-chanteurs, Louise* etc.).     A. Sch.

**HARPSICHORD.** C'est le nom anglais du *clavecin*.

**HARRELL Mack.** Baryton amér. (Celeste 8.10.1909–), élève de l'école Juilliard à N.-York, qui débuta en 1935 et appartient dep. 1939 au *Metropolitan Opera* de N.-York : il excelle dans le *Lied* et a publié *The sacred hour of songs* (1939).

**HARRER Johann Gottlob.** Mus. allem. (Görlitz 1703–Karlsbad 9.7.1755). Elève de l'université de Leipzig, protégé des comtes Brühl et par eux envoyé en Italie, il entra à leur service en 1731 ; c'est lui qui, en 1750, succéda à J.-S. Bach comme cantor à St-Thomas de Leipzig ; on lui doit 27 symph. (6 perdues), 24 *Parthien* (23 id.), 3 sonates, 3 fugues et 1 *sinfonia* pour piano (le reste de sa mus. de chambre a été perdu), 5 oratorios (1 perdu), dont 1 passion, 48 cantates (perdues), 1 motet, 3 messes, 1 *Kyrie*, 1 *Sanctus*, 1 *Magnificat* et 4 psaumes (avec orch). Voir A. Schering, *Der Thomaskantor G.H.* ds *Bach-Jb.*, *XXVIII*, 1931 — *J.S. Bach u. das Musikleben Leipzigs im 18. Jh.*, Leipzig 1941; H. Kümmerling in MGG.

**HARRIS Clement Hugh Gilbert.** Pian. et compos. angl. (Londres 8.7.1871–Pentepagadia, Turquie, 23.7.1897), élève du cons. de Francfort, de Clara Schumann, qui mourut comme engagé volontaire dans l'armée grecque ; on lui doit 1 poème symph., 4 études de concert, 6 mélodies, 2 romances (instrumentales).

**HARRIS Roy.** Compos. amér. (Lincoln County 12.2. 1898–). Elève d'A. Farwell, de M. Altschuler, de N. Boulanger (Paris), il a enseigné notamment à l'univ. Cornell et au *Pennsylvania College f. women* ; on lui doit entre autres 3 ballets, 7 symph. (1933–1951), 3 concertos, 1 trio, 3 quatuors à cordes, 2 quintettes, 1 sextuor, de la mus. chor., de piano, de film, des mélodies, un arrangement de *L'art de la fugue* de J.-S. Bach pour quatuor à cordes (1936). Voir N. Slominsky, *R.H.*, Boston 1947.

**HARRIS (***Sir***) William Henry.** Org. angl. (Londres 28.3. 1883–). Elève du *Royal College of music*, il a exercé à Lichfield, Birmingham, Oxford, à la chapelle de Windsor,

dirigé des soc. chorales et le *Royal College of organists* (1946–48) ; on lui doit de la mus. pour chœur et orch., d'église, d'orgue, des mélodies.

**HARRISON Frank Llewellyn.** Musicologue anglais (Dublin 29.9.1905–). Elève de la *Royal Irish Academy of music* et de l'univ. de Dublin, de l'univ. Yale (L. Schrade, P. Hindemith), il a enseigné à la *Queen's Univ.*

HARPE

*Le roi David (ds A. Beda, Ars musica, BN).*

de Kingston (Canada), à l'univ. Colgate de Hamilton (N.-York), à l'univ. Washington de St-Louis, à celle d'Oxford (dep. 1952) ; on lui doit des articles dans des périodiques, l'édition de l'*Eton Chorbook* (Londres 1956 sqq.) et un ouvrage sur la musique anglaise au moyen-âge (Londres 1958).

**HARRISON James Henry** (*Jimmy*). Tromboniste de jazz amér. (Louisville 17.10.1900–N.-York 23.7.1931), qui collabora avec E. Snowden et F. Henderson : il fut considéré comme l'un des meilleurs virtuoses de son temps ; son style a fait école (Teagarden et T. Dorsey).

**HARRISON Julius.** Chef d'orch. et compos. angl. (Stourport 26.3.1885–). Elève de G. Bantock (Birmingham), il a été prof. à la *Royal academy of music* et chef d'orch. à Londres et à Hastings ; on lui doit notamment un *Requiem*, une messe *a cappella*, *Worcester Suite*, *Cavalier songs*, de la mus. de chambre et d'orgue ; il a publié *Brahms and his four symph.* (Londres 1939).

**HARRISON Lou.** Compos. amér. (Portland 14.5.1917–). Elève d'H. Cowell, d'H. Cooper, de Schönberg, il a enseigné au *Mills College* en Californie et publié des chroniques dans *The N.-York Herald Tribune, Listen, View, Modern music,* publié un pamphlet sur Carl Ruggels ; son nom est fréquemment cité avec ceux d'H. Cowell et de John Cage ; on lui doit 2 opéras : *The only jealousy of Emer* (1949), *The marriage of the Eiffel tower* (id.), 2 ballets : *The perilous chapel* (1948), *Solstice* (1949), pour l'orch. : *Prelude and saraband* (1937), *Alleluia* (1946), 2 *Suites* (1948), *Symphony* (1949).

**HARSANYI Tibor.** Compos. franç. d'origine hongroise (Magyarkanizsa 27. 6.1898–Paris 19.9.1954). Il commença le piano à l'âge de cinq ans, puis fut admis à l'Académie nat. de Budapest dès 1908, où il devait étudier le piano avec S. Kovács et l'écriture avec Kodály; en 1921, il quitta la Hongrie pour Venise, puis séjourna à Berlin et à Amsterdam, avant de gagner Paris pour s'y fixer en 1923: il devait être un des premiers membres de ce groupe de jeunes compos. étrangers, épris d'esthétique française, qui furent vers 1925 à la base de la fameuse « école de Paris ». *Le triton,* la *S.M.I.* et la radiodiffusion accueillirent ses œuvres ; son langage musical présente d'heureuses recherches tant dans le domaine du rythme que dans celui de l'harmonie : elle tente à se dégager des servitudes de la tonalité, tout en restant toujours d'une heureuse clarté et d'une forme impeccable : ses pièces pour piano comme sa mus. de ch. en témoignent ; il sait, dans ses orchestrations, utiliser au maximum les moindres ressources des instruments.

J.P.E. HARTMANN

*Portrait d'H. Olrick (1874).*

Œuvres : mus. de théâtre : 6 ballets : « *Le dernier songe* » (Budapest 1920), « *Les invités* » (Gera 1930), *Pantins* (1937), *La fleur verte* (1950), *L'amour et la vie* (id.), *Légende canadienne* (1953) ; mus. symph. : *Suite* (1927), *Concertstück* pour piano et orch. (1930), *Aria, cadence et rondo* pour vcelle et orch. (id.), *La joie de vivre* (divertissement cinémat., 1933), *Suite hongroise* (1935), concerto de viol. (1939–41), 2 *divertimenti* (1940, 1943), concerto pour 2 viol. et orch. de chambre (1940), 5 *Chants nostalgiques* (piano et orch., 1943), *Figures et rythmes* (1945), *Danses variées* (id.), *Divertissement français* (1946), *L'illusion* ou *L'histoire d'un miracle* (1948), *Rhapsodie burlesque* (id.), *Symph. en ut* (1951) ; mus. de chambre : *Sonatine* pour viol. et piano (1918), *3 pièces* pour fl. et piano (1924), 2 quatuors à cordes (1925, 1935), *Ouverture symph.* pour quatuor à cordes (1926), trio avec piano (id.), duo pour viol. et vcelle (id.), sonate pour viol. et piano (id.), *3 pièces* pour viol. et piano (id.), nonette pour cordes et instr. à vent (1927), sonate pour piano et vcelle (1928), *concertino* pour piano et quatuor à cordes (1931), trio à cordes (1933), *Rhapsodie* pour vcelle et piano (1938), *Histoire du petit tailleur* pour 7 instr. et percussion (1939). *Pique-nique,* concerto pour 2 viol., vcelle, double-basse, piano et percussion (1951), sonate pour piano et alto (id.). mus. de piano : *Petite suite pour enfants* (1923), *4 Pièces* (1924), *La semaine* (id.), *Rhapsodie* (id.), *Novelettes* (1925, 1928), sonate (1925, 1935), *6 Pièces courtes* (1927), *2 Burlesques* (id.), *Pièce pour 2 pianos* (id.), 5 *Préludes brefs* (1928), *3 Pièces de danse* (id.), *Rythmes* (1929), *5 Inventions* (id.), *Suite* (1930), *Suite brève* (id.), 5 *Études rythmiques* (1932), *Pastorales* (1933), *3 Pièces lyriques* (1944), *3 Impromptus* (1948–52), *Étude* (1951) ; mus. voc. : *6 mélodies* (1922–23), *Parfums rustiques* (id.), *5 Poèmes* pour chant et piano (1927), *Vocalise-étude* (1930), *Cantate de Noël* pour v., fl. et cordes (1939), *2 Fantaisies* pour chœur a cappella (1943), *Trois chansons du Vivarais,* pour quatuor voc. et 5 instr.     J.V.

**HARST Coelestin.** Mus. alsacien (Sélestat 1698–Geberschweier 1776). Il fut prieur de l'abbaye bénédictine d'Ebersmünster puis prieur du monastère St-Marx à Geberschweier ; organiste, claveciniste, il fut invité à la cour de Louis XV, à qui il joua ses *Délices royales* lors de la visite du roi à Strasbourg (1744) ; on a conservé de lui un *Recueil de différentes pièces de clavecin* (6 suites, s.l., 1745). Voir A. Pirro, *Notes sur un claveciniste alsacien,* ds Rev. de mus., fév. 1925.

**HART Frederic Patton.** Compos. amér. (Aberdeen, E.U., 5.9.1898–). Elève du cons. de Chicago, de la *Diller-Quayre School* à N.-York, de N. Boulanger et de R. Goldmark, il a fait une carrière de professeur ; on lui doit 3 opéras : *The wheel of fortune, The romance of robot, Fantastic Opera,* de la mus. de chambre, de piano, des mélodies.

**HART Fritz Bennicke.** Compos. angl. (Londres 11.2. 1874–Honolulu 9.7. 1949). Elève du *Royal college of music,* il fit carrière de chef d'orchestre et professeur ; on lui doit une vingtaine d'opéras, de la mus. chor., symph., de chambre, des mélodies, des arrangements de musique populaire.

**HART George.** Violon. et luthier angl. (Londres 23. 3.1839– près de Newhaven, 25.4.1891). Héritier et directeur de la maison de lutherie *Hart and sons* de Londres, fondée par son grand-père, il publia quelques études sur le violon, notamment *The violin, its famous makers and their imitators* (Londres 1875, trad. franç. A. Royer,1886) et *The violin and its music* (ibid. 1881). La maison existe toujours, sous la direction de *Herbert H.* (Londres 1883–), son fils.

**HART James.** Mus. angl. (York 1647–Londres 8.5.1718), qui fut chanteur à York, puis *gentleman* de la chapelle royale et *lay-vicar* de l'abbaye de Westminster ; il composa des airs et des mélodies, notamment pour le théâtre, que l'on trouve dans des recueils de l'époque (1679–1706). Voir Ch. L. Cudworth in MGG.

**HART Joseph Binns.** Org. angl. (Londres 5.6.1794– Hastings 10.12.1844). Elève de J.B. Cramer, il fut org. à Walthamstow, Tottenham, Hastings ; on lui doit 3 farces et 1 opéra, de la mus. de danse, 1 recueil intitulé *Melodia divina...,* 1 manuel de composition. Voir Ch. L. Cudworth in MGG.

**HART Philip.** Org. angl. (?–Londres 17.7.1749). Fils présumé de *James H.,* il fut org. dans différentes églises de Londres et composa des fugues, *The morning hymn...* (d'après Milton, Londres 1729), des mélodies. Voir Ch. L. Cudworth in MGG.

**HARTKER** (Bienheureux). Bénédictin de l'abbaye de St-Gall, où il mourut en 1011, qui composa un *antiphonale* : cet antiphonaire est la source la plus ancienne de notre documentation sur l'office au X$^e$ s. ; *H.* est tenu pour collaborateur du codex 390-391 de St-Gall, graduel neumé, parmi les premiers en date. Voir G. Scherrer, *Verz. ... St-Gallen,* Halle 1875.

**HARTMAN Anton.** Chef d'orch. et musicologue sud-africain (Geduld, Transvaal, 26.10.1918–). Elève de l'univ. de Johannesburg, il a collaboré à la *South African Broadcasting Corporation* (1939–49) et dirige le *S.A.B.C. symphony orchestra* ; on lui doit des mélodies et une série d'articles sur la musique sud-africaine, matière en laquelle il est une autorité : sa thèse était intitulée *Music in South-Africa 1652–1800.*

**HARTMANN.** Famille de mus. germano-danois — **1. Johann Ernst** (Gross-Glogau 24.12.1726–Copenhague 21.10.1793) fut au service de la cour de Holstein, puis musicien de la chambre du roi de Danemark ; on lui doit de la mus. de scène, symph., de chambre, de piano, 2 cantates ; son fils — **2. Johann Erst II** (Copenhague 2.3. 1770–Roskilde 16.12.1844) fut cantor à la cath. de Roskilde ; son frère — **3. August Wilhelm** (*ibid.* 6.11. 1775–15.11.1850) fut org., cantor, et élève compos. et violoniste de la chapelle royale ; son fils — **4. Johann Peter Emil** (*ibid.* 14.5.1805–10.3.1900) fut directeur du conservatoire de Copenhague après avoir exercé une profession juridique ; on lui doit 4 opéras, des ballets, de la mus. de théâtre, des œuvres symph. (2 symph.), des chœurs, des cantates, de la mus. de chambre, d'orgue, des mélodies ; il est le plus grand musicien de la famille ; sa femme — **5. Emma Sophie Amalia,** née *Zinn* (*ibid.* 22.8. 1807–6.3.1851) composa des mélodies et des romances ; leur fils — **6. Emil** (*ibid.* 20.2.1836–18.7.1898) composa de la mus. de théâtre, 7 symph., des œuvres d'inspiration folklorique. Voir A. Hammerich, *J.P.E.H.,* Copenhague 1916 ; R. Hove, *Id., ibid.* 1904 ; B. Bitzch, *Id.,* Hellerup 1955 ; N. Schiørring in MGG.

**HARTMANN** [*Pater*] (*Paul Eugen Josef von An der Lan-Hochbrunn*). Franciscain autr. (Salurn 21.12.1863–Munich 5.12.1914). Elève de Pembaur (Innsbruck), org. à l'église du Sauveur et au St-Sépulcre de Jérusalem (1893–94), du couvent de l'*Ara coeli* et (dir.) de la *Scuola musicale cooperativa* à Rome 1895, il vécut à partir de 1906 au couvent des Franciscains de Ste-Anna à Munich, hormis un séjour à N.-York (1906–07) ; on lui doit 6 oratorios, 1 *Te Deum,* des messes, de la mus. de chambre, d'orgue, des motets, des mélodies ; il publia *Essay über ein neues System der Harmonie* (Rome 1896) et *P. Peter Singer...* (Innsbruck 1910). Voir H. v. Bilguer, *P.H. u. sein Or. St Franziskus,* Vienne 1902.

**HARTMANN Christian Karl** (*Chrétien-Charles*). Flûtiste allem. (Altenbourg 1750–Paris 1804). Il fut au service du duc de Saxe Altenbourg, fit une carrière internationale, se fixa à Paris, où il appartint à l'orchestre de l'Opéra (1774) et fut prof. de flûte au conservatoire lors de sa fondation ; on lui doit de la musique de chambre, particulièrement pour son instrument, publiée entre 1784 et 1792. Voir R. Cotte in MGG.

**HARTMANN Heinrich.** Mus. allem., qui mourut à Cobourg en 1616, après y avoir été *cantor* ; on lui doit deux recueils de *Confortativae sacrae symphoniacae* (5, 6, 8 etc v., Cobourg 1613, Erfurt 1617, 1618), des messes, des pièces de circonstance etc. (dans des recueils de l'époque). Voir A. Adrio in MGG.

**HARTMANN Karl Amadeus.** Compos. allem. (Munich 2.8.1905–). Elève de l'*Akad. der Tonkunst* de Munich, de Scherchen, de Webern, il réside à Munich, où il a fondé (1945) une organisation de concerts intitulée *Musica viva* ; il est depuis 1952 membre de l'Acad. bavaroise des beaux-arts et, depuis 1953, président de la section allemande de la Société intern. de mus. contemporaine ; adepte des doctrines sérielles, il est l'un des compos. allem. le plus marquants de notre époque ; on lui doit 7 symph. (1940–1959), 1 concerto pour violon et orch. à cordes (*Mus. d. Trauer,* 1939), *China kämpft* (1942), 1 concerto de piano (instr. à vent et percussion, 1953), 1 concerto pour alto et piano (*id.,* 1956), 1 concerto pour clarinette (quatuor et cordes), *Lamento* (cantate, sopr. et p., 1955), 2 quatuors à cordes (1935, 1948), 1 *Kammeroper : Simplicius Simplicissimus* (1944, 2e version 1955). Voir K.H. Werner, *Neue Mus. i.d. Entscheidung,* 1954 ; H.H. Stuckenschmidt in MGG.

**HARTMANN Nicolaï.** Philosophe allem. (Riga 20.2.1882–Göttingen 9.10.1950). Musicien dès son enfance (il jouait du vcelle), il traite fréquemment de musique dans ses ouvrages, notamment dans son *Aesthetik* (Berlin 1953). Voir W. Wiora in MGG.

**HARTMANN Thomas Alexandrovitch.** Pian. et compos. russe (Moscou 21.9.1886–). Elève d'Arensky et de Taneev (Moscou), d'Annette Essipov et de F. Mottl, il s'est fixé à Paris en 1922 : il y devint directeur de la maison d'édition Belaïev ; il a écrit 1 opéra, 2 ballets, 6 concertos, des œuvres symph., de chambre, des mélodies.

**HARTMANN Eduard von.** Philosophe allem. (Berlin 23.2. 1842–Gross-Lichterfelde 5.6.1906). Officier, docteur en droit, il publia *Deutsche Aesthetik seit Kant* (Berlin 1886), *Philosophie des Schönen* (ibid. 1887, 1924 — ce dernier ouvrage est sous-titré *Idealismus u. Formalismus in der Musikaesthetik*) ; il composa 1 opéra : *Stern von Sevilla* (1862–63), des quatuors, et duos (vocaux), des mélodies. Voir P. Moos, *Die Philosophie d. Mus. v. Kant bis E. v. H.,* Stuttgart-Berlin-Leipzig 1922 ; W. Wiora in MGG.

**HARTOG Eduard de.** Compos. néerl. (Amsterdam 15.8. 1829–La Haye 8.11.1909). Elève de Bertelmann et de Litolff, d'Eckert (Paris), de Heinze et de Damcke, il vécut longtemps à Paris ; il écrivit notamment des opéras et opéras-comiques, des œuvres symph., chor., de chambre, des mélodies ; il collabora avec Pougin pour le *Supplément* de la *Biographie universelle* de Fétis.

**HARTVIGSON.** Pian. danois — **1. Fritz** (Grenaa 31.5. 1841–Copenhague 8.3.1919) : élève de Gade, de Gebauer, d'A. Rée, de Bulow (Berlin), il vécut et enseigna à Londres ; son frère — **2. Anton** (Aarhus 16.10.1845–Copenhague 29.12.1911), élève de Tausig et de Neupert, fit également carrière à Londres, mais vécut à partir de 1893 à Copenhague, où il fut critique.

**HARTY** (Sir) **Hamilton.** Chef d'orch. et compos. irlandais (Hillsborough 4.12.1879–Hove, Angl., 19.2.1941). Elève de son père, d'Esposito, org., pian., chef du *Hallé Orch.* à Manchester (1920–33), il a écrit des œuvres symph., une cantate, de la mus. de chambre, de chant, des arrangements : cf. art. (mus.) irlandaise. Voir L. Duck in MGG.

**HARVEY Mary** (*Lady Deuring*). Mus. angl. (? ...8.1629–? 1704). Fille de Daniel *H.* of Folkestone and Combe, épouse de *Sir* Edward *D.,* élève de H. Lawes, elle écrivit des airs, dont 3 subsistent dans un recueil de Lawes de 1655. Voir J.M. Kerr, *M.H....,* ds *ML, XXV,* 23.1.1944.

**HARVEY Trevor.** Chef d'orch. angl. (Freshwater 30.5. 1911–). Elève d'Oxford, chef de chœur à la *BBC* (1935), il débuta comme chef d'orch. à Hambourg sous l'occupation anglaise (1945), fut chef d'orch.-adjoint des *London Promenade Concerts* (1949–53) et dirige son orch. de chambre à la *BBC* : le *St.Cecilia Orchestra.*

**HARWOOD Basil.** Org. et compos. angl. (Woodhouse, Olveston, 11.4.1859–Londres 3.4.1949). Elève d'Oxford, du cons. de Leipzig, il fut org. à Londres, Ely, Oxford, ville où il fut également *precentor* du *Keble College* et *choragus* de l'univ. ; on lui doit de la mus. d'église et d'orgue. Voir G. Guest in MGG.

**HARZEBSKI Adamo.** Voir art. *Jarzebski* (*Adam*).

**HASELBACH Richard.** Chef d'orch. et musicologue suisse (Uznach 21.9.1914–). Elève du cons. et de l'univ. de Zurich (Hindemith, Cherbuliez, Dürr, Faesi), chef-fondateur de la *Zürcher Kantorei,* prof. au cons. (dep. 1949) et chef de chœur à l'Opéra de Zurich, il a été chroniqueur à la *Neue zürcher Zeitung,* collaboré à plusieurs encyclopédies et publié *G.B. Bassani...* (Cassel-Bâle 1955).

**HASENKNOPF Sebastian.** Mus. autr. (v. 1545–ap. 1597), qui se disait salzbourgeois, et fut *corporalis, Präbendist* (1561), *Revenaler* (1564) à la cath. de Salzbourg ; on lui doit un recueil de *Sacrae cantiones* à 5, 6, 8 etc v. (Munich 1588) et 23 pièces en tablature, conservées à Munich et à Passau. Voir O. Wessely in MGG.

**HASKIL Clara.** Pianiste roumaine (Bucarest 7.1.1895–).

Élève de R. Robert (Vienne), du cons. de Paris (Cortot), elle réside à Vevey et fait une carrière intern. ; elle a joué avec Enesco, Ysaye, Casals etc. : admirable dans Mozart, elle est une des meilleures musiciennes de notre temps.

**HASLINGER Tobias.** Éditeur de mus. autr. (Zell 1.3. 1787–Vienne 18.6.1842), qui fut l'ami et l'éditeur de Beethoven et de Schubert ; son fils — **Carl** (Vienne 11.6. 1816–26.12.1868), qui lui succéda, fut également compositeur. Voir M. Unger, *L. v. Beethoven u. seine Verleger...*, Berlin-Vienne 1921 ; A. Weinmann in MGG.

**HASLMAYR Adam.** Mus. autr. (v. 1550–Wattens ? ap. 1617). Élève de Casletanus (Andreas André), Français qui vivait à Brixen, il fut maître d'école et maître de chœur à St-Pauls et à Bozen (1588) ; hérétique (rosecroix), il fut incarcéré et envoyé aux galères ; on a conservé de lui *Newe teutsche Gesang* (4-6 v., Augsbourg 1592) ; il avait écrit des ouvrages polémiques, dont il ne nous reste qu'un *Liber totius naturae*. Voir O. Wessely in MGG.

**HASOSRA.** C'est une trompette en métal, des Hébreux (Israël ancien).

**HASPRE** (*Hasprois*) **Johannes Simon de.** Mus. franç. du XIVe s., qui était en 1394 membre de la chapelle papale à Avignon ; on ne sait s'il faut l'identifier avec Jehan Simon, qui était en 1380 au service de Charles V à Paris ; on a conservé de lui (Chantilly, Modène, Oxford, Bologne), 3 ballades et 1 rondeau à 3 v. : il fait transition entre Machaut et Dufay. Voir G. Reaney, *The man. Chantilly... 1047, ds Mus. Disc., VIII*, 1954, et art. in MGG.

J. A. HASSE          *cons. de Paris*

**HASSE Johann Adolf.** Mus. allem. (Bergedorf 23 ou 24.3. 1699–Venise 16.12.1783). Fils de l'org. Peter *H.*, au sein d'une famille originaire de Lubeck, il débuta comme chanteur (ténor) à Hambourg (1718) et à Brunswick (1719 — il y fut protégé par le poète U. von König) : c'est dans cette dernière ville que son 1er opéra, *Antioco*, fut représenté (1721) ; en 1722, il est à Naples, près de Porpora et d'A. Scarlatti : ses œuvres y eurent du succès ; en 1727, il est maître de chapelle de l'Hospice des incurables à Venise ; en 1730, il épouse la célèbre chanteuse Faustina Bordoni (Venise 1700–1781) ; en 1731, le couple est à Dresde, lui comme *königlich polnischer u. kürfurstlich sächsischer Kapellmeister* ; jusqu'à 1734, ils revinrent en Italie, mais à partir de 1734 il est attaché à la cour de Dresde par un contrat sévère : c'est le début d'une activité continue de 30 années au service de la cour de Saxe ; en 1734, on le trouve néanmoins en séjour à Venise avec sa femme, à Londres (où l'on donne *Artaserse*), en 1746 à Munich, en 1750 à Paris : à cette occasion, *H.* dédia un livre de sonates de clavecin à la dauphine ; citons encore ses séjours à Varsovie et à Berlin — il jouissait de l'estime de Frédéric II ; en 1750, il a le titre d'*Oberkapellmeister* ; sa bibliothèque fut détruite lors du bombardement de Dresde de 1760 ; tombé en disgrâce après la mort de Frédéric-Auguste II (1763), il part pour Vienne, puis Venise (1773) ; notons qu'en 1771 il est en concurrence avec Mozart à Milan : son dernier opéra *Ruggiero* fut représenté à Milan le 16.10. 1771 pour le mariage de l'archiduc Ferdinand, tandis

qu'on donne pour la même circonstance l'*Ascanio in Alba* de Mozart ; notons également sa longue collaboration avec Métastase ; parmi les jeunes compositeurs qui l'approchèrent à Venise dans ses dernières années, il faut nommer G.J. Vogler et J.G. Naumann ; c'est une des carrières les plus heureuses du XVIIIe s. : il fut célèbre dans toute l'Europe, appelé en Italie *il caro, il divino Sassone* : son instinct lui avait fait deviner le triomphe du style italien et c'est comme maître en ce genre qu'il fut fêté partout ; ses succès n'ont d'égal que l'oubli dans lequel il est tombé après sa mort, oubli qui a duré jusqu'à nos jours ; il reste que son influence fut très grande, son rôle historique certain ; si le public s'est dépris de lui, *H.*a mérité les louanges de musiciens aussi divers que J.-S. Bach, Paisiello ou Berlioz.

**Œuvres :** *Antioco* (1721), *Il Sesostrate* (1726), *L'Astarto* (id.), *Gerone...* (1727), *Attalo...* (1728), *L'Ulderica* (1729), *Tigrane* (id.), *Ezio* (1730), *Artaserse* (1730), *Dalisa* (id.), *Arminio* (id.), *Cleofide* (1731), *Catone in Utica* (id.), *Demetrio* (1732), *Cajo Fabrizio* (id.), *Euristo* (id.), *Siroe...* (1733), *Tito Vespasiano...* (1735), *Senocrita* (1737), *Atalanta* (id.), *Asteria* (id.), *Irene* (1738), *Alfonso* (id.), *Viriate* (1739), *Numa* (1741), *Lucio Papirio* (1742), *L'asilo d'amore* (id.), *Didone abbandonata* (id.), *Issipile* (id.), *Antigono* (1743), *Ipermestra* (1744), *Semiramide riconosciuta* (id.), *Arminio* (1745), *La Spartana generosa...* (1747), *Leucippo* (id.), *Demofoonte* (1748), *Il natale di Giove* (1749), *Attilio Regolo* (1750), *Ciro riconosciuto* (1751), *Adriano in Siria* (1752), *Solimano* (1753), *L'eroe cinese* (id.), *Artemisia* (1754), *Il rè pastore* (1755), *L'Olimpiade* (1756), *Nitteti* (1758), *Il sogno di Scipione* (id.), *Achille in Sciro* (1759), *Alcide al bivio* (1760), *Zenobia* (1761), *Il trionfo di Clelia* (1762), *Egeria* (1764), *Romolo ed Ersilia* (1765), *Partenope* (1767), *Piramo e Tisbe* (1768), *Ruggiero...* (1771), 13 *intermezzi*, 3 *sérénades*, 11 oratorios, 10 messes et 7 fragments de messe, *3 Requiem*, 10 psaumes, 5 litanies, 22 motets, des *Magnificat, Te Deum, Salve regina, Miserere*, etc., 24 concertos, 6 *sinfonie*, une cinquantaine de sonates, 7 opéras et 2 oratorios douteux ; il collabora à de très nombreux *pasticci* : la plupart des mss ont été détruits et nombre de partitions perdues.

**Bibl. :** C. Mennicke, *H. u. d. Brüder Graun als Symph.*, Leipzig 1906 ; W. Müller, *J.A.H. als Kirchenkompon.*, ds *B.I.M.G., II 9*, ibid. 1911 ; F.S. Kandler, *Cenni ... G.A.H.*, Venise 1820 ; N. Fürstenau, *Zur Gesch. d. Mus. ... zu Dresden*, 2 vol., Dresde 1861–62 ; Urbani de Gheltof, *La nuova Sirene e il caro Sassone*, Venise 1890 ; B. Zeller, *Das Recitativo accompagnato in d. Opern J.A. H.s*, thèse de Halle, 1911 ; L. Kamienski, *Die Oratorien v. J.A.H.*, Leipzig 1912 ; O.G. Sonneck, *Die drei Fassungen d. H.'schen Artaserse*, ds *SIMG, XIV*, 1912–13 ; R. Gerber, *Der Operntypus J.A.H.s*, ds *Berl. Beitr. z. Mw., II*, Leipzig 1925 ; R. Englander, *Die dresdner Instr. mus. ...*, ds *Acta univ. ups. 1956*, Upsal-Wiesbaden 1956 ; J. Hennings, *Das Mus. geschlecht der H.*, ds *Mf, II*, 1949 ; F. Stein, *Eine nem. Schulmeisterkantate*, ds *Fs. M. Schneider*, Halle 1955 ; art. Grove et MGG (A.A. Abert).

**HASSE Karl.** Compos. allem. (Dohna 20.3.1883–). Élève du cons. (Krehl, Nikisch, Straube, Ruthardt) et de l'univ. (Kretzschmar, Riemann) de Leipzig, de l'*Akad. d. Tonkunst* (Reger, Mottl) de Munich, il fut assistant de Ph. Wolfrum à Heidelberg (1907–1909), cantor à l'église St-Jean de Chemnitz (1909), dir. de mus. à Osnabruck (1910), dir. de mus. puis prof. à l'univ. de Tubingen (1919), dir. du cons. de Cologne (1935–45) ; on lui doit de la mus. symph., voc., d'église, de chambre, d'orgue ; il a publié *M. Reger* (Leipzig 1921, 1930), *J.S. Bach* (ibid. 1925), *M. Reger, Mensch u. Werk* (Berlin 1936), *J.S. Bach, Leben, Werk u. Wirkung* (Cologne-Créfeld 1937, 1941), *M. Reger* (Dortmund 1951), un grand nombre d'articles ds des périodiques ou ouvrages collectifs, dont 4 recueils : *Musikstil u. Musikkultur* (Cassel 1927), *Vom deutschen Musikleben* (Ratisbonne 1933), *Von deutschen Meistern* (*ibid.* 1934), *Von deutscher Kirchenmusik* (*ibid.* 1935).

**HASSE Max.** Critique allem. (Buttelstedt 24.11.1859–Magdebourg 20.10.1935), qui édita les œuvres complètes de P. Cornelius (5 vol., Leipzig 1905–06) et publia *P. Cornelius u. sein Barbier v. Bagdad* (*ibid.* 1904) et *Der Dichtermusiker P. Cornelius* (2 vol., *ibid.* 1922–23).

**HASSE Nikolaus.** Mus. allem. (Lubeck v. 1617–Rostock 1670 ou 1672), qui fut org. de Notre-Dame de Rostock dans la seconde moitié du XVIIe s. et publia les danses avec acc. instr. sous le titre *Deliciae musicae* (Rostock 1656), ainsi que des airs spirituels dans des recueils de l'époque ; il appartient à la même famille de musiciens que Johann Adolf H., dont la souche connue est Peter (v. 1585–Lubeck 16.6.1640). Voir F.W. Riedel in MGG.

**HASSELMANS Alphonse.** Harpiste et compos. belge (Liège 5.3.1845–Paris 19.5.1912), qui fut prof. au cons. de Paris (1884–1912), à qui l'on doit la révision des principales méthodes et études du programme d'enseignement de la harpe, ainsi que de nombreuses pièces pour son instrument. Son fils — **Louis** (Paris 1878–) fut vcelliste et chef d'orchestre.

**HASSLER.** Famille de mus. allem. : **1. Isaak** (Joachimstal v. 1530–Nuremberg ....7.1591), tailleur de pierres, fut org. de l'église de l'hospice de Nuremberg (1558–91). Son fils — **2. Caspar** [*von*] (Nuremberg, bapt. 17.8.1562–19.8.1618), marchand, fut org. à St-Laurent (1587) et à St-Sebald dans sa ville natale ; on lui doit *Fantasia* à 4 (en tablature d'orgue, ms. *Gymn. z. Gr. Kloster*, Berlin), 3 recueils de *Sacrae symphoniae* de div. auteurs (4-16 v., *ibid.* 1598, 1600, 1613), un autre de *Magnificat* (4-12 v., *ibid.* 1600). Son frère — **3. Hans Leo** [*von*] (*ibid.*, bapt. 26.10.1564–Francfort 8.6.1612), élève d'A. et de G. Gabrieli à Venise, org. d'Octavien II Fugger à Augsbourg (1586), anobli par l'empereur Rodolphe II avec ses frères Caspar et Jacob (1595, « von Roseneck », 1605), org. de la collégiale St-Maurice d'Augsbourg, *Oberster Musicus* de Nuremberg (1601–08), *kaiserlich Hofdiener* et *Kammerorganist* de Rodolphe II (1602), qu'il suivit dans ses voyages, notamment à Prague, habitant d'Ulm (1605), au service de la cour de Dresde (1608), nommé org. de la *Frauenkirche* à Meissen (1610), mourut à Francfort, lors d'un voyage pendant lequel il accompagnait le prince Georges Ier de Saxe : c'est le premier grand musicien allem., comme l'indique son épitaphe à Nuremberg : *musicae inter Germanos sua aetate summus*, qui a su faire la synthèse de l'Allemagne et de l'école vénitienne ; on a conservé de lui *Canzonette* 4 v., *libro primo* (Nuremberg 1590), *Cantiones sacrae de festis praecipuis totius anni* 4-8 et pl. v. (Augsbourg 1591, 1597, 1607), *Neue teutsche Gesang nach Art d. welschen Madrigalien u. Canzonetten* 4-8 v. (*ibid.* 1596, 1604, 1609), *Madrigali* 5-8 v. (*ibid.* 1596), *Missae* 4-8 v. (Nuremberg 1599), *Sacri concentus* 4-12 v., « *ed. nova* » (Augsbourg 1601, 2e éd. Nuremberg 1612),

*Lustgarten neuer teutscher Gesäng, Balletti, Galliarden u. Intraden* 4-8 v. (Nuremberg 1601, 1605, 1510), *Psalmen u. christl. Gesäng mit 4 St. auf die Melodeien fugweis komp.* (*ibid.* 1607), *Kirchengesänge Psalmen u. geistl. Lieder, auf die gemeinen Melodeien m. 4 St. simpliciter gesetzet* (*ibid.* 1608, Nuremberg 1637), *Venusgarten oder neuer lustige liebliche Tänz m. 4 bis 6 Stimme* (Nuremberg 1615), *Litanei teutsche* 7 v. (*ibid.* 1619), nombre de pièces (psaumes, motets, 2 messes etc.) dans des recueils de l'époque, des œuvres d'orgue (*DTB*, IV/2). Leur frère — **4. Jacob** [*von*] (bapt. Nuremberg 18.12.1569–Eger 1622), *Stadtpfeiferlehrling* à Augsbourg (1585), entra au service de Christoph Fugger qui l'envoya en Italie poursuivre ses études (1590), fut *Hoforganist* du comte de Hohenzollern à Hechingen (1597–1603) et à la cour impériale de Prague ; on a conservé de lui des œuvres d'orgue (*DTB*, IV/2), 1 livre de madrigaux à 6 v. (Nuremberg 1600), *Magnificat octo tonorum* 4 v. cum Missa 6 v. et Ps. 51, 8 v. (*ibid.* 1601), quelques compos. de mus. d'église et 1 madrigal ds des recueils de l'époque. Le fils de Caspar — **5. Johann Benedikt** (Nuremberg, bapt. 17.8.1594–?) fut également organiste. Voir R. Eitner, *Chr. Verz. d. gedruckten Werke v. H. L.v.H...*, ds *MfM*, V-VI, 1873–74 ; D. Hänischen, *Leichenpredigt auf H.*, éd. Spitta, *ibid.*, III, 1871 ; A. Sandberger, *Bemerkungen z. Biogr. H.L.H.s u. seiner Brüder*, ds *DTB*, V ; A. Einstein, *Werke H.L.H.s.*, ds *ZIMG*, XII, 1910–11 ; E.F. Schmid, *H.L.H. u. seine Brüder*, ds *Zs.d. hist. Ver. f. Schwaben*, LIV, 1941 ; R. Schaal, *Zur Musikpflege im Kollegiatstift St. Moritz zu Augsburg*, ds *Mf*, VII, 1954 ; R. Schwartz, *H.L.H. unter d. Einfluss d. ital. Madrig.*, ds *VfMw*, IX, 1893 — *Zur Hasslerforschung*, ds *JbP*, XIII, 1906 ; L. Hübsch-Pfleger, *Das nürnberger Lied*, thèse de Heidelberg, 1942 (dact.) ; R. Wagner et F. Blume in MGG.

**HASSLOCH Karl.** Mus. allem. (Amorbach 1769–Darmstadt 23.8.1829). Il organisa (1793) à Cassel des représentations de Mozart, Haydn, Cimarosa, Paisiello etc. ; en 1809, il était chanteur, en 1811, régisseur et *Hofmusikmeister*, en 1813, *Hofkapellmeister* à Darmstadt ; il était également pian. ; sa femme Christine (1772–1820) était chanteuse et exerça à Cassel jusqu'en 1806 ; on doit à K.H. des messes (entre autres œuvres de mus. d'église), 2 œuvres lyriques, des ballets-pantomimes, de la mus. de scène, 3 marches pour orch. Voir F. Noack in MGG.

**HASTINGS Thomas.** Compos. amér. (Washington, Conn., 15.10.1787–N.-York 2.5.1872), qui édita le *Western Recorder* à Utica (1823–32) et fut prof. et chef de chœur à N.-York, où il édita *The mus. Magazine* (1836) ; on lui doit 50 recueils d'hymnes ; il publia *The mus. reader* (N.-York 1819), *Dissertation on mus. taste* (Albany 1822, N.-York 1853), *The hist. of forty choirs* (*ibid.* 1854), *Sacred praise* (*ibid.* 1856). Voir M.B. Scanlon, *Th.H.*, ds *MQ*, XXXII, 1946.

**HASZ Georg.** Mus. allem. (Nuremberg ? v. 1560–av. 1623). On sait qu'il fut marchand et musicien à

Ádmodum solertis ingenio atq artis musæ peritissimo Iuveni Ioanni Leo Haslero. JII... Dn Octauani secundj fuggarjez Organiste dilectiss: Dmicus Custodis Ant: honoris atq amicitiæ causa sculp: et DD: aug: A. M. D. xciII

H.L. HASSLER

Nuremberg, qu'il séjourna à Breslau (1603) ; on a conservé de lui *Neue froliche u. liebliche Täntz, m. schönen poetischen u. andern Texten...* (4 v., Nuremberg 1602, 2ᵉ éd. 1610). Voir M. Hübsch-Pfleger in MGG.

**HATAS** (*Hattasch* etc.). Famille de mus. tchèques. — **1. Dismas** (Vysoké Mýto [Hohenmauth] 1.12.1724– Gotha 13.10.1777), fils de *Franz Xaver H.*, qui fut chef de chœur à Pribram, était violon. ; il est à Gotha aux environs de 1750 : il y épouse Franziska Benda, sœur de Georg, en mai 1751 et appartient à la chapelle de la cour jusqu'à sa mort ; un fils de *D.* appartint à la même chapelle (qu'il quitta en 1778) ; on doit à *D.H.* 2 symph., 6 sonates de violon, des *Lieder*, dont un recueil publié à Nuremberg en 1780 ; sa femme — **2. Franziska Anna** (Alt-Benatek 20.5. 1728–Gotha 1781) fut sopr. à la chapelle de la cour de Gotha (1750–78). Le frère de Dismas — **3. Ivan Wenzel** (Vysoké Mýto 3.11.1727–?), qu'il faut probablement identifier avec Johann *H.*, fut cantor à Rožmital ; on perd sa trace après 1752 ; œuvres, sous le nom de *Johann H.*: 2 offices, 1 *Te Deum*, 4 *Parthia* instr. (rec. Clam-Gallas, Schloss Friedland) ; sous le seul nom de *Hattasch*: un gd nombre d'œuvres de mus. d'église avec acc. instr. et des *Parthia*. Leur frère présumé — **4. Heinrich Christoph,** mort ap. 1808, fut chef d'orch. de théâtre à Brno, sous la direction de Brunian, et à Prague ; on lui doit 2 *Singspiele* (entre 1780 et 1794), 1 opérette : *Helva u. Zeline* (Hambourg 1796). Voir R. Quoika in MGG.

**HATTORI Kozo.** Musicologue japonais (Kagoshima 10.3.1924–). Elève de l'univ. de Tokio, il y est prof. depuis 1952 ; on lui doit 3 ouvrages (en japonais) sur l'histoire et l'esthétique musicales.

**HATZFELD Johannes.** Compos. allem. (Benolpe 14.4.1882–Paderborn 5.7.1953). Ecclésiastique, prof., critique, militant pour la renaissance de la mus. d'église, éditeur de *Musica orans* et de *Musik im Haus*, il publia des recueils et arrangements de chants populaires et de la mus. chor. d'église. Voir J. Overath, *Priester u. Musiker...*, Dusseldorf 1954.

**HAUBENSTOCK-RAMATI Roman.** Compos. israélien (Cracovie 27.2.1919–). Elève, pour la composition, de Malawski, de Koffler, pour la musicologie, de Chybinski, de Jachimecki, *magister* de musicologie (1940), dir. de la bibl. centrale musicale et prof. de compos. à l'acad. isr. de mus. à Tel-Aviv (1956), il avait exercé à Cracovie (Radio, *Ruch Muzyczny*, 1948–50) ; ayant reçu une bourse d'études pour étudier la mus. concrète et électronique, il vit à Paris depuis 1957 ; on lui doit *Ricercari p. 3 à cordes* (1951), *Blessings* (v. et 9 instr., 1954), *Recitativo et aria* (clav. et orch., 1955), *Symphonies de*

*timbres* (1957), *Pocketsize concert* (Papageno, cloches, célesta et orch., 1956), *Ricercari* (cordes, 1955), *Chants et prismes* (orch., 1957), *Séquences* (v. et orch., 1958) ; mus. concrète : *Exergue pour une symph.* (1957), *Passacaille* (id.), *Chant populaire* (id.), *L'amen de verre* (id.).

**HAUBIEL Charles.** Compos. amér. (Delta 30.1.1892–). Prof., président de la *Composers Press, Inc.*, il a écrit

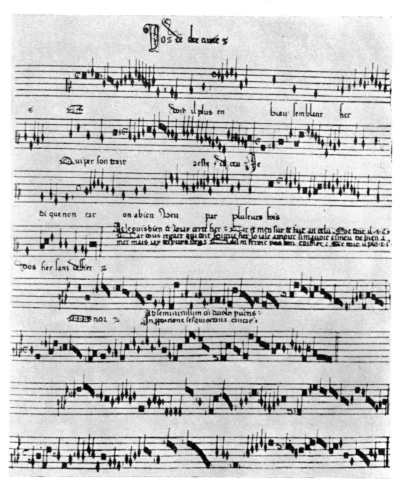

J. HAUCOURT
*Rondeau à 3 v. (ms. 1047, Chantilly).*

des œuvres symph., chor., de chambre, 3 opéras, des mélodies.

**HAUCK Alexandre Vassiliévitch.** Chef d'orch. russe (Odessa 3.8.1893–). Elève du cons. de St-Pétersbourg où il a ensuite enseigné (1927–33), chef de la Philharmonie de Léningrad (1931–33), dir. en chef de la radiodiffusion soviétique (1933–36), chef de l'Orch. symph. d'Etat de l'U.R.S.S., prof. aux cons. de Tiflis (1941–43) et de Moscou (dep. 1948), chef du Grand orch. symph. de la radiodiff. soviétique (dep. 1953), il est également compos. (1 symph., 1945, 2 concertos, 1948, mus. de chambre, mélodies).

**HAUCK Walter.** Baryton allem. (Böhl 17.3.1910–), qui débuta en 1935, appartient à l'Opéra de Cottbus (1941–44), enseigne et exerce (comme chanteur de concert et d'oratorio) à Berlin depuis 1954.

**HAUCOURT Johannes.** Mus. du XIVᵉ s., de qui on sait

seulement qu'il était chanteur à la chapelle papale d'Avignon en 1394, dont 3 œuvres, 2 rondeaux et 1 virelai à 3 v., sont incluses dans le ms. Chantilly 1047 et dans le ms. *Oxford Bodl. Lib. can. misc.* 213. Voir F.X. Haberl, *Die röm. schola cantorum...*, ds *VfMw*, III, 1887 ; E. Dannemann, *Die spätgot. Musiktradition...*, Strasbourg 1936 ; R. Hoppin, *Notes biographiques sur qqs mus. du XIVe s.*, 1955 ; G. Reaney in MGG.

**HAUDEBERT** Lucien. Compos. franç. (Fougères 18.4.1877–). Elève de G. Fauré, de J. Pillois, ami de Romain Rolland, prix Paul Dukas (1946), il a écrit *Dieu vainqueur* (soli, ch., orgue et orch., 1924), *Mus. pour deux petites filles* (p., id.), *Adagio, prélude et variations* (p. et viol., 1922), *3 pièces* (orgue, 1924), *Largo* (orgue et viol., 1922), *Dans la maison, Chants spirituels, Gethsemane, Eglogue* (chant, 1921–22), *Bienvenue à Claudie* (quatuor à cordes, 1931), *Suite dans le style ancien* (quatuor à vent, id.), *Le sacrifice d'Abraham* (orch., id.), mus. de scène pour *Saint Louis* (R. Rolland, 1937), *Moïse* (or., 1928), *Requiem* (1929), *Te Deum* (1948), *Antigone* (dr. lyr., 1931–39), *Symph. bretonne* (1936), *Voyage en Bretagne* (1953), *Poème celtique* (viol., 1943), *La fille de Jephté* (1929), *Symph. franç.* (1941), *Ma lande au grand soleil* (ch., 1940), *Odes à la vie* (v. et orch., 1924), *Ode à la musique* (id., 1927), *Chant de Pâques* (id., 1925), *Intimité* (id.), *Chants de la mer* (id., 1950), *Chansons du semeur* (id., 1924), *Souvenirs d'Armor* (quatuor, cl. ou sax.), *Légende au vieux château* (p. et v., 1924), *Le cahier d'Elisabeth* (p., 1925), *Thème et variations* (1924), *10 pièces* (orgue), de la mus. de scène. Voir A. Cœuroy in MGG.

**HAUDIMONT** Joseph *Meunier* d'. Mus. franç. (Paris v. 1751–pendant la Révolution). Ecclésiastique, maître de musique aux Sts-Innocents (1782–86), maître de chapelle à St-Jacques de la Boucherie, il serait à identifier avec un autre abbé *d'H.*: *Etienne-Pierre*, qui serait né à Dijon en 1730 et aurait succédé en 1764 à Bordier comme maître de chapelle des Sts-Innocents ; on lui doit 2 livres de duos pour violon (Paris 1784), 6 quatuors, 7 cahiers autographes de mus. d'église et profane (bibl. du cons. de Paris), 4 *Magnificat*, 9 *Leçons de Jérémie*, qq. 50 motets ou psaumes, des œuvres de circonstance, une pastorale, *Instruction abrégée pour la composition* (ms.). Voir J. Prim in MGG.

**HAUEISEN** Wilhelm Nikolaus. Mus. allem., né à Öhrenstock bei Gehren v. 1744, qui fut org. à Francfort-Bockenheim (au moins à partir de 1764) et figure dans les annales des concerts de Francfort entre 1770 et 1773, date à laquelle on sait qu'il tenait la *priviligierte Hof-Buchhandlung* de la même ville ; on lui doit 2 concerts, 12 trios, publiés à Francfort et à Amsterdam, 3 cantates (qui seraient perdues). Voir H. Hartmann in MGG.

**HAUER** Gregor. Mus. autr. (Ernstbrunn 3.2.1753–Seitenstetten 6.9.1822). Bénédictin de Seitenstetten, ami de Michel Haydn, violiste, préfet des enfants, maître de chœur, dir. de l'École normale dans son monastère, curé de Wolfsbach, il composa 1 opérette (1785), 1 messe à 4 v. (1791), 1 *Alma Redemptoris* (4 v.), des variations pour vcelle. Voir R. Klein in MGG.

**HAUER** Joseph Matthias. Compos. autr. (Wiener-Neustadt 19.3.1883–). Mus. autodidacte, d'abord instituteur, il a toujours habité Vienne ; par ses propres recherches, il aboutit avant Schönberg à une théorie atonale et dodécaphonique ; les diverses combinaisons des 12 sons sont subdivisées en groupes qu'il appelle *tropes*, en raison de quoi il existe dans l'octave 479.001.600 combinaisons subdivisées en 44 groupes, chaque série de 12 sons se subdivisant en deux de six ; on lui doit des ouvrages théoriques : *Vom Wesen des Musikalischen* (Leipzig-Vienne 1920), *Die abendländische Mus. im Mannesalter* (ds *Musikbl. d. Anbruch*, II, 1920), *Melodie oder Geräusch* (ds *Melos*, II, 1921), *Sphärenmusik* (ibid., III, 1922), *Deutung des Melos* (Leipzig-Vienne-Zurich 1923), *Atonale Musik* (ds *Die Mus.*, XVI, 1923–24), *Die Tropen u. Ihre Spannungen zum Dreiklang* (ibid. XVII, 1924–25), *Vom Melos zur Pauke* (Vienne-New-York, 1925), *Zwölftontechnik, die Lehre v. d. Tropen*

(Vienne 1926), *Säen u. ernten* (ds *Mus. bl. d. Ambr.*, VIII, id.) ; œuvres, op. I-V: *Wandlungen* (cantate, 1927), *Der Menschen Weg* (id., 1934), *Labyrinthischer Tanz* (p. 4 m., 1952), *Chinesisches Streichquartett* (1953), *Langsamer Walzer* (orch., 1953) ; *Klavier-Stücke* (op. 3, 9, 10, 16, 20, 22, 25) ; mus. de chambre : *Nomos* (p., cordes, op, 1 et 2), *Apokalyptische Fantäsie* (id., op. 5), *Kyrie* (id., op. 8), *Vier Stücke* (p. et viol., op. 28), *Fünf Stücke* (quatuor à cordes, op. 30), 6. *Streichquartett* (op. 47), *Quintett* (op. 26), 1. *Tanzsuite* (9 instr., op. 70), 2 concertos (viol., op. 54, p., op. 55), pour orch. : *Suiten* (op. 31, 33, 47, 48, 52), *Romantische Fantasie* (op. 37), *Sinf. Stücke* (op. 49), *Sinfonietta* (op. 50), *Divertimento* (op. 61), *Konzertstück* (op. 63), *Tanzfantasie* (op. 66), 2. *Tanzsuite* (op. 71) ; pour le chant : *Hölderlin-Lieder* (op. 6, 12, 21, 23, 32, 40), *Chorlieder* (op. 7), *Lieder der Liebe* (op. 24), *Vom Leben* (op. 57), *Emilie vor ihrem Brauttag* (op. 58), 2 *Tanzfantasien* (op. 65) ; pour le théâtre : *Salammbo* (opéra, op. 60), *Die schwarz Spinne* (Singspiel, op. 62) ; 12 *Zwolftonspielen*. Voir H.H. Stuckenschmidt, *J.M.H.*, ds *Musikbl. d. Anbruch*, X, 1928 — *Neue Musik*, Francfort 1952 ; W. Reich, *Id.*, ds *Die Mus.*, XXIII, 1931 ; H. Pfrogner, *Die Zwölfordnung der Töne*, Vienne 1953 ; A. Schönberg, *Harmonielehre*, 3e édition.

**HAUFF** Wilhelm Gottlob. — 1. Sr. : org. néerl. (Groningue v. 1755–Nimègue 14.5.1807), auteur de 6 symph., de cantates, d'1 passion, d'œuvres de mus. de chambre. — 2. Jr. : id. (Nimègue 1793–Groningue 31.10.1858), virtuose, improvisateur, compositeur (piano).

**HAUG** Gustav. Org., prof., chef de chœur et compos. germano - suisse (Strasbourg 30.11.1871–St - Gall 22.11.1956), élève du cons. de Strasbourg, auteur de plus de 150 compositions chor. et organistiques.

**HAUG** Hans. Chef d'orch., de chœur et compos. suisse (Bâle 27.7.1900–). Elève de l'*Akad. der Tonkunst* de Munich, chef d'orch. au théâtre de Bâle, chef de l'orch. radiophonique de Beromunster (1938–43), prof. au cons. de Lausanne, il a écrit 7 opéras : *Don Juan im Fremde* (1929), *Madrisa* (1934), *Tartuffe* (1937), *Ariadne* (1943), *Der unsterbliche Kranke* (1946), *Orfeo* (1954), *Der Spiegel der Agrippina* (id.), 1 ballet, des opéras et opérettes radioph., 1 oratorio, 1 symph. (1948), des concertos, de la mus. de chambre etc., et publié *Für Feinde klassischer Musik* (Bâle 1942). Voir H. Ehinger in MGG.

**HAUGK** (Haug) Virgilius. Mus. tchèque du XVIe s., qui fut *signator* à Breslau v. 1540 et publia *Erotemata musicae practicae au captum puerilem formata* (Breslau 1541, 1545) et composa des motets à 4-5 v. (ds des recueils de l'époque ou en mss). Voir W. Brennecke in MGG.

**HAUK** Minnie (Mignon). Mezzo-sopr. amér. (N.-York 16.11.1851–Tribschen 6.2.1929), qui débuta à N.-York en 1866, fit une grande carrière en Europe, notamment dans *Carmen* qu'elle créa aux E.U., et quitta la scène en 1891 ; elle épousa le baron E. von Hesse-Wartegg et rédigea ses mémoires qui furent publiés par E.B. Hitchcock sous le titre : *Memories of a singer* (Londres 1925).

**HAULTIN** Pierre. Fondeur de caractères et éd. franç. (Villaines v. 1520–La Rochelle v. 1587). Une tradition que l'on rencontre dès le XVIIIe s. en a fait l'inventeur de caractères qui auraient permis l'impression de la musique en un seul tirage et auraient été utilisés pour la première fois par Attaingnant en 1528 : on voit d'après la simple chronologie que cette tradition doit être abandonnée ; H. fournit en revanche les poinçons de N. Du Chemin en 1547 ; favorable au protestantisme, il quitta Paris v. 1562 et s'établit à La Rochelle, où il publia entre 1575 et 1578 plusieurs recueils de musique, notamment des travestissements spirituels de chansons de Lassus. Voir F. Lesure dans MGG.

**HAUPT** Carl August. Org. et compos. allem. (Kuhnau 25.8.1810–Berlin 4.7.1891). Elève d'A.W. Bach, de B. Klein, de S. Dehn (Berlin), il fut org. titulaire de diverses églises de Berlin, dirigea l'Institut royal de mus.

d'église (1869), écrivit des mélodies, une école d'orgue, un livre de chorals (1869).

**HAUPTMANN Moritz.** Violon., compos. et théoricien allem. (Dresde 13.10.1792–Leipzig 3.1.1868). Elève de Morlacchi, de Weinlig, de Spohr (Gotha, 1811), violon. de la chapelle de la cour de Dresde (1812), ami de Weber et de Meyerbeer, précepteur de musique chez le prince Repnine, qu'il suivit à St-Pétersbourg, Moscou, Poltava, Odessa (1815–1820), au service de la cour de Cassel (1822), poste qu'il garda 20 ans, tout en étant professeur de théorie et de composition, successeur de Weinlig comme *cantor* à l'école St-Thomas de Leipzig (1842), il fut aussi dans la même ville dir. de mus. des églises et prof. de théorie au conservatoire : c'est grâce à l'influence de Mendelssohn qu'il avait obtenu son cantorat de Leipzig ; la fécondité de son enseignement fut remarquable : parmi ses élèves, citons Ferdinand David, J.S. Joachim, J. von Wassiliewski, Hans de Bülow, E. et J. Röntgen, S. Jadassohn, V. Nessler ; il fut un an le rédacteur de l'*Allg. musik. Zeitung* (1843), fut cofondateur de la *Bach-Gesellschaft* (il assuma la rédaction des 3 premiers volumes de l'édition de J.-S. Bach) et appartint également au comité directeur de la *Händel-Gesellschaft* ; la fin de sa vie le vit couvert d'honneurs et de titres académiques ; il composa beaucoup (canons et fugues, motets, psaumes, messes, chœurs, mus. de chant (*Lieder*), sonates, quatuors, œuvres pour piano, 1 opéra (*Mathilde*, 1826) ; mais c'est surtout par ses œuvres théoriques qu'il reste dans l'histoire : *Erläuterungen zu J.S. Bachs Kunst der Fuge* (Leipzig 1841, 1861), *Die Natur der Harmonik u. Metrik* (*ibid.* 1853, 1873), *Die Lehre v. d. Harmonik* (*ibid.* 1868, 1873), *Opuscula* (posth., *ibid.* 1874) ; il avait épousé Susette Hummel (1811–1892), alto, chanteuse d'oratorio et peintre. Voir sa correspondance avec F. Hauser, éd. A. Schöne, 2 vol., *ibid*, 1871 — avec Spohr « et autres », éd. F. Hiller, *ibid*, 1876 (*The letters of a Leipzig cantor*, éd. A.D. Coleridge. Londres N.-York 1892) ; O. Paul, *M.H....*, *ibid.* 1862 ; F. Hiller, *Nachruf an M.H.*, ds *Aus d. Tonleben uns. Zeit*, *ibid.* 1871 ; S. Krehl, *M.H. ...*, *ibid.* 1918 ; M. Runhke in MGG.

**HAUSCHKA** (*Houška*) **Vincenz.** Mus. tchèque (Mies 21.1.1766–Vienne 13.1.1840). Vcelliste, au service de la chapelle du comte Thun, puis virtuose, *Raitoffizier* à Vienne (1793), fondateur (1816) et chef d'orch. (jusqu'en 1842) de la Soc. des amis de la musique à Vienne, ami et interprète de Beethoven, il composa, notamment pour son instrument, ainsi que des *Lieder* et de la mus. de chambre ; son autobiographie est restée en ms. à la bibl. de la société précitée. Voir la correspondance de Beethoven (éd. E. Kastner, Leipzig 1910) ; K.M. Komma in MGG.

**HAUSE Wenzel.** Contrebassiste tchèque (Raudnitz 14.11.1764–Prague 18.2.1847), qui fut virtuose et prof. au cons. de Prague ; il publia une école de contrebasse (Dresde 1828, trad. franç. : Mayence 1829) et des manuels pour son instrument.

**HAUSEGGER von.** — **1. Friedrich** : historien de la mus. autr. (St-Andrä 26.4.1837–Graz 23.2.1899). Elève de Salzmann et de Dessoff, avocat à Graz, professeur d'hist. et de théorie de la mus. à l'univ. de la même ville (1872), critique, il appartient au monde wagnérien et publia notamment *R. Wagner u. Schopenhauer* (Leipzig 1878, 1892), *Die Mus. als Ausdruck* (Vienne 1885, 1887), *Vom Jenseits d. Künstlers* (*ibid.* 1893), *Die Anfänge d. Harmonie* (Charlottenbourg 1895), *Die künstler. Persönlichkeit* (Vienne 1897) ; *Unsere deutschen Meister*, *Gedanken eines Schauenden*, *Gesammelte Schriften* et *Briefwechsel m. P. Rosegger* furent édités après sa mort (1901, 1903, 1939, 1924). Voir R. Schäfke, *Gesch. d. Musikästh. im Umrissen*, Berlin 1934. Son fils — **2. Siegmund** (Graz 16.8.1872–Munich 10.10.1948) fut chef d'orch. à Graz, Munich, Francfort, Hambourg, Berlin ; il dirigea l'*Akad. der Tonkunst* de Munich de 1920 à 1934 ; il avait épousé en 1res noces Hertha Ritter, l'une des premières interprètes de Hugo Wolf ; on lui doit des œuvres symph., voc., 2 opéras, des écrits : *A. Ritter...* (Berlin 1907), *R. Wagners Briefe an Frau J. Ritter* (Munich 1920),

*Betrachtungen zur Kunst* (Leipzig 1921) ; il publia 1 *Gedanken...*, 1 *Ges. Schriften* et *Briefwechsel m. P. Rosegger* de son père. Voir W. Zentner, *S. v. H.*, ds *Jb. d. deutschen Mus.*, 1943 — art. in MGG.

**HAUSER Franz.** Baryton tchèque (Krasowitz 12.1.1794–Fribourg-en-Brisgau 14.8.1870). Elève de Tomašek, juriste, médecin, il fut chanteur d'opéra à Prague, Cassel, Dresde, Francfort, Vienne, Leipzig, Berlin, Breslau, ainsi qu'à l'étranger ; il se retira de la scène en 1838, enseigna, fut dir. du cons. de Munich (1846–64) ; il publia *Gesanglehre f. Lehrende u. Lernende* (Leipzig 1866) ; c'était un grand admirateur de Bach. Voir la correspondance de M. Hauptmann et de *F.H.*, éd. A. Schöne, 2 vol., Leipzig 1871 ; E. Hanslick, *Aus d. Leben u. d. Correspondenz v. F.H.*, ds *Suite*, Vienne-Teschen (s.d.) et ds *Die mod. Oper*, IX, Berlin 1900, 1911 ; A. Dürr in MGG.

**HAUSER Miska.** Violon. et compos. hongrois (Bratislava 1822–Vienne 8.12.1887). Elève de Kreutzer, de Mayseder, de Sechter, virtuose intern., il composa et publia *Aus dem Wanderbuche eines öst. Virtuosen* (éd. S.H., 2 vol., Leipzig 1858–59). Voir Z. Novacek in MGG.

**HAUSMUSIK.** C'est un mot allem. qui signifie littéralement « musique de maison » : la distinction entre la *Kammermusik* (mus. de chambre) et la *H.* (mot qui n'a pas trouvé d'équivalent en français) consiste dans la qualité des exécutants auxquels elles s'adressent respectivement : la mus. de chambre est destinée à des virtuoses, professionnels ou non, la *H.* n'est écrite en principe que pour de simples amateurs. A l'époque contemporaine, Hindemith a mis ce genre à l'honneur, ainsi que son dérivé, la *Schulemusik*, dont les consommateurs sont des écoliers ou des étudiants.

**HAUSSE.** Terme de lutherie : c'est une pièce de bois qui s'insère dans la poignée de l'archet pour serrer les crins de la baguette ; on l'adopta dès la 1re moitié du XVIIe s. pour obtenir une baguette plus droite.

**HAUSSERMANN John.** Compos. amér. (Manille 21.8.1909–). Elève du cons. de Cincinnati, de M. Dupré et de P. Flem (Paris), il a écrit des œuvres symph., de chambre, de piano, d'orgue, des mélodies.

**HAUSSMANN Valentin.** C'est le nom de cinq musiciens allem. de la même famille : — **1.** le premier naquit à Nuremberg en 1484, composa des chorals, fut ami de Luther et de J. Walter ; son fils — **2.** mêmement nommé et prénommé, est de loin le plus important : originaire de Gerbstädt, il voyagea en Prusse et en Pologne ; Mattheson, dans son *Ehrenpforte*, assure qu'il fut org. et *Ratsherr* dans sa ville natale ; il séjourna dans maintes villes allemandes, dans lesquelles il dut être en contact avec la musique italienne, voire avec l'anglaise, puisqu'il édita des œuvres de Marenzio, d'H. Vecchi, de G. Capilupi, de Gastoldi et de Morley ; on lui doit un grand nombre de recueils de *Lieder* et de danses (instr.), publiés à Nuremberg entre 1592 et 1609, beaucoup motets à 5-8 v. ds des recueils de l'époque, des œuvres de circonstance (4-6 v., 1592–1599). Voir J. Mattheson, *op. cit.*, Cassel 1936 ; Th. W. Werner, *Ein Brief V. H.s*, ds *ZfMw*, *XV*, 1932–33 ; M. Ruhnke in MGG. Son fils mêmement nommé et prénommé — **3.** fut org. à Löbejün et père de *V.H.* — **4.** (Löbejün v. 1647–?), dir. de mus. à la cour du prince de Coethen et, un temps, org. à la cath. d'Alsleben (1680) ; quant au dernier — **5. Valentin Bartholomäus**, il naquit à Löbejün en 1678 et fut org. à Mersebourg, Halle et Lauchstädt.

**HAUSSWALD Günter.** Musicologue allem. (Rochlitz 11.3.1908–). Elève du cons. (Pauer, Karg-Elert, Grabner) et de l'univ. de Leipzig (Kroyer, Zenck, F. Krueger), dont il est docteur avec sa thèse *J.D. Heinichens Instr. werke* (Wolfenbüttel-Berlin 1937), il a un son diplôme de prof. à la *Technische Hochschule* de Dresde (thèse de prof. : *Mozarts Serenaden*, Leipzig 1951), Dramaturg à l'Opéra et prof. d'hist. de la mus. au cons. de Dresde (1947–53), *Dozent* à l'univ. d'Iéna (dep. 1950) ; il dirige dep. 1958 le mensuel *Musica* et collabore aux éditions des œuvres complètes de Bach, Gluck, Mozart, Telemann ; il a publié

I. Ad auditores Valentinus Hausman. Gerbipol. 5. voc. Baſſus.

*(musical notation with text)*

Olt ihr hören eine lieblich art zu ſingen/zu ſingen? Jetzt wollen wir Fa la la la. jetzt wollen wir Fa la la la laſſen/ Fa la la la la la la laſſen klingen: Fa la la la la la la. ij Wolt ihr hören eine lieblich art zu ſingen/zu ſingen/ Jetzt wollen wir Fa la la la. jetzt wollen wir Fa la la la laſſen/ Fa la la la la la la laſſen klingen: Fa la la la la la. ij Drumb ſeit ſtill vnd mit ruh/ hört vnſeren Balletten zu/ ſie machen eim das hertz im leibe/ das hertz im leibe ſprin-

V. HAUSSMANN

*Extrait des Liebliche fröliche
Ballette (Nuremberg 1609).*

*H. Marschner* (Dresde 1938), *Die deutsche Oper* (Cologne 1941, 1943), *Das neue Opernbuch* (Dresde 1951, Berlin 1953, 1957), *R. Strauss* (Dresde 1953), de nombreux articles ds des périodiques ou ouvrages collectifs, traduit ou arrangé des livrets, assuré de nombreuses éditions savantes. Voir art. in MGG.

**HAUT.** Cet adjectif, à l'acceptation peu précise, est synonyme tantôt d'« élevé », tantôt de « fort » : c'est ce dernier sens qui est le plus anciennement en usage (dès le moyen-âge, s'appliquant à un instrument). — Le féminin, *haute*, se rencontre parfois au XVIIᵉ s. pour désigner la partie supérieure d'une composition polyphonique.

**HAUT-PARLEUR.** C'est un appareil qui transforme une modulation électrique en modulation acoustique. On distingue les *h.-p.* à cônes ou *h.-p.* d'appartement, constitués par un cône de carton suspendu élastiquement et collé à une bobine parcourue par la modulation électrique et placée dans un champ magnétique puissant ; les *h.-p.* à pavillons, dans lesquels le cône est remplacé par une plaque vibrante qui glisse dans un cylindre (chambre de compression), à l'extrémité duquel est planté un pavillon ; en raison de la longueur des pavillons qui atteignent couramment 1 à 2 m., les *h.-p.* ne sont utilisés que pour « sonoriser » les salles de spectacle ou les spectacles extérieurs. Les *h.-p.* de haute qualité sont constitués généralement de 2 éléments, l'un de forte dimension qui passe surtout les sons graves, l'autre de petite dimension, pour les sons aigus.                J.M.

**HAUTBOIS.** C'est un instrument à air, en bois, de perce conique et à anche double. Ces traits morphologiques s'appliquent à tous les hautbois, à ceux de l'orchestre européen et à ceux du monde entier, aux antiques comme aux modernes. On trouvera *infra* l'histoire du *h.* européen, notamment depuis Jean Hottetere. Parmi les types de hautbois existant dans le monde, on distinguera le *h.* dit

*oriental* : dans celui-ci, on trouve jointes une technique spéciale de jeu et une particularité de facture, tributaires l'une de l'autre ; on remarque au sommet du tuyau, un large disque de métal contre lequel les lèvres de l'exécutant prendront durant le jeu un fort point d'appui, appui rendu nécessaire par une technique selon laquelle l'anche n'est pas pincée par les lèvres, mais mise en vibration par le souffle, une réserve d'air étant formée dans la bouche même du musicien qui respire sans interrompre son jeu (voir art. *raïta*) : il s'ensuit un gonflement des joues très caractéristique chez les hautboïstes musulmans. La *phorbéia*, cette bande de cuir qui barre le visage des joueurs d'*aulos* (voir à ce mot), n'était rien d'autre qu'une protection contre une trop forte distension des muscles des joues sous l'effort d'une technique de ce genre. Le *h.* « oriental » est actuellement répandu dans les Balkans, autour de la Méditerranée, en plusieurs régions d'Afrique (Afrique du Nord, régions du lac Tchad et du cours inférieur du Niger notamment, Madagascar), en Perse, dans l'Inde, en Malaisie et en Mélanésie : en bref, il a suivi l'expansion musulmane. Il est apprécié dans le théâtre chinois classique et dans les orchestres indochinois. Le timbre nasillard et violent de ces *h.* est caractéristique ; il s'oppose au timbre des *h.* français célèbres dans l'art musical européen, comme s'en éloignait aussi celui, « haut » et sonore, des *h.* français antérieurs au milieu du XVIIᵉ s. environ. En Occident, succédant aux « chalumeaux » antiques et médiévaux, le *h.* — fait remarquable — se présente dans ses plus anciennes attestations sous la forme double. Le *h.* populaire, d'usage paysan, présente un large pavillon ; le tuyau, perforé de six trous le plus souvent, est fait d'une seule pièce et ne possède pas de clé ou en possède seulement une dans des modèles plus récents (7ᵉ trou de certaines bombardes — voir à ce mot — bretonnes du XXᵉ s.). L'anche est, depuis l'antiquité, en roseau, hormis quelques exceptions en os ou en corne. L'anche des *h.* européens d'usage populaire est faite de deux lamelles accolées, ligaturées à la base, ou, dans les modèles les plus archaïques, d'un petit tube d'écorce verte amincie qui se trouve aplati et forme comme deux lamelles sous la pression des lèvres. Il convient à cet égard de signaler le *h.* d'écorce, en usage dans les campagnes d'Europe occidentale et notamment en France, qui, fait de bandes d'écorce enroulées, possède précisément une anche de ce type et, en ce sens, se situe à l'aube du processus d'évolution du hautbois.                C. M-D.

Le *h. d'orchestre* est un instrument *soprano*. On modifie la longueur effective de la colonne d'air en ouvrant ou en obturant les trous placés sur le tuyau, soit directement avec les doigts, soit par l'intermédiaire des clés. Dans l'instrument moderne, les notes ainsi obtenues peuvent être répétées à l'octave au moyen de deux clés dites clés d'octaves. Des notes additionnelles à l'aigu peuvent être obtenues au moyen de doigtés plus complexes. L'anche est faite d'un roseau élastique et dur, qui exige le contrôle des lèvres ; la perce du tuyau est étroite, et son anche relativement longue ; perce et anche sont soigneusement calculées pour obtenir une dynamique adaptée à l'orchestre d'intérieur, en même temps qu'une étendue maximum. Le *h.* est habituellement fait de 3 tuyaux séparés pour en faciliter la perce exacte. Ainsi caractérisé, le *h.* est donné pour une invention française, qui fait son apparition un peu avant 1660, sous une forme déjà beaucoup plus proche du *h.* moderne que d'aucun autre instrument plus ancien. Le *h.* typique en Europe, des XVᵉ et XVIᵉ s., est lourd : fait d'une seule pièce, de perce large, terminé par un grand pavillon, il est muni d'une pièce contre laquelle reposent les lèvres (voir *supra*), il est toujours cité comme l'instrument le plus sonore et le plus violent. Utilisé en « bande » avec le saquebute (voir à ce mot) à la basse, c'était l'instrument des fastes, des cérémonies et de la guerre. C'est à cet instrument (chalemie, — voir à ce mot) que fut d'abord donné en français le nom de *h.*, la musique étant à cette époque habituellement divisée en deux catégories : « haut », sonore, d'extérieur, et « bas », douce, de chambre. Bientôt l'usage du violon entraîna partout une conception neuve de l'orchestre : celui-ci, dorénavant constitué d'une masse d'instruments à cordes, suscita une orientation nouvelle de la musique vers la musique d'intérieur, aux dépens des « bandes » de cérémonie pour lesquelles les joueurs d'instruments à vent de la Grande Ecurie du roi avaient été primitivement engagés ; les instruments à anche déjà en usage étaient soit bruyants, soit de tessiture par trop insuffisante, manifestement inadaptés à leur nouvel usage, et toute hésitation à ce sujet fut rapidement levée par Lully, dès son arrivée au service de Louis XIV : comme il n'autorisait dans le palais que le jeu de la flûte douce, le besoin se fit très vite sentir d'un instrument à vent, de sonorité à la fois souple et dramatique, qui pût s'allier aux sonorités nouvelles et frémissantes des cordes. D'autre part, le développement florissant de la technique du tournage des instruments, conséquence de la vogue de cour pour la petite cornemuse connue sous le nom de musette (voir à ce mot), l'admirable délicatesse du travail artisanal et la beauté de l'ornementation, déployées dans la fabrication de ces instruments (principalement par des artisans musiciens normands de la Grande Ecurie) facilitèrent ce penchant. — C'est à un joueur et facteur de musette normand, Jean Hotteterre de La Couture-Boussey (aidé vraisemblablement par Michel Philidor) que nous devons le premier *h.*, tout au moins l'instrument d'orchestre que nous désignons aujourd'hui sous ce nom. On dit qu'il fut le premier à jouer du nouvel instrument en public, en même temps que ses deux fils, dans *L'Amour malade* de Lully, en 1657. Le nouveau modèle laisse deviner la main du facteur de cornemuse : construction à jointures, délicat travail de tournage extérieur, bagues d'ivoire (sommet, jointures et pavillon), curieux et brusque élargissement interne, ou palier, dans la perce à hauteur de la jointure du milieu et au sommet du pavillon, état sur lequel les acousticiens discutent encore. Dans ses débuts, l'instrument était muni de 3 clés : l'une donnait le *do bécarre* grave et le *do dièse* moyen par l'ouverture du trou du sommet ; les autres répétaient le *mi bémol* dans les deux octaves ; la chose était destinée, ainsi que les touches croisées sur la clé de *do*, aux nombreux instrumentistes — Michel Blavet fut un des derniers — qui, à cette époque, jouaient dans la position de la main gauche. Les clés de doublement disparurent au début du XVIIIᵉ s. Un rebord tourné vers l'intérieur sertit l'extrémité intérieure du pavillon. Toutes les notes extérieures à la gamme de *ré* devaient être jouées au moyen de doigtés fourchus. — Le *h.* se répandit rapidement dans toute l'Europe, resta inchangé dans ses parties essentielles jusqu'à la *Symphonie héroïque* de Beethoven, et, durant toute cette période, il fut, à l'exception du violon, l'instrument *solo* le plus admiré ; les solistes de célébrité internationale furent à cette époque plus nombreux qu'à aucune autre. Il était loin de dominer les autres instruments ; le célèbre flûtiste Quantz conseillait aux hautboïstes de ne pas jouer tournés vers l'estrade, car ils risquaient ainsi d'étouffer la sonorité de leur instrument, cela même dans les petits orchestres de cette époque. Des expériences contemporaines (en utilisant des anches de dimension adéquate) confirment la qualité agréable et intime du son qu'exigeait l'orchestration à cette époque. Les *douze hautbois du roi* devinrent un modèle même pour la musique militaire. Le *h.* étant le seul instrument qui pût être joué à la fois en musique de chambre et en extérieur, il en résulta que l'ancienne division de la musique en deux genres (d'où l'instrument tenait son nom) fit son apparition sur certains documents, sous la forme « *instrumens tan hauts que bas et haulxbois* ». La situation particulière des hautboïstes à cette époque ressort de l'édit royal de 1685 ; il les soustrait au contrôle de la corporation des ménétriers, qui réclamaient encore un droit de regard sur l'activité de tous les musiciens, à l'exception de ceux de la maison du roi. Vers 1735, le *h.* était fabriqué par Denner à Nuremberg, Anciati à Milan, Stanesbey à Londres et bien d'autres facteurs étrangers. Le rétrécissement progressif de la perce, au cours du XVIIIᵉ s., fut beaucoup plus marqué vers 1770, date à laquelle le diamètre intérieur, à la hauteur de la jointure centrale, est à peu près identique, peut-être un rien plus petit qu'aujourd'hui, mais toujours plus grand à proximité du sommet de l'instrument. Bien que cela ait pu être

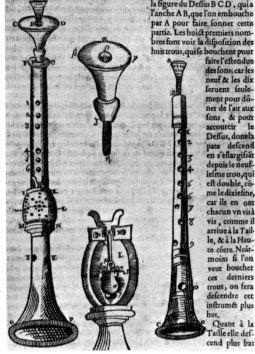

cons. de Paris

Page de l'*Harmonie universelle du P. Mersenne.*

dû en partie à l'élévation de la hauteur du son au cours du XVIIIᵉ s., il en résulta un changement de sonorité perceptible, approprié à l'évolution de l'instrument. Dans ses débuts, sa sonorité large, sans faiblesse, faisait du *h.* l'instrument *soprano* plus ou moins constant des bois. Avec le développement de l'usage de la flûte et l'apparition de la clarinette, les contrastes de coloration sonore furent de plus en plus utilisés par Haydn, Mozart et leurs contemporains : à la fin du siècle, le caractère plaintif et pastoral particulier au *h.* était bien affirmé. En France, cette évolution fut accélérée par l'adoption d'une anche beaucoup plus étroite. La dimension la plus anciennement connue était 9,8 mm., c'est-à-dire légèrement plus large que celle de l'anche du plus grand cor anglais de notre époque. La méthode de Garnier (v. 1795) donne des dimensions encore en usage de nos jours. Cela fit naître une divergence dans la tradition de la facture du *h.*, qui devait s'accentuer vers le milieu du XIXᵉ s. En France, les instruments fabriqués par Guillaume Triébert entre 1810 et 1848 comportent déjà un rétrécissement caractéristique de la partie supérieure de la perce, qui répondait à la fois aux exigences acoustiques de la nouvelle anche française et aux recherches de sonorité qu'elle impliquait. Cette évolution, qui atténuait la séparation des sections coniques, dont le taux de battement était jusqu'alors nettement marqué, pour en faire quelque chose de plus proche d'un cône unique, fut continuée par le fils de Guillaume Triébert, Frédéric Triébert (1813-1878), et, après sa mort, par son second, François Lorée. En Allemagne, au contraire, on conserva l'anche large et d'autres caractères de l'ancien instrument, tels le palier entre la perce inférieure et le pavillon et le rebord à l'extrémité du pavillon. La perce fut nettement agrandie dans sa partie supérieure, afin d'obtenir un instrument de grande puissance qui, bien qu'il excellât dans les grandes formations de musique militaire (elles jouissaient alors d'un grand prestige), était habituellement soumis aux critiques hostiles lorsqu'il était utilisé à l'orchestre, dans d'autres pays que ceux de l'Europe du Nord et orientale. On ne doit pas oublier que les romantiques allemands, depuis les dernières œuvres de Beethoven jusqu'aux premières de Strauss, écrivirent et probablement conçurent leurs œuvres en pensant à ce type d'instrument ; Strauss semble le premier à en avoir mis sérieusement en doute les qualités. C'est aussi entre 1810 et 1868 qu'eut lieu le développement du mécanisme. Le sérieux handicap que constituaient pour les flûtistes les notes de doigtés fourchus et, par voie de conséquence, le nombre limité de tonalités dont disposaient les instrumentistes, les avait obligés vers 1770 à accepter six clés ; l'effet accumulatif provoqué par ces clés, même lorsqu'elles fonctionnaient au mieux, avait pour effet de diminuer la résonance du tube. Mais il n'en allait pas de même pour les hautboïstes : la prédominance, dans les compositions de solo, des tonalités de *si bémol* majeur, de *do mineur* et de *sol* démontre que le ton et les notes à doigtés fourchus étaient réellement préférés. Le sacrifice que représentaient alors les clés n'était pas encore nécessaire ; les grands exécutants préféraient la certitude dans l'émission du son à plus de facilité. Cependant, juste avant 1800, on commença, dans la facture des *h.*, à monter les clés sur une forte cheville de métal, vissée dans les parois d'une monture métallique (procédé emprunté à la facture du basson). La réduction des mouvements latéraux de la clé permettait d'obtenir une obturation plus complète. Ce progrès eut un résultat stimulant : dès 1825, l'usage de huit clés additionnelles est assez répandu (*sol dièse*, *do dièse* grave, *si bémol*, *fa bécarre*, *fa dièse*, *si* grave et la clé de 1re octave). Cependant les deux premiers professeurs de *h.* du conservatoire (Sallantin et Vogt) n'en acceptèrent que deux : la clé de *fa dièse*, qui remédiait à un défaut de justesse, et celle de *si* grave, qui, par sa position, ne pouvait diminuer aucune autre note. Quant à la jointure supérieure, qui risquait toujours de provoquer des sons criards ou des notes diminuées, il n'y fut pas touché. De leur côté, les instrumentistes viennois adoptèrent sans modification les nouvelles clés ; la méthode de Sellner de 1928 nous montre le *h.* de Koch à treize clés ; celles-ci sont toujours fixées dans les échancrures du bois, système conservé en Allemagne jusque vers 1860. La véritable révolution était encore à faire : en adaptant les idées des facteurs de flûtes et de clarinettes, dont l'influence était alors prédominante, Henri Brod (1799-1839) réalisa entre 1835 et 1839, grâce à un travail artisanal méticuleux, un mécanisme dont la précision n'est en rien inférieure à celle que réalisent les facteurs contemporains. De la flûte de Laurent, il adopta la clé en fer forgé, montée sur des supports métalliques ; un tambour métallique, soudé à l'argent, de façon à donner l'impression qu'il faisait partie intégrante de la clé, était ajusté avec précision à une forte tringle de métal dur, vissée au travers de supports eux-mêmes affermis par un soubassement métallique vissé dans le bois. (A partir de 1840, les supports furent directement vissés dans le bois, mesure rétrograde dictée par un esprit d'économie). De la clarinette d'Ivan Müller, il emprunta les nouveaux tampons, d'abord faits de peau de chevreau rembourrée de laine, plus tard de feutre recouvert de baudruche et adaptés à des clés en forme de coupelles. Cette formule révolutionnaire était complétée par l'utilisation de ressorts en fer forgé. Toutes ces nouveautés étaient dues en partie aux progrès réalisés dans la qualité du travail artisanal du fer et qui donnèrent, dans ce domaine, à Paris et à Bruxelles, la place prééminente que ces deux villes ont conservée jusqu'à nos jours. Brod introduisit aussi l'usage du plateau perforé destiné à obvier à la

difficile demi-obturation du trou supérieur pour l'octave *do dièse* et *ré* et étendit la tessiture de l'instrument jusqu'au *si bémol* grave, bien que ces particularités ne fussent pas encore d'usage général. Deux nouveaux principes devaient encore considérablement augmenter la souplesse de conception. La révolutionnaire flûte de Boehm de 1832 avait introduit un mécanisme de tringle et d'anneaux mobiles (voir art. *flûte*), qui, joints aux ressorts à aiguille d'Auguste Buffet, complètèrent les possibilités de la facture moderne. On peut alors considérer qu'il n'y a plus d'obstacle à une augmentation du nombre des clés jusqu'au niveau de la facture moderne. Le système 3 de *h.* de Triébert (v. 1840) introduisit l'usage du mécanisme de clés à longue tringle pour l'auriculaire droit, ainsi que le système des anneaux mobiles pour les deux trous les plus bas (il supprimait ainsi la clé de *fa dièse* bizarrement placée et conservait un bon *fa bécarre* fourchu) ; il introduisit aussi une seconde clé d'octave allant du *la* aigu au *do* aigu. Pendant ce temps, A. Buffet appliquait au *h.* non seulement le principe mécanique de Boehm, mais aussi tous ses doigtés et, jusqu'à un certain point, son acoustique. La sonorité forte du *h.* de Boehm, à perce large et à grands trous, lui permit d'avoir certains succès dans les milieux militaires, mais l'empêcha d'être généralement adopté, sauf en Espagne, où on le trouve encore aujourd'hui dans les fanfares des villes. Les Triébert, tout au long des progrès réalisés, appliquèrent autant que possible les doigtés établis ; vers 1860, Frédéric Triébert, en collaboration avec Barret, hautboïste français résidant en Angleterre, introduisit un instrument plus complexe que celui que nous connaissons aujourd'hui : on avait alors atteint un niveau où la plupart des instrumentistes considéraient que la précision et la complexité du mécanisme l'emportaient, dans une certaine mesure, sur sa contribution à la facilité d'exécution ; ainsi, après une première période de succès, suivit une période de simplification. Les clés d'octaves chromatiques (la deuxième était actionnée par le relâchement de l'anneau du troisième doigt de la main droite) furent encore utilisées en Allemagne, en Hollande, en Europe centrale et ailleurs, par la petite minorité. C'est à peine si l'on se rappelle la complexe et longue clé de *fa* fermée par l'anneau inférieur ; quant aux cinq doigtés de Parret, pour le *si bémol* au milieu et le *do*, tous les cinq également faciles : ils furent réduits à un seul. Les instrumentistes français conservèrent l'action du premier anneau de la main droite, caractéristique du « système conservatoire » de Triébert. La plupart des instrumentistes anglais conservèrent le plateau du pouce, système simple, que Barret avait emprunté au système 5 de Triébert. Cependant l'importance capitale de l'instrument de Barret réside, selon son inventeur lui-même, dans le fait que la deuxième octave peut être jouée au même doigté que la première (avec l'aide des clés d'octave naturellement) : cet instrument représente ainsi la forme la plus achevée de la perce française, forme où les doigtés fourchus pour les aigus de *la* à *do* (fondés sur l'harmonique de la douzième) pouvaient être abandonnés ; ils demeurent une des particularités des *h.* allemands ou autrichiens et italiens, ainsi que du basson (correspondance du *ré* au *fa*). — A l'époque de François Lorée, on assiste à la perfection de la perce classique. L'apparition de formations orchestrales plus grandes nécessita une plus grande pénétration sonore, les parois de l'instrument furent plus épaisses, et des bois plus lourds, tels que les différentes variétés de grenadilla (en particulier l'ébène de Mozambique) furent plus généralement utilisées à la place du palissandre et du bois de violette, qui, vers le milieu du siècle, avaient remplacé le buis. De nombreux instrumentistes considèrent encore les instruments de Lorée et de son fils comme les meilleurs qui aient jamais été fabriqués, bien qu'ils soient démodés dans la plupart des pays, à la suite de l'élévation du diapason. Cependant après des réaccords, qui diminuent légèrement leur qualité, ils sont encore utilisés par de nombreux et célèbres instrumentistes. En 1908, Lorée mit au point en France le système 6 bis, quelquefois connu à l'étranger sous le nom de modèle Gillet, qui, sans altérer le doigté normal, permet d'obtenir au moyen de demi-trous percés dans les plateaux un certain nombre de trilles habituellement difficiles : cet instrument a été généralement admis comme modèle standard en Amérique et progressivement en France depuis la fin de 1930 ; il est aujourd'hui le modèle standard des facteurs parisiens. Entre autres inventions de notre siècle, citons la clé de résonnance pour le *fa* fourchu (1907) de Bonnet, l'amélioration du trille *ré dièse-mi* de Bleuzet, la clé de résonnance destinée à faire passer à l'aigu le *si bémol* grave et la clé de troisième octave pour l'aigu de *mi* à *sol*. Les recherches de Charles Marigaux (Paris), antérieures à 1930, prennent dans une certaine mesure le contre-pied de l'évolution antérieure de la facture française du *h.*, la perce étant quelque peu élargie : il en résulta un instrument, de sonorité plus souple et plus chaude, qui se partage aujourd'hui le marché avec celui de Charles Rigoutat, ce dernier plus proche de la pureté classique de Lorée. Jardé travailla aussi sur les données de Lorée et obtint avec le cor anglais d'excellents résultats. L'instrument de Lorée (aujourd'hui sous le contrôle de Robert de Courdon) est utilisé par tous les instrumentistes américains. Des instruments du type français sont depuis longtemps fabriqués en Angleterre (Louis, Howarth), par de nombreux facteurs allemands (en particulier Moenig), tchécoslovaques et, plus récemment, italiens et américains (Laubin). La propagation du *h.* français a été si complète que les quelques écoles qui ont conservé l'usage d'instruments d'un type différent retiennent l'attention : la plus connue d'entre elles est l'autrichienne, que rien ne représente mieux que l'orchestre philharmonique de Vienne. Bien qu'il soit doté d'un mécanisme assez complexe, comprenant une clé de troisième octave, le *h.* de Zuleger a plusieurs caractères de l'ancien instrument, tels le palier profond de la perce, à la hauteur du pavillon, et le rebord tourné vers l'intérieur, à l'extrémité du même pavillon. La perce à la hauteur de la jointure supérieure, est plus grande que dans le *h.* du XVIII\ e s., mais plus petite que celle de l'instrument allemand ; les doigtés fourchus y sont utilisés du *la* aigu au *do* et du *do* moyen au *fa* dièse (ces derniers avec l'aide d'un mécanisme spécial à anneau). La sonorité de l'instrument, qui se mélange admirablement bien dans les ensembles d'instruments à vent et qui quelquefois est tout à fait appropriée à de courtes pièces de *solo* dans des œuvres classiques, est quelque peu monotone dans les longs passages en *solo* ; c'est dû en grande partie à l'anche : plutôt plus large et plus courte que l'anche française, elle est, comme l'anche du basson, presque complètement privée de son écorce, chose qui rend difficile le jeu d'un *staccato* vif. Le déclin du *h.* allemand est généralement situé au moment de la publication (par Strauss) du livre de Berlioz sur l'orchestration (1904). A partir de cette époque, l'anche en forme d'éventail largement ouvert est abandonnée et remplacée par l'anche dite de type français, beaucoup plus petite que celle en usage en France. Depuis 1920, l'instrument de type français est utilisé par les plus grands instrumentistes. L'instrument allemand, fabriqué principalement par Zimmermann à Leipzig, est toujours exporté en URSS. Cet instrument, qui comporte un pavillon à rebord, mais pas de palier dans la perce, a ceci de particulier que la clé *do* grave est en position fermée quand l'anneau du troisième doigt de la main droite est en position de relâche. Bien que le *h.* normal soit fermement établi en Italie, une forme plus ancienne de l'instrument, semblable à l'allemande, mais sans les traits caractéristiques du pavillon, est encore fabriquée, probablement pour les orchestres militaires : il est muni d'une anche en forme d'éventail, beaucoup plus large que celle de l'instrument de l'époque baroque. Un certain nombre de facteurs d'instruments français exportent en Espagne et en Amérique du Sud un *h.* de type normal, mais doté du doigté de Boehm. Il arrive que l'on trouve dans d'autres pays ce même instrument dans les mains d'amateurs jouant aussi de la flûte. — L'anche est à l'hautboïste ce que sont les cordes vocales au chanteur, si ce n'est que, faite d'une matière très capricieuse, le roseau *arundo donax*, il doit constamment en changer. Bien que ce roseau puisse pousser spontanément du sud-ouest de l'Angleterre jusqu'au cœur de l'Afrique, il est rare qu'une bonne anche puisse être fabriquée d'un

autre roseau que celui du sud de la France, en particulier du Var et du Vaucluse. Le roseau espagnol peut pendant un temps donner satisfaction ; d'autre part, certains ont récemment vanté les mérites des roseaux de Californie, du Mexique et de l'Australie ; mais, dans l'ensemble, tous les hautboïstes dépendent des récoltes de Fréjus et de Cogolin. Bien que la structure cellulaire de ce roseau soit fonction de la présence de certains métaux dans les fibres les plus fortes, il est possible que la supériorité du roseau méditerranéen soit due aussi à des méthodes traditionnelles de récolte et de maturation. Cela est confirmé par les Russes, la seule école d'instrumentistes qui ne dépende en rien de la production française ; ils affirment que le roseau de la région du Caucase, qui, en dépit de sa mauvaise apparence, semble donner de bons résultats, était inutilisable jusqu'au jour où la récolte et le traitement furent améliorés. Le roseau est découpé par une machine spéciale (inventée par Brod) et amené à l'épaisseur voulue au micromètre ; il est alors plié en deux, façonné à l'arrondi sur le profil d'une forme métallique (taille-anche) et lié sur le tube de manière que l'air n'en puisse s'échapper ; l'ouverture est alors pratiquée dans la pliure du sommet, puis l'anche est grattée, pour satisfaire aux exigences individuelles de chaque instrumentiste. Les Français lui donnent ainsi la forme d'un V, les Anglais et les Belges celle d'un U. Les Américains tendent à préférer une anche, mince sur les bords, épaisse au milieu, quelquefois en forme de W. Les rapports qui existent, entre le grattage, les diverses tailles et la finition au stade individuel, sont tellement complexes qu'il serait dangereux de généraliser les effets de chacun de ces types. Les Russes, les Autrichiens et certains instrumentistes allemands préfèrent tailler à la main. — La tessiture originale du *h.* était de 2 octaves, de *do* à *do*$^2$. Le *do*$^2$ a paru très tôt et Mozart utilisa le *fa*$^2$ aigu dans son quatuor pour *h.* et cordes. Bien que, presque à la même époque, William Parke, en Angleterre, prétendît être le premier à jouer le *sol*$^2$, le *fa*$^2$ demeura pendant longtemps la limite normale. Le *sol*, bien qu'il fût parfois utilisé dans les passages de bravoure en *solo*, ne fut introduit comme partie normale de la tessiture d'orchestre que par Ravel. Les études françaises avancées vont en général jusqu'au *sol dièse*$^2$ ; Stravinsky et Jean Français ont écrit jusqu'au *la*$^2$. Bien que de nombreux hautboïstes puissent atteindre le *si bémol*$^2$ et le *si bécarre*$^2$, que certains élèves de Marcel Tabuteau égalent son *do*$^2$ à l'aigu, on peut mettre en doute la qualité musicale de ces notes, ainsi que la sûreté de leur émission pour une exécution publique. Les douze grands *hautbois du roi* comprenaient deux tailles de hautbois qui n'étaient que des grands *h.* en *fa* : cet instrument continua d'exister tard, au XVIII\ e s., en même temps que les variantes plus tardives à pavillon sphérique, instruments droits ou incurvés, recouverts de cuir (le type italien pour lequel fut originairement utilisé le nom de *corno anglese*) ou formant un angle à la hauteur de la jointure centrale. On ne sait pas avec certitude lequel de ces instruments était désigné par Bach comme *oboe da caccia* ou quelquefois *taille de h.* L'instrument droit fut réintroduit par Brod en 1839, sous le nom de *cor anglais* moderne. L'usage de l'instrument incurvé persista en Italie jusqu'aux environs de 1900. L'ancien *oboe d'amore* en *la*, l'instrument préféré de Bach pour les *obligati* dramatiques, existait sous les deux formes, à pavillon sphérique et à pavillon ouvert ; il fut réintroduit en 1875 par Mahillon, de Bruxelles, sous la forme ouverte. Son type à pavillon sphérique, plus tardif, fut adopté par tous les facteurs plus récents : il a été utilisé par Debussy, Ravel et Richard Strauss. Le *h.-baryton*, d'une octave plus grave que le *h.*, est en Angleterre et en Allemagne assez rare après 1700, et plus fréquent au début du XIX\ e s. chez les facteurs français, notamment Triébert, Piatet et Benois de Lyon. Il atteint sa forme contemporaine avec le modèle de Lorée de 1889 ; mais à notre époque on lui trouve un concurrent plus récent, le *heckelphone* à perce beaucoup plus grande, qui, à diapason identique, descend jusqu'au *la* : c'est l'instrument inventé par Heckel de Biebrich-am-Rhein, en 1906. La littérature destinée à ces excellents instruments est pauvre. Strauss utilise le heckelphone dans *Salomé* et *Elektra*, et Delius,

avec le terme de *bass-oboe* (utilisé en Angleterre pour désigner le baryton), semble vouloir indiquer le même instrument. Un véritable *h.*-basse en *fa*, d'une octave plus grave que le cor anglais, fut fabriqué par Delusse aux environs de 1784 ; il en figure un exemplaire au musée du Conservatoire de Paris. Les *h.* militaires en *si bémol* et *mi bémol* du milieu du XIXe s. furent de courte durée. Les instruments plus aigus en *fa*, tels le *h.-pastourelle* de Triébert (pour le bal musette) et l'heckelphone-piccolo (qui fut un temps recommandé pour tenir la place de la trompette aiguë dans les œuvres de Bach) sont des instruments à grande perce, plus proches du schalmey ou de la musette que du véritable *h.* : aucun d'eux n'a figuré dans le répertoire de la musique symphonique. C'est dans ses débuts que le *h.* a joui de la plus grande vogue comme instrument soliste, et les œuvres de la première moitié du XVIIIe s. constituent encore le plus gros de son répertoire classique. Bien qu'une grande partie de la musique de cette époque n'ait pas encore été publiée, la situation s'est nettement améliorée dans les dernières années. Aux *obligati* et *sinfonie* de Bach, aux célèbres concertos de Hændel et de Telemann, aux sonates de Lœillet, on peut maintenant ajouter deux excellents concertos et une sonate de Vivaldi, deux concertos d'Albinoni, un concerto de C.P.E. Bach, des sonates de Pierre Chédeville l'Aîné, Nicolas Chédeville le Cadet, Jacques Hotteterre le Romain, des hauboïstes Sammartini, Besozzi, Vincent, et de bien d'autres. Le célèbre concerto en *ut mineur* pour *h.* et cordes de Benedetto Marcello se révèle être dans les partitions les plus anciennes un *concerto a cinque* en *ré mineur* pour *h.*, quatuor à cordes et orgue, d'Alessandro Marcello. Le quatuor pour *h.* et cordes de Mozart révéla pour la première fois toutes les possibilités de l'instrument, bien qu'il ait été écrit pour un instrument à deux clés, il constitue encore un modèle d'écriture, même pour le *h.* moderne. La première version en *ut*, pour *h.*, du concerto en *ré* pour flûte de Mozart, a été récemment découverte à Salzbourg ; elle est encore discutée. Bien que le concerto de Haydn en *ut* soit, lui, certainement destiné au *h.*, son attribution a été quelquefois mise en doute. D'autres concertos de cette époque sont maintenant imprimés ; il s'agit des œuvres des Allemands Eichner et Dittersdorf, des Tchèques Kramar et Vanhal. Le perfectionnement du *h.* au cours du XIXe s. fut accompagné de son éclipse comme instrument *solo* : mises à part les trois courtes romances de Schumann, les grands romantiques ne nous ont laissé aucune œuvre pour soliste ; la musique qui se jouait alors était le plus souvent écrite par les instrumentistes eux-mêmes. Les sonates de Barret et de Brod ne sont utilisées aujourd'hui que pour l'école du *h.* ; quant aux innombrables variations, pièces orientales ou pseudo-pastorales, bien qu'elles soient occasionnellement intéressantes, elles sont trop démodées pour être citées ;

la sonate de Saint-Saëns est presque la seule œuvre de la période romantique à figurer encore au répertoire. La renaissance du *h.* depuis 1930 a été particulièrement marquée en Angleterre ; Vaughan Williams, Gordon Jacob, Rutland Boughton, Malcolm Arnold, Eugène Goossens, William Alwyl ont composé des concertos de *h.* ; Bax, Bliss, Finzi ont composé des quintettes pour *h.* et cordes, Britten et Jacob, des quatuors, toutes œuvres régulièrement exécutées. D'autre part, depuis 1945, Strauss, Martinu (inédit) et Murgier, ont également écrit des concertos, Ibert une symphonie concertante, Castelnuovo-Tedesco, un *concerto da camera*, Wolff-Ferrari, un *Idillio concertino*, et Maugüé, une pastorale ; la *Sérénade pour h. solo et quatuor à vent* de Jolivet marque l'extrême limite de la technique moderne ; citons encore les sonates de *h.* et piano de Hindemith et de Dutilleux, les sonatines de Milhaud, Arnold, Mihalovici et Szalowski, les pièces pour *h.*, sans accompagnement : *Six métamorphoses* de Britten, une sonatine et deux recueils de *Drie landelijke miniaturen* de Van der Sigtenhorst-Meyer. Les pièces en solo pour les *h.* graves sont rares. Pour le *h. d'amour*, citons le concerto de Telemann, pour le cor anglais, un *adagio* avec quatuor à cordes de Mozart, un concerto de Gordon Jacob, une sonate avec piano de Hindemith, un *concerto da camera* d'Honegger pour flûte, cor anglais et cordes. A côté des nombreux membres des familles Hotteterre, Chédeville et Philidor, qui conservèrent leur situation prééminente pendant plus d'un siècle, les premiers instrumentistes furent Decoteaux et Philbert, Brunet, Destouches, Pieshe père et fils et Paisible : le dernier nommé fut sans doute le premier à jouer du *h.* hors de France, lorsqu'il parut en Angleterre en 1674. On sait peu de chose de Gleditsch, le premier exécutant de la plupart des *obligati* de Bach, ainsi que de Kytsh, le hautboïste préféré de Hændel. C'est à peu près à cette époque qu'apparurent dans différents pays les premiers instrumentistes célèbres, parmi lesquels Sammortini (1693–v. 1759), la famille Besozzi de Turin (en particulier Gaetano, parmi les quatre frères, et son neveu Carlo), Johann-Christian Fischer (1733–1800), musicien allemand qui s'installa en Angleterre : ce dernier fut peut-être le hautboïste le plus apprécié de son époque ; nous le connaissons surtout parce que Mozart n'appréciait pas son *vibrato*, qu'il trouvait excessif, et par le portrait qu'en fit Gainsborough. C'est pour Ramm, de Mannheim (1744?–1811), membre de l'orchestre de l'électeur à quatorze ans, virtuose international à seize ans, que Mozart écrivit son quatuor ainsi que la version en *ut* majeur de son concerto. Le XIXe s., comme la première période, fut le siècle de la prééminence française ; Sallantin, qui avait été élève de Fischer à Londres et qui devint professeur au conservatoire de Paris, fut probablement le dernier Français à éprouver le besoin d'étudier hors de son pays ; ses successeurs furent Vogt (1781–

1870), Verroust (1814–1863), Charles-Louis Triébert (1810–1867), frère aîné du facteur d'instruments Frédéric, Frédéric Barthélémy (1829–1868), Colin (1832–1881), grand prix de Rome de composition avec premier prix d'orgue, Georges Gillet (1884–1934), Louis Bleuzet (1874–1943), Bajeux et Roland Lamorleke. Parmi les autres instrumentistes célèbres, citons Brod et Barret, que nous avons déjà mentionnés, Lalande (1866–1904) qui suivit le précédent comme premier instrumentiste en Angleterre. Vers la fin du siècle, on pouvait trouver dans tous les pays, y compris la France, d'excellents instrumentistes belges : le plus célèbre d'entre eux fut peut-être Henri de Buescher, installé en Amérique, après Londres, au début de notre siècle. Le brillant groupe d'instrumentistes français comptait vers 1938 Morel, Bleuzet, Gromaire ; ils ont trouvé des successeurs de valeur : Pierlot, Goetgheluck, Goubet et Baudot etc. Les Français ont dominé en Amérique entre les deux guerres (Tabuteau à Philadelphie, Edouard Gillet à Boston et bien d'autres), avec qui ne rivalisèrent que de Buescher à Los Angeles et l'italien Bruno Labate à New-York. L'apparition des premiers grands instrumentistes américains (Gomberg à Boston, Gomberg à New-York et de Lancey à Philadelphie) a fait naître une école américaine, bien que l'école française soit encore très solidement enracinée. En Angleterre, Léon Goossens atteint rapidement la première place après 1918 ; son style très personnel, son *vibrato* lent, sa sonorité paisible contrastant avec l'école française ont fait de lui le premier instrumentiste anglais de classe internationale depuis le XVIIIe s. Tandis que ses méthodes faisaient l'objet d'imitations, Alec Whittaker et John Mac Carty portèrent un style plus traditionnel à un niveau certain de perfection ; plus récemment, Terence Mac Donagh, Janet Craxton, tous deux formés en partie à l'école française, ont influencé les jeunes instrumentistes ; Sydney Sutcliffe et Roger Lord sont également à mentionner. En Europe centrale, Deda (Prague) fut le principal représentant de l'école française de h. Avec Kamisch et Adamowsky, le h. viennois occupe encore une place solide en Autriche. Parmi les hautboïstes moscovites, Petrov se fait remarquer par sa ligne mélodique fluide. Tancibudek, Wilson et Woolley sont les Australiens les plus connus. Le jeu allemand, autrefois austère, reflète aujourd'hui à la fois l'influence anglaise et l'influence française ; citons notamment Töttcher ; Scotti (Italie), Wolsing (Danemark) et Stotijns père et fils (Hollande) sont également connus.

**Bibl. :** Diderot et d'Alembert, *Encyclopédie*, Paris 1767–1776 ; A. Lavignac, *Encycl. de la mus.*, *ibid.* ; A. Baines, *Woodwind instr. and their hist.*, Londres 1957 ; Ph. Bate, *The oboe*, *ibid.* 1956 — art. dans dict. de Grove ; Bechler-Rahm, *Die Hoboe*, Leipzig 1914 ; Barret, *Méthode* (éd. revisée, avec chapitre sur la fabrication moderne des anches), Londres-Paris ; Brod, *Méthode*, Paris ; Nazarov, *Skola igrui na goboe*, *Muzgiz*, Moscou ; E. Rothwell, *Oboe technique*, Londres ; J. Marx, *The tone of the baroque oboe*, ds *Galpin soc. journal*, V, Londres 1952 ; E. Halfpenny, *The english 2 - and 3 key oboe*, *ibid.*, II, 1949 — *The tenor hoboy*, *ibid.*, V, 1952 — *The french hautboy*, *ibid.*, VI, 1953, VIII, 1955 ; A.C. Baines, *Shawms of the sardana cobla*, *ibid.*, V, 1952 ; Josep, *Métode de tenora i tible*, Gérone.

J.M.G.

**HAUTBOIS d'amour.** Voir art. précédent.

**HAUTBOIS du Poitou.** C'est un hautbois avec un tuyau de petit calibre perforé de huit trous et surmonté par un manchon en bois qui contient à demeure, pendant le jeu, l'anche double de l'instrument : l'anche est de ce fait inaccessible aux lèvres, mais elle est mise en vibration par la réserve d'air entretenue dans cette capsule par le souffle du joueur, technique comparable à celle du hautbois dit oriental (voir art. *hautbois*). Mersenne a cité l'instrument sous le nom de *h. du Poitou*. Le *h. du P.*, variété des *Rauschpfeifen* allemands du XVIe s., était utilisé en France au XVIIe s.

C. M-D.

**HAUTE-CONTRE.** C'est la voix de ténor aigu, dont la partie était autrefois tenue par des castrats ou par des voix d'enfants ; la voix de femme, qui s'appelle *contralto*, les a souvent remplacés, et l'usage est tout à fait habituel de nos jours. La chose est déjà approuvée par J.-J. Rousseau, qui assure que la « *h.-c.* en voix d'homme n'est point naturelle », qu'« il faut la forcer pour la

porter à ce diapason », que « quoi qu'on fasse, elle a toujours de l'aigreur, et rarement de la justesse ».

**HAUTE-TAILLE.** C'« est cette partie de la musique qu'on appelle aussi simplement *taille*. Quand la taille se subdivise en deux autres parties, l'inférieure prend le nom de *basse-taille* ou concordant, et la supérieure s'appelle *h.-t.* ». J.-J. Rousseau.

**HAUTEUR.** La notion physiologique de hauteur (le caractère qui fait qu'un son est grave ou aigu) est étroitement liée à la notion de fréquence. Plusieurs cas sont à distinguer : — 1. Quand l'appareil vibrant donne une fréquence pure (diapason), le son est d'autant plus aigu que la fréquence est plus grande. On connaît plusieurs échelles de hauteur : — celle des *octaves* ; par définition, deux notes dont l'intervalle (rapport des fréquences) est égal à 2 ont des hauteurs qui diffèrent *d'une octave* ; à titre indicatif la formule qui donne la hauteur en octave à partir d'une note de fréquence No prise comme référence est :

N octave = logarithme à base 2 de N/No,

N étant la fréquence de la note dont la hauteur est égale à H octave ; — celle des savarts ; par définition, deux notes dont l'intervalle (rapport des fréquences) est égal à 10 ont des hauteurs qui diffèrent de *1.000 savarts*. Formule : H savarts = 1.000 logarithmes à base 10 de N/No. On vérifie facilement qu'1 octave = 300 savarts (sensiblement) ; — celle des *cents* ; on appelle ainsi un quart de savart. Il y a donc 1.200 cents dans une octave. L'intérêt de cette unité est que, la gamme chromatique bien tempérée étant composée de 12 notes régulièrement échelonnées, deux notes consécutives sont séparées par 100 cents.

Ces échelles présentent le défaut de lier rigidement la sensation (hauteur) à l'excitation (fréquence), puisqu'elles résultent d'une formule mathématique. En pratique, l'oreille est moins sensible aux variations d'excitation dans la zone des sons graves et dans celle des sons très aigus. Pour traduire exactement cette impression, il faut renoncer à un formulaire unique et définir la hauteur par paliers successifs à partir de la fréquence de base : il y a là toute une série d'expériences extrêmement délicates à réaliser. La moyenne des résultats obtenus a permis de définir une unité, étroitement liée cette fois-ci au phénomène physiologique — le *mel*. — 2. Dans le cas où l'appareil vibrant donne une fréquence fondamentale et une série de fréquences harmoniques (voir art. *Fréquence fondamentale*) — c'est le cas des instruments à cordes, des instruments à vent et de certains instruments à languettes vibrantes — une *loi physiologique* exprime que *la sensation de hauteur est la même que celle que donnerait la fréquence fondamentale, si elle existait seule*. C'est ce qui explique que, malgré la complexité apparente de la vibration, ces instruments donnent une sensation de hauteur extrêmement nette et parfaitement définie : on l'exprime également en octaves, savarts ou cents en ne tenant compte que de la fréquence fondamentale. — 3. Dans le cas général, l'oreille perçoit une sensation de hauteur plus ou moins mal définie, suivant la répartition des partiels. Il peut arriver même que l'état de vibration ne restant pas le même pendant la durée de perception du son, certaines anomalies physiologiques se produisent ; tel est le cas des cloches de forme classique, qui donnent une impression de hauteur placée une octave au-dessous de l'état de vibration 5 (appelé *nominal* de la cloche ; ce phénomène paraît s'expliquer ainsi : l'état 5 se produit presque instantanément ; les états 2 et 3 (plus graves), ne se produisent qu'après : la fréquence fondamentale attire d'abord l'attention de l'oreille, mais bientôt les états 2 et 3 augmentent le volume du son en lui imposant un caractère plus grave : d'où la hauteur subjective liée à l'état de vibration 5, mais avec une erreur d'une octave liée à la présence des sons plus graves d'intensités comparables.

J.M.

**HAUTMAN.** Voir art. *Hotman*.

**HAUVILLE Antoine de.** Mus. franç. du XVIe s., auteur de *La lyre chrestienne* (Gorlier, Lyon 1560, av. lettre-préface de G. Guéroult — il s'agit de 9 chansons religieuses) ; on trouve 2 autres chansons de lui dans des recueils de l'époque (Attaingnant, 1553, Le Roy-Ballard 1572).

**HAVEMANN Gustav.** Violon. allem. (Güstrow 15.3.1882–) Elève du cons. de Berlin, il a fait une carrière de *Konzertmeister*, de prof., fondé un quatuor qui porte son nom, écrit pour son instrument, publié *Die Violintechnik bis zur Vollendung* (1928) ; depuis 1951 il enseigne au cons. du secteur soviétique de Berlin.

**HAVINGHA Gerard** (*Gehardus*). Org. néerl. (Groningue 15.11.1696–Alkmaar 6.3.1753), qui fut org. à la cath. St-Laurens de cette dernière ville ; il composa des suites pour clavecin (Amsterdam 1725, rééd. par E. Lemaire, 1951), publia *Oorspronk en voortgang der orgelen* (Alkmaar 1727) et une trad. du traité d'harmonie de D. Kellner (Amsterdam 1741, 1751) ; il avait rédigé ses mémoires (1725). Voir J. Enschedé, *G.H.* ; E. Lemaire in MGG.

**HAWDON Matthias.** Org. angl. du XVIIIe s. (?–Newcastle on-Tyne ... 3.1787), qui fut org. au *Beverley Minster* ds le Yorkshire et à St-Nicolas de Newcastle ; on a notamment conservé de lui des œuvres pour orgue ou pour clavecin et des mélodies (publ. Londres v. 1754–v. 1795). Voir Ch. L. Cudworth in MGG.

**HAWES.** — **1. William** : compos. angl. (Londres 21.6.1785–18.2.1846), qui fut maître de chœur et d'opéra, auteur d'un opéra-comique, de *glees*, d'un *Requiem*, d'une réédition des *Triumphes of Oriana*. Sa fille — **2. Maria** (épouse *Billington*), fut chanteuse (1816–1886).

**HAWKINS Coleman** (*Bean*). Saxo. (ténor) amér. (St. Joseph 21.11.1904–). Il collabora notamment avec F. Henderson ; il a fait des tournées en Europe et fondé son propre ensemble ; il est considéré comme l'un des meilleurs dans sa spécialité.

**HAWKINS James.** Org. angl. (? 17 ou 18.10.1662 ou 63–Ely 18.10.1729), qui fut le successeur de J. Ferrabosco à la cath. d'Ely ; on lui doit 17 *services* et 75 *anthems* en mss., des *catches* (3 v., conservés notamment dans des recueils de l'époque). Voir N. Fortune in MGG.

**HAWKINS** (*Sir*) **John.** Musicologue angl. (Londres 30.3.1719–21.5.1789). Il fut avoué et magistrat, membre de l'*Academy of ancient mus.*, de la *Madrigal Soc.*, ami de Hændel, de l'org. J. Stanley, de S. Johnson, il eut beaucoup d'influence sur son époque : sa *General history of the science and practice of music*, qu'il rédigea en 16 ans et publia en 5 vol. à Londres en 1776 (rééd. en 3 vol. en 1853 et 1875), bien qu'elle date, reste un ouvrage monumental et fournit des éléments de documentation introuvables ailleurs (l'ouvrage contient 197 chapitres et comporte un bon index) ; il publia également *Memories of the late Sig. A. Steffani ...* (*ibid.* 1740), *An account of the institutions and progress of the Academy of ancient music* (*ibid.* 1770, repris par sa fille Laetitia dans ses mémoires), *The gen. hist. of A. Corelli* (*ibid.* 1777), *On the practice of bidding prayers ...* (*ibid.* 1779), des écrits littéraires, juridiques, des pamphlets. Voir W.W. Roberts, *The trial of Midas the Second*, ds *ML*, *XIV*, 1933 ; R. Stevenson, *The rivals H., Burney and Boswell*, ds *MQ*, *XXXVI*, 1950 ; P.A. Scholes, *The life and activities of Sir J.H.*, Londres 1953 — art. in Grove et MGG.

**HAWTE** (*Sir*) **William.** Mus. angl. (Cantorbéry v. 1436–v. 1499). Homme de cour, mus. amateur, il fut notamment *sheriff* de Kent ; on a conservé de lui en mss. 4 *Benedicamus Domino* (2-3 v.) et 1 motet à 3 v. Voir W.H. Grattan Flood, *Early Tudor composers*, Oxford 1925 ; B.L. Trowell in MGG.

**HAY Edward Norman.** Org. et compos. irlandais (Faversham 19.4.1889–Port Stewart 10.9.1943), qui fut org. à Coleraine et à l'abbaye de Bangor (1922) ; il écrivit de la mus. voc., de chambre, d'orgue, 1 comédie musicale : *The Lady Voter's dilemma* (1919) ; il s'inspire souvent de la musique populaire irlandaise.

**HAY Frederick Charles.** Chef d'orch. et compos. suisse (Bâle 18.9.1888–Langnau 18.7.1945), qui fut chef d'orch. à Berne (1912), dir. de la Soc. de chant du cons. de Genève (1920–25), de l'orch. radiophonique de la Suisse romande (1931), dir. de mus. à Langnau (1934) ; on lui doit 1 opérette, de la mus. symph., (4 concertos), de chambre, de film, des mélodies.

**HAYDN Franz Joseph.** Mus. autr. (Rohrau 31.3. ou 1.4.1732–Vienne 31.5.1809). Il était le second enfant et le fils aîné de Mathias *H.* et d'Anna Maria Koller, qui s'étaient mariés à Rohrau, le 24 novembre 1728. Les ancêtres de *H.* étaient pour la plupart originaires du Burgenland, état frontière (aujourd'hui partie de l'Autriche) où les religions et les peuples étaient très mêlés ; mais, bien que des éléments hongrois, croates, allemands, autrichiens et tziganes soient dispersés à travers le Burgenland, il n'est guère douteux (selon les recherches approfondies d'Ernst Fritz Schmid — *cf.* bibliographie) que les ancêtres de *H.* aient été de souche

Messieurs!

Ueberschicke untertänigst das 5te quartett, welches Sie sobald möglich werden abschreiben lassen, und sobald Sie mir dieses zurückschicken werden, soll das 6te eingehändiget werden. übersenden Sie mir zugleich die Nahmen deren bisherigen Subscribenten, damit ich Sie in mein buch eintragen kann. Bin untertänigst mit aller Hochachtung

Dero dienstfertigster etc.
Jos. Haydn

Eisenstadt den 20t Jul 799.

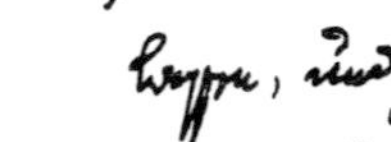

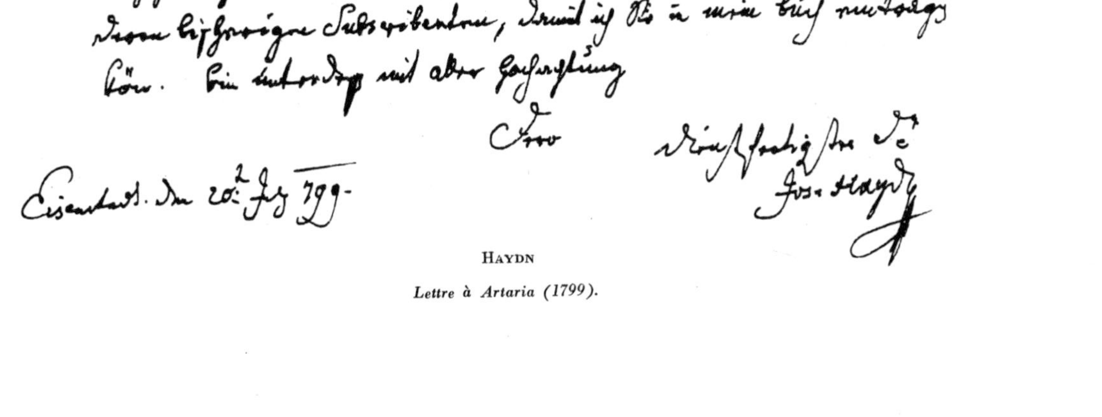

HAYDN

*Lettre à Artaria (1799).*

paysanne austro-allemande et que *H.* n'est pas, comme on l'a dit une fois, d'origine croate.

Sur ses jeunes années, *H.* a écrit plus tard (1779) : « Mon père était charron de son métier et travaillait au service du comte Harrach [dont la résidence d'été était à Rohrau], qui était par nature grand amateur de musique. [Mon père] jouait de la harpe sans connaître une seule note de musique et, à 5 ans, je chantais correctement tous ses petits morceaux simples : ceci incita mon père à me confier à mon proche parent, le maître d'école de Hainburg, pour que j'apprenne les rudiments de la musique et tout ce qu'on demande aux enfants de savoir. Dieu Tout-puissant (à Qui va ma plus profonde gratitude) me pourvut d'un tel don, surtout en musique, que dès six ans, je savais chanter des messes depuis la tribune, et jouer un peu de la harpe et du violon. J'avais sept ans quand le regretté maître de chapelle von Reutter [Georg Karl, *sen.*, 1708 – 1772] passa par Hainburg et entendit tout à fait par hasard ma voix faible mais agréable. Il m'emmena avec lui à la maîtrise [de la cathédrale St-Etienne à Vienne], où, en dehors de mes études, j'appris l'art du chant, la harpe et le violon avec des maîtres excellents. Jusqu'à 18 ans, ma voix de soprano eut un grand succès, non seulement à St-Etienne, mais aussi à la cour. Mais je finis par perdre ma voix, et je dus traîner une existence misérable pendant huit ans, en donnant des leçons à de jeunes élèves (nombreux sont les génies qui se gâchent à devoir gagner leur pain, du fait qu'ils n'ont pas le temps d'étudier) : je fis l'expérience de cela aussi, et je n'aurais pas même appris

*Portrait (d'après G. Dance).*

le peu que je sais, si, dans mon zèle pour la composition, je n'avais composé bien avant dans la nuit. J'écrivais avec soin, mais pas très correctement, jusqu'à ce que j'eusse la bonne fortune d'apprendre les vrais principes de la composition du célèbre Monsieur Porpora [Nicolò Porpora, 1685–1766], qui était à Vienne à ce moment-là… ».

Pendant ces premières années, comme il le dit lui-même, *H.* écrivait « avec soin ». Il n'est resté qu'un petit nombre de ces compositions de jeunesse, mais deux messes, la *missa brevis* en *fa* et la *missa brevis* « *alla* » *cappella* « *Rorate coeli desuper* » (retrouvées par l'auteur de cet article en 1957, à l'abbaye de Göttweig) sont certainement des environs de 1750 ; certaines de ses premières sonates pour piano (G.A. 1, 2, 7, 8, 9) ont probablement été écrites durant ces années de formation.

Vers l'année 1757, *H.* fut invité par un noble Autrichien, le comte Fürnberg, à passer l'été au château de Weinzierl, près de Melk. A cette occasion, Haydn écrivit ses premiers quatuors à cordes, probablement contenus dans ce qu'on appelle l'« opus I », et quatre des six que contient l'« opus II » (les deux autres ne sont pas des quatuors à cordes du tout, mais des sextuors pour deux cors et cordes). Auparavant, il avait écrit un opéra-comique, *Der krumme Teufel* (probablement à identifier avec *Der neue krumme Teufel*) pour l'acteur et impresario viennois Bernadon : bien que le morceau ait remporté un grand succès et ait été joué dans toute l'Allemagne (à Donaueschingen en particulier) ainsi qu'à Prague et à Presbourg, on n'en a pas encore retrouvé la musique.

En 1759, *H.* fut engagé comme directeur par le comte Morzin, dont le château était à Lukaveč en Bohême : c'est là que *H.* écrivit sa première symphonie, sans parler de nombreux *divertimenti* pour orchestre à vent et pour instruments à vent et à cordes : bon nombre de ces « pièces de circonstance » ont été conservées, et, quand les archives des monastères et des châteaux tchèques auront été examinées à fond (de récents rapports indiquent qu'il y a encore de nombreuses sources importantes intactes en Bohême et à Prague), nous pourrons sans doute nous faire une idée plus claire des morceaux écrits pour Morzin.

L'engagement de *H.* comme directeur de l'orchestre Morzin fut cependant de courte durée, car le comte fut pris dans des difficultés financières et les musiciens furent congédiés. Mais du temps que l'orchestre était encore au complet, il semble que le prince Paul-Antoine Esterházy ait entendu *H.* et l'ait invité à devenir « vice-maître de chapelle » de l'orchestre de cour Esterházy, ce que *H.* accepta sans tarder : le contrat date du 1er mai 1761. Six mois avant, le 26 novembre 1760, *H.* s'était marié avec Maria Anna Keller, fille du perruquier Johann Peter Keller avec qui *H.* était lié d'amitié ; ce mariage qui resta sans enfant fut des plus malheureux, et l'animosité de *H.* envers sa femme ne fit qu'empirer avec les années. On ne sait presque rien de Maria Anna — il n'y a aucune lettre, aucun portrait d'elle ; un visiteur allemand contemporain la décrit comme « une bonne matrone de femme », mais *H.* parlait d'elle en disant la « *bestie* infernale ».

L'engagement comme assistant-maître de chapelle à la cour Esterházy, à Eisenstadt et (en hiver) à Vienne, s'affirma décisif pour la carrière musicale de *H.* : il resta au service de la famille (bien que, pendant son séjour à Londres, ce ne fût qu'une position nominale) jusqu'à sa mort, et les avantages considérables compensaient largement les inconvénients. Il était à la tête d'un orchestre petit mais brillant, dont le premier violon était Luigi Tomasini, de qui *H.* aurait dit : « Personne ne joue mes quatuors comme Luigi ». Il n'y avait que quelques chanteurs d'opéra au début, mais il y avait un chœur d'église, et les musiciens et les chanteurs pouvaient toujours recevoir des renforts des ressources locales d'Eisenstadt — le *Thurnermeister* et ses élèves, pour la trompette et la timbale, et les membres de la paroisse St-Martin, où *H.* venait à l'occasion diriger. Les premières compositions de *H.* pour son nouveau patron furent les trois symphonies descriptives, « Le matin », « Le midi » et « Le soir » (Nos 6-8) qui mirent *H.* au rang des premiers symphonistes autrichiens. Son premier opéra italien, *Acide*, date de 1762 ; la partition a été conservée en majeure partie.

En 1762, le prince Paul-Antoine mourut et, sous le règne de son frère Nicolas dit « le Magnifique » (1714–1790) qui lui succéda, le mécénat des Esterházy fut célèbre à travers l'Europe : Nicolas était amateur passionné de musique, et jouait du baryton (espèce disparue de viole de gambe), instrument pour lequel *H.* dut écrire un nombre énorme de *divertimenti* : Nicolas étoffa aussi l'orchestre et les voix, et on inaugura bientôt une véritable saison d'opéra. Les chanteurs étaient presque tous italiens, et c'est l'*opera buffa* que le prince préférait à tous les autres genres. Au début, les rapports de *H.* avec son patron étaient ceux de serviteur et maître, mais, au cours des années, *H.* sut changer Nicolas et, du tyran despotique et souvent cruel, qu'il était, en faire un protecteur aimable et tolérant. Les lettres récemment découvertes du compositeur à Nicolas (archives Esterházy, Budapest) jettent la lumière sur ces années restées jusqu'à maintenant presque sans documentation et nous montrent *H.* comme un diplomate-né. De temps en temps, Nicolas renvoyait ou punissait un de ses musiciens — souvent pour des raisons futiles — et *H.* se mettait alors à écrire une longue lettre, priant le prince

*Baucis*, et l'orchestre, une nouvelle symphonie (dite « Marie-Thérèse », n° 48, en *ut*). En dehors des activités régulières, des musiciens de passage restaient souvent plusieurs mois à Esterháza pendant la saison, si bien que lorsque le prince était là, il y avait théâtre, académie (concert avec orchestre et chant) et opéra tous les soirs. Pendant les années 1760, la célébrité de *H.* commença lentement à gagner l'Europe. Les monastères autrichiens et tchèques firent beaucoup pour répandre non seulement sa musique religieuse mais aussi ses symphonies, *divertimenti*, sonates et concertos, et beaucoup d'œuvres profanes de *H.* ne sont conservées que dans une des grandes collections des monastères telles que Göttweig (dès 1762), Melk (dès 1765), Kremsmünster (dès 1762)

*Maison de naissance de H. (coll. Meyer).*

de rétablir le coupable ou de pardonner l'offense : les musiciens se prirent d'affection pour leur chef (leur maître de chapelle, Gregorius Werner, était mort en 1766, et *H.* lui succéda aussitôt) et lui demandaient toujours d'intercéder en leur faveur, non seulement auprès du prince, mais même près de petits fonctionnaires, ne serait-ce que pour obtenir du bois de chauffage, des chandelles ou un logement.

En 1766, Nicolas ouvrit son énorme château neuf au sud du lac Neusiedler, Esterháza (Estoras, Esterház), construit sur les marais où se trouvait auparavant un modeste pavillon de chasse (Suttör). Ce château devait être un Versailles hongrois ; ce fut certainement la plus luxueuse et la plus fantastique des résidences aristocratiques du XVIIIe s. Il y avait un opéra avec 500 fauteuils, dont l'entrée était libre ; à côté, un théâtre de marionnettes, pour lequel *H.* écrivit de nombreux opéras (*Philemon und Baucis*, un des opéras de marionnettes qu'on avait cru perdu, a été retrouvé au conservatoire de Paris par J.P. Larsen il y a quelques années [1950]). Les jardins somptueux, un pavillon tout équipé pour servir le café et les pièces splendides contribuèrent à enchanter les visiteurs royaux et, en 1753, l'impératrice Marie-Thérèse y fit une visite de plusieurs jours, pendant laquelle la troupe d'opéra joua *L'infedeltà delusa* de *H.*, la troupe de marionnettes, *Philemon und*

ou St-Florian (plusieurs copies originales de symphonies de jeunesse sont conservées dans cette abbaye). Les nobles mécènes d'Allemagne du Sud et d'Autriche-Hongrie recueillaient avec soin la musique de *H.*, et leurs collections sont une des sources les plus importantes non seulement de la musique de *H.*, mais de tout ce qu'on écrivait en Allemagne et en Autriche (par ex. les archives Œttingen-Wallerstein — maintenant au château de Harburg–, la bibliothèque Tour-et-Taxis à Ratisbonne etc.). La musique de *H.* — comme celle de la plupart des compositeurs autrichiens de l'époque — gagna rapidement la France ; Vénier publia une symphonie de jeunesse de *H.* (n° 2) en 1764, et Chervardière suivit son exemple avec les premiers quatuors dans la même année. Hummel, d'Amsterdam et Berlin, et Bremner, de Londres, éditèrent les premiers quatuors. En l'espace de 5 ou 6 ans, un grand nombre d'œuvres instrumentales de *H.* avaient été imprimées, la plupart à Paris. Mais il faut attendre 1774 pour que *H.* s'occupe lui-même de faire éditer ses œuvres et 1780 pour qu'il trouve un éditeur prêt à publier toute sa musique récente : Artaria de Vienne. Il est à penser que *H.* a ignoré pour moitié l'existence de la musique qu'on publiait sous son nom à Paris : les Français devaient avoir d'habiles agents à Vienne — sans doute dans les nombreuses entreprises de copies de musique — qui envoyaient toutes les dernières compositions en ms. à Paris.

Sauf les déplacements d'un château Esterházy à l'autre (Vienne en hiver, Eisenstadt de temps en temps en automne et au printemps, Esterháza en été), H. voyageait peu : il allait d'Eisenstadt à Presbourg pour recruter des chanteurs ou pour diriger au théâtre (par ex. sa musique pour la pièce *Der Zerstreute*, traduite de Regnard, qui fut donnée pour la première fois à Presbourg en novembre 1774). Il est allé une fois à Graz, en 1787, ainsi que les autres musiciens, mais il devait rester presque sans interruption à la disposition du prince Esterházy. L'anecdote célèbre de la symphonie « de l'adieu » (n° 45, en *fa dièse mineur*) repose sur les longs séjours que faisait le prince à Esterháza. Les musiciens n'avaient pas le droit d'emmener leur femme (sauf H. et le premier violon Tomasini), et le prince restait souvent à Esterháza jusqu'au cœur de l'automne. Les musiciens demandèrent à H. d'écrire un morceau de musique qui ferait comprendre à Nicolas que les musiciens trouvaient qu'il était temps de rentrer à Vienne ; quand Tomasini et H. restèrent seuls, à la fin de la symphonie, pour éteindre la chandelle, le prince aurait dit : « Eh bien, s'ils partent, nous ferions aussi bien de nous en aller aussi », sur quoi la cour prit le départ le lendemain. L'anecdote — en dehors de son intérêt biographique — montre avec quel tact H. savait manier son protecteur princier ; mais elle n'explique pas entièrement le roman-

en *mi mineur* ; après le *Salve Regina* en *sol mineur* (1771) et les deux œuvres sacrées déjà citées, les compositions qui suivent semblent en partie fades. Ce n'est pourtant pas vrai pour les opéras de cette décade : ici, la fécondité de H. et son imagination légère multiplient les pages magnifiques : non pas de la musique pour les éditeurs avides de Paris ou Berlin, mais une musique pour le public à l'intelligence et à la culture supérieures dont Nicolas s'entourait. H. écrivit environ 10 opéras ou *Singspiele* dans la même période, et, en attendant que cette musique soit largement connue (*Il mondo della luna*, 1777, sur le texte de Goldoni, vient d'être publié par l'auteur de cet article, à la *Bärenreiter-Verlag*), on ne peut se prononcer sur l'importance historique de H. comme compositeur d'opéras : en tout cas, il ressort clairement des partitions dont on dispose que c'est un auteur dramatique beaucoup plus doué qu'on ne l'a cru jadis.

Dans les années 80, H. a exécuté deux commandes importantes : un oratorio, « Les sept paroles du Christ » (*Die sieben Worte...*), pour la cathédrale de Cadix ; et les six symphonies « parisiennes ». L'oratorio fut écrit en 1785, les symphonies en 1785 et 1786. On sait maintenant qu'il écrivit aussi les trois symphonies nos 90-92, pour le comte d'Ogny, en 1789. L'Angleterre essayait également d'attirer H. dès les années 80, et une lettre à l'imprésario Sir John Gallini, de 1787, montre qu'il envisageait sérieusement d'aller en Angle-

*Ms. autographe de l'hymne impérial.*

tisme passionné de cette symphonie et d'ailleurs de toute la musique de Haydn à cette époque (1772). La « crise romantique », qui commence vers 1768 et continue jusque vers 1774, inaugure les années de maturité de H., et la musique écrite pendant ces années le met au rang des grands maîtres. On peut faire commencer cette époque avec le grand *Stabat Mater* de 1767 et la faire finir avec la grande messe-cantate *Missa Sancta Caecilia* de 1773 environ (bien que plusieurs symphonies de l'année 1774 continuent dans cette grande tradition).

La décade qui suit, 1774–1784, ébauche une sorte de déclin, dû à la tendance de toucher un plus large public. Après les merveilleux quatuors de l'*op*. 20, l'émouvante sonate pour piano en *ut mineur* (n° 20), les symphonies en *fa mineur* (*La passione*, n° 49), *ut mineur* (n° 52), *ré mineur* (n° 26) et surtout la *Trauersymphonie* (n° 44)

terre. Il composa certaines de ses plus belles œuvres *al fresco*, sur une commande du roi de Naples et des Deux-Siciles, Ferdinand IV ; en 1786, il lui envoya une demi-douzaine de charmants concertos pour deux *lyrae* (sorte de vièles), et orchestre, dont une seule (aussi incroyable que cela soit) a été publiée ; quelques années plus tard, en 1790, il envoya à Naples une série de nocturnes pour deux *lyrae* et petit orchestre : plus tard, pendant ses séjours à Londres, il utilisa beaucoup de ces morceaux en remplaçant les *lyrae* par une flûte et un hautbois ou par deux flûtes ; certains concertos sont devenus ultérieurement des mouvements de symphonies (n° 89 en *fa* et le second mouvement de la *Sinfonie militaire*, n° 100).

Vers la fin des années 80, dans les lettres du compositeur — surtout celles à son amie Maria Anna von

Genzinger — commencent à percer inquiétude et dégoût de sa vie dans le château solitaire d'Esterháza : il s'ennuie de ses amis de Vienne, entre autres, W.A. Mozart, qui avait dédié six de ses plus beaux quatuors à cordes à son aîné (1785) ; il aspire à la liberté artistique. Quand la situation menaçait de devenir intolérable, le prince Nicolas mourut (1790). La musique n'intéressait pas son successeur, Antoine, qui congédia l'orchestre, en gardant seulement *H.* comme *maître de chapelle* en titre et quelques musiciens pour la chasse. *H.* était libre de partir : il courut à Vienne, en laissant la plupart de ses vêtements et de ses affaires dans le château hongrois. Sur ces entrefaites, un certain Johann Peter Salomon, d'origine allemande, qui était devenu un des premiers imprésarios de Londres et avait appris la mort du prince Nicolas, interrompit son voyage à Cologne (où il cherchait des chanteurs pour la saison suivante) et accourut dans la capitale autrichienne : il offrit à *H.* un double contrat, l'un pour douze nouvelles pièces, à exécuter en public aux *Hanover square Rooms*, et l'autre, de Sir John Gallini (voir ci-dessus) pour un nouvel opéra italien, à donner au Théâtre royal. Il n'eut aucune peine à convaincre *H.*, et les deux hommes se mirent en route pour Londres le 15 décembre 1790, passant par Munich, Wallerstein (où *H.* rendit visite au prince Krafft Ernst von Œttingen-Wallerstein, avec qui il avait été en relation pendant quelques années), Bonn et Bruxelles : au nouvel an 1791, ils traversaient la Manche de Calais à Douvres et gagnaient Londres aussitôt.

Les séjours de *H.* à Londres sont sans aucun doute les événements les plus marquants de sa vie pour son développement artistique. Si heureux qu'il eût été à Esterháza, le séjour n'y avait plus pour lui aucun intérêt, et *H.* avait besoin d'air nouveau, de nouveaux encouragements, de nouvelles relations, aussi bien personnelles que musicales. Il n'est pas certain qu'il serait devenu le grand maître qu'il a été sans l'encouragement extraordinaire que lui donna le public anglais ; il fut fêté, considéré comme un monstre sacré, traité comme un génie. Des inconnus l'abordaient dans la rue, le regardaient de haut en bas, et disaient : « Vous êtes un grand homme » ; au concert public, ses nouvelles symphonies (les symphonies « Salomon », n⁰ˢ 93-98) furent reçues par des « tonnerres d'applaudissements ». Bien qu'il eût achevé un nouvel opéra, *L'anima del filosofo* (dont le livret traite de la légende d'Orphée, écrit par C.F. Baldini), des intrigues de cour en empêchèrent la représentation, et l'œuvre a été créée au Mai musical de Florence en 1951. Mais le succès retentissant des nouvelles symphonies et d'autres ouvrages encore (par ex. « La tempête », œuvre pour chœur et orchestre) et autres importants compensaient largement l'échec de la troupe de Sir John Gallini.

A la fin de la première saison de concert, en juin 1791, Salomon persuada *H.* de rester encore un an : *H.* s'était fait beaucoup d'amis en Angleterre, et il passa l'été (et d'autres, plus tard) à visiter le pays et rendre visite à ses amis dans leur propriété de campagne. L'entreprise de Salomon avait naturellement excité la jalousie d'organisations rivales, et les « *Concerts professionnels* » demandèrent à Ignace Pleyel, ancien élève de *H.* et à l'époque maître de chapelle à la cathédrale de Strasbourg, de venir à Londres organiser une série de concerts destinée à faire de la concurrence : cette espérance, entretenue par la presse fut vite déçue, car ni *H.* ni Pleyel ne voulaient se faire tort l'un à l'autre, et les deux séries de concerts, Haydn-Salomon et Concerts professionnels, furent données à bureaux fermés dans les *Hanover square Rooms*: comme *H.* l'écrivit à Maria Anna von Genzinger, « chacun prendra sa part des lauriers en bonne justice et s'en retournera satisfait ». La composition de tant d'œuvres nouvelles, une vie mondaine incessante, de nombreux élèves mondains avaient plutôt fatigué le compositeur vieillissant, et c'est avec soulagement qu'il repartit pour le continent. En route pour Vienne, en été 1792, il s'arrêta encore une fois à Bonn, où Beethoven lui fut présenté : *H.* accepta pour élève l'impétueux jeune homme et, dans une lettre récemment découverte de *H.* au protecteur

de Beethoven, l'électeur de Cologne, on voit que, dès 1793, *H.* pensait que « Beethoven serait un jour considéré comme l'un des plus grands compositeurs d'Europe et qu'il serait fier de pouvoir être appelé son maître ». Le retour de *H.* à Vienne fut à peine signalé par les

*Silhouette de H., due à Rossini* (coll. Meyer)

journaux viennois ; à la cour et dans la vie officielle de Vienne, c'était comme s'il n'existait pas, et ce devait être une étrange impression de retrouver tant d'indifférence dans la capitale autrichienne après une situation tellement brillante à Londres. « Il fallait que j'aille en Angleterre pour devenir célèbre dans mon propre pays », disait souvent *H.* avec une pointe d'amertume. En été 1793, il se retira à Eisenstadt, où il prépara ses compositions pour le prochain séjour de Londres ; il acheta une très jolie maison à Gumpendorf (faubourg de Vienne, aujourd'hui dans le VIᵉ district), qu'il se mit aussitôt à agrandir et reconstruire, où il s'installa à son retour de Londres en 1795.

Les principales œuvres qu'il écrivit pour son second séjour de Londres sont la seconde série des symphonies « Salomon », n⁰ˢ 99-104, et les six quatuors à cordes

*Affiche de la 1ère de* La création

(mises par erreur sous deux nᵒˢ d'*opus* différents, 71 et 74). Ce second séjour, s'il est dépourvu pour le biographe du caractère sensationnel du premier, est au contraire le plus intéressant pour qui étudie la musique de *H.* : son inspiration va plus loin que jamais, surtout dans les trois dernières symphonies, nᵒˢ 102-104, dont le nᵒ 102, en *si bémol majeur*, est probablement la plus grande symphonie de *H.*, voire une des grandes symphonies de tous les temps. Les Anglais ne le considéraient plus comme un phénomène, mais comme un vieil ami très cher : le roi George III l'invita instamment à rester en Angleterre : « Je vous donnerai une aile du château de Windsor pour vous tout seul », lui dit la reine ; mais *H.*, pour des raisons qui n'ont jamais été éclaircies, préféra revenir dans son Autriche natale pour servir un nouveau prince Esterházy, Nicolas II : il quitta Londres en été 1795.

Une nouvelle fois, son arrivée à Vienne resta dans l'ombre, ce qui est d'autant plus surprenant que des échos de ses succès fabuleux n'avaient cessé de paraître à Weimar (*Journal des Luxus und der Moden*) et à Berlin. Son vrai succès auprès du public viennois ne fut consacré qu'avec les derniers oratorios, et aujourd'hui encore ce ne sont pas ses symphonies (qui, à part un petit nombre, sont complètement inconnues à Vienne), mais *La création* et *Les saisons* qui ont les faveurs de ce public. Il semble que *H.* ait reçu le livret — et trouvé l'inspiration — pour *La création* alors qu'il était encore en Angleterre : il commença à y travailler en 1796, et son collaborateur littéraire fut Gottfried van Swieten, qui fut le protecteur non seulement de *H.*, mais aussi de Mozart et Beethoven (qui lui dédia sa 1ʳᵉ symphonie) ; les deux premières exécutions de l'oratorio eurent lieu le 29 et le 30 avril 1798, au palais Schwarzenberg : ce fut un succès immédiat.

Les devoirs de *H.* envers le prince Nicolas II Esterházy, protecteur despotique et absolument rebutant, envers qui il n'eut que les marques d'une courtoisie conventionnelle (et encore pas toujours), consistaient principalement en une messe annuelle pour le jour de fête de la princesse Maria : c'est l'occasion des six dernières messes (1796–1802), qui sont ses plus grandes œuvres de musique sacrée, dignes de faire suite aux symphonies londoniennes (il n'écrivit plus de symphonies après 1795, en dépit d'offres fréquentes et attrayantes, venant de Londres et de Paris). Ces messes étaient données à la *Bergkirche* d'Eisenstadt, où le prince résidait quand il n'était pas à Vienne (on n'allait plus à Esterháza : le château tomba petit à petit dans l'abandon et l'état d'où il ne fut tiré que récemment par les autorités hongroises). On réinstalla l'orchestre, mais, à la différence de Nicolas Iᵉʳ, le nouveau prince préférait la musique d'église à la musique d'orchestre ou d'opéra. Pendant cette période, *H.* composa les six quatuors à cordes connus comme *op.* 76, dont la plupart étaient achevés en 1797. Il récrivit également son oratorio, *Die sieben Worte*, en y ajoutant des parties vocales, avec un texte repris par van Swieten (1ʳᵉ exécution à Eisenstadt, 1796). La célébrité de *H.* grandissait peu à peu : la Hollande et la Suède lui décernaient des titres honorifiques, Paris le couvrait de médailles et de commandes flatteuses, à St-Pétersbourg on frappait une médaille en son honneur, et Vienne enfin, ne pouvant vraiment plus ignorer un de ses plus illustres citoyens, lui conférait la médaille Salvator, très convoitée, et le nommait citoyen d'honneur.

Au changement de siècle, il commença *Les saisons*, dont le texte était tiré par van Swieten du poème de même nom de Thomson. « Le printemps » fut terminé rapidement, et fut exécuté en pièce séparée au palais

Schwarzenberg le 17 mars 1799 ; les trois autres parties ne furent pas finies avant 1801 ; c'est le 24 avril de la même année qu'eut lieu la première exécution semi-privée de l'œuvre complète, qui fut redonnée le 29 avril et le 1er mai.

On attribue souvent à H. d'avoir dit que *Les saisons* lui avaient « rompu le dos » ; en effet, sauf les deux dernières messes de 1801 et 1802 (la « messe de la création » et la « messe de l'harmonie »), il n'entreprit plus d'œuvres de grande dimension. Dans les dernières années de sa vie, attristées par la maladie et les guerres de Napoléon, la pensée de la mort ne le quittait pas ; il ne se sentait capable d'aucun travail, et le jour de son 74e anniversaire, il fit cet aveu pathétique à son biographe Griesinger : « La musique est infinie, et celle qui serait à faire est beaucoup plus grande que celle qui a été réalisée jusqu'ici ; il me vient souvent des idées qui feraient éclater les frontières actuelles de la musique, mais les forces physiques me manquent ».

En 1809, Napoléon assiégea Vienne ; il entra dans la ville en mai : H. refusa de quitter sa maison pour se réfugier dans l'enceinte de la ville, et, quand un boulet de canon explosa près de chez lui, il rassembla ses domestiques effrayés et leur dit : « Mes enfants, n'ayez pas peur ; où est H., il ne peut rien vous arriver de mal ». Napoléon plaça une garde d'honneur à la porte de sa maison, et quelques jours avant de mourir, le compositeur, très affaibli, eut l'émotion de recevoir la visite d'un officier de hussards français qui lui chanta *Mit Würde und Hoheit* de *La création*. Le 31 mai 1809, il mourut paisiblement, et on l'enterra deux jours après. « Il n'y avait pas un seul maître de chapelle viennois pour l'accompagner à sa dernière demeure », comme le fit remarquer avec âpreté un témoin contemporain.

L'œuvre de H. s'étend sur un demi-siècle, cinquante années qui ont vu l'une des plus profondes révolutions de style dans l'histoire de la musique. C'est l'époque devenue célèbre comme celle des maîtres classiques viennois, école à laquelle le nom de H. est indissolublement lié ; il n'est pas seulement un des trois grands noms, Haydn, Mozart, Beethoven, c'est lui, dans une large mesure, qui a décidé de ce que serait le style classique viennois. De son vivant, on se rendit compte peu à peu de son importance et, à sa mort, ce qu'il avait su réaliser s'imposait aux musiciens de toute l'Europe. Au cours du XIXe s., comme on jouait de moins en moins les ouvrages de la jeunesse et de la maturité (étant donné son énorme production, le « répertoire classique » devait forcément faire un choix), son importance fut voilée, atténuée, et il aura fallu attendre notre époque pour que sa situation — des points de vue intrinsèque et historique — soit remise à sa vraie place. Il n'y a pas encore d'édition des œuvres complètes, et le catalogue thématique Hoboken, tout précieux qu'il est pour le spécialiste, ne résout pas le problème crucial de la chronologie et de l'authenticité des œuvres.

La situation de H. a été, est encore considérablement troublée par le nombre énorme d'ouvrages qui lui ont été faussement attribués ; les éditeurs du XVIIIe s. et les copistes professionnels n'hésitaient pas à publier et à faire circuler sous son nom des ouvrages de Vanhal, Dittersdorf, Ordoñez, Léopold Hofmann et d'une vingtaine d'autres ; la raison en est simple : ils étaient mieux reçus du marché. Ce n'est qu'à notre époque qu'on a entrepris des recherches pour restituer cette énorme quantité d'apocryphes à leurs véritables auteurs ; il suffit d'un seul exemple pour montrer combien la proportion est démesurée : pour 107 symphonies authentiques, il y en a presque 200 apocryphes. Ajoutons qu'il est difficile de distinguer les œuvres authentiques, du fait de l'amplitude stylistique de la musique de H. qui va du baroque finissant à l'avènement du romantisme. Son style prend en effet racine dans le baroque d'Autriche et d'Allemagne du Sud, auquel l'*opera buffa* italien venait s'ajouter dans un curieux mélange de styles : ce mélange de baroque et de pré-classicisme est typique de la musique autrichienne vers 1750. D'un côté, nous

avons une messe fortement baroque, la *missa brevis* en *fa*, de l'autre, la gaieté fraîche, un peu primitive de la sérénade viennoise populaire, comme dans le *Divertimento* en *sol* pour quintette à cordes d'environ 1754. Dans les symphonies de jeunesse, l'élément baroque va non moins de pair avec la *sinfonia* nouvelle, née en Italie, déjà reprise par Vienne et Mannheim : les trois symphonies descriptives de 1761 (*Le matin*, *Le midi*, *Le soir* ; nos 6-8) sont des *concerti grossi* plus que des symphonies ; mais il y a beaucoup d'autres œuvres de la même période, comme le no 9 (1762), qui sont d'un esprit absolument opposé au baroque et témoignent clairement d'influences de la *sinfonia* italienne (par ex. la couleur folklorique du trio, qui annonce de toute évidence la valse viennoise). A mesure que les années 60 passent, le style de H. se fait plus solide et plus profond : le nouveau *motivische Arbeit*, emploi de petits motifs pour resserrer la structure de la sonate et la transformer en un drame spirituel plus subtil, commence à devenir toujours plus essentiel. H. travaillait à de nombreux genres à la fois : musique d'église, symphonie, sonate de piano, *divertimento* (au sens le plus restreint : musique pour instruments à cordes, à vent, ou les deux à la fois), quatuor à cordes, opéra, cantate, concerto : c'est pour cette seule forme qu'il n'a jamais manifesté qu'un intérêt passager (le concerto de violoncelle en *ré*, le grand concerto de clavecin en *ré* et le concerto de trompette sont ses seuls ouvrages de ce genre qui soient vraiment de premier ordre).

Nous avons parlé plus haut de la « crise romantique » de 1768-1774 : la musique de H. prend une couleur nouvelle, plus sombre : on y trouve naturellement exprimé un raffinement intellectuel qui n'avait cessé de croître au cours des années 60 ; plus encore, c'est tout le caractère de sa musique qui s'assombrit. On a récemment démontré que cette évolution ne lui est en aucun cas limitée, qu'elle reflète une tendance générale de la musique autrichienne (on la retrouve, brièvement, dans la carrière du jeune Mozart, avec la symphonie en *sol mineur*, K. 183). La décade qui suit est de nouveau une période de consolidation. Ayant porté le quatuor à cordes et la symphonie à un haut niveau en 1772, H. se tourne vers l'opéra et d'autres formes (bien qu'il n'ait pas cessé d'écrire des symphonies). Ce n'est qu'en 1781 qu'il composa des quatuors : avec le célèbre *op.* 33, il continuait ses recherches, l'exploration de voies nouvelles, du côté de la forme et de l'harmonie. L'année 1785 marque un changement important de sa période créatrice : il ne fait aucun doute que la musique profonde, délicate des *Dernières paroles* (voir plus haut) a fait beaucoup pour que renaisse le lyrisme que tant d'œuvres de H. avaient perdu lors des années 1770-1775. Les symphonies « parisiennes » sont des prodiges de beauté et de perfection formelle — relevés (comme dans le remarquable mouvement lent du no 86, en *ré*) par des expressions d'un sentiment profond et subtil.

Le premier séjour à Londres anima d'une nouvelle force la musique de H. : on le voit par deux exemples typiques : dans l'énorme puissance des chœurs de *L'anima del filosofo* (*Orfeo*), qui dépasse de loin tous les opéras d'Esterháza rien que par sa force dramatique, et dans une œuvre telle que la symphonie no 97, en *ut*, dont le premier mouvement est empreint d'une force inexorable, voire barbare. Mais, à côté de ce caractère de nervosité accrue, on constate que sa musique se teinte de ce qu'on appelle en allemand le *Spätstil*, cette étrange capacité d'émotion en profondeur qui marque l'œuvre de beaucoup de compositeurs atteints par l'âge : H. explore de nouveaux domaines harmoniques, par ex. les relations de tierce. Cet intérêt pour les structures harmoniques se manifeste surtout dans les merveilleux trios avec piano de la période londonienne, forme qui commença tard à fasciner H. (à très peu d'exceptions près, tous ses trios avec piano sont de la dernière période). Les œuvres du second voyage à Londres sont assez différentes de celles du premier, plus intimes, plus romantiques d'orchestration, plus hardis dans les rapports de tonalité. Certes on y trouve comme avant l'énergie caractéristique de H., mais elle y est peut-être mieux équilibrée, mieux mise en valeur par les mouvements lents et leurs subtilités. Une grande partie de sa musique de piano tardive (pas seulement les trios) annonce directement Schubert et le monde enchanté des romantiques : l'*Andante con variazioni* en *fa mineur*, la dernière sonate de piano (*sol bémol*, n° 52).

A son retour à Vienne, *H.* se consacra presque exclusivement à deux formes fondamentales — la musique vocale et le quatuor à cordes. Les six dernières messes sont des miracles de force et de grandeur symphoniques, depuis le brillant *si majeur* de la *missa in tempore belli* jusqu'à la fureur de la *missa in angustiis* (messe « Nelson ») en *ré mineur* : les principes symphoniques, déjà portés à la perfection dans les symphonies londoniennes, se mêlent, combien brillamment, à la fugue baroque, au canon strict (ex. le *Credo* de la messe « Nelson »). Les *soli* s'entremêlent en constante juxtaposition avec le quatuor vocal (SATB) et le chœur. Les deux oratorios, *La création* et *Les saisons*, pourraient être considérés comme des messes de proportions énormes: ce sont aussi des chants à la gloire du Créateur ; on y trouve employés les mêmes principes musicaux que dans les dernières messes, et, dans les passages purement orchestraux (par ex. « Chaos » au début de *La création*), *H.* prouve que, tant qu'il écrirait, il serait capable d'ouvrir des horizons nouveaux à la tonalité ; « Chaos » surprend encore aujourd'hui par son caractère « moderne ». *Les saisons* contiennent aussi des passages d'orchestres extraordinairement profonds et prophétiques, comme dans les accords augmentés, quasi wagnériens, du prélude de *L'hiver*, qui annoncent *Tristan*.

Les dernières œuvres instrumentales de *H.* furent les quatuors à cordes *op.* 76 (voir plus haut), *op.* 77 (1799) et *op.* 103 (inachevé) : l'art du quatuor y atteint une nouvelle perfection : le célèbre historien de la musique anglaise, Charles Burney, écrivit au compositeur, à propos de l'*op.* 76 (août 1799 — et ses paroles sont tout aussi vraies aujourd'hui, après 150 ans — : « J'ai eu le grand plaisir d'entendre vos nouveaux quatuors (*op.* 76), bien exécutés, avant de quitter la ville, et jamais je n'ai eu tant de plaisir avec de la musique instrumentale : ils sont pleins d'invention, de feu, de bon goût et d'effets nouveaux, et semblent l'œuvre, non pas d'un génie sublime, qui a déjà tant écrit et si parfaitement, mais d'un génie au talent hautement cultivé, dont le feu n'aurait encore jamais brillé ».

La musicologie a fait de grands pas dans le dernier demi-siècle. Bien des choses vagues et obscures apparaissent maintenant, si évidentes qu'il est difficile d'imaginer le contraire (par exemple nous n'aurons plus jamais à craindre que la musique de Vivaldi retombe dans l'oubli). Plus on apprend de l'œuvre étourdissante de Haydn, plus la T.S.F. et le disque nous restituent des trésors que le concert, avec ses servitudes cruelles, ne pourra jamais nous donner avec cette abondance, plus on voit se dresser la véritable stature de *H.*, géant musical dont une main s'appuie sur le baroque finissant, tandis que l'autre anime la vivacité toujours fraîche du jeune mouvement romantique du début du XIX^e s.

**Œuvres :** 107 symphonies (dont 1 perdue), environ 50 *divertimenti* pour petit orch. (ceci comprend une série de nocturnes pour le roi de Naples [1790]), 84 quatuors à cordes, environ 52 sonates de piano (8 perdues ; au moins 2 des 52 publiées dans les œuvres complètes sont douteuses), environ 40 trios pour piano, viol. et vcelle, 126 trios pour baryton, alto et vcelle, environ 35 trios pour 2 viol. et vcelle, 3 trios pour 2 fl. et vcelle (Londres 1794), 6 duos pour viol. et alto, 1 trio pour cors, nombreuses œuvres de mus. de chambre avec baryton (duos, *Cassations-Stücke* etc.), concertos : (a) 3 d'orgue (dont l'un vient d'être retrouvé en Allemagne du Sud, 1958), (b) environ 7 de harpe, (c) 4 de viol. (1 perdu), (d) 3 de cor (1 perdu, 1 douteux), (e) concerto en *mi bémol* pour 2 cors (perdu), (f) de contrebasse, en *ré* (perdu), (g) de flûte, en *ré* (perdu — l'ouvrage joué sous le nom de *H.*, également en *ré*, est de Léopold Hofmann), (h) de trompette, en *mi bémol* (1796) — le concerto de hautbois en *ut* est apocryphe, 5 concertos pour 2 *lyrae* et orch. (1786), un très grand nombre de menuets et danses allem. pour orch. et ou pour piano, environ 30 *divertimenti* ou *concertini* pour harpe, 2 viol. et basse, pièces pour boîte à musique (*Flötenuhr*), marches et mouvements pour orch., *Sinfonia concertante* en *si bémol* pour

htb., viol., basson, vcelle et orch. (1792) ; *messes* : *Missa brevis* en *fa* (1750), *Missa brevis alla cappella* en *fa*, *Rorate coeli desuper* (id.), *Missa in honorem BVM* en *mi bémol* (1766), *Missa Sunt bona mixta malis* en *ré* min. (v. 1768, perdue), *Missa Sti Nicolai* en *sol* (1772), *Missa Stae Ceciliae* en *ut* (v. 1773), *Missa cellensis* en *ut* (1782), *Missa in tempore belli*, en *ut* (1796), *Missa Sti Bernardi de Offida* en *si bémol* (1796), *Missa In angustiis* en *ré* min. (messe « Nelson », 1798), *Missa* (*Theresienmesse*) en *si bémol* (1799), *Missa* (*Schöpfungsmesse*) en *si bémol* (1801), *Missa* (*Harmoniemesse*) en *si bémol* (1802) ; *autre mus. d'église* : *Stabat Mater* (1767), *Salve Regina* en *sol* (v. 1765), en *sol* min. (1771), *Te Deum* en *ut* (1764), *Te Deum* (« Le Grand ») en *ut*, pour l'impératrice Marie-Thérèse (1799), nombreux motets, offertoires, etc. ; *cantates* : *Applausus* (1768), pour *soli*, chœur, viol. obbligato, clav. obbl. et orch., 5 ou 6 autres (plus petites, surtout v. 1763–1765) ; *oratorios* : *Il ritorno di Tobia* (1774–1775), *Die sieben Worte ...* (1785, version chor. : 1796), *Die Schöpfung* (1796–98), *Die Jahreszeiten* (1799–1801), *Mare clausum* (Londres 1794, inachevé) ; nombreux *Lieder*, en ital., allem. et angl., avec acc. de piano, environ 450 chansons écossaises, galloises et irlandaises avec acc. de viol., vcelle et piano, 13 chants polyph. (SATB) avec piano ; *opéras* : *Der krumme Teufel* (probablement le même que *Der neue krumme Teufel*, Kurz-Bernadon, Vienne 1751 ou 1758), *Acide e Galatea* (Migli avacca, *festa teatrale*, 1762, Eisenstadt, 11.1.1763), *La marchesa Nespola* (1762), *La vedova* (perdu, 1762), *Il dottore* (id.), *Il Sganarello* (id.), *La cantarina* (*intermezzo*, 1766, carnaval 1767), *Lo speziale* (*dramma giocoso*, Goldoni, Esterhaza 1768), *Le pescatrici* (id., 1769, ibid. 16.9.1770), *L'infedeltà delusa* (*burletta*, ibid. 26.7.1773), *Der Götterei, oder Jupiters Reise auf die Erde* (lever de rideau de Philémon et Baucis, ibid., th. de marionnettes, 2.9.1773), *Philemon und Baucis* (id. ibid.), *Hexenschabbas* (op. de marionnettes en allem., 1773, perdu), *L'incontro improvviso* (*dramma giocoso*, Frieberth, ibid., 29.8.1775), *La vera costanza* (id., Francesco Puttini et Pietro Travaglia, 1776, ibid. printemps 1779), *Il mondo della luna* (id., Goldoni, ibid. 3.8.1777), *Dido* (op. de marionnettes, perdu, 1777–1778 ?), *Genovevens vierter Theil* (id., ibid., ...8.1777), *Die bestrafte Rachgier, oder Das abgebrannte Haus* (id.), *L'isola disabitata* (*azione teatrale*, Métastase, ibid. 6.12.1779), *La fedeltà premiata* (*dramma giocoso*, ibid., 15.10.1780), *Orlando Paladino* (*dramma eroicomico*, N. Porta, ibid. — 8.1782), *Armida* (*dramma eroico*, J. Durandi, 1783, ibid. ...2.1784), *L'anima del filosofo* (*Orfeo ed Euridice, dramma per musica*, C.F. Badini, Londres 1791, 1^re repr. Florence 1951) ; nombreux airs, insérés dans des opéras d'autres compositeurs, exécutés à Esterhaza, 2 scènes de concert (*scena*) de la dernière période, la cantate solo *Miseri noi* et la *Scena di Berenice* (1795) ; des canons, 45 séparés, un cycle : *Die zehn Gebote* (Londres 1791).

ÉDITIONS (*recueils*) : Il y a eu trois tentatives d'édition complète de *H.* ; deux sont restées inachevées : (1) *J.H.s Werke*, Breitkopf-Härtel, 1907 sqq. : série I, vol. 1 (symph. 1-12), 2 (symph. 13-27), 3 (symph. 28-40), 4 (symph. 41-49) ; sér. XIV, vol 1-3 (sonates de piano 1-52) ; sér. XVI, vol. 4 (*Die sieben Worte...* — tirage limité et retiré du commerce), 5 (*Die Schöpfung*), 6/7 (*Die Jahreszeiten*) ; sér. XX, vol. 1 (*Lieder*) — (II) *J.H. — The complete works*, Haydn Soc. 1950–1951 : sér. I, vol. 5 (symph. 50-57), 9 (symph. 82-87), 10 (symph. 88-92) ; sér. XXIII, vol. 1 (messes 1-4) — (III) *J.H.s Werke*, Haydn-Institut, Cologne 1957 sqq. : 3 vol. en préparation, dont 1 de trios pour baryton, 1 de chants polyph., 1 de messes (sér. XXIII, vol. 2).

DISQUES : Un choix très large de mus. de *H.* a été enregistré, dont 60 symph., toutes les messes (sauf 2), tous les quatuors à cordes (Haydn Soc. et Washington), toutes les sonates de piano, les 3 derniers oratorios et de nombreux concertos, *divertimenti*, airs etc. ; parmi les opéras, *L'anima del filosofo* et *Philemon und Baucis* ont été enregistrés en entier ; la plupart de ces disques ne se trouvent qu'aux U.S.A. et en Grande-Bretagne.

Bibl. : La plus complète dont on dispose actuellement se trouve dans l'article *Haydn* de l'encyclopédie allemande, *Musik in Geschichte und Gegenwart* (MGG) : on a établi la présente bibliographie, sélective, avec le but de donner au futur amateur de *H.*, dans un espace restreint, les principaux livres à consulter. — *Sur la famille et les ancêtres de Haydn* : E.F. Schmid, *J.H. Ein Buch von Vorfahren und Heimat des Meisters*, Cassel 1934 ; — *Biographies* : Les trois biographies « authentiques » sont : 1) G.A. Griesinger, *Biogr. Notizen über J.H.*, Leipzig 1811 ; 2) A.C. Dies, *Biogr. Nachrichten von J.H.*, Vienne 1810 ; 3) G. Carpini, *Le Haydine*, Milan 1812 (trad. en franç., avec des altérations et des additions, par Stendhal (alias Bombet) sous le titre *Lettres écrites de Vienne en Autriche, sur le célèbre compositeur J.H.* ..., Paris 1814) ; les autres biographies classiques sont C.F. Pohl, *H. in London*, Vienne 1867 — *J.H.*, vol. 1, Berlin 1878 ; II, Leipzig 1882 ; III (complété, avec de graves erreurs par H. Botstiber), ibid. 1927 ; K. Geiringer, *J.H.*, Potsdam 1932 — *J.H.*, N.-York, 1947 ; — *Lettres de Haydn* : Recueil, avec les *Carnets* de Londres, Londres 1959 (éd. Landon) ; choix représentatifs de Nohl, *Musikerbriefe*, 2^e éd., Leipzig 1873 ; Hase, *J.H. u. Breitkopf u. Härtel*, ibid. 1909 ; T. von Karajan, *J.H. in London*, Vienne 1861 ; F. Artaria et H. Botstiber, *J.H. u. das Verlagshaus Artaria*, ibid. 1909 — *La musique de Haydn. Les sources* : J.P. Larsen, *Die H.-Überlieferung*, Copenhague 1939 — *Drei H. Kataloge in Faksimile*, ibid. 1941 ; A. van Hoboken, *J.H. thematisch-bibliographisches Werkverzeichnis*, vol. 1, Mayence 1957 ; — *Monographies générales* : C.F. Pohl, *Denkschrift aus Anlass des hundertjährigen Bestehens der Tonkünstler-Soc.*, Vienne 1871 ; *Musical Quarterly*, avril 1932 (n° sur *H.*) ; *Burgenländische Heimatsblätter*,

I/1, 1932 (*id.* sur *H.*) ; Marion Scott, art. *H.* ds le dict. de Grove, 5e éd., 1954 ; J.P. Larsen et H.C.R. Landon, art. *H.*, ds *Musik in Geschichte und Gegenwart* (MGG) ; Stellan Mörner, *Johan Wikmanson u. die Brüder Silverstolpe*, Stockholm 1952 ; — *Monographies* (sur la musique), (A) *quatuors* : R. Sondheimer, *H., A hist. and psych. study based on his Streichquartetten*, Berne 1935 ; F. Blume, *J.H.s künstler. Persönlichkeit in seinen Str. Qu.*, ds *Peters-Jb.*, 1931 ; (B) *symphonies* : B. Rywosch, *Beiträge zur Entwicklung in J.H.s Symphonik 1759–1780* ; H.J. Therstappen, *J.H.s sinf Vermächtnis*, Wolfenbuttel 1941 ; H.C.R. Landon, *The symph of J.H.*, Londres 1955 ; (C) *messes* : C.M. Brand, *Die Messen v. J.H.*, Wurtzbourg 1941 ; (D) *sonates et trios avec piano* : A.C. Bell, *An introduction to H.'s piano trios*, ds *Mus. Rev.*, XVI, 1955 ; P. Radcliffe, *The piano sonatas of J.H.*, ibid., VII, 1946 ; C. Parrish, *H. and the piano*, ds *Journal of the amer. mus. Soc.*, I, 1948 ; (E) *oratorios* : D.F. Tovey, « *The creation* » and « *The seasons* », ds *Essays in mus. analysis*, 6 vol., Londres 1935–1944 ; (F) *opéras* : L. Wendschuh, *Über J.H.s Opern*, Rostock 1896 ; H. Wirth, *J.H. als Dramatiker*, Wolfenbuttel 1940. H.C.R.L.

**HAYDN** *Johann* **Michaël.** Mus. autr. (Rohrau 14.9. 1737–Salzbourg 6.8.1806). Frère de Franz Joseph *H.*, il fut à partir de 1745 enfant de la maîtrise de la cath. St-Etienne de Vienne : il y apprit le violon, le piano, l'orgue ; dès 1757, il était maître de chapelle à Grosswardein, sous les évêques P. Forgach de Ghymus, A. Patachich v. Zajezda ; à partir de 1763, on le trouve *Hofmusicus* et *Concertmeister* à la chapelle de la cour de l'archevêque de Salzbourg : il était suppléant de Léopold Mozart, ce qui ne devait pas être une sinécure, puisque Léopold était sans cesse en déplacement ; il avait épousé en 1768 *Maria Magdalena Lipp*, fille de l'org. de la cath., qui, comme soprano, chanta dans les premiers opéras de Mozart ; en 1783, un nouvel archevêque est

M. HAYDN

*(Bibl. de Salzbourg).*

intronisé, le comte Colloredo, qui lui fit des commandes (on avait donné un *Requiem* de *H.* pour les obsèques du prédécesseur) ; au monastère St. Peter, dont l'abbé était son ami, il dirigea souvent et joua de l'orgue : beaucoup de ses chœurs d'hommes sont conservés aux archives de ce monastère ; le nouvel archevêque lui permit de faire un voyage en Italie, probablement en 1777 : la même année le voit successeur d'Adlgasser à l'orgue de la Trinité ; en 1781, il succède à W.A. Mozart comme org. de la cour et de la cathédrale : il gardera cet emploi jusqu'à sa mort ; bien qu'il fût mal payé, il ne songea pas à quitter Salzbourg, ne serait-ce qu'à cause de l'amitié qui l'unissait au P. Werigand Rettensteiner ; en 1798 il partit pour Vienne voir son frère Joseph, qui était alors au sommet de sa gloire ; il s'y lia notamment avec Haibler et Süssmayer ; grâce au prince Esterhazy, il obtint le titre de vice-maître de chapelle, au retour d'un second voyage à Vienne, au cours duquel il avait été fort fêté (1801) ; en 1804, il fut nommé membre de l'Acad. royale de mus. de Suède ; la maladie assombrit ses deux dernières années ; il mourut en composant le *Dies irae* de son 2e *Requiem* ; il eut de nombreux élèves : citons Weber (1798–1801), S. Neukomm, J. Wölfl, I. Assmayer, A. Diabelli ; excellent compositeur, il subit peut-être le détriment de la gloire de son frère, encore que sa musique manque

un peu de la fantaisie et de la puissance dramatique de celle de Joseph : on l'apprécie surtout comme compos. de mus. d'église.

**Œuvres :** *mus. d'église :* en latin, 32 messes, 2 *Requiem* (1771, 1806, inach.), 117 graduels, 45 offertoires, 10 litanies, 6 *Te Deum*, 27 répons de semaine sainte, 10 *Tantum ergo*, 11 *Salve Regina* etc. — en allem. : 8 messes, 7 vêpres, 1 litanie, 1 *Te Deum*, 1 *Magnificat*, 24 autres compositions — instr. : *Antiphonarium* (orgue, 1792), des préludes d'orgue ; *pour la scène* : *Andromeda e Perseo* (opéra, 1787), *Rebekka als Braut* (Singspiel, 1766), *Abels Tod* (id. 1778), de la mus. de théâtre, notamment pour le *Zaïre* de Voltaire (1777) et 2 arrangements ; *œuvres vocales* : 3 oratorios, 6 cantates, 1 sérénade, 1 mélodrame, 71 chœurs d'hommes a cappella, 24 canons, 11 duos, 29 *Lieder* ; *mus. instr., orch.* : 46 symph., 5 concertos, 11 marches, 17 cahiers de menuets, 1 *ballo*, 2 cassations — mus. de chambre : 4 sérénades, 1 *pastorello*, 17 *divertimenti*, 1 *notturno*, 7 quintettes, 11 quatuors, 4 duos-piano : Variations sur un thème du *Hochzeit auf der Alm*, *Divertimento* (id.) ; des *Skizzen* pour le carillon de Salzbourg ; un écrit : *Partiturfundament.*

**Bibl.** : (G. Otter et F.J. Schinn), *Biogr. Skizze v. J.M.H.*, Salzbourg 1808 ; C. v. Wurzbach, *J.H. u. sein Brüder*, Vienne 1861 ; J.E. Engl., *Zum Gedenken J.H.s*, Salzbourg 1906, O. Schmid, *J.M.H.*, Langensalza id. ; A.M. Klafsky, *M.H. als Kirchenkomp.*, ds *StMw.* III, 1915 — ds *DTO*, XXXII, 1 : *Them. Kat. d. Kirchenwerke* ; H. Jancik in MGG, qui prépare la publication des œuvres inédites ; R. G. Pauly, *Some recently discovered M.H. mss*, ds *JAMS*, 1957.

**HAYDON Claude.** Compos. australien (South Yarra 8.11.1884–) qui vit à Wellington, auteur d'un opéra, d'une *Serenata*, de mus. de chambre, de mélodies etc.

**HAYDON Glen.** Musicologue amér. (Inman 9.12. 1896–). Elève de l'univ. de Californie, docteur de Vienne avec sa thèse publiée sous le titre *The evolution of the six-fourchord* (Berkeley 1933), il a enseigné dans diverses univ. et présidé la Soc. de mus. amér. (1942-44) ; il a publié, outre sa thèse, *A graded course of clarinet playing* (N.-York 1927), *Introduction to musicology* (ibid. 1941), divers art. ds des périodiques et ouvrages collectifs, traduit *Kontrapunkt* de K. Jeppesen (ibid. 1939) ; il édite C. Festa et F. Corteccia ; on lui doit également 1 ballet, 1 messe de la mus. de scène.

**HAYÉ.** C'est une cithare, à 12 cordes, du golfe du Bénin en Afrique occidentale : l'instrument est composé d'une série de bâtonnets faits d'une nervure de palme, disposés les uns à côté des autres et ligaturés en forme de radeau, d'où le nom de *cithare-en-radeau* sous lequel il est généralement désigné ; les cordes sont fournies par des lanières d'écorce détachées des bâtonnets sur presque toute la longueur et maintenues écartées par deux chevalets transversaux. La particularité de l'instrument est que ses cordes sont en quelque sorte filées : en effet, on enroule autour de chaque corde, sur à peu près la moitié de sa longueur, une autre lanière d'écorce qui charge la corde et en abaisse d'autant plus le son qu'elle est enroulée sur une plus grande épaisseur. Des bruiteurs effleurent certaines cordes pour vibrer avec elles. Utilisé presque exclusivement pour accompagner le chant, c'est un instrument d'hommes. Au Dahomey, seul pays où il se rencontre sous cette forme, on l'appelle *hayé* en langue *séto*, *adjalen* en *goun* et *toba* en *fon*.      **G.R.**

**HAYES.** Famille d'org. angl. du XVIIIe s. — **1. William** (Gloucester 1707–Oxford 27.7.1777), fut org. à Shrewsbury, Worcester, Oxford (il y enseigna à partir de 1741) ; on lui doit 12 *Ariettes ... and 2 cantatas* (Oxford 1735), *Voc. and instr. mus.* (Londres 1742), *Six cantatas* (ibid. 1748), *Catches, glees and canons* (Oxford 1757, 1765), 17 psaumes, des passions, de la mus. de cath., des écrits : un traité de composition (1751), *Remarks on Mr. Avison's essay on mus. expr.* (1753), *Anecdotes of the five music meetings at Church-Langton* (Oxford 1768). Son fils — **2. Philip** (Oxford, bapt. 17.4.1738–Londres 19.3.1797) fut membre de la chapelle royale et succéda à son père ; il composa des *anthems*, des psaumes, 1 oratorio, des concertos et sonates de clav. etc. ; il édita Boyce, Haydn (arrangements), la Cath. mus. de son père, un recueil de mus. d'église (*Harmonia Wiccamica*, Londres 1780) et publia *Memoirs of prince William, duke of Gloucester* (Londres 1789). Son frère — **3. William** (Oxford, bapt. 11.6.1741–Tillingham...10.1790) fut chanoine à Worcester et Londres, *vicar* à Tillingham, et publia dans le *Gentleman's Magazine* (1765) *Rules necessary to be observed by all cath. singers in this kingdom.* Voir A.M. Broadley, *W.H. and Ph.H. ...*, Bridgeport 1900 ; W. Shaw in MGG.

**HAYES Roland.** Ténor amér. (Curryville 3.6.1887–), spécialiste des *negros spirituals*, qui a fait une carrière intern. et publié *My songs* (Boston 1948).

**HAYM Nicola Francesco.** Compos. ital. (Rome v. 1679–Londres 11.8.1729). D'origine allem., il se fixa à Londres à partir de 1702, où il s'associa avec Clayton et Dieupart, pour diriger un Opéra italien (il arrangea des opéras d'A. Scarlatti et de Bononcini) ; il quitta Londres pour les Pays-Bas lors du triomphe de Hændel, mais il y revint et collabora avec ce dernier en lui écrivant des livrets ; on lui doit 2 cahiers de sonates à 2 violons et b., des sonates de fl. et de htbois, une brève hist. de la mus. (v. 1729) et qqs écrits. Voir dans le *Handel* d'O.E. Deutsch, 1955, et Dahnke-Baroffio, ds *Die Mf*, 1954.

**HAYNE** — **1. Gérard** : mus. belge, qui mourut à Liège en 1601 et fut chanoine de la collégiale St-Jean de cette ville ; aucune de ses œuvres ne nous est parvenue ; son parent (?) — **2. Gilles** [*Heyne, Hennius, Haym, Heine, Ennio*] (Liège, bapt. 29.7.1590– ...5.1650) fut élevé à la maîtrise de la cath. St-Lambert ; il semble avoir séjourné à Rome en 1613 ; à partir de 1631 jusqu'à sa mort, il fut chanoine et chanteur à St-Jean l'Evangéliste ; il fut également au service de Ferdinand de Bavière, archevêque de Liège, puis du duc palatin Wolfgang Wilhelm, à qui il dédia nombre de ses compositions ; on lui doit, impr. : 3 recueils de motets ou madrigaux à 2-5 v. (Anvers 1640, 1643, 1646) — les messes signalées par Fétis, Goovaert et Nagel n'ont pas été retrouvées ; en mss, 7 motets, 1 *Ave Maria*, 1 grand livre de chœur (1645), 1 messe des défunts (6 v.), 7 liv. de compos. voc. Voir W. Nagel, *G.H.*, ds *MfM, XXVIII*, 1896 ; A. Auda, *La mus. et les musiciens de l'ancien pays de Liège*, Liège 1930 ; J. Quitin, *Sept motets inédits de G.H. ...*, ds Rev. belge de mus., 1950 — *G.H.*, in *Beitr. zur Mus. in Rhein*, 1957.

**HAYNE van GHIZEGHEM** (*Groen Heyne*). Mus. flam. du XVe s., élève (1457) de Constans d'Utrecht (chantre à la cour de Bourgogne), il fut lui-même chantre et valet de chambre à la cour de Bourgogne (1467–72) ; il fut fort estimé de son temps ; on a conservé de lui 20 chansons françaises polyph., très belles, dont quelques-unes dans des recueils de Petrucci et de Formschneider. Voir J. Marix, *H. v. G.*, ds *MQ, XXVIII*, 1942 — *Hist. de la mus. et des musiciens de la cour de Bourgogne sous le règne de Philippe le Bon*, Strasbourg 1939 ; A. Pirro, *Hist. de la mus. de la fin du XIVe s. à la fin du XVIe*, Paris 1940 ; Ch. Van den Borren, *Etudes sur le XVe s. mus.*, Anvers 1941 — *La mus. en Belgique*, Bruxelles 1950 — art. in MGG.

**HAYOT Maurice.** Violon. franç. (Provins 8.11.1862–Montmorency 1945). Elève du cons. de Paris (Massart), membre de la Soc. des concerts, il fut prof. au même cons. (1894–96), fonda un quatuor qui portait son nom et fit une grande carrière.

**HEAD Michael.** Compos. angl. (Eastbourne 28.1.1900–). Elève de la *Royal Acad. of music*, où il est prof. de piano depuis 1927, chanteur, il a écrit notamment 8 cycles de mélodies, des chœurs, 1 concerto de piano, 1 poème symphonique.

**HEART Jean.** Luth. franç. (Paris 1592–v. 1660), fils d'un org. et épinetier, actif à Paris entre 1617 et 1649 au moins ; ses œuvres sont conservées dans diverses tablatures mss (Lord Herbert, Milleran, ms. 40.068 de Berlin).

**HEATH. Mus. angl. : — 1. John I** publia dans les *Certaine notes* de John Day (1560) une *Morning prayer in 4 partes* ; on a également conservé de lui 1 *anthem* et 1 chanson ; son petit-fils ? — **2. John II** (?–Rochester 1668 ?), fils d'un Philip H., fut longtemps org. de la cath. de Rochester ; on lui doit un *Verse evening service* et 1 *anthem* (mss RCM, Cambridge). Voir J. Noble in MGG.

**HEATHER William.** Mus. angl. (Harmondsworth v. 1563–?...7.1627), qui fut chanteur à l'abbaye de Westminster (1586–1615) et *gentleman* à la chapelle royale (1615) ; ami et légataire de l'historien Camden, il fonda une chaire de mus. à Oxford (1627). Voir J.A. Westrup in MGG.

**HEBENSTREIT Pantaleon.** Mus. allem. (Eisleben 1667–Dresde 15.11.1750). Fils d'un *Stadt Musicus* d'Eisleben, violon., prof. de piano et de danse à Leipzig, il quitta cette ville pour Mersebourg : c'est là qu'il construisit son instrument, le *Pantaleon* ou *Pantalon*, précurseur du piano à marteaux, et décrit dans le *Dialogue sur la musique des Anciens* de l'abbé de Châteauneuf (Paris 1725) : il avait présenté son instrument à la cour de Louis XIV (1705) et c'est le roi qui avait ainsi baptisé l'instrument ; il construisit également un jeu de cloches en porcelaine ; il fut encore dir. de mus. et maître de chapelle à la cour d'Eisenach (1706), puis à celle de Dresde (1714) ; il composa et fut un excellent improvisateur. Voir A. Berner in MGG.

**HÉBRAÏQUE** (*Musique*). Voir art. *juive* (*musique*).

**HECHT Edward.** Chef d'orch. et compos. allem. (Dürkheim 28.11.1832–Manchester 7.3.1887), qui exerça et enseigna en Angleterre, auteur d'une symph., de mus. chor., de chambre.

**HECHT Gustav.** Compos. allem. (Quedlinburg 23.5.1851–Köslin 8.7.1932), qui fut *königl. Musik direktor* (1889), composa des œuvres chor., des mélodies, des œuvres pour violon et édita le *Choralbuch* de l'Eglise évangélique pour la Poméranie, ainsi qu'un traité d'harmonie.

**HECKEL.** Facteurs d'instruments allem. — **1. Johann Adam** (Adorf 14.7.1812–Biebrich 13.4.1877), qui fonda avec K. Almenräder une fabrique célèbre pour ses bassons. Son fils — **2. Wilhelm** (Biebrich 25.1.1856–13.1.1909) lui succéda ; encouragé par Wagner, il construisit le *heckelphone* : c'est un htbois baryton, intermédiaire entre le cor anglais et le basson, accordé une octave plus bas que le htbois (*cf.* R. Strauss : *Salomé, Elektra*). L'activité de la maison continua sous ses fils — **3. Wilhelm Hermann** (Biebrich 16.7.1879–12.1. 1952) et — **4. August** (ibid. 4.10.1880–19.9.1914). Voir W.H., *Der Fagott...*, 3e id., Leipzig 1931 ; H. Becker in MGG.

**HECKEL.** Famille de mus. allem. — **1. Johann Jakob** (v. 1763–Gumpoldskirchen 16.12.1811), qui fut maître de chapelle à Mannheim v. 1790 et au service de la comtesse Schubeska à Gumpoldskirchen, après avoir séjourné à Vienne ; on lui doit des *Lieder*, des romances et ariettes, de la mus. de piano, de clavecin de circonstance. Son fils — **2. Karl Ferdinand** (Vienne 12.1.1800–Mannheim 9.4.1870), élève de Hummel (Weimar), fonda (1821) à Mannheim un magasin de musique et une fabrique de pianos ; il composa des *Lieder* et de la mus. de salon ; son fils — **3. Emil** (Mannheim 22.5.1831–28.3.1908), qui fut son successeur, fut surtout connu par ses activités wagnériennes : il fonda avec Tausig la première *Wagner-Verein* (1871), fut membre du comité du *Festspielhaus* ;

il prit également une grande part dans la diffusion des œuvres de Hugo Wolf ; son fils — **4. Karl** (Mannheim 23.6.1858–Fürstenfeldbruck 17.10.1923) lui succéda, avec son frère *Emil*, et publia *R. Wagner-Gedenkfeier* (Mannheim 1883), *Die Bühnenfestspiele zu Bayreuth...* (Leipzig 1891), *Erläuterungen zu R.W.s Tristan u. Isolde* (Mannheim 1893), *H. Wolf in seinem Verhältnis zu R.W.* (Munich-Leipzig 1905) ; il édita la correspondance de Wagner et d'Emil H. (Berlin 1899). Voir J.A. Beringer, *E.H.*, ds *R. Wagner-Jb.*, Leipzig 1908 ; O. Wessely in MGG.

**HECKEL Wolff.** Luthiste allem. du XVIe s. (Munich v. 1515–?), qui se désignait bourgeois de Strasbourg, à qui l'on doit un livre de luth (Strasbourg 1556) et un certain nombre de danses en mss (Amsterdam, Bâle etc.) : il connaissait bien la chanson française et les danses italiennes. Voir J. Dieckmann, *Die in deutscher Laut. — Tabulatur überlieferten Tänze des 16.Jh.*, thèse de Leipzig, Cassel 1931; W. Boetticher, *Studien z. sol. Lt.-Praxis d.16. u. 17. Jh.*, Berlin 1943 — art. in MGG.

**HECKELPHONE.** Voir art. *hautbois.*

**HECKMANN Harald.** Musicólogue allem. (Dortmund 6.12.1924–). Elève de l'univ. de Fribourg-en-Brisgau (Zenck, Gurlitt), dont il est docteur (1952), avec sa thèse : *W.C. Printz u. seine Rhythmuslehre*, il a enseigné à l'univ. et au cons. de Fribourg-en-Brisgau ; depuis 1954, il est archiviste à Cassel ; il a collaboré à divers périodiques et ouvrages collectifs, édité les chœurs et les entr'actes du *Thamos* de

chapelain ; ami de Zwingli, il se fit protestant ; on n'a conservé de lui que 2 *Lieder* (3-4 v., bibl. de St-Gall). Voir A. Geering in MGG.

**HEERMANN Hugo.** Violon. allem. (Heilbronn 3.3. 1844–Meran 6.11.1935), élève du cons. de Bruxelles, de Joachim (Paris), il fut virtuose, *Konzertmeister* et prof. de viol. au cons. (Francfort), fonda une école de violon, alla aux *U.S.A.*, à Berlin, fut enfin prof. au cons. de Genève ; il réédita l'Ecole de violon de Bériot (1896) et publia son autobiographie : *Meine Lebenserinnerungen* (Leipzig 1925).

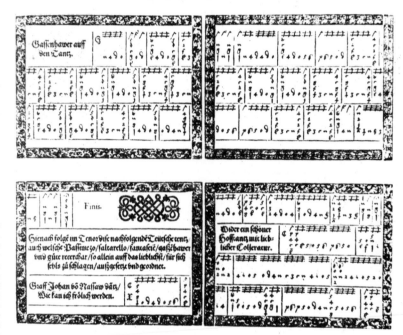

Wolff HECKEL

*Extrait de sa tablature de luth.*

Mozart ; il collige le catalogue des collections de microfilms des Archives de l'histoire de la mus. allem. à Cassel (dep. 1955).

**HECTOR Claude.** Ténor franç. (Tourcoing 24.7.1924–). Elève des cons. de Tourcoing et de Paris, 1er prix au concours d'Ostende 1949, il a appartenu au Théâtre royal de la Monnaie à Bruxelles (1949–54), à l'Opéra d'Amsterdam (1951), à l'Opéra et à l'Opéra-Comique de Paris (1954–56) ; il a notamment créé en français *Le libertin* (*The rake's progress*) de Stravinsky (Bruxelles 1952).

**HEDENBLAD Ivar Eggert.** Org., chef d'orch. et compos. suédois (Torsang 27.7.1851–Ronneby 16.6.1909), qui exerça à Upsal et écrivit des chœurs, de la mus. symph., des mélodies. Voir K.M. Nyblom, *I.E.H.*, Upsal 1910.

**HÉDOUIN Pierre.** Écrivain franç. (Boulogne-s.-Mer 28.7. 1789–Paris... 12.1868). Il écrivit des livrets, collabora à des périodiques, composa des romances, publia notamment *Eloge historique de Monsigny* (Paris 1821) *Gossec...* (Archives du Nord, III, 3, 1858, Valenciennes id.), *De l'abandon des anciens compositeurs...* (ds *Le Ménestrel*), *Trois anecdotes musicales* (Paris 1856), *Gluck, son arrivée en France* (ibid. 1859).

**HEER Johannes.** Mus. suisse (Glarus v. 1489–v. 1553). Il appartient à la maîtrise de la cath. de Sion (1501), y fut plus tard org. (« histrio ») ; on le trouve ensuite à Paris (1508, 1510–16) ; revenu à Glarus (1516), il y fut

**HEGAR.** Famille de mus. suisses — **1. Ernst Friedrich** (Darmstadt 8.12.1816–Bâle 1.11.1888), d'origine danoise ou suédoise, fut graveur, fonda une boutique de musique à Bâle et fut prof. de piano ; son frère — **2. August** (Darmstadt 12.6.1818–Bâle 19.10.1879) fut d'abord pharmacien, s'associa avec son frère, fut chanteur et laissa sa boutique à son fils *Robert*. Le fils d'Ernst Friedrich — **3. Friedrich** (Bâle 11.10.1841–Zurich 2.6. 1927) fut élève à Leipzig de Hauptmann, de Rietz, de F. David ; il fut violon. au *Gewandhaus* de Leipzig, *Konzertmeister* à Varsovie, vint à Paris, à Londres, fut dir. de mus. à Guebwiller, enfin chef d'orch. et dir. du cons. (1876–1914) à Zurich ; il fut l'ami de Brahms ; on lui doit notamment l'oratorio *Manasse* (1888), des concertos, de la mus. de chambre, des chœurs. Voir E. Refardt ds *SMZ*, LXIII, 1923 — art. in MGG ; W. Jerg, *H., ein Meister des Männerchorliedes*, thèse de Zurich, Lachen 1946. Son frère — **4. Emil** (Bâle 3.1. 1843–13.6.1921), élève du cons. de Leipzig, fut vcelliste au *Gewandhaus*, prof. au cons. de Leipzig, dir. du *Lehrergesangverein* à Bâle (dep. 1896) ; sa fille — **5. Valerie**, épouse *Riggenbach* (Bâle 7.8.1873–27.1.1953) fut sopr. ; son frère — **6. Peter** (ibid. 23.7.1882–2.11. 1946), élève de Stockhausen, appartient aux Opéras de Berlin et de Bâle. Leur oncle – **7. Julius** (ibid. 11.5.1847– 5.4.1917), élève du cons. de Leipzig, fut vcelliste à l'orch. du théâtre de Zurich et prof. Quant à — **8. Johannes** (Zurich 30.6.1874–Munich 25.4.1929), fils de Friedrich, il fut vcelliste dans cette dernière ville.

**HEGEL Georg Wilhelm Friedrich.** Philosophe allem.

(Stuttgart 27.8.1770–Berlin 14.11.1831). C'est dans sa monumentale *Esthétique* que *H.* a parlé de la musique : il la range, l'intégrant à son « système d'esthétique », entre la peinture et la poésie, parmi les arts romantiques qui expriment mieux que les arts symboliques et les arts classiques l'intériorité subjective, la profondeur de l'esprit. A l'intérieur même des arts romantiques, la musique, inférieure à la poésie, est cependant supérieure à la peinture. La peinture exprime, certes, l'intériorité, l'âme, mais seulement à l'aide de matériaux subsistants et permanents ; elle est objective et spatiale. La musique, elle, utilise des matériaux plus subtils, les sons. Pour que l'intériorité subjective puisse se manifester dans sa profondeur, l'art, dit *H.*, ne doit pas utiliser des matériaux permanents, mais des matériaux sans résistance qui, aussitôt utilisés, disparaissent. Les sons sont de tels matériaux : l'impression qu'ils produisent s'intériorise en même temps qu'ils s'évanouissent. Perçus par un organe « théorique », celui de l'ouïe, ils ne trouvent leur écho qu'au plus profond de l'âme, atteinte et remuée dans sa subjectivité idéelle. La musique est donc l'art dont l'âme se sert pour agir sur les âmes. Mais une telle action n'est possible que par la médiation du temps, qui est à la fois le temps de la musique et le temps du moi lui-même, qui *est* temps. Cette identité permet à la musique de pénétrer le *moi*, de s'en emparer, de le faire vibrer, bref de provoquer en lui des sentiments : cela implique une différenciation du temps musical, à quoi le compositeur parvient en établissant entre les sons des rapports de durée, de rythme, d'harmonie, de mélodie etc. : « la musique ne peut exprimer sentiments et passions sous la forme de leur expression naturelle, mais doit les animer d'une résonnance correspondant à certains rapports tonaux... ». Tant que le son n'a ni hauteur ni timbre ni durée définis, il n'est qu'un bruit, et l'œuvre musicale une organisation rationnelle des sens dans le temps. La musique, qui est le domaine où se déploient à la fois l'intériorité de l'âme et l'entendement le plus rigoureux, peut-elle se contenter d'une succession d'oppositions et de changements, en s'enfermant dans le domaine purement musical des sons ? *H.* répond par la négative : pour être un art véritable, la musique ne doit pas être sans signification, elle doit avoir un contenu spirituel, qu'elle peut aussi bien exprimer par des mots (dans la musique vocale) que, de façon moins précise, par de simples rapports entre les sons. *H.* est amené, en conséquence, à distinguer la « musique d'accompagnement » (qui est liée à un texte) et la « musique indépendante » (ou musique pure). Mais qu'on ne se méprenne pas sur ces appellations : dans la musique d'accompagnement, c'est le texte qui est soumis à la musique, laquelle est d'ailleurs inapte à traduire les idées telles qu'elles sont conçues par la conscience. Elle ne doit pas pour autant s'émanciper du texte, mais s'efforcer d'être avant tout, à partir de ses propres possibilités, une transposition musicale du texte. Dans la musique indépendante, c'est la subjectivité créatrice qui doit, sans appui, décider de tout : d'où un risque d'arbitraire ou de vide. *H.* pense qu'en définitive la musique n'est pas l'art le plus parfait : la musique d'accompagnement s'efforce d'exprimer une réalité qui, en fait, lui est extérieure : la poésie ; la musique indépendante est menacée par le formalisme ou le vide. La musique ne peut donc jamais aboutir à des conceptions et des représentations spirituelles objectives ; c'est pourquoi, dans la hiérarchie établie par *H.* pour les arts, la poésie lui est supérieure. Voir G. Hegel, *Esthétique*, III, trad. franç., Aubier, Paris 1945. **J.P.G.**

**HEGER Robert.** Chef d'orch. allem. (Strasbourg 19.8. 1886–). Elève du cons. de Strasbourg (F. Stockhausen), de L. Kempter (Zurich) et de M. Schilling (Munich), il a été chef d'orch. aux théâtres de Strasbourg, Ulm, Barmen, Vienne (*Volksoper*), Nuremberg, Munich (il y dirigea le cons.), Vienne (*Staatsoper*, 1925), Cassel, Berlin, etc., il a composé 5 opéras, 1 drame symph., 1 mélodrame, 3 symph., de la mus. de chambre, des mélodies etc.

**HEHEMANN Max.** Critique allem. (Crefeld 27.10.1873–Essen 14.11.1933), qui fonda une soc. musicale dans cette dernière ville sous l'égide de M. Reger et publia *Beethoven*

*u. seine neun Sinfonien* (d'après Grove, Londres 1906), *M. Reger, eine Leben in Musik* (Munich 1911, 1917).

**HEIDEGGER Johann Jakob.** Imprésario suisse (Zurich 13.6.1666–Richmond 4.9.1749), qui exerça à Londres de 1713 à 1738, dans l'entourage de Hændel. Voir Th. Vetter, *J.J.H. ...*, ds *Neujahrsblatt d. Stadtbibl. Zürich, CCLVIII*, 1902.

**HEIFETZ Jascha.** Violon. amér. d'origine russe (Vilna 2.2.1901–). Elève de son père, enfant prodige (dès l'âge de 6 ans, il jouait le concerto de Mendelssohn), élève ensuite de L. Auer à St-Pétersbourg, il débuta comme virtuose intern. en 1912 ; il se fixa aux *U.S.A.* en 1925 ; notons ses collaborations avec A. Rubinstein et G. Piatigorsky ; il a écrit des cadences pour des concertos (Brahms, Mozart K. 218), transcrit Bach, Vivaldi, Poulenc ; beaucoup de compositeurs ont écrit pour lui : c'est le plus grand des violon. contemporains.

**HEIGHINGTON Musgrave.** Mus. angl. (Durham 1679–Dundee... 6.1764). Il fut org. à Hull, Dublin, Yarmouth (1733), Leicester (1748), Dundee (1756) ; il composa notamment 12 odes (Anacréon, Horace), des airs, une pantomime (perdue). Voir Ch. L. Cudworth in MGG.

**HEILLER Anton.** Org. et compos. autr. (Vienne 15.9. 1923–). Elève de la *Musikakad* de Vienne, où il enseigne l'orgue dep. 1945, au cours de sa carrière intern. d'org., il a obtenu le 1er prix au concours d'improvisation de Haarlem ; on lui doit de la mus. d'église (5 messes), d'orgue, 1 ballade radioph. : *François Villon* (1956).

**HEIMSOETH Friedrich.** Prof. allem. (Cologne 11.2. 1814–Bonn 16.10.1877) qui joua un grand rôle dans la vie mus. de Bonn, où il fut d'ailleurs recteur de l'univ. ; il s'occupa particulièrement de Hændel et de la polyphonie *a cappella* ; il rédigea des art. pour l'*Allgemeine Kirchenlexikon* d'Aschbach, et dans des périodiques, et publia *Die Wahrheit über den Rhythmus in den Ges. d. alten Griechen* (Bonn 1846) et *L. v. Beethovens Missa solemnis* (ibid. 1845). Voir W. Kahl, art. ds *Greg. Blatt*, LII, 1928, et ds MGG.

**HEINA François-Joseph.** Ed. et mus. tchèque (Nieschitz, 20.11.1729–Paris... 2.1790). Etabli à Paris vers 1755–60, il fut sans doute corniste du prince de Conti ; il obtint en 1773 un privilège pour imprimer la mus. de Stamitz et publia, entre cette date et 1785, des œuvres instrumentales de Wannhal, Lorenziti, Stamitz etc. ; il fut l'ami le plus fidèle de Mozart lors de son séjour à Paris en 1778 et édita alors ses *Trois airs variés*, un concerto de clav. et *Trois sonates op.* 4. Voir F. Lesure, ds Rev. de mus., 1955.

**HEINE Samuel Friedrich.** Mus. allem. (Leipzig 15.9. 1764–Schwerin 26.11.1821). Elève d'I.G. Schicht, d'A.E. et d'I.C. Müller (Leipzig), de J.G. Naumann et de J. Schuster (Dresde), il fut flûtiste à la chapelle de la cour de Dresde (1788), épousa la chanteuse *M.F.A. Benda*, née *Rietz*, fit des tournées de concerts à l'étranger, fut enfin *Archivregistrator* à Schwerin (1815) ; on lui doit 2 symph., des *Lieder* et ariettes, de la mus. d'église, d'orgue, de flûte, 1 pantomime etc. Voir H. Erdmann in MGG.

**HEINEFETTER.** De ce nom, on trouve 6 sœurs, toutes cantatrices, dont la plus célèbre fut **Sabine** (Mayence 19.8.1809–Irrenanstalt zu Illenau 18.11.1872) : élève de Marianne von Willemer, elle débuta à Francfort en 1825, fut encore l'élève de Spohr à Cassel, de Tadolini à Paris et de maîtres ital., elle fut *prima donna* au Théâtre italien de Paris, à Berlin, à Dresde ; elle se retira de la scène en 1842 et épousa un Marseillais (*Marquet*) ; sa sœur — **Maria**, épouse *Stöckl* (1816–1857), mourut folle ; leur autre sœur — **Kathinka** (1820–1858) appartint aux Opéras de Paris (1841–45) et de Bruxelles ; les autres s'appelaient *Fatima, Eva* et *Nanette*.

**HEINICHEN Johann David.** Mus. allem. (Krössuln bei Teuchern 17.4.1683–Dresde 16.7.1729). Elève de la *Thomasschule* de Leipzig (J. Schelle, J. Kuhnau), de l'univ. de Leipzig, avocat à Weissenfels (1705), ami de J.F. Fasch, il se consacra à la musique à partir de 1709, année pendant laquelle il revint à Leipzig ; la même année, son opéra, *Der Karneval von Venedig*, fut représenté avec succès à Paris ; le duc Moritz-Wilhelm l'appela auprès de lui à Zeitz comme compositeur ; en 1710, il partit pour l'Italie et séjourna longuement à Venise (1713), où l'on créa 2 de ses opéras (il s'y lia notamment avec Vivaldi) ; à partir de 1717, il eut la fonction de maître de chapelle à la cour de Dresde, avec un orchestre exceptionnel à sa disposition ; citons parmi ses disciples Pisendel et J.J. Quantz ; il fut en correspondance avec Mattheson et probablement en relations avec J.-S. Bach ; ses contemporains le considéraient comme un des grands musiciens de l'époque ; on lui doit un très grand nombre d'œuvres de mus. d'église (messes, *Requiem*, oratorios, *Magnificat*, *Te Deum*, lamentations, litanies, hymnes, *introït*, offertoires, psaumes, motets, cantates [en allem.], 8 opéras : *Der Karneval von Venedig...* (1705), *Hercules* (1709), *Olimpia vendicata* (Naumburg *ibid.*), *Paris u. Helena...* (*ibid.* 1710), *Le passioni per troppo amore* (Venise 1713), *Mario* (ou *Calpurnia*, *id. ibid.*), *L'amicizia in terzo...* (*pasticcio*, Neubourg 1718, perdu), *Flavio Crispo* (Dresde 1720), des *Serenaden*, des *Festmusiken*, un grand nombre de cantates profanes, 3 symph., des suites d'orch. et un grand nombre de *concerti*, sonates (à 1, 3 et 4, 2 sonates et 1 fantaisie de clav.), une *fughetta* d'orgue, ainsi que le *Kleines harmonisches Labyrinth*, faussement attribué à J.-S. Bach ; il publia *Neue erfundene u. gründliche Anweisung... zu vollkomm. Erlernung d. Gen.-Basses* (Hambourg 1711), *Der Gen.-Bass in der Composition...*, (Dresde 1728). Voir ds les écrits de Mattheson, *passim* ; J.A. Hiller, *Lebensbeschreibungen*, Leipzig 1884 ; G.A. Seibel, *Das Leben des Hofkap. J.D.H., ibid.* 1913 ; R. Tanner, *J.D.H. als dram. Komp., ibid.* 1916 ; I. Becker-Glauch, *Die Bedeut. d. Mus. f.d. dresdner Hoffeste...*, Cassel 1950 ; G. Hausswald, *J.D.H. s Instr.-Werke*, thèse de Leipzig, Wolfenbuttel 1937 — art. in MGG.

HEINICHEN

Extrait de *Der Gen.-Bass...*

**HEINITZ Wilhelm.** Musicologue allem. (Altona 9.12. 1883–). D'abord basson., il a été conseiller mus. au laboratoire phonétique des langues africaines de l'univ. de Hambourg (1915) : il y a fondé le département de musicologie comparée, qu'il a dirigé jusqu'en 1949 ;

il fonda également le *Landesverband Hamburg d. Tonkünstler u. Musiklehrer* (1945) ; docteur de Kiel avec sa thèse *Wie lassen sich experimentalphonetische Methoden auf die psychologische Zergliederung gespr. Sätze anwenden* (1920) ; il rédigea sa thèse de professorat sur le *Strukturprobleme in primitiver Musik* (1931) ; auteur de 10 vol. de poésies lyriques, dont le drame *Demetrius*, d'après Schiller, il a publié un très grand nombre de travaux, parmi lesquels *Neue Wege der Volksmusikforschung* (Hambourg 1937), *Die Erforschung rassischer Merkmale aus der Volksmusik* (*ibid.* 1938). Voir R. Haase in MGG.

**HEINRICH Anton Philipp.** Compos. tchèque (Schönbüchel 11.3.1781–Ñ.-York 3.5.1861), qui s'établit au Kentucky en 1817, puis à Boston, enfin à N.-York, où il participa à la fondation de la Philharmonique (1842) ; très populaire, mus. autodidacte, il était surnommé le « Beethoven d'Amérique » ; on lui doit des oratorios, un grand nombre d'œuvres symph., de mélodies. Voir F.A. Mussik, *Skizzen aus d. Leben... A. Ph. H.*, Prague 1843 ; W.T. Upton, *A.Ph.H.*, N.-York 1939 ; N. Broder in MGG.

**HEINRICH Johann Georg.** Org. allem. (Steinsdorf bei Hainau 15.12.1807–Sorau 27.1.1882), qui exerça à Schwiebus et Sorau et publia *Orgellehre* (Glogau 1861), *Der accentuirend-rythm. Choral* (*id. ibid.*), *Orgelbau-Denkschrift* (Weimar 1877).

**HEINRICH MONACHUS.** Bénédictin d'un monastère du sud de l'Allemagne (milieu du XIe s.), compositeur de séquences attribuées aussi à Hermannus Contractus ; il était le maître du moine Godescalc (Gottschalk), lui aussi auteur de séquences. Voir A. Schubiger, *Die Sängerschule St. Gallens*, Einsiedeln 1858, p. 88/9 et dans les *Exempla*, n° 56, p. 52/4.                          S.v.W.

**HEINRICH von MEISSEN.** Voir art. *Frauenlob*.

**HEINRICH von MÜGELN.** *Minnesinger* saxon du XIVe s., qui fut de l'entourage de Charles IV et du duc Rodolphe IV d'Autriche, à qui il dédia sa chronique de Hongrie ; on a conservé de lui 4 *Töne* (ms. Colmar), mais la copie en est tardive : les *Meistersinger* le comptaient au nombre des douze fondateurs de leur art. Voir W. Jahr, *H.v.M.*, thèse de Leipzig, 1908 ; K. Stackmann, *Die kleineren Dichtungen H.s v. M.*, Hambourg 1956 ; H. Ludwig, *Das Leben H.s v. M.* (en préparation) ; H. Husmann in MGG. — Voir également les éditions de F.A. Mayer et H. Rietsch, Berlin 1896, et de P. Runge, Leipzig 1896.

**HEINRICH von OFTERDINGEN.** *Minnesinger* allem., qui vivait à Eisenach v. 1200, auteur de la 1re partie de la *Sängerkrieg auf der Wartburg* (mss Iéna et Colmar), écrite en *Fürstenton* : Richard Wagner l'identifiait avec *Heinrich von Morungen* alias *Tannhäuser* ; *cf.* G. Holz, F. Saran, E. Bernoulli, *Die Jenaer Liederhs.*, 3 vol. Leipzig 1901, et P. Runge, *Die Sangesweisen d. Colmarer Hs.* (*ibid.* 1896). Voir H. Baumgarten, *Der sogen. Wartburgkrieg*, thèse de Göttingen, 1934 ; T.A. Rompelman, *Der Wartburgkrieg*, Amsterdam 1939, H. Husmann in MGG.

**HEINRICH-ARNOLD von ZWOLLE** (*Henri-Arnaut de Z.*). Théoricien allem. (Zwolle v. 1400–Paris 6.7.1466 ?). Élève de l'univ. de Paris, médecin, astronome de Philippe le Bon à Dijon (1432–1454), des rois Charles VII et Louis XI à Paris, il mourut de la peste et fut enterré à la cath. de Dijon ; il composa des traités de médecine et d'astronomie (perdus), un de musique (Dijon v. 1440 — ms. lat. 7295 BN Paris), dans lequel il disserte sur la construction de divers instruments à clavier. Voir G. Le Cerf et E.R. Labande, *Les traités d'H.A. de Z. et de divers anonymes*, Paris 1932 ; H. Hüschen in MGG.

**HEINROTH Johann August Günther.** Mus. allem. (Nordhausen 19.6.1780–Göttingen 2.6.1846). Docteur de l'univ. de Helmstedt, prof. à l'école du « philanthrope » Israel Jacobson, il fut dir. de mus. à l'univ. de Göttingen (1818), où il donna des cours d'esthétique musicale et fonda une *Singakademie* ; on lui doit 169 mélodies de choral (1829), 6 *Lieder* (3 v.), 6 chœurs (4 v.) ; il publia des manuels pédagogiques. Voir W. Boetticher in MGG.

**HEINSE Johann Jakob Wilhelm.** Poète allem. (Langenwiesen 15.2.1746–Aschaffenburg 22.6.1803), qui collabora à la revue *Iris* des frères Jacobi (1774–1777) à Dusseldorf, voyagea en Italie, fut au service du prince de Mayence ; parmi ses écrits, citons *Musikalischen Dialoge* et *Hildegard v. Hohenthal* (2 vol., Berlin 1795–96, 1838) : c'est un roman au cours duquel il expose ses théories d'esthétique musicale. Voir R. v. Lauppert, *Die Musikästh. W.H.s*, thèse de Greifswald, 1912 ; E. Niklfeld, *H. ...*, thèse de Vienne, 1937 (dact.) ; R. Gilg-Ludwig, *H.s Hildegard v.H.*, thèse de Zurich, Francfort-Höchst 1951 ; H. Haase et H. Kühner in MGG.

**HEINSHEIMER Hans Walter.** Edit. amér., d'origine allem. (Carlsruhe 25.9.1900–), qui appartint à l'*Universal Edition* de Vienne (1923–1938), à la firme *Boosey and Hawkes* de N.-York (1938–47) ; il est actuellement dir. des éd. G. Schirmer dans la même ville ; de ses nombreux articles, citons *Menagerie in F sharp* (N.-York 1947) et *Fanfare for two pigeons* (ibid. 1951).

**HEINTZ Wolff.** Mus. allem. (v. 1490–Halle v. 1552). De 1516 à 1520, il est org. de la cath. de Magdebourg ; en 1523, il est à Halle, où il entre au service du cardinal Albrecht ; en 1540, il se fait protestant (il était, semble-t-il, compatriote, en tout cas ami de Luther) ; en 1541, il est org. de la *Marktkirche* à Halle ; on a conservé de lui 6 pièces à 4 v. (2 profanes, 2 religieux, 2 psaumes latins). Voir W. Serauky, *Mg. d. Stadt Halle, I*, Halle 1935 ; H.J. Moser, *Die ev. KM. in Deutschland*, Berlin-Darmstadt 1953 — art. in MGG.

**HEINTZE.** Famille de mus. suédois : — **1. Gustav Wilhelm** (Skedevi 1825–Jönköping 19.3.1909), qui fut cantor et prof. à Jönköping ; on lui doit 2 cantates, des œuvres d'orgue, 1 sonate de piano ; son fils — **2. Georg Wilhelm** (Jönköping 4.7.1849–Lund 10.1.1895), élève du cons. de Stockholm, fut prof., organ. et chef d'orch. ; on lui doit des œuvres d'orgue, 1 cantate, des chœurs, 1 sonate de piano ; son fils — **2. Gustaf Hjalmar** (Jönköping 22.7.1879–Saltsjösbaden 4.3.1946), élève du cons. de Stockholm, enseigna et fut org. ; on lui doit 6 concertos (3 pour piano, 1 pour 2 p., 2 pour violon), 1 fantaisie pour vcelle et orchestre, 3 cantates, de la mus. de chambre et de piano ; son frère — **4. John Wilhelm** (Stockholm 6.8.1886–7.5.1937) fut prof. de piano au cons. de Malmoe et composa des œuvres de piano (2 concertos) et d'orgue, 1 oratorio, de la mus. de chambre, de chant. Voir R. Engländer in MGG.

**HEINZE** (*Sir*) **Bernard.** Chef d'orch. australien (Shepparton 1.7.1894–). Elève du cons. de l'univ. de Melbourne, du *Royal College of music* à Londres, de la *Schola cantorum* à Paris (d'Indy), il a été prof. à l'univ. de Melbourne (1926) et fait une grande carrière dans cette ville.

**HEISE Peter Arnold.** Compos. danois (Copenhague 11.2. 1830–Stokkerup 12.9.1879). Élève du cons. de Leipzig, organiste, prof. de chant, ami de Sgambati, il écrivit 1 opéra : *Drot og Marsk* (1878), 1 ballet, des *Schauspiele*, des mélodies, de la mus. symph., de chambre. Voir G. Hetsch, *P.H.*, Copenhague 1926 — *Breve fra P.H.*, ibid. 1930 ; N. Schiørring in MGG.

**HEISS Hermann** (*Georg Frauenfelder*). Compos. allem. (Darmstadt 29.12.1897–). Elève de Sekles (Francfort), de J.M. Hauer (Vienne), qui lui dédia sa *Zwölftontechnik*, d'A. Hoehn (Francfort) il fut en relations avec Schönberg à Berlin ; en 1941, il est prof. de théorie à Francfort, en 1946 au *Kranichsteiner Musikinstitut* de Darmstadt, où il dirige depuis 1955 un studio électronique ; il a également depuis 1953 une classe de composition à

HEINTZ

*Ténor du psaume* Laudate Dominum *(ms. Cassel).*

l'*Akad. f. Tonkunst* dans la même ville ; beaucoup de ses œuvres furent brûlées lors de la destruction de Darmstadt (1944) ; de celles qui ont subsisté ou qui sont postérieures, citons *E-Fis-D* (p., 1926), *Komposition* (v. et cordes, 1931), 1 sonate de flûte (1944), 1 de violon (1948), 1 double-concerto (p. v., 1948) *Chaconne* (p. 1948), *Modi* (fl., *id.*), *Sentenzen* (3 v., 1949), *Capricci ritmici* (p., 1950), *Sinfonia atematica* (*id.*), 2 *Modi* (p., 1951), *Winternacht* (cant., 1952), *Suite* (vcelle *id.*), 3 préludes d'orgue (1953), *Expression K.* (p. et chant, 1953), *Elektron. Komp. 1* (1954), 1 concerto de piano (*id.*), *Komp. in drei Teilen* (p. 1954), *Sinfonia giocosa* (*id.*), *Zum neuen Jahr* (p. chant, *id.*), *Die glorreiche Unterlassung d. Fliegerhauptmanns K.* (ballade, réc. percussion, 1956), *Interieur* (cycle de mélodies, 1957), *Zehn Konfigurationen f. Orch. nach Bildtiteln v. P Klee* (*id.*). Voir L.K. Mayer in MGG.

**HEITMANN Fritz.** Org. allem. (Ochsenwärder 9.5.1891–Berlin 7.9.1953), qui exerça et enseigna à Schleswig et à

Berlin ; il fit une carrière intern. et son enseignement fécond marqua ses nombreux élèves.

**HEKKING.** Famille de vcellistes franç. d'origine néerl. — **1. Robert-Gérard** (La Haye 1820 ?–Bordeaux 1875) : c'est lui qui s'installa en France, à Bordeaux (v. 1860) où il fut vcelliste à l'orch. du théâtre ; de son frère — **2. Charles** (?–?), on ne sait rien ; le fils de *R.G.* — **3. Anton** (La Haye 1856–Berlin ? 18.11.1935) fut élève du cons. de Paris (Giese, F. Chevillard, Jacquard) ; il fit des tournées avec Ysaye (1884, 1888), fut soliste de l'Orch. philh. de Berlin (1898–1902), fonda un trio (1907) avec Schnabel et Wittenberg ; son frère — **4. André** (Bordeaux 30.7.1866-Paris 14.12.1925), enfant prodige, fut prof. au cons. de Paris (1919) et au cons. amér. de Fontainebleau ; on lui doit un manuel pour son instrument (Paris 1927) et des arrangements ; le fils de Ch. — **5. Gérard** (Nancy 22.8. 1879-Paris 6.6.1942), élève du cons. de Paris, appartint à l'orch. de l'Opéra, fut soliste au *Concertgebouw* (1903-14), fit une carrière intern., enseigna aux cons. d'Amsterdam et de Paris (1927) ; il joua avec les plus grands musiciens de son temps ; on lui doit des pièces et un manuel (1930) pour son instrument.

**HELDER Bartholomäus.** Mus. allem. (Gotha v. 1585-Remstädt 28.10.1635), qui fut étudiant de l'univ. de Leipzig, *ludimoderator* à Friemar (1607–16), puis curé de Remstädt, où il mourut de la peste ; on lui doit 2 recueils : *Cymbalum genethliacum...* (15 chants de Noël, 4-6 v., Erfurt 1614–15) et *Cymbalum davidicum...* (25 psaumes, 5, 6, 8 v., *ibid.* 1620), *Vater unsere...* (4 v., *ibid.* 1621) ; le *Cantionale sacrum* de Gotha (1646–48) contient 56 mélodies (4-6 v.) de lui. Voir A. Adrio in MGG.

**HELDY Fanny.** Sopr. franco-belge (Liège v. 1890–), qui débuta au Théâtre de la Monnaie de Bruxelles en 1913, appartint aux deux Opéras de Paris de 1917 à 1939 ; Honegger composa pour elle *L'Aiglon* ; elle a épousé le grand industriel Marcel Boussac.

**HELFER Charles d'.** Voir art. *Helpher*.

**HELFER Walter.** Compos. amér. (Lawrence 30.9.1896–). Elève de Respighi, il enseigne au *Hunter College* de N.-York ; il est auteur de mus. symph., chor., de chambre, de piano.

**HELFERT Vladimir.** Musicologue tchèque (Planice 24.3.1886–Prague 18.5.1945). Elève d'O. Hostinsky (Prague), de J. Wolf et de H. Kretzschmar (Berlin), docteur de Berlin (1908), il enseigna à Prague, Brno jusqu'à la dissolution de l'univ. de cette ville (1939), dirigea la mus. symph. de Brno, fut le rédacteur en chef (1924) de la revue *Hudebni Rozhledy* ; pendant la guerre, il fut interné au camp de concentration de Theresienstadt et mourut des suites du typhus qu'il y avait contracté ; il publia de nombreux art. et monographies en tchèque, notamment sur *G. Benda* (2 vol., Brno, 1929, 1934). Voir R. Stedron, *V.H.*, Prague 1940 ; L. Kundera, ds *Hudebni Rozhledy*, *VIII*, 1955 ; I. Polednak, « *Bibliographie des travaux de V.H.* », ms., 1956 — « *Les conceptions esthétiques de V.H.* », thèse de Brno, *id.* ; P. Nettl in MGG.

**HELFRITZ Hans.** Compos. et ethnomusicologue germano-chilien (Hilbersdorf 25.7.1902–). Elève de l'univ. de Berlin et du cons. de Charlottenburg, il voyagea avec Hornbostel en Palestine, Syrie, et autres pays du Moyen-Orient ; il a séjourné aux U.S.A., au Mexique, en Amérique centrale et en Amérique du Sud et s'est fixé au Chili depuis la fin de la 2e guerre mondiale : il y est membre de l'*Instituto de extensión mus.* de Santiago ; en 1956, il a fait un voyage d'études en Afrique occidentale ; on lui doit 2 concertos (saxo, orgue), 1 concertino pour piano et orch., de la mus. de chambre, des mélodies inspirées de folklores, des pièces de piano.

**HELGASON Hallgrimur.** Compos. et musicologue islandais (Eyrarbakki 3.11.1914–). Elève des cons. de Copenhague, de Leipzig et de Zurich, des univ. de Leipzig, Zurich et Erlangen, docteur de Zurich avec sa thèse *Das jüngere Heldenlied in Island...* (1954), il a enseigné à Reykjavik (1941–46) et se trouve maintenant chargé de réunir et d'éditer les trésors de mus. populaire islandaise, matière sur laquelle il a rédigé des articles : il a d'ailleurs

été rédacteur en chef d'un périodique par lui fondé, *Tonlistin* (1942–47) ; on lui doit des œuvres symph., de chambre, des chœurs, des mélodies.

**HÉLICON.** C'est un tuba (voir à ce mot) — contrebasse, grand instrument en cuivre, inventé au milieu du XIXe s., dont la forme, repliée circulairement (d'où son nom, du grec *hélikos*, « enroulé »), permet au joueur de le porter sur son épaule ; instrument des formations militaires et des fanfares, l'*h.* fut néanmoins introduit dans l'orchestre symphonique, notamment par Wagner. Aux Etats-Unis, l'*h.* s'orne d'un énorme pavillon amovible et prend alors le nom de *sousaphone*, en hommage à J. Ph. Sousa, inventeur de cet encombrant accessoire.                M.A.

**HELLENDAAL Pieter.** Violon. néerl. (Rotterdam... 3.1718 ou 21–Cambridge 19.4.1799), qui fut en Italie élève de Tartini, vécut à Amsterdam (1744), fut étudiant à Leyde (v. 1749–51), alla à Londres où il donna des concerts à Oxford (1759) ; en 1760, il succéda à Burney comme org. de Norfolk, en 1777, à John Randall comme org. au *St. Peter's College* de Cambridge : il abandonna alors le violon pour se consacrer à l'orgue ; on lui doit des compositions pour violon et pour clavecin, 1 cantate, des *glees*, des *catches*, des psaumes etc. Voir Ch. Van den Borren, *P.H.*, ds *De Muziek*, *II*, 8, 1928 ; Ch. L. Cudworth in MGG.

**HELLER James Gutheim.** Compos. et musicologue amér. (New-Orleans 4.1.1892–). Rabbin, prof. d'hist. de la mus. au cons. de Cincinnati, il est l'auteur de mus. de synagogue, d'orch., de chambre.

**HELLER Johann Kilian.** Mus. allem. (Hammelbourg 1633 ?–Wurtzbourg 10.10.1674). Fils du *Ludirector* Wendelin *H.*, élève de l'univ. (médecine), vicaire et org. (1654) de la cath. de Wurtzbourg, en 1656, il fut exilé à Mayence, mais semble être revenu à Wurtzbourg ; on a conservé de lui 8 ouvrages de chant d'église et *Sacer concentus musicus* (pièces instr. et vocales, Mayence 1671, mss Upsal et BN Paris). Voir A. Gottron in MGG.

**HELLER Stephen.** Pianiste hongrois (Budapest 15.5. 1813–Paris 15.1.1888). Il fut un musicien très précoce et fut l'élève à Vienne d'A. Halm ; c'est en 1826 qu'il donna son premier concert ; en 1828, il fit une tournée que le mena jusqu'à Hambourg (1829), au cours de laquelle il connut Spohr, Chopin et Paganini ; il fut également l'ami de Schumann qui lui dédia ses *Davidsbündler* et avec qui il correspondit longtemps ; en 1830, Kalkbrenner lui conseilla d'aller à Paris : Schumann lui donna 25 *Thaler* et les *Kreisleriana* pour Chopin ; ses débuts y furent difficiles, en dépit de la protection de Chopin et de Liszt (il se lia intimement avec Berlioz) ; mais ses *études* le firent connaître et, sauf quelques concerts en Allemagne, en Suisse ou en Angleterre, il ne quitta plus Paris, où il vécut de ses concerts et de ses leçons ; à la fin de sa vie, devenu aveugle, il dut avoir recours à l'aide de Charles Hallé ; la plupart de ses œuvres (pour le piano) ont des titres descriptifs ; on peut citer les déjà citées, des préludes, 4 sonates, 3 sonatines, des scherzos, des caprices, des nocturnes, des ballades etc. Voir ses mémoires, publiés ds *RSIM*, 1910 ; R. Brancourt, *Qqs lettres de S.H.*, ds *Le ménestrel*, *LXXVI*, 1909 ; H. Berlioz, *Œuvres littéraires*, passim ; H. Barbedette, *S.H.*, Paris 1867 ; R. Schütz, *S.H.* ..., Leipzig 1911 ; I. Philipp, *Some recollections of S.H.*, ds *MQ*, *XXI*, 1935 ; R. Sietz in MGG.

**HELLINCK Lupus.** Mus. flamand (v. 1495–Bruges 14 (?). 1.1541), qui fit carrière à Bruges : enfant de chœur à St-Donatien (1506–1511), puis *phonascus* à N.D. (1521), enfin *succentor* à St-Donatien jusqu'à sa mort, il fut peut-être, dans l'un de ces postes, maître de Clemens non Papa ; ses œuvres sont difficiles à identifier, les imprimés et les mss. du temps ne faisant pas de distinction entre le « Lupus » ; depuis qu'H. Albrecht a différencié *H.* d'un autre Lupus de Cambrai, *Jean Lupi* ou *Leleu*, on le tient essentiellement pour compos. religieux ; mais le problème ne semble pas encore entièrement résolu, car on admet maintenant l'existence d'un troisième « Lupus », qui vécut en Italie et composa notamment un motet pour l'élection de Marino Grimani au patriarcat d'Aquileia en

1517 (ms. à la *Bibl. Valicelliana*) ; à la suite d'Albrecht, on peut provisoirement lui attribuer 7 messes, une dizaine de motets (dont *Panis quem dabo*, qui servit de modèle à plusieurs messes) et 3 chansons néerlandaises ; bien qu'apparemment il n'ait pas été protestant, *H.* collabora aux *Newe... Gesenge* de G. Rhau, publiés en 1544. Voir H. Albrecht, *L.H. und J. Lupi.* ds *Acta mus.*, 1934 ; A. Thürlings, ds *Bericht über den Kongress der Int.MG.*, 1907 ; E. Lowinsky, *A newly discovered XVIth c. motet ms. at the Bibl. valicelliana in Rome*, ds *JAMS*, 1950.                                    F.L.

**HELLMESBERGER.** Famille de mus. autr.

**1. Georg** *der Älter* (Vienne 24.4.1800–16.8.1873), fut violoniste, enfant de la maîtrise de la cour impériale ; il y succéda comme *soprano solo* à Schubert ; élève de J. Böhm, d'A.E. Förster, il fut prof. au cons. de Vienne de 1833 à sa retraite, succéda à Schuppanzigh (1830) comme *Konzertmeister* à l'Opéra de Vienne et peu après membre de la chapelle impériale ; il fut considéré comme le 1er violon. d'Autriche ; et les séances de musique qu'il organisa chez lui eurent beaucoup de succès ; parmi ses élèves, citons J.Joachim et L. Auer ; on lui doit des œuvres pour son instrument (2 concertos), de la mus. de chambre et des arrangements d'orch. ; son fils et élève — **2. Joseph** *der Älter* (Vienne 3.11.1828–24.10.1893), fut dès l'âge de 17 ans soliste à l'Opéra de Vienne ; en 1848, il y fut dir.

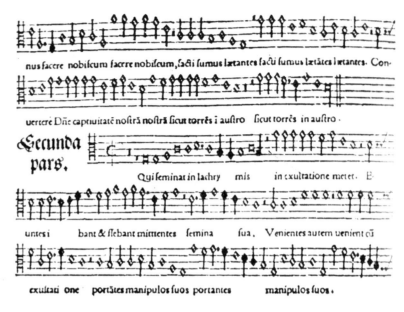

HELLINCK

*Extrait du* Tomus II. psalmorum selectorum *de Petrejus (Nuremberg 1539).*

du cons. et de la Soc. des concerts ; à la mort de Herbeck (1877), il fut nommé *Hofkapellmeister* ; son frère —
— **3. Georg** *der Jünger* (ibid. 27.1.1830–Hanovre 12.11.1852), élève de son père, fut dès 1850 *Concertmeister* à la cour de Hanovre, mais mourut tuberculeux deux ans plus tard, laissant 10 opéras-comiques, des symph., de la mus. de chambre, de violon, des mélodies etc. Le fils et élève de Joseph d'Ä. — **4. Joseph** *der Jünger* (Vienne 9.4.1855–26.4.1907), violoniste, enfant prodige, fut violon solo à l'Opéra et à la chapelle de la cour et prof. au cons. de Vienne (1878), *Concertmeister* et chef d'orch. des ballets (1884), *Kapellmeister* (1890), dir. des Concerts philharmoniques (1900–03) ; en 1903, il fut nommé chef d'orch. du théâtre de la cour de Stuttgart ; on lui doit de la mus. de théâtre (opérettes, ballets etc.), qui eut beaucoup de succès, et des mélodies. Son frère — **5. Ferdinand** (*ibid.* 24.1.1863–15.3.1940), élève du cons. de Vienne, fut en 1879 vcelliste à la chapelle de la cour, en 1884, prof. au cons., en 1896, soliste de l'Opéra de la cour, en 1902, chef d'orch. au *Volksoper* de Vienne, chef des ballets à l'Opéra de Berlin (1905) et enfin (1910) chef d'orch. à Baden, Marienbad, Abbazia et Karlsbad. Voir A. Barthlmé, *Vom alten H.*, Vienne 1908 ; R.M. Prosl, *Die H.*, ibid. 1947 ; A. Orel in MGG.

**HELLOUIN Frédéric.** Critique franç. (Paris 18.4.1864–St-Germain-en-Laye 26.3.1924). Élève de Massenet, il publia *Feuillets d'hist. mus. franç.* (Paris 1903), *Gossec et la mus. franç. à la fin du XVIIIe s.* (id. ibid.), *Essai de critique de la critique mus.* (ibid. 1906), *Le Noël, mus. franç.* (id. ibid.), *Un musicien oublié: Catel* (av. J. Picard, ibid. 1910).

**HELLWIG Karl Friedrich Ludwig.** Mus. allem. (Cunersdorf 23.7.1773–Berlin 24.11.1838). Ayant appris tout seul toutes sortes d'instruments (dont l'orgue), il fut l'élève de Gürrlich, de G.A. Schneider et de Zelter fut prof. (1793), puis dir. (1803) de la *Singakademie*, org. de la cath. de la cour (1813) à Berlin ; il fut l'ami de Weber ; on lui doit 2 opéras (*Die Bergknappen*, 1820, *Don Sylvio die Rosalbo*) et une énorme quantité de mus. d'église. Voir son autobiographie, ms. *DStB* ; H. Becker in MGG.

**HELM Everett.** Compos. et musicologue amér. (Minneapolis 17.7.1913–). Élève de Piston, de Milhaud, de Malipiero et de V. Williams, il soutint sa thèse de musicologie à Harvard sur J. Arcadelt et les débuts du madrigal italien (1939) et édita en 1942 un vol. de chansons franç. d'Arcadelt (*Smith college Arch.*, t. 5) ; établi après la guerre en Allemagne, il est l'un des chroniqueurs du *Mus. Quarterly* : il publia des articles sur C. Orff et la musique américaine ; compositeur, il est l'auteur d'un opéra radiophonique (Stuttgart 1956), d'un mystère (*Adam und Eva*), d'un *Singspiel* (*500 Drachentaler*, 1957), de mélodies, de concertos, de mus. de chambre.

**HELM Theodor Otto.** Critique autr. (Vienne 9.4.1843–23.12.1920). Docteur de l'univ. de Vienne, il débuta comme critique en 1867, fut prof. d'hist. de la mus. et d'esthétique (1874) et fut un des critiques les plus en vue de son temps ; il collabora à divers journaux et périodiques ; de 1876 à 1901, il publia à Vienne le *Kalender f.d. musikal. Welt* ; de ses travaux, citons : *Beethovens letzte Quartette* (1868), *Beethovens Streichquartette ...* (Leipzig 1885, 1910, qui a été trad. en France), *50 Jahre wiener Musikleben (1866–1916) ...* (1916 sqq.).

**HELMBREKER Cornelis Janszoon.** Org. et carillonneur néerl. du XVIIe s., qui exerça à Haarlem de 1620 à 1630 et composa des mélodies (*Welkomlied, Gelukwensching*).

**HELMHOLTZ Hermann von.** Médecin, physiologiste et physicien allem. (Potsdam 31.8.1821–Charlottenburg 8.9.1894). Il a fixé la physique des organes des sens et fut un expérimentateur rigoureux et un théoricien hardi : il imagina que les organes naturels des sens obéissent aux lois fondamentales de la mécanique. L'hypothèse de sa théorie du mécanisme de l'audition est celle-ci : les fibres nerveuses microscopiques des organes de l'oreille sont autant de résonnateurs vibrants pour des hauteurs de son différentes. A partir de ces prémisses, il fit la théorie mathématique de la musique. On voit que si *H.* s'est trompé, ce fut comme physiologiste, non comme physicien. Ses travaux sont en effet discutés. Il reste que *H.* fut le premier à rapprocher des sciences qui, en dépit des nombreux rapports naturels qui les unissent, étaient jusque là isolées les unes des autres : d'une part, l'acoustique physiologique et physique ; de l'autre, la science musicale et l'esthétique. Cette ordonnance fait l'intérêt du principal ouvrage de *H.* : *Lehre von den Tonempfindungen als physiologische Grundläge für die Theorie der Musik* (Brunswick 1863). Guéroult en donna une traduction française sous le titre : *Théorie physiologique de la musique, fondée sur l'étude des sensations auditives* (Paris 1868). Le lecteur y trouve la description des expériences scientifiques, suivie du développement mathématique de chacune des théories élémentaires qui règlent la marche de la voix, celle des ensembles polyphoniques et, enfin, celle des instruments de musique. Un livre récent, *Science et musique*, de Sir James Jeans (trad. franç., Paris 1939) fait un tableau rapide, clair et complet de ces travaux. H. fut membre associé de l'Acad. française des sciences.                                    A.D.

Autres publications de *H.* concernant la mus. : *Über die Fortpflanzungs-geschwindigkeit d. Nervenreizung* (ds *Berl. Monatsber.*, 21.1.1850, et ds *Comptes-rendus, XXX, XXXIII*, Paris 1852), *Über d. Natur d. menschl. Sinnesempfindungen* (1852), *Ber. über die Theorie der Ak. u. ak. Phänomene betr. Arbeiten* (ds *Fortschr. d. Phys.*, Berl. *Phys. Ges.*), *Über die Combinationstöne oder tartinischen Töne* (ds *Niederrhein. Sitzungsber.*, mai 1856), *Über Combinationstöne* (*Berl. Mon.*, 22.5.1857), *Über die Vokale* (lettre à Donders, 4.11.1858), *Über die physikal. Ursache d. Harmonie u. Disharmonie* (ds *Naturforscher-Versammlg Karlsruhe*, sept. 1857), *Über die physiolog. Ursachen d. mus. Harmonie* (1859), *Über die Klangfarbe der Vokale* (ds *Poggendorffs Ann.*, id.), *Über Luftschwingungen in Röhren m. offenen Enden* (ds *Journal f. reine u. ang. Math.*, LVII, id.), *Über mus. Temperatur* (ds *Naturhist. med. Ber.*, Heidelberg, 23.11.1860), *Über die arab. persische Tonleiter* (ibid., 2.7.1862), *On the motion of the strings of a violin* (*Proc. Glasg. Phil. Soc.*, 19.12.1860), *Zur Theorie d. Zungenpfeifen* (loc. cit. Heidelberg, 26.7.1861), *Versuche über d. Muskelgeräusch* (*Berl. Akad.*, 23.5.1864), *Über die Schallwingungen i. d. Schnecke d. Ohres* (loc. cit. Heidelberg, 25.6.1869), *Die Mechanik. d. Gehörknöchelchen u. d. Trommelfells* (ds *Pfl. Arch. Phys.*, 1869), *Telephonie u. Klangfarbe* (ds *Widemanns Ann.*, V, 1878), *Vorträge u. Reden* (1896). Voir L. Königsberger, *H. v. H.*, 3 vol., Brunswick 1902–03 ; A. v. H., *Eines Lebensbild in Briefen*, Berlin 1929 ; H. Evert, *H. v. H.*, ds *Grosse Naturforscher*, V, Stuttgart 1949 ; W. Lottermoser in MGG.

**HELPHER Charles d'.** Mus. franç. du XVIIe s., qui fut chanoine de la cath. de Soissons au moins entre 1653 et 1678 ; il publia entre ces deux dates huit messes à 4-6 v., dont on conserve aujourd'hui cinq dans la vieille tradition polyphonique ; parmi celles qui n'ont pas été retrouvées, il faut citer la messe *Lorsque d'un désir curieux*, probablement sur une mélodie de Cambefort ; il publia en 1660 chez Ballard des *Vespres et Hymnes de l'année* avec plusieurs motets du S. Sacrement, de la Vierge, des SS. et patrons de lieux, perdus également ; ses messes eurent une vogue durable, trois d'entre elles étant rééd. en 1728–29, une autre (*Benedicam Dominum*) éd. par La Borde en 1780 ; sa *Missa pro defunctis* fut jouée dans une transcription au service funèbre de Rameau à l'Oratoire, et c'est elle que l'on exécuta en 1774, à St-Denis, au service solennel pour Louis XV.                                              F.L.

**HELSTED.** — 1. **Edvard** : compos. danois (Copenhague 8.12.1816–Fredensborg 1.3.1900), violon. à la chapelle royale (1838–69) et prof. de piano au cons. de Copenhague ami de Schumann, il est l'auteur de ballets, de mus. de scène et de mélodies ; son neveu — 2. **Gustav** (Copenhague, 30.1.1857–1.3.1924), fut prof. de théorie et d'orgue au cons. de sa ville natale ; on lui doit 1 opéra, 2 symph., 2 concertos, des œuvres de mus. chor., de chambre, d'orgue, des mélodies.

**HELY-HUTCHINSON · Victor.** Compos. angl. (Le Cap 26.12.1901–Londres 11.3.1947) qui fut chef d'orch. à la *BBC* et prof. à l'univ. de Birmingham ; on lui doit des mélodies, une symphonie, une opérette, de la mus. de chambre etc.

**HEMIAMBUS.** Terme de métrique ancienne : c'est le nom du dimètre iambique catalectique ∪—∪—|∪—— .

**HÉMIDIAPENTE.** C'est, chez les anciens Grecs, le mot qui désignait l'intervalle de quinte diminuée (le *semitritonus* latin).

**HÉMIDITON.** C'est, chez les anciens Grecs, le mot qui désignait l'intervalle de tierce mineure (le latin *semiditonus*).

**HEMIOLIOS.** Littéralement : « formé d'un entier (*holios*) et demi (*hemi*) » ; dans la théorie de la musique grecque, c'est un intervalle qui contient une unité entière (un quart de ton ou *diésis*) et sa moitié : $\frac{1}{4} + \frac{1}{8} = \frac{3}{8}$. Ce terme a donné son nom à l'une des trois nuances (*chroaï*) du genre chromatique, qui est caractérisée par cet intervalle (voir le mot *nuance*). L'équivalent latin ou italien est *hemiolia*.                                        M.D.-P.

**HEMMEL** (*Hemel*) **Sigmund.** Mus. allem. (?–Tubingen ? fin 1564). De 1544 à 1564, il occupa divers emplois, dont celui de *Hofkapellmeister* (1551, 1553–54) à la cour d'Ulrich de Wurtemberg ; en 1554, il participa à un tournoi de chant à Munich, et ne garda la faveur de Stuttgart que le poste de chanteur, pour se consacrer à son psautier ; on croit qu'il mourut de la peste en 1564 ; on a conservé de lui *Der gantz Psalter Davids ...* (4 v., Tubingen 1564) et nombre d'œuvres en latin et en allem. (5, 6, 8 v., mss), dont 1 messe (1549) ; c'est dans son psautier qu'on trouve pour la 1re fois des psaumes en langue allem. Voir G. Uebele, *Anfänge d. prot. KM in Württemberg u. H.s Psalter*, ds *Württ. Bl. f. KM.*, 1934 ; W. Brennecke in MGG.

**HEMMERLEIN.** Famille de mus. allem. du XVIIIe s., dont les plus considérables sont — 1. **Johann Nikolaus**, qui était en 1741 maître d'école et org. à Wiesentheid, puis à Bamberg, où il devint *Kammermusikus* à la chapelle de la cour et prof. de mus. (jusqu'en 1763) ; en 1748, douze ans après la mort de Caldara, il en publia le *Chorus musarum*, en y glissant une de ses œuvres : la *Missa (III) ex C* (4 v., avec acc. instr.) ; on conserve également de lui un concerto (ms. Wiesentheid) avec vcelle obligé. Quant à — 2. **Joseph** (Bamberg ?–Paris 1799), qui semble être son parent, il fut compos. à Francfort et à Coblence ; en 1799, il était à Paris, où il mourut ; on conserve de lui nombre de trios, de danses, de concertos de piano, 3 *Sonates pour piano à 4 mains* (op. 17, Paris s.d.), toutes œuvres publiées entre 1783 et 1795 à Francfort, Offenbach, Paris et Mayence. Voir H. Dennerlein in MGG.

**HEMMERLING Carlo.** Chef de chœur, org. et compos. suisse (Vevey 9.11.1903–). Élève du cons. de Lausanne et de l'Ecole normale de mus. de Paris (P. Dukas), auteur d'une symph. (1945), de 2 quatuors à cordes (1941, 1943), d'une cantate profane (1947), d'un oratorio (1953), d'une *Fête des vignerons de Vevey* (1955), d'une sonate pour p. et v. (1950), de 3 suites d'orch., de nombreux chœurs *a cappella*, jeux radiophoniques, mélodies etc.

**HEMPEL Adolf.** Org. et compos. allem. (Giessen 28.1.1868–Munich ?). Élève du cons. de Leipzig, il fut org. à Eisenach et à Munich et écrivit des chœurs, des œuvres d'orgue, des mélodies.

**HEMPEL Frieda.** Chanteuse allem. (Leipzig 26.6.1885–Berlin 7.10.1955). Soprano dramatique et *coloratur*, elle débuta à l'Opéra de Berlin en 1905, fit une carrière intern., notamment à Bruxelles, Londres, N.-York, Chicago ; elle créa le *Rosenkavalier* de R. Strauss à Berlin (1911) et quitta la scène en 1921 pour se consacrer au concert ; elle publia *Mein Leben dem Gesang* (Berlin 1955).

**HEMPSON** (*Hampson*) **Denis.** Harpiste irlandais (Craigmore ? 1695–Magilligan ? 1807), qui fut le dernier des harpistes traditionnels d'Irlande : aveugle dès l'âge de trois ans, il parcourut l'Irlande et l'Écosse de 1703 à sa mort ; il vécut 112 ans.

**HEMSI Alberto.** Compos. juif (Cassaba, Turquie, ... 6.1898–). Elève du cons. de Milan, maître de chapelle de la synagogue et prof. d'harmonie et de composition au cons. d'Alexandrie (Egypte), il a écrit des œuvres symph., un *Divertissement dans le style égyptien*, de la mus. de chambre, 6 *coplas sefardies*, des pièces de piano.

**HEND ÉCACORDE.** C'est un système grec à onze cordes, l'onzième étant introduite par Timothée de Milet : il se divisait en trois tétracordes (selon le poète Ion), les seuls encore connus d'Aristoxène ; leur dénomination, selon ce dernier, était la suivante :

| tétracorde de l'*hypate* | tétracorde de la *mèse* | tétracorde de l'*hyperbolée* |

M.D.-P.

**HEND ÉCASYLLABE.** Terme de métrique ancienne : c'est le nom, préféré des Romains, du trimètre appelé *phalécien* par les Grecs : ○ ○ |_ ∪ ∪ | ∪ _ ‖ ∪ _ ⌣ .

**HENDERSON Fletcher.** Pian. et chef d'orch. de jazz amér. (Cuthbert 18.12.1898–N.-York 29.12.1952). Collaborateur de W.C. Handy pour les *blues* (1921–22), fondateur d'un orch. dont firent partie L. Armstrong, B. Carter, C. Hawkins etc. ; il fit de nombreux arrangements et son influence fut très grande en matière de *swing*.

**HENDERSON Roy.** Baryton angl. (Edimbourg 4.7.1899–). Elève de la *Royal Acad. of mus.*, il débuta à Londres en 1925 et fit une grande carrière, jusqu'en 1951, au théâtre comme au concert ; depuis 1940, il est prof. à la même *Royal Acad.* (il fut le maître de Kathleen Ferrier).

**HENDERSON William James.** Critique amér. (Newark 4.12.1855–N.-York 5.6.1937). Il fut chroniqueur au *N.-York Times* et au *Sun*, professeur, conférencier, librettiste ; on lui doit nombre de publications et d'articles, tous édités à N.-York.

**HENDRICKX-VERMEULEN Marie-Louise.** Chanteuse belge (Anvers 26.8.1921–), sopr. dram., qui fait une grande carrière à l'Opéra et enseigne au cons. d'Anvers.

**HENG-TCH'OUEI.** C'est un autre nom du *ti*, flûte traversière chinoise (voir art. *ti*). M.H.

**HENGEVELD Gerard.** Pian. néerl. (Kampen 7.12.1910–). Élève, puis prof. du cons. d'Amsterdam, qui a composé 1 concerto de piano, 2 sonates, des arrangements de chants populaires franç. et amér., des pièces de piano, 1 cantate de Noël.

**HENKEMANS Hans.** Pian. et compos. néerl. (La Haye 23.12.1913–). Elève de B. v. d. Sigtenhorst Meyer et de W. Pijper, il a débuté comme virtuose en 1945 ; on lui doit des concertos de piano, flûte, violon, alto, harpe, de la mus. symph., de chambre, de piano, des mélodies.

**HENNEBERG Johann Baptist.** Mus. autr. (Vienne 6.12.1768–26.11.1822). Fils d'un organiste à qui il succéda, comme org. et *Kapellmeister* à la *Schottenstift*, fut chef d'orch. et compos. sous Schikaneder au *Freihaustheater* (1790 — il y dirigea en 1791 les répétitions de *La flûte enchantée*), org. au service du prince Nicolas Esterhazy à Eisenstadt, enfin org. de la cour impériale à Vienne (1818) ; on lui doit des opéras, des compositions vocales, des œuvres symph., de piano. Voir A. Orel in MGG.

**HENNEBERG.** — **1. Richard** : chef d'orch. suédois (Berlin 5.8.1853–Malmoe 19.10.1925), qui exerça à Bergen, Stockholm, Malmoe, et composa 1 opéra, de la mus. de scène, 1 ballet, des œuvres symph., de chambre, des chœurs et des mélodies ; son fils — **2. Carl Albert Theodor** (Stockholm 27.3.1901–), élève du cons. de Stockholm, puis étudiant à Vienne et à Paris, est depuis 1931 en fonction à la *Svenska tonsättares intern. Musikbyra* ; il a composé 4 opéras, 5 symph. (entre autres œuvres de mus. symph.), de la mus. de chambre.

**HENNERBERG Carl Fredrik.** Org. et musicologue suédois (Algaras 24.1.1871–Stockholm 17.9.1932), qui fut prof. d'harmonie et de piano au cons., cantor, puis org. et chef de chœur à la chapelle de la cour, bibliothécaire de l'acad. de mus. de Stockholm ; on lui doit des contributions à divers périodiques et ouvrages collectifs. Voir E. Sundström, *C.F.H.*, ds *Sv. Tidskr. f. Mf.*, *XIV*, 1932.

**HENNIG.** — **1. Karl** : Org. et compos. allem. (Berlin 23.4.1819–18.4.1873), qui exerça aux églises St-Paul (1846) et Ste-Sophie (1850) de Berlin ; on lui doit un grand nombre de compositions vocales ; son fils — **2. Karl Raphael** (*ibid.* 4.1.1845–Posen 6.2.1914) joua un grand rôle dans la vie musicale de Posen, où il enseigna, fut organiste, fonda un institut musical, un chœur et un orch., il composa surtout pour les voix et publia de nombreux écrits, dont un sur l'esthétique musicale (Leipzig 1902). Voir H. Becker in MGG.

**HENNING Carl Wilhelm.** Compos. allem. (Öls 31.1.1784–Berlin, fin mars 1867), qui fut violon. à l'orch. du Théâtre royal de Berlin (1807), puis mus. de la cour et *Concertmeister* du roi (1822), dir. de mus. au Théâtre royal (1824–26), de nouveau *Concertmeister* à la chapelle royale ; successeur de Rietz, il dirigea en outre (1832–36) les concerts de la soc. philh. fondée par Rietz ; enfin, en 1840, il était *Kapellmeister* au service du roi ; on lui doit 1 opéra: *Die Rosenmädchen* (1825), des ballets, des *Schauspiele* (30), de la mus. de scène, de chambre, des cantates. Voir H. Becker in MGG.

**HENRI VIII d'Angleterre.** (Greenwich 1491–Londres 1547). C'est en 1509 que le célèbre roi accéda au trône ; il avait été destiné à la carrière ecclésiastique, et ses études lui avaient permis d'avoir de bonnes connaissances musicales, même une technique peu coutumière dans le genre d'emploi qu'il eut en ce monde. Les chroniqueurs du temps nous rapportent que la musique et la danse étaient son occupation quotidienne : il jouait de la flûte, du virginal, du cembalo, de l'orgue. Sa chapelle était excellente et nombreuse : elle occupa R. Fayrfax, Cornyshe, L. Lloyd, R. Pigott ; il s'attachait des musiciens attitrés, tels J. Heywood, J. Savernake, P. Carmelianus, William Moore, des ensembles instrumentaux : des groupes de *minstrels*, des trompettes, des instrumentistes étrangers, des facteurs d'orgues et des luthiers, et un *song-pricker* comme copiste : sa suite musicale comprenait 79 personnes, qui toutes l'accompagnèrent au camp du drap d'or ; il se réservait tous les jours 6 voix d'enfants et 6 voix d'hommes pour se faire chanter la messe. Le schisme et l'hérésie dont il fut le *leader* eurent de profondes conséquences sur la musique anglaise, ne serait-ce qu'en introduisant la langue vernaculaire dans les églises : si d'une part ce schisme aboutit à l'ostracisme des puritains, il provoqua une grande floraison de chansons profanes et de madrigaux, et, à longue échéance, la « mus. de cathédrale » anglaise. Il composa : *Gentyl prince de renom, Adew madam, Helas madam, Alas what shall I do for love* (4 v.), *Departure is my chef payne* (3 v. plus un instr.), *Pastyme with good companye, O my heart, The tyme of youthe, Alac, alac, what shall I do, Grene growith the holy, Who so that wyll all feattes optayne, If love now reynyd, Wherto should I expresse, Thow that men do call it dotage, It is to me a ryght gret joy, Without dyscord, Though sum saith that youth rulyth me, Whoso that wyll for grace sew, Lusti yough shuld us ensue* (3 v.), 14 pièces instrumentales (1, 3, 4 v.), tous ces mss se trouvant au *British Museum* (ms. 31922), un motet latin à 3 v. (dans le *Baldwin* ms.). Voir H. Lafontaine, *The King's musick*, Londres 1909 ; W. Nagel, *Annalen der engl. Hofmusik*, Leipzig 1894 ; Lady M. Trefusis, *Mus.*

*composed by Henry the Eighth*, Londres 1912 ; H. Baillie in MGG.

**HENRICHSEN Roger.** Pian. et compos. danois (Copenhague 12.2.1876–12.1.1926), qui enseigna, fut critique, dirigea un ensemble vocal, écrivit 1 symph., des chœurs, de la mus. de chambre, 1 cantate et des mélodies.

**HENRICI Christian Friedrich.** Voir art. *Picander.*

**HENRION Paul.** Compos. franç. (Paris 28.7.1819–24.10.1901), qui écrivit 6 opérettes, env. 1200 mélodies et romances et des pièces pour piano : il fut populaire. Voir J. Feschotte in MGG.

**HENRIOT Nicole.** Pian. franç. (Paris 25.11.1925–). Elève du cons. de Paris, 1er prix du concours Marguerite Long, elle fait une grande carrière intern., inscrivant de préférence à son répertoire les romantiques allemands et l'école franç. contemporaine.

**HENRIQUES Fini Valdemar.** Violon. et compos. danois (Copenhague 20.12.1867–27.10.1940). Elève de Svendsen et de Joachim (Berlin), il appartint à la chapelle royale de Copenhague, fit une carrière de virtuose, soliste ou à la tête d'un quatuor fondé par lui, écrivit 2 opéras, 2 ballets, 2 symph. (entre autres œuvres de mus. symph.), de la mus. de chambre, de piano, des mélodies. Voir S. Berg, *F.H.*, Copenhague 1943.

**HENRY** (*Les*). C'est le nom usuel de deux frères, compos. et violon. français, membres de la bande des vingt-quatre violons du roi sous Henri IV et Louis XIII. — **1. Michel,** l'aîné, né en 1555, fit partie de diverses « bandes » de joueurs parisiens et s'établit à Châlons-sur-Marne ; en 1596 il acheta à Jean Perrichon sa charge de hautbois du roi ; v. 1616, il devint violon de la chambre ; il vivait encore en 1625 : un ms. de sa main, qui réunissait de nombreux airs de ballet, est malheureusement perdu ; il en subsiste seulement, dans les papiers mss du duc de la Vallière, un dépouillement assez précis qui donne des renseignements intéressants sur les instrumentistes, sur la chronologie et l'exécution des ballets. *M.H.* participa, entre 1597 et 1618, à l'exécution de 120 ballets. — **2. Jehan,** dit *Henry le Jeune*, naquit à Paris en 1560, et mourut en 1635 ; à sa mort, il était « violon ordinaire du roi » : il composa des pièces de 2 à 6 parties pour les concerts de violons, de hautbois et de cornets ; à titre d'exemples du style propre à ces divers instruments, Mersenne en a publié cinq dans son *Harmonie universelle* (II, pp. 186 et 277). Voir F. Lesure, *Le recueil de ballets de M.H.*, ds *Les Fêtes de la Renaissance*, CNRS, Paris 1956 — art. in MGG.                                        A.V.

**HENRY** — **1. Bonaventure.** Mus. franç. de la fin du XVIIIe s., qui débuta en 1780 au Concert spirituel, fut membre de l'orch. du théâtre de Beaujolais (jusque v. 1791) et publia 2 concertos (v. 1780), des sonates, des airs variés, des exercices, des études et une méthode de violon. — **2. Antoine-Nicolas** (Paris 26.8.1777–29.3.1842) fut basson. Elève du premier consul, à l'Opéra-Comique, à la chapelle royale (1815) et à la Soc. des concerts ; il fut prof. au cons. de Paris. — **3. Louis-Ferdinand** (Versailles 12.5.1786–Paris 22.2.1855), fut prof. de chant au même cons. ; un autre — **4. H.,** de prénom inconnu, fut clarinettiste, vivait à Paris en 1815 : on lui doit des duos et des études pour son instrument. Voir R. Cotte in MGG.

**HENRY Pierre.** Compos. franç. (Paris 9.12.1927–). Elève du cons. de Paris (N. Boulanger, Messiaen, F. Passerone), prix de percussion, il a été dir. art. et chef de travaux du groupe de recherches de mus. concrète à la RTF ; on lui doit des recherches « empiriques » (*Concerto des ambiguïtés*, 1950, *Musique sans titre*, 1952, série d'études réunies sous le titre *Le microphone bien tempéré*, 1951, etc.) ; il fut attiré par la mus. sérielle (*cf. Antiphonie*) à ce groupe son orientation générale, surtout au cours des années 1956–58 (*cf.* la rhétorique de *Haut-voltage*) ; il collabora en outre à la réalisation de certaines œuvres de Pierre Schaeffer (*Symphonie pour un homme seul,* 1949, *Bidule en ut*, 1950) et assura le « découpage spatial » des *Timbres-durées* de Messiaen ; son départ du groupe (1958) marque la fin d'une période de la mus. concrète :

on se préoccupe désormais d'une approche *a priori* de l'objet sonore en général, sous l'impulsion du nouveau solfège de P. Schaeffer (*cf.* communication à l'art. *solfège*).                                                              D.Ch.

**HENRYS Nicolas.** Mus. franç. du XVIIIe s., qui fut maître de mus. du diocèse de Verdun, puis, à partir de 1750, à la cath. de Rodez : on conserve de lui un *Deus in adjutorium* (1751, 4 v., ch. et orch., ms. Lavergne, Bibl. nationale).

**HENS Charles.** Org. et compos. belge (Bruxelles 3.11.1898–). Elève du cons. de Bruxelles et de M. Dupré, il est org. de l'église Ste-Gudule et enseigne à ce même cons. ; il a donné l'exécution intégrale de l'œuvre d'orgue de J.-S. Bach et écrit 5 symph., entre autres œuvres de mus. d'orgue, et de la mus. de chambre.

**HENSCHEL Isidor Georg** (*sir George*). Baryton et compos. anglo-allem. (Breslau 18.2.1850–Aviemore 10.9.1934). Elève du cons. de Leipzig (Moscheles, Reinecke, Richter, F. Goetze), d'A. Schulze et de F. Kiel (Berlin), ami de J. Joachim, de Clara Schumann, de Brahms, sous la direction de qui il chanta, il séjourna en Angleterre (1877–79), puis dirigea le *Boston Symphony Orch.* (1881–84), se fixa en Angleterre en 1884 (il y fut naturalisé en 1890 et anobli en 1914), dirigea la *Handel Soc.* et le *Scottish Orchestra,* enseigna au *Royal College of music ;* on lui doit 3 opéras, de la mus. d'église, 1 quatuor à cordes, des chœurs et des mélodies ; il publia *Personal recollections of J. Brahms* (Boston 1907) et *Musings and memories of a musician* (Londres 1918). Voir *H.H.* (sa fille), *When soft voices die, a mus. biography*, Londres 1944, 1949 ; H.F. Redlich in MGG.

**HENSEL Fanny Cäcilia** (née *Mendelssohn*). Pian. et compos. allem. (Hambourg 14.11.1805–Berlin 14.5.1847). Sœur de Félix Mendelssohn, épouse du peintre *H.*, elle suivit d'un an son frère dans la mort, ayant écrit 1 trio, des mélodies, des pièces de piano, dans un style fort voisin de celui de son frère. Voir la correspondance de M., éd. par P. Mendelssohn–Bartholdy, Leipzig 1861, par P. et C. M.-B., *ibid.* 1863–1915 ; S.H., *Die Familie M.,* 1729–1847, Berlin 1879, 1924.

**HENSEL Walther** (*Julius Janiček*). Compos. germano-tchèque (Mährisch-Trübau 8.9.1887–Munich 5.9.1956). Docteur de Fribourg en Suisse, avec sa thèse *Der Vokalismus d. Mundarten i. d. Schönhengster Sprachinsel* (1911), il fut ensuite assistant de P. Lessiak au séminaire germanique de l'univ. de Prague, prof. d'allem. et de franç. à l'école de commerce (*id.*), un des fondateurs de *Wandervogel,* fut *Jugend-Musikpfleger* au cons. de Dortmund, prof. à la *Volkshochschule* de Stuttgart, revint en Tchécoslovaquie (1938) et fut enfin archiviste à Munich ; il publia, outre sa thèse, *Lied u. Volk...* (1921), *Im Zeichen d. Volksliedes* (Reichenberg 1922, 1936), *Mus. Grundlehre* (Cassel 1936), *Auf den Spuren d. Vld. ...* (*ibid.* 1944), des art. ds des périodiques et des contributions à des ouvrages collectifs, composa un grand nombre de recueils de chants et de danses populaires. Voir K. Vötterle, *Nachrufe auf W.H.*, ds *Hausmusik,* 1956 ; K.M. Komma in MGG.

**HENSELT Adolf** (*von*). Pian. allem. (Schwabach 9.5.1814–Warmbrunn 10.10.1889). Elève de Hummel (Weimar) et de Sechter (Vienne), il résida à Vienne, fit une grande carrière intern., fut pian. de l'impératrice à St-Pétersbourg (1838) — il eut même le titre de conseiller d'Etat de l'empereur de Russie (1876) — et composa abondamment de la mus. symph., de chambre, voc., de piano. Voir O. Stollberg in MGG.

**HENTSCHEL Ernst Julius.** Compos. allem. (Zudel bei Görlitz ou Langenwaldau ? 26.7.1804–Weissenfels 14.8.1875). Elève de Logier et de Zelter (Berlin), il fut un prof. renommé à Weissenfels et en Allemagne du sud, publia des œuvres de théorie mus. et écrivit pour l'orgue et pour les voix. Voir A. Jakob, *Mitt. aus d. Leben E.J.H.s,* 1882 ; G. Braun in MGG.

**HENTSCHEL Theodor.** Compos. allem. (Schirgiswalde 28.3.1830–Hambourg 19.12.1892), qui fut chef d'orch.

de théâtre à Dresde, Prague, Brême, Hambourg, à qui l'on doit 5 opéras, 1 messe à double-chœur et des mélodies.

**HENZE Hans Werner.** Compos. allem. (Gütersloh 1.7.1926–). Elève de W. Fortner (Heidelberg) et de R. Leibowitz (Darmstadt), il fut dir. mus. de théâtre de Heinz Hilpert à Constance (1948–49), dir. art. du ballet du théâtre de Wiesbaden (1950–53) et a vécu depuis 1953 à Ischia et à Naples ; dans ses débuts, il adopta la théorie sérielle, sans l'appliquer dans ses rigueurs, puis s'en écarta ; il est au premier rang des musiciens de sa génération en Allemagne et dans le monde ; on lui doit 3 opéras, *Das Wundertheater* (1948), *Boulevard Solitude* (1951), *König Hirsch* (1955) — un 4e est en préparation ; 2 opéras radioph. : *Ein Landarzt* (1951), *Das Ende einer Welt* (1953), 10 ballets : *Jack-Pudding* (1949), *Anrufung Apollos* (id.), *Rosa Silber* (1950), *Labyrinth* (1951), *Die schlafende Prinzessin* (id.), *Tancred und Cantylene* (1952), *Der Idiot* (id.), *Maratona di danza* (1956), *Undine* (id.) ; pour l'orch. : 3 symph. (1947, 1949, 1951), *Ballettvariationen* (1949), *Symph. Variationen* (1950), *Symph. Etüden* (1955), *Quattro poemi* (id.), *Concertino* (1947), concerto de piano (1950), *Concerto per il Marigny* (1956), concerto de violon (1947), *Ode an den Westwind* (1953), *Kammerkonzert* (1947), *Sonata per archi* (1958), *Drei Dithyramben* (id.), pour ch. et orch. : *Fünf Madrigale* (1947), *Chor gefangener Trojer* (1948), pour sol. et instr. : *Der Vorwurf* (id.), *Whitman-Kantate* (id.), *Wiegenlied der Mutter Gottes* (1956), *Nachtstücke und Arien* (1957), *Kammermusik* 1958, mus. de chambre : quintette à vent (1952), quatuor à cordes (id.), sonate de violon (1946), sonatine pour piano et fl. (1947), *Serenade* (vcelle, 1950), *Variationen* (p., 1949). Voir H.H. Stuckenschmidt in MGG.

**HEPTACORDE. — 1.** C'est un système d'accord grec d'instr. à sept cordes. Il y a plusieurs versions de ses origines traditionnelles : 1) Hermès remit la lyre à trois cordes à Apollon, celui-ci à Lycor, Chrysothemis ajouta la cinquième et la sixième, enfin Terpandre la septième corde. 2) Selon une variante transmise par Boèce, Hermès fabriqua la lyre à quatres cordes, la cinquième fut ajoutée par le Lydien Coroebus, la sixième par le Phrygien Hyagnis et la septième par le Lesbien Terpandre. 3) D'après la troisième tradition, Hermès inventa déjà la lyre à sept cordes et l'enseigna à Orphée, Linos et Amphion ; Orphée ayant été mis à mort par des femmes de Thrace, sa lyre fut jetée à la mer qui la rejeta sur la côte de Lesbos, près d'Antissa, et Terpandre, l'ayant trouvée, passa pour son inventeur. 4) Quoi qu'il en soit, toutes ces versions lient l'origine de l'*h.* au nom de Terpandre. Selon une autre tradition, cependant, la seule qui fût historique, Terpandre avait hérité d'un seul tétracorde, et c'est lui qui ajouta les trois cordes aux quatre primitives, dont il parle lui-même. — L'*h.* resta longtemps en usage parmi les Grecs : les poètes s'en servaient encore après l'introduction de l'octacorde par Pythagore, de sorte que Pindare et Euripide ne parlent que des lyres à sept cordes ; ce n'était pas par pure tradition, mais surtout par respect envers le nombre sept. — L'*h.* avait deux aspects différents : l'un selon la conception terpandrienne, l'autre selon la conception pythagoricienne :

Terpandre

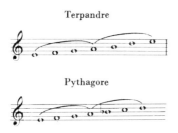

Pythagore

— **2.** Ce nom est également celui d'un instr. de la famille des violons, entre basse de viole et violoncelle, inventé

par Vuillaume (XIXe s.) : il n a jamais été utilisé au concert. M.D.-P.

**HEPTAPODIE.** Terme de métrique ancienne : c'est le nom d'un vers logaédique, formé de 5 dactyles et d'une syzygie trochaïque acatalectique :

$$\_\cup\cup\_\cup\cup\_\cup\cup\_\cup\cup\_\cup\cup\_\cup\_\ \cup.$$

**HEPTATONIQUE.** Cet adjectif s'applique à toute échelle musicale de 7 degrés.

**HÉRACLÈS.** Voir art. *Hercule*.

**HERBAIN** (*Chevalier*) d'. Mus. franç. (Paris 1734–1769). Capitaine de cavalerie (1750), il fit représenter de ses opéras en Italie : le court reste de son existence trouva lieu à Paris. On lui doit des opéras : *Il trionfo del Giglio...* (1751), *La Lavinia* (1752), *Ifis et Célime...* (op.-ballet, 1756), *Les deux talents* (op.-com., 1763), *Nanette et Lucas* (ariettes, 1764), 1 *intermezzo : Il geloso* (1751), nombre de cantates et cantatilles, des romances et chansons, 1 motet, 12 sonates, 1 symph., des menuets : c'est un disciple de Rameau, avec des intonations italiennes. Voir M. Briquet in MGG.

**HERBART Johann Friedrich.** Philosophe allem. (Oldenburg 4.5.1776–Göttingen 14.8.1841). Il fit de la musique dès son enfance, participant à des concerts privés, dans l'atmosphère musicale bénéfique de la cour du duc Peter Friedrich Ludwig d'Oldenburg ; il fut en musique l'élève de Karl Meineke ; en 1794, il fut celui de Fichte à la faculté de philosophie de l'univ. d'Iéna : il s'y fit remarquer pour ses dons de pian. et d'improvisateur ; un temps précepteur à Berne, il séjourna à Brême, passa son diplôme de professorat à Göttingen (1802), où Forkel l'initia à J.-S. Bach et à l'hist. de la mus. ; en 1808, il succéda à Kant à l'univ. de Königsberg : il devint y enseigner un quart de siècle, animer la vie musicale de l'univ., fonder un institut de mus. religieuse et une *Akad. Singanstalt* ; en 1833, il quitta Königsberg pour revenir à Göttingen : c'est là que la mort le surprit ; il s'intéressa aux aspects psychologiques, esthétiques et pédagogiques de la théorie mus., cherchant à préserver l'aspect rationnel atteint par la mystagogie romantique ; avec le thème *consolation, refuge*, que la pensée commune accole si souvent à la notion de musique, il trouve en elle une application logique d'une esthétique générale ; ses écrits eurent beaucoup de résonnance au XIXe s. : *Psychologische Bemerkungen zur Tonlehre* (1811), *Lehrbuch zur Einl. in die Philosophie* (1813), *Kurze Enzyklopädie der Philosophie* (1831) ; il composa 1 sonate de piano (Leipzig 1808), 1 fugue (id., ms. U.B. Königsberg 2097), 1 double-fugue (id.). Voir R. Zimmermann, *Ueber d. Einfluss d. Tonlehre auf H.s Phil.*, ds *Sitzungber. d. Akad. d. Wissenschaften*, Vienne 1853 — *Ungedr. Briefe von U. an H.*, *ibid.* 1877 ; O. Hostinsky, *H.s Æsth...*, Hambourg 1891 ; A. Ziechner, *Id.*, Leipzig 1908 ; G. Bagier, *H. u. die Mus...*, Langensalza 1911 ; P. Moos, *Die Phil. d. Mus. v. Kant b. E. v. Hartmann*, Stuttgart-Berlin-Leipzig 1922 ; H. Nohl, *Der lebendige H.*, ds *Die Sammlung*, 1948 ; W. Kahl, *H. als Musiker...*, Langensalza 1926 — art. in MGG.

**HERBECK Johann** (*Ritter*) **von.** Chef d'orch. et compos. autr. (Vienne 25.12.1831–28.10.1877). Mus. avant tout autodidacte, étudiant en philosophie et en droit, *regens chori* à l'église des piaristes (1852–53), dir. du *Wiener Männergesangverein* (1856–66), prof. de chant au cons. de Vienne (1858), dir. art. de la Soc. des amis de la musique, vice-*K.*, puis *Kapellmeister* de la chapelle impériale, dir. de l'Opéra de la cour (1870–75), il écrivit une grande quantité de mus. d église, de chœurs, de *Lieder*, 4 symph., de la mus. de chambre, de scène, des art. musicologiques etc. Voir *L.H.*, *J.H.* ..., Vienne 1885 ; J. Braun, *J. Ritter v. H.* ..., thèse de Vienne, 1949 (dact.) ; L. Nowak in MGG.

**HERBENUS Matthaeus.** Humaniste néerl. (Maastricht 1451–9.10.1538). Il passa ses jeunes années à Rome, fut étudiant à Bologne, prof. (1482), puis recteur (1485) de St. Servatius à Maastricht (il était chapelain de la confrérie du même nom) ; parmi les écrits qu'il a laissés, citons le *De natura cantus ac miraculis vocis* (éd. Smits

Baſſo.     Soprano in concerto col baſſo & alto.

Alto in concerto co'l ſoprano, & baſſo.

Se'l baſſo fa contraponto, guardarà le cadentie del modo ſopra'l quale canta, & potrà fare quelle ſpecie che uorrà, maſſime, terze, quinte, et ottaue, con queſto però che ſiano note greui, & non molto diminute. Ma ſe la terza parte è ſoprano, uada ſopra'l baſſo in ottaue, & decime, eccetto quando'l baſſo farà due terze, ouer ſeſte ſotto'l canto fermo in diuerſe linee, o ſpatij, non farà le decime, ma farà decima, & ottaua.     Eſempio.

Baſſo ſotto il canto fermo. Soprano ſopra al canto fermo, & baſſo.

Alto, ouer tenore accordato col canto fermo, & ſoprano.

Se'l ſoprano, & il baſſo fanno concerto, terrano il medeſimo ordine che hebero di ſopra, cioè, in ottaue decime, e fugiranno lo ſopradetto, ma ſe duo alti, ouer tenore, & alto s'accordano ſerberanno l'ordine che fu dato al ſoprano col baſſo, cioè, che uadino in decime, & ottaue col baſſo, & quiui, in terze, et uniſonus con la piu baſſa, fugandoſi alcune uolte ſecondo a lor parerà, o in uniſono, o in quinta.     Eſempio.

Alto accordato ſopra del tenore; o alto, accordato ſopra del ſoprano.

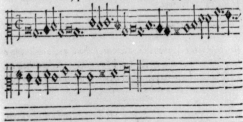

L'alto terrà quaſi quel'ordine, ch'hebbe il ſoprano.
Il tenore accordato col baſſo, frequentarà col canto fermo, le terze, et quarte, & conſonaranno ſe'l baſſo ſerbarà quel che gli fu raccomandato.     Eſempio.

Tenore accordato col baſſo, & canto fermo.

Quando'l baſſo farà ſeſta in baſſo, ò uniſonus, ò farà ſopra'l canto fermo, potrà'l tenore fare alcuna quinta, ma ſaranno molto rare.
Non ſi pone ordine per cantare in accordo à 4. perche la quarta parte ſe fa à l'improuiſo con difficultà, ma tenendo l'occhio ſopra'l baſſo ſi farà qualche coſa.

#### Del Contraponto in accordio ſopra uoce alta.

Il Soprano accordato con l'alto, o tenore, ſerbarà quello che'l tenore ſerbò diſopra col baſſo, perche il medeſimo uiene à eſſer qui alto, o tenore, che iui il baſſo, ma potrà far cadentie de uniſonus col canto fermo per non andar tanto alto.     Eſempio.

In uoce de ſoprano.     Soprano accordato col tenore, o alto, & fermo.

Arte Prattica & Poëtica,

Das iſt:

# Ein kurtzer Unterricht/wie
man einen Contrapunct machen und Componiren ſol
lernen (in zehen Bücher abgetheilet) ſehr kurtz- und leichtlich zu
begreiffen: So vor dieſem von Giov. Chiodino Latein-
und Italieniſch beſchrieben wor-
den.

Deßgleichen:

II. Ein kurtzer Tractat und Unterricht/wie man einen Contrapunct à mente, non à penna, Das iſt: Im
Sinn/und nicht mit der Feder Componiren und
ſetzen ſolle:

Und letzlichen:

III. Corollarii loco: Eine Inſtruction und Unterweiſung
zum General-Baß.

Allen Liebhabern dieſer Edlen und Himliſchen Kunſt zum be-
ſten/und dienlichem Wolgefallen/in die hochteutſche Sprach
verſetzet/ dergleichen zuvor niemals geſehen
worden/

Anjetzo publiciret und zum Truck verfertiget/

Durch

JOHANN-ANDREAM Herbſt/p.t. der Keyſerlichen
Frey- Reichs- und Wahl-Statt Franckfurt am Mayn
Capellmeiſtern.

Getruckt zu Franckfurt/

Bey Anthonio Hummen.

In Verlegung/ Thomæ Matthiæ Götzens.

M DC LIII.

van Waesberghe, Cologne 1957), dans lequel il cite un grand nombre de théoriciens de la mus. de Platon à Tinctoris, en passant par Boèce et Gui d'Arezzo. Voir J. Smits van Waesberghe, ds *Mededel. v. d. Kon. Ned. Toonkunst.-Ver.*, X, 1956 ; H. Hüschen in MGG.

**HERBERIGS Robert.** Compos. belge (Gand 19.6.1886–). Elève du cons. de sa ville natale, grand prix de Rome belge (1909), membre de l'Acad. des beaux-arts flam. (1947), dir. de l'Opéra royal flam. d'Anvers (1951–53), il a composé pour le théâtre, 3 symph., 1 concerto de piano, 9 messes, de la mus. de chambre, des mélodies etc. Voir P. Nuten, *R.H.*, Bruxelles 1957 — art. in MGG.

**HERBERT Victor.** Compos. amér. d'origine irlandaise (Dublin 1.2.1859–N.-York 26.5.1924). Elève du cons. de Stuttgart, vcelliste-virtuose, il émigra en 1886 et appartint au *Metropolitan Opera*, dirigea l'orch. de Pittsburgh, fonda le *V.H. Orch.* (N.-York 1904) ; on lui doit des œuvres symph., des opéras et des opérettes. Voir J. Kye, *V.H.*, ibid. 1931 ; E.N. Waters, *Id. ...*, ibid. 1955 — art. in MGG.

**HERBING Valentin.** Org. allem. (Halberstadt 9.3.1735–Magdebourg 26.2.1766), qui eut l'orgue de la cath. de Magdebourg à partir de 1758 ; il composa des ballades et des *Lieder* et publia *Musical. Belustigungen* (1758, 1765, posth. 1767), *Musikal. Versuch in Fabeln u. Erzählungen des Herrn Pr. Gellerts* (1759). Voir ds M. Friedlaender, *Das deutsche Lied im 18. Jh.*, 3 vol., Stuttgart-Berlin 1902 ; H. Kretzschmar, *Gesch. d. n. deutschen Liedes, I*, Leipzig 1911.

**HERBST** (*Autumnus*) **Johann Andreas.** Mus. allem. (Nuremberg 9.6.1588–Francfort 24.1.1666). Il fut *Kapellmeister* du landgrave Philippe de Butzbach (1614), du landgrave Louis V de Darmstadt (1619), maître de chapelle à la *Barfüsserkirche* de Francfort (1623), à la *Frauenkirche* de Nuremberg (1636) ; c'est à Francfort qu'il eut sa plus grande activité musicale ; on lui doit notamment *Theatrum Amoris* (5-6 v., 1613), *Meletemata sacra* (3-6 v., 1619, av. b.c., 1652), *Lob-u. Danck-Lied auss dem 34. Psalm* (1637), *Suspiria cordis* (4 v. et b.c., 1646), *Hirtenlieder* (1657), des œuvres de circonstance, (chor., en latin et en allem.), des recueils, des écrits : *Musica practica...* (Nuremberg 1642), *Musica poetica... (ibid.* 1643), *Compendium musices...* (Francfort 1652), *Musica moderna prattica... (ibid.* 1653–58), *Arte prattica e poetica... (ibid.* 1653), dans lesquels il traite des fondements de l'art du chant, de la méthode italienne (*id.*), de la composition, de la basse continue ; il donne même des explications de mots avec de nombreux exemples. Voir P. Epstein, *Das Musikwesen... Frankfurt... 1623–66*, thèse de Breslau 1923 — *Die frankf. Kapellmusik z. Zeit J.A.H.s*, ds *AfMw*, VI, 1924 — *J.A.H.s geistl. Komp.*, in *Kgr.-Ber.* Leipzig 1925 ; A. Allerup, *Die Musica practica...*, thèse de Münster, Cassel 1931 ; H.H. Eggebrecht, *Zum Wort-Ton-Verh. ...*, in *Kgr.-Ber.* Hambourg 1956 ; W. Stauder in MGG.

**HERDER Johann Gottfried** (*von*). Écrivain allem. (Mohrungen 25.8.1744–Weimar 18.12.1803). Fils d'un sacristain qui fut cantor et maître d'école à Mohrungen, il apprit les rudiments du piano et de la *b.c.* à l'école de latin de sa ville natale ; à Königsberg, il fut étudiant (1762–64) en théologie et en philosophie ; il y fut l'élève de Kant et devint l'ami de Hamann, amitié qui eut beaucoup d'importance pour lui ; devenu pasteur, il enseigna à l'école de la cath. de Riga, y fut prédicateur ; en 1769 il partit pour l'Allemagne de l'Ouest et pour Paris, où il se lia avec Diderot et d'Alembert et prit contact avec les œuvres de Rousseau ; à Strasbourg (1770), il connut Gœthe, sur qui il eut beaucoup d'influence (leurs relations devaient se relâcher en 1795) ; devenu précepteur du prince de Holstein-Eutin, il gagna le Holstein via Bruxelles, Amsterdam et Hambourg (où il connut Lessing) ; après avoir été prédicateur à Buckebourg (1771), il devint (1776) président du consistoire général de Weimar, sur l'intervention de Gœthe ; c'est là qu'il passa les dernières années de sa vie, avec une brève interruption : un voyage en Italie (1788–89). On lui doit un grand nombre d'ouvrages sur la musique : des écrits théoriques (dont *Kalligone*, 1800), sur la mus. en général ou sur la mus. de tradition populaire (le *Volkslied* — il en composa des recueils), des poèmes dramatiques, des livrets de cantates et d'oratorios (J.C.F. Bach, D. Bötefeuer, E. Wolf, trad. du *Messie* de Hændel). Il a considéré la musique plus en penseur qu'en musicologue : il l'intègre à l'histoire de l'humanité. Il nous reste de lui un projet de tableau, de l'« essence » et du « devenir » de la mus. ; il y développe l'idée d'une hist. de la mus., avant tout « compréhensive », qui éclairerait par la psychologie les phénomènes de l'ordre musical ; loin d'être une science du passé pure et simple, elle devrait prendre pour objet d'examiner le sens du chemin parcouru, d'étudier les variations de la musique en fonction du caractère et des époques des différents peuples : comme l'homme et comme l'univers, la mus. est régie par des lois immuables qu'il nous faut découvrir. D'où l'importance qu'il accorda au *Volkslied* : c'est là, où la poésie s'unit à la musique, que s'exprime le mieux l'esprit des peuples, que l'on trouve œuvre authentique et primordiale ; il établit la formule : poétique = primordial = populaire = national. Le *Volkslied* est plus une œuvre destinée au peuple qu'il n'en est directement issu : il est l'œuvre de poètes et de musiciens, fidèles à leur sol, qui expriment le génie de leur pays. Gœthe et Schubert semblent avoir incarné les idées de *H*. sur ce point. *H*. considère avant tout l'unité de la poésie et de la musique, au sein d'une même œuvre, unité qui implique que le texte contient l'esprit de la musique et que la musique exprime une succession de sentiments. Poésie musicale et musique expressive font l'œuvre authentique. C'est au nom de cette « unité nécessaire » que *H*. a critiqué l'opéra qu'il a connu : cet opéra est né d'un faux rapport entre le texte et la musique, les textes y sont plats, la musique, trop extérieure et descriptive. Aussi préfère-t-il à l'opéra traditionnel le *Musikdramma* dont il voit l'origine dans la tragédie antique : il en a composé des livrets, *Brutus* (1772, J.C.F. Bach), *Philoctète* (1801, *id.*), *Ariadne liberata* (1802) etc. C'est en fait Wagner qui sut mettre en œuvre l'héritage de *H.*, ses idées sur le *Musikdramma. H.* fut un précurseur génial plus qu'un réalisateur.

                J.-Ph.G.

**Bibl. :** R. Haym, *H....*, 2 vol., Berlin 1877–85, 1954 ; H. Günther, *J.G.H.s Stellung...*, thèse de Leipzig, 1903 ; V. Markwardt, *H.s krit. Wälder*, Leipzig 1925 ; W. Nufer, *H.s Ideen z. Verbindung v. Poesie, Mus. u. Tanz*, ds *Germ. St.*, LXXIV, Berlin 1929 ; *Im Geiste H.s.*, éd. par E. Keyser, Kitzingen 1953 (contient un art. intitulé *H.s Ideen z. Gesch. d. Mus.* de W. Wiora, l'auteur de l'art. *H.* in MGG).

**HEREDIA Pedro** (*Pietro, de*). Mus. ital., d'origine esp., mort à Rome en 1648, dont on sait seulement qu'il fut maître de chapelle à la cath. de Verceil et dans une fonction analogue à St-Pierre de Rome (1630–48) ; on lui doit un grand nombre de messes et de motets polyph. et 1 madrigal, composé sur un sonnet du pape Urbain VIII : *Passa la vita all'abbassar d'un ciglio* (4 v., copie ds le *Compendio* de G.B. Doni, Rome 1635). Voir W. Kurthen, *Die Missa super cantu romano v. P.H.*, ds *KmJb*, 1936–38.

**HERIMANN de VEHRINGEN.** Voir art. *Hermannus Contractus.*

**HERING. — 1. Carl Gottlieb.** Compos. allem. (Bad Schandau 25.10.1766–Zittau 4.1.1853), qui enseigna à Oschatz et à Zittau, publia des manuels et écrivit des livres de chorals, des *Lieder* pour enfants et des pièces pour piano ; son fils — **2. Carl Éduard** (Oschatz 18.5.1809–Bautzen 26.11.1879) fut prof. et org. à Dresde et à Bautzen. Voir L. Hoffmann-Erbrecht in MGG.

**HÉRISSANT Jehan.** Mus. franç. du XVIe s., qui suc-

mélodies qu'il destinait à l'école ou à la vie de chaque jour. Voir W. Blankenburg in MGG.

**HERMAN Woody** (*Charles H. Woodrow*). Clarinettiste et chef d'orch. de jazz amér. (Milwaukee 16.5.1913-). A la tête de son propre orchestre, il se spécialisa dans les *blues*

céda à N. Pagnier (1550) comme maître des enfants à N.-D. de Paris ; Gilles Bracquet lui succéda (1559) ; il publia dans des recueils de Leroy et Ballard, d'Attaingnant et de Du Chemin (Paris 1558–60) 1 messe à 4 v. et une quinzaine de chansons (*id.*). Voir F. Lesure in MGG.

**HÉRITIER Jean.** Voir art. *L'Héritier.*

**HERMAN Nikolaus.** Mus. allem. (Altsdorf bei Nürnberg 1480–Joachimstal 15.5.1561). Il fut *Lehrer* et cantor dans cette dernière ville de 1518 à 1560 et fut en correspondance avec Luther (*cf.* la lettre (1524) de Luther publiée par E.L. Enders) ; on lui doit *Ein christl. Abendtreien v. Leben u. Amt Johannes d. Täufers...* (Leipzig 1554), *Die Sonntagevangela über das ganze Jahr...* (Wittenberg 1560), *Die Hist. v. d. Sintflut Joseph, Mose, Helisa u. der Susanna...* (*ibid.* 1562) et des *Lieder* ds des recueils de l'époque ; il composait lui-même ses poèmes et ses

et dans le *swing* : c'est pour lui que Stravinsky composa l'*Ebony concerto* (1945) ; il est protagoniste du *be-bop*, du *cool-jazz.*

**HERMANN Reinhold Ludwig.** Compos. allem. (Prenzlau 21.9.1849–? 1919), qui vécut entre les Etats-Unis (N.-York et Boston, où il fut chef d'orch.) et Berlin, où il dirigea le cons. Stern (1878) ; on lui doit 3 opéras, des œuvres symph., des chœurs et des mélodies.

**HERMANN Friedrich.** Violon. allem. (Francfort 1.2.1828–Leipzig 27.9.1907), qui exerça et enseigna à Leipzig ; il composa pour son instrument.

**HERMANN Hans.** Compos. allem. (Leipzig 17.8.1870–Berlin 18.5.1931), qui fut contrebassiste (1888–93, Cassel, Londres, St-Pétersbourg, Vienne) et prof. (Berlin et Dresde) ; on lui doit des mélodies, 2 *Singspiele*, de la mus. de chambre et des œuvres symph. Voir R. Schaal in MGG.

**HERMANN Johann David.** Mus. allem. (v. 1760–Paris 1846), qui débuta à Paris en 1785 au Concert spirituel : protégé par le comte d'Ossun, il fut prof. de Marie-Antoinette jusqu'en 1789 ; on lui doit des sonates et des Concertos pour le piano-forte, ainsi que des pots-pourris, publiés à Paris entre 1785 et 1789. Voir J. Vigué in MGG.

**HERMANN Matthias.** Voir art. *Werrekoren.*

**HERMANN Miina.** Org. esthonienne (Ratshof, près Dorpat 28.1.1864–? 1941), élève du cons. de St-Péters-bourg, qui fut organiste-virtuose, chef de chœur, auteur de chœurs et d'une cantate, et enseigna (Cronstadt). Voir A. Haava, *M.H.*, Tallinn 1934.

**HERMANN DAMEN.** *Minnesänger* allem. des XIIIe et XIVe s., originaire de Rostock, qui, fut le prof. de Frauenlob ; on sait qu'il avait déjà composé avant 1287 ; dans son entourage, citons Adolphe V de Hollstein-Segeberg, Henri Ier de Hollstein Rendsbourg, Othon III de Ravensbourg : c'est la dernière grande figure des *Minnesinger* ; dans le manuscrit d'Iéna, on trouve 5 *Spruchtöne* et 1 *Leich* de lui. Voir G. Holz — F. Saran — E. Bernoulli, Die *Jenaer Liederhs.*, 3 vol., Leipzig 1901 ; P. Schlupkoten, *H.D.*, thèse de Marbourg, 1911 ; H. Husmann in MGG.

**HERMANN von SALZBURG** (de *Salzbourg*). Bénédictin allem. du XIVe s., qui vécut à l'abbaye St-Pierre de Salzbourg et fut le poète attitré de l'archevêque Pilgrim II de Puchheim (1365–1396) ; *H.* dont la biographie est incertaine, fut pourtant un maître légendaire pour les maîtres-chanteurs des XVe et XVIe s. ; on l'appellait d'ailleurs absolument « *der Mönch von Salzburg* » ; il est avec Oswald de Wolkenstein l'initiateur de la musique germanique ; on a conservé sous son nom 48 pièces spiri-tuelles et 87 profanes, que l'on trouve à Udine aussi bien qu'à Dantzig, en Silésie ou en Alsace ; les plus importants mss se trouvent à Vienne, Munich, Donaueschingen, St-Gall, Klosterneuburg, Strasbourg, Dantzig, Zwickau, Carlsruhe, au Vatican ; ses séquences et ses hymnes sont considérées comme particulièrement raffinées. Voir R. Bauerreiss, *Wer ist der Mönch von Salzburg ?*, ds *Stud. u. Mitt. z. Gesch. v. Ben.*, LII, 1934 ; J. Schabasser, *Der M.v.S.* in *seinen geistl. Liedern*, thèse de Vienne, 1936 (dact.) ; H. Noack, *Der M. v. S.*, thèse de Breslau, 1941 ; W. Salmen in MGG.

**HERMANNUS CONTRACTUS** (*Her(i)man(n)* v. *Reichenau*, de *Suevia* [v. *Schwaben*], v. *Vehringen*, ou *der Lahme*, « le Perclus »). Bénédictin allem. (Saulgau 18.7. 1013–Reichenau 24.9.1054). Fils du comte Wolfrad von Altshausen, il était « perclus » dès l'enfance ; en 1020, il était élève, en 1043, moine, à l'abbaye de Reichenau, située sur les terres paternelles ; sous le règne du savant abbé Bernon (1008–48), il devint lui-même un des plus grands savants de son temps et, avec eux, l'abbaye fut à son apogée ; parmi les multiples écrits de *H.*, figure le traité pratique *Opuscula musica* (Gerbert, *Script.*, II, 124/53 ; L. Ellinwood, nouv. éd., Rochester 1936), composé pour ses confrères : sans être divisé en chapitres, le livre traite des sons, des tons ecclésiastiques, des lois de la mélodie ; il attaque Boèce pour les *species* des quartes et quintes, et l'*Enchirias*, maugréant contre l'insuffisance de la notation dasienne, qu'il propose de remplacer par un système de lettres, tout en partant des *t* et des *s* déjà indiquées dans l'*Enchirias* : ces lettres, simples et composées, marquent les intervalles et sont accompagnées d'un point en dessous pour les intervalles descendants. A la fin du traité, on trouve quelques poèmes chantés didactiques (*E voces unisonas*, *Ter terni*, *Ter tria*) qui jouirent d'une vogue extraordinaire en Europe durant tout le moyen-âge. On a attribué à *H.* des chants liturgiques, notamment quelques séquences et les antiennes mariales *Salve Regina* et *Alma Redemptoris* (texte et mélodie).
**Bibl. :** W. Brambach, *Die Musikliteratur d. Mittelalters bis zur Blüte d. reichenauer Sängerschule (500 bis 1500)*, Carlsruhe 1883 ; C. Vivell, *Die Intervallbuchstaben des H.C.*, ds *Die KM*, XI, 1910 ; R. Molitor, *Die Mus. d. Reichenau*, et C. Blume, *Reichenau u. die marianischen Antiphonen*, ds *Die Kultur d. Abtei Reichenau*, II, Munich 1925 ; J. Handschin, *H.C. — Legenden — nur Legenden ?* ds *Zs. f. deutsches Atert. u. Geschk.*, LXXII, 1935.      **S.v.W.**

**HERMANNUS de ATRIO.** On trouve sous ce nom, dans le codex 89 de Trente, un rondeau (*Nouvellement*) et un motet à 4 v. (*In Maria vitae*) ; dans le livre de comptes de l'*Illustre Lieve Vrouwe Broederschap* de Bois-le-Duc, figure un *H. de A.*, comme ténor, de 1493 à 1513 : la date du codex de Trente permet mal de l'identifier avec l'auteur des deux œuvres en question. Voir W. Rehm in MGG.

HERMANNUS CONTRACTUS
*ms. Vienne (Bibl. nat.).*

**HERMELINK Siegfried.** Musicologue allem. (Gniebel 10.5.1914–). Elève du cons. de Stuttgart, des univ. de Tubingen et de Heidelberg, dont il est docteur avec sa thèse *Präludium in Bachs Kl.-Mus.* (1945), prof. d'orgue, dir. de mus. à l'univ. de Heidelberg (1952), il a publié *Ein Musikalienverz. d. heidelberger Hofkapelle aus dem Jahr 1544* (ds Ottheinrich, *Ged. ...*, *ibid.* 1956), *Zur Chiavetten frage* (ds *Kgr.-Ber.* Vienne 1956), entre autres articles ou communications ; il prépare des travaux sur Palestrina et Bach.

**HERMÈS** (*Mercure*). Il est fils de Zeus et de Maïa ; on situe son lieu de naissance sur le mont Cyllène (il y fut élevé par les nymphes) : la mythologie a su lier ses origines à la nature et aux nymphes, afin de lui attribuer l'invention de la lyre, de l'aulos et de la syrinx. Il figurait avec Apollon comme le protecteur des musiciens. M.D.-P.

**HERMESDORFF Michael.** Compos. allem. (Trèves 4.3. 1833–18.1.1885). Ecclésiastique, il joua un rôle important dans la musique à la cath. de Trèves et dirigea la revue *Caecilia* (1872–1878) ; il publia un remarquable *Graduale ad normam cantus S. Gregorii* (10 vol., Leipzig 1876–82, inachevé) ; on lui doit 2 messes (4 v.), l'édition d'un graduel (*ibid.* 1863), d'un livre de préfaces (*id. ibid.*), d'un antiphonaire de Trèves (*id. ibid.*), *Harmonia cantus choralis* (4 v., *ibid.* 1865–1868), une méthode de chant, des recueils de musiciens anciens ou de compos. de mus. d'église, une trad. du *Micrologus Guidonis de disciplina artis musicae* (*ibid.* 1876) et l'*Epistola Guidonis Michaeli monacho de ignoto cantu directa* (*ibid.* 1884). Voir D. Johnen, *M.H. u. d. trierische Choral* (inéd.). Trèves 1942 ; A. Scharnagl in MGG.

**HERMSTEDT Johann Simon.** Clarinettiste allem. (Langensalza 29.12.1778–Sondershausen 10.8.1846), qui dirigea les htbois du régiment de son père (« *Prinz Clemens* ») à Sondershausen, puis fut *Kapellmeister* et *Kammermuskcus* à Berlin ; Spohr écrivit 4 concertos pour lui ; il fut également l'ami de Weber ; il est l'auteur d'arrangements. Voir l'autobiographie de L. Spohr, 2 vol., Cassel-Göttingen 1861 — (éd. E. Schmitz), Cassel-Bâle 1954–55 ; H. Becker in MGG.

**HERNADI Lajos.** Pian. et prof. hongrois (Budapest 1906–). Prix Kossuth, « artiste émérite » de la Républ. pop. hongroise, élève de B. Bartók, d'A. Schnabel et d'E. Dohnanyi, il a fait des tournées dans les pays d'Europe et de Proche-Orient ; il est prof. à l'Ecole des hautes études mus. F. Liszt depuis 1945 ; ses élèves (H. Schneider, G. Gabos, P. Frankl) ont remporté, depuis 1946, plusieurs prix internationaux (prix Marguerite Long etc.) ; il a publié des œuvres de Bach, Haydn, Mozart (avec annotations) et des études et articles techniques : « *Le style pianistique de Chopin* » (1942), « *Contributions à la psychologie de l'exercice mus.* » (1947–48), « *B. Bartók, le pianiste, le pédagogue, l'homme* » (R.M. 1955).       J.G'

**HERNANDEZ** (*y Salces*) **Pablo.** Org. esp. (Saragosse 25.1.1834–Madrid 15.12. 1910), élève, puis prof. du cons. de Madrid, qui composa de la mus. d'église, d'orgue, symph., 2 *zarzuelas*. Voir A. Krumscheid in MGG.

**HERNANDEZ GONZALO Gisela.** Compos. cubain (Cardenas 15.9.1912–). Elève du cons. de La Havane et de J. Ardévol elle appartient au *Grupo de renovación mus.*, et a écrit de la mus. de piano, de chant, de chambre, et publié des art. dans des périodiques. Voir A. Fuchs in MGG.

**HERNANDEZ Gisela.** Compos. cubain (Cardenas 15.9. 1910–). Elève de Maria Muñoz de Quevedo et d'Ardévol, elle fit partie du *Grupo Renovación* ; elle est auteur d'œuvres chorales, de mus. chambre, de piano.     D.D.

**HERNANDEZ Julio Alberto.** Compos. et pian. dominicain (Santiago de los Caballeros 27.9.1900–). Elève de Pedro Sanjuán à La Havane, il a écrit des œuvres orchestrales et vocales.     D.D.

**HERNANDEZ MONCADA Eduardo.** Compos. mexicain, né à Jalapa (Veracruz) le 24 septembre 1899. Elève de Tello et de Morales au cons. de Mexico, duquel il est secrétaire, il a utilisé les chansons indiennes dans quelques-unes de ses compositions (*Ixtepec*, ballet, 1945) ; il est l'auteur de 2 symph., de mélodies et d'œuvres de mus. de chambre.     D.D.

**HERNANDO Râfael.** Compos. esp. (Madrid 31.5.1822– 10.7.1888). Elève de Pedro Albéniz (piano), de Saldoni (chant) et de Carnicer (composition) à Madrid, il fut à Paris celui de Garcia (chant), de Caraffa et d'Auber (composition) ; prof. au cons. de Madrid, il a laissé, outre quelques œuvres de mus. d'église, 17 *zarzuelas*, dont *El duende* (1849 et 1851) est la plus connue.     D.D.

**HERNRIED Robert.** Compos. austro-amér. (Vienne 22.9. 1883–Detroit 3.9.1951). Elève de l'univ. de Vienne, il commença en 1919 une grande carrière de prof. (Mannheim, Heidelberg, Erfurt, Berlin, Davenport, Dickinson, La Fayette, Detroit) ; il émigra aux U.S.A. (1939) ; on lui doit 1 opéra, des œuvres symph., chor., de chambre, des mélodies, une éd. des *Concerti grossi* de Geminiani (Leipzig 1945), 2 monographies et plus de 300 art. ds des périodiques. Voir N. Broder in MGG.

**HEROLD Johannes.** Mus. allem. (Iéna v. 1550–Weimar... 9.1603). Cantor à Klagenfurt (1593), il semble avoir séjourné à Venise, puis fut *Hofkapellmeister* à Altenburg (1601) et à Weimar (1602) ; on n'a gardé de lui qu'une passion selon st Matthieu (6 v., Graz 1594), 2 recueils de *Lieder* (4 v., Nuremberg 1601). Voir H.J. Moser, *Die klagenf. deutsche Passion d. J.H.*, ds *Mus. u. Kirche*, n° 11, 1939 — *Die Mus. in frühev. Oesterreich*, Cassel 1954 ; H. Federhofer in MGG.

**HEROLD Max.** Théologien allem. (Rehweiler 27.8. 1840–Neuendettelsau 7.8. 1921). Il fut doyen de Schwabach et de Neustadt a.d. Aisch, se consacra aux questions liturgiques et fonda la revue *Siona* (1876) ; citons, parmi ses très nombreux écrits, *Passah...* (Nuremberg 1874), *Vesperale...* (2 vol., Nördlingen 1875, Nuremberg 1881, 1907), *Alt-Nürnberg in seinen Gottesdiensten* (Gütersloh 1890), *Kultusbilder aus vier Jh.* (Erlangen 1896). Voir O. Stollberg in MGG.

**HÉROLD** (*Louis-Joseph*) **Ferdinand.** Compos. franç. (Paris 28.1.1791 – 19.1.

F. HÉROLD
*Dessin à la plume de Dupré* (coll. Meyer).

1833). Elève de son père, *François Joseph H.* (Seltz 10.3.1755–1.9.1802), lequel avait été l'élève de Ph.E. Bach et prof. de mus. à Paris, il reçut très tôt les conseils de Louis Adam, dont il était le filleul ; il eut Fétis comme prof. de solfège et sa musicalité précoce fut encouragée par Grétry ; en 1802, il entra au cons. de Paris chez Adam (piano), Kreutzer (violon), Catel (harmonie), puis Méhul (compos.) ; grand prix de Rome, il séjourna à Rome, ainsi qu'à Naples (1813), où Murat lui confia l'éducation mus. de ses filles, et en Autriche, Allemagne et Suisse, voyages au cours desquels il connut Beethoven et Hummel ; à son retour à Paris, Boïeldieu le prit comme collaborateur pour une pièce de circonstance, intitulée *Charles de France* (1816), représentée au mariage du duc de Berry ; il est alors accompagnateur au Théâtre italien, où dès 1812, on avait joué de ses œuvres ; en 1817, *Les rosières* et *La clochette* eurent 100 représentations, après quoi, jusqu'en 1826, le succès le bouda : il ne devait revenir qu'en 1826, avec *Marie* ; il fut nommé maître de chant à l'Opéra : où les œuvres de lui qu'on y donna n'eurent guère de succès, jusqu'à *Zampa* (1831), qui d'ailleurs fut fort décrié par Berlioz ; son chef-d'œuvre est certainement *Le pré-aux-clercs* (1832), auquel il ne survécut que de 4 mois.

**Œuvres :** opéras : *La gioventù di Enrico Quinto* (Naples 1815), *Lasthénie* (Paris 1823), *Vendôme en Espagne* (id.), *Moïse in Egitto* (1822) ; op.-com. : *Charles de France* (av. Boieldieu, 1816), *Corinne au Capitole* (inach., 1816–17), *Kaseim* (id.), *Les rosières* (1817),

*La princesse de Nevers* (id.), *La clochette* (id.), *Le premier venu* (1818), *Les troqueurs* (1819), *L'amour platonique* (id.), *L'auteur mort et vivant* (1820), *Le muletier* (1823), *Le roi René* (1824), *Le lapin blanc* (1825), *Marie alias Almédon* (1826), *Le dernier jour de Missolonghi* (1828), *L'illusion* (1829), *Emmeline* (id.), *L'auberge d'Auray* (1830), *Zampa* (1831), *La marquise de Brinvilliers* (partiellement, id.), *La médecine sans médecin* (1832), *Le pré-aux-Clercs* (id.), *Ludovic* (achevé par F. Halévy) ; 5 ballets, un grand nombre d'airs de concert, hymnes, romances, pièces de piano (4 concertos, 7 sonates), de la mus. de chambre (3 quatuors, 2 sonates de piano et violon), 2 symph. (1813–1814) et 1 ouverture (1813).

**Bibl.** : H. Berlioz, *Compte-rendu sur Zampa*, ds *Journal des Débats*, 27.9.1832 — *La mus. et les musiciens*, Paris 1903 ; J. Fétis, *Funérailles* (de F.H.), ds *RM*, 12, 1832 — *Notice nécrologique sur H.*, *ibid.*, 13, 1833 — *H.*, ds *Rev. et Gaz. mus.*, XXX, 1862 ; Ch. Chaulieu, *H.*, ds *Enc. Bertoni*, Paris 1835 ; A. Adam, *Souvenirs d'un mus...* (ibid. 1857) ; B. Jouvin, *H....*, ds *Le Ménestrel* XXXIII-XXXIV, 1866–67 ; M. Berthelot, *F.H.* (le fils de *F.*), Paris 1882 ; A. Pougin, *La jeunesse d'H.*, ds Rev. et Gaz. mus., XLVII, 1180 — *H...*, Paris 1906 ; G. Favre, *La mus. franc. de piano entre 1810 et 1830*, ds Rev. de mus., XXVIII, 1949 ; *L. J.F.H.*, *Souvenirs inédits*, ds Bull. *SIM*, 1910 ; on trouve des lettres de ou à lui de M. Pincherle, *Mus. peints par eux-mêmes*, Paris 1939 — ds *Le Ménestrel*, XLV, 1879 — J. Tiersot, *Lettres à des mus...*, Turin 1924–26 — en mss à la bibl. du cons. de Paris. Voir également l'art. de M. Briquet in MGG.

**HÉRON d'ALEXANDRIE.** Ingénieur alexandrin, célèbre dans toute l'antiquité. On ne sait pas exactement l'époque de sa vie, mais il est probable qu'il est peu postérieur à Pline l'Ancien. Dans un de ses livres, les *Pneumatiques*, on trouve une bonne description technique de l'orgue hydraulique ; c'est, selon toute apparence, une compilation des *Commentaires* de Ctésibius. Voir Th. Henri Martin, *Recherches sur la vie et les ouvrages d'H. d'A.*, Paris 1854 ; L. Thorndike, *A history of magic and experimental science*, New-York 1929. J.P.

**HERPOL Homer.** Mus. de nationalité incertaine (St-Omer v. 1510–Reichenau ? ap. 1575). Cantor à St-Nicolas de Fribourg en Suisse (1554), élève de Glaréan à Fribourg-en-Brisgau (1555), chapelain à Fribourg en Suisse (1556), à Fribourg-en-Brisgau (1563–64), en 1567, après le succès de son livre *Novum etc.*, il fut éloigné pour sa mauvaise conduite ; après quoi, on le trouve encore à Fribourg en Suisse ; en 1568, il est à Constance où il obtient sa réintégration ; son nom apparaît pour la dernière fois en 1575 dans le livre de chœur du monastère de Reichenau ; son frère *Laurenz* fut org. à Fribourg en Suisse ; on lui doit *Novum et insigne opus musicum, in quo textus evangeliorum totius anni...* (54 motets en tablature, 5 v., Nuremberg 1565), 7 *Magnificat*, 12 *Dixit Dominus*, 1 *Salve Regina*, 1 *Regina caeli*, 1 office de Pentecôte et 6 *responsories* (4 v., mss Carlsruhe et Augsbourg), 1 motet, 1 canon et 1 fragment d'*Ave verum* à 3 v. ds des recueils de l'époque. Voir A. Geering, *H.H. u. Manfred Barberini Lupus*, ds *Fs. K. Nef*, Leipzig 1933 ; W. Brennecke in MGG.

**HERRANDO José.** Violon. esp. du XVIIIe s., qui fut 1er violon à la chapelle royale de l'*Incarnación* à Madrid, auteur d'une méthode de violon (Paris 1756), de 18 menuets esp. (Londres 1760), de 12 sonates de violon (mss. Bologne et Madrid). Voir J. Subirá, *La mús. en la casa de Alba*, Madrid 1927 ; H. Anglès, *La mus. esp. ...*, Barcelone 1931.

**HERRER Michael.** Mus. allem. (Munich v. 1576– ?), qui exerça à St-Nicolas de Strasbourg (1606), auteur d'un *canticum* à 6 v. et de 3 motets publiés ds des recueils de l'époque, éditeur d'un *Hortus musicalis* (3 liv., 1606–09).

**HERRERA y CHUMACERO Juan de.** Mus. colombien, de la première moitié du XVIIIe s. ; il travailla pour la cathédrale de Bogotá et écrivit des œuvres liturgiques (*Misa de requiem*, 1704) et des *villancicos* religieux. D.D.

**HERRERA de la FUENTA Luis.** Compos. mexicain (Mexico 25.4.1916–). Elève de l'univ. et du cons. de sa ville natale, pian., org., chef d'orch., il a écrit 3 ballets (1952–54), 3 pièces symph. (1946–49), des chœurs et des mélodies. Voir A. Fuchs in MGG.

**HERRMANN Bernard.** Compos. amér. (N.-York 29.6.1911–). Elève de l'Ecole Juilliard, chef d'orch., il a écrit notamment 1 opéra, 3 ballets, 1 symph., 1 concerto de violon, 1 cantate.

**HERRMANN Gottfried.** Compos. allem. (Sondershausen 15.5.1808–Lubeck 7.6.1878). Issu d'une grande famille de mus., connue dès le début du XVIIIe s., fils du violon. *Johann Heinrich* (1785–1861), élève de Spohr, de L. Hauptmann, d'A. Schmitt, il fut violon. au théâtre de Francfort (1829), org. et dir. de mus. à Lubeck (1832, il dirigea souvent avec Liszt au piano), chef d'orch. à Sondershausen (1844), dir. du théâtre de Lubeck et du *Bach-Verein* à Hambourg, où il connut Brahms (1852–58), il écrivit 4 opéras, 2 symph., 6 ouvertures, 4 concertos, des chœurs, 1 cantate, des mélodies. Son frère *Carl* (Sondershausen 10.3.1810–17.2.1890) fut vcelliste et *Kammermusikus* dans sa ville natale. Voir W. Stahl, *G.H.*, Leipzig 1939 ; H. Haase in MGG.

**HERRMANN Hugo.** Compos. allem. (Ravensburg 19.4.1896–). Issu d'une famille d'org., d'abord autodidacte, maître d'école et org. lui-même, puis élève des cons. de Stuttgart et de Berlin, il a été prof. et org. dans différentes villes du Wurtemberg, dans les mêmes fonctions à Detroit (U.S.A., 1923–25), dir. de l'école de mus. de Trossingen (1935) ; on lui doit 4 opéras : *Gazellenhorn* (1929), *Vasantasena* (1930), *Paracelsus* (1943), *Das Wunder* (1937), 1 oratorio, des messes, 5 symph., des chœurs, de la mus. de chambre, 8 concertos, dont 2 d'accordéon et un double *c.* pour harpe, accordéon et orch. etc. Voir A. Fett, *H.H.*, *Leben u. Werk*, Trossingen 1956 — art. in MGG.

**HERSCHEL Friedrich Wilhelm** (*sir William*). Mus. et astronome germano-angl. (Hanovre 15.11.1738–Slough 23.8.1922). Fils d'un htboïste de la cour de Hanovre, il reçut une bonne éducation mus. de son père, fut htboïste et violon. de la chapelle du régiment de Hanovre (1752) ; il se fixa en Angleterre, fut org. à Halifax et à Bath (1756) ; tout en menant de front ses travaux astronomiques, il composa 18 symph. pour petit orch. (1760–62), 5 pour gd orch. (1762–64), une dizaine de concertos (1759–1767), un gd nombre de sonates et *capricci* de clavecin et de violon., 24 sonates et 6 fugues, un gd nombre de *voluntaries* et de *full pieces* pour orgue, des hymnes, psaumes, *anthems* etc. Son frère *Jakob*, mort à Hanovre en 1792, était violon. : il écrivit de la mus. de chambre et des symph. Voir Ch. L. Cudworth in MGG.

**HERTEL** — 1. **Johann Christian.** Mus. allem. (Öttingen 25.6.1697–Strelitz... 10.1754). Fils de *Jakob Christian H.* — qui avait été maître de chapelle à Öttingen et à Mersebourg — virtuose de la viole de gambe, élève de Kaufmann, de son père, d'E.C. Hesse à Darmstadt, il fut mus. et *Konzertmeister* à la cour d'Eisenach (1718–41) et à celle de Strelitz (1742–53) et écrivit un grand nombre d'œuvres symph., concertos, pièces de mus. de chambre, dont 6 sonates de viol. et b. (Amsterdam 1727). Son fils — 2. **Johann Wilhelm** (Eisenach 9.10.1727–Schwerin 14.6.1789), fut au service de la cour de Strelitz (1744), puis maître de chapelle à celle de Schwerin, où il était en 1770 secrétaire de la princesse Ulrike et conseiller d'Etat ; son œuvre est extrêmement abondante et le catalogue n'en a pas encore été dressé : ce sont des messes, des psaumes, des motets, des cantates, des *Lieder*, des concertos, des œuvres symph., de la mus. de chambre, des sonates de clav. ; il publia également des écrits théoriques sur son père, (éd. E. Schenk, ds *Wiener mw. Beitr.*, III, Graz-Cologne 1957). Voir W. Kahl in MGG.

**HERTOG Johannes den.** Chef d'orch. néerl. (Amsterdam 20.1.1904–), qui est depuis 1948 chef d'orch. de l'Opéra flam. d'Anvers, après avoir dirigé en second le *Concertgebouw* ; il a composé 1 suite d'orch., 1 oratorio, *Pygmalion* (th., 1957), des chœurs, des mélodies.

**HERTZ Michal.** Pian. et compos. pol. (Varsovie 28.9.1844–1918). Elève de Moscheles, de Reinecke, de Richter au cons. de Leipzig, de Kiel et de Kullak à Berlin, il fut prof. au cons. Stern de Berlin et à Varsovie ; on lui doit 2 opéras (*Gwarkowie*. 1880, *Bogna*), de la mus. chor., symph., de scène, de piano, des mélodies.

**HERTZMANN Erich.** Musicologue germano-amér.

(Crefeld 14.12.1902–). Élève du cons. et de l'univ. de Mayence, de la Sorbonne (Pirro) à Paris, de l'univ. de Berlin, de R. Siegel et de B. Sekles, docteur de Berlin avec sa thèse *A. Wlliaert i. d. weltl. Vokalmusik seiner Zeit* (Leipzig 1931), critique, il a émigré aux U.S.A. et enseigne à l'univ. Columbia de N.-York (à celle de Princeton, 1946–49) ; il a édité des œuvres de Willaert (Wolfenbuttel-Berlin 1930) et donné des art. à des périodiques.

**HERVÉ** (*Saint*). Saint breton du VIe s., patron des mus. ambulants de Bretagne ; son père, Oharvion, était un barde insulaire émigré à la cour du roi franc Childebert, comme mus. : sa mère, Rivanonne, était bretonne ; il naquit aveugle, mais grand poète et mus. : on le représente couramment en train de jouer de la petite harpe celtique.                                               J.Md.

**HERVÉ** (*Florimond Ronger*). Compos. franç. (Houdain 30.6.1825–Paris 3.11.1892). Élève d'Elwart et d'Auber, org. à Bicêtre puis à St-Eustache de Paris, dir. de l'Odéon (1849), des Folies concertantes (Folies nouvelles), il écrivit des opérettes : *L'ours et le pacha* (1848), *Passiflor et Cactus* (1852), *Le compositeur toqué* (1854), *Folies nouvelles* (1855), *Latrouillat et Trufaldini* (id.), *Le pommier ensorcelé* (1856), *Vadé au cabaret* (id.), *La biche au bois* (1864), *L'œil crevé* (1867), *Chilpéric* (1868), *Le petit Faust* (1869), *La femme à papa* (1879), *Lili* (1882), *Mam'zelle Nitouche* (1883), *Le cosaque* (1884), des ballets, 1 cantate, des messes, motets etc. Voir L. Schneider, *H.*, 1924.

**HERVELOIS**. Voir art. *Decaix d'H.*

**HERVEY** Arthur. Compos. et critique angl. d'origine irlandaise (Paris 26.1.1855–Londres 10.3.1922), auteur de 2 opéras, d'œuvres symph., de piano, de mélodies etc., qui publia *Masters of french music* (Londres 1894), *French music in the XIXth cent* (Londres–N.-York 1903), *A. Bruneau* (ibid. 1907), *F. Liszt*... (ibid. 1911), *Meyerbeer* (ibid. 1913), *Rubinstein* (id. ibid.), *Saint-Saëns* (N.-York 1922).

**HERZ** Gerhard. Musicologue allem. (Düsseldorf 24.9.1911–). Élève des univ. de Fribourg-en-B., Vienne, Berlin et Zurich, docteur de Zurich avec sa thèse *J.S. Bach im Zeitalter d. Rationalismus u. d. Frühromantik* (Cassel 1934, Berne 1935), critique à Düsseldorf et à Florence, fixé aux *U.S.A.*, où il enseigne à l'univ. de Louisville, il collabore à des périodiques.

**HERZ** Henri. Pian. et compos. franç. (Vienne 6.1.1806–Paris 5.1.1888). Élève de son père *Jacques S.H.*, de Hünten (Coblence), du cons. de Paris (Reicha, 1816), de Moscheles, il fit une grande carrière de virtuose ; il fonda une fabrique de pianos et la salle qui porta son nom ; il fut prof. au cons. de Paris de 1842 à 1874 ; il écrivit un grand nombre d'œuvres pour son instr. : variations, rondos, danses, marches, sonates, 8 concertos etc., 1 trio (*op.* 54) ; il publia des ouvrages pédagogiques et *Mes voyages en Amérique* (Paris 1866). Son frère *Jacques-Simon* (Francfort 31.12.1794–Nice 27.1.1880) fit également une grande carrière de pian. et composa. Voir R. Sietz in MGG.

**HERZFELD** Friedrich. Chef d'orch. et écrivain allem. (Dresde 17.6.1897–). Élève de l'*Akad. der Tonkunst* et de l'univ. de Munich, chef d'orch. à Dresde, Altenburg, Aix-la-Chapelle, Fribourg, rédacteur en chef de l'*Allg. Musikzeitung* (1939–42), chef de presse de l'Orch. philh. de Berlin (1940–43), critique au *Berliner Morgenpost*, il a publié *Minna Planer u. ihre Ehe mit R. Wagner* (Leipzig 1938), *W. Furtwängler* (ibid. 1940, 1950), *Du u. d. Musik* (Berlin 1950), *Der Meister Tön u. Weisen* (1951), *Magie des Taktstocks* (Berlin 1953), *Musica nova* (ibid. 1954), *Unsere Musikinstrumente* (Darmstadt id.), *Lexikon der Mus.* (Berlin 1957).

**HERZFELD** Viktor. Compos. hongrois (Pozsony 8.10.1858–Budapest 20.2.1920). Élève de Krenn, de Riedl et de Hellmesberger à Vienne, il vécut à Budapest à partir de 1886 comme violon. membre du quatuor Hubay-Popper et prof. de théorie à l'Académie de mus., où, en 1908, il fut titulaire de la classe de compos., succédant à H. Koessler ; il est l'auteur d'un *traité de fugue* (1913).

**HERZOG** Benedikt. Voir art. *Ducis*.

**HERZOG** George. Ethnomusicologue amér. (Budapest 11.12.1901–). Élève de l'Acad. de mus. de Budapest, du cons. et de l'univ. de Berlin (Hornbostel), de l'univ. Columbia à N.-York, il a été prof. aux univ. de Chicago, Columbia et Yale ; dep. 1948, il enseigne à celle de l'Indiana et y dirige les archives de mus. populaire et de mus. primitive ; on lui doit *Research in primitive and folk music in the U.S.* ... (Washington 1936), *Jabo proverbs from Liberia...* (av. Ch. G. Blooah, Oxford id.), *The cow-tail swith and other west-african stories* (av. H. Courlander, N.-York 1947), *The Yuman mus. style* (ds *Journ. amer. folkl.*, XLI, 1928), *A comparison of Pueblo and Pima mus. styles* (ibid., XLIX, 1936), *Special song types in northern amer. indian mus.* (Zs, f. Vergl. Mw., III, 1935), *Plains ghost dance and great basin mus.* (ds *Amer. Anthr.*, XXVII, id.), *Salish mus.* (ds l'*Indians of the Urban Northwest* de N.W. Smith, N.-York 1949); *Mus. typology in folksong* (ds *South. folk. Quart.*, I, 1937), *Speech-melody and primitive mus.* (ds *MQ*, XX, 1934).

**HERZOGENBERG** Heinrich (*Freiherr*) von. Compos. autr. (Graz 10.6.1843–Wiesbaden 9.10.1900). Élève de l'univ. et du cons. de Vienne (Dessoff), il fut ami de Brahms et de Spitta, fonda un *Bachverein* à Leipzig, enseigna au cons. royal de mus. de Berlin, fut membre du Sénat de l'Acad. de la même ville (il y eut la classe de composition) ; on lui doit 2 symph., des œuvres pour chœur et orch., de la mus. d'église, de la mus. de chambre ; sa femme — *Elisabeth*, née *Stockhausen* (Paris 13.4.1847–San Remo 7.1.1892) était une excellente pian. Voir la corresp. de Brahms- *H. et E.v. H.*, éd. E. Kalbeck, Berlin 1907 ; W. Altmann, *H. v. H.*, Leipzig 1903 ; F. Spitta, *H. v. H. u. d. ev. KM*, in *Mon. f. Gott. u. kirchl. Kunst*, V, 1900 — *Brahms u. H.* ..., ibid. XII, 1907 — *H. v. H.s Bed. f. d. ev. KM*, ds *JbP*, XXVI, 1919 ; W. Kahl in MGG.

**HESDIN** Nicolle des Celliers d', souvent identifié avec *Pierre H.* Mus. franç., mort à Beauvais le 21.8.1538, qui fut maître des enfants à la cath. de Beauvais ; on lui doit 2 messes à 4-5 v. (une troisième est douteuse), des fragments de messe, des motets et des chansons (3-5 v.) ds des recueils publiés entre 1529 et 1578 à Lyon, Paris, Nuremberg, Venise, Anvers ou en mss. Voir A. Smijers, *H. of Willaert ?* ds *Tijds. d. Ber. v. ned. Muz.*, X, 1915 ; M. Antonowytsch, *Die Mot. Benedicta es.* ..., Utrecht 1951 ; F. Lesure in MGG.

**HESELTINE** Philip (*Peter Warlock*). Musicologue et compos. angl. (Londres 30.10.1894–17.12.1930). Élève de C. Taylor (Eton), de Delius et de Van Dieren, il fonda et dirigea *The Sackbut* (1920–21), édita 6 vol. d'*English Ayres*–1598–1612 (av. Ph. Wilson, Londres 1922), composa sous son pseud. des chœurs, de la mus. symph. et des mélodies fort appréciées, traduisit l'*Orchésographie* d'Arbeau et publia *F. Delius* (ibid. 1923), *The english Ayre* (ibid. 1926), *C. Gesualdo, prince of Venosa, musician and murderer* (av. C. Gray, id. ibid.), *Th. Whythorne* (ibid. 1928), *Giles Earle, his booke* (ibid. 1932). Voir C. Gray, *P.W.* ..., ibid. 1934 ; I. Parrott in MGG.

**HÉSIODE**. Le célèbre poète grec, qui, selon Homère, vivait à Ascra pendant le VIIIe s. av. J.-C., est le premier poète-mus. de l'antiquité grecque dont il nous reste une œuvre considérable ; son art inspira Alcée et Sapho. Voir W. Vetter in MGG.

**HESLETINE** James. Mus. angl. (Londres ? 1691 ou 92–Durham 20.6.1763). Il fut l'un des derniers élèves de John Blow et fut notamment org. à l'hospice Ste-Catherine de Londres et à la cath. de Durham (1711–1763) ; on a conservé de lui en mss 7 *anthems* dont 1 inachevée. Voir P. Evans in MGG.

**HESS** Ernst. Compos. suisse (Schaffhouse 13.5.1912–). Élève du cons. et de l'univ. de Zurich (Andreae, W. Schuh, F. Gysi), de l'Ecole normale de mus. de Paris (P. Dukas, N. Boulanger), il est chef de chœur et d'orch. à Zurich, prof. au cons. de Winterthur, fondateur (1940) de la *Mozartgesellschaft* de Zurich ; on lui doit des œuvres symph. (1 symph., 3 concertos), de la mus. de chambre, nombre d'œuvres voc., 1 opéra (*Fiammetta*, 1950–54), des ballets ; il collabore à des périodiques. Voir W. Schuh in MGG.

**HESS Joachim.** Mus. néerl. (Leeuwarden 24.9.1732–Zeist 27.12.1819). Il fut org. et carillonneur à St-Jan de Gouda (1749–53, 1754–1813) et à Maasluis (1753) ; on lui doit 8 ouvrages techniques sur le clav. et sur l'orgue. Voir F. Noske in MGG.

**HESS Ludwig.** Chanteur, chef d'orch. et compos. allem. (Marbourg 23.3.1877–Berlin 5.2.1944), qui fit une carrière intern., fut prof. à Berlin et écrivit 5 opéras ou drames mus., 2 symph. etc. ; il publia *Die Behandlung der Stimme...* (Marbourg 1927).

**HESS Myra.** Pian. angl. (Londres 25.2.1890–), qui a fait une grande carrière internationale.

**HESS Willy.** Violon. allem. (Mannheim 14.7.1859–Berlin 17.2.1939), élève de Joachim, qui fut prof. (Cologne, Londres, Berlin) et virtuose international.

**HESS Willy.** Compos. et musicologue suisse (Winterthur 12.10.1906–). Élève du cons. et de l'univ. de Zurich, puis de celle de Berlin, il est dep. 1940 basson à l'orch. symph. de sa ville natale ; il a écrit nombre d'œuvres de mus. de chambre, des mélodies, publié un catalogue des lacunes de l'éd. des œuvres complètes de Beethoven (ds *Schw. Jb. f. Mus.*, V, 1931 — *Neues Beeth.-Jhb.*, VII, 1937, IX, 1939, — ds *Ann. Accad. naz. di S. Cecilia*, Rome 1953 — *Verz. v. nicht i. d. Gesamtausgabe veröff. Werke L. v. Beethovens*, Wiesbaden 1957), *Neues zu Beeth. s Volksliedbearbeitungen* (ds *ZfMw*, XIII, 1930–31 — *AfMf*, I, 1936), *Von d. Grenzen u. Ausdruckmögl. d. Kunst* (Winterthur 1932), *Kunstwerk u. Seele* (Lauf-Berne, 1933), *Kunstl. Gesetzmässigkeiten u. d. Mus. verklärten Dramms* (Zurich 1939), *Beethovens voc. u. instr. Volksliederbearbeit.* (Winterthur 1943), *Das Bühnenbild Richard Wagners* (Bad 1950), *Beethovens Oper Fidelio u. ihre 3 Fassungen* (Zurich 1953), *Beethoven* (*id.* 1956). Voir W. Schuh in MGG.

**HESSE Adolf Friedrich.** Org. allem. (Breslau 30.8.1809–5.8.1863), qui fit une carrière intern. et exerça à Breslau comme org. et chef d'orch. ; on lui doit 82 compositions dont 40 d'orgue, 1 oratorio, 6 symph., 1 concerto, de la mus. de chambre, des cantates, des motets, des pièces pour piano. Voir *L. Spohr u. A.F.H., Briefwechsel...* 1829–1859, éd. J. Kahn, Ratisbonne 1928.

**HESSE** (*Ernst*) **Christian.** Mus. allem. (Grossgottern 14.4.1676–Darmstadt 16.5.1762). Joueur de viole de gambe, il fut au service du landgrave de Hesse-Darmstadt, qui l'envoya à Paris près de Marin Marais et d'Antoine Forqueray ; en 1705, de passage à Hambourg, il prit des leçons chez Mattheson et se lia avec Hændel ; on le voit ensuite en Hollande et en Angleterre, à Mantoue près de Vivaldi (1708), à Vienne près de Fux (1710) ; il fut maître de chapelle à la cour de Darmstadt, mais abandonna son poste en 1714 ; sa femme *Johanna Elisabeth* (v. 1690–1774) fut une chanteuse célèbre ; son fils *Ludwig Christian* (Darmstadt 8.11.1716–15.9.1772) fut mus. de la chambre de Darmstadt et de Berlin (il fut également compos.) ; on doit à *E.C.H.* 1 opéra, *La fedeltà coronata* (ms. Darmstadt), 1 *divertimento* à 4 (*Apollo in Tempe*), 1 sonate de fl. avec *b.c.* (ms. Rostock) et 1 duo (gambe et *b.c., id.*) : le reste a été perdu. Voir K. Pauls in MGG.

**HESSE Johann Heinrich.** Mus. allem. (? v. 1712–Eutin 29.6.1778), qui fut cantor et org. à Eutin et nous a laissé 6 recueils de *Lieder*, publiés à Eutin, Hambourg et Lübeck, ou en ms. (Schwerin, 1755–80), et *Anweisung zum Generalbass* (Hambourg 1776). Voir Th. Holm in MGG.

**HESSE.** Le nom allem. de la famille de Hesse est **Hessen** ; 3 landgraves appartiennent au monde de la musique — **1.** Le landgrave **Maurice** [*Moritz der Gelehrte*] (Eschwege 25.5.1572–14.3.1632) fut un grand protecteur des arts : c'est lui qui envoya Schütz à Venise ; mais il était lui-même poète et mus. (il jouait de beaucoup d'instruments et avait été l'élève de son maître de chapelle G. Otto) : il nous a laissé *Christl. Gesang Buch von allerhand geistl. Psalmen u. Liedern* (1 v., Cassel 1601), *Psalmen Davids,*

*nach frantzös. Melodey u. Reymen...* (4 v., *ibid.* 1607), *Christl. Gesangbuch...* (4 v., *ibid.* 1612) ; on trouve également 30 motets de lui ds le *Novum et insigne opus* de Geuck, publié par lui à Cassel (1603–1604) ; en mss, des *Magnificat*, des villanelles, des *cantiones* (6-8 v.), des pavanes et gaillardes (instr.), 13 fugues à 4 v., 2 psaumes à plusieurs chœurs. Voir W. Dane, *M. v. H.s Tonwerke*, thèse de Marbourg, 1934 ; E. Zulauf, *Beitr. z. Gesch. d. landgr.-hess. Hofkapelle...*, thèse de Leipzig, Cassel 1902 ; Ch. Engelbrecht, *Die casseler Hofkapelle im 17.Jh. ...*, thèse de Marbourg 1956, Cassel-Bâle-Londres-N.-York 1958. — **2.** Le landgrave **Wilhelm** [*Guillaume*] (Cassel 1629–Heina 1663) fut également compos. : voir bibl. ci-dessus. — **3.** Le landgrave **Alexander Friedrich** (Copenhague 25.1.1863–Fronhausen 26.3.1945), aveugle dès l'enfance, fut en mus. l'élève de Joachim, de Bruch, de Weingartner, de Draeseke et de Fauré (Paris) ; il composa 1 symph., 1 concerto de piano, 1 messe, 1 hymne, des chœurs, de la mus. de chambre, des mélodies. Voir R. Pessenlehner, *Landgraf A.F. v.H.*, 1927. — **4.** Quant au grand-duc **Ernst Ludwig** (Darmstadt 25.11.1868–château de Wolfsgarten, 9.10.1937), on lui doit des mélodies et des pièces de piano.

**HESSENBERG Kurt.** Compos. allem. (Francfort 17.8.1908–). Élève du cons. de Leipzig, prof. au cons. et à la *Hochschule* de Francfort (de compos. depuis 1953), il a écrit de la mus. de chambre, des chœurs, des mélodies, des œuvres d'orgue, symph. (3 symph.) ; son œuvre le plus généralement appréciée est la *Struwwelpeter-Suite* (5 *danses burlesques* pour petit orch., *op.* 7, 1933). Voir R. Schaal in MGG.

**HÉTÉROPHONIE.** C'est par ce mot que les anciens Grecs définissaient le fait de l'accompagnement instrumental : dans les *Lois* (7, 812 d), Platon la proscrit. Le fait donne lieu à une querelle : l'*h*., si le mot qui la désigne est grec, est un phénomène musical qui n'a rien de spécifiquement grec : on la trouve dans toutes les musiques traditionnelles du monde. Pour beaucoup d'ethnomusicologues contemporains, justement soucieux de rehausser l'objet de leurs travaux, elle doit être considérée comme une polyphonie ; pour d'autres, comme l'auteur de cet article, elle ne peut l'être en aucun cas : si le phénomène physique de l'*h*. peut être réduit à la polyphonie par les étymologistes, le sens de la musique empêche d'adopter *musicalement* cette théorie de la réduction de l'*h*. à la polyphonie ; pour les Grecs, ce que fut leur musique est laissé à l'imagination des prophètes du passé ; quant aux cas de « polyphonie » qui se rencontrent dans celles qui restent aujourd'hui vivantes des musiques traditionnelles, ou bien ils constituent une sorte de fond sonore à harmonies fixes, comme dans le cas du gamelan javanais ou balinais, ou bien ils donnent la preuve que l'intention polyphonique est absente de ces musiques : il n'y a pas la fusion profonde qui construit essentiellement l'harmonie ; il y a *superposition* de deux (dans la plupart des cas) ou plusieurs mélodies, juxtaposition qui obéit à des lois pour nous désormais mystérieuses (nous ne voyons pas du tout quel traité de contrepoint nos chers ethnomusicologues pourraient bâtir à partir de cette *h*.) ; c'est d'ailleurs le sens exact du mot hétérophonie. Ou bien il y a usage d'un bourdon plus ou moins développé, en général plutôt moins que plus, nos aimables adversaires en conviendront. Comment un musicien pourrait-il identifier tout cela avec la technique d'écriture des contrapuntistes et des polyphonistes ? Comment les musiciens traditionnels, dédaigneux de l'harmonie au sens occidental du mot, improviseraient-ils une polyphonie de même sens ? En musique, pour juger et définir, il faut admettre la primauté de l'oreille. D'ailleurs, les musiques traditionnelles n'ont rien à gagner aux nouvelles qualités qu'on leur attribue, comme le prouvent tant d'arrangements ou de contaminations. Plus radicalement : si l'*étymologie* du mot *polyphonie* excuse la réduction de l'*h*. à la polyphonie, que les ethnomusicologues commettent, la *sémantique* l'interdit tout-à-fait, obligeant à convenir que le mot *polyphonie*, comme bien des mots de toutes les langues du monde, a pris un sens restreint, de moindre extension que l'étymologique, réservé à la musique écrite du répertoire occidental.                    F.M.

**HÉTÉRORYTHMIE.** On trouve parfois ce néologisme, chez des ethnomusicologues, pour désigner une exécution musicale (la plupart du temps du type voix et percussion) du répertoire des musiques traditionnelles orientales : pour nos oreilles occidentales, certaines pièces semblent superposer sans intention de synthèse une mélodie et un rythme continu d'instruments à son fixe. Le mot a été formé par analogie avec hétérophonie.

**HEUBERGER Richard.** Compos. autr. (Graz 18.6. 1850–Vienne 28.9.1914). A Vienne, il dirigea des chœurs et la *Singakademie*, fut critique, prof. au cons. de Vienne, rédacteur de la *Neue mus. Presse* (1904), rédigea le *Musikbuch aus Œsterreich* (1904–1906) : il fut une « personnalité marquante » de son temps ; on lui doit des opéras et opérettes, des ballets, de la mus. symph. (1 symph.), de la mus. voc. ; il publia *Mus. Skizzen* (Leipzig 1901), *Im Foyer...* (*id. ibid.*), *F. Schubert* (Berlin 1902, 1903, 1920), réédita le traité de composition et de fugue de Cherubini (Leipzig 1911) ; ses souvenirs sur Brahms sont restés mss. Voir H. Wamlek in MGG.

**HEUGEL.** Famille d'édit. franç. : **Jacques-Léopold** (La Rochelle 1815–Paris 1833), d'abord associé (1839) à Jean-Antoine Meissonnier qui avait fondé à Paris en 1812 une maison d'édition, en devint en 1842 le seul propriétaire ; administrateur de la SA-CEM lors de sa création, en 1850, il est l'auteur d'un ouvrage intitulé « *Lettres à Émilie sur la musique* ». Son fils **Henri** (Paris 1844–1916) lui succéda en 1883 ; en 1916, son petit-fils, **Jacques** (Paris 1890–) prit la direction de la maison qui, en 1944, devint société anonyme, avec comme président-directeur, *Jacques H.*, et comme directeurs, ses deux fils, **François** (1922–) et **Philippe** (1924–). L'activité de la maison *H.*, depuis plus de cent ans, a touché tous les genres du domaine musical : chansons, mélodies, folklore, tant français qu'étranger, partitions de théâtre (Rossini, C. Franck, J. Strauss, Lalo, Auric, Honegger, Milhaud, Sauguet...), mus. symph. etc. Depuis 1920, cette firme a publié un grand nombre d'œuvres contemporaines : Poulenc, J. Ibert, F. Schmitt, Tcherepnine, Ravel, Roussel, T. Harsanyi, J.-L. Martinet, Boulez... ; elle a créé en 1951 une collection de partitions de poche, la seule en France, d'œuvres classiques et modernes. Jusqu'à une date récente, la maison *H.* a également édité un grand nombre d'ouvrages pédagogiques : Battmann, Lussy, Marmontel (*L'art de déchiffrer*), Dubois, ou de vulgarisation, enfin l'édition classique de Marmontel, qui fut le modèle du genre à son époque. Elle a publié plusieurs journaux musicaux, notamment *Le ménestrel*, qui donna son nom à la maison et parut de 1833 à 1940, et un journal de musique d'église, *La maîtrise*, dont les rédacteurs furent Niedermeyer et d'Ortigue (1857–1860).

**HEUGEL Johannes** (*Johann, Hans*). Mus. allem. (Deggendorf av. 1500–Cassel, début janv. 1585). Elève de l'univ. de Leipzig (1515), il fut *Gesangmayster* du landgrave Philippe de Hesse : c'est à peu près tout ce qu'on sait de précis des grandes lignes de sa biographie :

il est sûrement l'un des auteurs les plus importants de son époque, puisque la bibl. de Cassel conserve qq. 490 pièces mss de lui : des motets, des *Magnificat*, des psaumes (en lat. et allem.), des *Lieder*, nombre d'œuvres de circonstance, des pièces instr. ; en dépit de quoi il fut peu connu de son temps, oublié dès sa mort, jusqu'à ce qu'au XIXe s. on le redécouvre. Voir W. Nagel, *J.H.*, ds *SIMG, VII*, 1905–06 ; M. Jenny, *Spott-u. Trauermus.*

Johannes HEUGEL

*Ténor du ps.* Ich bin zufried... (ms. Cassel).

*auf Zwingli...*, ds *Zwingliana*, X, 1955 ; J. Knierim, *Die H.-Handschriften...*, thèse de Berlin 1943 (dact.) ; F. Blume, *Geistl. Mus. am Hofe des Ldgf. Moritz v. Hessen*, Cassel 1931 ; W. Brennecke in MGG.

**HEURE.** Les *h.* constituent l'office liturgique diurne de l'Eglise catholique, hormis la messe : on les appelle *h. canoniales* ou *h. liturgiques.* Les *h.* de nuit, qui sont au nombre de trois, s'intitulent des *nocturnes*, encore que l'usage se soit instauré de les appeler *matines* : l'étymologie semble avoir été méprisée. Leur nom vient pour la plupart du nom des anciennes *h.* solaires romaines : *prime* (première), *tierce* (troisième), *sexte* (sixième), *none* (neuvième) : c'est dire qu'elles s'accommodent mal de notre horloge moderne. On distingue les *grandes h.* : *vêpres* et *laudes*, qui s'accompagnent de solennités identiques à celles de la messe du jour, et les *petites h.* : prime, tierce, sexte, none, *complies*, qui se célèbrent sans solennité. Leur origine est tout à fait ancienne : on a des témoignages des nocturnes et de vêpres dès le début du IVe s., de tierce, sexte, none et complies au milieu du même siècle, de laudes vers 370, enfin de prime, au début du VIe s. C'est la règle de saint Benoît qui en est le premier code écrit, règle que l'usage en fût certainement étendu à tout le monde chrétien avant lui, puisque la *laus perennis* existait à Agaune avant qu'elle ne fût instituée à Luxeuil par saint Colomban. Pour le contenu de chacune des œuvres, voir à l'article correspondant à chaque nom.

**HEUSS Alfred.** Compos. et critique allem. (Coire 27.1.1877–Gaschwitz 9.7.1934). Elève des cons. de Stuttgart et de Munich et de l'univ. de Leipzig (Kretzschmar), dont il fut docteur avec sa thèse *Die*

*Instrumentalstücke des* Orfeo *u. die venezianischen Opernsinfonien* (ds *SIMG*, IV, 1903), il assura la rédaction du *Zeitschrift d. intern. Musikgesellschaft* (1904–14), fut chroniqueur au *Signale*, au *Leipziger Volkszeitung*, dir. du *Zeitschrift f. Musik* (1929) ; il fut président de l'Assoc. des critiques mus. allem. ; il composa des mélodies, des ballades et des chœurs et publia à Leipzig de nombreuses études (analyses d'œuvres, hist. de la mus., problèmes théoriques) sur Hændel, Bruckner, J.-S. Bach, l'école de Mannheim, Beethoven, Liszt, Gluck, Mozart etc. Voir R. Schaal in MGG.

**HEWITT Helen.** Org. et musicologue amér. (Granville 2.5.1900–). Elève de Widor, de N. Boulanger, au l'univ. Columbia, du *Radcliffe College*, de l'univ. de Heidelberg (Besseler), docteur avec son éd. savante de l'*Odhecaton* (Cambridge, Mass., 1942, 1946), elle enseigne l'orgue et l'hist. de la mus. au *North Texas State College* de Denton ; on lui doit en outre des art. ds des périodiques et ouvrages collectifs et une bibliographie courante des thèses américaines de musicologie.

**HEWITT — 1. James.** Violon. amér. (Dartmoor 4.6.1770–Boston 1.8.1827), il dirigea l'orch. de la cour de George III et émigra aux U.S.A. en 1792 ; il fut, à N.-York et à Boston, chef d'orch., compos., org. et éditeur ; on lui doit 2 opéras (dont 1 perdu), de la mus. symph., de piano. Son fils — **2. John Hill** (N.-York 11.7.1801–Baltimore 7.10.1890), fut prof., composa 4 opéras, des œuvres chor. et des mélodies, publia *Miscellaneous poems* (Baltimore 1838) et ses mémoires : *Shadows on the wall (ibid.* 1877). Voir J.T. Howard, *The H. family...*, ds *MQ*, XVII, 1931.

**HEWITT Maurice.** Violon. franç. (Asnières 6.10.1884–). Elève du cons. de Paris, membre de la Soc. des instr. anciens (1908–14), du Quatuor Capet (1908–28), prof. au *Cleveland Institute of mus.* (1931–34), au cons. amér. de Fontainebleau (1920–37), fondateur et chef de l'orch. de chambre qui porte son nom (1939) et du quatuor (*id.*, 1927–52).

**HEXACORDE.** C'est un système grec à six cordes, qui, dans l'histoire, succéda au pentacorde ; la sixième corde fut introduite, selon Boèce, par le Phrygien Hyagnis : cette tradition aurait eu une origine asiatique, car, selon des informations plus authentiques et même historiques, ce fut Terpandre de Lesbos qui introduisit les trois cordes de l'heptacorde au-dessus du tétracorde (voir art. *heptacorde* et *Terpandre*). M.D.-P.

**HEXAMÈTRE.** Terme de métrique ancienne : c'est le vers épique par excellence, d'Homère à Nonnus, et repris très largement par les poètes latins :

$$— \cup\cup — \cup\cup — \cup\cup — \cup\cup — \cup\cup — \cup$$

**HEXATONE.** C'est un coefficient de 5 tons et 2 demi-tons d'une octave (*diapason*), qui, dans la théorie aristoxénienne, complétait le *dia-pason* : $\left(\dfrac{12}{2\sqrt{2}}\right)^{6} = \left(\dfrac{6}{\sqrt{2}}\right)^{6} = 2$, mais qui, dans la théorie pythagoricienne, lui était supérieur d'un *comma* : $\left(\dfrac{9}{8}\right)^{6} : 2 = \dfrac{531\ 441}{524\ 288}.$ M.D.-P.

**HEXATONIQUE.** Cet adjectif s'applique à toute échelle musicale de 6 degrés.

**HEYDEN** (*Haiden, Heiden*). Famille de mus. allem. — **1. Sebald** (Bruck b. Erlangen 8.12.1499 (?)–Nuremberg 9.7.1561). Elève de l'univ. d'Ingolstadt (1513), magister (1519), cantor à Leoben (*id.*), à Nuremberg (*id.*), où il fut ensuite recteur de la *Spitalschule* (1521), puis de l'école St-Sebald (de 1525 à sa mort), il a composé 3 passions (Nuremberg av. 1544, 1544, 1553), 1 psaume (*ibid.* 1544), 5 *Lieder* spirituels (*ibid.* 1544–46), 2 livres de répons (*ibid.* v. 1550), 3 ouvrages théoriques: *Musicae* στοιχείωσις (*ibid.* 1532), *Musicae, i.e., artis canendi libri duo* (*ibid.* 1537), *De arte canendi...* (*ibid.* 1540). Son fils — **2. Hans** (Nuremberg, bapt. 19.1.1536– ... 10.1613) fut ingénieur, org., facteur d'instr. ; il publia *Musicale instrumentum*

*reformatum* (*ibid.*, v. 1600, 1610, trad. lat. de C. Rittershausen, sous le titre *Commentatio de mus. instr.*, 1605). Son fils — **3. Hans Christoph** (*ibid.* bapt. 14.2.1572– ... 2.1617) fut org. de l'hospice de Nuremberg (1591), org. de St-Sebald (1596–1616), enfin trésorier épiscopal de Bamberg et d'Eichstätt ; il publia 2 livres de *Tanzlieder : Gantz neue lustige Täntz* (1601) et *Postiglion der Lieb* (1614). Voir A. Sandberger, *Bemerk. z. Biogr. H.L. Hasslers...*, in *DTB*, V ; A. Kosel, *S.H.*, Wurtzbourg 1940 ; R. Wagner, *W. Breitengraser u. die nürnb. K.- u. Schulmus. seiner Zeit*, ds *Mf*, II, 1949 ; F. Krautwurst, art. in MGG ; G. Kinsky, *H.H.*, ds *ZfMw*, VI, 1923–24 ; L. Hübsch-Pfleger, *Das nürnb. Lied*, thèse de Heidelberg, 1942.

**HEYER Wilhelm.** Collectionneur allem. (Cologne 30.3.1849–20.3.1913). Industriel, mus. amateur, il fonda à Cologne un musée, dans lequel il réunit plus de 2.600 instr., qq. 1.700 autographes mus., 20.000 lettres et 3.700 portraits de mus. et une excellente bibliothèque, dont le catalogue a été dressé par G. Kinsky (3 vol., Leipzig 1910–16) ; le musée fut dispersé par les héritiers *H.*, mais les instr. ont été recueillis en 1954 par l'Univ. Karl Marx de Leipzig. Voir W. Kahl in MGG.

**HEYNS Cornelius.** Mus. flamand, qui fut *succentor* à St-Donatien de Bruges (1452–53, 1462–65) ; on lui doit 1 messe intitulée *Pour quelque paine*, ordinairement attribuée à Ockeghem, conservée ds le codex 51 de la bibl. du Vatican : il semble qu'il en est l'auteur. Voir W. Rehm in MGG.

**HEYWOOD John.** Mus. angl. (Londres ? 1497–Malines ? 1587), qui appartint à la chapelle royale d'Henry VIII ; chanteur, virginaliste, membre de la *Londoner Mercers Company* (1529), adversaire de la Réforme et ami de la reine Marie, il s'exila à l'avènement d'Elisabeth Ire, se fit jésuite et vécut à Malines ; ses deux fils, *Ellis* et

HEXACORDE

*Hugo v. Reutlingen. Flores musice... (Strasbourg 1488).*

*Jasper*, également Jésuites, étaient écrivains ; on a conservé de lui une seule pièce séparée (pour chant et luth, B.M. ms. add. 4.900). Voir H. Baillie in MGG.

**HIBBERD Lloyd.** Musicologue amér. (San Francisco 2.1.1904–). Elève des univ. de Californie et Harvard, docteur avec sa thèse *The early keyboard prelude* (1941), prof. au *North Texas State College* de Denton (dep. 1945), il collabore à des périodiques et ouvrages collectifs (art. sur la *musica ficta*, les estampies, Geraldus Cambrensis).

**HIBERNICON.** C'est un instr. de cuivre, du type ophicléide, qui fut construit en 1823 par l'Anglais Cotter ; aucun spécimen n'en a été conservé : l'emploi semble en avoir été fort rare.

**HICHIRIKI.** C'est un hautbois, court (Japon) : l'instrument est en bambou, l'anche, en roseau, est constituée par un seul tube dont l'extrémité embouchée est amincie et se trouve aplatie pendant le jeu, formant ainsi une anche double ; cette anche est maintenue par un anneau de bambou ; dans les intervalles du jeu, elle est protégée par un petit capuchon. Mentionné depuis l'époque de Nara, il en existe de beaux exemplaires au Shosoin : c'était alors un instrument de cour ; c'est encore aujourd'hui l'un des instruments conducteurs de tous les genres de musique (officielle, profane, religieuse) ; il s'apparente au *kouan* (voir à ce mot) chinois. E.H.-S.

**HICKMANN Hans.** Musicologue allem. (Rosslau 19.5.1908-). Elève des univ. de Halle et de Berlin (Schering, Schünemann, F. Blume, C. Sachs, Hornbostel), de l'*Akad. f. K.-u. Schulmus.* à Berlin, docteur avec sa thèse *Das Portativ* (Cassel 1936), il s'est consacré, à partir de 1932, aux problèmes de la musicologie égyptienne ; il s'est fixé au Caire, où, depuis 1957, il dirige l'Institut culturel allemand, tout en étant prof. à l'univ. de Hambourg ; entre autres distinctions, il est membre titulaire de l'Institut d'Egypte ; on lui doit un gd nombre de travaux sur cette question, dont *La trompette ds l'Egypte ancienne* (Le Caire 1946), *Terminologie arabe des instr. de mus.* (dact., *ibid.* 1945), le catalogue des instr. de mus. du musée du Caire (*ibid.* 1949), *Music of the Pharaohs* (*ibid.* 1949), *45 siècles de mus. dans l'Egypte ancienne* (Paris 1956), *Musicologie pharaonique* (*Slg mus. Abh.*, XXXIV, Kehl 1956).

**HIDALGO Juan.** Mus. esp., mort à Madrid en 1685. On ne sait rien de sa formation ; il fut de 1631 à sa mort harpiste à la chapelle de Madrid ; il construisit une *clavi-arpa* (harpe-clavecin) ; on lui doit des opéras : *Celos aun del aire matan* (1660), *La púrpura de la rosa* (id.), *Ni Amor se libra de Amor* (1662), *Los celos hacen estrellas*, *Hado y divisa de Leonido y de Marfisa* (1680), 2 séries de *tonos* et *villancicos* (1-4 v., mss Madrid et Barcelone) : il fut extrêmement apprécié de ses contemporains. Voir J. Subirá, *El operista esp. D. Juan H.*, Madrid 1934 — *Una tonada dd op. J.H.*, ds *Las ciencias*, II, 1, 1935 ; O. Ursprung, ds *Fs. A. Schering*, Berlin 1937 ; S. Kastner in MGG ; art. in dict. Labor.

SEBALDVS HEYDEN. Norimbergensis

S. HEYDEN           *cons. de Paris*

**HIDAS Frigyes.** Compos. hongrois (1928–). Elève (hautbois et compos.) à l'Ecole des hautes études mus. de Budapest, de J. Viski, il est actuellement chef d'orch. au Théâtre nat. de Budapest ; on lui doit notamment 2 concertos (htb., clar. 1951), 1 sonate de htb. (1953), 1 quatuor à cordes (1954), 1 sonate d'orgue (1955), 1 sonate de clar. (1957), 1 concertino de viol. (1958), 1 cantate : *De minoribus* (1959).       J.G.

**HIERONYMUS de MORAVIA.** Voir art. *Jérôme de Moravie*.

**HIE-T'AO.** C'est un luth, variété ancienne du *p'i-p'a* ; l'instrument était très en vogue à l'époque T'sin et joué pendant les travaux de la grande muraille : on l'appelait alors *ts'in-han-tseu* (Chine ancienne).       M.H.T.

**HIEN-TSEU.** C'est l'autre nom du *san-hien*, instr. chinois à trois cordes pincées (voir art. *san-hien*). M.H.T.

**HIGGINBOTHAM Jack** (*Jay*). Tromb. de jazz amér. (Atlanta 11.5.1906-), qui a collaboré aux orch. de L. Russell, de Chick Webb, de F. Henderson, de L. Armstrong et de R. Allen.

*[marginal handwritten note:] d. May 26 1973*

**HIGNARD Jean-Louis-Aristide.** Compos. franç. (Nantes 22.5.1822–Vernon ... 3.1898). Elève du cons. de Paris (Halévy), il fut prof. à Vernon ; on lui doit 7 opéras-comiques (1851-61), 1 tragédie lyrique, des chœurs, des pièces de piano et des mélodies.

**HI-K'IN.** C'est une vièle, à 2 cordes, à caisse en forme de bateau et à manche court : l'instrument était employé dans l'orchestre de cour (Chine ancienne). M.H.T.

**HILAIRE de POITIERS (Saint).** Evêque gaulois (Poitiers v. 315–13.1. ou 1.11.366). Né païen, il se convertit v. 350 ; élu évêque de Poitiers, il fut un grand adversaire de l'arianisme et de Julien l'Apostat, à la suite de quoi il fut exilé en Phrygie par le concile de Béziers (356) ; il en revint dans son diocèse en 360. Son exil lui permit de connaître les mus. liturgiaues orientales, et, à son retour, il tenta d'imposer en Gaule les hymnes qu'il avait connues ; c'est ce à quoi st Jérôme fait sans doute allusion, dans son commentaire de l'épître aux Galates (pour enregistrer l'insuccès de la tentative) : *Hilarius... eos in hymnorum carmine indociles vocat* (Patr. lat., XXVI, 355). Il composa 1 livre d'hymnes, d'ailleurs perdu ; 3 pièces en subsistent : *Ante saecula qui manes* (*Anal. hymn.*, I), ... *Fefellit saevam*, *Adae carnis gloriosa* : ce sont des poèmes alphabétiques (*Fefellit saevam* n'est conservé qu'à partir de la 5ᵉ strophe) ; elles eurent peu de succès, bien qu'*Ante saecula* eût été incorporé à la liturgie : la langue et la scansion en sont difficiles ; on lui attribue avec moins de vraisemblance les 2 hymnes *Lucis largitor* et *Ad caeli clara* (cette dernière, alphabétique). Voir Elie Griffe, *La Gaule chrétienne à l'époque romaine*, Paris 1947 ; A.S. Walpole, *Hymns attributed to H. of P.*, ds *Journal of theol. studies*, VI, 1905 ; F.E.J. Raby, *A hist. of christ. lat. poetry*.       S.C.

**HILBER Johann Baptist.** Compos. suisse (Wil 2.1.1891-). Elève des cons. de Zurich et de Cologne, il est dep. 1934 maître de chapelle à Lucerne, ainsi que dir. de l'Ecole suisse de mus. d'église catholique, fondée par lui ; on lui doit 4 messes, des *propria missae*, des offertoires, des antiennes, des motets, de la mus. de scène, 1 concerto de piano, 1 concertino de clar., des chœurs *a cappella*. Voir *Festgabe J.B.H.*, Altdorf 1951.

**HILDEBRAND Christian.** Mus. allem. (Lunebourg v. 1580–Hambourg 1649). Violiste, il semble avoir d'abord appartenu à la cour de Brunswick-Lunebourg ; il fut ensuite au service du prince-électeur de Saxe Christian II et *Ratsviolist* à Hambourg (1598–1649) ; il y dirigea la *Ratsmusik* de 1616 à 1621 ; on lui doit

HILDEGARDE

*Grossen-H. Codex (Bibl. de Wiesbaden).*

2 recueils d'*Ausserlesener Paduanen u. Galliarden...* (av. Füllsack, 5 v., Hambourg 1607–09). Voir K. Stephenson in MGG.

**HILDEGARDE** (*Ste*). Bénédictine allem. (1147–1179). Née à Böckelheim près de Kreuznach, très tôt moniale à Disibodenberg, où elle devint abbesse, elle fonda avec ses religieuses le couvent de Saint-Rupert près de Bingen ; ses œuvres sont très nombreuses et multiformes, touchant à tous les genres. Sources et littérature sont presque exclusivement allemandes, car les mss sont conservés en Allemagne, sauf rares exceptions. *H.* est un des esprits curieux et encyclopédiques de son temps ; sa grande piété lui dicte des écrits théologiques et moraux, sa culture la pousse vers des formes très diverses : physique, botanique, poésie, drames se succèdent sous sa plume. La partie de son œuvre qui nous retient est la poésie, mise par elle-même en musique : antiennes, répons en prose, séquences, hymnes, 1 *kyrie*, enfin une pièce de théâtre, *Ordo virtutum*, probablement destinée à la lecture et non à la scène. La *Patrologie latine* elle-même n'a pu saisir qu'une partie de toute cette œuvre ; pour se renseigner, il faut reprendre les éditions : Dreves, *Analecta hymnica*, 50 ; Pitra, *Analecta sacra*, VIII ; la meilleure notice est celle de Max Manitius, *Geschichte des latein. Lit. des M.A.s*, III ; étude critique et analyse des mss ds Mère Marianna Schrader, O.S.B., et Mère Aldegundis Fürkhötter, *Die*

*Eichtheit des Schrifttums der heiligen Hildegard von Bingen, quellenkrit. Untersuchung*, XII, Cologne 1956 (*Beihefte zum Archiv für Kulturgesch.*, 6), qui a épuisé toute la bibliographie ancienne.                    S.C.

**HILES Henry.** Org. angl. (Shrewsbury 31.12.1826– Worthing 20.10.1904), qui exerça dans plusieurs églises de Londres et de Manchester, fut en outre prof. et chef d'orch., dir. de la *Quarterly mus. review* (1885–88) ; il composa un grand nombre d'œuvres de mus. d'église et d'orgue, des ouvrages pédagogiques. Son frère — **John** (Shrewsbury 1810–Londres 4.2. 1882) fut également org. et compositeur.

**HILL Alfred.** Compos. australien (Melbourne 16.12.1870– ?). Élève du cons. de Leipzig, violon., il se consacra à la musique des Maoris, fut un des fondateurs du *New South Wales Cons.* et chef d'orch. ; on lui doit 10 opéras, des cantates, de la mus. symph., de chambre, de piano, de film ; il s'inspira souvent du folklore maori. Il publia *Harmony and melody* (Londres 1927). Voir A. Silbermann in MGG.

**HILL Edward Burlingame.** Compos. amér. (Cambridge, Mass., 9.9.1872–). Élève de l'univ. Harvard, de F. Bullard (Boston), de Widor (Paris), de Chadwick (Boston), prof. à l'univ. Harvard (1908–40), il a écrit des œuvres symph. (4 symph.), des concertos, 1 cantate, (1909), 1 ode chorale (1930), de la mus. de chambre, de piano, et publié *Modern french music* (Boston 1924). Voir N. Broder in MGG.

**HILL Ralph.** Critique angl. (Watford 8.10.1900–Londres 20.10.1950), qui publia des ouvrages sur l'hist. de la mus. (1929), Brahms (1933, 1941), Liszt (1936, 1949), un essai intitulé *Challenges* (Londres 1943). Voir H.F. Redlich in MGG.

**HILL Richard S.** Musicologue amér. (Chicago 25.9.1901–). Élève des univ. Cornell et d'Oxford, de Kinkledey, il appartient depuis 1939 au département de la mus. de la *Library of Congress* et fut de 1951 à 1955 président de l'Association intern. des bibliothèques musicales, après avoir été vice-président de la Société américaine de musicologie ; il est l'éditeur du périodique *Notes* (dep. 1943).

**HILLE Johann Georg.** Mus. allem. (?–Glaucha 1744), qui était en 1732 cantor à l'église St-Georges de cette ville ; il fut l'ami de J.-S. Bach ; on lui doit deux ouvrages : *Die uralte u. bis auf den heutigen Tag noch fortdaurende mus. Octaven-u. Quintenlast* (Halle 1740, Leipzig 1743), *Einige neue u. z. Z. noch nicht durchgängig bek. Melodeyen..* (Glaucha 1738). Voir M. Runhke in MGG.

**HILLEMACHER** — **1. Paul.** Compos. franç. (Paris 29.11.1852–Versailles 13.8.1933), élève du cons. de Paris, fut grand prix de Rome 1876, avec sa cantate *Judith;* — **2. Lucien** (Paris 10.6.1860–2.6.1909), élève de Massenet au cons. de Paris, fut 1er prix de Rome avec sa cantate *Fingal*. Les deux frères, très unis, publièrent, de 1881 à 1909, sous la même signature : *P.-L. H.* On doit à *P.* des pièces de piano, de chant, 2 œuvres théâtrales et des leçons de solfège ; à *P.-L.H.* 2 œuvres symph., 6 recueils de piano, de la mus. de chambre, d'église, des chœurs, des mélodies, 3 oratorios, une dizaine d'ouvrages lyriques, une biographie de Gounod (Paris s.d.). Voir G. Ferchault in MGG.

**HILLER Ferdinand.** Chef d'orch. et compos. allem. (Francfort 24.10.1811–Cologne 11.5.1885). Élève de Hummel (Weimar, Vienne), ami de Schubert, de Beethoven, de Grillparzer, de Mendelssohn ; à Paris (1828), de Rossini, de Meyerbeer, de Cherubini, de Chopin, de Liszt, de Berlioz et des cercles artistiques (Balzac, Vigny, Hugo, Delacroix), il fut chef du *Cäcilien verein* à Francfort (1836), fit des tournées en Italie où il se lia avec Santini et Baini (1840–42) puis avec Verdi, fonda à Dresde les concerts d'abonnement (1844 — il y connut Wagner sans l'apprécier beaucoup, mais s'y lia intimement avec les Schumann) ; en 1850 on le trouve à Cologne, où il rénove le cons., en 1857, il est critique à la *Kölnischer Zeitung* et dirigera pendant longtemps la Société des concerts ; il devint l'ami intime de Brahms ; en 1852–53, il dirigea l'Opéra Italien de Paris ; c'est en 1884, après de longues années de travail et de tournées, qu'il abandonna son activité, ayant été l'une des personnalités les plus marquantes du monde mus. allemand, d'ailleurs sans sympathie pour les tendances nouvelles de la musique, comblé d'honneurs et prof. influent (Max Bruch) ; son œuvre, très abondante, est de second ordre : 6 opéras, 2 oratorios, un grand nombre de pièces de mus. vocale, chœurs, mélodies, 2 symph., des ouvertures, 3 concertos, de la mus. de chambre et de piano ; il publia *Die Musik u. das Publikum* (Cologne 1864), *Aus dem Tonleben uns. Zeit* (3 vol., Leipzig 1868–71), *L. v. Beethoven* (*ibid.* 1871), *F. Mendelssohn-B., Briefe u. Erinnerungen* (Cologne 1874), *Musikal. u. Persönliches* (Leipzig 1876), *Briefe an eine Ungenannte* (Cologne 1877), *Künstlerleben* (*ibid.* 1880), *Wie hören wir Musik?* (Leipzig 1881), *Goethes mus. Leben* (Cologne 1883), *Erinnerungsblätter* (*ibid.* 1884), des exercices d'harmonie et de compos. (*ibid.* 1860), une éd. des lettres de M. Hauptmann à Spohr et à d'autres (Leipzig 1876) ; R. Sietz a publié un 1er vol. de sa très nombreuse correspondance (Cologne 1958). Voir celles de Berlioz, de Mendelssohn etc. ; les études de R. Sietz (Cologne 1953, 1955, 1956, 1957) — son art. in MGG, ainsi que la thèse de H. Hering : *Die Klavierwerke F.V.H.s*, 1928.

**HILLER Hans.** Compos. allem. (Breslau 13.11.1873–Leipzig 12.5.1938), qui fut cantor et org. à Leipzig et composa de la mus. d'église.

P. HINDEMITH

*Dessin à la plume de Dolbin* (coll. Meyer).

**HILLER Johann Adam.** Compos. allem. (Wendisch-Ossig 25.12.1728–Leipzig 16.6.1804). Fils d'un maître d'école, élève de la *Kreuzschule* de Dresde (Homilius), de l'univ. de Leipzig, ami de Gottsched, de Gellert, intendant du comte Brühl à Dresde (1754), à Leipzig (1758), il quitta ce poste pour diriger les concerts d'abonnement de Leipzig ; en 1763 il dirigea le *Gross Konzert :* il fut le centre de la vie mus. de Leipzig, s'y fit même prof. de chant (« pour apprendre au peuple allem. à chanter »), fonda une soc. qui donnait 30 concerts par an (1775), fut chef d'orch. du *Gewandhaus* (1781), publia ses *Wöchentl. Nachrichten* (1766–70), prototype d'un périodique mus. moderne ; en 1785, il séjourna en Courlande, en 1787, fut *Musik Direktor* à Breslau, réintégra Leipzig en 1789, pour être Cantor à la *Thomasschule*, se retira en 1800 ; on a perdu une grande partie de ses compositions : un grand nombre de *Lieder* (1759, 1797), des chorals, des arrangements, des *Singspiele* (il est le protagoniste du genre) : *Der Teufel ist los* (1766), *Lisuart u. Dariolette* (*id.*), *Lottchen am Hofe* (1767), *Die Muse* (*id.*), *Die Lieber auf dem Lande* (1768), *Die Jagd* (1770), *Der Dorfbarbier* (1771), *Der Aerndtekranz* (*id.*), *Der Krieg* (1772), *Die Jubelhochzeit* (1773), *Das Grab des Mufti...* (1779), *Das gerettete Troja* (1782) ; il publia *Lebensbeschreibungen berühmter Musikgelehrten u. Tonkünstler neuerer Zeit* (Leipzig 1784, avec son autobiographie), *Nachrich v. d. Aufführung d. händels. Messias*

*i. d. Domkirche zu Berlin...* (Berlin 1786), *Über Metastasio u. seine Werke* (Leipzig *id.*), des manuels de chant et de violon. Son fils — **Friedrich** (Leipzig 1767–Königsberg 23.11.1812) fut chanteur, maître de chapelle à Schwerin, *Musdir.* à Altona (1796), chef d'orch. au théâtre de Königsberg (1799) ; il composa de la mus. de chambre, de théâtre. Voir A. Einstein, *Lebensläufe deutscher Mus.*, I, Leipzig 1915 ; K. Peiser, *J.A.H.*, *ibid.* 1894 ; G. Calmus, *Die ersten deutschen Singspiele v. Standfuss u. Hiller, ibid.* 1908 ; A. Schering, *Musikgesch. Leipzigs, III, ibid.* 1941 — *Aus d. Gesch. d. musikal. Kritik in Deutschland,* ds *JbP,* XXXV, 1928 ; W. Reich, *J.A.H., als Musikschriftsteller u. Kritiker* (ms.) ; L. Hoffmann-Erbrecht et A.A. Abert in MGG.

**HILTON John — 1.** Mus. angl. ( ?–Cambridge v. 1608) : on le trouve pour la première fois comme haute-contre à la cath. de Lincoln en 1584, puis, en 1594, org. au *Trinity College* ; on lui doit 9 *anthems,* 1 madrigal (ds les *Triumphe of Oriana,* 1601), 2 pièces et des compos. religieuses ds des recueils ou en mss ; son fils — **2.** (Cambridge ? 1599–Westminster ... 3.1657) fut bachelier de mus. du *Trinity College* (1626) et, de 1628 à sa mort, prêtre et org. de Ste-Marguerite de Westminster ; on a conservé de lui *Ayres, or fa-la's for 3 voyces* (Londres 1627), 1 recueil de *catches, rounds et canons* à 3-4 v. (*ibid.* 1652, 1658), 1 élégie (ds *Choice Psalmes, ibid.* 1648), des *anthems,* madrigaux, airs, fantaisies, pièces de violes, canons, en mss ou ds des recueils de l'époque. Voir W.H. Grattan Flood, *New light on late Tudor composers : J.H.,* ds *MT,* 68, 1927 ; art. in dict. Grove et V. Duckles in MGG.

**HILVERDING van** (*von*) **Weven Franz.** Maître de ballet autr. (Vienne 17.11.1710-30.5.1768). L'un des 13 *ballerini di corte* de l'empereur Charles VI, élève de Biondi (Paris), il fut dir. du ballet du *Kärntnertortheater ;* il composa de nombreuses pantomimes et arguments de ballets, le plus souvent mis en mus. par F. et I. Holzbauer ; il fut dir. du ballet de la cour de St-Pétersbourg de 1758 à 1764, année dans laquelle il revint à Vienne, au *Burgtheater,* et à Schönbrunn (1765) ; il se retira en 1766 ; parmi ses pantomimes, citons *Britannicus* (Racine), *Idoménée* (Crébillon), *Alzire* (Voltaire) ; il est à l'origine du ballet tragique, et son rôle important dans l'histoire de la danse. Voir W. Pfannkuch in MGG.

**HIMMEL Friedrich Heinrich.** Compos. allem. (Treuenbrietzen 20.11.1765–Berlin 8.6.1814). Elève de l'univ. de Halle, de Naumann (Dresde), compos. de la chambre de Frédéric-Guillaume II (qui l'envoya quelque temps en Italie), puis *Hofkapellmeister* (1795) à Potsdam, il fut le compos. attitré de la famille royale de Prusse ; de 1797 à 1800, il fit des tournées en Russie, dans les Pays-Bas et les pays scandinaves, en 1801 à Paris, Londres et Vienne, en 1806 à Cassel, Vienne et Leipzig ; il défendit contre Reichart l'opéra italien ; Beethoven, qui l'avait connu (1796), l'admirait ; on lui doit 8 opéras (1794-1813, dont *Fanchon,* 1804), 2 messes, des cantates, des chorals (d'église ou profanes), des œuvres de circonstance, 4 concertos, 1 symph., un gd nombre de pièces de mus. de chambre et de clav., de *Lieder.* Voir J.Th.F.C. Arnold, *F.H.H.*, Erfurt 1810 ; W. Neumann, *Id.*, Leipzig 1852 ; L. Gelber, *Die Liederkomp. ... F.H.H. ...*, thèse de Berlin, 1936 ; W. Pfannkuch in MGG.

**HINDEMITH Paul.** Compos. allem. (Hanau 16.1.1895–). Sa famille est originaire de Hesse et de Silésie. En 1904, il aborde l'étude du violon. En 1909, il entre au conservatoire de Francfort. La composition lui est enseignée par Arnold Mendelssohn et Bernhard Sekles. En 1915, *H.* devient *Konzertmeister* à l'Opéra de Francfort, tout en continuant à pratiquer le quatuor à cordes. C'est en 1919 que *H.* donne un premier concert de ses œuvres. L'exécution de ses compositions, son activité en tant que violoniste et altiste, et sa position militante en faveur de la musique nouvelle lui acquièrent rapidement une grande réputation. De 1921 à 1926, il dirige le festival de musique de chambre à Donaueschingen. En 1927, il devient titulaire de la chaire de composition à la *Hochschule für Musik* de Berlin. Son activité de Donaueschingen est reportée à Baden-Baden de 1927 à 1929. En 1932, il commence la composition de *Mathis der Maler* et, en 1937, il fera paraître son ouvrage théorique *Unterweisung im Tonsatz.*

Très gêné dans son activité par l'administration du troisième Reich, *H.* poursuit sa carrière de préférence à l'étranger. De 1935 à 1937, il séjourne beaucoup en Turquie, tentant de susciter dans ce pays une vie musicale du type européen... Il renonce en 1937 à son cours à la *Hochschule* de Berlin et fait plusieurs voyages en Amérique. En 1938 et 1939, il réside en Suisse, et, en 1940, il se fixe aux Etats-Unis d'Amérique : il y devient professeur à la *Yale-University*, jusqu'en 1953. Ensuite il revient se fixer en Suisse.

**Œuvres** principales : I *théâtre.* 1. opéras : *Mörder, Hoffnung der Frauen* (O. Kokoschka, 1 acte, *op.* 12, 1919, Stuttgart 4 juin 1921) ; *Sancta Susanna* (A. Stramm, 1 acte, *op.* 21, 1921, Francfort, mars 1922) ; *Cardillac* (F. Lion, 3 actes, *op.* 39, 1926 ; Dresde, 9 nov. 1926) · *Hin und Zurück* (M. Schiffer, 1 acte, *op.* 45a) ; *Neues vom Tage* (M. Schiffer, 3 actes, 1928–29, Berlin, 8 juin 1929) ; *Mathis der Maler* (P.H., 7 tabl., 1934–35, Zurich, 28 mai 1938) ; *Harmonie der Welt* (P.H., 1957). 2. ballets : *Das Nusch-Nuschi* (F. Blei, 1 acte, *op.* 20, 1920) ; *Der Dämon* (M. Krell, *op.* 28, 1922) ; *Nobilissima visione* (1938) ; *Hérodiade* (d'après Mallarmé, 1944). II *Œuvres vocales avec orch.* : *Die Junge Magd.* (G. Trakl, *op.* 23, 2.1922), *Die Serenaden* (*op.* 35, 1925) ; *Sing-und Spielmusiken für Liebhaber und Musik freunde* (*op.* 45, 1 *Frau Musica.* 2 *Acht Kanons*, 1928) ; *Lehrstück* (B. Brecht, 1929) ; *Das Unaufhörliche* (G. Benn, oratorio, 1931) ; *When lilacs last in the door-yard bloom'd* (W. Whitman, 1946) ; III *Lieder* : 8 *Lieder* (*op.* 18, 1920), *Das Marienleben* (R.M. Rilke, *op.* 27, 1922–23), *Lieder nach alten Texten* (*op.* 33, 1923), *Six Chansons* (R.M. Rilke, 1939); IV *Musique symphonique* : *Konzert, f. Orchester* (*op.* 38, 1925), *Konzert-musik f. Bläserorchester* (*op.* 41 1926), *Konzertmusik f. Solo-Bratsche und Orch.* (*op.* 48, 1930), *Konzertmusik f. Klavier, Blechbläser u. Harfen* (*op.* 49, 1930), *Konzertmusik f. Streichorch. u. Blechbläser* (*op.* 50, 1930), *Philharmonisches Konzert* (1932), *Der Schwanendreher* (1935), *Konzert f. Bratsche* (1935), *Konzert f. Violine* (1939), *Symphonie in Es* (1940), *The four temperaments* (p. et orch. à cordes, 1940), *Konzert f. Violoncello* (1940), *Symphonische Variationen über Themen von C.M. von Weber* (1943), *Klavierkonzert* (1945), *Symphonie Harmonie der Welt* (1951) ; V *Musique de chambre* : *Trio f. Klavier, Bratsche u. Heckelfon* (*op.* 47, 1929), quatuors à cordes : 1 (*op.* 10, 1918), 2 (*op.* 16, 1922), 3 (*op.* 22, 1922), 4 (*op.* 32, 1923), 5 (1943), 6 (1945), quatuor p. piano, cl., viol. et vcelle (1938), quintette pour cl. et quat. à cordes (*op.* 30, 1923), sonates : viol. et p. 1 et 2 (*op.* 11, 1918), Viol. *solo* 1 et 2 (*op.* 31, 1924), vcelle et p. (*op.* 11/3, 1919), vcelle solo (*op.* 25/3, 1923), alto solo (1, *op.* 11/5, 1919 ; 2, *op.* 25/1, 1922), fl. et p. (1936), orgue (1 et 2, 1937), htb. et p. (1938), basson et p. (1938), alto et p. (1939), cl. et p. (1939), cor et p. (1939), trp. et p. (1939), cor angl. et p. (1941), trombone et p. (1941), *Eine kleine Kammermusik* (instr. à vent, *op.* 24/2, 1922), *Kammermusik* (1, *op.* 24/1, 1921 ; 2, piano, *op.* 36/1, 1924 ; 3 vcelle. *op.* 36/2, 1925 ; 4, violon, *op.* 36/3, 1925 ; 5, alto. *op.* 36/4, 1927 ; 6, *viola d'amore, op.* 46/1, 1927 ; 7, orgue, *op.* 46/2, 1928). VI *Piano* : Sonates 1, 2, 3 (1936) ; p. 4 mains (1938), *Ludus tonalis* (1942), Sonate à 2 pianos (1942) ; VII *Ecrits* : *Unterweisung im Tonsatz* (2 vol., 1937/39), *Traditional harmony* (2 vol., 1943, 1948), *Elementary training for musicians* (1946), *J.S. Bach. Ein verpflichtendes Erbe* (1950), *A composer's world. Horizons and limitations* (1952).

La fécondité de *P. H.* n'a d'égale, actuellement, que celle de Darius Milhaud. En 1940, il avait écrit une centaine d'œuvres. Au début de sa carrière, il eut quelque mal à dégager sa personnalité, encombré qu'il était des lourdes traditions allemandes du XIXe s. Voulant rompre avec le chromatisme de Wagner et de Strauss, il prend comme base lointaine Brahms et Reger, tout en pensant que leur art est trop une « *Professorenmusik* » pour son tempérament. La période de libération est marquée par ses 25 premières œuvres (de 1915 à 1923 environ). L'*op.* 24 n° 2, « Petite musique de chambre

P. HINDEMITH

*Caricature de M. Pincherle (1955),*

pour instruments à vent » est la première composition vraiment personnelle ; elle est suivie en 1924 de *Das Marienleben*, une suite de chants sur des poèmes de R.M. Rilke, qui est une de ses œuvres les plus belles. A partir de ce moment, *H.* possède la maîtrise technique, et la joie de l'artisanat le conduit à écrire une série d'ouvrages brillants, d'une admirable virtuosité d'écriture, mais manquant parfois d'une vie intérieure dont l'auteur ne semble pas se soucier. C'est l'époque des concertos de chambre, *op.* 36. Il se passionne pour le « jeu » musical et s'intéresse aux amateurs, aux cercles de mélomanes, si nombreux en Allemagne. Il entreprend une vaste campagne de culture musicale populaire : ses *op.* 43, 44 et 45 (1926–1928) en témoignent. Cet exercice l'amène à simplifier son écriture et le guide vers un art plus mélodique et plus aéré que celui qu'il concevait avant. Dès lors, il devient un artiste complet et produit ses œuvres les plus significatives : le « Concerto pour piano, harpes et cuivres » *op.* 49, l'opéra-bouffe *Neues vom Tage* (1929), le *Lehrstück* (1929), des chœurs pour voix d'hommes (1930), l'opéra *Mathis der Maler* (1934), le concerto pour alto *Der Schwanendreher* (1935), la symphonie chorégraphique *Nobilissima visione* (1939).

A partir du *Marienleben, H.* compose une musique polyphonique. Ce *Marienleben* est écrit à trois voix, et la mélodie renonce au chromatisme pour s'orienter vers un diatonisme modal. On y remarque le rôle déterminant des intervalles de seconde et de quarte, qui font éviter les déterminations tonales classiques. Les courbes mélodiques ne sont pas des mélodies pures : elles ont une fonction thématique ; tout en ayant un caractère bien marqué, elles n'acquièrent leur puissance que par le commentaire polyphonique ou harmonique, et le discours se développe par le travail des motifs dont les thèmes sont constitués, ce qui nous reporte à la technique du baroque, modernisée par l'affranchissement du principe de tonalité. Nous retrouvons des formes anciennes : variations, passacailles, basses obstinées.

Au sujet du concerto tel que le conçoit Hindemith, Heinrich Strobel émet des idées judicieuses ; il dit en substance ceci : « Le concerto devient pour H. le type de composition qui permet de réaliser son double idéal de polyphonie et de force dynamique. Il est à l'opposé du type sonate, celui-ci fondé sur la dualité de deux thèmes qui provoquent des conflits thématiques et créent de ce fait des tensions dans le flux sonore. Le concerto veut le déploiement non contrarié des éléments du jeu musical ; ni conflits, ni tensions ; un seul thème est requis, créant l'unité du matériel. Et s'il y a plusieurs thèmes, ils sont choisis dans le même plan, avec la même signification. L'erreur du XIXᵉ s., d'après H., est d'avoir dégradé le concerto, en l'abaissant à la préoccupation de virtuosité gratuite, et de l'avoir défiguré en y introduisant des tensions symphoniques ». Dans la série des *Kammermusik op.* 36, les concertos de piano et de violon doivent encore être considérés comme des travaux préparatoires : ceux de violon et alto sont plus mûrs. Dans cette série de concertos, tous les instruments de l'orchestre sont solistes, et la musique est réellement concertante pour toutes les parties. Cette conception bénéficiera de sa plus belle réalisation dans le *Konzertmusik für Klavier, Harfen und Blechbläser op.* 49 et le *Schwanendreher* de 1935. Il n'en est pas de même pour le concerto pour orchestre op. 38 : celui-ci, ainsi que des œuvres telles que *Musik für Streicher und Blechbläser, op.* 50, ou le *Philharmonisches Konzert* de 1932, permet bien à certains groupes de concerter, leur donnant le rôle du *concertino* dans l'ancien *concerto grosso*, mais l'ensemble de l'orchestre se borne à rechercher le mouvement, tout en évitant la tension symphonique.

Cette disposition de l'orchestre et l'esprit auquel elle répond conviennent aux nécessités de l'opéra tel que H. l'imagine. Le premier grand opéra de H. est *Cardillac*. Il prend pour modèle l'opéra de Hændel, pour sa solide architecture musicale, parce que chaque scène est un corps musical de structure homogène... La réussite de *Cardillac* n'est pas complète : un langage trop constamment polyphonique fatigue le spectateur-auditeur au théâtre, et l'abondance du texte ne lui permet pas de suivre facilement le déroulement du drame. En 1929, *Neues vom Tage* fit les beaux soirs du *Kroll-Oper* à Berlin : cette comédie musicale, pleine de fantaisie, amusa prodigieusement les Allemands, et le souvenir de son succès reste lié à celui des rares années de détente que connut l'Allemagne avant l'avènement du troisième Reich. Dans

cette partition, qui est une réussite complète, la musique n'abandonne aucun de ses droits, et elle est d'une transparence exquise. Après cette lumineuse fantaisie, il restait à adapter le langage aéré et souple nouvellement conquis à une action dramatique sérieuse : il en résulta *Mathis der Maler* (1934) ; cet opéra, dont H. écrivit lui-même le texte, fut créé au *Stadttheater* de Zurich en 1938.

*Page de titre.*

C'est le retable de Colmar, de Mathias Grunewald, qui est en somme le sujet et la source d'inspiration de cet opéra : il s'agit à la fois d'un commentaire musical du célèbre tryptique, et du drame des rapports entre l'artiste et le peuple, dans la lutte religieuse qui oppose luthériens et catholiques à l'époque de la guerre des paysans. *Mathis der Maler* constitue la somme de l'art du compositeur. Un dernier progrès a été accompli : le musicien a converti les thèmes mélodiques du *Marienleben* en vraies mélodies, conférant à ses lignes une courbe plus puissante, à ses idées une vie intérieure intense. Cette dernière conquête ne s'est pas opérée d'un seul coup : elle est le résultat de compositions telles que *Frau Musica* et *Ein Reiter aus Kurpfalz*, où H. recherche les sources authentiques de l'ancienne mélodie populaire allemande ; en retrouvant l'esprit et le secret de l'art allemand de la Renaissance et du baroque, en les adaptant à la sensibilité contemporaine, *H.* peut être considéré comme l'artiste le plus profondément allemand qui soit.

Ses meilleures compositions d'après 1940 sont « *Les quatre tempéraments* », pour piano et orch. à cordes (1940), *Ludus tonalis* pour piano (1945), une symphonie, des concertos pour violon et pour violoncelle, une série de sonates pour divers instruments et piano, et la symphonie *Harmonie der Welt* (1951).

*H.* a réuni en un important ouvrage, *Unterweisung im Tonsatz* (1937), les vues sur la musique qu'il a acquises au cours de ses recherches de compositeur. La partie essentielle de ce livre est l'exposé et la justification de la conception qu'il se fait de l'harmonie : remanié plusieurs fois, son ouvrage est en somme le seul qui arrive à donner une explication objective des relations harmoniques, applicable à la musique de tous les temps, à celle du moyen-âge comme à celle de Schœnberg, à la musique modale comme à la musique tonale ou dite atonale.

**Bibl. :** H. Strobel, *P. H.*, Mayence 1948 ; E. Westphal, *P. H., Eine Bibliographie des In-und Auslands seit 1922*, Cologne 1957 ; J.R. Halliday, *P. H., the theorist*, New-York 1941 ; les articles de revues et encyclopédies sont énumérés dans la bibliographie générale de Westphal, signalée ci-dessus. **P.C.**

**HINDEMITH Rudolf.** Vcelliste allem. (Hanau 9.1.1900–). Frère de Paul *H.*, élève du cons. de Francfort, d'A. Földesy (Berlin), il a été soliste du *Münchner-Konzertverein* (1919–21), de l'orch. de l'Opéra de Vienne (1921–24), membre du Quatuor Amar, du Trio de Munich ; il enseigne au cons. de Carlsruhe.

**HINDOUE** (*Musique*). Voir art. *indienne*.

**HINE William.** Mus. angl. (Brightwell 1687–Gloucester 28.8.1730). Elève de J. Clarke (Londres), org. à la cath. de Gloucester (1708), il composa *Harmonia sacra glocestriensis* (1-2-3 v.), qui fut publié par sa femme après sa mort (v. 1735) ; on connaît encore de lui 2 *Jubilate* et une autre compos. de mus. d'église. Voir Ch. Cudworth in MGG.

**HINES Earl Kenneth** (*Earl « Fatha »*). Pian. et chef d'orch. de jazz amér. (Duquesne 28.12.1903 ou 1905–), qui fut le collab. d'Armstrong (1948–51) et fonda un sien orch. ; il a été surnommé le « *trumpet style pianist* » et s'est spécialisé dans le *be-bop ;* il a composé.

**HING-KOU.** Cet instr. chinois, appelé aussi *t'o-lo-kou*, est un tambour de marche. **M.H.T.**

**HINGSTON John.** Mus. angl. qui mourut à Londres en déc. 1682. Elève d'O. Gibbons, il fut mus. de Charles Ier, org. de Cromwell, successeur de Ferrabosco à la cour de Charles II et conservateur des orgues et des virginals (c'est Purcell qui lui succéda, après avoir été son adjoint) ; il nous a laissé 2 recueils de compositions (84 pièces instr.) destinées à Oxford, et conservées à la *Bodl. Library ;* on connaît encore de lui en ms. des fantaisies, allemandes et courantes et des *voluntaries* d'orgue. Voir R. Donington in MGG.

**HINNER Philipp** *Joseph.* Harpiste allem. (Wetzlar 1754–Paris, début du XIXe s.), qui fut maître de harpe de la reine Marie-Antoinette, à qui il dédia un recueil de 6 sonates av. acc. de violon ; auteur de romances appréciées, il fit représenter à la Comédie italienne *La fausse délicatesse* (1776). **F.V.**

**HINTZE Jacob.** Mus. allem. (Bernau i. d. Mark 4.9.1622–Berlin 5.5.1702). Elève de P. Nieressen à Spandau, il voyagea ensuite en Prusse orientale, en Lithuanie, Livonie, Suède, fut l'élève, à Wehlau et à Königsberg, de J. Weichmann, fut en poste à Stettin (1651–59), enfin, et pour 40 ans, *Stadtmusiker* de Berlin (1659) ; on lui doit 5 recueils d'*Epistolische Lieder* (Berlin, Dresde et Leipzig, 1666–95). Voir A. Adrio in MGG.

**HIPKINS Alfred James.** Musicologue angl. (Westminster 17.6.1826–Londres 3.6.1903), pian. et org., il fut employé toute sa vie dans la fabrique de pianos J. Broadwood and sons (Chopin fut en rapports avec lui) ; parfait connaisseur de l'hist. de la facture des instr., il donna

*Page d'un* voluntary *pour orgue (Oxford, Bodl. libr.).*

de nombreuses conférences sur les instr. anciens ; il s'intéressait particulièrement au problème du tempérament ; collaborateur du dict. de Grove et de périodiques, il publia notamment *A description and hist. of the pianoforte and the older keyboard instr.* (Londres 1896). Voir E. Halfpenny in MGG.

**HIPMAN Silvestre.** Compos. tchèque (Časlav 23.7.1893–). Elève du cons. de Prague, critique, administrateur de l'*Umelecka beseda*, il a écrit de la mus. chor., symph. (1 symph.), de chambre, des mélodies.

**HIRMOS, hirmologion.** Voir art. *byzantine (musique)*.

**HIRSCH Paul.** Bibliophile anglo-allem. (Francfort 24.2.1881–Cambridge 25.11.1951). C'est en 1896 qu'il commença sa bibliothèque, qui devint une des meilleures bibliothèques privées d'Europe, riche en éditions *princeps* il émigra à Cambridge et céda sa bibl. en 1946 au *British Museum ;* il publia notamment *Katalog einer Mozart-Bibliothek* (Francfort 1906), des art. sur la bibliophilie mus. (Weimar 1927), Gafori (Berlin 1929), 2 sur des éditions de Mozart (*Mus. Rev.*, 1940, 1942), celle de Hændel d'Arnold (*ibid.* 1947), les éd. angl. contemporaines de Beethoven (av. C.B. Oldman, *ibid.* 1953). Voir O.H., *ibid., XII*, 1951 ; A. Hyatt King, *The H. mus. libr.*, ds *Notes*, IX, 1952 — *P.H.* ..., ds *Monthly mus. Rec., LXXXII*, 1952 ; O.E. Deutsch, *Nachruf f.P.H.*, ds *Mf, V*, 1952 ; K. Vötterle in MGG.

**HIRSCHBACH Hermann.** Compos. allem. (Berlin 29.2.1812–Gohlis 19.5.1888), qui fut l'éditeur du périodique *Musikalisch-kritisches Repertorium* et écrivit 14 symph., 13 quatuors, 6 quintettes, 1 septuor, 1 octuor, des ouvertures et 2 opéras. Voir R. Pessenlehner, *H.H.*, thèse de Francfort, Ratisbonne 1933.

**HIRSCHFELD Robert.** Musicologue autr. (en Moravie 17.9.1858–Salzbourg 2.4.1914), élève du cons. et de l'univ. de Vienne, docteur avec sa thèse *J. de Muris* (Leipzig 1884), prof. d'esthétique mus. au cons. de Vienne (1884), critique à la *Wiener Zeitung* et à l'*Abendpost*, dir. du *Mozarteum* de Salzbourg (1913), qui publia notamment *Das kritische Verfahren Hanslicks* et édita Cimarosa, Haydn, Mozart et Schubert.

**HIRSCHLER Ziga** (*Sigismund*). Compos. croate (Trnovica 21.3.1894–), élève du cons. d'Agram (Zagreb), prof. de piano, critique, auteur d'1 opéra : *Florentinska Noč*, de mus. symph., de scène, de chambre, de mélodies juives.

**HIRSCHMANN Henri** (*V.H. Herblay*). Compos. franç. (St-Mandé 1872–), auteur de nombreuses opérettes (*Les hirondelles*, 1907, *La feuille de vigne, id.*, *Les deux princesses*, 1914), de pantomimes et de ballets.

**HIRT** — 1. **Fritz.** Pian. suisse (Lucerne 10.8.1888–), élève du cons. de Zurich, de Sevčik (Prague), qui a été *Konzertmeister* au *Konzertverein-Orchester* de Munich (1908–10), prof. à l'Acad. de mus. de Heidelberg (1911), au cons. de Bâle (1915), *Konzertmeister* à l'*Allg. Musikgesellschaft* (1915) et s'est retiré en 1955 ; son frère — 2. **Franz Joseph** (*ibid.* 7.2.1899–), élève du cons. de Bâle, d'E. Petri (Berlin), d'A. Cortot (Paris), prof. au cons. de Berne (1927), qui a publié *Meisterwerke des Klavierbaus* (Olten 1955).

**HIS.** C'est le nom allem. du *si dièse*.

**HISPANIQUE.** Ce terme désigne l'ancienne liturgie d'Espagne (avant les réformes du XIᵉ s.) à laquelle on a longtemps appliqué le qualificatif de *mozarabe*. Ce terme a paru tout à fait impropre à P. David (dans *Etudes historiques sur la Galice et le Portugal...*, Lisbonne–Paris 1947), tout d'abord parce qu'il paraît difficile d'appliquer à une liturgie chrétienne un vocable où apparaît le mot *arabe*. En second lieu, le mot *mozarabe* désignait expressément les chrétiens qui vivaient au milieu des Arabes : la liturgie primitive d'Espagne s'est répandue dans toute la péninsule et même en Aquitaine. Enfin cette liturgie est antérieure même à l'arrivée des Arabes en Espagne. Le terme a été de nouveau discuté par L. Brou, dans *Ephemerides liturgicae*, 1949. Une bibliographie élémentaire, mais suffisante pour un début d'information musicologique, a été donnée dans *Précis de musicologie* (sous la direction de Jacques Chailley, Paris 1958). Voir art. liturgie dans le supplt du présent ouvrage.      **S.C.**

**HISPERICA FAMINA.** C'est un poème latin d'origine irlandaise (VIᵉ s.), conservé dans l'hymnaire de Bangor et, en dépit de sa forme altérée, considéré comme l'un des monuments les plus anciens et intéressants du latin médiéval. Dans sa forme primitive, il était probablement alphabétique et rythmé, chaque strophe débutant selon l'ordre par une lettre de l'alphabet pour en faciliter la récitation de mémoire. Le sujet en est le jugement dernier, sujet d'ailleurs familier à l'époque. Il n'est pas noté, pas plus que les autres hymnes irlandais (*cf.* le recueil de Bangor conservé à Milan, *Ambr. C 5 inf.*, éd. ds *H. Bradshaw Sty* par Bernard et Atkinson, IV, 1892). Ce texte constitue l'un des grands monuments de la récitation irlandaise. Voir F.J.H. Jenkinson, *The H.F. ...*, Cambridge 1908 (l'éd. est faite d'après 5 sources : *Vat. Reg. lat.* 81 des IXᵉ-Xᵉ s., 1 ms. copié à Echternach et partagé entre Luxembourg et Paris 11.411, 1 ms. de St-Victor, également de Paris 11.411/j, le ms. St-Omer 666 et le fameux ms. Cambridge 5, 35, qui contient aussi des chansons de goliards, XIᵉ s. — on est donc assuré que le poème était encore chanté fréquemment au moyen-âge) ; Manitius, *Gesch. d. lat. Literatur d. Mittelalters*, I ; F.J.E. Raby, *A hist. of chr. lat. poetry*, Oxford 1927.      **S.C.**

**HISTIÉE.** Mus. ionien., de Colophon en Asie Mineure, à qui Nicomaque et Boèce attribuent l'introduction de la 10ᵉ corde ; il a vécu à une époque de grandes innovations dans le domaine des arts en Grèce, avant Périclès, Damon, Ion et Timothée de Milet, avant même Melanippidès et Phérécrate, mais après Phrynis, puisque ce dernier est l'inventeur de la 9ᵉ corde.      **M.D.-P.**

**HISTORIA.** C'est, en liturgie, le nom que l'on donne à chacune des lectures du second nocturne, à matines : elles relèvent en effet du domaine historique, puisqu'elles comportent la vie du saint dont on célèbre la fête. Voir

K. Keuck, H., *Gesch. Wortes u. seiner Bed. i. d. antike u. i. d. rom. Sprachen*, thèse de Münster, 1934 ; C.R., ds *Rev. de fil. esp.*, XXII, 1935 ; S. Corbin, *Le ms. 201 d'Orléans...*, ds *Romania...*, LXXIV, 1953.      **S.C.**

**HITA**, *arcipreste de* (*Juan Roiz ou Ruiz*). Théologien et poète esp. des XIIIᵉ-XIVᵉ s., qui mourut av. 1351 ; il fut emprisonné par l'archevêque de Tolède : son *Libro de buen amor* ou *Libro de cantares*, jugé licencieux, peint la vie amoureuse de son temps, encore qu'il soit sous forme d'autobiographie : on y trouve une classification des instr. mauresques et méditerranéens ; il composa d'ailleurs de la mus. pour des danses mauresques. Voir J. Puyol y Alonso, *El a. de H.*, Madrid 1906 ; F. Pedrell, *Organografía mus. antigua esp.*, Barcelone 1901 ; F. Lecoy, *Recherches sur le Libro de buen amor*, Paris 1938.

**HITOYOGIRI.** C'est une flûte droite, en bambou, de 34 cm. de long environ et à cinq trous (Japon) ; c'était, à l'époque Tokugawa (XVIIᵉ-XIXᵉ s.) un instrument de divertissement très prisé, qui est aujourd'hui devenu très rare.      **E.H.-S.**

**HITSU.** Voir art. *shitsu*.

**HITZELBERGER Sabina**, née *Renk*. Chanteuse allem. (Randersacker 12.11.1755–?). *Koloratur*, elle épousa F.L.J.H., flûtiste de la cour de Wurtzbourg, et fut au service du prince-électeur Maximilien de Cologne ; elle chanta au Concert spirituel à Paris en 1776 ; on suppose qu'elle mourut à Wurtzbourg ; elle eut de nombreux élèves, parmi lesquels ses 4 filles : *Catherina* (Wurtzbourg 1777–1795), *Kunigunde* (*ibid.* 1778–1795), *Johanna* (*ibid.* 1783–?), épouse de J. Bamberger, qui fut chanteuse à la cour de Munich, et *Regina* (*ibid.* 1788–Munich 1827), épouse de M. Lang, qui appartint au théâtre de la cour de Munich. Voir O. Kaul in MGG.

**HITZENAUER Christoph.** Jésuite autr. (Braunau v. 1550–?), élève de l'univ. de Tübingen, qui fut prof. de mus. au *Gymnasium illustre* de Lauingen et s'intitulait *Musicus scholae palatinae musicus* ; il publia *Perfacilis, brevis et expedita ratio componendi symphonias concentusque musicos* (Lauingen 1585), *Ausserlesene sehr liebl. geistl. Gesäng...* (3 v., *id. ibid.*), *Zway newe teutsche Liedlein...* (4 v., *ibid.* s.d.) ; la bibl. de Ratisbonne conserve de lui 1 pièce en allem. à 6 v. en ms. Voir W. Brennecke in MGG.

**HITZIG Friedrich Wilhelm.** Écrivain allem. (Mannheim 3.1.1876–Leipzig 1945). Org., élève du cons. de Mannheim, prof., docteur avec sa thèse *Platons Wertung der Kunst* (1923), il fut prof. à la *Deutsche Buchhändler-Lehranstalt* et archiviste de Breitkopf et Härtel ; on lui doit, outre des articles, le catalogue des archives Breitkopf, maison pour laquelle il rédigea le périodique *Der Bär*.

**HITZLER Daniel.** Mus. allem. (Heidenheim 16.1.1575–Strasbourg 6.9.1635). *Magister* de l'univ. de Tübingen, il fut prédicateur de la cour de Stuttgart et pasteur dans différentes villes, fort mêlé à la vie religieuse de son temps, notamment à Linz, où il fut emprisonné ; surintendant à Stuttgart (1632), il dut, à la suite de nouvelles difficultés, se réfugier à Strasbourg, où il s'adonna à l'édition et aux mathématiques ; outre des œuvres théologiques, des sermons et autres écrits, on lui doit 5 recueils de mus. d'église (1615–34) dont un a été perdu. Voir O. Wessely in MGG.

**HIUAN.** C'est une sorte d'ocarina, petit instrument à vent de l'ancienne Chine ; sa hauteur n'atteint que 7.3 cm ; il est fait de terre cuite ou de porcelaine laquée, de forme ovoïde, percé de sept trous : quatre devant, deux derrière et un sur la tête : on souffle par ce dernier trou ; c'était primitivement un instrument populaire, mais il fut ensuite employé dans l'orchestre de cour.      **M.H.T.**

**HIUAN-KOU.** C'est un tambour suspendu (Chine), soit un grand tambour suspendu verticalement à un cadre de bois, inusité aujourd'hui ; soit un des deux petits tambours (celui de l'ouest) suspendus de chaque côté du *kien-kou* (voir à ce mot).      **M.H.T.**

**HLOBIL Emil.** Compos. tchèque (Mezimosti 11.10.1901–). Elève de l'univ. et du cons. de Prague (J. Suk), il enseigne dans ce dernier cons. dep. 1941 et appartient au comité dir. de la Soc. des compos. tchèques, tout en étant président de la commission du programme du festival intern. de Prague ; il a écrit 3 symph. (1949–57), 2 concertos, 1 suite symph., de la mus. de chambre, des mélodies. Voir A. Horejš in MGG.

**HNATYSCHYN Andrij.** Compos. ukrainien (Tchejekiv 1909–). Elève de l'Institut de mus. Lyssenko à Lvov, prof. et chef de chœur à Vienne, il a écrit 1 opéra : *Olena* (1957), une centaine de mélodies, de nombreuses pièces religieuses ou profanes *a cappella*, 1 quatuor à cordes, des œuvres de viol. et de vcelle.          A.W.

**HNE.** C'est un hautbois birman, à 7 trous : on distingue le *hne gyi*, ou htb. grave, et le *hne galo*, ou htb. aigu, chacun couvrant le registre d'une octave.          M.H.

**HNILIČKA Alois.** Musicologue tchèque (Usti 15.3.1858–Prague 15.1.1939). Juriste, il a publié de nombreux art., notamment sur les mus. tchèques du XVIIIᵉ s., et *Portrety starych českych mistru hudebnich* (Prague 1922). Voir A. Hōrejš in MGG.

**HO.** C'est une vielle à 2 cordes, en bois, à boîte de résonnance en noix de coco ou en bambou (Viet-Nam). — On dit aussi *dan gao* dans le sud du Viet-Nam ; cet instr. fait partie de l'orch. des cérémonies populaires et de l'orch. de théâtre, traditionnel ou rénové ; il appartient à la même famille que le *tro U* cambodgien et le *hou-k'in* chinois (voir à ces mots).          T.V.K.

**HO-CHENG.** C'est un orgue à bouche chinois, de grande taille, à 13 ou à 19 tuyaux.          M.H.T.

**HO-KOU.** C'est une sorte de tambour, instrument chinois.          M.H.T.

**HOBOKEN.** Voir art. *Van Hoboken.*

**HOCHBERG** Hans Heinrich XIV Bolko (*Graf*) **von.** Compos. allem. (château de Fürstenstein, 23.1.1843–Salzbrunn 1.12.1926). Diplomate prussien (il fut attaché d'ambassade à St-Pétersbourg), il quitta son poste pour se consacrer à la musique ; il organisa à Dresde un quatuor à cordes et fut, de 1886 à 1903, intendant général des théâtres royaux de Prusse ; on lui doit 2 opéras, 3 symph., 1 concerto, de la mus. de chambre, des chœurs, des mélodies. Son fils — **Gottfried** (château de Rohnstock 29.1.1882–18.6.1929) fut également compos. Voir F.-J. Machatus in MGG.

**HOCHBRUCKER.** Famille de luthiers et de mus. allem., dont *Georg* (Augsbourg v. 1670-Donauwörth 1763), son fils, *Simon* (Donauwörth 1699–ap. 1750), son neveu, *Coelestin* (Tagmersheim 10.1.1727–Freising 1809), bénédictin, org. et harpiste ; le plus connu est le frère de ce dernier, **Christian** (Tagmersheim 17.5.1733–Londres ap. 1799), qui fut à Paris maître de harpe de la reine (1769) et s'exila à Londres pendant la Révolution : on lui doit 8 recueils pour son instr., publiés à Paris et à Londres. Voir H.J. Zingel in MGG.

**HOCHET.** C'est un idiophone (voir à ce mot), constitué par un récipient clos qui contient des éléments percutants (*h.* à percussion interne) ou bien par une coque non-close, recouverte d'éléments percutants (*h.* à percussion externe). Le corps du *h.* peut être en calebasse, en os (de crâne), en cuir, en bois, en vannerie, en feuilles, en terre-cuite, en métal. Les éléments percutants sont faits principalement de grenaille, cailloux, coquillages, bâtonnets, noyaux, grains de riz et autres menues choses dures. Les *h.* les plus courants sont de forme pseudo-sphérique, conique, tubulaire ou plate ; ils possèdent une poignée soit naturelle (queue de calebasse p. ex.) ou rapportée (os ou bâton). Lorsque le *h.* est à percussion externe, une résille à larges mailles est tendue de manière plus ou moins lâche sur la calebasse, des éléments d'un matériau dur (noyaux, coquillages, vertèbres de serpent, p. ex.) sont enfilés dans la résille. Pour être joué, le *h.* est empoigné et secoué. On distinguera dans les *h.* en calebasse à percussion externe, le *h.-sonnaille* (Afrique), dont

la technique de jeu consiste à empoigner d'une main le manche à et à saisir, de l'autre, l'extrémité lâche de la résille, en imprimant à celle-ci un mouvement de va-et-vient qui fait percuter ses éléments durs contre la paroi. Le *h.* à percussion externe est un instrument africain ou afro-américain. Le *h.* à percussion interne est très répandu ; notamment chez les Amérindiens ; l'un de ses représentants les plus connus est la *maraca* (voir à ce mot). Le *h.* est l'accessoire essentiel de plusieurs rites chamaniques et de rites de sociétés secrètes. C'est d'autre part et, en Afrique centrale notamment, un instrument de femmes. C'est finalement l'instrument enfantin universel. Le *h.* a été adopté par le jazz ; il fait partie, sous le nom même de *maraca*, du matériel de percussion de l'orchestre symphonique.          C.M-D.

**HOCHREITER Joseph Balthasar.** Mus. autr. (v. 1668–Salzbourg 14.12.1731), qui fut org. à l'abbaye de Lambach (1696–1721), puis à la cath. de Salzbourg (1721–31) ; 2 vêpres de lui ont été imprimées ; le reste de ses œuvres (3 messes à plusieurs chœurs, 4 *Regina caeli* à 4 v., graduels, motets) est resté en mss à la bibl. de Lambach. Voir H. Lang in MGG.

**HODDINOTT Alan.** Compos. gallois (Bargoed 11.8.1929–). Elève de l'univ. de Cardiff, il est maître de conférences à l'univ. du pays de Galles ; on lui doit 1 symph., des concertos, de la mus. radiophonique, des mélodies etc.

**HODEIR André.** Compos. franç. (Paris 22.1.1921–). Elève du cons. de Paris (La Presle, S. Plé, N. Dufourcq, O. Messiaen), fondateur et dir. mus. (dep. 1954) du *Jazz-Groupe* de Paris (qui s'est produit au festival de Donaueschingen en 1957), il a écrit de la mus. de jazz, notamment *Les essais* (I, 1954, II, 1955–56), et publié 5 livres, dont *La mus. étrangère contemporaine* (Paris 1954), *Hommes et problèmes du jazz* (id. ibid., prix Carnegie) ; depuis 1954, il est président de l'Acad. du jazz.

**HODEMONT Léonard** Collet de. Mus. belge (? v. 1575–... 8.1636). Chanteur *senior* à la cath. St-Lambert de Liège (1589–93), élève d'H. Jamaer, de Jacques Chabot, d'Henri Michaelis, étudiant de Louvain (1595), il fut au service du chapitre de St-Lambert, tout en étant chanoine de St-Gilles et de St-Materne ; en difficulté avec le chapitre, il finit par être congédié (1633) ; il fut le maître d'Henri Du Mont ; nombre de ses œuvres ont été perdues (motets, antiphonaires, « *26 livres de musique* », messes) ; restent *Armonica recreatione* (villanelles à 3 v. et *b.c.*, Anvers 1625, 1640), *Sacri concentus* (1-5 v. et *b.c.*, Liège 1630), 1 *catch* ds un recueil de Playford (3 v., Londres 1667), 1 *Salve Regina* et 1 *Laetare* (8 v. *b.c.*) en ms. dans le fonds Terry du cons. de Liège. Voir J. Quitin in MGG.

**HODGES Edward.** Org. et compos. angl. (Bristol 20.7.1796-Clifton 1.9.1867), qui exerça à Bristol, Toronto, N.-York, écrivit de la mus. d'église, collabora à des périodiques, publia un essai sur la mus. d'église (N.-York 1841).

**HODGES Johnny** (*John Cornelius H.*). Saxophon. et chef d'orch. de jazz amér. (Cambridge, Mass., 25.7.1906–), ~~d.~~ ~~May 11~~ ~~1970~~ qui appartint aux orch. de Hampton, d'Ellington, de B. Carter ; il a conduit son propre ensemble (1951–55) et composé pour le jazz.

**HŌDOKU.** C'est un tambour, en forme de tonneau, à deux membranes de parchemin tendues par des chevilles de bois (Japon) : le *h.*, posé sur un chevalet de bois, est frappé sur une seule face avec deux baguettes, aussi bien sur le corps de l'instrument que sur la peau ; de temps à autre, les baguettes raclent les chevilles, ce qui donne un timbre particulier ; il existe en plusieurs tailles. D'usage bouddhique, le *h.* se prête au « grand appel à la prière », *solo* d'environ vingt minutes.          E.H.-S.

**HOEBERECHTS John Lewis.** Mus. belge (en Belgique v. 1760-Londres v. 1820), qui était v. 1780 prof. de piano à Londres ; on ne sait rien de plus de lui ; mais il publia à Londres un grand nombre de pièces instr.,

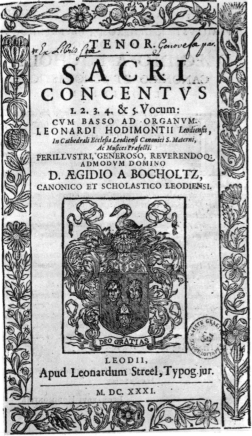

HODEMONT

*Frontispice (Bibl. Ste-Geneviève).*

notamment pour le clav. et le pianoforte, et vocales entre 1786 et 1819. Voir S. Sadie in MGG.

**HOECKH** (*Höckh*) **Carl.** Mus. autr. (Vienne 22.1.1707–Zerbst 25.11.1773). Elève de M. Schade, htboïste et corniste militaire (1727), il connut F. Benda à Hermannstadt et l'accompagna en Pologne, notamment à Varsovie, où *H.* se produisit comme violon. et comme corniste ; il fut ensuite 1er violon (1733), puis *Concertmeister* (1754) à la chapelle de la cour de Zerbst ; ami de C.Ph.E. Bach et de J.C. Hertel, il eut parmi ses élèves K.F.C. Fasch, J.G. Seyffarth, J.W. Hertel ; il composa 11 symph. et nombre de pièces pour le violon, conservées en mss à Darmstadt, Dresde, Berlin, Bruxelles, Marbourg ; qqsunes furent imprimées ; il publia *Lebenslauf d. hochfürstl. Anhalt Zerbstischen Concertmeisters Herrn C.H.* (Berlin 1757). Voir H. Wessely in MGG.

**HOECKNER** (*Höckner*) **Hilmar.** Prof. allem. (Leipzig 24.12.1891–). Elève du cons. et de l'univ. de Leipzig (Riemann, Schering), de W. Gurlitt (Fribourg), il a enseigné à Fribourg (cons.), au château de Bieberstein, à la *Hermann-Lietz-Schule*, à Fulda, où, dep. 1946, il est co-directeur du cons. ; on lui doit *Jugendmus. im landerziehungsheim* (Wolfenbüttel 1926), *Die Mus. i.d. deutschen Jugendbewegung* (ibid. 1927), *A. Halm u. die Mus...* (1927), *Violinübung am Volkslied* (1954) et des contributions à des ouvrages collectifs.

**HOEFER** (*Höfer*) **Franz.** Compos. allem. (Griesbach 27.8.1880–Garmisch 13.11.1953), qui fut chef d'orch. et org., dir. de l'Ecole de mus. d'église de Ratisbonne et prof. dans d'autres instituts ; on lui doit 2 opéras, 1 drame

mus., 1 ballet, de la mus. d'église, symph., d'orgue, des mélodies ; il publia *Leichtfassliche Modulationslehre* (Ratisbonne 1916) et un traité d'instrumentation.

**HOEFFDING** (*Hoffding*) **Finn.** Compos. danois (Copenhague 10.3.1899–). Elève de K. Jeppesen, de Th. Laub, puis de J. Marx (Vienne), il a, dans sa ville natale, fondé (1932) l'Ecole de mus. populaire, et exercé des fonctions pédagogiques, notamment au cons., dont il fut le dir. (1954–55) ; on lui doit 2 opéras, de la mus. symph. (4 symph.) de chambre, chor., des mélodies, des manuels pédagogiques. Voir N. Schiørring in MGG.

**HOEFFER(N)** (*Hoffer[n]*) **Johann Berthold von.** Mus. austro-hongrois (Ljubljana 24.7.1667–15.6.1718). Membre de l'*Academia Operosorum* (1693), fondateur et président de l'*Acad. philo-harmonicorum* (1701–18), société grâce à laquelle la mus. baroque fut connue en Slovénie, il composa 2 oratorios et *Epitheta latino-germanica* (1715), mais ses œuvres sont perdues. Voir D. Cvetko in MGG.

**HOEFFER** (*Höffer*) **Paul.** Compos. allem. (Barmen 21.12.1895–Berlin 31.8.1949), élève du cons. de Cologne, de la *Hochschule* de Berlin (Krenek, Haba) où il fut ensuite prof. puis directeur ; on lui doit 2 opéras, 1 ballet, 4 oratorios, de la mus. symph., de chambre, de piano, folklorique, des cantates, des chœurs, des mélodies, des jeux musicaux. Voir K. Laux in MGG.

**HOEFFLER** (*Höffler*) **Konrad.** Mus. allem. (Nuremberg, bapt. 30.1.1647–? v. 1705 ?). Mus. aux cours de Bayreuth (1673), de Halle (1676), il fut joueur de viole de gambe à celle de Weissenfels et eut G. Schütz parmi ses élèves ; on lui doit 1 ouvrage pour son instr., intitulé *Primitiae chelicae, oder Mus. Erstlinge...* (Nuremberg 1695), ouvrage important pour notre connaissance de la technique de cet instr. au début du XVIIIe s. Voir K. Pauls in MGG.

**HOEG Carsten.** Philologue et musicologue danois (Aalborg 15.11.1896–) qui enseigne dep. 1926 la philologie classique à l'univ. de Copenhague ; avec H.J.W. Tylliard et E. Wellesz, il a fondé les *Monumenta musicae byzantinae*, auxquels il a lui-même collaboré ; il a publié notamment *Graesk Musik* (1940), *Musik og digtning i byz. kristendom* (Copenhague 1955), *The oldest slavonic tradition of byz. mus.* (Londres-N.-York, id.) ; parmi ses art., citons *La théorie de la mus. byz.* (ds *Rev. ét. grecques*, *XXXV*, Paris 1922). Il est président du Conseil internat. de la philosophie et des sciences humaines à l'Unesco.

**HOEGNER** (*Högner*) **Friedrich.** Compos. allem. (Oberwaldbehrungen 11.7.1897–). Elève de l'univ. et du cons. de Leipzig, il a été cantor à Gohlis (1922), *Musikdir.* à Ratisbonne (1925), prof. au cons. et org. à l'univ. de Leipzig (1933) ; il est dep. 1937, dir. de l'Ecole de mus. évangélico-luthérienne de Bavière à Munich ; il a écrit des motets, des cantates, des mélodies, des préludes et chorals d'orgue.

**HOELLER** (*Höller*) **Karl.** Compos. allem. (Bamberg 25.7.1907–). Mus. précoce, élève du cons. de Wurtzbourg et de l'*Akad. d. Tonkunst* de Munich (J. Haas, Hausegger), org., prof. au cons. de Francfort (1937), il a été dep. 1949 prof. de composition, puis directeur (1954) du cons. de Munich ; on lui doit de la mus. symph. (1 symph., op. 40, 1953), 7 concertos, de la mus. de chambre (6 quatuors), d'église (1 messe *a cappella*, 1929, 1 *Requiem*, 1932), de piano, d'orgue. Voir H. Wirth in MGG.

**HOELSCHER Ludwig.** Vcelliste allem. (Solingen 23.8.1907–), élève de J. Klengel (Leipzig) et de H. Becker (Berlin), qui fut membre du Trio Elly Ney et a enseigné à la *Hochschule f. Mus.* de Berlin, au *Mozarteum* de Salzbourg, à la *Hochschule* de Stuttgart (dep. 1957) : c'est un grand interprète de J.-S. Bach. Voir E. Valentin in MGG.

**HOENGEN Elisabeth.** Chanteuse allem. (Gevelsberg 7.12.1906–) qui débuta en 1933, après avoir été élève du cons. et de l'univ. de Berlin ; elle a appartenu aux Opéras de Dresde (1940), de Vienne (1943), et s'est produite à l'étranger, notamment au *Metropolitan Opera* de N.-York ; elle est aussi remarquable au concert qu'au théâtre.

**HOEPKEN** (*Höpken*) **Arvid Niclas** (*Freiherr*) **von**. Mus. suédois d'origine allem. (Stockholm 7.7.1710–Stralsund 28.7.1778), qui fit une carrière militaire ; on lui doit 3 opéras : *Il rè pastore* (1752), *Catone in Utica* (1753), *Il bevitore* (1755), 2 cantates, 1 passion, des airs, 1 *Sinfonia per la chiesa* et 2 autres symph. Voir E. Sundström in MGG.

**HOEPNER** (*Höpner*) **Stephan**. Mus. allem. (Penzling bei Waren v. 1580–Francfort-s.-Oder 22.8.1628). Elève de l'univ. de Francfort, il y succéda ensuite à Bartholomäus Gesius comme cantor, ainsi qu'à l'église *Unserer Lieben Frauen* ; il écrivit nombre de pièces de circonstance pour les bourgeois de Francfort, composées entre 1606 et 1622, œuvres à 5-8 v., mais surtout *Neue deutsche u. lat. geistl. Lieder...* (1614, 1616) et 1 passion selon st Matthieu (4-12 v., 1614). Voir A. Adrio in MGG.

**HOERTER Philippe**. Compos. franç. (Strasbourg 30.8. 1795–6.11.1863), qui fonda un magasin de mus. (1815), fut contrebassiste à l'orch. du théâtre (1819) et prof. de chant au séminaire protestant (1820) dans sa ville natale ; il écrivit une centaine de compositions, notamment des cantates, de la mus. symph., de chambre, des mélodies. Voir *Hommage à Ph.H.*, Strasbourg 1864.

**HOÉRÉE Arthur**. Compos. et critique belge (St-Gilles près Bruxelles 16.4.1897–), qui vit à Paris dep. 1919. Elève du cons. de Bruxelles, du cons. de Paris (P. Vidal, V. d'Indy), il a été prof. à l'Ecole normale de mus. (1950) et collabore à des périodiques ; il fut un des premiers compos. à se consacrer à la mus. de film (40 films) ; on lui doit en outre 4 ballets, 2 suites d'orch., de la mus. de chambre, chor., de piano, des mélodies ; il a publié *I. Stravinsky et ses trois chefs-d'œuvre dramatiques* (1928), *A. Roussel* (Paris 1938), *A. Honegger* (ibid. 1950).

**HOESICK Ferdinand**. Écrivain pol. (Varsovie 16.10. 1867–13.4.1941). Elève des univ. de Heidelberg, de Cracovie et de Paris, il se consacra à des travaux littéraires et journalistiques à partir de 1905 (à Cracovie), fut ensuite rédacteur du *Kurjer warszawski* à Varsovie ; parmi ses publications, il faut citer 6 ouvrages sur Chopin (1898–1926), dont *Chopiniana* (corresp. de Chopin, *I*, Varsovie 1912).

**HOESSLIN Franz von**. Chef d'orch. allem. (Munich 31.12. 1885–près de Sète, 25.9.1946). Elève de Reger et de Mottl (Munich), il y fit une grande carrière de chef d'orch. à Dantzig, St-Gall, Riga, Lubeck, Mannheim, Berlin, Dessau, Barmen-Elberfeld, Bayreuth, Breslau, Florence ; Paris lui doit la première intégrale de *L'anneau du Nibelung* : il mourut d'ailleurs dans un accident aérien près de Sète ; il composa des mélodies, des chœurs, de la mus. de chambre.

**HOFFMANN Emil-Adolf**. Compos. suisse (Aarau 9.3. 1879–). Elève des cons. de Zurich, de Genève (O. Barblan), de Dresde (F. Draeseke), il a, de 1903 à 1955, exercé les fonctions de prof. et d'org. dans son canton natal, publié, de 1905 à 1939, les *Schw. musikpädag. Blätter*, écrit 2 messes a cappella (3 v., en allem.), 1 cantate (1927), des chœurs a cappella, 15 chants de Noël av. acc. de piano, 7 *Dialektlieder* (sopr. et p.), des chœurs pour la jeunesse à 2 voix.

**HOFFMANN Ernst Theodor Wilhelm** (il échangea son dernier prénom pour *Amadeus*, par admiration pour Mozart). Magistrat allem. (Königsberg 24.1.1776–Berlin 25.6.1822). Connu en France surtout par ses contes fantastiques, H. a possédé un réel talent de dessinateur, de peintre et de musicien. Il étudia le droit et entra dans la magistrature ; après le démembrement de la Prusse (1807), il gagna sa vie comme prof. de mus., compos., chef d'orch. et peintre de décors au théâtre de Bamberg ainsi que dans d'autres villes, il revint (en 1814, il reprit ses fonctions de magistrat et vécut à Berlin. C'est au succès musical qu'il aspirait le plus ardemment : son activité littéraire lui importait moins, et la réussite de son opéra

*Ondine* (d'après le conte de F. de la Motte-Fouqué, qui a inspiré aussi J. Giraudoux) à Berlin, en 1816, a sans doute été une de ses plus grandes satisfactions. Il fit des études musicales à Königsberg, avec Ch. W. Podbielski, et à Berlin, avec J.F. Reichardt : ses compositions, dont beaucoup ont été perdues ou sont restées inachevées, comportent de la mus. de théâtre : *Singspiele*, opéras (*Ondine*, 1813–1814, a été édité en 1906 par H. Pfitzner), mus. de scène, d'église, de chambre. Né avant Spohr et Weber, il a peut-être été le premier musicien romantique, bien que son langage musical n'ait pas la richesse et la perfection de sa prose. Dans ses sonates de piano, apparaît parfois un lyrisme inquiet qui annonce le XIX<sup>e</sup> s. La musique, qui joue un rôle important dans toute sa production littéraire, est la trame de nouvelles comme *Le chevalier Gluck*, *Don Juan*, *Les automates*, *Le point d'orgue*, ainsi que des œuvres construites autour de la figure du musicien fou Johannes Kreisler – double de Hoffmann – qui finit par se poignarder « d'une quinte augmentée ». Ses comptes-rendus, qui sont des modèles de pénétration intelligente, montrent, à travers une conception romantique de la musique, langage d'un monde supérieur révélé aux âmes naïves, une connaissance de la musique ancienne française et italienne (ses hymnes *a cappella* ont été écrites sous l'influence de Palestrina), une grande admiration pour Bach, Gluck, Haydn, Mozart et une compréhension assez rare en son temps de la grandeur de Beethoven.                  J.-P.B.

**Œuvres :** opéras et *Singspiele* : *Die Maske* (S., 1799), *Scherz, List. u. Rache* (id., 1801 ou 1802), *Die lustigen Musikanten* (id., 1805), *Die ungebeten Gäste...* (id.), *Liebe u. Eifersucht* (op., 1807), *Der Trank v. Unsterblichkeit* (id., 1808), *Aurora* (id., 1811–12), *Undine* (id. 1813–14) ; autres œuvres scéniques : *Das Kreuz an der Ostsee* (1804–05), *Das Gelübde* (1808), *Die Wünsche* (id.), *Die Pilgerin* (id.), *Arlekin* (1809), *Das Gespenst* (id.), *Dirna* (id.), *Wiedersehen, Julius Sabinus* (1810), *Saul...* (1811) ; mus. de scène, vocale (1 messe), symph. (1 symph.), de chambre, de piano ; écrits : des art. sur Schiller (1803), Gluck (1809), J. Kreisler (1810, 1812, 1814, 1815, 1819), Don Juan de Mozart (1813, 1820), Beethoven (id.), Sacchni (1814), Spontini etc. ; critiques : Beethoven, A. Bergt, Boïeldieu, Fioravanti, Gluck, Gyrowetz, Kotzebue, Méhul, Mozart, Paer, Sacchini, Spohr, Spontini etc. ; trad. : *V.-Schule v. Rode, Kreutzer u. Baillot...* (Leipzig 1814, 1874,1903), texte de l'*Olimpia* de G. Spontini.

**Bibl. :** Elle est trop abondante pour que nous puissions la citer intégralement : voici les ouvrages qui ont paru depuis la fin de la 2<sup>e</sup> guerre mondiale : A. Gloor, *E.T.A.H., der Dichter d. entwurzelten Geistlichkeit*, Zurich 1947 ; H.E.W. Hewett-Thayer, *H., author of the tales*, Princeton 1948 ; P. Greef, *E.T.A.H. als Musiker u. Musikschriftsteller*, Cologne-Crefeld 1948 ; W. Ament, *E.T.A.H. in Bamberg*, Bamberg 1951 ; T. Piana, *E.T.A.H., ein Lebensbild*, Berlin 1953 ; H. Ehinger, *E.T.A.H....*, Olten-Cologne 1954 — art. in MGG ; W. Kron, *Die angeblichen Freischütz-Kritiken E.T.A.H.s*, Munich 1957.

**HOFFMANN** (*Hofmann*) **Eucharius**. Mus. allem. du XVI<sup>e</sup> s., originaire de Heldbourg, qui fut cantor à Stralsund ; on lui doit 6 recueils de pièces spirituelles à 4-6 v., publiées entre 1577 et 1582, 1 messe *Sine nomine* à 8 v. (ms), 3 ouvrages théoriques : *Musical practicae praecepta* (Wittenberg 1572, Hambourg 1584, 1588), *Doctrina de tonis seu modis musicis* (Greifswald 1582, Hambourg *id.*), *Brevis synopsis de modis seu tonis mus. ...* (Rostock 1605). Voir H. Engel, *Drei stralsunder Komp. aus d. Ende d. 16. Jh.*, ds *Mus. in Pommern*, *IV*, 1935 ; W. Müller, *Mg. Stralsunds bis 1650*, thèse de Fribourg-en-Brisgau, 1932 B. Meier, *Eine weitere Quelle der Mus. reservata*, ds *Die Mf*, 1955 ; M. Ruhnke in MGG.

**HOFFMANN Hans**. Chanteur, chef d'orch. et musicologue allem. (Neustadt, Silésie, 28.1.1902–Bielefeld 26.8. 1949). Elève du cons. de Leipzig et des univ. de Breslau, Leipzig, Berlin, docteur de Kiel (1924) avec sa thèse : *Die norddeutsche Triosonate d. Kreises um J.G. Graun u. C.P.E. Bach* (Kiel 1927), il a enseigné aux univ. de Kiel et de Hambourg ; il fut aussi *Musikdirektor* (1940) à Bielefeld ; il publia notamment *H. Schütz u. J.S. Bach* (Cassel 1940), *Vom Wesen d. zeitgen. KM* (Cassel-Bâle 1949).

**HOFFMANN — 1. Heinrich Anton**. Mus. allem. (Mayence 24.6.1770–Francfort 19.1.1842). Elève de l'univ. de Mayence, de G.A. Kreusser, il fut violon de la cour, connut à Francfort (1790) W.A. Mozart, qui joua chez lui ; il suivit ensuite la cour de Mayence à Aschaffenbourg (pendant la Révolution), puis, à partir de 1799, occupa différents emplois à Francfort (*Musikdirektor*) ; il se retira en 1835 ; il composa 4 concertos, de la mus. de chambre et des *Lieder*. Son frère — **2. Philipp Carl** (Mayence 5.3.1769–Francfort 14.11.1842), pian. et altiste, connut Haydn et Beethoven ; il exerça à St-Pétersbourg (1810–1821) ; il composa des sonates, des variations, des cadences pour des concertos de Mozart. Voir A. Gottron, *Mozart in Mainz*, Mayence 1951 — art. in MGG.

**HOFFMANN Richard.** Violon. et compos. amér. d'origine autr. (Vienne 20.4.1925–). Elève (et secrétaire, 1947–51) de Schönberg, prof. au cons. Oberlin (Ohio), auteur de mus. symph. (1 concerto de p., 1953–54) de chambre, d'orgue, de piano, de mélodies.

**HOFFMANN - ERBRECHT Lothar.** Musicologue allem. (Strehlen 2.3.1925–). Elève du cons. de Weimar et de l'univ. d'Iéna, dont il est docteur avec sa thèse *Deutsch u. ital. Klaviermus. zur Bachzeit* (Leipzig 1954), il a enseigné aux univ. d'Iéna et de Francfort, collaboré à des périodiques ou à des ouvrages collectifs (art. sur S. Franck, J.K.F. Fischer *d. J.*, J.C. Graupner, J.U. Haffner, Praetorius, Th. Stolzer etc.), édité notamment C.P.E. Bach, A. Scandello, Martini, Graupner, Mattheson, Pepusch etc. (ds *Mitteld. Musikarchiv*, Leipzig).

**HOFFMANN von FALLERSLEBEN August Heinrich.** Poète et prof. allem. (Fallersleben 2.4.1798– château de Corvey b. Höxter, 29.1.1874). Elève des univ. de Göttingen, Bonn et Leyde, bibliothécaire et prof. à Breslau, il quitta son poste en 1842 pour des difficultés d'ordre politique ; après avoir résidé à Neuwied et à Weimar, il fut en 1860 bibliothécaire du duc de Ratibor ; on lui doit 8 ouvrages sur le chant populaire allem., notamment *Gesch. d. deutschen Kirchenliedes bis auf Luthers Zeit* (Breslau 1832, Hanovre 1861), 15 *Kinderlieder* (*ibid.* 1843), *Die deutschen Gesellschaftslieder d. 16. u. 17. Jh.* (2 vol., Leipzig 1844), *Vaterlandslieder* (Hambourg 1871), d'autres qui ont pour objet le chant populaire de Silésie. Voir ses œuvres complètes, éd. par H. Gerstenberg, 8 vol., Berlin 1890–93 ; son autobiographie, Hanovre 1868 ; W. Heidrich, *Die Kinderlieder H.s. v. F.*, Cologne 1925 ; W. Salmen in MGG.

**HOFFMEISTER Franz Anton.** Éditeur et compos. allem. (Rothenburg am Neckar 12.5.1754–Vienne 9.12.1812). Il fonda à Leipzig sa maison d'édition en 1784, et, avec A. Kühnel, le *Bureau de musique* (1800) : c'est ce « bureau » qui devint en 1813 les éditions Peters ; il quitta Leipzig en 1805 et vint à Vienne où, en 1807, il reprit ses activités d'éditeur ; il est un abondant compos.

de mus. d'église, de chambre, symph., de piano, de mélodies, d'arrangements etc. ; c'est surtout comme éditeur de Mozart, de Haydn, d'Albrechtsberger, de Dittersdorf, de Beethoven (qui l'aimait beaucoup), qu'il est resté dans l'histoire. Voir A. Weinmann in MGG.

**HOFHAIMER** (*Hof[f]haymer*) **Paul** (*Paulus*) *Ritter (von)*. Mus. autr. (Radstadt 25.1.1459–Salzbourg 1537). Issu

*écrivain allemand*

E. T. A. HOFFMANN

*Autoportrait (cons. de Paris).*

d'une famille d'org., élève de son père, de Jacob von Gratz, l'org. de la cour de Salzbourg, il semble avoir appartenu dès 1478–79 à la cour de l'empereur Frédéric III ; en 1480, il est nommé à Innsbruck comme org. de la chambre par l'archevêque Sigmund ; en 1489, il passe au service de Béatrice de Naples, de Matthias Corvinus, roi de Hongrie, comme org. de la cour, de là, l'année d'après, à celui de Maximilien : il suivit les voyages de la cour (Anvers, Malines 1494, Saxe) : il était également organier (St-Jacques d'Innsbruck, Ste-Anne d'Augsbourg) ; de 1502 à 1506, on le trouve chez le prince-évêque de Passau, en 1508 chez Friedrich *der Weiser* à Torgau, en 1509 à Augsbourg ; après la mort de Maximilien (1519), à Salzbourg, puis à Passau, puis de nouveau à Salzbourg (au plus tard en 1524) : là il est org. de la cath., poste qu'il gardera jusqu'à sa mort ;

il fut l'org. le plus célèbre de son temps en Allemagne, comme en témoignent des écrits de l'époque, notamment ceux de Paracelse ; Maximilien Ier et le roi de Hongrie l'anoblirent en 1515 ; Dürer (croit-on), Cranach, Weiditz, Burgkmair, firent son portrait ; il eut de nombreux élèves, parmi lesquels les Brumann, Päminger, J. Kotter, Heidenheimer, Brätel, H. Buchner, Oyart, Luscinus, Grefinger, B. Memmo, et Senfl fut son meilleur ami (il a d'ailleurs achevé ses odes d'Horace en 1539); c'est un des grands maîtres allem. du XVe s. : les qualités ornementales de son style furent et sont encore ses meilleurs titres de gloire. On a conservé sa corresp. avec l'humaniste J. Vadian de St-Gall et avec le prince Frédéric : elle est d'un grand intérêt

**Œuvres :** *mus. d'église :* Il nous reste de lui 1 *Ave Maris Stella* (3 v., 1495, ms. Berlin), 1 *Salve Regina* (3 v., orgue, ms. St-Gall), 1 *Recordare* (*id.*), v. 1520, ms. Berlin), *Tristitia vestra* (3 v., ds *Tricinia* de Rhau, Wittemberg 1542) ; pièces profanes : *Harmoniae poeticae* (35 *odes* d'Horace à 4 v. dont 9 de Senfl, Nuremberg 1539), un grand nombre de *Lieder*, qqs motets en latin et 3 *carmina*, en mss ou publiés dans des recueils de l'époque entre 1512 et 1552. Les odes ont été éditées par I. Achleithner (Salzbourg 1868). Voir H.J.Moser, *P.H., ein Lied-u. Orgelmeister d. deutschen Humanismus*, Stuttgart-Berlin 1929 — *Hofhaimeriana*, ds *ZfMw*, XV, 1932-33 — ds *Adler-Fs.*, 1930 — art. in MGG ; O. z. Nedden, *Zur Gesch. der Mus. am Hofe Kaiser Maximilians. I*, *ibid.* ; L. Nowak, A. Coczirz et A. Pfalz, ds *DTÖ*, XXXVII, 2 ; R. v. Liliencron, *Die horaz. Metren*, ds *ZfMw*, III, 1887 ; W. Näf, *Vadian. Analekten*, St-Gall 1945 ; O. Wessely, *Neue Hofhaimeriana*, ds *Anz. d. österr. Akad. d. Wiss., Phil.-Hist. Kl.*, XCII, 1955.

de Salzbourg (qui devait libérer le théâtre de l'influence exclusive de Wagner et le ramener à une tradition autrichienne), et sa collaboration avec R. Strauss qui lui donnent une place dans l'histoire de la musique. A la demande de R. Strauss, qui y retrouvait l'atmosphère décadente de *Salomé*, H. a arrangé sa tragédie *Electre* (1908) ; leur collaboration a produit ensuite *Le Chevalier à la rose* (comédie musicale, 1910), *Ariane à Naxos* (opéra, 1912, 2e version 1916, conçu d'abord comme divertissement à jouer après *Le bourgeois gentilhomme*), *La légende de Joseph*, ballet écrit pour Nijinski en collaboration avec H. Kessler (Paris 1914), *Le*

HOFHAIMER

*H. Burgkmair, P. H. sur l'orgue du Triomphe de Maximilien.*

**HOFMANN Joseph Casimir.** Pian. et compos. pol. (Podgorze 20.1.1876–Los Angeles 16.2.1957). Fils et élève de Casimir H. (1842–1911), chef d'orch. et compos., enfant prodige, il fit des tournées en Europe et aux U.S.A., puis continua ses études avec Moszkowski (Berlin), A. Rubinstein et E. d'Albert (Dresde), poursuivit sa carrière de virtuose et fut dir. du *Curtis Institute* de Philadelphie (1924–38) ; on lui doit 2 symph., 5 concertos, des pièces de piano, 2 publications sur la technique pianistique. Voir N. Broder in MGG.

**HOFMANN Leopold.** Mus. allem. (Vienne 14.8.1738–17.3.1793), élève de Wagenseil, il fut très jeune chanteur à la chapelle de la cour de l'impératrice Elisabeth-Christine, en 1758 *Musikus* (violon. ?) à St-Michel, à partir de 1764 maître de chœur à St-Pierre de Vienne, en 1769 maître de clav., en 1772 second org. de la cour, enfin maître de chapelle à la cath. de Vienne ; Mozart, qui essaya de devenir son adjoint (1791), échoua ; on lui doit un grand nombre d'œuvres de mus. d'église (33 messes), de *Lieder*, de symph. et de concertos, de pièces de mus. de chambre, qui, si elles furent appréciées de Haydn, de Gluck, n'ont pas su conserver le même intérêt pour nous. Voir H. Prohaszka, *L.H. als Messenkomp.*, thèse de Vienne, 1956 — art. in MGG.

**HOFMANNSTHAL Hugo von.** Poète autr. (Vienne 1.2. 1874–Rodaun 15.6. 1929). Son œuvre, véritable somme de la culture européenne, témoigne d'un intérêt constant pour la musique, dû à l'influence du milieu viennois et de sa tradition musicale, et à son esthétique littéraire, qui reprend une conception, proche du romantisme, de « la musique, langage au-dessus du langage » (*cf. Discours sur Beethoven, Lettre de Lord Chandos*). Mais, c'est le rôle important joué dans la fondation du festival

*bourgeois gentilhomme*, adaptation de la comédie de Molière (1917), *La femme sans ombre* (opéra, 1917), *Les ruines d'Athènes* (festival avec danses et chœurs, utilisant en partie la musique des *Créatures de Prométhée* de Beethoven, 1924), *Hélène d'Egypte* (opéra, 1927), *Arabella* (comédie lyrique, 1932), ainsi que le projet d'un opéra, *Danaé* (arrangé par J. Gregor à la demande de R. Strauss en 1936). A part *Electre*, ces œuvres sont le produit d'un véritable travail en commun des deux artistes, et leur correspondance est un témoignage capital de la collaboration du librettiste et du compositeur. H. reconnaissait le primat de la musique et essayait de s'adapter aux exigences de R. Strauss, qui possédait un tempérament dramatique plus accentué et se souciait davantage de l'effet théâtral et des nécessités de la scène. Par réaction contre le drame musical wagnérien, il a voulu réaliser une formule nouvelle d'opéra qui retrouverait les fastes de la tragédie lyrique baroque, ainsi que la forme traditionnelle à numéros séparés. Il a souligné la difficulté de « construire une pièce ayant une unité dramatique, dans laquelle les numéros doivent avoir de plus en plus d'importance, et de trouver le style qui convient aux intervalles entre les numéros ». R. Strauss a reconnu en ces termes l'importance de son rôle dans leur collaboration : « Jamais un musicien n'a trouvé une aide si féconde. Il restera irremplaçable pour moi et pour le monde de la musique ».

J.-P.B.

**Bibl. :** Voir P. Nicolaï, *Der Ariadne-Stoff i. d. Entw. gesch. d. deutschen Oper*, thèse de Rostock, 1920; W. Pollaschek, *H. u. die Bühne...*, Dresde-Francfort 1925 ; K.J. Krüger, *H. v. H. u. R. Strauss...*, Berlin 1935 ; W. Schuh, *Die Entstehung d. Rosenkavalier*, ds *Trivium*, IX, 1941 — *Ueber Opern v. R. Strauss*, Zurich 1947 R. Strauss, *Beitrachtungen un. Erinnerungen*, éd. W. Schuh, Munich-Fribourg-en-Brisgau 1949 ; F. Trenner, *Die Zusammen arbeit v. H.v.H. u. R. Strauss*, thèse de Munich, *id.*, dact. ; E. Wellesz, *H. u. die Mus.* , ds H.A. Fichtner, *H.v.H.*, Vienne *id.* ; W. Schuh,

*Geleitwort zu H. v.H. Arabella...*, ds *Die neuer Rundschau, LXV*, 1954 — *Geleitwort zu H. v.H. Danae...*. Francfort 1952 ; E. Krause, *R. Strauss...*, Leipzig 1955 ; A.A. Abert et F.W. Wodtke in MGG.

**HOGARTH George.** Critique angl. (Carfrae Mill, Oxton, 1783–Londres 12.2.1870). Beau-père de Charles Dickens, il fut chroniqueur mus. au *Morning Chronicle* (1834), au *Daily News* (1846–66), secrétaire de la *Philh. Soc.* à Londres ; il publia notamment *Musical history, biography and criticism* (Londres 1835, 1838), *Memoirs of the musical drama [opera]* (Londres 1838, 1851), *The life of Beethoven* (*ibid. s.d.*).

**HOHENEMSER Richard.** Musicologue allem. (Francfort 10.8.1870–1942). Elève des univ. de Berlin (Ph. Spitta, H. Bellermann, O. Fleischer), de Munich (Th. Lipps, A. Sandberger), docteur de Munich avec sa thèse : *Welche Einflüsse hatte die Wiederbelebung d. ält. Mus. im 19. Jh. auf die deutschen Kompon.* ? (Leipzig 1900), il vécut à Francfort et à Berlin ; il se donna la mort ; parmi ses publications, philosophiques (Schopenhauer, Nietzsche) et musicologiques (art. sur la mus. à programme, la mus. populaire de l'Allemagne alpine, Brahms, Robert et Clara Schumann, Beethoven, Cherubini, le comique et l'humour en musique), son ouvrage le plus important, dans le domaine musicologique, est *L. Cherubini, sein Leben u. seine Werke* (Leipzig 1913).

**HOHENZOLLERN.** Du grand nombre des margraves de Brandebourg, des rois de Prusse, des margraves de Brandebourg-Ansbach et Kulmbach, des margraves de Brandebourg et Brandebourg-Schwedt, des comtes ou princes de Hohenzollern-Echingen et Hohenzollern-Sigmaringen, des empereurs d'Allemagne, qui jouèrent tous un rôle dans le monde mus., depuis les XIIIe-XIVe s. à *Louis-Ferdinand de Prusse*, chef de famille actuel (9.11. 1907–), le margrave de Hauschild (compoSition), en passant par le margrave *Christian-Ludwig*, protecteur de J.-S. Bach, et *Frédéric II* (voir à ce nom), nous citerons la sœur de Frédéric II, *Anna-Amalia* (Berlin 9.11.1723–30.3. 1787), qui composa, *Anna-Amalia, duchesse de Weimar* (Weimar 24.10.1739–10.4.1807), qui mit en mus. *Erwin u. Elmire* de Gœthe (1776), *Louis-Ferdinand*, prince de Prusse (Friedrichsfelde 18.11.1772–Saalfelde 10.10.1806), neveu de Frédéric II, admirateur et ami de Beethoven, auteur d'œuvres de mus. de chambre, et *Amalia-Marie-Fredericke*, princesse de Saxe (10.8.1794–18.9.1870), qui, sous le pseud. d'A. Heiter, composa des opéras et de la mus. d'église. Voir art. Hohenzollern in MGG.

**HOI.** C'est une flûte de Pan de l'île Florès (Indonésie), formée de quatre tuyaux de bambou (non attachés entre eux).                                                                                 M.H.

**HOKIOKIO.** C'est une flûte nasale des Iles Hawaï ; l'usage en a disparu.                                                  M.H.

**HO-KYO.** C'est un fragment de lithophone (voir à ce mot) conservé au Shōsōin de Nara (Japon) : il ne subsiste que 9 pierres ; on suppose que le jeu en comprenait à l'origine 16, en deux rangs de 8, suspendues dans un cadre.                                                                      E.H.-S.

**HOL** — 1. **Richard.** Compos. néerl. (Amsterdam 23.7. 1825–Utrecht 14.5.1904), qui dirigea longtemps le *Toonkunst* et le *Collegium musicum ultrajectinum*, y fut org. de la cath., fut chef des concerts et du chœur *Caecilix Diligentia* à La Haye, des concerts classiques du Palais du peuple à Amsterdam, fut prof., écrivit qq. 125 compos. dont 4 symph., des messes, de la mus. de chambre, des mélodies ; il publia une monographie sur J.P. Sweelinck (Amsterdam 1859) et le périodique *Het Orgel* (1886–1900). Son fils, le musicologue — 2. **Johannes Cornelis** *H.* (Utrecht 15.1.1874–Carouge, Genève, 8.12.1953), élève de son père et d'O. Barblan au cons. de Genève, des univ. de Munich, Leipzig, Berlin et Vienne, docteur de Bâle avec sa thèse : *H. Vecchi als weltl. Komp.*... (Bâle 1917), publia encore *Muz. fant. en kritieken* (2 vol., Amsterdam 1904) et édita H. Vecchi (Strasbourg 1934).

**HOLAN ROVENSKI Wenzel Karl.** Mus. tchèque (Rovensko 1644–Sedmihorky 27.2.1718), qui fut maître de chapelle et org. ds sa ville natale (1662), à Dobrovitz (1679), enfin à St-Pierre-et-St-Paul de Prague (1692, 1693) ; il résida un temps chez le comte Waldstein à

Prague (1690) ; il publia *Capella regia mus...* (2-4 v., Prague 1693), 2 passions (*ibid.* 1690, 1692), 5 autres pièces de mus. d'église. Voir R. Quoika in MGG.

**HOLBACH Paul-Henri Thiry** (*baron*) d'. Écrivain franç. d'origine allem. (Heidelsheim... 12.1723–Paris 21.1.1789). Lié avec Grimm, Rousseau et surtout Diderot, il participa à la querelle des bouffons ; on lui attribue deux libelles : *Lettre à une dame d'un certain âge sur l'état présent de l'opéra* (1752) et *Arrêt rendu à l'amphithéâtre de l'Opéra, sur la plainte du milieu du parterre, intervenant entre les deux coins* (1753), ce dernier attribué parfois à Diderot, dans lequel il prétend juger sur un ton conciliateur de la querelle des « deux coins ».

**HOLBORNE Anthony.** Luthiste angl., mort sans doute à Londres en 1602, qui fut, semble-t-il, *gentleman* de la chapelle royale du temps de la reine Elisabeth. Ses œuvres furent publiées par son frère **William**, qui était également luthiste et dont l'état-civil n'a pas été retrouvé : *The cittharn schoole...* (Londres 1597) — 32 pièces de guitare en tablature, 23 autres avec acc. de basse de viole, 2 autres avec acc. 2 v. et basses de viole, 6 airs napolitains de William), *Pauans, galliards, almains and other short aeirs both graue, and light, in fiue parts, for viols, violins or other mus. winde instr.* ... (*ibid.* 1599) ; on trouve de ses compos. ds 2 recueils de Dowland (1610), 1 de J. Van den Hove (Utrecht 1612), 1 de Füllsack et Hildebrand (Hambourg 1607), en mss (Londres, Cambridge, Dublin, Glasgow, Yale, Nottingham) ; 2 dédicaces versifiées de lui précèdent la *Plaine and easie introduction* de Morley (Londres 1597, 1608) et les *Canzonets* de Farnaby de 1598. C'est un des meilleurs luthistes de son temps. Voir art. in dict. de Grove et MGG.

**HOLBROOKE Joseph.** Pian. et compos. angl. (Croydon 5.7.1878–Londres 1958). Elève de la *Royal Acad. of mus.* de Londres, champion d'un style néo-romantique anglais, à grand orch. (derrière Berlioz et R. Strauss), il écrivit nombre d'opéras (*The Caldron of Anwyn, I* 1915, *II,* 1914, *III,* 1929), des œuvres symph. (7 poèmes symph., 4 concertos), de la mus. de chambre et des mélodies ; il publia *Contemporary british composers* (Londres 1925).

**HOLCOMBE Henry.** Mus. angl. (Salisbury ? v. 1693–Londres v. 1750), qui, enfant, fut chanteur à la cath. de Salisbury et au *Drury Lane* à Londres, fut prof. de clav. et de chant, dont on a conservé 2 recueils : *The mus. Medley* et *The Garland*.

**HOLDE Arthur.** Org. et compos. d'origine allem. amér. (Rendsburg 16.10.1885–). Elève de l'univ. (Kretzschmar), du cons. Stern et de l'*Akad. d. Tonkust* de Berlin, maître de chapelle à la synagogue (1910–36) et au nouveau théâtre (1911–19) de Francfort, critique à la *Frankf. Gen.-Anzeiger* (1918–33), dir. du *Frankf. Seminar-Gemeinschaft* (1928–33), éditeur de l'*Israelitisch. Familienblatt* et du journal du *Jüdisch Kulturbund* (1934–36), il émigra aux U.S.A., puis fut prof., chef de chœur, org. à N.-York, où il publie (dep. 1938) l'*Aufbau* ; on lui doit des chœurs, des mélodies, des pièces de piano et un grand nombre d'art. publiés ds des périodiques.

**HOLDEN John.** Mus. angl. (v. 1715–av. 1780), potier, chef de chœur à la chapelle de l'univ. de Glasgow, qui publia, sous le pseud. de *Philarmonikos, A collection of church music...* (Glasgow 1766) et *An essay towards a rational system of music* (*ibid.* 1770, Calcutta 1799, Edimbourg 1807). Voir H.G. Farmer in MGG.

**HOLDEN Oliver.** Mus. amér. (Shirley 18.9.1765–Charlestown 4.9.1844), menuisier, auteur de compos. de mus. d'église qui furent très populaires.

**HOLDEN Smollet.** — 1. Mus. angl. (?), dont l'état-civil n'est pas précisé, qui fit une carrière militaire : il était en 1784 chef de mus. au 66e régiment de Berkshire ; il poursuivit sa carrière militaire, tout en étant éditeur, facteur d'instr. (1805) et marchand de mus. (1806) à Dublin ; il publia, à Dublin et à Londres, entre 1796 et 1818, 12 recueils de sa composition : des arrangements pour piano ou mus. de chambre et qqs. chœurs (airs militaires, maçonniques, gallois et irlandais). Son fils — 2. **Francis S.** *H.* fut docteur de mus. du *Trinity College* de Dublin ; sa biographie n'a pas été établie davantage ;

il publia des airs irlandais (en collab. avec sa sœur) à Londres et Dublin, entre 1809 et 1820. Voir H.G. Farmer in MGG.

**HOLDER William.** Mus. angl. (Southwell 1616–Hertford 24.1.1696). Diacre à la cath. de Lincoln (1640), chanoine de la cath. d'Ely, *doctor of divinity* d'Oxford (1660), membre de la *Royal Society* (1663), chanoine de St-Paul à Londres (1672), vice-doyen de la chapelle royale (1674), il se retira en 1689 ; on lui doit une dizaine d'*anthems* et 1 *service* (bibl. cath. d'Ely et *BM*), des écrits : *The elements of speech* (Londres 1669), *A treatise on the nat. grounds and principles of harmony* (*ibid*. 1694), *A discourse concerning time...* (*ibid*. 1694). Voir Ch. Cudworth in MGG.

**HOLENIA Hanns.** Compos. autr. (Graz 5.7.1890–). Elève de l'univ. de Graz et de Reznicek, chef d'orch. à St-Gall et à Zurich (1922–32), prof. d'instrumentation au cons. de Graz (1940–45), il a écrit 4 opéras, des œuvres symph., de la mus. de chambre et de piano. Voir H. Federhofer in MGG.

**HOLGUIN Uribe.** Compos. colombien (Bogota 17.3.1880–). Elève de l'Acad. nat. de sa ville natale, de d'Indy (Paris), dir. de la même acad. (1935) et du cons. (1942), il a écrit 1 opéra, 2 symph., 2 concertos de viol., de la mus. de chambre, des chœurs, des mélodies etc.

**HOLL Karl.** Musicologue allem. (Worms 15.1.1892–). Elève de l'univ. de Munich, docteur de Bonn avec sa thèse *C. D. v. Dittersdorfs Opern...* (Heidelberg 1913), il a enseigné à la *Musikschule* de Francfort (1915–17), assuré la rubrique mus. de la *Frankfurter Zeitung* (1922–43), dirigé des opéras dans les théâtres de Francfort (1945–46) ; il appartient dep. 1946 au ministère des cultes de Hesse, à Wiesbaden, où il est également critique ; outre sa thèse, on lui doit *R. Stephan...* (Sarrebruck-Weimar 1920–22), *F. Gernsheim...* (Leipzig 1928), *Verdi* (Berlin 1939–42, Lindau 1947).

**HOLLAENDER** (*Holländer*). — **1. Alexis.** Compos. allem. (Ratibor 25.2.1840–Berlin 5.2.1924). Elève de l'univ. et de l'acad. royale de mus. de Berlin, il enseigna et dirigea ; on lui doit qq. 64 compos., (chœurs, mélodies, mus. de piano), ainsi que des écrits pédagogiques, des éditions et des arrangements. Voir Th.-M. Langner in MGG. Son frère — **2. Gustav** (Leobschütz 15.2.1855–Berlin 4.12.1915) fut violon. : élève de F. David (Leipzig), de Joachim et de Kiel (Berlin), il appartint à l'orch. de l'Opéra de la cour de Berlin (1884), enseigna (Berlin, Cologne), fit une carrière de virtuose, fut *Konzertmeister* à Cologne et dir. du cons. Stern à Berlin (1895–1915) ; on lui doit surtout de la mus. pour son instr. (4 concertos). Leur frère — **3. Victor** (Leobschütz 20.4.1866–Hollywood 24.10.1940), élève de l'acad. Kullak, fut chef d'orch. à Hambourg, Pest, Marienbad, Berlin, Milwaukee, Chicago, Londres ; on lui doit 2 opéras, nombre d'opérettes, de revues, de la mus. de piano, 1 oratorio. Son fils — **4. Friedrich** (Londres 18.10.1896–) a lui aussi composé des opérettes (et de la mus. de film). Voir E. Nick in MGG.

**HOLLANDE Jean de.** Mus. flam. du XVIe s. Membre de la chapelle de St-Sauveur de Bruges, il succéda à L. Hellinck comme *succentor* de St-Donatien de la même ville (1541) ; on lui doit qqs chansons et motets publiés entre 1543 et 1553 chez Susato.

**HOLLANDER Christian.** Mus. néerl. (Dordrecht ? v. 1510–15–Innsbruck v. 1568–69), qui a été parfois considéré comme le fils de *Jean de H.*, il fut de 1549 à 1557 maître de chapelle à St-Walburge d'Audenarde, puis à la cour impériale, successivement au service de Ferdinand Ier et de l'archiduc Ferdinand, frère de Maximilien II ; en 1566, il était membre de la chapelle d'Innsbruck ; on lui doit des *tricinia* (1573), des *Lieder* polyph. à 4-8 v. (1570–75) et de nombreux motets à 4-8 v. de ses recueils collectifs et des mss. Voir H. Albrecht in MGG.

**HOLLE Hugo.** Écrivain allem. (Mehlis 25.1.1890–Stuttgart 12.12.1942). Elève de J. Haas et de Reger, des univ. de Munich et de Bonn, il fut dir. du cons. d'Heilbronn (1919–21), rédacteur en chef de la *Neue Musikzeitung* (1921–25) et prof., puis dir. du cons. de

Stuttgart ; on lui doit notamment *Goethes Lyrik in Weisen deutscher Tonsetzer bis zur Gegenwart* (Munich 1914), un arrangement du *Mozart* de Storck (Elberfeld 1923) et 1 recueil de motets *a cappella*.

**HOLLER Karl Heinz.** Musicologue allem. (Friedberg 15.9.1919–). Elève de l'univ. de Mayence, il collabore à l'édition du nouveau dict. Riemann (Schott, Mayence 1959) ; on lui doit sa thèse : *Giovanni Maria Bononcini's « Musico prattico » in seiner Bedeutung f. d. musikal. Satzlehre des 17. Jh.* (thèse de Mayence 1955, dact.) et un art. sur C.F. Zelter (ds *Der Chordirigent*, 1958).

**HOLLINGUE Jean de.** Voir art. *Mouton*.

**HOLLY Franz Andreas.** Mus. tchèque (Luby 1747–Breslau 4.5.1783). Elève des Jésuites de Prague, il fut *Kapellmeister* à la *J.V. Brunianische Gesellschaft* de Prague (1770), puis à Berlin et, à partir de 1773, dans la troupe de Wäser à Breslau ; on lui doit 15 opéras ou *Singspiele* (*Der Kaufmann von Smyrna*, 1773), de la mus. de scène, des motets (mss Prague, Breslau). Voir R. Quoika in MGG.

**HOLMBOE Vagn.** Compos. danois (Horsens 20.12.1909–). Elève du cons. de Copenhague (Hoffding), de Toch (Berlin), il vécut en Roumanie (1933–34), où il s'intéressa à la mus. populaire ; de 1940 à 1947, il fut prof. de théorie à l'Institut royal des aveugles de Copenhague, de 1947 à 1955, critique à *Politiken* ; il est (dep. 1950) prof. de compos. au cons. de Copenhague ; on lui doit 10 symph., 13 concertos, d'autres œuvres symph., chor., des mélodies, de la mus. de chambre, de piano, 1 ballet, 1 opéra : *Lave og Jon* (1946). Voir M. Schiorring in MGG.

**HOLMÈS Augusta.** Compos. franç. (Paris 16.12.1847–28.1.1903). D'origine irlandaise, élève de César Franck, elle écrivit (parfois sous le pseud. d'*Hermann Zeuta*) 4 opéras, 2 symph. dram., qq. 130 mélodies etc. ; la bibl. du cons. de Paris possède d'elle de nombreux mss autographes. Voir P. Barillon-Bauché, *A.H....*, Paris 1912 ; R. Pichard du Page, *Une mus. versaillaise A.H.*, Versailles 1921.

**HOLMES Edward.** Écrivain angl. (Londres ? 1797–Londres 28.8.1859), qui fut prof. à Londres et critique à l'*Atlas* ; on lui doit notamment une vie de Mozart (Londres 1845), une autre de Purcell (1847), 1 catalogue analytique et thématique de l'œuvre de piano de Mozart (1851). Voir Ch. L. Cudworth in MGG.

**HOLOUBEK Ladislav.** Chef d'orch. et compos. tchécoslovaque (Prague 13.8.1913–). Elève de l'acad. de mus. de Bratislava, de Novak (Prague), chef d'orch. du théâtre nat. de Bratislava, il a écrit 3 opéras (*Stella*, 1939–48, *Svitanie*, 1941, *Tužba*, 1944), 1 symph. (1938–44), de la mus. de chambre, de film, de piano, des mélodies.

**HOLST Gustav.** Compos. angl. (Cheltenham 21.9.1874–Londres 25.5.1934). Elève, puis prof. (1919–23), au *Royal College of mus.* de Londres, dir. mus. à l'univ. de Reading, il écrivit 3 opéras, 2 ballets chantés, de la mus. symph. (1 concerto de 2 v.), chor., de chambre, de piano, des mélodies. Voir Imogen Holst, *G.H.*, Oxford 1938 — *The mus. of G.H.*, Londres 1951 — art. in MGG.

**HOLSTEIN Franz von.** Compos. allem. (Brunswick 16.2.1826–Leipzig 22.5.1878). Elève de Hauptmann, de Moscheles, de Richter (cons. de Leipzig), il écrivit 3 opéras, de la mus. de scène, des chœurs, des mélodies, de la mus. de chambre, de piano. Voir *H. v. H., Ein Glückliche, in ihren Briefen u. Tagebuchblättern*, éd. H. v. Vesque, Leipzig 1901–07 ; G. Glaser, *F. v. H.*, thèse de Leipzig, 1930 ; W. Kahl in MGG.

**HOLTER Iver.** Chef d'orch. et compos. norvégien (Gausdal 13.12.1850–Oslo 27.1.1941). Elève de Svendsen, du cons. de Leipzig, il fut notamment chef d'orch. des *Musikforeningen* d'Oslo, et dirigea le périodique *Nordisk Musikrevue* (1900–06) ; on lui doit de la mus. symph. (1 symph., 1 concerto de viol.), de chambre, des cantates, des chœurs, de la mus. de piano. Voir O. Gurvin in MGG.

**HOLY Alfred.** Harpiste portug. (Oporto 5.8.1866–Vienne 8.5.1948). Elève de Stanek (Prague), il exerça aux Opéras de Prague, de Berlin et de Vienne, ainsi qu'aux festivals de Bayreuth ; de 1913 à 1928, il fut

·d Jan.18 1976·

soliste du *Boston Symph. Orch.* ; ce fut un des plus grands virtuoses de son temps ; il était également compositeur.

**HOLZBAUER Ignaz Jakob.** Mus. allem. (Vienne 17.9.1711–Mannheim 7.4.1783). Etudiant en droit, mus. autodidacte, il poursuivit ses études à Venise, où il étudia aussi bien Vivaldi, Albinoni, Lotti, que Galuppi et Porpora ; maître de chapelle du comte Rottal à Holleschau, dir. de mus. au théâtre de la cour à Vienne, où sa femme *Rosalie*, née *Andreides*, était sopr., théâtre qui était alors dans le souvenir de Caldara, où Fux était *vig.-Kapellmeister*, maître de chapelle de la cour de Stuttgart (1750), puis à celle de Mannheim (1753) en même temps que J. Stamitz, il termina sa carrière, tout en faisant des séjours en Italie ; il fut affligé de surdité dans les dernières années de sa vie ; sa musique eut l'heur de plaire à Mozart ; on lui doit des opéras : *Il figlio delle selve* (1753), *Chacun son tour* (1754), *L'isola disabitata* (id.), *L'Issipile* (id.), *L'allégresse du jour* (id.), *Don Chisciotte* (1755), *Le nozze d'Arianna* (1756), *Il filosofo di campagna*, *La clemenza di Tito* (1757), *Nitetti* (1758), *Alessandro nell'Indie* (1759), *Ippolito ed Aricia* (id.), *Adriano in Siria* (1768), *Günther v. Schwarzburg* (1770), *La morte di Didone* (1779), *Tancredi* (1783), 4 oratorios : *La Passione di Gesù Christo* (1754), *Isacco* (1757), *La Betulia liberata* (1760), *Il giudizio di Salomone* (1766), un grand nombre de symph., dont beaucoup ont été perdues — il en reste 65 —, de concertos, de quatuors, de trios et de sonates, 3 *divertimenti* (quintettes), 22 messes etc. ; certains auteurs attribuent à Galuppi son *Filosofo di campagna*. Voir son autobiographie, sous le titre *Kurzer Lebensbegriff*, ds le *Magazin f. Mus* de Cramer, 1783, et ds *Pfälzer Museum*, 1790 ; les catalogues de *DTB, III, 1, VII, 3, XVI* ; H. Werner, *Die Sinf. v. I. H.*, thèse de Munich, 1942 (dact.) ; U. Lehmann in MGG.

**HOLZKNECHT Vaclav.** Pian. tchèque (Prague 2.5.1904–). Elève du cons. de Prague, il y est prof. (1942) et dir. (1948) ; il a édité les périodiques *Rytmus* (1941–44) et *Tempo* (1946–48) ; on lui doit également des art. et un ouvrage intitulé *Narodni umelec Vitezslav Novak* (Prague 1948).

**HOLZMANN Rodolfo.** Chef d'orch., compos. et musicographe allem., naturalisé péruvien en 1944 (Breslau 27.11.1910–). Elève de Vogel à Berlin, il fut celui de Nadia Boulanger à Paris ; dans ses œuvres (mus. symph., de chambre, mélodies), il s'inspira de la mus. des Incas ; il est prof. de compos. au cons. nat. de Lima.               D.D.

**HOMBERGER Paul.** Mus. allem. (?v. 1560–Ratisbonne 19.12.1634). Elève présumé d'A. Raselius à Ratisbonne, de G. Gabrieli à Venise, des univ. de Wittenberg (1589) et de Padoue (1595), il séjourna à Graz, où en 1598 il était prof. au *Gymnasium* : il en fut proscrit ; en 1601, il enseignait à Ratisbonne, où il fut cantor en 1603 ; il y composa des œuvres de circonstance pour les visites des empereurs Matthias (1612) et Ferdinand II (1630) : il était estimé de ses contemporains ; on a perdu plus de la moitié de ses compositions ; subsistent 1 psaume CXXVIII (5 v., Vienne 1601), 1 *Veni Sancte Spiritus* (8 v., Ratisbonne 1621), un nombre de pièces de circonstance (4-6 v., 1601–24), une série de *Lieder* et de psaumes (4-8 v., 1607–08, ms. bibl. Proske, Ratisbonne). Voir E. Badura-Skoda in MGG.

**HOMÉLIAIRE.** C'est un livre liturgique qui contient les sermons ou homélies, divisés pour constituer les leçons de matines. Les mss sont rarement notés - les leçons sont seulement cantillées.               S.C.

**HOMER. — 1. Sydney.** Compos. amér. (Boston 9.12.1864–Winter Park 10.7.1953). Elève de Chadwick, de Rheinberger (Munich), il fut prof. d'harmonie et de contrepoint à Boston, puis se fixa à New-York et écrivit de la mus. de chambre, d'orgue et de violon et nombre de mélodies, qui furent très populaires. Sa femme et élève. — **2. Louise**, née *Beatty* (Pittsburgh 30.4.1871–Winter Park 6.5.1947), contralto, débuta à Vichy dans *La favorite* de Donizetti : c'était le début d'une grande carrière intern., parfois en compagnie de Caruso, avec

un répertoire qui comportait Wagner aussi bien que les œuvres lyriques franç. et ital. Voir *S.H., My wife and I*, N.-York 1939.

**HOMÈRE.** Poète grec, né à Smyrne en Ionie d'Asie-mineure ou, selon d'autres, à Céos, v. 800 av. J.-C. Dans l'*Iliade* et l'*Odyssée*, il nous a laissé de nombreux renseignements précieux sur la vie musicale de cette époque très reculée, sur les musiciens légendaires, tels que Démodokos, Phémios et Thamyris, sur leur situation sociale et sur les instruments de musique. Voir W. Schadewaldt, *Die Legende v. Homer dem fahrenden Sänger*, Leipzig 1942 — *Von Homers Welt u. Werk*, ibid. 1944.               M.D.-P.

**HOMET Louis.** Mus. franç. (Paris 1691–1777). Enfant de chœur à la Sainte-Chapelle de Paris, élève de Nicolas Bernier, il fut chanteur à la cath. de Chartres (1710), maître de chapelle de St-Jacques de la Boucherie à Paris (1711), à la cath. d'Orléans (1724–31), *maistre de mus. du roi Stanislas* à Chambord, maître de chapelle à N.-D. de Paris (1734–48) ; on a conservé de lui 1 messe pour les anniversaires, 1 prose des morts (4 v., 1722), 2 autres pièces à 3 et 5 v. (ms. B.N.). Voir F. Raugel in MGG.

**HOMILIUS Gottfried.** Mus. allem. (Rosenthal b. Königstein 2.2.1714–Dresde 2 ou 5.6.1785). Elève de l'univ. de Leipzig, de J.-S. Bach, il succéda en 1742 à Ch. Gräbner à l'orgue de la *Frauenkirche* de Dresde, et, en 1755, à Reinhold, comme cantor à la *Kreuzschule*, en même temps qu'il était nommé *Musikdirektor* des 3 grandes églises de Dresde ; il fut le maître de J.A. Hiller, de J.F. Reichardt ; on a conservé de lui, impr. : *Passions-Cantate* (Leipzig 1775), 5 motets et 1 air ds les *Vierst. Mot. u. Arien* de J.A. Hiller (ibid. 1776), *Die Freude der Hirten...* (Francfort.s.Oder 1777), 7 *Lieder*, ds *Gsge. f. Maurer...* (Dresde 1782), *Sechs Arien im Auszuge f. Clavier...* (ibid. 1786), 1 motet : *Sehet, welch eine Liebe* (Berlin), d'autres chants maçonniques ds divers recueils ; en mss : nombre de passions, un cycle de cantates pour toute l'année, 16 autres, au moins 20 *Magnificat*, un très grand nombre de motets, de chorals, 32 préludes d'orgue (ms. Dresde), 5 préludes de chorals d'orgue (ms. cons. de Bruxelles), *Orgeltrio G* (ds l'*Orgelfreund* de Körner, *XII*), 2 arrangements de chorals pour orgue et cornet, 6 trios pour 2 clav. et pédalier, 2 fantaisies d'orgue, 1 concerto de clav. (av. cordes, Berlin), 1 sonate de htb. et basse, 1 écrit : *Herrn Cantoris H. General-Bass*, des lettres (*cf.* La Mara, *Musikerbriefe aus 5 Jh.*, I, Leipzig 1886). Voir R. Steglich, *K. Ph. E. Bach u... G.A.H. ...*, ds *Bach-Jb.*, *XII*, 1915 ; R. Sietz, *Die Orgelkompos. v. d. Schülerkreises um J.S. Bach*, ibid. *XXXII*, 1935 ; R. Engländer, *Die dresdner Instrumentalmusik i.d. Zeit d. wiener Klassik*, Upsal-Wiesbaden ; G. Feder in MGG.

**HOMOPHONE.** Cet adjectif, en acoustique, signifie « qui sonne à l'unisson ». Dans le système tempéré, les sons enharmoniques sont *h.* : exemple *si dièse* et *ut*.

**HOMOPHONIE.** C'est le caractère d'un chœur dont les voix sont à l'unisson ou à l'octave. Dans l'ancienne mus. grecque, le terme ne s'appliquait que dans le cas du chant choral à l'unisson : autrement, c'était l'*antiphonie*, dans laquelle le 2e chœur répondait à l'octave. Récemment, on s'est servi du mot pour désigner une technique de composition polyph. syllabique, plus précisément dans laquelle les syllabes du chant coïncident dans le sens vertical : on a pris coutume de l'opposer à un style non syllabique, qui serait, lui, « contrapuntique » ; cet usage n'est pas à recommander, puisque les oppositions ainsi créées sont inexactes.

**HONAUER Leontzi.** Mus. franç. (Strasbourg v. 1735–?), qui fut de 1760 à 1780 claveciniste à Paris, d'abord au service du cardinal Louis de Rohan [1761 — il le quitta après l'affaire du collier], puis (1789) chez la princesse Kinsky ; Léopold Mozart le rencontra à Paris en 1763 ou 1764 (cf. sa lettre du 1.2.1764) ; il fut fort estimé à Paris ; on a gardé de lui 4 recueils de clav. avec acc. (Paris 1761–70) ; des autres pièces furent impr. à Londres ; des mss de *Suites de pièces pour l'harmonie av. fortepiano oblig.* sont conservés à Berlin et à Schwerin ; W.A. Mozart a repris des thèmes de lui ds ses *Pasticcio-Klavier-*

konzerten (*K.* 37, 40 et 41). Voir E. Reeser, *De klavier-sonate met viool-begeleiding in het parijsche muziekleven ten tijde van Mozart*, Rotterdam 1939 — art. in MGG.

**HONDT Gheerkin de.** Voir art. *Canis.*

**HONEGGER Arthur.** Compos. suisse (Le Havre 10.3. 1892–Paris 27.11.1955). Il est issu d'une vieille famille protestante de Zurich. Il naquit au Havre, où son père était le fondé de pouvoir d'une maison d'importation de café et fréquenta le lycée de sa ville natale ; il se passionna pour la poésie, la mer et la musique. Très tôt, il manifesta ses dons musicaux, mais ce sont les opéras qu'il entendit au Havre et, plus tard, les cantates de Bach qu'André Caplet vint y diriger, qui déterminèrent sa vocation. Il travailla le violon avec Sautreuil et, à l'imitation de Beethoven, composa des sonates et des trios. Robert-Charles Martin lui enseigna l'harmonie, et il s'essaya même à composer un opéra d'après l'*Esmeralda* d'Hugo, puis un oratorio, *Le calvaire*. Il séjourna de 1909 à 1911 à Zurich, où il travailla au conservatoire avec un ami de Brahms, Friedrich Hegar, qui reconnut ses dons et appuya sa vocation auprès de son père : il put ainsi se consacrer entièrement à la musique. De 1911 à 1913, il vint toutes les semaines du Havre à Paris pour y travailler le violon avec Lucien Capet et, au conservatoire, le contrepoint avec Gédalge, la composition avec Widor et la direction d'orchestre avec Vincent d'Indy. Il était arrivé à Paris « nourri de classiques et de romantiques, féru de Strauss et de Reger » ; il y prit contact avec le debussisme, et son condis-

HONEGGER

*Dessin d'Ochsé* (coll. Meyer).

ciple au conservatoire, Darius Milhaud, le présenta à Koechlin ; en 1913, il s'installa à Paris, mais, mobilisé en 1914 dans son pays, il n'y revint qu'en 1916. De cette époque datent ses premières mélodies, influencées par Debussy et Ravel : *Prière* (Francis Jammes), *Six poèmes* (Apollinaire, 1915–1917), *Trois poèmes* (Paul Fort, 1916). Il dédia à Maurice Ravel un *Hommage* pour piano (1915) et, à la mémoire de son oncle Oscar Honegger, *Toccata et variations* (1916) : cette œuvre, influencée par Bach et d'Indy, fut créée par la .pianiste Andrée Vaurabourg, qu'il épousa dix ans plus tard.
Sa première œuvre orchestrale (qu'il dirigea lui-même à la classe de direction d'orchestre de d'Indy) est un *Prélude pour Aglavaine et Sélysette* (Maeterlinck, 1917), influencé par Debussy. C'est dans son 1er quatuor (1916–17), dédié à Schmitt, que sa maîtrise s'affirma : il s'est reconnu plus tard dans cette œuvre « comme dans un miroir » ; le *Chant de Nigamon* d'après le *Souriquet* de Gustave Aimard, ne fit que confirmer cette maîtrise, à l'orchestre. C'est cependant le demi-scandale que causa la musique de scène pour *Le dit des jeux du monde* (Paul Méral, 1917), qui fit connaître *H.* du grand public : l'œuvre, pour orchestre de chambre, influencée encore par Schönberg et Stravinsky, était cependant fort originale. En 1920 se place la création chez Darius Milhaud (sur l'initiative du critique Henri Collet) du célèbre Groupe des six : Germaine Tailleferre, Georges

Auric, Louis Durey, Francis Poulenc, Darius Milhaud et Honegger. Honegger s'est peu à peu séparé de l'esthétique du groupe, telle que l'a définie Jean Cocteau par exemple. Voici quelques extraits des déclarations d'*H.* à l'époque : « Je n'ai pas le culte de la foire ni du music-hall, mais au contraire celui de la musique de chambre et de la musique symphonique dans ce qu'elle a de plus grave et de plus austère ». — « J'attache une grande importance à l'architecture musicale que je ne voudrais jamais voir sacrifiée à des raisons d'ordre littéraire ou pictural... Mon grand modèle est Jean-Sébastien Bach. Je ne cherche pas, comme certains musiciens anti-impressionnistes, un retour à la simplicité harmonique. Je trouve au contraire que nous devons nous servir des matériaux harmoniques créés par cette école qui nous a précédés, mais dans un sens différent, comme base à des lignes et à des rythmes. Bach se sert des éléments de l'harmonie tonale, comme je voudrais me servir des superpositions harmoniques modernes ». De 1916 à 1920, Honegger composa de nombreuses œuvres de musique de chambre, d'un haut intérêt : deux sonates pour violon et piano (1918 et 1919), suivies d'une autre pour alto et piano (1920), sonatine pour 2 violons (*id.*), sonate pour violoncelle et piano (*id.*). Deux œuvres limpides datent de la même année (1920), l'admirable *Pâques à New-York* pour soprano et quatuor à cordes (Blaise Cendrars) et la célèbre *Pastorale d'été* pour orchestre, inspirée par un vers de Rimbaud. La longue série des grandes œuvres commence avec *Horace victorieux* (1921), « action scénique », qui devint, après la mort de son ami le peintre Fauconnet, une *Symphonie mimée en 8 parties* : c'est une œuvre complexe, atonale et rude, « la plus originale qui soit sortie de mes mains », disait son auteur. C'est pourtant le *Roi David* qui domine à cette époque la production de *H.* : l'œuvre, destinée au Théâtre suisse du Jorat, fut composée (sur un texte de René Morax) en 1921, en deux mois ; sa version primitive (musique de scène pour 17 instr. à vent et à percussion) remporta un immense succès, mais *H.* écrivit une seconde version (pour grand orch.) et transforma l'œuvre en oratorio : le récitant remplaça les traditionnels récitatifs ; *H.* renouaait ainsi avec la grande tradition de l'oratorio biblique, pratiquement abandonnée depuis Hændel et Haydn. Après *Chant de joie* (1923) et *Prélude pour La tempête* (*id.*), ce fut, la même année, la révélation de *Pacific 231* : on a voulu voir dans cette œuvre l'essentiel de l'apport de Honegger à la musique de son temps, et son titre, s'il a aidé à sa diffusion, a plutôt nui à sa compréhension profonde ; loin d'être une musique purement imitative, *Pacific 231* est une sorte de grand choral varié, c'est « une idée toute abstraite » qu'*H.* a poursuivie dans l'œuvre, « en donnant le sentiment d'une accélération mathématique, qui rythme, tandis que le mouvement lui-même se ralentit ».
L'année 1924 vit naître le charmant et mozartien *Concertino pour piano et orchestre*, créé en 1925 par Andrée Vaurabourg. Outre deux musiques de scène, commandées par Ida Rubinstein, mécène de grande classe, *L'impé-*

ratrice *aux rochers* (Saint-Georges de Bouhélier, 1927), *Phaedre* (d'Annunzio, 1926), *H.* composa un second oratorio (devenu *opera seria*), sur un texte de René Morax, *Judith* (1925). Ce n'est qu'en 1927 qu'il termina « l'œuvre selon son cœur », la tragédie musicale *Antigone* (texte de Cocteau d'après Sophocle) : il essaya dans cette œuvre de renouveler la prosodie lyrique, en déplaçant l'accent tonique et en composant un chant rigoureusement syllabique, pour rendre le texte intelligible ; il chercha surtout à y obtenir un équilibre entre musique et action, en enveloppant le drame d'une construction symphonique serrée sans en alourdir le mouvement (l'œuvre musicale ne dure pas plus que la tragédie parlée); *H.* en a dit : « Je crois qu'*Antigone* apportait une petite pierre au théâtre lyrique ». Composé en 1928, *Rugby* s'inscrit dans la lignée de *Pacific* : c'est une œuvre dynamique, écrite en forme de rondo varié. De décembre 1928 à avril 1929, *H.* alla avec sa femme présenter ses œuvres aux États-Unis, avec un immense succès. Dès son retour en France, il s'attaqua à *Amphion*, mélodrame sur un texte de Paul Valéry : l'œuvre est un essai de synthèse de tous les arts ; elle nous peint la légende d'Amphion, « symbole tragique de l'homme créateur », qui, aux accents de sa lyre, bâtit Thèbes ; nous y percevons les rapports secrets qui unissent musique et architecture ; l'architecture y naît en même temps que la musique, qui se complique à mesure que Thèbes s'édifie ; *H.* tira de cette œuvre (commandée par Ida Rubinstein), en 1948, *Prélude, fugue et postlude*. C'est après avoir composé un délicieux concerto pour violoncelle (1929), légèrement influencé par le jazz, qu'il conçut en 1930 sa première symphonie (commandée par Serge Koussevitzky) : l'œuvre comporte 3 mouvements et se caractérise, à l'intérieur de chaque mouvement, par la prédominance d'un seul thème, auquel *H.* ajoute en contrepoint d'autres éléments : le premier mouvement est un *Allegro marcato* à 4 temps, dominé pourtant par le premier thème, qui se divise en deux éléments, l'un âpre et véhément (voir ex. musical), l'autre plus lyrique (*id.*) ; le développement est une combinaison contra-

1re *symphonie*

puntique des 4 thèmes. Le second mouvement est un *adagio* en forme de *Lied*, à 8 parties symétriques, accompagné par une basse obstinée ; la structure en est la suivante :

Parties ;  1  2     3     4  5        6     7  8
           ↓  ↓     ↓     ↓  ↓        ↓     ↓  ↓
Thèmes   A  B  C+D  E  A+E  D+C  B  A

Le final est un *presto* à 6/8, en forme de rondo varié ; il se termine par un *andante tranquillo*, dans lequel le thème principal trouve sa forme définitive.
En 1930, *H.* composa une charmante opérette, *Le roi Pausole* (livret d'A. Willemetz, d'après P. Louys) : c'est une heureuse incursion d'*H.* dans le domaine de la musique dite légère ; jouée en 1930 aux Bouffes-Parisiens, l'œuvre obtint un gros succès. Tout différent est l'oratorio *Les cris du monde* (René Bizet), inspiré par l'*Hymne à la solitude* de Keats : son sujet, la solitude de l'homme et sa révolte contre la barbarie du monde moderne, restera cher à Honegger : il le reprendra dans sa *Symphonie liturgique*, écrite en 1931, qui a été créée la même année à Soleure et à Paris. Après sa sonatine pour violon et violoncelle (1932) et *Prélude, arioso et fuguette* sur le nom de Bach, pour piano (*id.*), *H.* composa son 3e mou-

vement symphonique (1933), créé à Berlin par Wilhelm Furtwängler. La même année, il acheva *Sémiramis* ballet-mélodrame sur un texte de Valéry, commandé par Ida Rubinstein, créé à l'Opéra en 1934. C'est en 1935 que commença, avec *Jeanne au bûcher*, la fructueuse collaboration d'Honegger et de Claudel : d'abord assez réticent, Claudel se passionna pour le sujet, et l'œuvre, achevée dès 1935, ne fut jouée qu'à Bâle en 1938 et à Orléans en 1939 ; c'est un essai de « synthèse de tous les éléments du spectacle avec le texte parlé » ; l'action est volontairement simple et, soutenu par l'admirable texte de Claudel, *H.* a réalisé son rêve, celui d'écrire « une musique perceptible pour la grande masse des auditeurs et exempte de banalité pour intéresser cependant les mélomanes ».
*H.* avait une préférence secrète pour ses 2e et 3e quatuors (1936 et 1937), qui marquent un progrès certain sur le premier : la forme y est plus condensée (3 mouvements au lieu de 4), l'écriture, moins surchargée ; le schéma est le même pour les deux quatuors, si ce n'est que le 3e commence par une « introduction » : un *allegro* de forme ABBA, un *adagio* en forme de *Lied* (ABA) et un *rondo* varié. Citons ici *L'aiglon* (opéra, 1936, en collab. avec Jacques Ibert) et un *Nocturne* pour orchestre (1936). La réussite de *Jeanne au bûcher* se renouvela avec la *Danse des morts* : le texte, inspiré à Claudel par les « danses macabres » qu'il vit à Bâle, utilise des fragments de la Bible et des chansons populaires ; c'est une méditation sur les dures paroles de la Bible : « Souviens-toi, homme, que tu es poussière » ) ; le sommet de l'œuvre est le *lamento* du baryton (accompagné par le violon *solo*) ; elle s'achève par un chant d'espoir ; l'œuvre fut créée à Bâle en 1940. — *Nicolas de Flue* (1939), légende dramatique sur un texte de Denis de Rougemont, retrace la vie du saint suisse ; hommage d'*H.* à son pays, c'est, comme *Jeanne*, une œuvre relativement simple et populaire : *H.* a avoué qu'il avait cherché à n'être pas reconnu ; la création de l'œuvre, retardée par la guerre, eut lieu en 1940, au concert, à Soleure ; l'année suivante, elle fut représentée à Neuchâtel, à l'occasion du 650e anniversaire de la fondation de la Confédération helvétique.
*H.* composa au début de la guerre (outre quelques musiques de scène), des œuvres de musique de chambre : une sonate pour violon solo (1940), une *Partita* pour 2 pianos (*id.*), *Trois poèmes* de Claudel (*id.*) et *Trois psaumes* (Marot et Th. de Bèze, 1941) pour chant et piano.
C'est aux heures les plus sombres de la guerre qu'il conçut sa 2e symphonie, pour cordes et trompette *ad libitum* : commandée dès 1936 par Paul Sacher, achevée en 1941, elle ne fut jouée qu'en 1942 à Bâle ; elle reflète la tristesse et les préoccupations de son auteur en ces « temps de guerre », mais elle s'achève par un admirable choral joué par les violons et la trompette. Le cinquantenaire d'*H.* fut unanimement fêté en 1942, par des concerts et des disques : *Antigone* entra à l'Opéra... La 3e symphonie (*liturgique*, 1945) s'ordonne autour de trois versets : *Dies irae, De profundis, Dona nobis pacem* ; elle évoque la lutte de l'homme contre « la barbarie et la bêtise du siècle » ; comme la deuxième, elle se termine par un chant d'espoir joué par les cordes que dominent les arabesques de la flûte : Charles Münch la créa en 1946 à Zurich. — En hommage à la Suisse, *H.* composa sa 4e symphonie, *Deliciae basilienses* (1946): commandée par Paul Sacher, c'est une œuvre de circonstance parfaite (au meilleur sens du terme) ; proche de la musique de chambre, elle utilise des thèmes populaires suisses. Dans le même esprit, il écrivit en 1948 (au retour d'un voyage en Amérique pendant lequel il tomba gravement malade) son *Concerto da camera* pour flûte, cor anglais et cordes, qui renoue avec la tradition la plus pure du concerto. — La 5e symphonie (« *di tre rè* », 1950), commandée par S. Koussevitzky, nous semble être, avec la *Cantate de Noël*, le testament musical de son auteur : c'est une

vigoureuse synthèse de toutes les expériences humaines et musicales d'*H.* ; d'une beauté presque « convulsive », elle est dominée par un pessimisme presque insurmontable ; on a souvent remarqué qu'elle ne se termine pas par un choral ou un chant d'espoir ; le thème « presque grégorien » qui s'ébauche dans le final est vite brisé par la fatalité... ; elle comporte trois mouvements : un *grave*, dominé par un thème de choral (harmonisé polytonalement), auquel s'oppose un thème douloureux, exposé par la clarinette basse ; un *allegretto*, coupé suivant le schéma A B A AB A par un *adagio* douloureux (mouvement dans lequel l'auteur utilise toutes les ressources du contrepoint) ; un final *allegro marcato*, d'une violence inouïe, dont le thème principal, à peine interrompu par les thèmes secondaires, se brise, peu avant la conclusion de l'œuvre par le *ré* de la timbale (qui termine les 3 mouvements de l'œuvre). Charles Münch créa l'œuvre à Boston en 1951.

Citons ici la *Monopartita* (1951) et la *Suite archaïque* (*id.*) pour orchestre. Avec la *Cantate de Noël* (1953) pour baryton, voix d'enfants, chœur mixte, orgue et orchestre, l'espérance, voilée dans la 5e symphonie, reparaît dans toute sa pureté ; l'œuvre, qui a sa source dans la première partie d'une *Passion* de César von Arx, est, comme toutes les œuvres d'*H.*, symétrique : elle commence par 3 accords d'orgue, qui termineront l'œuvre, repris en mouvement contraire ; après un douloureux *De profundis* du chœur, le baryton annonce la venue du Christ, les chœurs entonnent en une riche polyphonie des noëls allemands et français, et l'œuvre s'achève sur un énergique *Laudate Dominum*, suivi d'un admirable postlude de l'orchestre (dans lequel reparaissent les thèmes des noëls) ; les 3 accords d'orgue, comme nous l'avons dit, achèvent l'œuvre, qui fut créée le 18 décembre 1953 à Bâle, sous la direction de Paul Sacher, en présence du compositeur.

*H.* mourut le 27 novembre 1955 à Paris, et ses obsèques eurent lieu le 2 décembre au temple de l'Oratoire, suivies de l'inhumation au Père-Lachaise ; son urne funéraire a été, selon son vœu, déposée au cimetière Saint-Vincent de Montmartre.

                                  J.-P.G.

**Œuvres :** œuvres symph. : *Le chant de Nigamon* (1917), *Le dit des jeux du monde* (1918), *Pastorale d'été* (1920), *Horace victorieux* (1920–21), *Chant de joie* (1923), *Prélude pour La tempête* (*id.*), *Pacific 231* (*id.*), *Sous-marine* (1924), *Suite d'orch. pour L'impératrice aux rochers* (1926), *Musique pour Phaedre* (*id.*), *Rugby* (1928), *Symph. n° 1* (1930), *Suite* (extraite des *Suites franç.* de J.-S. Bach, orch. par A. Hoérée pour le ballet *Les noces d'Amour et Psyché, id.*), *Prélude, arioso et fughette* (sur le nom de J.-S. Bach, orch. d'A. Hoérée, 1932), *Mouvement symph. n° 3* (1932–33), *Les misérables* (suite extr. du film — 1934), *Radio-Panoramique* (1935), *Nocturne* (1936), *Musique pour Regain* (suite extr. du film — 1937), *Symph. n° 2, pour cordes* (1941), *Le grand barrage* (« image musicale », 1942), *La traversée des Andes et le vol sur l'Atlantique* (extr. du film *Mermoz,* 1943), *Jour de fête suisse* (tiré de *L'appel de la montagne, id.*), *Sérénade à Angélique* (1945), *Symph. n° 3* (« liturgique », 1945–46), *Symph. n° 4* (« *Deliciae basilienses* », 1946), *Symph. n° 5* (« *di tre rè* », 1950), *Suite archaïque* (1951), *Monopartita* (*id.*) ; concertos : *Concertino pour p. et orch.* (1925), *Concerto pour vcelle et orch.* (1929), *Concerto da camera pour fl., cor angl. et orch. à cordes* (1948) ; mus. de chambre : *Rhapsodie* (2 fl., clarinette et p. ou 2 v., alto et p., 1917), *Premier quatuor à cordes* (*id.*), *1re sonate pour v. et p.* (1916–18), *2e sonate pour v. et p.* (1919), *sonate pour alto* (1920), *sonatine pour 2 v.* (*id.*), *sonate pour vcelle* (*id.*), *sonatine pour clarinette et p.* (1921–22), *Trois contrepoints* (1922), *Danse de la chèvre* (fl. seule, 1932), *sonatine pour v. et vcelle* (*id.*), *Petite suite en trois parties* (1934), *2e quatuor à cordes* (1936), *3e quatuor à cordes* (1937), *sonate pour viol. seul* (1940) ; œuvres pour piano : *Toccata et variations* (1916), *Trois pièces* (1915–19), *Trois pièces brèves* (1919–20), *Sarabande* (Album des six, 1921), *Cahier romand* (1921–23), *Hommage à Albert Roussel* (1928), *Prélude, arioso et fughette sur le nom de Bach* (1932), *Partita pour 2 p.* (1940), *Deux esquisses* (1943), *Souvenir de Chopin* (1947) ; œuvres pour orgue : *Deux pièces d'orgue* (1917) ; mus. vocale : *Quatre poèmes* (1916), *Trois poèmes* (Paul Fort, 1916), *Six poèmes d'Apollinaire* (1915–17), *Cantique de Pâques* (1918), *Pâques à N.-York* (1920), *Six poésies de Jean Cocteau* (1920–23), *Deux chants d'Ariel* (1923), *Chanson* (Ronsard, 1924), *Prière de Judith* (R. Morax, 1925), *Trois chansons de la petite sirène* (*Id.*, d'après Andersen, 1926), *Vocalise* (1929), *Trois poèmes* (Claudel, 1940), *Trois psaumes* (1940–41), *Petit cours de morale* (extr. de *Suzanne et le Pacifique* de Giraudoux, 1941), *O salutaris* (1943), *Quatre chansons pour voix grave* (1944–45), *Mimaamaquim* (1946) ; oratorios ou œuvres lyriques : *Le roi David* (R. Morax, 1921), *Judith* (*id.*, 1925), *Antigone* (Cocteau 1927), *Les aventures du roi Pausole* (opérette, Willemetz, d'après P. Louys, 1930), *Cris du monde* (René Bizet, 1931), *Amphion* (mélodrame,

A. Honegger

*Caricature faite lors de la 1ère du Roi David*

(coll. Meyer).

P. Valéry, *id.*), *La belle de Moudon* (opérette, R. Morax, *id.*), *Jeanne d'Arc au bûcher* (Claudel, 1935), *L'aiglon* (av. J. Ibert, 1937), *Les mille et une nuits* (Mardrus, *id.*), *Les petites Cardinal* (opérette, av. J. Ibert, *id.*), *La danse des morts* (Claudel, 1938), *Nicolas de Flue* (« légende dramatique », D. de Rougemont, 1939) ; ballets : *Vérité – mensonge* (1920), *Skating-ring* (1921), *Fantaisie* (1922), *Sous-marine* (1924), *Rose de métal* (1928), *Les noces d'Amour et Psyché* (orchestr. d'œuvres de J.-S. Bach, 1930), *Sémiramis* (1933), *Un oiseau blanc s'est envolé* (1937), *Le cantique des cantiques* (1938), *La naissance des couleurs* (1940), *Le mangeur de rêves* (1941), *L'appel de la montagne* (1943), *Chota Rostaveli* (1945), *De la musique* (1950) ; mus. de scène : *La danse macabre* (1919), *Les mariés de la tour Eiffel* (1921), *Seul* (1922), *Antigone* (*id.*), *La tempête* (1923), *Liluli* (*id.*), *Un miracle de N.-Dame* (*L'impératrice aux rochers,* 1925), *Phaedre* (1926), *14 juillet* (marche sur la Bastille, 1936), *Liberté* (1937), *Mandragore* (1941), *L'ombre de la ravine* (*id.*), *Les suppliantes* (*id.*), *800 mètres* (*id.*), *La ligne d'horizon* (*id.*), *Le soulier de satin* (1943), *Charles le Téméraire* (1944), *Prométhée* (1946), *Hamlet* (*id.*), *Œdipe* (1947), *L'état de siège* (1948), *On ne badine pas avec l'amour* (1951), *Œdipe-roi* (*id.*) ; musique de film.

**Bibl. :** J. Bruyr, *H. et son œuvre,* Paris 1947 ; J. Cocteau, *Le coq, et l'arlequin, ibid.* 1918 ; P. Collaer, *Die junge Musik in Frankreich,* Cologne 1925 ; M. Delannoy, *Bach et les musiciens d'aujourd'hui,* ds *Rev. intern. de mus.,* n° 8, Bruxelles 1950 — *A.H.,* Paris 1953 ; R. Dumesnil, *La mus. en France entre les deux guerres 1919–1939,* Genève 1946 ; *A.H.* — B. Gavoty, *Je suis compositeur,* Paris 1951 ; A. George, *A.H., ibid.* 1926 ; C. Gérard, *A.H.,* Bruxelles 1945 ; A. Hoérée, *A.H., la vie, l'œuvre, l'homme,* Paris 1942 ; J. Matter, *H. ou la quête de joie,* Lausanne 1956 ; D. Milhaud, *Notes* *sans musique*, Paris 1949 ; Roland-Manuel, *A.H.*, *ibid.* 1925 ; H. Rosbaud, *Monopartita u. 5. Sinf.*, ds *Melos*, 19, 1952 ; W. Schuh, *Schweizer Musik in Gegenwart*, Zurich 1948 — *Von neuer Musik*, *ibid.* 1955 — *Kompos.-Aufträge*, ds *Alte u. neue Musik*, Zurich 1952 — *A.H.s Universalität* ds *Neue Zürcher Zeitung*, 18.12.1955 ; H. Strobel, *H.s Totentanz* ds *Melos*, 14, 1947 ; H. Stuckenschmidt, *Neue Musik*, Berlin 1951 ; W. Tappolet, *A.H.*, Zurich 1933 — *A.H.*, Boudry-Neuchâtel 1957 — *Quelques récentes œuvres d'A.H.* (1946-1950), ds *SMZ*, 90, 1950 — *Wie komp. A.H. ?*, ds *Schweiz. Radio-Zeitung* n° 38, sept. 1951 — *A.H. and his recent works*, ds *MMR*, 76, 1946 — *Der religiöse Gehalt im Werk A.H.s*, ds *Neue Zürcher Zeitung*, 18.12.1955 — *A.H.*, *la synthèse du génie français et du génie allemand*, ds *SMZ*, 96, 1956 ; art. in MGG ; P. Valéry, *Eupalinos ou l'architecte*, ds *Conférencia*, Paris, 5.8.1932 ; E. Vuillermoz, *Mus. d'aujourd'hui : Le roi David*, *ibid.* 1923 — *Les grandes réussites d'A.H.*, ds *Les publications techniques*, *ibid.* 1942.

**HONEGGER Henri.** Vcelliste suisse (Genève 10.6.1904-). Élève de J. Klengel (Leipzig), de P. Casals et de D. Alexanian (Paris), soliste de l'orch. de la Suisse romande (1932), il fait une carrière intern., au cours de laquelle il a donné la première audition intégrale des suites pour vcelle seul de J.-S. Bach (N.-York 1950).

**HONGROISE** (*Musique*). I. *Musique savante*. L'importance universelle que le monde musical accorde aujourd'hui à la musique hongroise semble due à plusieurs raisons : 1. Il y a peu de peuples en Europe qui aient conservé des traditions ancestrales aussi intactes que les Hongrois ; il est facile de retrouver leur parenté musicale avec de nombreux peuples orientaux. 2. Depuis le « *honfoglalás* » (installation des Hongrois dans leur pays actuel à la fin du IXᵉ siècle) jusqu'à nos jours, la musique hongroise a subi une très forte influence de l'Occident, influence qui est devenue souvent réciproque. 3. Si l'origine orientale des traditions musicales et les nouvelles impulsions reçues de l'Ouest sont souvent en conflit, il y a également, à plusieurs reprises au cours de l'histoire de la musique hongroise, des moments où une synthèse plus ou moins durable semble s'affirmer plus particulièrement à partir du début de ce siècle. 4. Cette synthèse est bien plus générale qu'on ne le croit à première vue : par sa situation centrale, la Hongrie se trouve, depuis de longs siècles, au carrefour de plusieurs civilisations, latine, byzantine, slave, turque, germanique, ainsi qu'en état d'influence réciproque permanente avec les peuples voisins. Mais malgré la diversité et la variété de ses sources la musique hongroise fait preuve d'une unité incontestable dont les éléments sont faciles à définir. 5. Depuis le moyen-âge jusqu'à nos jours, la musique hongroise a connu un rayonnement assez important dans les pays occidentaux sous les formes les plus diverses. Beaucoup de musiciens hongrois de classe internationale ont fait ou font carrière à l'étranger.

Le peuple hongrois est d'origine finno-ougrienne, au moins en ce qui concerne sa langue. Il est certain que tous les peuples finno-ougriens formaient jadis une seule communauté, et il est même possible que celle-ci ait été précédée par une communauté plus large encore des peuples ouralo-altaïques. Nous n'avons pas de renseignements exacts sur l'emplacement de ces communautés ; certains historiens les situent à l'est de l'Europe, d'autres en Sibérie centrale. Toujours est-il que les Hongrois se sont séparés très tôt des peuples parents et, après avoir vécu quelques temps dans la communauté ougrienne (dont les autres survivants, les peuplades vogouls et ostiaks vivent toujours aux abords du fleuve Ob), ils se retrouvent seuls à l'époque de la migration des peuples et mènent une vie nomade au cours de laquelle ils nouent des rapports avec des peuples d'origine turque ou indo-européenne. Ces rapports signifient parfois de véritables fusions dont le résultat se fera sentir plus tard. Aujourd'hui, si les linguistes sont toujours d'accord pour considérer la langue hongroise comme finno-ougrienne, au moins dans ses caractères essentiels et malgré toutes les influences turques, slaves ou autres, les ethnologues sont moins formels. La musique, comme toute la civilisation hongroise, peut être ramenée à de multiples composantes.

En dépit de sa richesse et de son importance particulière aujourd'hui universellement reconnues, la musique hongroise possède relativement peu de textes jusqu'à la fin du XVIIIᵉ s. Les catastrophes successives que le pays a subies au cours de son histoire n'ont pas favorisé la conservation de la civilisation écrite. Il ne serait pas exagéré de prétendre que seul le folklore musical possède en Hongrie une continuité historique. Transmise de génération en génération, la musique non écrite a pu conserver l'essentiel de l'héritage musical du passé. (Pour le folklore, voir plus loin). Quant à la musique savante, elle ne présente une ligne ininterrompue qu'à partir de 1800 environ. Des périodes antérieures nous ne possédons que des textes disparates, pour la plupart isolés, qui ne nous en donnent qu'une image incomplète. Ils ne peuvent être appréciés aujourd'hui qu'à la lumière du folklore. Pourtant il est certain que la musique savante a pu créer des œuvres importantes à toutes les époques ; les textes musicaux que nous possédons ne représentent qu'un fragment de ce que devait être la musique hongroise au cours des siècles. Mais le nombre de textes connus s'enrichit sans cesse.

Signalons en passant que la Hongrie nous a laissé déjà des souvenirs musicaux antérieurs à l'arrivée des Hongrois. Les fouilles archéologiques en sont la preuve ; les trouvailles les plus importantes en sont l'orgue d'Aquincum de l'époque de la Pannonie romaine (IIIᵉ s. de notre ère), découvert en 1931 par Lajos Nagy et deux doubles-chalumeaux, probablement du VIIIᵉ s., d'origine avare, byzantine ou arabe, découverts par Nandor Fettich en 1933 et 1936.

Les sources historiques ne citent pas les Hongrois avant le VIIᵉ s. Théophylacte, historien byzantin de cette époque, note à leur sujet qu'ils avaient des chants en l'honneur de la terre. D'après la chronique de Nestor, les Hongrois ont conquis la ville de Kiev en 885 à l'aide de leurs chants. Après le *honfoglalás*, les Hongrois continuent leur vie nomade et guerrière pendant un siècle encore, au grand effroi des peuples européens. Ils font de nombreuses incursions à l'ouest et dans le sud de l'Europe, et la chronique d'Ekkehard (926) relate que, lors d'un déplacement au monastère de Saint-Gall, ils entonnaient de curieux chants en l'honneur de leur dieu. Tous ces témoignages n'ont qu'une valeur assez restreinte, car l'état préhistorique qui semble dépassé dans d'autres domaines, avec le *honfoglalás*, se maintiendra encore dans la musique pendant plusieurs siècles. La légende de saint Gérard raconte que le saint homme, évêque de Csanád, a écouté avec intérêt le chant d'une servante hongroise pendant que celle-ci moulait du grain. Plus important encore est le témoignage de la première chronique connue, écrite vers la fin du XIIᵉ s. par un notaire du roi Béla III qui parle souvent des chanteurs de geste (*joculatores*). Il affiche à leur égard beaucoup de mépris ce qui ne l'empêche pas de les citer en latin. Il est certain que le chant épique a connu une très grande vogue en Hongrie durant tout le moyen-âge. Les chanteurs populaires devaient avoir une très large audience dans toutes les couches de la population malgré l'interdiction maintes fois lancée contre eux par l'Eglise. Nous ne connaissons hélas rien de leurs chants, comme fort peu de choses au sujet de l'art profane de cette époque. Tout porte à croire que ces chants monodiques, comparables à ceux des rhapsodes grecs et des bardes celtes (avec cette différence, peut-être, qu'ils n'ont jamais été notés) ont eu une importance primordiale au cours du moyen-âge. Nous en avons des preuves indirectes dans les chants historiques du XVIᵉ s. dont, fort heureusement, nous possédons des textes et des variantes folkloriques. Or ce genre artistique auquel poésie et musique semblent contribuer à titre égal et qui a toujours gardé son caractère d'improvisation, atteint, à l'époque de la « renaissance », un tel apogée qu'il serait difficile de l'imaginer sans rapport avec l'art analogue du moyen-âge.

Une autre preuve nous est donnée par les chartes. Des donations royales assurent l'existence des chanteurs de geste appelés en latin *juculatores* et plus tard *combibatores*, en hongrois *regös* ou *regés*, plus tard *igric* (mot d'origine slave), *lantos*, *hegedös*, *enekes*, *kobzos*, etc. ; nous connaissons même les noms de quelques-uns (Csiper, Szombat, Hamzó, Mikó, Tamás entre autres), plusieurs villages hongrois (Regtelek, Igrici, etc.) conservent dans leur nom le souvenir de leurs métiers ; il s'agit probablement de communes habitées par des musiciens. Il n'est pas impossible qu'ils aient vécu dans une sorte de corporation.

L'art profane hongrois semble remonter à des sources antérieures au *honfoglalás* et, s'il se maintient au cours du moyen-âge, c'est bien malgré l'hostilité du clergé. Tout autre est le cas de l'art sacré. Un siècle à peine après son installation dans sa nouvelle patrie, la vie du peuple hongrois change brusquement : la Hongrie devient un royaume chrétien et féodal sous le règne des descendants des anciens princes de l'époque païenne (maison d'Arpád). Saint Etienne, 1er roi de Hongrie, couronné en l'an 1001, met tout en œuvre pour imposer au peuple hongrois l'agriculture et ouvre les portes aux missionnaires et aux chevaliers occidentaux. L'adaptation à cette nouvelle forme de vie ne se fera pas sans heurts et, pendant plusieurs siècles encore, les survivances païennes coexisteront avec l'ordre nouveau. Cependant les écoles monastiques et les couvents fondés en Hongrie dès les Xe et XIe s. répandront partout l'art occidental. La pratique du chant grégorien devient très rapidement florissante, un bon nombre de livres manuscrits en sont la preuve. Les trois plus anciens documents de chants liturgiques sont le *codex Hahóti* qui suit des modèles francs, l'*Agenda pontificalis* de Hartvig, évêque de Györ (tous deux de la fin du XIe s.) et l'*antiphonaire de Graz* du XIIe s. D'après le *Speculum musicae* de Jacques de Liège, la Hongrie était parmi les pays où la méthode de solmisation de Guy d'Arezzo a été employée. Le *codex Pray*, écrit, vers 1200, par des moines bénédictins, qui contient des textes liturgiques chantés est considéré comme le document peut-être le plus important de ce genre. Ses neumes sont de types différents (Italie du Nord, Metz, Saint-Gall). C'est dans les chants liturgiques que nous trouvons les premiers essais d'une composition quelque peu élargie volontairement. Vers la fin du XIVe s., un dominicain de Kassa recrée l'hymne « *Gaude felix Hungaria* » en l'honneur de sainte Elisabeth de Hongrie, en utilisant les mélodies de trois sources différentes. Le premier poème connu en langue hongroise est une adaptation d'une « complainte de la Sainte-Vierge » du poète français Geoffroi de Breteuil, qui conserve la mélodie de la séquence. D'une façon générale, nous pouvons constater que le chant grégorien eut une très forte influence en Hongrie. Sans doute, les premières connaissances des chants officiels de l'église remontent à une époque antérieure même au *honfoglalás*, puisque les Hongrois païens ont eu des rapports suivis avec Byzance. En 1114 déjà, le concile d'Esztergom prend position contre l'usage des chants liturgiques non agréés : il faut croire que l'usage des mélodies « libres » d'inspiration grégorienne était assez répandu. Cette floraison devait s'accentuer vers la fin du moyen-âge. C'est le *codex Nádor* (1508) qui contient les premières adaptations de chants grégoriens sur paroles hongroises.

De la même époque environ datent deux documents de grande importance sur la musique hongroise : 1. les notes d'études musicales réunies, vers 1490 à Sárospatak, par László Szalkai, le futur archevêque d'Esztergom (notes publiées par Dénes Bartha en 1934) qui nous donnent une idée exacte de l'enseignement musical d'alors dans les écoles monastiques de Hongrie ; 2. le premier texte connu de musique profane, qui est une mélodie (ou fragment mélodique) notée vers 1520 par Fülöp Pominóczky, frère mineur, sur la page intérieure de la reliure de son livre liturgique : il s'agit de deux vers isométriques de 12 syllabes sur la même mélodie de 4 notes, d'origine probablement populaire. Le rythme en est caractéristique ; il se retrouve un peu plus tard en Occident dans les compositions instrumentales appelées danses hongroises.

Quant à la musique instrumentale du moyen-âge, nous en avons des relations plus détaillées, sans toutefois posséder de textes musicaux proprement dits. Dans un ms. du début du XVe s., nous relevons les noms : *tuba, tibia, buccina, fistula, cantatrix, gestulator, timpanum* etc., avec les termes hongrois correspondants. Les mots *kürtös* (joueur de cor) et *sipos* (joueur de fifre) se retrouvent dès le XIIe s., les instruments à cordes (violon, luth) apparaissent au XIVe. Au XVe s., il existait une fanfare royale dont les musiciens jouissaient de nombreux avantages en nature. Le premier document qui mentionne l'orgue date du XVe s.

Les renseignements que nous possédons sur la vie musicale font supposer des rapports assez suivis avec la France pendant les trois siècles de règne des Arpás. Nous savons que nombre de clercs hongrois ont fait leurs études en France, surtout vers la fin du XIIe s., sous le règne de Béla III (dont les épouses successives furent deux princesses françaises). Il envoya notamment à Paris un certain Elvinus pour y faire des études musicales. Dans les années suivantes plusieurs trouvères français se rendirent en Hongrie (Peire Vidal).

Au cours des XIVe et XVe s., sous les règnes des Angevins et de leurs successeurs, les rapports musicaux semblent s'étendre aux Flandres et à l'Italie. Un certain nombre de musiciens étrangers séjournèrent en Hongrie plus ou moins longtemps, comme les ménestrels Mugeln, Suchenwirt, Teichner, le *Minnesinger* Ostwald von Wolkenstein et le maître-chanteur Michel Behaim. La vie culturelle atteint à son apogée sous le règne glorieux de Mathias Corvin (1558–90), époque à laquelle la Hongrie est à l'avant-garde des mouvements littéraires et artistiques de l'Europe. A la cour de ce grand roi humaniste, nous trouvons des musiciens éminents de différents pays, Barbireau, Bisth, Bonnus, Cornuel, Mecchino, Stefano de Salerno entre autres ; on construit des orgues luxueuses à Buda et à Visegràd (sans parler de celles qui, depuis 1437 et 1452, ont été construites dans plusieurs villes de Hongrie) ; on fonde un chœur pour chanter les œuvres polyphoniques de l'école dite franco-flamande, on fait venir des violonistes et des luthistes virtuoses de l'étranger (parmi ces derniers nous trouvons, pour la première fois dans l'histoire de la Hongrie, des Tziganes) ; il y a même des chanteurs de geste hongrois, si l'on en croit l'historien Galeotto qui les compare aux chanteurs épiques de la Rome antique. C'est à la reine Béatrice, d'origine italienne, que le théoricien Tinctoris dédie son *Diffinitorium*. De 1490 à 1526, c'est le règne des Jagellons. Nous trouvons, à la tête de la chapelle royale de Buda, le célèbre Thomas Stoltzer (qui aurait trouvé la mort à la bataille de Mohács) et Adrien Willaert, bien que la présence de celui-ci ait été récemment contestée par des musicologues.

*Réforme et contre-réforme.* En 1526, avec la bataille de Mohács, une nouvelle époque s'ouvre dans l'histoire hongroise, époque de guerre et de souffrance, caractérisée par la présence des Turcs qui, à partir de 1541, s'installent, pour un siècle et demi, dans le cœur du pays. La Hongrie se trouvera coupée en trois entre les Turcs, la maison d'Autriche et la principauté de Transylvanie. Dans les circonstances extrêmement tragiques et tourmentées du XVIe s., la Hongrie vit une des époques les plus fertiles de son développement culturel. C'est l'époque où se répandent en Hongrie les religions protestantes, dont les propagateurs se servent largement de l'imprimerie récemment découverte.

En 1518, paraît à Cracovie l'*Epithoma utriusque musices* d'Istvan Monetarius, natif de Körmöcbánya (Hongrie septentrionale) : c'est un ouvrage de théorie musicale. Egalement à Cracovie, paraissent les deux premiers imprimés musicaux proprement dits, en 1530 et en 1538 ; il s'agit des *Livres de chants* liturgiques (protestants) d'Istvan Galszécsi et de la *Cronica* d'András Farkas, premier chant historique connu en ce domaine (paroles et musique). La première musique imprimée en Hongrie est le recueil de chants scolaires (odes) du pasteur luthérien, de Brasso (Transylvanie) Honterus : ce recueil jouera un rôle très important d'intermédiaire entre le choral allemand et le chant liturgique hongrois, protestant, voire catholique (1548). C'est également en Transylvanie, dans la ville de Kolozsvár, que l'imprimeur Hofgreff publie, probablement en 1553, un recueil de chants bibliques, puis, en 1554, la *Cronica* de Tinódi, l'un des documents musicaux les plus notables du siècle. Considérant tout le riche héritage musical du XVIe s., nous ne pouvons nous empêcher de penser que les traditions des siècles précédents y sont pour quelque chose, bien qu'elles n'aient pas laissé de traces. La survivance du moyen-âge semble être particulièrement vivante dans la poésie épique et lyrique aussi bien que dans la musique instrumentale.

Le genre épique comporte avant tout des chants historiques (*historiás ének*), que l'on peut considérer comme les premiers textes écrits de musique savante. Nous

l'exécution devait en être plus vivante, pleine de variantes et d'improvisations. Et encore, ignorons-nous quel pouvait être l'accompagnement instrumental.

D'autres auteurs épiques, comme Péter Selmyes de Ilosva, György Enyedi, Demeter Kármán, Mihály

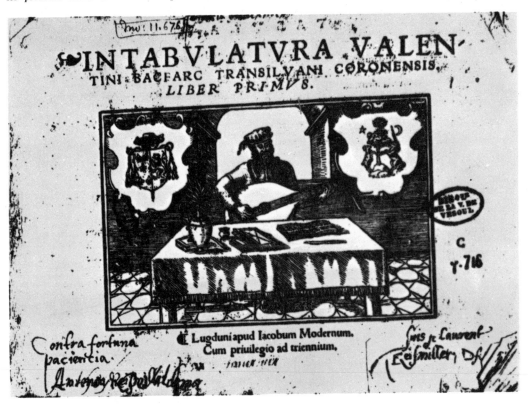

*Tablature de V. Bacfart* (Bibl. de Vesoul).

possédons la musique de plus de 40 poèmes et, par les textes publiés postérieurement — auxquels s'ajoutent d'autres sources indirectes —, les mélodies présumées de quelque 35 autres. Ces mélodies semblent suivre une inspiration nettement populaire, et leur ton est déjà typiquement hongrois ; elles font preuve d'une force créatrice capable d'assimiler les éléments les plus hétérogènes, italien, tchèque (hussite), grégorien, humaniste, sous des formes multiples et extrêmement variées. Pour la première fois dans la musique hongroise, une synthèse réfléchie semble se réaliser non seulement entre les sources les plus diverses, mais aussi entre le passé et le présent. Les chanteurs historiques, tout en perpétuant les traditions des *trouvères* et des *regös*, évoquent les temps heureux d'autrefois ; *Tinódi* (Sebestyén Lantos de Tinód) est le plus connu et le plus important : chanteur ambulant, il passe sa vie à visiter tous les lieux historiques, venant y recueillir des témoignages sur les événements récents qui seront les sujets de ses poèmes épiques. Son audience et son influence furent très grandes : à travers les siècles et de nos jours encore, ses mélodies se retrouvent dans la pratique liturgique et dans le folklore. A cette époque si dramatique, Tinódi s'était donné pour mission d'éveiller le sentiment national et la conscience de l'unité des Hongrois qui habitaient les trois parties du pays. Il voulait aussi les ramener à la lutte contre les Turcs. Les textes que nous possédons de lui témoignent d'un versificateur assez médiocre, mais d'un grand musicien. Cependant les textes imprimés n'ont conservé qu'un noyau musical,

Moldovai, ont écrit également des chants historiques et aussi des « belles histoires » (*széphistoriák*), genre moins hongrois, mais non moins populaire que celui de l'*historiás ének* : on sent, à travers elles, le rayonnement de la Renaissance italienne, avec Boccace pour principal modèle. *L'histoire du prince Argilus...* d'Albert Gyergyai en est l'exemple le plus typique ; c'est un conte de fées et d'amour qui s'est si bien maintenu dans les traditions populaires que la mélodie a pu être recueillie par Kodály en 1914.

Il serait d'autre part facile de rapprocher les différents chants épiques de la musique des cantiques protestants de l'époque. La première moitié du siècle fournit un assez grand nombre de recueils de chants intitulés *graduál*, musique assez hétérogène, en partie d'origine grégorienne. Un genre nouveau s'affirmera plus tard, la libre paraphrase des psaumes. De nombreux pasteurs sont auteurs eux-mêmes et plusieurs d'entre eux (Sztarai, Bornemissza) sont aussi musiciens. Le nombre des recueils de chants liturgiques n'a cessé d'augmenter jusqu'à la fin du siècle. Pour la première fois, art sacré et art profane sont de la même essence populaire, surtout dans les assemblées protestantes, bien que cela ait pu déplaire à certains pasteurs d'esprit trop austère.

Du côté de la poésie lyrique, il existait déjà des chansons d'amour nommées « fleurettes » (*virágének*), quoique les premières notations acceptables ne datent que de bien plus tard. C'est dans la deuxième moitié du XVIe s. que vécut Bálint Balassi (1551–94), le plus grand et le plus érudit des poètes hongrois de son temps, doué de surcroît d'une instruction musicale assez vaste : ses poèmes rejoignent le fonds populaire de mélodies en allemand, en polonais, en turc, en serbo-croate etc. D'une façon générale la poésie pure, nous voulons dire sans contexte musical, est impensable à son époque. Au contraire, la musique pure existait, puisque c'est du XVIe s. que datent des témoignages écrits ou imprimés de musique instrumentale. Ils sont malheureusement peu nombreux : 9 compositions dans 21 versions, portant les titres de *hayduczky* (les *hajdu*-s forment dans la Hongrie de l'époque une sorte de milice, destinée à protéger des convois de bétail vers l'étranger), *ungarischer tantz, passamezzo ongaro, ungarescha, allemande*. Phénomène curieux : ces textes musicaux sont dus à des compositeurs, arrangeurs, éditeurs ou copistes étrangers : ils sont notés ou publiés en Pologne, Flandre, Bohême, ainsi qu'en plusieurs parties de l'empire germanique comme l'Alsace, la Saxe, la Bavière, quelques villes de culture italienne ; leurs auteurs (arrangeurs, éditeurs) sont Jacob Paix, Bernhardt Schmid, Tielman Susato, Pierre Phalèse, Wolf Haeckel etc. Tant de variété serait-elle la preuve que ces danses et morceaux de caractère aient eu une vogue assez grande dans presque tous les pays d'Europe ? S'il en était ainsi, nous ne pourrions que regretter que cette vogue ne se fût pas maintenue plus longtemps. Ces pièces instrumentales ont été écrites pour l'orgue, le luth ou la cithare, la forme de notation est le plus souvent la tablature, sauf pour quatre pièces imprimées. Quant à l'écriture musicale, les morceaux intitulés *passamezzo* ont plutôt un caractère de virtuosité, tandis que les autres semblent être d'essence plus populaire. La formule rythmique la plus typique chez ces derniers est

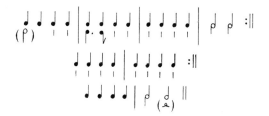

Voilà un rythme bien connu du folklore hongrois (type *kolomeïka* ou danse des porchers), mais qui est aussi constamment présent dans la musique savante des cinq derniers siècles.
Si la poésie chantée et la musique instrumentale du XVIe s. semblent continuer des traditions bien établies, la pratique musicale offre un changement bien plus radical. La vie artistique, naguère si intense à la cour de Mathias Corvin, ne s'est pas continuée : après la division du pays en trois, seule la Transylvanie conserve des princes hongrois, dont la cour peut être parfois un foyer d'art et de science. Sous le règne des Báthori, vers la fin du siècle, l'art de la Renaissance trouve une arrière-floraison avec des musiciens italiens (Girolamo Diruta, Pietro Busto). C'est là que commence peut-être une nouvelle forme de vie musicale : celle de la musique résidentielle, qui dominera tout le XVIIe s. La haute noblesse y joue un rôle de premier plan : non seulement les princes de Transylvanie, mais presque tous les grands seigneurs hongrois, protestants et catholiques, laïques et ecclésiastiques, amis et ennemis de la maison d'Autriche ont leur chapelle, avec des musiciens de métier, pour la plupart hongrois. Au cours du XVIIe s., la haute noblesse se trouvera à la tête d'une vie musicale à tendance traditionaliste. Nous avons de nombreux renseignements sur les prébendes seigneuriales, leurs compositions et dotations, nous connaissons la fonction de ces chapelles, leurs interventions au cours de festins, mariages ou autres festivités, mais rien ne nous est resté de la musique jouée en ces circonstances.
Au XVIe s. pourtant la musique instrumentale ne reste pas une inconnue comme aux siècles précédents : nous n'avons plus besoin d'avoir recours aux sources étran-

gères, puisque nous trouvons quatre textes de grande importance, dès la deuxième moitié du siècle. Tous les quatre sont pour le virginal, l'instrument le plus répandu à l'époque dans les résidences seigneuriales, à côté de la trompette. Pour l'écriture, ces manuscrits présentent des analogies assez frappantes, bien qu'ils soient originaires de trois régions différentes, deux de la Haute-Hongrie, un de Transylvanie et un de Hongrie occidentale. — *Codex Kájoni* ; c'est un ms. en tablature, d'orgue, écrit entre 1634 et 1671 par trois mains différentes, dont la dernière est celle de János Kájoni (vois plus loin) : il contient des œuvres religieuses de compositeurs italiens et allemands, ainsi que la transcription à deux voix, dans une écriture simple et assez primitive, d'un certain nombre de mélodies hongroises de l'époque, dont quelques-unes semblent d'essence populaire (il y a également deux transcriptions de mélodies sur paroles tziganes) ; ce volume se trouve aujourd'hui à Koloszvár (Cluj). — *Codex Vietorisz* ; c'est un ms. qui provient d'une résidence seigneuriale de Haute-Hongrie, écrit par cinq ou six mains différentes vers 1680 ; selon certains, il aurait été, pendant quelque temps, en possession du prince Pál Esterházy (voir plus loin) ; il contient 12 chants hongrois (« fleurettes »), de la musique de danse hongroise, slovaque ou autre, des chants liturgiques slovaques pour clavier à deux voix et des pièces pour trompette ; la notation est également en tablature d'orgue. La curiosité de ce codex, outre son abondante matière slovaque, est le grand nombre des versions à rythme ternaire (*proportio*) qui suivent les versions originales, ainsi que sa notation rythmique qui s'efforce de rendre le rubato : il se trouve à la bibliothèque de l'Académie hongroise des sciences. — *Manuscrit (livres de virginal) de Löcse*. Il est composé ou transcrit en tablature entre 1660–1670 (peut-être plus tard), par un musicien resté anonyme ; des quatre documents, c'est celui qui présente le plus d'intérêt tant historique que musical, par la netteté de son écriture instrumentale, la sûreté de sa technique et les procédés qui annoncent déjà les éléments d'un style musical qui sera généralisé quelque cent ans plus tard ; la partie qui nous intéresse est composée de pièces brèves, intitulées *chorèa* : il y a une *chorèa hunga-rica*, 2 *chorèa*-s *polonica*-s et 8 *chorèa*-s sans titre, dans les 8 tons différents (A, B, C etc), selon l'usage courant des nombreuses compositions destinées au clavier ; ce ms. est actuellement conservé à la bibliothèque universitaire de Pozsony (Bratislava). — Le *manuscrit Stark* (livres de virginal de Sopron), en notation moderne, date de 1689 ; l'auteur en est peut-être János Wolmuth, organiste de Sopron ; le ms., conservé au musée de cette ville, contient 56 danses, dont 4 danses hongroises, 3 en écriture polyphonique, la 4e (Danse du prince de Transylvanie), à 2 v., conserve le type d'écriture primitif des deux premiers mss. Ces quatre textes musicaux ne témoignent peut-être que d'une faible partie de la pratique instrumentale de l'époque, mais de ce fait leur importance s'en trouve encore augmentée. Ils montrent également que les rapports entre musique et musiciens hongrois et étrangers étaient toujours vivants.
Ces rapports qui, depuis le moyen-âge, ont dû évoluer sont la conséquence heureuse de plusieurs facteurs historiques et culturels : guerres turques et intérêt international suscité par elles, rattachement *de facto* de la Hongrie occidentale et septentrionale aux autres pays de la maison d'Autriche, Réforme, augmentation du nombre des étudiants hongrois dans les universités étrangères etc... Une attention particulière doit être accordée à la vie musicale « à l'occidentale » des villes de langue allemande en Hongrie : Brassó, Nagyszeben en Transylvanie, Pozsony et Sopron en Hongrie occidentale, Körmöcbánya, Báztfa, Löcse en Hongrie septentrionale, villes dotées d'institutions musicales et où sont installés des musiciens éminents. Elles forment des îlots de civilisation occidentale dans un pays ravagé par des guerres continuelles tant extérieures qu'intérieures (luttes pour l'indépendance nationale).
L'influence occidentale n'est point unilatérale. Si l'intérêt pour la musique hongroise semble moins grande au

XVIIe s. qu'au XVIe, du moins la musique instrumentale « à la hongroise » est-elle toujours présente en Occident : les compositions de Giovanni Picchi (*Intavolatura di balli d'arpicordo*, Venise 1620) et d'Alessandro Poglietti (*Aria allemagna* avec variations hongroises, 1677) et les *Quodlibet* de Daniel Speer en sont la preuve. Au XVIIe s., les musiciens hongrois sont de plus en plus connus à l'étranger. Le luthiste Valentin Bacfart (1507-1576) est l'un des virtuoses les plus appréciés de son temps. Les frères Neusiedler sont également des luthistes bien connus ; d'autres musiciens originaires de Hongrie font carrière dans les pays occidentaux au cours des XVIIe et XVIIIe s. Ainsi Jean-Sigismond Cousser, élève de Lully à Paris, qui aura un rôle si important dans le rayonnement de la «manière française» en Allemagne et en Angleterre, ou Georges Strattner, qui fut chef d'orchestre à Francfort et à Weimar.

C'est au XVIIe s. que l'Eglise catholique, s'apercevant de la force du chant de la foule pour la propagation de la foi, décide, au concile de Nagyszombat (1629 et 1638) d'éditer les cantiques populaires à l'usage des fidèles. Le premier recueil de *Cantus catholici* parut en 1651, sur l'initiative de Benedek Kisdí, évêque d'Eger, suivi d'autres publications du même genre (ceux de Lénart Ferenc Szegedi, 1674, de György Szelemcsényi, 1675, les *Soltári énekek* d'István Illyés, 1693, la *Lyra cœlesties* de György Náray, 1695, *Cantionale* de Turócz à la fin du siècle) annonce la messe chantée en hongrois et donnera pour plusieurs siècles sa matière mélodique à la musique savante d'église, dont les deux premiers représentants, à la fin du XVIIe s., sont Kájoni et Esterházy.

*Kájoni.*

János Kajóni (1629 ou 30-1687), co-auteur du Codex qui porte son nom, est le premier compositeur hongrois connu de musique polyphonique : moine franciscain, il accède à de hautes fonctions ecclésiastiques et fut également organiste et facteur d'orgues ; il recueillit des cantiques (*Cantionale catholicum*) et des compositions musicales (*Organo missale*, 1677, *Sacri concentus*, 1669) ; il transcrivit pour l'orgue les compositions de Schütz et de Viadana et fit lui-même quelques compositions originales, avant tout des *litanies*.

Pál Esterházy (1635-1713), membre de la haute noblesse hongroise, prince palatin de Hongrie, chef d'une famille célèbre pour les services qu'elle rendit à la musique, fut non seulement homme de lettres et amateur de musique, mais aussi compositeur de talent ; il publia son œuvre en 1711, à Vienne, sous le titre *Harmonia caelestis*, recueil de diverses compositions d'inspiration liturgique, sortes de concerts spirituels dans lesquels les procédés de l'école vénitienne de l'époque voisinent avec les mélodies de cantiques populaires. Il figure parmi les musiciens chez qui la culture occidentale et l'inspiration populaire semblent s'équilibrer : il est dommage qu'il n'ait pas eu de successeur dans cette voie.

Avec les recueils de cantiques populaires et les premières compositions polyphoniques, l'église catholique recon-

quiert sur les protestants toutes les positions qu'elle avait perdues au XVIe s., en employant les mêmes méthodes que l'adversaire : elle codifie la pénétration d'éléments populaires dans le service divin. Ses recueils de cantiques sont assez hétérogènes : à côté de mélodies de source grégorienne, on trouve des chorals protestants et des mélodies « savantes ». La musique des églises protestantes, en revanche, ne semble pas avoir évolué au XVIIe s., elle ne vit que de ses conquêtes antérieures. L'édition d'un *psautier* hongrois dans l'adaptation de Albert Szenczi-Molnár sur des mélodies françaises ne change pas cet état de choses ; ce n'est qu'au milieu du XVIIIe s. qu'on trouvera les premiers psautiers avec mélodies populaires.

L'année 1711, date de la publication de l'*Harmonia caelestis...* d'Esterházy, a une signification symbolique : c'est aussi celle de la „paix de Szatmár, qui met fin à un demi-siècle de guerres d'indépendance, d'oppression autrichienne, de haine et de révolte, époque illustrée par les noms de Zrinyi, Thököly, Rákóczi (pour ne citer que les plus connus), qui a vu également la libération de la presque-totalité des anciens territoires hongrois sous domination turque. C'est à cette époque si mouvementée et si passionnée (qui, d'ailleurs, ne ressemble guère à l'atmosphère non moins passionnée du XVIe s.) que la musique hongroise connaît de nouveau une floraison sur le plan national : il s'agit de la musique dite « kuruc » (prononcer *kouroutz*), nom que s'étaient donné les partisans de Thököly et de François II Rákóczi, dont le riche héritage comporte surtout des chants — paroles et mélodies — conservés, pour la plupart, dans des mss du XVIIIe s. ; ils constituent une des parties les plus vivantes et les plus connues de la musique hongroise d'autrefois. L'histoire si souvent évoquée de la célèbre Marche de Rákóczi, composée, une centaine d'années plus tard, par Bihari (?), peut nous en donner une idée. Pensons à l'accueil enflammé réservé à cette musique, par le public de Pest quand Berlioz en a présenté, en première audition, sa version symphonique ; pratiquement les chants *kuruc* n'ont pas vieilli et restent aujourd'hui encore le symbole du patriotisme et de la résistance nationale à l'oppression autrichienne. On comprend pourquoi Liszt, un siècle et demi plus tard, s'en servira si abondamment dans ses œuvres « à la hongroise », ce qui lui vaudra d'être souvent en conflit avec les milieux « bien pensants ». Leur langage musical réunit tous les éléments « hongrois » de la musique savante connue jusqu'alors. Car, en dépit de son apparence populaire, il ne s'agit pas d'un art populaire proprement dit, plutôt d'une synthèse, où toutes les traditions nationales se trouvent réunies avec certains éléments étrangers. Du point de vue de la musique instrumentale, l'importance de cet art paraît également très grande, bien que, faute de texte, nous soyons peu renseignés à cet égard. Nous savons que, dans les cours de Thököly et de Rákóczi, les instrumentistes sont à l'honneur et que, d'une façon générale, en dehors des

# PIKKÓ HERTZEG

## ÉS

## JUTKA-PERZSI.

### SZOMORÚ VÍG OPERA

KÉT FEL·VONÁSOKBAN.

Német nyelvből Magyarra alkalmaztatott

## S. A. ÚR.

### ÁLTAL.

*PESTEN,*

Nyomt. TRATTNER MÁTYÁS' betűivel

.1793.

*Le livret du 1ᵉʳ opéra hongrois*

joueurs de luth, de virginal et de trompette, on trouve parmi les musiciens au service des seigneurs hongrois vers la fin du XVIIᵉ s., des spécialistes du violon, du cymbalum, du « chalumeau turc » (appelé aussi « *tárogató* », instrument typique des *Kuruc*, qui jouit aujourd'hui d'une renommée presque légendaire) et même de la cornemuse ; instruments parmi lesquels le *cymbalum* et le *tárogató* sont réputés comme spécifiquement hongrois. Remarquons en passant que cette opinion, inexacte quant à l'origine des deux instruments, se trouve justifiée par la pratique plus récente. En tout cas, il est certain que la musique instrumentale du temps des *Kuruc*, si elle n'a pas laissé de souvenirs écrits, a grandement contribué au développement des traditions vivantes et de tout ce qu'on peut considérer aujourd'hui comme « manière hongroise », cela valant aussi pour le violon.

La musique imprimée de cette époque n'a donné que des œuvres mineures, des chants de circonstance (paroles et mélodie) dont le plus intéressant est la *Complainte sur l'incendie de Kolozsvár* de Miklós Misztótfalusi-Kiss (1697) : les paroles suivent la formule strophique de Balassi, la mélodie est apparentée à l'ancien style du folklore.

La deuxième moitié du XVIIIᵉ s. est riche en recueils de chants mss désignés sous le nom de *melodiarium :* ils dominent de loin tout ce siècle apparemment calme,

mais plein de transformations latentes au sein de la société hongroise ; le mode de ces recueils se prolonge jusqu'au beau milieu du XIXᵉ s. Parmi ces mss, les uns sont des notations d'amateur à usage personnel, les autres, des répertoires de ces chorales d'étudiants si actives dans les collèges calvinistes (Debrecen, Sárospatak, Pápa, Kolozsvár etc.). Les premiers *mélodiaria* (ceux de Kulcsár, le ms. Zempléni, le *Liber cantionum variarum* de Ferenc Kovács, les *Dávidné Soltári* notés par József Daróczy et les recueils conservés à Sárospatak) se situent entre 1775 et 1801 ; mais le plus précieux est l'*Ötödfélszáz ének* (450 chants) d'Adám Pálóczi-Horváth, terminé en 1813. Ces livres de chants constituent une source inépuisable de mélodies et nous apportent des renseignements fort intéressants sur le répertoire musical de leur milieu social d'origine, la petite et moyenne noblesse, souvent protestante. Leur importance se résume dans les faits suivants : 1. les *melodiaria* conservent les chants *kuruc* et bon nombre d'autres souvenirs des temps passés ; leurs auteurs font donc preuve d'une certaine conscience historique. — 2. Ils comportent une matière musicale proche du peuple et constituent en quelque sorte les premiers essais de collection des chants populaires. La petite noblesse vivait dans des conditions assez semblables à celles des paysans, et son attitude politique, comme celle de la moyenne noblesse en général, était nettement favorable, au cours de ce XVIIIᵉ s., aux traditions *kuruc*, donc patriotiques, populistes, anti-autrichiennes, sans être forcément anti-occidentales. Ce sont ces couches sociales qui représentent les tendances nationales et traditionalistes de l'époque, la haute noblesse ayant déserté le patrimoine national après 1711. Les cadres d'une société jusqu'alors nettement féodale commencent à s'affaiblir, des changements profonds se préparent au sein de la classe paysanne, changements qui se traduisent par la naissance du nouveau style du folklore, moins dialectal, plus national, plus homogène, peut-être, et plus proche que l'ancien du langage musical de l'Occident. Les collèges calvinistes sont fréquentés par les enfants de la petite noblesse, facteur principal de l'esprit national de ce temps-là. Des chorales se forment et prospèrent dans chaque école, assumant les fonctions musicales de la vie publique à l'échelon local ou régional (baptêmes, enterrements, fêtes etc.) ; des réformes importantes s'accomplissent vers le milieu du siècle, dues au jeune György Maróthy (1715–1744), qui, après avoir étudié dans des universités suisses et hollandaises, devient professeur au collège de Debrecen, écrit, en 1740 et en 1743, les premiers abrégés de théorie musicale en hongrois, publie le psautier de Goudimel à 4 v. (d'après l'édition de 1565) et organise le chant polyphonique à Debrecen ; son exemple sera suivi par d'autres collèges. D'une façon générale, les textes musicaux du XVIIIᵉ s. que nous possédons sont composés presqu'exclusivement de musique chantée, à une ou à plusieurs voix, populaire ou savante, traditionnelle ou occidentale. Plusieurs poètes, comme László Amadé, Ferenc Verseghy, Adám Pálóczi-Horváth, sont également des compositeurs de mélodies. Le siècle s'achève sous le signe du goût dit « rococo », dominé par une certaine forme de monodie chantée : mélodies à l'occidentale sur paroles hongroises. Le cas n'est pas rare où les paroles sont adaptées sur des mélodies toutes faites de caractère instrumental. Ce procédé assez particulier trouvera sa continuation dans le « verbunkos » chanté du début du XIXᵉ s.

Du point de vue de la musique instrumentale, le XVIIIᵉ s. est une époque de transition et de préparation : la haute noblesse, qui, au cours du XVIIᵉ s., avait joué un rôle déterminant dans le maintien des traditions musicales et nationales, s'en désintéresse quasi totalement et se tourne vers Vienne. Les résidences seigneuriales se peuplent de musiciens étrangers, souvent d'une grande autorité internationale ; c'est ainsi que nous trouvons Joseph Haydn à Kismarton et Esterháza, son frère Michael et Dittersdorf à Nagyvárad, Albrechtsberger (le maître de Beethoven) à Győr, Krommer à Simontornya, pour ne citer que les plus connus. Vers la fin du XVIIIᵉ s., l'évolution musicale prépare une nouvelle synthèse nationale, plus large et plus importante peut-être que les précédentes, synthèse dans laquelle les musiciens étrangers joueront un rôle éminent.

En attendant ce moment favorable, la musique instrumentale ne se manifestera que très sporadiquement au cours du XVIe s. (les deux dernières décades mises à part). Les quelques rares textes musicaux que nous possédons n'ont été découverts que tout récemment, leur nombre est encore loin derrière le siècle précédent ; il n'est toutefois pas impossible que, à mesure que d'autres textes, aujourd'hui inconnus, seront révélés, nous soyons amenés à réviser notre jugement sur cette époque de transition et de préparation, où les éléments les plus hétérogènes se lient pour contribuer à la formation d'un style « national ». Le *Recueil de Suzanne Lányi* (pièces pour le clavecin) n'apporte, à dire vrai, aucun élément nouveau à la musique instrumentale, telle que nous l'avons connue vers la fin du siècle précédent.

Le *Recueil de Linus* (partie de violon de pièces instrumentales destinés à accompagner des drames scolaires, 2e moitié du XVIIIe s.,) tout récemment découvert, nous paraît d'une importance historique plus directe pour établir la continuité de l'évolution de la musique instrumentale et jeter quelque lumière sur l'époque.

*Maróthi.*

Le *verbunkos*. Vers la fin du XVIIIe s., un changement essentiel s'opère dans l'évolution de la musique hongroise : la musique vivante (c'est-à-dire traditionnelle et non-écrite) fait place à la musique écrite ou imprimée. Tout le visage musical de la Hongrie va changer en très peu de temps : en 1786, paraît le *Ballet hongrois* de Joseph Bengraf (musicien allemand installé en Hongrie); il sera suivi d'autres recueils instrumentaux (généralement pour instrument à clavier), comportant des danses hongroises d'auteurs connus (Bengraf, F. Kauer, J. Babník entre autres) et inconnus (notons la fréquence de noms étrangers parmi ces auteurs). Nous nous trouvons en face des premières manifestations d'un nouveau style ou plutôt d'une manière « à la hongroise » qui sera désignée très tôt par le nom de *verbunkos*. (Voir l'article qui lui est consacré dans cet ouvrage). Le grand essor national dont le *verbunkos* est le symbole musical ne se limite pas au domaine musical ou artistique, mais peut être considéré comme un phénomène qui accompagne, parmi d'autres, le réveil national, cristallisé vers 1800, dont l'action bienfaisante se fait sentir dans tous les domaines de l'activité intellectuelle et de l'évolution économique et sociale. C'est à la même époque que Pest, petite ville au bord du Danube dont la population est en majorité de langue allemande, s'affirme, de plus en plus, comme la capitale industrielle et culturelle du pays, elle ne sera capitale administrative que plus tard. C'est également l'époque du « *nyelvujítás* » (rajeunissement de la langue par l'enrichissement du vocabulaire à l'aide d'éléments étrangers ou fabriqués). Sur le plan musical, nous considérons le *verbunkos* comme une manifestation quelque peu analogue. Car il est, avant tout, un langage musical (ou une esquisse de langage) « à l'occidentale », composé d'éléments très divers, dont quelques-uns sont traditionnels, peut-être, ou réputés « orientaux ». Phénomène curieux, cette « manière

hongroise », hybride et préfabriquée, se présente, dès ses débuts visibles, comme un « style » ou « mode » étonnamment homogène et, une vingtaine d'années à peine après ses débuts, elle tient déjà lieu de musique hongroise authentique et traditionnelle : elle est d'ailleurs considérée comme telle par les couches supérieures de la société.

Dans l'évolution du *verbunkos*, on peut distinguer plusieurs étapes assez distinctes : 1. la période du début, caractérisée par les danses hongroises de Kauer, Bengraf, Babnik et autres ; 2. l'époque de plein épanouissement, dominée par trois grands virtuoses du violon, qui sont en même temps des compositeurs de talent : János Bihari, János Lavotta et Antal-György Csermák, à côté desquels nous pouvons citer les noms de György Arnold, János Liszt, János Svastits, Kdzmér Sárközy, Ignác Ruzitska, József Tóth, entre autres. A cette époque (premier quart de siècle à peu près), le *verbunkos* s'affirme partout où vivent des Hongrois et reçoit une forme quasi-définitive, tantôt binaire, tantôt ternaire, composée de danses d'allure lente et vive ; il s'identifie même, bien qu'accidentellement, à *suite*, forme de la musique occidentale ; 3. l'époque de post-floraison (2e quart de siècle à peu près), celle de Márk Rózsavölgyi et autres compositeurs et virtuoses, où le *verbunkos* s'intègre dans tous les genres et formes de la musique occidentale : suite et sonate, fugue et rhapsodie, oratorio et opéra, chœurs et danses, pour ne citer que les tendances générales. C'est à cette époque que se créent de nouvelles formes cycliques à base de *verbunkos*, comme le *körtánc* de Rózsavölgyi, de même que les deux danses hongroises prétendues typiques, la *csárdás* (*csárda* = auberge) à l'usage des « gens de peuple » (cette danse de formation assez récente est aujourd'hui considérée comme une danse traditionnelle) et la *palotás* (*palota* = palais) pour la haute société.

Par la souplesse de sa matière musicale, le *verbunkos* est plus maniable : il se prête facilement à toutes les exploitations, mais il donne, en même temps des illusions dont les conséquences néfastes se feront sentir plus tard. Parmi les diverses tendances artistiques qu'illustre son évolution, c'est le romantisme qui lui sied le mieux, par sa générosité et son enthousiasme. C'est ainsi que l'avènement du *verbunkos* coïncide avec l'époque romantique de la musique hongroise, époque à laquelle l'urbanisation fait des progrès considérables, où Pest s'affirme de plus en plus comme le centre intellectuel du pays. Pourtant, au début du XIXe s., elle ne ressemble guère à la capitale hongroise de nos jours ; mais son importance culturelle ne cesse de croître. Quand l'université de Nagyszombat y est transférée, vers la fin du XVIIIe s., elle a déjà un théâtre allemand (qui ouvrira une nouvelle salle en 1815 avec deux pièces de Kotzebue, mises en musique par Beethoven), des librairies musicales, une école de musique fondée en 1727. La première méthode pour clavier en hongrois (celle d'István Gáti) parut en 1802 ; la première représentation théâtrale en hongrois eut lieu en 1790 à Buda (les deux villes ne seront administrativement réunies qu'en 1873) ; le Théâtre national, foyer permanent de l'art lyrique et dramatique hongrois, ne s'ouvrira qu'en 1837 ; 1813 et 1827 : formation des premiers quatuors à cordes ; 1818, 1824, 1834 : fondation des premières sociétés musicales ; en 1828, une école de chant (celle d'András Bartay et de Lajos Menner) commence son activité ; 1836 : naissance de la corporation des facteurs d'instruments de musique et d'une Société des amis de la musique (*Hangászegyesület*), qui, 4 années plus tard, ouvrira une école de musique (voir *Nemzeti Zenede*) ; 1844 : débuts du chœur mixte *Concordia* : 1853 : premier concert philharmonique. Le couronnement de cette évolution sera l'ouverture de l'Académie de musique en 1875 (voir *Académie F. Liszt*) et de l'Opéra national (1884).

La centralisation de la vie musicale est néanmoins un processus assez lent et, au début du siècle, le rayonnement musical de certaines villes de province est encore très considérable. Les collèges calvinistes continuent les traditions chorales bien établies au siècle précédent : des sociétés pour la propagation de la musique se forment dans plusieurs villes (Kolozsvár, Pozsony, Sopron, Győr, Veszprém etc), et leurs activités se manifestent de différentes manières : à Veszprém paraissent, par les soins du *regens chori* Ignác Ruzitska, les 15 cahiers des « *Chants hongrois du comitat de Veszprém* » (1823–32), la plus importante publication de *verbunkos* de l'époque.

*Bihari*

Les villes de Kassa, Pozsony et Kolozsvár se signalent par leurs théâtres lyriques, Kolozsvár et Sopron, par des écoles de musique de grande renommée. Si le rayonnement de ces Centres régionaux diminue à mesure que celui de Pest s'affirme, il ne cessera jamais entièrement : la décentralisation artistique restera toujours à l'ordre du jour et se verra renforcée par des mouvements favorables au régionalisme, telle l'organisation des orphéons ou autres ensembles vocaux (leur fédération nationale date de 1867) et de certains genres du théâtre lyrique (voir *Népszinmü*).

Les compositeurs du XIXᵉ s. représentent deux tendances différentes, souvent opposées l'une à l'autre, celles des « Occidentaux » et des « populistes ». Il ne s'agit pas de deux écoles au même titre, puisque 1. presque tous les compositeurs de formation savante sont « occidentaux », quelle que soit leur origine ; 2. la source principale des uns et des autres reste le *verbunkos*. La différence qui existe entre les deux courants réside dans l'attitude esthétique des compositeurs et dans les genres qu'ils cultivent. Parmi les « Occidentaux », nous trouvons les « trois grands » du siècle : Ferenc Liszt, qui passa sa vie hors de son pays natal, tout en gardant des rapports suivis avec lui, surtout vers la fin de sa vie, Ferenc Erkel, qui fut, avant tout, compositeur d'opéras et chef d'orchestre (fondateur de la Société Philharmonique), et Mihály Mosonyi, le plus savant et le plus affirmé des trois. Ils ne se ressemblent guère : chacun d'eux a une personnalité, un comportement et des procédés artistiques différents. D'autres se joignent à eux, amis et disciples dont l'activité s'étend à tous les domaines de la musique : composition, théorie, enseignement, et dont les plus importants s'appellent Kornél Abrányi, József Reményi, Gábor Mátray, Sándor Bertha, Ödön Michalovics, István Bartalus, Imre

Székely, Henrik Gobbi, Sándor Nikolits, József Joachim, auxquels il faut ajouter les quatre fils d'Erkel : Gyula, Elek, László et Sándor. La musique « à la hongroise » du XIXᵉ s. se résume assez facilement, du point de vue de l'écriture : elle présente partout les caractères essentiels du *verbunkos* qui, pendant la deuxième moitié du siècle, aura même un certain rayonnement international. Depuis Haydn et Beethoven, le *verbunkos* est entré dans la musique occidentale, à titre de curiosité ; certaines œuvres de Marschner, Delibes, Messager, Massenet, Debussy et Ravel en sont la preuve (et la présence latente d'éléments hongrois y est encore bien plus importante). A l'instar de Liszt, de nombreux compositeurs et virtuoses hongrois font carrière à l'étranger, les Goldmark, Reményi, Joachim, Heller, Bertha, Poldini. Leur nombre ne sera qu'insuffisamment compensé par les musiciens étrangers (surtout allemands et tchèques) installés en Hongrie ; le compositeur Robert Volkmann et le violoncelliste David Popper en sont les représentants les plus brillants. Il serait peut-être exagéré de parler d'une école nationale dès lors : certes le premier pas vers la formation de cette école a été franchi, mais ses débuts seront sans lendemain immédiat. Le répertoire des « Occidentaux » est bien varié : à côté d'œuvres instrumentales (pièces p. piano, rhapsodies, idylles, *palotás*, sonates etc.) et de musique de chambre, on trouve bon nombre d'œuvres symphoniques ou vocales (mélodies, chœurs, oratorios, messes). C'est incontestablement l'histoire de l'opéra qui nous fournit les exemples les plus intéressants d'intégration d'éléments hongrois dans la musique occidentale.

Le premier opéra hongrois, présenté à Buda en 1793, fut *Pikko herceg et Jutka Perzsi*, de József Chudy, dont la musique ne nous est pas parvenue. Avant lui, le théâtre lyrique ne comporte en Hongrie que des drames scolaires mêlés de musique et des opéras allemands, avec des airs complémentaires chantés en hongrois (œuvres d'András Szerelemhegyi, de Ferenc Reymann et d'autres). Le premier opéra connu est *La fuite de Béla*, de József Ruzitska, dont la première représentation eut lieu à Kolozsvár en 1822 et qui connut un succès assez durable. Après d'autres essais (*Kemény Simon* de Ruzitska, œuvres de J. Heinisch, de Gy. Arnold, de M. Rózsavölgyi et d'A. Bartay), l'opéra trouvera son grand maître en la personne de Ferenc Erkel, chef d'orchestre au Théâtre national de Pest, qui débute avec *Báthori Mária* en 1840, remporte, en 1844, un immense succès avec *Hunyadi László* et, 17 ans plus tard, avec *Bánk bán*. Ces deux œuvres sont toujours au programme des théâtres lyriques en Hongrie, et souvent même à l'étranger. Ils traduisent parfaitement le patriotisme des Hongrois au tournant le plus dramatique de leur histoire : c'est de là, peut-être, que vient leur succès. Erkel présentera encore 5 opéras (*Sarolta*, opéra-comique, 1862, *György Dózsa*, 1867, *György Brankovics*, 1874, « *Les héros anonymes* », 1880, « *Le roi Etienne* », 1885), sa technique ne cesse d'évoluer, mais il ne connaîtra plus ses succès d'autrefois. Les deux opéras de Mosonyi, bien supérieurs aux autres spectacles de ce genre, par la nouveauté de leurs procédés musicaux, ne seront pas mieux appréciés. Des autres compositeurs d'opéras, mentionnons les noms de Károly Doppler, Ferenc Doppler, György Császár, Károly Huber, Károly Thern et Ignác Bognár. Vers la fin du siècle, l'opéra hongrois devient de plus en plus éclectique, perd quelque peu de son caractère national, mais garde son essence romantique, même au XXᵉ s. Ödön Michalovich, Karoly Goldmark, Ödön Farkas, Károly Szabados, Ede Poldini, Emil Abrányi, Ernő Dohnányi, Jenő Hubay et Albert Siklós en sont les plus éminents représentants.

Les compositeurs « populistes » jouent un rôle très important dans la vie musicale du XIXᵉ s. : ce sont, pour la plupart, des dilettantes ou des autodidactes, qui opposent à la centralisation de la vie culturelle (traduite par l'ascension de Pest) et à la tendance « occidentale » de la musique un régionalisme moins savant — mais non moins occidental. Leur musique est composée essentiellement de « chansons hongroises » (*magyar nóták*), qui traduisent le goût musical de la classe moyenne des campagnes, un patriotisme désuet et conservateur dans lequel on reconnaît certaines traditions du siècle précédent. Ils s'appuient sur « les chants du peuple » (en théorie seulement, car ils connaissent aussi peu le folklore musical que leurs antagonistes), mais ce qu'ils publient sous le titre de « mélodies populaires » ne contient, en général, d'autres mélodies que les leurs. La mode des chansons populistes dura très longtemps, aujourd'hui même elle n'est pas entièrement révolue. Ces chansons, dont les principaux propagateurs furent les musiciens « tziganes », présentent quelquefois des aspects analogues au style nouveau du folklore, mais il serait inexact de les confondre avec lui. Parmi les compositeurs on trouve des musiciens de talent : Egressy, Szerdahelyi, Simonffy, Szentirmai, Dóczy, Dankó, Fráter, même des musiciens de formation savante : Szénfy, Zimay, Serly, Lányi. Leurs mélodies sont souvent exploitées par des Occidentaux (exemple les *Rhapsodies hongroises* de Liszt), et il n'est pas rare qu'elles parviennent jusqu'à la classe paysanne elle-même. Si le théâtre lyrique des Occidentaux était l'opéra, celui des populistes fut le drame populaire (*népszinmü*), genre typique du XIXᵉ s., dont le contenu musical était entièrement composé de chansons. Leur popularité était si grande qu'on construisit une salle de théâtre (l'actuel Théâtre national) à Budapest, destinée à ce genre de spectacle.

C'est en partie sous l'influence du *népszinmü* que naîtra, vers la fin du siècle, l'opérette hongroise : elle trouvera des représentants éminents au XXᵉ s. avec Pongrác Kacsóh, Albert Szirmai, Akos Buttykai, Jenő Huszka, Viktor Jacoby, Ferenc Lehár et Imre Kálmán : les deux derniers la rapprochent du genre viennois.

Pour résumer, le XIXᵉ s., après avoir donné à la musique hongroise un aspect quasi national et une notoriété jamais atteinte jusqu'alors, s'est arrêté à mi-chemin ; l'évolution esquissée pendant la première moitié du siècle reste inachevée, pour des raisons extra-musicales : la fin de la troisième période de l'histoire du *verbunkos*, telle que nous l'avons tracée plus haut, coïncide avec la guerre d'indépendance de 1848–49, dont l'issue tragique a créé, sur les plans politique et social, une situation nouvelle et souvent contradictoire avec l'évolution antérieure. Si, pendant les années sombres de la répression autrichienne (1849–67), la grande majorité de la nation a pu trouver, face à l'oppresseur étranger, son unité spirituelle en s'accrochant aux traditions nationales, l'année 1867 (celle du compromis austro-hongrois) sera une date fatale pour toute la vie intellectuelle ; le siècle s'achèvera sous le signe de la confusion ; la nouvelle classe moyenne, née et élevée après 1867, se soucie des préoccupations de ses aînées, et, si le *verbunkos*, avec ses formes dérivées, se maintient toujours, il ne s'enrichit plus, et son langage devient quelque peu démodé. Toutes les impulsions nouvelles viennent de l'étranger, et les compositeurs soucieux de la cause d'un art national — comme les vieux Liszt et Erkel, ou Sándor Bertha — travaillent en dehors de leur public hongrois. Epoque d'illusions (perdues), la fin du siècle amène la musique hongroise dans une impasse d'où elle ne sortira que bien plus tard.

**XXᵉ s.** C'est une époque de renouveau et de synthèse (la plus totale qui se soit produite jusqu'ici), qui commence dans le domaine scientifique. Dès les dernières années du siècle précédent, Béla Vikár entreprend des recherches systématiques sur le folklore musical, à l'aide du phonographe d'Édison : il trouvera bientôt deux collaborateurs éminents en la personne de Zoltán Kodály (à partir de 1905) et de Béla Bartók (à partir de 1906), musiciens de valeur exceptionnelle, qui cherchent les bases réelles d'un style national. Ils sont élèves de l'Allemand Hans Koessler à l'Académie de musique et doués, l'un et l'autre, d'une très grande capacité de travail et d'une volonté tenace. Le début de leur carrière coïncide avec une effervescence politique (dont l'importance dépasse, de loin, la Hongrie) et un mécontentement au sein de l'opinion hongroise qui se traduit par un nouvel élan patriotique (pensons à l'accueil enthousiaste réservé à la « symphonie Kossuth » de Bartók en 1903). Dans la vie artistique, un grand renouveau se fait sentir, et la musique n'est pas seule à en bénéficier.

Les recherches folkloriques ont eu, dès le début, des résultats étonnants. Bartók, Kodály et leurs collaborateurs découvrirent, parmi les paysans hongrois, les éléments d'un langage musical oublié par le reste de la société, langage qui avait pourtant appartenu autrefois à la communauté hongroise tout entière. Il fallait explorer ce langage, seul héritage du passé intégral, pour en tirer toutes les conclusions artistiques et le rendre à la communauté nationale. En un mot, il fallait être compositeur, savant et professeur à la fois ; Bartók et Kodály le furent avec un zèle infatigable. Leur importance historique se résume ainsi : ils ont rétabli la continuité historique de la musique hongroise ; après tant d'essais plus ou moins réussis dans le passé, ils ont réalisé le trait d'union entre les éléments contradictoires de cette musique : civilisation primitive et culture occidentale, tradition populaire et musique savante, transmission orale et écriture musicale, musique des campagnes et art citadin ; ils ont créé ce qu'on peut considérer, à titre définitif, comme l'école nationale, qui n'a pas de discipline scolaire proprement dite, mais des cadres très larges et très souples, dans lesquels s'insèrent facilement tous les résultats déjà obtenus.

*Couverture d'un ms. de Csermák.*

Bartók et Kodály, les deux promoteurs de l'école contemporaine, ont des tempéraments artistiques bien différents (c'est de là que vient, peut-être, la souplesse de cette école). Bartók est professeur de piano à l'Académie de musique dès 1907, il n'y enseignera jamais que le piano ; malgré ses nombreuses incursions dans le domaine de la musique vocale, son écriture restera toujours d'inspiration instrumentale ; dans ses recherches folkloriques, il est poussé, de plus en plus, vers la science comparée. Pour trouver l'origine de certaines particularités du folklore hongrois, il étudie les folklores des peuples voisins, puis celui des Arabes et des Turcs, entre autres. Sa musique porte une trace profonde de ces recherches ; elle remonte à l'homme primitif, aux sources les plus lointaines de l'art sonore. S'il paraît toujours à l'avant-garde de la musique contemporaine, Kodály est de tempérament conservateur, son écriture est avant tout d'inspiration vocale. Il réduit volontairement son champ d'action sur le terrain hongrois (en accord avec son ami et compagnon de lutte) tout en l'élargissant d'éléments historiques. Enfin, nommé très tôt professeur de composition à l'Académie de musique, il prend ses responsabilités de chef d'école et agit en conséquence. Il n'a pas encore trente ans que sa musique est arrivée à une stabilité et homogénéité quasi définitives, qualités rares à notre époque.

Si le mouvement de renouveau déclenché par Bartók et Kodály a eu bon nombre de fidèles, surtout dans l'*intelligentzia*, la grande majorité de la classe moyenne (y compris les milieux officiels) leur fut longtemps indifférente, sinon hostile : il fallut un quart de siècle pour vaincre cette indifférence. Entre temps, nos deux maîtres étaient déjà universellement connus (malgré le silence que leur avait imposé la première guerre mondiale).

Parmi leurs amis, compagnons ou contemporains, László Lajtha jouit aujourd'hui d'une grande notoriété internationale ; Léo Weiner, d'inspiration post-romantique, est connu également pour son activité pédagogique et pour ses orchestrations ; citons encore les noms de Sándor Jemnitz, Artur Harmat, Antal Molnár et Ernö Dohnányi, dont la forte personnalité musicale a joué un rôle important dans la jeunesse de Bartók.

Les compositeurs nés après 1895 forment la génération des disciples, dont les uns ont été élèves personnels de Kodály (et quelquefois de Bartók aussi), les autres ne le furent qu'indirectement, mais se sont ralliés à la cause de la nouvelle musique hongroise. Leur action antérieure à 1945 se manifeste dans quatre domaines : 1º sous l'influence de Kodály, une grande floraison de l'art choral se déclare, art inspiré souvent du folklore ; Jenö Adám, Lajos Bárdos, Zoltán Vásárhelyi, Gyula Kertész, György Kerényi, Miklós Forrai, Imre Csenki, Zoltán Gárdonyi en étaient les principaux facteurs ; 2º renouveau de la musique d'église, chants polyphoniques avec éléments populaires (Harmat, L. Bárdos, Gy. Bárdos, Zoltán Horusitzky, Aloys Werner entre autres) ; 3º réforme de l'enseignement musical dans les écoles primaires et secondaires selon l'esprit de Kodály et réalisée par ses élèves, dont les plus actifs étaient Bárdos, Adám et Kerényi. Signalons que ces trois mouvements convergeants ont été puissamment aidés par les revues *Magyar Kórus* et *Énekszó*, dirigées par Bárdos, Kertész et Kerényi ; elles ont contribué très efficacement à la diffusion des idées de Kodály) ; 4º activité redoublée dans les recherches folkloriques, menées par Lajtha, Sándor Veress, Kerényi, Csenki, István Volly et autres.

La période comprise entre les deux guerres voit l'avènement d'un grand nombre de compositeurs : Sándor Veress, György Kósa, Ferenc Farkas, Pál Kadosa, Hugó Kelen, Rezsó Kókai, János Viski en sont les plus représentatifs ; d'autres, qui ont commencé leur carrière avant la dernière guerre, ne s'affirment véritablement que depuis les 15 dernières années ; nous pensons avant tout à Ferenc Szabó (rentré d'émigration en 1945), Endre Szervánszky, András Mihály, Pál Járdányi, Rudolf Maros, Mihály Hajdu, Gábor Darvas, Gyula David, György Ránki, Rezsó Sugár, Endre Székely, Béla Tardos, qui jouissent tous sans exception d'une autorité nationale et internationale de plus en plus grande ; parmi leurs jeunes confrères András Szöllösy, Elisabeth Szönyi,

István Sárközy, Imre Vincze, László Gulyás, Antal Ribáry et György Kurtág sont actuellement le plus en vue.

Comme par le passé, un grand nombre de compositeurs hongrois ont fait carrière à l'étranger : Tibor Harsányi, Géza Frid, Tibor Serly, Matthias Seiber, Eugen Zádor, Sándor Veress, Joseph Kosma, Miklós Rózsa, pour ne citer que les plus connus. Quels que soient leur âge, leur nationalité ou leur comportement artistique, ils appartiennent tous à la nouvelle école hongroise et contribuent efficacement au rayonnement culturel de leur pays d'origine.

La même remarque s'impose au sujet des musiciens exécutants. Faute de place, nous ne pouvons pas énumérer ici les virtuoses hongrois (ou d'origine hongroise) qui sont parvenus à une renommée mondiale. L'école hongroise d'instruments a ses titres de noblesse, qui s'appellent Ferenc Liszt pour le piano, Jenö Hubay pour le violon, Dávid Popper pour le violoncelle, Aladár Rácz pour le cymbalum. Si grand que soit le nombre des musiciens hongrois qui vivent dispersés un peu partout dans le monde, ceux qui vivent en Hongrie n'en sont pas moins importants, et les sources musicales du peuple hongrois sont loin d'être épuisées.

En matière de musicologie, le XXe siècle est dominé par Bartók, Kodály et Lajtha, ainsi que par les noms brillants d'Antal Molnár, János Hammerschlag, Kálmán Isoz, Ottó Gombosi, Bence Szabolcsi, Ervin Major, Dénes Bartha, Aladár Tóth et, plus récemment par ceux de Lajos Bárdos, Benjamin Rajeczky, Jenö Vécsey, Lajos Vargyas et de nombreux jeunes savants (Ujfalussy, Maróthy, Demény, Kárpáti, Falvy, Eösze, Vikár, Várnai etc.).

Depuis 1945, il y a un accroissement considérable du public et de la production musicale. Un nombre impressionnant d'œuvres nouvelles ont été présentées au cours des 10 dernières années, opéras, drames lyriques, ballets (œuvres de Ránki, Kadosa, Kósa, Polgár, Kókai, Farkas, Horusitzky, Csenki, Hajdu, Kenessey, Székely, Sárközy), oratorios (Szabó, Sugár), cantates, chœurs, œuvres symphoniques et concertos (Lajtha, Kadosa, Dávid, Szervanszky, Járdányi, Mihály, Szabó, Farkas, Viski, Vincze, Rékai, Hidas, Szönyi), musique de chambre (Lajtha, Maros, Szervanszky, Kadosa, Ránki, Dávid, Farkas, Szabó, Járdányi) et autres œuvres vocales et instrumentales dont l'énumération serait impossible. Des semaines musicales sont organisées, tous les 2 ou 3 ans depuis 1951, avec débats publics, pour présenter et discuter l'ensemble de la production musicale des dernières années. L'activité artistique est encouragée par de nombreux prix d'état. La Hongrie compte actuellement 10 millions d'habitants, dont presque un cinquième vit à Budapest : la vie musicale de la capitale est toujours intense (2 salles d'opéra, 4 grands orchestres symphoniques, 4 salles de concert, académie de musique, lycée musical et plusieurs conservatoires), et elle est efficacement complétée par celle des villes de province. L'industrie musicale est en progrès, et les échanges artistiques avec les autres pays ont également évolué ces dernières années. Faute d'éloignement, il serait encore difficile d'apprécier aujourd'hui l'ensemble des efforts récents, mais, vu les valeurs stables de la musique hongroise, le chemin parcouru au cours du dernier demi-siècle et certains faits nouveaux, nous pouvons considérer l'avenir avec confiance.

**Bibl. :** B. Szabolcsi : *A magyar zenetörténet kézikönyve* (« Manuel de l'histoire de la musique hongroise »), en hongrois, Budapest, 1955 — *Népzene és zenetörténet* (« Musique populaire et histoire de la musique »), en hongrois, *ibid.* 1954 — *A XVII. század magyar világi dallamai* (« Les mélodies profanes hongroises du XVIIe s. »), *ibid.* s.d. — *A XVII. század magyar föuri zenéje* (« La musique résidentielle hongroise du XVIIe s. »), *ibid.* 1928 — *A XVI. század magyar históriás zenéje* (« La musique historique hongroise du XVIe s. »), *ibid.* 1931 — *A XVIII. század magyar kollégiumi zenéje* (« La musique des collèges hongrois du XVIIIe s. »), *ibid.* 1930 — *A XIX. század magyar romantikus zenéje* (« La musique romantique hongroise du XIXe s. »), *ibid.* 1951 ; *Zenei lexikon* (« Dictionnaire de musique »), 2e éd., édité sous la direction de B. Szabolcsi et A. Tóth, 1935 ; *Zenetudományi tanulmányok* (« Études musicologiques »), 6 vol. jusqu'à présent ; *Musicologica hungarica*, édition bilingue, 4 vol. jusqu'à 1941, études de D. Bartha, O. Gombosi, Z. Gárdonyi et M. Takács ; *Studia memoriae*

B. Bartók. Page du ms. de la bagatelle.

*Belae Bartok sacra* (Recueil d'études musicologiques en allemand, anglais, français et russe), *ibid.* 1956 ; *Mélanges offerts à Zoltán Kodály* à l'occasion de son 60e anniversaire (en hongrois, avec résumés allemands, anglais, français et italiens), *ibid.* 1943 ; S. Bertha, *La musique des Hongrois*, ds *Mercure musical*, 1907 et Encyclopédie de Lavignac, 1935 ; E. Haraszti, *La musique hongroise*, Paris 1933 ; J. Vigué et J. Gergely, *La musique hongroise*, *ibid.* 1959 ; *Grove's Dictionary of music* (articles sur la musique et les musiciens hongrois de John S. Weissmann), Londres 1955.

J.G. et J.V.

II . *Musique populaire.* Son importance est aujourd'hui universellement reconnue du fait qu'au cours de l'histoire hongroise elle a toujours été présente, des temps les plus reculés jusqu'à nos jours ; elle a gardé des traces d'influences extérieures, même celles de l'époque préhistorique sur laquelle nous n'avons aucun renseignement direct : elle constitue donc, à côté de la langue vivante, une source précieuse pour les historiens. Musicalement, elle représente une filiation ininterrompue qu'on ne trouve pas ailleurs ; c'est pourquoi elle est à la base du grand renouveau de la musique hongroise de notre siècle, en même temps qu'à celle d'une école nationale, qui s'affirme de plus en plus. Son répertoire est non seulement riche et varié, mais constitue aujourd'hui une des matières folkloriques les mieux connues, grâce à de nombreuses investigations et à une classification systématique. Comme toute manifestation traditionnelle transmise oralement de génération en génération, elle est, avant tout, un organisme vivant, elle est aussi un langage musical caractéristique de la classe paysanne hongroise de notre temps. Elle possède des caractères homogènes, auxquels éléments hongrois et étrangers traditionnels et savants sont intégrés. Sa souplesse, sa force assimilatrice ne sont pas ses moindres qualités : elles lui assurent un rôle de premier plan en Europe centrale ; aussi son rayonnement est-il considérable chez la plupart des peuples voisins.

Son noyau est composé de deux styles typiques qui, à eux deux, représentent près de 40 % de son répertoire : 1° le *style ancien*, dont l'origine, nettement orientale, se perd dans la préhistoire ; il se caractérise a. par une échelle pentatonique sans demi-ton qui se retrouve, tantôt à l'état pur, tantôt complétée en échelle à 7 degrés d'un aspect presque toujours modal, mais où la charpente de la mélodie reste pentatonique ; b. par une structure mélodique « descendante » : la première partie de la mélodie est plus élevée que la seconde. Il arrive assez souvent que la seconde partie (troisième et quatrième vers) donne la transposition exacte de la première (premier et deuxième vers), à la quinte inférieure (ex. 1). Les mélodies de ce style se présentent très souvent sous un rythme « *parlando rubato* » avec de riches ornements (ex. 2).

Dans d'autres cas, elles ont un rythme « *giusto* », en mouvement de danse, une structure strophique, qui comporte quatre vers isométriques allant de six à sept syllabes. Les formes déterminées par le contenu musical des vers sont assez variées : A5, A5, AA ; A, A, B, B ; A, Av, B, Bv (v = variante) ; A,A,B,C ; A,B,B,C ; A,B,Bv,B ; A,B,C,D. La totalité de cette partie du répertoire folklorique représente environ 200 souches mélodiques, variantes non comprises. Elles vivent toujours dans les campagnes hongroises, mais ne sont généralement chantées que par les gens âgés. Elles ont tendance à disparaître, mais il n'est pas rare non plus de voir reparaître dans une région une mélodie ancienne qui a déjà disparu dans d'autres. Si l'on peut établir quelques aspects dialectaux (Transdanubie, Grande-Plaine, Haute-Hongrie, Transylvanie), surtout d'ordre mélodique et concernant les intervalles les caractères essentiels sont partout les mêmes. (ex. 1-4). 2. Le *style récent*, né vers le milieu du XVIIIe s., est en rapport organique avec l'ancien style, mais il est moins régional, plus national et plus « occidental » que celui-là ; il n'est pas sans analogie avec les folklores de certains peuples voisins. La gamme pentatonique y est toujours présente, mais d'une façon latente dans certaines tournures et dans la charpente mélodique. La structure « descendante » est remplacée par une structure architecturale : strophes à 4 vers généralement isométriques, comme dans les mélodies anciennes, où les contours mélodiques des premiers et quatrième vers sont le plus souvent identiques et toujours

proches parents ; la mélodie du deuxième vers très souvent répète ou imite celle de la première, soit dans la hauteur originale, soit une quinte plus haut ; quant à la troisième, tantôt elle répète la deuxième, tantôt elle apporte un complément musical à l'idée principale. Les formules les plus caractéristiques sont donc A,A5,A5,A ; A,A5,B,A ; A,A,B,A, quelquefois même AA,B,C, avec des petites variantes ou finales différentes dans les vers désignés par la même lettre (voir : ex. 5, 6, 7).

Ex. 1 — Tempo giusto
É-va, szi- vem, É-va, Most é-rik a szil-va,
Te-rit-ve az al- ja, Fel-szed-jük haj-nal-ra.

Ex. 2 — Parlando
Ha tudtad të, kisangya-lom, nëm sze- retsz,
S mér nem küd-tél egy szomorú le- ve- let ?
S tetted volna a leg-gyorsabb pos-tá- ra,
S hogy jött volna Kalo- ta-szen- ki - ráj - ra.

Ex. 3 — Tempo giusto
El- më-gyëk el-më- gyëk, El is van vá-gyá-som,
Eb-be ron-gyos kis ta-nyá- ba Nin-csen maradá- som.

Ex. 4 — Parlando ♩ = 75
Nem loptam én éle-tem-be, Csak hat tinót Debrecenbe ;
Ha- za hajtot-tam a tinót, Mind a hat daruszörü volt.

Ex. 5 — Tempo giusto
Ka-ni-zsa-i " Ko-ro-nárá " süt a nap.
Meg-jöt-tek a vi-zi-tá- ló nagy u-rak.
Egy-gyik ir- ja gyen-ge tes-tem ál-lá- sát.
A má-sik a ba-bám el-bu- csu-zá sát.

La parenté entre la structure « descendante » des mélodies anciennes et la structure architecturale des mélodies récentes est évidente : c'est Kodály qui a démontré l'analogie entre les formules A5,A5,A,A (ancienne) et A,A5,A5,A (récente), où le déplacement de la coupure des quatre vers est atténué par la répétition strophique de la mélodie entière. Autres caractéristiques du style récent : les mélodies à rythme « *giusto* » sont prédominantes, au détriment des mélodies « *rubato* » ; l'aspect modal du style ancien s'y trouve légèrement déplacé vers les modes modernes, les ornements et mélismes de la mélodie sont diminués, le nombre de syllabes plus varié, généralement plus grand (de 6 à 25). Le style nouveau a eu une influence considérable, pendant la seconde moitié du XIXe s., sur certains compositeurs de mélodies populistes et vice-versa : un grand nombre de mélodies populistes de cette époque ont été adoptées par le folklore. Pourtant la différence est nette entre les origines de ces mélodies : les mélodies populistes de la fin du XIXe s. sont toutes des créations savantes, dues à des compositeurs souvent *dilettanti* et diffusées par les musiciens tziganes. Cet état de choses a prêté à beaucoup de confusions, dont les effets se font sentir aujourd'hui encore.

La troisième catégorie des chants populaires est formée par des mélodies qui, par élimination, n'appartiennent à aucun des deux groupes typiques : elles sont généralement empruntées soit aux autres peuples soit à la musique savante. Un grand nombre de mélodies populaires hongroises sont « circonstancielles », c'est-à-dire liées à telle et telle occasion strictement réglementée par des lois non écrites de la vie rurale. Le nombre de ces mélodies est peut-être plus grand qu'on ne croirait à la première vue : parmi elles, on trouve certaines catégories dont l'origine semble remonter à des sources très lointaines ; ainsi dans les rondes enfantines, dans les complaintes de pleureuses (*sirató*) et dans certaines mélodies chantées à un moment déterminé de l'année (au solstice d'hiver par ex.), les musicologues voient la survivance de coutumes préhistoriques et les comparent à certaines manifestations musicales des autres peuples finno-ougriens. Mais nos connaissances actuelles ne permettent pas encore d'établir des règles générales, et l'on peut estimer toujours qu'il n'y a que deux groupes typiques du folklore hongrois, ceux dont nous avons parlé plus haut.

En dépit de son développement actuel, le folklore musical, en tant que discipline scientifique, n'a qu'un passé relativement restreint. L'intérêt qui s'est manifesté, dès le début du XIXe s., pour « les chants du peuple » a eu des résultats plus littéraires que musicaux. Les premiers collectionneurs de chants, dont Adám Pálóczi Horváth est le plus important (voir I) n'étaient pas des folkloristes proprement dits. Les nombreux recueils de mélodies populaires publiés au cours du XIXe s., y compris celui d'István Bartalus, édité en 7 vol. par l'Académie des sciences de 1873 à 1896, n'ont que des

rapports plus ou moins lointains avec le folklore musical tel que nous le connaissons aujourd'hui. Le répertoire vraiment folklorique est très restreint : la recherche scientifique de ce folklore musical ne date que des dernières années du XIXe s., l'initiative en est due à Béla Vikár, qui emploie, pour la première fois dans les recherches scientifiques, le phonographe d'Edison comme instrument d'enregistrement. Son travail sera complété par Bartók et Kodály, véritables fondateurs du folklore scientifique, ainsi que leurs élèves : László Lajtha (ancien directeur du département musical du musée ethnographique, auteur de plusieurs monographies très importantes sur la musique instrumentale de villages où cohabitent paysans hongrois et roumains), Antal Molnár, Imre Balabán, Jenö Ádám, Sándor Veress, György Kerényi (rondes et jeux enfantins), Imre et Sándor Csenki (recherches sur le folklore des Tziganes non musiciens), István Volly (traditions populaires d'inspiration religieuse), Pál Járdányi et Lajos Vargyas, auteurs d'enquêtes très importantes sur la vie musicale de deux villages hongrois. Jardanyi travaille actuellement à l'Académie des sciences ; Vargyas est directeur du département musical du Musée ethnographique. Le grand rêve

du XIXe s., pour la réalisation duquel Bartók et Kodály ont travaillé plus de 40 ans, se trouve enfin accompli : le répertoire complet du folklore hongrois est édité par les soins de l'Académie des sciences dans le recueil intitulé *Corpus musicae popularis hungaricae*, dont le premier volume a paru en 1951 et contient des chants enfantins. Les trois autres volumes édités jusqu'ici contiennent des traditions populaires liées à un tel ou tel jour de l'année, ainsi que des chants de noces. La publication reste en cours. Les institutions ethnomusicales possèdent actuellement quelque trente mille mélodies recueillies, notées ou enregistrées, et ce nombre augmente sans cesse : après un sommeil de plusieurs siècles, le folklore est

*Danse de soldats hongrois (début XIXe s.).*

redevenu un facteur principal de la vie musicale en Hongrie et il est en train de devenir une manifestation essentielle de la communauté nationale tout entière.

**Bibl.** sommaire : B. Bartók et Z. Kodály, *Erdélyi Magyarság, Népdalok* (« Hongrois de Transylvanie, Mélodies populaires ») Budapest 1921 (150 mélodies notées d'après des phonogrammes, 3 éd., avec préface hongroise, franç. et angl. ; les auteurs publient ici, pour la première fois, leur système de classement scientifique des mélodies ramenées à la note finale de *sol*, selon une méthode inspirée par celle du folkloriste finlandais Ilmari Krohn ; B. Bartók, *A magyar népdal* (« La mélodie populaire hongroise »), Budapest 1924 (avec 347 mélodies ; premier ouvrage scientifique visant au résumé morphologique de l'ensemble du folklore musical « non occasionnel » ; en allem. : *Das ungarische Volkslied*, Berlin 1925 ; en angl. : *Hungarian folk music*, Londres 1931, et *Hungarian Peasant Music*, éd. abrégée, ds *MQ*, XIX, nᵒ 3, N.-York 1933 ; — *Népzenénk és a szomszéd népek népzenéje* (« La mus. populaire des Hongrois et des peuples voisins »), Budapest 1934 (en allem. ds *Ungarische Jhb.*, XV, 2-3, Berlin 1935 ; en franç. ds *Archivum Europae Centro-orientalis*, Budapest 1936, et, en vol. à part, ds la série *Études sur l'Europe centre-orientale*, nᵒ 5, *ibid.* 1937 ; des traductions slovaques et roumaines ont été publiées plus récemment); — *La mus. pop. h.*, ds *RM*, 1921 — *Miért és hogyan gyüjtsünk népzenét ?*, Budapest, 1ʳᵉ éd., 1936 (en franç. : *Pourquoi et comment recueille-t-on la musique populaire ?* Genève 1948, Budapest 1956 ds *B., sa vie, son œuvre: — Scritti sulla mus. popolare*, avec intr. de Z. Kodály, publiés par D. Carpitella, Milan 1955 ; — *Ungarische Bauern Musik*, ds *Musikblätter des Anbruch*, Vienne 1920 ; — *The folksongs of Hungary*, ds *Pro musica*, N.-York 1928 ; — *Les recherches sur le folklore musical en Hongrie*, ds *Actes du congrès intern. des arts populaires de Prague*, 1928 (résumés), II, Paris 1931 (l'original a paru en hongrois ds *Zenei Szemle*, 1929, nombreuses trad.) ; — *Neue Ergebnisse der Volksliederforschung in Ungarn*, ds *Musikbl. d. Anbruch*, Vienne 1932 ; — *Ungarische Volksmusik*, ds *Schweiz. Sängerzeitung*, Berne 1933 ; Z. Kodály, *A magyar népzene* (« La mus. pop. h. »), Budapest, 1ʳᵉ éd. 1936, 3ᵉ éd., 1952, avec un appendice mus. de 450 mélodies, réunies par R. Vargyas (le résumé le plus complet jusqu'ici du folklore mus. hongrois) ; B. Bartók et Z. Kodály, *A magyar népzene tára* (*Corpus musicae popularis hungaricae*, répertoire complet du folklore mus. hongrois) : I. « Jeux d'enfants », publ. par György Kerényi, 1951, II. « Jours mémorables », id., 1953, III A. « Noces », publ. par Lajos Kiss, 1955, III B. « Noces », id., 1956 ; László Lajtha, *Népzenei Monográfiak* (« Monographies sur la mus. pop. », 3 vol., Budapest 1954–55, textes musicaux présentés et commentés en hongrois) — *Hongrie*, ds *Folklore musical*, Institut intern. de coopération intellectuelle, Paris °1939, avec notice bibliographique ; B. Szabolcsi, *Népzene es történelem* (« Mus. pop. et hist. »), Budapest 1954 ; L. Vargyas, *Aj falu zenei élete* (« La vie mus. ds le village d'Aj »), *ibid.* 1941 ; I. Volly, *Népi játékok* (« Jeux populaires »), 3 cahiers, *ibid.* 1945, 3ᵉ éd. ; voir encore les écrits sur la musique de Kodály et de Járdányi. Les exemples sont pris de l'appendice mus. du livre de Kodály, *A magyar népzene.*

**J.G.**

**HOOD Mantle.** Musicologue amér. (Springfield 24.6.1918–) Élève des univ. du Colorado, de Californie et d'Amsterdam (dont il est docteur), il est dep. 1954 prof. à l'univ. de Californie ; il a composé *The man, the boy and the donkey* (1947), *Le Dr Gloom et le Dr Cheer* (1950), de la mus. symph., de chambre, de piano (*Dodecaphonic waltz*, 1952, *Ductia*, id.), des mélodies ; il a publié *The nuclear theme as a determinant of patet in*

*javanese mus.* (Groningue 1954), *Folk imitations of the jav. gamelan* (ds Viltis, 1956), nombre d'art. ds le périodique *New Outlook ;* c'est lui qui a rédigé l'art. *mus. indonésienne* pour la présente encyclopédie.

**HOOK James.** Mus. angl. (Norwich 3.6.1746–Boulogne 1827). Enfant prodige, élève de Garland (org. de la cath. de Norwich) et de Ch. Burney, il fut d'abord virtuose de l'épinette dans sa ville natale, puis org. à Clerkenwell (1764), à Marylebone Gardens de Londres (1769–73), à Vauxhall Gardens (1774–1820), ainsi qu'à l'église St-Jean de Horsleydown ; il prit une part importante dans la vie mus. de Londres (concerts, enseignement) ; on lui doit une trentaine d'opéras, des oratorios, des odes, des cantates, des concertos, des sonates de clav., de la mus. de chambre, près de 2.000 mélodies, 1 ouvrage théorique : *Guida di musica...* (v. 1785), qui eut 2 rééd. (1794, 1796). Voir Ch. L. Cudworth in MGG.

**HOOPER Edmund.** Mus. angl. (Halberton 1553– Westminster 1621). Enfant de chœur à la cath. d'Exeter, choriste (1582), puis maître des enfants (1588) à l'abbaye de Westminster, *gentleman* (1601), puis org. de la chapelle royale, org. de l'abbaye de Westminster (1606), il composa des *anthems*, des *services*, des psaumes, des répons, 1 allemande et 1 courante, le tout resté en mss, ainsi que qqs pièces (psaumes, madrigaux) impr. ds 3 recueils de l'époque (1592–1614). Voir P. Le Huray in MGG.

**HOPAK** (*gopak*). C'est une danse populaire ukrainienne à 2 temps (2/4 ♩♪ ♫ | ♩♪ ♫ | etc.), de *temps* vif ; son nom vient probablement de l'exclamation « gop » que les danseurs lancent aux temps forts. Il y a différentes variantes : en *solo*, à deux, en groupes. La plupart des compositeurs russes et ukrainiens s'en sont servis généralement pour accentuer la couleur locale (ukrainienne) d'une œuvre. Les *h.* les plus connus sont ceux de Moussorgsky, Tchaïkovsky, Lisenko, Stogarenko etc.

**HOPKINS.** Famille de mus. angl. : — **1. Edward** (Londres ? v. 1757–v. 1790) fut corniste ; Son fils — **2. George** (? — Londres v. 1869), clarinettiste, appartint à l'orch. de *Covent Garden* ; son frère — **3. Edward** (?–Londres v. 1859), exerça les mêmes fonctions au même endroit et fut en outre chef de mus. au *Scots Guard Regiment ;* son neveu — **4. Edward John** (Westminster 30.6.1818–Londres 4.2.1901), fut org. à Londres et publia, en collab. av. A.F. Rimbault, *The organ, its hist. and construction ;* il assura l'édition d'un recueil intitulé *Temple choral service* et composa 7 *anthems*, 1 *service* et 1 psaume ; son cousin — **5 John Larkin** (Londres 25.11.1820–Ventnor 25.4.1873), org. à Rochester et Cantorbéry, composa lui aussi des *services* et des *anthems ;* son cousin — **6. John** (Westminster 30.4.1822–

Rochester 27.8.1900) fut org. à Mitcham et Rochester ; il fut également compositeur. Voir Ch. L. Cudworth in MGG.

**HOPKINS Antony.** Compos. angl. (Londres 21.3.1921–). Elève du *Royal College of mus.* de Londres, prof. au *Morley College* (1939–43), fondateur de l'*Intimate opera Company* (1930), conférencier radioph., il a écrit 5 opéras, des ballets, de la mus. de scène, des chœurs, de la mus. de chambre, de piano, de film, radioph. et des mélodies. Voir J. Noble in MGG.

**HOPKINS Francis.** Homme d'État, poète et mus. amér. (Philadelphie 21.9.1737–9.5.1791). Député au Congrès, il joua un grand rôle dans la révolution des Etats-Unis, avec ses amis Franklin et Jefferson, et fut juge fédéral (1789–91) ; il s'intéressa, comme Franklin, à la lutherie (clavecin, bellarmonica) ; il est resté dans l'histoire comme *the first native american composer of songs* : on lui en doit *Songs* (Philadelphie 1788), *Ode from Ossian's poems* (Baltimore 1790), *A toast* (Philadelphie 1799), *An exercise containing a dialogue and an ode* (Ch., ibid. 1761), 1 éd. des psaumes de David (N.-York 1767), une mélodie ds le *Colombian Magazine* (1789), 12 autres ds *The first amer. composer* et *Colonial love lyrics* (Boston 1918–19). Voir O. Sonneck, *F.H....*, ds *SIMG*, 1903–04 — *F.H. ... and J. Lyon*, Washington 1905 — G.E. Hastings, *The life and works of F.H.*, Chicago 1926 ; N. Border in MGG.

**HOQUET.** Cette technique musicale, qui donna naissance au moyen-âge à une forme indépendante, est aussi répandue dans la musique primitive. Farmer a fait dériver le mot de l'arabe *īqā'āt*, qui signifie « rythmes », mais le mot français moderne rend peut-être l'effet de façon plus exacte. Husmann fait dériver le mot *h.* d'une racine commune à toutes les langues sémitiques : avec l'article arabe *al*, le mot devient *al-quat*c. Cette hypothèse est bien plus vraisemblable, puisqu'elle correspond à la définition médiévale de *hoquetus*, expliqué par *truncatio vocis*, « coupure de la voix ». Le *h.* peut être de 2 à 4 voix, mais implique en principe qu'une voix se tait pendant que l'autre chante. Cela peut simplement vouloir dire qu'une seule note est en quelque sorte coupée en deux, une part étant confiée à une voix, l'autre à une seconde voix, par exemple une blanche pointée divisée en une noire — dans une voix — et une blanche — dans l'autre. Une ligne mélodique unique est ainsi partagée entre deux voix, comme dans un passage en hoquet d'un motet du début du XIIIe s., *In Bethlehem* : il comporte une troisième voix qui se développe normalement au-dessus des deux voix en hoquet (ex. 1).
Un autre type de *h.* comporte non seulement une rupture de rythme, mais une première voix continue, une ou des voix supérieures harmoniques, avec des silences sur le temps et des notes à contre-temps ; on trouve en outre un ténor indépendant sous le *h.* (ex. 2).
On a de bons exemples de *h.* dans certaines œuvres construites sur le ténor très répandu *In seculum*. Le *h.* doit avoir été très adapté au style instrumental, et certains de ces *In seculum* étaient évidemment destinés à semblable exécution. Le plus célèbre semble avoir été écrit par un Espagnol, mais certains Parisiens en transformèrent le rythme, si bien qu'il existe deux formes de la même composition, l'une dans le cinquième mode rythmique (*modus longus*), l'autre dans le second (*modus brevis*). Une autre version donne un *In seculum* à 3 v., sans texte d'un bout à l'autre, et comporte une quatrième voix avec texte, en style normal de motet. Il va de soi que le *h.* est particulièrement fréquent dans les *clausulae* à 2 v. de Notre-Dame et dans les *organa* à 3 v. style Pérotin. Il fut naturellement adopté dans les motets, et pas seulement dans ceux du début : une œuvre déjà évoluée comme *Je cuidoie — Se j'ai — Solem*, avec son *triplum* animé, l'une dans le nouveau style de Pierre de la Croix (fin du XIIIe s.), emploie le *h.* dans les deux voix composées au-dessus d'un ténor dont le développement est uniforme. Au XIVe s., le *h.* est de plus en plus populaire, et son rôle est important dans l'évolution de

Ex. 1

et plorans clama pios fi li os

o, o, o, li vo - - ris

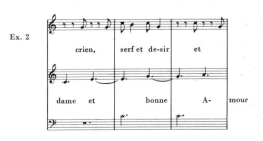

Ex. 2

crien, serf et de-sir et

dame et bonne À- mour

l'isorythmie. On trouve normalement les *h.* dans les passages d'un motet où la tension est accrue, par exemple à la fin d'une pièce ou d'une partie de pièce. C'est seulement pour cette raison que le *h.* imposa son rythme à d'autres parties de la composition de position analogue, où le ténor répète les mêmes notes ou les mêmes rythmes. On en rencontre souvent des exemples dans les motets de Philippe de Vitry ou de Guillaume de Machaut, comme dans la partie finale du remarquable *Felix Virgo-inviolata* à 4 v. de Machaut où l'on trouve un effet de double-hoquet : tandis que le *triplum* et le *motetus* sont en hoquet (semibrèves et minimes), le ténor et la haute-contre le sont en brèves et en semibrèves.
Le *h.*, en tant que forme, est plutôt typique du XIIIe s., et, bien que Jean de Grouchy le décrive dans son traité écrit vers 1300, il juge que cette forme n'est adaptée qu'à des jeunes gens violents, à cause de son *tempo* rapide et de son caractère agité. Machaut lui-même écrivit le dernier *h.* en pièce séparée pour le plain-chant *David* : c'est une œuvre à 3 v., qu'on considère comme un appendice tardif au célèbre *organum* à 3 v. de Pérotin, *Alleluia Nativitas* ; le ténor est isorythmique et comporte deux modèles rythmiques, le premier comprenant 8 *taleae* superposées à 3 *colores*, le second, 4 *talae* et une seule *color* ; quant à l'harmonie, les deux voix supérieures surprennent, avec cette technique du *h.* qui permet à l'une ou à l'autre des voix supérieures de changer l'harmonie par des traits subits au-dessous du ténor ; la manière dont Machaut y mène les motifs rythmiques est tout à fait remarquable.
Le *h.* est loin d'avoir été inconnu en Angleterre et, en Italie, un motet comme *Lux purpurata* de Jacopo da Bologna, utilise *in fine* un *h.* simple pour former des tierces parallèles dans les deux voix supérieures. La popularité persistante du motet isorythmique, à la fin du XIVe s. et au début du XVe s., fit que le *h.* resta en usage, et l'unique motet de Cesaris en contient un bel exemple. Ciconia, qui utilisa et fit évoluer la séquence mélodique, l'emploie à la manière d'un *h.* dans son motet *Ut te per omnes — Ingens alumpnus*. Cependant le *h.* arrivait à cette époque à la fin de sa destinée. Des pièces instrumentales du XIVe s., en style ancien, comme les *estampies* pour orgue du codex de Robertsbridge, se servent du *h.* dans un contexte harmonique, mais son heure ne devait pas tarder de sonner en faveur de formes rythmiques plus complexes et plus raffinées à cause de l'apparition, au XVe s., de rythmes moins rudes. Voir M. Schneider, *Der H.*, ds *ZfMw*, 1929 ; H. Husmann, *Die Etymologie v.H. u. der arab. Einfluss in der gotischen Mus.*, ds *Roman. Jahrb.*, 1955–56.                                  G.Ry.

**HORAK Vaclav** (*Wenzel Emmanuel*). Compos. tchèque (Lobeč 1.1.1800–Prague 15.9.1871), qui fut org. et prof. à Prague, écrivit surtout de la mus. d'église (12 messes) et publia 1 traité d'harmonie (1846). Voir R. Quoika in MGG.

**HORDISCH Lucas.** Mus. allem. (Radeberg v. 1505–?). Elève de l'univ. de Leipzig, il fut juriste et publia 1 recueil intitulé *Melodiae prudentianae et in Virgilium magna ex parte nuper natae...* (Leipzig 1533). Voir H.C. Wolf in MGG.

**HORENSTEIN Jascha.** Chef d'orch. et compos. amér. d'origine russe (Kiev 6.5.1899–). Il a fait ses études à Koenigsberg (Max Brode), Vienne (notamment chez Ad. Busch, J. Marx et Franz Schreker) et à Berlin ; il fut d'abord chef de chœur (Schubertkohr, Berlin) et débuta comme chef d'orch. en 1923 à Vienne ; en 1928, il devint 1er chef d'orch. et peu après *Generalmusikdirektor* de l'Opéra de Düsseldorf ; en 1933, il s'établit à Paris ; il a fréquemment dirigé des orch. en Océanie et en Russie, et, après la 2e guerre mondiale, conduit plusieurs grands orch. symph. en Amérique (du Nord et du Sud) et en Europe ; depuis 1940, il est prof. et chef d'orch. à la *New School for social research* à New-York.

**HORIZONTAL.** Cet adjectif qualifie tout ce qui a trait au déroulement mélodique, en opposition à *vertical*, qui s'applique au résultat de la superposition des voix : c'est une façon imagée d'opposer harmonie et mélodie. Par extension, on parle style *h.*, toujours par opposition à un style vertical, en appréciant le développement raffiné de chacune des voix ou parties d'une composition polyph., raffinement dont le contrepoint est la science : cette terminologie se justifie si elle est employée avec justesse — et avec justice : (car trop de critiques n'emploient le mot *h.* que pour mieux déprécier l'harmonie ; c'est qu'ils se réfèrent plutôt aux harmonisations fastidieuses de basse époque qu'aux prodigieuses réussites des grandes époques de style vertical).

**HORKY Karel.** Compos. tchèque (Štemechy 4.9.1909–). Basson (notamment au théâtre de Brno), élève de P. Haas, du cons. de Prague (J. Krička), prof. d'harmonie au cons. de Brno (1945–52), d'instrumentation à l'*Akad. Novacek* (1952–55), il a écrit notamment des opéras (*Jean Hus*, 1944–48, *Hauptmann Šarovec*, 1951–52), 2 ballets, de la mus. symph. (concerto de viol., 1955), de chambre.

**HORN.** C'est le nom du cor, en anglais et en allemand.

**HORN August.** Compos. allem. (Freiberg 1.9.1825–Leipzig 23.3.1893), élève de Mendelssohn, auteur d'un opéra, de mus. symph., de chambre et de transcriptions.

**HORN Camillo.** Compos. tchèque (Reichenberg 29.12.1860–Vienne 3.9.1941), élève de Bruckner, chef de chœur, prof. et critique à Vienne, auteur de mus. symph. (2 symph.), chor., dramatique, de chambre, de mélodies. Voir A. Werner, *Fs C.H.*, Böhmisch-Leipa, 1932.

**HORN Johann Caspar.** Mus. allem. (Feldsberg v. 1630–Dresde v. 1685). Médecin, membre du *Leipziger Musikerkreis* (1663–76), juriste, il publia 5 recueils intitulés *Parergon musicum* (4-5 v., Leipzig 1664–76), *Lustige Intraden, Gagliarden, Couranten, Baleten, Sarabanden u. Giguen...* (5-12 v., *ibid.* 1676), *Allerhand anmutige Sonatinen...* (5 v., *ibid.* 1677), *Scherzen de Musenlust...* (5 v., ibid. 1673), *Musik. Tugend-u. Jugend-Gedichte...* (1-5 et 6 v., Francfort 1678, Leipzig 1680), *Geistl. Harmonieen...* (Winterteil 1680, Sommerteil 1681) ; 1 cantate est restée ms. (4 v., Berlin) : il est l'un des premiers mus. allem. qui ait adopté la nouvelle forme de la suite de danses. Voir H.J. Moser in MGG.

**HORN — 1. Karl Friedrich.** Org. allem. (Nordhausen 13.4.1762–Windsor 5.8.1830). Elève de E.C. Schröter, il fut introduit à la cour de Londres par le comte Brühl (1782), y fut maître de mus. de la reine Charlotte (1789), puis de la princesse Auguste-Sophie (1793–1811), enfin org. de la chapelle St-Georges de Windsor (1823) ; ami

HOQUET

*Sustine à 3 v. (BN, ms. lat. 11411).*

de Clementi, il fut le promoteur de la mus. de J.-S. Bach en Angleterre (ainsi que de celle de Haydn) ; on lui doit de la mus. de piano, de chambre, 2 traités d'harmonie. Son fils — **2. Charles Edward** (Londres 21.6.1786–Boston 21.10.1849) fut chanteur d'opéra, dir. de mus. à l'*Olympic Theatre* et au *Princess's Theatre* de Londres (1843) ; il se fixa aux États-Unis, où il fut prof. et éditeur (N.-York 1832), dir. de la *Haydn and Handel Soc.* de Boston (1847) ; on lui doit qq. 30 opéras, des oratorios, des arrangements, des *glees*. Voir H.F. Redlich in MGG.

**HORNBOSTEL Erich M. von.** Musicologue allem. (Vienne, 25.2.1877–Cambridge 28.11.1935), qui joua un rôle décisif dans l'évolution de la discipline ayant pour objet l'étude des musiques, populaires ou savantes, extra-européennes. Issu d'une famille musicienne, où fréquentait Brahms, élève de Mandycewsky pour l'harmonie et le contrepoint, capable, au témoignage de J. Handschin, d'écrire une fugue correcte, *v.H.* commença néanmoins par étudier la chimie et les sciences naturelles à Heidelberg, puis la psychologie expérimentale à Berlin, avec Carl Stumpf. C'est auprès de celui-ci qu'il s'initia à la nouvelle « musicologie comparative » (*Vergleichende Musikwissenschaft*), dont Stumpf passe pour le fondateur (alors même que le nom en a été employé avant lui, probablement d'abord par O. Fleischer). Une école prit bientôt corps, dont v. H. deviendra le chef incontesté. De 1906 à 1933, il dirigea le célèbre Phonogramm-Archiv près l'Institut de Psychologie de l'Université de Berlin, laquelle le nomme professeur en 1923. En cette qualité, il obtient l'inclusion de la musicologie comparée dans le programme des études musicologiques universitaires et forme de nombreux élèves, dont le défunt R. Lachmann et quelques-uns qui enseignent encore dans les Universités d'Europe et d'Amérique (M. Schneider, G. Herzog, M. Kolinski, W. Wiora etc.). Il continuera cependant à écrire des études sur quantité de sujets non musicaux (entre autres, sur l'odorat).

*V. H.* a laissé une œuvre considérable, mais consistant en études et notes éparpillées dans d'innombrables

revues, traités techniques, récits d'explorateurs etc. et,
par conséquent, difficilement accessibles, pour la plupart.
Elles traitent soit de la musique des peuples exotiques
d'Asie, d'Afrique, d'Amérique, d'Océanie, soit de problèmes purement théoriques, tels que « Travail et
Musique », « Mélodie et échelle », « Tonalité et éthos »,
« Origine du jodel » etc. Dominées par les conceptions
de l'école d'ethnologie viennoise, la plupart, sinon toutes
les théories et hypothèses de v. Hornbostel ont été, par
la suite infirmées, y compris celle des *Überblasquinten*,
quintes (en réalité douzièmes) produites par une forte
insufflation de tubes sonores dans les mesures constantes
desquels il croyait avoir découvert le signe commun
d'une immense aire de culture, mais dont les calculs
ultérieurs ont démontré l'inexactitude. Malgré quoi, par
la nouveauté de ses points de vue, par l'étendue considérable du terrain de ses recherches, v. H. a incontestablement ouvert aux études ethnomusicologiques — s'il
ne les a pas inaugurées — des horizons d'une largeur
jusque-là insoupçonnée. En 1909, il a signalé, le premier,
l'existence d'une polyphonie populaire chez les Noirs
d'Afrique.                                                     C.B.

**HORNEMAN Christian.** Compos. danois (Copenhague
17.12.1841–8.6.1906). Élève du cons. de Leipzig (Mos-

HORNPIPE

cheles, Hauptmann), il fonda la soc. *Euterpe* avec Grieg
et Matthison-Hansen, et dirigea les « Concerts du samedi
soir » à Copenhague ; musicien très populaire au
Danemark, il écrivit notamment l'opéra *Aladdin* (Copenhague 1888) et des mélodies.

**HORNPIPE. — 1.** C'est le terme anglais qui sert à
désigner le *pibcorn* (voir à ce mot), clarinette à réserve
d'air du pays de Galles (voir aussi art. *gaïta*, sens 3).
**2.** Le *hornpipe*, instrument de musique, a donné son nom
à une danse anglaise, de caractère villageois, très en
faveur au XVIIIᵉ s., qui s'exécute parfois en *solo*, de
rythme ternaire, systématiquement syncopé. C.M.-D.

— **3.** C'est une danse anglaise et l'air qui l'accompagne, mais, comme d'autres danses, elle a subi
des altérations au cours des siècles. Comme nom
d'instrument, *h.* est utilisé pour la première fois par
Chaucer au XIVᵉ s. : dans sa traduction du *Roman de
la rose*, Chaucer traduit *estives de Cornouaille* par *hornpipes
of Cornwall*. Comme danse, le *h.* était bien connu au
XVIᵉ s., bien que nous ne sachions plus quels en étaient
les pas et les figures ; aux cours du siècle suivant, des *h.*
font leur apparition dans des recueils de *country-dances* :
ce sont des danses collectives, pour un nombre illimité
de personnes, sur des airs de rythme ternaire. Un air de *h.*
de Hugh Aston (C. 1530), une des pièces les plus célèbres
des débuts de la musique anglaise de clavier, est à 6/4.
Mais, au XVIIIᵉ s., sous l'influence de la scène et des
maîtres à danser, le *h.* passera du rythme ternaire simple
ou composé au simple 4/4 : c'est ce type qu'utilisa
Hændel dans son *concerto grosso* nº 7 et dans la *Water
music*. Le plus célèbre de ces *h.*, encore connu de tous en
Grande-Bretagne, est populairement intitulé *The sailor's
hornpipe*, bien que son nom officiel soit *The college*

*Hornpipe* ; la danse qui l'accompagne, constamment
utilisée dans le spectacle qui évoque la vie en mer, est
une *step-dance* pour un seul danseur, telle que pourrait
l'exécuter un marin sans partenaire, réduit au peu
d'espace que lui offrirait un bateau ; les noires répétées
en font le type du *step-dancing tune*. Voir également
art. *cornemuse.*                                              F.H.

**HORNSTEIN Robert von.** Compos. allem. (Donaueschingen 6.12.1833–Munich 19.7.1890). Élève du cons. de
Leipzig, il vécut à Leipzig, dans l'amitié de Wagner et de
Schopenhauer ; on lui doit 2 opéras, 1 ballet, de la mus.
de scène, des *Lieder* ; il publia ses mémoires (édités par
son fils Ferdinand [Munich 1908], qui contiennent ses
souvenirs sur Schopenhauer ; Ferdinand v. H. publia
également [Munich 1911] 2 lettres de Wagner à son
père).

**HOROWITZ Vladimir.** Pian. amér. d'origine russe (Kiev
1.10.1904–). Élève de F. Blumenfeld au cons. de sa ville
natale, il a débuté à Berlin en 1924 : c'était le départ
d'une carrière hors de pair, qui le mena dans le monde
entier, où il déchaîne l'enthousiasme de ses auditeurs
par sa prodigieuse technique ; il a été naturalisé américain
et a épousé Wanda Toscanini, fille du célèbre maestro.

**HORSLEY — 1. William.** Compos. angl. (Londres 15.11.
1774–12.6.1858), org., fondateur de la *Philharmonic
Society* (1813), ami de Mendelssohn et de Callcott, qui
composa de la mus. vocale, 3 symph., de la mus. de piano,
2 ouvrages théoriques, et publia *Vocal harmony* (5 vol.,
1801–07). Son fils — **2. Charles Edward** (*ibid.* 16.12.1822–
N.-York 28.2.1876), élève de Moscheles, de M. Hauptmann, de Mendelssohn et de Spohr, fut org. à Londres
et Melbourne ; on lui doit des oratorios, 1 cantate, 1 ode,
des mélodies, de la mus. de chambre, de piano, des
arrangements, 1 manuel d'harmonie et des souvenirs
sur Mendelssohn (ds le Journal de musique de Dwight
des 8 et 15.2.1873, N.-York). Voir N.M. Temperley in
MGG.

**HORUSITZKY Zoltán.** Pian. et compos. hongrois (Pápa
18.7.1903–). Docteur ès sciences politiques, élève de
Kodály, prof., puis dir. de l'école supérieure de mus. et
inspecteur de l'enseignement mus. de la ville de Budapest,
il a été pendant 6 ans rédacteur en chef du périodique
*A Zene* et enseigne actuellement le piano à l'Ecole des
hautes études mus. F. Liszt ; il a écrit « *Sigismond
Bathory* » (op., 1957), 2 cantates (« *La nuit de la lune
noire* », sopr., basse, chœur et orch., « *Le soleil s'est levé* »,
sopr. *id.*), *Te Deum* (*id.*), *Missa Pannonica*, 2 suites
(orch.), 2 concertos (p. et viol.), 4 quatuors à cordes, des
quatuors pour cuivres, *Cassazione* (2 tromp. et trombones), « *3 Sonnets de Shakespeare* », « *Mélodies sur des
poésies chinoises* », des pièces de piano etc.           J.G.

**HORVATH Adam.** Poète et collationneur de chants
hongrois (Palóczi 1760–1820), auteur d'un recueil qui
contient 366 mélodies (1813), le plus précieux document
de ce genre, qui nous renseigne sur le répertoire de la mus.
hongroise chantée au XVIIIᵉ s. ; son importance folklorique est également considérable.

**HORVATH Attila.** Compos. hongrois (1862–1921).
Aveugle, élève de J. Labor à Vienne, prof. de mus. à
l'Institut des jeunes aveugles de Budapest, il a écrit des
œuvres (mus. de piano, de chambre etc.) qui reflètent
une inspiration romantique et nationale.

**HORWITZ Karl.** Compos. autr. (Vienne 1.1.1884–
Salzbourg 18.8.1925). Docteur de l'univ. de Vienne avec
sa thèse : *G. Ch. Wagenseil als Symphoniker* (1906), élève
de Schönberg, chef d'orch. ds différents théâtres, collab.
des *DTÖ* (*XV*, *2*), il écrivit des *Lieder*, 2 quatuors à
cordes, 1 ouv. symph. (1922), *Vom Tode* (bar. et orch.),
de la mus. pour *Der Totengräber von Feldberg* de J. Kerner.

**HŌ-SHŌ.** Voir art. *shō.*

**HOSTINSKY Otakar.** Musicologue tchèque (Martineves
2.1.1847–Prague 19.1.1910). Élève des univ. de Prague
et de Munich, docteur de Prague, élève de Smetana,
critique, il fut prof. d'esthétique à l'univ. et d'hist. de la
mus. au cons. de Prague ; on lui doit des écrits en allem. :
*Das Mus.-Schöne u.d. Gesamtkunstwerk vom Standpunkt
d. form. Ästh.* (Leipzig 1877), *Die Lehre v.d. mus. Klängen*

(Prague 1879), *Ueber die Bedeutung. d. prakt. Ideen Herbarts f. d. allg. Ästh.* (ibid. 1883), *Herbarts Ästh...* (Hambourg 1891), *Die Mus. in Böhmen* (Vienne 1894), *Volsklied u. Volkstanz i.d. Slawen* (ibid. 1895), *Fibich u. d. Melodrama* (ibid. 1901) et un grand nombre de publications en langue tchèque (musique grecque, Gluck, Berlioz, la mus. tchèque, le réalisme, J. Blahoslav et Josquin, Smetana, la socialisation de l'art, Dvorak, l'esthétique etc.). Voir R. Quoika in MGG.

**HOT.** Voir art. *jazz*.

**HOTGERUS.** Bénédictin (?–v. 940). Comte de Laon, abbé du monastère de St-Amand, il est vraisemblablement l'auteur de l'*Enchirias de musica*, ce traité si répandu au moyenâge, qui fut composé au sein de l'école de Laon à la fin du IX$^e$ s. : dans la plus ancienne copie, établie à St-Amand aux environs de l'an 900, c'est *H.* qui en est déclaré l'auteur ; l'assertion se retrouve d'ailleurs dans des mss ultérieurs. On trouve les orthographes *Nogerus* et *Rotgerus*.

**HOTHBY** (*Hothobi, Octobus, Ottobus* etc.) **Johannes.** Mus. angl., qui mourut en 1487. On sait fort peu de choses de lui av. 1467, date à laquelle on le trouve à Florence, puis à Lucques (1467–86), où il fut maître de chapelle, prof., chapelain et chanoine ; en 1486, il fut rappelé en Angleterre par Henry VII : sa mort fut annoncée au chapitre de Lucques en 1487 ; on a conservé de lui 8 compositions religieuses et profanes (ms. Faenza) et des traités : *La Calliopea legale* (ms. Florence), *Tractatus qu. regularum artis musicae* (ibid. et Londres), *Ars planae musicae* (ms. Florence), *Regulae de monocordo manuali* (ms. Faenza), *De musica intervallosa* (ms. Florence, Venise), *Regulae contrapuncti* (ms. Washington), *Id. et Regulae cantus figurati* (ms. Florence), *R. super proportionem* (mss. Faenza, Venise et Paris), *R. supra contrapunctum* (ms. Faenza et Venise), *De cantu figurato* (*id.*), *Quid est proportio ?* (ms. Londres), des pamphlets etc. : il est un défenseur des théories pythagoriciennes. Voir L. Nerici, *Storia della mus. in Lucca*, Lucques 1880 ; U. Kornmüller, *J.H. ...*, ds *KmJb, VIII*, 1893 ; A. Seay, *The « Dialogus » J.O. ...*, ds *JAMS, VIII*, 1955 ; G. Reaney in MGG.

**HOTMAN Nicolas.** Luthiste et violiste franç. (d'origine allem. ?), mort à Paris en avril 1663. On ignore son lien de parenté avec *Edmond H.*, facteur de luths, mort à Paris en 1635 ; il était établi comme luthiste à Paris dès 1632 ; en 1661, après la mort de Louis Couperin, il fut nommé violiste de Louis XIV, après une audition d'une demi-heure ; il fut aussi au service du duc d'Orléans ; il était considéré comme le pionnier de la musique de viole en France et jugé remarquable par sa manière d'« imiter la voix » et par son coup d'archet « qu'il animait et qu'il adoucissait » (Jean Rousseau, *Traité de la viole*, 1687) ; il est sans doute l'auteur des pièces de luth et de théorbe conservées dans deux mss de Besançon et Paris ; Ballard publia l'année après sa mort un recueil d'airs à boire à 3 parties de sa composition. F.L.

**HOTTER Hans.** Baryton allem. (Offenbach 19.1.1912–), qui débuta en 1930 et fait une carrière internationale, notamment dans Wagner.

HOTMAN         coll. Meyer

**HOTTETERRE.** Famille de joueurs et de facteurs d'instr. (basson, flûte, htb. et musette) franç. des XVII$^e$–XVIII$^e$ s., pour la plupart membres de la Chambre et de l'Écurie du roi ; la généalogie en est difficile à établir, mais les plus importants sont les suivants : — **1. Nicolas,** dit *Colin* (?–Paris 14.12.1727), auteur d'un *Recueil de bransles pour 6 parties de violons et hautbois.* — **2. Jean** (?–Paris 1720), dont on possède des *Pièces pour la musette* (posthumes, 1722). Surtout — **3. Jacques,** dit *le Romain* (? v. 1684–Paris v. 1760), parce qu'il aurait dans sa jeunesse étudié à Rome : flûtiste de la Chambre, il fut en son temps le plus illustre virtuose de cet instr. ; on lui doit des *Pièces pour la flûte trav... avec la b.c.* (2 livres 1708–15), *Sonates en trio pour les flûtes trav.* (3 suites, 1712–22), *Les tendresses bachiques, solos pour la flûte trav.* (s.d.), *Brunettes p. 2 flûtes* (*id.*), *Rondes ou chœurs à danser p. la flûte* (*id.*), *Menuets en duo p. 2 flûtes ou 2 musettes* (*id.*), *Duos choisis p. 2 flûtes ou 2 musettes* (*id.*), *Pièces par accord pour la musette* (1722), qqs airs dans les *Airs sérieux et à boire* de Ballard etc., et surtout des ouvrages théoriques, qui connurent un grand succès et furent souvent rééd. : *Principes de la flûte trav. ou flûte d'Allemagne, de la flûte à bec ou fl. douce et du hautbois* (1707), *L'art de préluder sur la flûte trav., sur la fl. à bec, sur le hautbois... avec des préludes sur tous les tons* (1719, 2$^e$ éd. réunie aux *Principes* sous le titre *Méthode pour apprendre...*, v. 1765), *Méthode pour la musette* (1737) : ces traités contiennent non seulement des indications très précises sur la technique du doigté, des agréments etc., mais aussi des conseils relatifs à l'interprétation. Voir J. Carlez, *Les H.*, 1877 ; E. Thoinan, *Les H. et les Chédeville*, 1894 ; Mauger, *Les H.*, 1912 ; *Rev. de Mus.*, 195 ?.

**HOUA-KIO.** C'est un instrument à vent de l'orch. chinois, utilisé dans les cortèges : il est fait d'un tuyau de bois, renflé au milieu et pointu aux deux bouts, orné de quelques cercles de cuivre. M.H.T.

**HOUEN-POU-SSEU.** C'est un autre nom du *houou-pou-sseu*, instr. chinois à cordes pincées (voir art. *houou-pou-sseu*). M.H.T.

**HOU-KIA.** C'est un instr. à vent de l'orch. mongol : il est fait d'un tuyau en bois percé de trois trous ; l'embouchure est un peu élargie et légèrement recourbée, de même que l'ouverture opposée. M.H.T.

**HOU-K'IN.** C'est une vièle (Chine) : la caisse est un cylindre en bois, recouvert de peau de serpent ; le manche, en forme de bâton carré, traverse la caisse ; les cordes, accordées à la quinte, sont au nombre de deux ou de quatre, et déterminent ainsi le nom de l'instrument *eul-hou* (vièle à 2 cordes), *sseu-hou* (vièle à 4 cordes) ; les chevilles sont enfoncées directement dans le manche ; un anneau placé au milieu du manche sert de sillet mobile ; le chevalet est très petit ; l'archet est un arc de bambou, tendu par du crin de cheval ; l'étendue du registre atteint trois octaves. C'est un des instruments les plus populaires en Chine, bien que l'on suppose qu'il y soit d'origine étrangère. M.H.T.

**HOU-LOU-CHENG.** C'est un orgue à bouche, dont le réservoir est fait d'une calebasse (Chine) : les tuyaux, plantés dans le réservoir sont munis d'une anche à leur extrémité inférieure ; l'embouchure est constituée par le prolongement du réservoir, faisant ainsi partie intégrante de la calebasse. C'est un instrument de musique du peuple Yi (Sud-Ouest de la Chine) ; c'est vers 995 qu'il commença à se répandre dans les provinces chinoises.
M.H.T.

**HOU-PO-SSEU** (*hou-p'o-sseu*). Ce sont d'autres noms du *houo-pou-sseu*, instrument chinois à cordes pincées (voir à ce mot).
M.H.T.

**HOUO-POU-SSEU.** C'est une vièle, à 4 cordes, de l'orchestre mongol (Chine) : il a un manche assez long et une caisse très petite, recouverte de peau de serpent, sur laquelle repose un chevalet ; les chevilles sont toutes enfoncées sur le même côté de la partie supérieure du manche.
M.H.T.

**HOU-TI.** C'est une petite flûte traversière chinoise, importée de l'étranger : elle fut très appréciée par la cour vers la fin du IIe siècle.
M.H.T.

**HOUDARD Georges-Louis.** Compos. franç. (Neuilly-s.-Seine 30.3.1860–Paris 28.2.1913). Élève du cons. de Paris, il s'est consacré à la mus. d'église, au plain-chant et à l'archéologie : mensuraliste, il attribue à chaque neume une valeur d'unité de temps : les neumes composés représentent donc des notes rapides (chantées *celeriter*) ; sa théorie, adoptée par C. Besse, certes conjecturale, pas moins que d'autres, ne fit guère qu'un disciple et fut combattue par les nouveaux scolastiques grégoriens ; il publia *L'art dit grégorien d'après la notation neumatique* (Paris 1897), *Le rythme du chant dit grégorien d'après* id. (2 vol., ibid. 1898–99), *L'évolution de l'art mus. et l'art grégorien* (ibid. 1902), *La richesse rythmique mus. de l'antiquité* (ibid. 1903), *La question grégorienne en 1904* (St-Germain-en-Laye 1904), *La science mus. traditionnelle* (id. ibid.), *La cantilène romaine* (1905), *Aristoxène de Tarente* (id.), *La rythmique intuitive* (Carcassonne 1906)... *Vade mecum de la rythmique grégorienne des Xe et XIe s.* (St-Germain-en-Laye 1912) ; on lui doit de la mus. d'église. Voir W. Irtenkauf in MGG.

**HOWARD John Tasker.** Compos. et écrivain amér. (Brooklyn 30.11.1890–). Il a collaboré à des périodiques et fut de 1940 à 1955 administrateur du département de la mus. de la bibl. publique de N.-York ; il a publié *Our amer. mus.* (N.-York 1931–1954), *The mus. of G. Washington's time* (1931), *S. Foster* (N.-York, 1934–53), *F. Nevin* (ibid. 1935), *Our contemporary composers* (ibid. 1941), *This modern music* (ibid. 1942, 1956), *The world's operas* (ibid. 1948) ; *Modern music* (av. J. Lyons, ibid., Londres 1958) ; il a écrit de la mus. symph., chor., de chambre, de piano, des mélodies.

**HOWARD Samuel.** Mus. angl. (Londres 1710–13.7.1782). Enfant de chœur à la chapelle royale, élève de Pepusch, org. à St-Clement Danes et St-Bride, membre du *King's College* (1769), docteur de Cambridge, il composa des *anthems*, des psaumes, des hymnes, *The overture, act tunes and songs in The amorous goddess* (Londres 1744). Voir Ch. L. Cudworth in MGG.

**HOWE Mary.** Pian. et compos. amér. (Richmond 4.4.1882–), élève de N. Boulanger, auteur de mus. symph., chor., de chambre, à 2 p., de mélodies.

**HOWELL Dorothy.** Compos. angl. (Birmingham 25.2.1898–), élève du *Royal College of mus.* où elle a ensuite enseigné, auteur de mus. symph., de chambre, de piano, d'un ballet, de mélodies.

**HOWELLS Herbert.** Compos. angl. (Lidney 17.10.1892–). Élève du *Royal College of mus.*, docteur d'Oxford, org. à Salisbury (1917), prof. au *Royal College of mus.* (1920) et au *Morley College* (1925), dir. mus. à l'école St-Paul (1935), prof. à l'univ. de Londres (1952), il a écrit 1 ballet, de la mus. symph., 3 concertos, d'église, de chambre, d'orgue, de piano, des mélodies.

**HOWES Frank.** Critique angl. (Oxford 2.4.1891–). Élève du *Royal College of mus.* où ensuite il enseigna (1938), critique au *Times* dep. 1943, rédacteur en chef du *Folk song Journal* et du *Journal of the english folk dance and song Society* (1927–45), président de la *Royal music association* (1947–58), il a publié *The borderland of music and psychology* (1926), *Byrd* (1928), *A key to the art of music* (1935), *A key to opera* (1939), *Full orchestra* (1942). d. Sept. 28 1974

J. HOTTETERRE

*Début de la 1re suite du Deuxième livre de pièces pour la flûte.*

**HOVHANESS Alan.** Compos. amér. (Somerville 8.3.1911–). Élève du cons. de New-England, élève de B. Martinu à Tanglewood (1942), org. et prof. au cons. de Boston, à l'*Eastman School of mus.* à Rochester (U.S.A., 1956–57), il s'est intéressé aux musiques indienne et arménienne ; on lui doit des œuvres symph., des chœurs, de la mus. d'église, de chambre, de piano et des mélodies. Voir N. Broder in MGG.

*Man, mind and music* (1948), *The mus. of Ralph Vaughan Williams* (1954), *Music and its meanings* (1958).

**HOWETT** (*Huwett*) **Gregorio.** Luthiste néerl. (Anvers v. 1550–?), qui fut à la cour de Wolfenbuttel (1597–1614) au service du duc de Brunswick ; on trouve de ses pièces ds des recueils de l'époque, notamment de R. Dowland (1610).

**HOYER Karl.** Compos. allem. (Weissenfels 9.1.1891–Leipzig 12.6.1936). Elève de Leipzig (Reger), org. à Reval, Chemnitz et Leipzig, il écrivit des œuvres d'orgue, de piano, de mus. de chambre, des chœurs et des mélodies.

**HOYOUL** (*Hoyou, Hoyu, Hoyol, Hoyeux, Huiol, Hujus*) **Balduin.** Mus. liégeois (Liège 1547 ou 1548–Stuttgart 26.11.1594). Enfant de chœur, puis haute-contre, à la chapelle de la cour de Wurtemberg, élève de Roland de Lassus (1564–65), il échoua dans sa prétention d'obtenir un poste du prince-électeur de Saxe, en dépit de la recommandation de Lassus, mais succéda à son beau-père comme maître de chapelle de la cour de Stuttgart (1589) ; son inventaire des instruments et des partitions de Stuttgart est un document important pour l'hist. de la mus. à cette époque ; il mourut de la peste en 1594, au retour d'un voyage à Ratisbonne avec le duc de Wurtemberg ; on a conservé de lui, impr. : *Sacrae cantiones 5, 6, 7, 8, 9, 10 v.* (Nuremberg 1587), *Geistl. Lieder u. Psalmen...* (3 v., *ibid.* 1589), en mss : 1 messe (4 v., Stuttgart), 8 *Magnificat*, 19 *Lieder*, nombre de motets en latin (3-10 v.). Ses fils *Johann Ludwig* (Stuttgart 30.8.1575–18.12.1612) et *Friedrich* (v. 1577–Copenhague 28.7.1662) furent, l'un chef de chœur et *Vize-Kapellmeister* à Stuttgart, l'autre, trompette, élève de J. Ninquitz, et *Hofmusicus* à la cour de Wurtemberg : on ne sait rien de la fin de sa vie. Voir A. Sandberger, *Beitr. zur Gesch. d. bayer. Hofkapelle unter O. di Lasso, III*, Leipzig 1894 ; G. Bossert, *Die Hofkantorei..., ds Württ. Viert. f. Landesgesch.*, Stuttgart 1898–1916 ; J. Sittard, *Zur Gesch. d. Mus. u. d. Th. am württ. Hofe, I, ibid.* 1890 ; H. Marquardt, *Die stuttg. Chb.*, thèse de Tubingen (1934), 1936 ; B. Meier in MGG.

**HRIMALY** — 1. **Adalbert** (*Vojtech*). Violon. tchèque (Pilsen 13.4.1844–Moscou 1.3.1915), qui fut 2e chef d'orch. à l'Opéra allem. de La Haye et à l'orch. du Parc à Amsterdam, puis prof. de viol. au cons. de Moscou (1868) : on lui doit 2 manuels pour son instrument. — Son fils — 2. **Ottakar** (Czernovitz, Roumanie, 20.12.1883–Prague 10.7.1945), élève du cons. de Vienne, vécut à Moscou, Czernovitz et Prague ; on lui doit 1 opéra, 2 ballets, de la mus. symph. (7 symph., 4 concertos), de chambre, des mélodies.

**HRISTIC Stevan.** Compos. serbe (Belgrade 19.6.1885–1958). Il fit ses études à Leipzig, Rome, Moscou et Paris, fut chef d'orch. (1912–23), dir. de l'Opéra (1924–35) et prof. de compos. (1937–51) à l'Acad. de mus. de Belgrade ; avec P. Konjević et M. Milojević, il compte parmi les compositeurs importants de sa génération ; il écrivit de la mus. symph. (notamment la « *Fantaisie symph.* », pour v. et orch.), des chœurs, des mélodies etc. ; c'est au théâtre qu'il réussit le mieux : on lui doit de nombreuses œuvres remarquables, dont l'opéra *Suton* (« *Le coucher de soleil* », 1925) et le ballet « *La légende d'Ohrid* » (1947), qui lui ont valu une renommée intern. (il s'y inspire de la mus. populaire) ; faisons également mention de plusieurs œuvres de mus. d'église, notamment l'oratorio « *La résurrection* » (1912). Voir B. Dragutinović, *S. H.,* ds *Zvuk*, 1933 ; M. Živković, *Značaj kompoz. ličnosti S.H.,* ds *Muzicki glasnik, VI.* **D.C.**

**HUANCAR.** Voir art. *Wankar.*

**HUBAY Jenö.** Violon. hongrois (Pest 14.9.1858–Budapest 12.3.1937). Fils du violon. et compos. *Karoly H.* (1828–1885), qui fut son premier maître, il est à 13 ans l'élève de Joachim à Berlin, pendant 4 ans ; rentré en Hongrie, il y travaille sous l'impulsion de Vokmann et de Liszt, sur la recommandation de qui il vient à Paris (1878) où il se lie avec Vieuxtemps : il remporte de grands succès en France et en Belgique ; prof. au cons. de Bruxelles (1882), il revient en Hongrie en 1886, où il se tient jusqu'à sa mort prof. de viol. à l'Acad. de mus. (dont il fut également le dir. de 1919 à 1934) ; prof. d'autorité mondiale, il peut être considéré comme un chef d'école, dont la mort n'a pas éteint le rayonnement ; on lui doit 8 opéras, dont *Le luthier de Crémone* (F. Coppée, 1894), 4 concertos, des œuvres symph. (4 symph.), des mélodies etc. surtout de nombreuses œuvres pour son instr., dont les célèbres *Scènes de Csárdas.* **J.G.**

**HUBEAU Jean.** Pian. et compos. franç. (Paris 22.6.1917–). Elève du cons. de Paris (J. et N. Gallon, Lazare-Lévy, P. Dukas), second prix de Rome (1934) avec sa cantate *La légende de Roukmani*, élève de F. Weingartner pour la dir. d'orch. (Vienne), il dirige dep. 1942 le cons. de Versailles et une classe d'ensemble au cons. de Paris (1957) ; il a fait une carrière intern. de virtuose et écrit 3 ballets (1945–49), de la mus. symph. (3 concertos, 1939–46), de la mus. de chambre, de scène, de film, de piano, des chœurs, des mélodies. Voir G. Ferchault in MGG.

**HUBER Eugen.** Compos. suisse (Szombathely, Hongrie, 26.4.1909–). Elève du cons. de Berne, de Weingartner (Bâle), de J. Marx (Vienne), chef d'orch. au théâtre de Bâle, il est aujourd'hui dir. de la mus. à la radio de Berne ; on lui doit de la mus. radioph. (l'opéra *Der Raub von Pfäffikon*), des *canones per tonos* (cordes), des pièces de flûte, de piano, des mélodies, des arrangements.

**HUBER Ferdinand Fürchtegott.** Compos. suisse (St-Gall 31.10.1791–9.1.1863). Elève de J.G. Nanz (Stuttgart), trompettiste, prof. à Hofwil, St-Gall et Berne, org. à Ste-Catherine de St-Gall (1824–29), il écrivit nombre de mélodies, des chœurs, publiés à Berne, Munich, Bâle, Vienne ou St-Gall entre 1817 et 1847. Voir K. Nef, *F.F.H. ...,* St-Gall 1898–1942 ; W. Rüsch, *F.H.,* Schaan 1932 — *Die Melodie v. Alpen,* Zurich 1942 ; E. Refardt in MGG.

**HUBER Hans.** Compos. suisse (Eppenberg b. Aarau 28.6.1852–Locarno 25.12.1921). Elève du cons. de Leipzig, prof. à Wesserling (en Alsace), prof. de piano à Bâle (1877), où il fut dir. du cons. de 1896 à 1918 ; on lui doit 5 opéras : *Weltfrühling* (1894), *Kudrun* (1896), *Der Simplicius* (1912), *Die schöne Bellinda* (1916), *Frutta di mare* (1918), des oratorios, *Festspiele*, cantates, 4 messes, 8 symph., 4 concertos de piano, 1 de viol., de la mus. de chambre, de piano, d'orgue, des chœurs et des mélodies ; un certain nombre d'œuvres sont restées en manuscrit. Voir W. Merian, *Gedenkschrift zum 50 jähr. bestehen d. allg. Musikschule in Basel,* Bâle 1917 ; G. Vundi, *H.H. ...,* ibid. 1925 ; E. Refardt, *Id.,* Zurich 1944 — art. in MGG.

**HUBER Joseph.** Violon. et compos. allem. (Sigmaringen 17.4.1837–Stuttgart 23.4.1886). Elève de H. Stern à Berlin (L. Ganz, J. Marx), d'E. Singer et de P. Cornelius (Weimar), il fut au service de la chapelle du prince de Hechingen à Löwenberg, *Konzertmeister* à Leipzig (1864), membre de la chapelle de la cour de Stuttgart (1865) ; ami de P. Lohmann, il écrivit 2 opéras, 4 symph., des mélodies. Voir W. Leib, *J.H.,* thèse de Heidelberg, 1922.

**HUBER Karoly.** Violon., compos. et prof. hongrois (Varjas 1828–Budapest 1885). Etudes mus. à Arad ; premier violon au Th. Nat. de Pest (1844), premier soliste au Grand Opéra de Vienne (1851), mêmes fonctions et second chef d'orch. au Théâtre nat. de Pest (1852–71), drof. à l'Ec. nat. de mus., puis, en 1884, à l'Académie de musique de Budapest. Œuvres : opéras, chœurs d'hommes, mélodies, quatuors, compos. pour viol., œuvres symph. et une méthode de violon très appréciée.

**HUBER Kurt.** Musicologue allem. (Coire 24.10.1893–Munich 13.7.1943). Docteur de l'univ. de Munich (Sandberger, Kroyer), avec sa thèse *Ivo de Vento* (Lindenborn 1918), il fut ensuite prof. de philosophie et de psychologie ds la même univ. ; à partir de 1925, il se consacra au folklore (surtout bavarois) et fit des voyages d'étude ds les Balkans, le Sud de la France et l'Espagne ; il fut exécuté à Munich par les nazis ; il rédigea, outre sa thèse, *Der Ausdruck musikal. Elementarmotive...* (Leipzig 1923), *Die Doppelmeister d. 16. Jh. ...* (ds *Fs.* Sandberger, Munich 1918), *Birmanische Frauengesänge* (ds L. Scherman, *Im Stromgeb. Irrawaddy, ibid.* 1922), *Birmanischer Festgesang* (ds *Asia major,* I, 1924), *Die Vokalmischung u. das Qualitätensystem der Vokale* (*Arch. f. d. ges. Psych., XCI,* 1934), *Oberbayerischer Volkslieder...* (av. P. Kiem, Munich 1930, 1937), *Volkslied u. Volksmusik* (ds *Bayerland, XLIV,* 1933), *Wege u. Ziele neuer Volksliedforschung...* (ds *Mitt. deutsch. Akad.,* 1934), *Herders Begründung d. Musikästhetik...* (ds *AfMf,* I, 1936), *Ästhetik* (posth., éd. par O. Ursprung, Ettal 1954), *Musikästhetik* (id., ibid. 1954), *Grundbegriffe der Seelen-*

*kunde...* (*id.*, éd. J. Hanslmeier, *ibid.* 1955), et un grand nombre d'autres art. ds diverses revues ; on lui doit encore des *Lieder*, des poèmes, des aphorismes etc., ainsi que 2 recueils de *Lieder* bavarois (Mayence 1936, Munich s.d.). Voir *K.H. zum Gedächtnis...*, éd. C. H., Ratisbonne 1947 ; H. Haase in MGG.

**HUBERT Nicolaï Albertovitch.** Théoricien de la musique russe (St-Pétersbourg 19.3.1840–Moscou 8.10.1888). Elève d'A. Rubinstein et de Zaremba au cons. de St-Pétersbourg, depuis 1869, il fut dir. de l'école de mus. de la Soc. impériale de musique russe à Kiev, puis chef d'orch. à l'Opéra d'Odessa ; en 1870, il devint prof. de théorie musicale au cons. de Moscou : il en sera le dir. entre 1881 et 1883 et de 1885 à sa mort ; il publia des articles critiques dans les *Moskovskija vedm.*

**HUBER-ANDERNACH Theodor.** Compos. allem. (Kempten 14.3.1885–). Elève de L. Thuille, de F. Mottl, d'A. Schmid-Lindner (Munich), il eut divers postes de chef d'orch. et de prof. à Munich, Dantzig, Ratisbonne, Zoppot ; on lui doit des œuvres symph., des chœurs, de la mus. de chambre, de scène. Voir L.K. Mayer in MGG.

**HUBERMAN Bronislaw.** Violon. pol. (Czanstochowa 19.12.1882–Corsier-s.-Vevey 15.6.1947). Il fit ses études à Varsovie et à Berlin (Joachim), débuta dans la carrière de virtuose en 1893, créa le concerto de Brahms en présence de l'auteur (1896), fonda le *Palästina-Symph. Orch.* (1936), fit une carrière mondiale ; il publia *Aus der Werkstatt des Virtuosen* (Leipzig-Vienne 1912), *Vaterland Europa* (Berlin 1932), des art., des éd. de Chopin et de Schubert ; on a conservé de lui en ms. *Europa im Spiegel seiner Musikkultur* (1932). Voir P. Gradenwitz in MGG.

**HUBERT Marcel.** Vcelliste franç. (Lille 17.8.1906–). Elève du cons. de Paris (A. Hekking), il fait une carrière intern. et vit aux États-Unis.

HUBERT de SALINS
*Début du Salve regina (4 v., bibl. Martini à Bologne).*

**HUBERT Nikolaj Albertovitch.** Critique et prof. russe (St-Pétersbourg 7.3.1840–Moscou 26.9.1888). Elève du cons. de St-Pétersbourg (Zaremba, N. Rubinstein), dir. des classes de mus. de la Soc. impériale de mus. russe à Kiev (1869), chef d'orch. à Odessa, prof. (1870), puis dir. (1881–83) du cons. de Moscou, il fut chroniqueur aux *Moscov Vedemosti.*

**HUBERT de SALINS.** Mus. des XIVe-XVe s., dont la biographie est inconnue ; il semble être originaire de Liège ; il appartient, par ses compositions, à la période qui se situe entre Ciconia et Dufay : 9 mss (motets, 1 chanson, 2-3 v., Venise, Bologne, Oxford, Strasbourg, Chantilly). Voir Ch. Van den Borren in MGG.

**HUBERTI Gustave.** Compos. belge (Bruxelles 14.4.1843–Schaerbeck 28.6.1910). Elève du cons. de Bruxelles, prix de Rome (1865), dir. de l'école de mus. de Mons (1874), chef d'orch. à Anvers et Bruxelles (1877), prof. d'harmonie au cons. de Bruxelles (1889), il écrivit 2 oratorios (1884), 1 symph., des chœurs, des mélodies etc. et publia *Aperçu sur l'hist. de la mus. relig. des Italiens et des Néerlandais* (Bruxelles 1873). Voir L. Solvay, *Notice sur G.H.*, *ibid.* 1919.

**HUBERTY Antoine.** Éditeur franç. dont l'activité s'exerça à Paris entre 1756 et 1778, qui fit partie de l'orch. de l'Opéra (probablement comme contrebassiste) jusqu'en 1767 ; il quitta la France vers 1777 pour s'établir à Vienne sur les conseils de son dépositaire dans cette ville : il y continua d'imprimer de la musique et d'enseigner la viole d'amour ; sa maison parisienne fut reprise par Sieber, et son stock par un certain Preud'homme ; son catalogue était surtout spécialisé en mus. instrumentale : symphonies, trios, duos, sonates de l'école allemande, principalement de Mannheim, avec des œuvres de J. Stamitz, Wagenseil, Filtz, Toesky, Haydn (à partir de 1765), D. Ferrari ; il était lui-même compositeur et publia *Sei Sinfonie à 4 avec cors de chasse ad libitum* (Louvet, 1768). Voir C. Johansson, *French music publishers' catalogues of the 2nd half of the 18th. cent.*, Stockholm 1955 ; A. Weinmann, *Wiener Musikverleger u. Musikalienhandler von Mozarts Zeit bis gegen 1860*, Vienne 1956.                                                      F.L.

**HUCBALD.** Théoricien de la musique et hagiographe (Tournai v. 840–Saint-Amand 930 [929–931 ?]). Nous ne traitons ici que d'Hucbald lui-même, dont les écrits authentiques sont connus. Toute la série qui dépend de l'*Alia musica* et de l'*Enchirias de musica* est traitée à la rubrique *Pseudo-Hucbald*. Le véritable *H.* est neveu et élève de Milon, abbé de Saint-Amand en Pévèle, près de Valenciennes (Elnone) ; on suit aisément ses voyages de travail : en 860, il est à Nevers et étudie sous Heiric d'Auxerre ; en 870, il est de retour à Saint-Amand : il semble qu'il se brouille avec son oncle et devient abbé du monastère ; en 877, il écrit son *Eloge de la calvitie* (destiné à Charles le Chauve), en 886 il fuit l'invasion normande et se réfugie à Saint-Omer, où il devient abbé de Saint-Bertin ; vers la fin du siècle, il est appelé à Reims par l'archevêque Fouques pour réformer les écoles, en collaboration avec Rémi d'Auxerre ; en 900, il est de retour sur son abbaye de Saint-Amand : il y meurt en 930 (date contestée mais probable). Des mss tardifs lui attribuent une série de traités qui ne relèvent même pas de son enseignement : *Alia musica*, *Enchirias de musica*, *Scholia enchiriadis*, *Commemoratio brevis*. Le tri est fait par H. Müller, ds *Hucbalds echte und unechte Schriften über Musik* (Leipzig 1884). Le véritable *H.* est avant tout un moine humaniste et hagiographe ; s'il écrit un traité de musique, c'est au titre du *quadrivium* : la musique en fait partie et, au IXe s., elle ne doit être étrangère à aucun humaniste ; de toute évidence, *H.* pallie une lacune d'enseignement dans les écoles dont il s'occupe. Toutefois, écrivain hagiographe et littéraire, auteur d'un traité, il est présumé avoir écrit aussi quelques compositions musicales dont il serait intéressant de vérifier l'authenticité. Œuvres littéraires et hagiographiques : « *Hymnes en l'honneur de sainte Cilinie* » (mère de saint Rémy) ; « *Eloge de la calvitie* » (dédié à Charles le Chauve), « *Epître métrique à Charles le Chauve* » (en dédicace d'un poème de l'abbé Milon, que l'auteur n'avait pu envoyer avant sa mort), « *Epitaphe de l'abbé Milon* », « *Passion des saints Cirice et Julitte* » (de Nevers), « *Epître, hymnes* (office ?) *de saint Thierry* (l'office semble perdu ; du moins ni Dreves ni Chevalier ne le signalent ; on pourrait probablement le retrouver parmi les livres de Reims), « *Vie de sainte Rictrude* » (abbesse de Marchiennes), « *Office de sainte Rictrude* » (Dreves,

*A.H.*, XIII, 223, n'hésite pas à attribuer cet office à Hucbald : l'étude critique est à faire), « *Vie de sainte Aldegonde* », abbesse de Maubeuge (on ne signale pas d'office, encore qu'il semble évident qu'il en existe),« *Vie de saint Lebuin* » (missionnaire en Frise), « *Vie de saint Jonas* » (abbé de Marchiennes). Nous nous permettons de faire des réserves quant aux compositions des offices rythmiques ci-dessus : quand on attribue une telle composition à un auteur, il est en général responsable du texte littéraire, non de la musique. De plus, il est possible que des offices, en relation étroite avec la rédaction de la « Vie », aient été automatiquement attribués à *H.* et sans preuve. Rien de tout cela n'en fait un compositeur de musique. On lui attribue aussi les offices de saint André et de saint Pierre : Dom Leclercq, dans son art. *Hucbald*, fait justice de cette attribution. L'office de saint Pierre est en général cité sous la référence : *In plateis ponebantur...*, qui correspond à l'invitatoire, et comprend le répons *Cornelius centurio*, plus tardif ; ces fautes marquent déjà une certaine gaucherie dans l'étude d'un office rythmique, dont la méthode est bien définie actuellement. La seule composition musicale d'*H.* qui soit authentique est le *Gloria* tropé *Quem vere pia laus* (Dreves, *Analecta hymnica*, 47, 185). Enfin le traité de musique intitulé *De harmonica institutione* est incontestablement son œuvre : édité ds Gerbert, *Script.*, I (104-121), et ds Migne, *Patr. lat.*,

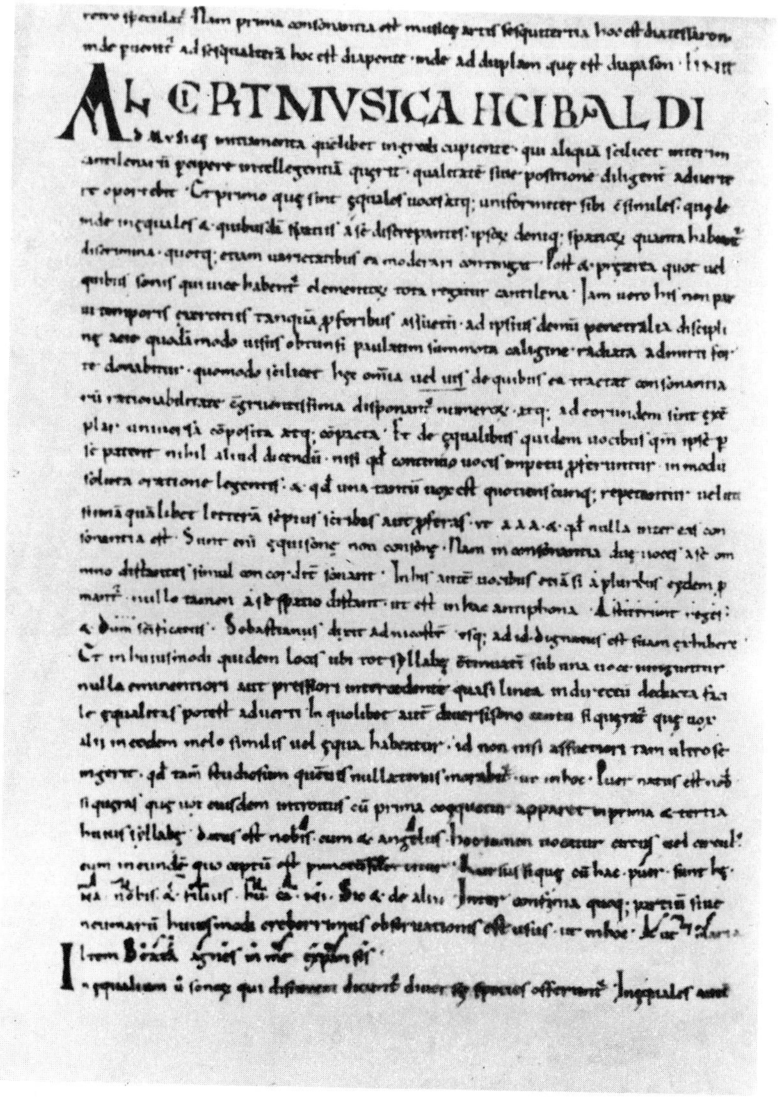

HUCBALD
*Début du* De institutione harmonica.

*CXXXII*, (826), il témoigne d'une tentative de dépasser Boèce et de lier la théorie à la réalité. *H.* utilise le classement des antiennes sous les rubriques générales du type *noannoeane*, ce qui est normal à son époque ; le traité contient surtout un essai de notation, qui sera repris par le pseudo-Hucbald pour la notation polyphonique, mais qui ne sert ici qu'à la monodie, encore que, dans l'état où il se trouve, il ait pu parfaitement être utilisé tel quel : il s'agit d'une portée rudimentaire dont seuls les interlignes sont utilisés ; dans chacun d'eux se trouve l'indication *t.* (*tonus*) ou *st.* (*semi-tonus*) ; les syllabes de la mélodie sont insérées dans l'interligne qui correspond à chacune d'elles ; enfin on y trouve des notations d'antienne en lettres minuscules : il est probable qu'il s'agit d'additions du XIᵉ s. ; la confrontation des mss du Xᵉ s. montre que les notations en lettres n'existent pas encore : par exemple, les copies de Boèce conservées à la BN ne comportent aucune notation en lettres au Xᵉ s., alors que c'est le fait au XIᵉ.

La recherche serait à faire pour le *De harmonica institutione*, dont les mss, à notre connaissance, n'ont pas encore été répertoriés.

**Bibl.** ; *éditions :* l'ensemble des œuvres littéraires, hagiographiques (sans les offices) et théoriques (y compris les attributions douteuses) ds Migne, *op. cit.*, 825-1050 ; le traité *De harmonica institutione*, ds Gerbert, *op. cit.* ; les attributions douteuses sont éditées à la suite du traité authentique (*cf.* art. *Pseudo-Hucbald*). Pour l'authenticité des œuvres, voir H. Müller, *op. cit.* (reste utile, mais ne considère en réalité que l'*Enchirias de musica*) ; J. Desilve, *De schola elnonensi S. Amandi*, Louvain 1890 ; M. Manitius, *Gesch. des lat. Literatur...*, I, 1911 ; E.J. Grutchfield, *H., a millenary commemoration*, ds *Musical Times, LXXI*, 1930 p. 507, 704 (manque à Paris : nous ne le connaissons que par recoupements) ; Dom H. Leclercq, art. *Hucbald*, ds *Dict. d'arch. chr. et de lit.*, VI, 2, col. 2772 *sqq.* (le meilleur art. critique jusqu'ici sur le sujet) ; A. Van de Vyver, *H. de Saint-Amand, écolâtre, et l'invention du nombre d'or*, ds *Mél. A. Pelzer*, Louvain 1947 (Ed. de l'Institut supérieur de philosophie). La recension des mss sera éditée dans le *Répertoire des sources*. On peut consulter L. Royer, *Catalogue des écrits des théoriciens de la musique* (tiré à part de *L'Année musicale*, 1913). Voir également R. Weakland, *The compositions of H.*, ds *Et. grég.*, sous presse. S.C.

**HUCHER Yves.** Critique franç. (Paris 12.6.1914–). Élève de P.-M. Masson, prof. de lettres, chroniqueur au *Guide du concert* (dep. 1946), conférencier, il a collaboré à différents périodiques, à la présente encyclopédie, et publié *F. Schmitt...* (Paris 1953), *Notes et anecdotes de T. Janopoulo* (*ibid.* 1956).

**HUCKE Helmut.** Musicologue allem. (Cassel 12.3.1927–). Élève du cons. et de l'univ. de Fribourg-en-Brisgau (W. Gurlitt), dont il est docteur avec sa thèse *Untersuchungen z. Begriff « Antiphon » u. z. Melodik d. Offiziumsantiphonen*, il est prof.-adjoint à l'univ. de Francfort (dep. 1957) et rédacteur en chef du périodique *Musik u. Altar* ; il a publié à ce jour une dizaine d'art., ds divers périodiques et ouvrages collectifs, principalement sur le chant grégorien.

**HUDEMANN Hans-Olaf.** Chanteur allem. (Leipzig 25.8.1915–). Élève de W. Gurlitt (Fribourg), de F. Blume (Kiel), il s'est spécialisé dans l'oratorio et a fait de nombreuses créations ; il enseigne au cons. de Heidelberg ; on lui doit sa thèse (de Kiel) : *Die protestantische Dialogkomposition im 17. Jh.* et, en collab. av. W. Gurlitt, K. Straube : *Briefe eines Thomaskantors* (Stuttgart 1952).

**HUDSON Frederick.** Musicologue angl. (Gateshead 16.1.1913–). Élève de l'univ. de Durham, membre du *Royal College of organists*, org. et maître de chœur à Alnwick et à Hexham Abbey, prof. à l'univ. de Durham (*King's College* de Newcastle-up.-Tyne), il a publié notamment des éd. de Bach et de l'*Hymne des Chérubins de Tchaïkovsky*, des arrangements, des études sur J.-S. Bach et sur Hændel.

**HUDSON George.** Mus. angl. du XVII<sup>e</sup> s., qui fut au service de la cour de Charles I<sup>er</sup> et compos. de Charles II (1660), en même temps que membre de la *royal band of violins* ; il mourut avant la fin de l'année 1672 ; il est un des 5 compos. qui collaborèrent à l'opéra de Davenant, *The siege of Rhodes* (Rutland House, Aldersgate, Londres sept. 1656) : il était l'auteur de la partie instr. de ce que l'on considère comme le premier opéra anglais ; on trouve de ses pièces (instr.) ds 2 recueils (1655, 1660) et en mss (*BM* et *Christ Church* d'Oxford). Voir K. Elliott in MGG.

**HÜE Georges.** Compos. franç. (Versailles 6.5.1858–Paris 7.6.1948). Fils d'un architecte, encouragé par Gounod, il travailla d'abord avec Paladilhe, puis entra au cons. de Paris (César Franck, Reber) ; prix de Rome en 1879, avec sa cantate : *Médée*, il séjourna 2 ans à Rome et voyagea dans toute l'Europe ; en 1922, il fut élu au fauteuil de Saint-Saëns à l'Académie ; on lui doit de la mus. de théâtre : *La belle au bois dormant* (1894), *Cœur brisé* (1890), *Dans l'ombre de la cathédrale*, *Le miracle*, *Les pantins* (1881), *Le retour d'Ulysse*, *Résurrection* (1891), *Riquet à la houppe*, *Le roi de Paris*, *Rübezahl* (1886), *Siang-Sin*, *Titania* (1903), *Nimba* (ms. v. 1920), de la mus. de chambre, de flûte ou de viol. et orch., 5 pièces symph., des chœurs et un grand nombre de mélodies. Voir G. Samazeuilh, *Musiciens de mon temps*, Paris 1947 ; G. Ferchault in MGG.

**HUEBNER** (*Hübner*) **Herbert.** Musicologue allem. (Bockau 11.6.1903–). Élève de la *Staatl. Bauhaus* (P. Klee, W. Kandinsky) et de la *Hochschule f. Mus.* de Weimar (R. Wetz, Friedrich Martin, E. v. Binzer), de l'univ. d'Iéna (W. Danckert et d'Hornbostel (Berlin), docteur d'Iéna avec sa thèse : *Die Musik in Bismarck-Archipel* (Berlin 1938), il est dep. 1947 dir. des programmes de nuit de Radio-Hambourg et du périodique *Das neue Werk*.

**HUEFFER** (*Hüffer*) **Francis** (*Franz*). Musicologue angl. d'origine allem. (Münster 22.5.1843–Londres 19.1.1889). Élève des univ. de Berlin, Leipzig, Londres et Paris, docteur de Göttingen avec sa thèse sur le troubadour *Guillem de Cabestanh* (Berlin 1869), il se fixa à Londres, où il fut critique dans divers journaux, notamment au *Times* (1878) ; il publia, outre sa thèse, *The troubadours* (Londres 1878), *R. Wagner and the music of the future* (*ibid.* 1874), *Musical studies* (Edimbourg 1880), *R. Wagner* (*ibid.* 1881), *Ital. and other studies* (1883), *The corres-*

*pondence of Wagner and Liszt* (trad., Leipzig 1888), *Half a century of music in England...* (Londres 1889), collabora à l'*Encyclopedia britannica* et au dict. de Grove ; ses compositions sont restées inédites.

**HUEHUETL.** Voir art *Wewetl*.

**HUELLMANDEL** (*Hüllmandel*) **Nicolas-Joseph.** Mus. franç. (Strasbourg 1751–Londres 19.12.1823). Fils présumé de *Michel H.* — « symphoniste » de la cath. de Strasbourg v. 1750 — neveu du corniste *J.J.R.H.*, enfant de chœur à la maîtrise de Strasbourg, élève de C.P.E. Bach (Hambourg), pian. et prof. à Londres (1771), Milan (1775), Paris (1776), il se fixa à Londres pendant la Révolution (1790), où il fut le concurrent de Clementi, Dussek, Gyrowetz, Cramer, Hummel, Kreisler ; on lui doit un nombre de sonates de clav. ou de pianoforte publiées à Paris et à Londres entre 1774 et 1795, ainsi que des arrangements : « il avait plus de goût que de génie ». Voir A. Méreaux, *Les clavecinistes de 1637 à 1790*, Paris 1867 ; G. de Saint-Foix, *N.-J. H.*, ds *RM*, *VI*, 1923 ; G. Favre, *La mus. franç. de piano avant 1830*, *ibid.* 1953 ; E. Reeser in MGG.

**HUENTEN** (*Hünten*) **Franz.** Pian. et compos. allem. (Coblence 26.12.1793–22.2.1878). Élève du cons. de Paris (Reicha, Cherubini), ami d'H. Herz, il y fut prof. de piano et composa une quantité innombrable de mus. de salon. Voir G. Zöllner in MGG.

**HUESCHEN** (*Hüschen*) **Heinrich.** Musicologue allem. (Moers 2.3.1915–). Élève des cons. et des univ. de Cologne et de Berlin (Fellerer, Bücken, Schering, Frotscher), docteur de Cologne (1943), org. et chef de chœur, prof. à l'univ. de Cologne, il a publié *Der Musiktraktat d. B. Bogentantz*, thèse de Cologne, 1943 (dact.), *Untersuchungen z. d. Textkonkordanzen im Musikschrifttung des M.A.* (Cologne 1955), des art. sur H.E.v. Kalkar, Gui d'Arezzo, U. Burchard, B. Prasperg, J. Oridryus, A. Papius, R.S. de Vanrey) ; il a collaboré à la *Neue deutsche Biographie*, au *Corpus scriptorum de musica* et à *MGG* (art. *Anonymi*, *Ars musica*, *Artes liberales*, *Augustiner*, *Augustinus*, *Benediktiner*, *Celtes*, *Cochlaeus*, *Dominikaner*, *Ekkehard v. St-Gallen*, *Eriugena*, *Franziskaner*, *Gerbert*, *Harmonie*, *Hermannus Contractus*, *Hieronymus de Moravia*).

**HUETTENBRENNER** (*Hüttenbrenner*) **Anselm.** Compos. autr. (Graz 13.10.1794–Ober-Andritz 5.6.1868). Élève de Salieri et ami de Beethoven qu'il assista à son lit de mort, condisciple et ami de Schubert, il fut pian. et prof. à Vienne, et écrivit des art. pour des journaux allem. ou étrangers ; il fut ensuite dir. de théâtre à Graz ; on lui doit 3 opéras, 5 symph., des ouvertures, 3 *Requiem*, 6 messes, une grande quantité de mus. de chambre et de mélodies, dont beaucoup sont restées mss ; son œuvre n'est plus jouée. Il eut 2 frères — **Josef** (Graz 17.2.1796–Vienne 1882) qui fut le *factotum* de Schubert, et **Heinrich** (Graz 9.1.1799–29.12.1830), qui fut également l'ami de Schubert, prof. à la faculté de droit de Graz, collaborateur du journal de théâtre de Bäuerle à Linz. Voir O.E. Deutsch, *A. H.s. Erinnerungen an Schubert*, ds *Jb. d. Grillparzer-Ges.*, *XVI*, 1906– *Schubert, Die Erinnerungen seiner Freunde*, Leipzig 1957 ; H. Federhofer in MGG.

**HUG.** Maison d'édition suisse, fondée en 1807 par les frères *Jakob*, *Christoph* et *Caspar H.*, à Zurich, qui succédèrent à J.G. Nägeli ; la maison compte plusieurs succursales et se trouve aujourd'hui sous la dir. d'*Adolf H.* (1904–) et de *Hanns Wolfensberger* (1903–) : elle est spécialisée dans l'édition d'œuvres chor. ; c'est *H.* qui édite la *Schweiz. Musikzeitung*. Voir S.F. Müller, *Ein haus d. Musik, aus 150 Jh. H....*, Zurich 1957 — art. in MGG.

**HUGHES Dom** (**Anselm**). Bénédictin angl. (Londres 15.4.1889–). Élève d'Oxford, du collège théologique d'Ely, chef de chœur à l'abbaye de Pershore (1922), à celle de Nashdom (1926) dont il fut le prieur de 1936 à 1945, membre de plusieurs associations mus. médiévales ou grégoriennes, dir. de la *Faith Press*, il a écrit notamment 1 messe de St-Benoît (1924), publié entre autres écrits ou art. *Latin hymnody* (Londres 1923),

*[annotation manuscrite : d' Oct. 8 1974]*

*Worcester harmony...* (ds *Proc. Mus. Ass.*, LI, 1924–25), *The Eton manuscript* (*ibid.* LIII, 1926–27), *The house of my pilgrimage* (Londres 1929), *Theoretical writers on music* (ds *Oxf. hist. of mus.*, Londres, 2ᵉ éd. 1929), *Liturgical terms* (Boston 1940), *Mediaeval polyphony in the Bodl. Libr.* (Oxford 1951), *Music of the coronation ...* (ds *Proc. Mus. Ass.*, LXXIX, 1952–53), *The birth of polyphony...*, (ds *New Oxf. hist. of mus.*, II, 1954), *The topography of english mediaeval polyphony* (ds *In mem. J. Handschin*, Strasbourg 1958) ; il a également assuré de nombreuses éditions savantes. Voir B. Trowell in MGG.

**HUGHES Arwell.** Compos. angl. (Rhosllanerchrugog, Wrexham, 25.8.1909–). Élève du *Royal College of mus.* (Vaughan Williams), org.-assistant à Westminster, org. à Oxford, chef d'orch. à la radio de Cardiff (dep. 1950) et au *Welsh National Opera Co.*, il a écrit notamment 1 symph., 1 quatuor, des œuvres symph., voc. (chœurs et mélodies), 2 opéras : *Dewi Sant* (1950), *Menna* (1953).

**HUGHES — 1. Herbert.** Compos. et musicologue irlandais (Belfast 16.3.1882–Brighton 1.5.1937), qui fut org., l'un des fondateurs de l'*Irish folk song Society* (1904), collaborateur du *New Age*, du *Daily Telegraph* etc., publia *Irish country songs* (2 vol.), *Historical songs and ballads from Ireland*, et écrivit des mélodies. Son fils — **2. Spike** (*Patrick C.H.* — Londres 19.10.1908–), contrebassiste, élève de Wellesz (Vienne), chroniqueur au *Daily Herald* (1933), exerce à la BBC dep. 1937 ; on lui doit 3 opéras, 1 ballet, de la mus. de piano, de vcelle, de film, des écrits : *Opening bars* (Londres 1946), *Second movement* (*ibid.* 1951), *Nights at the Opera* (av. B. Mac Fadyean, *ibid.* 1948).

**HUGHES Rosemary.** Musicologue angl. (Bromsgrove 26.11.1911–). Élève des univ. d'Oxford et de Toronto, du *Royal College of mus.*, chroniqueur, elle a publié des art. sur Haydn, *The musical scene in Europe in 1829* (*Proc. Mus. Ass.*, LXXX, 1953–54), et, av. N. Medici di Marignano, *V. and M. Novello, a Mozart pilgrimage* (Londres 1955).

**HUGLO** (*Dom*) **Michel.** Bénédictin franç. (Lille 14.12.1921–). Moine de Solesmes dep. 1942, il travaille à la paléographie mus. de cette abbaye ; on lui doit un grand nombre d'art. d'une grande pénétration : *Mélodie hispanique pour une ancienne hymne à la Croix* (Rev. grég., *XXVIII*, 1949), *La mélodie grecque du Gloria in excelsis et son utilisation dans le Gloria XIV* (*ibid.* XXIX), *La tradition occidentale des mélodies byzantines du Sanctus* (*Johner-Fs.*, Cologne 1950), *Origine de la mélodie du Credo authentique de l'édition vaticane* (ds *Atti d. Cgr. intern. di mus. sacra*, Roma 1950, Tournai 1952 — Rev. grég., XXX), *Etude sur la notation bénéventaine* (ds *Pal. mus.*, XV, av. dom Hourlier), *La mediante et l'asterisco nella salmodia ambr.* (ds *Ambrosius, XXVII*), *L'office du dimanche de Pâques dans les monastères bénédictins* (ds Rev. grég., XXX), *L'ancienne version de l'hymne acathiste* (ds *Le Muséon*, LXIV), *A prop. di una nuova enciclopedia mus.: le melodie ambros.* (ds *Ambrosius, XXVII*), *Die Adventsgesänge nach den Fragmenten v. Lucca* (ds AmJb, XXXV), *Un important témoin du chant vieux-romain: le graduel de Ste-Cécile du Transtévère...* (ds Rev. grég., XXXI, av. dom Hourlier), *La prose à N.-D. de Grâce à Cambrai* (*ibid.*), *Notes hist. à propos du second décret sur la vigile pascale* (*ibid.*), *Les antiennes de la procession des reliques : vestiges de chant vieux-romain dans le Pontifical* (*ibid.*), *Un tonaire du graduel de la fin du VIIIᵉ s....* (*ibid.*), *Notice descriptive sur le ms. VI. 34 de Bénévent* (ds *Pal. mus.*, XV), *L'auteur de l'Exsultet pascal* (ds *Vigil. christ.*, VII), *Source hagiopolite d'une antienne hist. pour la dimanche des Rameaux* (ds *Hisp. sacra*, V), *Le chant vieux-romain: mss et témoins indirects* (ds *Sacris erudiri*, XXVI), *Christe fave votis* (ds *Scriptorium*, VIII), *Hartker überreicht sein Antiphonale dem hl. Gallus* (ds *Chorwächter*, LXXX), *Les noms des neumes et leur origine* (ds *Et. grég.*, I), *L'origine bretonne du Graduel de Chartres nᵒ 47* (*ibid.*, av. dom Benoît), *Vestiges d'un ancien répertoire mus. de Haute-Italie* (ds *Kgr.-Ber. Wien*, 1954), *Antifone antiche per la « fractio panis »* (ds *Ambr.*, XXXI), *Conseils d'un ancien pour la psalmodie* (ds *Le lutrin*, XII), *Les*

*preces hisp. de graduels aquitains* (ds *Hisp. sacra*, VIII), *Les nouvelles antiennes de la semaine sainte restaurée* (ds *Le lutrin*, XIII), *Bibl. grég. 1935–1956* (ronéot.), *Fonti e paleografia del canto ambr.* (ds *Arch. ambr.*, VII), *Le tonaire de St-Bénigne de Dijon* (ds *Ann. mus.*, IV), *Un nouveau prosaire nivernais* (ds *Eph. lit.*, LXXI), *3 anciens mss lit. d'Auvergne* (ds *Bull. hist. et scient. de l'Auvergne*, LXXVII), *Le domaine de la notation bretonne* (ds *Et. grég.*, VII).

**HUGO de LANTINS.** Contemporain et peut-être parent d'*Arnold de L.* : lui aussi travailla en Italie, probablement à Venise (v. 1415–1430) : 2 de ses œuvres sont en effet écrites en l'honneur du doge F. Foscari et de Cleofe Malatesta ; on retrouve de ses mss ital. une trentaine de ses compos. : 5 motets, 8 fragments de messes, 14 chansons et 4 ballades sur texte italien. Voir Ch. Van den Borren, *Hugo et A. de L.*, 1932.

**HUGO de** (*von*) **REUTLINGEN.** Théoricien allem. (Reutlingen 1285–?1359 ou 1360). Son nom de famille était *Spechtsart*; prêtre séculier et prof. de latin dans sa ville natale, il fut chapelain (?) à la *Marienkirche*, « *Patron* » de l'église d'Untershausen ; interdit par l'évêque Friedrich de Bamberg (1338), il fut gracié (1348) ; son œuvre, qu'on a redécouverte il y a une centaine d'années, est importante pour la connaissance du XIVᵉ s. allem. : *Flores musicae omnis cantus gregoriani* (1342, impr. à Strasbourg en 1488), *Forma discendi* (ms. A X 136, *UB* Bâle), *Chronik* (1347–49, ms. O XIV 6, Leningrad), *Speculum grammaticae* (1350) : il s'inspire parfois de Guido d'Arezzo. Voir K. Bihlmeyer, *H. S. v. R.*, ds *Hist.-polit. Blätter f. d. kath. Deutschland*, CLX, Munich 1917 ; A. Diehl, ds *Mitt. d. Ges. f. deutsche Erziehungs-u. Schulgesch.*, XX, Berlin 1910 ; A. Hübner, *Die deutschen Geisslerlieder*, Berlin-Leipzig 1931 ; K.-W. Gümpel in MGG.

**HUGON Georges.** Compos. franç. (Paris 23.7.1904–). Élève du cons. de Paris (Philipp, J. Gallon, G. Caussade, P. Dukas), dir. du cons. de Boulogne-s.-Mer (1934–40), prof. de solfège (1941), puis d'harmonie (1948) au cons. de Paris, il a écrit 2 symph. (1941, 1951), *La reine de Saba* (scherzo, orch. (1933), *Chants de deuil et d'espérance* (or., 1948), *Nocturne* (p. et viol., 1930), *Quatuor à cordes* (1931).

**HUGON Maurice.** Violon. franç. (Clamecy 12.8.1910–). Élève du cons. de Paris (Touche), soliste de l'Orch. national (1937) et de l'orch. de chambre de la R.T.F. (1952), membre du Quatuor de Paris, vice-président de la Soc. de mus. de chambre de Paris (1952).

**HUGOT Antoine**, dit *le jeune*. Mus. franç. (Paris v. 1761–18.9.1803). Issu d'une famille de musiciens, flûtiste, élève d'Atys, il fut, avec son frère aîné, membre de l'orch. du Théâtre ital. (Feydeau), de la mus. de la Garde nationale, fut prof. de fl. au cons. de Paris ; il se suicida ; on lui doit nombre d'œuvres (6 concertos) et qqs manuels pour son instr., notamment une méthode, inachevée, qui fut terminée par Wunderlich (Paris 1804). Voir R. Cotte in MGG.

**HUGUENET. — 1. Pierre.** Mus. franç., dont la biographie n'est pas établie, qui était en 1659 violon. du cabinet, en 1661 taille d'alto à la chapelle du roi, en 1727 membre de la chapelle royale, de 1678 à 1683, haute-contre de viol. de la mus. de la reine ; son frère — **2. Sébastien** (*id.*), prit part avec son frère aîné à la représentation du *Ballet des ballets* (1671) ; son fils — **3. Jacques-Christophe** (? 1680–Versailles 29.6.1729), élève de son père et de J.N. Marchand, fut en 1704 dessus de viol. à la chapelle, en 1710 à la chambre, en 1727 à la chapelle de nouveau ; on lui doit des *Sonates pour le viol.*, *la basse et le clavecin à II et à III* (s.l., 1713), des trios pour 2 trompettes et timbales, 1 menuet (ds *Canc. franc...*, Madrid s.d.). Voir E. Borrel in MGG.

**HUGUES de BERZÉ.** Trouvère franç. (v. 1170–ap. 1225). Seigneur de Berzé-le-Châtel en Mâconnais, ami d'Huon de St-Denis ; il participa au concile de Cîteaux et à la 4ᵉ croisade ; il séjourna donc à Constantinople ; il composa v. 1225 une *Bible* contre le comportement du clergé de l'époque ; il nous reste de lui 8 chansons, dont la plus significative est *S'onques nus hom pour dure departie* (chant de croisade, 1202). Voir les éditions de Reynal, P. Aubry, A. Jeanroy, J. Beck, P. Mayer, G. Raynaud ; Villehardouin, *La conqueste de Constantinople* ; H. Petersen Dyggve, *Onom. des trouvères*, ds *Ann. acad. sc. fenn.*, B, *XXX*, I ; F. Gennrich in MGG.

**HUGUES D'ORLÉANS**, dit *le Primat*. Poète goliard franç. (v. 1093–ap. 1160), dont l'œuvre nous a été conservée et que certains auteurs identifient avec l'archi-poète de Cologne. Sa réputation fut grande en Europe : personnage vil et fort laid, il avait le don du rythme, de la versification ; véri-table humaniste, il traite les sujets les plus divers sur un ton facétieux, iro-nique, parfois blasphéma-teur, susceptible, orgueil-leux ; nous avons conservé notamment des fragments d'un *Orphée*, une *Chute de Troie*, des couplets sati-riques, dont quelques-uns neumés. Voir l'éd. de W. Meyer, ds *Nachr. v. d. königl. Gesell. d. Wiss. zu Göttingen, Phil. hist. Kl.*, I, 1907 ; A.Wilmart, ds *Rev. bénédictine*, *XLVII*, 1935 ; N. Wesbein, *La vie et l'œuvre lat. de maître H. d'O.*, thèse de Paris, 1945 — *Le Laudes crucis de maître H. d'O....*, ds *Rev. du M.-A. lat.*, *III*, 1947 ; G. Vinay, *Ugo Primate e l'Archipoeta*, ds *Cultura neo-lat.*, *IX*, 1949 ; G. Vecchi, ds *Poesia lat. med.*, 1952 ; B.M. Marti, *Hugh Primas and Arnulf of O.*, ds *Speculum*, *XXX*, 1955.                              S.C.

J. N. HUMMEL                 *cons. de Paris*

**HUIZAR García de la Cadena Candelario.** Compos. mexicain (Jerez 2.2.1888–). Elève de G. Campa au cons. de Mexico, il fut nommé en 1928 bibliothécaire de l'orch. symph., puis prof. au cons. de Mexico ; il a introduit des instr. indigènes dans ses compos. orchestrales (4 symph., 1930–1942, poèmes symph.) ; on lui doit également de la mus. de chambre (sonate de clar. et basson, quatuor).                              D.D.

**HULL Arthur.** Musicologue angl. (Market Harborough 10.3.1876–Huddersfield 4.11.1928). Docteur d'Oxford, fondateur (1918), puis dir. de la *British music Soc.*, rédacteur en chef du *Monthly mus. Record* (1912), du *Dict. of modern mus. and Musicians* (Londres 1924), il publia *Modern harmony* (ibid. 1914–1923), *Scriabin* (ibid. 1916), *Cyril Scott* (ibid. 1918), *Music class., rom. and modern* (ibid. 1927), *Contemporary mus.* (id. ibid.).

**HULLAH John Pyke.** Compos. angl. (Worcester 27.6.1812–Londres 21.2.1884). Elève de la *Royal Acad.* of mus., il fut org., prof. et chef d'orch. à Londres ; on lui doit 3 opéras, des mélodies, des écrits pédagogiques et des éditions. Il a déployé de grands efforts pour relever le niveau mus. de l'Angleterre au XIXᵉ s. Voir *Life of J.H.*, by his wife, Londres 1886 ; B. H. Groombridge in MGG.

**HUMBERT Georges.** Org. et musicologue suisse (Sainte-Croix 10.8.1870–Neuchâtel 1.1.1936). Elève des cons. de Leipzig, de Bruxelles et de Berlin, prof. d'hist. de la mus. (1892–1912) au cons., org. et maître de chapelle à N.-D. de Genève (1892–96), dir. de la Soc. d'orch. de Lausanne (1893–1901), org. de l'église de Morges (1898–1918), fondateur et dir. du cons. de Neuchâtel (1912), rédacteur en chef de la *Gaz. mus. de la Suisse romande* (1894–96), de la *Vie mus.* (1918–24), des *Pages mus.* (1924), il traduisit en franç. le dictionnaire (Paris 1896–99, Lausanne 1913, Paris 1931), *L'harmonie*

simplifiée (1899), *Éléments de l'esth. mus.* (1910) d'H. Riemann ; il publia *Notes pour servir à l'étude de l'hist. de la mus.* (I, Neuchâtel 1904).

**HUMBERT-SAUVAGEOT Madeleine.** Musicologue franç. (?–). Elève du cons. de Paris, chargée d'établir le cata-logue de la discothèque de l'Institut de phonétique de Paris (1927), élève de Dilip Kumar Roy (mus. indienne), attachée à la section mus. du musée Guimet (1932), où, en 1936, elle créa la classe des travaux appliqués de musicologie exotique, elle a assuré des enregistrements d'Afrique noire, Indochine, Indonésie, Madagascar, Mélanésie, Inde, Afrique du Nord, Laos, Cambodge, Dahomey, Mongolie, Thi-bet, Grèce, Chili, Côte d'Ivoire, Annam, Rou-manie, Martinique, Tahiti, Nouvelle-Calédonie, Toua-motou ; elle a en prépa-ration *L'accord du luth*, *Conseils techniques et esth. à l'usage des chanteurs et comédiens*, *Etude biogra-phique de C. Monteverdi*.

**HUME Tobias.** Mus. angl. (?–Londres 16.4.1645). Militaire, il se consacra ensuite à la musique, joua de la viole de gambe, fut dans la misère et mourut à *Charterhouse* à Londres, où il avait trouvé refuge en 1629 ; on lui doit *The first part of ayres, french, pollish and others together, some in tabliture and some in pricke-song...* (Londres 1605), *Captain Humes poeticall musicke...* (ibid. 1607), *The true petition of colonel Hume* (ibid. 1642), un air en ms. au *BM*. Voir N. Fortune in MGG.

**HUMFREY Pelham.** Mus. angl. (? 1647–Windsor 1674). Enfant de chœur à la chapelle royale, il fut envoyé par le roi en France et en Italie (1664) pour compléter ses études mus. (notamment près de Lully), fut luthiste du roi (1666), *gentleman* de la chapelle royale (1667), maître des enfants (1672 — il fut le maître de Purcell —), compos. des violons du roi (1673) ; nous avons conservé de lui 6 *anthems*, des airs, 1 dialogue ds des recueils, des *anthems* et des odes en mss, notamment de la mus. de scène pour *La tempête* de Shakespeare (bibl. du cons. de Paris). Voir M.L. Pereyra, *La mus. écrite sur la Tempête d'après Shakespeare par P.H.*, ds *Bull. de la Soc. franç. de mus.*, II, 1920 ; K. Elliott in MGG.

**HUMMEL.** C'est une cithare sur caisse (Suède) : la caisse, de forme allongée, présente un renflement latéral du côté opposé à la touche, laquelle est surélevée ; l'instrument se joue posé sur une table ; il comporte des cordes mélodiques et bourdons grattés simultanément avec un plectre, et arrêtés par les doigts de la main gauche appuyant sur des tons en fil de fer. L'instrument est d'usage populaire et présente plusieurs variétés en Suède même, notamment en ce qui concerne la forme de sa caisse ; il s'apparente aux différents types de Scandinavie et d'Europe septentrionale de cithare à caisse plate (voir art. *langleik*, *langspil*) ; au Danemark, il porte le nom de *humle*.                              C.M.-D.

**HUMMEL Ferdinand.** Compos. allem. (Berlin 6.9.1855–24.4.1928). Harpiste-virtuose dès 7 ans, puis élève d'A. Zamara (Vienne), de l'Acad. Kullak, de la *Königl. Hochschule f. Mus.* et de l'*Akad. d. Künste* de Berlin, il exerça ensuite à Berlin. Bilse, fut chef de la mus. de scène au théâtre royal (1892), enfin dir. de mus. royal (1897) ; on lui doit notamment 7 opéras (*Mara*, 1893), 1 symph., de la mus. de scène, 1 ouverture, de la mus.

de piano, de chambre, chor., des mélodrames, des mélodies. Voir Th.-M. Langner in MGG.

**HUMMEL Johann Nepomuk.** Mus. allem. (Presbourg 14.11.1778–Weimar 17.10.1837). Fils de *Johannes H.* — qui fut violon. à la chapelle de la cour du prince Grassalkovitch à Vienne, chef de l'orch. du théâtre de Presbourg, *Mus.-Dir.* au *Militärstift Wartberg* et au *Th. an der Wieden* à Vienne, — il fut pendant 2 ans l'élève de Mozart à Vienne (en 1787, il joua un concerto de piano sous sa dir. à Dresde ; de 1788 à 1793, il fait une tournée de concerts sous la dir. de son père, au Danemark et en Angleterre (il fut pris en charge par Haydn à Londres) ; en 1793, il est l'élève d'Albrechtsberger, de Salieri et de Haydn (orgue) à Vienne : en 1799, il était considéré comme un des meilleurs pian. d'Autriche ; de 1804 à 1811, il est dir. de la chapelle du prince Esterházy, en 1816, maître de chapelle de la cour de Stuttgart, enfin, en 1819, et jusqu'à sa mort, maître de chapelle de la cour de Weimar ; parmi ses nombreux élèves, citons Hiller et Henselt, mais son influence pédagogique fut très-importante : on en trouve des traces dans Chopin et dans Liszt ; quant à ses compositions, elles sont des plus honnêtes, elles eussent même été de premier ordre, si l'inspiration avait daigné visiter le compositeur : elle s'en abstint, comme pour tant d'autres, qui sont plus matière de dictionnaire ou de traité d'histoire qu'objet de plaisir musical ; on lui doit qq. 125 compos., de la mus. de piano (7 concertos, sonates, études etc.), de viol. (8 sonates), symph., de chambre (2 septuors, 6 trios, 3 quatuors), 3 messes, des cantates, des opéras (*Mathilde von Guise*, 1810), 5 ballets, des pantomimes ; citons surtout son *Ausführliche Anweisung zum Pianofortespiel* (1828), qui est une des premières bonnes méthodes de piano. Voir A. Kahlert, *Zur Erinnerung an J.N.H.*, ds *Deutsche Musikzeitung*, I, 1860 ; K. Benyovszky, *J.N.H.*, Presbourg 1934 — *H. u. seine Vaterstadt*, *ibid.* 1937 ; W. Mayer, *J.N.H. als Klavierkomponist*, thèse de Kiel, 1922 (dact.) ; W. Kahl in MGG.

**HUMMEL** — **1. Joseph Friedrich.** Compos. autr. (Innsbruck 14.8.1841–Salzbourg 29.8.1919). Elève du cons. de Munich, chef d'orch. à Innsbruck, Aix-la-Chapelle, Troppau, Brno, Vienne, Linz, dir. du *Mozarteum* de Salzbourg (1880), il fut un promoteur de Wagner, de Bruckner et de Strauss dans cette dernière ville ; on lui doit de la mus. d'église, symph., chor., des mélodies. Son fils — **2. Walter** (Salzbourg 7.7.1883–) est philosophe et historien ; il a été longtemps vice-président du *Mozarteum*; on lui doit *Die Internat. Stiftung Mozarteum* (Salzbourg 1931), *Marksteinand, Gesch. d. Intern. Stift. Moz. in Salzburg* (*ibid.* 1936), *Chron. id.* (*ibid.* 1951), *Nannerl. W.A. Mozarts Schwester* (Vienne 1951), *W.A. Mozarts Söhne* (Cassel-Bâle 1956). Voir son art. in MGG.

**HUMORESQUE** (*Humoreske*). C'est le titre d'une pièce de caractère que l'on trouve assez fréquemment dans la littérature du XIXe s., dont le type est l'*op.* 20 de Schumann.

**HUMPERDINCK** — **1. Engelbert.** Compos. allem. (Siegburg 1.9.1854–Neustrelitz 27.9.1921). Elève du cons. de Cologne (Hiller, G. Jensen, Gernsheim), de l'Ecole royale de mus. de Munich (Rheinberger), de F. Lachner, de Sgambati (1879), il fait à Naples, en 1880, la connaissance de Wagner, qui lui demande de l'assister pour la 1re représentation de *Parsifal* ; l'année d'après, à Bayreuth, il se lie avec Liszt, en 1882, à Paris, avec Chabrier, Lamoureux, d'Indy : c'est dans la même ville, le 14.2.1883, qu'il apprend la mort de Wagner ; à la fin de l'année, il devient 2e *Kapellmeister* à Cologne : puis *Mus. Dir.* de la ville et de l'univ. de Bonn ; de 1885 à 1887, il est prof. de compos. aux cons. de Barcelone et de Cologne, en 1888 lecteur chez Schott, et en 1890 prof. au cons. de Francfort et critique à la *Frankfurter Zeitung* ; en 1900, prof. de compos. à l'Acad. royale des beaux-arts de Berlin : il y restera jusqu'à 1920 ; on lui doit 3 opéras (*Hänsel u. Gretel*, 1893), 2 opéras-com., 2 « féeries », de la mus. de scène, de la mus. symph., chor., des mélodies : il n'a pas su éviter l'influence de Wagner, mais est réputé en Allemagne comme un excellent utilisateur du *Volkslied*. Son fils — **2. Wolfram**

(Francfort 29.4.1893–) est dep. 1952 metteur en scène du théâtre et prof. à la *Nordwestd. Mus. Akad.* de Detmold ; il prépare la publication d'une biographie de son père sur qui il a écrit des art., ainsi que sur Wagner. Voir E. Hanslick, *Hänsel u. Gretel*, ds *Fünf Jahre Mus.*, 1891–1895 ; O. Besch, *E.H.*, Leipzig 1914 ; H. Kuhlmann, *Stil u. Form in d. Mus. v. H.s Oper H. u. G.*, thèse de Marbourg, Borna–Leipzig 1930 ; L. Kirsten, *Motivik u. Form i. d. Mus. zu E.H.s Oper Königskinder*, thèse d'Iéna, 1942 (dact.) ; E. Thamm, *Der Bestand d. lyr. Werke E.H.s*, 2 vol., thèse de Mayence, 1951 (dact.) ; K. V. Püllen, *Die Schauspielmusiken H.s*, thèse de Cologne, (*id.*) ; W. Pfannkuch in MGG.

**HUMPERT Hans.** Compos. allem. (Paderborn 19.4.1901–Salerne 15.9.1943). Org., élève du cons. de Francfort (Sekles), de la *Hochschule f. mus.* de Berlin, prix Mendelssohn (1928), il fut en poste à la *Deutsche Grammophon*, exerça à Paderborn puis enseigna à l'Ecole de mus. de Münster (1940) ; il mourut sur le front italien ; on lui doit des œuvres d'orgue (3 concertos), symph., (1 symph.) de chambre, des cantates, des chœurs. Voir H. Haase in MGG.

**HUMPHRIES Charles.** Musicologue angl. (Londres 17.11.1892–), qui, dep. 1913, appartient au *Department of printed books du British Museum* ; on lui doit un catalogue de la mus. impr. du BM (av. Hyatt-King, Londres 1951) et un dict. des graveurs, imprimeurs, éditeurs et marchands de mus. en Grande-Bretagne (*ibid.* 1954).

**HUMPHRIES John.** Mus. angl. (v. 1707–Londres 1745), dont on ne sait rien et qu'on identifie parfois avec le suivant ; il publia 3 recueils, 6 *solos* de viol. avec acc. de clav. (Londres 1926) et 24 concertos (*ibid.* 1740?, 1741). Voir S. Sadie in MGG.

**HUMPHRIES J.S.** Mus. angl. du XVIIIe s. dont la biographie est inconnue (voir art. précédent) ; on a conservé de lui 12 sonates de viol. av. basse de clav. (Londres 1733?). Voir S. Sadie in MGG.

**HUN.** C'est le nom commun des tambours à caisse de bois dans les pays de langue *fon* et *goun* au Dahomey : combiné avec d'autres mots, il désigne différents types de tambours, de formes et de dimensions variables.
G.R.

**HUNCKE** (*Gunke*) **Joseph Karlovitch.** Compos. et théoricien de la mus. russe (Josephstadt 1801 – St-Pétersbourg 17.12.1883), qui fut org. et violon. de l'orch. des théâtres impériaux, prof. à la chapelle impériale, bibliothécaire du cons. de St-Pétersbourg ; on lui doit 1 *Te Deum*, 1 *Requiem*, 1 *messe*, l'oratorio *Le déluge*, des ouvertures, des sonates, 3 quintettes, des pièces de piano, des mélodies, des écrits : « *De la mélodie* » (1859), « *Manuel pour l'étude de l'harmonie* » (1887), « *Manuel de composition* » (1887), « *Lettres sur la musique* » (1863).

**HUNEKER James Gibbons.** Musicologue amér. (Philadelphie 31.1.1860–N.-York 9.2.1921). Elève des cons. de Paris et de N.-York, pian., critique (*N.-York Recorder*, 1891–95, *Advertiser*, 1895–97, *Sun*, 1900–12, 1919, *N.-York Times*, 1918–19), il publia la plupart du temps, à N.-York, *Mezzotints in modern mus.* (1899), *Chopin* (1900), *Melomaniacs* (1902), *Overtones...* (1904), *F. Liszt* (1911), *The pathos of distance* (1913), *Old Fogy...* (Philadelphie 1913), *Ivory apes and peacocks* (1915), *The Philharm. Soc. of N.-York* (1917), *Unicorns* (*id.*), *Bedouins* (1920), *Steeplejack* (*id.*), *Variations* (1921) ; sa correspondance a été publiée par Joséphine H. (1922, 1924) ; on a également de lui un ouvrage posthume, éd. par H.L. Mencken, *Essays* (1929). Voir B. de Casseres, *J.G.H.*, *ibid.* 1925.

**HUNKE** (*Gunke*) **Joseph.** Compos. tchèque (Josephstadt 1801–St-Pétersbourg 17.12.1883), qui fut à St-Pétersbourg org. et violon. de la chapelle impériale (1834), prof. à la chapelle des chanteurs de la cour (1864), bibliothécaire du cons. (1872) ; on lui doit 1 messe, 1 *Requiem*, 1 oratorio, des mélodies, de la mus. de chambre, 2 écrits pédagogiques et des « *Lettres sur la musique* » (St-Pétersbourg 1863).

**HUNT R.** Mus. angl., dont l'activité se situe au début du XVIe s., dont il reste 2 motets mss à 5 v. à Cambridge et à Oxford. Voir B.L. Trowell in MGG.

**HUNT Thomas.** Mus. angl., dont l'activité se situe dans la 1re moitié du XVIIe s. et qu'on identifie parfois avec un certain *William H.* dont il reste des traces à la cath. de Wells ; on lui doit 1 *service* (4 v.), 1 *anthem* et 1 madrigal en ms. ou dans les *Triumphs of Oriana* (1601). Voir P.G. Le Huray in MGG.

**HUNT Walter** (*Pee Wee*). Tromboniste et chef d'orch. de jazz amér. (Mount Healthy 10.5.1907–), qui débuta comme joueur de banjo, fut élève du cons. de Cincinnati et a fondé un *combo* en 1946.

**HUON d'OISI.** Trouvère franç. (v. 1130–1190). Châtelain de Cambrai, l'un des premiers trouvères, il composa un poème noté intitulé *Le tournoiement des dames :* c'est un tournoi imaginaire entre des reines et de hautes dames ; une seule chanson de lui nous est parvenue : c'est une suite de sarcasmes contre son parent et disciple Conon de Béthune, qui hésitait à participer à la croisade.
                                              J.Md.

**HUPFELD Bernhard.** Mus. allem. (Cassel 24.2.1717–Marbourg 22.1.1796). Elève d'Agrell à la chapelle de la cour de Cassel, il accompagna le comte Horn à Vienne et en Hongrie, revint à Cassel (1736) près d'Agrell, puis se mit au service du comte Sayn-Wittgenstein-Berleburg, fut de 1740 à 1749 *Kapellmeister* au régiment Waldeck, fut en Italie (1749) élève pour le violon de D. Ferrari à Crémone et de Tranquillini à Vérone, pour la composition, de Barba ; en 1753, il était *Directeur u. Concertmeister* chez l'électeur Louis-Ferdinand de Sayn-Wittgensteins à Berleburg, enfin, en 1775, maître de concert de l'univ. de Marbourg ; on lui doit 7 symph., 6 trios à cordes, 2 sonates de clav., 1 cantate et des mélodies. Voir C.F. Cramer, *Magazin f. Mus.*, Hambourg 1783 ; H. Engel, *Die Musikpflege an der marburger Philipps-Univ...*, Marbourg 1957 ; C. Engelbrecht in MGG.

**HUR.** C'est une vièle à deux cordes et à caisse arrondie, utilisée par les *Mongols.*                                 M.H.

**HURÉ Jean.** Org. et compos. franç. (Gien 17.9.1877–Paris 27.1.1930). Il fit ses études mus. à Angers, et se fixa à Paris en 1895, fit une carrière de pian. virtuose, fonda une *Ecole normale de mus.* (1910), la revue *L'orgue et les organistes* (1924), fut org. ds diverses églises, notamment à St-Augustin de Paris où il succéda (1926) à son ami Gigout ; excellent mus., il a laissé un grand souvenir près de ceux qui l'ont connu ; on lui doit notamment 3 symph., 2 messes, 1 quintette av. piano, 3 nocturnes (orch.), 1 concerto, 3 sonates de vcelle, des sonates de piano et de piano et violon, des œuvres pour le théâtre (en mss) : *Roland* (drame lyr.), *Sapho, Jeanne d'Arc, La cathédrale, Calypso, Hypatie* (inach.), *Frétillon* (opérette), *Le chevalier d'ombre* (*mysterium*), *Le rajah de Mysore* (opérette), de la mus. voc., des écrits : *Chansons et danses bretonnes précédées d'une étude sur la monodie populaire* (Angers 1902), *Dogmes musicaux* (préface de Fauré, ds *Monde mus.*, 1909), *Défense et illustration de la mus. franç.* (Angers 1915), *Esthétique de l'orgue* (prf. de Widor, Paris 1923), *Saint Augustin musicien* (*ibid.* 1924), *Essai sur quelques théories ramistes* (ms.), *Introduction à la technique du piano* (*ibid.* 1910), *Technique du piano* (*ibid.* 1909), *La technique de l'orgue* (*ibid.* 1918), des art. ds divers périodiques, notamment *Le monde mus.* et le *Guide du concert*, une étude sur *L'enseignement musical du moyen-âge au XVIIIe s.*, une autre sur *La mus. religieuse et la mus. chorale* (ds P.-M. Masson, *Rapport sur la mus. franç. contemporaine*, Rome 1913), une traduction du *Micrologus* de Gui d'Arezzo. Voir G. Migot, *J.H.*, Paris 1926 ; J. Bonfils in MGG.

**HUREL Charles.** Mus. franç. qui mourut à Paris en 1692. Issu d'une famille de mus., théorbiste, chanteur et prof., il est cité en 1684 comme *officier ordinaire de l'Acad. de mus.* ; on lui doit des *Meslanges d'airs sérieux et à*

boire *à 2 et 3 parties av. b.c.* (Ballard 1687), 7 airs ds des recueils du même Ballard, 3 autres ds *Le Mercure*, 1 gavotte pour théorbe (ms. Besançon). Voir D. Launay in MGG.

**HUREL de LAMARE Jacques-Michel.** Vcelliste franç. (Paris 1.5.1772–Coutet 27.3.1823). Elève de Duport le jeune, il appartint à l'orch. du théâtre Feydeau (1794), fit des tournées en Allemagne et en Russie (1801–09), se retira en 1815 ; 4 concertos publiés à Paris sous son nom doivent être attribués à son ami Auber.

**HURKA.** — 1. **Josef Martin.** Mus. tchèque (Chudenice 11.11.1756–au Portugal ? ap. 1800), qui fut chanteur et vcelliste, élève de J.E. Kozeluch, de Biaggio ; il se fit franciscain en Espagne (1786) ; on a perdu ses œuvres de vcelle. Son frère — 2. **Friedrich Franz** (*ibid.* 23.2.1762–Berlin 10.10.1805), élève de Biaggio à Prague, fut engagé comme chanteur dans une troupe de Leipzig (1784), puis comme *Kammersänger* à Schwedt, Dresde et Berlin (1789) ; on lui doit 6 recueils de *Lieder* (1787–95), des œuvres chor., 7 *divertimenti* (6 perdus). Voir L. Hoffmann-Erbrecht in MGG.

**HURLEBUSCH** — 1. **Conrad Friedrich.** Mus. allem. (Brunswick 1695–Amsterdam 17.12.1765). Fils et élève d'un org. de Brunswick, il partit en 1715 pour Hambourg et pour la cour de Vienne, puis, en 1718, en Italie (3 ans) où il eut de nombreux succès comme claveciniste ; de retour en Allemagne, il continua sa carrière de virtuose, résida en Suède en 1725, puis à Bayreuth, revint à Hambourg (1727–37), après quoi on le trouve en 1743 org. à Amsterdam ; ami de Telemann et de Mattheson, il rendit peut-être visite à J.-S. Bach ; c'est un excellent compositeur, dont malheureusement beaucoup d'œuvres ont été perdues. On a conservé de lui *Compositioni mus. per il cembalo* (2 vol., Hambourg s.d.), *De 150 Ps. Davids...* (Amsterdam 1746, 1761, 1766), 6 *Arie dell'opere ... F. Cuniberto..., op. 3, s.d.), Id. (op. 4, id.), 6 sonate di cembalo... (op. 5, id.), Id. (op. 6, id.),* 72 odes (ds *Slg. versch. u. auserl. Oden de Gräfe*, 4 vol., Halle 1737–43) ; en mss : 4 concertos, 2 sonates, 1 menuet, 1 *Psalmboek* (ms. La Haye), des fragments d'opéra, d'une cantate et *Festeggiamento mus. per il di natale di sua Reale Maestà Ulrica Eleonora in Stockholm alle 23 di gennaio 1725* (ms. Stockholm). Voir J. Mattheson, *Grundlage einer Ehren-Pforte*, Hambourg 1740 (Berlin 1910) ; M. Seiffert, *K.F.H., Tijdschrift d. ver. v. ned. muz. Gesch.*, VII, 1904 ; L. Bense in MGG. Son frère — 2. **Heinrich Lorenz** (Hanovre 8.7.1666–Brunswick...), fut org. ds différentes églises de Brunswick et composa des œuvres d'orgue et des suites franç. Voir W. Gurlitt, ds *Braunschw. Magazin*, févr. 1914.

**HURLICK Ilja.** Compos. tchèque (Poruba 25.11.1922–). Pian., élève de l'Acad. de mus. de Prague, de V. Novak, pian. virtuose, il a écrit des ballets (*Ondräs*, 1951), 1 cantate, 1 concerto (instr. à vent, 1955), de la mus. symph., de chambre, des mélodies. Voir J. Buzga in MGG.

**HURLSTONE William Yeates.** Compos. angl. (Londres 7.1.1876–30.5.1906). Elève du *Royal College of mus.* de Londres, il mourut prématurément ; on lui doit néanmoins 3 mélodrames, de la mus. chor., de chambre, de piano (1 concerto), des mélodies. Voir H.G. Newell, *W.Y.H.*, Londres 1936 ; *K.H., W.H. mus. ...*, *ibid.* 1949 ; R. Nettel in MGG.

**HURTADO Leopoldo.** Critique et musicographe argentin (Posadas 19.1.1894–), auteur de qqs ouvrages d'esthétique et d'hist. de la mus. (*Estética de la mús. contemp.*, 1935, *La mús. contemp. y sus problemas*, 1941, Liszt, 1945).
                                              D.D.

**HURTADO Pedro** (*Pierre*). Mus. esp. dont l'activité se situe vers la moitié du XVIIe s., qui fut pendant 10 ans maître des enfants à la chapelle royale de Bruxelles, puis maître de chapelle à St-Bavon de Gand ; il composa de la mus. d'église.

**HURUK.** C'est un tambour en sablier, de plus grandes dimensions que le *damaru* (voir à ce mot) (Inde).C.M.-D.

**HURUM Alf.** Compos. norvégien (Oslo 21.9.1882–). Il fit ses études à Oslo, Berlin, Paris, St-Pétersbourg, et débuta comme chef d'orch. à Bergen en 1921 ; il a dirigé le cons. et l'orch. symph. d'Honolulu et écrit de la mus. symph. (1 symph.), de chambre, de piano, des chœurs.

**HUS Jan.** Réformateur tchèque (Husinec 1369 ?– Constance 6.7.1415). Le célèbre hérétique réforma la musique dans les églises de sa prédication, y introduisant notamment la langue vernaculaire ; on lui attribue sans certitude quelques *Lieder* spirituels, notamment *Jesus Christus nostra salus*. Voir V. Novotny, *J.H.*, Prague 1919 ; J. Danhelka, *Husitske pisne, ibid.* 1952.

**HUSA Karel.** Compositeur tchèque (Prague 7.8. 1921–). Elève du cons. de Prague, de Nadia Boulanger, de Cluytens, d'Eugène Bigot, dep. 1954, il enseigne et dirige l'orchestre à l'univ. Cornell aux Etats-Unis ; on lui doit notamment *Fresque* (orch., 1948), *Divertimento* (*id.*, 1949), *Portrait* (*id.*, 1959), *Concertino* (p., 1952), *Symphonie* (1955), de la musique de chambre, de piano, *Musique d'amateurs* (UNESCO).

**HUSMANN Heinrich.** Musicologue allem. (Cologne 16.12. 1908–). Elève des univ. de Göttingen et de Berlin (Schering, J. Wolf, Blume, Hornbostel), dont il est docteur avec sa thèse *Die dreist. Organa d. Notre-Dame-Schule* (1932), prof. aux univ. de Leipzig (1933) et de Hambourg (dep. 1949), il a publié *Fünf-u. siebenstellige Centstafeln zur Berechnung mus. Intervalle* (Leyde 1951), *Vom Wesen v. Konsonanz* (Heidelberg 1953), un grand nombre d'art. ds des périodiques ou ouvrages collectifs : musicologie générale (instr. flûte, *viola pomposa*), ethnomusicologie, mus. grecque, plain-chant grégorien, Mozart, Schumann etc. ; il dirige la collection *Musicologica* chez Brill à Leyde et la *Schriftenreihe d. Mw. Instituts der Univ. Hamburg* (Hambourg 1956 sqq.). Voir art. in MGG.

**HUSSON Raoul.** Profess. français (Corcieux 28.1. 1901–). Docteur de Paris, chargé de recherches au CNRS, chargé d'un cours libre sur la phonation à la faculté des sciences de Paris dep. 1951, prix de physiologie de l'Acad. des sciences (1951), prix Jansen de l'Acad. de médecine (1955), fondateur et secr. gén. de l'Assoc. franç. pour l'étude de la phonation et du langage (1952) et du Haut collège intern. pour l'étude psycho-phys. et psycho-path. des langages, des langues et de la pensée (1955), conférencier intern., il a publié de très nombreux travaux de physiologie phonatoire, d'acoustique physiologique et de phonétique biologique ds les revues intern. spécialisées ; il tend dans ses travaux à établir que « la vibration des cordes vocales est un phénomène neuro-musculaire pur,

complètement indépendant du courant d'air et commandé directement par les influx cérébraux ». Il est le collaborateur du présent ouvrage.

**HUSTRUM.** C'est une vièle à quatre cordes métalliques (Angleterre) : cet instrument paysan était encore employé dans le Dorset dans la 2e moitié du XIXe s.　M.A.

**HUSZKA Jenö.** Compos. hongrois (Szeged 1875–), l'un des principaux représentants de l'opérette hongroise du

HUYGENS

début de ce siècle, apparentée au genre viennois (*Prince Bob*, « *Fleur d'or* », *Gül Baba*, *Baronesse Lilly* etc.).

**HUTCHESON Ernest.** Pian. et compos. amér. d'origine australienne (Melbourne 20.7.1871–N.-York 9.2.1951), qui, au cours d'une longue et brillante carrière, dirigea notamment l'Ecole Juilliard et, en co-direction, le *Metropolitan Opera* de N.-York ; on lui doit de la mus. symph., de piano, 3 écrits.

**HUTCHINGS Arthur.** Org. et musicologue angl. (Sunbury-on-Thames 14.7.1906–). Elève de l'univ. de Londres, il a collaboré à divers périodiques ; docteur de Londres avec sa thèse *Origins and development of the concerto grosso* (ms., 1946–47), il est prof. à l'univ. de Durham dep. 1946 et a publié *Schubert* (Londres 1945, 1956), *Companion to Mozart's piano conc.* (ibid. 1948, 1950), *Delius* (ibid. 1948), *The invention and composition of music* (ibid. 1957) ; on lui doit des œuvres symph., des *anthems* (entre autres œuvres de mus. d'église), de la mus. de chambre et des arrangements, ainsi que 2 opéras-com. inédits.

**HUTCHINSON. — 1. Richard.** Mus. angl., qui fut de 1614 à 1644 org. de la cath. de Durham ; les bibl. de Cambridge (Peterhouse) et de Durham contiennent qqs *anthems* mss de lui ; son fils — **2. John**, était en 1628 org. de la cath. de Southwell. Leur parent présumé — **3. James**, qui était en 1633 org. à la cath. d'York, semble avoir occupé ce poste de 1615 à 1644. Voir A.J.B. Hutchings in MGG.

**HUTSCHENRUYTER Wouter. — 1.** Corniste, chef d'orch. et compos. néerl. (Rotterdam 28.12.1796–18.11.1878), qui fonda la société *Eruditio musica*, fut prof., org. etc. et écrivit 1 opéra, 4 symph., des ouvertures, de la mus. d'église, des mélodies, en tout qq. 150 compositions. Son petit-fils — **2. Wouter** (ibid. 15.8.1859–La Haye 24.11.1943) fut prof., chef d'orch., composa de la mus. symph., de chambre, des mélodies et publia 16 ouvrages, dont ses mémoires (La Haye 1930).

**HUTTER Josef.** Musicologue tchèque (Prague 28.2.1894–). Elève de l'univ. de Prague, dont il est docteur, où il enseigne dep. 1927, il a publié 3 vol. sur la notation neumatique tchèque, (Prague 1926–31), d'autres sur les principes mélodiques des gammes (ibid. 1929), sur les principes de l'harmonie (ibid. 1941), sur les couleurs en musique « monophonique » (ibid. 1935), sur les instruments (ibid. 1945), surtout *Hudebni myšleni* (« La pensée musicale », ibid. 1943), à quoi il faut ajouter 2 art. (en allem.) sur la synagogue de Prague (1927) et sur les problèmes de l'hist. de la mus. russe (*Slav. Rundschau*, I).

**HUYBRECHTS Albert.** Compos. belge (Dinant 12.2.1899–Bruxelles 22.2.1938). Elève du cons. de Bruxelles, critique *à la Musical America* dep. 1932, brièvement prof. au cons. de Bruxelles (1937), il mourut prématurément. On lui doit de la mus. symph., de chambre, de scène, de piano, des mélodies.

**HUYBRECHTS Lode.** Compos. belge (Stabroek 1911–). Elève du cons. d'Anvers, pian., org., fixé aux Etats-Unis, auteur de mus. symph. (2 symph.), de chambre, d'orgue, de piano, de mélodies.

**HUYGENS — 1. Constantin.** Poète et diplomate néerl. (La Haye 4.9.1596–28.3.1667). Le célèbre amateur de mus. et ambassadeur des Pays-Bas en France (1661–65) jouait de la viole, du clav., du théorbe, du luth., de la guitare ; il a laissé une très importante correspondance, notamment avec Boesset, Descartes, Du Mont, Gaultier, Gobert, Mersenne, Titelouze ; il s'intéressa aussi bien à l'acoustique qu'aux aspects organologique, liturgique et théorique (de la musique à son époque ; Ballard publia de lui *Pathodia sacra et profana* (Paris 1647, 7 *arie* et 7 *airs*, revus par Boesset et T. Gobert) ; citons encore son ouvrage *Ghebruyck of onghebruyck van 't orgel in de kerken der vereenighde Nederlanden* (« Usage et abus de l'orgue dans les églises des Provinces-Unies », Leyde 1641). Voir W.J. Jonckbloet et J.P.N. Land, *Pathodia sacra et profana en muz. briefwisseling*, 1883 ; F.R. Noske, *Id.*, Amsterdam 1957 ; J.P.N. Land, *Nalezing op de muz. briefw. v. C.H.*, ds *Tijdschrift...*, III, 1891 ; J.A. Worp, *Bijdr. en med. v. het hist. Gem.*, *XVIII*, 1897 — *Briefw.* de *C.H.*, 6 vol., ds *Rijks gesch. publ.* — *Nog eens utricia ogle en muz. corr. v. H.*, ds *Tijdschrift...*, V, 1897 ; F.F. Noske, *Rondom het orgeltractaat v. C.H.*, ibid. *XVII*, 1955 ; S.G. de Vries, *De « Muz.-Bocken » in het bezit v. C.H.*, ds *Tijdschrift*, *VI*, 1900. Son fils aîné — **2. Christian** (La Haye 14.4.1629–8.6.1695), fut comme son père épris de musique : on a dit de lui qu'il fut le plus grand musicien parmi les géomètres et le plus grand géomètre parmi les musiciens. Les travaux de H. ne nous intéressent pourtant ici que pour une très faible part : d'abord, par une lettre que l'on trouve dans l'*Histoire des ouvrages des savants*

(octobre 1691), sous le titre *Novus cyclus harmonicus* ; H. y expose la division de l'échelle tempérée en 31 parties ou degrés : il innove, en mesurant les intervalles par le moyen des logarithmes. Le second et dernier ouvrage de H. qui traite d'une théorie musicale est le *Cosmothéoros* (« spectateur du monde », La Haye 1698) ; l'interdiction des quintes parallèles est ici étudiée : si la théorie musicale classique ne les admettait pas depuis le XIVᵉ s., H. démontre l'inexactitude de la modulation par le défaut d'analogie mathématique de 2 sons qui sont tenus de progresser ensemble. Voir *C.H., Œuvres complètes*, Haarlem 1942 ; A.D. Fokker in MGG.     A.D.

**HUYN Jacques.** Mus. franç. mort à Beaune en 1652. Prêtre, il fut chantre à N.-D. de Beaune au moins dep. 1641, puis sous-maître, refusa en 1643 la maîtrise des enfants de chœur de Châlon, remporta en 1650 un concours pour la maîtrise de Beaune ; il est l'auteur d'une messe à 6 v., *Tota pulchra es* (Ballard, 1648, 2ᵉ éd., 1676), dont un exemplaire subsiste à la bibl. du conservatoire de Paris.     F.L.

**HUZELLA Elek.** Compos. hongrois (Budapest 24.8.1915–). Elève de Siklos à l'Ecole des hautes ét. mus. F. Liszt, docteur ès lettres de l'université de Budapest (thèse sur Cl. Debussy), actuellement prof. au cons. B. Bartók. Œuvres : 1 oratorio, mus. symph. (*Nocturne, Méditation, Suite*), *Sextuor* p. cordes, *Messe* p. chœur m. et orgue, *Epilogue* pour orgue (prix intern. de Verceil 1957), chœurs, mélodies etc.

**HYAGNIS.** Phrygien, il était sans doute, comme son fils Marsyas, un satyre : comme tel, il serait le personnage le plus anciennement lié au culte de Dionysos ; on lui attribue l'invention de l'*aulos*, du double-*aulos*, de l'harmonie phrygienne, le tout appartenant au culte de Dionysos. Selon une tradition transmise par Boèce, il ajouta au tétracorde la sixième corde ; et d'après le marbre de Paros, il aurait composé plusieurs nomes, dont le plus connu est le *mêtrôon* en l'honneur de la déesse phrygienne Cybèle (Mère des dieux).     M.D.-P.

**HYCART.** Voir art. *Ycard*.

**HYDRAULE** (*hydraulis*). L'hydraule ou orgue hydraulique (ὄργανον ὑδραυλικον, ὑδραυλίς, *hydraulus*) occupe une place importante parmi les instruments de musique des Romains : elle a été conçue à Alexandrie, au IIIᵉ s. avant notre ère, par Ctésibios, sous le règne de Ptolémée Philadelphe ou de son successeur. Comme l'orgue d'aujourd'hui, l'hydraule se compose d'une soufflerie, d'un sommier à clavier et d'une série de tuyaux sonores ; son mécanisme a été décrit en détail par Néron d'Alexandrie et par Vitruve. La soufflerie comprend deux éléments distincts : les pompes et le compresseur. Les pompes, au nombre de deux en général, sont aspirantes et foulantes ; deux soupapes métalliques πλατυσμάτιον permettent au piston (ἐμβολεύς) manœuvré par un levier et coulissant dans un cylindre (πυξίς) d'envoyer de l'air dans un conduit (σωλήν). Le compresseur est constitué par une cuve pleine d'eau (βωμίσκος) au fond de laquelle se trouve une hémisphère métallique creuse nommée « pnigée » (πνίγεὺς) dont le bord libre, muni d'échancrures, est tourné vers le bas. L'air venant des pompes arrive dans ce pnigée et comprime l'eau qui s'y trouve ; celle-ci refoulée à travers les échancrures, fait monter le niveau de l'eau de la cuve : c'est le poids de cette eau déplacée qui assure la pression de vent au sommier. Le rôle du sommier est de répartir le vent aux tuyaux. Deux étages le constituent ; le premier divise le vent et le dirige vers telle ou telle rangée de tuyaux, au moyen de robinets de fer ou de glissières perforées ; le second permet, à l'aide d'un clavier composé de touches, de faire parler les tuyaux correspondant au même degré de la gamme. La touche, qu'on joue en y appuyant le doigt, tire une réglette percée d'autant de trous qu'il y a de séries de tuyaux ; le vent, s'y engouffrant, fait sonner la note correspondante. Un ressort ramène la touche dans sa position de repos dès qu'on ôte le doigt. Sur la table supérieure du sommier sont disposés les tuyaux, alignés et dégradés comme dans la flûte de Pan ; chaque rangée constitue un jeu : il y en a jusqu'à huit. Certains comportent des tuyaux

HYDRAULE

*Terre cuite (Carthage).*

à bouche ouverts ou bouchés, d'autres, des tuyaux à anches. Ces jeux peuvent être à l'unisson ou à l'octave l'un de l'autre : c'est dire de quelles ressources dispose l'organiste. Quant à la tessiture de l'instrument, elle demeure obscure ; seule, l'étude de l'iconographie permet de s'en faire une idée. Si certains instruments ne donnent que les sons du *grand système parfait disjoint*, soit deux octaves diatoniques, il apparaît que la plupart disposait d'un clavier chromatique, qui permettait de jouer dans toutes les harmonies et leurs transpositions.

Dès l'époque de Cicéron, l'hydraule n'a cessé de charmer les connaisseurs, en Grèce d'abord, dans tout l'empire romain ensuite. Elle sonnait aussi bien dans les concerts publics que dans les palais des empereurs ; on l'entendait au théâtre, au cirque, dans les maisons particulières. D'après les représentations qui nous en sont parvenues, on peut évaluer la hauteur de l'instrument à deux mètres (en général) et sa largeur à un mètre ; l'organiste jouait toujours debout, juché sur un petit piédestal ; sa tête dépassait le sommet des tuyaux. A partir du IIe s., on commença à remplacer la soufflerie hydraulique, fragile et difficile à construire, par de simples soufflets de forgerons ; cette innovation, qui ne s'appliqua longtemps qu'à de petits instruments, caractérise ce qu'on a appelé l'orgue pneumatique. C'est un orgue de ce type qui a été retrouvé en 1931 à Aquicum en Hongrie ; il est daté, par sa plaque de dédicace, de 228. Après des siècles de faveur, l'hydraule ne devait pas survivre aux grandes invasions. Si Byzance et les Arabes en conservèrent la tradition, c'est l'orgue à soufflets qui s'imposa peu à peu, se perfectionna, et finit par devenir l'instrument sacré du christianisme.

**Bibl.** sommaire : outre notre *Histoire de l'orgue dans l'antiquité et le haut moyen-âge*, en préparation, on pourra consulter Cl. Loret, *Recherches sur l'orgue hydraulique*, Paris 1890 ; A. Gastoué, *L'orgue en France de l'antiquité au début de la période classique*, ibid. 1921 ;

C.E. Ruelle, art. *hydraulus*, ds *Dict. des antiquités grecques et romaines*, Daremberg et Saglio ; Tittel, art. *hydraulus*, ds *Real Encycl. der klass. Altertum*, Pauly et Wissowa ; Ch. Maclean, *The principle of the hydraulic Organ*, S.I.M. 1905 ; Walter Woodburn Hyde, *The recent discovery of an inscribed water-organ* at Budapest, ds *Trans and proc. of the amer. philolog. Assoc.*, 1938. J.P.

**HYE-KNUDSEN Johan.** Compos. danois (Nyborg 24.5.1896–). Elève du cons. de Copenhague, vcelliste, chef d'orch. (notamment à l'opéra de Copenhague), auteur d'1 opéra, de 2 ballets, d'1 symph., de chœurs, cantates, mus. de chambre et mélodies.

**HYGONS Richard.** Mus. angl. (? v. 1450–Wells v. 1509), qui était en 1479 maître de chœur à la cath. de Wells : il y était org. probablement dès 1487 ; on a conservé de lui un *Salve Regina* (5 v., ms. Eton) et un *Gaude Virgo* (ms. cath. de Wells). Voir H. Baillie in MGG.

**HYKAERT.** Voir art. *Ycard.*

**HYLTON Jack.** Chef d'orch. de jazz angl. (Bolton?1892–). Pian., chef d'orch. d'une troupe de variétés, org. de cinéma à Londres, il est devenu l'un des plus célèbres mus. de sa spécialité ; il est en même temps impresario et éditeur.

**HYMNAIRE.** C'est un recueil liturgique destiné à l'office, qui contient les hymnes et n'a pas suivi l'évolution parallèle des autres livres de liturgie. Il est rarissime dans les débuts ; en fait, l'hymne n'entre facilement qu'aux répertoires non-romains (les mss en témoignent). Pourtant il a existé un ensemble d'hymnes, postérieur de peu à saint Ambroise, qui a été adopté par le *cursus* bénédictin à Rome même, au VIe s. ; on en trouve le témoignage dans la règle de saint Benoît, qui toutefois ne donne pas les *incipit* des pièces. La règle de saint Aurélien d'Arles (peu après saint Benoît) donne au contraire une quinzaine de références. Il est flagrant que les églises gallicanes, l'église hispanique, l'église celtique, ont continué à les chanter ; la tendance actuelle de l'érudition voit cependant le répertoire romain disparaître, pour être remplacé aux VIII–IXe s. par un répertoire constitué en Grande-Bretagne : c'est ce dernier répertoire qui circulera désormais et prendra pied dans les églises latines d'Occident ; c'est lui que Rome adoptera au XIe s., lorsqu'elle reviendra à la pratique des hymnes jusque-là délaissées. Il est donc un premier élément d'incertitude dans la constitution des recueils. — Un second point est à isoler. Les hymnes sont relativement éparpillées dans la littérature liturgique jusqu'au XIIe s. Les quatre grands recueils qu'on citera tout à l'heure ont un caractère exceptionnel ; en général, les hymnes sont copiées, du IXe au XIe s., au hasard des feuillets blancs dans n'importe quel livre liturgique ; elles sont très rarement accompagnées de leur musique, alors que la moindre antienne est fréquemment neumée. On saisit donc à travers cette lacune une sorte d'accord sur les mélodies, strophiques et assez connues pour être répétées sans rappel neumatique. — Enfin le troisième point concerne l'analyse elle-même des hymnaires tardifs : il existe peu de livres consacrés entièrement aux hymnes ; elles se rencontrent, répertoire assez abondant, dans divers recueils : bréviaires, antiphonaires et surtout psautiers. Mais dès qu'elles paraissent, on constate dans l'agencement de chaque groupe local des diversités bien plus grandes que pour l'ensemble du répertoire liturgique : ce fait tient naturellement à la liberté tacitement laissée aux églises de prendre ou de laisser leur répertoire ; elles l'ont organisé comme il leur semblait bon. On remarquera donc une diversité considérable, qui servira à faire identifier ces livres, car le répertoire, une fois constitué, n'a plus varié, ou seulement dans d'étroites limites, jusqu'au XVIe s. Bien mieux, il se fait un échange constant entre les pièces et les timbres, qui permutent continuellement. Tel timbre se retrouve sur des pièces très différentes ici ou là, et réciproquement les vers prennent un nouveau revêtement mélodique en changeant de région. Tout ce matériel est donc énorme et de travail assez difficile ; il faut avant tout déterminer les changements locaux, les transmissions etc. On comprend donc que l'étude des hymnes et des hymnaires ait été lente, finalement peu fructueuse, et que ses grands résultats soient assez récents. Voici, en premier, les cinq recueils anciens : Milan, C 5 *inf.*, VIIe s., recueil varié copié pour le monastère de Bangor en Irlande entre 680 et 691 (contient notamment une série d'hymnes), Ed. Bernard et Atkinson, dans Henry Bradshaw Sty, 2 vol., Londres 1898 ; Oxford, Bodl. 5137 (Junius 25) de Murbach, VIIIe–IXe s. (contient de même une série d'hymnes) ; Vatican, *Reg.* 11, fin VIIIe s., d'Arles ; Zurich, Cantonale XXXIV, IXe s., de Rheinau ; Paris 14088, de Corbie, IXe s. : on insiste sur le fait que ces livres ne sont pas des hymnaires par destination, mais qu'ils contiennent, par hasard le répertoire d'hymnes de telle église, et ces répertoires sont déjà très variés.

**Bibl. :** a. grandes collections d'hymnes : H.A. Daniel, *Thesaurus hymnologicus*, 5 vol., Halle 1841–1846 ; F.J. Mone, *Latein. Hymnen des M.Â.s*, 3 vol., 1853–1855 ; G.M. Dreves et Cl. Blume, *Analecta Hymnica*, 54 vol., dep. 1886 (voir les t. 2, 4, 11, 12, 14, 16, 17, 19, 22, 23, 27, 41, 43, 48, 50, 51) ; C.A. Moberg, *Die liturg. Hymnen in Schweden*, I, *Quellen u. Texte*, Upsal 1947 ; b. études et répertoires : U. Chevalier, *Repertorium hymnologicum*, 6 vol., 1889–1900 ; J. Mearns, *Early latin hymnaries*, Cambridge 1913 ; Abbé C. Vogel, *L'hymnaire de Murbach*, ds Archives de l'Eglise d'Alsace, IX, 1958 (très important) ; B. Stäblein, *Die mittelalterlichen Hymnenmelodien des Abendlandes*, Cassel-Bâle, 1956 (*Monumenta monodica medii aevi*, t. I — publication méthodique des mélodies, classées par répertoires locaux) ; Dom Leclercq, article *hymne* ds *Dict. d'archéologie chrétienne et de liturgie* (contient un excellent exposé de la question et une bibliographie abondante).    S.C.

**HYMNE — 1.** (*Hymnos*). Par ce nom, l'on désigne les poèmes chantés qui expriment les louanges, notamment des dieux et des héros. Du grand nombre des hymnes connus de l'antiquité, les seuls qui intéressent la musicologie sont les hymnes dont la musique a été transmise, notée dans la notation tonale de l'époque hellénistique, à savoir :
1. Deux *hymnes delphiques*, à Apollon, de la fin du IIe s. av. J.-C., découverts à Delphes en inscriptions, par Homolle et ses disciples de l'école française d'Athènes, en 1893.

2. *Hymne au Soleil, Hymne à la Muse, Hymne à Némésis*, dits de Mésomédès, du IIe s. ap. J.-C., conservés en mss.
3. *Hymne chrétienne* du IIIe s., transmise par un papyrus trouvé en 1922 à Oxyrhynchos.    M.D.-P.
— **2.** *Hymnes chrétiennes.* On appelle hymnes des pièces versifiées divisées en strophes de structure identique, chantées alternativement par deux chœurs. Elles se trouvent dans toutes les églises chrétiennes, orientales et latines. Le terme a aussi désigné tout chant, cantique, psaume et autres compositions assimilées. Nous le prenons ici dans le sens plus restreint correspondant à la définition donnée plus haut.

*Origine :* saint Matthieu (XXVI, 30) dit que le Christ, après la Cène, se retira avec ses disciples pour chanter une hymne. Saint Paul exhorte les fidèles à chanter des hymnes. Pline (113) écrit à Trajan que les chrétiens ont coutume de s'assembler pour chanter des hymnes en chœurs alternés. Ce sont les plus anciens témoignages, mais désignent-ils les hymnes tels que nous les entendons? Les gnostiques se rendirent célèbres par l'usage qu'ils faisaient des hymnes pour endoctriner leurs disciples. Dom Cabrol (*Le livre de la prière antique*, p. 142) pense que c'est au discrédit qui résulta de cet abus qu'on doit la disparition de la plupart des hymnes des trois premiers siècles. L'hérétique Bardesane, chef d'une petite communauté gnostique (+ 225) composa des hymnes pour les membres de son groupe. Son fils Harmonius l'imita avec succès. Mais saint Ephrem d'Edesse, dit aussi Ephrem le Syrien (+ 379), pour combattre l'hérésie gnostique, substitua des paroles orthodoxes, à celles de Bardesane et conserva ses mélodies. Son activité fut très grande, et on lui attribue 66 variétés « rythmiques ». Citons encore en Orient Romanos (VIe s.), Pisidès (VIIe s.), André de Crète (VIIe s.), saint Jean Damascène (+ 749). Les liturgistes considèrent le *Gloria in excelsis Deo* comme l'un des plus précieux restes de l'hymnographie primitive (Dom Cabrol, Dom Schuster). L'hymnologie prit un nouvel essor aux IVe et Ve s. avec Prudence, Grégoire de Nazianze, Synésius, Lactance, Ausone, mais leurs compositions, trop fidèles à l'esprit de la poésie classique, ne furent pas populaires.

Les hymnes pénétrèrent en Occident au cours de la

HYMNAIRE
*L'h. de la bibl. de Zurich.*

deuxième moitié du IV<sup>e</sup> s. On attribue les plus anciennes à saint Hilaire de Poitiers : le *Lucis largitor optime* qu'il composa pour sa fille Abra est généralement admise comme authentique. On lui attribue aussi quelques hymnes transcrites dans le manuscrit d'Arezzo, qui contient la *Peregrinatio Silviae*. En Gaule, il faut encore citer Fortunat (VI<sup>e</sup> s.), auteur du *Pange lingua* et du *Salve festa dies*. Le véritable propagateur des hymnes fut saint Ambroise, évêque de Milan. Assiégé par les ariens dans la basilique où il pontifiait, il occupa la foule qui l'entourait en lui apprenant des hymnes qu'il avait composées (385) : le succès fut tel que ses adversaires l'accusaient d'ensorceler le peuple avec ses compositions ; au témoignage de saint Augustin l'Occident les avait adoptées en moins de 15 ans. Ces pièces, composées sur le mode dimètre iambique, sont simples et pleines d'allant. Elles conviennent admirablement à la poésie liturgique. Le succès même des hymnes de saint Ambroise pose un délicat problème, celui du rythme. Dom Cabrol (*Le livre de la prière...* p. 145) écrit que dans ces compositions l'accent est souvent en lutte avec la prosodie. Dans son ouvrage posthume, *Poesia e musica nella latinità cristiana dal III° al X° secola* (Turin 1949), le professeur Ugo Sesini suppose que les fidèles de saint Ambroise chantaient ses hymnes sur un rythme iambique ternaire : saint Ambroise, en effet, respecte la quantité. Ce ne serait que plus tard, vers les IX<sup>e</sup>-X<sup>e</sup> s. que la distinction entre longues et brèves aurait disparu. Cette opinion demanderait une longue et minutieuse enquête. Quoi qu'il en soit, le succès des hymnes ambrosiennes et leur diffusion attestent qu'elles avaient la faveur populaire. Il resterait à trouver la mélodie originale : ce qu'a tenté Ugo Sesini.

On a attribué à saint Ambroise 23 hymnes, dont 4 sont authentiques et 8 probables. Le type de ces compositions est le *Creator alme siderum*. Saint Césaire (503–543) les introduisit à Arles. Ce fut saint Benoît qui les inséra dans l'Office. Il désigne ces compositions sous l'épithète d'*ambrosianum*. Les monastères de saint Césaire, de saint Benoît et de Cassiodore en avaient fait une partie intégrante de l'office. En revanche, l'église romaine, sans les condamner, ne les admit qu'au XII<sup>e</sup> s. et leur accorda peu d'importance. Le concile de Braga (563) les condamna, celui de Tours (567) les admit, et l'un des conciles de Tolède (633) les imposa à l'Espagne. La Gaule, après les avoir accueillies, semble avoir montré beaucoup de discrétion dans leur usage. Les témoignages des écrivains et théoriciens, comme Amalaire, Walafrid Strabon, Abélard, sont assez contradictoires. Les monastères continuèrent à les employer et à en composer de nouvelles. Les ordres religieux, cisterciens, franciscains, dominicains, jouèrent un rôle important dans leur diffusion. Interprétant à la lettre le mot *ambrosianum* employé dans sa règle par saint Benoît, saint Etienne Hardin, abbé de Cîteaux, envoya des moines à Milan pour y copier le texte et les mélodies de ces hymnes. Mais les cisterciens, fidèles à leurs principes théoriques, corrigèrent quelques-unes de ces pièces.

Des recueils appelés *hymnaires* furent ainsi composés. On distingue plusieurs groupes. En dehors de ceux des ordres religieux désignés plus haut on a un groupe « bénédictin » conservant d'anciens usages gallicans, et un autre qui remonte peut-être au IX<sup>e</sup> s., englobe l'Europe occidentale et finit par supplanter le groupe « bénédictin ». La poésie hymnique aurait été particulièrement en honneur dans les pays du Nord. Les hymnes des petites heures de l'office et celles de complies proviennent d'une collection irlando-anglo-saxonne (J.A. Jungmann, *La liturgie de l'Eglise romaine*, p. 49). Les humanistes de la Renaissance demandaient que les textes soient révisés et mis en harmonie avec les lois de la métrique. Une correction, parfois très importante, fut faite : en 1631, Urbain VIII imposa à toute l'Eglise, sauf aux anciens ordres religieux, un texte établi par lui-même et par une commission de 4 Jésuites ; cette nouvelle version a été très sévèrement critiquée, et à juste titre.

Pour les hymnes plus récentes voir art. *néo-gallican*.

La production fut très copieuse : le catalogue d'Ulysse Chevalier en signale des milliers. L'hymnaire de l'Église romaine comprend surtout des compositions de saint Ambroise, de saint Hilaire, de Prudence de Sedulius, de Fortunat, de saint Grégoire, de Paul Diacre, de Raban Maur. La paternité de ces compositions est discutable.

*Structure:* Outre l'iambique, propre aux hymnes ambrosiennes, les compositeurs utilisèrent d'autres mètres. Nous empruntons la nomenclature et les exemples suivants à l'*Himnario sacro-liturgico de España*, de J. Zahonero Vivo et L. Casanoves Arnandis :

*Mètre trochaïque :* a — tétramètre trochaïque catalectique :

ex. : *Maximus Redemptor orbis morte vitam contulit:*
il peut être divisé de la manière suivante :
vers impairs :

vers pairs :

ex. : *Maximus Redemptor orbis*
*Morte vitam contulit:*
*b* — Tripode trochaïque :
strophe de 4 vers :

ex. : *Dei Mater Virgo*
*Absque casu stella,*
*Pulchra tamquam luna,*
*Utque sol electa.*

Mètre ïambique :
a — trimètre iambique :

ex. : *Exsultet intus plebs omnis Beturia,*
*b* — dimètre iambique :

ex. : *Puris amoris ignibus*
Mètre trochaïque dactylique :
strophe de 4 vers :
vers 1, 2, 3 :
vers 4 :
ex. : *Partas horrifico supplicii modo*
*Palmas, atque decus Martyris inclyti*
*Festivo resonent carmina pectora*
*Exsultantia gaudio.*

Mètre saphique :
strophe de 4 vers
vers 1, 2, 3 :
vers 4 :

ex. : *Pauperum patri super astra vecto*
*Nectimus sacris modulis coronam:*
*Emicat Thomas nova lux Iberi,*
*Laudis abyssus.*

Le *Gloria in excelsis* est une pièce toute différente. Dom Schuster, à la suite de dom Cabrol, en fait une hymne des premiers siècles du christianisme, peut-être la seule qui nous soit parvenue intégralement. (*cf.* Batiffol, *Hist. du bréviaire romain*, p. 9 sqq.). On peut l'identifier avec le *carmen* primitif en l'honneur du Christ et une hymne grecque dont parle Lucien. Mais, par sa structure, et en raison de son antiquité, le *Gloria* n'appartient à aucun des genres indiqués ci-dessus. Des travaux récents ont été faits sur les hymnes. Il est très difficile d'effectuer une restitution critique des textes de l'hymnaire. Cela tient à deux raisons :
*a* — l'hymnaire du bréviaire romain ne dépend pas d'un archétype unique et ancien.
*b* — les textes des hymnes peuvent se chanter suivant plusieurs timbres. Jusqu'ici on ne s'était préoccupé que du point de vue littéraire. Un nombre considérable de pièces avaient été recueillies dans les *Analecta hymnica* de Blume et Dreves. Ceci était utile pour les sources et les origines de l'hymnaire. D'autre part, il n'existe que quelques éditions d'hymnaires isolés ou quelques monographies. Dreves avait publié un travail sur l'origine irlandaise de l'hymnaire que dom Wilmart a réfuté. Nous indiquons dans la bibliographie les principales

éditions. Signalons ici deux importants ouvrages récents : Benjamin Rajeczky, *Melodiarum Hungariae medii aevi, I. Hymni et sequentiae* (Budapest 1956 — ce travail concerne les hymnes en usage en Hongrie) et Bruno Stäblein, *Monumenta monodica medii aevi, Band I, Hymnen die mittelalterlichen Hymnenmelodien des Abendlandes,* (Cassel-Bâle 1956). Le travail porte sur plus de 500 mss et imprimés. Les livres espagnols seront étudiés dans un autre volume et celui-ci n'a utilisé que quelques témoins pour l'Angleterre. Près de 97 textes littéraires viennent déjà compléter les *Analecta hymnica.* L'ouvrage fournit 557 mélodies, soit cinq fois plus que l'antiphonaire vatican. On remarque que l'hymnaire ambrosien n'a subi que très peu d'influences. Les cisterciens, qui l'ont copié, lui ont fait quelques retouches, mais sans l'altérer sensiblement. Les autres traditions étudiées sont l'aquitaine (ms. Vat. Rossi 205, originaire de Moissac), la française (Paris, B.N. nouv. acq. lat. 1235, originaire de Nevers), anglaise (Worcester), allemande (Klosterneuburg, Kempten et Einsiedeln), italienne (Vérone XIX et Gaète « Rome, Casanate 1574 »). Il est regrettable que la tradition bénéventaine ait été laissée de côté. Les hymnes notées dans les traités des théoriciens ont aussi leur place dans cet ouvrage. Ce n'est que là qu'on pourra trouver les plus anciens témoins de l'hymne *Ut queant laxis.* On y a même inséré les hymnes de procession, qui se chantent avant la messe et sont plutôt des *versus* (voir art. *trope*). Ces dernières pièces ne sont pas habituellement notées dans les hymnaires, mais dans les processionnaux et les graduels.

On ne devra pas demander à ce travail enrichi d'une utile apparat critique autre chose que ce qu'il prétend donner : les sources à l'état brut. Le matériel rassemblé est immense : il restera à l'utiliser ensuite. Tel quel, en attendant que soit achevée la publication des *Monumenta monodica medii aevi,* le premier volume du Dr. Stäblein est un ouvrage d'un très grand intérêt scientifique, le plus utile pour l'étude de l'hymnaire médiéval.

**Bibl. :** P. Batiffol, *Hist. du bréviaire romain,* Paris 1911 ; G. Kieffer, *Précis de liturgie sacrée, ibid.* 1937 ; Dom Schuster, *Liber Sacrae mentorum,* I, 2e éd., Bruxelles 1939 ; J.A. Jungmann, *La liturgie de l'Eglise romaine,* Mulhouse 1957 ; J. Zahonero Vivo et L. Casanoves Arnandis, *Himnario sacrolitugico de España,* Alcoy 1957 ; R. Lesage, *Dictionnaire pratique de liturgie romaine,* Paris 1952 ; Dom S. Baumer, *Histoire du bréviaire, ibid.* 1905 ; Dom F. Cabrol, *Le livre de la prière antique,* Tours 1925 ; *Les origines liturgiques,* Paris, 1906 ; Ugo Sesini, *Poesia e musica nella latinità cristiana dal IIIº al Xº secola,* Turin 1949 ; U. Chevalier, *Repertorium hymnologicum. Catalogue des chants, hymnes, proses, séquences, tropes en usage dans l'Eglise latine,* Louvain, 1892–1921 ; G. Dreves et Cl. Blume, *Analecta hymnica medii aevi,* 55 vol., Leipzig 1886–1922 ; Dom B. Ebel, *Das älteste alemanische Hymnar mit Noten. Kodex 366 (482) Einsiedeln,* Fribourg 1930 ; K. Weinmann, *Das Hymnar der Zisterzienser-Abtei Pairis in Elsass,* Ratisbonne 1905 ; C.A. Moberg, *Die liturgischen Hymnen in Schweden, Band I, Quellen und Texte,* Copenhague 1947 ; C.E. Pocknee, *The french diocesan Hymns and their melodies,* Londres 1954 ; B. Stäblein, *Monumenta monodica medii aevi, Band I, Hymnen die mitterlalterlichen Hymnenmelodien des Abendlandes,* Cassel-Bâle 1956.     **M.C.**

**HYMNODE.** C'est le chantre à qui les hymnes sont réservés, dans l'Eglise grecque.

**HYPATÈ** (*hypate*). C'est la corde instrumentale qui, dans l'antiquité grecque, rend le son le plus grave dans les heptacordes et les octacordes :

Bien que le terme lui-même signifie « le plus haut (*hypatos*) », elle rendait le son le plus grave ; dans la relation faite entre les cordes et les planètes, elle était consacrée à Saturne (*chronos*), planète située le plus haut (*hypatos*) au-dessus de la terre. Après l'introduction de la neuvième, de la dixième et de l'onzième corde, ce nom fut également donné au plus grave de trois sons ajoutés. Le terme *hypate* fut en outre à l'origine du *tétracorde de*

*l'hypate,* terme qui désignait les cordes du tétracorde le plus grave d'Aristoxène :

tétracorde        tétracorde        tétracorde
de l'hypate       de la mèse      de l'hyperbolée

A une époque postérieure à Aristoxène, elle a donné naissance au terme *hypatôn* (tétracorde aux cordes semblables — quant à la tension — à l'*hypate*), qui a remplacé celui du *tétracorde de l'hypate,* et qui a été ajouté à chacun des sons du tétracorde « le plus grave » : *hypatè hypatôn, parhypatè hypatôn, lichanos hypatôn* (voir art. *système*).     **M.D.-P.**

**HYPATON.** Voir art. *hypate.*

**HYPERBOLAÏON.** Voir art. suivant.

**HYPERBOLÉE.** C'est le troisième tétracorde, le plus aigu du système de l'époque aristoxénienne (le système parfait, comprenant deux octaves, n'était pas encore connu) était appelé le « tétracorde de l'*hyperbolaïa* », d'après la corde qui était ajoutée au-dessus du système primitif octacorde :

*tétracorde de l'hyperbolée*

Après Aristoxène, quand le système se fut élargi, eut changé, ce terme s'était transformé, lui aussi, et s'employait pour caractériser les trois cordes du tétracorde des cordes « jetées dessus » (*hyperbolaïon*), au-dessus des trois tétracordes inférieurs : *trite hyperbolaïôn, paranete hyperbolaïôn, nete hyperbolaïôn* (voir art. *système*). **M.D.-P.**

**HYPERDORIEN.** C'est le *tonos* ou *tropos* (échelle transposée), de l'époque hellénistique, en *sol,* dans la classification des treize *tonoï* dits aristoxéniens ou dans celle des quinze *tonoï* ; dans la classification des huit *tonoï,* il portait le nom de mixolydien (voir art. *tonos*).    **M.D.-P.**

**HYPERÉOLIEN.** C'est le *tonos* ou *tropos* (échelle transposée), de l'époque hellénistique, en *fa,* dans la classification des treize *tonoï* dits aristoxéniens ou dans celle des quinze *tonoï* (voir art. *tonos*).   **M.D.-P.**

**HYPERHYPATÈ** (*hyperhypate*). C'est la corde instrumentale, dans l'antiquité grecque, qui fut ajoutée selon les uns par Prophraste de Piérie, selon les autres par Phrynis, à l'octacorde classique au-dessus (*hyper*) de l'*hypate* ; elle se trouvait à la partie de l'instrument, la plus éloignée du joueur, et rendait son son grave de l'*hypate.*     **M.D.-P.**

**HYPERIONIEN.** C'est le *tonos* ou *tropos* (échelle transposée), de l'époque hellénistique, en *la bémol aigu,* dans la classification des treize *tonoï* dits aristoxéniens ou dans celle des quinze *tonoï* (voir art. *tonos*).   **M.D.-P.**

**HYPERLYDIEN.** C'est le *tonos* ou *tropos* (échelle transposée), de l'époque hellénistique, en *si aigu,* dans la classification des quinze *tonoï* (voir art. *tonos*).   **M.D.-P.**

**HYPERMÈSE.** C'est la corde instrumentale, dans l'antiquité grecque, appelée habituellement *lichanos,* qui se trouvait, dans le système octacorde, au-dessus (*hyper*) de la *mèse,* les sons les plus graves se trouvant à la partie de l'instrument la plus éloignée du joueur, et qui rendait le premier son grave au-dessous de la *mèse* (voir art. *sytème*).     **M.D.-P.**

**HYPERMIXOLYDIEN (NE). — 1.** L'harmonie *hypermixolydienne* est la huitième harmonie, inconnue à l'époque classique grecque, introduite par Aristoxène : elle doit son nom à sa position dans la classification « classique », au-dessus (*hyper*) de la mixolydienne, nommée également hyperphrygienne ; — **2.** *hyper-*

*mixolydien* : c'est le son le plus aigu du système tant harmonieux [*em-mélès*] que non-harmonieux [*ek-mélès*] (voir art. *système*) d'Aristoxène, et comme tel, le son fondamental de l'harmonie hypermixolydienne ; — **3.** *hypermixolydien* : c'est le *tonos* ou *tropos* (échelle transposée), de l'époque hellénistique, en *la aigu*, dans la classification des huit *tonoï* ou dans celle des treize *tonoï* dits aristoxéniens ou bien dans celle des quinze *tonoï*, nommé dans cette dernière *hyperphrygien*.    M.D.-P.

**HYPERPHRYGIEN.** — **1.** S'appliquant à une harmonie, c'est une autre dénomination de l'harmonie hypermixolydienne, introduite par Aristoxène ; — **2.** *hyperphrygien*, son le plus aigu du système tant harmonieux [*em-mélès*] que non-harmonieux [*ek-mélès*] (voir art. *système*) d'Aristoxène, nommé d'habitude hypermixolydienne ; — **3.** *hyperphrygien* : c'est le *tonos* ou *tropos* (échelle transposée), de l'époque hellénistique, en *la aigu*, dans la classification des treize *tonoï* dits aristoxéniens ou dans celle des quinze *tonoï* (voir art. *tonos*).    M.D.-P.

**HYPODORIEN.** — **1.** S'appliquant à l'harmonie, c'est une harmonie, semblable à la dorienne, qui se place au-dessous (*hypo*) de la véritable dorienne,

*dorienne*

*hypodorienne*

introduite, lors de la formation de la classification des sept harmonies, par Pythagore de Samos. C'était l'harmonie qui a remplacé l'éolienne et ses variétés, la locrienne et la béotienne, à sept cordes. Selon Lasos d'Hermione, elle était réellement une harmonie des sons graves et identique à l'éolienne, d'un caractère — selon Héraclide du Pont — « fier et enflé ». Aristote lui attribue un èthos de magnificence, convenable aux tragédies, aussi bien que le caractère « qui excite à l'activité », bien propre aux personnages de la scène représentant les héros et les chefs du peuple, aux acteurs qui « *agissent* ». — **2.** *hypodorien* : c'est le son fondamental du système harmonieux [*em-mélès*] d'Aristoxène, et, comme tel, son fondamental de l'harmonie hypodorienne, aussi bien qu'un des sons des trois systèmes non-harmonieux [*ek-mélès*] des prédécesseurs d'Aristoxène (voir art. *système*) ; — **3.** C'est encore le *tonos* ou *tropos* (échelle transposée), de l'époque hellénistique, en *la grave*, dans la classification soit des huit, soit des treize *tonoï* dits aristoxéniens, soit dans celle des quinze *tonoï* (voir art. *tonos*).    M.D.-P.

**HYPOÉOLIEN.** C'est le *tonos* ou *tropos* (échelle transposée), de l'époque hellénistique, en *do*, dans la classification des treize *tonoï* dits aristoxéniens ou dans celle des quinze *tonoï* (voir art. *tonos*).    M.D.-P.

**HYPOÏONIEN.** C'est le *tonos* ou *tropos* (échelle transposée), de l'époque hellénistique, *en si bémol*, dans la classification des treize *tonoï* dits aristoxéniens ou dans celle des quinze *tonoï* (voir art. *tonos*).    M.D.-P.

**HYPOLYDIEN.** — **1.** S'appliquant à une harmonie, c'est celle qui, dans la classification des sept harmonies de Pythagore de Samos, avait pris la place de l'ionienne : c'était l'harmonie qui s'approchait de la lydienne et plaçait au-dessous (*hypo*) de la lydienne :

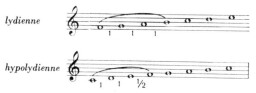

*lydienne*

*hypolydienne*

— **2.** *hypolydien* : c'est le troisième son dans le système harmonieux [*em-mélès*] d'Aristoxène, et comme tel, son fondamental de l'harmonie hypolydienne (voir art.

*système*). — **3.** Dans le système non-harmonieux [*ek-mélès*] d'Aristoxène, deux sons étaient appelés *hypolydiens*, le *do* et le *do dièse* ; le premier, nommé *hypolydien grave*, le second, *hypolydien aigu* (voir art. *système*). C'étaient également les *tonoï* ou les *tropoï* (échelles transposées), de l'époque hellénistique, dans la classification primitive des treize *tonoï* dits aristoxéniens. — **4.** C'est encore le *tonos* ou *tropos* (échelle transposée), de l'époque hellénistique, en *do dièse*, dans la classification soit des huit, soit des treize *tonoï* dits aristoxéniens (classification postérieure), soit dans celle des quinze *tonoï* (voir art. *tonos*).    M.D.-P.

**HYPOPHRYGIEN.** — **1.** S'appliquant à une harmonie, c'est celle qui est semblable à la phrygienne et se plaçait au-dessous (*hypo*) de la véritable phrygienne :

*phrygienne*

*hypophrygienne*

introduite, lors de la formation de la classification des sept harmonies, par Pythagore de Samos, et liée pour la première fois à son nom par Boèce. Les tragiques s'en servaient, selon Aristote, pour caractériser les personnages de la scène, acteurs, qui représentaient les héros et les chefs du peuple, et qui agissaient : c'est en effet l'harmonie qui excite à l'activité, et qui doit ce caractère excitant à son harmonie authente : phrygienne. Mais, comme celle-ci, outre le caractère excitant avait également un èthos déprimé, plaintif et grave, l'hypophrygienne devait s'y conformer, elle aussi. Boèce lui attribue un effet grâce auquel Pythagore avait calmé le jeune homme de Taumérite, excité par l'harmonie phrygienne. — **2.** *hypophrygien* : c'est le deuxième son du système harmonieux [*em-mélès*] d'Aristoxène, et, comme tel, son fondamental de l'harmonie hypophrygienne, aussi bien qu'un des sons de deux systèmes non-harmonieux [*ek-mélès*] des prédécesseurs d'Aristoxène (voir art. *système*). — **3.** Dans le système non-harmonieux [*ek-mélès*] d'Aristoxène, deux sons étaient appelés *hypophrygiens*, le *si bémol* et le *si* : le premier nommé *hypophrygien grave*, le second *hypophrygien aigu* (voir art. *système*). C'étaient également les *tonoï* ou *les tropoï* (échelles transposées), de l'époque hellénistique, dans la classification primitive des treize *tonoï* dits aristoxéniens (voir art. *tonos*). — **4.** C'est encore le *tonos* ou *tropos* (échelle transposée), de l'époque hellénistique, en *si*, dans la classification soit des huit, soit des treize *tonoï* dits aristoxéniens (classification postérieure), soit dans celle des quinze *tonoï* (voir art. *tonos*).    M.D.-P.

**HYPOPROSLAMBANOMÉNOS.** « Nom d'une corde ajoutée, à ce qu'on prétend, par Gui d'Arezzo, un ton plus bas que la proslambanomène des Grecs, c'est-à-dire au-dessous de tout le système. L'auteur de cette nouvelle corde l'exprima par la lettre Γ de l'alphabet grec ; et de là nous est venu le nom de la gamme ».    J.-J. Rousseau.

**HYPOSTASE (Grande).** Voir art. *notation* (*chant byzantin*).

**HYSEL Franz Eduard.** — **1.** *der Älter* (Hengsberg 9.2. 1770–Graz 15.9.1841). Mus. autr., qui fut 1er viol. et chef d'orch. au théâtre de Graz (1801–36), dirigea le même théâtre (1813) et enseigna ; il épousa la fille de Johann Christoph Kaffka ; on lui doit de la mus. de circonstance (*Redout-Deutsch* de carnaval, *Festgesang, Danklied*, etc.), une œuvre chor. et symph. à 8 v. ; la plupart de ses compositions ont été perdues ; son fils. — **2.** *der Jünger* (Graz 10.10.1801–Nuremberg 22.9.1876) fit une carrière de ténor en Autriche et à Nuremberg. Voir R. Baravalle, *F.E.H.* ..., ds *Aus d. Musikleben d. Steierlandes*, Graz 1924 ; O.E. Deutsch, *Beethovens Beziehungen zu Graz*, ibid. 1907 ; E. Eisbacher, *Das grazer Konzertleben v. 1815 bis März 1839*, thèse de Graz, 1957 ; H. Federhofer in MGG.

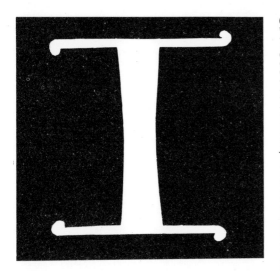

**ÏAMBE.** Terme de métrique grecque : c'est un pied composé d'un levé (une brève) et d'un frappé (une longue) : il est donc de genre double, de rythme ascendant et vaut 3 *morae :* ∪ ⎯ .

**IASTIEN** (*Mode*). C'est le nom qu'Aristoxène et Alypius donnèrent au mode ionien.

**IBERÊ de LEMOS Arthur.** Compos. brésilien (Belem 9.6.1901-). Elève d'Oswald, il fut aussi celui de John Barbirolli (vcelle) à Londres et étudia à Berlin et à Milan ; il est l'auteur d'un opéra et de compositions symphoniques. D.D.

**IBERT Jacques.** Compos. franç. (Paris 15.8.1890). Après des études secondaires au collège Rollin, il entre au conservatoire de Paris, dans la classe d'art dramatique de Paul Mounet en 1909 ; cependant sa vocation musicale l'emporte sur son goût du théâtre et il suit, toujours au conservatoire, l'enseignement de Pessard (harmonie), Gédalge (contrepoint) et Paul Vidal (composition) ; il obtient en 1914 les prix d'harmonie, de contrepoint et de fugue, mais la guerre le contraint à stopper son activité musicale ; lorsqu'il est démobilisé, après l'armistice, il se présente au concours de Rome, et sa cantate *Le poète et la fée* lui permet de remporter le premier grand prix (1919). De 1920 à 1923, *J. I.* coupe son séjour à la villa Médicis par des voyages à travers l'Italie, l'Espagne et la Tunisie, puis il rentre à Paris ; ses premières œuvres révèlent déjà sa personnalité : *Ballade de la geôle de Reading*, d'après Oscar Wilde, l'opéra *Persée et Andromède* et les *Escales* dont l'écriture vive et colorée a rapidement assuré à son auteur une grande renommée ; en 1936, *I.* retourne à Rome, car il est nommé directeur de la villa Médicis ; en 1955, il préside pendant une courte période aux destinées des théâtres lyriques nationaux, et, l'année suivante, il entre à l'Institut de France. La production musicale de Jacques Ibert est fort abondante et touche aux genres les plus variés ; dans certaines partitions, il s'est révélé musicien de « divertissement », inspiré par l'opérette et l'opéra-bouffe, mais il a su également, dans d'autres œuvres, prouver la profondeur et la noblesse de son inspiration ; son écriture musicale est toujours caractérisée par la clarté, l'élégance et la distinction ; il ne se rattache à aucune école, bien que son style le place dans la lignée de la musique française (Rameau, Bizet, Debussy). Pour définir le génie, Jacques Ibert eut cette boutade : « Un pour cent d'inspiration, quatre-vingt-dix-neuf pour cent de transpiration ».

**Œuvres :** *œuvres lyriques : L'Aiglon*, drame musical en 5 actes en collab. av. Arthur Honegger (Heugel 1937), *Angélique*, farce en un acte sur des paroles de Nino (*ibid.* 1929), *Persée et Andromède ou le plus heureux des trois*, opéra en 2 actes de Nino, d'après les *Moralités légendaires* de Jules Laforgue (Durand 1929), *Gonzague*, opéra-bouffe en un acte (Leduc 1955), *Les petites Cardinal*, en collab. av. A. Honegger, opérette d'Albert Willemetz et Paul Brach

(Choudens 1939), *Le Roi d'Yvetot*, opéra-comique en 4 actes, sur un livret de Jean Limozin et André de La Tourasse (Heugel 1930) ; *ballets : Les amours de Jupiter*, scénario de Boris Kochno (Salabert 1951), *Le Chevalier errant*, opéra chorégraphique, d'après Cervantès (Leduc 1949), *Diane de Poitiers* (Leduc 1934), *L'Eventail de Jeanne* (1929) ; *mus. de scène : Un chapeau de paille d'Italie*, de Labiche (Durand 1931), *Donogoo* de J. Romains (Peters 1932), *Le médecin de son honneur* de Calderon-Arnoux, *Le stratagème des roués* de J. Weyer, *Le jardinier de Samos* de Ch. Vildrac, *Antoine et Cléopâtre* de Shakespeare-Gide, *Le songe d'une nuit d'été* de Shakespeare, *Le Burlador* de Serge Lifar, *Le cavalier de fer* d'A. Arnoux ; *mus. de film : S.O.S. Foch, Don Quichotte, Golgotha, Le coupable* (Choudens 1936), *La maison du Maltais* (Choudens 1938), *Les deux orphelines, L'homme de nulle part, Thérèse Martin* (Choudens 1939), *Hantise et volubilis* (Ricordi), *Félicie Nanteuil* (Choudens 1946), *La charrette fantôme, Angelica, Kœnigsmark, Courrier-sud, Macbeth, Marianne de ma jeunesse* (Choudens 1955), *Initiation à la danse, Héros de la Marne* (Salabert 1939), *Le patriote* (Salabert 1938), *Les cinq gentlemen maudits* (Ricordi 1932) ; *œuvres radiophoniques : La tragédie du docteur Faust* (1942), *Barbe-Bleue*, opéra-bouffe (1943), *Evocation de Cervantès* (1947), *Les Aventures de Brô et Tiss* ; *spectacles son et lumière : A toutes les gloires de France* (Versailles), *Mille ans d'histoire de France* (Vincennes) ; *orchestre : Bacchanale* (Leduc 1958), *La ballade de la geôle de Reading*, d'après le poème d'Oscar Wilde (Leduc 1924), *Capriccio pour dix instruments* (Leduc 1939), *Chant de folie pour voix et orch.* (Leduc 1926), *Concertino da camera* (Leduc 1935), *Concerto pour flûte et orch.* (Leduc 1934), *Concerto pour vcelle et orch. d'instr. à vent* (Heugel 1926), *Divertissement pour orch. de chambre* (Durand 1931), *Escales* (Leduc 1925), *Féerique* (Leduc 1925), *Hommage à Mozart* (Leduc 1957), *Le jardinier de Samos*, suite pour fl., clar., trompette, vcelle (Heugel 1926), *Louisville-concert* (Leduc 1954), *Ouverture de fête* (Leduc 1946), *Sarabande pour Dulcinée* (Leduc 1949), *Symphonie concertante pour hautbois et orch.* (Leduc 1951), *14 Juillet* de Romain Rolland, en collab. (1936), *Suite élisabéthaine* (1946), *Le chevalier errant*, suite symph. (Leduc 1952) ; *mus. de chambre : Caprilena pour viol. solo* (Leduc 1951), *Aria* (Leduc 1931), *Entr'acte pour fl. et guitare* (Ed. soc. intern. 1937), *Etude-Caprice pour un tombeau de Chopin pour vcelle seul* (Leduc 1950), *Ghirlarzana pour vcelle seul* (Leduc 1952), *Impromptu pour trompette et piano* (Leduc 1951), *Jeux*, sonatine pour viol. et p. (Leduc 1927), *2 mouvements pour 2 fl., clar. et basson* (Leduc 1923), *Pièce pour fl. seule* (Leduc 1936), *5 pièces en trio pour htb, clar. et bsson* (Monaco, L.B. Dyer 1954), *Quatuor à cordes* (Leduc 1944), *Trio pour viol., vcelle et harpe* (Leduc 1945), *Trois pièces brèves pour fl., htb, clar., cor et basson* (Leduc 1930), *Six pièces pour harpe à pédales* (Leduc 1932), *Souvenir*, pièce pour quatuor à cordes avec contrebasse et p. conducteur (Leduc 1932), *Trois pièces pour orgue* (Heugel 1920), *Quintette de la peur* (1947) ; *œuvres vocales : Chansons de Ch. Vildrac* (Leduc 1923), *Berceuse de Galiane* sur des paroles d'A. Arnoux (Leduc 1957), *La berceuse du petit Zébu*, chœur à 3 v. sur des paroles de Nino (Leduc 1936), *Chansons de Don Quichotte* (Leduc 1957), *Complainte de Florinde* sur des paroles d'A. Arnoux, (Leduc 1957), *Deux chants de carnaval de Machiavel* (Heugel 1924). *4 Chants*, sur des poèmes de G. Jean-Aubry (Heugel 1924), *Chanson*, sur une poésie de M. Maeterlinck (Leduc), *Chanson du rien*, sur une poésie de Constantin-Weyer (Leduc 1930), *Les fleurs des champs*, sur une poésie de Nino (Leduc 1936), *Le jardin du ciel*, sur une poésie de Catulle Mendès (Leduc), *L'môme Aristide* (1909), *Le premier baiser* (1909), *Les roses mystiques* (Choudens 1939), *Deux stèles orientées* de Victor Segalen, pour v. et fl. (Heugel 1926), *Tiède azur*, sur un poème de Tristan Derème (RM 1924), *Un coryza excitalrant* (Souchère et Sermet, 1909) ; *œuvres pour piano : Burlesque-fox* (Choudens 1938), *Conga-Safia* (*ibid.* 1938), *Coquetterie* (*ibid.* 1938), *Délivrance* (*ibid.* 1938), *Destin* (*ibid.* 1936), *Eden-fox* (*ibid.* 1938), *Française « Guitare »* (Leduc 1928), *Funèbre* (Choudens 1936), *Histoires* (Leduc), *Isabelle, polka* (Choudens 1936), *Matin sur l'eau* (Leduc 1932), *Ombrages* (Choudens 1936), *Quatorze* (*ibid.* 1936), *Polka 1900* (*ibid.* 1936), *Les rencontres* (Leduc 1924), *Scherzetto* (*ibid.* 1932), *Sfax-fox* (Choudens 1938), *Solitude* (*ibid.* 1936), *Toccata sur le nom de Roussel* (RM 1929), *Le vent dans les ruines* (Leduc 1932), *Noël en Picardie* (Heugel 1914), *Petite Suite en 15 images* (Foetisch Frères 1944).

**Bibl. :** P. Landormy, *La mus. franç. après Debussy* ; J. Bruyr, *L'écran des musiciens*, 1929 ; RM, n° de juill. 1929 ; R. Dumesnil, *La mus. en France entre les deux guerres*, Paris 1946 ; G. Samazeuilh, *De la musique encore et toujours*, id. *ibid.* — *Musiciens de mon temps*, *ibid.* 1947 ; N. Dufourcq, *La mus. française*, *ibid.* 1949 ; C. Rostand, *La mus. franç. contemporaine*, *ibid.* 1952 ; G. Favre, *Musiciens franç. contemporains*, *ibid.* 1956 Cl.S.

**IBN ABD RABBIHI Abu Omar Ahmad ibn Mohammed** (*Ibn Arabi*). Poète arabe (Cordoue 29.11.860-3.3.940). Le célèbre poète arabe, qui vécut en Espagne islamique, intéresse la musique par le chapitre qui concerne la musique et les musiciens qu'il inséra dans son anthologie intitulée *Al-iqd al-farid* (Le collier unique), dans lequel il traite plus particulièrement du chant et des chanteurs : cf. H.G. Farmer, *Music : The priceless jewel* (1942 — et art. ds *Islamic culture* (1943-1944). Voir H.G. Farmer, *Hist. of arabian music*, Londres 1929 — *Sources of arab. mus.*, Bearsden 1940.

**IBN AL KHATIB Lisan al-Din, Abu Abdallah, Mohammed.** Théoricien arabe (Loja, Grenade,15.11.1313–Fez 1374). Vizir, il rédigea une soixantaine de volumes, dans lesquels il traita de l'histoire de la musique ; un fragment d'un traité de musique a été conservé à Madrid et traduit en anglais par H.G. Farmer ds *An old moorish lute tutor* (1933). Voir M. Casiri, *Bibliotheca arabico-hispana escurialensis, II,* Madrid 1760–70 ; H.G. Farmer, *Sources of arabian music,* Bearsden 1940.

**IBN AL-NADIM Abu'l Faraj, Mohammed ibn Ishak.** Lettré arabe du X⁰ s., qui composa un index (*Al-Fihrist*) de tous les livres arabes rédigés jusqu'à 988 ; malheureusement, les passages qui concernent la musique sont fort lacunaires. Voir H.G. Farmer in *Grove's Dictionary.*

**IBN GHAYBI Abu'l-Qadir.** Théoricien arabe du XV⁰ s. qui mourut en 1435, laissant trois ouvrages sur le chant·

**IBN SINA.** Voir art. *Avicenne.*

**IBN MOHRIZ Moslin.** Mus. arabe du XIII⁰ s., né à La Mecque, père putatif du rythme *ramal,* qui construisit ses mélodies sur des distiques, doublant ainsi les dimensions coutumières (avant lui) des mélodies.

**IBOS Guillaume.** Ténor franç. (Muret 1860–Montesquieu-Volvestre 1952), qui débuta à l'Opéra de Paris en 1885, fit une carrière intern., créa *Werther* (1893).

**IBRAHIM AL-MAUSILI** (*Ibrahim ibn Mahan al-Nadim al-Mausili*). Mus. arabe (Koufa 742–Bagdad 804). Issu d'une famille de l'aristocratie persane, il étudia en Perse, puis à Basra, devint le musicien de cour le plus célèbre de Bagdad, fonda une école de musique ; on lui attribue 900 compositions ; il est fréquemment nommé dans les *Mille et une nuits.* Voir H.G. Farmer, *Hist. of arab. mus.,* Londres 1929 — *The minstrelsy of the arabian nights,* Bearsden 1946.

**IBRAHIM IBN AL-MAHDI.** Mus. arabe (Bagdad ...7.779–Samarra ... 7.839). Haut personnage de la cour des Abbassides, chanteur remarquable, il écrivit un ouvrage sur l'art du chant et fut le chef de l'école romantique de l'époque, qui joua un grand rôle, suscitant notamment une querelle dont les protagonistes furent Ichaq Al-Mausili et lui-même. Voir H.G. Farmer, *Hist. of arab. mus.,* Londres 1929.

**IBYCOS.** Mus. et poète grec (Rhégium v. 570 av. J.-C.?). A la différence de certains de ses contemporains, il donnait la préférence dans ses poèmes à la partie musicale plutôt qu'à la poésie : c'est pourquoi Proclus (V⁰ s. ap. J.-C.) le qualifie encore du nom de *mèlopoïos* (compos. de mus.) ; on lui attribue l'invention du sambyque, instrument appartenant à la famille des instruments ayant un grand nombre des cordes (voir art. *sambyque*) ; il vécut longtemps à la cour de Polycrate, tyran de Samos (533–522), ainsi que beaucoup d'autres musiciens de son époque. M. D.-P.

**ICHAQ AL-MAUSILI Abu Mohammed.** Mus. arabe (Raiy 767–Bagdad 850). Fils et élève d'Ibrahim *Al-M.,* neveu et élève de Zalzal, il débuta sous le règne d'Haroun Al-Rachid et fut luthiste virtuose aussi bien que chanteur : il passe pour être le premier falsettiste ; poète, grammairien, juriste, écrivain, on lui attribue près de 40 volumes, dont aucun d'entre eux ne nous soit parvenu. Voir C. Barbier de Meynard, *I. fils de Mehdi,* ds *Journal asiatique,* Paris 1869 ; H.G. Farmer, *Hist. of arab. mus.,* Londres 1929 — *Sources of arab. mus.,* Bearsden 1940.

**ICHI-GEN-KIN.** (Littéralement : « instrument à une corde »). C'est une cithare, longue et mince, à une corde fixée par une cheville (Japon) : depuis le XIII⁰ s., c'est l'instrument favori des dames nobles ; il est devenu très rare. On dit aussi *summa-koto.* E.H.-S.

**ICHI-NO-TSUZUMI.** C'est un petit tambour en sablier (54 cm. de haut, 24 cm. de diamètre), utilisé occasionnellement dans la musique de style T'ang, au Japon, jusqu'en 1868 et remplacé généralement de nos jours par le *kakko* (voir à ce mot). E.H.-S.

**ICTUS. — 1.** En métrique, voir art. *formes linguistiques,* pp. 125-127. — **2.** En plain-chant, c'est le nom donné au *posé* du rythme élémentaire, dans le solfège de Solesmes. On verra les détails de ce rythme dans l'art. relatif à dom Mocquereau et à l'art. *rythme (grégorien).* Ce posé est indiqué dans les livres soit par un épisème vertical, soit par une convention qui le place, par ordre de préférence, sur ces épisèmes, sur les notes longues, sur les débuts de neumes. La présence de l'*i.* est conventionnelle ; elle n'implique pas que la note désignée soit traitée comme une première note de mesure métrique ou comme un « temps fort » métrique, qui n'est d'ailleurs exécuté comme tel que dans une mauvaise interprétation. La « mesure » du solfège grégorien comporte deux ou trois notes seulement ; c'est un groupement un peu fictif qui ne sert qu'à construire l'organisation rythmique générale de la pièce. Chaque rythme élémentaire comporte un lever (*arsis*) et une retombée (*thésis*) ; le posé de la mesure se trouve sur la retombée et coïncide avec la fin du rythme, et l'élan (*arsis*) du rythme correspond au levé de la mesure du mouvement, ce qui lui donne une grande légèreté. Les deux notions *rythme* et *mesure* sont donc imbriquées l'une dans l'autre, tout comme le mouvement des deux jambes d'un coureur, dont l'une prend appui tandis que l'autre est déjà détachée du sol. Le frappé des *i.* doit être connu, tout comme la division en mesures et l'étude au métronome sont nécessaires à l'étude d'une pièce classique ; mais lorsque cette phase du travail est terminée, il ne doit plus en rester trace dans la voix : il ne sert, dans la chironomie directrice, qu'à construire le diagramme des gestes de direction.

**Bibl.** : le système a été mis au point par dom Mocquereau, dans son *Nombre musical grégorien, ou rythmique grégorienne,* 2 vol., Paris 1927 : on y trouvera de nombreux schémas donnant l'analyse du rythme élémentaire et la synthèse du « grand rythme ». — Comme toutes les études relatives au chant grégorien, la rythmique, qui en est l'un des éléments les plus importants, reçoit une attention spéciale dans la *Bibliographie grégorienne,* éditée à Solesmes (ronéotypie) en 1955, et soigneusement tenue à jour ; un fascicule est édité tous les deux ans environ, le plus récent a paru en février 1958 (voir celle de l'art. *grégorien* dans le présent ouvrage). S.C.

**IDELSOHN Abraham Zwi.** Compos. et musicologue letton (Félixbourg 14.7.1882–Johannesbourg 14.8.1938). Élève des cons. de Koenigsberg, Berlin et Leipzig, chantre à Ratisbonne (1903), Johannesbourg (1905), il s'établit à Jérusalem (1906) où, en dehors de ses fonctions de chantre, il enseigna à l'école normale, fonda un institut de mus. juive (1910) et une école de musique (1919) ; après un séjour à Berlin et à Leipzig, (1921), il résida aux Etats-Unis (1922) et fut prof. de mus. et de liturgie juives à l'*Hebrew Union College* de Cincinnati (1924) ; les multiples travaux d'*I.,* surtout sa collection monumentale de chant juif, synagogal et populaire, l'ont consacré comme l'autorité par excellence dans le domaine de la musicologie juive et constituent la base de toute la recherche moderne, notamment dans le domaine de l'ethnologie musicale : on lui doit en particulier la définition du caractère *formulaire* de la mus. juive (voir à cet art.), caractère commun à d'autres musiques orientales et primitives ; parmi ses principaux travaux, citons *Hebräisch Orientalischer Melodienschatz* (10 vol., Jérusalem, Berlin, Vienne, Leipzig, 1914–1932), *Jewish mus. in its hist. development* (N.-York 1929), *Tôldôt han-neginâh ha-ibrît* (I, Berlin 1924–II, ?). Voir la bibl. complète de ses travaux chez A. Sendrey, *Bibl. of jewish mus.,* N.-York 1951 (index, où l'on trouvera également la liste des biographies consacrées à *I.* : n⁰ˢ 5492-5506). I.A.

**IDIOGLOTTIQUE.** Cet adjectif qualifie un instrument qui présente une languette détachée du corps de l'instr. lui-même : tuyau ou lame ; ainsi une clarinette est dite *i.* lorsqu'on a entaillé dans sa paroi une languette formant anche (petite clarinette de bambou, de graminée p. ex.) ; une guimbarde (voir à ce mot) est dite *i.* lorsque la languette est découpée dans une lame (guimbarde de bambou). C.M.-D.

**IDIOMÈLE** (*Idiomèlon*). Cet adjectif s'applique, dans le chant byzantin, à une œuvre de composition entièrement originale, c'est-à-dire dans laquelle texte et mélodie sont du même compositeur. Voir art. *auto-mèlon* et *byzantin*.

**IDIOPHONE.** Introduit dans la terminologie organologique par Curt Sachs (*Real-Lexikon der Musik-instrumente*, 1913), ce terme a remplacé celui d'*autophone*, créé par Victor Mahillon en 1880 ; l'un et l'autre désignent une variété d'instruments formés de corps solides, qui ne sont ni des cordes ni des membranes, toutefois assez élastiques par eux-mêmes pour entretenir un mouvement vibratoire : bâton, tuyau ou vase de toutes matières ; lames de bois ou de bronze ; plaque de pierre ; verge métallique etc. Cette nouvelle classe, ajoutée aux trois divisions classiques (cordes, membranes, vents), a permis d'englober nombre d'instruments négligés ou inconnus jusqu'alors et de définir exactement leurs modes d'ébranlement : entrechoc, pilonnage, percussion, secouement, râclement, arrachement, pincement, friction, soufflement. Il n'en reste pas moins que, parmi les *i.*, se trouvent rangés des instruments de matières, de formes et de factures très dissemblables, produisant ou non des sons de hauteur déterminée, tels que cloche, gong, xylophone, guimbarde, cymbales, castagnettes, hochet, sonnaille etc. Les uns se composent d'un corps unique, les autres de plusieurs pièces, aussi distinctes que le sont dans un violon les cordes, le chevalet, la table ou la caisse. La plupart exigent l'action d'un résonnateur ; certains prêtent à un accordage des plus savant. Enfin tous, par leur facture, relèvent de niveaux de culture matérielle très différents.      A.Sch.

**IFFERT August.** Chanteur allem. (Brunswick 31.8.1859-Dresde 13.8.1930), qui, après une brève carrière théâtrale, enseigna le chant à Leipzig, aux cons. de Cologne (1891), Dresde (1893), Vienne (1904), à Dresde (1909) ; de ses publications, citons' *Allg. Gesangschule* (I, Leipzig 1895), *Sprechschule f. Schauspieler u. Redner* (*ibid.* 1911), *Etwas v. Gesange* (*ibid.* 1929).

**IGLESIAS VILLOUD Hector.** Compos. argentin (S. Nicolas 31.1.1913-). Elève de C. Gaito, secrétaire de la *Soc. arg. de compos.*, prof. d'harmonie au cons. Fracassi, 1er président de l'*Asoc. de art. mús. arg.*, il est auteur de ballets, de mus. de théâtre, symph., de chambre.

**IGNANNINO Angelo.** Mus. ital. (Altamura ... –Venise 1543), moine dominicain, maître de chapelle à Venise, auteur de madrigaux et de mus. d'église polyph., imprimée mais perdue, et d'un traité ms. intitulé *Ricercate con l'intavolatura*.

**IGNATIUS Anja.** Violon. finlandais (Tampere 2.7.1911-), élève de Nadaud (Paris), de Sevčik (Pisek), de C. Flesch (Berlin), qui fait une carrière internationale.

**IGOUMNOV** (*Igumnov*) **Konstantin Nikolaevitch.** Pian. et pédagogue russe (Lebedian 1.5.1873-Moscou 23.3.1948). Elève de Sverev, Siloti, Pabst et Taneev au cons. de Moscou, prix Rubinstein (1895), prof. au cons. de Tiflis, il sera prof. (1899-1948) et dir. (1924-1929) du cons. de Moscou ; il fut le premier interprète du 1er *Concerto* de Glazounov, de la 1re *Sonate* de Rachmaninov, de la *Sonate-Fantaisie* de Scriabine etc. ; il a formé plusieurs générations de pianistes russes, dont Lev Oborine.

**IKENOUCHI Tomojiro.** Compos. japonais (Tokio 21.10.1906-). Elève du cons. de Paris (Fauchet, Caussade, Busser), prof. au cons. de Tokio (dep. 1946), il a écrit notamment une *Ballade sur un air ancien jap.* (vcelle), 1 quatuor à cordes (1936), 4 sonatines (p. 1954, vl. 1956, vcelle 1957, sopr. 1958), *Yuya* (3 mouv. symph. avec v., 1940), *Suite symph.* (1950), traduit en jap. le cours de composition de d'Indy, publié un traité d'harmonie (3 vol.) et un de contrepoint et fugue (*id.*).

**IKLIGHI.** C'est une vièle, à 2 cordes, apparentée au rabab [voir à ce mot] (Moyen-Orient).      S.J.

**IKONEN Lauri.** Compos. finlandais (Mikkeli 10.8.1888-). Elève de l'univ., de l'Institut musical et de l'école d'orch. d'Helsinki, de P. Juon (Berlin), prof. au cons. de Wiipuri (1914-1918), réd. en chef du périodique *Suomen Musiikkilehti* (1923-29), secrétaire de la Soc.

des compos. finlandais (1924-31), dir.-fondateur de la *TEOSTO* (1928-30), il a écrit 5 symph., 2 concertos, 1 quatuor à cordes (1956) et 1 trio (1941) (entre autres œuvres de mus. de chambre), des chœurs, des mélodies, *Elämän lahja* (soli, ch. et orch., 1956).

**IKONOMOV Bojan.** Compos. bulgare (Nikopol 1900-). Elève de d'Indy à la *Schola cantorum* (Paris), de F. Weingartner (Bâle), il a écrit des œuvres symph. (2 symph.), de chambre, de film, des « chants de masses ».

**IKOUMA.** C'est un tambour cylindrique, à deux membranes clouées (Afrique, Moyen-Congo, peuple Kouyou).      M.A.

**ILDEFONSO de TOLEDO** (*Saint*). Il fut archevêque de Tolède depuis 657 jusqu'à sa mort (23.1.667). Ses œuvres théologiques et doctrinales ont été conservées, mais ses compositions (messes de SS. Côme et Damien, de Notre-Dame) semblent être perdues.      D.D.

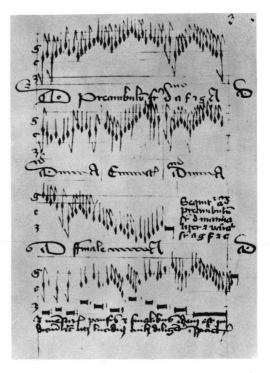

ILEBORGH

*Début d'une tablature d'orgue (Stendal 1448).*
*Bibl. du Curtis Institute de Philadelphie.*

**ILEBORGH von STENDAL Adam.** Mus. allem. du XVe s. Le seul document que l'on possède de lui ou à son sujet est sa tablature de 1448, dont le ms. est la propriété du *Curtis Institute* de Philadelphie : c'est aussi le seul document organistique d'Allemagne du Nord qui soit antérieur au début du XVIIe s. ; il s'y intitule *frater* et *rectoriatus* à Stendal ; le ms. contient 5 préludes et 3 *mensurae*, sur le *cantus firmus : frowe almyn hoffen an dir leyed*. Voir W. Apel, *Die Tabulatur d. A.I.*, ds *ZfMw*, XVI, 1934 — *Early german keyboard mus.*, ds *MQ*, 23, 1937 — *Masters of the keyboard*, Cambridge E.-U., 1952 ; *The notations of polyph. mus.*, *ibid.* 1953 ; G.C. Beck, ds *Overtones*, Philadelphie 1930 ; G. Knoche, *Der Org. A.I. v. S. ...*, ds *Franzisk. Stud.*, XXVIII, 1941 (facsimilé) ; G. Most, *Die Orgeltabulatur v. 1448...*, ds *Altmärk. Museum Stendal*, VIII, 1954 (*id.*) ; M. Reimann, ds *Mf*, IX, 1956, et ds MGG.

**ILGNER. — 1. Gerhard.** Musicologue allem. (Hindenbourg 1.7.1910–). Élève des univ. d'Innsbruck et de Kiel, assistant de F. Blume, collab. du *Staatl. Institut f. deutsche Mf.* de Berlin, attaché au *Landesinstitut f. Mus.* du Schleswig-Holstein, il a publié *M. Weckmann...* (Wolfenbüttel 1939), édité N. Weckmann (Leipzig 1942), et prépare *Zum Formproblem im 17.Jh.* Sa femme — **2. Margarete Gerda,** née *Schmidt* (Magdebourg 3.8.1914–), élève de l'univ. de Kiel, dont elle est docteur avec sa thèse *Die latein. liturg. Kompos. v. M. Praetorius creuzburgensis* (Kiel 1944), est archiviste dans sa ville natale.

**ILJINSKI** (*Iljinskij*) **Alexandre Alexandrovitch.** Compos. russe (Tsarskoïe-Selo 24.1.1859–Moscou 1919), qui fut prof. au cons. de Moscou, et, à partir de 1885, prof. de théorie et de composition à l'Ecole de musique de l'Association philharmonique de Moscou ; *œuvres* : 1 opéra : *La fontaine de Baktschissarai* (éd. 1913, d'après Pouchkine), de la mus. de scène pour des tragédies de Sophocle : *Philoctète, Le roi Œdipe* (ouverture, entractes, chœurs), chorale (2 cantates), symph. (symph. poème symph., 3 suites et danses croates), de chambre, des mélodies.

**ILLINSKI Jan Stanislaw.** Compos. polonais (Château Romanow, près Varsovie, 1795–Moscou 1860), élève de Salieri, de Beethoven, diplomate au service du tsar de Russie, auteur d'1 symph., d'ouv. d'orch., de 2 concertos (p.), de mus. polyph. d'église (3 messes, 2 *Requiem*), de 8 quatuors à cordes, de pièces de piano, de mélodies.

**ILLUMINATO da TORINO.** Voir art. *Aiguino*.

**ILÚ.** C'est un tambour à deux peaux, tendues par des lanières (Cuba). L'*i.* est également utilisé au Brésil par les noirs de Bahia. S.D.-R.

**ILVONEN Jouko.** Violon. finlandais (Iisalmi 9.9.1927–), élève au cons. de Viipuri, de l'Acad. Sibelius d'Helsinki, du *Curtis Institute* de Philadelphie, qui fait une carrière internationale.

**IMBAULT Jean-Jérôme.** Violon. et éd. franç. (Paris 9.3.1753–15.4.1832). A 10 ans et demi, il était élève de Gaviniès et donna son premier concert avec son maître dès 1770, puis joua au Concert spirituel ; en 1810, il fut nommé membre de la Chapelle impériale ; bien qu'il ne semble pas avoir obtenu de privilège avant 1787, il publia de la mus. dès 1780 et continua cette activité jusqu'en 1814, époque où Janet et Cotelle reprirent sa maison : comme ceux de la plupart de ses confrères, ses catalogues sont particulièrement riches en mus. instr. : symph. et quatuors de Haydn, quatuors de Pleyel, concertos de Duport, Clementi, Viotti, airs avec acc. de Cambini, outre une vingtaine d'œuvres de Mozart ; pendant la Révolution, il publia qqs hymnes patriotiques. Voir C. Johansson, *French publishers'catalogues of the 2d half of the 18th cent.*, Stockholm 1955 ; B. Dufour ds MGG.

**IMBERT Hugues.** Critique franç. (Moulins-Engilbert 11.1.1842–Paris 15.1.1905). Ami de Chabrier, de d'Indy, de G. Fauré, collab. de divers périodiques, dont *L'indépendance musicale*, dans laquelle il fit paraître ses *Profils de musiciens* (3 vol., Paris 1888, 1892, 1897) et le *Guide musical*, qu'il dirigea à partir de 1900, il publia en outre *Portraits et études* (1894), *Symphonie* (1891), *Rembrandt et Wagner* (1897), *Ch. Gounod* (1897), *La symph. après Beethoven* (1900), *Médaillons contemporains* (1902), *J. Brahms* (posth., édit. Schuré, 1906).

**IMBRIE Andrew.** Pian. et compos. amér. (N.-York 6.4.1921–). Elève de l'univ. de Princeton, de L. Ornstein, de R. Casadesus, de N. Boulanger, de R. Sessions, de l'univ. de Californie, prix de Rome amér. (1947), il enseigne dep. 1949 à l'univ. de Californie ; on lui doit 1 quatuor (1942), 1 trio (1945), 1 *Ballad* (orch. 1947), *Shaggy dog* (*id.*), 1 sonate de piano (*id.*), 1 *divertimento* (1948).

**IMBUBU.** C'est un hautbois de l'antiquité assyrienne, apparenté au *halil* (voir à ce mot). C.M.-D.

**IMINA NA.** C'est un rhombe utilisé par les Dogon (Afrique, Soudan). M.A.

**IMITATION.** C'est un terme d'écriture musicale, qui désigne, dans un style polyphonique, le fait de reproduire à l'octave ou à tout autre intervalle une phrase ou un membre de phrase entendu immédiatement avant dans l'une des voix. L'*i.* peut être *canonique*, si l'antécédent et le conséquent de l'élément en imitation s'imbriquent étroitement l'un dans l'autre ; elle est *régulière* quand les intervalles et le rythme de la phrase reproduite sont strictement identiques.

Une exception doit être cependant faite pour l'*i.* à la quinte, où tout intervalle tonique-dominante se transforme en dominante-tonique (voir *mutation*), sans que l'*i.* soit pour autant irrégulière. L'*i.* est la forme primitive du canon, où 2 ou plusieurs voix procèdent en *i.* prolongée et répétée, et de la fugue, où la réponse n'est autre que l'*i.* à la quinte du sujet (voir art. *fugue*). Il existe plusieurs formes d'*i.* : par mouvement droit, contraire, rétrograde ; par diminution, augmentation, avec décalage rythmique. Le style « en imitation » désigne une forme primitive de contrepoint ; plus tard, l'*i.* canonique sera l'un des caractères du style contrapuntique sévère (par opposition au style galant). Bien qu'elle y soit considérablement amplifiée et assouplie, l'*i.* est toujours présente dans le classicisme, qui en assimile le style (dans le développement de la symph. en particulier) : l'*i.* mélodique se complète alors de son corollaire harmonique, la marche, dont elle suit le schéma. G.A.

**IMMYNS John.** Mus. angl. (Londres v. 1700–15.4.1764). Il étudia le droit et fut d'abord copiste ; Pepusch l'initia à la musique et le fit entrer à l'*Acad. of ancient music*, qu'il avait fondée, comme *contra-tenor*, flûtiste, gambiste, violon., luthiste : c'est à 40 ans qu'il apprit le luth, ce qui ne l'empêcha pas de devenir en 1752 luthiste de la chapelle royale ; il fonda (1741) la *London madrigal Soc.* (qui contribua à recueillir d'anciennes pièces anglaises et italiennes, à cause de quoi *I.* peut être considéré comme un des premiers musicologues anglais). Son fils *John* (+ 1794) fut luthiste et organiste.

**IMPARFAIT.** — **1.** Voir art. *cadence.* — **2.** Voir art. *consonnance.* — **3.** Voir art. *parfait.*

**IMPRESSIONNISME.** Invention du XIXe s., l'*i.* correspond, en musique, à une notion quelque peu artificielle : c'est un reflet plutôt qu'un foyer. Tout au plus désigne-t-il, dans la vie créatrice de Debussy, la conjonction momentanée de forces à un niveau déterminé de leur développement. — L'école romantique avait chargé le son de toutes sortes de messages ; elle força à porter le poids entier de l'humanité. Il fallait revaloriser ses pouvoirs spécifiques : on le reprit à l'homme et on le rendit à la musique. Principal agent de ce transfert, Debussy, en réfléchissant sur ses efforts et en essayant de les définir, se servit du mot *impression*, parce qu'on le rencontrait partout, parce qu'il désignait une attitude et qu'il lui prêtait une signification personnelle. Mais il importe de le redire : ce n'est pas l'*i.*, entité problématique, qui, de sa substance, a nourri les œuvres de Debussy, mais bien celles-ci qui ont fourni des lettres de créance à l'*i.* : nous appelons ainsi un des aspects créateurs d'un grand compositeur français. — Le terme fut forgé à Paris, dans le monde de la peinture. *Impression, soleil levant,* tel fut, en 1874, le titre d'un tableau exposé par Claude Monet. La critique s'en empara. Jules Claretie parla d'« impressionnalisme ». Mais c'est Louis Leroy qui, dans le *Charivari*, eut cette trouvaille : « l'école impressionniste ». Utilisée d'abord comme insulte, elle fit fortune et devint ensuite cri de ralliement. De quoi s'agissait-il en somme ? D'un art de réaction immédiate, de la réponse vive à une forte sollicitation extérieure. D'une peinture qui s'efforçait de représenter la réalité telle qu'elle est perçue et non dans sa prétendue vérité objective, d'un besoin de sincérité menant à la glorification de l'acte même de voir : d'une quête de la vérité aboutissant au subjectivisme. La couleur prend le pas sur le dessin, car ce dernier est une abstraction. Les lignes n'existent pas dans la nature : formes et couleurs se confondent. On veut fixer, en leur spontanéité frémissante, les vibrations de la lumière. La peinture d'atelier fait

Musée Marmottan                              *Claude Monet. Impression.*

place à une peinture de plein-air qui n'est plus le miroir de la permanence.

Au commencement, les critiques défavorables pleuvent ; il n'est guère possible de les passer toutes en revue. Disons seulement, pour répondre à une objection que nous retrouverons dans le domaine de la musique, que le prétendu *manque de forme* n'est qu'une apparence ; il n'est pas d'intelligibilité possible en l'absence d'une forme. — Entachée d'opprobre, la notion d'un impressionnisme musical germe, vers 1887, dans l'esprit des musiciens, membres de l'Institut : on en profite pour en accabler Claude Debussy, alors pensionnaire récalcitrant de la villa Médicis. En examinant un de ses envois — *Printemps* — les censeurs expriment leur regret d'y trouver « un sentiment de la couleur musicale dont l'exagération lui ferait facilement oublier l'importance de la précision du dessin et de la forme. Il serait fort à souhaiter qu'il se mît en garde contre cet impressionnisme vague qui est un des plus dangereux ennemis de la vérité dans l'œuvre d'art ». — A une retouche près, cette semonce aurait pu être adressée à un peintre. Elle se heurta à l'indifférence hautaine d'un musicien passionnément épris d'art « moderne. » On connaît l'admiration qu'à ce moment-là précisément il professait pour Whistler, dont certains tableaux — *Nocturne en bleu et argent, Harmonie en gris et vert* — empruntaient leur titre à la musique.

Pour présenter au public ses propres *Nocturnes*, Debussy fit imprimer le commentaire suivant : « Le titre *Nocturne* veut prendre ici un sens plus général, et surtout plus décoratif. Il ne s'agit donc pas de la forme habituelle du nocturne, mais de tout ce que ce mot contient d'impressions et de lumières spéciales. *Nuages* : c'est l'aspect immuable du ciel avec la marche lente et mélancolique des nuages finissant dans une agonie grise, doucement

teintée de blanc. *Fêtes* : c'est le mouvement, le rythme dansant de l'atmosphère... ». Quelques années auparavant (1894), toujours au sujet de cet ouvrage, qui avait été conçu d'abord pour violon principal et orchestre, il écrivait à Eugène Ysaye : « C'est en somme une recherche dans les divers arrangements que peut donner une seule couleur, comme, par exemple, ce que serait en peinture une étude dans les gris. » — Rarement, les éléments d'une technique spécifiquement musicale, pour des raisons purement musicales, furent aussi proches de la peinture. A ce point de son évolution, la musique, sans cesser d'être elle-même, put emprunter le vocabulaire d'un art voisin pour mieux se définir. Certains esprits croyaient encore en la fusion possible des arts, alors qu'il ne s'agissait que d'une identité d'attitude.

Le mot *impression* reviendra plusieurs fois sous la plume de Debussy et prendra finalement la signification d'une prise de possession totale, rapide et durable de l'émotion musicale. C'est la guerre déclarée à la « science des castors », à toute élaboration pédantesque, obligatoirement et visiblement savante, aux procédés employés sans aucune nécessité profonde. « Cela n'a pas l'air d'être écrit » — on sent Debussy heureux de pouvoir juger ainsi la transition qui, dans *Iberia*, relie l'admirable deuxième mouvement (*Parfums de la nuit*) au troisième (*Au matin d'un jour de fête*).

A cette première signification d'ordre général vient se joindre une seconde. Pour Debussy, « la musique est responsable du mouvement des eaux, du jeu des courbes que décrivent les brises changeantes ». Elle est inscrite, elle est agissante, dans la nature devant laquelle il se prosterne. « Rien n'est plus musical qu'un coucher de soleil. Pour qui sait regarder avec émotion, c'est la plus belle leçon de développement écrite dans ce livre : la nature. » Un souffle de grandeur parcourt cette phrase qui, au-delà de l'exaltation poétique, fait coïncider les lois de l'univers avec celles de la musique.

Comme on voit, il ne s'agit pas de décrire tel ou tel aspect de la nature, mais d'y déceler, plus vivants, plus profonds, plus chargés de mystères, des rythmes, des formes, des harmonies, les principes d'un nouveau monde sonore qui magnifie « l'instant », en sa perfection. Ce n'est pas « l'objet » qui importe, mais le choc qu'il produit dans l'âme du compositeur et la justification qu'il lui apporte : un ensemble de relations non anecdotiques qui, transposées, hâtent la cristallisation de la pensée. Souvenons-nous d'une réflexion de Condillac : « Les sensations ne sont pas les qualités mêmes des objets ; elles ne sont que les modifications de notre âme. » Cela dit, ces modifications peuvent comporter, en filigrane, l'image dématérialisée de l'objet. Celle-ci n'est pas nécessaire à l'intelligence de l'œuvre ; elle n'est pour ainsi dire qu'un souvenir reconnaissant. C'est pourquoi, dans les *Préludes*, les titres sont marqués à la fin de chaque pièce, et entre parenthèses.

Mais voici ce que l'on devrait méditer : lorsqu'en 1905 des critiques pourtant sérieux se sont interrogés pour savoir si Debussy avait réussi ou échoué à « peindre la mer », celui-ci écrivit une lettre à Pierre Lalo d'où il est bon de détacher la phrase suivante : « Si j'ai mal transcrit ce qu'elle [la mer] m'a dicté, cela ne nous regarde pas plus l'un que l'autre. »

Dès l'époque impressionniste, et en partie à cause d'elle, la forme, chez Debussy, est d'une grande diversité. Souvent, au début surtout, on y aperçoit, souterraine, la symétrie ancienne. Mais des exemples nous montrent l'éclosion de formes nouvelles, libres, correspondant à la nature particulière de chaque pièce, épousant très étroitement les exigences des moyens mis en œuvre. Ce sont des organismes dont la vie repose sur des relations inaccoutumées : subtils rapprochements d'atmosphères, rapports harmonieux des sections et de leurs densités respectives. C'est ainsi que, selon le vœu de l'auteur, l'impression gardera « l'émotion de toute esthétique parasite. » Il n'y aura plus d'articulations nettes ; des auditeurs à l'esprit peu délié auront le sentiment que l'œuvre commence n'importe où et finit n'importe comment : de tels reproches furent faits également aux tableaux impressionnistes qui ne respectaient plus le cadrage traditionnel. Qu'on ne se méprenne point. Ce n'est pas pour imiter la peinture de son temps que Debussy évite tout ce qui pourrait paraître « géométrique », brouille les traces, adopte une écriture vaporeuse, splendidement sensorielle. La raison est ailleurs : un ouvrage ne doit pas « avoir l'air écrit ». Imprécision gardienne du mystère, « voile volontaire, » « perpétuels échanges de la conscience au phénomène » : nous sommes proches du symbolisme. La haine des symétries « administratives », l'inédit des coupes et des formes, les correspondances sonores d'images qui, en elles-mêmes, sont déjà des chiffres, et jusqu'à la présentation par Mallarmé, de ses poèmes — autant de chemins qui mènent d'un domaine à l'autre.

Très souvent, il ne reste de la mélodie qu'un fragment qui, par son rythme, sa courbe, ses intervalles, en exprime l'essentiel. Il ne sera pas développé. Nous sommes si habitués à sous-entendre des harmonies en écoutant une mélodie, qu'il nous est possible d'entendre celle, inexprimée en clair, que délivre, en sa présence immatérielle la magie des accords. « La mélodie, si je puis dire, est antilyrique » confiait Debussy à Robert de Flers. Il pensait à *Pelléas et Mélisande* et aux efforts qu'il avait déployés pour traduire fidèlement « la mobilité des âmes et de la vie, » c'est-à-dire de son âme et de sa vie. Et c'est cette mobilité, révélatrice d'un ensemble de tendances profondes qu'il nous faut étendre à tous les éléments de son art. Elle aura comme suite une complexité croissante des structures, une réorganisation progressive fondée sur l'indépendance accordée à chaque élément en particulier.

Partiellement dissociée de celle-ci, l'harmonie revendiquera son autonomie. (« La couleur prend le pas sur la ligne » disaient les peintres impressionnistes.) En 1889 déjà, Debussy rêvait d'accords ambigus, de contacts insolites, d'intervalles indéterminés. Il avait besoin

d'un monde « agrandi et nuancé », d'un système tonal émancipé qui « ne s'enfermait pas dans le régime des tons voisins ni n'asservissait sa sensibilité à des formules impératives. La musique n'est ni majeure ni mineure », disait-il à son maître Guiraud. Ou plutôt, elle est les deux, simultanément. Aboutir où l'on veut, sortir et rentrer par telle porte qu'on préfère, voilà ce qu'imaginait le jeune Claude Debussy et ce qu'il réalisa par la suite. Ces propos pris sur le vif par Maurice Emmanuel sont intéressants parce qu'ils montrent d'une part que le futur auteur de *Jeux* était conscient de ce qu'il ferait ultérieurement, d'autre part, que même l'élément dit primordial de son style « impressionniste » est bien d'origine musicale.

Les peintres superposaient des tons purs qui, sur la rétine, recomposent une unité lumineuse : Debussy superpose des sons dont l'ensemble le séduit par sa beauté sensuelle : le son est l'âme même de l'impressionnisme. « Des successions d'accords », dira Paul Dukas, « de ces agrégations, plus harmonieuses en leurs complications que les consonances mêmes. » Les accords dissonants ne sont pas résolus : ils portent en eux le plaisir et la détente ; les chapelets d'accords parfaits parallèles apportent une sensation de dépaysement rayonnant. Les fonctions tonales se relâchent à l'extrême. Bien des fois, une œuvre se termine sur un accord dit dissonant, non pas parce que Debussy avait perdu le sens des constructions musicales, mais parce que cet accord remplace l'accord consonant traditionnel « en allant bien plus loin », dirait Mallarmé, « dans la nostalgie et dans la lumière, avec finesse, avec malaise, avec richesse. » « Quelle est votre règle ? » demandait Emile Réty à l'élève Claude Debussy : « Mon plaisir », répondait celui-ci au secrétaire du conservatoire qui, « pâle d'indignation », tournait le dos à son interlocuteur. Gammes défectives, gammes par tons entiers, échelles modales — tout ce qui trouble, stimule, sort de la convention (non pour se singulariser mais pour échapper à la sclérose) — contribuent à fixer l'*impression* créatrice. Mais, a-t-on objecté, la dissonance en repos harmonieux n'est plus créatrice d'un élan vers l'avenir. L'ancienne tension qui la forçait à se résoudre en une consonance n'existe plus : nous sommes au sein de l'immobilité. Cette musique décompose la durée en instants qui se suffisent à eux-mêmes (c'est bien là probablement que réside un des côtés prophétiques de Debussy). L'importance acquise par la matière sonore que l'on considère en elle-même, pour elle-même, engendre un état de passivité auquel, pense Günther Stein, correspond une audition différente. En écoutant une pièce de Debussy, nous n'y prenons pas part activement comme lorsque nous assistons à l'exécution d'un *Concert brandebourgeois*. Notre participation se réduit à une sorte de contemplation : *Mitsein*, dit le texte allemand. Contemplation qui, selon certains esthéticiens, peut constituer le point de départ d'une nouvelle activité. Mais il faut aller plus loin encore. Il n'est pas juste de réduire « l'instant » debussiste à un instant harmonique. Les multiples structures qu'il abrite, leur enchevêtrement, leur unité fondamentale lui donnent une réalité complexe. Il faut l'accepter et la vivre en sa complexité car, en dernier lieu, elle ne se laisse pas dissocier.

Se rapprochant de nouveau des peintres, — nous sommes à une époque de sensualisme vivace — Debussy emploie, à l'orchestre, des timbres purs. L'individualité des groupes instrumentaux est respectée. Une manière personnelle d'utiliser les bois et les cuivres crée des couleurs nouvelles. La division des cordes tisse une étoffe transparente, enveloppante, quasi impalpable. Dans le *Prélude à l'après-midi d'un faune*, on remarque déjà une fragmentation, un éparpillement de toutes les composantes. Les valeurs stables deviennent fluides. Dissolution impressionniste, si l'on veut. Besoin de liberté surtout et débuts d'une écriture dont nous ne connaissons qu'aujourd'hui la véritable richesse.

Les grands éclats ne sont pas fréquents ; la violence crue est absente. Le drame existe : mais on évite le cri. La nature secrète de Debussy ne s'y résout guère, et le silence est utilisé comme un moyen d'expression et de construction.

La sonorité du piano se pare de séductions « inouïes » et montre une souple diversité de tous les moments grâce à la disposition des traits, au choix des registres, aux combinaisons des deux pédales, aux vibrations qui se prolongent au loin estompant les arêtes, noyant le côté percutant de l'instrument.

« Lorsque l'oreille discerne l'agrément des sons, l'intelligence est dans la joie », dit Leibniz. Le plaisir sensoriel, l'événement sonore, peuvent apparaître comme l'un des visages possibles de la profondeur. La musique s'y trouve en accord avec son essence. C'est ainsi qu'en dehors de son caractère apologétique, il faut comprendre l'idéal debussiste d'une musique qui puisse faire « humblement plaisir ».

Ce pourrait être un mot de François Couperin. Secret comme Debussy, il aimait comme lui, les harmonies fluides, la poésie mélancolique des sens, avivée, doucement exaspérée par des dissonances 'sans préparation, des modulations hardies, des retards, des frottements. Lui aussi établit des « concordances mystérieuses » entre ce qu'il voit et ce qu'il entend intérieurement. « J'ai toujours eu un objet en composant toutes ces pièces, écrit-il dans une préface célèbre, des occasions différentes me l'ont fourni. Ainsi les titres répondent aux idées que j'ai eues ; on me dispensera d'en rendre compte ». Couperin refuse la description qui est chose rationnelle et la précision desséchante. Il ne délaisse pas la tradition ; il l'enrichit — et se contente d'évoquer : dans ses portraits comme dans ces pièces aux noms qui font image ou qui font rêver : *Les lis naissants, Les pavots, Les vergers fleuris, Les gondoles de Délos, Les barricades mystérieuses,* c'est un poète qui parle, dans le sens où un musicien est poète, lorsqu'il est profondément musicien. Dans *Le carillon de Cythère,* on trouve des effets de sonorité qui font penser à ceux que Debussy fera naître des touches métamorphosées du piano.

La nette prise de position de Couperin et la manière dont il sut la défendre nous mettent en présence des trois sources de l'impressionnisme debussiste : celle de l'émotion fixée en sa fraîcheur première ; celle d'une concordance entre l'art et la nature ; celle, enfin, d'une recherche constante de la magie sonore, du plaisir *intelligent* que nous font goûter les qualités sensorielles du son. (Au cours de l'histoire, ces sources s'entremêlent de beaucoup de manières ; l'une ou l'autre sera prépondérante ; il adviendra parfois que l'une et même deux d'entre elles soient absentes. Ce n'est que lorsqu'elles se conjuguèrent à égalité, au XIXᵉ s. et sous le ciel particulier d'une certaine époque, qu'elles purent alimenter le bref moment étudié ici. Mais il n'est pas inutile de suivre leur cours à travers les siècles). La technique de Couperin, comme celle de son oncle Louis, se souvient des luthistes : musiciens dont la précieuse fragilité et la sensibilité insinuante se doublent d'une extraordinaire virtuosité dans l'art de l'ellipse, de l'allusion. Ils aiment les accords beaux et expressifs en eux-mêmes et sont habiles à faire naître une atmosphère de nostalgie tempérée de plaisir. Pirro a admirablement décrit leur art : « Au lieu de tout dire (...), le musicien cherche à nous suggérer ce qu'il néglige d'exprimer. Inconsistance, doutes, promesses prodiguées, délices d'un style vaporeux avec des lueurs qui surprennent ou qui troublent, sans jamais imposer cette lumière continue dont l'éclat asservit. »

En sollicitant les textes, on pourrait évidemment affirmer que, même dans les chansons polyphoniques, on peut trouver une prévalence de l'impression sur la description, mais il est prudent d'arrêter ces investigations au seuil des grandes époques de la polyphonie, tout en se souvenant de certaines modulations, de certains accords qui ne sont pas l'œuvre du hasard chez Roland de Lassus. Rapprochons-nous plutôt de Debussy (qui, en fait de prédécesseurs, pensait que Rameau « a tracé le chemin par lequel passera toute l'harmonie moderne ») et interrogeons les romantiques. Les arpèges de Chopin, longs réseaux de lumière, générateurs d'un halo mouvant, les accords dissonants qu'il aimait, l'art lequel il combinait les pédales, doivent sans doute figurer parmi les précurseurs du langage de Debussy. Schumann a très fidèlement noté l'« impression » qu'il reçut en

écoutant Chopin interpréter l'étude *op.* 25, nᵒ 1. « Qu'on imagine une harpe éolienne qui aurait toute l'échelle des sons, et que la main d'un artiste jette ces sons, pêle-mêle, en toute sorte d'arabesques fantastiques, de façon que pourtant on entende un son fondamental grave et une délicate note haute continue (...) C'était une modulation de l'accord de *la bémol* majeur, transporté jusque dans le haut, par la pédale. »

Si certains caractères appelés « impressionnistes » provenaient, au XVIIᵉ s., d'une incertitude du système tonal en formation, ceux qui nous frappent maintenant, dans le domaine de l'harmonie, sont le résultat d'un relâchement progressif de ce même système. On va à pas rapides vers une chatoyance de plus en plus accusée, vers une expression par la couleur. (Les peintres impressionnistes considèrent Delacroix comme leur plus lointain précurseur.) Instabilité tonale, émancipation des dissonances — le fléau de la balance s'incline du côté opposé à toute fermeté rationnelle.

On sait l'effet que fit sur Liszt « l'ordre omnitonique » de Fétis. Equivoques tonales, « défonctionnalisation », gammes par tons entiers avec, sur chaque note, un accord de quinte augmentée, accord de septième diminuée sur les notes d'un accord parfait majeur, tout ce qui peut mener à l'élargissement de la tonalité et parfois même à sa suspension, est hardiment employé. La tendance évocatrice ne manque pas non plus : *Waldesrauschen, Le lac de Wallenstadt, Au bord d'une source, Les jeux d'eau de la villa d'Este.*

Certaines pièces de piano de Schumann — *Des Abends, Warum ?, Aveu* ou telle *Scène de la forêt,* etc. — posent un problème : la vie intérieure s'y transmue en son ; le son n'y est pas *lo ipso* vie intérieure. Mais la sensibilité de l'auteur amène les harmonies au-delà des limites que leur assigne le contexte. Et le refus de ce qui pourrait rappeler la « science des castors », les dimensions restreintes de ces pièces doivent retenir notre attention, le survol fût-il très rapide. Plus superficielles, plus plates, les *Pièces lyriques* de Grieg constituent à mi-hauteur, une sorte de trait d'union entre Schumann et l'impressionnisme : elles peignent, racontent et se racontent en s'aidant d'habiles artifices harmoniques, sans appartenir à un camp bien déterminé. Bien autrement intéressant est le cas Moussorgsky. L'absence de tout développement « viennois », l'active présence de la couleur, les curieuses grappes sonores de *Boris Godounov* appartiennent déjà à l'arsenal de l'expressionnisme. Debussy en fit son bien : question d'aiguillage, comme il en fut aussi de tel autre emprunt — le morcellement, par exemple — fait à la musique de Balakirev.

La dette envers Wagner est connue. Mais les éléments que l'on trouve préformés dans *Tristan,* en « négatif » si l'on peut dire, se rapprochent, une fois tout au moins, mais sans y accéder réellement, de ce que sera leur destination ultérieure : dans la célèbre scène des *Murmures de la forêt,* où le féerique mélange de lumière, d'ombres, de chants d'oiseaux, de mystère sylvestre prend la splendeur de la matière sonore comme témoin suprême du ravissement.

Quelques mots aussi sur la musique d'Extrême-Orient, révélation de l'exposition de 1889. Elle venait à son heure. Non seulement elle flattait le goût du rare, assez net à l'époque ; elle montrait, ennoblis par le prestige d'une longue perfection, des traits qui ne pouvaient manquer d'enrichir ou d'affermir le vocabulaire impressionniste et qui se trouvent rassemblés, d'une manière exemplaire, dans *Pagodes,* première des trois *Estampes* de 1903.

De nombreux esthéticiens étrangers voudraient ignorer les degrés intermédiaires qui, en France, conduisent du romantisme à l'impressionnisme : c'est considérer trop hâtivement les années qui ont préparé l'avènement de ce dernier. Des précurseurs immédiats existent et, parmi eux, ami de Manet et de Verlaine, Emmanuel Chabrier. Avec beaucoup de bon sens, César Franck disait, en 1881, que les *Pièces pittoresques* reliaient leur époque à celle de Couperin et de Rameau. Leur tendre désinvolture, la dispersion des sonorités, l'imprévu et l'audace des modulations, n'ont pas passé inaperçus de Debussy. C'est une musique que l'on a l'impression de surprendre en train de franchir la frontière du romantisme. Elle passe délibérément outre ; et le regard jeté en arrière ne fait que consommer plus définitivement la rupture.

On pense bien que l'esthétique et la technique debussistes se retrouveront chez maints compositeurs qui en ont suivi l'éclosion. Le premier nom qui se présente à nous est celui de Maurice Ravel. Il n'est certes plus nécessaire d'attirer l'attention sur tout ce qui le sépare de son aîné. Tonale (modale par accident, s'il est possible de s'exprimer ainsi), délibérément respectueuse de modèles, durcissant sans cesse les harmonies, prodigue de longues et sinueuses lignes mélodiques, éprise de sécurité, sa musique recherche les valeurs stables. L'influence de Debussy est pourtant sensible dans *Schéhérazade* et dans le *Quatuor à cordes*. Mais, de plus en plus, ce n'est pas le vague, mais la précision qui sera désirée, non pas l'infaillibilité de la poésie, mais la poésie de l'infaillibilité. Cela dit, il est indéniable que, jusqu'aux *Valses nobles et sentimentales*, la plupart des ouvrages pour piano voudrait agir par l'intensité de l'atmosphère créée, trouver des équivalences sonores — suggérer. *Noctuelles*, par exemple, ou *Oiseaux tristes*, se situent au point-limite d'un domaine aux confins mouvants.

L'impressionnisme debussiste correspondant avant tout à un processus de libération, il était naturel que, dans bien des pays, il donnât lieu à des réactions en chaîne. Qu'il s'agisse de l'Angleterre (nommons au moins Cyril Scott et Fr. Delius), de l'Espagne (Manuel de Falla a écrit que Debussy a montré aux musiciens espagnols la manière de se servir de certains effets typiquement ibériques), de la Hongrie (Bartók et Kodály n'ont jamais nié l'aide qui, vers 1905, leur vint de France), de l'Italie (voir l'évolution de G. Francesco Malipiero), son influence a pris, chaque fois, le visage de celui qui le subissait.

Ce fut aussi le cas pour le jeune Stravinsky : il eut la sagesse de ne point résister aux tentations que lui offraient l'orchestre et certaines particularités du langage harmonique de Debussy. Sa forte personnalité assimila ce qui lui était nécessaire, et il ne fut pas sans influencer à son tour son aîné.

En Allemagne, Siegfried Karg-Ehlert et surtout Walter Niemann n'ont retenu que l'aspect le plus extérieur de cet art de subtiles et profondes équivalences, tandis que Franz Schreker, le considérant comme une épice, l'a mélangé à de nombreux ingrédients avec un résultat troublant sinon convaincant.

L'évolution de Schönberg s'est accomplie parallèlement à celle de Debussy sans que les deux compositeurs se soient beaucoup intéressés l'un à l'autre. Il est d'autant plus significatif de trouver des réactions communes, comme, par exemple, l'extraordinaire troisième volet des *Cinq pièces pour orchestre op.* 16 où le même accord est confié, chaque fois, à un groupe différent d'instruments qui commencent à le jouer avant que le groupe précédent se soit tu. Dans les *Trois pièces pour piano op.* 11 et dans les *Six pièces op.* 19, se fait jour un impressionnisme curieusement nordique et germanique, assez différent de celui à forte composante latine qui vient d'être considéré.

Ce n'est pas « l'impressionniste » Debussy qu'il faut rechercher dans la musique de Webern, mais celui qui, arrivé à l'expression la plus exacte de son génie, a opéré une transmutation des valeurs acquises. Les éléments que l'on peut y reconnaître ont été menés à leur degré extrême de résistance avec une logique dont la rigueur est l'indice d'un musicien de très haute lignée.

Dans son propre pays, l'impressionnisme a refleuri dans différentes œuvres d'Olivier Messiaen. Il était normal que les rapports internes, le dosage des composantes, aient subi des modifications. Tel quel, cet impressionnisme, ou ce qu'il est convenu d'appeler ainsi, apparaît comme une défense organisée à titre personnel. Défense assurée avec une fermeté sans agressivité, à laquelle il est impossible de ne pas rendre hommage. D.H.

**IMPROMPTU.** — **1.** C'est un morceau qui a le caractère d'une improvisation. — **2.** C'est aussi le nom donné par certains compositeurs romantiques à un type de morceau instr. et fréquemment repris depuis : les modèles les plus remarquables sont ceux de Chopin, de Schubert et de

Schumann. Plus tard, à la suite de Liszt, certains compositeurs de la fin du XIXe s., auxquels il faut joindre Fauré, ont tenté de renouer avec le style *i.* Chopin a écrit 3 *i.* (*op.* 29, 36, 51) et une *fantaisie-impromptu*, d'une écriture extrêmement raffinée : on peut y déceler généralement une forme *Lied* assez précise, le « milieu » introduisant un nouveau thème en contraste tonal avec les 2 volets extérieurs du morceau ; l'*i.* en *fa dièse maj.*, *op.* 36, bâti en forme de variations avec un thème central en *ré majeur*, est particulièrement remarquable par le caractère de ballade de son début et la libre fantaisie chromatique de ses modulations. G.A.

**IMPROPÈRES.** Ce sont douze pièces fort courtes, chantées pendant l'adoration de la Croix, le vendredi saint avec deux refrains, le *trisagion* et le verset *popule meus*, début de la première pièce. Le nom vient du latin *improperare*, « réprimander » ; mais le terme *improperium* n'existe pas en latin classique ; en bas-latin, il équivaut à plus qu'une réprimande, presqu'une injure. Comme il s'agit de phrases qu'on attribue au Christ, le sens du mot reste donc assez mal défini, car le Christ énumère les bienfaits dont il a comblé son peuple et en échange desquels il n'a reçu que trahison. La forme des douze pièces est particulière, elle ne se retrouve pas dans le graduel : elles sont divisées en trois « grands » et neuf « petits » impropères. Le premier « grand » commence par *popule meus*, (« ô mon peuple, que t'ai-je fait, et en quoi t'ai-je contristé ? ») ; les trois grands impropères, on chante le *trisagion* (*sanctus*) alternativement en grec et en latin ; entre les « petits » impropères, le début *popule meus* sert de refrain : on voit déjà qu'il s'agit d'une forme qui rappelle de loin le *versus*. — L'origine des textes est complexe : on en retrouve une partie dans le IVe livre d'Esdras (dans la partie apocryphe), et peut-être pourrait-on en trouver l'origine de certains fragments en Orient. En tout cas, l'origine lointaine est Jérusalem, où on les trouve dans des tropaires du VIe ou VIIe siècle. L'ensemble des *i.* a un sort assez compliqué : on ne les trouve d'abord qu'en Espagne, au Vendredi saint, pour la cérémonie de l'indulgence, mais dans une rédaction assez variée. Vers la fin du Xe s., on rencontre les trois « grands », avec ou sans le *trisagion*, dans des positions assez variées, mais qui se rapportent toujours au répertoire de la passion. Au XIe s., le graduel de Saint-Yrieix (Paris, Bibl. nat. 903, *Paléogr. musicale*, t. XIII) reprend les grands *i.*, en leur donnant comme refrain le *Vae nobis quia peccavimus* (Jérémie, thrène V, 16) qui sera familier au *planctus* de la déposition du Christ en Italie et au Portugal. On les trouve dans l'antiphonaire de Hartker, mais inclus dans des répons des nocturnes. Enfin, vers la fin du XIe s., l'ensemble se constitue et les « petits » impropères se joignent aux « grands ». — La musique n'a pas un comportement plus banal que le texte : dans les trois grands versets, elle est ornée, forme qui répond au tragique des paroles ; le verset *popule* est en mode de *ré*, le refrain *agios*, en mode de *sol* ; les « petits » *i.* sont à peu près syllabiques et récitent sur le *mi*, comme une psalmodie : le refrain en *ré* (*popule*) est relié par une finale assez imprévue. — Tout cet ensemble est admis au rituel romain depuis le XIe s. ; il est manifestement entré d'abord (VIe s.) dans le rite hispanique ; on le retrouve aussi à Bénévent, dans un cadre proche du rituel grec, mais il n'a pénétré à Milan qu'après le XVIIe s. Voir Dom L. Brou, *Les i. du vendredi saint*, ds *Rev. grég.*, 1935, pp. 161-179, 1936 pp. 8-16, 1937 pp. 1-9 et 44-51 ; Dom H. Leclercq, art. *i.*, ds *Dict. d'arch. chr. et de lit.*, VII ; Dom M. Huglo, *Mélodie hispanique pour une ancienne hymne à la Croix*, ds *Rev. grég.*, 1949. S.C.

**IMPROVISATION.** *I.* La composition improvisée, où création et exécution de la musique sont simultanées, représente la manifestation musicale originale et première dans l'histoire de l'humanité. Des origines de la musique, à travers les âges, jusqu'à et y compris notre temps, l'improvisation vocale et instrumentale fut une pratique constante et universelle. Plus on remonte le cours du développement de la musique, plus généralisé et répandu y est le rôle de la musique spontanée, jaillie de l'inconscient musical sans l'intermédiaire de la pensée ou de la réflexion. Une notation claire n'ayant été inventée qu'à un stade très tardif de l'histoire de l'humanité, les mélodies des temps anciens, et même jusqu'à nos jours celles de la musique primitive et orientale, se sont conservées presque exclusivement par tradition orale. Même dans les civilisations qui possédaient un système plus ou moins développé de notation musicale (dans la Grèce ancienne, par ex.), la transcription des chants et des airs pour instruments ne devait se faire que sur une échelle réduite, plutôt pour venir en aide à la mémoire, que comme un facteur essentiel dans le processus de la création. L'idée de composer de la musique de façon « abstraite », en écrivant ou en gravant sur la cire, le papyrus, la pierre, le parchemin ou le papier, avec des styles ou des plumes, au lieu de la produire directement par le chant ou sur l'instrument, est absolument étrangère à la musique ancienne, primitive ou orientale, où la composition et l'exécution forment une unité inséparable, et où le compositeur et l'exécutant sont généralement une seule et même personne. Du fait de l'absence complète ou prédominante d'écriture musicale dans ces types de musique, même les mélodies qui survivaient à leur créateur et devenaient le bien commun de la tribu ou du peuple, subissaient de génération en génération des changements plus ou moins profonds, apportés par les chanteurs ou les exécutants sur l'inspiration du moment.

Cependant, le besoin de faire de la musique directement en chantant ou en jouant d'un instrument, sans le détour de signes écrits, ne perdit rien de sa vitalité, lorsque les diverses tentatives pour développer un système d'écriture (avec des lettres, des neumes, des tablatures, des notes etc.) eurent abouti, pour finir, en Occident à une notation musicale tout à fait claire. Ce besoin d'improviser s'est manifesté surtout de deux façons : d'un côté, par l'introduction spontanée de changements ou d'additions plus ou moins importants à des mélodies préexistantes ou à des compositions écrites en partie ou en totalité, — d'un autre côté, par l'invention et l'exécution simultanées de compositions entièrement originales. Au premier procédé se rattachent les diverses techniques d'ornementation mélodique improvisée (ornementation, variation, diminution, *coloratura*) ainsi que l'addition improvisée d'une ou de plusieurs voix polyphoniques à un *cantus firmus* (*organum*, déchant, faux-bourdon, contrepoint) ou d'un accompagnement harmonique (*basso continuo*). L'improvisation complète, surtout par un soliste sur un instrument à clavier (orgues, clavecin) donnait les formes typiques d'improvisation que sont le prélude, la toccata, la fantaisie, etc. Entre ces deux types fondamentaux d'improvisation, la cadence solo, musique vocale à l'origine, plus tard également instrumentale, occupe une position intermédiaire : elle est née de l'usage de la « diminution » et a donné finalement une véritable « composition à l'intérieur d'une composition. »

A ses sources, on sent clairement que la musique de l'ère chrétienne était d'origine improvisée. Les premiers chrétiens exprimaient leur extase religieuse de façon purement émotionnelle et spontanée, par la musique. D'après le témoignage de Tertullien (155–222), tous les membres d'une assemblée étaient invités à participer aux laudes sur des paroles des écritures, ou « avec des chants de leur invention ». Les premiers auteurs chrétiens, Hilaire de Poitiers (env. 315–366), st Jérôme (340–420), st Augustin (354–430) et jusqu'à Amalaire (IXe s.), décrivent les *coloratures* exubérantes et sans texte des chants de l'*Alleluia* comme un débordement mélodique de joie et de gratitude sur l'inspiration du moment.

La richesse d'ornementation du chant ambrosien et grégorien dénote des origines et des influences orientales, ainsi qu'un usage abondant de l'improvisation. Un grand nombre de mélodies qui nous sont restées portent les traces de l'improvisation, ou peuvent être considérées comme des improvisations mises par écrit. Ceci est vrai surtout pour les antiennes et les répons, en praticulier les versets du graduel du deuxième au cinquième mode, qui subsistent dans des versions différentes selon les traditions (« romane », « franque » etc.). Elles sont d'une remarquable richesse de variété mélodique selon les divers arrangements d'un même texte liturgique et dans l'usage d'un texte identique pour différentes mélodies. On sent clairement l'improvisation des mélodies grégoriennes, avant leur transcription, à l'ambiguïté de l'ancienne notation par neumes sans portée, qui défie une transcription correcte et montre que ces mélodies n'étaient à l'origine que des schémas extrêmement souples destinés à être sans cesse renouvelés par les chanteurs.

La polyphonie dut faire son apparition dans la musique occidentale à la suite de siècles de hasard et d'expérimentation. On ne trouve pas de témoignage de son existence avant le IXe s. (*Musica enchiriadis*). Un nouveau domaine particulièrement riche s'ouvrait ainsi à l'improvisation : aux possibilités linéaires déjà accessibles à l'ornementation mélodique s'ajoutaient les possibilités verticales par l'adjonction *ex tempore* de nouvelles voix qui se mêlaient au *cantus firmus*. Il faut attendre la fin du XIe s. pour noter une transition du stade de l'improvisation à celui de la composition écrite, dans les différentes techniques d'*organum* employées dans le *Winchester troper* et dans les *organa* de Limoges, Compostelle et Paris. Avec le développement de la polyphonie, l'improvisation et la composition écrite vont coexister, tout en voyant leurs rapports mutuels évoluer sans cesse. Les règles techniques et les formes de la composition écrite étaient au fond le résultat d'expériences pratiques improvisées, mais d'un autre côté les règles et les procédés de la composition profitèrent à l'improvisation. Le premier théoricien qui parle expressément de déchant improvisé est un auteur anonyme du milieu du XIIIe s., qui analyse l'art de « *componere et proferre discantus ex improviso* » (*anonymus 2*, Couss. I, 311). Une improvisation à quatre voix sur une mélodie de plain-chant, avec quintes et octaves, est décrite pour la première fois par le clerc français Elias Salomon, en 1274 (Gerbert, III, 16). Le même arrangement pour les différentes voix servit aussi de base au *déchant anglais* en honneur au début du XIVe et au XVe s., dans lequel un *median* (alto), un *discant* (soprano) et souvent aussi un *quatreble* (super-soprano) étaient improvisés selon les règles de la doctrine des *vues*, méthode spéciale de transposition avec laquelle on faisait un usage abondant de tierces et de sixtes (pour plus de détails, *cf.* M. Bukofzer, *Gesch. d. engl. Diskants u. d. Fauxbourdons*, Strasbourg, 1936). On eut, très voisine du déchant anglais, la technique du *faux-bourdon* employée par Dufay et ses contemporains vers 1430 : la voix médiane d'une composition à trois voix n'y était pas écrite, mais seulement indiquée par la direction « à faulx bourdon », technique où prédominent des « accords » de tierce et de sixte, et, dans les cadences, l'intervalle quinte-octave. Une étrange combinaison d'*organum* parallèle improvisé en quintes et en octaves, — déchant anglais — avec ornementation de tierces et de sixtes, est décrite par Simon Tunstede (1351) comme « ayant l'air très artificiel, mais très facile à faire en réalité » (Couss. IV, 294, et III, 361) : cette ornementation mélodique, citée par Tunstede et certains de ses prédécesseurs, s'appelait *frangere* ou *florere*.

Le premier théoricien qui fasse une distinction nette entre le contrepoint improvisé et le contrepoint écrit fut *Prosdocimo de' Beldemandi* dans son *Tractatus de contrapuncto* (1412), où il cite deux façons de faire du contrepoint, l'une par écrit (*contrapunctus scriptus*), l'autre en chantant (*contrapunctus vocalis*) [Couss., III, 194]. Une source importante pour les différentes techniques du contrepoint improvisé et écrit est Johannes Tinctoris, qui, dans son *Liber de arte contrapuncti* de 1477 (Couss., IV, 129), donne une description détaillée des deux possibilités : il note que les deux formes de contrepoint, *simplex* et *diminutus*, peuvent se faire par écrit (*scripto*), ce qu'on appelle « à l'ordinaire » *res facta*, ou mentalement (*mente*), ce qui s'appelle généralement *contrapunctus* « simple » (*absolute*). D'après Tinctoris, le chant des voix en contrepoint directement d'après le livre de chœur est connu sous le nom de « chant sur le livre » (*supra librum cantare*). Cependant, dans la

littérature théorique française, le terme de *chose faite* est synonyme de *contrapunctus fractus* ou *floridus* (*musica mensuralis* ou *figurativa*). L'expression *contrapunctus ex mente* (*contrappunto a mente*, ou *alla mente*) pour le contrepoint improvisé a été généralement adoptée à partir du XVIe s., dans la littérature italienne surtout. En Allemagne, des environs de 1500 à 1650, le contrepoint fut appelé pour la 1re fois *sortisatio* (musique par accident), par opposition avec *compositio*, par l'Alsacien Nicolas Wollick (*Opus aureum*, 1501). Pour plus de détails, *cf.* E.T. Ferand, *Die Improvisation in der Musik*, (Zurich 1938), « *Sodaine and unexpected* » *music in the Renaissance*, MQ, *XXXVII* (1951), *Improvisazioni e composizioni polifoniche*, in RMI, *LIV* (1952) and *Improvised vocal counterpoint in the late Renaissance and early Baroque*, in Annales musicologiques, IV (1957). La différence essentielle entre le contrepoint improvisé et le contrepoint écrit tient au fait que dans le premier on ne considère que la relation des voix par rapport au ténor (*cantus firmus*), tandis que dans le second (*cantus compositus, compositio*) on tient compte de la position relative de toutes les voix entre elles. C'est encore ce principe qu'on trouve, aussi tard que 1614, dans les indications plaisantes que donne Adriano Banchieri (*Cartella musicale, terza impressione*) pour composer le contrepoint sur un *canto fermo* « *che faccia, con le parti in mano, effetto d'un vago contrappunto alla mente* ». Toutes les voix chantent dans des intervalles consonnants avec le *cantus firmus*, mais pas forcément consonnants les uns avec les autres, puisqu'aucun ne sait ce que l'autre est en train de chanter ; par conséquent, il peut se produire des oppositions, des dissonances, des progressions interdites (« *cattive quinte, ottave, stravaganze e urtoni* »), qui font néanmoins le « *maraviglioso effetto* » et l' « *udito gustosissimo* » du *contrappunto alla mente*. Banchieri est également l'auteur d'une plaisanterie musicale fameuse sur le « *contraponto bestiale alla mente* » dans lequel « *un cane, un cucco, un gatto, e un chiù per spasso fan contraponto a mente sopra un basso* » (1608). Du milieu à la fin du XVIe s., dans les compositions populaires, on se servait régulièrement de quintes consécutives sur de longs passages, dans une intention parodique, comme dans les villanelles des nombreux recueils de Nola, Cimello, Willaert, Donati, Regnart etc. (surtout dans les arrangements à 3 voix).
Le contrepoint improvisé est étudié avec plus ou moins de détails par un grand nombre de théoriciens, italiens surtout, des XVIe et XVIIe s., parmi lesquels P. Aaron, V. Lusitano, N. Vicentino, Gios. Zarlino, G.M. Artusi, H. Tigrini, P. Pontio, Giov.-Maria et Bernardino Nanini, G.B. Chiodino, A. Brunelli et d'autres jusqu'à A. Kircher, J.A. Herbst et G. d'Avella (1657). La *Prattica di musica, seconda parte* (1622) de L. Zacconi est consacrée à l'art du contrepoint *alla mente*, qu'il considère comme une étude préparatoire à la composition écrite. Dans les grandes chapelles des papes ou des princes, les chanteurs étaient particulièrement exercés dans l'art du contrepoint chanté. D'après A. Petit Coclico (1552), Hermann Finck (1556) et Sethus Calvisius (1592), le contrepoint improvisé sur les mélodies de plain-chant était pratiqué de façons différentes, soit en groupes faisant un usage modéré d'intervalles dissonants, soit par des solistes qui improvisaient des *clausulae* (cadenze) élaborées, et même des canons (*fugae*). L'art d'improviser toutes sortes de canons sur des mélodies de plain-chant, ou sans elles (*di fantasia*) faisait partie de l'enseignement normal de Zarlino et Calvisius (Certains de ces canons sont reproduits dans E.T. Ferand, *Die Improvisation in Beispielen*, Cologne 1956). Le terme de *contrappunto a mente* était employé aussi dans le sens plus étroit de contrepoint double par Chiodino, Herbst etc.
Dans la préface à son recueil d'*introït* à 4, 5 et 6 v. (1574), le chef de chœur de la cathédrale d'Udine, Ippolito Chamaterò di Negri signale avec fierté que ses choristes savaient « *far contraponti all'improviso* » sur des mélodies de plain-chant. Il y eut à Rome en 1593 une fameuse dispute pour « *comporre estemporaneamente su tema dato* » entre G. Nanini, F. Suriano, et l'Espagnol Sebastian Raval, sur un défi de ce dernier : elle prit fin

sur sa défaite rapide ; ce n'était pas une épreuve de *contrappunto alla mente*, mais de contrepoint écrit.
L'art du contrepoint improvisé sur des mélodies de plain-chant fut en honneur non seulement pour le chant, mais aussi sur les instruments à clavier, sans doute d'abord en Italie, dès le XIVe s., comme le montrent certains morceaux de *cantus firmus* du cod. Faenza 117, qui semblent être le fruit d'une longue expérience d'improvisation (*cf.* D. Plamenac, *Keyboard Music of the 14th century* in JAMS, IV, 1951). Cette technique était enseignée systématiquement dans les *Fundamentbücher* allemands, de Paumann (1452), Hans Buchner (1520 env.) etc. Pour un concours d'organistes à St-Marc de Venise dans la première moitié du XVIe s., le *regolamento* énumère, parmi les conditions requises des candidats, la faculté d'improviser un contrepoint strict à quatre voix dans le style de la fantaisie. Au début du XVIIe s., les organistes français savaient improviser « toutes sortes de canons et de fugues » (Mersenne).
Les organistes et les joueurs de luth de la Renaissance, en Allemagne et en Italie surtout, n'étaient pas seulement habitués à improviser en contrepoint, mais aussi à transposer des chants polyphoniques, *Lieder* et autres compositions vocales *all'improvisa* sur leur instrument (*intavolare, absetzen*) dans une forme ornée (*kolorieren*). Cet usage plus ou moins mécanique de la transposition ornée était très répandu, comme on le voit dans les nombreux *Tabulaturbücher* du XVIe et du début du XVIIe s., tels ceux de Kotter, Kleber, Sicher, Amerbach, Schmid, Paix etc. Pour la transposition ornée à l'orgue ou au luth, les *Lieder* de Paulus Hofhaimer étaient particulièrement appréciés. On trouve des formes plus originales d'ornements dans les *intavolature* des organistes italiens de la fin du XVIe s. : il s'y trouve même des transcriptions pour orgue de *canzoni da sonare* simples à l'origine et pour 4 instruments à archets, comme les *Canzoni d'intavolatura d'organo*, de Claudio Merulo, 1592 (version originale découverte et publiée par B. Disertori).
Au *Quattrocento* et au *Cinquecento*, il y avait une relation très étroite entre l'improvisation musicale et poétique. Les improvisateurs qui jouaient à la cour des princes, en Italie et ailleurs, étaient célèbres ; on peut citer Giustiniani, Poliziano, Brandolini Lippo, Serafino d'Aquilano, Chariteo (Gareth) etc. Ils récitaient et chantaient des poèmes lyriques et épiques, en s'accompagnant eux-mêmes sur la *viola d'arco*, la *lira da braccio* ou le luth. Il y eut aussi des liens étroits, un peu plus tard, entre la *commedia dell'arte* et l'opéra primitif (Pirrotta). Au début, la *frottola* est visiblement improvisée : les *Frottole lib. VI* de Petrucci (1505) contiennent quelques *giustiniane* (*a tre*) richement ornées ; dont la version originale (sans ornements) a été retrouvée par W.H. Rubsamen dans un chansonnier de la fin du XVe s. (Escurial, IV à 24) ; en comparant les deux versions, on est à même de juger de l'art des ornements improvisés que pratiquaient les chanteurs et les instrumentistes vers l'an 1500.
C'est au cours du *Cinquecento* que cet art appelé couramment *diminutio*, atteignit son apogée dans la musique vocale et instrumentale. Il était décrit en détail dans certains traités théoriques comme ceux de Coclico, H. Finck, Zacconi, Diruta, Cerone etc. et enseigné méthodiquement dans des manuels spéciaux de diminution, de plus en plus nombreux : celui de S. Ganassi (*La Fontegara*, 1535) d'abord, puis ceux de D. Ortiz (1553), G. dalla Casa (1584), G. Bassano (1585), R. Rogniono (1592), L. Conforto (1593), G.B. Bovicelli (1594) et d'autres encore, jusqu'au début du XVIIe s. On trouve les termes *passaggio* pour diminution et *gorga* (*gorgia*) pour désigner le chant en *coloratura* dans une lettre de G. C. Maffei da Solofra au comte d'Alta Villa, « ...*discorso della voce e del modo d'apparare cantar di Garganta...* » (impr. à Naples, 1562). Des formules de diminution, arrangées systématiquement pour toutes sortes de compositions (chansons, madrigaux, motets etc.) et des recueils de compositions polyphoniques « diminuées » furent publiés dans la seconde moitié du XVIe s., et plus tard (sauf pour certaines parties de la messe). Parmi les compositeurs dont les œuvres furent

arrangées avec diminutions, on peut citer Willaert, Arcadelt, Rore, Palestrina, Lassus etc. Les théoriciens reconnaissent que toutes les voix d'une composition polyphonique pouvaient être diminuées, mais que le soprano s'en accommodait le mieux, la basse le moins bien ; les auteurs mettent en garde contre une diminution exagérée, surtout simultanée à plusieurs voix. Il se glissait d'ailleurs des oppositions et des dissonances brusques jusque dans les versions écrites des compositions polyphoniques ornées, comme on en trouve dans le motet à 4 voix *Te maneat semper* dans la *Practica Musica* de H. Finck de 1556, dont un chapitre entier est consacré au chant orné : *De arte eleganter et suaviter cantandi*. A l'origine, les diminutions prenaient une place relativement modeste ; on se bornait, à diviser (« *diminuire* ») des notes longues en plusieurs petites, à remplir certains intervalles d'une mélodie par des gammes et des ornements mélismatiques. Vers la fin du XVIe s., on observe une tendance à augmenter le volume et la longueur des *colorature*, comme dans les versions si chargées de certains des *intermedii* florentins de 1589, faites par Chr. Malvezzi et A. Archilei.

Le *Tratado de glosas* de Diego Ortiz, publié à Rome en espagnol et en italien à la fois dès 1553, est déjà un bon document d'improvisation instrumentale : on y analyse toutes les possibilités d'exécution sur le *violone* (viole de gambe) avec accompagnement de clavecin, par exemple ; on y traite généralement de la fantaisie, et, en détail de la variation *ostinato* (*reçercadas* ou *recercate*) et de la diminution improvisée de chansons et madrigaux à 4 voix. Une source importante de l'improvisation en contrepoint sur instruments à clavier est Tomàs de Sancta Maria : *Arte de tañer fantasia* (1565). On observe aisément le développement des premières formes autonomes de musique instrumentale, à partir de l'improvisation habituelle, dans les premiers *praeambula, intonazioni, toccate* et *ricercari* pour instruments à clavier et à percussion (orgue, clavecin, luth), où les deux éléments fondamentaux du style instrumental, c'est-à-dire les *passaggi* et les accords, apparaissent souvent d'une manière tout à fait primitive, les uns à côté des autres, à un stade nettement expérimental, comme on en voit dans ceux du *Buxheimer Orgelbuch* (écrit aux environs de 1460–70) ou dans ceux de Kleber, Kotter, Johann de Lublin etc., tous du début du XVIe s. et pour le luth dans ceux des recueils de Petrucci (1507–11), de Vincenzo Capirola (env. 1517, éd. par Otto Gombosi, 1955) et de beaucoup d'autres. La musique de danse était un domaine important d'improvisation instrumentale : on y pratiquait surtout la variation, mais on ajoutait des voix en improvisant, comme on le voit d'après les mélodies de basse-danse de la fin du XVe s., écrites, à quelques exceptions près, avec une seule ligne mélodique, les autres voix devant être improvisées par les musiciens (*cf.* les publications de O. Kinkeldey, Hertzmann, Bukofzer, Gombosi, Apel etc.).

Dans la musique instrumentale aussi, on constate l'importance croissante de la *coloratura* à l'époque baroque, avec les transcriptions de compositions polyphoniques pour un seul instrument, comme les *madrigali rotti* pour viole bâtarde d'Orazio Bassani ou de Vicenzo Bonizzi (1626). En musique vocale, le nouveau style monodique se manifeste dans les nombreux recueils de *salmi, falsibordoni* et *motetti passeggiati, arie passeggiate* (ou *passaggiate*) d'Ottavio Durante, Kapsberger, Severi, Nauwach, Ignazio Donati etc. (1er tiers du XVIIe s.). La diminution à la manière italienne s'introduit dans presque toutes les formes de la musique sacrée et profane, dans la plupart des pays : le *Lied,* l'*aria,* le madrigal solo, le motet, le concerto spirituel et la cantate profane ; on la trouve encore dans la musique *a cappella* tardive (à partir de 1620 env.), comme le révèlent les fameux *abbellimenti* de la chapelle Sixtine, dans l'exécution du *Miserere* d'Allegri. Dans les éditions imprimées de certains concerts spirituels de Michael Praetorius (1619) et de Tobias Michael (1637), on donne deux versions des parties vocales, l'une simple, l'autre avec *coloratura*. Des exemples de versions ornées d'*airs de cour* français (par Boësset) sont imprimés dans l'*Harmonie universelle* de Mersenne, vol. II (1637) ; dans les chansons anglaises

(par ex. de Th. Brewer), on en trouve dans des mss du milieu du XVIIe s.

Avec le développement du *bel canto* (à partir de 1700 env.), on atteint l'envahissement de la *coloratura* dans l'opéra et la cantate, même dans l'oratorio (Haendel). Elle n'est pas absente non plus dans les duos de chambre, comme on le voit dans les *passi* rajoutés par Carlo Antonio Benati à l'*op.* 8 de Bononcini (1692, 2e éd. 1701), ou dans les *colorature virtuoso* de Fr. Durante sur les *duetti da camera*, probablement écrits par le compositeur lui-même (en 1720) et conservés dans un ms. de la *Biblioteca di S. Cecilia* à Rome. Dans l'*aria*, c'est dans les passages *da capo* que la virtuosité (et la vanité) des *prime donne* et des castrats du début et du milieu du XVIIIe s. trouvaient le meilleur des terrains : la chose est décrite par Pierfrancesco Tosi dans ses *Opinioni de' cantori antichi e moderni* de 1723 et par Benedetto Marcello dans sa fameuse satire *Il teatro alla moda* (de 1721 ou avant). On reste ébahi devant certaines cadences du célèbre castrat Carlo Broschi Farinelli, qu'il ajoutait lui-même à des airs d'opéras de différents compositeurs (1753).

L'improvisation (en solo) sur la viole de gambe redevint à la mode en Angleterre dans la première moitié du XVIIe s. : les amateurs et les musiciens professionnels se plaisaient à jouer des *divisions* (variations *ostinato* et diminutions en contrepoint), ainsi que J. Playford (1654), Chr. Simpson (1659) et le joueur de viole français Jean Rousseau (1687) le décrivent avec de nombreux exemples. Cependant la viole passait de mode, laissant la place au violon, instrument sur lequel l'art de l'improvisation ornée allait s'épanouir, comme en témoignent, entre autres, les célèbres sonates *op.* 5 de Corelli (1700), qui comportent, de la main du compositeur lui-même, des « agrémens comme il les joue ». G.Ph. Telemann fait quelquefois imprimer à la fois la version simple et la version ornée d'une partie de violon ou de flûte de ses sonates et trios (1731–32) ; plus tard, Franz Benda fait de même dans certaines de ses nombreuses sonates pour violons, conservées en mss, où un adagio se rencontre en version simple et en deux versions ornées *ad libitum*. Chez J.-S. Bach, on sent nettement qu'il préférait écrire les ornements, avec tous les détails, plutôt que de les laisser au caprice des exécutants : on peut confronter facilement la version originale et la version ornée dans les transcriptions de Bach pour clavecin seul de concertos de Vivaldi, Marcello etc., de sonates en trio de Reinken, ou dans sa symphonie d'après sa propre cantate d'église no 156 ; on y a un excellent aperçu de l'art des ornements tel que le pratiquaient les solistes, à l'origine, en improvisant, au violon, hautbois, etc. Dans la littérature italienne, on distinguait les *passi* et les *passaggi*, plus ou moins longs, dans la littérature allemande les ornements « essentiels » (traditionnels) et les ornements « arbitraires » libres (*wesentliche und willkürliche Manieren*, ce dernier terme étant dérivé de l'italien *maniera*, qui signifiait l'art du chant orné).

Un domaine d'improvisation entièrement nouveau s'ouvrit, à l'accompagnement, avec le *basso continuo* (allemand : *Generalbass*, anglais : *thoroughbass*), à la fois dans les parties d'accompagnement proprement dites, et dans les ritournelles et, finalement dans le *partimento*. L'improvisation sur *basso continuo* a véritablement régné pendant près d'un siècle et demi : il est probable que son rôle a évolué selon la mode du moment, le type de composition (musique d'église, de théâtre ou de chambre) et selon le talent et la technique de l'accompagnateur. Le *b. c.* est défini comme « *comporre all'improviso* » par Fr. Gasparini dans son traité classique *L'armonico pratico al cimbalo* (1708) ; dans un traité ms. anonyme d'une époque sans doute légèrement antérieure, on fait une large place à la description du son étonnamment plein des « *acciaccature* » dissonantes, appogiatures jouées en même temps que la note principale de l'accord. Haendel insérait dans ses airs de longues ritournelles, qui furent célèbres ; il interpolait aussi dans ses oratorios des concertos pour orgue avec de longs passages polyphoniques improvisés. A partir du *b. c.*, vers 1700, dans le milieu des compositeurs napolitains, une forme indépendante de musique improvisée, le *partimento*, se développa, qui s'appuyait sur des *bassi numerati*, et qui, vers la fin du XVIII<sup>e</sup> s., donna lieu à une abondante littérature didactique. Il existe une sonate pour deux clavecins à 3 mouvements de B. Pasquini, qui est écrite uniquement en basse chiffrée, pour être exécutée librement par deux musiciens qui improvisent. Comme pionnier, dans le domaine du *partimento*, on cite Fr. Durante ; il existe aussi des recueils nombreux de *partimento*, en mss pour la plupart, de G. Greco, A. Sabbatini, Contumacci, Franzaroli, Saratelli, Paisiello, Mattei, Tritto etc. L'art du *partimento* comportait aussi d'improviser en partie des fugues et des toccatas.

Pendant tout le XVII<sup>e</sup> et le XVIII<sup>e</sup> s., on exigeait beaucoup de la science contrapuntique des organistes, improvisation de préludes-chorals, de variations *ostinato*, de doubles-fugues, si l'on en croit les épreuves d'organiste données à Weckmann et autres, et décrites en détail par Mattheson (*Grosse Generalbass schule*, etc.). Comme lieu d'improvisation normal, la musique instrumentale avait la cadence solo, qui n'était écrite que dans les cas exceptionnels (Vivaldi, 1712). Des cadences libres étaient également insérées dans les sonates pour trio, comme la sonate pour deux violons et viole de gambe, jouée en 1666, où chacun des musiciens (il y avait parmi eux le compositeur Chr. Förster *jr.* et le cantor de St-Thomas, Chr. Bernhard) avait huit mesures à jouer selon son imagination *in stylo phantastico* (Mattheson). De dimensions modestes au début, les cadences solo prirent de l'importance et finirent par prendre forme de toccatas, de capriccios et d'études qui n'avaient aucun rapport direct avec le contenu thématique de l'œuvre. Quantz appelle la cadence une composition improvisée (*Komposition aus dem Stegreif*, ds *Versuch...*, 1752). Vers la fin du XVIII<sup>e</sup> s., les cadences étaient encore improvisées par les solistes, mais, à partir de Beethoven, elles furent plutôt écrites par les compositeurs eux-mêmes ou de plus en plus fournies par de grands virtuoses du piano et du violon. Beethoven, au cours d'une exécution de son quintette pour bois seuls *op.* 16, en 1797, ajouta une cadence improvisée au dernier mouvement. K. Czerny consacre tout un chapitre aux cadences dans sa *Systematische Anleitung zum Fantasieren auf dem Pianoforte, op.* 200 (1836).

Les ornements improvisés étaient encore en usage en musique vocale à la fin du XVIII<sup>e</sup> s., comme le donnent à penser les indications de J.A. Hiller dans *Anweisung zum musikalischzierlichen Gesange* (1780) ou les variations brillantes et les cadences *virtuoso* dans le style *bel canto* que Luigi Marchesi joua dans un opéra de Cherubini, exécuté à Mantoue en 1784, et conservées en ms. à l'*Australian national library*. C'est aux environs de 1815, à Paris, que Rossini bannit définitivement l'improvisation dans l'opéra.

Le courant caractéristique qui va de la variation improvisée à la variation écrite (en musique instrumentale) nous est révélé par la préface de C.Ph.E. Bach aux *Sonaten für Clavier mit veränderten Reprisen* de 1760, où le compositeur affirme qu'en écrivant les *Veränderungen* pour les 2 parties répétées d'un mouvement de sonate, il est le premier à donner aux musiciens moins doués la possibilité d'exécuter avec les variations indispensables, sans qu'ils soient obligés de les inventer ou de les demander à quelqu'un d'autre. A la fin du XVIII<sup>e</sup> s., un domaine familier de l'improvisation au clavier était la *Freie Fantasie*, dont J.S. Petri dit qu'elle est « le degré suprême de la composition, où l'exécution fait corps avec la pensée créatrice ». (*Anleitung zur praktischen Musik* 1767, 1782). Le dernier chapitre de *Versuch über die wahre Art das Clavier zu spielen* (part. II, 1761) de Ph.E. Bach traite de la fantaisie libre, dans sa forme écrite, caractérisée par l'absence de barres de mesure. A la fin de son traité, Bach donne un exemple de cette forme, en 2 versions, l'une en schéma de basse chiffrée, l'autre complètement écrite. Czerny, dans le traité déjà cité, énumère 6 façons d'improviser au piano : le développement d'un ou de plusieurs thèmes, le pot-pourri, les variations, le style de la fugue et le capriccio.

Des grands compositeurs qui furent en même temps des virtuoses célèbres à l'orgue, au clavecin, au piano ou au violon, beaucoup ont excellé dans l'art d'improviser.

Dans cette longue liste, on rencontre l'organiste aveugle du *Trecento*, Francesco Landino, vers 1500 Paulus Hofhaimer, musicien à la cour de l'empereur Maximilien, plus tard Claudio Merulo, Sweelinck, Frescobaldi, Titelouze, Weckmann, Buxtehude, D. Scarlatti, Händel, Jean-Séb. et C.Ph.E. Bach. De Jean-Sébastien, on dit que dans « ses improvisations à l'orgue, dont rien ne restait qui fût écrit, tout jaillissait directement de son imagination, qu'elles étaient encore plus recueillies, solennelles, majestueuses et sublimes que ses compositions écrites » (Forkel) ; l'*Offrande musicale* fut la cristallisation de canons et de fugues improvisés, d'une complexité, que Bach joue en 1747, à Potsdam, sur un thème « vraiment royal » que le roi Frédéric II lui avait donné ; il était non moins célèbre pour la perfection de ses accompagnements sur *b. c.* Parmi les grands maîtres de l'époque classique, Mozart et Beethoven furent aussi de grands improvisateurs : dès l'âge de 5 ans, Mozart enchantait son auditoire, en concert public, par ses improvisations, souvent sur des thèmes donnés par le public ; dans les académies et les salons, il improvisait sur des airs d'opéra à la mode ou sur des airs folkloriques ; une fantaisie libre qu'il improvisa à l'orgue d'un monastère nous a été conservée en partie par quelqu'un qui l'écrivit de mémoire. Beethoven étonnait encore plus en improvisant au piano qu'il n'était célèbre comme compositeur : ses contemporains ont souvent parlé de la profonde impression que faisaient ses improvisations (*cf.* Thayer, *Life of Beethoven*, II, 347) ; sa façon de voir cette question apparaît dans une note écrite en 1808 : « A vrai dire, on n'improvise qu'en ne faisant pas attention à ce qu'on joue, c'est la meilleure et la seule façon d'improviser en public » ; mais il lui arrivait tout de même de préparer ses improvisations en public en notant d'avance thèmes et modulations ; ses formes préférées d'improvisation étaient la sonate ou le rondo, ou une fantaisie sur plusieurs thèmes : Czerny cite sa fantaisie *op.* 77 comme modèle du genre. Parmi les improvisateurs célèbres de l'époque romantique, citons Schubert, Schumann, Mendelssohn, Chopin, Liszt. Liszt improvisait au concert sur des thèmes de la 7<sup>e</sup> symphonie de Beethoven, des *Noces de Figaro*, du *God save the King* etc. et considérait l'improvisation sur un thème donné comme un moyen essentiel d'établir le contact entre l'artiste et son public. Certains grands maîtres se plaisaient quelquefois à improviser sur deux pianos, par ex. Mozart et Clementi, Beethoven et Wölfl, Mendelssohn et Moscheles, Chopin et Liszt. Hummel improvisait au piano avec Franz Clement au violon. Ce dernier avait l'habitude d'inclure de larges improvisations, au piano comme au violon, dans le programme de ses concerts (1806, 1815). Brahms lui aussi fut un improvisateur de talent, de même que C. Franck, et, supérieur à tous, Anton Bruckner, qui impressionnait profondément son public avec ses improvisations à l'orgue de St-Florian et dans ses tournées de concerts à Paris (1869) et à Londres (1871). L'art d'improviser à l'orgue en public ne s'est pas perdu complètement, même au XX<sup>e</sup> s., surtout en France : parmi les grands improvisateurs, citons Saint-Saëns, Guilmant, et, contemporains, Marcel Dupré et Olivier Messiaen.

Les habitudes antiques d'improvisation en groupe survivent dans certains types de musique populaire de notre temps, dans la musique des orchestres tziganes, dans le jazz, qui est particulièrement important du point de vue de la musique artistique ; dans l'une comme dans l'autre, on trouve beaucoup de procédés techniques venus du fond des âges : ornements improvisés, contrepoint *ex tempore*, variation *ostinato* (*boogie-woogie*), cadences solo (*breaks*). On trouve des restes de chants religieux improvisés en groupe dans les *negro spirituals* et les *white spirituals*, qui sont encore inventés de nos jours au cours d'une extase religieuse dans certaines régions des Etats-Unis.

De nos jours, l'improvisation est devenue un élément toujours vivant de l'éducation créatrice : on le doit surtout aux idées d'Emile Jaques-Dalcroze (1865-1950), qui fit de l'enseignement de l'improvisation au piano une partie intégrante de sa méthode rythmico-musicale (« la rythmique »). Il est admis partout, aujourd'hui comme autrefois, bien qu'on l'ait oublié ou nié souvent au XIXᵉ s., que l'art de l'improvisation, comme celui de la composition, peut être enseigné et appris, à partir d'un certain talent naturel. L'improvisation est maintenant une matière d'enseignement dans beaucoup de conservatoires et d'écoles de musique d'un bon nombre de pays, non seulement parce qu'elle est une nécessité pour les organistes, mais encore parce que c'est un stimulant dans la formation des musiciens, professionnels et amateurs, et un fondement de l'art musical en général ; à ce titre, on peut la considérer comme un excellent antidote à la standardisation et à la mécanisation croissantes de la vie musicale de notre temps. Voir également art. *réalisation*.                    E.T.F.

nément et sans hésitations les intervalles harmoniques correspondant aux fonctions tonales de ce chant.
Dans les hautes civilisations de l'Orient, où l'improvisation est le principe artistique par excellence, l'art du *maqam* (Proche-Orient) ou du *raga* (Indes) consiste à créer, à chaque présentation d'un modèle mélodique donné un morceau tout à fait nouveau. Cette nouvelle composition est réalisée au moyen d'un changement de rythme et par l'intercalation de passages mélodiques plus ou moins étendus, qui, tout en ayant un caractère musical autonome, servent de pont entre les différentes notes du modèle mélodique.
Cette technique a été également pratiquée dans la musique de l'Europe médiévale et existe encore de nos

IMPROVISATION

*Râga Bhairavi (Inde).*

*II.* L'improvisation est la forme élémentaire de toute activité musicale. Elle est d'autant plus développée que la production est spontanée. Elle se déploie de la façon la plus naturelle chez les peuples primitifs. Un coup de vent fait perdre à un homme son chapeau : un nègre le voit, et immédiatement une exclamation ou une phrase qui commente ou simplement relate cet événement se présente dans sa forme la plus émotionnelle — musicale — au moyen d'une mélodie. Dans les hautes civilisations de l'Orient, l'improvisation est une forme proprement artistique. Très en vogue aussi en Europe, jusqu'aux temps de la Renaissance, elle s'affaiblit peu à peu, à mesure que la notation musicale et les grandes combinaisons chorales et orchestrales en restreignent considérablement les possibilités. Elle a été ressuscitée dans notre civilisation par le jazz créé par l'influence nègre.
Le propre de l'improvisation est l'identité du compositeur et de l'exécutant. Mais très souvent cette identité n'est que partielle, car au lieu de créer une mélodie nouvelle l'improvisateur peut aussi se servir d'une mélodie préexistante, soit pour la développer, soit pour la modifier plus ou moins selon ses besoins. Dans le cas le plus simple, il ajoutera par exemple des notes supplémentaires suivant le nombre de syllabes dont il aura besoin pour exprimer ses idées. Chez les peuples qui pratiquent un *ostinato* monodique, un chœur ne tardera pas à s'en servir pour créer un refrain : ce refrain peut se limiter à une exclamation qui renforce simplement le son final du protagoniste ; mais il peut également constituer un motif bref, voire toute une phrase mélodique formant une espèce de contrepartie au chant du soliste.
Si les lois d'harmonie en vigueur dans une civilisation donnée sont assez simples, un chant, même complètement inédit, peut être accompagné, dès la troisième ou quatrième audition, par un chœur qui réalisera sponta-

jours dans la musique populaire des pays méditerranéens. A côté de cette forme d'improvisation, il en existe encore une autre qui se limite à la création de la ligne mélodique, alors que le rythme peut correspondre à une formule traditionnelle : si cette formule ne varie pas au cours d'une improvisation, on l'appelle improvisation *isométrique*.
                                                                M.S.

**INACHVILI** (*Inasvili*) **Alexandre Jovitch.** Chanteur géorgien (1899–). Soliste de l'opéra de Tiflis depuis 1918, qui, de 1923 à 1925, a fait des tournées en Italie et en Espagne, prof. au cons. de Tiflis (depuis 1937), il assume un rôle important dans la création de l'art vocal géorgien.

**INANGA.** C'est une cithare du même type que le *kisango* (voir à ce mot) : la corde est faite de tendons de bœufs (Afrique équatoriale, Urundi).              C.M.-D.

**INCAGLIATI Matteo.** Critique ital. (Salerne 1873–Rome 1941), rédacteur en chef de *Musica*, fondateur et directeur de *L'Orfeo*, de la *Strenna mus.* (1927), chroniqueur au *Giornale d'Italia* et au *Popolo di Roma*, qui publia *Storia del teatro Costanzi* (Rome 1907), *Figure meridionali d'altri tempi* (Lanciano 1913), *N. de Giosa e il genio mus. di Puglia* (Bari 1923).

**INCANTATION.** C'est une émission verbale prétendue douée d'efficacité sur les puissances surnaturelles. Le mot est dérivé du latin *incantare* (enchanter) et possède une parenté étymologique avec *carmen* (charme). L'incantation appartient au rituel de la magie et utilise les mots, phrases ou suites de phonèmes ordonnés selon un rythme déterminé et souvent portés sur un chant qui en augmente la puissance.
L'*i.* se distingue radicalement de la prière, en ce qu'elle prétend forcer les puissances surnaturelles, dieux,

démiurges et démons, à obéir à celui qui l'émet, alors que la prière est une intercession, une humble demande, une supplication auprès des puissances divines de caractère bénéfique. L'incantation permet d'avoir barre sur les forces cachées ou occultes, la prière est un acte de foi et d'amour. Cette distinction a été tracée sans ambiguïté dès le début du judaïsme avec l'interdiction des formules magiques amorites, et *a fortiori* à l'origine du christianisme.

La pratique des *i.* remonte à la préhistoire et l'on en trouve des traces innombrables dans les rituels religieux des Assyriens, des Babyloniens, des Egyptiens, des Grecs et des Romains. En général, toutes les sociétés comportant une religion polythéiste l'utilisent largement, puisque la hiérarchie des dieux laisse supposer que les plus faibles d'entre eux peuvent être forcés d'obéir à des injonctions communiquées aux initiés par des déités plus puissantes. Inversement, il faut s'attendre à ce que l'*i.* soit sévèrement prohibée dans les sociétés monothéistes, puisqu'il ne peut pas être question pour les mortels d'acquérir un pouvoir quelconque sur un Dieu infiniment puissant et infiniment bon. Cependant l'incantation n'est pas entièrement absente des civilisations chrétienne, israélite et musulmane. Le *Cantique des cantiques* est en partie incantatoire, les formules d'exorcisme prononcées à l'encontre du diable (*Vade retro, Satana*), les centons islamiques, les litanies, possèdent une intention prophylactique indéniable, et bien des gens s'exaspèrent de n'être pas exaucés, bien qu'ils aient correctement observé le rituel.

L'*i.* la plus puissante est prononcée par le prêtre ou l'initié qui sont en contact avec les divinités supérieures, car celles-ci leur communiquent les formules capables d'asservir les puissances subalternes. Certaines *i.*, d'autant plus secrètes qu'elles sont plus efficaces, lient même les dieux supérieurs. Cette science incantatoire est souvent plus ou moins complètement déléguée aux médecins, qui la pratiquaient constamment en Babylonie, en Egypte et chez les peuples archaïques. Nombre de formules prophylactiques et thérapeutiques ont été transmises par des rituels, et Pline l'Ancien en cite plusieurs. Marcellus, dans son *Livre sur les médicaments*, rappelle souvent quelle puissante aide thérapeutique est le *carmen* convenablement récité au moment de l'application d'un remède. Enfin les *i.* mineures peuvent être proférées par des laïques et les gens du commun à l'occasion des innombrables événements de la vie quotidienne : il en existe des traces de nos jours et dans les pays les plus avancés.

La théorie de l'*i.* pose en principe que certains sons, exactement prononcés, produisent dans l'éther une vibration qui se propage dans les milieux les plus subtils et atteint donc les esprits surnaturels. Les sons, ordonnés, deviennent des mots, usuels ou ésotériques, qui évoquent des universaux. De là découle, en Inde, toute la science de la phonétique et de la grammaire, qui trouve donc sa justification dans la magie incantatoire. Pour Panini, le grammairien indien du V^e s. av. J.-C., le mot est ce qui, au moment de son émission verbale, donne connaissance d'un objet dont l'ensemble des attributs est immédiatement connoté. A sa suite, les Indiens attribuèrent une efficace magique à la parole, car la « voix » (*vac*) est divine. Les syllabes du mot, *aksara*, ont une vertu propre et participent à la mystique de l'action. Patanjali, dans son commentaire de Panini, rappelle que le son ou *logos*, naît de l'union de Brahman, la pensée germinatrice, avec son principe femelle, sa *çakti* ou *prakriti* qui est l'articulation. En d'autres termes, le concept spirituel du son, *siva* ou pourousha, uni avec la respiration ou phonation, *sonara*, produit le phénomène vibratoire du son, *sahda*, qui est la voix, la syllabe fondamentale étant *om*.

La hauteur absolue du son a une valeur incantatoire. Sarngadeva (IV^e av. J.-C.) donne dans son *Sangita-ratnakara* un tableau d'équivalence, dans lequel les notes de la gamme correspondent à des animaux symboliques, à des couleurs et à des émotions.

De la même époque, le *Natya-sastra* de Bharata offre également une correspondance comparable qui peut se résumer ainsi :

| Notes indiennes | Notes occident. | Animaux | Couleurs | Émotions |
|---|---|---|---|---|
| *sa* | *ré* | paon | cuivre | courage |
| *ri* | *mi* | taureau | nuque de l'éléphant | surprise colère |
| *ga* | *fa* | chèvre | or | compassion |
| *ma* | *sol* | grue | jasmin | |
| *pa* | *la* | kokila (oiseau) | cinq couleurs | amour |
| *dha* | *si* | cheval ou poisson | jaune | dégoût |
| *ni* | *ut* | éléphant | brun | compassion |

De cette science de la syllabe, du mot, de la phrase et de la note musicale, dérive celle des formules magiques ou *mantras* qui asservissent les éléments éther, air, feu, eau et terre. On conçoit qu'en superposant les saisons, les sexes, l'influence des étoiles, les événements et bien d'autres éléments encore, on soit parvenu à un rituel ésotérique d'une extrême complexité.

Il s'ensuit que toute formule incantatoire doit revêtir une forme rigoureusement déterminée et n'a d'efficace que si elle est parfaitement récitée et psalmodiée. On touche ici à l'aspect musical de l'*i.* Pour mieux retenir celle-ci, pour l'émettre correctement et pour augmenter son effet astreignant sur les puissances hostiles du monde surnaturel qu'il s'agit de contraindre et d'asservir, l'*i.* doit être rythmée sur un schème rigoureux, chantée sur des notes minutieusement choisies et prononcée sans la moindre erreur, faute de quoi l'effet en serait nul et même maléfique pour le magicien.

Dans les textes antiques, les allusions aux incantations sont innombrables. Dans la pyramide d'Ounas, sur les stèles funéraires gréco-latines et palmyréennes, chez Virgile, Ovide, Horace, Tibulle, Properce, Pline, dans les œuvres d'Eschyle, d'Euripide, chez Al-Farabi, on trouve des preuves surabondantes de la croyance dans le pouvoir des incantations. Les buts recherchés sont également sans limites, les uns sont bénéfiques : guérison des maladies, magie d'amour, résurrection des morts, chute de pluie, fécondité des troupeaux ; les autres sont maléfiques : mort provoquée, stérilité, destructions de toutes sortes, enchantement et envoûtement d'animaux et d'êtres humains, asservissement de génies.

Dans le domaine musical, bien des compositeurs ont utilisé l'*i.* comme motif central d'une action dramatique. Les scènes magiques et incantatoires de *La flûte enchantée*, de la *Walkyrie*, de *Lohengrin* et de *Parsifal*, de *Fervaal*, sont parmi les exemples les plus évidents. Enfin les instruments de musique spécialement construits avec des os, la peau et des cheveux humains par exemple, ou décorés de façon particulière, servent à accompagner des *i.* en apportant le poids de leur force magique.

Si l'*i.* a perdu, dans nos esprits, toute efficacité sur le cosmos, elle n'en demeure pas moins une incontestable source d'inspiration artistique, probablement parce qu'elle nous rattache à des concepts ancestraux qui trouveront toujours dans les âmes une obscure résonnance.

F.B.

**INCH** Herbert Reynolds. Compos. amér. (Missoula 25.11.1904-). Elève (puis prof.) de l'*Eastman School* de Rochester, de l'Acad. amér. de Rome, prof. au *Hunter College* de N.-York (dep. 1937), il a écrit des œuvres symph. (1 symph., 1932), 2 concertos (de piano, 1940, de violon, 1947), chor., de chambre, des mélodies.

**INCIPIT.** — **1.** Dans le plain-chant grégorien, c'est l'équivalent d'*intonation*. — **2.** Dans la mus. polyph. des XIII^e et XIV^e s., c'est le début des paroles du ténor, début qui sert souvent à désigner toute l'œuvre. Voir P. Aubry, *Recherches sur les ténors latins...*, Paris 1907.

**INCISE.** Ce terme, emprunté à la métrique, est utilisé pour désigner une subdivision d'un thème rythmique et mélodique, qui sert de base à un développement secondaire.

**INCORONATA.** C'est un signe, en forme de 𝔖,

MUSIQUE INDIENNE        Rapho-Louis-Frédéric

*Temple de Behir (Inde du Sud), bas-reliefs extérieurs.*

qu'inventa E. de Cavalieri (fin XVIe s.) pour indiquer, dans une mélodie, le lieu d'une respiration.

**INDIA Sigismondo d'.** Mus. ital. (Palerme v. 1580–Modène 1629). En 1606, il est à Mantoue, ensuite à Florence et à Rome, en 1610 à Plaisance, de 1611 à 1623, à Turin, comme *maestro* de la chambre du prince de Savoie ; en 1623, il reste qq. temps à Modène, puis rejoint à Rome le cardinal Maurice de Savoie (1624), au service duquel il restera deux ans, pour revenir à Modène (1626) ; polyphoniste nourri de la grande tradition du XVIe s. italien, il adopta dans sa maturité le nouveau style du récitatif chanté et sut trouver des accents personnels dans la monodie et l'*arioso*; il mit en musique *Zalizura (favola pastorale)* et publia 8 liv. de madrigaux à 5 v. (1606–1724), 2 de *villanelle alla napolitana* (3-5 v., 1608–1612), 5 de *Musiche da cantar solo e a 1-2 v.* (1609–1623), *Le musiche e balli a 4 v.* con b. c. (1621), *Novi concentus ecclesiastici* (2-3 v., 1609), *Lib. sec. sacrorum concentuum* (3-6 v., 1610), *Lib. pr. motectorum* (4 v., 1627). Voir F. Mompellio, *S. d'I.*, Milan 1956.
                            C.S.

**INDICE.** C'est le chiffre dont on affecte les noms de notes pour en indiquer la hauteur. On n'a pas pu encore arriver à ce jour à l'unification de ces *i.* : la France et l'Allemagne n'ont pas adopté le même système ; dans la notation française, c'est la gamme qui part de l'*ut* grave du vcelle qui sert à délimiter l'*i.* 1. Voir art. *fréquence*.

**INDIENNE [hindoue]** (*Musique*). Les débuts de la musique de l'Inde se perdent dans la préhistoire. D'après les Anciennes-chroniques (les *Purâna*-s), le dieu Shiva enseigna lui-même la musique et la danse aux humains plus de 6.000 ans avant notre ère. Les historiens d'Alexandre, qui visita le Punjab vers 300 av. J.-C., nous indiquent la même époque comme celle où Dionysos (Shiva) avait enseigné aux Indiens l'art musical. Les Grecs, comme plus tard les Arabes, furent frappés par le raffinement et la complexité de l'art musical des Hindous. Tous les peuples de l'antiquité semblent avoir considéré l'Inde comme une sorte de patrie de la musique. La musique de l'Inde est une musique savante qui a eu ses théoriciens depuis une époque très ancienne. Nous possédons de nombreux ouvrages sur la théorie musicale écrits en sanscrit. Les plus anciens sont difficiles à dater mais ne semblent guère pouvoir remonter au-delà du Ve siècle avant notre ère. Plusieurs textes, antérieurs à l'ère chrétienne, mentionnent toutefois de nombreux auteurs très anciens dont les écrits sont aujourd'hui perdus. Les premiers textes survivants décrivent déjà une théorie musicale complexe et bien établie qui est loin d'être à ses débuts et qui est restée à peu de chose près la théorie musicale indienne jusqu'à nos jours.

**Les quatre systèmes.** Les théoriciens hindous mentionnent quatre systèmes musicaux comme ayant cours dans l'Inde. La codification de ces systèmes est légendairement attribuée à Shiva, Hanumant, Bharata et Soma. Il existe aujourd'hui encore, plusieurs systèmes nettement différents mais ils ont subi tant d'influences mutuelles, tant de remaniements théoriques, pour essayer de les rattacher successivement au système considéré à diverses époques comme le plus élégant, qu'il est difficile de les identifier aux quatre systèmes de musique que l'Inde a connus autrefois. Deux systèmes cependant nous ont laissé des éléments suffisants de leur théorie et de leur pratique pour pouvoir les distinguer avec certitude : ce sont le système de Shiva et le système de Bharata.

**Le système de Shiva.** L'enseignement de la musique attribué à Shiva remonte théoriquement au-delà de l'âge védique et de l'invasion aryenne. Il semble bien en effet que ce système soit indigène en Inde. Rejeté sur la périphérie de l'aire de culture aryenne pendant toute la période classique, il a conservé pourtant une étonnante vitalité et, bien que les ouvrages théoriques manquent à son sujet pendant presque toute son histoire, nous retrouvons à toutes les époques des preuves de sa présence et de son influence. Ce système a laissé sa marque sur la musique de l'Indonésie et de l'Indochine qu'il influença vers le VIᵉ s. Même dans l'Inde d'aujourd'hui, il tend à

reprendre sa place devant la théorie classique plus abstraite. Dans ce système, dont les classifications sont fondées sur la technique vocale plutôt qu'instrumentale, les modes sont divisés en formes pentatoniques considérées comme mâles et formes heptatoniques dérivées des pentaphones et envisagées comme ayant un caractère féminin. Il y a donc un certain nombre de pentaphones mâles appelés *râga*-s, un terme qui veut dire « humeur », car chacun est censé représenter un état d'âme particulier. Chacun de ces modes a un certain nombre d'épouses, les *râginî*-s, qui sont des heptaphones apparentés aux modes mâles, mais avec un caractère moins défini, moins absolu, plus en nuances. Des modes secondaires appartenant à chacun de ces groupes sont considérés comme les fils des modes principaux.

A Java, où l'influence de ce système a été très forte pendant la période de colonisation hindoue (VIᵉ au IXᵉ s.), les modes de cinq notes sont aujourd'hui encore appelés *slendro* (*shilendra*, le seigneur de la montagne), une des épithètes de Shiva.

**Les modes pentatoniques.** Les principaux modes pentatoniques du système de Shiva sont au nombre de dix :

| | |
|---|---|
| *bhairava* (aujourd'hui *gunakali*) | *do ré b fa sol la b do* |
| *malakosha* | *do mi b fa la b si b do* |
| *shri* | *do ré b fa sol si do* |
| *hindola* | *do mi fa la si do* |
| *megha* | *do ré fa sol si b do* |
| *sâranga* | *do ré fa sol si do* |
| *bhûpâla* | *do ré b mi b sol la b do* |
| *bhûpâlî* | *do ré mi sol la do* |
| *vibhâsa* | *do ré b mi fa (fa ♯) la do* |
| *durgâ* | *do ré fa sol la do* |

Les anciens ouvrages mentionnent seulement sept modes, ignorant les trois derniers.

**Le système de Soma.** Il semble que le système musical du Sud de l'Inde (ou système *carnatique*), profondément différent par son style et son origine des systèmes du nord, soit, en dépit des efforts répétés pour le rattacher à la théorie de Bharata, un système original, probablement celui dont la théorie fut attribuée à Soma.

**Le système de Hanumant.** La musique traditionnelle et populaire du Nord-Ouest de l'Inde se prétend dérivée de la théorie de Hanumant. Ceci n'est pas entièrement prouvé ni évident.

**Le système classique ou système de Bharata.** La grande théorie classique de la musique hindoue est apparentée à celle de la musique grecque. Son étude a constitué à toutes les époques une des branches importantes de la science indienne et nous pouvons suivre son développement et son évolution depuis deux mille ans. Bien qu'il existe des ouvrages fragmentaires antérieurs, le premier grand ouvrage sur la théorie musicale classique qui ait survécu est le *Nâtya-shâstra*, attribué au sage Bharata. Le *Nâtya-shâstra* tel que nous le connaissons est en réalité une compilation d'ouvrages antérieurs assez mal ordonnée, commencée vers le IIᵉ s. avant notre ère et qui se stabilisa dans sa forme actuelle vers le IVᵉ s.

**Les shruti-s.** Dans ce système, nous retrouvons la division enharmonique des Grecs sous le nom d'échelle des *shruti*-s. L'octave est divisée en 22 intervalles inégaux correspondant aux principales consonances. D'après les théoriciens hindous, chacun de ces intervalles a une expression définie et précise, et c'est le choix d'un *shruti* particulier pour chaque note qui détermine leur signification et par conséquent l'expression du mode. Autrement dit, une note chantée un peu plus haut ou un peu plus bas acquiert de ce fait une signification différente que la théorie des *shruti*-s cherche à définir. Certains auteurs envisagent une division en 66 intervalles dans l'octave.

*Liste des shruti*-s. La liste la plus commune des *shruti*-s est la suivante (l'interprétation en est donnée par des musiciens indiens modernes) [1] :

1. *tîvrâ* (intense, poignant) : *si b⁺*
2. *kumudvatî* (lotus blanc) : *si*
3. *mandâ* (lent, pervers) : *si⁺*

[1] Les signes + et — indiquent un élèvement ou un abaissement d'un comma par rapport au diatonique.

4. *chhandovatî* (mesure des sons) *ut (tonique)*
5. *dayâvatî* (compassion, tendresse) : *ré b⁻*
6. *ranjanî* (coloré, lascif) : *ré b*
7. *ratikâ* (plaisir, sensualité) : *ré*
8. *raudrî* (brûlant, terrible) : *mi b⁻*
9. *krodhâ* (colère, fureur) : *mi b*
10. *vajrikâ* (sévère, insolent) : *mi b⁺*
11. *prasârinî* (pénétrant, timide) : *mi*
12. *prîtih* (plaisir, amour) : *mi⁺*
13. *marjanî* (purifiant) : *fa*
14. *kshitih* (pardon, destruction) : *fa ♯ ⁻*
15. *raktâ* (rouge, passionné) : *fa ♯*
16. *sandîpanî* (enflammé, stimulant) : *fa ♯ ⁺*
17. *alâpinî* (parlant, conversant) : *sol*
18. *madantî* (printemps, intoxication) : *la b*
19. *rohinî* (jeune fille, développement) : *la b ⁺*
20. *ramyâ* (repos, calme, confort) : *la*
21. *ugrâ* (cruel, puissant, effrayant) : *la⁺*
22. *kshobhinî* (irrésolu, agité) : *si b*

**Les gammes.** Les échelles modales sont groupées selon trois systèmes, ou gammes-de-base, appelées *grâma*-s, mot qui veut dire « village », et duquel A. Weber et, après lui, Sylvain Lévi ont pensé que le mot ganme était dérivé par l'intermédiaire de l'arabe *jama-ah* (l'étymologie par le nom de la lettre grecque *gamma* serait erronée). Les deux premières gammes-de-base, le *shadja-grâma* (gamme-de-fondamentale) et le *madhyama-grâma* (gamme-de-mèse), correspondent aux deux formes du diatonique grec et lui sont probablement apparentées. La troisième gamme-de-base, le *gândhâra-grâma* (gamme-de-tierce) considérée comme une gamme d'origine céleste, est vraisemblablement formée par la division tempérée de l'octave en sept parties égales. Cette gamme joua un rôle important dans la musique indienne aussi longtemps que la harpe resta le principal instrument à cordes. Lorsque, vers le VIᵉ s., la harpe fit place au luth, le *gândhâra-grâma* disparut. Pour justifier son absence, les théoriciens ultérieurs déclarèrent qu'il était retourné au paradis. Le *gândhâra-grâma* s'est conservé seulement dans certains pays de la périphérie de l'ancien empire indien. L'heptaphone tempéré reste encore aujourd'hui la gamme-de-base de la musique de la Thaïland, du Cambodge et du Laos.
**Les notes.** La théorie classique reconnaît l'existence de sept notes principales et de deux notes accessoires utilisées pour la formation des modes. Les notes principales sont appelées *shadja* (père-des-six-autres), *rishabha* (le taureau), *gândhâra* (parfumé), *madhyama* (mèse, son moyen), *panchama* (cinquième note), *dhaivata* (subtil, pondéré) et *nishâda* (assis). On les appelle en pratique par la première syllabe de leurs noms *sa ri ga na pa dha ni*. Ce serait en partant du système hindou que l'Europe aurait eu l'idée de représenter les notes par des syllabes qui peuvent être chantées.
Les notes accessoires sont *antara ga* (*gândhâra* intermédiaire) et *kâkali ri* (*nishâda* adouci). Ces notes se trouvent placées entre *ga* et *ma* et entre *ni* et *sa*. Ceci nous indique bien que la gamme-de-base n'a jamais pu être le diatonique majeur européen, mais une échelle dont la tierce et la septième étaient mineures. Selon les époques, il semble que la musique indienne ait eu comme gamme diatonique de base :

*ut ré b mi b sol la b si b ut*, puis :
*ut ré mi b fa sol la si b ut*.

Depuis le début du XIXᵉ s., la gamme-de-base est le mode majeur occidental ; les deux notes accessoires ne font plus partie du système elles ont été remplacées par des bémols sur quatre notes (*ré mi la si*) et un dièse pour le *fa*. Dans le sud de l'Inde, la gamme-de-base théorique reste pareille au chromatique grec. Les notes appelées *sa ri ga ma pa dha ni* correspondent pour nous à *ut ré b ré fa sol la b la b la do*. Dans ce système, *antara ga* devient un *mi b* et *kâkalî ni* un *si b*. Il semble bien que ce soit là une gamme très ancienne et peut être la forme originale d'un des *grâma*-s.
**Mûrchhanâ-s.** Jusque vers le VIᵉ s., la harpe arrondie est restée l'instrument à cordes principal de la musique hindoue. Sur cet instrument, la première classification des modes qui s'imposait était, comme chez les Grecs,

celle des formes plagales de la gamme-de-base, puisque l'on obtenait un mode différent en prenant successivement comme tonique chacune des notes de la gamme. Ces modes plagaux sont appelés *mûrchhanâ*-s. Les notes auxiliaires n'étant pas considérées comme bases de modes, il y avait sept *mûrchhanâ*-s dans chacune des gammes-de-base, c'est-à-dire pour chacun des accords de la harpe. Chacun de ces modes reçut un nom différent et tous les modes furent classifiés en tant que variations des *mûrchhanâ*-s. Sur les vingt et une *mûrchhanâ*-s, quatorze seulement sont des modes réels, ce sont les *mûrchhanâ*-s du *shadja* et du *madhyama grâma* (les deux formes du diatonique). Pour le *gândhâra grâma* (l'heptaphone tempéré), les *mûrchhanâ*-s étaient visiblement identiques et leur classification, inventée pour des raisons de symétrie, ne fut jamais utilisée. Les *mûrchhanâ*-s du *sa-grâma* sont, dans le système de Bharata :

*uttaramandrâ*: *do (ré b⁻) ré mi fa (fa ♯⁻) sol la⁺ si do*
*rajanî*: *si do (ré b⁻) ré mi fa (fa ♯ ⁻) sol la⁺ si do*
  ou *do ré b (ré b) mi b fa fa ♯ (sol) la b⁺ si b⁺ do*
*uttarâyatâ*: *la⁺ si do (ré b⁻) ré mi fa (fa ♯ ⁻) sol la⁺*
  ou *do ré⁻ mi b (mi♭) fa sol⁻ la b la ♮ si b do*
*shuddha-shadjâ*: *sol la⁺ si do (ré b⁻) ré mi fa (fa ♯⁻) sol*
  ou *do ré mi si b (si♭) do*
*mitsarîkritâ*: *fa (fa ♯⁻) sol la⁺ si do (ré b) ré mi fa*
  ou *do (ré b⁻) ré mi⁺ fa ♯⁻ sol (la b) la⁺ si do*
*ashvakrântâ*: *mi fa (fa ♯⁻) sol la⁺ si do (ré b⁻) ré mi*
  ou *do ré b (ré) mi b⁺ fa⁺ sol la b⁺ (la⁺) si b⁺ do*
*abhirudgatâ*: *ré mi fa (fa ♯⁻) sol la⁺ si do (ré b⁻) ré*
  ou *do ré⁻ mi b (mi) fa sol la si b (si) do*
Les *mûrchhanâ*-s du *ma-grâma* sont :
*sauvîrî*: *fa (fa ♯⁻) sol la si do (ré b⁻) ré mi fa*
  ou *do (ré b⁻) ré mi fa ♯⁻ sol (la b) la⁺ si do*
*harinashvâ*: *mi fa (fa ♯⁻) sol la si do (ré b⁻) ré mi*
  ou *do ré b (ré) mi b⁺ fa sol la b⁺ (la⁺) si b⁺ do*
*kalopânatâ*: *ré mi fa (fa ♯ ⁻) sol la si do (ré b⁻) ré*
  ou *do ré⁻ mi b (mi) fa sol⁻ la si b (si) do*
*shuddha-madhyâ*: *do (ré b⁻) ré mi fa (fa ♯⁻) sol la si do*
*mârgî*: *si do (ré b⁻) ré mi fa (fa ♯⁻) sol la si*
  ou *do ré b (ré) mi b⁺ fa fa ♯ sol la b⁺ si b do*
*pauravî*: *la si do (ré b⁻) ré mi fa (fa ♯⁻) sol la*
  ou *do ré mi b⁺ (mi) fa⁺ sol la b⁺ si b⁺ do*
*hrishyakâ*: *sol la si do (ré b⁻) ré mi fa (fa ♯⁻) sol*
  ou *do ré⁻ mi fa (fa ♯⁻) sol la si b (so) do*

Plus tard, lorsque la harpe fit place au luth comme instrument de référence, la classification des *mûrchhanâ*-s perdit son utilité et fut bientôt remplacée par des modes-types, d'abord appelés *jâti*-s, puis *thâta*-s, correspondant à l'arrangement des frettes sur le luth.
**Les jâti-s.** Les *jâti*-s sont des modes et correspondent à des gammes de cinq, six ou sept notes établies par rapport à une tonique fixe et représentant un certain type d'expression. Dans les plus anciens ouvrages, les modes sont appelés *jâti*-s. Mais, lorsque le terme *jâti* devint l'équivalent de l'arrangement des frettes sur la *vînâ*, il fut remplacé, pour la représentation des modes expressifs, par le terme *râga*, qui signifie « état d'âme ». Le terme *jâti* (catégorie) fut conservé pour la classification des modes en modes de cinq notes (*audava*), de six notes (*shadava*) et de sept notes ou modes complets (*sampûrna*). Les modes peuvent avoir une gamme différente en montant et en descendant : il y a donc des modes *audava-sampûrna* (cinq notes en montant, sept en descendant), *shadava-audava* (six notes en montant, cinq en descendant) etc.

**Les râga-s.** Finalement le terme *râga* devint le terme général pris pour représenter les modes. Le mode est une gamme dont tous les intervalles sont liés à la tonique par des rapports numériques ou expressifs définis et dont l'ensemble représente non seulement une classification technique, mais une catégorie d'émotion. Un *râga*, un mode, représente donc un état d'âme. Il a une tonique fixe, une gamme, et une ou deux notes dominantes qui sont habituellement distinctes de la tonique, mais qui sont toujours accentuées et sur lesquelles toutes les figures mélodiques doivent se terminer. Ces deux notes sont appelées *vâdi* (sonnante) et *samvâdi* (consonnante). Les autres notes du mode sont *anuvâdi* (*assonnantes*), et tout autre note est *vivâdi* (dissonante). De plus, chaque *râga* comporte certaines figures mélodiques ou arrangements de notes et certains ornements qui doivent être respectés.

Par un emprunt récent au système de Shiva, les modes principaux sont aujourd'hui considérés comme mâles et sont appelés *râga*-s, alors que les modes secondaires sont féminins et appelés *râginî*-s.

Le nombre des modes théoriquement possibles est considérable — plus de seize mille —, mais ils ne sont pas tous en usage. Un bon musicien a généralement étudié traditionnellement une centaine de modes. L'ensemble des modes que l'on peut entendre dans l'Inde aujourd'hui doit être d'environ un demi-millier.

### Les principaux modes

Inde du Nord :

*bhairava : do ré b mi fa sol la b si do*
*todî : do ré b mi b fa ♯ sol la b si do*
*bhairavî : do ré b (ré ♮ ) mi b fa sol la b si b do*
*asâvarî : do ré mi b fa sol la b si b do*
*bilâval : do ré mi fa sol la si do*
*pûravî : do ré b mi fa ♯ sol la si do*
*shrî : do ré b mi fa ♯ sol la b si do*
*pîlu : do ré mi b fa sol la b si do*
*kalyâna : do ré mi fa ♯ sol la si do*
*khammaj : do ré mi fa sol la si b do*
*kâfî : do ré mi b fa sol la si b do*

Inde du Sud :

*hanumatodi : do ré b mi b fa sol la b si b do*
*mayamalavagaula : do ré b mi fa sol la b si do*
*chakravahani : do ré b mi fa sol la si b do*
*nata-bhairavi : do ré mi b fa sol la b si b do*
*haraharapriya : do ré mi b fa sol la si b do*
*harikambodhi : do ré mi fa sol la si b do*
*shankarabharana : do ré mi fa sol la si b si ♮ do*
*chalanata : do mi b mi fa sol si b si ♮ do*
*shubhapantuvarâli : do ré b mi b fa ♯ sol la b si do*
*gamanapriya : do ré b mi fa ♯ sol la si do*
*mechakalyani : do ré mi fa fa ♯ sol la si do*

**Les tâna-s.** Les mélodies qui utilisent moins de cinq notes différentes ne sont pas considérées comme constituant un mode : on les appelle des figures-mélodiques (*tâna*-s). Les figures mélodiques qui ne peuvent appartenir qu'à un seul mode sont appelées « pures » (*shuddha*) ; les autres, qui peuvent appartenir à plusieurs modes, et ont par conséquent un caractère émotionnel indéterminé, sont dites « changeantes » (*vikrita*). Toutes les combinaisons possibles de deux, trois ou quatre notes sont appelées *tâna*-s. Leur nombre, qui est naturellement considérable, a été soigneusement calculé. Mais l'art musical classique ne retient que 49 figures mélodiques principales dans chaque mode. Celles-ci sont soigneusement étudiées pour être utilisées dans l'élaboration improvisée du mode.

**L'improvisation.** La musique indienne ignore ce que nous appelons composition, l'élément d'improvisation y est trop important. De même, et pour la même raison, la grande musique est toujours jouée par un soliste, chanteur ou instrumentiste, qu'accompagnent un tambour et des instruments qui donnent la tonique ou parfois répètent en sourdine les phrases que le soliste improvise. Le musicien s'exerce d'abord à prendre conscience des notes du mode. Il présente ces notes longuement, l'une après l'autre, en un adagio très élaboré. Au bout d'un moment, l'échelle du mode devient une image mentale : c'est la perception du *râga*. A ce moment, les intervalles prennent une extrême précision, une signification émotionnelle définie. Il devient presque impossible au musicien de détonner, de jouer ou chanter une note qui ne fasse pas partie du mode. Ses auditeurs sont également saisis par le sentiment du *râga*. C'est alors que, selon des règles de composition précises, le musicien commence à errer sur l'échelle du mode, l'entourant d'arabesques, d'ornements, de motifs mélodiques, mais sans jamais écarter sa concentration mentale de l'échelle du mode. C'est pourquoi toute mélodie fixe, impliquant une mémoire horizontale de notes successives, est impossible dans la grande musique modale, car elle crée une diversion dans la concentration sur le mode qui nuit à la précision et

*Groupe de musicie*

au sens des intervalles. Le musicien agit comme un dessinateur qui crayonne un portrait et qui se concentre sur le profil qu'il veut dessiner, mais qui perdrait tous ses moyens s'il cherchait à suivre le mouvement de sa main. La musique mélodique, la chanson, contrairement à une idée très répandue, est donc le contraire de la musique modale et incompatible avec elle. Cela ne veut pas dire que certains thèmes mélodiques fixés d'avance ne puissent pas être utilisés, mais ils doivent être assez brefs pour ne pas détourner l'attention du mode. Quelques motifs caractéristiques d'un mode sont en fait considérés comme essentiels et appelés la forme (*rûpa*) du mode.

**Les ornements** (*alamkâra*-s). La manière d'attaquer les notes, de les orner d'appoggiatures, de *glissando*, de petits groupes de notes, joue un rôle très important dans la musique hindoue : tous ces embellissements de la mélodie sont appelés ornements (*alamkâra*-s). Ils varient d'un mode à un autre ; ils sont décrits dans de nombreux ouvrages, mais les théoriciens ne sont pas d'accord sur leur nombre : le plus généralement accepté est de trente-six. Le *vibrato*, par exemple, est un ornement, et son amplitude varie selon les notes, selon les modes, selon les styles. Les larges *vibrati* employés sur certaines notes dans les modes du Sud de l'Inde semblent si étranges à nos oreilles qu'il faut un long entraînement pour en comprendre le sens et apprendre à les apprécier. Certains ouvrages distinguent deux sortes d'ornements, les *alamkâra*-s et les *gamaka*-s. Les *alamkâra*-s ou vocalises de la mélodie sont des ornements, tandis que les *gamaka*-s ou appoggiatures sont les ornements des notes. Toutefois les deux termes sont souvent employés l'un pour l'autre.

*Alamkâra*-s (vocalises)

Les vocalises-fixes (*sthâyi*) sont les suivantes :
*prasannâdi : do ré mi fa sol la si do*
*prasannânta : do si la sol fa mi ré do*
*prasannâdyanta : do ré mi fa so la si do si la sol fa mi ré do*
*prasanna-madhya : do si la sol fa mi ré do ré mi fa sol la si do*

Les principales vocalises-variables (*sanchari*) sont :
*avartaka : do do ré ré do do ré do ; ré ré mi mi ré ré mi ré* etc.
*sampradâna : do do ré ré do do ; ré ré mi mi ré ré* etc.
*vidhuta : do mi do mi, ré fa ré fa* etc.
*upaloloka : do ré do ré mi ré mi ré ; ré mi ré mi fa mi fa mi* etc.
*ullâsita : do do mi do mi ; ré ré fa ré fa* etc.
*Gamaka*-s (d'après le *Sangîta-samaya-sâra*, antérieur au X*e* s).

Les ornements simples sont les suivants :

*tiripu*

*sphurita*

*lîna*

*andolita*

*vali*

*mudrita*

*tribhinna*

*âhata*

*namita*

*kampita* etc.

*plâvita*

*gumphita*

*ullâsita* etc.

*nivritta*

En partant de ces éléments, toutes sortes d'ornements complexes peuvent être formés. (Voir *Sangîta-natnâkara* 3, 178-182).

**Tempo** (*laya*). La musique indienne connaît trois *tempi* : rapide (*druta*), moyen (*madhya*) et lent (*vilambita*). Chacun représentant une durée double du précédent. L'unité de *tempo* rapide étant représentée par le temps nécessaire pour prononcer cinq syllabes brèves ou cligner cinq fois de l'œil le plus rapidement possible. Par le terme mouvement (*yati*), les auteurs indiens indiquent les variations du *tempo*. Il y a donc trois mouvements ; égal (*sama*), accéléré ou ralenti (*srotogata*) et variable « en queue de vache » (*gopuccha*) c'est-à-dire parfois rapide et parfois lent.

**Rythme** (*tâla*). Le rythme est un des éléments les plus importants de la théorie musicale indienne. Les rapports numériques qui déterminent la division du temps dans le rythme sont analogues à ceux qui déterminent les intervalles. L'esthétique rythmique est donc aussi complexe et l'effet émotionnel des rythmes aussi profond que celui des modes. L'élaboration du rythme permet des variations extraordinairement subtiles. Les plus anciens textes, tels que le *Mârkandeya Purâna*, parlent de trois éléments de rythme : à trois temps (*tryashra*), à quatre temps (*chaturashra*) et mixte (*mishra*, à cinq ou sept temps). Les auteurs, du VIII*e* au XII*e* s., y ajoutent le rythme syncopé (*khanda*) et le rythme hybride (*sankîrna*). Le nombre des rythmes construits à l'aide de ces éléments est considérable (les livres anciens en notent des centaines) ; certains rythmes ont des périodes de base qui s'étendent sur 12, 16, 17, 19, 21 et jusqu'à 37 temps. Ceci n'indique d'ailleurs que le cadre rythmique à l'intérieur duquel les variations et les syncopes les plus savantes sont permises. Celles-ci font du joueur de tambour indien un phénomène probablement unique dans l'histoire de la rythmique.

Parmi les principaux rythmes donnés par les auteurs classiques on peut citer :

*chanchatputa* (8 temps, 4 frappes) ♩ ♩ ♩ ♩*(Nâtya-shâstra)*

*châchaputa* (6 temps, 4 frappes) ♩ ♩ ♩ ♩ou ♩ ♩ ♩ ♩
*(Nâtya-shâstra)*

*shatpitâputra* (12 temps, 6 frappes)♩ ♩ ♩. ou ♩.♩♩♩♩♩.
*(Nâtya-shâstra)*

*panchapâni* ♩ ♩ ♩ ou ♩.♩♩♩♩
*(Nâtya-shâstra)*

*jhampâ* ou *rûpaka* (cinq temps, 2 frappes) ♩ ♩*(moderne)*

*nandi* (9 temps, 4 frappes) ♩ ♩ ♩ o*(Sangita-ratnâkara)*

*chitra* (19 temps, 13 frappes)♫ ♩ ♩ ♩♫ ♩ ♫ ♩ ♩♫
*(Nartana-nirnaya)*

*chudâmani* (19 temps, 27 frappes)

♫ ♫ ♩ ♫♫ ♩ ♩ ♩ ♫♪♪♫
*(Sangîta-ratnâkara)*

La mémorisation des variations du rythme se fait à l'aide de monosyllabes qui représentent les diverses manières de frapper un tambour avec la paume d'une main, des deux mains, avec un doigt, deux doigts, au centre ou sur le rebord etc. On obtient ainsi une manière de solfier les rythmes équivalente à celle des mélodies. Les musiciens peuvent mémoriser des passages rythmiques très complexes qu'ils pourront répéter indéfiniment. Les formules mnémotechniques se présentent de la manière suivante :

*chautâla* (quatre frappes en six temps) ♩ ♩ ♩ ♩ ♩ ♩

*Rythme de base (thêkâ) :*

dhâ dhâ din tâ, kita dhâ din tâ, kita taka gadigana

*Exemple de variation :*

dhi ri kita taka dhét – tadhâ, dintâ kada dhâ, din tâ gat diga

din tâ kada chét – dhâ kita dhâdhâ kitataka tirikita takatâ

titakata gadigana

**Technique vocale.** La musique indienne exige avant tout une extrême précision dans les intervalles : cela conduit à une émission vocale incisive et entièrement dépourvue de *vibrato* qui donne à la voix une qualité particulière. La voix est en fait utilisée comme un instrument, et les paroles du chant ne donnent jamais lieu à une prononciation dramatique qui pourrait nuire à la ligne mélodique. L'art des vocalises et des ornements est poussé à un degré extrême, et la virtuosité des grands chanteurs indiens est surprenante. La composition, impliquant des développements improvisés dans des styles divers, exige une grande étendue vocale et les bons chanteurs indiens arrivent à couvrir presque trois octaves dans une émission relativement homogène.

**Le chant védique.** La musique vocale et instrumentale était pratiquée par les Indiens de l'âge védique. Les *Veda*-s mentionnent plusieurs instruments de musique. La psalmodie védique, soigneusement préservée à l'aide de méthodes d'enseignement très complexes pour en éviter l'évolution, a su maintenir jusqu'à nos jours des formes de chant qui sont probablement de beaucoup les plus anciennes en existence.

**Les instruments.** Les instruments de musique (*âtodya*) sont classés par les anciens textes en quatre catégories : instruments à cordes (*tata*), instruments à vent (*sushira*), tambours (*avanaddha*) et percussions (*ghana*). L'Inde a connu et connaît encore un grand nombre d'instruments à cordes Il n'est pas toujours aisé d'en identifier les

noms. Tous les instruments à cordes pincées étaient autrefois considérés comme des types divers de *vînâ*. La harpe antique a joué un rôle prépondérant dans l'ancienne musique. On en trouve des représentations avant et après l'ère chrétienne. Une monnaie du IVe s. représente le roi Samudragupta jouant de la harpe. Elle cessa d'être l'instrument de référence vers le VIe s., le luth la remplaçant peu à peu. Les dernières représentations connues de la harpe arrondie dans la sculpture des temples datent du XIIe s., mais elle continua d'être en usage pendant plusieurs siècles dans le Sud de l'Inde et les pays frontières. Elle existe encore aujourd'hui en Birmanie. Des instruments de la famille de la harpe, comportant un grand nombre de cordes, sont décrits dans divers ouvrages anciens. Le *svara-mandala* ou *katyâyana vînâ* est une sorte de harpe montée sur une caisse de résonance, qui ressemble au *kanun* arabe ; cet instrument existe encore aujourd'hui. Importé par les tziganes indiens en Europe, il y devint le *cymbalum*. La harpe n'est probablement pas d'origine indienne, mais fut importée dans l'Inde à une époque très reculée : elle s'appelait *kinnari vînâ*, ce qui veut dire probablement harpe des centaures.

**La vînâ classique.** Le plus ancien type de *vînâ*, ou luth indien, semble être ce qu'on a appelé parfois à tort la cithare à bâton : c'est un instrument fait d'un bambou, sur lequel sont montées des touches et qui a sept cordes, quatre sur le dessus (accordées en tonique, quinte, octave et quarte) et trois sur les côtés donnant la tonique et ses deux octaves. Des résonnateurs, faits de larges courges séchées, sont fixés au-dessous du bambou à l'aide de tubes de métal. Dans les plus anciens modèles, il n'y a qu'un résonnateur, deux dans les plus récents. Un instrument similaire, faussement appelé *kinnari vînâ* depuis l'époque musulmane, a trois résonnateurs. Un autre type de *vînâ* ancien a la forme d'une très longue mandoline faite d'un large manche portant des frettes et d'un résonnateur hémisphérique en bois. Cette *vînâ*, aujourd'hui caractéristique de la musique du Sud de l'Inde, est un instrument hybride comportant un résonnateur hémisphérique et une petite courge. De nombreux instruments dérivés de ces deux types sont mentionnés dans les textes. Beaucoup de ces instruments existent encore, mais, les noms ayant changé, il n'est pas toujours possible de les identifier. Le *sitar*, l'instrument le plus commun aujourd'hui, est probablement dérivé de l'ancien *chitra-vînâ*. Sa forme actuelle s'est fixée vers le XVIIe s. Un large *sitar*, se rapprochant de la *vînâ* du Sud, mais comportant un certain nombre de cordes sympathiques, est appelé *surbahâr* ; il serait dérivé de l'ancien *surashringara*. Un autre instrument très important aujourd'hui est le *sarode*, dont le large manche, couvert d'une plaque de métal lisse, ne comporte pas de frettes ; le chevalet repose sur une peau tendue : c'est un instrument très sonore et très expressif. Des instruments à archet, le principal est le *sârangî*, sorte de caisse cubique avec un très court manche et quatre cordes : cet instrument semble correspondre à l'ancien *sârangâ vînâ*. La *sârangî* se joue en appuyant le dos de l'ongle sous la corde. Le *tumbura-vînâ*, ou *tanpûrâ*, est un long instrument à quatre cordes servant à l'accompagnement et donnant seulement tonique, quinte et octaves. Un instrument à archet, probablement le *kachapi*, apparaît dans la sculpture du Xe s. (temple de Tanjore) et ressemble presque exactement à un violon moderne européen. Le *râvana* ou *râvanastra* et l'*amrita* sont faits d'un long bâton traversant un petit résonnateur fait d'une noix de coco, pour l'*amrita*, d'un segment de gros bambou, pour le *râvanastra*. L'archet est glissé entre les deux cordes qui jouent donc toujours ensemble. Ces instruments, rares aujourd'hui dans l'Inde, sont encore très communs au Cambodge, au Laos et en Chine. L'*esraj*, très commun au Bengale, ressemble à un petit *sitar* ; il a des frettes mais se joue avec un archet.

**Instruments à vent.** La flûte a existé de tout temps dans l'Inde. On en voit de nombreuses représentations de types divers, flûtes traversières (*vamsha*) et flûte droite (*murali*). La grande flûte droite sans embouchure, simple tube de bambou ouvert aux deux bouts, se joue en soufflant sur le rebord de l'ouverture. Elle a un son particulièrement doux, émouvant et mystérieux. Les Hindous ont toujours connu des flûtes de types divers, le *Sangîta-ratnâkara* (XIIᵉ s.) en décrit dix-sept. Les hautbois sont aussi très anciens dans l'Inde et jouent un grand rôle dans la musique sacrée. Le hautbois du Nord, le *sahnaï*, est encore aujourd'hui pratiquement identique au *naï* des Sumériens. L'embouchure est faite de deux feuilles de roseau attachées par une ligature sur un petit tube de métal qui s'introduit dans l'ouverture de l'instrument fait en bois, mais dont le pavillon est parfois en cuivre ou en argent. Les musiciens professionnels arrivent à exécuter sur cet instrument des ornements d'une délicatesse remarquable voire des *glissando*. Dans le sud de l'Inde, un instrument presque identique, mais de beaucoup plus grandes dimensions, est appelé *nâgasvaram* : c'est un instrument plus fruste que le *sahnaï*, dont il est loin d'avoir la qualité musicale. Le *pungi* est une double flûte, montée sur un réservoir d'air fait d'une petite gourde : cet instrument, très ancien, ne sert plus aujourd'hui qu'aux charmeurs de serpents. Il faut aussi citer parmi les instruments à vent la conque marine (*shankha*) et la corne (*shringa*), qui servent dans les cérémonies religieuses. De longs cors de métal se rencontrent encore dans les temples, mais les trompettes (*tûrya*), qui accompagnaient jadis les armées, sont rares aujourd'hui. Le *râma-shringa* est une longue trompette de bronze, le *nafari* une mince trompette de cuivre.

**Les tambours.** La plus grande richesse instrumentale de l'Inde est probablement dans les tambours, dont le nombre et la variété sont considérables. Parmi les plus importants : le *mridangam* est un grand tambour horizontal à deux faces, l'une grave, l'autre aiguë. Il existe plusieurs tambours similaires, de tailles diverses, tels le *maddalam*, le *khol*, le *dhol* etc. L'ancien tambour sacré du dieu Shiva est aussi à deux faces, mais en forme de sablier. La légende veut qu'à l'origine il ait été fait de deux crânes humains. L'instrument le plus courant aujourd'hui est le *tablâ*, fait de deux petites timbales, l'une cylindrique, en bois et de son aigu, l'autre, hémisphérique, en terre cuite ou en métal et donnant un son grave. La timbale aiguë se joue de la main droite, l'autre de la main gauche. Bien que cet instrument soit, sous sa forme actuelle, relativement récent, il est la version moderne de tambours doubles joués de la même manière et connus depuis plus de quinze siècles. Le *khurdak* populaire est une paire de petits *tablâ* au son très aigu. Le *nagara* est une grande timbale de métal correspondant à l'ancien *dundhubhi*. Le *bheri* ou tambour de guerre est une version légèrement plus petite. Le *ghatam* est une simple cruche de terre frappée avec les doigts. Il donne un son très clair. Il existe aussi divers tambourins. Dans le *khanjari*, de petits disques de métal s'entrechoquent et ajoutent leur bruit à celui de la peau tendue. Dans certaines régions de l'Inde, le Malabar en particulier, on rencontre encore de grands tambours verticaux qui se jouent avec des baguettes recourbées.

**Les percussions.** Il existe diverses sortes de cymbales, généralement de petite taille et de son cristallin : les plus communes sont appelées *tâla*, *jhanjhâ*, *jalrâ* et *manjirâ*. Elles servent surtout pour accompagner la danse. Le gong indien, très différent du gong chinois, est une plaque de métal épais de forme circulaire. On l'appelle généralement *kamsya* ou *kamsya-tâla*. Il sert dans les rituels des temples. La cloche (*ghantâ*) est aussi généralement de petite taille ; elle sert dans les rituels des temples. Des clochettes (*ghantikâ*) sont attachées aux chevilles des danseuses. Les *karatâla* (ou *khat-tâla*) sont des planchettes de bois frappées l'une contre l'autre. On leur ajoute parfois des clochettes et des petits disques de métal : c'est l'instrument favori des moines errants. Les xylophones et métallophones ont été connus dans l'Inde, mais ne sont pas un instrument indigène. Il faut toutefois citer les colonnes sonores du temple de Vijayanagar qui constituent un exemple de lithophones représentant une grande expérience technique. Ce sont des monolithes assez minces qui semblent pénétrer dans des chapiteaux mais ne les touchent pas et sont accordés selon les notes de la gamme. Des jeux de bols remplis d'eau étaient appelés autrefois *udaka-vâdya* (instrument à eau) : mentionnés dans un commentaire du XIIᵉ s.

du *Kâmâ-sûtra*, ils sont encore employés aujourd'hui ; on en joue en les frappant avec des baguettes.

**Littérature.** Les Indiens se sont de tout temps intéressés à la théorie musicale appelée *Gandharva Veda* et considérée comme un *Upa-Veda*, l'une des quatre sciences principales dérivées des *Veda*-s. Nous possédons encore aujourd'hui une littérature considérable (en sanscrit) sur la théorie musicale, dont les plus anciens textes remontent probablement jusqu'au Vᵉ s. avant l'ère chrétienne et sont même peut-être antérieurs. Puis, sans discontinuité, nous avons des centaines d'ouvrages représentant l'évolution de la musique indienne jusqu'au XVIIIᵉ s. A partir du XIIᵉ s., on commença à publier aussi des études sur la théorie musicale en persan et dans diverses langues indiennes. Presque tout ce qui reste de cette littérature est contenu dans des manuscrits qui, pour la plupart, n'ont pas encore été publiés ou, s'ils l'ont été, dans des éditions peu critiques et peu satisfaisantes ; presque aucun de ces ouvrages n'a été traduit en une langue occidentale. Le plus important des anciens ouvrages encore existants est le *Nâtyashâstra*, compilation d'ouvrages plus anciens faite juste avant ou peu après le début de l'ère chrétienne. D'ouvrages plus anciens, il n'existe que des fragments ou des résumés. La liste des auteurs qui écrivirent sur la musique commence par une série d'êtres divins et de sages mythiques, qui révélèrent l'art musical à l'humanité, mais auxquels il est naturellement impossible d'attribuer des dates. Certains des sages musiciens remontent à l'âge védique et sont connus comme auteurs d'hymnes. Cela les placerait au deuxième millénaire avant notre ère. Parmi les dieux fondateurs de l'art musical, sont mentionnés : Brahmâ, Prajâpati, Shiva, Indra, Pârvatî, Gaurî, Hanumant, Sarasvatî, Bali ; viennent des sages, des poètes, des bardes antiques, dont les plus importants sont : Agastya, Ayu, Aruvân, Ushanâ, Ekadhanvi, Kanva, Kusha, Kritavrana, Kratuh, Gâlava, Chyavana, Durvâsâ, Dhruva, Dhaumya, Nishthyûti, Parvata, Pulastya, Pulaha, Pratimardani, Bhavana, Manu, Medhâtihi, Jâmadagni, Râma-jâmadagni, Vâmana-jâmadagni, Raibhya, Vatsa, Vishvâmitra, Shankulâksha, Shatânanda Sanvartta, Sthûlashiras, Sthûlâksha, Susharmâ, Bhârgava, Kashyapa, Brihaspati, Vishvakarman, Vishvavasu, Atreya, Bhardvâja, Atri, Kapila, Bhrigu, Angada, Kinnaresha, Kushika, Guna, Daksha, Yaksha, Vyâla, Samudra, Shashi, Bhaskara, Shauri, Gopipati, Shrînâtha, Shrîvatsa, Hari, Harishchandra, Chitraratha, Ashvatara, Kambala, Mahâdeva, Vallabha, Shârdûla, Svati, Shankara, Shambhu, Paramesthin, Vighnesha, Shashanka, Shashimauli, Chandî, Shanmukha, Bhringi, Kuvera, Vikrama, Arjuna, Rambhâ, Kshetrapâla, Ugrasena, Râvana, Mâtrigupta. Ceux dont des fragments de textes sur la musique ont survécu sont : Angirasa, Gautama (auteur d'une *shikshâ* védique), Yajnavalkya (auteur d'une *shikshâ* védique), Vasishtha (auteur d'une *shikshâ* védique), Valmiki (auteur du *Râmâyana*), Tumburu, Nârada (à qui sont attribués une *shikshâ* Védique et plusieurs autres ouvrages sur la musique), Mârkandeya (auteur d'un Purâna contenant un chapitre sur la musique), Yâshtika (nombreuses citations), Anjaneya, Sadâshiva, Vâyu (un *purâna*, avec chapitre sur la musique), Gândharva-râja (un traité).

Puis vient une série d'auteurs anciens antérieurs à l'ère chrétienne, qui ont écrit des ouvrages sur la théorie musicale que l'on peut considérer comme historiques, et dont plusieurs ont survécu : Nandikeshvara (*Râgârnava*), Matanga (*Brihaddeshi*), Bharata (*Nâtya-shâstra* et *Gîtâlamkara*), Kohala (fragments du *Sangîta-meru*), Dattila (*Dattilam*), Durgâshakti (des citations), Vishakhila (*id.*), Vatsya, Vasuki, Shandilya, Kshemarâja (différent et très antérieur au philosophe cachemirien du Xᵉ s.), Lohita Bhattaka, Kirtîdhara Achârya, Devendra, Ganeshvara, Parvatîpati, Sharva, Rudrata, Chatura (différent de Sharngadeva qui portait le même surnom) Maghesha, Girisuta.

Puis vient une série d'auteurs que ne mentionnent ni le *Nâtya-shâstra* ni les autres livres de la première période, mais qui sont connus au moyen-âge (à partir du IXᵉ s.). Il semble donc logique de les situer entre le début de notre ère et le IXᵉ s. Les principaux noms sont : Astika,

Apisali (auteur d'une *shikshâ*), Uttara, Utpala, Umâpati, Katyâyana, Kâmadeva, Kumbhodbhava Ghantaka, Ghhatraka, Datta, Devarâja, Devendra, Drauhini, Dhenuka, Priyâtithi, Bindurâja, Brihad-Kâshyapa, Bhatta, Bhatta-yantra, Bhatta-Shubhakara (auteur d'un commentaire (1) du *Nâradîya shikshâ*), Rahula, Vena, Vyâsa, Vachaspati, Shriharsha (différent du souverain du VIIᵉ s.), Sakaligarbha, Sûrya, Sureshvara, Someshvara.

A partir de l'époque médiévale nous trouvons un bon nombre d'auteurs dont les œuvres peuvent être datées et sont en général mieux préservées.

**Auteurs médiévaux.** La période médiévale commence aux VIIIᵉ et IXᵉ s. avec quatre commentaires du *Nâtya-shâstra*, ceux d'Udbhata (VIIIᵉ s.), de Lollata (début IXᵉ), Shankuka (v. 850) et Abhinava Gupta (Xᵉ s.). Puis viennent les œuvres de Bhoja (1010-1055), Simhana (XIᵉ s.), Abhaya Deva (1063–?), Mammata (1050–1150) (*Sangîta-ratna-mâla*), Rudrasena, Someshvara (*Mana-sollasa* ou *Abhilashartha-chintâmani*, 1131), Lochana Kavi (*Râga-tarangini*, 1160), Paramardi (1165-1203?), Devendra (*Sangîta-muktâvali*), Someshvara III (1174–1177), *Sangîta-ratnâvali*), Shâradâtanaya (v. 1200, *Bhâva-prakâsha*), Nânya Bhûpâla (XIᵉ s., *Sarasvatî-hridayâlamkara*), Jaitra Simha (*Bharata-Bhâshya*, v. 1213).

Au XIIIᵉ s., le célèbre Shârngadeva (1210-1247) s'efforça de mettre au point les théories contradictoires sur la musique qui avaient cours à son époque dans son œuvre monumentale, le *Sangîta-ratnâkara*, qui devint une sorte de bible de la théorie musicale pour les auteurs ultérieurs. En réalité Shârngadeva, voulant ramener des théories d'époques très diverses à la pratique musicale de son temps, en força parfois le sens, et ses assertions ont souvent obscurci l'histoire de la musique ancienne. Son travail a fait l'objet de plusieurs commentaires très volumineux dont les principaux sont celui de Simha-bhûpâla, presque son contemporain, celui de Keshava, celui de Kallinâtha (XVᵉ s.) et celui en langue *hindie* de Gangâ-râma, dont la date n'est pas connue, mais qui semble être du XVIᵉ s.

Après Shârngadeva, les principaux auteurs sont Jaya-simha, Ganapati (v. 1253), Jayasena (*Nritta-ratnâvali*, v. 1253), Hammira (*Sangîta-shringara-hara*, 1253 ou 1364), Gopala Nâyaka (1295-1315), Pratâpa (*Sangîta-chûdâmani*), Palkuriki Somanatha (XIIIᵉ ou XIVᵉ s., dans son *Panditârâdhya-charita*, et *Basava Purâna*), Vasanta Râja (*Vasantîya-râjîya Nâtya-shâstra*), Pârsh-vadeva (*Sangîta-samava-sâra*), Shârngadhara (1300–1350, *Shârgadhâra-paddhati*), Haripâla (*Sangîta-sudhâkara*, 1309 ou 1312), Shri Vidyâ Chakravartin (*Bharata san-graha*), Sudhâkalâsa (1323–1349, *Sangîta Upanishad*), Vishveshvara (v. 1330), Vidyâranya (1320–1380, *Sangîta-sâra*), Vema Bhûpâla (début XVᵉ s., *Sangîta-chintâmani*), Gopendra Tippa Bhûpâla (1423–1446, *Tâla-dîpikâ*), Kumbhakarna (1433–1468, *Sangîta-râja* et *Sangîta-krama-dîpikâ*) Kamala Lochana (XVᵉ s., *Sangîta-chintâmani* et *Sangîtâmrita*), Râmânanda Nârâyana Shiva Yogin (*Nâtya sarvasva-dîpikâ*).

Après l'invasion musulmane, la musique change consi-dérablement de caractère et de technique. Une partie importante de la littérature théorique est écrite en persan. Il existe un certain nombre de manuscrits persans sur la théorie musicale dans les bibliothèques de l'Inde, mais le relevé complet ne semble pas en avoir encore été fait. Un certain nombre de théoriciens continuèrent toutefois d'écrire en sanscrit jusqu'à la fin du XVIIIᵉ s. : de ces écrivains que nous pouvons appeler modernes, car ils se réfèrent au système musical qui est encore en usage aujourd'hui, les principaux sont Harinâyaka (*Sangîta-sâra*, v. 1500), Meshakarna (*Râga-mâlâ*, v. 1500), Mada-napala deva (*Ananda-sanjîvana*, v. 1528), Lakshmî-nârâyana (1ᵉʳ quart du XVIᵉ s., *Sangîta-sûryodaya*), Lakshmidhara (*Bharata-shâstra-grantha*), Râmâmatya (*Svara-mela-kalâ-nidhi*, 1550), Pundarika Vitthala (*Shad-râga-chandrodaya*, *Râga-mâla*, *Râga-manjari*, *Nartana-nirnaya*), Mâdhava Bhatta (*Sangîta-chandrikâ*, v. 1600),

La déesse Sarasvatî jouant de la vînâ
(grand temple de Madoura, XVIIᵉ s.).

Somanâtha (*Râga-vibodha*, 1610), Govinda Dikshita (*Sangîta-sudhâ*, 1614), Govinda (*Sangraha-chûdâmani*), Venkata Makhin (*Chaturdandi prakâshikâ*, v. 1620), Hridaya Narayana Deva (*Hridaya-kautuka Hridaya-prakâsha*, v. 1767), Basava Râja (1698-1715, *Shiva-tattva-ratnâkara*), Ahobala (av. 1600, *Sangîta-parijâta*), Shrî Nivâsa (*Râga-tattva-vibodha*), Abhilasa (*Sangîta-chandra*), Jagaddhara (*Sangîta-sarvasva*), Kamalâkara (*Sangîta-kamalâkara*), Kikarâja (*Sangîta-saroddhara*), Jagajjyotirmalla (*Sangîtasâra-sangraha*, *Sangîta-bhâs-kara*), Raghunâtha-bhûpa (*Sangîta-sudhâ*), Nanga Râjâ (*Sangîta-gangâdharana*), Veda (*Sangîta-makaranda* et *Sangîta Pushpanjali*, v. 1700), Vangamani (*Sangîta-blaskara*), Shukambhara (*Sangîta-damodara*), Somanârya (*Nâtya Chudâmani*), Bhava Bhatta (v. 1700, *Anupa-sangitânkusha*, *Anupa-sangita-vilâsa*, *Anûpa-sangîta-ratnâkara*), Tulajâdhipa (qui régna de 1729 à 1735, *Sangîta-sarâmrita*), Nârâyana Bhûpa (fin XVIIᵉ s., *Sangîta Nârâyana*), Kavi ratna Nârâyana (*Sangîta-sârani*), Govinda (*Sangîta-shâstra-sankshepa*), Gopinâtha Kavibhushana (*Kavi-chintâmani*), Pratâp Singh (1779-1804, *Sangîtasâgara*), Balarâma Varmâ (qui régna de

---

(1) Cité au XIᵉ s.

1798 à 1810, *Balarâma-bharata*), Shrîkantha (*Rasa-kaumudi*).

Aux XIX^e et XX^e s., nous avons les auteurs suivants : Râma Varmâ Maharaja (*Sangîta-kritayah*), Appa Tulsi (*Abhinava tâla manjari, Râga Chandrika, Râga Kalpadrumankura, Sangita-sudhâkara*), Krishnananda Vyâsa (*Râga-kalpa-druma*, 1843), Appalâchârya (*Sangita-sangraha-chintâmani*), Sourindra Mohan Sharma (« Raja Tagore », *Sangîta-sâra-sangraba*, 1875), Vishnu Sharma (« Pandit Bhathkhanda », *Abdinava-râga-manjori, Shrimallakshyasangitam*, 1921).

Les principaux auteurs en langues indiennes du Nord autres que le sanskrit sont Râja Mansingh Tomar (1486–1518, *Mâna Kautuhala*, en hindi), Tan Sen, *Râga Mâla*, v. 1549, en hindi), Shri Râma Malla (*Raga-vichâra*, en hindi), Abdul Fazl (chapitres sur la musique de l'*Ain i Akbari*, en persan), Harivallabha (*Sangîta-darpana*, en hindi, av. 1673), Deo Kavi (*Râga-ratnâkara*, 1673, en hindi), Mirza jan (chapitre sur la musique du *Tofat ul Hind*, en persan), Saiyid Abd-al Wali Uzlat (*Râga-mâlâ*, 1759, en urdu), Bhajjubeg (*Ukdé Gushâ*, 1787, en persan), Kavi Krishna (*Râga-kutuhala*, 1781, en hindi), Pratâp Singh (1779-1804, *Sangîta-sâra*, en hindi), Muhammad Rezza (*Nagmat e Asaphi*, 1813, en persan), Thakur (*Maâriphunnagamat*, en persan), Radha Mohan Sen (*Sangîta-târanga*, 1818, en bengali), Mohamed Mantaz Hussain (*Muarat Alangat*, en persan), Diwan Lachhirâma (*Buddhi Prakâsha Darpana*, 1823, en hindi), Krishnânanda Vyâsa (*Râga Kalpa-druma*, 1842–1849, hindi et bengali), Chhatra Nripati (*Pada-ratnâvali*, 1854, en hindi), Mohammad Karam Imâm (*Mâdnûl musiqi*, en urdu), Chunni-Lalji Gossain (*Nâda Vinoda*, 1896, en hindi), Bhanu Kavi (*Kavya Prabhâkara*, 1900, en hindi), Nawah Ali khan (*Marfat Ul Naghmat*, en urdu), Sadat Ali khan (*Filaskah Mausiqi*, en persan).

Il faut citer quelques ouvrages d'auteurs non identifiés tels que *Nurul Hadâyak* (en persan), *Khulasate ul-esh* (id.), *Kanîjul afâdât* (id.). En langues du sud de l'Inde, les principaux auteurs sont Govinda kavi (*Bharatashâstram*, en telugu), Tallapakam Annamachârya (1408–1503, *Shringara-sankirtanalu*, en telugu), Kaviratna Kalankura (*Kalankura Nibandhu*, en oriya, XVIII^e s.), Deshari Mohanadasa (*Sangîta Shikshâ*, en oriya), Subharama Dishitar (*Sangîta-sampradaya-pradarshini*, en telugu), Johannes (*Bharata-sangita-prabodhini*, en tamoul), Abraham Panditar (*Karunâmritha-sâgaram*, en tamoul). D'auteurs non identifiés : *Pingala Nighantu* (ancien), *Sangîta-sâra-samgrahamu* (en telugu), *Tâlalakshanam* (en malayalam), *Shuddhânanda Prakasham* (en tamoul et sanskrit), *Svara-tâlâdi-nirûpanam* (en nulayalam), *Sangîta-kâmadâ* (en oriya) etc.

A ces ouvrages il faut ajouter un très grand nombre de livres modernes destinés à l'enseignement de la musique indienne dans les diverses régions de l'Inde.

**Bibl. :** *Ouvrages en langues occidentales :* Atiya Begum Fyzee Rahamin, *The music of India*, Londres 1926 ; S. Bandopadhyaya, *The music of India*, Bombay 1945 — *The origin of raga*, Delhi 1946 ; R.L. Batra, *Science and art of indian music*, Lahore 1945 ; Pt. V.N. Bhatkhande, *A short historical survey of the music of upper India*, Bombay 1917 (rééd. 1934) — *A comparative study of some of the leading music systems of the fifteenth, sixteenth, seventeenth and eighteenth centuries*, Lucknow 1930–1931, in Sangeeta, Bombay 1940 ; Bani Chatterji, *Applied music*, Calcutta 1948 ; E. Clements, *Introduction to the study of indian music*, Londres 1913 ; *Ragas of Tanjore*, *Lectures on indian music*, Poona ; A. Daniélou, *Introduction to the study of musical scales*, Indian Society, Londres 1943, rééd. David Marlowe Ltd, Londres 1946 ; *Northern indian music*, 2 vol., Halcyon Press, Londres et Visva-Bharati, Calcutta 1949–1954 ; K.V. Deval, *Theory of indian music as expounded by Somanâtha*, Poona 1916 ; *The râgas of Hindustan*, 3 vol., *ibid.* 1918–23 ; *Report of the first All India Music Conference*, Baroda 1916 ; *Report of the second All India Music Conference*, Delhi 1919 ; *Report of the fourth All India Music Conference*, Lucknow 1925 ; Maharana Vijayadevji of Dharampur, *Sangîta Bhava*, 2 vol., Bombay 1933, 1939 ; Pandit Firoze Framjee, *Theory and practice of indian music*, Poona 1938 ; A.H. Fox Strangways, *The Music of Hindustan*, Oxford 1914 ; J. Grosset, *Inde, Hist. de la mus. depuis l'origine jusqu'à nos jours* Encyclopédie de la musique, Paris 1924 — *Contribution à l'étude de la mus. hindoue*, *ibid.* 1888 — *Bharatiya-Natya-çastram*, *ibid.* 1888 ; C. Kunhan Raja, *The Sangita-ratnâkara of Shârngadeva*, trad. angl., 1^re partie, Madras 1945 ; H.P. Krishna Rao, *The first steps in hindu music in english notation*, Bangalore 1914 ; Mahavidyanatha Shivan, *Mela raga malika*, Madras 1937 ; D.P. Mukerji, *Indian music*, Bombay 1945 ; B.A. Pingle, *Indian music*, 2^e éd.,

Byculla 1898 ; H.A. Popley, *The music of India*, Calcutta-Londres 1921 ; V. Raghavan, *Some names in early Sangîta literature* ds *Journal of the Music Academy*, III, N^os 1, 2, 3 et 4, Madras 1932 — *Later Sangîta literature*, *ibid.*, IV, 1933 ; N.S. Ramachandran, *The râgas of karnatic music*, Univ. de Madras, 1938 ; M.S. Ramaswamy Aiyar, *The Svara-mela-kalâ-nidhi of Râmâmâtya*, av. intr. et trad., Université d'Annamalai, 1932 ; G.H. Ranade, *Hindusthani music, an outline of its physics and aesthetics*, Sangli 1938 ; E. Rosenthal, *The story of indian music and its instruments*, Londres 1928 ; H.L. Roy, *Problems of hindusthani music*, Calcutta 1937 ; P. Sambamoorty, *South indian music*, 3^e éd., Madras 1941 ; R. Simon, *The musical compositions of Somanatha* (éd. critique, avec table de notations, Leipzig 1904) ; C. Subramanya Ayyar, *The grammar of south indian music*, Bombay 1939 ; B. Svarup, *Theory of indian music*, Swarup Bros, Maithan, Agra 1933 ; Raja Sourindra Mohun Tagore, *Hindu music from various authors*, Calcutta 1882 — *Six principal ragas of the Hindus*, *ibid.* 1877 — *The eight principal ragas of the Hindus*, *ibid.* 1880 ; A.C. Wilson, *A short account of the hindu system of music*, Londres 1904. — *Articles et essais :* A.K. Coomaraswamy, *Hindi ragamala texts*, ds *Journal of the american oriental society* 1933 ; *Dipaka Raga*, ds *Year Book of oriental art and culture*, Londres 1925 ; Dennis Stoll, *The philosophy and modes of hindu music*, ds *Asiatic Review*, 1941 ; Maharana Saheb of Dharampur, *Music in India*, ds *Indian Arts and Letters*, 1938 ; Miss P.C. Dharma, *Musical culture in the Ramayana*, ds *Indian Culture*, IV, 1938 ; O.C. Gangoly, *Non-aryan contribution to aryan music*, ds *Annals of the Bhandarkar research Institute*, Poona — *Date of the Sangîta-raga-kalpadrumah*, *ibid.* 1934 — *Dhruva, a type of old indian stage-songs*, ds *The Journal of the music Academy*, Madras, 14, 1943 — *The meaning of music*, ds *The Hindoosthan*, Calcutta 1946 ; S.G. Kanhere, *Some remarks on indian music*, ds *Bulletin of the school of oriental studies*, IV, Londres ; Lala Kannoo Mal, *Notes on Ragins*, Rupam 1922 ; Lakshmana Shankara Bhatta, *The mode of singing Sama gana*, ds *Poona Orientalist*, 1939 ; P.V. Manji, *Rag mala*, ds *Suvarna-Mala*, Bombay 1923–1926 ; N.C. Mehta, *Ragas and Raginis in a Landian Ms.*, ds *The Bodleian Quarterly Record*, VI, Oxford 1932 ; V.K.R. Menon et V.K. Raghavan, *Govinda the greatest musical theorist of South India* ; Jogendra Nath Mukherjee, *A lecture on ragas and raginis*, ds *Journal of the indian society of oriental art*, Calcutta 1921 ; V.V. Narasimhachary, *The early writers on music*, ds *Journal of the music Academy*, Madras 1930 ; M. Ramakrishna Kavi, *King Nanyadeva on music*, ds *The Quarterly Journal of Andhra historical research society*, oct. 1926 — *Literature on music*, *ibid.*, juil. 1928 — *Literaty gleanings : Sangitacharyas Nanyadeva, Jagadekamalla, Someshvara, Sarangadeva, Parashvadeva, Devana Bhatta, Aliya Ramaraya*, *ibid.*, oct. 1928–avril 1929 ; S. Rice, *Hindi Music*, ds *The New Criterion*, juin 1926 ; K.D. Rukminiyama, *Music*, ds *Journal of indian history*, 1941 ; P. Sambhamoorti, *A history of sacred music in India*, ds *K.V. Rangaswami Aiyangar commemoration Volume*, Madras, 1940 ; Ph. Stern, *La musique indoue*, RM, Paris, mai 1923 — *The music of India and the theory of the raga*, ds *Indian art and letters*, Londres 1933 ; Tarun Ghoshal, *Hindu contribution to music*, ds *Calcutta Review*, 1940 ; T.L. Venkatarama Iyer, *The musical element in Kalidasa*, ds *Journal of oriental research*, Madras 1930.

Al.D.

**INDIENS D'AMÉRIQUE** (*Musique des*). Tandis que la musique africaine ou les musiques traditionnelles des hautes cultures asiatiques jouissent de la faveur d'un public cultivé ou de mélomanes, la musique des Indiens d'Amérique semble ne pas même bénéficier de la curiosité de l'exotisme. Sa diversité est ignorée, ses richesses sont méconnues et toutes ses manifestations confondues sous l'expression, sinon péjorative, du moins appauvrissante, de « musique primitive ». Le lieu n'est pas ici de discuter de l'impropriété du terme « primitif » pour qualifier des musiques qui, loin d'en être à leurs débuts, sont le produit de traditions musicales vieilles de quelques millénaires, dont l'analyse révèle la complexité structurale et la subtilité de rythmes et d'intervalles.

Par « musique des Indiens d'Amérique », il faut entendre celle qui est pure de toute influence européenne. Aussi préférerions-nous un pluriel qui engloberait *les* musiques, qui, sans être altérées, ont survécu au sein de groupes isolés ou accrochées à des rituels tenaces et *les* musiques d'avant la conquête et qui ont plus ou moins complètement disparu dans l'anéantissement des civilisations pré-colombiennes.

L'étude des musiques indiennes utilise des sources variées, suivant les aires de culture ou les populations auxquelles elles se rattachent. La recherche de ce qui est encore vivant ne peut se faire que sur place, grâce aux enregistrements phonographiques (sur cylindres ou disques autrefois, sur bandes magnétiques à présent). En Amérique du Nord, chez les Eskimos ou dans les réserves indiennes, les chants rituels accompagnant les danses et les cérémonies sont les vestiges les moins douteux de l'art traditionnel. Parmi les tribus repliées ou incrustées depuis des siècles dans les savanes et les forêts de l'Amérique du Sud, l'absence ou la rareté des contacts avec les étrangers garantit l'authenticité de la moisson recueillie.

Les musiques des grandes civilisations (empire Maya, Mexique ancien, empire Inca) nous sont en partie restituées par les manuscrits des Maya et des Mexicains (*Codex*) et les fouilles archéologiques (mise à jour d'instruments, de sculptures ou de fresques représentant des

tonisme est largement répandu et, dans des zones fort éloignées (Eskimos Caribous, Iroquois, Indiens des plaines), mais son emploi n'exclut pas celui d'autres systèmes musicaux, et il voisine avec des échelles bi ou tritoniques. La musique vocale est généralement accompagnée par des instruments à percussion (tambour, hochet), jamais par des instruments à vent. Alors que les rythmes instrumentaux sont souvent réguliers, ceux de la mélodie chantée suivent les accents des paroles.

INDIENS D'AMÉRIQUE

*Chansons des sauvages d'Amérique (ds Chabanon, De la musique..., Paris 1785).*

scènes musicales). Notre connaissance se borne, évidemment, au matériel instrumental, aux circonstances d'exécution des chants et des danses et ne peut atteindre les structures musicales, faute d'une écriture musicale autochtone. A ces sources indigènes, s'ajoutent les récits des chroniqueurs et des voyageurs suivant les conquistadores et qui furent les témoins de manifestations musicales. La musique des Inca a eu, sur les deux autres, l'avantage de ne pas disparaître tout à fait. Ces survivances peuvent être encore recueillies chez les Indiens Kechuas et Aymaras (Pérou et Bolivie).

*La musique des Indiens d'Amérique du Nord.* Les premières recherches faites sur la musique des Indiens d'Amérique du Nord ne remontent pas au-delà de la seconde moitié du XIXᵉ s. Déjà, il était bien tard pour espérer en saisir tous les aspects, mais il était trop tôt pour tirer des conclusions générales à partir d'enregistrements réalisés chez les seuls Indiens des plaines et étendre à d'autres groupes des caractéristiques qui leur sont propres. Ce qui pourtant fut fait. De là datent certaines notions couramment répandues : « les courbes mélodiques sont toujours descendantes », « la musique indienne, peu développée mélodiquement, est exclusivement monodique », « l'emploi du mode mineur est fréquent » ; à propos des voix, un *vibrato* caractéristique, certains auteurs allaient jusqu'à affirmer : « ils ont la voix rauque et l'intonation peu juste »...

Nous ne nous attarderons guère sur la « tonalité » de la musique indienne, l'ethnomusicologie ayant démontré que les oppositions majeur-mineur, tonique-dominante, perdent toute valeur de différenciation hors des critères et du système de la musique européenne, pour lesquels et en raison desquels elles ont été conçues. Le penta-

Diverses combinaisons rythmiques résultent de leur superposition, combinaisons qui aboutissent à la création de « modèles » rythmiques systématiquement utilisés dans certains types de chants ou par certaines populations.

Les instruments à cordes, sauf l'arc musical, sont inconnus. Celui-ci existe, avec cinq variétés, mais seulement dans l'ouest de l'Amérique du Nord, particulièrement en Californie et dans le sud-ouest (Indiens Pueblos), aux confins du Mexique. Flûtes, tambours, hochets, sifflets et racleurs sont le plus fréquemment employés.

Dans l'ensemble, les styles musicaux correspondent aux aires culturelles, compte tenu des influences qui peuvent passer d'une tribu à l'autre. Les Eskimos, au nord du continent, connaissent trois catégories de chants ; les chants magiques, les chants de danse et les chants de jeu (ces derniers tenant, par leur forme, de l'une ou l'autre des deux premières catégories). Les chants magiques, caractérisés par l'invariabilité de leur forme, sont des récitations rythmées, tandis que les chants de danse (danseur entouré d'un chœur et battant le tambour-sur-cadre, seul instrument eskimo) ont des types mélodiques différents, s'appuyant sur des formes strophiques à refrain. On signale chez les Eskimos certains groupes une tendance à hausser graduellement le ton de la mélodie au cours du chant et chez d'autres l'habitude d'alterner un passage chanté sur le registre normal avec un passage transposé à la quinte supérieure.

L'influence Eskimo se fait sentir sur la côte nord-ouest du Pacifique où l'on retrouve, chez les Indiens Nookta, la tendance à élever progressivement la tonalité. Chez les Kwakiutl, le battement du tambour est toujours syncopé. Chez les Tlingit, les instruments de musique (flûtes de roseau, sifflets de bois, hochets de bois en forme d'oiseau) révèlent une influence beaucoup plus méridionale, peut-être lointainement mexicaine.

En Californie, où les instruments de musique (flûtes obliques, sifflets simples et doubles, tambours de bois, sonnailles en coques de fruits, arcs musicaux, hochets de calebasse) sont plus variés qu'ailleurs, un type de chant, que l'on retrouve jusque dans la musique des longs rituels des Indiens Pueblos du Nouveau-Mexique, est fréquent : c'est une sorte de récitatif, à étroit compas mélodique, où la voix, partie légèrement au-dessus d'une note-pivot de l'échelle, descend par petits intervalles vers les degrés inférieurs.

*Vibrato* et *falsetto* caractérisent l'émission vocale des Indiens Navaho dont les chants ont essentiellement une fonction magique : valeurs brèves, intervalles de tierces majeures, tierces mineures et quintes, sont les particularités de leur musique.

Chez les Indiens des plaines, la courbe mélodique descendante peut couvrir trois octaves ; ce mouvement graduel, cependant, n'est pas toujours uniforme : divers procédés de montée et de descente le long de l'échelle mélodique sont mis en œuvre, chacun avec des variantes ; l'un des plus simples consiste à descendre la voix sur une partie de l'échelle mélodique, puis à la remonter de quelques degrés pour la redescendre plus bas et répéter ce va-et-vient plusieurs fois de suite.

Les chants en canon des Sioux et des Cherokee, les notes tenues par quelques chanteurs ou chanteuses tandis que l'ensemble du chœur suit la ligne mélodique (Iroquois, Papago, Pawnee) sont autant d'exemples de polyphonie vocale qui témoignent de la variété des styles musicaux dans l'Amérique indigène.

*La musique dans les civilisations méso-américaines.* L'ignorance dans laquelle nous sommes de la musique des grandes civilisations méso-américaines vient peut-être, comme l'a dit M. R. d'Harcourt, de ce qu'au Mexique « la conquête fut plus sanglante et plus difficile », donc plus destructive encore qu'au Pérou ; elle vient peut-être aussi de ce que furent longtemps attribués aux seuls Aztèques les mérites de l'épanouissement culturel qui éblouit les Espagnols, et de ce que les apports de leurs devanciers : Maya, Toltèques, Olmèques, Mixtèques, furent négligés.

L'orchestre de grandes trompes des fresques de Bonampak, des flûtes de terre cuite doubles, triples ou quadruples, nous montrent peu à peu l'importance de la musique instrumentale maya : chez eux, comme chez les Aztèques, devaient exister la musique de cour, les grandes cérémonies chantées et dansées, les concerts de plein air où l'on chantait des poèmes en s'accompagnant de tambour.

A Mexico, une « maison de musique » tenait à la disposition du roi un orchestre toujours prêt, composé du tambour à membrane (*wewetl*), du tambour de bois à deux langues (*teponastli*), de flûtes et de sonnailles. Le couronnement des princes de Monte-Alban et de Chichen-Itza se faisait au son des flûtes cérémonielles. Aux banquets, des chants célébraient l'amour et la guerre. Les *mitote*, grandes danses en cercle qui avaient lieu chaque mois (tous les vingt jours), à l'occasion d'un événement important, se développaient autour d'un joueur de *wewetl* et d'un joueur de *teponastli*, assis au centre de la ronde. Le *wewetl* résonnait aussi, auprès du grand temple de Mexico pour les appels aux armes ou l'annonce des grandes fêtes. Les milliers de sifflets de terre cuite retrouvés dans les fouilles, les flageolets d'argile, d'os ou de bois, les flûtes de roseau, les cymbales et les cloches de cuivre, d'argent ou d'or donnent une idée de la place que tenait la musique dans la vie publique et privée.

*La musique dans l'empire inca.* Sifflets, sonnailles, hochets et conques de l'ancien Pérou, rappellent ceux de l'Amérique centrale. Mais les tambours qui, ici comme là, annonçaient et accompagnaient chaque moment solennel, ne sont pas de même facture. Le *teponastli*, ou tout autre tambour de bois y était inconnu et la *wankar*, grand tambour à deux peaux, ou la *tinya*, plus petite, ne ressemblait pas au *wewetl*. Les flûtes, dont deux types subsistent aujourd'hui : le *pinkullu* (flûte à bloc antérieur)

alliée souvent au tambour, et la *kena* (flûte à encoche) n'ont pas d'équivalents mexicains. La flûte de Pan, si répandue dans les Andes, semble avoir été ignorée des civilisations méso-américaines. L'échelle pentatonique de la flûte de Pan (*siku* des Indiens Aymara, *antara* des Indiens Kechua) est un des éléments qui nous permettent de conclure à l'existence de ce système musical chez les anciens Péruviens. L'accord des flûtes droites, des mélodies actuelles dont l'origine semble pré-hispanique, l'attestent également.

Avec le martèlement du *wankar*, chaque fête du calendrier inca débutait par les chants et les danses du *taki*. Auprès de la cour, et peut-être aussi dans les villages, des sortes de bardes, les *harawek*, chantaient ou récitaient des poèmes épiques. Sur la grande place de Cuzco, capitale de l'Empire, des représentations théâtrales, analogues sans doute à celles qui se donnaient à Mexico, mettaient en scène des acteurs masqués.

Parallèlement à la musique rituelle ou cérémonielle, une musique profane, ou de caractère plus intime, célébrait les événements de la vie professionnelle. Les *harawi* (devenus *yaravi*), chants d'amour tristes, et les plaintes funéraires se sont perpétués jusqu'à nos jours. A travers cette musique de la vie quotidienne, les mélodies de l'époque inca se sont conservées, alors que la musique solennelle n'a point survécu à l'effondrement de la religion et de la société inca. Des instruments nouveaux ont été introduits par les Espagnols (harpe, guitare), d'autres ont été fabriqués d'après les modèles européens (*charango* ou luth à cinq cordes sur carapace de tatou) ; la gamme traditionnelle en a été profondément transformée et la musique métissée est née, pleine de charme nostalgique ou d'infinie tristesse, musique d'un peuple au passé mort qui tente, péniblement, de se souvenir.

*La musique des Indiens de l'Amérique du Sud.* Relativement au nombre des tribus vivant sur le continent sud-américain, les collections de musique indigène sont d'une désolante pauvreté. Bien des groupes n'ont jamais fait l'objet de recherches systématiques dans le domaine musical, et la carte de l'Amérique du Sud présente, au point de vue musicologique, des vides immenses. Il ne peut donc être question de dégager des aires musicales ni de tirer des conclusions générales sur les styles, à partir d'enregistrements distribués au hasard et dont aucune série ne représente le répertoire complet d'une population.

Des forêts tropicales, nous sont parvenues des pièces instrumentales d'une étonnante richesse. Flûtes et trompes, dont on connaît la variété de types et de factures en Amérique du Sud, sont utilisées dans la musique rituelle ou dans la musique de divertissement. En des lieux aussi éloignés que le haut-Orénoque (Indiens Piaroa), le haut-Amazone (Indiens Iawa) et le haut-Xingu (Indiens Kamayura et Yaulapiti), le jeu instrumental semble relever de techniques musicales apparentées. Flûtes de Pan ou grandes flûtes-à-bloc se jouent par paires ; deux joueurs soufflent soit alternativement soit ensemble ; dans le jeu « en mosaïque » d'une paire d'instruments, l'échelle mélodique est partagée entre les deux exécutants qui dialoguent sans solution de continuité. Si différentes familles instrumentales se mêlent pour former un orchestre, celui-ci joue polyphoniquement, notes arpégées, notes tenues, pédales rythmiques se font entendre simultanément et des accords résultent de leurs frottements.

La musique vocale, comme en Amérique du Nord, n'est jamais accompagnée par des instruments à vent. Chants magiques, chants d'amour, chants propitiatoires se privent souvent de tout concours instrumental. Le *chaman* (prêtre-guérisseur) *araucan* du Chili frappe une timbale ; son homologue *yaruro* du Venezuela secoue un hochet de calebasse pendant les séances de guérison.

Dans une population qui ne possède aucun instrument de musique, sauf le hochet, comme les Kayapo du Brésil central, nous avons recueilli des suites de chants dont chacun repose sur un système pentatonique différent : ici ce sont les intervalles conjoints, les notes ou les périodes répétées qui caractérisent les mélodies, ailleurs ce sont les sauts de quartes ou de quintes ; ici dominent les formes à refrain, ailleurs les récitations de formules reprises en chœur par les assistants qui entourent un soliste.

Le plus curieux exemple de musique vocale nous vient des Jivaros, célèbres chasseurs de têtes de l'Equateur : tandis que les hommes dansent autour de leurs trophées, les femmes chantent à plusieurs parties, apportant ainsi la preuve que, même chez les indigènes les plus « primitifs » de l'Amérique, la polyphonie vocale n'est pas inconnue.

**Bibl.** : F. Densmore, *Chippewa Music*, Washington 1910–1913 (Smithsonian Institution, Bureau of amer. ethnology, bull. 45 et 53) — *Mandan and Hidatsa Music, ibid.* 80 — *Menominee Mus., ibid.* 102 — *Cochiti and Zuñi Pueblos Mus., ibid.* 165 — *Nootka and Quilente Mus., ibid.* 124 — *Ute Mus., ibid.* 175 — *Papago Mus., ibid.* 90 — *Pawnee Mus., ibid.* 93 — *Sioux Mus., ibid.* 61 — *Yuman and Yaqui Mus., ibid.* 110 — *Tule Mus., ibid.* 77 ; Z. Estreicher, *La mus. des Esquimaux-Caribous* (Coll. Gabus), ds Bull. de la Soc. neufchâteloise de géogr., LIV, 1, Neufchâtel 1948 ; R. et M. d'Harcourt, *La mus. des Incas et ses survivances*, Paris 1925 — *La mus. chez les Maya*, ds Bull. de la Soc. suisse des américanistes, 3, Genève 1951 ; D.P. Mc Allester, *Enemy Way Mus. ...*, Cambridge, U.S.A., 1954 ; H.H. Roberts, *Form in primitive mus.*, N.-York 1933.         S.D.-R.

**INDONÉSIENNE** (*Musique*). La musique *i.* est surtout connue par ses représentants les plus évolués culturellement : Java et Bali. Bien qu'on puisse dire que la musique de tout l'archipel soit étroitement liée à la danse et à la poésie, il est dénué de sens, au-delà de cette observation générale de parler de *la* musique d'Indonésie. Le simple idiome de certaines îles est la forme la plus primitive de l'expression musicale. Les formes compliquées, cultivées dans les vieilles cours royales de Jogyakarta et de Soerakarta, réclament au contraire un degré de perfection dans le jeu d'ensemble, comme celui qui est réalisé à l'orchestre gamelan, d'ailleurs inégalé dans le monde de la musique. Pour comprendre le raffinement et le développement remarquables de cette musique, il est nécessaire de chercher une perspective historique à l'aide de l'archéologie, l'ethnologie, les découvertes historiques, la linguistique et l'ethnomusicologie.

*Histoire.* Le contact et le commerce avec les cultures avancées de Chine, d'Indochine et d'Inde au début de l'ère chrétienne ont conduit à l'immigration, à l'invasion et à l'établissement successif de quelques empires indojavanais. Au début du moyen-âge, des métaphores relatives à la musique et à la pratique musicale apparaissent dans les versions javanaises des poèmes épiques hindous, le *Ramayana* et le *Mahabharata*. D'anciens instruments de bronze, exhumés à Java, ont été datés entre le VIII<sup>e</sup> et le XVI<sup>e</sup> s., des sculptures et des bas-reliefs de temples de la même période corroborent ces découvertes. Dans l'ensemble, de telles sources indiquent : **1.** l'existence très précoce d'étonnamment grandes ressources instrumentales, probablement originaires d'Indochine en des temps beaucoup plus anciens ; **2.** la persistance de beaucoup de ces types instrumentaux jusqu'à nos jours ; **3.** l'importation d'instruments de l'Inde et, entre le XIV<sup>e</sup> et le XVI<sup>e</sup> s., durant l'avènement de l'Islam, de l'Arabie et de la Perse. Jusqu'ici ces différentes couches culturelles, qui affectaient non seulement l'expression musicale, mais aussi langage, religion et mœurs, avaient en commun certains concepts fondamentaux qui, bien qu'ils fussent différents et même contrastés dans le détail, étaient néanmoins les manifestations d'une philosophie essentiellement orientale. Considéré du point de vue le plus large, ce mélange était une riche tapisserie de matériaux et de modèles semblables, un mélange musical capable de particularisations infinies, mais créé d'éléments qui participaient naturellement à une homogénéité *orientale*. Musicalement, cela représentait un souci premier de la mélodie et du rythme ; on ne se souciait de l'harmonie que dans la mesure où elle intervenait dans les deux premiers éléments. Les nouvelles influences étaient aisément assimilées et le résultat restait uniquement indonésien. Avec l'arrivée des voiliers portugais, au XVI<sup>e</sup> s., vint le premier contact avec la pensée musicale occidentale, philosophie de la musique qui au cours de son évolution, a consacré progressivement la primauté de l'harmonie et relégué mélodie et rythme au second plan. Le style

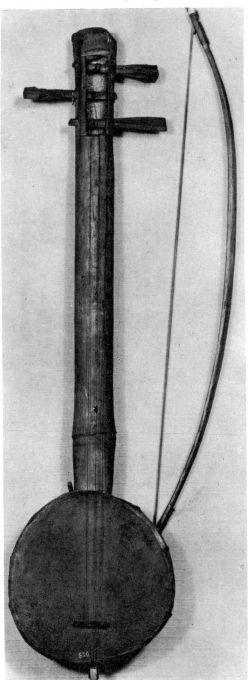

*Rabab malais avec archet (Java).*

sing-song, connu sous le nom de *kronchong*, toujours très populaire aujourd'hui, est la survivance artistique de ces chants de marins portugais. On trouve encore des chants populaires hollandais et d'autres, d'origine européenne, des XVII<sup>e</sup> et XVIII<sup>e</sup> s., à Amboine et dans l'est de Florès. Les missionnaires ont bien souvent lutté en Indonésie contre une musique qui est essentiellement

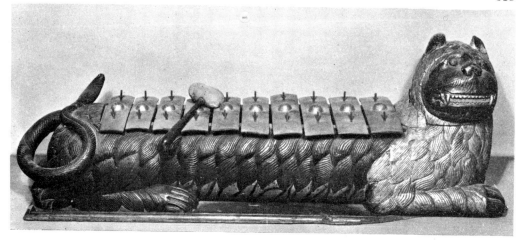

*cons. de Bruxelles*       Selantan (Java)       A.C.L.

une expression magico-religieuse, à tel point qu'en certains endroits le langage musical autochtone a été totalement supprimé. A l'époque moderne, l'introduction d'airs populaires européens et américains est une menace permanente pour la stabilité de la musique traditionnelle dans l'archipel.

Heureusement différents symptômes prouvent que l'Indonésien lui-même se rend compte de l'importance de son patrimoine musical : cette prise de conscience s'est matérialisée entre 1920 et 1930, quand un certain nombre d'érudits hollandais réveillèrent l'intérêt en organisant divers concours et publiant plusieurs périodiques consacrés aux arts. On doit d'excellents articles musicologiques aux Hollandais Jaap Kunst et J.S. Brandts Buys, à l'Allemand Walter Spies et au Canadien Colin McPhee. En 1930, le musicien et professeur javanais bien connu Ki Hadjar Déwantara a publié un opuscule, *Leidraad behoorende bij den cursus over de Javaansche muziek*, où il développe un système de solmisation qui est maintenant largement utilisé pour l'enseignement des chansons javanaises dans les écoles. Ces dernières années, en Europe aussi bien qu'en Amérique, des représentants du gouvernement indonésien ont avoué à l'auteur de cet article que partout où ils allaient ils rencontraient un enthousiasme sincère pour la musique et la danse de leur pays. Aujourd'hui, à Djarkarta et à Jogya, d'excellentes émissions de gamelan sont données régulièrement à la radio et, à Solo, au *Konservatori Karawitan*, il est possible d'étudier le gamelan javanais ou balinais.

**Java.** Il n'y a peut-être nulle part au monde un sens de la musique et une habileté dans l'expression musicale comparables à ceux des habitants de Java et de Bali. Pour chaque circonstance importante, de la naissance à la mort, il y a une musique et un rituel propres. Les mêmes chants et les mêmes morceaux d'orchestre attirent l'attention de la noblesse comme des paysans, que l'exécution soit d'un gamelan de riche principauté ou d'un gamelan de village beaucoup moins important. Avant l'occupation japonaise, le nombre total des gamelans était à Java seulement supérieur à 17.000. Ils sont d'importance très variée ; on peut les différencier par leur ancienneté et leur affectation. Des nombreux types existants, la place ne nous permet d'indiquer que quelques variétés peu fréquentes (voir art. *gamelan*). L'ancienne forme, connue sous le nom de gamelan *munggang*, petit groupe d'instruments composant une gamme à trois tons, est utilisée traditionnellement pour les événements solennels ou joyeux, certaines cérémonies religieuses ou officielles. D'après des témoignages pris sur place, les gamelans de ce type appelé *lokanonta* furent utilisés pour la 1ʳᵉ fois en l'an 269 de l'ère Çaka, c'est-à-dire 347 ap. J.-C. Une autre forme à 3 tons très en honneur

est le gamelan *kodok ngorhèk*, ensemble composé d'un nombre un peu plus grand d'instruments accordés beaucoup plus haut que ceux du gamelan *munggang*. Il est aussi réservé à certaines cérémonies et accompagne occasionnellement une représentation exceptionnelle de *wayang wong* (voir ci-dessous). Durant l'avènement de l'Islam à Java, il semble que la vie des Javanais ait été inextricablement mêlée à la musique de gamelan : la musique faisait partie intégrante de toutes les cérémonies hindoues. L'Islam toléra cet état de choses, comme on peut le voir à propos du gamelan *sekati*, qui joue un rôle important dans la semaine mahométane *sekatèn*.

Ce gamelan est composé d'instruments au son puissant, accordés selon le système heptatonique *pélog* et joués le plus fort possible. Le gamelan *klenéngan tengahan*, au contraire, est composé d'instruments à son doux, accordés selon le système pentatonique *sléndro*: il est employé pour accompagner le *wayang kulit*.

Les deux systèmes (*pélog* et *sléndro*) ont évolué pour former les gammes fondamentales employées aujourd'hui à Java et à Bali. Le *pélog*, heptatonique, considéré ethnologiquement comme le plus ancien des deux, a une structure de gamme défective, à petits et à grands intervalles. Le *sléndro*, pentatonique, qui, d'après les légendes javanaises, serait plus ancien que le *pélog*, a aussi une structure de gamme défective, mais la différence entre les grands et les petits intervalles est notablement moindre que dans le *pélog*. L'analyse de 46 *sléndros* de gamelan relevés par Kunst révèle que l'ordre de succession des grands et des petits intervalles varie d'un gamelan à un autre : aussi est-il impossible de parler d'un *sléndro*-type. Une liste similaire d'analyses de *pélog* révèle au contraire une uniformité générale de la structure des intervalles. Les Javanais attribuent au *pélog* un caractère doucement triste, mélancolique, introverti, féminin ; le *sléndro* serait brillant, revigorant, masculin.

A chaque système d'accord correspond une forme particulière de *wayang* ou « théâtre ». Le *sléndro* est propre à accompagner les contes classiques hindous, le *ramayana* et le *mahabharata*, représentés sous la forme appelée *wayang purwa* ou *wayang kulit* (jeu d'ombres chinoises, où les personnages sont des marionnettes en peau de buffle). Le *pélog* est l'accompagnement usuel des contes du cycle *Panji* javanais (*wayang gedog*), pour lesquels on utilise des marionnettes de bois plates. Dans le *wayang wong*, dans les contes des cycles hindous ou javanais, les rôles sont tenus par des acteurs et des danseurs.

Les représentations de *wayang* commencent tôt le soir et durent jusqu'à l'aube du lendemain : cette longue représentation se divise en trois parties : la 1ʳᵉ de 19 h. 30

à minuit, la 2ᵉ de minuit à 3 heures du matin, la 3ᵉ de 3 h. à l'aube ; chaque partie de la nuit *wayang* est associée à un mode du *sléndro* et du *pélog* ; à l'intérieur de chaque système d'accord, ces 3 divisions modales sont désignées par le terme *patet*. Le *sléndro patet nem* correspond à la 1ʳᵉ partie, le *sléndro patet sanga* à la seconde, et le *sléndro patet manyura* à la troisième. De même, le *pélog patet lima* est utilisé pour la 1ʳᵉ période, le *pélog patet nem* pour la seconde, et le *pélog patet barang* pour la troisième.

Les gammes fondamentales des 3 *patet*, dans chaque système, sont séparées par l'intervalle d'une quinte (*sléndro* ou *pélog*). A l'intérieur de chaque gamme, il y a un intervalle de quinte fondamental, qui sert de centre mélodique. Un bon musicien javanais peut tout de suite reconnaître l'important intervalle de quinte de chaque *patet* — d'où le *patet* lui-même — en distinguant à la simple audition, automatiquement, les types mélodiques caractéristiques qu'on emploie dans les passages principaux du *gending* ou morceau d'orchestre. En théorie, ces formules de cadence sont de simples passages en gammes descendantes (parfois ascendantes) entre les deux notes de l'intervalle essentiel de quinte de chaque *patet*. Cependant, selon l'usage actuel, c'est la cadence typique d'un seul *patet*, dans chaque système d'accord, qui a cette forme de gamme. La formule de cadence de chacun des deux autres *patet* revêt une forme mélodique distinctive, lorsque ce passage « en gamme » est joué sur le *saron* à une octave, famille d'instruments à laquelle est confiée la mélodie principale ou le thème central du morceau orchestral. Comme on l'a indiqué, les gammes fondamentales des trois *patet* sont séparées les unes des autres par une quinte et couvrent ensemble une étendue d'environ 2 octaves et demie : quand la formule mélodique se limite à une seule octave, une ou deux notes du passage en gamme doivent être en mouvement disjoint.

Saron - octave     Slendro patet nem     Slendro patet sanga     Slendro patet manyura

Il vaut la peine de remarquer que, dans l'ordre de la nuit *wayang* (à 3 périodes), les *patet* parallèles de *sléndro* et de *pélog* sont reliés en premier lieu, non par le son relatif de leurs gammes fondamentales, mais par les « tournures » correspondantes de leurs types mélodiques. Pour comprendre la structure du *gending* ou morceau orchestral (qui peut inclure des parties vocales), il est nécessaire d'étudier brièvement les fonctions des familles instrumentales. Comme nous l'avons dit plus haut, le *saron* prend la mélodie principale, qui est élaborée par divers instruments *panerusan*, selon leur domaine d'expression propre : le *gambang kayu*, sorte de xylophone, joue des passages rapides, le *bonang panerus*, double rangée de chaudrons sonores, des traits moins rapides ; certains instruments mélodiques, généralement pris dans les registres plus bas de l'orchestre, jouent un « extrait » ou une simplification de la mélodie principale ; la famille des gongs, qui servent à ponctuer, instruments « colotomiques », prend toute la trame mélodique : la façon dont ces différents gongs sont utilisés détermine la forme du morceau.

Le gong *ageng*, au son profond, ou l'un de ses remplaçants, divise le thème central en de longues phrases régulières appelées *gongan*. L'unité fondamentale de mesure est le *keteg* — littéralement « battement de cœur ». Le nombre de *keteg* d'un *gongan* donne une indication générale de la longueur de la forme : une forme courte peut contenir de 16 à 32 *keteg* par *gongan*, une forme longue, jusqu'à 64 et même 128. Le *gongan* lui-même est subdivisé par des coups sur le *kenong* (grand chaudron sonore horizontal) : les quatre subdivisions sont appelées *kenongan*. Les *kenongan*, à leur tour, sont subdivisés par des coups sur le *ketuk* (petit chaudron sonore horizontal), dont le nombre est une autre indication de forme. Dans certaines sortes de *gending*, le *kempul*

(gong vertical de dimensions moyennes) introduit une autre subdivision en 4 parties, qui chevauche celle du *kenongan*. Le *gending-ageng* classique, qui comprend de 64 à 128 *keteg* par *gongan*, se compose d'au moins trois parties : le *buka* (bebuka ou bebuka opaq-opaq), courte introduction exécutée par un instrument ou une voix solo, qui expose le *patet* ; le *merong*, premier mouvement généralement assez rapide ; le *munggah*, mouvement principal, d'un *tempo* lent. Ces grandes formes sont moins populaires aujourd'hui que le *ladrang* et le *ketawang*, *gending* plus courts et plus vivants, dans lequel le *merong* est remplacé par un simple *gongan* (parfois nommé *bebuka gending*), joué une seule fois et suivi directement du mouvement principal (ou *gending* proprement dit), répété un certain nombre de fois. La structure « colotomique » du *gongan* pour ces deux formes est indiquée ci-dessus ; le *ladrang* comprend 4 *kenongan* par *gongan*, le *ketawang* seulement 2 ; G = gong,   N = kenong,   T = ketuk,   P = kempul, W = welah (repos).

|  | Ladrang |  |  |  |  | Ketawang |  |  |
|---|---|---|---|---|---|---|---|---|
| T | W | T | N |  | T | P | T | N |
| T | P | T | N |  | T | P | T | N |
| T | P | T | N |  |  | G |  |  |
| T | P | T | N |  |  |  |  |  |
|  | G |  |  |  |  |  |  |  |

Pour des oreilles occidentales, le chant de Java, surtout celui des femmes, est trop nasal. Cependant, si l'on écoute sans préjugé, on y trouve une indéniable beauté liée à une esthétique fondée sur les nuances de l'inflexion tonale. La poésie n'est jamais récitée, mais toujours chantée. Il existe une grande variété de formes vocales et de mètres poétiques correspondants, et pour chaque variété le nombre de syllabes par vers, le nombre de vers et la voyelle finale de chaque vers sont strictement prescrits. Bien qu'elle soit guidée par le thème central du *gamelan*, la voix solo (*sindèn*) exécute une mélodie tout à fait indépendante ; le chœur (*gérongan*) suit le *gamelan* de plus près. Dans les deux techniques vocales, *sléndro* ou *pélog* comporte des notes situées « entre » les 5 ou 7 tons que l'on rencontre sur les instruments en bois ou métalliques. Le *suling* (flûte) et le *rebab* (violon à 2 cordes) utilisent également ces notes vocales.

Les Javanais jouent de la musique non écrite, de mémoire, par imitation ou par cœur. Afin que le répertoire classique soit conservé, sans que cela dépende uniquement de la mémoire des générations successives de musiciens, différents types de notation se sont développés depuis le milieu du XIXᵉ s. Ces notations sont une sorte de « partition abrégée », qui donne le thème central, les principales figurations rythmiques de tambour, la structure « colotomique » et quelques indications supplémentaires, comme le *tempo* et le registre.

Les différentes façons dont le gamelan a été imité prouve à quel point il a pénétré tous les niveaux de la société javanaise. Il arrive que des gens qui se baignent dans un fleuve ou dans un lac frappent de la main la surface de l'eau pour produire divers sons et rythmes qui rappellent étonnamment le gamelan : c'est le *chiblon* ou *ketimpung*. Une contrefaçon plus voisine du gamelan est le *kowangan* des bergers dans certains districts montagneux : ce *kowangan* est une sorte de capuchon trois quarts, fait de feuilles de bambou fixées sur un treillage de petites lattes de bambou ; sur ces lattes sont tendues horizontalement un certain nombre de cordes en fibre et deux baguettes plates de bambou plantées verticalement. Les six ou sept cordes les plus aiguës remplacent le *saron* pour donner la mélodie, les plus basses s'apparentent à la famille des gongs et les deux baguettes plates imitent le *kendang* ou tambour ; le capuchon sert de caisse de résonnance. Ainsi le *kowangan* sert en même temps d'abri contre la pluie et de gamelan individuel. Groupés ensemble, trois ou quatre *kowangan* forment un abri sûr contre les éléments, et leurs propriétaires, blottis à l'intérieur, dos à dos, passent le temps à faire de la musique et à chanter. Il existe de plus fidèles imitations du gamelan, obtenues grâce à de petits orchestres de bambou, par exemple le gamelan *jemblung*. Bali. Bien qu'elle utilise pratiquement les mêmes instruments et les mêmes systèmes d'accord, la musique de Bali a un caractère complètement différent de celle de Java. La musique javanaise a été favorisée par les cours royales : à Bali, le système communal des « *clubs* » a été le centre traditionnel de l'activité musicale. La musique javanaise est formaliste, pleine de retenue, quintessenciée ; le gamelan balinais est marqué par de brusques contrastes de dynamique, de *tempo*, une ornementation très riche, des explosions de puissants battements de tambour, il est généralement spectaculaire et brillant : par exemple, le *tabuh*, doux, ouaté (c'est une baguette utilisée par les musiciens javanais sur le *gender*), est remplacé à Bali par le bois dur ou la corne pour obtenir plus d'éclat. La différence essentielle entre les musiques de ces deux types culturels reflète fidèlement leurs différences de tempérament.

*Iles périphériques.* Faute de place, nous n'en mentionnerons que quelques-unes : Sumatra et les îles voisines ont une musique vocale et instrumentale qui a été largement influencée par l'Islam, par conséquent par la culture arabo-persane. Les instruments typiques sont le *gambus* (luth à cordes pincées, normalement 7), le *rabana* (combinaison tambour de basque-tambour), le *bangsi* (flûte à 6 ou 7 trous) et le *serunai* (sorte de hautbois). Le long de la côte sud de Sumatra, on retrouve le gamelan javanais. Depuis l'empire Majapahit, le sud de Bornéo a connu un type de gamelan qui provient de l'est de Java. A l'intérieur du pays, les Dayaks ont des chants plutôt monotones et, entre autres instruments, un orgue à bouche intéressant, originaire d'Indochine et connu sous le nom de *kledi* : c'est une calebasse qui forme caisse de résonnance, avec 6 ou 8 tubes de bambous fichés verticalement.

Chez les Makassars et les Bouginais des Célèbes du Sud, on chante les poèmes héroïques en s'accompagnant d'un luth arqué à deux cordes, appelé *keso-keso* chez les Makassars, *gésong-gésong* chez les Bouginais. A Minahasa, les missionnaires ont presque supprimé les magnifiques chants de moisson indigènes à 4 ou 5 voix.

Les petites îles de la Sonde ont diverses formes musicales. Bali, musicalement avancé, a une forte influence sur Lombok. Sumba est assez pauvre en instruments ; certains sont typiques, tels un luth à 2 cordes en forme de bateau, une cithare à tige monocorde (*jungga*), un tambour tendu d'un seul côté (*lamba*), des harpes à bouche, des gongs et une flûte nasale. Dans les monts de l'ouest de Florès, on peut entendre le soir des tournois de chant fascinants : la manière de chanter rappelle les yodleurs tyroliens. On trouve également des chants à 3 ou 4 voix qui utilisent un canon à deux voix sur un point d'orgue simple ou double. Au centre de Florès, il existe de magnifiques chants de moisson, avec une gamme purement diatonique. A l'est de Florès, on trouve une façon de chanter très intéressante : en secondes (majeures ou mineures) parallèles.

Voir J.S. Brandts Buys, ds *Djawa, IV* (1924), *XIV* (1934),

*XV* (1935), *XVI* (1936), *XX* (1940) ; M. Hood, *The nuclear theme as a determinant of patet in javanese mus.*, Groningen 1954 ; J. Kunst, *Mus. in Java*, 2e éd., La Haye 1949 – *Muz. en Dans in de Buitengewesten*, Leyde 1946 ; C. McPhee, *The five-tone gamelan mus.* of Bali, ds *MQ, XXXV*, 1949 – *A house in Bali*, N.-York 1946 ; E. Schlager, art. *Bali* in MGG.      M.Hd.

**INDY** (*Comte Paul-Marie-Théodore-*) **Vincent d'**. Compos. franç. (27.3.1871–2.12.1931). Il naquit à Paris au faubourg Saint-Germain dans une famille d'ancienne noblesse, dont les ancêtres étaient fixés dans les Cévennes depuis 1589 et qui, sous l'ancien régime, faisaient carrière dans l'armée. La mère mourut en mettant au monde Vincent, son premier enfant, et ce fut la grand-mère paternelle, née Rézia de Chorier, qui la remplaça. Celle-ci ne cessa jusqu'à sa mort (1872) d'exercer à l'égard de Vincent une sollicitude aussi constante et minutieuse que son autorité était absolue. Elle mit tout en œuvre pour former en lui, par des principes catholiques et monarchistes, une âme de chef, d'homme de devoir et d'honneur, La musique était fort en honneur dans une famille que fréquentaient Rossini et G. Nadaud ; en 1842, la grand mère avait souscrit à l'édition des trios de Franck. Si le père de Vincent était reçu chez Berlioz, c'était néanmoins l'oncle Wilfrid qui était le plus musicien : on goûtait fort dans les salons ses compositions de chambre et de théâtre. Aussi bien, dès son plus jeune âge, Vincent se familiarisa avec Haydn, Mozart et quelques sonates de Beethoven. L'enfant reçut une formation classique et musicale de premier ordre. Son précepteur Pessonneaux le prépara pour le baccalauréat, qu'il obtint en novembre 1869. Il se

D'INDY

montra bon élève, à l'intelligence un peu lente, mais doué d'une mémoire très fidèle. Marmontel père, assisté de Diémer de 1862 à 1865, fut chargé des leçons de piano et de solfège ; puis le jeune A. Lavignac commença l'enseignement de l'harmonie, dès que Vincent eut 14 ans. A ce moment-là, il découvrit les Cévennes et le manoir de Chabret (Ardèche), berceau de ses aïeux, auquel il devait rester très attaché. En 1865, sa famille se fixa avenue de Villars, où *d'I.* habita toute sa vie. Il visite alors la Belgique, Aix-la-Chapelle et Cologne. A cette époque, la musique restait encore pour lui moyen d'agrément et objet de virtuosité ; mais l'orchestration, à laquelle Lavignac initia son élève à partir de 1867, éveilla sa vocation véritable : c'est alors qu'il se passionne pour le *Grand traité d'instrumentation et d'orchestration modernes* de Berlioz et ressent pour Meyerbeer une admiration aussi vive que pour Beethoven. 1869 voit s'affermir sa personnalité : il étudie avec émerveillement *Tannhäuser* et *Lohengrin*, compose ses premiers essais pour chant et pour piano, voue à sa cousine Isabelle de Pampelonne une tendre passion. Très attiré par l'armée, *d'I.* renonça néanmoins à la carrière d'officier pour ne pas servir un régime politique contraire à ses opinions légitimistes. Mais la capitulation de Sedan (septembre 1870) lui fournit l'occasion de satisfaire ses goûts militaires et patriotiques : à la nouvelle du désastre, il s'engagea : affecté au 105e bataillon de la garde nationale, il tint quotidiennement le journal de ce corps et gagna au feu les galons de caporal, ce qui ne l'empêcha pas d'écrire le *scherzo* de sa 1re symphonie (restée inédite) et d'écouter le dimanche les Concerts Pasdeloup. Il fut libéré le 11 mars 1871.

*D'I.* aurait voulu entrer au conservatoire ; mais devant le veto de sa famille, qui ne voyait pas dans la musique autre chose qu'un divertissement, il s'inscrivit à la faculté de droit et mena de pair la jurisprudence et la musique. C'est l'audition de *Sigurd* de Reyer (mars 1873) qui toucha *d'I.* au point de le déterminer à renoncer au droit. Il était alors en relations avec Saint-Saëns et se lia avec Duparc. Depuis l'automne 1871, il faisait partie de la Soc. nat. de mus. et commence à travailler à *Wallenstein*. En 1873, il fut reçu par Liszt à Weimar avec beaucoup d'égards, alors qu'il ne put s'entretenir avec Wagner et que Brahms l'éconduisit rapidement. L'étude de la fugue, entreprise avec Franck en octobre 1872, fut continuée en 1873–74, quand *d'I.* devint auditeur libre au conservatoire où il put enfin entrer comme élève après avoir satisfait au concours, le 16 janvier 1874 : l'inscription des *Piccolomini*, 2e ouverture de *Wallenstein*, au programme des Concerts Pasdeloup, puis le succès remporté par cette œuvre le 25 janvier 1874 fléchirent enfin l'opposition paternelle à la carrière musicale ainsi qu'au mariage de Vincent avec sa cousine Isabelle, qui lui inspira le chant d'amour qu'est le *Poème des montagnes*. Il donna alors d'autant plus libre cours à sa vocation que sa fortune personnelle le tenait à l'écart de tous soucis d'ordre pratique. Il ajouta à la fugue des leçons de contrepoint et de composition chez Franck, suivait la classe d'orchestre de Deldevez au conservatoire. Il assurait au concert des pupitres de cor et de timbales et, organiste titulaire, touchait le bel instrument de Saint-Leu-la-Forêt. Il dirigeait en 1874 les chœurs des Concerts Pasdeloup et, le 15 novembre, il bissa le prélude de *Tristan* donné en 1re audition en France. Le 23 juillet 1875, il remporta au conservatoire un premier accessit d'orgue et, le 11 août, il se maria à Chabret. L'année suivante, il entra au comité de la Société nationale dont, avec Duparc, il devint l'actif secrétaire ; il s'acquitta de ces fonctions avec la plus sérieuse conscience, et on le savait toujours disponible pour prêter aux concerts ses talents de pianiste ou d'accompagnateur.

*L'anneau du Nibelung*, entendu en août 1876 à Bayreuth, plongea *d'I.* dans le ravissement. *Le crépuscule des dieux* provoqua en lui une telle émotion qu'il traduisit en français une partie importante de la *Tétralogie*. En 1879, il rencontra de nouveau Liszt à Munich. Désormais *d'I.* se rendra très souvent en Allemagne — à Bayreuth et Munich surtout — en tout plus de dix fois et tous les ans de 1879 à 1884. C'est au cours du voyage de l'été 1882, pendant lequel il n'entendit pas moins de cinq fois *Parsifal*, qu'il put, lors d'une réception donnée par Liszt, être présenté par celui-ci à Wagner dont il s'entretint longuement. Il rencontra aussi alors A. Bruckner. L'année suivante, après la mort de Wagner, à Bayreuth, il prononça en allemand un discours au nom des musiciens français. S'il passa une partie de l'année 1882 à Cassis pour travailler au *Chant de la cloche*, il n'abandonnait pas pour autant les Cévennes : il faisait construire aux Faugs, près de Chabret, un château Renaissance où il composa ensuite *Fervaal* et où il recueillit systématiquement le folklore du Vivarais, en explorant à pied la contrée. En 1885, en dépit de l'admiration suscitée par le *Chant de la cloche*, cette œuvre l'emporta avec peine sur le *Rübezahl* de Georges Hüe, au concours triennal de la ville de Paris.

C'est à l'instigation de *d'I.* qu'en 1886 la Soc. nat. de mus. vota le principe d'admettre au programme de ses concerts des œuvres anciennes ou étrangères : Saint-Saëns se démit de la présidence et C. Franck lui succéda. *D'I.* établit alors une succursale à Bruxelles, où il fit jouer les maîtres contemporains, y compris Debussy. Le 5 janvier 1892, il est fait chevalier de la légion d'honneur. Bien qu'il fût choisi par le ministre de l'instruction

publique pour prendre place dans la commission chargée de la réforme du conservatoire, il refusa la chaire de composition de cette maison, dont il méprisait les tendances. Il partit diriger (1895) des concerts à Barcelone et à Bruxelles.

Le 15 août 1896, la *Schola cantorum*, fondée par Charles Bordes, ouvrait ses portes. En avril 1897, *d'I.* vint y commencer son célèbre cours de composition, devant un auditoire qui comptait A. Roussel. Cet enseignement se trouve consigné dans le *Cours de composition*. (Les 2 premiers vol. parurent en 1903 et 1909 ; le 3e, par les soins d'A. Sérieyx, en 1925 et le dernier, dû à Guy de Lioncourt, en 1950.) La *Schola*, à laquelle *d'I.* se consacre tout entier, avec ses 150 élèves en 1901 et des professeurs de la qualité de Blanche Selva, peut rivaliser avec le conservatoire. En 1904, *d'I.* est à la tête de cette maison, avec son gendre Jean de La Laurencie comme secrétaire. Le 23 novembre, il prononce un discours à l'inauguration du monument dédié à Franck, en hommage à qui il publie un ouvrage (1906). L'année précédente, il avait fait sa première tournée aux Etats-Unis, au retour de laquelle il trouva sa femme à sa dernière extrémité. Quoique celle-ci perdît pied dans plus d'une partition de son mari, elle n'avait cessé, sa vie durant, d'aider son travail et sa production en le déchargeant du souci de bien des obligations mondaines. En 1911, on le vit diriger un concert à Moscou. Quand une pleurésie l'obligea (1911) à se reposer près de Toulon, il en profita pour écrire un *Beethoven*, en collab. avec sa fille Berthe de La Laurencie.

A la rentrée de 1912, Fauré appela *d'I.* pour remplacer P. Dukas, son ami, à la classe d'orchestre du conservatoire, où il mérita ensuite l'admiration de ses élèves A. Hoérée et A. Honegger. En 1914, ses 63 ans n'empêchèrent pas son virulent patriotisme d'offrir au ministre de la guerre ses services de combattant. *D'I.* a joui en effet d'une vieillesse aussi alerte que longue, mais qui a rompu, sur le plan social et artistique, avec le passé : un second mariage avec son élève-pianiste Caroline Janson l'éloigna de sa famille et retrancha une bonne part de l'allure aristocratique antérieure tant de sa vie que de son œuvre. A partir de 1917, Agay, près de Saint-Raphaël, remplaça les Cévennes pour les séjours d'été, et la Méditerranée détrôna l'âpre montagne ardéchoise dans l'inspiration lyrique du maître. Un voyage en Amérique (1921–1922) consacra sa gloire outre-Atlantique et, en février 1922, Strasbourg organisa une « semaine d'Indy ». Il fit à l'École normale de musique un cours sur l'interprétation de ses œuvres de piano (1925) et publia, en 1927, sous le titre *La Schola cantorum*, un historique de cette institution. Après 18 ans d'enseignement au conservatoire (classes d'orchestre et de chefs d'orchestre), il prit sa retraite (1929). Des manifestations marquèrent son 80e anniversaire, à l'occasion duquel il fut fait grand officier de la légion d'honneur. Le 24 novembre 1931, il enseignait encore à la *Schola* et, le 30, écoutait son trio dans un concert. Mais le 2 décembre, la mort le frappa subitement, avenue de Villars.

La complexité caractérise l'âme de *d'I.* aussi bien que sa musique. On distingue d'abord un attachement très étroit à la tradition, une soumission complète aux principes et aux dogmes qui donnent à la personnalité du musicien, le relief de la fermeté et de la franchise, rehaussé à l'occasion par le courage et la brusquerie, sans interrompre le fil d'une indéfectible continuité : caractère altier, d'une seule pièce, totalement dévoué à son idéal et rompant en visière avec tous ceux dont il suspectait les intentions, en ennemi déclaré de la moindre des compromissions. Ne vida-t-il pas, le 11 janvier 1908, par un duel au pistolet, avec Jules Bois, un différend dû à la critique défavorable de *d'I.*, lors de la reprise de l'*Iphigénie en Aulide* de Gluck ? De même, ce fut surtout son mépris pour le caractère accommodant de Massenet et pour l'ombrage que le succès de Wagner à Paris portait à Saint-Saëns qui détermina *d'I.* à rompre avec le premier en 1874 et avec l'autre en 1878 (il ne se réconcilia avec Saint-Saëns qu'en 1919).

Si, de son adolescence soumise à la plus rude des disciplines et qui ne s'émancipa que lentement de la coupe paternelle, d'I. garda quelque timidité, en revanche il avait acquis le goût du travail impeccable, le culte de l'application et de l'ordre, auxquels rien ne résiste, pas même l'inspiration, la sensibilité réalisant avec la volonté le plus heureux des équilibres ; travailleur acharné, il commençait encore à 70 ans, sa besogneuse journée à 7 h. pendant les vacances et ne s'accordait pas de répit avant 5 h. du soir. Il dirigea debout toutes les répétitions du *Chant de la cloche*, donné pour son 80ᵉ anniversaire, et à cet âge faisait passer tous les examens à la *Schola cantorum*. La mort le surprit tandis qu'il travaillait à son étude sur *Parsifal*.

Seule sa famille arriva à estomper cette intransigeance : ainsi en 1877, alors que d'I. méditait une conception nouvelle du drame lyrique, le vit-on écrire sur un livret de R. de Bonnières, *Attendez-moi sous l'orme*, opéra-comique du genre facile, qui faisait les délices des siens. Quant au *Rêve de Cinyras*, on peut avec vraisemblance attribuer à sa deuxième épouse l'initiative de cette œuvrette légère, composée à 72 ans.

La sérénité intellectuelle et morale unie à une vive sensibilité entretint chez d'I. une foi sans défaillance ni éclipse. « Sans la *Foi*, il n'est point d'Art », lit-on dans la préface du *Cours de composition* : aussi bien le catholicisme fut-il un des pôles de la pensée, de l'inspiration et de l'action de d'I. Il se montra aussi antisémite dans l'affaire Dreyfus que dans la *Légende de saint Christophe*. Contempteur du choral protestant, admirant la mélodie grégorienne au plus haut point, il favorisa de tout son pouvoir la restauration du chant liturgique en France d'après les principes de Solesmes et de dom Pothier. En 1903, il applaudit au *Motu proprio* de Pie X.

Dès l'adolescence, d'I. fit preuve de goût et de cœur. Il dessinait beaucoup, ne négligeait aucune occasion de se cultiver et fréquentait les hommes de lettres ; la *Divine comédie* l'enchantait et un violent amour de la nature faisait vibrer tout son être. Il se considérait lui-même comme « un vieux romantique ». On retrouve tous ces traits dans la volumineuse correspondance qu'il entretint toute sa vie, en particulier avec son cousin Edmond de Pampelonne et son ami Charles Langrand. Au premier, il avait, dans sa jeunesse, fait un véritable cours d'harmonie qui révélait déjà son goût pour l'enseignement. Une âme de professeur doublait en effet cet apôtre de l'art, qui trouva, à la *Schola*, le champ nécessaire à sa pédagogie, à son prosélytisme et à son autorité.

Mais d'autre part ces nobles qualités et cette austère façade dissimulaient un Parisien blagueur, au naturel juvénile, à l'affût d'idées neuves, voire révolutionnaires ; l'hagiographe de saint Christophe était prime-sautier et sa plume fort alerte. Comblé d'honneurs, d'I. ne portait même pas son titre nobiliaire. Les fonctions qu'il exerçait dans la capitale ne lui faisaient pas pour autant dédaigner la province : organisation de nombreux concerts, à Valence en particulier, et participation de 1906 à 1922 au jury des concours du conservatoire de Lyon. Ainsi le contraste naît sous ses pas, qui dérouta plus d'un critique.

Si d'I. se contentait dans son enfance de brillants succès au piano, c'est à la musique allemande qu'il dut l'éveil et la formation de sa sensibilité d'artiste : ses préférences allaient à Beethoven, Gluck, Weber et Schumann, mais Wagner l'emportait. Au contraire les Italiens, sans excepter Rossini et Verdi, ne lui inspiraient que dégoût. Mozart l'intéressait peu. Parmi les Français, il vouait une admiration sans réserve à Berlioz. Il savait par cœur son *Traité d'instrumentation* et ses *Mémoires*. Il n'avait qu'une faible estime pour la musique de Gounod et exécrait franchement Massenet. Ses goûts le portaient vers E. Reyer, son ami Duparc, Fauré, E. Chausson, Bizet et Guy Ropartz. Mais s'il soutint le jeune Debussy et aimait *Pelléas*, il n'est pas de doctrine musicale plus opposée au style de « Claude de France » que le d'indisme.

*Le théâtre de Bayreuth en construction (1873) et militaires s'exerçant à la baïonnette (dessin de d'Indy, communiqué par le colonel d'Indy).*

Parmi les grands efforts déployés par d'I. pour soutenir l'œuvre de Wagner à Paris, on remarque particulièrement la direction des chœurs de *Lohengrin*, en 1887, et de nombreux articles dans la presse, à l'occasion de la première exécution. A l'image du théâtre de Wagner, d'I. rêvait de créer un opéra français qui grouperait tous les arts au service de la scène. Renouveler ce genre par des livrets d'inspiration nationale, tels que sujets de légende ou de chevalerie, formait son idéal. S'il ne put rivaliser là avec son modèle, sa technique d'écriture du moins retint le traitement des « thèmes-racines » ou *leitmotive*, et l'usage fréquent de larges intervalles, le plus souvent de septième, dérive aussi tout droit du maître de Bayreuth.

Le *Chant de la cloche* (1879–83), suite en un prologue et 7 tableaux, ressortit au théâtre, bien que cette légende musicale soit aussi exécutée au concert. Inspirée de Schiller, l'œuvre célèbre le fondeur de cloches Wilhelm et son triomphe, épopée qui témoigne des tendances d'un d'I. encore jeune. Comme pour les opéras suivants, livret et musique sont entièrement conçus par le compositeur. *Fervaal* est un poème en prose consacré au héros celtique de ce nom. Celui-ci, traversant les contrées envahies par les Sarrasins, s'éprend, en violant son serment aux dieux, de Guilhen, fille de l'émir. Le meurtre du druide Arfagard perpétré par Fervaal et la mort de Guilhen empêchent le héros de prévoir un nouvel âge d'or, évoqué par le chant du *Pange lingua*. L'œuvre laisse une impression très inégale, en dépit de la somptuosité de l'orchestration. Dans *L'étranger* (1898–1901), un style plus dépouillé et un orchestre très allégé servent un livret tiré d'Ibsen, tout pénétré de mystère et de foi. Ce petit opéra rallia les suffrages de Debussy et de Fauré. Créée le 9 juin 1920 à l'Opéra, la *Légende de saint Christophe*, composée de 1908 à 1915, mérita des éloges à la fois déférents et enthousiastes. D'I. a uni dans le texte des éléments bien disparates : la légende médiévale de Jacques de Voragine et des souvenirs de l'antiquité païenne ; les sources de l'inspiration ne sont pas moins diverses : l'office grégorien des martyrs et les maîtres classiques. Toujours est-il que cette partition se présente, tant par sa date et son importance que par son sujet et son écriture, comme le testament de tout l'œuvre de *d'I.*, véritable « cathédrale sonore » (G. de Lioncourt) édifiée par le compositeur à la gloire de son saint préféré.

Pianiste et organiste, *d'I.* n'en aimait pas moins les instruments à percussion et à vent : il jouait de la trompette, et aucune des subtilités de la technique du cor ne lui échappait. Les orphéons attiraient son attention. En disciple de Berlioz, il connaissait tous les secrets de l'orchestre et mariait les différents timbres en obtenant une pureté de son inconnue de Wagner, avec une nouveauté qui rallia même ses plus grands adversaires : l'exécution du *Chant de la cloche* (1886) classa d'emblée *d'I.* maître de l'orchestration. Ainsi la *Suite en ré* pour trompette, 2 flûtes et le quatuor émet des sonorités inouïes, grâce à l'identité de timbre de la flûte dans le grave et de la trompette. Le rythme donne aussi beaucoup de vie à ces partitions : il est souple, comme dans le plain-chant, et très varié, grâce à la syncope, l'asymétrie et l'enjambement.

Les 3 ouvertures de *Wallenstein* (1873–79) furent bien accueillies en 1888. La 1ʳᵉ, *Le camp*, pleine d'humour et d'une vigueur martiale, est la plus originale. Dans ses symphonies (*s. cévenole, en si b et 3ᵉ s.*), *d'I.* apparaît tout entier, les traits de génie côtoyant l'indigence : si la célèbre *s. sur un chant montagnard* (1886), pour orchestre et piano, tire son unité de la mélodie initiale, la 2ᵉ, en proie à l'opposition de 2 thèmes, est hérissée d'harmonies acides et du plus savant contrepoint. La 3ᵉ, composée en 1917–18 comme un commentaire de la grande guerre, offre des recherches d'instrumentation imitative neuves et heureuses, mais qui frisent parfois la naïveté. Par la liberté de sa forme, le poème symphonique offrait un moule très adapté à la musique à programme de *d'I.: Jour d'été à la montagne* (1905) décrit successivement les 3 moments d'une journée

*Le Walhalla (voir page précédente).*

ensoleillée dans les Cévennes. Le thème de la *bien-aimée*, déjà utilisé dans le *Poème des montagnes*, illumine toute la partition de *Souvenirs* : poème consacré à la mémoire de la 1ʳᵉ épouse de *d'I.*, qui venait de mourir (1906) ; l'émotion ressentie arracha du cœur du compositeur une de ses pages les plus prenantes et saluée par Vuillermoz lui-même comme un beau succès.

Dans le trio avec clarinette (1887), les 2 premiers quatuors à cordes (1890, 97) et la sonate pour piano et violon (1904), s'épanouit un d'indisme intégral.

Les partitions de jeunesse pour piano telles que le *Poème des montagnes* (1881), les 3 *Schumanniana* et les *Tableaux de voyage*, impressions recueillies en Forêt noire et au Tyrol, dénotent l'influence très sensible de Schumann. L'extrême difficulté de la *Sonate en mi*, pour piano (1907), reflète la complexité de l'écriture ; mais, bien que cette œuvre contienne toutes les idées de son auteur, sa fougue et sa délicatesse la sauvent de l'aridité ; elle fut d'ailleurs bien servie par le jeu de B. Selva, à la salle Pleyel (janvier 1908).

Par un curieux paradoxe, vrai pontife de la musique pendant la période dite d'Agay, *d'I.* renonça alors aux genres jadis prônés au profit de formes plus hâtives, mais plaisantes, et aussi plus lucratives, qui marquent un complet renouveau de sa production : ses 2 chefs-d'œuvre pour piano, *Thème varié* (1925) et *Fantaisie sur un vieil air de ronde française* (1930) pétillent d'entrain et de sève ; la sonate pour violoncelle et piano (1924–25) et le 3ᵉ quatuor (1928–29) sont riches de mélodies et de spontanéité. Le goût qu'en ses vieux jours *d'I.* manifesta pour la musique de chambre ne l'empêcha pas d'écrire pour l'orchestre : le *Poème des rivages* (1921) et le *Dyptique méditerranéen* (1926) célèbrent la côte d'azur (la mer favorisa autant que les monts les épanchements du compositeur) et ces 2 poèmes bénéficient du style aéré et lumineux de la vieillesse du maître.

La musique de *d'I.* réalise une union curieuse entre les principes de Liszt et ceux de Franck : il ne cessa d'écrire, quoiqu'il s'en défendît, de la musique à programme, et c'est la logique tonale, chère à Franck, qu'il chargeait d'établir un lien entre les parties d'une même œuvre. La tonalité revêt chez *d'I.* la plus grande importance par la couleur dont elle affecte à dessein chaque personnage ou épisode.

*D'I.* enseignait qu'il ne faut pas laisser perdre la moindre des miettes de l'inspiration mélodique ; c'est dire combien celle-ci lui était parcimonieusement dispensée. C'est pourquoi le répertoire grégorien subit de sa part un véritable pillage : ainsi l'*In paradisum* lui fournit-il la conclusion du *Chant de la cloche* etc. Le folklore aussi fut largement mis à contribution et, de 1892 à 1930, *d'I.* édita 6 recueils de chants du terroir (surtout cévenol). Il puisa enfin à la source des maîtres anciens, pour qui il professait respect et admiration. Ainsi, en 1883, il publia une étude sur les *Elements* de Destouches. Puis il eut soin de mettre au programme des nombreux concerts donnés par la *Schola* Monteverdi, Bach, Rameau, Gluck et Beethoven. En dépit de tous ces apports, *d'I.* ne dispose le plus souvent que de fragments de thèmes dont la sécheresse se cache sous un chromatisme systématique et des modulations. L'étirement de la « cellule-mère » est très caractéristique de l'écriture d'un compositeur qui enseignait qu'on peut faire de la musique avec un point de départ quelconque, si pauvre qu'il soit. A noter toutefois d'heureuses exceptions : ds le *trio* avec clarinette et la *sonate* en mi ne manquent pas de beaux thèmes bien personnels. La déclamation lyrique d'autre part favorise beaucoup le développement de la phrase musicale d'indiste.

Le style en général doit très peu à l'harmonie. *D'I.* aimait les dissonances agressives et fonda toute son écriture sur le contrepoint. La diversité et la richesse de sa polyphonie, pensée avec une maîtrise consommée, sont magistrales. Mais ces entrelacs serrés auxquels *d'I.*

En élargissant — — — — — — — — 1er Mouvement

Ferval disparait dans les nuages

Ferval.
L'A—mour est vain—queur ... de la Mort!

Fervaal disparaît dans les nuages de plus en plus colorés qui, s'abaissant alors rapidement couvrent toute la partie inférieure de la montagne.

Sop.
molto cresc.
Le jeune a—mour est vain—queur de la Mort!

On ne voit plus nul être humain.

Cont.
molto cresc.
jeune a—mour est vain—queur de la Mort!

Seul, en une aurorale lueur se déroule un majestueux

tén 1
molto cresc.
La jeune a—mour est vain—queur de la Mort!

panorama de cimes neigeuses.

tén 2
molto cresc.
La jeune a—mour est vain—queur de la Mort!

B.1
molto cresc.
—dit où l'a—mour est vain—queur de la Mort!

B.2
—dit, l'a—mour est vain—queur de la Mort!

en élargissant — — — — — — — — 1er Mouvement

mf mais bien marqué.

puis et en pressé.

Roger-Viollet

554

se complaisait dressèrent contre lui Debussy et surtout E. Vuillermoz, qui rompirent des lances contre les méthodes de la *Schola*.

Ainsi le d'indisme, plein de sève et riche de promesses à ses débuts, finit-il par devenir un système très conservateur. Opposé à R. Strauss, à Stravinsky et à Schönberg, *d'I.* était aussi en butte aux attaques du groupe des « Six » et d'E. Satie. Paul Dukas interprétait ainsi ce phénomène : « Il n'y a rien là que de naturel... A toute époque, les variations du goût ont fait paraître archaïques les œuvres contemporaines fondées sur un principe de stabilité et arriérés les maîtres travaillant en profondeur » ; et il se plaisait à saluer en d'Indy « un des plus grands musiciens que la France ait produits ». Quant à l'influence du maître sur la génération

qu'il forma, on ne peut en mesurer l'importance sans évoquer toute une pléiade de compositeurs dont les plus illustres se nomment : A. Roussel, G. Samazeuilh, D. de Séverac, A. Magnard, G. de Lioncourt.

**Bibl.** : Abbé F. Biron, *Le chant grégorien dans l'enseignement et les œuvres musicales de V. d'I.*, Ottawa 1941 ; L. Borgex, *V. d'I. Sa vie et son œuvre*, Paris 1913 ; P. de Bréville et H. Gauthier-Villars, *Fervaal. Etude thématique et analytique*, ibid. 1897 ; J. Canteloube, *V. d'I.*, ibid. 1951 ; *Le centenaire de V. d'I., 1851–1951*, ibid. 1952 ; N. Demuth, *V. d'I. ... champion of classicism*, Londres 1951 ; M.-M. de Fraguier, *V. d'I. Souvenirs d'une élève, accompagnés de lettres inédites du maître*, Paris 1934 ; G. de Lioncourt, *Un témoignage sur la musique et sur la vie au XX^e s.*, ibid. 1956 ; Jean Poueigh, *Musiciens franç. d'aujourd'hui*, ibid. 1921 ; Romain Rolland, *Musiciens d'aujourd'hui*, ibid. 1908 ; Julien Tiersot, *Un demi-siècle de mus. franç.*, ibid. 1918 ; Léon Vallas, *V. d'I.*, 2 vol., ibid. 1946-49.
                                                                              B.B.

## TABLEAU GÉNÉRAL DES ŒUVRES MUSICALES

### THÉATRE

#### Opéras

| Opus | Titres | Librettistes | Composition | 1re représentation |
|---|---|---|---|---|
| 14 | *Les burgraves du Rhin* (inachevé). | R. de Bonnières. | 1869–72 | |
| 18 | *Attendez-moi sous l'orme* (op.-com.). | R. de Bonnières. | 1876–82 | Paris, 11.2.1882. |
| 40 | *Le chant de la cloche.* | V. d'Indy. | 1879–83 | Paris, 25.2.1886. |
| 53 | *Fervaal.* | V. d'Indy. | 1881–95 | Bruxelles, 12.3.1897. |
| 67 | *L'étranger.* | V. d'Indy. | 1898–1901 | Bruxelles, 7.1.1903. |
| 80 | *La légende de saint Christophe.* | V. d'Indy. | 1908–15 | Paris, 9.6.1920. |
| | *Le rêve de Cinyras* (com. mus.). | X. de Courville. | 1922–23 | Paris, 10.6.1927. |

#### Musique de scène

| Opus | Titres | Pièces de | 1re exécution |
|---|---|---|---|
| 34 | *Karadec.* | Arsène Alexandre. | Paris, Soc. nat. de mus., 2.5.1891. |
| 47 | *Médée.* | Catulle Mendès. | Paris, Théâtre de la Renaissance, 28.10.1898. |
| 76 | *Veronica.* | Charles Gos. | 1920 (date de composition : 1914, 1919–20). |

### ORCHESTRE

| Opus | Titres | Composition | 1re exécution |
|---|---|---|---|
| | *Symphonie en la majeur* n° 1. | 1870–72 | |
| 5 | *Jean Hunyade* (inédit). | 1874–76 | Paris, Soc. nat., 15.5.1875, 1.4.1876. |
| 6 | *Antoine et Cléopâtre* (id.). | 1876 | Paris, Conc. Pasdeloup, 4.2.1877. |
| 8 | *La Forêt enchantée* (ou *Harald*). | 1878 | *id.*          24.3.1878. |
| 12 | *Wallenstein*, 3 ouvertures : | | |
| | 1 *Le camp.* | 1879 | Paris, Soc. nat., 12.4.1880. |
| | 2 *Max et Thécla* (*Les Piccolomini*). | 1873 | Paris, Conc. Pasdeloup, 25.1.1874. |
| | 3 *La mort de Wallenstein.* | 1879 | *id.*          11.4.1880. |
| 21 | *Sauge fleurie* (légende). | 1884 | Paris, Conc. Lamoureux, 25.1.1885. |
| 28 | *Sérénade et valse* (petit orch.). | 1887 | Angers, 1889. |
| 36 | *Tableaux de voyage* (suite). | 1891 | Le Havre, 17.1.1892. |
| 42 | *Istar* (variations symph.). | 1896 | Bruxelles, Concerts Ysaye, 10.1.1897. |
| 50 | *Chansons et danses* (instr. à vent). | 1898 | Paris, Soc. d'instr. à vent, 7.3.1899. |
| 54 | *Marche du 76e régiment d'inf.* | 1903 | |
| 57 | *Symphonie* n° 2 en *si b majeur.* | 1902–03 | Paris, Conc. Lamoureux, 28.2.1904. |
| 61 | *Jour d'été à la montagne.* | 1905 | Paris, Conc. Colonne, 18.2.1906. |
| 62 | *Souvenirs.* | 1906 | Paris, Soc. nat., 20.4.1907. |
| 70 | *Sinfonia brevis de bello gallico* n° 3. | 1916–18 | *id.*       mai 1919. |
| 72 | *Sarabande et menuet* (fl., htb., clar., cor, basson). | 1918 | |
| 77 | *Poème des rivages* (suite). | 1919–21 | New-York, 1.12.1921. |
| 87 | *Diptyque méditerranéen.* | 1925–26 | Paris, Soc. des concerts, 5.12.1926. |

#### Instruments solistes et orchestres

| Opus | Titres | Composition | 1re exécution |
|---|---|---|---|
| 19 | *Lied* (vcelle). | 1884 | Paris, Soc. nat., 18.4.1885. |
| 24 | *Suite en ré dans le style ancien* (trompette, 2 fl. et cordes). | 1886 | *id.*       5.3.1887. |
| 25 | *Symphonie sur un chant montagnard français* (piano). | 1886 | Paris, Conc. Lamoureux, 20.3.1887. |
| 31 | *Fantaisie sur des thèmes populaires français* (hautbois). | 1888 | *id.*       23.12.1888. |
| 55 | *Choral varié* (saxophone). | 1903 | Paris, Soc. nat., 1904. |
| 89 | *Concert* (flûte, violoncelle, piano). | 1926 | *id.*       2.4.1927. |

## MUSIQUE DE CHAMBRE

| Opus | Formes et distribution instrumentale | Composition | 1re exécution |
|---|---|---|---|
| 7 | Quatuor en *la mineur* (viol., alto, vcelle, piano). | 1878–88 | Paris, Soc. nat., 28.12.1878. |
| 29 | Trio en *si b majeur* (clar., vcelle, piano). | 1887 | *id.* 7.1.1888. |
| 35 | Quatuor n° 1 en *ré maj.* | 1890 | Bruxelles, fév. 1891. |
| 45 | Quatuor n° 2 en *mi maj.* | 1897 | Paris, Soc. nat., 5.3.1898. |
| 59 | Sonate en *ut majeur* (viol. et piano). | 1903–04 | Paris, 3.2.1905. |
| 81 | Quintette en *sol min.* (2 viol., alto, vcelle, p.). | 1924 | Paris, Soc. nat., 2.5.1925. |
| 84 | Sonate en *ré majeur* (vcelle et piano). | 1924–25 | Paris, Agriculteurs, 5.3.1926. |
| 91 | Suite (fl., viol., alto, vcelle, harpe). | 1927 | Paris, Soc. nat., 17.5.1930. |
| 92 | Sextuor en *si b maj.* (2 viol., 2 altos, 2 vcelles). | 1928 | Paris, Soc. nat., 26.1.1929. |
| 96 | Quatuor n° 3 en *ré b maj.* | 1928–29 | *id.* 12.4.1930. |
| 98 | Trio en *sol maj.* (viol., vcelle, piano). | 1929 | *id.* 11.1.1930. |

## MUSIQUE VOCALE

### A 1 voix et piano.

| Opus | Titres | Auteurs des paroles | Composition |
|---|---|---|---|
| | *Angoisse.* | F. Bazenery. | 1869–70 |
| 3 | *Attente.* | V. Hugo. | 1872–76 |
| 4 | *Madrigal.* | R. de Bonnières. | 1872–76 |
| 10 | *Plainte de Thécla.* | R. de Bonnières. | 1880 |
| 13 | *Clair de lune* (étude dramatique, sopr. et orch.). | V. Hugo. | 1872–81 |
| 20 | *L'amour et le crâne.* | Ch. Baudelaire. | 1884 |
| 43 | *Lied maritime.* | V. d'Indy. | 1896 |
| 48 | *La première dent* (berceuse enfantine). | J. de La Laurencie. | 1898 |
| 56 | *Mirage.* | P. Gravollet. | 1903 |
| 58 | *Les yeux de l'aimée.* | V. d'Indy. | 1904 |
| 64 | *Vocalise.* | | 1907 |

### A 2 voix.

| Opus | Titres | Auteurs des paroles | Composition |
|---|---|---|---|
| 94 | *Madrigal à 2 voix* (sopr. et vcelle). | | 1928 |
| 102 | *Chanson à 2 voix en forme de canon* (sopr. et baryton). | | 1931 |

### Folklore.

| Opus | Titres | Destination | Composition |
|---|---|---|---|
| | *Chansons populaires du Vivarais et du Vercors.* | chant et piano. | 1892 |
| 52 | *6 Chansons anciennes du Vivarais,* 1er recueil. | *id.* | 1926 |
| 82 | *Chansons populaires du Vivarais.* | *id.* | 1900 |
| 90 | *3 Chansons populaires françaises.* | chœur *a cappella.* | 1924 |
| 100 | *6 Chants populaires français,* 1er recueil. | *id.* | 1927 |
| 101 | *6 Chants populaires français,* 2e recueil. | *id.* | 1930 |
| | *Chansons du Vivarais,* 2e recueil. | chant et piano. | 1930 |

### Chœurs. Musique d'église.

| Opus | Titres | Destination | Composition |
|---|---|---|---|
| 22 | *Cantate Domino* (cantique). | 3 voix et orgue. | 1885 |
| 23 | *Sainte Marie-Madeleine* (cantate). | sopr., ch. de femmes, piano et harmonium. | 1885 |
| 41 | *Deus Israel conjungat vos* (motet). | 4 voix mixtes. | 1896 |
| 46 | *Les noces du sacerdoce* (cantique). | 1 voix et harmonium. | 1898 |
| 49 | *Sancta Maria, succurre miseris* (motet). | 2 voix égales. | 1898 |
| 75 | *Pentecosten* (24 cantiques grégoriens). | | 1919 |
| 79 | *Ave, Regina caelorum* (motet). | 4 voix mixtes. | 1922 |
| 83 | *2 Motets en l'honneur de la canonisation de saint Jean Eudes.* | *id.* | 1925 |
| 88 | *O Domina mea* (motet). | 2 voix égales. | 1926 |

### Chœurs. Musique profane.

| Opus | Titres | Auteurs des paroles | | Composition |
|---|---|---|---|---|
| 2 | *O gai soleil* (chœur et canon). | V. d'Indy. | 2 voix. | 1909 |
| 11 | *Chanson des aventuriers de la mer.* | V. Hugo. | baryton, chœur et piano. | 1870 |
| 32 | *La chevauchée du Cid (Au galop).* | Bonnières. | *id.* | 1876–79 |
| 37 | *Sur la mer.* | V. d'Indy. | chœur de femmes *a capp.* | 1888 |
| 39 | *Pour l'inauguration d'une statue.* | E. Augier. | baryton, chœur et orch. | 1893 |
| 44 | *L'art et le peuple.* | V. Hugo. | 4 voix d'hommes. | 1894 |
| 78 | *Ode à Valence* (inédit). | Genest. | sopr. et chœur. | 1897 |
| 93 | *2 Scholar's songs.* | | 2 voix. | 1921 |
| 97 | *Le bouquet de printemps.* | | 3 voix égales. | 1928 |
| 103 | *Les trois fileuses.* | | *id.* | 1929 |
| 104 | *Chant de nourrice.* | J. Aicard. | *id.* | 1931 |
| 105 | *Le forgeron.* | *id.* | 3 voix mixtes et quatuor à cordes. | 1931 |
| | *La vengeance du mari.* | | 3 voix, chœur et orch. | 1931 |

## INSTRUMENTS SEULS

| Opus | Titres | Composition | Exécutions |
|------|--------|-------------|------------|
| | **Piano.** | | |
| | Sonate (inédite). | 1869 | |
| 1 | *3 romances sans paroles.* | 1870 | |
| 9 | *Petite sonate dans la forme classique.* | 1880 | |
| 15 | *Poème des montagnes* (poème symph. pour piano). | 1881 | |
| 16 | *4 Pièces* (sérénade, choral grave, *scherzetto, agitato*). | 1882 | |
| 17 | *Helvétia (Aarau, Schinznach, Laufenburg).* | 1882 | Paris, Soc. nat., 1884. |
| 26 | *Nocturne en sol bémol.* | 1886 | |
| 27 | *Promenade.* | 1887 | *id.*     1887. |
| 30 | *Schumanniana* (3 pièces). | 1887 | |
| 33 | *Tableaux de voyage.* | 1889 | |
| 63 | *Sonate en mi majeur.* | 1907 | Paris, salle Pleyel, 1908. |
| 65 | *Menuet sur le nom de Haydn.* | 1909 | |
| 68 | *13 pièces brèves.* | 1908–15 | |
| 69 | *12 petites pièces faciles.* | 1908–15 | |
| 74 | *Pour les enfants de tous âges* (3 albums). | 1919 | |
| 85 | *Thème varié, fugue et chanson.* | 1925 | 5.3.1926. |
| 86 | *Contes de fée* (suite). | 1925 | |
| 95 | *6 paraphrases sur des chansons enfantines de France.* | 1928 | |
| 99 | *Fantaisie sur un vieil air de ronde française.* | 1930 | Paris, Soc. nat., 1931. |
| | **Piano à 4 mains.** | | |
| 60 | *Petite chanson grégorienne.* | 1904 | |
| 73 | *7 chants du terroir.* | 1918 | |
| | **Orgue.** | | |
| 38 | *Prélude et petit canon.* | 1893 | |
| 51 | *Vêpres du commun des Martyrs* (8 antiennes). | 1899 | |
| 66 | *Pièce en mi bémol.* | 1911 | |

## ŒUVRES PÉDAGOGIQUES

| 71 | *100 Thèmes d'harmonie et réalisations.* | 1907–18 | |
|----|------------------------------------------|---------|---|
| | *500 Exercices de lecture pour alto, violon et violoncelle* (500 exercices en 4 recueils p. chaque instr.). | | |
| | *3 petites pièces pour instr. à vent et piano* (inédit). | date d'édition : 1925–26 ; en collab. avec A. Parent. | B.B. |

**INÉGAL.** — **1.** *Notes i.:* On appelle ainsi les notes pointées dans les partitions de l'époque baroque : leur valeur exacte et leur interprétation soulèvent de grandes difficultés, que de non moins grandes controverses n'ont pas encore éclaircies. Il est certain que leur exécution n'obéissait nullement aux règles rigoureuses des solfèges modernes et que beaucoup de liberté était accordée aux interprètes. Voir R. Donington, art. *inégales* ds dict. de Grove ; M. Pincherle, art. *interprétation* ds le présent ouvrage. — **2.** *Tempérament:* voir art. *tempérament.* — **3.** *Voix:* on appelle voix i. ou *chœur mixte* l'ensemble vocal constitué par des voix d'hommes et par des voix d'enfants ou de femmes.

**INFANTAS.** Voir art. *Las Infantas.*

**INFANTE Manuel.** Chef d'orch. et compos. esp. (Osuna 29.7.1883–Paris 1958). Elève d'E. Morera, il se fixa à Paris (1909), où il épousa la vcelliste Yvonne Casadesus et fit carrière de chef d'orch. ; on lui doit de la mus. à 1 et à 2 pianos, d'inspiration folklorique, et 1 opéra : *L'amour trahi.*

**INFÉRIEUR.** Cet adjectif qualifie la voix la plus grave d'un ensemble polyphonique ; il sert également à situer un intervalle par rapport à un degré de l'échelle ; ex. : « le *do* grave du vcelle sonne à l'octave *i.* du *do* grave de l'alto » ; on dit également « canon à la quarte, à la sixte etc. » inférieure.

**INFINI.** Voir art. *canon, 1, 8.*

**INFLEXION.** Ce terme désigne un léger changement qui intervient dans la hauteur ou, par analogie, dans l'intensité ou l'accentuation de la voix (chant ou parole) ; par extension, le même terme désigne la chute d'une ligne mélodique de faible ambitus. Dans la psalmodie ou dans la cantillation, le terme désigne une césure à l'intérieur d'une phrase (on trouve également le mot *flexe*).

**INFRA-SON.** C'est une vibration matérielle dont la fréquence est inférieure à 15 hertz (ou cycle par seconde) : quelle que soit l'énergie qu'elles développent, de telles vibrations restent inaudibles.                    J.M.

**INGANNO** (*Cadenza d*'), C'est la locution qui sert, en italien, à désigner une cadence rompue. Voir art. *cadence.*

**INGEGNERI Marc'Antonio.** Mus. ital. (Vérone, ap. 1547–Crémone 1592). Il est considéré comme un des maîtres de l'école vénitienne du XVIe s. ; il descendait d'une famille de facteurs d'orgue (?) originaire de Venise ; à Vérone, il est enfant de chœur à la cathédrale, où il étudie sous la direction de Vincenzo Ruffo, maître de chapelle et prof. à l'*Accad. filarm.* ; peut-être a-t-il été également l'élève de Cyprien de Rore à Parme ; en 1568, il s'établit à Crémone, où il sera nommé *musicis cathedralis praefectus* (1576), puis maître de chapelle (18 déc. 1581) ; cette même année, il épousa Margherita de Soresina ; on sait que Monteverdi l'eut pour maître et lui dédia ses 4 premiers livres de madrigaux ; le style d'*I.* est remarquable par l'originalité du contrepoint, la hardiesse de l'harmonie, la puissance expressive ; de sa mus. d'église, il faut citer les 27 *responsoria* pour les offices de la semaine sainte (4-6 v., 1588) dont la paternité, faussement attribuée à Palestrina, fut reconnue en 1897 grâce aux travaux de Haberl, 9 messes de 5 à 8 v., plus de 100 motets (4-16 v.), des *sacrae cantiones* et des *lamentationes* (qui n'ont pas été conservées) ; de sa mus. profane : 8 livres de madrigaux, 5 à 5 v., dont seuls les 4 premiers ont été conservés (1572–1587), 2 à

4 v. (1578–79), 1 à 6 v. (1586), 2 *canzoni francesi* (instr.) dans un recueil de 1579. Voir F.X. Haberl, *M. I...*, ds *KmJb, XIII*, 1898 ; B.A. Wallner, *Mus. Denkmäler der Steinätzkunst...*, Munich 1912 ; J. Tiersot, ds Rev. de mus., févr. 1926, et ds *RMI*, 32, 1935 ; H. Prunières, ds RM, juil. 1927 ; E. Dohrn, *M.A.I. als Madr. Komp.*, thèse de Berlin, Hanovre 1936 ; G. Cesari et G. Pannain, ds *Ist. e mon. dell'arte mus. ital.*, *VI* ; G. Cesari, *La mus. in Cremona*, 1934 ; R. Monterosso, *Una firma autografa di M.A.I.*, Crémone 1949 ; A. Einstein, *The ital. madrigal*, Princeton-Oxford 1949.                                              Cl.S.

**INGEGNERI Tomaso Antonio.** Mus. ital. (Bologne 1671–19.9.1726), tertiaire de St François, qui publia *Psalmi verspertini...* (8 v., *ibid.* 1719) et l'oratorio *La decollazione di S. Giovanni* (*ibid.* 1699).

**INGELIUS Axel Gabriel.** Compos. finlandais (Säkylä 26.10.1822–Uusikaupunki 2.3.1868), instituteur, mus. autodidacte à qui l'on doit la 1re symph. finlandaise (1847), critique ; son fils – **Hugo** (Raisio 12.1.1853–Turku 2.3.1899), journaliste, instituteur, compos. de mélodies (dont la populaire *Kung Erik*).

**INGENHOVEN Jan.** Compos. néerl. (Bréda 19.5.1876–Hoenderlo 20.5.1951). Clarinettiste, chef de chœur et d'orch., élève de L.F. Brandts-Buys et de F. Mottl, chef du *Münchner Madrigal-Vereinigung* (1909–1912), il séjourna longtemps en France et en Suisse ; il écrivit de la mus. symph., chor., de chambre. Voir D. Ruyneman, *De comp. J.I.*, Amsterdam s.d. ; E. Reeser *Een eeuw ned. muz.*, *ibid.* 1950.

**INGHELBRECHT Désiré-Émile.** Chef d'orch. et compos. franç. (Paris 17.9.1880–). Après ses études au cons. de Paris, il a rapidement pris place parmi les meilleurs chefs de sa génération ; en 1913, il prend la dir. mus. du Théâtre des Champs-Elysées, où il fait connaître les partitions de ses contemporains, notamment de Debussy dont il fut l'ami intime ; il est ensuite chef assistant à l'orch. Pasdeloup et, en 1924, chef d'orch. de l'Opéra-Comique ; quatre ans auparavant, il avait dirigé à Londres et à Paris les ballets suédois, pour lesquels il avait composé le ballet *El Greco* ; en 1934, il fonde l'orch. nat. de la radiodif. franç. ; ses œuvres, souvent debussistes, sont nombreuses : nous citerons *Rhapsodie de printemps* (orch., 1910), *Le diable dans le beffroi* (1922, ballet d'après Edgar Poe, créé à l'Opéra en 1927), *Sinfonia breve* (1930), 1 *Requiem*, *Le cantique des créatures de st François* (chœur et orch., 1919), 2 opérettes : *A tire d'aile* (1946), *Voyage dans le bleu* (1947), des ballets, de la mus. symph., de chambre (quatuor, 1954), des mélodies, de nombreuses pièces pour piano, dont les 7 recueils de la *Nursery*, sur des thèmes de chansons populaires ; il a publié *Comment on ne doit pas interpréter* Carmen, Faust et Pelléas (1933), *Diabolus in musica – mouvement contraire : souvenirs d'un musicien* (1947), *Le chef d'orch. et son équipe* (1949), C. Debussy (en collab. avec Germaine I., 1953), *Le chef d'orch. parle au public* (1957). Voir D. Sordet, *Douze chefs d'orch.*, Paris 1924.                                                         Cl.S.

**INGLEDON Charles** (*Benjamin*). Ténor angl. (St. Keverne, bapt. 5.2.1763–Londres 18.2.1826), chanteur d'opéras et d'oratorios, qui créa à Londres *La création* de Haydn et fit une tournée aux Etats-Unis. Son fils — **Charles** [*Venanzio*] (1791–1865) fut également chanteur ; il enseigna à Vienne.

**INGLOTT William.** Mus. angl. (1554–Norwich ... 12.1621), qui fut choriste, puis chanteur, maître des enfants (1579), org. (1588–94) à la cath. de Norwich, puis à celle de Hereford (1597), enfin à celle de Norwich (1608–21) ; on n'a conservé de lui qu'une pièce d'orgue et trois de virginal. Voir J. Steele in MGG.

**INGOMBA.** C'est un long et mince tambour, à deux peaux tendues par laçage, fait dans un tronc d'arbre évidé (Afrique) ; on connaît des spécimens congolais et guinéens du début du siècle, qui atteignent 2,70 m. de long et dont le diamètre est de l'ordre de 0,20 m.   M.A.

**INGRAIN Claude-Nicolas.** Org. franç. du XVIIIe s., élève, puis successeur (1726–1774) de Buterne à St-Etienne-du-Mont à Paris.

**IN NOMINE.** C'est le titre d'un grand nombre de pièces

instr. anglaises des XVIe et XVIIe s. (luth, viole, virginal), dont le *cantus firmus* est le début de la mélodie d'une antienne des deuxièmes vêpres du dimanche de la Trinité, propre au diocèse de Salisbury avant le schisme : *Gloria tibi Trinitas*. Cette mélodie jouit d'une faveur comparable à celle du *Felix namque* ou à celle de *L'homme armé* chez les Flamands. Le premier témoignage qu'on en ait est le *Benedictus* de la messe de Taverner : la mélodie y a comme support les paroles *in nomine Domini*, à l'intérieur du *Benedictus* ; on suppose que c'est là l'origine du titre. La grande période des *In nomine* est la seconde moitié du XVIe s., sa fin, l'époque de Purcell. Voir E.H. Meyer, *Die I.n.....*, ds *ML, XVII*, janv. 1936 — *English chamber music*, Londres 1946 — *Die mehrst. Spielmusik d. 17. Jh....*, Cassel 1934 ; G. Reese, *The origin of the engl. i.n.*, ds *JAMS, II*, 1949 ; R. Donington et Th. Dart, *id.*, ds *ML, XXX*, 1949 ; J. Noble, J. Jacquot, Th. Dart, ds *La mus. instr. de la Renaissance*, CNRS, Paris 1955 ; W. Coates in MGG.

**INSANGUINE Giacomo** (dit *Monopoli*). Mus. ital. (Monopoli 22.3.1728–Naples 1.2.1795). Elève de 2 cons. de Naples (Feo, Abos, Durante), il fut *mastriciello* (1749–55), puis *maestro* (1767–1795) au *cons. S. Onofrio*, org. et maître de chapelle à la chapelle du Trésor de St Janvier de la cath. de Naples (1774–81) ; il composa 21 opéras, de la mus. d'église, d'orgue et de piano, le tout généralement tenu pour médiocre. Voir U. Prota Giurleo, *G.I.*, *detto M.* (inédit) ; A. Mondolfi in MGG.

**INSCRIPTION.** C'est ainsi que l'on appelle une devise ou un signe que beaucoup d'auteurs de l'école polyph. plaçaient en tête de la partition des canons énigmatiques pour en indiquer le mode de résolution : le résultat recherché n'a pas toujours été atteint, et beaucoup d'obscurités demeurent. En italien, c'est le vocable *motto* qui sert à désigner l'inscription.

**IN SECULUM.** C'est l'un des ténors les plus répandus dans les motets du XIIIe s., qui est tiré du graduel de Pâques ; il a également servi de soutien à des hoquets instrumentaux que l'on trouve dans les mss de Bamberg et de Montpellier.

**INSPIRATION.** Le mot manque dans le dictionnaire de Rousseau : il faut croire qu'il n'en avait point à l'époque. Littré le définit ainsi : « Mouvements de l'âme, pensées, actions qui sont dus à une insufflation divine comparée à l'insufflation qui introduit l'air dans la poitrine » ; il cite Bossuet : « Un soldat, poussé, dit Josèphe, par une inspiration divine, se fait lever par ses compagnons à une fenêtre et met le feu dans ce temple auguste. » Si l'*i.* a échappé à Rousseau, elle était connue de Voltaire et de Diderot, puisque le même Littré, dans le même article, cite du dernier : « Qu'est-ce donc que l'inspiration ? l'art de lever un pan de voile, et de montrer aux hommes un coin ignoré ou plutôt oublié du monde qu'ils habitent », et du premier : « Vous ferez votre tragédie quand votre enthousiasme vous commandera ; car vous savez qu'il faut recevoir l'inspiration, et ne la jamais chercher ». Tout cela est déjà bizarre : le sceptique Voltaire invoque l'enthousiasme platonicien, à savoir la possession divine (encore que nous nous demandions si c'est bien de celui-là qu'il s'agissait dans sa pensée) ; d'autre part, cet infatigable et talentueux plumitif recommande à son correspondant un état de passivité, de réceptivité, qui ne laisse pas d'étonner de sa part. Quant à Diderot, c'est un habile : les bonnes choses sont cachées derrière un voile : que les malins lèvent « un pan du voile », c'est affaire de débrouillardise. Il est non moins bizarre que Rousseau n'ait pas cru bon de traiter l'art. *inspiration* dans son dictionnaire : de Voltaire, de Diderot ou de lui, c'est certainement à Jean-Jacques que l'opinion publique décernerait le titre d'inspiré. Quant à la définition de Littré, elle n'est pas moins surprenante : ce rationaliste, qui fit Mgr Dupanloup quitter l'Académie, invoque une « insufflation divine ». — Les musiciens ont sans cesse le mot à la bouche : ce sont des gens qui ont de l'âme, la matière de leur art est toujours à base de souffle ou de vent (voix et instruments) ; rien d'étonnant que le mot leur vienne aisément aux lèvres. Les musicologues et les critiques musicaux s'en servent tout autant, mais l'examen de la littérature musicologique n'éclairera pas beaucoup sur la notion *d'i.* musicale : les hagiographes décernent cette vertu à leur héros, même s'il s'agit du plus frivole des compositeurs d'opérettes ou d'un compositeur pédant et ennuyeux ; ils la refusent à ceux qu'ils n'entendent point. Epuiser la documentation serait vain. L'opinion courante est-elle plus favorisée ? il semble pas : elle a trouvé Massenet tout à fait inspiré, et Debussy passait encore, du temps de notre enfance, pour un auteur aride, à « esbrouffe », tout à fait dénué d'inspiration. L'*i.* musicale partage le sort des consœurs dans les autres arts : le mot *inspiration* veut bien servir de *deus ex machina* à la paresse, à l'incompréhension, à la flatterie, à l'absence de pensée. Quand un compositeur est-il inspiré ? avant d'écrire ? se mettrait-il en transe, et quelle transe, combien durable, combien utile, pour se précipiter sur sa plume et tracer ces signes abstraits grâce auxquels le souffle divin passerait par son ministère aux futurs auditeurs ? Nous n'en savons pas d'exemple, ni *de visu* ni *de auditu* ; certes les si nombreuses biographies de musiciens pourraient le faire croire, lorsqu'elles associent les pérégrinations des musiciens ou leurs amours ou leurs crises mystiques, bref tout le fatras des états d'âme quotidiens, à la production de telle ou telle œuvre du compositeur. Le mécanisme nous en échappe totalement : nous ne voyons pas comment un fait psychique peut aboutir à une partition, par quelle transmutation, par quelle alchimie un sentiment peut susciter directement la composition musicale. Est-ce pendant qu'ils écrivent ? Là encore, la chose serait bien mystérieuse : quiconque a écrit deux notes de musique ne voit pas le mécanisme d'une telle opération. Bien mieux, une partition semble exclure l'intervention de l'inspiration au sens commun du mot, puisque cette partition est fondée sur le geste d'écrire, qui est décidément l'acte humain le plus abstrait et le plus intellectuel. Au sens total du mot, à savoir la possession divine, l'enthousiasme platonicien écarte *a priori* le geste d'écrire. Ou bien il faudrait admettre que le compositeur est un médium et que l' « esprit » se sert de lui parce qu'il a su devenir un mécanicien bon conducteur. Mais quel esprit, quel démon, quel dieu ? Nous voulons bien admettre que les musiques traditionnelles sont fondées sur l'état de transe, sur l'extase ; c'est totalement impensable en pays de civilisation écrite. Quand l'opinion emploie le mot inspiration, elle le fait dans un sens autre que celui de Littré ; peut-être pourrait-on tâcher à la définir ainsi : c'est la qualité que l'on reconnaît, dans la civilisation occidentale, à un compositeur dont l'œuvre a un caractère de haute perfection, de nécessité essentielle et d'efficacité immédiate sur l'auditeur. Procédant par négation, on pourrait dire qu'est inspirée une œuvre close, qui domine l'auditeur, qui s'impose comme un objet magique, sans autre qualité foncière que d'être elle ; si nous disons négation, c'est que la notion d'une telle œuvre implique que l'auteur ait renoncé à toutes intentions autres que purement artistiques : science, enseignement, nouveauté, divertissement, toutes notions qui éliminent du catalogue des œuvres inspirées près des neuf dixièmes de la production savante occidentale. Il conviendrait d'oser dire qu'une telle œuvre exclut aussi bien le souci esthétique : l'esthétique n'est qu'une partie de la philosophie, et la philosophie n'intervient en rien dans la création artistique proprement dite. Bach, écrivain prodigieux, n'est pas toujours inspiré : il y a du scolaire dans une bonne part de ses compositions ; Mozart l'est à peu près toujours ; chez Beethoven et les romantiques, pourtant tout à fait soumis dans leurs principes au déchaînement de ce que la plupart appellent l'inspiration, il y a un grand déchet. C'est ici qu'il faut revenir à cette insufflation divine dont parle Littré : dans le monde chrétien qui a été le cadre des musiciens occidentaux, l'esprit religieux, lui non plus, ne peut pas être considéré comme facteur essentiel de l'inspiration. Cela tient à la nature de la musique occidentale, qui, comme toutes les réalisations de l'Occident, est née d'une corruption de la véritable musique sacrée, elle, anonyme et traditionnelle, et point du tout artistique au sens où nous l'entendons maintenant. Si Bach était religieux, Gesualdo

était un assassin ; si Mozart était maçon, Rameau était cartésien ; les innombrables auteurs des cantiques du répertoire religieux français ne peuvent vraiment pas être pris pour des musiciens religieux : ils auraient pu tout aussi bien écrire pour le music-hall. Bien plus, depuis les XIIe-XIIIe s., la forme même de la musique d'église n'est nullement distincte de celle de la musique profane : même chez Bach, il n'y a aucune différence entre une cantate profane et une cantate d'église. C'est à cause de quoi, tout au long du présent ouvrage, nous avons préféré la locution « musique d'église » à la locution « musique religieuse » : l'Occident n'a eu qu'une seule musique proprement religieuse, le plain-chant. Si on considère la matière de l'œuvre inspirée, on conviendra que la forme est toujours parfaite : là où il y a imperfection, il n'y a pas eu inspiration. Il est donc tout à fait vain de compter sur la dite inspiration : c'est un don qui ne vient récompenser que des maîtres artisans. En musique comme ailleurs, l'artisanat est le seul devoir ; le reste, l'inspiration, ni ne s'acquiert ni ne s'obtient musicalement. L'inspiration relève de l'état de poésie, qui est le propre de l'homme, qui n'a rien de commun avec la science, la morale, l'esthétique : c'est une virtualité réalisée, d'ailleurs fort rarement, toutes choses égales d'ailleurs, chez les artistes et penseurs du monde occidental, pour des raisons tout à fait évidentes, extérieures, qui dépassent toutefois les limites de cet article. Les mots ont souvent leur humour : quand un compositeur prend à un autre un thème ou un procédé, on dit qu'il s'inspire de cet autre. L'esprit de nouveauté absolue n'étant intervenu que très récemment comme postulat d'invention artistique, tous les grands maîtres de la musique se sont tous très largement inspirés les uns des autres : à bon droit, car s'inspirer de quelqu'un est un moyen louable de ne pas manquer d'inspiration. La perfection d'une œuvre passe volontiers dans une autre qui l'imite : on trouve trop d'exemples de Machaut à Stravinsky pour que la vérité de cette assertion soit sérieusement mise en doute. Reste l'interprète, et le précédent paragraphe est une bonne transition. Des virtuoses parfaits, des lauréats internationaux couverts de récompenses et d'approbations manquent parfois totalement d'inspiration. D'autres, généralement inspirés, ont des défaillances, et il arrive qu'un concert, techniquement excellent, ne reste qu'une ennuyeuse performance, pour retrouver le mot par lequel les Anglais désignent un concert. Pour les interprètes comme pour les compositeurs, la nécessité absolue de la technique est évidente. Si l'on n'a pas la maîtrise de son instrument ou de sa voix, quel que soit l'enthousiasme de l'interprète, il ne le fera pas partager aux auditeurs. Raison nécessaire, et encore, la technique n'est pas raison suffisante. L'inspiration de l'interprète vient d'une part de la façon dont il sait s'inspirer de l'auteur, d'autre part, de sa propre inspiration à lui, c'est-à-dire de son hygiène poétique, qui, seule, lui permet d'être un magicien. Le mot interprétation jouit depuis quelque cinquante ans d'une étrange vogue (nous avons assisté à la fondation de bien des cours d'interprétation) : cependant, depuis la fin du XVIIIe s., c'est-à-dire depuis que les partitions musicales sont entièrement écrites, la première qualité de l'interprète est de les exécuter avec maîtrise et fidélité, l'interprétation ne donne plus guère lieu à pédagogie, et le professeur est plutôt un surveillant, du moins s'il est sincère avec lui-même. Resterait encore l'inspiration des auditeurs : ce dernier point ne nous ferait que retrouver la première évidence qui s'impose dans la notion d'inspiration : qu'elle n'est qu'une application, à l'intérieur d'une technique et d'un artisanat particuliers, de la seule règle qui soit propre aux humains : mériter ce que, faute d'un mot plus adéquat dans le vocabulaire français, nous devons nous résigner à appeler improprement l'état de poésie.

F.M.

**INSTABILITÉ.** En musique, la notion d'*i.* s'attache plus particulièrement à l'idée d'une entité (accord, mélodie ou figure sonore) qui ne trouve pas sa fin en

elle-même, mais en une autre entité où elle se résout. L'entité instable constitue donc le 1$^{er}$ terme d'une cadence au sens le plus large du terme (voir le mot *cadence* au supplément) et la nécessité de sa résolution a fait longtemps confondre les deux notions d'*i.* et de dissonance en une même acception subjective. En réalité, ces deux notions sont entièrement distinctes. Et les recherches entreprises sur le principe des attractions (Edmond Costère, *Lois et styles des harmonies musicales*, P.U.F., Paris 1954 ; J. Chailley, *Formation et transformations du langage musical*, C.D.U., Paris 1955) ont permis d'aboutir, hors de toute question de consonance ou de dissonance, à des critères objectifs de l'instabilité fondés sur le principe des affinités naturelles réciproques d'octave et de quinte. dues aux attractions du plus court chemin nées de la résonnance, et des affinités naturelles réciproques de demi-ton, dues aux attractions du plus court chemin nées du phénomène de glissement (voir le mot *potentiel*, ainsi que le mot *attraction* au supplément). On constate par exemple que dans l'entité formée des trois sons *si*, *ré* et *fa*, le potentiel attractif de chacun d'eux est faible, car ils n'ont entre eux aucune affinité naturelle. Au contraire, relativement à eux, certains des neuf sons extrinsèques sont chargés d'un potentiel attractif virtuel plus élevé. Le potentiel de chacun des douze sons relativement à l'entité *si ré fa* est en effet le suivant : 2 unités pour *do* (relié à *fa* par affinité de quinte, à *si* par affinité de glissement), 1 unité pour *do♯* (relié à *ré* par affinité de glissement), 1 unité pour *ré* (relié à *ré* par affinité d'octave) etc. On obtient ainsi la table attractive de l'entité *si ré fa* (écrite par convention à partir de *do*, avec les sons extrinsèques entre parenthèses). Voir ex. mus. n° 1.
Pour déterminer si cette entité *si ré fa* est stable ou instable, on en compare le potentiel total $(1 + 1 + 1 = 3)$, c'est-à-dire, en quelque sorte, sa densité attractive, à la densité moyenne qui serait résultée d'une répartition égalitaire sur les douze sons de toutes les affinités mises en jeu : le total en est de $2 + 1 + 1 + 1 + 2 + 1 + 2 + 1 + 1 + 2 + 1 = 15$ unités de potentiel attractif ; si la répartition de ces 15 unités avait été égale sur les 12 sons, le potentiel moyen de chacun aurait été de 15/12, et le potentiel total des trois sons *si ré fa* approcherait 4 unités $(15/12 \times 3)$ ; puisqu'en réalité il est inférieur, c'est que les affinités de l'entité *si ré fa* tendent davantage vers les sons extrinsèques : elle est donc instable, et sa table attractive montre qu'elle tend plus particulièrement vers les uns et les autres des quatre sons extrinsèques les plus chargés de potentiel attractif : *do*, *mi*, *fa♯* et *si b*. A titre indicatif, voici, selon le nombre de leurs sons constitutifs, la valeur théorique du potentiel attractif moyen de chaque entité :

ex. 1

B. Bartók. Sonate, p. 11.

Scriabine. 2 Morceaux p. piano, p. 3.

| Entité de | Calcul | unités de potentiel attractif |
|---|---|---|
| Entité de 3 sons constitutifs : | $3 \times 15/12 = 3,75$ | |
| Entité de 4 sons constitutifs : | $4 \times 20/12 = 6,66$ | |
| Entité de 5 sons constitutifs : | $5 \times 25/12 = 10,41$ | |
| Entité de 6 sons constitutifs : | $6 \times 30/12 = 15$ | |
| Entité de 7 sons constitutifs : | $7 \times 35/12 = 20,41$ | |
| Entité de 8 sons constitutifs : | $8 \times 40/12 = 26,66$ | |
| Entité de 9 sons constitutifs : | $9 \times 45/12 = 33,75$ | |
| Entité de 10 sons constitutifs : | $10 \times 50/12 = 41,66$ | |
| Entité de 11 sons constitutifs : | $11 \times 55/12 = 50,41$ | |

Connaissant la densité attractive d'une entité de cinq sons par exemple, il suffit de la comparer à la valeur moyenne de référence qui, pour cinq sons, s'inscrit entre 10 et 11 unités, pour savoir si l'entité est stable ou instable. Donnons ici un exemple d'entités instables de 4, 5, 6 sons etc. :

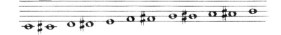

*ré fa la b si* (accord de
septième diminuée) ... (2 2) 1 (2 2) 1 (2 2) 1 (2 2) 1
*ré fa sol la si* (formant
l'accord *sol si ré fa la*)... (3 1) 3 (1 3) 1 (3) 2 (2) 2 (3) 1

*do ré mi fa # sol # la #*
(gamme par tons en-
tiers) .............. 1 (4) 1 (4) 1 (4) 1 (4) 1 (4) 1 (4)
*do ré mi fa #sol #la si b.* 1 (4) 2 (4) 2 (4) 1 (4) 2 5 2 (4)
*do do # ré # mi fa# sol la*
*si b*.................. 3 3 (4) 3 3 (4) 3 3 (4) 3 3 (4)
*do do #ré mi fa fa # sol#*
*la si b*.............. 3 5 3 (4) 3 5 3 (4) 3 5 3 (4)

A partir de dix sons, il n'y a plus d'*i.* spécifique, en raison de la richesse des affinités réciproques constitutives. Exemple d'un échelonnement instable : le passage suivant de la Sonate piano de Bartók, qui emprunte les degrés de l'échelonnement précité de sept sons, ne parvient pas à se stabiliser sur lui-même. Voir ex. mus. n° 2.

*Instabilité totale, instabilité relative.* On s'est demandé si l'entité virtuellement instable ainsi définie pouvait parvenir à se stabiliser sur elle-même. Tout dépend de la richesse des liens attractifs unissant ses propres sons, car il suffit que l'un d'eux soit en relations d'affinités naturelles avec un plus grand nombre de ceux-ci que de sons extrinsèques pour que son renforcement parvienne dans certaines conditions à stabiliser l'ensemble (voir art. *renforcement*). Ainsi, parmi les sons cités plus haut comme exemple d'un échelonnement instable de sept degrés, le *la*, qui est en relation d'affinité attractive avec lui-même et avec quatre des sons constitutifs : *ré, mi, sol#, si b*, bénéficie du potentiel maximum de 5 unités, et son renforcement, sous la forme par exemple de la gamme modale *la si b do ré mi fa #sol #la* ne peut que tendre à stabiliser celle-ci. C'est dans ces conditions, que, dans sa transcription à un demi-ton en dessous, le milieu sonore précité parvient à éluder sa propension vers des sons extrinsèques dans le poème *op.* 59 de Scriabine (Ed. russe de mus., Berlin), en se stabilisant sur le *sol #*des mesures 1, 4, 5 et 6 à la main gauche et sur le *sol #*final de la main droite. Voir ex. mus. n° 3. On a pu déterminer ainsi (E. Costère, *Discipline générale des harmonies musicales*, § 137, Bibl. de la Sorbonne, Paris 1958) deux catégories d'entités instables. La plupart parviennent à se stabiliser sur elles-mêmes soit par l'articulation du mode, si l'entité est envisagée horizontalement (voir art. *mode*), soit dans certaines positions, si elle est considérée sous la forme d'une agrégation de sons simultanés (voir le mot *accord* dans le supplément). Seules restent toujours instables la gamme par tons et ses différents éléments, l'agrégation de septième diminuée et ses différents éléments et l'entité de huit sons citée plus haut comme exemple d'entité instable, qui persistent, quelle qu'en soit la présentation. en leur propension vers des sons extrinsèques.          E.C.

**INSTITUT de FRANCE.** L'Institut de France comprend cinq académies dont la plus ancienne, l'Académie française, fut fondée par Richelieu en 1634. La création d'une section de musique (musique et danse) eut lieu le 22 août 1795. Des membres étrangers en firent partie : le premier d'entre eux fut Haydn. C'est en 1803 que l'Académie des beaux-arts reçut sa formation actuelle, lorsque l'Institut fut transféré du Louvre au palais Mazarin : elle se compose de 40 membres répartis en 5 sections : peinture, sculpture, architecture, gravure ; 10 membres libres y sont adjoints. La section de musique y est représentée par 6 musiciens. Une séance hebdomadaire réunit les cinq sections, et les questions concernant la musique, préalablement examinées par les musiciens, sont soumises et discutées en séance plénière où toutes décisions sont prises. L'une des fonctions les plus importantes de la section de musique concerne le grand-prix de Rome : c'est elle qui décide du choix des sujets, fugue et chœur pour l'examen éliminatoire, puis cantate pour le concours définitif. Le jugement du concours, précédé d'une consultation des musiciens, est prononcé par les cinq académies. La section de musique doit en outre examiner les œuvres que les premiers grands prix sont tenus d'envoyer de Rome pendant les quatre années de leur séjour à la villa Médicis : ce peuvent être des œuvres de musique de chambre, des mélodies orchestrées, des œuvres symphoniques, ou bien un oratorio ou une œuvre

théâtrale : des rapports sont dressés sur tous ces travaux. Une des autres fonctions de la section de musique est l'attribution des nombreuses fondations établies par les legs de mécènes et d'amis de la musique.
Voici les noms et les années d'élection des membres de la section de musique depuis sa fondation :
*1er fauteuil :* Méhul, 1803 ; Boïeldieu, 1817 ; Reicha, 1835 ; Halévy, 1836 ; Clapisson, 1854 ; Gounod, 1866 ; Dubois, 1894 ; Pierné, 1924 ; Busser, 1938 ;
*2e fauteuil :* Gossec, 1803 ; Auber, 1829 ; Victor Massé, 1872 ; Léo Delibes, 1884 ; Guiraud, 1891 ; Paladilhe, 1892 ; Messager, 1924 ; Bachelet, 1929 ; Reynaldo Hahn, 1945 ; Marcel Samuel-Rousseau, 1948 ; Marcel Dupré, 1956 ;
*3e fauteuil :* Berton, 1815 ; Adam, 1844 ; Berlioz, 1856 ; Félicien David, 1869 ; Ernest Reyer, 1876 ; Gabriel Fauré, 1909 ; Bruneau, 1929 ; Paul Dukas, 1934 ; Florent Schmitt, 1936 ;
*4e fauteuil :* Grétry, 1803 ; Monsigny, 1813 ; Catel, 1817 ; Paer, 1831 ; Spontini, 1839 ; Thomas, 1851 ; Lenepveu, 1896 ; Ch.-M. Widor, 1910 ; Rabaud, 1918 ; Paul Paray, 1950 ;
*5e fauteuil :* Manuel, 1803 ; Cherubini, 1825 ; Onslow, 1842 ; Reber, 1853 ; Saint-Saëns, 1881 ; Georges Hüe, 1922 ; Guy Ropartz, 1949 ; Jacques Ibert, 1956 ;
*6e fauteuil :* Grandmesnil, 1803 ; Lesueur, 1815 ; Carafa, 1837 ; Bazin, 1873 ; Massenet, 1878 ; Charpentier, 1912 ; Louis Aubert, 1956.

Parmi ces noms figurent, comme l'on voit, de grandes célébrités : compositeurs de théâtre, comme Gounod et Massenet, symphonistes, comme Berlioz et Saint-Saëns, Paul Dukas, Gabriel Fauré, compositeurs d'opérettes, comme Messager, Reynaldo Hahn, et nombre d'autres personnalités éminentes, qui représentent des tendances et des activités diverses.
Chaque année, une séance solennelle a lieu à l'Institut, au cours de laquelle la cantate du vainqueur du concours de musique est exécutée avec orchestre. On y entend également des envois de Rome des pensionnaires musiciens.                                          M.D.

**INSTRUMENT de musique.** C'est un appareil susceptible de produire des sons et de servir de moyen d'expression à la musique. Auxiliaire de la musique, l'*i.* en est devenu la représentation tant dans la logique populaire, qui applique vulgairement l'expression musique à n'importe lequel de ses instruments, que dans la symbolique. Musique, harmonie, musical, symphonie sont des vocables généraux qui désignent ou ont désigné des *i.* déterminés : ensemble d'instruments à vent, flûte, vielle à roue par exemple. L'expression « faire de la musique » voulait souvent dire, en langage d'amateur, jouer d'un *i.* et accéder par cette pratique à la musique elle-même. La lyre, la harpe ont été longtemps dans notre civilisation la matérialisation artistique de la musique, l'emblème des musiciens et poètes légendaires, l'attribut de la muse des compositeurs ; le terme lyre désigne encore des sociétés populaires de musique ; l'*i.*, en tant que symbole de la musique, a sa place dans les compositions allégoriques. Cette situation est sans doute la conséquence de la croyance longtemps solide, selon laquelle les dieux eux-mêmes auraient inventé les *i.* : Pan, la flûte polycalame, Apollon, la *kithara*, Thoth, la lyre, Triton, la conque, Narada, la harpe, Pollux, le luth ; Jubal, descendant de Caïn, a été considéré comme le père de tous les joueurs de lyre ou d'orgue ; Mercure, trouvant une carapace de tortue sur un banc de sable du Nil, en aurait fait une lyre. L'origine divine ou légendaire des *i.* est une croyance fréquente en Chine ancienne, notamment pour le *cheng* ou le *k'in*, où l'on dit aussi que les *i.* sont nés de l'imitation des sons de la nature. Que ce soit le fait du geste de Pan ou de celui d'un oiseau mythique, d'une tige creuse de bambou, siège ou non du dieu du vent, les héros ou les dieux sont suscité le mythe de la première flûte. La musique, « art des arts », ne saurait avoir eu d'outils de transmission moins nobles que ceux d'essence divine.
Si la réalité semble, d'après les études organologiques,

plus concrète, il faut dire cependant que de nombreuses sociétés anciennes ou contemporaines ont attribué aux i. ce sens élevé. L'i., dans plusieurs d'entre elles, incarne le cosmos. La conque sacrée indienne, du reste aussi bien objet rituel que symbole, est à cet égard l'un des plus parfaits, à l'ouverture de laquelle, selon les textes sanscrits, se tient le dieu de la lune, Candra, tandis qu'à sa pointe sont la Ganga, la Sarasvati et tous les autres fleuves sacrés des « trois mondes ». Le tambour lapon, qui est l'i. de divination du chaman, est le monde ; par le truchement de sa peau, qui est peinte, il représente les systèmes de l'univers ; les tambours de bronze trouvés à Dong-son, qui datent des derniers siècles avant notre ère, portent un décor résumant les zones cosmiques. C'est en se tournant successivement face aux quatre points cardinaux que les joueurs de longues trompettes en Islam prennent possession de l'espace, tout en appelant à la prière du haut des mosquées. L'importance cosmologique des i. ne saurait donc échapper, et l'on pourrait rapprocher de ces notions le jeu des trompes en montagne que les pasteurs pratiquent au lever et au coucher du soleil. La fin d'un cycle cosmique est marquée selon les croyances par l'appel de la trompette ou par celui de la conque. Parfois c'est la création elle-même du monde qui est issue d'un i., du tambour, en pays tamoul, des rhombes, en Australie par exemple. Ou bien encore le dieu créateur d'éléments de la nature aura aussi créé un i. : en Nouvelle Guinée, la divinité créatrice de l'eau a créé de même le tambour de bois à fente. En Afrique, en Océanie, les décorations sculptées ou peintes que portent certains i. correspondent à des conceptions de ce genre.

La littérature, l'art plastique évoquent les i. en tant que propriétés des dieux et énumèrent leurs prodiges : les cordes de la harpe du roi David, selon la légende hébraïque, résonnaient la nuit sous le vent du nord ; les i. célestes suspendus dans les airs émettent, disent des textes religieux indiens, des sons musicaux sans être touchés. L'iconographie, en Orient et parfois en Occident, a scrupuleusement suivi des descriptions de cette nature. Il arrive que soient représentés des i. flottant dans les airs et couronnant des scènes d'offrandes et d'hommages aux divinités ; la mission céleste et religieuse des i. est ainsi considérée comme accomplie. Les concerts d'anges musiciens dans l'art d'inspiration chrétienne, les cloches votives qui ceinturent les temples, les clochettes ou grelots suspendus aux arbres sacrés en Asie, en Grèce antique se rattachent à des considérations de cet ordre. Figurant un mythe, la harpe éolienne de l'Occident moderne répond à des préoccupations esthétiques, tout en gardant son grain de mystère ; les sifflets que l'on met en Chine à la queue des pigeons, les mirlitons et les anches en ruban attachés aux cerfs-volants d'Extrême-Orient ou de Russie n'ont pas seulement un but esthétique, ils veulent encore simuler une musique supérieure. Les i. sont ainsi le moyen par lequel la musique, tantôt émanation du monde céleste, tantôt produit des « harmonies » de la nature, s'exprime.

L'i., en tant que stratagème pour matérialiser et représenter la musique, pour cristalliser le son auquel un pouvoir magique est souvent attaché, devient le siège d'une puissance supra-naturelle. La voix des dieux est censément le timbre et le son mêmes de l'i. : c'est le cas de certains tambours indiens par exemple. La voix des ancêtres, celle du démon ou de la sorcière (selon que l'on se trouve en Afrique ou en Europe) sont le rhombe et son vrombissement lui-même. L'identification d'i. avec des êtres supérieurs bénéfiques ou maléfiques s'observe en plusieurs points du globe ; elle peut concerner des animaux-rois : identification du tambour à friction avec la panthère ou le taureau, du rhombe avec le lion. De ces identifications résultent en partie les interdits qui frappent certains i. : le cas du rhombe est significatif, qui ne doit être ni touché ni même entendu par les femmes. La puissance magique de son associée à l'instrument est soumise également au timbre du son émis. Les vibrations de l'airain, pour citer un exemple classique, écartent les maléfices : d'où le rôle des cloches dans plusieurs religions. Les i. faits d'os humains ont des pouvoirs particuliers (i. tibétains et amérindiens

notamment) ; les carapaces, les bois, les boyaux sont choisis dans un dessein magique avant que de l'être avec un but acoustique, et souvent au cours de rites spéciaux. L'i., détenteur d'un pouvoir exceptionnel, peut être l'objet d'offrandes et d'hommages, et l'on connaît des rites sacrificiels étroitement liés aux conques, aux tambours de bois ou à membranes en Afrique équatoriale, en Asie, en Amérique centrale par exemple. Nous verrons que, lorsque les i. ne sont pas eux-mêmes le thème du rite, ils en sont souvent l'accessoire indispensable. Revêtu en un sens de pouvoir magique ou de puissance divine, l'i. a pu devenir l'attribut et le symbole du dieu, en même temps que le véhicule de ses pouvoirs : ainsi de la conque de Vichnou dans l'Inde, de celle de Tlaloc au Mexique. L'i. gouverne le son, lequel, doué de puissance, peut être le médiateur entre le monde céleste et l'homme. C'est à travers un tambour, un arc musical ou tout autre i. que l'officiant s'adressera aux esprits ou aux divinités qu'il invoque. Cette notion, qui existe dans la pensée orientale aussi bien que dans l'occidentale fait que les objets qui nous occupent sont à la fois des instruments de musique et des instruments de la musique.

D'après certaines croyances, les i. sont censés revêtir des formes inspirées d'êtres célestes : telle est par exemple la *rudra-vîna* indienne, façonnée par Çiva à l'image de la déesse Parvati ; tel est le *cheng* chinois, dont les tuyaux simulent les ailes du phénix divin. Le symbolisme animalier des i., auquel on peut également rattacher les animaux musiciens légendaires ou mythiques, ne se manifeste pas seulement dans l'identification de leur sonorité avec le cri d'un animal ; à leur tour, les animaux ont inspiré des i. : tels le *mokuin*, en forme de tigre, et le *mou-yu*, en forme de poisson, tous deux d'usage religieux en Chine et au Japon, les sifflets en forme d'oiseau des pays européens, le « serpent » des églises chrétiennes, le luth en forme de paon de l'Inde. Il arrive que ce soit un détail seul qui revête une forme animale : ainsi du pavillon zoomorphe (« dragon », éléphant, buffle), des trompes (Chine, Kachmir, Birmanie, Abyssinie, Pérou), des hautbois (Java) et des bassons (Europe, fin XVIIIe s.), de l'extrémité des flûtes et des sifflets (Inde, Mexique ancien). D'autre part, l'anthropomorphisme des i. est remarquable ; les exemples de facture sont nombreux où, par un détail ou dans son entier, l'i. s'inspire du corps humain. Le chevillier sculpté en tête humaine des violes et des vielles à roue, les harpes africaines représentant un personnage, soit homme soit femme, debout sur ses pieds, dont le ventre forme la caisse de résonance et dont le cou, la tête et les bras à la fois sont évoqués par le manche planté de chevilles et terminé en tête sculptée, constituent deux états significatifs d'une personnification de l'i. Les vièles à caisse étranglée, les tambours sur pieds océaniens, les sifflets-statuettes du Yucatan sont, parmi d'autres exemples, des cas d'anthropomorphisme instrumental. Le canon de la beauté du corps humain a été à son tour influencé par les i. Ainsi, dans l'Inde, la taille de la femme doit être, comme le *damaru*, en forme de sablier.

L'i. est associé à la vie d'une société. Servant à l'accompagnement du chant, des danses, du théâtre, des jeux, à la musique de concert, à la musique de divertissement, toutes occasions où nous sommes accoutumés de le trouver, l'i. a encore d'autres fonctions, religieuses et sociales, étroitement liées aux rites, aux institutions, aux activités et à la culture matérielle d'une ethnie ; la structure de la société se reflète dans le matériel instrumental : en effet, les distinctions sexuelles, l'organisation de la famille sont retracées dans les i. comme les gongs d'Asie du Sud-Est mâles et femelles, les tambours mâles et femelles d'Afrique équatoriale, déterminés selon leurs dimensions et leurs tessitures (tons hauts et bas), les flûtes de Pan dites « mères » ou « enfants » des populations soudanaises de Java, le tambour (le plus grave) appelé « *maman* » à Haïti etc. On verra que ces idées se prolongent dans l'emploi socialement structuré des i. Les techniques se trouvent non seulement appliquées dans la construction des i. (i. en poterie, en bronze), mais elles requièrent l'emploi de ceux-ci en diverses circonstances. Ainsi les i. sont principalement liés aux techniques de chasse, d'élevage et

d'agriculture et possèdent alors un son dont le rôle utilitaire est bien déterminé : tels sont par exemple les appeaux, dont le but est de constituer des pièges sonores, tel est le jeu de tuyaux basculants qui sert d'épouvantail à oiseaux dans les rizières à Madagascar. Les fonctions rituelles des i. en font des objets de culte ou de cérémonies secrètes ; le *nounout* en Mélanésie, le rhombe en Afrique, les râcleurs en Océanie, en Afrique, en Amérique sont des i. de rituels funéraires ; le *wassamba* africain est associé aux rites d'initiation. La flûte est généralement liée aux rites de fécondité et aux charmes d'amour, la trompe et la conque aux rites solaires, saisonniers et aussi funéraires — cela en Europe comme ailleurs —. Les tambours sont utilisés dans les rites de fécondité, de divination et d'invocation aux forces de la nature (à l'eau notamment) et ils sont indispensables dans plusieurs institutions en tant qu'i. de royauté et de puissance, de combat et de victoire, de signal et de transmission. Mais il est difficile de donner par quelques exemples, dont la limitation ou la généralisation peuvent fausser l'exactitude, une idée des fonctions des i., tant celles-ci sont nombreuses et variées, anciennes ou contemporaines, et il suffira ici de les avoir évoquées. Les i. ont circulé de pays à pays, prenant dans ces conditions la valeur de témoins culturels. Les peuples ont de tous temps exporté des i. et des ensembles d'i. : ainsi, en Asie ancienne, les orch. indochinois et malais étaient fort réputés et mandés aux cours de Chine et du Japon. On constate parfois que la migration de certains spécimens instrumentaux corrobore les échanges économiques ou politiques ou leur trace la voie. L'installation et la vogue de l'*ud* arabe (le prototype de notre luth) en Europe, l'adoption des nacaires sarrasines, connues en Europe sous le nom de timbales, l'introduction du gong chinois dans l'orch. européen à la fin du XVIIIe s., la survivance au XIXe s. encore du terme « tambour turc » pour désigner la grosse-caisse en souvenir de l'ensemble de mus. des janissaires, sont quelques exemples frappants de cas de circulation d'i. d'Orient en Occident. Les i. de l'Espagne ou du Portugal passés en Amérique centrale ou du Sud au temps des conquêtes, la présence de l'harmonium dans une grande partie de l'Asie, la vogue du piano carré en Amérique dès le troisième quart du XVIIIe s., la faveur des i. transportés avec les troupes d'une puissance tutélaire d'Europe en Asie ou en Afrique (le *bag pipe* britannique en Inde, le violon européen à Madagascar etc.) en seraient d'autres exemples ; bien d'autres encore pourraient être cités, dans lesquels on peut trouver des témoignages ou des indices de relations culturelles. En revanche, des similitudes de facture entre matériel instrumental de provenances différentes, des parentés entre types d'i. de régions éloignées sont révélatrices d'une situation universelle. La présence, dans des i. très différents, d'éléments structuraux analogues, tels des tuyaux ou des cordes bourdons, en témoigne. L'histoire des i. se rattache à la structure sociale dans la mesure où certains i. sont expressément le bien et l'apanage d'un groupe : i. de garçons, i. de rois, i. de techniciens, et peuvent être déterminants d'une classe qui les pratique : musiciens mendiants, musiciens de palais, ménestrels. Ces exemples élémentaires suffisent à faire deviner le rôle social quasi universel des i. Ces divisions contribuent à entretenir l'idée de catégories dans le matériel instrumental. Celles-ci sont variables d'une ethnie à l'autre ou d'une époque à l'autre. En Turquie, en Iran, le *qanoum* est l'instrument noble, en Inde, la *vîna* l'a été, de même qu'en Extrême-Orient le *koto* ou le *k'in* ; en Europe occidentale, la vielle à roue a été tour à tour l'i. de truand, celui des salons et celui de la campagne. La division qui exista en Europe entre i. hauts et bas, en France au XVIe s. notamment, si elle répondait à des timbres opposés d'i., correspondait également à une répartition sociale et fonctionnelle de la musique (personnel attaché aux seigneurs, occasions militaires par exemple pour les hauts, instrumentistes pour divertissement de société, concerts d'intérieur pour les bas).
Rattachée tour à tour à l'histoire des religions, à l'ethnologie et à la sociologie, à la technologie et à l'économie, l'histoire des i., on le voit, s'intègre dans l'histoire

générale des peuples autant que dans celle de l'esthétique musicale ou de l'acoustique. Objet de culture matérielle, l'i. reste signifiant d'une civilisation, qu'il soit ou non destiné du sens magique ou mystique qui a pu lui être attribué. Ainsi tout appareil sonore doit être considéré comme un i., et l'étude du matériel instrumental ne doit négliger aucun spécimen, si rudimentaire soit-il. « Le problème des i. », a pu dire André Schaeffner, « ne touche-t-il pas à celui des limites de la musique ? un objet est sonore : à quoi reconnaîtrons-nous qu'il est musical ? » (ds *Origine des i.*, Paris 1936). Le domaine, on le voit, est vaste et complexe. Nous avons dit qu'en un sens l'i., dépositaire du son, participait à la nature de celui-ci. Etre un artifice pour maîtriser la matière sonore, la façonner, l'améliorer, la rendre « musicale », serait-ce la destination de l'i. ? Serait alors i. tout organe producteur de son et susceptible de véhiculer de la matière musicale. Un objet aménagé à des fins musicales serait un i. aussi bien qu'un engin construit intentionnellement. Le matériel instrumental ethnique nous fournit à cet égard plusieurs témoignages : chaudron vibrant sous l'action de joncs étirés et frottés de l'un à l'autre de ses bords, bêche ou soc de charrue frappés comme un gong, cuillers entrechoquées comme des crotales, auge servant de tambour de bois, soques à deux tons, pieds de vases à grelots, jarres ou baquets servant de caisse de résonnance, bols en porcelaine de différentes tailles percutés et résonnant comme un carillon, écuelle en calebasse frappée, arc de chasseur dont la corde est mise en vibration et sonne comme une corde de cithare, herbe tendue entre deux paumes pressées l'une contre l'autre et vibrant comme une anche, sabot transformé en violon, fouet de cocher etc. Ernest Closson avait supposé que le premier i. n'en avait pas été un. Curt Sachs a pensé que le premier i. est né du besoin de stimuler une action ; il a recherché quelles impulsions motrices, quels mouvements émotionnels ont chez l'homme entraîné le développement des i. La danse, dans l'opinion la plus courante, se rencontre à l'orée de l'étude génétique des i. Les premiers hochets, les premières sonnailles et clochettes résulteraient d'une intention de stratagème pour rendre audibles les mouvements de la danse sacrée et en augmenter le pouvoir. Mais le piétinement du sol, renforcé par des bâtons qui le pilonnent, les mouvements des bras ou des pieds augmentés par des hochets secoués ou par des claquoirs, les frappements de mains entre elles ou contre le corps, les battements de pieds, aboutissant pour ces mouvements, selon les parties heurtées ou la manière dont elles le sont, à des sons mats ou clairs, auraient constitué chez l'homme les premières expériences instrumentales : c'est pourquoi on a parlé d'origines corporelles des i. Les déguisements de la voix par des nasillements, par des coups de glotte ou diverses déformations vocales bien connues dans les usages populaires européens et chez les peuples d'autres continents, auraient de même abouti à des tentatives instrumentales, qui auraient eu pour but d'accentuer ces mutations vocales et d'en amplifier les effets. La projection des mouvements du corps ou des possibilités vocales dans des outils sonores, les expérimentations de qualité des sons résultant d'essais par répétitions ou combinaisons de ces procédés sonores (à l'imitation des « tons » du langage notamment) devinrent des pratiques nécessitant un matériel instrumental techniquement réglé et dès lors susceptible d'améliorations et de perfectionnements. Il est intéressant de constater l'application empirique de lois acoustiques dans des i. indubitablement construits hors de toute considération de physique.
Il est à supposer que les premiers i. sont d'une grande ancienneté, en tout état de cause, les plus anciens connus coïncident avec des gisements profonds de l'histoire humaine ; de plus, des spécimens d'époque reculée démontrent déjà une connaissance développée de la facture instrumentale. Des i. en pierre, en os, en métal, en poterie sont parmi les plus anciens. L'arc musical est un des premiers i. reconnus dans des populations dites primitives par les voyageurs européens, mais à l'époque contemporaine les fouilles ont mis à jour des i. et des fragments d'i. au niveau du paléolithique supérieur : flûtes aurignacienne et magdalénienne (Isturitz dans

les Pyrénées), rhombe magdalénien en bois de renne (grotte de la Roche en Dordogne), et au niveau du néolithique : flûte (île danoise de Bornholm) et le plus ancien lithophone connu (Indochine). Des trompes de l'âge du bronze de l'ancien Danemark et d'Irlande sont des témoignages importants. Les découvertes archéologiques en Chaldée, en Egypte, en Chine, attestent la présence, en ces anciennes civilisations, d'*i*. évolués : on peut citer à cet égard les lyres sumériennes (III*e* millénaire avant notre ère), les harpes et les luths des tombes de l'Egypte pharaonique, les cloches de bronze chinoises (I*er* millénaire avant notre ère). On a trouvé d'autre part un grand nombre de fragments d'*i*. (hochets, sifflets, hautbois, clarinettes, flûtes, cloches), babyloniens, mésopotaniens, égyptiens, pré-helléniques et helléniques. A Alésia, on a découvert une flûte polycalame bien conservée ; l'art pré-colombien fournit d'autre part de nombreux spécimens de sifflets et de flûtes en poterie. Si l'on ajoute à ces spécimens les figurations d'*i*. dès les sources iconographiques les plus reculées (peintures rupestres magdaléniennes), on a la perception du matériel instrumental et de son rôle dans la vie sociale et culturelle depuis une époque lointaine. Compte tenu du fait que le premier cas retenu a toujours un précédent plus ancien et que son existence se poursuit au-delà de l'époque où il paraît cesser, l'étude du processus d'évolution de ce matériel et de la situation d'ensemble des *i*. peut se suivre chronologiquement grâce à l'iconographie, aux données historiques et, chez les peuples actuels, aux documents ethnomusicologiques. Il est intéressant de remarquer que, les recherches ethnomusicologiques pouvant porter sur des peuples à culture matérielle de niveaux différents, il est théoriquement possible d'établir à base de matériaux uniquement vivants une chronologie ou mieux une stratigraphie des *i*. (*cf.* art. *organologie*).

Non seulement l'*i*. élémentaire est une application naïve de données acoustiques (voir l'emploi de résonnateurs et d'harmoniques existant dans des *i*. archaïques), mais c'est après des recherches expérimentales sur des *i*. (mesures effectuées sur des tubes en Chine, sur des cordes tendues en Grèce) que la théorie physique de la musique a pu s'établir. Le monocorde de notre moyen-âge reprenait l'état d'*i*. expérimental de mesure des sons hérité des Grecs. A cet égard, l'*i*. se trouve dépendre des progrès de la technique et des découvertes de la physique à la fois : les *i*. électroniques modernes en sont l'illustration contemporaine, comme l'*hydraulis* de Ctésibius était, celle d'il y a vingt-trois siècles. Les luthiers cependant ont toujours conservé une certaine indépendance d'esprit ; sur le rôle des procédés, des formes et des matières, les acousticiens ont parfois des opinions différentes des leurs (voir par exemple le cas des vernis, des ouïes, du violon trapézoïdal, du verre etc.).

L'*i*., objet rituel, objet de culture matérielle, instrument de physique est aussi un objet d'art : la recherche décorative dont beaucoup d'entre eux témoignent est significative. Parmi ceux du XVII*e* s. européen par exemple, un clavecin des Ruckers d'Anvers, un luth, un archiluth ou une guitare d'écoles italiennes, une épinette française entre autres sont des objets de musées, qu'ils soient d'*i*. ou non, avec leurs éléments décorés, leurs manches plaqués d'ivoire, leurs touches finement découpées, leurs tables peintes ou marquetées et bien d'autres détails décoratifs encore. En Extrême-Orient, les admirables luths du Shosoin (le trésor de Nara) sont de précieux exemples de l'art japonais du VIII*e* s., en même temps que des témoins inestimables d'*i*. de cette époque, finement décorés et merveilleusement conservés (*cf.* art. *organologie* pour les collections et musées d'*i*.). Les formes des *i*., autant que les symboles de la musique qu'ils incarnent ou les compositions figuratives auxquelles ils se prêtent, ont inspiré les artistes et, en dehors de la source iconographique que les œuvres d'art constituent pour leur étude, les représentations d'*i*., comme les *i*. eux-mêmes, ont une place dans l'histoire générale de l'art : ils participent de l'évolution des styles et s'insèrent dans les écoles artistiques nationales.

Si la facture instrumentale est mêlée à l'histoire des arts plastiques comme à celles des activités techniques ou des découvertes de l'acoustique, elle est par essence liée à l'hist. de la mus. Dans quelle mesure son évolution, dont le processus est de première importance à connaître, impose-t-elle un style musical ou au contraire en subit-elle les conséquences ? L'exemple actuel d'*i*. non européens soumis à l'épreuve de compositions écrites selon les règles de la mus. savante européenne laisserait-il d'autre part entrevoir une adaptation relativement facile d'une structure instrumentale donnée à une musique qui ne fut point faite pour elle ? Ces questions se rapportent à des problèmes complexes ; c'est néanmoins à travers elles qu'ils doivent être posés et que le phénomène musique peut être observé, tant est large la place que les *i*. y tiennent. C'est aussi à travers la structure des *i*., leur morphologie, les ressources de leur constitution qu'on se posera la question de savoir si la forme instrumentale est la réplique ou la source de la forme vocale et quelle est l'antériorité de l'une par rapport à l'autre : l'étude génétique de la musique ne saurait ignorer les problèmes instrumentaux. La recherche des effets de sonorités et des combinaisons de timbres est un caractère non négligeable de la facture instrumentale. Les bâtonnets métalliques de l'ancien *lur* nordique, les cymbalettes de la *maryna* polonaise, les différentes techniques de jeu du tambour de basque dans nos orch. (secoué, frotté, frappé), la pièce ajoutée aux trompettes qui en fait des trompettes bouchées, les cordes sympathiques de nombreux *i*. à cordes tant européens qu'orientaux, la sourdine de notre violon, les dispositifs des pianos préparés sont quelques cas parmi de nombreux autres. D'autre part, les recherches de facture ont souvent amené à la division des éléments ou à leur accroissement : le passage d'un manche monobloc d'un luth à un manche distinct et rapporté, la combinaison de techniques dans les *i*. « organisés » (clavecin, vielle, épinette), la superposition de claviers à l'orgue et au clavecin, l'augmentation du nombre des jeux d'orgue sont des marques de perfectionnement et d'enrichissement. Le processus inverse, vers l'allègement et la simplification, pourrait être démontré en certains cas : il s'applique généralement à des modèles d'une perfection accomplie et suppose souvent une nouveauté dans la technique de jeu. Cette simplification due à une amélioration de facture se dessine aussi dans la réduction des membres d'une même famille instrumentale : notre « quatuor » habituel compte trois éléments : violon, alto et vcelle, la famille des violes du XVIII*e* s. était couramment de cinq membres : par-dessus, dessus, alto, ténor et basse de viole ; la famille des hautbois, à l'époque de la Renaissance, comprenait sept représentants de tessiture différente (petit discant, discant, petit alto, nicolo, ténor, basse, contre-basse) ; l'ensemble, avec moyens réduits, il est vrai, correspondrait dans nos orch. aux hautbois, au cor anglais et au basson. A partir de la seconde moitié du XVIII*e* s. surtout, on assiste en Europe à un développement important de la facture, qu'il se manifeste par des découvertes sans lendemain (la multiplicité des brevets d'invention au XIX*e* s. en fait foi) ou par des adaptations, des perfectionnements, des innovations par rapport aux XVI*e* et XVII*e* s., lesquels ont amené la facture de la plupart de nos *i*. d'orch. à son stade actuel. Les progressives améliorations du premier *Hammerklavier* de Silbermann, qui devaient mener au piano à échappement double de S. Erard (1822), l'innovation française de la harpe dite à double-mouvement (1811), la révolution que constitua pour les « bois » l'invention de T. Boehm du mécanisme des clés (1832) que l'on appliqua dès lors aux flûtes, clarinettes, hautbois, cors anglais, bassons, l'invention du saxophone (1845) et la renommée des instruments d'Adolphe Sax, qui perpétuèrent son nom, en sont des exemples.

Les considérations de technique, d'évolution de facture, de structure et de chronologie des *i*. que nous introduisons ici sont des observations importantes pour leur étude systématique et ont été développées aux côtés de leur histoire par l'organologie (voir à ce mot). Les ressources des timbres, les tessitures, les possibilités musicales et esthétiques d'un *i*. sont d'autre part des conditions qu'il est indispensable qu'un compositeur connaisse pour bien instrumenter et orchestrer ses œuvres. Notre siècle, en ce qui relève des *i*. classiques européens, est marqué par deux tendances : l'une va vers la reconstitution, l'autre vers la modernité. C'est notre temps qui, grâce à une double voie où le souci d'authenticité nuancé du goût de l'archaïsme et l'audace technique se jouxtent, aura rénové des *i.* anciens, construit des *i.* électroniques et employé à la fois piano et clavecin, luth et violon, orgue électrique et orgue de Praetorius, Martenot et accordéon, orgue de cristal et gong, anches en roseau de Cogolin et cordes en nylon. Quel que soit le stade de la facture, les fréquences issues des matières naturelles ou créées des moyens électroniques produisent un phénomène sonore qui, élaboré, devient de la musique : c'est à cela que servent les *i.*, c'est en cela qu'ils sont à la fois l'appareil et le véhicule de la musique et même, dans leur expression la plus élémentaire, l'incarnation de la musique, tant ils font corps avec elle.

La nature et les caractères des *i.* se reflètent souvent dans la terminologie vernaculaire : les dénominations d'*i.* ont eu fréquemment pour origine l'onomatopée de leur sonorité (*tam-tam, cri-cra*) ; d'autre part, leur nom peut être descriptif du timbre (hautbois, piano-forte, bombarde), de la tessiture (quinton, alto, par-dessus), lorsqu'il n'est pas — nous le disions au début de cet article — le synonyme du terme musique lui-même (*muscal, musiqal, symphonie, harmonica, orchestrion*) ou de celui du chant (*chorus*). La signification première de leur appellation peut être également le principe acoustique qui les régit (ronfleur, larynx, métaphone), la matière dont ils sont faits (chevrette, corne), l'entité qui est censée les avoir créés (flûte de Pan, ravanastron) ou leur inventeur (sarrusophone, limonaire), la fonction pour laquelle ils ont été conçus et à laquelle, sous certaines conditions, ils sont identifiés (serinette, cor des Alpes), la technique qui les dirige (« tirer les chèvres »), la forme qu'ils affectent (triangle, trigone, hélicon, fagot, serpent). Les quelques cas cités, intentionnellement limités à des exemples en français, se retrouvent dans les appellations d'autres langues. Les observations à ce sujet sont complexes. Selon les cas, les époques ou les pays, on a instauré l'appellation vernaculaire en terme générique, ou bien, au contraire, on a appliqué un terme générique à un *i.* dont le nom local, signifiant à d'autres égards, se trouve méconnu. De plus, la renommée, dans un pays, de tel ou tel modèle d'*i.* a provoqué la généralisation d'un terme (*Glockenspiel* par exemple) ; enfin le même nom a pu désigner des *i.* très différents, sans parler des confusions nées d'une terminologie scientifique (*cf.* art. *organologie*) encore insuffisamment fixée ou répandue. Dans le glossaire des *i.* que l'on trouvera au supplément du présent ouvrage, nous avons tenté de clarifier quelque peu cette situation, encore que des erreurs soient, en ce domaine et actuellement, inévitables. La nomenclature des *i.* donne, en dépit des limites de ce glossaire ou de ses lacunes, une approximation de leur nombre, de leur variété et de leur répartition dans le monde, ainsi que de la catégorie typologique à laquelle ils se rattachent. Cette typologie des *i.* a fait l'objet de classifications à partir d'*i.* réunis dans des musées, observés sur le terrain ou collectés dans des archives (*cf.* art. *organologie*) ; leur étude, qui fut entreprise dès une haute époque, a donné lieu à des traités aussi bien en Chine et en Inde que chez les Arabes et les Européens. Dans l'antiquité, au moyen-âge et surtout à partir du XVIe s. en Europe, les travaux sur les *i.* (traités théoriques et pratiques notamment) établissent plus fermement encore l'existence d'une science des *i.*, l'organologie (voir à ce mot).

                                             C. M.-D.

**INSTRUMENTATION.** Contrairement au parti généralement adopté, nous avons considéré que les termes *instrumentation* et *orchestration* ne sont pas rigoureusement synonymes. L'*i.* est une science qui s'acquiert par l'observation et l'expérience ; l'orchestration est un art qui se confond avec l'acte même de composition. — La science de l'instrumentation est en évolution constante, étant corollaire des perfectionnements et innovations dans la conception et la construction des instruments de musique. Nous n'utilisons plus les luths et *chittaroni* qui faisaient le fond de l'orchestre de Monteverdi au XVIIe s. Le clavecin a disparu, en tant qu'instrument courant,

au profit du piano : de même pour les violes, remplacées par les instruments à cordes actuels. Depuis un demi-siècle environ, de nouveaux instruments sont nés, qui utilisent les ressources de dispositifs électroniques. D'autre part, sans préjuger de l'avenir, les recherches de la « musique expérimentale » — « musique concrète » en France, « musique électronique » à l'étranger — tendent à bouleverser la notion même d'instrument de musique. Toutefois, étant donné que les travaux en ce domaine en sont encore à la période de tâtonnement, nous nous en tiendrons ici aux définitions classiques. Et nous dirons qu'il faut entendre par « instruments de musique » ceux qui sont actuellement en usage à l'orchestre, exception faite de la voix humaine qui, bien qu'elle puisse être tenue pour un instrument producteur de sons musicaux, doit pourtant faire l'objet d'une étude particulière.

On a coutume de classer les instruments de musique selon les grandes catégories et subdivisions suivantes :

| INSTRUMENTS A VENT | |
| --- | --- |
| a) **à bouche** | flûtes, grandes et petites. |
| b) **à anche** | hautbois, hautbois d'amour, cor anglais, clarinettes, clarinette basse, basson, contrebasson, sarussophone, saxophones. |
| c) **à embouchure**<br>1° *naturels* | cor simple, trompette simple. |
| 2° *chromat.* | cor à pistons, trompette à pistons, cornet à pistons, trombones à pistons, alto, ténor, basse, bugles, tubas, saxhorns, trombones à coulisse. |
| d) **polyphones** | orgue, harmonium. |

| INSTRUMENTS A CORDES | |
| --- | --- |
| a) **cordes frottées** | violon, alto, violoncelle, contrebasse. |
| b) **cordes pincées** | harpe, mandoline, guitare. |
| c) **cordes percutées** | piano. |

| INSTRUMENTS A PERCUSSION | |
| --- | --- |
| a) **à sons déterminés** | timbales, cloches (tubulaires), glockenspiel, célesta, xylophone. |
| b) **à sons indéterminés** | grosse caisse, tambour militaire, tambour de basque, caisse claire, caisse roulante, triangle, cymbales, tam-tam, castagnettes, wood block etc. |

| INSTRUMENTS NOUVEAUX | |
| --- | --- |
| **à sons déterminés** | ondes Martenot, marimba, vibraphone. |

**Bibl.** : P. Barzizza, *L'orchestrazione moderna nella musica leggera*, Milan 1952 ; A. Baur, *Der Instrumentator, Einführung in die Instrumentation...*, Munich 1949 ; H. Berlioz, *Grand traité d'instrumentation et d'orchestration modernes*, Paris 1844 ; G. Bosch, *Practical manual of instrumentation*, New-York 1918 ; A. Carse, *The hist. of orchestration*, Londres 1930 ; A. Casella et V. Mortari, *La tecnica dell' orchestra contemporanea*, Milan 1950 ; V. Cerrai, *Guida pratica di instrumentazione per jazz*, Rome 1952 ; R. Dennington, *The instruments of music*, Londres 1949 ; N. Ellis, *Instrumentation and arranging for the radio and dance-orchestra*, New-York 1936 ; C. Forthyth, *Orchestration*, Londres 1914, 1935 ; F.A. Gevaert, *Nouveau traité d'instrumentation*, Paris-Bruxelles 1885 (trad. all. de H. Riemann) — *Cours méthodique d'orchestration*, 2 vol., Paris 1890 ; E. Guiraud et H. Busser, *Traité pratique d'instrumentation*, ibid. 1933 ;

# INSTRUMENTATION

Nous donnons ci-après l'étendue respective de chaque instrument. L'ordre adopté correspond à celui qui est le plus généralement en usage dans les partitions d'orchestre.

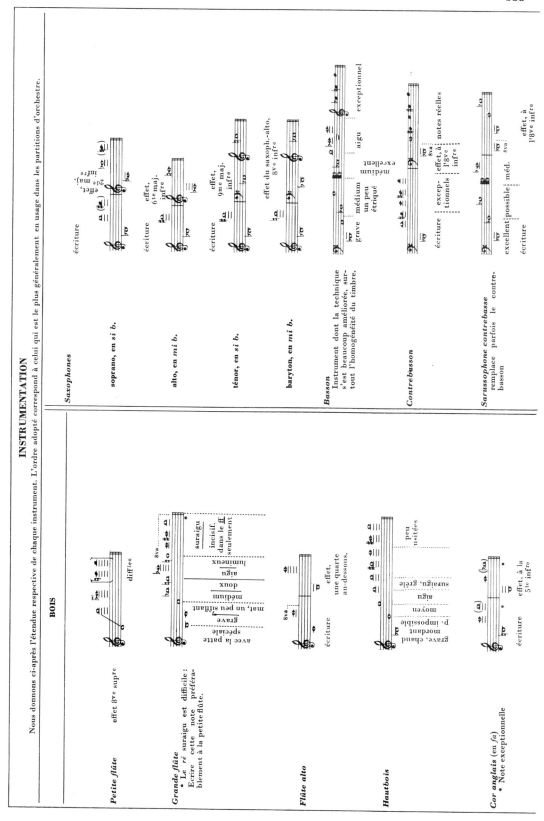

## CUIVRES

**Cor chromatique** (à pistons)

C'est le seul en usage à l'heure actuelle. C'est un instrument transpositeur, que l'on écrit généralement en *fa*. Deux clefs sont employées : **a)** la clef de *sol*, le son réel se trouvant à la quinte inférieure du son écrit ; **b)** la clef de *fa*, le son réel se trouvant à la quarte supérieure du son écrit. Il en résulte que si l'on écrit pour deux cors, l'un en clef de *fa*, l'autre en clef de *sol*, l'œil lit des octaves là où l'oreille perçoit des unissons ; exemple :

sons écrits    sons réels

1er cor

2nd cor

Pour ce qui est des registres extrêmes de l'échelle du cor, il est d'usage de confier les sons aigus aux cors de rang impair (I, III), et les graves aux cors de rang pair (II, IV). Les limites de ces registres extrêmes, déterminées par des dispositions des lèvres, sont évidemment approximatives. En Allemagne, on emploie un cor en *fa* auquel un quatrième piston est adjoint, qui permet de permuter immédiatement en *si bémol* aigu, ce qui facilite grandement l'émission du registre supérieur.

*Voici l'étendue du cor chromatique :*

écriture   cors I et III    effet    cors I et III

cors II et IV     cors II et IV

**Trompette** en *ut*

C'est la seule employée à l'heure actuelle, en tant qu'instrument courant.

émission difficile    bon registre    registre périlleux

écriture    effet

**Trompette** en *ré* aigu

*N. B.* Pour l'exécution des œuvres de J.-S. Bach, on utilise la petite trompette en *si b* aigu.

---

**Hautbois d'amour** (en *la*)

\* Sonorité éteinte.

Instrument malheureusement peu usité à l'orchestre. *Cf.* R. Strauss, *Symphonie domestique.* Cl. Debussy, *Gigues (Images).* André Gédalge, *IIIe Symphonie.*

écriture    effet, à la 3ce min. infre

**Hautbois baryton**

Magnifique instrument, d'un emploi plus rare encore que le précédent (R. Strauss, *Salomé*).

écriture    effet, à l'8ve infre

**Clarinette**

S'emploie en 2 tons, *si b* et *la*. Grande homogénéité de timbre.

écriture    rarement employé à l'orch.    effet en *si b*    effet en *la*

**Petite clarinette**

S'emploie en 2 tons, *mi b* et *ré*. Timbre plus caustique que celui des autres clarinettes. *Cf.* H. Berlioz, *Symphonie fantastique,* « Songe d'une nuit de sabbat ».

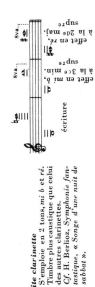

écriture    effet en *mi b,* à la 3ce min. supre    effet en *ré,* à la 2de maj. supre

**Clarinette basse**

en *si b* (France) en *la* (Allemagne).

exceptées    écriture    effet en *si b,* à la 9me maj. infre    effet en *la,* à la 10me min. infre

**Clarinette alto**

en *mi b,* utilisée pour remplacer l'ancien *cor de basset.* *Cf.* Mozart, *La clémence de Titus.* La *flûte enchantée.*

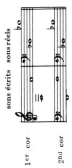

écriture    effet en *mi b,* à la 6te maj. infre

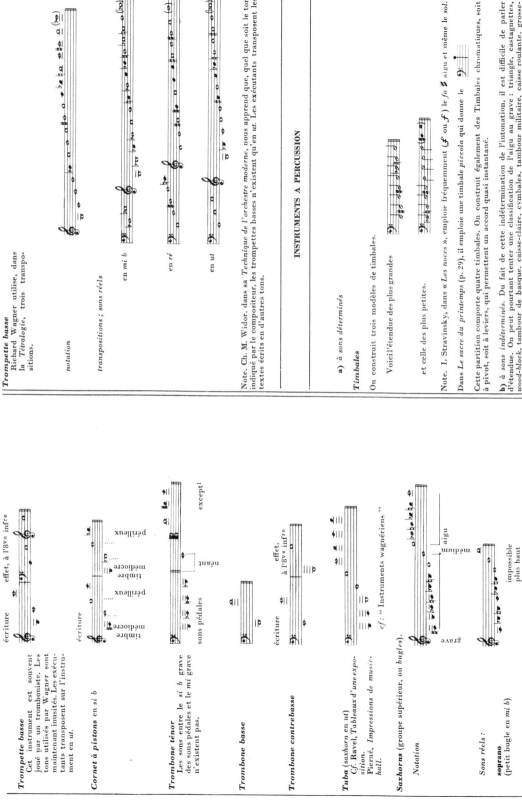

**Trompette basse**
Richard Wagner utilise, dans la *Tétralogie*, trois transpositions.

notation

transpositions ; *sons réels*

en mi b

en ré

en ut

Note. Ch. M. Widor, dans sa *Technique de l'orchestre moderne*, nous apprend que, quel que soit le ton indiqué par le compositeur, les trompettes basses n'existent qu'en *ut*. Les exécutants transposent les textes écrits en d'autres tons.

## INSTRUMENTS A PERCUSSION

**a)** *à sons déterminés*

**Timbales**

On construit trois modèles de timbales.

Voici l'étendue des plus grandes.

et celle des plus petites.

Note. I. Stravinsky, dans « *Les noces* », emploie fréquemment ($\mathbf{f}$ ou $\boldsymbol{f}$) le *fa* ♯ aigu et même le *sol*.

Dans *Le sacre du printemps* (p. 29), il emploie une timbale *piccola* qui donne le

Cette partition comporte quatre timbales. On construit également des Timbales chromatiques, soit à pivot, soit à leviers, qui permettent un accord quasi instantané.

**b)** *à sons indéterminés*. Du fait de cette indétermination de l'intonation, il est difficile de parler d'étendue. On peut pourtant tenter une classification de l'aigu au grave : triangle, castagnettes, *wood-block*, tambour de basque, caisse-claire, cymbales, tambour militaire, caisse roulante, grosse-caisse, tam-tam.

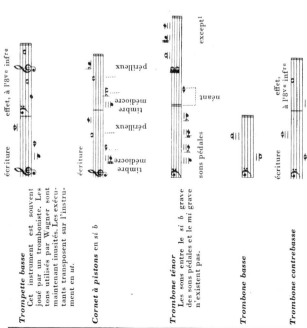

**Trompette basse**
Cet instrument est souvent joué par un tromboniste. Les tons utilisés par Wagner sont maintenant inusités. Les exécutants transposent sur l'instrument en *ut*.

écriture — effet, à l'8ve infre

**Cornet à pistons** *en si b*

écriture

timbre médiocre — périlleux

timbre médiocre — périlleux

**Trombone ténor**
Les sons entre le *si b* grave des sons pédales et le *mi* grave n'existent pas.

sons pédales

néant

except[1]

**Trombone basse**

écriture — effet, à l'8ve infre

**Trombone contrebasse**

*cf.* : "Instruments wagnériens "

**Tuba** (saxhorn en ut)
*Cf.* Ravel, *Tableaux d'une exposition.*
Pierné, *Impressions de music-hall.*

**Saxhorns** (groupe supérieur, ou *bugles*).

Notation

**Sons réels :**

médium — aigu

grave

**soprano**
(petit bugle en *mi b*)

impossible plus haut

## INSTRUMENTS A CORDES PINCÉES

**Harpe**

Étendue diatonique de 47 notes.

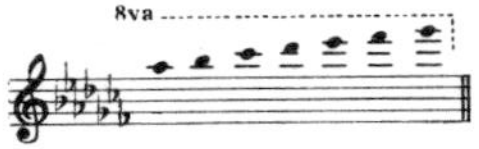

Cette gamme peut être entièrement haussée d'un demi-ton (ut ♮), ou d'un ton (ut #) par le moyen de sept pédales pourvues chacune de deux crans.
Si l'on tient compte que trois sons, *ré, sol* et *la*, sont dépourvus d'homophones, on obtient pour chaque octave, vingt et une notes :

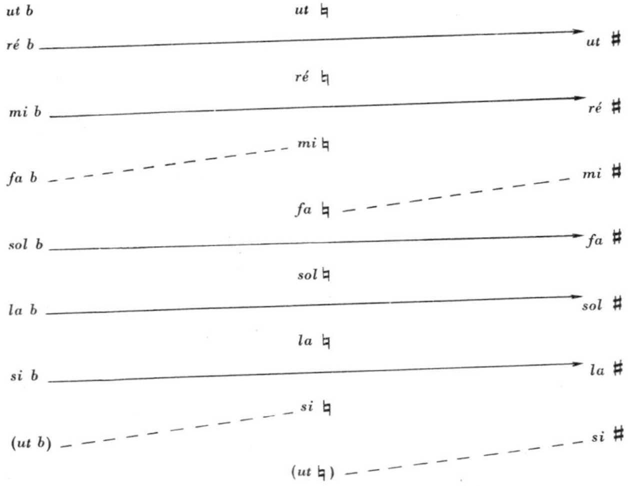

| | | |
|---|---|---|
| ut b | ut ♮ | ut # |
| ré b | ré ♮ | ré # |
| mi b | mi ♮ | mi # |
| fa b | fa ♮ | fa # |
| sol b | sol ♮ | sol # |
| la b | la ♮ | la # |
| si b | si ♮ | si # |
| (ut b) | (ut ♮) | |

---

**contralto** (bugle en *si b*) — rares

**baryton** (en *si b*) — rares

**Saxhorns** (groupe inférieur, ou *tubas*)

*Notation* — rares, grave défectueux l'*ut* excepté

*Sons réels :* — rares

**basse** en *si b*. On le construit aussi en *ut*. C'est le tuba employé couramment comme basse des cuivres (*cf.* plus haut).

**Contrebasse** ou **bombardon** en *mi b* — rares

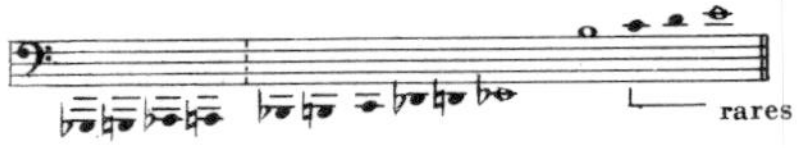

**Contrebasse** en *si b* — rares

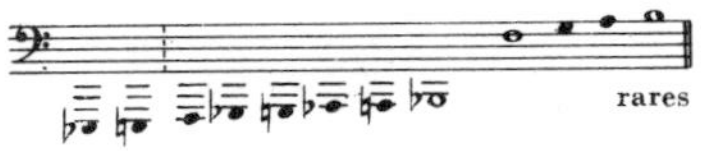

## INSTRUMENTS WAGNÉRIENS

**Tuba ténor** en *si b* — échelle noté (moins les degrés chromatiques) — Sons réels

**Tuba-basse** en *fa* — échelle notée (moins les degrés chromatiques) — sons réels

A noter que Wagner n'a utilisé cette manière d'écrire les *Tuben* ténors que dans le *Rheingold*; ensuite il a adopté l'écriture de ces instruments en *mi b*.

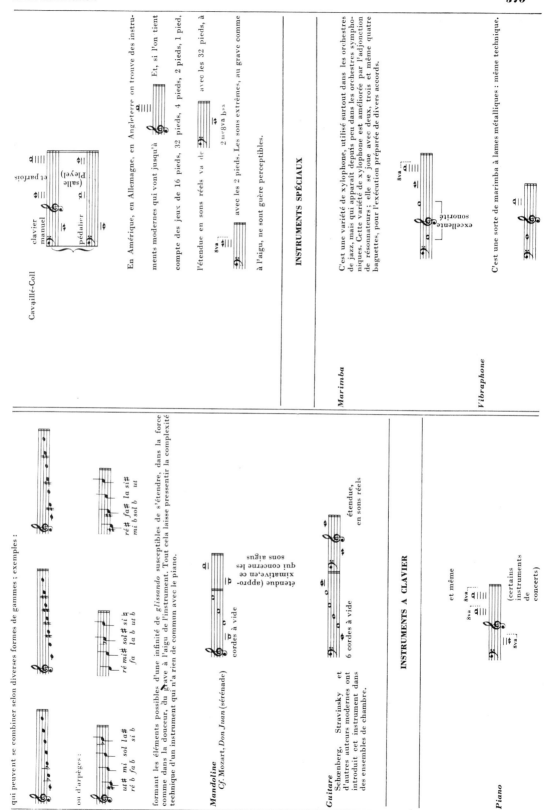

qui peuvent se combiner selon diverses formes de gammes ; exemples :

ou d'arpèges :

ut# mi sol la#    ré mi# sol# si#    ré# fa# la si#
ré b fa b si b    fa la b ut b    mi b sol b ut

formant les éléments possibles d'une infinité de *glissando* susceptibles de s'étendre, dans la force comme dans la douceur, du grave à l'aigu de l'instrument. Tout cela laisse pressentir la complexité technique d'un instrument qui n'a rien de commun avec le piano.

**Mandoline**
*Cf.* Mozart, *Don Juan* (sérénade)

cordes à vide

étendue (approximative, en ce qui concerne les sons aigus

**Guitare**
Schœnberg, Stravinsky et d'autres auteurs modernes ont introduit cet instrument dans des ensembles de chambre.

6 cordes à vide    étendue, en sons réels

### INSTRUMENTS A CLAVIER

**Piano**

et même

(certains instruments de concerts)

Cavaillé-Coll

clavier manuel   et parfois
(salle Pleyel)
pédalier

En Amérique, en Allemagne, en Angleterre on trouve des instruments modernes qui vont jusqu'à . . . Et, si l'on tient compte des jeux de 16 pieds, 32 pieds, 4 pieds, 2 pieds, 1 pied,

l'étendue en sons réels va de . . . avec les 32 pieds, à . . . avec les 2 pieds. Les sons extrêmes, au grave comme à l'aigu, ne sont guère perceptibles.

### INSTRUMENTS SPÉCIAUX

**Marimba**

C'est une variété de xylophone, utilisé surtout dans les orchestres de jazz, mais qui apparaît depuis peu dans les orchestres symphoniques. Cette variété de xylophone est améliorée par l'adjonction de résonnateurs ; elle se joue avec deux, trois et même quatre baguettes, pour l'exécution préparée de divers accords.

excellente sonorité

**Vibraphone**

C'est une sorte de marimba à lames métalliques : même technique,

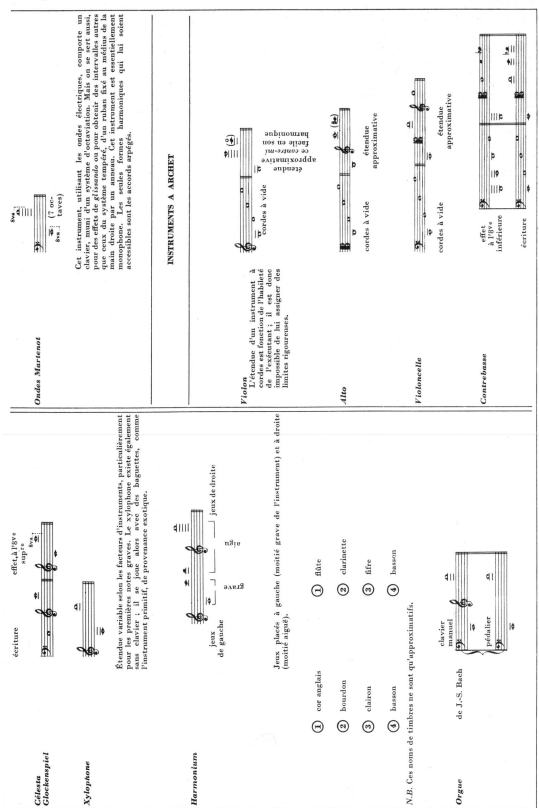

**Célesta**
**Glockenspiel**

écriture    effet à l'8ve supre

**Xylophone**

Étendue variable selon les facteurs d'instruments, particulièrement pour les premières notes graves. Le xylophone existe également sans clavier ; il se joue alors avec des baguettes, comme l'instrument primitif, de provenance exotique.

**Harmonium**

jeux de droite — aigu — grave — jeux de gauche

Jeux placés à gauche (moitié grave de l'instrument) et à droite (moitié aiguë).

① cor anglais    ① flûte
② bourdon    ② clarinette
③ clairon    ③ fifre
④ basson    ④ basson

N.B. Ces noms de timbres ne sont qu'approximatifs.

**Orgue**

de J.-S. Bach

clavier manuel
pédalier

**Ondes Martenot**

Cet instrument, utilisant les ondes électriques, comporte un clavier, muni d'un système d'octaviation. Mais on se sert aussi, pour des effets de *glissando* ou pour obtenir des intervalles autres que ceux du système tempéré, d'un ruban fixé au médius de la main droite par un anneau. Cet instrument est essentiellement monophone. Les seules formes harmoniques qui lui soient accessibles sont les accords arpégés.

## INSTRUMENTS A ARCHET

**Violon**

L'étendue d'un instrument à cordes est fonction de l'habileté de l'exécutant ; il est donc impossible de lui assigner des limites rigoureuses.

étendue approximative — ce contre-mi facile en son harmonique

cordes à vide

**Alto**

étendue approximative

cordes à vide

**Violoncelle**

étendue approximative

cordes à vide

**Contrebasse**

effet à l'8ve inférieure

écriture

H. Hoby, *Military band instrumentation*, Londres-New-York 1936,
F. Höfer, *Instrumentations-Lehre mit besonderer Berücksichtigung der
Kammer-Musik*, Ratisbonne 1913 ; J.L. Ithier, *Traité pratique
d'instrumentation et d'orchestration pour musique militaire, harmonie
ou fanfare*, Paris 1906 ; K.W. Kennan, *The technique of orchestration*,
New-York 1952 ; K.W. Koechlin, *Traité de l'orchestration*, Paris
1954 ; G. Parès, *Traité d'instrumentation et d'orchestration à l'usage
des musiques militaires, d'harmonie et de fanfare* (en deux parties),
1848, 1947 ; H. Rawson, *Traité d'orchestration jazz*, Paris 1946 ;
V. Ricci, *L'orchestrazione nella sua essenza, nelle sua evoluzione e
nella sua tecnica*, Milan 1920 ; H. Riemann, *Handbuch der Orches-
trierung*, 1910 ; N. Rimsky-Korsakov, *Principes d'orchestration, avec
exemples notés tirés de ses propres œuvres*, 2 vol., trad. française de
M.-D. Calvocoressi, Paris 1914 ; B. Rogers, *The art of orchestration.
Principles of tone colour in modern scoring*, New-York 1951 ; E.
Wellesz, *Die neue Instrumentation*, 2 vol., Berlin 1928-1929 ; Ch.M.
Widor, *Technique de l'orchestre moderne* (supplément au traité
d'orchestration d'Hector Berlioz), Londres 1906, trad. allem. de H
Riemann, Leipzig 1904, 2e éd. Londres 1906.                 R.S.

## INTABULIERUNG, INTAVOLATURA, INTAVOLARE.
Voir art. *tablature*.

**INTENSITÉ** (ou *niveau*) *d'un son*. La notion physiologique d'intensité (force apparente d'un son) est étroitement liée à la notion d'énergie. Plusieurs cas sont à
distinguer : **1.** Quand le son est une fréquence pure,
son intensité croît avec son énergie ; on utilise plusieurs
échelles d'intensité :
— l'*échelle des décibels* : par définition, deux sons dont
le rapport des énergies est égal à 10 ont des intensités
qui diffèrent de 10 décibels ; la formule qui donne 1 en
fonction d'E est : I décibels = 10 logarithme à base 10
de $\frac{E}{Eo}$, E étant l'énergie du son dont l'intensité est 1,
Eo étant une énergie de référence, correspondant
à l'intensité *zéro* : on prend conventionnellement
Eo = $10^{-16}$ watts, qui correspond à la plus petite énergie
perceptible. Les énergies perceptibles s'étendant de
$10^{-16}$ watts (seuil d'audibilité) à $10^{-3}$ (seuil de douleur),
les intensités des sons s'étagent de 0 à 130 décibels,
celles des sons couramment entendus, de 40 à
100 décibels environ ;
— l'*échelle des phones* : l'échelle des décibels présente
le défaut de lier rigidement la sensation (intensité)
à l'excitation (énergie). Or les sons graves, à égalité
d'énergie, paraissent moins intenses que les sons aigus :
on a donc été conduit à tracer des courbes dites d'isosonie,
qui expriment l'égalité d'intensité quand la fréquence
varie. En supposant que l'échelle des décibels s'applique
rigoureusement à la fréquence 1.000 hertz, on dit qu'un
son de fréquence quelconque a une intensité de X phones
s'il se produit la même impression d'intensité qu'un son de
fréquence 1.000 hertz dont l'intensité est X décibels
(autrement dit, s'il est placé sur la courbe d'isosonie
X décibels) ;
— l'*échelle des sones* (moins utilisée) traduit la moindre
sensibilité de l'oreille aux niveaux bas et élevés : elle
utilise les courbes d'isosonie dont elle modifie seulement
la graduation.
**2.** Quand le son n'est pas une fréquence pure, on définit
l'intensité par comparaison avec un son pur de 1.000 hertz
Dans ce cas, la mesure uniquement physiologique, est
exprimée en phones ou en sones : elle ne se rattache par
aucune formule mathématique à l'énergie du son.     J.M.

**INTERFÉRENCE.** C'est la rencontre de deux systèmes
d'ondes de même fréquence : il en résulte des zones
alternées de renforcement et d'atténuation de l'effet
que produirait une seule onde. Deux cas importants, en
acoustique : *Ondes aériennes :* devant un mur sur lequel
tombe une onde sonore, onde directe et onde réfléchie
interfèrent ; selon la distance du mur à laquelle on est placé,
le son paraît renforcé ou atténué. En fait, les fréquences
pures étant très rarement utilisées, cet effet n'est que
difficilement et exceptionnellement perceptible, mais il
est employé en laboratoire pour certaines mesures (tube
de Kundt).
*Ondes en milieu solide :* dans une structure solide tant
soit peu complexe, apparaissent de nombreuses ondes
réfléchies qui interfèrent entre elles et avec l'onde
incidente : il peut, dans des cas exceptionnels, se produire
des accumulations de renforcements (résonnance) allant

jusqu'à entraîner de spectaculaires ruptures, comme
celle du pont d'Angers, au passage d'une troupe défilant
au pas cadencé.                                        J.M.

**INTERLIGNE.** C'est l'espace compris entre les lignes
de la portée : il y a 4 interlignes dans la portée classique
(5 lignes), 3 seulement dans la portée grégorienne
(4 lignes). Les lignes supplémentaires crèent autant d'interlignes nouveaux dans le grave et l'aigu.

**INTERLUDE. 1.** *Mus. de théâtre :* on appelle ainsi une
compos. mus. insérée entre 2 scènes ou 2 actes d'une
œuvre théâtrale ou d'un opéra. — **2.** Le même mot sert
parfois à désigner le *divertissement* d'une fugue. —
**3.** On l'emploie également au sens d'*interlude :* voir
à ce mot. — **4.** *Mus. d'église :* c'est ainsi qu'on appelle
une improvisation d'orgue qu'on avait coutume d'insérer
entre les versets d'un psaume, d'une hymne, du *Kyrie*,
du *Gloria* etc. : on appelait cela *alterner*.

**INTERMÈDE** (ital. *intermezzo*). C'est un divertissement
musical intercalé en Italie au XVe s., dans les *sacre
rappresentazioni*, et au XVIe, dans les représentations
de comédies et de tragédies. Les intermèdes exécutés
à Florence en 1588 à l'occasion des noces de Ferdinand
de Médicis et de Christine de Lorraine comportaient des
chœurs et des *soli* dans le style madrigalesque, composés
par Marenzio et Malvezzi. Vers 1600, après l'adoption
du style monodique, l'intermède prit l'allure d'une scène
d'opéra, que l'on jouait entre les actes d'une pièce
dramatique. D. Belli écrivit les cinq intermèdes de
l'*Orfeo dolente* (1616) pour l'*Aminta* du Tasse. Par la
suite, on introduisit dans les représentations d'*opera seria*
des intermèdes qui n'eurent d'abord aucun lien entre
eux, puis finirent par constituer une seconde action
légère et comique qui contrastait avec l'action principale
(*La serva padrona* [1733] de Pergolèse). Vers le milieu
du XVIIIe s., l'intermède devint un genre autonome,
l'*opera buffa*. En 1752, les représentations à Paris d'intermèdes de Pergolèse, Auletta, Vinci etc. marquèrent une
étape importante de l'influence italienne : elles provoquèrent la fameuse querelle des bouffons et jouèrent
un rôle dans l'élaboration de l'opéra-comique français.
De nos jours, l'intermède est un divertissement de ballet
qui interrompt ou ralentit l'action sans en rompre l'unité.
Dans la musique instrumentale, il désigne, au théâtre,
un morceau d'orchestre joué à rideau ouvert ou fermé.
Voir N. Pirrotta in MGG.                               A.V.

**INTERMÉDIAIRE.** Cet adjectif qualifie une voix qui,
dans un chœur, se trouve située entre le soprano et
la basse ; par extension, en écriture, il désigne toutes les
parties autres que la partie supérieure et la basse. —
*Dominantes intermédiaires :* dans la théorie de la
succession des tonalités de quinte en quinte, on appelle
ainsi des dominantes qu'il faut parcourir (de façon
exprimée ou non) pour aller d'un ton à un autre ton
éloigné : par ex., de *ré majeur* à *fa dièse majeur*, il y a
4 dominantes intermédiaires.                           G.A.

**INTERMET Sauvaire.** Mus. franç. (? v. 1570–Avignon
1657), qui fut maître de chapelle à St-Trophime d'Arles
(1590–99), prof. au collège des Jésuites (1629), maître de
chapelle de la cath. d'Aix-en-Provence (1629), maître
de mus. à St-Agricol d'Avignon.

**INTERMEZZO.** Voir art. *intermède*.

**INTERPRÉTATION. 1.** *XVIIe-XVIIIe s. — Des droits
de l'interprète dans l'exécution de la musique ancienne.*
La musique ancienne, et particulièrement celle des
XVIIe et XVIIIe s., jouit actuellement d'une grande
faveur, qui s'explique tant par sa valeur propre que par
le confortable refuge qu'elle offre à l'assez vaste public
qu'effraient les audaces des compositeurs d'aujourd'hui.
Mais cette musique ancienne nous est bien rarement
restituée avec les apparences de la vie. Une sorte de
respect glacé paralyse la plupart des interprètes, empri-
sonnés dans de pseudo-traditions que les conservatoires
se transmettent avec les meilleures intentions du monde
et qui ne reposent sur rien. Il faudrait rendre aux
exécutants, lorsqu'ils abordent le répertoire des siècles
passés, les libertés dont jouissaient leurs devanciers
vis-à-vis de ce même répertoire, qui était pour eux

(constatation naïve, mais utile) de la musique *moderne*.
A quel point l'*interprétation musicale* est liée à l'évolution
des sociétés, cela ressort, par exemple, de propos que
j'ai souvent entendu tenir à des compositeurs
d'aujourd'hui, entre autres, mon regretté ami Arthur
Honegger. Ils émettent le vœu — et ce n'est pas toujours
une boutade — que l'exécution de leurs œuvres soit
entièrement assurée, dans un proche avenir, par des
agents mécaniques, cette mécanisation marquant la fin
du rôle de l'interprète. Si ce vœu se réalisait, ce ne serait
ni plus ni moins que le suprême aboutissement d'un
mouvement commencé vers le début de l'époque dite
classique, environ 1760–1780, dont nous saisissons
maintenant les ultimes répercussions. Longtemps les
activités du compositeur et de l'interprète avaient été
connexes. Un moment est arrivé où chacune d'elles est
parvenue à un tel degré de complexité que leur cumul
était désormais impossible, sauf le cas des musiciens très
exceptionnellement doués. Les exigences toujours accrues
de la technique instrumentale d'une part, de l'autre
l'enrichissement du système harmonique, l'extension des
structures formelles, une conception plus minutieuse de
l'orchestration ont fait qu'il a fallu *opter* entre *exécution*
et *composition*. D'où, chez le compositeur, une conscience
plus nette de la valeur propre de son œuvre, indépendamment de l'apport de l'interprète. Joignez à cela que
les circonstances pré-révolutionnaires favorisaient l'apparition de la notion de *droit moral*, de propriété de l'œuvre
écrite, qu'on trouve exprimée en clair chez Grétry
dès 1791 (1). Aussi la marge d'initiative de l'interprète
subit-elle, en quelque 30 ou 40 ans (de 1760 à 1800), de
telles restrictions, à une cadence si rapide, qu'on a pu
considérer que la campagne qui visait à réduire les droits
des exécutants était terminée en 1800. C'est vrai, *grosso
modo*, mais il y a eu des survivances, à travers tout le
XIX^e s. Les gens de ma génération qui vont encore au
concert peuvent constater que le virtuose d'aujourd'hui
est singulièrement moins libre, vis-à-vis des textes,
qu'un Ysaye ou un Paderewski, il y a tout au plus
cinquante ans. Mais, comparés aux virtuoses des âges
précédents, Ysaye comme Paderewski nous apparaissent
ligotés, bâillonnés, presque entièrement destitués de
l'activité créatrice propre à leurs lointains devanciers,
à l'époque où l'œuvre écrite se traitait avec une si
stupéfiante désinvolture — et pas seulement du fait
de l'interprète.
J'ai intitulé cet article *Droits de l'interprète dans l'exécution de la musique ancienne*: ce devrait être un
chapitre d'un travail plus vaste, dont le titre pourrait
s'énoncer : *Des libertés de n'importe qui vis-à-vis de
la musique* (durant la période envisagée : 1600–1800) :
liberté des éditeurs, des auditeurs, des imitateurs et
plagiaires — les compositeurs étant les premiers à afficher
une sereine indifférence aux malfaçons qui se pouvaient
infliger à leur pensée écrite.
Les compositeurs, au point de vue social, ne pesaient
pas très lourd. Ici, je souhaite que l'on ne se méprenne pas
sur le sens de ce propos. Je ne veux pas dire que la musique
ait eu, en profondeur, une moindre action, un moindre
empire sur les âmes qu'aujourd'hui. Je crois au contraire
son influence alors d'autant plus grande qu'on n'en était
pas saturé, inondé comme on l'est de notre temps, à toute
heure du jour, sans discrimination. Mais le compositeur,
sauf le cas où il bénéficiait de l'appui d'un puissant
seigneur, ne se sentait pas un personnage d'importance,
et ses exigences étaient modestes.
En matière de composition, Frescobaldi, en tête de ses
*Toccate* de 1614, avertit l'exécutant qu'il a combiné les
diverses sections de ces pièces de telle manière qu'elles
puissent être jouées indépendamment l'une de l'autre.
« L'exécutant », ajoute-t-il, « peut s'arrêter où il veut ;
il n'est pas forcé de les jouer toutes ».
Cesario Gussago indique, dans le titre même de ses
sonates et concertos de 1608, que les *Sinfonie* qui se

trouvent dans le recueil peuvent se jouer avant ou après
les concertos « selon le gré et la commodité des exécutants »
*(secondo il placito, a commodo de' sonatori)*.
Thomas Mace, en 1676, prévient qu'on peut en user de
même à propos de tel *prélude* ou *fancy*, également
composé de sections consécutives.
Rameau, dans ses *Pièces de clavecin* de 1724 : « On peut
se passer, absolument parlant, des *doubles* [variations]
et des reprises d'un *Rondeau* que l'on trouvera trop
difficile. »
Mouret, dans son *Concert de Chambre* de 1734 : « On a
numéroté tous les Airs, pour indiquer ceux qu'on voudra
dire, ou ceux qu'on voudra passer ».
Je laisse de côté une quantité d'annotations similaires
pour retenir celle-ci, qui frappe davantage, parce qu'il
s'agit de la *sonate* à une époque toute proche de l'ère
classique, et d'un musicien considérable, F.M. Veracini ;
il accompagne ses *Sonate accademiche*, 1744, de l'observation suivante, sous le titre *Intenzione dell'Autore* :
« Chacune de ces sonates comporte 4 ou 5 mouvements :
soyez averti que c'est pour la richesse et l'ornement
du recueil, et pour donner plus de joie aux amateurs.
Mais, 2 ou 3 mouvements de chaque sonate, choisis selon
votre bon plaisir, suffiront à composer une sonate d'une
juste dimension » (2).
Sur une pièce pour 2 cors, 2 clarinettes et 2 bassons
composée vers 1768, Gossec a écrit de sa propre main :
« Ce morceau peut se placer pour *andante* de simphonie
en cas qu'on en réforme quelqu'autre ; il yroit très bien
avant l'*allegro* de la simphonie de l'autre cahier » ! Déjà
Marc-Antoine Charpentier semait les manuscrits de
ses œuvres les plus imposantes d'annotations telles que :
« Icy, l'on joüe tel motet (ou « telle simphonie ») que
l'on voudra ».
Notons, au passage, que dans la musique dramatique,
avec ou sans l'assentiment du compositeur, on se permet
bien d'autres licences. Aux XVII^e et XVIII^e s., on inter-
cale couramment dans un opéra une scène ou un acte
d'un autre auteur.
On trouve la *Provençale* de Mouret insérée au milieu de
*Scylla et Glaucus* de Leclair. L'*Orphée* de Gluck, joué
pour la première fois à Vienne en 1762, est repris en 1769
(du vivant du compositeur !) à Londres avec des additions
de Jean-Chrétien Bach et de Guglielmi, en 1771 à Florence,
en 1774 à Naples, en 1775 à Munich, en 1785 à Dublin,
avec de nouvelles additions, en 1792 à Londres, précédé
d'une ouverture de Mazzinghi avec adjonctions de
Sacchini, J. Ch. Bach, Haendel, Mazzinghi et Reeve...
Sans parler des opéras donnés « en concert », moyennant
des amputations qui les réduisent parfois aux dimensions
de simples « digests ». La mode en est courante en France
au XVIII^e s., et l'on voit Rameau publier en 1735 les
*Indes Galantes* avec ce sous-titre : « *Balet réduit à quatre
grands Concerts* », expliquant dans sa préface : « Le
public aïant paru moins satisfait des Scènes des *Indes
Galantes* que du reste de l'Ouvrage, je n'ai pas crû devoir
appeler de son Jugement ; et c'est pour cette raison que
je ne lui présente ici que les Symphonies entremêlées des
Airs chantans, Ariettes, Récitatifs mesurez, Duo, Trio etc.
qui font en tout quatre-vingt morceaux détachez, dont
j'ai formé quatre grands Concerts en différens Tons ».
Sans parler non plus des plagiats, qui troublent fort peu
de gens. On peut lire, dans l'*Avant-Coureur* du 12 juin
1769, cette petite note placide : « Les duos de violon
de de Machi, annoncés précédemment, ne se vendront
pas sous ce nom, parce qu'ils se trouvent être les mêmes
que ceux de Domenico Wateski, qui ont paru
auparavant »...
Tout cela tendrait à montrer que la musique, à l'époque
que j'envisage, n'est pas traitée avec la solennité à laquelle
elle est habituée de nos jours, où l'œuvre d'un compositeur de quelque renom est annoncée quand elle n'est
encore qu'en projet, où les journaux nous informent

---

(1) *Dans le supplément au* Journal de Paris, *2 janv. 1791, à propos
de représentations, données en province, de son Barbe-Bleue, au moyen
de partitions manuscrites « remises par des mains infidèles », il
exprime « l'espoir qu'il existera bientôt des lois qui feront respecter
les propriétés des artistes ».*

(2) « *Essendo che, ognuna di queste 12 Sonate sia guarnita di 4 o 5
Andamenti (andamento = mouvement de sonate) : si avverte,
che ciò è statto fatto per ricchezza, et ornamento del libro, e per dar
maggior divertimento agl'Amatori, e Dilettanti di Musica. Per altro,
2 overo 3 Andamenti d'ognuna di esse Sonate scelti a beneplacito,
bastano a compire una sonata di giusta misura ».*

de son état d'avancement, puis de sa venue au monde, avec autant de sollicitude qu'ils en apportent à nous faire part des espérances d'un ménage royal et de la naissance d'un dauphin. Venons-en à l'exécution, et d'abord aux moyens matériels d'exécution, aux effectifs : tout se passe comme si le compositeur était d'avance résigné à voir disparaître une part plus ou moins considérable de la substance musicale de son œuvre. En 1607, Salomon Rossi annonce son 1er livre de *Sinfonie et Gagliarde*, disant qu'elles peuvent être jouées à 5 ou à 3 *si placet*. En 1619, Giovanni Ghizzolo, publiant ses *Messes, psaumes, litanies*, admet qu'on les chante à 9 voix, s'il y a abondance de chanteurs, sinon à 5. Si l'on dispose de nombreux instrumentistes, on pourra leur

*Anonyme. Lithographie en couleur* (Coll. Meyer).

confier les parties qui étaient assignées aux voix du 2e chœur etc. Dans le recueil de *Sonate e Canzone a 4* de Massimiliano Neri, *op.* I (1644), se trouvent des *correnti* également à 4, « qui peuvent se jouer à 3 et même à 2 en laissant de côté les parties intermédiaires » *(che si ponno sonare à tre e à due ancora, lasciando fuori le parti di mezzo)*. En 1648, deux sonates du 2e livre de Maurizio Cazzati sont pour violon et basse ou pour violon seul ; de même, les *Concerti e Balletti* de 1662 ont une partie du 2e violon *a beneplacito*. Pareilles licences sont autorisées dans de très nombreux recueils du XVIIe s., et elles ne seront pas rares au siècle suivant. Quelques-unes des meilleures sonates de Vivaldi, conservées à la Bibliothèque nationale de Turin (nos 7 à 10 du fonds Giordano (t.1), sont pour 2 violons et basse, *da suonarsi anco senza basso se piace*.

Dans les concertos de la fin du XVIIe s. et du début du XVIIIe s. (Torelli, Muffat, Alessandro Marcello, Valentini), le compositeur suggère des réductions d'effectifs qui peuvent ramener une œuvre écrite pour un concertino de 3 solistes et le plein orchestre les accompagnant à un simple trio soliste ! (1). En contrepartie, on peut augmenter le nombre d'exécutants primitivement prévu avec une semblable liberté. Nicola Matteis prévient les possesseurs de son 1er livre d'*Arie diverse per il violino* (1685), qu'il a chez lui en manuscrit des parties de violon et d'alto qui « pourront servir, à l'occasion, aux seigneurs qui voudraient jouir d'une harmonie plus pleine ». *(Fo sapere che à queste compositione ci à il Secondo Soprano, et anco il Tenore dove me lo servo à presso di mè, à mano scritto, per poterne à l'occasione servirne quelli Signori, che desiderano goder maggiore Armonia, cioè che vogliono havere il Concerto).* De même, Jean Ferry Rebel annonce par une note, au bas du titre d'une *Fantaisie* de 1729 : « La Contrebasse, Trompettes et Timballes embellissent fort cette pièce. Les personnes qui en voudront avoir des Copies s'adresseront à M. Lallemand, Copiste de l'Opéra ».

Quant aux substitutions d'instruments, autorisées ou recommandées par *la plupart des compositeurs des XVIIe et XVIIIe s.*, je rappelle que Marin Marais, qui écrit admirablement pour la basse de viole, ne manque pas de prévenir le lecteur, au début de chacun de ses livres, que ses pièces conviennent également à l'orgue, au clavecin, au violon, au dessus de viole, au théorbe, à la guitare, aux flûtes traversière et à bec, au hautbois. Mondonville va plus loin, dans ses *pièces de Clavecin avec voix ou violon* : « L'ouvrage », écrit-il « est composé de pièces pour le clavecin, avec une partie qui peut être chantée par une voix de dessus, ou jouée par un violon [...] les personnes qui jouent du Clavecin et qui n'ont point de voix pourront faire exécuter la partie du chant par un Violon. Au defaut d'un Violon et d'une Voix, l'*accompagnement tiendra lieu de pièce* » ! ...

Mille autres tolérances sont accordées aux exécutants : Voici deux ou trois exemples, empruntés à des compositeurs de renom, et qui passaient pour fort exigeants. Couperin, dans son 3e livre de *Pièces de clavecin* (1722), recommande d'exécuter des pièces à mains croisées avec d'autres instruments : « Elles seront propres à deux Flûtes, ou Haubois, ainsi que pour deux Violons, deux Violes, et autres instrumens à l'unisson. Bien entendu *que ceux qui les exécuteront les métront à la portée des leurs* ».

Marais, dans son 2e livre de *Pièces de viole*, intitule un rondeau : « Rondeau moitié pincé et moitié à coup d'archet, si mieux l'on aime le pincer entièrement et de même pour le coup d'archet ». Gius. Sammartini, *op. III*, 1743 : « Si le violoncelle trouve trop difficiles les broderies [...], il les abandonnera au clavecin et jouera les notes simples. »

Le plus surprenant pour nous est de voir Rameau, qui s'est fait une redoutable réputation de sévérité, toujours prêt, en matière instrumentale, aux plus larges concessions. Dans ses *Pièces de clavecin* de 1724 : « Lorsque la main ne peut embrasser facilement deux touches ensemble, on peut abandonner celle qui n'est pas absolument nécessaire au chant : car on ne doit pas être tenu à l'impossible... » Dans son ouverture des *Fêtes d'Hébé* (1739), à un moment où se présente un trémolo de doubles-croches : « on ne joue que les rondes et les noires si l'on veut ». Mais c'est l'*Avis aux Concertans* placé au début de ses *Pièces de Clavecin en concerts* (1741) qui donne l'idée la plus exacte des concessions d'avance consenties aux exécutants : si ces pièces sont annoncées pour violon, basse de viole et clavecin, Rameau, dès la page de titre, avait averti son monde qu'on pouvait remplacer le violon par une flûte, et la basse de viole

(1) Ces habitudes n'ont pas entièrement disparu à l'époque classique : en 1783, Mozart faisait annoncer par la *Wiener Zeitung (15 janvier)* la mise en souscription de 3 concertos, 413, 414, 415, « welche man sowohl bey grossem Orchester mit blasenden Instrumenten, als auch a quattro, nämlich mit 2 violinen, 1 viola und violoncell aufführen kann » *et*, les proposant à l'éditeur parisien Sieber le 26 avril, il indique sur la faculté laissée aux exécutants de les jouer soit avec l'orchestre complet « mit Oboen, und Horn », soit seulement à quattro. De nos jours, les réorchestrations à effectif réduit de Stravinsky, les quatuors « superposables » de Darius Milhaud (14e et 15e, de 1948–49), les équivalences instrumentales de la Gebrauchsmusik sont comme un lointain écho de ces facilités anciennes.

par un 2ᵉ violon. Dans l'*Avis*, il prévoit l'absence de deux des partenaires : « Ces Pièces exécutées sur le Clavecin seul ne laissent rien à désirer ; on n'y soupçonne pas même qu'elles soient susceptibles d'aucun autre agrément : c'est au moins l'opinion de plusieurs personnes de goût et du métier que j'ai consultées sur ce sujet » [...]. « Pour exécuter les Tambourins sur le Clavecin seul, il faut y prendre à part le dessus du Violon et la Basse du Claveçin ; en faisant commencer partout, dans les Reprises mêmes, la Basse une mesure après le Dessus. Ce qui est dans la partie du Clavecin doit suppléer aux silences du Violon ». « Il faut passer, par tout, les mesures que compte le Clavecin dans la Pièce intitulée, *La Rameau*, lorsqu'il est seul. On peut retrancher les six dernières mesures dans chaque partie de la Pièce intitulée, *La Pantomime*, en y substituant une mesure finale ». « S'il se trouve des Clavecins dont l'étendue ne répond pas à celle de quelques-unes de ces Pièces, il n'y a toujours qu'à porter le doigt où serait la Touche qui manque, dès que les Notes y sont par accord de *Tierce, Quarte, Octave*, etc. au lieu que si les Notes y sont simples et de suite, il suffit de leur en substituer qui soient convenables à l'harmonie et au chant, dans l'étendue à laquelle on est forcé de se borner ». Quand la flûte est substituée au violon : « Si l'on trouve des accords, il faut y choisir la Note qui forme le plus beau chant et qui est ordinairement la plus haute » [...].

« Dans un passage rapide de plusieurs Notes, il suffit de substituer à celles qui descendent trop bas des voisines qui soient dans la même harmonie, ou d'y répéter celles qu'on juge à propos » (...).

« Une Note qui descend trop bas de 4ᵉ ou 5ᵉ [d'une quarte ou d'une quinte] peut être portée à son 8ᵉ [à l'octave] au-dessus ». Pour la basse de viole, elle est autorisée à simplifier sa partie, si les doubles-cordes l'effraient : « Aux endroits où l'on ne peut aisément exécuter deux ou plusieurs Notes ensemble ; ou bien on les harpège, en s'arrêtant à celle du côté de laquelle le chant continue ; ou bien on préfère, tantôt les Notes d'en haut, tantôt celles d'en bas, selon l'explication suivante. »

« Dans la Pièce intitulée, *La Laborde*, il faut préférer les Notes d'en haut dans les six premières mesures de chaque partie, et celles d'en bas pour tout le reste. » « Dans la Pièce intitulée, *La Boucon*, il faut préférer les Notes d'en haut de la première et troisième portées, ou accolades, et celles d'en bas dans tout le reste ».

En matière de *tempo*, la tolérance n'est pas moindre. Dans ses *Principes de clavecin* de 1702, Saint-Lambert déclare : « Le lecteur peut user du privilège du musicien et donner aux pièces tel mouvement qu'il lui plaira [...] pourvu qu'il ne choisisse pas un mouvement directement opposé à celui que demande le signe, ce qui pourrait ôter de la grâce à la pièce ». *Demachy*, dans ses *Pièces de Viole* (1685) : « On peut jouer les préludes comme l'on voudra, lentement ou vite ». Leclair, dans un des épisodes symphoniques de *Scylla et Glaucus* (où il dépeint les aboiements des monstres qui environnent Scylla) : « Du mouvement que permettra l'exécution » : c'est-à-dire d'un *tempo* proportionné à l'habileté des exécutants. Mais on ne songe pas seulement à leur plus ou moins grande habileté technique : on les engage aussi à tenir compte de la plus ou moins grande *réceptivité* de leur public. J.-J. Quantz le leur dit sans ambages : « Quand une pièce est répétée tout de suite une ou plusieurs fois, surtout si c'est une pièce vite, p.e. un Allegro d'un Concerto ou d'une Symphonie, on la joue toujours la seconde fois un peu plus vite que la première fois, pour ne pas endormir les Auditeurs ». (*Essai d'une Méthode pour apprendre à jouer de la Flûte Traversière*, éd. franç., Berlin 1752, XVII.7.55). Du même, ce paragraphe, encore plus explicite : « Celui qui veut se faire entendre publiquement, doit faire grande attention à ses auditeurs, surtout à ceux à qui il le lui importe de plaire. Il doit examiner s'ils sont Connoiseurs ou non. Devant des Connoiseurs, il pourra jouer des pièces qui sont un peu plus travaillées, et où il a l'occasion de montrer son habileté aussi bien dans l'Allegro que dans l'Adagio. Mais devant les simples amateurs de Musique, et qui n'y entendent rien, il fait mieux de jouer des pièces où

le chant est brillant et agréable. Il *peut aussi alors jouer l'Adagio* un peu plus vite qu'à l'ordinaire, pour ne pas ennuyer cette sorte d'auditeur » (XVI. 20).

Dans tout ce qui précède, il a surtout été question des solistes : les accompagnateurs ne sont guère plus bridés. Dans son *Nouveau traité de l'accompagnement du clavecin* (1707), Saint-Lambert autorise l'accompagnateur à jouer deux ou trois accords sur une note de basse qui en indique un seul, si cette note est de quelque durée, et à condition « que ces accompagnements cadreront avec la partie chantante ». Il permet de broder la basse si elle est trop peu chargée ou si « elle traîne trop au gré de l'accompagnateur ». Il permet d'arpéger ou non, d'introduire ou non des *chutes* (analogues au *coulé* ou à l'*acciaccature*) — Il permet, à l'inverse, de supprimer des accords, ou même d'en changer quand le claveciniste jugera « que d'autres conviennent mieux ».

Il va jusqu'à excuser les fautes d'harmonie : « Quoique deux quintes ou deux octaves soient défendues, on n'en fait pas scrupule quand on accompagne dans un grand chœur de musique où le bruit des autres instruments couvre tellement le clavecin qu'on ne peut juger s'il fait des fautes ou s'il n'en fait pas [...]. Mais quand on accompagne une voix seule, on ne peut s'attacher trop religieusement à la correction, surtout si l'on est seul à l'accompagnement, car tout paraît alors » !

Les Français ne sont pas les seuls à prêcher l'indépendance à l'accompagnateur : Carlo Giovanni Testori, dans sa *Musica ragionata* (1767), invite l'accompagnateur, si le soliste qu'il accompagne joue, dans un mouvement vif, un chant un peu trop nu, à l'accompagner en valeurs plus longues, pour que le solo paraisse d'autant plus orné. Geminiani, de qui M. Thurston Dart, dans son excellent livre sur l'*Interprétation de la musique*, cite les *Rules for playing in a true taste* (vers 1745), prescrit un certain nombre d'artifices assez proches de ceux que Saint-Lambert préconisait, « pour que l'harmonie reste vivante », entre autres celui-ci : « Quand la partie de dessus fait silence, et que la basse se poursuit, l'accompagnateur doit faire quelque mélodieuse variation sur la même harmonie, afin de stimuler l'imagination du soliste ». ...En dépit de la trivialité de l'expression, rappelons que Vivaldi, sous le chiffrage d'un passage d'un des concertos dédiés à Pisendel, spécifie en trois mots : « *per li coglioni* » (pour les ...imbéciles). Ce qui veut dire qu'un accompagnateur intelligent n'a par besoin de ce chiffrage — ce qui signifie aussi qu'on n'impose pas de limites à son invention harmonique ou contrapuntique, étant supposé qu'il connaît son métier et qu'il a du goût et de la discrétion.

Tout cela visait surtout, excepté quelques réflexions sur l'accompagnement, la partie *négative* des libertés de l'interprète — les simplifications qu'on lui consentait, les tolérances de technique, de *tempo* etc. auxquelles il avait droit.

Autrement important est le côté *positif* des activités de l'interprète : l'énorme part d'improvisation laissée à son libre arbitre — et en tout premier lieu l'*ornementation de la mélodie*. C'est le domaine dans lequel nos mœurs musicales sont le plus éloignées de celles des siècles passés. Ce domaine, on l'a beaucoup étudié, des travaux remarquables lui ont été consacrés, en tous pays. Je n'essaierai donc pas de donner une vue d'ensemble de la question — même résumée, elle exigerait beaucoup plus de place que je n'en puis raisonnablement occuper ici. Je voudrais aborder seulement quelques points sur lesquels on a porté peut-être moins d'attention qu'ils ne le méritent. Avant tout : *à quoi répondait l'ornementation improvisée*, dans l'esprit, dans l'intention des exécutants ? En ce qui concerne le clavecin, l'explication habituelle est que les ornements avaient pour objet d'étoffer les sons d'un instrument incapable de les prolonger. François Couperin, qui s'y connaissait, l'a dit en propres termes. C'est donc vrai. Mais cela n'explique rien, dans le cas de la voix humaine, de l'orgue, des instruments à archet, qui peuvent soutenir un son, où cependant on pratique une ornementation non moins riche que celle du clavecin.

— Autre réponse : « Pour qu'un *solo* », écrit Quantz,

« fasse de l'honneur à son compositeur et à celui qui l'exécute il faut 1) que son *Adagio* soit en lui-même chantant et expressif ; 2) l'*Exécuteur* (sic) doit avoir occasion de montrer son *jugement*, ses inventions, et ses connaissances de la Musique » (XVIII, 48). Cette conception est ancienne. Souvenez-vous de cette déclaration d'Adrian Petit-Coclicus, en 1552 : « le chanteur qui ne chante pas le morceau tel qu'il est écrit, mais aussi en l'ornant, transforme par l'ornementation un *cantus simplex, communis, planus, crudus* en un *cantus elegans, ornatus*, un mets fade en une viande salée et assaisonnée : « *caro cum sale et sinapio* » [*Compendium musices*] (1). Par parenthèse, ce sel et ces épices sont jugés à tel point indispensables que le compositeur, lorsqu'il désire que son texte soit rendu tel quel, sans aucune addition, doit prendre la précaution de le spécifier. De telles indications sont fort rares : dans sa *Sfera armoniosa*, de 1623, Quagliati demande au violoniste de se contenter d'orner sa partie de trilles, mais sans *passaggi* (traits, *tirate* etc.). Grandi, en 1628, p. 2, 4ᵉ sonate : « *Sonate come sta* ». (Johann Horn, *Parergon musicum*, 1663), demande qu'on se borne à des coups d'archet et à des trilles simples, au lieu d'obscurcir (*verdunkeln*) le chant avec toutes sortes d'ornementations. Domenico Mazzocchi, dans la « Plainte de la mère d'Euryale » (*Planctus matris Euryali*, 1638), en tête de la partie de chant : « *Cantatur, ut scribitur, rigorose* ». De telles observations sont rares. Je ne crois pas en avoir rencontré vingt dans le répertoire de deux siècles de musique instrumentale.
Tandis que, à partir du XVIᵉ s., non seulement des *traités entiers* sont consacrés à l'art de broder ou de varier un chant, mais il n'est guère de méthode générale qui ne réserve au moins un chapitre à cette technique d'ornementation. Et tous les maîtres, à part trois ou quatre, parmi lesquels J.-S. Bach et François Couperin (qui traitent à leur propre ornementation), posent en principe que l'exécutant est libre de choisir ses ornements, d'en ajouter à ceux que l'auteur a prévus, d'en retrancher « si l'on trouve qu'ils ne sient pas bien à la pièce » (Saint-Lambert). Je vous renvoie à Saint-Lambert, à Bailleux, à Galeazzi, à Blanchet qui écrit en 1756 : « On ne doit pas s'en tenir en esclave aux agréments qui sont annoncés par les signes ; si cela était, il ne serait pas possible que la même musique, présentée toujours avec les mêmes ornements, n'offrît aux oreilles des beautés monotones ». Nous voici ramenés aux mobiles par lesquels peut s'expliquer l'habitude d'orner la mélodie : nous avions *déjà* trouvé « le désir de prolonger les sons des instruments à sonorités trop brèves », celui de faire la preuve de connaissances musicales complètes, enfin, celui d'éviter la monotonie qui s'attacherait à des œuvres réentendues sans changement.
Mais ce n'est pas tout ; il est impossible de ne pas tenir compte d'un certain aspect commercial ou didactique de la question des ornements. Beaucoup de vague, bien des contradictions entre les tables d'ornements que les maîtres anciens placent dans leurs traités théoriques ou en tête de leurs recueils de pièces s'expliquent par leur maladresse à écrire : non moins souvent, il s'agit pour eux de laisser régner une certaine obscurité, que leurs leçons, données personnellement aux élèves dissiperont : Denis Gaultier, ds *Pièces de luth* (1669), Préface « Aux Amateurs de l'Harmonie », déclare : « Si quelqu'un a peine de trouver l'intelligence de ce qui est dans mon livre, je luy en donneray la lumière de tout mon cœur s'il me fait l'honneur de me venir voir ». D'Ambruis, ds *Livre d'Airs* (1685), « Avis » : ... « Je me flate, que ceux qui voudront se perfectionner dans l'art de chanter, trouveront satisfaction dans ce livre, pour peu qu'ils soient aidés de Maîtres habiles. Ceux qui voudront me faire l'honneur de me consulter, découvriront des facilitez qui ne se peuvent exprimer sur le papier ». De Machy, ds *Pièces de Violle* (1685), « Avertissement très nécessaire » etc. : ...« Je déclare à toutes les

personnes qui auront de mes livres et à ceux même qui n'en auront pas, qu'ils me feront honneur lorsqu'ils voudront conférer avec moy sur mes Pièces, et sur ce que je mets en avant. Je seray tous les samedis en état de les recevoir chez moy, depuis trois heures jusqu'à six, où je leur feray voir la pratique de toutes les règles dont j'ay parlé »...
Jean Rousseau, ds *Traité de la Viole* (1687), « Avant-Propos » : ... « Je ne promets pas que ce Traité soit si clair et si intelligible, que l'on puisse acquérir l'Art de jouer de cet Instrument sans le secours d'aucun Maître [...] au contraire je soutiens qu'il est impossible que l'on puisse apprendre à jouer régulièrement d'un instrument sans le secours d'un Maître, et mesme on connoîtra par cet Ouvrage la nécessité qu'il y a de recourir à ceux qui enseignent, afin d'apprendre l'exécution et la pratique des règles dont je donne la simple théorie »...
Montéclair, dans *Principes de musique* (1736), après avoir énoncé les principaux signes d'ornementation, ajoute : « Les Maîtres enseigneront mieux de vive voix la manière de bien former ces agréments, que tout ce qu'on en pourroit dire par écrit ».
Merchi, ds *Le Guide des Écoliers de Guitare* (v. 1777) : ... « Je ne parle point des agrémens, on scait qu'ils se démontrent mieux par un bon Maître que dans un livre ». Daquin, ds *1ᵉʳ Livre de pièces de Clavecin* (1735), « Avertissement » : ... « S'il se trouve dans mes pièces quelque passage qui embarrasse, tant pour le doigté *que pour certains agréments*, dont je ne parle pas, je me feray toujours un sensible plaisir de l'expliquer à ceux qui voudront bien me faire l'honneur de me le demander ». On trouve des textes analogues chez Corrette (1753) et bien d'autres compositeurs du même temps. Ils traduisent, dans une certaine mesure, une préoccupation mercantile ; mais, en même temps, témoignent d'un désir, somme toute légitime, de préserver le secret de leur style, autant que faire se pouvait !
C'est que l'ornementation exprimait, mieux qu'aucun autre élément de l'art de l'interprète, sa manière propre, son goût, sa personnalité. Il ne lui plaisait pas toujours de la mettre à la portée du premier venu. Hubert le Blanc, l'auteur d'un petit livre savoureux, que les musicologues connaissent bien, la *Défense de la basse de viole*, traduit ce genre de réticences dans son langage imagé : « Il s'est trouvé des mains d'Écoliers qui ont fait trembler leur Maître qu'ils ne lui enlevassent, comme au geai, les plumes de paon qui lui sont étrangères, et dont un autre, en peu de tems vient à se parer aussi bien que lui »... Tel est le sens de l'anecdote, racontée par Titon du Tillet, dans son *Parnasse françois*, de Marin Marais espionnant (comme Ernst devait faire Paganini en louant, à l'hôtel, une chambre voisine de la sienne) son maître Sainte-Colombe. Celui-ci s'était aménagé, dans les branches d'un mûrier, une petite cabane dans laquelle il s'enfermait « pour y jouer plus tranquillement et plus délicieusement de la viole [...] Marais se glissait sous ce cabinet, il y entendait son Maître, et profitait de quelques passages et de quelques coups d'archet particuliers que *les Maîtres de l'art aiment à se conserver* ». (Ce qui tend à renforcer cette opinion que ni les traités ni les coups d'archets ou doigtés, marqués par les auteurs dans leurs éditions, ne nous livrent que très rarement le secret de leur exécution, quand ils étaient leurs propres interprètes).
Les ornements improvisés, plus que toute autre chose, mettaient en évidence le *génie* de l'exécutant (c'est l'expression de Galeazzi, aussi tard que 1791). Sensiblement au même temps, Jean-Chrétien Bach et Ricci, dans leur *Méthode ou Recueil de connaissances élémentaires pour le Forte-Piano ou Clavecin*, s'expriment ainsi, parlant des ornements et « manières » de chaque interprète : « De ces manières, les unes plaisent plus que les autres, et loin de pouvoir les soumettre aux règles on ne saurait les déterminer, mais le *génie les trouve, le cœur les sent*, et tout l'art en cette partie ne consiste qu'à savoir allumer en son propre cœur le feu que l'on veut porter dans celui des autres »...)
Cela nous mène à un dernier aspect, à un dernier but de l'ornementation : le renforcement du pouvoir expressif

---

(1) *Sur les traditions d'interprétation au XVIᵉ s., je renvoie mon lecteur à une communication d'É. T. Ferand au congrès de Bâle (1949), reprise et développée sous le titre « Sodaine and unexpected » music in the Renaissance, ds Musical Quarterly, N.-Y., janv. 1951.*

(1) Corelli's Solos : grac'd by Doburg *(collection Alfred Cortot). Ex. nᵒ 1.*

*ex. nᵒ 2.*

d'un texte, ou encore un changement d'orientation plus ou moins radical dans sa qualité expressive. L'interprétation ornée pouvant égayer un texte et au contraire l'assombrir à un degré à peine concevable pour un auditeur d'aujourd'hui. La distance est parfois si grande qu'on a, par exemple, contesté jusqu'à une date très récente, l'ornementation des sonates *op. V* de Corelli, telle que la donnait l'éditeur Estienne Roger d'Amsterdam, environ 1710, en se fondant, disait-il, sur l'interprétation de Corelli en personne. On prétendait que l'édition était posthume, et remontait au plus tôt à 1715, jusqu'au moment où les travaux de William C. Smith (1) ont établi que la contrefaçon de l'édition d'Amsterdam par John Walsh était de décembre 1711, ce qui situait celle d'Estienne Roger pour le moins trois ans avant la mort de Corelli. Il est à peine nécessaire de souligner à quel point cette ornementation modifie le caractère des adagios en question, la sobre grandeur du texte nu faisant place à une grâce volubile qui est presque à l'opposé.

Un changement non moins profond peut se produire dans les mouvements vifs lorsqu'ils reçoivent une ornementation plus ou moins improvisée. On possède relativement peu de sources d'informations sur les « embellissements » des allegros, mais il en existe assez pour que le principe de ces embellissements soit admis. Je me permets de renvoyer, sur ce sujet, aux quelques pages que je lui ai consacrées dans *Corelli et son temps* (Paris 1954, p. 92-96). Pour le moment, je citerai seulement la version que Matthew Dubourg, un des meilleurs violonistes (anglais) de la génération qui suivit celle de Corelli, a laissée d'une gavotte (*op. V*ᵃ, 9ᵉ sonate),

dans un manuscrit qui comprend 7 sonates traitées de la sorte. On saisit, dans cette ornementation, le mécanisme d'une improvisation qui va s'émancipant progressivement : les 3 premières mesures sont fidèles au texte ; puis interviennent quelques trilles ajoutés, après quoi la broderie fait place à une véritable variation brillante : voir ex. nᵒ 1.

Plus curieux est le traitement du « milieu » modulant, où le climat change, et Dubourg imprimant un caractère presque pathétique à .une phrase qui, dans l'original, n'était animée d'aucune intention expressive.

Pour en finir avec cette question de l'ornementation expressive, je me contenterai d'un exemple de deux mesures, prélevé dans la méthode de violon de Léopold Mozart (2), exemple qui, à lui seul, est aussi éloquent qu'une sonate entière. Il examine, parmi les diverses espèces de trilles, celui qu'on pourrait être amené à faire sur les notes *do naturel* – *ré dièse*, et il note, sous l'exemple : « Ici, le trille sonne très misérablement » (*Hier klingt der Triller sehr ehlend*), et il suggère, en pareil cas, de renoncer à ce trille et de le remplacer par une ornementation équivalente : « il n'y a qu'un cas où il semble qu'on pourrait faire un trille de tierce diminuée ou de seconde augmentée, et un grand maître italien enseigne ainsi à ses élèves. Mais, même en ce cas, mieux vaut renoncer au trille et le remplacer par une autre ornementation ». Et voici l'équivalent qu'il propose : voir ex. nᵒ 2. Il est bien clair qu'il a développé l'espèce de tension pathétique impliquée dans le trille en question jusqu'à passer d'un dessin de 2 notes à une sorte de récitatif en abrégé.

De tout ceci on peut, semble-t-il, déduire que la faculté d'orner la mélodie, faisant partie des mille et une libertés dont bénéficiaient les exécutants, pouvait être inspirée par des motifs très divers que je récapitule : désir d'étoffer une sonorité, désir de faire valoir sa science, désir d'éviter la monotonie, désir d'exprimer une personnalité authentique ou fabriquée en accentuant ou en modifiant le caractère de l'œuvre, jusqu'à en trahir l'esprit.

Couperin, conscient du risque auquel des interprètes abusifs exposaient son œuvre, a nettement exigé le respect de ce qu'il avait noté. Tartini lui-même, qui fleurissait ses adagios avec tant de fantaisie, s'imposait des limites quand l'œuvre d'autrui était en jeu. Son

(1) *William C. Smith.* A bibliography of the musical works published by J. Walsh during the years 1695–1720, *Londres 1948.*

(2) Versuch einer gründlichen Violinschule, *Augsbourg 1754, p. 218.*

biographe, l'abbé Fanzago (dans son *Compendio della vita di Giuseppe Tartini*, Padoue 1770), reproduit la réponse adressée de Padoue par l'illustre virtuose, le 23 février 1766, à un noble protecteur vénitien qui lui avait demandé de modifier ou de remplacer une variation de la *Follia* de Corelli : « A propos de la variation qui vous déplaît et que vous désireriez voir changée (*cambiata*), que V.S. Illustrissime me pardonne : en cela je n'approuve pas. Ni Elle, ni moi, ni personne ne peut raisonnablement s'arroger cette liberté. On le peut faire par force, mais c'est une injure au compositeur ».
Une telle réaction, à l'époque, est exceptionnelle, encore qu'amplement justifiée. La nature humaine étant ce qu'elle est, on ne suppose pas un instant que tous les exécutants aient été capables de se tenir dans une juste mesure, ou d'avoir eu assez d'invention pour faire mieux que le compositeur auquel, bon gré mal gré, ils apportaient leur collaboration.
Un violoniste de la fin du XVIIIᵉ s., Michel Woldemar, a noté, aussi scrupuleusement qu'il a pu, les « manières » de Viotti, Rode, Mestrino. Ce dernier attendrissait son auditoire en pratiquant, dans les mouvements lents, une sorte de *glissando* continu entre toutes les notes de la mélodie, ou presque, le « *coulé à la Mestrino* », qui devait être quelque chose de particulièrement écœurant. Et cela tout près de l'an 1800 ! Son émule Lolli, dans ses vieux jours, avait mis à la mode un style semblable, que les Italiens appelaient *maniera smorfiosa* (manière maladive), contagieuse au point que Salieri, à Vienne, dut faire prendre un décret en vertu duquel seraient bannis des organismes musicaux qu'il contrôlait (théâtre de la cour et société de musique) les chanteurs ou instrumentistes qui s'obstineraient à user de cette méthode.
Le tournant du XVIIIᵉ au XIXᵉ s. n'a pas, comme on l'affirme parfois, marqué la disparition brutale de ces habitudes, tout au plus un fort ralentissement. En 1806, Dussek, au début d'une *Elégie* pour piano, croit devoir spécifier : « *Senza ornamenti* ». Dans l'*Encyclopédie méthodique* de 1818, à l'article *sonate*, Momigny félicite une Mme de Lanoue pour sa façon d'interpréter une sonate de Mozart : « Elle se permet », écrit-il, « quelques additions dans le *Cantabile*, mais elles sont de si bon goût que Mozart lui-même y applaudirait ». Spohr, à qui l'on a fait une solide réputation de puriste, loue, dans son *Autobiographie*, la façon dont Eck *le jeune*, jouant un quatuor de Krommer, sait « par des fioritures pleines de goût, enjoliver les endroits les plus pauvres ».
Le même Spohr, dans sa *Méthode* de 1831, prescrit à l'élève qui se prépare à exécuter un concerto, d'examiner, parmi les passages chantants, ceux qui demandent à être vivifiés par une expression qui les embellisse, par des trilles etc. Dans le *quatuor*, l'élève jugera, en étudiant la partition, « quels ornements il peut ajouter et dans quelle période il les placera ». C'est seulement à l'orchestre que le musicien — non soliste — doit s'abstenir de toute note d'agrément.
L'*Art du violon* de Baillot en 1834, donne une théorie détaillée des ornements : « L'imagination les invente, le goût s'attache à les diversifier » etc. Je rappelle que Baillot était professeur au conservatoire de Paris, qu'il fut l'introducteur en France du concerto de violon et des *quatuors* de Beethoven, qu'il représentait, pour ses contemporains, le goût le plus pur et le plus austère. Or deux exemples très brefs montrent à quel point ce purisme est encore éloigné du nôtre. Un paragraphe de son *Art du Violon* traite du *rubato* qu'il appelle *temps dérobé* : « Il tend », écrit-il, « à exprimer le trouble et l'agitation, et peu de compositeurs l'ont noté ou indiqué : *le caractère du passage suffit en général pour pousser l'exécutant à l'improviser d'après l'inspiration du moment. Il ne doit, pour ainsi dire, en faire usage que malgré lui lorsque, entraîné par l'expression, elle l'oblige à perdre en apparence tout mesure et à se délivrer ainsi du trouble qui l'obsède »...* Il ajoute : « nous ne donnons ici des exemples de ce genre d'accent, que pour éclairer sur son usage et pour empêcher ainsi l'abus qu'on pourrait en faire »... Et voici les exemples « non-abusifs » : un fragment du *maestoso* du 19ᵉ concerto de Viotti (2ᵉ idée, lors de la réexposition) et le début du *rondo* du 18ᵉ concerto, du même, avec les annotations

de Baillot qui accompagnent ces citations musicales (*L'art du violon*, 1834, pp. 136-137) : voir ex. mus. p. 579.
Je pourrais prolonger encore cette édifiante énumération : le simple dépouillement d'un certain nombre de programmes de concerts ferait apparaître, fort avant dans le XIXᵉ siècle, des virtuoses capables d'en prendre tout autant à leur aise avec les œuvres qu'ils interprètent.
En février 1849, la célèbre Marie Pleyel, jouant à Bruxelles, fabriquait un concerto avec le *larghetto* du 2ᵉ concerto de Chopin (Chopin était encore de ce monde !), auquel elle enchaînait la 2ᵉ partie du *Concertstück* de Weber, et la critique se montrait extrêmement admirative. Voilà qui prouve que l'offensive commencée vers 1750-1780 contre les libertés de l'interprète n'avait pas entièrement abouti à la fin du XVIIIᵉ s., et qu'elle avait] encore lieu de s'exercer utilement pendant une bonne partie du siècle dernier.
La victoire est maintenant complète. Les libertés de l'interprète, que nous avons inventoriées sommairement, sont choses du passé. On ne peut imaginer qu'on les réadopte dans la pratique d'aujourd'hui, à moins de supposer un bouleversement complet de notre univers musical. Mais peut-être y a-t-il lieu, *pour les exécutants qui s'attachent à faire revivre l'ancienne musique*, d'essayer de retrouver quelques-unes de ces libertés perdues. Certains enseignements de la musique ancienne lui donnent l'aspect d'une forteresse inexpugnable, entourée de fossés et de chausse-trapes ; chaque ornement est présenté comme un problème crucial auquel convient *une* solution, dissimulée derrière d'épaisses nuées que seuls les grands initiés peuvent espérer percer. D'où résultent deux conséquences fâcheuses : d'excellents musiciens, attirés par l'art des XVIIᵉ et XVIIIᵉ s., s'en écartent, persuadés que c'est chose beaucoup trop difficile et qu'ils sont à jamais incapables d'y accéder. S'ils persévèrent, ils risquent de s'y mouvoir éternellement d'une allure contrainte, comme menacés à chaque instant des pires sanctions, et la musique qu'ils avaient voulu ressusciter meurt une seconde fois : elle meurt d'ennui. Je souhaiterais que la présente étude, si incomplète qu'elle soit, fortifie la volonté des musiciens insurgés contre ce rigorisme abusif, cette espèce de terrorisme, que *les données historiques ne justifient pas*. S'il est bien certain que tout n'est pas permis, que certaines appoggiatures écourtées sont des crimes de lèse-musique, que l'anachronisme harmonique ou contrapuntique est sans excuse, nous devons, pour de moindres détails, nous remémorer et la suprême indifférence avec laquelle les compositeurs les considéraient et leurs divergences d'opinion, lorsqu'ils daignaient en émettre une : les uns, à propos du port de voix, prescrivant d'en emprunter la valeur à la note qui précède celle où aboutit ce port de voix, les autres le prélevant sur cette note même, les uns lui assignant une valeur déterminée, d'autres une toute différente, ou la laissant dans le vague, et le plus souvent abandonnant le choix des ornements à la discrétion de l'interprète, tous, à travers deux siècles, pleins d'indulgence pour ceux qui transgresseraient les principes mêmes qu'ils ont développés. Deux exemples, espacés à dessein, pour être bref : en 1666, de la Voye-Mignot : « Ce n'est pas que les règles soient à rejeter en sorte que de ne s'en servir que selon son caprice, mais il y a toujours raison de ne pas les garder, quand on peut faire quelque chose de meilleur » (*Traité de Musique, reveu et augmenté*). Près de 100 ans plus tard, Dupuits, en 1741 : « Il est indifférent qu'on se soit un peu écarté de la règle pourvu qu'on rende la pièce aussi sensible, et aussi parfaitement que si on l'avait suivi ». (*Principes pour toucher de la Vièle*).
Reste un dernier argument à faire valoir, en faveur d'une liberté freinée par le goût et par un sens suffisant des réalités historiques : il existe aux XVIIᵉ et XVIIIᵉ s., un style italien et un style français très nettement différenciés, un style allemand un peu moins déterminé, de l'aveu même de Quantz (1752). Mais ces styles nationaux sont susceptibles, en France comme en Italie, d'innombrables variantes, selon les villes, les chefs d'écoles, les modes passagères, ce qui devrait nous rendre prudents quant à la rigueur avec laquelle peut être fixée l'interprétation de telle ou telle œuvre. Il y a plus :

même sous l'ancien régime, pays et villes communiquent entre eux ; les cours françaises et allemandes font venir des virtuoses italiens, nos orchestres de danse sont demandés jusqu'en Scandinavie, les princes rhénans emploient des musiciens français. A Paris, La Pouplinière a chez lui, à demeure, des harpistes, des cornistes allemands et tchèques ; le Concert spirituel à Paris, des institutions similaires, à l'étranger, organisent un constant va-et-vient d'instrumentistes et de chanteurs. Peut-on croire, de bonne foi, qu'il n'y ait pas d'échanges entre eux, que des compromis ne s'établissent pas entre les styles nationaux et locaux, touchant l'ornementation, les *tempi*, les doigtés au clavier, les coups d'archet des violonistes, la réalisation de la basse ? Qu'on ne voie pas dans mon interrogation finale une marque de cette « *french levity and baladry* » que John Playford reprochait autrefois à mes compatriotes : j'interroge, parce que la question, bien que j'y aie longuement réfléchi, ne me paraît pas entièrement résolue ni facile à résoudre. A quelle marge de liberté s'arrêter, pour ne pas risquer l'anarchie, comment concilier la pulsation de la vie avec le respect de la vraisemblance historique ? aucun barème, présentement, ne saurait l'indiquer à coup sûr. Ce n'est même pas être exagérément pessimiste que de renoncer, en la matière, à la vérité absolue. Mais s'en rapprocher autant qu'il se peut faire me semble une tâche enviable. Bien des maîtres s'y sont adonnés, de qui les travaux ne laissent plus grand chose à découvrir, dans le domaine de la pure musicologie : presque tout reste à faire pour que ces acquisitions théoriques viennent féconder la pratique musicale. Voir également art. inspiration.          M.P.

**INTERVALLE.** L'*i.* est la distance qui sépare deux sons dans l'échelle des hauteurs. Sans autre précision, il s'énonce et se mesure en montant du grave à l'aigu. Pour le mesurer, on utilise deux procédés essentiels : l'un se réfère au rapport qui s'établit directement entre le plus aigu et le plus grave des deux sons qu'il unit, lorsque chacun est défini par le nombre de ses vibrations

ou par le nombre des fragmentations en parties égales d'une corde vibrante ou d'un tuyau sonore : conformément aux données mêmes de la résonnance (voir à ce mot), l'*i.* d'octave juste est égal à 2, celui de quinte juste à 3/2, celui de quarte juste à 4/3, celui de tierce majeure juste à 5/4 etc. L'*i.* total constitué par deux *i.* conjoints se mesure en multipliant les rapports définissant chacun d'eux : par ex., l'ensemble des intervalles conjoints de quinte et de quarte forment l'*i.* d'octave $3/2 \times 4/3 = 2$. L'autre consiste à déterminer ainsi un certain *i.* unitaire et à évaluer ensuite l'*i.* à mesurer par le nombre des *i.* unitaires conjoints qui se retrouvent en lui ; l'*i.* unitaire du demi-ton tempéré par exemple, considéré comme la 12e partie de l'*i.* d'octave, est égal à la racine douzième de 2, c'est-à-dire au nombre 1,0594, qui, multiplié douze fois par lui-même, donne le nombre 2 ; il permet de définir tous les *i.* tempérés : 1 ton, 3 demi-tons etc. Mais d'autres unités d'*i.* se sont révélées nécessaires, serait-ce que pour déterminer les *i.* diatoniques qui, en demi-tons tempérés, ne sont mesurables que par approximation : le cent, 100e partie du demi-ton tempéré et par conséquent contenu 1.200 fois à l'octave, le savart, qui substitue aux rapports précités les nombres qui en sont les logarithmes multipliés par 1.000 et se trouve approximativement contenu 301 fois dans l'octave, le comma : 81/80 (voir à ce mot), contenu approximativement 53 fois dans l'octave etc. *Acceptions générales :* dans une gamme donnée, quelle qu'elle soit, l'*i. conjoint* sépare deux sons immédiatement voisins (*do-ré*, par exemple, dans la gamme diatonique de *do majeur*), l'*i. disjoint*, deux sons non voisins (*ré-fa*, par exemple, dans la même hypothèse) ; dans l'harmonie traditionnelle, l'*i.* conjoint ne peut excéder le ton diatonique : même l'*i.* *la b-si* de la gamme harmonique de *do mineur* n'est considéré que comme l'altération d'un *i.* conjoint. L'*i.* est *mélodique* ou *harmonique* selon que les deux notes qu'il unit sont entendues successivement à la même partie ou simultanément. L'*i. simple* se définit à l'intérieur d'un octave, l'*i. redoublé* dépasse l'*i.* d'octave. Toutefois, l'importance acquise par les *i.* de neuvième dans l'harmonie tradition-

nelle les fait considérer comme des *i.* simples et non comme des redoublements d'*i.* de seconde. Deux *i.* *homophones* produisent enharmoniquement les mêmes sons tempérés sous plusieurs dénominations différentes : *do-mi*, *si♯-ré♯*, *ré bb-mi b* etc. *Nomenclatures usuelles* : les dénominations *seconde*, *tierce* etc. se déterminent à chacun des degrés des gammes diatoniques, énumérés en partant de leur tonique. On distingue les *i. justes*, qui correspondent aux éléments fondamentaux de la résonnance naturelle : l'octave, la quinte et son renversement la quarte ; les *i. majeurs*, qui sont tous les autres intervalles de la gamme diatonique majeure mesurée à partir de sa tonique jusqu'au 9e degré (qui est en réalité le 1er degré après l'octave) : seconde, tierce, sixte, septième et neuvième majeures ; les *i. mineurs* qui, sous les dénominations de seconde, tierce, sixte, septième et neuvième mineures, sont immédiatement inférieurs aux précédents ; les *i. augmentés*, qui sont immédiatement supérieurs aux intervalles justes et aux *i. majeurs*, sous les dénominations d'octave, de quinte ou de quarte augmentées ; les *i. diminués*, qui sont immédiatement inférieurs aux *i.* justes et aux *i.* mineurs sous les dénominations analogues de tierce diminuée, quarte diminuée etc. *Dénominations diatoniques :* les *i.* conjoints des gammes diatoniques portent le nom de tons diatoniques et de demi-tons diatoniques. L'*i.* de seconde mineure né d'une altération est un demi-ton *chromatique*. Toutes les autres dénominations de l'harmonie diatonique sont de même inséparables de la gamme diatonique où l'*i.* s'incorpore : en *do majeur*, *do-mi* est une tierce majeure, mais en *si b majeur*, *do-fa*, qui lui est homophone, est une quarte diminuée. A l'intérieur même de la gamme diatonique de *do majeur*, l'*i. si-fa*, qui franchit cinq degrés (*si-do-ré-mi-fa*) sans atteindre la quinte juste, est une quinte diminuée, alors que l'intervalle des deux mêmes sons renversés, qui ne franchit que quatre degrés (*fa-sol-la-si*) tout en dépassant la quarte juste, est une quarte augmentée, appelée aussi triton. *Renversements :* l'*i. renversé* d'un *i.* donné est son complément dans l'octave ; ils comprennent les mêmes sons dans l'ordre inverse, du grave à l'aigu. A tout *i.* juste répond un *i.* juste qui en est le renversement (quinte juste *do-sol*, quarte juste *sol-do* par exemple) ; à tout *i.* majeur répond un *i.* mineur qui en est le renversement et réciproquement (tierce majeure *do-mi*, sixte mineure *mi-do* par exemple) ; à tout *i.* augmenté répond un *i.* diminué qui en est le renversement (quinte diminuée *si-fa*, quarte augmentée *fa-si* par exemple). Intervalles *attractifs*, nés de la résonnance : ce sont les *i.* d'octave, de quinte et de quarte par renversement de la quinte ; ils se manifestent dans l'harmonie traditionnelle par le principe d'équivalence des sons à l'octave, les affinités de sous-dominante et de dominante et la réglementation des quintes. Les *i.* attractifs nés du glissement sonore dépendent du milieu sonore dont ils constituent les *i.* conjoints. Dans l'état actuel de notre harmonie, articulée sur l'échelle totale des douze sons, ce sont les *i.* de demi-ton ; ces *i.* attractifs se manifestent dans l'harmonie traditionnelle par le mouvement sensible et par les autres mouvements obligés qui procèdent par demi-ton en principe et subsidiairement seulement par ton. (Voir également l'art. *potentiel*, ainsi que l'art. *attraction* dans le supplément du présent ouvrage). E.C.

**INTONATION.** Ce mot désigne — 1. la manière d'attaquer et d'émettre vocalement un son : l'*i.* est *juste* si le son est exactement à la hauteur voulue, *fausse* s'il diffère du son exigible : 2. les inflexions diverses et caractéristiques de la voix parlée ou chantée ; 3. dans la psalmodie catholique, une incise mélodique — il y en avait une pour chaque mode — composée de deux ou trois notes ou d'un groupe de notes, qui amène la récitation du psaume sur la dominante : l'*i.* n'est utilisée que pour le premier verset toutes les psaumes, elle est répétée à chaque verset dans les cantiques (*Magnificat*) ; 4. les notes initiales de chacune des parties de l'ordinaire de la messe chantées par le prêtre, tandis que la suite est confiée au chœur (*Credo in unum Deum...* chœur : *Patrem omnipotentem*) : dans les messes polyphoniques anciennes, l'*i.* manque toujours (le *Credo* commence par les mots : *Patrem*

*omnipotentem*) ; **5.** la dernière étape de la fabrication d'un instrument, au cours de laquelle on remédie soigneusement aux légères imperfections du mécanisme et des timbres. A.V.

**INTRADA** (*entrada*, *intrata*, *entrée*). Aux XVIe-XVIIe s., le mot désigne une pièce, de caractère solennel ou dans le style d'une marche, qui sert d'ouverture à un opéra ou à un ballet. On trouve fréquemment des *i.* dans les suites de danses de l'école allem. à la fin du XVIIe s. ; on en rencontre aussi dans des pièces de mus. d'église (messes, oratorios). Mozart, dans *Bastien et Bastienne*, Beethoven, dans *Die Schlacht von Vittoria*, se sont encore servis du titre. Voir M. Reimann in MGG.

**INTRODUCTION.** C'est un court fragment musical de forme non définie et de mouvement généralement lent, destiné à introduire un premier mouvement de symphonie, de sonate, de quatuor... Bien qu'à l'origine l'*i.* semble se rattacher au bref *grave* initial des suites préclassiques, dont le but était d'affirmer la tonalité générale, l'*i.* de symphonies classiques ont un tout autre caractère : chez Haydn, quelques mesures seulement d'*i.* précèdent l'exposé du premier thème ; chez Mozart, l'*i.* acquiert une importance plus grande et son caractère peut en être majestueux : symphonie en *mi bémol* no 39, symphonie de Prague ; quatre symphonies de Beethoven comportent des *i.* dont le développement est chaque fois accru : l'*i.* de la VIIe symphonie apparaît comme un véritable morceau à un seul thème, relativement développé. Par analogie de forme, certains finales de symphonies sont parfois précédés d'*i.* : 1re symphonie de Beethoven, *i.* du finale, 1re symphonie de Brahms. Dans l'opéra, l'*i.* est une forme proche du prélude et distincte de l'ouverture par sa grande concision : *i.* de *Faust* de Gounod. Il est remarquable de constater que les *i.* contrastent souvent entièrement avec le mouvement qu'elles ont fonction de préparer ; ainsi, à une *i.* majestueuse et jouée par le *tutti* de l'orchestre, succédera un premier thème exposé *pianissimo* aux cordes seules (symphonie en *mi bémol* de Mozart) ou aux bois (VIIe symphonie de Beethoven) ; à une *i.* mystérieuse et coupée de silences, succédera un premier thème *fortissimo* : IVe symphonie de Beethoven, symphonie no 102 de Haydn. — Par extension, *i.* désigne toute musique de préparation, formellement distincte du schème principal. Bien plus qu'à l'*intrada* ou au *grave* baroque, l'*i.* semble donc s'apparenter intrinsèquement à l'*arsis*, dont elle constitue un agrandissement structuré, la *thésis* formelle se faisant sur l'exposé du thème ou le début de la scène. G.A.

**INTROÏT.** C'est l'antienne et le verset de psaume qui sont chantés actuellement à l'entrée du célébrant dans le chœur. Aussi bien l'antienne que le fragment psalmodique sont de type orné, assez éloigné des antiennes syllabiques courantes de l'office. La psalmodie se meut sans rigueur dans l'ambiance modale. On ne connaît cette pièce, dans la liturgie grégorienne, que sous sa forme actuelle, qui remonte environ au VIIIe s. Il arrive que l'*introït* contienne plus d'un verset : certains mss anciens en ont deux ; mais c'est là une exception, à propos de laquelle on doit rappeler l'histoire de la pièce. On ne sait à quelle époque exactement l'*introït* a pris place au répertoire romain. Saint Augustin, décrivant la messe à Carthage, relate que l'usage du psaume d'*introït* y était en introduction ; il a donc pu entrer dans le rite romain à peu près à la même époque, la fin du IVe s., c'est-à-dire au moment des grands accroissements de la liturgie. Il était alors complet, c'est-à-dire qu'il se composait d'un psaume entier et de son antienne ; le tout était chanté pendant la procession du clergé qui, accompagnant le prêtre célébrant, partait de la sacristie et arrivait lentement à l'autel. Ce qui nous en reste — l'antienne, la psalmodie ornée — ne remonte peut-être pas à cette période : le chant a pu se développer et changer, et il est probable que, dans quelques églises monastiques, le chant de l'*i.* était antiphoné, c'est-à-dire que les deux moitiés du chœur chantaient un verset chacune à leur tour. On ne sait à quelle époque l'*i.* fut réduit au court verset qui nous reste ; mais on peut invoquer une lettre bien connue de saint Grégoire à ce sujet : lorsqu'il écrit à l'évêque Jean de Syracuse, le pontife explique qu'à Rome le *kyrie* est alterné par le peuple, et qu'on omet « les autres choses qu'on a coutume de dire » ; nous pensons qu'il est ici question de la litanie diaconale ancienne, qui s'était dite à Rome, et que saint Grégoire abrège en supprimant les versets dits par le diacre. Il est vraisemblable que cet allègement du culte était destiné à laisser place à l'*i.* : beaucoup des modifications de saint Grégoire ont eu pour but de remplacer un texte non biblique par un texte biblique ; la litanie de la messe n'avait jamais été biblique, et, avec le psaume de l'*i.* déjà instauré, on avait un texte canonique, qui suffisait à meubler l'entrée du célébrant. Cette supposition suppose que l'*introït* ait encore conservé son psaume entier à l'époque de saint Grégoire ; le culte s'est beaucoup aménagé entre cette époque et celle où nous trouvons des livres mss au VIII⁰ s., et il est possible que ce soit alors que l'*i.* ait été réduit à un seul verset et à l'antienne. Voir E. Wellesz, *Gregory the Great's letter on the Alleluia*, ds *Annales musicologiques*, II, 1954 ; Dom J. Froger, *Origines, hist. et restitution du chant grégorien*, ds *Mus. et lit.*, 1950.         S.C.

**INVENTION.** C'est le nom donné aux XVII⁰ et XVIII⁰ s. à des pièces contrapuntiques à 2 ou 3 voix, où l'intérêt consiste à « inventer », c'est-à-dire développer une courte cellule initiale nettement caractérisée dans son rythme ou son contour mélodique. Les *i.* peuvent parfaitement être d'une forme proche de celle des danses classiques (prélude, sarabande ou même chaconne), où l' « invention » contrapuntique est plus poussée et plus systématique. On connaît des *i.* de Vitali (1689), de Bonporti (1714), qui s'apparentent soit au *ricercare*, soit à la *partita ;* mais c'est J.-S. Bach qui donna ses plus hautes lettres de noblesse à l'*i.* : il a composé 2 recueils d'*i.* à 2 et 3 voix (ces dernières sont aussi nommées *symphonies*), qui demeurent les modèles du genre ; le schéma en est fréquemment celui d'un petit mouvement de sonate à un seul thème : exposition à la tonique — contre-exposition à la dominante — court développement modulant — réexposition. Certaines *i.* à 3 voix font apparaître un deuxième motif contrastant. L'écriture de ces pièces didactiques est le plus souvent canonique, car le but de J.-S. Bach était de montrer à ses élèves toutes les ressources du style sévère, dont l'imitation canonique forme la trame essentielle.   G.A.

**INVERSION.** Voir art. *renversement*.

**INVITATOIRE.** C'est la pièce qui, dans les rits romain et bénédictin, précède les trois nocturnes de matines ; c'est le psaume CXIV, dont le premier verset, *Venite exsultemus Domino*, constitue une « invitation » à louer Dieu : d'où le nom de la pièce, d'où aussi celui des *venitoires* donné aux recueils cisterciens d'*i.* des XII⁰ s. et suivants ; cette pièce a le privilège d'avoir conservé la forme de psalmodie antiphonée que les autres psaumes ont perdue avec le temps : on répète l'antienne après chaque verset, une fois entière, l'autre fois, la 2⁰ moitié seulement. — L'*i.* n'est évidemment pas antérieur à la constitution de l'office de nuit, pour les uns au début du IV⁰ s., pour les autres au V⁰ s. : saint Benoît en fait mention dans sa règle. Comme de beaucoup d'autres pièces, son origine semble être orientale : Amalaire dit l'avoir entendu à Ste-Sophie, chanté avant la messe. En Occident, il est propre à l'office de matines, et la tradition monastique comporte de le chanter lentement « pour laisser aux retardataires le temps d'arriver ». — L'antienne elle-même est simple, la mélodie, presque syllabique : la pièce se chante en plusieurs modes. — Il reste à rappeler que, au moyen-âge, lorsqu'on chantait les nombreux offices versifiés du répertoire, beaucoup d'antiennes d'*i.* y étaient transférées au gré de l'initiative locale, constituant une note plus ou moins profane, fort éloignée du caractère du psaume XCIV. Voir Dom Leclerc, art. *i.* ds *Dict. d'arch. chrét. et de lit.*, *VII*, Paris s.d.         S.C.

**INZENGA José.** Compos. esp. (Madrid 3.6.1828–28.6.1891). Élève de Pedro Albéniz à Madrid et d'Auber à Paris, il forme avec Hernando, Barbieri et Gastambide l'équipe des fondateurs de la *zarzuela* moderne : son

ouvrage le plus connu est la pièce *Si yo fuera rey* (1861), mais on apprécie aussi ses quatre cahiers de *Cantos y bailes populares de España*, consacrés respectivement à la musique folklorique de Galice, Valence, Murcie et des Asturies.         D.D.

**ION de CHIOS.** Musicien, poète lyrique et tragique, mort en 422 av. J.-C. Il comptait parmi les innovateurs, à l'époque du plein épanouissement des arts à Athènes ; un de ses fragments transmis par le Pseudo-Euclide (p. 19, *Meib.*) montre son attachement à la lyre à onze cordes, introduite par Timothée de Milet, divisée en trois tétracordes (voir art. *hendécacorde* et *Timothée de Milet*).         M. D.-P.

**IONIEN. 1.** *Harmonie des Ioniens :* ses débuts sont liés aux noms de Polymnestos et de Pythermos, et, dès l'origine, elle servait à caractériser l'èthos des Milésiens (« vigoureuse », « harmonie d'une certaine élévation assez noble ») ou bien celui des Ioniens, qui aimaient une vie gaie, joyeuse, même légère, propre aux festins, puis, effrénée, dissolue, relâchée etc. : sa forme était

qui, dans la classification des sept harmonies de Pythagore, était nommée *hypolydienne*. Sous son nom primitif, l'ionienne était encore connue dans l'école athénienne par Damon, Glaucos, Socrate, Platon et d'autres, dont la forme *pettéique*, particulière à cette école, était la suivante :

**2.** *Tonos* ou *tropos* (échelle transposée) de l'époque hellénistique, en *mi bémol*, dans la classification des treize *tonoï* dits aristoxéniens (classification postérieure) ou dans celle des quinze *tonoï* (voir art. *tonos*).         M. D.-P.

**IONIQUE.** Terme de métrique ancienne : c'est un pied de genre double, qui comporte 2 longues et 2 brèves ; il valait donc 6 *morae* ; quant au rythme, il est ascendant ou descendant, selon que les syllabes brèves se trouvent au commencement ou à la fin du pied : dans le premier cas, c'est l'*i.* mineur ou *a minore* (⏑ ⏑ — —), dans l'autre, c'est l'*i.* majeur ou *a majore* (— — ⏑ ⏑).

**IONOPHONE.** C'est un haut-parleur qui utilise le mouvement des ions, récemment mis au point par M. Klein ; il a l'avantage de donner des ultra-sons puissants, ce qui en fait un précieux appareil de laboratoire.         J.M.

**IOULER.** Voir art. *yodler*.

**IPARRAGUIRRE José Maria de.** Poète et chanteur basque (Villarreal de Urrechu 12.8.1820–Zozobastro de Isacho 6.4.1881), qui fit carrière de chanteur et de guitariste à travers le monde et arrangea de nombreuses chansons basques, dont des *zortzicos ;* son hymne, *Guernikako arbola*, fut un temps l'hymne révolutionnaire basque. Voir J.M. Salaverría, *El último bardo*, Madrid 1932.

**IPAVEC Benjamin.** Compos. slovène (St-Jurij 24.12.1829–Graz 20.12.1909). Il étudia la médecine et la musique à Graz ; c'est un des représentants les plus caractéristiques du romantisme musical slovène : son lyrisme s'inspire de la musique populaire ; il écrivit notamment toute une série de mélodies et de chœurs (excellents), des compositions pour piano, plusieurs cantates, une *Sérénade* pour orch. à cordes (1898), le *Singspiel Tičnik* (« La volière », 1862) et l'opéra *Teharski plemiči* (« Les seigneurs de Teharje », 1892). Voir J. Barle, *I.*, dans *Slov. biogr. leksikon*, Laibach 1928.         D.C.

**IPPISCH Franz**. Compos. autr. (Vienne 18.7.1883–).
Elève du cons. de Vienne, de F. Schmidt, vcelliste à
l'orch. de l'Opéra populaire de Vienne (1903-33), chef
de mus. militaire à Salzbourg (1934-38), émigré au
Guatémala (1939) où il dirigea l'orch. du *cons. nacional*
et enseigna, il s'est retiré en 1954 ; on lui doit de la mus.
de chambre (12 quatuors), de piano, des mélodies, une
messe, un *Te Deum*, un concerto de piano, deux de
violon, cinq symphonies etc. Voir H. Jancik in MGG.

**IPPOLITOV-IVANOV Mikhaïl Mikhaïlovitch Ivanov**.
Chef d'orch. et compos. russe (Getchina 19.11.1859-
Moscou 28.1.1935). Il fut l'élève de Rimsky-Korsakov au
cons. de St-Pétersbourg, vécut à Tiflis entre 1883 et 1893,
où il fut entre autres dir. de l'Ecole de musique et chef
de l'orch. symph. ; plus tard il s'installa à Moscou et
devint tour à tour maître de chorale universitaire,
chef d'orch. de l'Opéra Zimine (1899-1906), chef de
l'Assoc. des chœurs russes (1895-1901), prof., puis dir.
du cons., 1ᵉʳ chef d'orch. du *Bolchoï* : il joua un rôle
important dans la vie musicale de cette ville ; il fit une
étude approfondie de la mus. populaire caucasienne et
écrivit un livre sur les chansons nationales des Géorgiens,
ainsi que des mémoires. Œuvres : 7 opéras (*Ruth* 1887, *Azra*
1890, *Assia* 1900, «*Trahison*» 1909, «*Clé de Nordland*»
1916, «*La dernière barricade*» 1933), 1 symph., des cantates,
des poèmes symph., des suites, des œuvres chorales, de
la mus. d'église, de chambre, des mélodies. Voir S.A.
Boguslavskij, *M.M.I.I.*, Moscou 1946.

**IPU-HULA**. C'est un tambour-sablier formé de deux
calebasses apposées (îles Hawaï) : on fait résonner
l'instrument soit en le frappant sur le sol soit en le battant
à la main.

**IRADIER Sebastian**. Compos. esp. (Sauciego 20.1.1809-
Vitoria 6.12.1865). Prof. de chant de l'impératrice
Eugénie, il écrivit des compositions qui étaient aussi
dans le répertoire des filles de son compatriote Garcia, de
la Patti etc. ; la postérité en a retenu deux : *La paloma*,
connue dans toute l'étendue de l'espagnol, et celle qui
porte le nom prédestiné d'*El arreglito* (« le petit arrangement »), et qui n'est connue qu'à travers l'heureux
arrangement ultérieur qu'en fit Bizet (*la habanera de
Carmen*). D.D.

**IRAKIENNE** (*Musique*). Voir art. suivant.

**IRANIENNE** (*Musique*). Le plateau iranien et la vallée
de l'Euphrate ont toujours été le centre d'une culture
musicale qui a montré une continuité remarquable. Le
*naï* ou hautbois, découvert à Sumer, est pratiquement
identique, avec son mince tuyau d'embouchure où se fixe
la double-anche, au hautbois de l'Iran et de l'Inde
d'aujourd'hui. — Nous ne possédons que peu de données
sur la musique des anciens Perses : il semble certain
que la musique de la cour de Darius était de type modal,
mais il est difficile de savoir si la structure de la composition appartenait à la famille de l'octave comme la
musique indienne ou à la famille du tétracorde comme la
musique grecque et la musique iranienne d'aujourd'hui.
— Avec l'arrivée de l'Islam, les documents concernant
les cultures antérieures furent pratiquement oblitérés,
mais les formes de ces cultures se continuèrent souvent.
L'art et l'artisanat anciens vont former la base de la
culture artistique du monde musulman. C'est avec
Avicenne et d'autres grands Iraniens qui devinrent les
savants du monde arabe que nous voyons apparaître
une théorie de la musique représentant un art déjà en
pleine maturité et d'un merveilleux raffinement, qui
était nécessairement le fruit d'une très longue tradition.
Avicenne écrivit en persan et en arabe. Son ouvrage en
arabe sur la musique est très connu, mais son grand
traité en persan dont il existe quelques mss, n'a encore
jamais été publié. — Après Avicenne, un autre Iranien,
Farabi, puis Safi-ud-din exposèrent une théorie générale
de la musique inspirée des traités grecs et appliquée à la
musique iranienne de leur temps : nous pouvons ainsi
savoir que cette musique appartenait au système du
tétracorde, et elle est demeurée jusqu'à nos jours extra-
ordinairement proche de la musique de la Grèce antique :
c'est cette théorie musicale gréco-iranienne qui devint
la loi musicale du monde arabe. La musique *i*. en reste

à toutes les époques la forme la plus raffinée. En se
mélangeant aux formes de musique populaire courantes
dans les divers pays islamisés, du Turkestan à l'Espagne,
elle produisit des variantes de style importantes qui
restèrent dominées par une théorie commune, mais
s'écartèrent plus ou moins par l'expression, la forme et
le développement du modèle iranien. C'est ainsi que, de
nos jours, le *flamenco* espagnol reste beaucoup plus
proche du chant iranien qu'aucune des formes vocales
qui se rencontrent de l'Egypte au Maroc.
Le monde iranien, qui, du point de vue musical, comprend
la région que nous appelons aujourd'hui Irak, a su préserver jusqu'à nos jours sa grande tradition musicale,
et c'est seulement depuis une vingtaine d'années que
celle-ci se trouve menacée par des influences modernistes
venant d'Europe à travers les pays arabes, qui tendent à
remplacer la grande musique classique par des hybrides
sans intérêt, d'une vulgarité déconcertante. On ne saurait
donc aujourd'hui juger la musique de l'Iran d'après les
efforts des écoles de musique et des studios de radio.
Toutefois la grande musique *i*. existe encore : nous
pouvons entendre de prestigieux interprètes chanter les
poèmes de Hafez et de Saadi exactement comme ils
furent chantés au temps des poètes eux-mêmes. Les
joueurs de *tar*, de *kémantché*, de *santour* nous font toujours
entendre, avec tous ses raffinements, la grande musique
qui charma la cour des califes et, à travers cette musique,
celle de la Grèce antique, dont elle reste toute proche et
dont elle nous permet de comprendre la merveilleuse
beauté.
La musique *i*. classifie les formes modales en un certain
nombre de modes principaux appelés *dast-gah* et des
modes secondaires (voir art. *modes*), qui en sont considérés comme les variantes. Suivant les écoles, ces modes
principaux sont six ou dix ; ils sont semblables aux
modes grecs. Le développement modal est improvisé,
mais il utilise des motifs mélodiques donnés et suit des
règles de composition très strictes. Chaque échelle modale
est divisée en tétracordes : il ne s'agit point là d'une
division théorique, mais bien d'un sentiment modal du
tétracorde, qui donne aux formes mélodiques une faible
amplitude, une concentration du sentiment musical sur
quelques notes très intenses. Le passage de la mélodie
au tétracorde voisin représente un changement complet
de plan, dont l'effet est plus fort que ne l'est dans la
musique occidentale l'effet d'une modulation.
Parmi les principaux instruments qui sont en usage en
Iran aujourd'hui, citons le *tar* ou grand luth, le *sehtar*
ou petit luth, qui sert surtout à accompagner le chant,
le *kémantché*, instrument à archet, terminé par une
pointe et qui se joue un peu comme un vcelle, le *santour*,
aux nombreuses cordes frappées avec des baguettes
recourbées (c'est du *santour* que provient le *cymbalum*
d'Europe centrale) ; le principal tambour est le *dumbak*,
long instrument au col rétréci, fermé à sa plus large
extrémité par une peau tendue avec des cordes de soie.
Al. D.

**IRELAND** (*Hutcheson*) **Francis**. Mus. irlandais (Dublin
13.8.1721–1780). Médecin, il composa des *glees* et des
*catches*.

**IRELAND John**. Compos. anglais (Bowdon 13.8.1879–).
Elève du *Royal college of mus.* (Sanford), il y fut ensuite
professeur ; il fut mobilisé pendant la guerre de 1914,
mais, à la différence de la plupart de ses contemporains,
sa musique reste toujours vivante ; sa 2ᵉ sonate de violon
est remarquable en ce sens que la seconde édition en fut
épuisée avant que la première ait paru : le jugement
du public anglais s'est révélé bien fondé, car l'œuvre
est restée unique dans son langage si original ; *I*. est
l'un des rares compos. anglais qui ait été attiré par
le piano et capable d'écrire pour cet instrument : sa
sonate de piano est une œuvre de grande envergure,
profondément méditative, et son concerto de piano,
beaucoup plus tardif, est tout à fait à l'opposé, plein de
charme et de délicatesse, écrit d'une plume légère et
preste : il a d'ailleurs été joué plus qu'aucun autre
concerto anglais ; ce sens du piano a non moins marqué
ses sonates à 2 pianos, d'une écriture tout à fait remarquable ; ses nombreuses pièces pour piano, tels *Amberley*

*Wildbrooks*, *Soho forenoons*, *April* — trois parmi tant d'autres — exigent une étude attentive dont on est d'ailleurs largement récompensé ; ces titres démontrent qu'*I.* est un compositeur objectif ; on a dit parfois que son écriture était trop dense, qu'il ne laissait jamais un doigt en repos : s'il est vrai que l'écriture *a l'air* d'être touffue, en fait elle est parfaitement claire ; d'un autre côté, une œuvre telle que la tardive *Sarnia* est quelque peu ravélienne. *I.*, qui s'est entièrement consacré pendant de longues années à la composition et vit au fond de la campagne, a très peu écrit pour orchestre : cinq œuvres, avec un *Concertino pastorale* pour cordes et deux arrangements de mouvements d'*A Dowland suite*, déjà écrite pour cuivres. C'est un fidèle représentant de la tradition anglaise : sa magnifique partition de *These things shall be* et ses nombreuses œuvres de mus. de chambre s'insèrent parfaitement dans le style anglais ; ses mélodies furent fort appréciées aux environs de 1920 et le sont toujours. Evidemment la difficulté technique de ses pièces de piano fait que certaines d'entre elles, pourtant fort belles, sont rarement jouées, mais d'autres, telles *I have twelve oxen*, *Sea fever* et *Spring's awakening*, sont bien établies dans le répertoire. Principales œuvres : *The forgotten rite*, *Mai-Dun*, les ouvertures *London* et *Satyricon*, *Epic march*, concerto de piano, *Legend* (p. et orch.), *Concertino pastorale* (cordes), 2 sonates de violon, des sonates pour vcelle et clarinette, 1 de piano, 3 trios avec piano, de nombreuses pièces de piano, des cycles de mélodies, des mélodies, de la mus. d'orgue et d'église. Voir J. et W. Chester, *J.I.*, Londres 1923 ; N. Towsend, *The achievment of J.I.*, dans *ML*, *XXIV*, 1943 ; P. Crossley-Holland in Grove et MGG.        N.D.

**IRETSKAÏA** (*Ireckaja*) **Natalia Alexandrovna.** Cantatrice et pédagogue russe (1845-1922), qui étudia au cons. de St-Pétersbourg (1864–1868) et à Paris chez Pauline Viardot, prof. au cons. de St-Pétersbourg de 1874 à sa mort, l'un des personnages les plus marquants de l'art vocal russe.

**IRIARTE Tomás de.** Écrivain et mus. esp. (Puerto de la Cruz de Orotava, Canaries, 18.9.1750-Madrid 17.9.1790). Appartenant à une famille de lettrés, il fut traducteur officiel au secrétariat d'Etat à Madrid et archiviste du conseil de la guerre (1776) ; ami d'A.R. de Hita, il fut un musicien précoce, enthousiaste de Haydn et de Gluck ; son grand poème didactique, *La música* (Madrid 1779, trad. franç.: Grainville, Paris 1799) fut fort célèbre, dans le monde entier : il y cite des théoriciens comme Zarlin, Rameau, Martini, défend la mus. espagnole, ses *tonadillas* et son chant populaire, fait un tour d'horizon des musiciens de son époque ; il composa un mélodrame : *Guzmán el Bueno* (Cadix 1790, Madrid 1791, bibl. mun. de Madrid), dont des fragments ont été publiés par J. Subirá, et un *Canon de sociedad* (s.d.) ; le reste de ses œuvres a été perdu. Ses *Fábulas literarias* (ibid. 1782) sont du répertoire scolaire espagnol. Voir E. Cotarelo y Mori, *I. y su época*, ibid. 1897 ; J. Subirá, *El compositor I.*, Barcelone 1949-50.

**IRINO Yochirō.** Compos. japonais (Vladivostock 13.11.1921-). Elève de l'univ. de Tokio, de Saburo Moroi, il fonda le groupe *Shinseika* (1946), enseigne la composition au cons.-Tōhō à Tokio ; il a écrit une double-concerto pour piano et violon, une *Sinfonietta* et des *ricercari* pour orch. de chambre ; il a adopté la dodécaphonie depuis 1951 (concerto de chambre pour sept instr.) ; il a publié *Ijûnion no Ongaku* (1953) et des traductions en japonais de livrets ou textes allem. contemporains.

**IRLANDAISE** (*Musique*). Il ressort de la lecture des manuscrits médiévaux que la musique tenait une place importante dans la vie des Irlandais de l'antiquité : elle accompagnait les banquets et les cérémonies, tout comme les séances de sorcellerie, et nombre de légendes citent des harpistes. Les instruments les plus courants aux époques reculées étaient la harpe quadrangulaire à 5 ou 6 cordes (représentée sur la croix de pierre de Castledermot, dans le comté de Kildare), le *tympan*, le *fidil* (instruments à cordes joué avec un archet), et le *píopaí* (cornemuse), l'instrument des pauvres. Les instruments de musique militaire étaient le *corn* (cor),

le *stoc* et le *sturgan* (sortes de trompettes). La harpe triangulaire, représentée en image depuis le XIe s., semble avoir été introduite en Irlande par les envahisseurs nordiques. Sous sa forme irlandaise, ses cordes n'étaient pas en cuir ou en crin de cheval, elles étaient métalliques : fer, argent ou bronze ; sa taille variait du petit *ocht-tedach* (instrument à 8 cordes, qui se suspendait à la ceinture et dont on se servait pour accompagner les chants) au grand et sonore *clairseách*, dont le plus ancien spécimen conservé se trouve aujourd'hui à la bibliothèque du *Trinity College* à Dublin : c'est la harpe dite de Brian Boru, qui a 30 cordes et date du XIIIe s.

*Musique d'église.* Il y a lieu de croire que les chants religieux ont été introduits au Ve s. en Irlande par st Patrick lui-même ; contrairement à la croyance générale, ces chants n'étaient pas romains, mais gallicans, ceux qu'on chantait en Gaule jusqu'au VIIIe s. Les chants romains semblent avoir été inconnus en Irlande jusqu'à l'invasion normande et l'établissement de l'ordre anglais et continental. Bien qu'il y ait eu, du VIe au Xe s., de grands centres d'érudition et que des moines irlandais aient parcouru en missionnaires toute l'Europe occidentale, il y a peu de preuves à l'appui de la thèse de Grattan Flood et autres, selon laquelle ils auraient joué un rôle dans le développement de la musique d'église occidentale. Lorsque Peter Wagner, qui fait pourtant autorité, parle du neume « irlandais anglo-saxon », il fait preuve de fantaisie en ce qui concerne l'hypothétique provenance irlandaise de ce type de neumes. La première notation musicale qui ait été relevée dans un manuscrit irlandais se trouve dans le missel de Drummond : il date du XIe s. ; certaines parties de la messe chantée y sont neumées, notation qui est l'origine de notre système de notation musicale d'aujourd'hui. Il reste que le missel de Drummond est en réalité un missel romain, adapté pour l'usage local, et aucun des chants si fréquemment cités dans la littérature médiévale irlandaise n'a encore été découvert. — Sur le continent, la musique polyphonique commença à se développer dans les monastères et les églises dès le début du moyen-âge ; mais en Irlande la conquête normande, le conflit entre les coutumes locales et celles des envahisseurs, et surtout les guerres, les occupations et persécutions que subit le pays pendant des siècles empêchèrent la musique d'église d'évoluer normalement. Les manuscrits de liturgie musicale qui ont survécu sont tous empreints des traditions des maisons anglaises, anglo-normandes ou continentales qui régnèrent sur l'Irlande à partir du XIIe s.

*Musique de harpe.* En dépit de cela, pendant toute la période du moyen-âge, la tradition musicale autochtone, continua à fleurir surtout en ce qui concerne la harpe. Des écrivains comme Giraldus Cambrensis au XIIe s., Dante au XIIIe et Galilée au XVIe, vantent l'excellence des harpistes irlandais, et nombre de virtuoses sont cités dans les annales. A la cour des princes et des seigneurs, des poèmes composés par le *file* ou *barde* étaient récités ou chantés par un *reacaire*, accompagné par un *oirfeadach* (harpiste). Le harpiste professionnel était considéré, au terme des lois de Brehon, comme un *bo-aire* (homme libre, non-noble, propriétaire payant une rente) : et c'était le seul musicien soumis à l' « *honor price* », amende supplémentaire en cas de dommage, payable en raison de son rang.

On sait malheureusement peu de choses sur le genre de musique jouée par ces harpistes. Le mètre des longs poèmes panégyriques récités ou chantés dans les salons de l'aristocratie était si complexe qu'il est impensable qu'ils se fussent prêtés à une mise en musique, au sens où nous l'entendons. Il est possible que la partie principale du poème ait été chantée sur une seule note, ponctuée d'inflexions mélodiques cadentielles, comme une psalmodie, soutenue par des accords de harpe : la survivance d'une semblable exécution est attestée à Mayo aussi tardivement que le XVIIIe s.

— En ce qui concerne la musique de harpe elle-même, un manuscrit gallois du *British Museum* (*Add. MS.14905*), datant du XVIIe s., transcrit d'un manuscrit plus ancien et supposé reproduire de la musique de harpe galloise du moyen-âge, peut donner quelque idée de la musique irlandaise, les traditions galloise et irlandaise en cette matière étant très proches l'une de l'autre. Arnold Dolmetsch a déchiffré la tablature dans laquelle ce manuscrit est écrit, et certaines parties de la transcription ont été jouées et enregistrées, révélant un style musical différent de tout autre connu : essentiellement harmonique de nature, cette musique comporte de curieuses formations d'accords et crée une atmosphère lointaine, d'un autre monde, avec des moyens techniques nettement impressionnistes. Bien des aspects de ce manuscrit restent cependant problématiques, et notre connaissance effective de la technique de la harpe en Irlande se limite à quelques éléments : les cordes métalliques, pincées par les ongles longs et crochus du harpiste, donnaient un son doux et argentin, très différent du son plus grave des cordes de boyaux. Pour lutter contre l'excès de vibration, on devait étouffer chaque corde avant de pincer la suivante, ce qui impliquait une technique si difficile dans les passages rapides que le joueur ne pouvait la posséder qu'à condition d'avoir débuté dès l'âge le plus tendre. On jouait de la harpe de haut en bas, non de bas en haut comme aujourd'hui, et il semble qu'on doublait fréquemment à l'octave la ligne mélodique. En général, on jouait fluide, délicat, très orné.

*Déclin de la harpe.* Pendant toutes les guerres du XIVe et du XVe, et pendant une partie du XVIe s., les harpistes continuèrent à pratiquer leur art. Des mesures de répression furent périodiquement prises contre eux et contre les poètes pendant plus de trois siècles — depuis l'entrée en vigueur de l'acte de Kilkenny en 1367 jusqu'au règne de Guillaume d'Orange ; de telles mesures (sauvagement appliquées) visaient avant tout les divertisseurs ambulants, qui avaient souvent une activité politique, plutôt que les harpistes patronnés par la noblesse. Après la bataille de Kinsale (1601) et la disparition du vieux régime gaélique, la musique de harpe commença à décliner. Les familles qui avaient protégé les harpistes furent pour la plupart mises hors la loi, leurs terres, confisquées ; les colons qui prirent la suite ne soutenaient pas l'art indigène, et l'art de la harpe, de privilégié qu'il avait été, tomba à un humble rang. A la grande époque des ménestrels du moyen-âge, le poète, le chanteur ou récitant et le harpiste constituaient trois spécialistes, dont l'union était nécessaire pour exécuter la poésie ; dorénavant, ils ne feront plus qu'un. En même temps, la poésie et la musique ésotériques des bardes, aussi incompréhensibles aux *nouveaux riches* qu'au simple peuple, ce dernier étant devenu le seul soutien des harpistes, firent place à la poésie populaire et à des airs folkloriques : bien entendu, ce genre de musique avait coexisté avec l'art des bardes, plus ancien, mais c'est lui qui devint désormais le principal moyen d'expression.

*Carolan.* Grâce à la période de calme relatif qui suivit le traité de Limerick (1691), les conditions devinrent plus favorables à l'essor de la musique, et la noblesse rurale, y compris les quelques familles du pays qui n'avaient pas été dépossédées, se prit à cultiver la musique européenne autant que celle du pays : c'est pendant cette période que vécut le dernier et le plus grand des poètes-harpistes, Turlough Carolan (1670-1738) qui composa des centaines de chansons, principalement en l'honneur de ses protecteurs irlandais ou anglo-irlandais, chez qui il allait au cours de ses pérégrinations : le poète-compositeur aveugle donnait leurs noms à ses chansons et les chantait en s'accompagnant à la harpe ; gaies, pleines d'humour ou élégiaques, elles témoignent d'un tempérament très souple, tantôt composées dans le style traditionnel et fondées sur des gammes défectives, tantôt nettement influencées par la musique italienne de l'époque que Carolan avait pu entendre dans les salons de ses protecteurs. Une collection partielle de ses chansons fut publiée à Dublin vers 1720 par John et William Neale : c'est le plus ancien spécimen d'édition musicale en Irlande qui ait survécu. (1).

(1) *Cf.* la biographie monumentale de Carolan, publiée par Donal O'Sullivan, *Carolan, his life and times* (Londres 1958), contenant quelque 200 chansons.

Les harpistes qui vinrent après Carolan ne furent plus guère que des exécutants ; leur nombre ne cessa pas de diminuer, et ils vécurent la plupart du temps dans l'indigence. Si le changement des conditions sociales fut responsable du destin des harpistes, le déclin de la harpe elle-même, instrument qui avait été le préféré des amateurs au siècle précédent, s'explique par sa difficulté technique, si on la compare aux instruments à clavier ; en outre, instrument diatonique, elle ne pouvait satisfaire aux besoins toujours croissants de modulations et de chromatisme, comme le firent le clavecin, le violon et (lorsqu'il parut à la fin du XVIIIe s.) le piano.

*Le festival de harpe de Belfast.* Avant que les derniers vestiges de la tradition aient disparu complètement, une tentative fut faite pour les maintenir : ce fut l'organisation des festivals de harpe à Granard, de 1781 à 1785, et à Belfast en 1792. Lors de ce dernier festival, Edward Bunting, organiste à Belfast, nota les airs joués par les harpistes et les publia dans ses trois volumes intitulés *Ancient music of Ireland*, la première collection importante de musique traditionnelle. Malheureusement son système de notation était fort primitif : pour les chansons, ne sachant pas l'irlandais, il ne put noter que la musique sans les paroles ; pour les airs de harpe, il ne fit aucune distinction entre ce qui était chanté et ce qui était joué, et les transcriptions de musique de harpe traditionnelle qui constituent son volume de 1840, sont à peu près toutes des arrangements pour piano, fabriqués à partir d'éléments purement mélodiques qu'il avait notés longtemps avant. En dépit de ses lacunes, la collection de Bunting est un ouvrage remarquable pour le temps : elle reste la principale source des rares informations que nous avons sur l'art de la harpe irlandaise.

*La tradition de la chanson populaire.* A la fin du XVIIIe s., elle était encore vivante dans les campagnes : d'innombrables chansons étaient en usage, avec des paroles nouvelles que l'on écrivait sans cesse sur les plus connus. Tant que l'irlandais demeurait la langue de la majorité des gens, cette tradition pouvait se maintenir en face de la popularité croissante de la ballade anglaise, car des chansons populaires anglaises, comme celles de Charles Dibdin, furent en vogue en Irlande dès le début du siècle. Mais, avec la suppression de l'irlandais dans les écoles et l'abandon progressif de la langue vernaculaire au cours de la deuxième moitié du XIXe s., la tradition de la chanson populaire subit peu à peu un déclin analogue à celui de la harpe.

*Les mélodies de Moore.* De 1808 à 1834, le poète Thomas Moore publia une série de dix volumes d'*Irish melodies*, mélodies prises dans les collections de Bunting et de Holden, auxquelles le poète avait adapté ses admirables : elles connurent une immense popularité ; c'est grâce à elles que les chansons irlandaises furent connues des gens des villes, pour qui le chant traditionnel était jusque-là resté lettre morte, et pénétrèrent en Angleterre et à l'étranger. Sans les *Melodies* de Moore, en plein abandon de la langue irlandaise, la majorité des gens auraient perdu tout contact avec leur musique propre. Néanmoins ces mélodies, élégantes, nostalgiques et sentimentales, étaient fort loin du chant traditionnel et de sa beauté spécifique ; ce chant continua à décliner, sauf dans les parties les plus reculées du pays.

*Les collections de chansons populaires.* Il est heureux qu'au XIXe s. un certain nombre de chercheurs se soient efforcés de rassembler ce qui restait de cette riche réserve de chansons ; les plus connus sont William Forde, John Edward Pigot (dont les collections sont restées presque toutes en manuscrits), Georges Petrie et Patrick Weston Joyce. Cependant la transcription des chansons populaires ne peut jamais être qu'une réussite partielle, surtout lorsqu'il s'agit de ce style libre, non mesuré, habituel chez les chanteurs traditionnels de l'Irlande : les procédés de notation si limités qu'emploient le ban et l'arrière-ban des collectionneurs sont d'ordinaire peu aptes à reproduire les mètres irréguliers, les subtiles nuances rythmiques et les particularités d'intonation dues à la survivance d'autres gammes, toutes choses qui sont partie si essentielle de la tradition. Les premiers collectionneurs ignoraient trop

Nellí Bhán

Ó's a Nel - li Bhán 'stú grádh liom,      'Stú cuis - le geal mo chroidhe, Leig mo

lámh ar   do bhrághaid ghil, Nó ní   mhair-fidh me beo mí.   Do Shnámh-fainn féin an t Siúir leat,   'San

Sion-ainn mhór 'do dhiaidh,   Ó,   rug   tú an bárr an   lá   úd   Ó mhnáibh deas - a Loch a Riabhaigh.

souvent les modes dans lesquels ces airs avaient été composés, si bien que les armures, les accidents, voire les changements apportés pour rendre ces airs « conformes aux lois de l'harmonie » ont été, dans une certaine mesure, imputés à la musique traditionnelle, en tant qu'on les trouvait dans les collections. Des méthodes aussi savantes et scrupuleuses que celle de Martin Freeman dans sa *Collection Ballyvourney* (*Journal of the irish folk society*, 6e vol.) sont rares. En matière de chant populaire, le moyen de conservation idéal est bien entendu d'enregistrer et de transcrire : c'est cette méthode qu'emploie l'*Irish folklore commission*, qui a recueilli quelque 3.000 chansons populaires, dont un grand nombre sur disques. Pris dans son ensemble, le *corpus* de la musique populaire irlandaise qu'on a pu préserver est généralement considéré comme un des plus variés et des plus beaux du monde : on y trouve de tout, airs à chanter, complaintes, chansons gaies, rudes, sauvages ou impétueuses, récits élégamment construits, chants religieux, berceuses, airs à boire, chansons de métiers, de soldats, tout cela avec une grande variété de ton et de structure (les structures simples et symétriques aussi bien que les trames les plus complexes). Aussi incroyable que cela puisse paraître, il n'existe aucune référence précise à la danse dans la littérature irlandaise ancienne : la musique de danse — *reels, jigs, horn-pipes, set-dances* — est d'origine relativement récente.

*Le conflit des traditions : la musique anglo-irlandaise.* La musique populaire irlandaise, contrairement à celle des pays où elle suit un cours normal, ne s'est jamais incorporée à une tradition de musique plus large : la raison en est qu'un abîme, dans les domaines politique, social et religieux, exista pendant des siècles entre la chanson spontanée de langue vernaculaire, qui était l'expression naturelle du peuple irlandais, et la tradition musicale purement anglaise des citadins amateurs de musique. Dès l'invasion normande, une culture musicale commença à se développer dans le Pale (la colonie anglaise autour de Dublin) et dans d'autres centres soumis à l'influence anglaise ou anglo-normande, qui avaient peu de contact avec la musique des autochtones. Les archives contiennent essentiellement de la musique d'église, et des manuscrits comme le psautier de la *Christ Church* (XIVe s.) témoignent de la tradition anglo-normande de la cathédrale St-Patrick et de la *Christ Church* à Dublin. Il semble cependant qu'il y ait eu peu d'activité créatrice à cette époque, certainement rien de comparable à l'école polyphonique qui s'épanouit en Angleterre du XVe au XVIIe s. Dans les villes, la musique profane semble avoir également suivi un modèle anglais : il est significatif que six des *cantilenae* composées au XIVe s. par Richard Ledrede, évêque d'Ossory, pour des festivals ou autres circonstances, destinées aux chanteurs de la cathédrale de Kilkenny, aient été destinées à être chantées sur des airs anglais (deux sur des airs français) ; à Kilkenny comme ailleurs, des décrets interdisaient aux Anglais de parler la langue des « *wilde Irishrie* », et la musique, comme la langue, a dû tomber sous le coup de cette proscription. Les vicissitudes de la musique d'église anglo-irlandaise s'expliquent aisément par les guerres du XIVe s., la situation confuse et incohérente de l'organisation religieuse au XVe s. et la confiscation massive des biens monastiques au XVIe s. Aux vieux conflits qui opposaient l'église locale à l'étrangère vinrent s'ajouter ceux qu'engendra la Réforme : après la Réforme, on importait fréquemment des organistes et des chantres anglais : deux célèbres madrigalistes de l'école anglaise furent nommés organistes de la *Christ Church* à Dublin, John Farmer, de 1596 à 1599, et Thomas Bateson, de 1608 jusqu'à sa mort en 1630. Sous le régime de Cromwell, la musique d'église fut interdite, les orgues, enlevées ou détruites, et, dans quelques cathédrales, les offices étaient même réduits à la dimension de ceux d'une simple paroisse.

*La musique à Dublin.* Vers la fin du XVIIe s., après que le tumulte des soulèvements jacobites se fut apaisé, les choses devinrent plus stables, et la musique anglo-irlandaise entra dans une période de prospérité qui permit à Dublin de devenir un des centres d'activité musicale les plus actifs d'Europe. De nombreuses sociétés de musique se constituèrent, comme l'*Hiberian catch club* (la plus ancienne du genre à subsister de nos jours), tandis que les concerts de charité, les « *benefit* » *concerts*, et les représentations d'opéras-ballades devenaient à la mode. En 1730, l'Académie de musique de Dublin fit construire la *Crow street Hall* « pour la pratique de la musique italienne », et, en octobre 1741, on inaugura la *New Musick Hall* de Fishamble street : c'est là que, le 23 décembre de la même année, G.F. Haendel donnait le premier de la série de concerts à Dublin et que, le 8 avril 1742, la 1re audition du *Messie* eut lieu, qui déchaîna un enthousiasme sans précédent. La venue de Haendel fut suivie de celle de Th. A. Arne, qui présenta entre 1742 et 1744 son masque *Comus* et son opéra *Rosamund*, et donna les premières auditions de son oratorio *La mort d'Abel* et de sa sérénade *Masque d'Alfred*, au Théâtre royal de *Smock alley*. Le grand violoniste F. Geminiani a donné des concerts et enseigné à Dublin de 1733 à 1740. Son élève, Matthew Dubourg, y dirigea l'orchestre du vice-roi de 1728 à 1765 : il avait eu le privilège d'assister à la première du *Messie* aux autres concerts de Haendel à Dublin. En 1764, G.C. Wellesley, 1er *earl* de Mornington (père du duc de Wellington), compositeur de musique d'église et de *glees*, fut nommé à la chaire de musique nouvellement créée à l'université de Dublin.

A la fin du XVIIIe s., Dublin possédait 10 marchands de musique (dont certains étaient éditeurs), 8 fabricants de pianos et clavecins, 3 luthiers et 2 organiers ; certains membres de l'aristocratie anglo-irlandaise formaient des orchestres et pratiquaient la musique de chambre : c'est l'âge d'or des protecteurs de la musique prise comme fonction sociale ; les compositeurs ne manquaient pas non plus : citons Lord Mornington et Philip Cogan. *Le XIX*e *s.* Après l'entrée en vigueur de l'Acte d'union (1800) et l'abolition du parlement irlandais, Dublin perdit presque complètement son rôle de centre d'activités sociales et politiques, et la fonction de mécénat de la noblesse déclina. Au XVIIIe s., la capitale avait été le pivot de l'activité musicale et attiré d'éminents musiciens anglais et continentaux. Au XIXe s., les noms dignes de mention sont ceux d'Irlandais qui vécurent et travaillèrent à l'étranger, comme le pianiste John Field (1782–1837), né à Dublin, compositeur de nocturnes et de concertos de piano, le premier auteur irlandais qui ait conquis une réputation internationale, M.W. Balfe (1808–1870), né lui aussi à Dublin, auteur de *The bohemian girl*, W.V. Wallace (1813–1865), né à Waterford et auteur de *Maritana* et de *Lurline*, et nombre d'autres, moins importants, comme Th. S. Cooke, W. Rook et G.A. Osborne. Cependant, la musique reprenait pied à Dublin, témoin la fondation de plusieurs sociétés chorales et symphoniques : la première, les *Sons of Handel* fut fondée par Francis Robinson en 1810, la seconde, l'*Ancient concerts society* par Joseph Robinson, fils de Francis en 1834 : elle dura jusqu'en 1863. Pour l'exposition internationale de Dublin en 1851, J. Robinson forma une chorale et un orchestre avec mille exécutants. En 1856, une autre société, la *Philharmonic* donna la 1re audition en Irlande de la symphonie avec chœurs de Beethoven. Plus tard, le même J. Robinson fonda la *Dublin musical society* qui fonctionna régulièrement de 1876 à 1902, avec chœur et orchestre (environ 300 exécutants). Vers la fin du XIXe s., les principaux musiciens de Dublin étaient Sir Robert Prescott Stewart (1825–1894), organiste de la cathédrale St-Patrick et (un temps) de la *Christ Church*, professeur de musique à l'université de Dublin, auteur de nombre de pièces de musique d'église et d'orgue, et l'Italien Michele Esposito (1855–1929), qui fut nommé professeur de piano à l'Académie royale irlandaise de musique en 1882 et fonda la *Dublin orchestral society*, qu'il dirigea de 1899 à 1914 : chef d'orchestre, compositeur, pianiste, professeur, ce fut la figure la plus marquante du monde musical à Dublin pendant près d'un demi-siècle. — A Belfast, la Société philharmonique, fondée en 1874, fut la base des manifestations musicales : sa chorale et son orchestre (dirigés par Sir Robert Stewart de 1877 à 1890, par Godfrey Brown de 1913 à 1950) donna des séries régulières de concerts d'abonnement au cours desquels des compositeurs comme Edward Elgar, Granville Bantock, John Ireland et Ralph Vaughan Williams dirigèrent eux-mêmes certaines de leurs œuvres majeures.

*Stanford, Harty, Moeran.* Charles Villiers Stanford (Dublin 1852–Londres 1924), élève de Sir Robert Stewart, et Hamilton Harty (comté d'Antrim, 1880–Londres 1941), élève d'Esposito, furent les deux musiciens irlandais les plus éminents de leur temps, bien que, comme la génération précédente, ils eussent quitté l'Irlande fort jeunes pour résider en Angleterre ; l'un et l'autre furent anoblis pour leurs mérites musicaux. Avec son immense production et son rôle d'éducateur de toute une génération de compositeurs anglais, Stanford appartient à l'école anglaise ; néanmoins il paya son tribut à la musique populaire de son pays en éditant les *Moore's irish melodies* et la *Petrie collection of irish music*, en composant *Irish symphony* et ses cinq *Irish rhapsodies*. Quant à Harty, il fut un des grands chefs d'orchestre de son temps ; son œuvre vaut par la virtuosité de son orchestration plus que par son mérite intrinsèque, bien que son poème symphonique *With the wild geese* et son *Irish symphony* subsistent au répertoire. — La tradition de Stanford et de Harty a marqué dans une certaine mesure le compositeur Ernest John Moeran (1894–1950), d'origine irlandaise, dont la *symphonie en sol mineur* et le *concerto de violon*, ses œuvres principales, doivent beaucoup de leur inspiration au folklore irlandais et au paysage du littoral du comté de Kerry, où elles furent composées pour la plupart.

*Les développements modernes.* Si l'organisation générale de la musique en Irlande est loin derrière les autres pays, la cause en est, avant tout, les soubresauts de son histoire. Après la 1re guerre mondiale, c'est la radio qui apporta quelques progrès : *Radio Eireann* entretient un orchestre de 65 exécutants, qui joue deux fois par semaine au *Phoenix Hall* de Dublin ; les programmes musicaux relayés par Athlone, Dublin et Cork, constituent la principale source musicale du public irlandais. La *B.B.C.* de Belfast joua un rôle essentiel dans le renouveau de l'intérêt musical en Irlande du Nord, mais son orchestre symphonique fut dissous dès le début de la 2e guerre mondiale. Outre les émissions radiophoniques, des récitals sont donnés chaque semaine, pendant la saison, par des artistes de réputation internationale, sous l'égide de la *Royal Dublin society*. La *Dublin grand opera society*, qui donne deux séries de représentations chaque année et qui a fait venir les troupes de l'Opéra-Comique de Paris et de l'Opéra de Hambourg, a remis le genre opéra en honneur. Les principaux festivals de musique sont le *Feis Ceoil*, dont le domaine s'étend à l'ensemble de la musique, et l'*Oireachtas*, festival de musique et de littérature irlandaises, tous deux fondés à Dublin en 1897 : ils sont les modèles de toute une série de festivals et de *feiseanna* analogues qui ont lieu dans le pays chaque année, plus particulièrement en Irlande du Nord. Il existe une chaire de musique à l'université de Dublin, l'université nationale de l'Irlande (dans les collèges universitaires de Dublin et de Cork), et à la *Queen's University* de Belfast. Dublin possède 4 écoles de musique (deux publiques et deux privées), Cork, une, et Belfast point. Dublin manque d'une grande salle de concert, mais Belfast a le très bel *Ulster Hall* et Cork le *City Assembly Hall*. L'important département de la musique de la bibliothèque du *Trinity College*, à l'université de Dublin, possède un grand nombre de manuscrits et le *National Museum* d'Irlande, une excellente collection de harpes et de cornemuses, aussi bien que de clavecins et pianos fabriqués à Dublin.

Les noms les plus cités dans les annales de la musique irlandaise à notre époque sont ceux du célèbre ténor le comte John McCormack (1884–1945), de Vincent O'Brien (mort en 1946), organiste de la pro-cathédrale, de Fritz Brase (mort en 1940), fondateur de l'école de musique de l'armée irlandaise et chef d'orchestre de la *Dublin philharmonic society* de 1927 à 1936, de John F. Larchet, professeur de musique à l'*University College* de Dublin. Le plus éminent expert de la musique populaire irlandaise est Donal O'Sullivan, directeur des études ethnomusicologiques irlandaises à l'*University College* de Dublin. Parmi les compositeurs modernes, citons Herbert Hughes (+ 1937), E. Norman Hay (+ 1943) et Carl Hardebeck (+ 1946) le principal animateur de la renaissance de la chanson populaire irlandaise, John F. Larchet, Frederick May, Arthur Duff (+ 1957), Brian Boydell, Eamonn O Gallchobhair, Reamonn O Frighil, Walter Beckett, Archibald Potter, et, de la plus jeune génération, Seoirse Bodley et John Reidy ; parmi les chefs d'orchestre Michael Bowles, directeur de la musique à *Radio Eireann* de 1941 à 1948, J.M. Doyle, chef d'orchestre de la *Dublin grand opera society* et directeur de l'école de musique de l'armée irlandaise, et Eimear O Broin, chef d'orchestre-adjoint du *Radio Eireann symphony orchestra*.

**Bibl. :** E. Bunting, *The ancient music of Ireland*, vol. 1 et 2, Londres 1706, 1809, vol. 3, Dublin 1840 ; G. Petrie, *The Petrie collection of the ancient music of Ireland*, ibid. 1855 ; E. O'Curry, *On the manners and customs of the ancient Irish*, 3 vol., Londres 1873 ; R.B. Amstrong, *The irish and the Highland harps*, Edimbourg 1904 ; *The journal of the irish folk song society*, Londres 1904–1939 (contient la *Bunting collection of irish folk music and songs*, éditée par Donal O'Sullivan, vol. 22-29) ; W.H. Grattan Flood, *A history of irish music*, 2e éd., Dublin 1906 ; P.W. Joyce, *Old irish music and songs*, ibid. 1909 ; Ch. Miligan Fox, *Annals of the irish harpers*, Londres 1911 ; A. Fleischmann, *Music in Ireland*, Cork 1952.　A.F.

**IRO Otto.** Prof. de chant autr. (Eger 10.8.1890–), élève de G. Adler, qui enseigne depuis 1917 à Vienne, a publié le périodique *Stimmwissenschaftliche Blätter* (1919), *Diagnostik der Stimme* (Vienne 1923), dont l'enseignement a été fécond.

**IRRATIONNEL.** *Valeur i.* : C'est un terme technique récent, qui définit toute valeur rythmique d'un fragment mus., qui n'est pas divisible par la valeur unitaire et

entretient, de ce fait, un rapport « irrationnel » avec
celle-ci ou avec l'un de ses multiples. Ex. : quintolet,
sextolet, nonolet.                             G.A.

**IRRÉGULIER.** Voir art. *pérégrin.*

**IRRGANG Heinrich Bernhard.** Org. allem. (Zduny
23.7.1869–Berlin 8.4.1916), qui exerça à Spandau, Berlin
(*Kreuzkirche, Philharm. Orch., Marienkirche*, à la cath.
et à la cour) et enseigna au cons. Stern et au cons. royal ;
il composa des sonates d'orgue et des mélodies.

**IRUARRIZAGA.** — **1. Juan.** Compos. basque (Yurre
1898–), ecclésiastique, maître de chapelle et org. à la
chapelle du *Santuario del Corazón de María* à Madrid,
auteur de nombreuses compos. de mus. d'église, collaborateur, pour le *Repertorio org. esp.* (Madrid 1930),
de son cousin : — **2. Luis** (Yurre 25.8.1891–Madrid
13.4.1928), également ecclésiastique, prédécesseur de
Juan I. à Madrid, fondateur de la revue *Tesoro sacro
musical*, de l'Ecole supérieure de mus. sacrée (1923–1927),
auteur de plus de 250 œuvres de mus. d'église.

**ISAAC Henricus** (*Arrigo Tedesco, Arrhigus, Ysaac* etc.).
Mus. flamand (v. 1450–Florence 1517). Il a longtemps
passé pour allemand : on croit, d'après son testament
et d'après N. de Pittis, qu'il a été appelé de Flandres
à Florence par Laurent de Médicis ; toujours est-il qu'en
1474 il était à Florence l'élève de Squarcialupi, à qui il
succéda comme org. de la cour des Médicis l'année d'après ;
en 1478, il était maître de musique des enfants de Laurent
de Médicis, en 1480 peut-être organiste à St-Jean, puis
à la cath. de Florence ; après la chute des Médicis, il entra
au service de Maximilien I$^{er}$ à Innsbruck (1494–96),
le suivit à Augsbourg, puis à Vienne (1497) où il eut le
titre de compositeur de la cour impériale : l'empereur
semble lui avoir accordé une grande liberté, puisqu'on
le trouve en séjour à Florence, à Ferrare, à Constance
(où Machiavel le rencontra en 1507) ; après la restauration
des Médicis, il exerça des fonctions diplomatiques au
service de Maximilien à Florence, où il revint en 1512
pour y mourir en 1517 (il fut enterré à l'église *Santa
Maria de Servis* ; c'est Senfl qui lui succéda à la cour de
Vienne), après avoir été pensionné par Julien de Médicis ;
on s'accorde généralement à le reconnaître dans une
peinture de J. Breu, où il est avec L. Senfl (musée
d'Augsbourg), et dans l'autre du palais Pitti attribuée
à S. del Piombo : *Les trois âges de l'homme* (d'après
Prunières, Verdelot y serait également dépeint). Il est un
des plus grands musiciens de son époque, dans tous
les genres, même le monodique, comme en témoignèrent
sa *Monodia in Laurentium Mediceum* et ses *canzoni* de
1488, malheureusement perdus ; il sut faire une remarquable synthèse des styles flamand, italien et germanique.
On a conservé de lui, *Misse Henrici Izac* (Venise 1506),
*Primus tomus choralis constantini* (Nuremberg 1550),
*Id., tomus secundus* et *tomus tertius* (*ibid.* 1555),
qq. 80 chansons (2, 3, 4 v.) dont 22 en allem., 5 en franç.,
10 en ital., 5 en latin, 58 pièces instrumentales (3, 4,
5 parties), 29 de *Hausmusik*, 49 motets dans les recueils
de l'époque, un grand nombre de pièces en mss (faisant
très souvent double emploi avec des imprimés) :
ces mss sont répandus dans toute l'Europe, et un catalogue exact n'en a pas encore été dressé.
Voir A. v. Reumont, H.I., in *MfM*, XIV, 1882 ; La Mara,
*Musikerbriefe aus fünf Jh.*, I, Leipzig 1886 ; E. Bezecny
et W. Rabl, *Choralis Const. I*, ds *DTÖ*, V, Vienne 1898 ;
A. Thürlings, *H.I. in Augsburg (?) u. Konstanz*, ds *DTB*,
III, Leipzig 1903 ; F. Waldner, *H.Y.*, ds *Zs d. Ferd.
f. Tirol u. Vorarlberg*, Innsbruck 1904 ; J. Wolf, *Zur
I.-Forschung*, ds *ZIMG*, VIII, 1906–07 — *I. a Firenze*,
ds *Nuova mus.*, XII, 1907 ; A. von Webern, *Chor. Const.
II*, ds *DTÖ*, XVI, Vienne 1909 ; H. Rietsch, *H.I. u. d.
Innsbrucklied*, ds *JbP*, XXIV, 1917 ; A. Smijers, *Een kl.
bijdrage over Josquin en I.*, ds *Ged. Aang. aan Dr.
Scheurleer*, La Haye 1925 ; P. Blaschke, *Der Choral in
H.I.s. Chor. Const.*, thèse de Breslau, 1926 (dact.), et ds
*KmJb*, XXVI, 1931 ; H. Osthoff, *Zu I.s u. Senfls
deutschen Liedern*, ds *ZfMw*, XIV, 1931–32 ; A. Pirro,
*Hist. de la mus. de la fin du XIV$^e$ à la fin du XVI$^e$*, Paris
1940 ; F. Ghisi, *Le mus. di I. per il « San Giovanni e
Paolo » di Lorenzo il Magnifico*, ds *Rass. mus.*, XVI,
1943 ; K. Jeppesen, *Chor. Const...*, ds *Festskr. til O.M.*

ISAAC

*Début du Credo ms. Munich 53.*

*Sandvik*, Oslo 1945 ; A. Einstein, *The ital. madrigal*,
2 vol., Princeton-Oxford 1949 ; R. Wagner, *Die Choral-
verarb. in H.I.s Choral. Const.*, thèse de Munich, 1950
(dact.) ; L.E. Cuyler, *The sequences of I.'s Chor. Const.*,
ds *JAMS*, III, 1950 ; W. Heinz, *I.s u. Senfls Propriums-
Kompos.*, ds *Hss. d. bayer. Staats-Bibl. München*, thèse
de Berlin, 1952 (dact.) ; A. Krings, *Zu H.I.s Missa
« Virgo prudentissima »*, ds *MmJb*, XXXVI, 1952 ;
B. Becherini, *La canzone « alla battaglia » di H.I.*, ds
Rev. belge de mus., VII, 1953 ; W. Senn, *Mus. ... zu
Innsbruck*, Innsbruck 1954 ; L. Parigi, *Laurentiana ...*, ds
*Hist. mus. cultores*, III, Florence 1954 ; R. Machold,
*H.I. ...*, thèse de Munich, 1954 (dact.) ; G.R. Pätzig,
*Liturg. Grundlagen u. hs. Überlief. v. H.I.s Chorl. Const.*,
thèse de Tübingen, 1956 (dact.) ; C. Sartori, *New and
unpubl. documents*, ds *MQ*, XLIII, 1957 ; F. Feldmann,
*Div. Überl. in I.s Petrucci Messen*, ds *CHM*, II, 1957 ;
Ch. Sandford-Terry in *Grove Dict.* et H. Albrecht in *MGG*.

**ISAACS Edward Maurice.** Compos. angl. (Manchester
14.7.1881–31.7.1953), pianiste-virtuose, aveugle (1932),
directeur des Concerts du mardi dans sa ville natale
(1923–1953), qui écrivit de la mus. de chambre, vocale
et pianistique et publia *The blind piano teacher* (Londres
1945). Voir L. Duck in *MGG*.

**ISACSSON Fredrik.** Org., compos. et critique finlandais
(Vestanfjärd 15.7.1883–), org. à la cath. et dir. du cons.
de mus. d'église de Turku, auteur de 2 symph., de
mélodies etc.

**ISAMITT Carlos.** Compos. et peintre chilien (Rengo
13.3.1886–), élève d'Allende au cons. national de
Santiago ; le folklore des Araucans, auquel il a consacré
de solides études, fournit la base de presque toutes ses
compositions, symph. ou de chambre ; il a publié des
essais sur la musique et sur la peinture et s'est voué
activement à l'enseignement musical.        D.D.

**ISASI Andrés.** Compos. esp. (Bilbao 28.10.1890–Algorta 6.4.1940), élève de Humperdinck (Berlin), qui écrivit dans tous les genres, notamment 2 symph., 1 concerto de piano, 5 quatuors, 1 messe, des mélodies.

**ISHAM** (*Isum*) **John.** Mus. angl. (v. 1680–Londres ... 6.1726), org., qui fut l'assistant et le successeur (1711) de Croft à Londres, puis org. à *St-Andrew* à Holborn, enfin à Ste-Marguerite de Westminster ; on a conservé de lui des *anthems* et une chanson à deux parties.

**ISHIBUE.** C'est littéralement une « flûte de pierre » (Japon ancien). Voir art. *oi-ana-shakuhachi*. E.H.-S.

**ISIDORE** (*Saint*). Évêque de Séville (Carthagène v. 560–Séville 4.4.636). Prototype achevé de l'encyclopédiste médiéval, dont l'œuvre laisse une trace profonde à travers tout le moyen-âge, Isidore recueillit et enrichit l'héritage musical de Cassiodore dans ses *Originum sive etymologiarum libri XX* (inclus dans Gerbert, *Scriptores* I) ; il s'occupe aussi de la musique ecclésiastique, dans son *De ecclesiasticis officis* et sa *Regula monachorum*. D.D.

**ISIMOÏ.** Voir art. *toré*.

**ISLANDAISE** (*Musique*). Dans la culture musicale scandinave, deux groupes se distinguent : le groupe danois-suédois et le groupe norvégien-islandais. Jusqu'au VIIIᵉ s., dans l'Islande, inhabitée, isolée dans le nord et entièrement couverte de glaciers, il n'y eut place ni pour l'homme ni pour les grands mammifères. A la fin du VIIIᵉ s., des moines irlandais se mirent à passer l'été en Islande. Les Normands y firent leur apparition en 860 environ. En 874, des familles norvégiennes émigrèrent pour coloniser ce pays ; vers 900, des Celtes du nord de la Grande-Bretagne se joignirent à eux ; l'immigration cessa aux environs de 930 et, en l'an mil, les habitants de l'Islande furent convertis au catholicisme. Les poèmes (*edda, sagas*) datent des XIᵉ et XIIᵉ s. : c'est l'apogée de la culture *i.*, car, dès le XIIIᵉ s., c'est le début de la décadence. Les chansons populaires anciennes témoignent de cette période. La musique de l'Europe germanique était alors en mode diatonique et rythme libre : les chansons *i.* sont du même type que celles du continent (Flandres et Allemagne du Nord-ouest) ; celles qui ont été conservées sont généralement courtes, la mélodie s'étend sur quelques strophes, le ton lydien ecclésiastique y est très fréquent. Peu de ballades, mais d'anciennes chansons magiques, chantées en fausset, survivent ; on chante aussi à deux voix. L'instrument le plus usuel était le *langeleik*, instrument à cordes mélodiques et plusieurs cordes de bourdon. Voir A. Hammerich, *Studier over i. Mus.*, 1900 ; J. Jonsson, *Sönglist Islendiga*, ds *Vaka*, Reykjavik 1929 ; F.M. v. Hornbostel, *Phon. i. Zwiegsge*, ds *Deutsche If.*, Breslau 1930 ; B. Thorsteinsoń, *Folkelig sang of musik paa Island*, ds *Nordisk Kultur*, Copenhague 1934 ; B.K. Thorolfsson, *Rimur fyrir 1600*, 1934 ; S. Sveinbjörnsson, *Icelandic Folksongs*, Edimbourg-Pentland-Reykjavik 1949 ; P. Mies, *I. Volksweisen u.-lieder*, ds *Deutsche Sängerbundes-Zeit.*, Munchen-Gladbach, sept. 1953 ; J. Helgason, *Norges og I.s digtuing*, Stockholm 1953 ; H. Helgason, *I. Mus.*, ds *Singt u. spielt*, XV, Zurich 1949 — *Das Heldenlied in I. heute*, ds *D. Sängerschaft*, 60/3, Brême 1955 — *D. jüngere Heldenlied in I. ...*, ms. — *Islenzk bjodlög*, *I-VII*, Reykjavik 1940–1953 — art. in MGG. P.C.

**ISLANDSMOEN Sigurd.** Org., prof. et compos. norvégien (Bagn, Valdres, 27.8.1881–), org. à Moss, qui a écrit de la mus. symph. (2 symph.), des oratorios, des messes, 1 *Requiem*, de la mus. de chambre.

**ISLER Ernst.** Org. suisse (Zurich 30.9.1879–26.9.1944). Élève du cons. de Zurich et de la *Berliner Hochschule f. Mus.*, org. et prof. au cons. de mus. à Zurich (1909–42), chroniqueur à la *Neue Zürcher Zeitung* (1902–44), rédacteur en chef de la *Schweizerische Musikzeitung* (1910–29), il publia notamment *Carl Attenhofer* (Zurich 1915), *Max Reger* (ibid. 1917), *Hans Huber* (1923), *Das zürch. Musikleben seit der Eröffnung der neuen Tonhalle* (ibid. 1935–36), et nombre d'articles dans des périodiques. Voir *E.I. zum Gedächtnis*, ibid. 1944 ; W. Schuh in MGG.

**ISNARD.** Famille d'organiers franç. — **1. Jean-Esprit** (Bédarrides, bapt. 22.1.1707–Tarascon ... 3. 1781), moine dominicain, construisit des instr. à Arles, Aix, Marseille, Nîmes, Tarascon, Carpentras, Malaucène, Avignon, Brignoles, Vaison, Valréas, Rodez, Albi, Mende ; son chef-d'œuvre est l'orgue de St-Maximin ; il aurait été le maître de Joseph Cavaillé à Toulouse ; de ses 2 neveux et élèves — **2. et 3. Jean-Baptiste** (Bédarrides 24.6.1726–Orléans 18.8.1800) s'installa à Orléans, et **Joseph** (Bédarrides 5.4.1740–Bordeaux 9.4.1828) collabora avec son oncle et F.H. Clicquot. Voir F. Raugel, *Les I.*, ds *Art sacré*, nº 6 ; N. Dufourcq, *Orgues contadines et orgues provençales*, Avignon 1935 — supplément, Paris 1955 ; P.M.-R.A. Arbus, *Une merveille d'art provençal : le grand orgue de la basilique de St-Maximin*, s.l.n.d. ; J. Brosset, *Silhouettes mus. orléanaises : J.-B.I.*, Blois 1921 ; J. Bonfils in MGG.

ISOUARD     cons. de Paris

**ISNARDI Paolo.** Mus. ital. (Ferrare v. 1525–?) qui fut, semble-t-il, maître de chapelle à la cath. de sa ville natale de 1573 à 1590 et au service d'Alphonse II d'Este ; on lui doit 2 livres de messes à 5 v. (1568, 1581), *Psalmi omnes cum 4 Magnificat* (1569), des lamentations à 5 v. (1572), des messes à 4 v. (1473), des psaumes à 5 v. (1579), des *Magnificat* (4-6 v., 1582), *Missa et motetta* à 8 v. (1594), 2 liv. de madrigaux à 5 v. (1568, 1581), 1 à 6 v. (1581), tous ouvrages édités à Venise, des madrigaux dans les recueils de l'époque. Voir C. Sartori in MGG.

**ISO** (*Yzo*) **Pierre.** Mus. franç. du XVIIIᵉ s., auteur de 2 entrées de ballet pour l'Opéra de Paris (1759), d'un motet *à grand chœur*, de 2 cantatilles ; il prit part à la guerre des bouffons contre Rousseau, en publiant *Lettre sur celle de M. J.-J. Rousseau sur la musique* (1754).

**ISOCHRONE.** Cet adjectif, qui signifie étymologiquement *de même durée*, s'applique à des éléments rythmiques qui ont même valeur, bien qu'ils soient d'écriture différente ; exemples : un triolet qui intervient dans une mesure binaire, un duolet, dans une mesure ternaire etc.

**ISON.** Dans l'ancienne mus. grecque, c'est une note tenue à la quinte du mode par une voix grave, qui sert de bourdon, donc de base à la mélodie. Dans les liturgies orientales, l'usage s'en est continué, mais l'*i.* se tient à la tonique ou à la dominante.

**ISORYTHMIE.** D'une manière générale, ce terme s'applique au fait de la persistance d'un même rythme dans une pièce donnée. On l'applique plus particulièrement, dans l'analyse des motets de l'école polyph. du XIVe s., pour caractériser la structure des ténors de cette époque, faits de cellules rythmiquement identiques, appelées *taleae*, que l'on augmente ou que l'on diminue. L'œuvre de Guillaume de Machaut est la célèbre illustration de cette technique.

**ISOSONIE.** C'est l'égalité sonore. Les courbes d'*i.* donnent en fonction de la fréquence, les énergies des sons de même intensité ; elles sont graduées en *phones* ou en *sones.* **J.M.**

**ISOUARD Nicolas** (*Nicolo*). Mus. franç. (Malte 6.12.1775–Paris 23.3.1818). Destiné par son père à la marine, il lui préféra la carrière musicale : élève de M.A. Vella, d'Azzopardi (Malte), d'Amendola (Palerme), de Sala et de Guglielmi (Naples), il débuta comme compos. à Florence avec son opéra *L'avviso ai maritati* (1794), sous le nom de *Niccolò* : sa carrière continua avec *Artaserse* (Livourne 1794) ; il fut ensuite org. de St-Jean de Jérusalem à La Valette et maître de chapelle de l'ordre souverain de Malte : c'est dans cette ville qu'il composa une série d'opéras pour un théâtre qui s'y était établi ; en 1799, il est à Paris où il devient l'ami et le collaborateur de R. Kreutzer et inaugure son succès avec *Le tonnelier* (1801) ; son apogée se situe en 1810, lors de la représentation de *Cendrillon*, bien que, l'année suivante, *Le billet de loterie*, ait encore été un triomphe ; le retour de Russie de Boïeldieu fit pâlir son étoile, mais lui fit écrire deux de ses meilleures œuvres : *Joconde* (Théâtre Feydeau, 1814) et *Jeannot et Colin* (id., Opéra-Comique) ; ses deux derniers opéras, *Aladin* et *Une nuit de Gustave Wasa*, furent représentés à l'Opéra après sa mort ; on lui doit plus de 40 opéras : *L'avviso ai maritati* (1794), *Artaserse* (id.), *Rinaldo d'Asti* (v. 1796), *Il barbiere di Siviglia* (id.), *L'improvisata in campagna* (1797), *I due avari* (id.), *Ginevra di Scozia* (1798), *Il barone d'Alba chiara* (id.), *Le petit page ...* (en collab. avec R. Kreutzer, 1800), *Flaminius à Corinthe* (id., 1801), *Le tonnelier* (1801), *L'impromptu de campagne* (id.), *La statue ...* (1802), *Michel-Ange* (id.), *Les confidences* (1803), *Le baiser ...* (id.), *Le médecin turc* (id.), *L'intrigue aux fenêtres* (1805), *La ruse inutile ...* (id.), *Léonce ...* (id.), *La prise de Passaw* (1806), *Idala* (id.), *Les rendez-vous bourgeois* (1807), *Les créanciers ...* (id.), *Un jour à Paris ...* (1808), *Cimarosa* (id.), *Cendrillon* (1810), *La victime des arts* (id.), *La fête au village* (1811), *Le billet de loterie* (id.), *Le magicien sans magie* (id.), *Lulli et Quinault* (1812), *Le prince de Catane* (1813), *Le Français à Venise* (id.), *Bayard à Mézières ...* (1814), *Joconde ...* (id.), *Jeannot et Colin* (id.), *Les deux maris* (1816), *L'une pour l'autre ...* (id.), *Aladin ...* (1822, posth.), *Une nuit de Gustave Wasa* (id. 1825), un grand nombre de messes, de motets (d'après Fétis et Eitner), une dizaine de cantates, des airs, des romances etc. Ses filles, *Sophie Nicole* (1809–?) et *Ninette* (1814–1876) furent compositrices et, la dernière, pianiste ; son frère *Joseph* (1794–1863) fut acteur, chanteur (ténor), chef de troupe, enfin inspecteur des monuments historiques de la Seine-Inférieure. Voir E. Wahl, *N.I.* ..., thèse de Munich, Munich 1911 ; M. Briquet in MGG.

**ISOZ Kalman.** Musicologue hongrois (Budapest 7.12.1878–Rakoskeresztur 6.6.1956). De souche française, élève du cons. et de l'univ. de Budapest, docteur avec sa thèse sur la paléographie musicale latine et la notation du codex Pray (1922), secrétaire général du musée national (1920), conservateur de la bibl. Széchenyi, secrétaire de l'Acad. royale de Hongrie, éditeur avec D. Bartha de *Musicologia hungarica* (2 vol., 1934, 1941), il publia notamment *Gesch. d. Philharmoniker 1853–1903* (av. I. Mészaros, Budapest 1903), *Buda és Pest zenei müveloedése 1686–1873* (ibid. 1926), *Magyar Zenemüvek Kölyvészete : Petofi-dalok* (ibid. 1931), *F. Erkel 1810–1893 ...* (Berlin s.d.), un grand nombre d'articles ou contributions à des périodiques ou ouvrages collectifs, sur Liszt en particulier. Voir J.S. Weissmann in MGG.

**ISRAÉLIENNE** (*Musique*). Depuis 1881 environ, la vie musicale en Israël est très influencée par la nouvelle immigration. Le chant populaire subit l'influence de la musique orientale et occidentale. Une nouvelle musique

naquit dans les communautés rurales ou *kibboutz*. En même temps, une vie musicale de type européen se développait dans les villes. Des établissements différents s'efforçaient d'éduquer et d'organiser les groupes séparés de la musique populaire, scolaire et artistique, les cercles musicaux des villes et des campagnes, les jeunes et les adultes. La musicologie et la littérature musicale se tournaient de plus en plus vers les possibilités historiques et ethniques du pays. **1.** *Musique populaire.* L'éveil du peuple juif à l'idée de nation propre, qui trouva sa plus forte expression dans le retour à Sion, fut accompagné d'une intégration des valeurs culturelles propres de la langue et du chant. Le renouveau de la langue et de la littérature hébraïques commença au cours du XIXe s. en Russie avec l'*Haskala*. Une collection de chants populaires des Juifs d'Orient fut entreprise par divers savants et musiciens sous la direction de Joel Engel (1868–1927) qui donna l'impulsion au renouveau de la musique juive en fondant en 1908 à St-Pétersbourg la Société de musique populaire juive. Tandis que celle-ci se limitait dans la *diaspora* au chant hassidique de l'Europe de l'Est, elle fut en Palestine considérablement augmentée par l'adjonction d'un trésor musical judéo-oriental et arabe. Le fonds de mélodies *hassidi* importé en Palestine par les premiers pionniers de 1907 à 1918 fit contrepoids avec bonheur aux chants occidentaux, plus altérés, et contribua avec le chant slave à former le nouveau chant populaire hébreu. Vers 1920, des essais de style mélodique particulier se détournent nettement du système majeur-mineur et de son harmonie. La force et la beauté de la monodie sont retrouvées ; on note l'influence de la danse populaire *horra*. Vers 1930, l'accroissement de la population rurale voit naître une nouvelle forme de chant pastoral qui contient des réminiscences du style de flûte arabe. Comme compositeurs de cette époque, on peut citer : M. Se'ira, J. Schertok, Matitiahu Schelem, J. Walbeh, Sch. Postolski, D. Samburskii, J. Gorochow, E. Amiran, M. Ravina, N. Melamed, N. Nardi. De 1940 à 1950, on assista à un développement des danses populaires (Gurit Kadman) et à l'introduction de mélodies judéo-orientales, notamment yéménites (Sara Levi Tannai). Parmi les jeunes compositeurs, on peut citer Emmanuel Samir, Amitai Ne'eman. Zwi Snonit. En résumé, le chant populaire dans l'Israël moderne (c'est-à-dire depuis 1948) n'est pas unifié. Le contenu rappelle les événements historiques, les expériences de la patrie, la transformation et la libération spirituelle. La facture musicale trahit le contact avec de nombreuses cultures : mélanges de styles dus aux rencontres avec les cultures européennes et afro-asiatique (judéo-espagnole, judéo-yéménite, etc.). A l'époque contemporaine, à côté des chants *sephardis* et slaves, c'est le chant yéménite qui a le plus d'influence. Mais le chant populaire oriental est le plus souvent modifié. On peut noter le rétablissement de certaines fêtes paysannes de l'Ancien testament, oubliées depuis 2.000 ans, comme la fête des arbres (*Tu-beSchwat*, janv.), la fête des premiers fruits (*Bikurim*, Pentecôte) avec leurs cérémonies, chants, jeux et danses. On peut citer parmi les compositeurs de ces cantates populaires et pièces semi-dramatiques (*Massechet*) : Jehuda Schertok, M. Schelem, Nissim Nissimoff, Benyamin Hatulli. Certains musiciens orientaux feront partie de ce cercle musical : le poète-luthiste Ezra Aaron de Bagdad, la musicienne yéménite Sara Lévi. De nouvelles danses, proches de la *horra* et de la debka de Méditerranée orientale, se développèrent. **2.** *Musique artistique.* Les compositeurs ont bien souvent étudié en Europe, puis développé une musique proprement israélienne. Membres de la Société de musique populaire juive comme Joel Engel et successeur de l'école russe, on peut citer le violoncelliste Joachim Stutschewski (1891–), défenseur des mélodies hassidiques, Jizhak Edel, Marc Lavry, élève de Glazounov, qui a écrit des poèmes symph., 1 cantate : *Lied der Lieder*, 1 opéra : *Dan der Wächter* d'un fort accent populaire ; dans le domaine de la symphonie et de la mus. de chambre : Joseph Kaminsky, Aviassaf Bernstein, Verdina Schlonsky, Baruch Kobias et Alexander Wohl. Proches des néo-romantiques allemands et non sans liens avec Debussy, on trouve Abraham Daus (*Seagate Cantata*), Erich Walter

Sternberg (*Dr. Doolittle, Joseph und seine Brüder*). A la génération de 1900 appartiennent Paul Ben-Haïm (*Pastorale variée, Der liebliche Sänger Israels*) et Karel Salomon (*David et Goliath, Das Gelübde*). La génération de 1910, élevée dans les conservatoires européens, est plus proche d'un idéal de musique atonale, néo-classique ou dodécaphonique : on peut rattacher à l'école de Hindemith : Heinrich Jacoby (1901–) et Joseph Tal (1910–), celui-ci, influencé également par J.M. Hauers et la musique électronique (concertos de piano, l'opéra *Saul in Endor, 1re symph.*), à l'école de Bartok et de Kodaly : Oedon Partos (1907–) et Alexander Uria Boscovich (1907–) ; ils se caractérisent par une refonte du patrimoine musical israélien et par un retour au contrepoint sévère du XVIe s. Avec Abel Ehrlich (1915–), auteur de cantates, et Mordechai Seter (1916–) on assiste à un retour aux sources hébraïques et arabes. A l'école française se rattachent Arthur Gelbrun et Menahem Avidom. Parmi les disciples de Schönberg, on peut compter Bernd Bergl, Stefan Wolpe, Herbert Brün, Jejoschua Lakner et Roman Ramati. Parmi les élèves des écoles israéliennes, citons Heinz Alexander, Moshe Lustig, Ben-Zion Orgad, Gari Bertini, Johanan Böhm, Noam Shariff et l'Américain Robert Starer.

**3.** *Education musicale et organisation.* La 1re école (1910) coïncide presque avec la fondation de Tel-Aviv (1909). En 1911, fut créée l'École de musique d'Israël, dirigée par A.Z. Idelsohn, en 1920, la Soc. musicale de Jérusalem, qui devait en vingt ans porter la vie musicale à un haut niveau. 1923 : 1er opéra hébreu de M. Golinkin ; 1929 : création de la Soc. pour la musique nouvelle (M. Sandberg) ; les orchestres et les chœurs se multiplient ; en 1933 fut fondé à Jérusalem le cons. de musique de Palestine (aujourd'hui *Israel Academy of music*) en 1947, une deuxième académie à Jérusalem et de nombreuses autres (Haïfa etc.) ; en 1936, J. Hubermann avait fondé l'Orchestre de Palestine (aujourd'hui : *Israeli Philharminic Orchestra*) qui fut inauguré par Toscanini. Cette même année fut créé Radio Jérusalem qui possède son propre orchestre et des chœurs et qui furent longtemps dirigés par Leo Kestenberg. L'école normale des professeurs de musique qui fournit la plus grande partie des prof. de musique d'Israël date de 1945. Les Kibboutz ont aussi quelques écoles normales (Tel-Aviv, Oranim). On peut noter aussi la grande importance de l'enseignement musical des chœurs populaires scolaires et étudiants qui prennent part à de nombreux festivals nationaux et internationaux.

**4.** *Littérature musicale et musicologie.* Parmi les plus importantes des œuvres de musicologie en langue hébraïque, on peut citer : *La mus. d'Israël*, de Paul Gradenwitz (1934) et les ouvrages de Joseph Tal, M. Ravina, Gerd Benjamin Pinthus etc., l'encyclopédie musicale d'I. Schalita (1951). Le principal éditeur de nouvelle musique i. est P.E. Gradenwitz (*Israeli music publications*). Les musicologues se consacrent aux problèmes ethnomusicologiques et à l'hist. de la mus. juive. Les travaux du pionnier A.Z. Idelsohn (*Thesaurus*, 1910) furent poursuivis par Robert Lachmann et complétés depuis 1947 par Edith Gerson-Kiwi. Depuis 1953, il existe de nouveau des archives phonographiques à l'univ. de Jérusalem. Parmi les autres musicologues, citons H. Avenary, P.E. Gradenwitz, H. Schmueli. Voir A.Z. Idelsohn, *Jewish mus. in its historical development*, N.-York 1929 ; P. Gradenwitz, *The mus. of Israel*, N.-York 1949 – *Mus. and musicians in Israel*, Jérusalem 1951, et art. *Israel* in *Grove's Dict.* ; A.M. Rothmüller, *Die Mus. der Juden*, Zurich 1951 ; M. Brod, *Die Mus. Israels*, Tel-Aviv 1951 ; L. Kestenberg, *The present state of mus. education in the occidental world*, Unesco 1955, 52-58 ; *Musica hebraïca, I-II*, Jérusalem 1938.

**ISSERLIS Julius.** Pian. et compos. russe (Kichinev 7.11.1889–). Elève de Puchalski (Kiev), de Safonov et Taneev (Moscou), prof. à l'Ecole de musique de la Soc. philharm. de Moscou, il s'établit en 1923 à Vienne, puis à Londres et fait des tournées de concerts en Europe et en Amérique : c'est un interprète renommé de Chopin ; il composa 2 poèmes symph. pour p. et orch., de la mus. de chambre et des œuvres pour piano.

**ISTEL Edgar.** Musicologue et compos. allem. (Mayence 23.2.1880–Miami 17.12.1948). Elève de F. Volbach, de F. Barré, de W. Seibert, de G. Adler (Mayence), de L. Thuille et d'A. Sandberger (Munich), docteur avec sa thèse *J.J. Rousseau als Komp. seiner lyrischen Szene Pygmalion* (Leipzig 1901), prof. et critique à Munich, puis à Berlin, il se fixa ensuite à Madrid (1920), puis en Angleterre (1936) et aux Etats-Unis (1938) ; il publia *Das deutsche Weihnachtsspiel u. seine Wiedergeburt aus d. Geiste d. Mus.* (Langensalza 1901), *R. Wagner im Lichte eines zeitgen. Briefwechsels*, 1858–1872 (Berlin 1902), *P. Cornelius* (Leipzig 1906), *Die Entstehung d. deutschen Melodramas* (Berlin 1906), *Die komische Oper* (Stuttgart 1906), *Die Blütezeit d. musik. Romantik* (Leipzig 1909–1921), *Das Kunstwerk R. Wagners* (ibid. 1910–1919), *Das Libretto* (Berlin 1914, 1915), *Die moderne Oper* (Leipzig 1915, 1923), *Das Buch d. Oper* (Berlin 1919, 1920) ; *N. Paganini* (Leipzig 1919), *Revolution u. Oper* (Ratisbonne 1919), *Bizet u. Carmen* (Stuttgart 1927), édita des écrits ou œuvres de P. Cornelius, d'E.T. Hoffmann, de Dittersdorf ; on lui doit 6 opéras, de la mus. de scène, des chœurs et des mélodies. Voir R. Schaal in MGG.

**ISTESSO TEMPO** (L'). C'est une locution ital. couramment employée dans la notation musicale pour prescrire de conserver le même mouvement, en dépit d'un changement de mesure ou d'unité de mesure.

**ISTOMIN Eugène.** Pian. russo-amér. (New-York 1925–), qui fit ses études avec Siloti, Serkin et Horzowski ; après avoir accompagné des artistes comme Adolf Busch, Pablo Casals et autres, il entreprit une carrière de soliste, se produisant aux U.S.A., en Europe, au Japon etc.

**ITALIENNE** (*Musique*). Voir au supplément du présent ouvrage.

**ITIBERÊ da CUNHA LUZ Basilio.** Compos. brésilien (Curitiba 17.5.1896–). Autodidacte, il a enseigné l'ethnographie mus. à Rio de Janeiro et écrit des œuvres inspirées du folklore national, notamment *Momento eufórico* (1951), *Preludio vivaz* (id.), *Salmo CL* (1954), de la mus. de chambre, de piano, des chœurs et des mélodies.

**ITRI Mustapha Bouhourdjou Oglou.** Mus. turc (Constantinople v. 1640–1712), de qui on a conservé une vingtaine de pièces, bien que la tradition lui en attribue un millier (religieuses ou profanes) ; il est tenu pour un des meilleurs compositeurs de son pays.

**ITURBI José.** Pian. et chef d'orch. esp. (Valence 28.11.1895–). Elève à Valence de María Jordán et de José Bellver, à Barcelone de J. Malats, 1er prix des cons. de Valence (1907) et de Paris (1913), prof. au cons. de Genève (1918–23), il a fait une carrière mondiale, tant au piano qu'à la tête de différents orchestres (notamment le *Rochester Philharm. Orchestra* – 1936, et l'orchestre de Valence – 1956) ; on lui doit quelques compositions.

**IVANOV Alexeï Petrovitch.** Baryton russe (1904–), qui étudia au cons. de Leningrad ; il débuta au *Maly Théâtre* de Leningrad (1932–36), chanta aux théâtres de Sverdlovsk et de Saratov ; il fut engagé au *Bolchoï* en 1938.

**IVANOV Andreï Alexeïévitch.** Baryton russe (Kiev 1900–). Engagé au *Bolchoï* (1950), après avoir chanté aux Opéras de Bakou, Odessa, Sverdlovsk, Kiev (1934–1949), il tient les principales parties des opéras russes classiques.

**IVANOV Konstantin Konstantinovitch.** Chef d'orch. russe (1907–). Elève d'un orch. militaire, puis du cons. de Moscou (1937), il fut chef de l'orch. symph. de la radio de 1941 à 1946 ; à partir de cette date, il dirige le Grand orch. symph. de l'U.R.S.S. ; il a réalisé notamment des cycles de concerts consacrés à l'œuvre entière de Tchaïkovsky et Beethoven, et fait des tournées (1949–50) en Tchécoslovaquie, Pologne et Belgique et dernièrement en France.

**IVANOV Mikhaïl Mikhaïlovitch.** Critique et compos. russe (Moscou 23.9.1849–Rome 20.10.1927), qui fut l'élève de Tchaïkovsky, de Dubuc et de Sgambati ; il composa 4 opéras, 1 ballet, 1 symph., 3 suites pour orch.,

1 *Requiem*, de la mus. pour piano et des mélodies ; il traduisit *Vom musikalisch Schönen* de Hanslick et *Historis de Entwicklung der Kammermusik* de Nohl en russe, écrivit un ouvrage en 2 vol. sur l'évolution de la mus. en Russie et des critiques musicales dans le quotidien *Novoje Vremja*.

**IVANOV Nicolaï Kouzmitch.** Ténor russe (Poltava 22.10.1810–Bologne 7.7.1880). Fils de paysan, chantre à la chapelle impériale, il partit pour l'Italie avec Glinka (1830), étudia à Naples et à Milan et s'italianisa complètement ; il débuta à Naples en 1832 dans *Anna Bolena* de Donizetti ; il fit une grande carrière, surtout comme interprète de Rossini (jusqu'en 1845) et se produisit également hors d'Italie, à Paris et à Londres.

**IVANOV Yanis Andréévitch.** Compos. letton (Preilach 9.10.1900–), prof. au cons. national letton depuis 1945 ; *œuvres* : 7 symph., des poèmes symph., 2 quatuors à cordes, des concertos pour vcelle, pour piano, pour violon, des mélodies, de la mus. de film.

**IVANOV-BORETSKY Mikhaïl Vladimirovitch.** Compos. et musicologue russe (Moscou 26.6.1874–1.4.1936), qui fut l'élève de Klenovski et de Rimsky-Korsakov à St-Pétersbourg, de Sountrino et de Falconi à Florence ; fixé en Italie de 1901 à 1905 (Bologne), il étudia particulièrement la mus. ital. des XVI^e et XVII^e s. ; ses recherches musicales sont en général centrées sur la mus. romane ; à partir de 1922, il fut prof. d'hist. mus. au cons. de Moscou ; il composa 4 opéras, 1 comédie musicale, de la mus. p. chœur, de ch. et p. piano, des mélodies ; il collabora en outre à de nombreuses publications russes et étrangères.

**IVANOV-RADKEVITCH Nikolaï Pavlovitch.** Compos. russe (Krasnojarsk 10.2.1904–). D'abord élève des classes de Glière et de Vasilenko au cons. de Moscou, il y est depuis 1930 prof. d'instrumentation et depuis 1952 également celui de l'Institut des chefs d'orch. militaires de l'armée rouge ; il a composé 4 symph., d'autres œuvres pour orch., 1 cantate (en l'honneur de Molotov), de la mus. de chambre et de nombreuses marches et pièces pour orch. militaire.

**IVANSCHIZ Amandus.** Mus. autrichien du XVIII^e s., religieux, qui appartint (1758) au cloître *Maria-Trost* de Graz : c'est, avec Ä. Schenkh et S. Höpflinger, le compositeur le plus important de son époque en Styrie ; on a conservé de lui en mss. 5 messes (4 v., et orch.) entre autres œuvres de mus. d'église, de la mus. de chambre, des *sinfonie* et *divertimenti*. Voir H. Federhofer in MGG.

**IVES Charles.** Org. et compos. amér. (Danbury 20.10.1874–N.-York 19.5.1954). Il est en général considéré comme un autodidacte, son esthétique musicale, issue d'un tempérament de chercheur, justifiant cette qualification ; homme d'affaires, il ne vivait pas de sa musique ; malade à partir de 1918, il abandonna dès 1919 son activité musicale ; on lui doit des œuvres symph., dont 4 symph. (1896, 1897, 1911, 1910–16), chor., 1 quatuor à cordes (1896), 5 sonates de piano et violon (1903–1919), 2 de piano (1902,

1909–15), une centaine de mélodies ; ces œuvres, peu connues, trouvèrent l'approbation de Schönberg. Voir H. et S. Cowell, *Ch. I.*, N.-York 1955 ; N. Slonimsky in MGG.

**IVES Simon.** Org. angl. (Ware, bapt. 20.7.1600–Londres 1.7.1662), qui fut chantre à la cathédrale St-Paul et org. à la *Christ Church* de Londres ; on lui doit des *catches*, de la mus. pour le masque de Shirley : *The triumph of peace* (1634), une élégie : *Lament and mourn* (1648), des pièces instrumentales, des fantaisies pour violes.

**IVIMEY.** Famille de mus. angl. — **1. John** (1790–Londres 1874), fut chef de chœur — **2. Joseph** (Londres 1845–? 1897), fils du précédent, fut org. et prof. — **3. Joseph** (Londres 21.7.1867–Tunbridge Wells 27.8.1948), fils du précédent, fut viol. et chef d'orch. ; — **4. John** (Londres 12.9.1868–), frère du précédent, a été org., prof. et compos. (1 opéra, œuvres symph., mus. de chambre, d'orgue, d'église, mélodies) ; — **5. Walter** (Londres 1878–), frère des précédents, basse, fut *gentleman* de la chapelle royale sous Édouard VII et George V ; leur sœur — **6. Ella** [*Plaistowe*] (Londres 15.12.1883–29.2.1952), fut violon. et pianiste.

**IVOGÜN** (*von Günther*) **Maria.** Sopr. germano-hongroise (Budapest 18.11.1891–), élève d'I. Schlemmer-Ambros (Vienne), qui a appartenu aux Opéras de Munich (1913–26) et de Berlin (1926–33), enseigné à Vienne et à Berlin et fait une grande carrière ; elle est membre de l'Acad. des beaux-arts de Berlin (1956).

**IXILONGO.** C'est une longue trompette, en bambou, à pavillon en corne, utilisée par les Zoulous (Afrique du Sud).                                                                M.A.

**IZBICKI-MAKLAKIEWICZ Franciszek.** Compos. pol. (Mszczonow 1915–Lukow 1939), élève du cons. de Varsovie (K. Sikorski), mort au chant de bataille, auteur de 3 messes, de mus. d'orgue, symph., de chambre, de scène.

**IZTUETA Juán Ignacio de.** Écrivain basque (Zaldibia 1767–1845), qui a laissé un recueil mémorable, *Guipuzkoako dantzak ... Historia de las memorables danzas de Guipuzcoa con sus antiguas melodías y versos — y tambien instrucciones para danzar bien las mismas* (St-Sébastien 1824) ; ce recueil contient 36 danses populaires ; il a également écrit une histoire de la province de Guipuzcoa (*ibid.* 1844). Voir J.A. de Donostia in MGG.

**IZUMO-KOTO.** C'est une cithare, sur caisse oblongue avec table bombée, à 2 cordes et 2 chevilles (Japon) : les tons (32) sont peints sur la table ; l'instrument se joue avec un plectre constitué par une bague de bambou en forme d'ongle et tenu à l'index de la main droite, tandis que les cordes sont arrêtées aux longueurs désirées par le médius de la main gauche, muni d'un anneau de bambou. Variété de *koto* (voir à ce mot) l'*i.k.* fut inventé en 1831 par un prêtre shintoïste qui le fabriqua avec un bambou de la montagne de Yakumo : aussi l'appelle-t-on également *yakumo-koto*. L'instrument, presque oublié aujourd'hui, était très apprécié au XIX^e s. (Izumo, Kyoto et Edo) : il subsiste un répertoire de trente-six morceaux notés en tablature.                       E.H.-S.

**JABADAO.** C'est une danse populaire bretonne, dansée généralement par quatre couples ; le *j.* est composé de deux parties enchaînées, la première étant en forme de ronde sur pas de gavotte et la seconde sur demi-pas de gavotte comportant huit figures au cours desquelles les danseurs, laissant leurs cavalières danser sur place, avancent au centre puis reviennent en faisant pivoter chacune d'elles alternativement. L'air du *j.*, sonné à la bombarde et au *biniou*, est entraînant et animé ; de rythme binaire, il se joue sur un *tempo* rapide ; il est très en vogue en Basse-Cornouaille.                                    C.M.-D.

**JABERA.** C'est une chanson andalouse, à 3/8, qui comporte un prélude instr., une *malagueña* et une *copla*.

**JÁCARA.** La *jácara* ou *jácara entremesada* est un petit intermède théâtral espagnol, mêlé de chansons et de danses, où l'on trouve, pendant le XVII^e s., les caractères qui germeront dans la *tonadilla* scénique du siècle suivant. Il y eut aussi des *jácaras devotas*, semblables aux *villancicos* développés de la même période. On donna aussi le nom de *jácara* à une danse, appropriée pour terminer la *jácara entremesada*, dont on conserve quelques exemples.                                    D.D.

**JACCHINI Giuseppe.** Vcelliste ital. (Bologne...–ap. 30.4. 1727). Membre de la chapelle de la basilique de S. Petronio de sa ville natale (1677), *accad. filarmonico* (1688), il est absent des registres de cette église après le 30.4.1727 ; on lui doit 4 recueils de sonates, 2 de concertos, 1 de *trattenimenti per camera* (3-6 instr., Bologne 1703), des sonates, des symph. et des concertos en mss aux archives de S. Petronio de Bologne ou dans un recueil de l'époque. Voir F. Giegling in MGG.

**JACHET BUUS** ou **J. de GUANT.** Voir art. *Buus*.

**JACHET de BERCHEM.** Voir art. *Berchem*.

**JACHET de MANTOUE.** Il y a eu beaucoup de confusions parmi les musicographes, au sujet des *Jachet*, notamment entre J. Berchem et J. de Mantoue, qui furent à tort tenus pour identiques dès le XVI^e s. : *J. de M.* n'a écrit que de la mus. d'église ; on le trouve sous les noms de *Jacobus Collebaudi*, de *Jachet*, de *Jachetto* ou *Jachettus Gallicus*. Il est né à Vitré, et mort à Mantoue en 1559, où on le trouve cité dès 1527 et où il obtient droit de cité en 1534, année dans laquelle il est nommé *magister puerorum* de la chapelle du cardinal de Gonzague, évêque de Mantoue ; en 1539, il y est devenu maître de chapelle de la cath. ; il suivit son maître dans ses voyages, notamment à Rome ; on lui doit un très grand nombre d'œuvres de mus. d'église : 6 éditions de messes (4-6 v., Paris, Venise, 1554–61), 6 recueils de motets (4-5 v., Venise 1539–65), 2 recueils d'hymnes et d'*orationes* (4-5 v., Venise 1566, 1567), un gd nombre de messes, motets (av. ou sans tablature), psaumes, *Magnificat*,

publiés ds des recueils de l'époque, enfin, en mss, d'autres messes et motets (Vatican, Trévise, Bologne, Milan, Mantoue, Munich, Munster, Zwickau, Lucques, Modène, Padoue, Turin, Vérone, Londres, Cambridge, Bruxelles, Ratisbonne). Voir R. Eitner, *J. da M. u. Jachet Berchem*, ds *MfM*, XXI, 1890 ; K. Huber, *Die Doppelmeister des 16. Jh.*, ds *Sandberger-Fs.*, 1918 ; A.-M. Bautier-Regnier, *J. de M., contribution à l'étude du problème des Jachet au XVI^e s.*, ds *Rev. belge de mus.*, VI, 1952 — art. in MGG. K. Widmaier, *J. v. M. u. sein Mottenschaften*, thèse de Fribourg-en-Brisgau, 1953 (dact.) ; Ch. van den Borren, *Geschiedenis van de muziek in de Nederlanden*, I, Anvers 1948.

**JACHET** (*Giaches*) **de WERT.** Mus. flamand (Anvers ou Weert 1535–Mantoue 6.5.1596). Il fut dans sa jeunesse chanteur de la cour de Maria Cardona, marquise de Padulla, à Naples ; en 1588, il est au service du comte Alphonse de Gonzague à Novellara, où il publie ses premiers madrigaux ; en 1561, il est à Parme, à la cour d'Octave Farnèse (il y est l'élève de Cipriano de Rore) ; en 1563, il est le maître de chapelle de Gonzalvo Fernandez de Cordoue, gouverneur de Milan pour le compte de Philippe II ; en 1564, il va à Mantoue où, l'année d'après, il est cité comme maître de chapelle à la cour : après 15 ans de séjour, il obtient le droit de cité ; c'est d'ailleurs là qu'il mourut, après avoir eu une vie fort agitée par les nombreuses intrigues de la cour des Gonzague ; il est à noter que Monteverdi joua sous sa direction ; son œuvre est celle d'un mus. de cour, et ses dons de madrigaliste sont rares ; on lui doit, impr. : 11 livres de madrigaux (4-6 v., Venise 1558–1595), 5 de motets ou d'hymnes (*ibid.* 1566–90), un grand nombre de madrigaux, motets (av. ou sans tablature), psaumes, et 1 messe ds des recueils de l'époque, en mss : des motets, des messes, des *Magnificat*, des psaumes, des hymnes, des madrigaux (Augsbourg, Bâle, Breslau, Brieg, Dresde, Francfort, Grimma, Liegnitz, Londres, Milan, Modène, Munich, N. York, Nuremberg, Ratisbonne, Vienne, Zwickau). Voir A.-M. Bautier-Régnier, *Jacques de Wert* (1535–1596), ds *Rev. belge de mus.*, IV, 1950 — art. in MGG ; A. Bertolotti, *La musica alla corte dei Gonzaga in Mantova dal sec. XV al sec. XVIII*, Milan 1890 ; I. Bogaert, *Giaches de Wert : zyn betrekkingen met bekende tydgenooten*, ds *Vlaamsch Jaarboek voor muziekgeschiedenis*, II-III, 1940 — *Gedächtnis-Ms.*, 1941 ; P. Canal, *Della musica a Mantova*, ds *Memorie del R. Istituto Veneto di scienze, lettere ed arti*, 21, 1881 ; St. Davari, *La mus. a Mantova*, Mantoue 1884 ; A. Einstein, *Die Anfänge des Vocalkonz.*, ds *AMl*, III, 1931 — *The italian madrigal*, II, Princeton 1949 ; F.X. Haberl, *Das Arch. der Gonzaga in Mantua*, ds *KmJb*, XI, 1886 ; H. Ramazzini, *I musici fiamminghi alla corte di Ferrare*, ds *Archivio storico lombardo*, 1879 ; C. Mac Clintock, *Some notes on the secular music of G. de W.*, ds *Mus. disc.*, 1956.

**JACHIMECKI Zdzislaw.** Musicologue pol. (Lwow 7.7. 1888–Cracovie 26.10.1953). Elève du cons. de Cracovie (Niewiadomski, H. Jarecki), de H. Graedener et d'A. Schönberg (Vienne), docteur de l'univ. de Vienne (1906), où il fut l'élève de Guido Adler, il fut nommé prof. au cons. de Cracovie, puis prof. de musicologie à l'univ. Jagellon (1917) ; il fut également président de la commission musicologique de l'Acad. des sciences pol. ; il a écrit des travaux très estimés, rédigé des contributions et art. sur l'hist. de la mus. pol., et préparé l'éd. de qqs œuvres de musique pol. ancienne ; on lui doit notamment *Wplywy wloskie w muzyce polskiej* (Influences ital. ds la mus. pol., 1911), *Stanislaw Moniuszko* (1921), *Stanislaus Moniuszko and polish music* (ds *The slavonic review*, 1924), *Fryderyk Chopin, zycie i tworczosc* (1926, 1949), *Stanislaus Moniuszko, the polish composer of the XIX th century* (ds *MQ*, 1928), *Frédéric Chopin et son œuvre* (Paris 1930), *Muzyka polska w rozwoju historycznym*, I, en 2 parties (1948–51).

**JACHINO Carlo.** Compos. ital. (San Remo 3.2.1887–). Elève du cons. de Lucques, de H. Riemann (Leipzig), prof. à Parme, Naples et Rome (1927–50), dir. du cons. de Naples (1951–53), inspecteur gén. de la mus. au ministère de l'instruction publique (1954), dir. du cons. de Bogota (1957), il a écrit des opéras, de la mus. symph.

(1 concerto de piano, 1953), chor., de chambre, publié *Lohengrin di R. Wagner* (Milan 1924), *Salome di R. Strauss* (*ibid.* 1924), *Gli strum. d'orch.* (*ibid.* 1950), *Tecnica dodecafonica* (*ibid.* 1948). Voir art. in MGG.

**JACKSON George.** Org. amér. d'origine angl. (Oxford 1745–Boston 18.11.1822), qui fut enfant de chœur à la chapelle royale, puis émigra aux Etats-Unis (1796) où il fut org. et enseigna ; on lui doit de la mus. d'église et 1 manuel intitulé *First principles, or A treatise on practical thorough bass* (Londres 1795).

**JACKSON John.** Org. angl. (?–Wells... 3.1688), qui exerçait en 1674 à la cath. de cette ville ; on connaît de lui des *anthems* et 1 *service*, ds des recueils ou en mss.

**JACKSON Thomas.** Org. angl. (? v. 1715–Newark-on-Trent 11.11.1781), qui fut membre de la Soc. royale de mus., auteur de psaumes, d'un manuel de clavecin.

**JACKSON** (*of Exeter*) **William.** Mus. angl. (Exeter 29.5. 1730–5.7.1803), qui fut notamment org. et maître de chapelle à la cath. de cette ville (1777–1803), tout en gardant d'étroites relations avec la vie mus. de Londres ; on lui doit des *anthems* et des *services*, de la mus. voc., de chambre, des mélodies (impr. ou en mss), des opéras, surtout *Thirty letters on various subjects* (Londres 1782), *Observations on the present state of mus. in London* (*ibid.* 1791), *The four ages, together with Essays on various subjects* (av. une autobiographie, *ibid.* 1798) ; il fut l'ami de Gainsborough. Voir Ch. L. Cudworth in MGG.

**JACKSON** (*of Masham*) **William.** Compos. angl. (Masham 9.1.1815–Bradford 15.4.1866). Fils de meunier, autotidacte, il fut org., chef de chœur et marchand de mus. ds cette dernière ville ; on lui doit de la mus. d'église, voc., 1 manuel de chant. Voir J.S. Smith, *The life of W.J., the miller musician*, Leeds 1926 ; N.M. Temperley in MGG.

**JACOB Benjamin.** Org. angl. (Londres 15.5.1778–24.8. 1829), qui fut notamment org. de la *Surrey Chapel* (1794–1823), après avoir été l'élève de S. Arnold ; il fut un des artisans de la renaissance de Bach en Angleterre ; on lui doit surtout 1 recueil intitulé *National Psalmody* (1817). Voir S. Wesley, *Letters to... Mr. Jacob*, Londres 1875 ; H.F. Redlich in MGG.

**JACOB Georges.** Org. franç. (Paris 19.8.1877–28.12.1950). Elève du cons. de Paris (Guilmant, Widor), org. de la Soc. des concerts (1922), de St-Louis d'Antin et de St-Ferdinand, il a composé de la mus. symph., de chambre, de piano, d'orgue (*Symphonie en 6 parties, Heures bourguignonnes*), des mélodies, et rééd. d'anciens maîtres franç. de l'orgue.

**JACOB Gordon.** Compos. angl. (Londres 5.7.1895–). Elève, puis prof. (1924–54) au *Royal College of mus.*, chef d'orch., il a écrit notamment 2 symph., 3 *Sinfoniettas, Symph. for strings*, 3 suites, 1 *Laudate Dominum* (chœur et orch.), de la mus. de chambre, de film, des ballets, publié : *Orchestral technique...* (Londres 1931), *How to read a score* (*ibid.* 1944), *The composer and his art* (*ibid.* 1956), des art. Voir D. Barlow in MGG.

**JACOB Gunther Wenzel.** Mus. austro-tchèque (Gossengrün 30.9.1685–?21.3.1734). Bénédictin au monastère St-Nicolas de Prague, il y fut org. ; il fut maître de mus. de la comtesse Maria Lažanski, à Manetin, et de Franz Benda (1718) ; on lui doit (impr. ou mss) *Anathema gratiarum actionis perpetuae* (Prague 1714), *Acratismus pro honore Dei* (Nuremberg 1724), *Te Deum* (Prague 1725), *Psalmi vespertini* (*ibid.* 1726), des motets, des messes, des psaumes, 1 cantate ; beaucoup de ses œuvres ont été perdues. Voir R. Quoika in MGG.

**JACOB Maxime** (*Dom Clément*). Compos. franç. (Bordeaux 13.1.1906–). Elève d'Yves Nat (piano), de Charles Koechlin (harmonie) et d'André Gédalge (composition), il est l'ami de Darius Milhaud dès sa jeunesse, puis fait partie de l'école d'Arcueil ; ses compositions reflètent alors les principes de ce groupe : un opéra-comique, *Blaise le Savetier*, une *Sérénade*, une *Ouverture*, une musique de scène pour *Voulez-vous jouer avec moâ* ; il écrit en outre des mélodies sur des poèmes de Musset, Verlaine, Cocteau, René Chalupt... En 1929, *M. J.* se convertit au catholicisme, entre comme novice au monastère des bénédictins d'En-Calcat et devient Dom Clément : il apprend l'orgue sous la direction d'Henri Cabié et de Maurice Duruflé, se consacre à la création d'œuvres religieuses, tout en recherchant l'esprit de la mélodie grégorienne et de la polyphonie palestrinienne ; cette seconde carrière du compositeur fut arrêtée en 1939 pour une courte période pendant laquelle il fut mobilisé ; l'art religieux de Maxime Jacob fut défini par Darius Milhaud : « Pour Dom Clément », dit-il, « la musique est l'émanation même de son cœur et un don de Dieu ». Voir D. Milhaud, *Etudes*, Paris 1947 ; R. Chalupt, *M. J.*, *ibid.* 1927 ; C. Rostand, *La mus. franç. contemporaine*, *ibid.* 1952 ; J. Bruyr, *L'écran des musiciens*, *ibid.* 1930 ; M.-R. Clouzot in MGG.                                      Cl.S.

**JACOB BUUS.** Voir art. *Buus.*

**JACOB-LOEWENSON Alice.** Musicologue israélienne (Berlin 12.7.1895–). Elève de C. Sachs, de L. Kestenberg, de W. Klatte, elle fut d'abord pian., prof. et critique à Berlin (1933) ; de 1933 à 1947, fixée à Tel-Aviv, elle enseigna et se consacra à Bach et aux chants hassidiens ; on lui doit 1 manuel de piano (1942) et des éditions des chants que nous venons de dire.

**JACOB POLAK.** Voir art. *Reys.*

**JACOB de SENLECHES** (*Jacopinus Selesses, Jacomi*). Mus. dont l'activité mus. se situe dans le dernier quart du XVe s., qui mourut à St-Lug, dans le nord de la France ; son nom a été souvent altéré : parmi les mus. que Jean Ier d'Aragon fit venir à sa cour, il n'en est pas moins de 7 mus. à s'appeler *Jacobus, Jacques* ou *Jacomi*, notamment *Jacomi Capeta, Jacomi lo Bégue* ; tous servirent les mêmes Jean Ier et Martin Ier d'Aragon ; *J. de S.* appartient aux représentants tardifs de l'*ars nova*, et ses œuvres sont d'une rythmique et d'une notation difficiles : il reste de lui 2 ballades à 3 v. (ms. Chantilly 1047), 3 chansons (*id. ibid.*), 1 autre (Modène, Padoue, Strasbourg), 1 virelai à 3 v. (Modène). Voir H. Anglès, *Cantors u. Ministrers i.d. Diensten d. Könige v. Katalonien-Aragonien im 14. Jh.*, ds *Kongress-Bericht Basel*, Leipzig 1925. — *El mus. J. al servei de Joan I i Marti I durant el anys 1372–1404*, ds *Hom. a A. Rubio i Lluch, I*, Barcelone 1936 ; G. Reaney, *The ms. Chantilly...*, ds *Mus. Disc., VIII*, 1954 — art. in MGG.

**JACOBI Frederick.** Compos. amér. (San Francisco 4.5.1891–N.-York 24.10.1952). Elève d'E. Bloch (N.-York), de Juon (Berlin), chef d'orch. au *Metropolitan Opera* (1913–17), prof. à la *Master School of united arts* (1924) et à la *Juilliard School* (1936), il écrivit de la mus. symph. (2 symph., 3 concertos, *Indian dances*, 1928), de chambre, des chœurs, des mélodies.

**JACOBI Georg** (*Georges Jacoby*). Compos. allem. (Berlin 13.2.1840–Londres 13.9.1906). Violon., élève d'E. et de L. Ganz (Berlin), de Bériot, du cons. de Paris, 1er violon à l'Opéra de Paris (1861), fondateur d'un orch. à cordes, chef d'orch. aux Bouffes-Parisiens (1868), il se fixa à Londres en 1871 où il continua sa carrière de chef d'orch. et enseigna au *Royal College of mus.* (1896) ; on lui doit des opérettes, des ballets, 3 concertos etc. Voir H.F. Redlich in MGG.

**JACOBI Michael.** Mus. allem. (Sanne 1618–Lunebourg 19.10.1663). Issu d'une famille de pasteurs, il aurait été, d'après J. Rist, « Reisebegleiter », soldat, chanteur, luthiste, violon., flûtiste, org. ; il fut en 1648 cantor à Kiel, puis, en 1651, à St-Jean de Lunebourg où il prit une part active dans la vie musicale ; on lui doit des *Lieder*, des pièces de circonstance, impr. par lui, ou ds des recueils de l'époque : un trop grand nombre sont influencés par Rist. Voir M. Ruhnke in MGG.

**JACOBI Wolfgang.** Compos. allem. (Bergen auf Rügen 25.10.1894–). Elève de F.E. Koch (Berlin), prof. au cons. Klindworth-Scharwenka de la même ville (1922–33), il séjourna à Florence, s'est fixé à Munich (1935), où il a fondé avec H. Mersmann le *Studio für neue Musik* (1946) et enseigne à la Musik-Rochschule (dep. 1949) ; on lui doit de la mus. symph. : *Cembalo-Konzert* (1956), *Grétry-Suite, Musik* (cordes), *Capriccio* (p.), *Klein Sinf.* (1955), *Niederdeutsche Volkstänze* (accordéons, 1956), voc. : *Die Jobsiade* (*Schuloper*, 1957), *Der Menschen-maulwurf* (1947), *Il pianto della Virgine* (*a capp.*, 1952), *Laude* (1952), *Frauenchöre auf Kinderreime* (1947), *Barocklieder*, *Cantata*, 2 *ital. Lieder*, de chambre : *Sonate* (p. et alto, 1956), *Id.* (p. et saxophone), 2 trios, 1 quatuor, *Musik* (4 *électroniums*, 1954), *Sonate* (p. et électr.), *Studien* (p. et viol., 1957), *Id.* (p. et fl., 1958), de piano : 2. *u.* 3. *Son.* (1956), 4 *Kl.-Stücke* (4 m., 1954), *Musik f. 2 Klavier*, des écrits : *Kontrapunkt* (Heidelberg 1949), *Lehrbuch der Fuge u. des Choral-vorspiels* (*ibid.* 1951), *Klavierschule* (2 vol., Munich 1947), *Harmonielehre* (*ibid.* 1947), 1 traduction de Casella-Mortari, *La tecnica dell'orch. contemp.* (Milan 1955).

**JACOBSON Maurice.** Pian. et compos. angl. (Londres 1.1.1896–). Elève du *Royal College of mus.*, chef d'orch., président des éditions J. Curwen & Sons, il a écrit des œuvres symph., 1 ballet, des cantates, de la mus. de scène, de chambre, de piano, des mélodies. Voir S. Sadie in MGG.

**JACOBSTHAL Gustav.** Musicologue allem. (Pyritz 14.3.1845–Berlin 9.11.1912). Elève de l'univ. de Berlin (Bellermann), dont il fut docteur avec sa remarquable thèse *Die Mensuralnotenschrift des 12. u. 13. Jh.s* (1870), il enseigna à celle de Strasbourg (1875–1905) ; il avait fondé à Berlin en 1867 l'*Akad. Gsg.-Ver.*: ces activités lui valurent une influence considérable ; outre sa thèse, on lui doit des art. ds des périodiques et *Die chromatische Alteration im liturg. Ges. der abendländischen Kirche* (Berlin 1897). Voir H. Besseler in MGG.

**JACOBUS de BONONIA.** Voir art. *Jacopo da Bologna*.

**JACOBUS de BROUCK** (*Bruck, Pruckh, Prugg, van den Broeck*). Mus. flam., né ds la 1ʳᵉ moitié du XVIᵉ s. à Bruges ou à Broek, près d'Amsterdam, mort ap. 1583 ; on le trouve v. 1565 au service de l'évêque de Breslau, en 1567 chanteur et maître des enfants à la chapelle de la cour de Graz, de 1573 à 1576, haute-contre à la cour de l'empereur Maximilien II ; on a de ses traces à Anvers en 1579, et en 1583, à la cour de l'archiduc Ernest, frère de l'empereur Rodolphe II ; on lui doit, impr. : *Cantiones tum sacrae... tum profanae 5, 6 et 8 v.* (Anvers 1579), 3 motets et 2 pièces ds un recueil de Joanellus de 1568 (Gardane, Venise) ; en mss 3 messes (6 v., Marbourg, Berlin), 3 motets (6 v., Tubingen, Berlin), *Ave Maria* (6 v., Vienne), *Magnificat* (12 v., *id.*), *Attende mihi Domine* (6 v., Dresde, Breslau). Voir H. Federhofer in MGG.

**JACOBUS von LÜTTICH** ou **Leodiensis.** Voir art. *Jacques de Liège.*

**JACOBY Heinrich.** Musicologue allem. (Francfort 3.4.1889–). Elève du cons. de Strasbourg, d'H. Pfitzner, il a été second chef d'orch. au théâtre de Strasbourg (1908–13), prof. d'harmonie à l'école Jaques-Dalcroze (Hellerau) (1913), dir. de la *Neue Schule* d'Hellerau (1915), dir. mus. à l'*Odenwaldschule* en Bavière (1919), fondateur à Berlin du *Laboratorium zur Beobachtung der soziologischen u. psychologischen Bedingungen...* (1924) ; il quitta l'Allemagne en 1933 pour résider à Genève (Institut des sciences de l'éducation, 1933), Tel-Aviv (1934–35) et se fixer à Zurich (dep. 1935), où il est dir. de la *Schweiz. Vereinigung zur Vörderung der Begabungsforschung*; on lui doit des art. ds des périodiques, notamment *Muss es Unmusikalische geben ?* (ds *Zeitschrift f. psycho-analytische Pädagogik*, I, 1926–27). Voir W. Tappolet in MGG.

**JACOMELLI.** Voir art. *Giacomelli.*

**JACOMI.** Voir art. *Jacob de Senleches.*

**JACOPO da BOLOGNA** (*Jacobus Bononiensis* ou *de Bononia*). Mus. ital. dont l'activité se situe vers la moitié du XIVᵉ s. ; le seul élément biographique qu'on ait à son sujet est donné par Villani dans son *Liber de origine civitatis Florentiae:* dans l'éloge qu'il fait de Jean de Florence, il relate que ce dernier eut un tournoi mus. *cum magistro Jacobo Bononiensi, artis musice peritissimo*, à la cour de Massimo II della Scala, seigneur de Vérone de 1329 à 1351 ; *J.* de *B.* semble avoir eu des

relations avec les Visconti de Milan ; ses activités paraissent à peu près parallèles à celles de Jean de Florence ; c'est le compositeur le plus célèbre des débuts de l'*ars nova* en Italie : théoricien, averti de l'art franç. du temps, il a su donner à ses œuvres une couleur et une originalité qui le font l'emporter sur ses rivaux, et son influence sur les mus. florentins a duré longtemps ; on a conservé 34 pièces de lui, notamment 25 madrigaux à 2-3 v., 2 autres à 2 ou 3 v., 1 *caccia* (3 v.), 1 motet (*id.*), 1 *lauda* (2-3 v.) ; 1 traité est signé de son nom : *L'arte del biscanto misurato secondo el maestro J. da B.* (cod. Florence, Bibl. laurentiana). Voir W. T. Marocco, *The mus. of J. da B.*, Berkeley 1954 ; K. v. Fischer, *Studien zur ital. Mus. des Trecento*, Berne 1956 ; N. Pirrotta in MGG.

**JACOPONE da TODI.** Franciscain ital. (Todi 1228 ou 1230–Collazone 25.12.1306). De la noble famille des Benedetti, il est dit avocat par la légende ; la mort tragique de sa femme (elle fut écrasée sous les débris

JACOPONE DA TODI

O Cristo' nipotente (*BN Florence*).

d'un plafond) l'incita à « devenir ermite » : il se fit franciscain v. 1278 et fut vite célèbre comme défenseur d'une réforme ascétique de l'ordre ; il fut excommunié par le pape Boniface VIII (1298), incarcéré à Palestrina jusqu'en 1303 et libéré par Benoît XI ; c'est un des rares auteurs de *laude* dont le nom ait subsisté dans l'histoire : ses œuvres ont été publiées à Florence en 1590, sous le titre *Cantichi overo Laude;* la dernière édition en a été assurée par F. Angeno à Florence, en 1953. On lui attribue en outre *Cur mundus militat, Ave rex angelorum, Stabat mater dolorosa.* Voir A.F. Ozanam, *Les poètes franciscains en Italie au XIIIᵉ s.*, IV-V, Paris 1852 ; F. Liuzzi, *Profile mus. di J.*, ds *Nuova ant. di lettere*, 1931 ; W. Irtenkauf in MGG.

**JACOTIN.** On trouve plusieurs musiciens de ce nom, sur une période de 80 ans : un certain *J.*, originaire de Picardie, fait partie des *cantori de camera* du duc de Milan, de 1473 à 1494 ; de 1479 à 1529, *Jacob Godebrye*, « alias *Jacotyn* », est chanteur à la cath. d'Anvers ; *Jacottin*

*Level* figure sur la liste des chanteurs de la chapelle papale de 1516 à 1519 ; enfin, entre 1532 et 1555, *Jacques*, dit *Jacotin*, est chanoine ordinaire et chanteur à la chapelle royale de France : parmi les compositions qui nous sont parvenues dans des recueils sous le nom de *J.*, dont l'attribution à l'un ou à l'autre n'est pas établie, on compte 10 motets (2-8 v., (Nuremberg, Venise, Paris, Augsbourg, 1519–53), 3 *Magnificat* (4 v., Attaingnant, Paris 1534), 49 chansons (2-4 v., Wittemberg, Venise, Nuremberg, Louvain, Paris, 1529–67) ; une autre chanson est conservée en ms. à Cambrai. Voir N. Bridgman in MGG.

**JACQUARD Léon.** Vcelliste franç. (Paris 3.11.1826–27.3.1886). Elève de Norblin au cons. de Paris, il appartint à un quatuor, fonda une soc. de mus. de chambre, fut membre de l'orch. du cons. et succéda à Chevillard comme prof. de vcelle au cons. de Paris ; on lui doit des œuvres pour son instr. et 1 caprice pour fl. et vcelle.
                                                                                    A.G.

**JACQUES d'AMIENS.** Trouvère franç., dont l'activité se situe dans la seconde moitié du XIIIe s., contemporain de Colin Muset, avec qui il a échangé un jeu parti, et de Lambert Ferri, du cercle des poètes du Pui d'Arras ; il fut de l'entourage du comte Robert Ier d'Artois ; on a conservé quelques chansons de lui dans le *ms. du roi, fonds français 844 de la Bib. nat.*, dans le chansonnier de l'arsenal et dans d'autres mss. Voir F. Gennrich in MGG.

**JACQUES de CAMBRAI.** Trouvère franç. du XIIIe s., de qui on a conservé 11 chansons (4 d'amour, 7 spirituelles) et une pastourelle. Voir E. Järnström, *Recueil de chansons pieuses du XIIIe s.*, I, Helsinki 1910 ; A. Rochat, *Die Liederhs. 231 d. berner Bibl.*, ds *Jb. f. rom. u. engl. Lit.*, X, 1869 ; A. Längfors, *Mélanges de poésie lyr. franç.*, ds *Romania*, LII, 1926.

**JACQUES de CYSOING.** Trouvère franç., qui porte le nom de son lieu de naissance, dont l'activité se situe au milieu du XIIIe s. ; on a conservé 10 chansons notées de lui, dont 7 proviennent du *chansonnier du roi.* Voir J. Beck, *Le ms. du Roi*, ds *Corpus cant. med. aevi*, II, Londres-Oxford-Philadelphie 1938 ; P. Aubry-A. Jeanroy *Le chansonnier de l'Arsenal*, Paris 1909 ; R. Meyer-G. Raynaud, *Le chansonnier de St-Germain-des-Prés*, *ibid.* 1892 ; A. Jeanroy-A. Langfors, *Chansons satiriques et bachiques du XIIIe s.*, *ibid.* 1921 ; E. Hoeffner, *Les chansons de J. de C.*, ds *Studi med.*, XI, 1938 ; F. Gennrich, *Altfranz. Lieder*, II, Tubingen 1956 — art. in MGG.

**JACQUES de LIÈGE** (*Jacobus Leodiensis, van Luik, von Lüttich*). Mus. liégeois (v. 1260–ap. 1330). Il fut étudiant à Paris et semble avoir été l'élève de Pierre de La Croix ; Smits van Waesberghe envisage qu'il soit identique à *Jacobus d'Oudenaerde*, qui était en 1325 *canonicus majoris ecclesiae leodiensis* ; dans son *Speculum musicae*, attribué autrefois à J. de Muris (réed. en cours par R. Bragard, t. I, 1955), il professe des théories très conservatrices, ennemies de l'*ars nova* ; on lui attribue aussi un *Tractatus de consonantiis musicalibus* et un *Tractatus de intonatione tonorum.* Voir J. Smits van Waesberghe, *Muziekgieschedenis v. Midd.*, I, Tilburg 1936–39 — *Some music treatises and their interrelation — a school of Liège (ca. 1050–1200)* ?, ds *Mus. disc.*, III, 1949 — *Musikal. Beziehungen zwischen Aachen, Köln, Lüttich u. Maastricht v. 11. bis 13. Jh.*, ds *Beitr. z. rhein. Mg*, VI, Cologne-Créfeld 1954 ; T. Ferand, *Die Improvisation i. d. Musik*, Zurich 1938; R. Bragard, *Le Speculum musicae du compilateur J. de L.*, ds *Mus. disc.*, VII, 1953, VIII, 1954 ; S. Clercx, *J. d'Audenarde ou J. de L.* ?, in Rev. belge de mus., 1953 ; H. Hüschen in MGG.

**JACQUESSON Guillaume.** Luthiste et théorbiste franç., dont l'activité a été repérée à Paris entre 1646 et 1691 ; il était aussi facteur d'instruments et fournissait notamment des angéliques aux luth. Vignon (1653) ; en 1681, il tenait la partie de luth devant la cour dans une œuvre de mus. de chambre ; parmi ses élèves, on connaît Vaudry de Saizenay, compilateur d'une importante tablature ms., laquelle contient 6 pièces de *J.* (Bibl. de Besançon).                                        F.L.

**JACQUOT Jean.** Musicologue franç. (Le Havre 27.3.1909–). Docteur-ès-lettres avec sa thèse sur des sujets de l'histoire du théâtre et des idées dans l'Angleterre élisabéthaine (notamment *G. Chapman*, publié en 1951), il anime au CNRS, depuis 1953, un groupe de recherches dont les travaux sont édités dans la collection *Le chœur des muses*, qu'il dirige ; il a organisé plusieurs colloques sur la mus., les lettres les arts de la Renaissance, qui ont donné lieu à des publications ds la même coll. : *Musique et poésie au XVIe s.*, *La mus. instr. de la Renaissance*, *Les fêtes de la Renaissance*, *Le luth et sa musique* etc. ; il a également constitué une équipe pour transcrire et éditer des œuvres de luthistes et contribué à la préparation d'un catalogue intern. des sources de la mus. de luth ; parallèlement à d'autres travaux, il prépare un ouvrage sur *La musique dans la civilisation anglaise aux XVIe et XVIIe s.*

**JADASSOHN Salomon.** Prof. et compos. allem. (Breslau 13.8.1831–Leipzig 1.2.1902). Elève de Brosig, d'A.E. Hess et d'I.P. Lüstner (Breslau), du cons. de Leipzig, de Liszt (Weimar, 1849–51), de M. Hauptmann (Leipzig), il débuta ses activités en 1865, année pendant laquelle il fut dir. du chœur de la synagogue de Leipzig ; en 1866, il dirige la soc. chor. *Psalterion*, en 1867–69 les concerts *Euterpe* (qui suivaient de plus près l'actualité que ceux du *Gewandhaus*) ; il fut, à partir de 1871, prof. de théorie, de compos. et d'instrumentation au cons. de Leipzig, où il eut un grand nombre d'élèves ; il écrivit des œuvres symph. (4 symph., 2 concertos de piano) chor., de piano et de chant ; il publia *Musikalische Kompositionen : I, Die Lehre vom reinen Satz* (1 *Lehrbuch der Harmonie*, 1883, trad. franç. 1893) ; *Aufgaben u. Beispiele* (1886, trad. franç. : *Thèmes et exemples* 1901–1933) ; 2 *Lehrbuch des einfachen, doppelten, drei u. vierfachen Kontrapunkts*, (1884–1926, trad. franç. 1896, *Aufgaben u. Beispiele*, 1887, 1910) ; 3. *Die Lehre vom Kanon u. v. d. Fuge* (1884-1926), *II, Die Lehre v. d. freien Komposition* ; 4. *Die Formen i. d. Werken d. Tonkunst* (1889,-1923, trad. franç. 1900) ; 5. *Lehrbuch der Instrumentation* (1889-1924), *Die Kunst zu modulieren u. präludieren* (1890), *Elementar-Harmonielehre* (1895), *Methodik des musiktheoretischen Unterrichtes* (1898), *Das Wesen der Melodie* (1899), *Das Tonbewusstsein : die Lehre vom musikalischen Hören* (1899), *Der Generalbass* (1901, trad. franç.). Voir G. Feder in MGG.

**JADIN.** Mus. franç. — **1. Jean** (?–Versailles 1789), fut violon., compos., prof. de violon et de piano, au service du régent des Pays-Bas, appartint à la chapelle royale de Versailles jusqu'à sa mort ; il publia à Bruxelles 5 partitions (symph., quatuors et trios). Son frère — **2. Georges** (?–?) fut basson à la chapelle de Louis XV. Le fils de Jean — **3. Louis-Emmanuel** (Versailles 21.9.1768–Paris 11.4.1853), fut élève de son père et de son frère Hyacinthe ; il fut de 1789 à 1791 claveciniste au théâtre de Monsieur ; il entra en 1792 à la garde nationale ; en 1802, il succéda à son frère à la classe de piano du cons. de Paris ; en 1806, il fut chef d'orch. au théâtre Molière ; en 1814, il fut nommé gouverneur des pages de la musique à la chapelle royale ; il se retira en 1830 ; on lui doit quelque 40 opéras ou opéras-comiques (le premier, en 1790 : *Constance et Germain*, le dernier, *Le défi*, 1796), des cantates et œuvres de circonstance (notamment *La grande bataille d'Austerlitz*), 2 symph., 2 ouvertures, de nombreuses pièces de piano (des fantaisies), de mus. de chambre (quintettes, quatuors, sonates de clav. ou de piano forte), mus. (d'église ou profane), des arrangements. Son frère — **4. Hyacinthe** (Versailles 1769–Paris...10.1800), élève de son père et d'Hüllmandel, fut de 1790 à sa mort prof. de piano au cons. de Paris ; on lui doit 4 concertos de piano, 14 quatuors, 6 trios, 5 sonates de piano, des arrangements, 1 ouverture. Leur frère — **5. Georges** (Versailles 1771–Paris, ap. 1813) fut chanteur et prof. de chant à Paris ; il publia des romances (av. Pleyel et Cochet). Voir G. de Saint-Foix, *Les frères J.*, ds *RM*, août 1925 ; G. Ferchault in MGG.

**JADLOVKER Hermann.** Ténor russe (Riga 1877–Tel-Aviv 1953), qui fit des études à Vienne et ses débuts sur la scène à Cologne en 1900 ; de 1907 à 1912, il chanta à Carlsruhe, à Berlin jusqu'en 1921, de 1910 à 1912, à New-York (*Metropolitan Opera*) ; en 1912, il fut le premier *Bacchus* dans *l'Ariadne auf Naxos* de Strauss (Stuttgart) ; il excellait dans les rôles de colorature ; à un âge plus avancé, il fut chantre à Riga et en Israël.

**JAECKEL Robert.** Htboïste, pian. et compos. autr. (Vienne 22.1.1896–). Élève de l'Acad. mus. de Vienne (Schreker), prof. de htb. et de piano au *Mozarteum* de Salzbourg (1917–45), il a écrit 4 opéras : *Der Schmied von Gretna-Green* (1922), *Paracelsus* (1923), *Larra* (1926), *Dulius* (1934), de la mus. symph., de chambre, de piano, des mélodies.

**JAEGGI Oswald.** Compos. suisse (Bâle 3.1.1913–). Eccl., élève d'O. Rippl (Vienne et Bâle), d'O. Rehm (Einsiedeln), de l'Institut pontifical de mus. sacrée (Rome), docteur avec sa thèse *Der Codex eins. u. seine Stellung i. d. eins. Mg.* (1947), maître de chapelle de la basilique d'Einsiedeln (1947–50), puis de l'église de Muri-Gries, dir.-fondateur du chœur Leonhard Lechner à Bolzano (1952), il a écrit *Lieder der Stille* (p. et chant, 1944), *Das Spiel vom deutschen Bettelmann* (chant et orch., 1945), *Benedictus* (cantata, 1947), *Regensburger Motette* (Fundata est domus Domini, 8 v., 1950), *Brautlieder* (1950), *Invocatio « Kyrie orbis factor »* (orgue, id.), *Kleine Chor-Suite* (1952), *Marianischer Chor-Zyklus* (1953), 9 propres, 5 messes, un grand nombre de motets, des chœurs et des mélodies (d'église ou profanes), de la mus. de chambre. Voir F. van Amelsvoort, ....*O.J....*, ds *Mens en Melodies*, Amsterdam, mai 1953 ; H. Lemacher, *Id.*, ds *Musica sacra*, Cologne, mars 1957 ; P. Neumann, *Id.*, ds *Alpenländ. Kirchenchor*, Innsbruck, août 1947 ; A. Hiebner in MGG.

**JAEHNS** (*Jähns*) **Friedrich Wilhelm.** Compos. allem. (Berlin 2.1.1809–8.8.1888), qui fut prof. de chant, notamment dans sa ville natale ; il composa surtout de la mus. vocale et publia un grand nombre de travaux sur Weber, notamment *C.M. v. Weber in seinen Werken* (Berlin 1871) et une biographie du même *W.* (Leipzig 1873). Voir W. Virneisen in MGG.

**JAËLL. — 1. Alfred.** Pian. autr. (Trieste 5.3.1832–Paris 27.2.1882). Fils et élève du violon. *Eduard J.*, élève de Czerny), il fit une carrière intern. et fut notamment pian. de la cour de Hanovre (1856) ; c'est lui qui créa le concerto de Schumann à Paris. Sa femme — **2. Marie,** née *Trautmann* (Steinseltz 17.8.1846–Paris 7.2.1925) était également pian. : élève de Hamm (Stuttgart) et de Moscheles (Vienne), elle débuta dès l'âge de 9 ans et cessa son activité de virtuose en 1895, après une grande carrière ; elle fut l'amie de César Franck, de Saint-Saëns et de Liszt (dont elle fut aussi la secrétaire) ; elle enseigna : Albert Schweitzer fut son élève ; on lui doit des pièces pour son instr., des mélodies, des chœurs, des œuvres symph., des écrits, notamment *Le toucher, enseignement du piano ... basé sur la physiologie* (3 vol., Paris 1895), *La mus. et la psycho-physiologie* (ibid. 1896), *Le mécanisme du toucher* (ibid. 1897), *Les rythmes du regard et la dissociation des doigts* (ibid. 1901), *L'intelligence et le rythme dans les mouvements artistiques* (ibid. 1904), *Le toucher musical par l'éducation de la main* (ibid. 1927), *La main et la pensée musicale* (id. ibid.). Voir J.D. B., *La résonance du toucher...*, ds *Journal de psychologie*, 1913 ; J.B., *La secrétaire de Liszt*, *M.J.*, ds *Mercure*, 15.3.1925 ; J. Bosch, *L'œuvre de M.J.*, ds *Le monde mus.*, avril 1925 ; J. Capgras, *M.J.*, *un nouvel état de conscience*, ds *Rev. gén. des sciences*, 28.2.1911 ; J. Chantavoine, ... *M.J. et E. Schuré*, ds *Saisons d'Alsace*, Strasbourg 1951 — *Lettres de Liszt à M. J.*, ds *Rev. intern. de mus.*, Paris 1952 ; E. Gouget, *Histoire mus. de la main* (ibid. 1898) ; C. Pozzi-Bourdet, ... *L'œuvre de M. J.*, ds *Cahiers alsaciens*, Strasbourg, mars 1914 ; M. Pottecher, *M. J.*, ds *Le monde franç.*, déc. 1948 ; A. Schweitzer, *Selbstdarstellung*, Leipzig 1929 ; H. Waddington, *M.J. et la formation mus.*, ds *Triades*, Paris 1957 ; H. Kiener, *M.J., problèmes d'esth. et de péd. mus.*, ibid. 1952 — art. in MGG.

**JAERNEFELT** (*Järnefelt*) **Armas.** Compos. finlandais (Vipori 14.8.1869–Stockholm 23.6.1958). Élève de

Wegelius et de F. Busoni (Helsinki), d'A. Becker (Berlin), de Massenet (Paris), chef de chœur à Magdebourg (1896), Breslau et Dusseldorf (1897), chef d'orch. à Viipuri (1898–1903), dir. de l'Institut de musique d'Helsinki (1906–1907), chef d'orch. à l'Opéra royal de Stockholm (1905–1906, 1907–1932), dont il fut également le dir. artistique (1932–1936), il fit une carrière intern. et écrivit de la mus. symph., de scène, de film, de piano, des cantates, des mélodies ; il avait épousé en 1res noces *Maikka Pakarinen* (1871–1929) soprano, chanteuse wagnérienne, puis *Liva Edström* (1876–), également soprano, qui appartint à l'Opéra de Stockholm (1898–1926) : il était le beau-frère de Sibelius. Voir N.-E. Ringbom in MGG.

**JAGU Prégent.** Mus. franç. (fin XVe–début XVIe s.). Cité aux côtés de Josquin et d'Agricola par Lemaire de Belges, mentionné par J. d'Auton dans ses *Chroniques*, il était au service d'Anne de Bretagne dès 1496 et fut valet de chambre du roi, suivant Louis XII dans ses déplacements ; d'après Droz et G. Thibault (*Poètes et mus. du XVe s.*, 1924), il pourrait être l'auteur d'1 chanson à 3 v. sur la devise de la reine, *Non mudera*, qui annonce le style de la chanson « parisienne » du XVIe s.
F.L.

**JAHN Albert.** Historien suisse (Berne 9.10.1811–23.8.1900), qui fut bibliothécaire à Berne, puis fonctionnaire au ministère de l'intérieur : on lui doit l'édition d'une série d'études archéologiques sur la Suisse et des 3 livres du *De musica* d'Aristide Quintilien (Berlin 1882).

**JAHN** (*Ianus, Jan, Jähn*) **Martin.** Mus. allem. (Mersebourg v. 1620–Ohlau v. 1682). Élève de l'univ. de Kœnigsberg, il vécut en Haute-Silésie, à Meissen, Sorau (comme *Musikdirector*, 1651), à Sagan (comme cantor, 1654), Eckersdorf (comme pasteur, 1663), enfin à Ohlau (comme cantor, chez les piastes) ; on lui doit *Musical. Jubel-Frewde...* (7, 10, 15, 20, 22 et plus v., avec b.c., à 1-6 chœurs, Kœnigsberg 1644), *Passionale melicum* (*Lieder*, 4 v., Berlin 1652, Görlitz 1664), *Begräbnis kompos. f. Eva Heidenreich* (4 v., Sagan 1654), *Iesu dulcis memoria* (4 v., Zittau 1662), *Luthers Lieder* (5 v., ap. 1663), *Genfer Psalter* (id.), *Euthanasia melica* (400 *Lieder*, ap. 1663), en mss : 1 cantate (4 v., avec acc. instr., St-Thomas de Strasbourg) et *Ich frewe mich im Herren* (5 v., id., bibl. de Breslau). Voir S. Fornaçon, *M.J...*, ds *Jb f. schles. Kirche...*, 35, Ulm 1956 — art. in MGG.

**JAHN Otto.** Archéologue, philologue et musicologue allem. (Kiel 16.6.1813–Göttingen 9.9.1869). Élève des univ. de Kiel, Leipzig et Berlin, docteur de Kiel (1839), après de nombreux voyages d'études à Paris, en Suisse et en Italie, prof. aux univ. de Greifswald (1842), Leipzig (1847–1850), Bonn (1854–1869), il est un des grands pionniers de la musicologie allem. au XIXe s. : on lui doit, concernant la musique, *W.A. Mozart* (I-IV, Leipzig 1856–1859, 1867, [éd. Deiters] 1889–1891 et 1905–1907, [éd. H. Abert] 1919–1921 et 1923–1924, [éd. A. A. Abert] 1955), *Beethoven u. die Ausgaben seiner Werke* (ibid. 1864), *Über F. Mendelssohn-Bartholdy's Or. Paulus* (Kiel 1842), *Gesammelte Aufsätze über Musik* (G.C. Apel, Mendelssohn, Berlioz, Wagner, Mozart, Beethoven etc., Leipzig 1866, 1867) ; il composa des *Lieder* à 4 mains et édita le *Kirchliches Antiphonarium* de G.C. Apel (1845) et la transcription du *Fidelio* de Beethoven pour piano (2e version, ibid. 1853). Son *Mozart* est un chef-d'œuvre, modèle du genre, qui lui a valu la dédicace du catalogue de Köchel. Voir A. Michaelis et E. Petersen, *O.J. in seinen Briefen*, ibid. 1913 ; A. Springer, *Gedächtnisrede auf O.J.*, ds *Grenzboten*, 1869 ; *O.J.s mus. Bibl. Kat.*, Bonn 1870 ; J. Vahlen, *O.J.*, Vienne 1870 ; Th. Mommsen, *O.J.*, ds *Reden u. Aufsätze*, Berlin 1905 ; E. Burck et R. Schaal in MGG.

**JAHNN Henny.** Écrivain allem. (Hambourg-Stellingen 17.12.1894–). Spécialiste de l'orgue, fondateur de l'*Ugrino-Verlag* (av. G. Harms, 1921), dir. de la section expérimentale de l'*Orgelrat* en Allemagne (1931), émigré (1933), puis rapatrié (1950), il s'occupe de construction d'orgues ; on lui doit *Das schriftchl. Bild d. Orgel* (ds

*Abh. Braunschweig. Wiss. Gesell., VII*, 1955) ; il collabore également aux éditions de Scheidt, Buxtehude, V. Lübeck ; il est encore auteur dramatique.

**JÂLA-TÂRANGA.** C'est un très ancien instrument, fait de bols de porcelaine de tailles diverses dont on ajuste l'accord en les remplissant plus ou moins d'eau : le musicien les dispose en demi-cercle et s'accroupit au centre ; il frappe des bols avec des baguettes ; on remplace parfois les bols d'eau par des petits tambours, mais cet instrument ne semble pas être ancien dans l'Inde ; il est surtout employé en Birmanie. Al.D.

**JALAS Jussi.** Chef d'orch. finlandais (Jyväskylä 23.6.1908-), élève du cons. et de l'univ. d'Helsinki, de Rhené-Bâton et de Monteux (Paris), pian., chef d'orch. au Théâtre national (1930–1935), puis à l'Opéra de Finlande (1945), prof. à la *Sibelius–Akad.*, qui fait une carrière internationale.

**JALEO.** C'est une danse andalouse, à 3/8, de *tempo* vif et animé, destinée à un soliste : c'est le rythme typique des danses avec castagnettes.

**JAM-SESSION.** C'est une séance de jazz où chaque musicien improvise : ce qui se produit souvent, aux Etats-Unis, à la fin d'une séance ordinaire.

**JAMBE de FER Philibert.** Mus. franç. (Champlitte v. 1515–Lyon 1566). On a dit qu'il fut d'abord chantre à Poitiers, où il mit en musique les psaumes de Poitevin ; mais il semble avoir résidé très tôt à Lyon, où sa première œuvre parut en 1548 (1 motet à 4 v.) ; divers documents d'archives se situent ensuite dans cette ville : en 1564, il y est chargé de la partie musicale pour l'entrée de Charles IX, roi qu'il remerciait la même année, dans une dédicace, de pouvoir exercer sa religion « non plus en cachette et à demi-bouche comme auparavant, mais en pleine lumière, publiquement et à pleine bouche » ; outre 1 chanson à 4 v. (Du Chemin, 1552), on lui doit *Psalmodie de 41 psaumes royaux* (Lyon 1559), *Les 22 octonaires du ps. 119... par J. Poictevin (id. 1561), 150 Ps. de David à 4-5 v.* (1561, rééd.) et l'une des premières méthodes instr. publiées en France : *Epitomé musical, sons et accordez ès voix humaines, flustes d'allemen, flustes à 9 trous, violes, violons* (Lyon 1556, rééd. en fac-similé dans le vol. V des *Annales musicologiques*, sous presse). F.L.

**JAMES Dorothy.** Compos. amér. (Chicago 1.12. 1901-). Elève de l'*Amer. cons. of mus.*, du *Chicago mus. college*, de Weidig et de Gruenberg, elle a écrit 1 opéra : *Paolo and Francesca* (1932), de la mus. de scène, de chambre, chor. et symphonique.

**JAMES Harry Haag.** Trompette, chef d'orch. et compos. de jazz amér. (Albany 15.3.1916-), qui a collaboré avec Ben Pollack, Benny Goodman et fondé son propre ensemble (1939) ; *Two o'clock jump* et *I'm beginning to see the light* sont au nombre de ses œuvres le plus populaires.

**JAMES Philip.** Compos. amér. (Jersey City 17.5.1890-). Org., élève de J.W. Andrews, de R. Goldmark, de R. Scalero, il a fait une carrière de chef d'orch. et de chef de chœur et a appartenu aux univ. de Columbia

et de N.-York (1927–1955) ; on lui doit de la mus. symph., de chambre, de théâtre, d'église, d'orgue, de piano, des mélodies. Voir N. Broder in MGG.

**JAMES William Garnet.** Compos. australien (Ballarat 28.8.1892-). Pian., org., élève du cons. de Melbourne, d'A. de Greef (Londres), il a fait une carrière de virtuose ; il est depuis 1936 directeur fédéral de la musique à la radiodiff. australienne ; on lui doit de la mus. symph., 1 opéra (*The golden girl*, 1920), 1 ballet, de la mus. symph., de piano, des chœurs, des mélodies. Voir A. Silberman in MGG.

**JAMET Pierre.** Harpiste franç. (Orléans 21.4.1893-). Elève du cons. de Paris (1912), soliste des concerts Lamoureux (1924), membre fondateur du Quintette instrumental de Paris (1922), soliste de l'Opéra (1936), des concerts Pasdeloup (1936–1938), des concerts Colonne (1938–1950), fondateur du Quintette instrumental P.J. (1941), prof. au cons. de Paris (1948) et au cons. amér. de Fontainebleau (1950), il a fait une grande carrière internationale et a notamment collaboré avec Debussy, dont il a créé la sonate pour flûte, alto et harpe à la S.M.I. (1917).

**JAMISATION.** C'est un système de solmisation inventé par le Hollandais K.Ph. Bernet-Kempers : le nom de l'intervalle est désigné par une consonne, sa fonction par une voyelle ; on y trouve également une nomenclature des degrés des gammes tonales.

**JAMMERS Ewald.** Bibliothécaire et musicologue allem. (Cologne-Lindenthal 1.1.1897-). Elève de l'univ. de

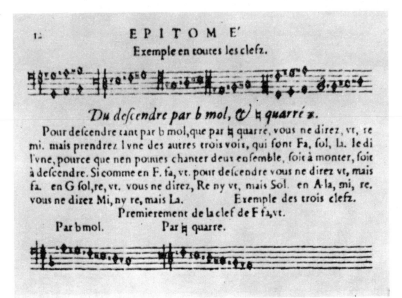

JAMBE DE FER

Epitomé musical *(Lyon 1556).*

Bonn (Schiedermaier), dont il est docteur (1925), conservateur du département mus. de la bibl. de Saxe à Dresde (1931–1945), prof. à Bergheim (1946–1950), conservateur à la bibl. de Dusseldorf (1951–1952), à l'univ. de Heidelberg, où il fut prof. de paléographie musicale de 1953 à 1956, il a publié *Das Karlsoffizium Regali natus* (Strasbourg 1934), *Der gregor. Rhythmus* (ibid. 1937), *Die essener Neumenhandschr. d. L.-u. Stadtbibl. Düsseldorf* (Ratingen 1952), *Der mittlalter. Choral* (Mayence 1954), *Anfänge v. abendländ. Musik* (Strasbourg 1955), et des art. sur le grégorien, la musique de l'antiquité et du moyen-âge, Julien de Spire, le récitatif etc. Voir art. in MGG.

**JAN Karl von.** Musicologue allem. (Schweinfurt 22.5. 1836–Adelboden, Suisse, 4.9.1899). Elève de l'univ. de Berlin, dont il fut docteur (1859) avec sa thèse, *De fidibus Graecorum*, précepteur à Paris chez le frère de Tourgueniev (1859–1860), prof. au lycée *Zum Grauen Kloster* de Berlin, à Landsberg (1862–1875), Sarreguemines (1875), Strasbourg (1883–1896), où il fonda un chœur à l'église St-Pierre ; on lui doit, outre sa thèse, de remarquables articles, surtout sur la musique grec que (ds *Allg. mus. Zeit, Philologus, Jb. f. Altertumskunde*, Enc. Pauly-Wissowa etc.), *Die griechischen Saiteninstrumente* (Leipzig 1882), surtout ses *Musici scriptores graeci* (Leipzig 1895), qui contiennent les écrits des musicographes grecs, enfin une édition d'un livre de chant choral (*ibid.* 1893) et des œuvres de Schütz (*ibid.* 1899). Voir W. Vetter in MGG.

**JAN POLAK** (*Johannes Polonus*). Mus. polonais des XVIe- XVIIe s., qui était en 1590 à la cour de Wolfsburg, en 1616, violon. et maître de chapelle à celle du margrave de Brandebourg ; on a conservé de lui 13 motets ds les *Cantiones aliquot piae* (4-6 v., 1590).

**JANACCONI.** Voir art. *Jannacconi*.

**JANAČEK Leoš.** Compos. tchèque (Hukvaldy 3.7. 1854–Ostrava 12.8.1928). Le village natal de *J.*, Hukvaldy, est situé près de Pribor, au nord-est de la Moravie, région pour laquelle le musicien a toujours ressenti un profond amour ; ses ancêtres appartenaient à un milieu rural, mais ses parents étaient instituteurs et portaient, en outre, un certain intérêt à la musique ; le jeune *J.*, cependant, en dépit d'un don évident dès sa onzième année (lorsqu'il chante dans l'église des Augustins de Brno), ne se dirige pas vers la carrière musicale ; il doit

JANAČEK

suivre l'exemple de ses parents et entrer dans l'enseignement ; en 1872, il est nommé sous-maître à l'école normale d'instituteurs de Brno ; mais déjà *J.* étudie concurremment la composition musicale : il travaille pendant huit ans sous la direction du compositeur Križkovský, avant d'entrer en 1874 à l'école d'organistes de Prague ; *J.* peut maintenant concilier l'enseignement et la musique : il passe un examen d'état (chant, piano et orgue), à l'issue duquel il reçoit le poste de professeur stagiaire de musique à l'Ecole normale de Brno (1876) ; pendant les années suivantes, *J.* écrit ses premières compositions (la *Suite* en 1877), puis il entreprend des voyages qui le mènent successivement à Leipzig et à Vienne, voyages d'études, puisqu'il suit pendant quelque temps des cours au conservatoire de Vienne ; à son retour à Brno, le musicien accepte un poste de professeur de chant au lycée du Vieux-Brno où il se lie d'amitié avec le directeur de l'établissement, František Bartoš, lequel, passionné par les richesses folkloriques de son pays, recueillait des airs populaires moraves : cette recherche ouvrit de nouveaux horizons à *J.* En 1881, année de son mariage avec Zdenka Schulzová, le musicien participe à la fondation (à Brno) d'une école d'organistes, dont il sera le directeur jusqu'en 1919 ; mais petit à petit, il abandonne ses activités pédagogiques : il quitte l'Ecole normale en 1904 et se consacre

de plus en plus à la composition ; son premier opéra, *Sarka*, est écrit en 1887 ; *J.* est encore un compositeur complètement inconnu ; il devra attendre 1916 (et sa soixante-deuxième année) pour être découvert, grâce à la 1re représentation à Prague d'un opéra terminé depuis treize ans, *Sa belle-fille* (appelé encore *Jenufa*) ; le succès remporté par *Sa belle-fille* stimule considérablement l'activité créatrice de *J.*, dont les nouvelles œuvres se succèdent rapidement ; son style se caractérise par un dynamisme vigoureux, une intensité expressive, une grande liberté harmonique, des rythmes heurtés et complexes, et surtout une écriture vocale très caractéristique, mise au point d'après l'étude du langage parlé, des rires et des pleurs ; autre élément important dans l'art de *J.* : l'utilisation des chants populaires de son pays. Après avoir travaillé dans l'ombre jusqu'à un âge fort avancé, le génie de *J.* est brusquement reconnu, et les honneurs en témoignent : en 1925, il est nommé docteur ès lettres *honoris causa* à l'univ. de Brno ; il représente alors son pays dans les festivals internationaux de la S.I.M.C., à Salzbourg (1923), Venise (1925), Londres (1926), Francfort (1927) ; il est en outre président de l'Assoc. des compos. de Moravie, membre de l'Académie prussienne des arts, membre correspondant de la *School of slavonic and oriental studies*, président du Comité morave de l'institut d'Etat pour la chanson populaire et conservateur des monuments musicaux ; il mourut le 12 août 1928, trois mois après la 1re audition de son *Deuxième quatuor à cordes, « Lettres intimes »*.

**Œuvres** opéras : *Sárka* (texte de J. Zeyer, 1888), « *Début de roman* » (d'après un conte de Gabriela Preissová, 1891), « *Sa belle-fille* » (texte de Gabriela Preissová, 1894–1903), « *Destin* » (texte de F. Bartosová, 1903–1904), « *Voyage de Monsieur Brouček dans la lune* » (livret tiré de Svatopluk Čech, 1908–1917), « *Voyage de Monsieur Brouček dans le XVe s.* » (livret de Fr. S. Procházka, d'après Sv. Čech, 1917), « *Katia Kabanova* » (livret tiré de N.A. Ostrovsky, 1919–1921), « *Le renard Fine-oreille* » (livret tiré de R. Tešnohlidek, 1921–1923), « *L'affaire Makropoulos* » (livret tiré de Karel Čapek, 1923–1925), « *De la maison des morts* » (livret tiré de Dostoïevsky, 1927–1928) ; œuvres chorales : « *Chœurs pour hommes* » (1873–1876), « *Chanson d'automne* » (1880), « *Quatre chœurs pour hommes* » (1885), « *Canard sauvage* » (1885), « *Le jaloux* » (1888), « *Guirlande* » (1893), « *Oh, notre bouleau* » (1893), « *Elégie sur la mort de ma fille Olga* » (1903), « *Quatre chœurs pour hommes* » (1904), « *Evangile éternel* » (1914), « *Le maître d'école Halfar* » (1906), « *Marycka Magdonova* » (1908), « *Soixante-dix mille* » (1909), *Perina* (1914), « *La piste du loup* » (1916), « *Chansons des Hradcany* » (1916), *Kaspar Rucky* (1916), « *Le fou vagabond* » (1922) ; ch. et orch. : « *Seigneur, ayez pitié de nous* » (1896), *Amarus* (1897), « *Notre Père* » (1906), « *Evangile éternel* » (1914), « *Messe glagolitique* » (1926) ; orch. « *Suite pour orch. d'archets* » (1877), « *Idylle* » id. (1878), « *Danses des Lachs* » (1889–1890), « *Danses hanaques* » (1889–1890), « *Suite pour grand orch.* » (1891), « *Jalousie* » (1894), « *Kolo serbe* » (1899), « *Le petit cosaque* » (1899), « *L'enfant du violoneux* » (1912), *Tarass Boulba* (1915–1918), « *Ballade du Blanik* » (1920), *Symfonietta* (1926) ; chant : « *Chant du printemps* » (1897), « *Le carnet du disparu pour ténor, alto et trois voix de femmes avec piano sur un texte d'auteur inconnu* » (1917–1919), nombreux arrangements de chants populaires ; mus. de chambre : « *Romance pour violon et piano* » (1879), *Dumka*, id. (1880), « *Conte pour vcelle et p.* » (1910), « *Sonate pour viol. et p.* » (1913–1921), *Quatuor à cordes* n° 1 (1923), *Jeunesse* (sextuor à vent, 1924), « *Concertino pour p. et ensemble de chambre* » (1925), « *Capriccio pour p. main gauche et ensemble de chambre* » (1926), « *Dictons* » (1927), *Quatuor à cordes n° 2* « *Lettres intimes* » (1928) ; piano : « *Variations pour le piano* » (1880), « *Danses hanaques* » (1889–1890), « *Danses nationales de Moravie* » (1891–1893), *Eï danaï* (1892), « *Sur le sentier broussailleux* » (1901–1908), « *Sonate pour p.* « *1.X.1905* » (1905), « *Dans les brumes* » (1912) ; ouvrages théoriques : « *La disposition et l'enchaînement des accords* » (1897), « *Théorie intégrale de l'harmonie* » (1912–1913). Voir Max Brod, *Zur Erkenntnis L. J.*, Prague–Munich 1923 — *L. J.* : *Leben u Werk*, Vienne 1925 ; Daniel Muller, *L. J.*, Paris 1930 ; Jan Racek, *Le compositeur tchèque L. J.*, ds RM, X, 1929) ; Vladimir Helfert, *O Janáckovi, soubor stati a clanku*, Prague 1949 ; Jaroslav Seda, *L. J.*, *ibid.* 1954.          Cl.S.

**JANCIK Hans.** Musicologue autr. (Vienne 15.8.1905–). Elève de l'univ. de Vienne (G. Adler, R. Lach, R. von Ficker), dont il est docteur (1929) avec sa thèse *Die Messen d. J. Vaet* (dact.), et de l'*Akad. f. Mus. u. darstellende Kunst*, il est bibliothécaire depuis 1930 et secrétaire général de l'*Intern. Brucknergesellschaft* ; de 1934 à 1938, il a été rédacteur en chef de *Musica divina* ; outre sa thèse, on lui doit une biographie de M. Haydn (Vienne 1952) et nombre d'articles dans des périodiques.

**JANEČEK Karel.** Compos. tchèque (Czestochowa 20.2.1903–). Elève du cons. de Prague (J. Krička, K.B. Jirak, V. Novak), prof. à Pilsen, puis au cons. de Prague (1941), il enseigne depuis 1946 à l'académie de musique de Prague ; on lui doit 2 symph., de la mus. de chambre, d'orgue, des écrits : « *Les fondements de l'harmonie tempérée* » (1949), « *Les formes musicales* » (Prague 1955), « *La mélodie* » (*ibid.* 1956), ainsi que des articles dans des périodiques. Voir J. Bužga in MGG.

**JANEQUIN Clément.** Mus. franç. (Châtellerault v. 1480–Paris v. 1560). Les premiers renseignements que l'on possède sur lui le montrent en rapport avec la région bordelaise dès 1526 : il y jouissait notamment des bénéfices de la cure de St-Michel de Rieufret et était une personnalité assez notable du monde musical pour que le chapitre de St-André de Bordeaux le chargeât du recrutement d'un chantre ; en 1529, en tout cas, il réside à Bordeaux même et fréquente avec Eustorg de Beaulieu le cercle de l'avocat Bernard de Lahet : à ce séjour se rattache la chanson *Chantons sonnons trompetes*, destinée sans doute à célébrer le passage dans la ville des enfants de France libérés par la paix de Cambrai ; en mars 1531, alors qu'il vient d'obtenir deux nouvelles — mais maigres — cures à Garrosse et St-Jean de Mézos, il s'intitule « chantre du roi » : François Ier, qui ne pouvait ignorer l'auteur de *La bataille de Marignan* publiée en 1528, voulut peut-être le payer de sa peine en l'autorisant à porter ce titre, qui ne suffit pas néanmoins à le tirer de la gêne, car il ne figura pas sur les comptes du roi ; en 1531, *J.* passe en Anjou, où il fut successivement curé de Brossay puis d'Avrillé, et surtout membre de la psallette de la cathédrale d'Angers, dont il devient maître vers 1534 : protégé par François de Gondi, seigneur des Raffoux, il entreprend de tardives études à l'université de cette ville, dans l'espoir d'obtenir à la suite de plus gros bénéfices ; mais, une fois encore titulaire d'une assez misérable prébende, la cure d'Unverre, près de Chartres, il s'installe en 1549 à Paris et s'y inscrit encore à l'université : la protection du cardinal Jean de Lorraine, puis

celle de François de Guise, qui en fait son « chapelain », ne paraissent pas suffire à le tirer de ses embarras d'argent ; il apparaît enfin en 1555, comme chantre de la chapelle du roi, puis en 1558 comme compositeur ordinaire du roi ; les caisses d'Henri II sont malheureusement vides à ce moment, et, dans son testament rédigé rue de la Sorbonne, *J.* se plaint de ne pouvoir profiter des avantages de cette situation ; il ne semble pas avoir survécu à la publication du premier livre de son *Verger de musique* (1559), revu par lui-même.

L'œuvre religieuse de *J.* ne comporte que 2 messes, *La bataille* et *L'aveugle dieu*, publiées respectivement en

OCTANTE DEVX PSEAVMES de Dauid, traduits en rithme françoise par Clement Marot & autres, auec plusieurs cantiques, nouuellement composés en Musique à quatre parties, par M. Clement Ianequin.

BAS-          SVS

A PARIS, De l'imprimerie d'Adrian le Roy, & Robert Ballard, Imprimeurs du Roy, rue S. Iean de Beauuais, à l'enseigne Sainte Geneuieue. 1559.

Auec priuilege du Roy, pour dix ans.

Bibl. royale de Bruxelles.                    JANEQUIN

1538 et 1554, et 1 motet à 4 v. (*Congregati sunt*), seul reste d'un recueil qui aurait paru en 1533 chez Attaingnant sous le titre *Sacrae cantiones seu motectae* et qui n'a pas été retrouvé ; on peut y ajouter 5 recueils de psaumes et chansons spirituelles à 4 v. : *1er livre contenant 28 psaumes de David* (Du Chemin, 1549), *Second livre de chansons et cantiques spirituels* (*id.*, 1555), récemment découvert, *1er livre contenant plusieurs chansons spirituelles avec les lamentations de Jérémie* (Le Roy et Ballard, 1556), des *Proverbes de Salomon sur des vers d'Accace d'Albiac* (*id.*, 1558) et *Octante-deux pseaumes de David* (*id.*, 1559) ; dans la plupart de ses psaumes, *J.* utilise le chant usuel de Genève, bien que rien, pas même ses relations avec Eustorg de Beaulieu et le poète Germain Colin, ne nous autorise à croire qu'il ait penché vers la Réforme. Mais l'essentiel de son œuvre doit être cherché dans les quelque 275 chansons à 3, 4 et 5 v. qu'à partir de 1520 publièrent Antico, Attaingnant, Du Chemin, Moderne et Le Roy-Ballard ; citons les principaux recueils qui lui furent exclusivement consacrés : *Chansons* (Attaingnant, 1528), *Vingt et quatre chansons* (*id.*, 1533), *Les chansons de la guerre...* (*id.*, 1537), 8e *livre de chansons* (*id.*, 1540), le *1er livre du Difficile des chansons* (J. Moderne, s.d.), 5e *livre du recueil* (Du Chemin, 1551), *1er* et *2e livre des inventions musicales* (*id.*, 1555), *Verger de musique* (Le Roy-Ballard, 1559). Dans cette masse on a jusqu'à présent fait la part trop belle à la musique descriptive : sans doute, *La guerre*, dite *La Bataille de Marignan*, *Les cris de Paris*, *Le chant des oiseaux* dépassent de loin toutes les tentatives précédentes dans le genre, particulièrement dans le brillant de la transposition théâtrale, du mouvement scénographique ; mais il doit surtout être considéré comme le chef de l'école « parisienne » de la chanson, sous ses multiples formes, lyriques, narrative, grivoise, personnelle. Avec sa déclamation tout à fait remarquable, c'est sa virtuosité rythmique qui le fait distinguer de ses contemporains. Bien qu'il ait délibérément abandonné le langage josquinien, il sait aussi écrire en polyphoniste consommé et, à partir de 1556, recourut à la technique chromatique italienne. Il est juste que, de nos jours encore, il symbolise les tendances les plus originales de la chanson française de la Renaissance. Voir M. Brenet, *Musique et musiciens de la vieille France*, 1911 ; M. Cauchie, *C.J., Recherches sur sa famille et sur lui-même*, ds *R. de mus.*, févr. 1923 ; J. Levron, *C.J.*, 1948 ; F. Lesure, *C.J., Recherches sur sa vie et son œuvre* (avec bibliogr. des chansons), ds *Mus. Disciplina*, 1951 — art. ds MGG ; F. Lesure et P. Roudié, *C.J., chantre de François I*ᵉʳ, ds *R. de mus.*, décembre 1957.                                                                    F.L.

**JANET et COTELLE.** Maison d'édition franç., fondée à Paris en 1810 par *Pierre-Honoré J.* et *Alexandre C.* : ils éditèrent A. Adam, d'Aleyrac, Castil-Blaze, L. Duport etc., rachetèrent Imbault (1814), Boïeldieu le jeune (1824) et Ozi (1825) ; en 1892, la maison fut reprise par Enoch et par Costallat. Voir B. Dufour in MGG.

**JANICZEK Julius.** Voir art. *Hensel (Walther)*.

**JANIEWICZ** (*Yaniewicz*) **Felix.** Compos. pol. (Vilna 1762–Edimbourg 21.5.1848). En 1777, il est à la cour du roi Stanislas à Varsovie comme violon. de la chapelle royale : on suppose qu'il obtint du roi une bourse pour poursuivre ses études à Nancy ; en 1785, il est à Vienne (élève présumé de J. Haydn) : Mozart fit son éloge et lui dédia son *Andante K. 470* ; il voyagea ensuite à Florence, Turin, Milan, Paris, où il joua chez la duchesse d'Orléans, enfin (1792) en Grande-Bretagne où il se fixa à Liverpool, puis à Edimbourg : il y fut virtuose, marchand de musique, animateur et professeur ; on lui doit 5 concertos de viol., de la mus. de chambre, de piano. Voir K. Swaryczewska in MGG.

**JANIGRO Antonio.** Vcelliste et chef d'orch. ital. (Milan 21.1.1918–). Après ses études musicales, faites au cons. de Milan, il vient à Paris parfaire son art le vcelle à l'Ecole normale de musique avec D. Alexanian (classe de Pablo Casals) ; dès l'âge de 16 ans, il commence une carrière de vcelliste qui le conduit à travers le monde sous la direction des plus grands chefs d'orchestre ; de 1939 à 1954, il eut au cons. de Zagreb la classe supérieure de vcelle ; dès 1947, il avait entrepris, parallèlement à son activité de soliste, une carrière de chef d'orch. : en 1953, Radio-Zagreb le nomma 1ᵉʳ chef de son orch. de chambre et lui confia la direction des « Solistes de Zagreb », dont il a fait un ensemble de premier ordre et qui s'est fait une réputation mondiale, spécialisé dans l'interprétation de la musique baroque.                                              M.F.

**JANISSAIRES** (*Musique des*). Ces militaires turcs avaient une musique composée d'instruments à vent et d'instr. à percussion qui fut souvent évoquée par des compositeurs, tels Gluck (*La rencontre imprévue*), Strungk (*Esther*), Grétry (*La fausse magie*), Mozart (« *L'enlèvement au sérail* »), J. Haydn (« *Symphonie militaire* »), Beethoven (*Die Schlacht bei Vittoria*). Voir H.G. Farmer in MGG.

**JANITSCH Anton.** Violon. austro-tchèque (? 1753–Burgsteinfurt 12.3.1812). Elève de Pugnani, maître de concert du *Kurfürst* von Trier à Coblence, puis à la chapelle princière de Wallenstein (1774–1779, 1782–1785), chef d'orch. de théâtre à Hanovre, enfin maître de chapelle du comte Burgsteinfurt, il écrivit des symphonies, des concertos, un quatuor.

**JANITSCH Johann Gottlieb.** Mus. allem. (Schweidnitz 19.6.1708–Berlin 1763). Juriste, élève de l'univ. de Francfort-sur-l'Oder, il fut secrétaire du ministre F.W. von Happe (1733), puis « *Contra-violonist* » à la chapelle de la cour de Frédéric II (1740) ; il avait fondé à Rheinsberg la *Freitags-Akad.* (1736) et fut plus tard directeur des « *Redoutes musicales* » de Berlin : il y fut en relations avec C.P. Bach et F.W. Marbourg ; on lui doit de la mus. d'église, de circonstance, de chambre, d'orgue, de clavier. Voir H. Becker in MGG.

**JANKÉLÉVITCH Vladimir.** Philosophe franç. (Bourges 31.8.1903–). Normalien, professeur à la Sorbonne, il consacre une grande partie de ses travaux à la musique ; on lui doit *Gabriel Fauré, ses mélodies, son esthétique* (Paris 1938, 1951), *Ravel* (*ibid.* 1939, 1956), *Debussy et le mystère* (Neufchâtel 1949), *La rhapsodie, verve et improvisation mus.* (*ibid.* 1955), *Le nocturne, Chopin et la nuit, Satie et le matin* (*ibid.* 1957), ainsi que des articles dans des périodiques ou ouvrages collectifs. Voir L. de Sugar in MGG.

**JANKO Pál** (*Paul von*). Pian. hongrois (Totis 2.6.1856–Constantinople 17.3.1919). Elève du cons. de Vienne, de l'univ. de Berlin, il vécut à Constantinople de 1892 à sa mort, après avoir inventé un nouveau système de clavier pour le piano, en fait un perfectionnement du clavier chromatique de Vincent : six rangées de touches superposées, en plan incliné, liées par un même levier ; il publia d'ailleurs *Eine neue Klaviatur* (1896) ; ce système, après quelque succès, n'a été adopté par aucun constructeur. Voir H.F. Münnich, *Materialien f. die J.-Klaviatur*, 1905 ; H.H. Dräger in MGG.

**JANNACCONI** (*Janacconi, Gianacconi*) **Giuseppe.** Mus. ital. (Rome 1741–16.3.1816). Elève de Rinaldini, de Carpani et de Pisari, il fut maître de chapelle de St-Pierre de Rome de 1811 à sa mort ; initié à l'étude de l'œuvre de Palestrina par son maître Pisari, il s'y voua avec amour toute sa vie, initiant à ses travaux son élève G. Baini, son héritier spirituel, qui publia *Memorie storico-critiche della vita e delle opere di G.P. da Palestrina* (Rome 1828) ; il a laissé une œuvre abondante de mus. d'église, inspirée de l'école romaine : l'oratorio *L'agonia di Gesù Cristo*, 32 messes, 52 psaumes, 20 motets, 57 offertoires et antiennes, des canons, 2 quintettes à cordes ; ses compositions imprimées se trouvent ds *Musica sacra, VI* (Commer), *Part music, II* (Hulla) et ds *Répertoire de musique* (Schott, Mayence).                                 Cl.S.

**JANNEQUIN.** Voir art. *Janequin*.

**JANOTHA Natalia.** Pian. polonaise (Varsovie 8.6.1856–La Haye 9.6.1932). Elève de Rudorff, de Bargiel (Berlin), de Clara Schumann, elle débuta au Gewandhaus en 1874 et fit une grande carrière intern. comme interprète de Chopin ; on lui doit quelque quatre cents compositions pour son instrument et des écrits sur Chopin. Voir Z. Lissa in MGG.

**JANOVKA Thomas Balthasar.** Org. tchèque (Kuttenberg 1660– ? ap. 1715), qui fut *magister* de l'univ. de Prague et organiste à l'église Notre-Dame (1691) : on lui doit un dictionnaire intitulé *Clavis ad thesaurum magnae artis musicae* (Prague 1701, 1715). Voir M. Ruhnke in MGG.

**JANOVSKY Boris.** Compos. ukrainien (Moscou 1875–Kharkov 19.1.1933). Elève d'E. Ryb, prof. à l'institut de mus. de Kharkov dep. 1918, il a écrit 10 opéras, 2 ballets et 1 comédie musicale, quelques œuvres symph., d'autres pour piano, vcelle, voix, chœurs, de la mus. de théâtre.                                                            A.W.

**JANSA Léopold.** Violon. et compos. autr. (Wildenschwert 23.3.1795–Vienne 24.1.1875). Enfant, il reçoit son premier enseignement musical de l'organiste de sa ville natale, Zizius ; il continue ses études à Vienne chez Worzischek et Foerster ; grâce à son effort prodigieux, il s'élève au rang de violonistes tels que Mayseder et Boehm ; en 1823, il devient membre de la chapelle de Braunschweig ; l'année suivante, il occupe un poste de violon. à la chapelle royale de Vienne ; en 1834, il obtient la fonction de *Musikdirektor* à l'univ. de Vienne ; en 1845, *J.* renouvelle la tradition du quatuor à cordes, tombée en désuétude après la mort de Schuppanzigh ; ayant participé à un concert en faveur des révolutionnaires hongrois, il perdit son poste à Vienne et resta à Londres, d'où il ne put rentrer au pays que grâce à la clémence de l'empereur : nanti d'une pension, il resta à Vienne où il donna son dernier récital en 1871, à l'âge de 76 ans ; il avait une bonne technique de la main gauche, mais son bras droit, péchait par trop de raideur, défaut propre aux autodidactes, qu'il communiqua d'ailleurs à son élève Wilma Norman-Neruda (la future Lady Halle), il publia un nombre considérable de compositions qui révèlent un musicien fécond, dont le point faible est le manque d'originalité. Voir A. Moser, *Gesch. des Violinspiels*, Berlin, 1923 ; J.W.v. Wasielewski, *Die Violine und ihre Meister*, Leipzig 1927.                A.W.

**JANSEN Albert.** Historien allem. (Cassel 29.4.1833– ?), qui fut professeur à Landsberg, Potsdam, St-Pétersbourg et Berlin ; on lui doit *J.-J. Rousseau* (Paris 1882), *J.-J. Rousseau als Musiker* (Berlin 1884), *Documents sur J.-J. Rousseau* (Genève 1885).

**JANSEN E. Gustav.** Org. allem. (Jever 15.12.1831–Hanovre 3.5.1910). Élève du cons. de Leipzig, prof. à Göttingen, org. à la cath. de Verden, il publia *Die Davidsbündler. Aus R. Schumanns Sturm-u. Drangperiode* (Leipzig 1883) et édita la correspondance (*ibid.* 1886–1904) et la 4e livraison des *Gesamm. Schriften* de R. Schumann (*ibid.* 1891).

**JANSEN Jacques.** Baryton franç. (?22.11.1913–). Élève du cons. de Paris (Jouvet, Croiza, Panzéra), il fait une grande carrière internationale de chanteur d'opéra.

**JANSEN Simon Cornelis.** Org. et chef d'orch. néerl. (Rotterdam 1.1.1911–), org. (1952) à la *Westerkerk* et prof. au cons. d'Amsterdam.

**JANSON.** — 1. **Jean-Baptiste.** Vcelliste franç. (Valenciennes v. 1742–Paris 2.9.1803) : élève de Berteau, il débuta en 1755 au Concert spirituel, appartint à la « musique de S.A.S. Mgr le prince de Conti », fut au service du duc Charles-Guillaume-Ferdinand de Brunswick (1766–1771), « surintendant de la musique de Monsieur » (1788), prof. au cons. de Paris (1795) ; il fut l'un des meilleurs virtuoses de son temps, de renommée internationale et composa, avec talent, nombre de sonates et de concertos pour son instrument, 3 symphonies, de la mus. de chambre etc. Son frère — 2. **Louis-Auguste,** dit *le Jeune* (*ibid.* 8.7.1749–Paris ap. 1815), également vcelliste, débuta en 1779 au Concert spirituel, fit une carrière de virtuose, notamment à Bordeaux et à Lyon (1784–1785) et appartint à l'orchestre de l'Opéra de Paris de 1789 à 1815 ; il composa de la mus. de chambre et 3 concertos de vcelle. Voir R. Cotte in MGG.

**JANSSEN Herbert.** Baryton amér. d'origine allem. (Cologne 22.9.1895–), qui a fait une carrière intern. de chanteur wagnérien, notamment à l'Opéra de Berlin, à Bayreuth (1933) et au *Metropolitan Opera* de New-York (1938–1947).

**JANSSEN Nicolaas Adriaan.** Eccl., org. et compos. néerl. (Bois-le-Duc 10.1.1808–Gennep 24.3.1898), qui fut prof. au séminaire de Malines, chartreux, puis org. à Louvain ; on lui doit *Les vrais principes du chant grégorien* (Malines 1845) et de la mus. d'église.

**JANSSEN Werner.** Chef d'orch. et compos. amér. (N.-York 1.6.1900–). Élève de F. Weingartner, prix de Rome (1930), élève de Respighi, il débuta comme chef d'orch. en 1935 au *Phil. symph. orch.* de N.-York, fonda et dirigea la *J. Symph. of Los Angeles* (1936–1948), les orch. de Portland et de Salt Lake City, et fait une carrière intern. ; on lui doit de la mus. symph., de chambre, de piano, de film.

**JANSSENS Jean-François-Joseph.** Compos. belge (Anvers 29.1.1801–3.2.1835). Élève de Lesueur (Paris), notaire, chef d'orch., il écrivit de la mus. d'église (5 messes avec acc. d'orch., cantates), 2 symph., 2 opéras-comiques (*Le père rival, La jolie fiancée*). Voir P.J.N. Hendrickx, *Simple histoire...*, Anvers 1860.

**JAPART Jean** (*Johannes*). Mus. flamand, dont l'activité se situe v. 1500, qui fut chanteur à la cour de Ferrare ; Josquin des Prez lui dédia une de ses chansons ; on lui doit 19 chansons à 3-4 v. (ds l'*Odhecaton* de Petrucci, Venise 1501 ou en mss) ; on l'identifie parfois avec Gaspard van Weerbecke. Voir A. Pirro, *Hist. de la mus. de la fin du XIVe s. à la fin du XVIe*, Paris 1940 ; G. Reese, *Music in the Renaissance*, N.-York 1954 ; N. Bridgman in MGG.

**JAPHA.** — 1. **Louise.** Pian. allem. (Hambourg 2.2.1826–Wiesbaden 13.10.1910), qui fut l'élève de Robert et de Clara Schumann, fit une carrière de virtuose, notamment à Paris (1863–1869), fut compositeur ; elle fut l'épouse de F.W. Langhans. Son frère — 2. **Georg Joseph** (Könisberg 28.8.1835–Cologne 25.2.1892), violon., élève de Ferdinand David et de R. Dreyschock (Leipzig), d'E. Singer (Könisberg), d'Alard (Paris), appartint au *Gewandhaus* de Leipzig (1855–1857) et fit carrière à Königsberg et à Cologne.

**JAPONAISE** (*Musique*).

A. Introduction : Problèmes posés par les recherches effectuées jusqu'ici. Généralités sur l'état actuel de nos connaissances. Erreurs bien accréditées et mise au point.

B. Aperçu historique : Préhistoire — époques *Nara* — *Heian* — *Kamakura* — *Edo* — temps modernes.

C. Survivances : Examen des genres de musique transmis jusqu'à nos jours, dans leur état actuel — Documentation — Analyse de la forme — Interprétation — Contexte social.

> Chanson populaire.
> Musique *shintō*.
> Musique bouddhique.
> Musique de la cour impériale.
> Musique de théâtre.
> Musique des guildes de l'époque *Tokugawa* (*Edo*).

D. Discographie.
E. Bibliographie : 1. Les transcriptions musicales.
2. Travaux originaux japonais.
3. Encyclopédies et recueils japonais.
4. Recherches récentes faites par des chercheurs japonais.
5. Dictionnaires en langues occidentales.
6. Recherches faites par des chercheurs occidentaux.

A. Dans les pays occidentaux, on n'a encore qu'une connaissance très réduite de la musique japonaise : cela est certainement dû pour une part au fait que presque tous les Japonais qui entrent en contact avec la musique occidentale ne s'intéressent plus du tout à leur propre tradition et n'ont pour ainsi dire aucune idée de l'histoire musicale de leur pays. D'autre part, l'étude de la musique japonaise, faite par les chercheurs occidentaux, qui date de l'ouverture du pays, a rencontré beaucoup d'obstacles dès son commencement. Pour juger de façon compétente et indépendante, il aurait fallu des spécialistes en même temps japonisants, musicologues et musiciens, qui ne se présentèrent pas tout de suite. A l'exception de l'éminent chercheur qui fut le premier dans ce domaine, le docteur Müller, médecin personnel de l'empereur, qui publia un aperçu très sérieux sur la musique de cour (1874–76), ce sont pour la plupart des amateurs enthousiasmés qui, sur des informations douteuses, dans des articles subjectifs et insuffisants, ont apporté à l'Occident sa première connaissance de la musique du Japon. Si cette musique est encore aujourd'hui couramment sous-estimée de façon incroyable, la faute en remonte aux ouvrages populaires des années 1900, dont les erreurs sans nombre et les lacunes furent reprises sans autorité par les traités les plus récents. Certaines de ces erreurs étant devenues partie intégrante de notre connaissance générale du Japon, on nous permettra dès l'abord de les aborder.
— 1. On s'imagine le cadre de la musique japonaise étroit au point de pouvoir en formuler les caractères en quelques mots ; des traités de premier plan en font l'exposé, qui analysent uniquement la musique *geisha* : c'est un peu comme si l'on croyait décrire la musique allemande du dernier millénaire en faisant l'analyse d'un air d'opérette. Qu'on n'attende pas non plus de l'auteur une analyse épuisante et définitive de « la » musique japonaise : après vingt ans de recherches assidues, elle est tout au plus en mesure de donner les grands traits des principaux genres de cette musique. — 2. On a l'habitude de faire commencer l'histoire de la musique japonaise avec l'arrivée de la musique chinoise, venue par le chemin de la Corée : mais la Corée, aussi bien que le Japon, avait sa musique autochtone, caracté-

ristique et riche. La culture autochtone coréenne d'origine *tung* possédait un langage musical caractéristique par son tempérament, qui s'est en effet toujours transmis jusqu'à notre époque et que l'on peut reconnaître dans ce qui reste de la musique coréenne à la cour impériale japonaise. Au Japon aussi, on trouve les traces d'une vie musicale intense à l'époque préhistorique. — 3. On lit toujours que, une fois adoptée, la musique du continent est restée « stagnante » au Japon, qu'elle n'a plus évolué. On affirme même du théâtre aristocratique japonais, le *nō*, qu'il est resté tel qu'il était au XVe s. : cela n'est vrai qu'en ce qui concerne la forme extérieure générale ; la musique continentale a été adaptée, développée, transformée par les Japonais ; le *nō* a évolué de façon décisive par rapport au XVe s. — Comme n'importe quel pays ou peuple, le Japon a toujours été ouvert aux influences stimulantes : cela ne doit pas nous faire oublier que le Japonais est un acteur, un danseur, un chanteur et un poète-né.

**B.** *La préhistoire.* Les vestiges de la préhistoire, du IIe s. av. J.-C. au Ve s. après J.-C. sont l'usage des cloches de la région *Kanto*, les flûtes de pierre de la côte occidentale face à la Corée, les offrandes funéraires musicales des *tumuli* et la relation d'instruments, de danses, de chants et de certaines formes de chants dans le *Kojiki* (« Chronologie d'anciens événements », 712 après J.-C.) et dans le *Nihonshoki* (« Annales japonaises », 720). Les découvertes de cloches (*dōtaku*) du début de l'âge du bronze n'ont été faites que dans la partie médiane de l'île principale du Japon et sur la côte nord de l'île *Shikoku*. D'après le site des découvertes, c'est une tribu nomade venant du nord qui aurait apporté ces cloches à ce peuple japonais, si mélangé du fait de nombreuses migrations. La technique de la fonte en est extrêmement primitive. On faisait, semble-t-il, un moule intérieur et un moule extérieur en sable, qui étaient traversés de bâtons pour les maintenir, et la masse était coulée entre ces moules : d'où proviennent ces trous inégalement répartis qu'on voit sur toutes les cloches. Elles ont une poignée pour les suspendre et, à l'intérieur, un crochet pour tenir le battant. On a également trouvé des battants à côté des cloches (fig. 1), mais on est surpris de voir que les proportions des seules petites cloches permettent qu'on tienne la cloche par la poignée : pour toutes les cloches de grande taille, la poignée est beaucoup trop faible pour le poids, et elle se briserait dès que l'on suspendrait la cloche. On suppose donc qu'on fabriquait intentionnellement ces très grandes cloches comme représentation des cloches en usage : elles devaient servir à des fins magiques, et l'on devait les exposer comme symboles dans certaines fêtes populaires, sur les lieux de culte ; d'habitude, on devait les garder cachées ; 90 % des cloches qu'on a retrouvées étaient isolées, le plus souvent au flanc de montagnes qui avaient été des lieux de culte (travaux du prof. Miki). Les flûtes de pierre mises à jour ne sont pas nombreuses : elles sont du même type que celles de Corée.

Les découvertes funéraires de l'époque *Kofun* (des *tumuli*), du IIIe au VIIe s. de notre ère, semblent aussi prouver la signification magique de la musique. On sait que les fouilles sont riches en statuettes funéraires d'argile, *haniwa :* on a trouvé souvent une centaine de guerriers *haniwa* dans une même tombe ; proportionnellement, les figures de musiciens et de danseurs sont plutôt rares. On trouve des tambours (avec le « tambour au corps bombé » attaché autour du cou, qui est si fréquent en Inde, *cf.* Marcel-Dubois) ; on trouve aussi des joueurs de cithare du type *koto* (longue caisse de bois légèrement bombée, sur laquelle les cordes sont tendues dans le sens de la longueur ; l'accord se fait au moyen de petits chevalets de bambou mobiles, posés au-dessous des cordes), à 6 cordes, *wagon*, qui passe pour le plus ancien instrument à cordes japonais. Les *shamanes* (*mikando*) sont fréquentes ; et certaines tiennent en main des représentations d'un instrument qui est encore employé aujourd'hui à la campagne, à la manière des castagnettes, le *waritake*, qui consiste en deux petits morceaux de bambou frappés l'un contre l'autre. D'autres tiennent un miroir où sont fixées des clochettes (*suzu*) ; d'autres encore portent au cou et aux chevilles des rubans

*fig. 1*

ornés de clochettes, du genre de celles qu'on utilise encore pour les danses *shinto*.

Le *Kojiki* contient une foule de références musicales : le premier traducteur, B.H. Chamberlain, exprime dans l'avant-propos son étonnement devant le nombre d'allusions à la danse, au chant et à la musique à côté d'un manque absolu de dessin, de peinture et d'écriture jusqu'au milieu du Ve s. Dans la préface, le chroniqueur de l'ouvrage, *Ohno Yasumaro*, raconte au sujet du premier empereur, *Jimmu :* « Dansant dans les rangs, ils pourchassaient les brigands ; tendant l'oreille à une chanson, ils anéantissaient l'ennemi » (cf. les récits sur les rondes des indigènes de Formose). L'empereur *Temmu* prend une décision d'après une mélodie entendue en rêve ; la déesse *Ame-no-Uzume* danse sur un tonneau renversé qui sert de caisse de résonnance ; le dieu du vent possède un luth *ame-no-norigoto* qui prédit l'avenir (instrument à cordes indéterminé, toujours traduit par « luth » par Chamberlain) ; l'empereur *Chuai*, qui néglige la prédiction d'un luth divin, doit mourir. Des refrains conservés dans le *Kojiki* font preuve d'un art du chant populaire pleinement épanoui, par exemple, les voyelles-onomatopées qui terminent le chant de guerre de Jimmu, suite de grossièretés dans le genre de celles des refrains des chansons militaires occidentales : *Ye! Ye! shi ya ko shi ya* etc.

La classification des chansons semble être complète : il y a des chants dans le « style barbare » (*hinaburi*), des « chansons du mal du pays » (*kuni-shinobi-uta*), des « demi »-chansons (*kata-uta*), des chants du calme (*shizu-uta*), des chants de félicitations (*hogi-uta*) ; il y a aussi des « chants en chaîne », avec demande en mariage et réponse, des chants alternés, des chants de menace, des chants de victoire ; il y a les chants *azuma* des provinces de l'est et les chants des « barbares chevelus », les *Aïnu*.

Ces chansons sont objet de privilèges : les grands propriétaires de Yoshino avaient le privilège de chanter leur propre « chant d'épée » devant l'héritier impérial ; la guilde des *kataribe* se rassemblait à la cour et récitait ses chants traditionnels (le *kataru* est d'ailleurs aussi une technique de chant particulière) ; les ménestrels ambulants présentaient leur épopée en alternant deux styles de chants, la manière *kataru* de raconter et de réciter, le chant mélodique *utafu* ; les épopées présentées en style *kataru* étaient couronnées, dans les paroxysmes lyriques, par l'*utafu*, plus doux et mélancolique, tout à fait comme les deux types de chant, *kataku* (dur) et *yokawu* (doux), qui alterneront plus tard dans le *nô*, où ils correspondent, par la signification comme par l'expression, au *kataru* et à l'*utafu* primitifs.

Parmi les danseurs professionnels de la cour, on citera surtout les *hayabito*, qui sont censés être les derniers représentants d'une tribu asservie, les nains et les jongleurs ; mais la cour elle-même danse, avec l'empereur, l'impératrice et les princesses ; les danses du peuple sont souvent citées.

On trouve des preuves de l'influence coréenne sous l'empereur *Ojin* (dates officielles 201–310 de notre ère, dates rectifiées 365–406), mais, de l'avis des savants, elle remonte encore plus haut : Sous *Ojin*, le savant coréen *Wani* est venu au Japon ; pour les funérailles de l'empereur *Ingyo*, amateur de musique, mort en 453, il avait joué lui-même du « luth », et son épouse était passée maître dans l'art de la danse ; 80 musiciens coréens vinrent « chanter, se lamenter et danser, et jouer d'instruments à cordes ». En 554, l'empereur *Kimmei* fit venir des professeurs de musique du royaume coréen de *Pekche* (en japonais *Kudara*), qui devaient en remplacer d'autres à la cour du Japon.

De l'introduction officielle du bouddhisme, en 552, datent l'instrumentation bouddhique et le chant liturgique. Mais un des événements musicaux les plus importants fut encore l'arrivée du Coréen *Mimashi*, sous l'impératrice *Suiko*, en 613 : ce musicien était de *Pekche* (*Kudara*), mais il affirmait enseigner le style de musique et de danse du pays *Wu*, du sud de la Chine ; l'activité de *Mimashi* montre combien de musiques régionales tout à fait différentes, de l'Asie centrale et de l'Asie du sud, pouvaient pénétrer au Japon. Les danses avec masques enseignées par *Mimashi* sont accompagnées sur le tambour cylindrique d'origine indienne (*cf.* Marcel-Dubois) : elles s'appellent *gigaku*. Le temple bouddhique de *Horyūji* possède quelques masques *gigaku* très anciens, que Mimashi lui-même aurait utilisés, et dont quelques-uns ne portent aucune trace de caractère racial mongol. Sous l'empereur *Kotoku*, on consacre une grande cloche bouddhique de bronze (venue de Corée ?). L'empereur *Temmu* (673–86) favorise « la danse et le chant des trois pays *Koma*, *Kudara* et *Shiragi* » (c'est-à-dire les trois royaumes coréens *Kokuryŏ*, *Pekche* et *Silla*). Il ordonne en outre que « tous les chanteurs, hommes ou femmes, et tous les joueurs de flûte transmettent leur art à leur descendance et enseignent l'art de jouer de la flûte et de chanter. »

En résumé, on peut dire de l'époque primitive que l'on y exerçait la magie par la musique (instruments qui prédisent l'avenir, danses magiques de trépignement, musique et danse des Shamanes), qu'un riche folklore continuait à s'y épanouir, tout en étant sauvegardé dans la tradition (*waza-uta*), que des instruments rythmiques, des instruments à vent et à cordes existaient, enfin qu'il y avait des musiciens ambulants de profession. On constate très tôt une influence continentale très forte venue par la Corée et une étude systématique (à la cour) de la musique étrangère. Le bouddhisme influence et enrichit la musique du pays.

*L'époque Nara.* On peut se faire une image assez claire de la musique de l'époque Nara grâce aux annales et aux nombreux autres documents conservés. Les annales

sont riches en allusions musicales. Sous l'empereur *Mommu* (697–707), on institue le *Gagaku-ryo*, « Ministère de la musique à la cour impériale ». La musique de la dynastie chinoise *T'ang* (618–907) est adoptée et constitue désormais la majeure partie du répertoire. On continue à cultiver la musique des trois royaumes coréens, la musique et la danse-pantomime d'Annam, de l'Inde, de l'Asie centrale, de Tung et de Mandchourie, qui étaient parvenues en Chine et en Corée : elles furent peu à peu ramenées au style *T'ang* qui régnait à la cour impériale.

De l'époque *Nara* date également la plus ancienne transcription notée qui soit conservée, le *Tempyo-biwa-fu* (« tablature pour « luth » de la période *Tempyo* ») qui se trouve au verso d'un compte sur un papier destiné à la copie de *soutres bouddhiques*, conservé dans le grand temple de *Horyūji*, et qui fut découvert au *Shō-sō-in* de Nara ; la quittance est datée de 768 ap. J.-C. ; la tablature *biwa* est certainement plus ancienne que le compte, pour lequel on l'a utilisée avec si peu de respect. Elle montre les mêmes signes et les mêmes indications de jeu que le célèbre ms. Pelliot de *Tun-huang*, qui est d'une importance fondamentale pour les recherches sur la musique japonaise de cour. C'est aussi une tablature *biwa*, qui contient 25 morceaux de musique pourvus de titres et d'indications de mesure et d'exécution. Certaines de ces indications ont encore cours dans les notations *gagaku* d'aujourd'hui. On y retrouve même le nom d'un morceau qui a survécu : *Keibairaku*. En fait la notation de cette pièce, telle qu'elle nous parvient aujourd'hui, n'a en commun avec celle de l'époque *Nara* que le nombre des coups de tambour, par conséquent le nombre d'unités correspondantes à nos « mesures ». Les deux mss ont été déchiffrés et mis en valeur par le prof. *Kenzo Hayashi*, Nara (*cf.* bibliographie).

L'usage de la *biwa* est prouvé au VIIIe s. par le manuscrit *Tempyo* ; c'est une forme japonaise de la *p'i p'a* chinoise : un luth à caisse de résonnance en bois, de forme ovoïde, que prolonge un manche court terminé par un chevillier recourbé à angle droit. L'instrument a 4 cordes, il est joué avec un plectre de bois dur. Par ailleurs, le *Shō-sō-in* de Nara contient un grand nombre de précieux instruments de musique de la même époque.

Les derniers examens scientifiques de ces instruments furent faits en automne (la saison la plus sèche...), de 1948 à 1952, par des savants éminents, et les rapports ont été publiés. (*cf.* bibliographie).

On a examiné 8 *shakuhachi* (flûtes à bec) de jade, de bambou, simple et taillé, de bambou recouvert d'écorce, de pierre, avec ornements gravés, d'ivoire. Les trois nœuds naturels du bambou d'un *shakuhachi* sont reproduits dans les autres matériaux pour donner l'impression que les instruments sont « poussés ». Ils ont 6 trous. On a essayé de reconstituer l'ancienne manière de jouer d'après le *Hakuga-teki-fu* (notations pour la flûte du compositeur *Hakuga*), du Xe s. : il a été impossible de reproduire le ton.

On a ensuite examiné 4 flûtes traversières à 7 trous, de pierre, d'ivoire, de bambou clair et noir ; plusieurs formes de *narabi-shō*, dont les tuyaux (7 ou 9) sont alignés les uns à côté des autres, et le *shō-phénix*, plus élaboré, orgue à bouche dont les tubes rangés en cercle sortent d'une « tête » (*kashira*), enfin les grands orgues à bouche, nommés *wū*, avec une très grande embouchure en forme de bec : on ne peut plus jouer sur aucun de ces instruments.

Il reste aussi des fragments d'un authentique jeu de pierres chinois, appelé en japonais *kei* : on a pu constater la hauteur de son des neuf pierres qui en restent.

On a fait des examens approfondis sur 22 *koshitsuzumi*, tambours de grande et de petite taille, des différents types originaires de l'Inde, venus au Japon en passant par la Chine. Les tambours *gigaku* sont cylindriques, très étroits, faits d'une seule pièce de bois, creuse. Il reste aussi des tambours d'argile ; ils ont la forme du sablier, avec rétrécissement au milieu, que l'on utilise dans la musique de cour originaire de Corée.

Comme instruments à cordes, il y a des cithares du type *koto* à 6 cordes (*wagon*), à 12 (*shiragigoto*, fig. 2) et 24 cordes

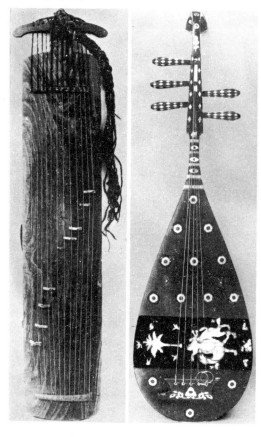

*fig. 2*       *fig. 3*

(*hitsu*) ; la « guitare-lune » chinoise à 4 cordes, le luth bas à 4 cordes, le luth bas à 5 cordes (fig. 3) et un fragment de harpe (*kugo*).

On n'a nullement épuisé avec cette énumération l'ensemble gigantesque d'instruments musicaux du *Shō-sō-in*. Une pièce hautement instructive est une arme de l'époque *Nara*, conservée au *Todaiji*, un arc de bois (*dankyū*), sur lequel sont gravés des scènes de représentations *gigaku* et des groupes de musiciens en train de jouer de leurs instruments (fig. 4). Ces danseurs, représentés avec grand art, qui frappent des deux mains le tambour *gigaku*, ces groupes d'acrobates, de joueurs de harpe et de flûte, donnent une vivante image de ce qu'était la musique à l'époque *Nara*. Cette musique est restée longtemps en honneur, et on l'étudiait à la fin de l'époque *Heian* sous le nom de *ko-gaku* (musique ancienne), jusqu'à la ranimer en partie. Une preuve en est le rouleau d'illustrations copiées avec habileté, d'après le *dankyu* de l'époque *Nara*, par *Fujiwara-no-Michinori* (nom bouddhique *Shinzei*), le *Shinzei Kogaku-Zu* (« Illustrations de la musique ancienne, copiées par Shinzei ») du XIIᵉ s. (fig. 5, 6).

*L'époque Heian.* En 794, la cour s'installa à *Heian*, l'actuel Kyoto. L'époque *Heian* est datée de 782 à 1185 ; elle vit l'épanouissement le plus éclatant de la culture aristocratique. Dans la première moitié du IXᵉ s., sous les empereurs *Saga* et *Nimmyō*, la vie musicale s'ordonne de façon nouvelle. A côté du *gagaku-ryo*, qui se consacre à la musique continentale importée, apparaît le *o-uta-dokoro*, second département musical, qui remet en honneur la musique ancienne sacrée japonaise. En 848, on signale des fonctionnaires de la musique (*gakunin*) : ce sont les ancêtres des lignées de musiciens de cour, qui se sont transmis la musique de la cour impériale

de père en fils, depuis maintenant 11 siècles ; ils exercent encore aujourd'hui à la cour.

A partir de cette époque les documents deviennent de plus en plus nombreux : on trouve de très nombreuses allusions à la musique dans les *rikkokushi*, 6 livres d'annales historiques. Le premier épanouissement littéraire favorise également l'étude esthétique de la musique dans les journaux personnels, les mémoires et les romans, appelés *katari* (*cf.* E. Harich-Schneider, *The mediaeval court songs of Japan*).

Les notations de flûte du *Fujiwara-no-Tadafusa* sont datées du début du Xᵉ s., l'école de flûte du *Minamoto-no-Hakuga*, de la moitié du Xᵉ. Comme le Xᵉ s. est précisément une période d'éloignement politique vis-à-vis de la Chine, la musique chinoise importée se développe chez les Japonais éveillés à l'indépendance et prend les marques d'une simplification toute japonaise (réduction et simplification de l'instrumentation). A cette époque aussi, on adapte dans le style chinois pour l'usage de la cour le riche folklore mélodique japonais, qui est toujours vivant, et, grâce à un allongement ou à une coupure, selon les cas, des mélodies, on le moule dans les schémas métriques chinois (*cf.* E. Harich-Schneider, *Koromagae*). Ce n'est pas seulement évident pour les adaptations de chansons populaires japonaises (*saïbara*), mais aussi pour les mélodies de la musique de cour appelée *tōgaku*, dans le style de l'époque *T'ang*, qui, de l'avis de l'auteur, proviennent en grande partie du folklore japonais et portent des marques d'allongement dans le cadre impropre des mesures chinoises frappées sur les instruments à percussion.

C'est au début de l'époque *Heian* également que commence à s'introduire dans la musique de cour un phénomène musical typiquement japonais depuis les origines, la *ryu* musicale (« tendances », « écoles », « guildes » et quelquefois simplement « traditions »). Presque tous les genres musicaux se transmettent au moins en deux *ryu*. A la cour *Heian*, ce sont la *Fujiwara-ryu* et la *Minamoto-ryu* (*To-ke* et *Gen-ke*) qui rivalisent. Les types musicaux empruntés au continent ont maintenant leur propre tradition ; toutes les formes nouvellement créées au Japon, en musique vocale et instrumentale, peuvent être interprétées selon ces deux styles différents, *Fujiwara* et *Minamoto*.

On cite aussi des compositeurs : au Xᵉ s., outre *Fujiwara-no-Tadafusa* et *Hakuga*, *Nakatsukasa Taifu-no-Nobuaki*, qui auraient fait de beaux arrangements pour *koto* et *biwa*. De *Hakuga*, il existe d'ailleurs encore un morceau dans le répertoire actuel de la musique de cour ; il s'appelle *Chokeishi* ; par son style, il est une copie fidèle des œuvres importées de Chine.

Le répertoire de la musique de cour se classe désormais de la façon suivante :

1. *Musique sacrée japonaise du Shintō impérial.* Ici reviennent les danses rituelles *Mi-kagura*, qui furent remaniées et rassemblées au IXᵉ s. par *Ohno-Shizumaro* : les *Azuma-Asobi*, danses et chants accompagnés d'instruments des provinces de l'est ; *Gosechi-no-mai*, danses féminines exécutées par des gardiennes du sanctuaire, que l'on fait remonter à une légende rapportée dans le *Kojiki*, laquelle relate que l'empereur *Yuryaku* accompagna un jour sur son « luth » une belle qui dansait, en chantant sa grâce. — Les instruments en usage dans la musique *Shintō* sont la flûte *Kagura*, le *wagon*, l'instrument à percussion de bois *shakubyoshi*, et, plus tard, le hautbois à anche simple, *hichiriki*. Dans les *Mi-kagura*, le *wagon* est ainsi accordé : *ré, la, ré, si, sol, mi* : dans les *Azuma Asobi* ; *fa dièse, do dièse, si, la, mi, la.* — Étant donné l'incertitude de la documentation et la rareté des transcriptions de cette musique, il est difficile de dire quoi que ce soit sur le rôle des différents instruments à l'époque *Heian* : nous pouvons cependant conclure, pour des raisons de vraisemblance, que les instruments avaient les mêmes fonctions que dans la façon de jouer aujourd'hui reconstituée : la flûte et le hautbois jouaient le prélude et les interludes à l'unisson, avec des ornements ; le *wagon* avait deux fonctions : il marquait les différentes sections du chant, au moyen d'accords arrachés par le plectre, et il intercalait de petits *soli* entre les numéros de danse, les *ori* (coupures) ;

le rythme était libre ; les claquements des percussions servaient uniquement à marquer les sections. — Nous sommes pauvres en mss *kagura* médiévaux, aussi bien malheureusement qu'en mss plus récents ; le plus ancien ms. connu dans l'original est de l'époque du *Minamoto-no-Michiniga* (966–1024) : il se trouve dans la bibliothèque de la maison *Konoye* et consiste en parties pour flûte de trois danses. A ma connaissance, on ne possède de mélodies *kagura* notées en neumes que de l'époque *Edo* la plus tardive.

2. *Musique continentale*, instrumentale (*kangen*) et danse avec musique (*bugaku*), de « gauche » (*sa-hō*) et de « droite » (*u-hō*). La musique de « gauche », appelée aussi *Tō-gaku* (*tō* = *T'ang*) comprend l'héritage de la musique *T'ang* et les éléments originaires d'Asie du Sud et d'Asie-moyenne qui s'y rattachent ; la musique de « droite » comprend l'héritage de musique coréenne et de musique d'origine tung et mandchoue qui s'y rattache.

*Musique de « gauche »* : flûte traversière de bambou *ryūteki*, hautbois *hichiriki*, orgue à bouche *shō*, cithare à 13 cordes *koto* : luth bas *biwa* : timbale suspendue *taiko* : tambour-tonneau reposant sur un socle, à deux faces, frappé avec des baguettes : *kakkō* : gong de bronze *shōko* (suspendu à un cadre) : les instruments à cordes font défaut dans le *bugaku*. — *Musique de « droite »* ; flûte de bambou coréenne *komabuye*, *hichiriki* : à la place du *kakkō*, que l'on frappe sur les deux faces, le tambour-sablier frappé sur une seule face, en trois tailles : *ichi-no-tsuzumi*, *ni-no-tsuzumi*, *san-no-tsuzumi*. — La documentation sur la musique continentale est bien meilleure que celle de la musique *shinto* ancienne, aussi bien en ce qui concerne la théorie que les partitions notées pour chaque instrument. Cela nous permet avec une relative certitude d'affirmer de certains traits fondamentaux qu'ils sont chinois anciens et avaient cours à l'époque *Heian*. — Deux gammes à cinq sons sont à la base des mélodies, la gamme *ryo* (tonique, seconde majeure, tierce majeure, quinte juste, sixte majeure) et la gamme *ritsu* (tonique, seconde majeure, quarte juste, quinte juste, sixte majeure). Il y avait six modes, trois en *ryo* ; *ichikotsu-chō* sur la tonique ré, *sōjō* sur la tonique *sol*, *taishiki-chō* sur la tonique *mi* : et trois en *ritsu* ; *hyōjo* sur *mi*, *oshiki-chō* sur *la* et *banshiki-chō* sur *si*. — On connaissait en outre les « douze sons » *ju-ni-ritsu*, également d'origine chinoise : *hyōjo mi*, *shosetsu fa*, *shimomu fa dièse*, *sōjō sol*, *fushō sol dièse*, *ōshiki la*, *rankei si*, *banshiki si*, *shinsen do*, *kamimu do dièse*, *ichikotsu ré*, *tangin ré dièse*. Ils étaient tous utilisés pour les ornementations finement ciselées de la ligne mélodique à cinq sons, sur tous les instruments. — La base de la forme, authentiquement chinoise, était le concert en sections répétées des trois instruments à percussion. Ce n'est pas ici le rythme qui a été ajusté à la mélodie, mais la mélodie que l'on a coupée sur mesure pour suivre le modèle immuable de la percussion. — La mesure binaire prévaut (*cf.* E. Harich-Schneider, *The rhythmical patterns in gagaku and bugaku*). — Un second trait caractéristique est le point d'orgue (simple ou figuré), tenu pendant toute la pièce par les instruments à cordes qui accompagnent. Ils n'ont par conséquent aucun rôle en *solo*. Le son de l'instrument le plus grave, la *biwa*, est situé, à l'unisson avec le *kakkō* que l'on accorde, sur la tonique, ou, s'il y a point d'orgue figuré, sur la dominante, celle-ci étant à la quarte inférieure de la tonique :

> *Ichikotsu* : la, ré, mi, la.
> *Hyōjo* : mi, si, mi, la.
> *Sōjō* : sol, la, ré, sol.
> *Oshikichō* : la, do, mi, la.
> *Banshikichō* : fa dièse, si, mi, la.
> *Taishikichō* : mi, si, mi, la.

Une interprétation mélodique libre n'est prévue qu'à la flûte et au hautbois, qui se jouent tous les deux à l'unisson, avec ornements (ornements microtoniques). Les accords du *shō* ont toujours comme fondamentale la note respective de la mélodie (pourvu que cette note puisse être produite sur le *shō*!). Les sons *la* et *si* sont toujours tenus entièrement sur le *shō*, dans toutes les tonalités et dans tous les morceaux, et donnent l'effet d'une sorte de point d'orgue inversé. Il semble que dès l'époque *Heian*, quatre des tubes essentiels du *shō* étaient déjà muets ; par conséquent quatre sons manquaient, ce qui constitue *une* des causes du « faux unisson » (Hornbostel) du *tōgaku*. (*cf.* l'ouvrage de Leo Traynor).

3. *Musique vocale composée au Japon à l'époque Heian avec accompagnement instrumental, Eikyoku*. Les *eikyoku* (chants profanes) comprennent d'abord les *saibara*, *roei* et *imayo*. Les *saibara*, chants populaires (littéralement chants équestres) étaient adaptés dans le style *tōgaku* à un cadre métrique strict et chantés avec accompagnement de l'orchestre de « gauche » ; seuls les instruments à percussion n'en faisaient pas partie : à leur place intervenait le *shakubyōshi*, qui marquait le début et les coupures de phrases. — Les annales parlent du *saibara* pour la première fois au IXᵉ s., à l'occasion de la mort de la princesse Hiroi-no-Jōō, qui mourut en 856, à 80 ans passés, et dont il est dit qu'elle chantait le *saibara* de façon particulièrement belle. On chantait les *saibara* aussi bien dans le style *To-ke* que dans le style *Gen-ke*, et ces deux styles sont conservés dans les notations du XIIᵉ s., dans le *Jinchiyōroku* du *Fujiwara-no-Moronaga*.

Les *roei* sont des poèmes écrits selon le modèle chinois, que l'on élabore en rythme libre, selon un déroulement tonal fixe, mais tout à fait librement, d'après le texte ; ils sont accompagnés seulement des trois instruments à vent.

Les *imayo* (littéralement « chants du jour ») étaient des chansons richement ornées, d'après des chants populaires ; ils sont conservés en mss et en neumes (*Roei Kyūjishushō*), mais l'interprétation n'en a pas été transmise. — Le chant populaire, toujours vivant, restait l'expression la plus forte de la vie musicale

*fig. 4*

Très lent, quasi improvisé

Gagaku : *Prélude* (Netori) *du mode* Taishiki-chō.

égal. Sa personnalité est caractéristique de l'époque de transition où il vécut, de ce passage de l'époque *Heian* à l'époque féodale *Kamakura*, où le bouddhisme adopte de nombreux arts de cour et leur insuffle une nouvelle vie, profondément religieuse. *Moronaga* lui-même se fit moine, à l'exemple de son ami, l'empereur, amateur de musique, qui s'était retiré, après deux ans de règne, dans l'état ecclésiastique. — Pendant cette période de transition, le chant *roei,* d'un art chevaleresque du genre troubadour devient un exercice spirituel. Dans les recueils *roei* de la première époque *Kamakura,* pendant laquelle le système des neumes, influencé par la notation bouddhique, se développe pour le *roei* et l'*imayo* les textes sacrés commencent à se faire plus nombreux, et des indications comme « plus vif », « fondant », « en s'éteignant », « en accélérant », « en retardant », évoquent un art de l'interprétation particulièrement poussé et personnel. — Il reste à signaler qu'à côté d'un art si intériorisé, l'art de la danse-pantomime, d'origine populaire, pénètre également dans les hautes classes ; les danseuses professionnelles dansaient aussi sur le chant *imayo,* avec accompagnement de flûte, de *tsuzumi* et de petites cymbales de bronze (*dō-byōshi*). Ces représentations, appelées *shirabyōshi,* constituent un intéressant rapprochement du genre le plus populaire avec l'élégance de cour. Restes d'une culture disparue, de telles représentations ont encore lieu aujourd'hui dans la *kagura* de village : elles furent le germe d'où devait jaillir plus tard le *nō.*

L'époque *Kamakura.* L'époque *Kamakura,* la véritable époque féodale du Japon, va de 1185 à 1600 environ : elle est caractérisée par le pouvoir militaire des *Shoguns,* qui résident à Kamakura, pendant que la cour impériale sombre à Kyoto dans une insignifiance distinguée. — Etant donné la rareté des mss originaux (on peut à vrai dire repérer la date des sources de notations et de recueils, que l'on ne connaît cependant qu'à travers ce qu'on appelle les *shahon,* c'est-à-dire des copies calquées sur les plus anciennes éditions, copies dans lesquelles on distingue difficilement les extrapolations ; la plupart remontent aux environs de 1500), on citera un ms. original *saibara* du début de l'époque *Kamakura* (Archives impériales). Il contient 21 chants sur le mode *ryo* et 15 sur le mode *ritsu,* avec les inscriptions précises des

japonaise. Vers la fin de l'époque *Heian,* sous le règne de l'empereur-artiste *Go-Shirakawa* (qui régna de 1156 à 1158) et sur son désir, on recueillit des chants populaires. L'ami intime de cet empereur, *Fujiwara-no-Moronaga* (nom bouddhique *Myōon-in*), est l'auteur d'une confrontation du répertoire *Koto* (*Jinchiyō-roku*) et du répertoire *Biwa* (*Sangoyō-roku*), dont les indications d'exécution montrent la richesse en nuances et en ornements, ainsi que l'emploi d'ornements par demi-tons, qui embellissaient la musique *Heian* tardive : ils ont complètement disparu aujourd'hui. *Moronaga* était aussi compositeur ; il s'est beaucoup produit en soliste sur la *biwa,* dont il dut devenir un virtuose sans césures et des reprises, les indications du phrasé et au pinceau rouge, la marque des principaux coups de percussion qui accompagnent. — Bien que, à côté de la musique de cour, d'autres musiques se développent largement, on continue cependant à la pratiquer intensément, et les sources, même du XVe s., montrent à quel point les connaisseurs et les amateurs, parmi les aristocrates de la cour, s'attachaient à conserver cette musique ancienne. Le *Kammongyoki*, journal des années 1417 à 1419 du prince impérial *Go-sukōin*, dont l'original est conservé (Archives impériales, Tokyo), montre les ardents efforts de ce prince pour conserver la véritable *gagaku*, la tradition *roei* et les danses, naturellement aussi son intérêt pour les hymnes bouddhiques et pour toutes les sortes de musique récente des milieux plus ouverts.

C'est la musique bouddhique qui prévaut et montre la voie à l'époque *Kamakura*; elle est elle-même nourrie de la sève du chant populaire, mais elle influence en

*fig. 5*

retour toutes les musiques, depuis la musique de cour jusqu'au jeu des jongleurs et des danseurs ambulants, qui étaient à l'écart de la loi civile, et de qui devait sortir *Zeami*, le génial créateur du *nō* (1363 à 1444). Parmi les 13 sectes bouddhiques importantes, c'étaient surtout la secte *Tendai* (fondée en 784 par *Saichō*) et la secte *Shingon* (fondée en 816 par *Kukai*) qui ont formé une culture musicale. Le premier ms. noté du chant sacré bouddhique conservé au Japon est de l'année 1110. Un ouvrage plus tardif du célèbre prêtre *Tanchi* (1230) semble avoir servi de modèle aux neumes des *roei*, *saibara* et *imayo*.

Bien que toutes les sectes aient eu leurs propres rituels

musicaux, on peut considérer comme généraux, à l'époque *Kamakura*, les usages suivants : 1. récitation de la *sutra*, *o-kyō*, qui se fait dans le pur style *parlando*, avec accompagnement constant de coups sur le *mokugyō* (tambour de bois) ; l'*o-kyo* est toujours récité par le groupe de la communauté. 2. *Shōmyō*, le chant liturgique proprement dit (pendant le service divin), est chanté en *solo* ou par un chef de chœur, avec le chœur qui lui répond (accompagnement éventuel de gongs et de clochettes) ; la mélodie du *shōmyō* est riche, le chant, très ornementé. 3. *Kōshiki*, comparable à notre chant grégorien, chants de louange, est intercalé dans le service. 4. *Wassan* et *Kada*, « chorals » sur des textes en japonais vulgaire, comparables à nos vieux chants de processions, sont chantés par les fidèles, ou par les prêtres et les fidèles, en dialogue. En outre, le service quotidien et la liturgie étaient encadrés et accompagnés par des concerts et des signaux des instruments à percussion, qui réglaient la vie (la chose est toujours en usage : voir ci-dessous). — L'influence de la musique bouddhique sur le peuple fut énorme. C'est en 1255 que le célèbre moine bouddhique *Kakushin* aurait fait venir de nouveau le *shakuhachi* de Chine au Japon, comme moyen spécial d'illumination spirituelle : c'est à lui que remonte la tradition de la guilde plus tardive des *Komusō*, moines-mendiants bouddhiques qui jouent du *shakuhachi*. Les *heike-biwa*, sorte de bardes itinérants qui chantaient les événements héroïques de l'épopée *Heikemono-gatari* en s'accompagnant du luth bas, de même que les guildes d'aveugles vagabonds, hommes (*tōdō*) et femmes (*gōze*), qui chantaient leurs ballades en s'accompagnant du luth et du tambour à main, empruntaient des types de mélodie, la mélismatique et la technique vocale du chant bouddhique, surtout celui des *Wassan*. Les chansons de banquet, appelées *enkyoku*, attribuées au prêtre Tendai *Myōku*, sont d'origine bouddhique. — L'influence réciproque de la musique bouddhique et de très anciens groupes de bateleurs et de danseurs connus à l'époque *Kamakura* sous le nom de *Sarugaku*, qui se faisaient engager aussi bien dans les sanctuaires *shintō* que dans les temples bouddhiques, pour le divertissement musical du peuple, lors des fêtes religieuses, est particulièrement intéressante. — *Zeami*, « un vaurien *sarugaku*, pour qui le *shogun* Yoshimitsu perdit la raison », comme le firent remarquer aigrement les courtisans, fut quand même l'élu qui créa un art nouveau et donna, dans de remarquables écrits esthétiques, des directives qui ont une valeur éternelle pour tout metteur en scène. La troupe *sarugaku*, à laquelle appartenaient *Kan'ami* et son fils *Zeami*, faisait étape au sanctuaire *shintō Kasuga* à Nara : c'était en 1375 ; le *shogun Ashikaga-no-Yoshimitsu* vit les deux danseurs, *Kan'ami*, doué comme tragédien, et *Zeami*, qui ajoutait à l'art de son père une grâce particulière, le « *yūgen* ». Le *shogun* donna un fief à *Kan'ami* et attacha les deux artistes à sa cour. *Zeami* fit du jeu du *nō* le divertissement préféré des *bushi*, la classe militaire. Bien que le successeur de *Yoshimitsu*, *Yoshinori*, l'ait banni à *Sadō* pour trois années, *Zeami* resta d'une activité artistique sans relâche : il dansa le *nō* jusqu'à sa mort, à 83 ans. C'est pour ses élèves qu'il écrivit ses 16 ouvrages, en particulier « *Le chemin de la plus haute fleur* » : tous ses ouvrages nous restent, et toutes les guildes *nō* font remonter leur tradition à *Zeami*. Au XVe s., il y avait 9 *ryū* différentes ; seules ont subsisté jusqu'à notre époque : *Kanze*, *Komparu*, *Hosho* et *Kongō*: comme subdivision de la plus importante, *Kanze*, on citera la *Kitaryū*.

La forme du *nō*, théâtre dansé avec des types d'acteurs immuables, chœur et musique d'accompagnement, est souvent commentée et étudiée du point de vue littéraire. L'instrumentation *nō* s'appelle *hayashi*, et consiste en *nō-kan* (flûte), *ōtsuzumi* et *kotsuzumi* (grand et petit tambours dont le laçage permet de varier les sonorités, et que l'on frappe avec le doigt protégé d'un dé de parchemin très fort), et enfin *taiko* (un tambour-tonneau frappé avec des mailloches de bois). Pour la description musicale de la pratique actuelle des parties vocales appelées *utai*, voir ci-dessous.

C'est aussi à l'époque *Kamakura* qu'on doit les plus

anciens recueils musicaux, écrits par des musiciens de la cour impériale : le *Kyōkunshō* (1233, original non conservé), le *Zoku-Kyōkunshō* (de 50 ans plus tardif, pas d'original, fragments de copies tous de l'époque *Edo*) et le *Taigenshō* (écrit composé en 1510–1512 ; original brûlé en 1661, mais copié auparavant dans divers *shahon*, fidèles).

*L'époque Edo* (Tokugawa), 1600–1868. La révolution culturelle se fait grâce à l'avènement d'une bourgeoisie riche, qui, à vrai dire, ne pénètre jamais jusqu'aux milieux féodaux ou à la cour, mais à qui la puissance financière donne la possibilité de se créer, pour son usage personnel, dans les quartiers de plaisir des grandes villes, une manière de vivre calquée sur l'aristocratique. Le théâtre bourgeois de marionnettes fait son apparition, et de nombreuses guildes nouvelles de musiciens se forment, qui, pour la plupart, dépendent du demi-monde galant, dans lequel le bourgeois aisé cherche sa distraction et le raffinement de sa vie.

Entre cette époque et la disparition de l'époque féodale, on trouve cette intéressante époque guerrière, au cours de laquelle on fit le premier essai de christianisation du pays : il est prouvé que les missionnaires espagnols et portugais apportèrent à la cour du tyran *Hideyoshi* des instruments de musique européens, en particulier deux clavecins. A *Nagasaki* et dans d'autres régions fortement christianisées, on introduisit des hymnes chrétiennes. Après le massacre de *Shimbara* en 1638, tout ce qui était chrétien fut d'ailleurs radicalement supprimé, mais il se peut que de vagues souvenirs de la musique occidentale soient restés inconsciemment dans le souvenir des crypto-chrétiens de *Kyūshū*.

Le développement du théâtre bourgeois, nommé *kabuki*, et de sa musique commença à *Kyōto*. Une danseuse, *O-kuni*, enchantait son public grâce à une danse bouddhique, avec accompagnement de flûte et de tambour : elle est censée avoir été à l'origine une danseuse de sanctuaire *shintō*, à *Izumo*. Au *kabuki-O-kuni*, succéda le *kabuki Yujō*, qui consistait en représentations de courtisanes impromptues et excentriques et qui fut interdit pour cause de scandale en 1629 : c'est seulement à partir de cette époque que le théâtre est interdit aux femmes, en principe. Une autre étape est celle du *kabuki Wakashu*, bientôt interdit pour les mêmes raisons, où de gracieux danseurs adolescents tenaient les rôles féminins. A partir de 1640, se développa le *kabuki Yarō* (*kabuki* masculin), parvenu jusqu'à nous, et des pièces préparées à l'avance remplacent l'improvisation. Des résumés écrits apparaissent à la fin du XVIIᵉ s., des livrets complets seulement au XVIIIᵉ. Il y a désormais

des écrivains de théâtre (*kyogen-tsukuri*) et des dynasties d'acteurs, avec leur spécialité qui se transmet de père en fils, comme l'*onnagata*, qui tient les rôles de femmes, par exemple. Le *shamisen*, arrivé d'*Okinawa* au Japon à la fin du XVIᵉ s. (guitare à 3 cordes, à long manche, que l'on frappe avec un plectre), s'était déjà répandu parmi les guildes de musiciens ambulants et dans le monde *geisha*. Avec le style dramatique *Joruri*, le *shamisen* est introduit comme instrument d'accompagnement au théâtre *kabuki*. Les termes qui désignent la technique de récitation du *joruri* rappellent les plus

*fig. 6*

anciennes traditions : on dit « *jōruri wo katatte* », de *kataru*, « réciter », mais on dit « *naga-uta wo utatte* », d'*utafu*, « chanter ». — L'écrivain de *kabuki* le plus célèbre, qui écrivit plus de 30 pièces, est *Monzaemon Chikamatsu*. A l'époque *Genroku* (1688–1704), le jeu de marionnettes, déjà connu au XVIᵉ s., se répand de nouveau, avec récitation de *jōruri* (ce genre tire son nom de l'héroïne de la première pièce pour marionnettes) et accompagnement de plusieurs *shamisen*.

A côté du *shamisen*, le *koto* à 13 cordes gagne aussi du terrain, dans le monde théâtral et les milieux bourgeois. Les genres de chants de cette époque sont : les *ryutatsu-bushi* (accompagnés de la flûte courte *hitoyogiri*, de *shamisen* et du *koto*), qui contiennent un élément réaliste nouveau, les *ji-uta*, les *rosai-bushi* (chantés d'abord uniquement dans les maisons *geisha* de Kyoto) et les *nage-bushi*. La musique d'accompagnement de *joruri* et des différents genres de chant se tarda pas à devenir indépendante : à côté des ballades et des chants accompagnés, des morceaux virtuoses en *solo* (*te-mono* ; mains seules, et *dan-mono* ; variations) acquièrent aussi une grande popularité parmi les amateurs bourgeois. On imprimait toutes ces musiques et ces textes à beaucoup d'exemplaires.

De cette époque datent aussi certains *ryū* importants, qui se sont conservés jusqu'à nos jours : l'art du *koto* à 13 cordes a été transmis par le *ryū Ikuta* ou *Kyoto*, fondé au XVIIᵉ s. à Edo. Les traditions du *heike-biwa*, du *shamisen*, du *shakuhachi* sont naturellement aussi représentées par plusieurs *ryū*. La musique concertante à grande formation (chant *solo* et chœur, instruments à percussion, arrangement pour chœur de *shamisen* et *koto*) est représentée par trois *ryū* ; 1. le « *Tokiwazu* » créé par *Tokiwazu Mojidayū* (1708–1781), style très dramatique, interrompu par des dialogues parlés ; 2. le « *Kyōmoto* », nommé d'après *Kyōmoto Enjussei* (1727–1802), style plus chanté, plus lyrique, qui fait un usage très doux des instruments ; 3. le « *naga-uta* », extrêmement important, avec un répertoire gigantesque : les trois genres peuvent se présenter en petite ou en grande formation. — Les *komusō*, moines qui voyageaient à travers le pays, la tête cachée sous une corbeille, en demandant l'aumône et en jouant de leur *shakuhachi*, prennent une importance particulière vers la fin de l'époque *Tokugawa* ; ils représentent la première guilde qui fut interdite, après l'ouverture du pays, par le gouvernement *Meiji*, parce qu'on les prit pour des partisans et des espions de la maison *Tokugawa*. A une époque plus récente, ils se sont réorganisés.

*L'époque contemporaine* (1868). Déjà avant le renversement du gouvernement *Tokugawa*, certains *daimyō* (seigneurs féodaux qui avaient leur propre armée) s'étaient intéressés à la musique militaire occidentale, en particulier aux clairons français : de même, la première musique occidentale, introduite par l'empereur *Meiji*, fut la musique militaire. Quand la cour se décida à rappeler les vieilles familles de musiciens (*gakunin*), qui étaient entrées en partie au service des *Tokugawa*, à former un *gakubu* (département de musique) dans le style des anciens temps et à déclarer de nouveau ésotérique la vieille musique de cour (1870), la question se posa bientôt de savoir si on ne pouvait pas laisser les *gakunin* apprendre aussi la musique occidentale, « étant donné que son usage se répand et permettrait aux *gakunin* d'exercer leurs fonctions sans lacune ». En dépit de quelques scrupules, le premier instructeur de l'orchestre militaire, l'Anglais John W. Fenton, fut donc nommé également maître des musiciens de cour ; il fut relayé par l'Allemand Franz Eckert, qui, pour répondre au souhait de la cour, écrivit même l'hymne national japonais dans le style occidental, d'après une mélodie traditionnelle. L'extension du culte *shinto* fit que beaucoup de temples bouddhiques furent dépossédés et transformés en sanctuaires *shinto* ; dans nombre d'entre eux, on utilisa dorénavant les mélodies de l'ancien *gagaku* comme accompagnement des danses sacrées nouvellement adoptées. Les danses traditionnelles, pour la plupart anciennes, furent interdites et remplacées par des danses et pantomimes nouvelles, chargées de symboles, dont la composition se fit à l'aide de spécialistes de l'histoire primitive et des sources historiques : c'est plus particulièrement à Isé que les danses sont des créations de l'époque contemporaine.

A côté de cet archaïsme en partie artificiel du culte, aux dépens de la véritable tradition, l'occidentalisation de la musique en général faisait des pas de géant dans l'enseignement et dans le public. C'est à partir de 1878 environ que l'éducation musicale occidentale fut poussée à fond. A l'instigation de Luther W. Mason (qui séjourna au Japon de 1880 à 1882), on n'enseigna plus dans les écoles et les conservatoires que la notation, l'harmonie et l'histoire musicale européennes. Les chansons populaires japonaises originales furent bannies ; elles se

réfugièrent dans les *ryū* privées et dans les couches inférieures de la population paysanne, où elles se sont maintenues de façon étonnante. Pour les besoins de l'enseignement, on composa des textes japonais didactiques sur des mélodies folkloriques allemandes du temps de Silcher ; les chansons de cette souche ont également pris racine. En 1879, on fonda le « Département de la musique » au Ministère de l'éducation, qui donna naissance, en 1887, à l'École supérieure impériale de musique d'*Ueno*, d'esprit résolument occidental, qui n'a laissé qu'une place étroite à la musique japonaise traditionnelle et l'a même exclue à une certaine époque. On a fondé beaucoup de conservatoires privés comme *Kunitachi* et *Musahino* à Tokyo. Pendant l'occupation américaine au Japon, l'Académie Ueno et plusieurs autres conservatoires prirent le rang de *daigaku*, c'est-à-dire d' « universités », sans que pour autant le statut des professeurs et le but des institutions fussent changés. Toutes ces écoles sont uniquement des écoles normales de musique occidentale. La tradition japonaise propre est entièrement laissée aux mains des *ryū* privées.

Toutes les grandes villes ont des orchestres modernes, dont le meilleur, l'orchestre N.H.K. (Radio-Japon), toujours formé, jusqu'à présent, par des chefs d'orchestre occidentaux, est à Tokyo. Comme chefs d'orchestre japonais éminents, citons *Hidemaro Konoye*, *Hisatada Otaka*, mort très jeune, et *Asahina* à *Osaka* ; ils ont tous fait leurs études en Europe. Le vieux maître de la composition en style occidental est *Kosaku Yamada*, qui a fait ses études au début du siècle à la *Hochschule f. Mus.* de Berlin, parle couramment 4 langues européennes et a écrit plusieurs opéras. Il y avait non loin de lui un autre musicien, formé en Allemagne aussi, *Kiyoshi Nobutoki*. A l'académie Ueno, on enseigne la composition depuis 1931. Les compositeurs japonais considèrent comme essentiel d'être à la hauteur de ce qu'il y a de plus moderne en matière de composition et de technique. Le compositeur *Saburo Moroi*, qui étudia dans les années 30 chez Schrattenholz à Berlin, se déclare lui-même avec modestie « anti-moderne », tandis que son jeune fils, *Makoto Moroi*, lauréat de plusieurs prix européens, est un chef de file parmi les musiciens dodécaphonistes japonais. Les essais du compositeur américain John Cage (« piano préparé ») rencontrent beaucoup de sympathies au Japon. Dans ces dernières années, les compositeurs dodécaphonistes se sont groupés sous la direction de l'écrivain musical et critique *Hidekazu Yoshida* : ils ont organisé chaque année à *Karuizawa* un festival ultra-moderne. Le musicien japonais moderne est d'esprit international ; le lien avec la musique traditionnelle est rompu, même en cas d'utilisation d'une mélodie japonaise ancienne ou d'emploi d'instruments japonais dans une composition moderne : de tels éléments de couleur locale sont généralement employés pour plaire aux Occidentaux, pour qui le lien entre le Japonais actuel et son passé apparaît plus étroit qu'il n'est en réalité ; et alors, le compositeur moderne se trouve dans l'obligation d'engager un spécialiste des anciens *ryū* pour se faire transcrire l'ancienne notation et se faire expliquer l'usage des instruments anciens. Il est inutile de critiquer cet état de fait ou de le masquer par de belles paroles ; ce n'est qu'en observant les phénomènes sociaux tels qu'ils sont qu'on peut s'expliquer l'orientation des grandes universités et témoigner l'admiration qui convient pour les chercheurs éminents qui se consacrent à la musique japonaise traditionnelle. Ces savants travaillent avec un soutien officiel minime, et il n'y a pas encore au Japon de chaire d'ethnomusicologie.

A l'université de Tokyo, on enseigne la musicologie dans le cadre de la faculté des lettres, mais il s'agit uniquement d'esthétique musicale au sens *occidental* du mot. Il existe deux sociétés de musicologie, la « Société de musicologie » qui ne s'occupe que de musique occidentale, et la « Société de recherches sur la musique orientale ». Dans les journaux de cette dernière société écrivent des spécialistes éminents, parfois même de génie, dont quelques-uns sont chargés de cours à l'université, mais dont la majorité doivent trouver un gagne-pain, au détriment de leur travail de recherches. Ils ne reçoivent aucun soutien de la part des esthéticiens, orientés exclusivement vers l'Ouest. Heureusement la sociologie, l'ethnologie et la philologie ancienne sont brillamment représentées à l'université, et les savants de ces disciplines savent bien qu'ils ont besoin d'aide et de collaboration musicales spécialisées. C'est par ce détour qu'on pourrait enfin accorder la place qui revient dans les grandes universités, à la recherche musicale active dans le pays même. Du côté de la musique pratique et de la musicologie d'esprit occidental, il n'y a pas d'espoir.

**C.** *Les survivances. La chanson populaire.* Le Japon reste actuellement un des pays du monde les plus riches en chansons populaires : c'est dans les différents *kuni* (régions, appelées aujourd'hui provinces *ken*) que la chanson régionale a gardé toute sa fraîcheur, en dépit de la radio et de l'occidentalisation forcée. Elle porte encore les caractères observés dès les temps primitifs — il y a encore des chansons de type magique, comme les chansons liées au labourage des champs, à la garde des troupeaux, au creusement des puits, à la construction des maisons etc. Même en dehors de ces circonstances, la vie s'accompagne de chansons : les jeunes gens surtout chantent constamment, en pêchant, en marchant, en travaillant aux champs. Les recueils de M. *Ju-ichiro Takeda*, faits sur l'initiative de Radio-Japon, dont 4 vol. sont déjà publiés, contiennent près de 2.000 chansons populaires, et ce n'est sans doute que le quart de tout l'ensemble. Naturellement ces recueils contiennent, à côté d'éléments anciens ou même primitifs, des éléments modernes, d'autres même extrêmement récents ; mais les éléments japonais authentiques s'y trouvent à l'état pur.

La chanson populaire japonaise est pentatonique, d'un rythme marqué, presque toujours de mesure binaire. La gamme pentatonique la plus ancienne, avec la tierce majeure, est très rare. On connaît encore quelques belles chansons en *ritsu* ancien (avec quarte juste) ; mais le plus courant est le type *ritsu* modifié avec quarte et quinte justes, sixte mineure et seconde mineure, qui forme avec la quinte juste le si populaire triton. Les mélodies sont fleuries de notes de passage, d'ornements microtoniques de coloratures improvisés, d'exclamations humoristiques et d'onomatopées pittoresques : il est donc très difficile de les transcrire ; elles se transmettent oralement chez les gens de la campagne.

*La musique shintō.* La musique *shintō* au sens étroit désigne l'ensemble des musiques utilisées pour le culte dans le temple même, avant tout « l'appel de Dieu » et la psalmodie du gardien du temple, qui est sans artifice, mais très impressionnante ; elle comporte la voix naturelle ouverte. Les concerts instrumentaux intégrés au culte et les danses-pantomimes appelées *kagura* des gardiens et des vierges du temple en font aussi partie. Mais dans un sens plus large, la musique *shintō* comprend les danses et chansons populaires des grandes fêtes et processions religieuses, surtout celles du *bon-odori* (primitivement de caractère bouddhique, mais aujourd'hui purement *shintō*) ou « jour des morts », en été. Dans toutes les catégories, on retrouve des survivances musicales de folklore très ancien, ainsi que les apports bouddhiques et les reconstitutions artificiellement archaïques de date récente, déjà cités. Comme on l'a dit, la stylisation noble, dans les danses des vierges du temple, à *Isé*, est de date récente, et l'accompagnement mélodique au *wagon* a été instauré il y a peu de temps. Jusqu'en 1868, on honorait à *Isé*, outre la déesse du soleil, une série d'autres dieux, et les danses étaient des danses magiques d'animaux, exécutées généralement par des enfants. Plus on s'éloigne du centre (Tokyo), plus on peut espérer retrouver des survivances des cultures anciennes : dans la région d'*Izumo*, par exemple, des formes musicales primitives et magiques se sont conservées ; les trois familles de prêtres, *Susa*, *Senge* et *Kitajima*, qui y détiennent le pouvoir spirituel depuis des centaines d'années, pratiquent aujourd'hui encore l'exorcisme à travers la musique, en tirant des cordes d'un arc tendu une série de hauteurs différentes, un motif musical bien défini et tenu absolument secret. — Les musiques instrumentales les plus anciennes consistent

surtout en concerts d'instruments à percussion, donnés au lever et au coucher du soleil (*ake* et *kure*), différents dans chaque temple : il n'y a qu'un exécutant qui frappe alternativement une timbale posée et une timbale suspendue, sur le bord et sur la peau, avec un *accelerando* vertigineux. — Des concerts à plusieurs instruments, donnés pendant le culte, le plus souvent sur la flûte *kagura*, le *wagon* et les trois instruments à percussion *togaku*, sont en revanche des extraits de pièces *gagaku* connues. — Dans les danses-pantomimes, il faut généralement être très prudent, surtout quand le mythe représenté correspond vraiment trop exactement à la description des annales. L'accompagnement consiste toujours en fragments *gagaku*, souvent allongés ou raccourcis selon les danses. Mais on trouve à l'occasion encore de la danse acrobatique des siècles passés ; par exemple, on danse encore dans le *Sada-jinja*, près de Matsue, un *sarugaku* antérieur au temps de *Zeami*, avec des *tempi* très brusques et des mouvements sauvages. De nombreuses communautés villageoises, à *Kyushu* également, gardent des vieilles danses de ce genre. A *Sada-jinja*, les danseurs avaient des clochettes comme les *haniwa* des temps primitifs et frappaient en outre les minuscules timbales de laiton, que l'on ne connaît autrement que par des peintures bouddhiques des *Heian* et *Nara* ; ces timbales étaient un ancien héritage du temple, ce qui prouverait qu'il avait été auparavant un temple bouddhique pour quelques siècles. — Dans quelques *kagura* de village des provinces du Nord, on cultive une sorte de canon à 2 v., dans lequel le gardien du sanctuaire et les danseuses chantent le refrain en quintes parallèles. — Les instruments *shintō* typiques sont la flûte *kagura* et la timbale. — Les chansons *bon-odori* sont sans nombre, toutes différentes selon les provinces. Chaque province a aussi son rythme particulier de percussion, pour accompagner les danses. Le lien entre la chanson populaire et la musique *shintō* est naturellement très étroit. L'influence de la musique occidentale se fait à peine sentir. Les gardiens traditionnels de cette musique sont, à part les religieux *shintō*, les paysans et la petite classe moyenne. La recherche musicologique est pour ainsi dire inexistante jusqu'à présent : un vaste domaine s'ouvre ici aux études futures.

*Musique bouddhique.* Au contraire, la musique bouddhique est fortement touchée par l'Occident. Dans la liturgie du *Nishi-Honganji*, *Kyōto*, forteresse d'érudition religieuse, on chante le *shōmyō* avec accompagnement d'harmonie occidentale (*harmonium*). Le chef de l'école *shōmyō* de la secte *Tendai*, à *Hiezan* près de *Kyoto*, a raconté à l'auteur de cet art. que les jeunes moines

Chœur des danseurs :

Bon no ju- roku- ni- chi -i ni odo-ranai hi- to

wa ki but su, ka ne but su ishibo- to- ke !

quasi parlé

vibrato de voix très riche

quelquefois, glissando simple, d'autres fois coloratura très élaborée

Percussions : odaiko, kodaiko, kane (grand et petit tambour, cymbales)

Texte : *Bon no juroku-nichi ni*    Le seize du mois, au Bon-odori
     *Odoranai hito wa*        Qui ne veut pas danser
     *Kibutsu, kanebutsu,*      Est sûrement de bois, de fer
     *Ishi-botoke !*             ou un Buddha de pierre !

Chanson populaire du *Bon-Odori de Chugushi.*

étudiants avaient beaucoup de difficulté à lire les neumes traditionnels et transcrivaient tout pour leur usage personnel en notation occidentale : il est à craindre que cette pratique dangereuse fasse tomber rapidement dans l'oubli les mélismes et les nuances tonales impossibles à noter dans le système occidental. Pour venir en aide aux étudiants, ce professeur a établi un tableau schématique des fioritures mélodiques, qui constitue une sorte de chaînon entre les anciens neumes (fig. 7) et le style moderne (fig. 8). L' « Hymne Tendai » est une copie de chorals chrétiens : il existe seulement en notation occidentale. L'ouvrage japonais fondamental sur le *shōmyō* donne tous les exemples dans le système occidental uniquement.

Mais, à côté de ces tendances, la tradition est encore très forte. Dans toutes les sectes que l'auteur de cet art. a visitées, on garde encore pour l'instant la structure fondamentale du chant bouddhique, qui est formée d'un grand nombre de motifs typés, qu'on assemble dans une mosaïque de séquences de toutes sortes. Selon les cas, le rythme est libre ou strict ; cependant le mètre rigoureux et la classification en six modes pentatoniques de la musique de cour n'ont été adoptés par la musique bouddhique qu'avec *Tanchi* (ouvrage principal *San-ju-ni-so*, 1230).

Le traitement des voix et des ornements vocaux est très artistique. Le motif mélodique le plus petit s'appelle *sori* : il est soit « plat » (*asai*) soit « profond » (*fukai*). « Plat » désigne l'élévation d'un son initial d'au plus un ton entier avec retour à la note initiale ; « profond » veut dire montée à la tierce mineure avec intensification de la voix. Chaque ligne mélodique commence un peu au-dessous du son initial et finit en une montée à peine perceptible. A chaque intervalle correspondent des ornements déterminés. Le *yuri*, un double-mordant lent, et le *sugu* (son immobile soutenu, rangé dans la série des « ornements » en tant qu' « exception ») sont des ornements de la tonique et de la quinte seulement. Tous les autres tons de la gamme sont sans cesse pourvus d'arabesques les plus variées et les plus compliquées.

Encore plus ancienne que cet art vocal étonnant et restée semblable à son prototype indien, on a l'instrumentation que l'auteur a pu examiner au *Ei-hei-ji*, un temple Zen du nord du Japon ; 1. timbales : a. *hodoku*, tambour-tonneau reposant sur un socle, tendu sur ses deux faces de fortes membranes de parchemin, frappé alternativement sur le cadre de bois et sur les membranes, avec des *glissando* des deux baguettes sur les rangées de clous de bois qui fixent les membranes. Il y a ne et a de grosseurs différentes ; on tape sur le plus grand le « grand appel à la prière » ; b. *tsuridaiko* ; timbale circulaire suspendue librement à un cadre, frappée avec deux baguettes de bois, elle sert, avec d'autres instruments à percussion, pour accompagner le *shōmyō*. — 2. *Instruments à percussion de bois* ; a. fort plateau de bois de *Zelcova acuminata*, pendu au mur : *han* : il est frappé avec un marteau de bois, exactement dans le centre, et rend un son clair, très pur ; les trois instruments examinés par l'auteur donnaient le *la*, le *si bémol* et le *si*, il est utilisé comme signal du coucher et est certainement identique à l'instrument décrit par Cl. Marcel-Dubois à la p. 148 de son ouvrage sur les anciens instruments à percussion indiens, qui remplit également ce rôle ; b. *mokugyō* ; billot de bois solide posé par terre, taillé en forme de poisson ; de tailles diverses, il est souvent laqué en rouge et or ; on le frappe sans relâche pendant la lecture de la *Sutra* (*o-kyō*) ; c. *hō*, ou *gyoku* : poisson géant de *Zelkova acuminata*, suspendu au plafond, à l'entrée de la salle de prière ; on le tape de côté, avec une très lourde planche pendante ; d. *bangi* ; deux morceaux de bois que l'on tape l'un contre l'autre ; il sert de signal aux différents exercices de la journée. — 3. *Cloches* ; a. *sōdōshō* ; grosse cloche de bronze, suspendue, que l'on frappe de l'extérieur avec un marteau de bois ; b. *butsudenshō*, de type analogue, suspendue devant le *Butsuden* (sanctum) : cette cloche est frappée de l'extérieur avec une planche accrochée à côté, en bois tendre (cyprès japonais), qui est garnie d'un tampon d'étoffe du côté touchant la cloche ; c. *rei* ou *suzu* ; minuscule clochette de bronze, fixée en travers d'un

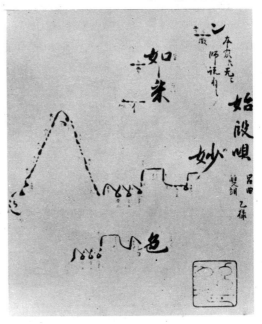

fig. 7. *Neumes bouddhiques*

(*de la main du R.M. Genyū Nakayama*).

bâton de bois ; on la frappe avec une fine baguette de bronze ; elle est utilisée avec les cymbales pour la musique de deuil ; d. *shinrei* ; clochette à battant intérieur, que l'on secoue comme signal du lever, à 3 h. en été, à 4 h. en hiver. — 4. *Grandes timbales de métal* : a. *keisu* ; grande bassine en bronze cuivré, sur laquelle on tape avec une grosse baguette de bois capitonnée ; b. *shokei*, de même type et de même matière, mais plus petite ; c. *shikei*, de même type, en miniature, portée sur un petit plateau de bronze et frappée avec une petite baguette de bronze. — 5. *Cymbales : nyōhachi* ; utilisé exclusivement le « jour des morts » et pour les funérailles, formé à la façon de deux assiettes à soupe profondes, avec un large bord ; les bords sont frappés l'un contre l'autre et le son est repris dans les cavités, ce qui donne un étrange écho plaintif ; le *Nyōhachi*, le *shikei* et le *tsuridaiko* se partagent la musique funèbre. — 6. *Gongs* : a. *o-gane* ; grand gong de bronze, suspendu à un cadre, de résonance généralement admirable ; on le frappe pour l'ouverture du service divin ; b. *kane* ; instruments de tailles moyenne et petite, de type semblable, à gamme montante, qui s'accordent entre eux en jouant en même temps, de façon à obtenir un concert harmonieux. — En conclusion, il faut dire que le clergé bouddhiste, qui est de culture supérieure, se sent responsable de la tradition musicale dont il a hérité et la sauvegarde avec soin, si bien que des influences occidentales, même passagères ne peuvent la menacer profondément.

*La musique de la cour impériale.* La musique bouddhique prend racine dans une religion vivante et peut reprendre force dans ce terrain fertile. Au contraire, la situation du *gagaku* ancien, musique de cour sacrée, annexée par le mythe de *Tenno*, est devenue très compliquée. Avec la démocratisation du pays, on lui a pour l'instant retiré la sève nourricière : la chose est d'autant plus funeste qu'on avait fortement insisté à l'époque précédente (de 1868 à 1945) sur son importance idéologique, en tant que symbole de la maison impériale éternelle. Elle était ésotérique, soustraite à l'usage profane ; elle passait pour sacrée, invulnérable et immuable depuis des temps immémoriaux. Le rétablissement de cette musique à l'époque Meiji avait systématiquement cherché à accréditer cette conception. La révision de la

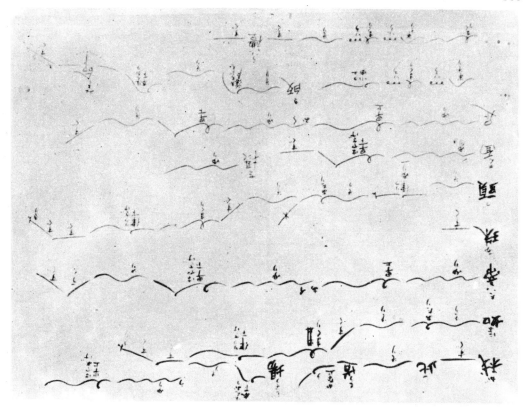

*fig. 8*

musique avait dans l'ensemble été une simplification, pour faire renaître en quelque sorte les temps primitifs et l'ère des dieux, à travers les mouvements mesurés de danse, la lenteur solennelle de la musique d'accompagnement et les timbres étranges, fortement dissonants. Ce style rituel une fois établi, les *gakunin* eux-mêmes ne furent absolument pas encouragés, mais plutôt écartés des recherches historiques personnelles qui auraient pu les amener à constater, par exemple, que la musique de cour de l'époque *Heian* avait été moins stricte, et qu'à l'époque Tokugawa elle n'était pas du tout ésotérique. Au contraire, ils prétendaient que la *gagaku* des livrets révisés était la seule vraie, la seule *gagaku* orthodoxe ; tout le reste était « erroné ». Les *gakunin* étaient même tenus au secret, pour bien marquer l'énorme différence de valeur entre la *gagaku* et le monde profane. Les héritiers de ces antiques dynasties de musiciens se sentaient avec juste raison les gardiens d'une des plus vieilles traditions musicales, et ils étaient fiers du particularisme de leur statut social.

Du moment que la *gagaku* n'était plus ésotérique, qu'elle pouvait être jouée partout, musiciens et musique se trouvaient exposés à une critique rationnelle, fait inconnu auparavant. Le *gakunin* jeté sans défense dans une situation sociale nouvelle devait lutter pour garder sa place privilégiée : il lui fallait chercher les moyens de garder à sa musique son auréole prestigieuse, et, dans cette tentative, il devait forcément être amené à commettre des fautes. Il tenta, avec la licence nouvelle, de faire goûter la *gagaku* à la grande masse des publics de concert. Uniquement spécialiste, danseur ou instrumentiste, sans éducation musicale générale, il ne lui vint pas à l'idée qu'un public habitué aux concerts modernes ne porte pas grand intérêt aux survivances culturelles. Un *gakunin* courageux, qui proposa un arrangement de pièce *gagaku* à un chef d'orchestre américain connu, eut ainsi l'amère déception de ne recevoir aucune réponse.

Ce défaut d'orientation explique l'étrange complaisance avec laquelle le *gakunin* fait sans cesse des concessions à la musique occidentale et au goût de la grande masse. Il est vrai qu'on fait encore à l'occasion de l'archaïsme artificiel, mais on cherche le plus souvent à atténuer tout ce qui pourrait choquer l'oreille de l'auditeur moyen. Dans une représentation officielle à laquelle l'auteur de cet art. a assisté, en 1953, les instruments étaient accordés en *sol mineur*, et non dans la tonalité originale, le *sōjō*. Mais tous ces efforts ne servent à rien, puisqu'on a renoncé au caractère ésotérique de cette musique. D'un côté le *gakunin* voudrait ne pas renoncer à la pratique du secret, de l'autre, étant le seul gardien de cette musique, il en réclame tout naturellement le droit exclusif de publication : il n'y a donc pas encore eu de collaboration vraiment efficace entre les *gakunin* et la musicologie.

Il est indéniable que le nombre des musiciens de cour diminue fortement et que les plus jeunes *gakunin* préfèrent de beaucoup la musique occidentale à l'ancienne *gagaku* : et, comme leur salaire n'est pas très important, beaucoup d'entre eux jouent clandestinement dans des orchestres de jazz. On a actuellement l'impression que les chercheurs qui étudient la *gagaku* n'en ont plus pour longtemps à s'instruire de la tradition vivante et devront très bientôt se contenter des sources écrites. Il n'y a que peu de gens pour apercevoir le danger et chercher à y remédier : la *Ono-Gagaku-kai* est une société privée, pour la pratique de la *gagaku*, et s'attache à sauvegarder la tradition ; l'auteur a l'honneur d'avoir été accepté comme membre de cette société composée presque uniquement de *gakunin* et de prêtres *shinto*.

*Musique de théâtre. Le nō.* Le *nō* se trouve dans une situation infiniment meilleure. Laissé depuis des siècles au gré de tendances diverses, en rapport vivant avec le public, le _nō_ est largement indépendant des va-et-vient de la politique intérieure et extérieure. Le danseur _nō_ sait très bien l'histoire de son art, les sources, la genèse et le développement du _nō_. Il sait que le _nō_, était dansé d'une façon toute autre au temps de Zeami beaucoup plus rapide, moins « stylisée ». Mais il sait aussi ce qu'il veut ; il ne s'engage pas dans des reconstitutions stylistiques, dans un remaniement historique de ce qu'est désormais le _nō_ pour le monde entier : il n'y a absolument aucun danger d' « occidentalisation » ; le danseur _nō_ est un artiste trop conscient et trop raffiné, trop fier d'un particularisme dont il sait exactement la valeur. C'est pour cette raison qu'il ne renonce à rien de ce qui fait l'essence de la tradition, surtout pas à la méthode d'enseignement. Pour apprendre l' « _utai_ », le chant _nō_, le maître et le disciple s'agenouillent l'un en face de l'autre ; le maître chante un verset, le disciple le reprend jusqu'à ce que l'intonation, la flexion, les fioritures soient correctes ; puis ils passent au verset suivant et reprennent ainsi tout le drame l'un après l'autre. On ne fait pas de théorie, il n'y a pas de « plus court chemin » pour gagner du temps : il n'y a que l'exemple vivant et son imitation aussi parfaite que possible.

Les différentes _ryu_, surtout la _ryu Kanze_, très importante, où l'auteur a fait ses études, sont en bonne position financière et pourvues d'un équipement moderne. Les grands acteurs éprouvent leur chant et se contrôlent grâce à des enregistrements sur bande magnétique. Mais il n'a jamais été permis d'utiliser le système également moderne de transcription en notation occidentale : on s'exposerait à une légère falsification, on en est encore conscient. En notant les versets, on imprime encore (dans une sorte de sténographie à droite du texte) de nombreux signes qui ne correspondent à rien dans l'exécution : par respect pour la tradition reçue.

Les expressions _yokawu_ et _tsuyoku_, qui sont prescrites pour des sections entières, ne désignent pas seulement la façon purement dynamique de « chanter fort » ou « chanter faible » ; elles sont surtout destinées à différencier deux styles de chant complètement différents, le style doux, lyrique et mélodieux, et le _parlando_ violent, intense, qui a pourtant aussi une ligne mélodique toujours changeante. Le _tempo_ est en général exprimé par les indications générales : _surari_ désigne un _tempo_ assez lent, _sarari_, le _tempo_ libre, mais décisif, du récitatif. Dans la section nommée _shidai_, la mesure est le _hyō-awase_ : l'expression signifie à peu près qu'on doit se régler d'après les temps de l'accompagnement (triple alternance de 7 et 5 syllabes) ; ou bien c'est le _fu-hyō-awase_, récitation libre, comme dans la seconde partie nommée _sashi_, par exemple.

L'arrangement tonal est du plus haut intérêt : il n'est construit sur aucune gamme, mais il a comme base trois centres tonaux, à un intervalle de quarte juste descendante ; ainsi : _la, mi, si_. On appelle ceux-ci _jo, chū_ et _ge_. (« supérieur », « moyen » et « inférieur »). Aucun de ces trois tons n'a d'intonation très précise ; on les produit plutôt en un _vibrato_ persistant, très large. A chacun de ces centres est attaché ce qu'on appelle son _u_, qui est la seconde mineure ou la seconde majeure supérieures. On trouve fréquemment, avec usage de l'_u_, des sauts de quinte juste descendante, de triton ascendant, de quarte juste ascendante. On peut aussi, au milieu du _yowaku_, quitter le centre tonal initial et temporairement constituer l'_u_ comme ton central, et ainsi, pendant quelques mesures, transposer tout le système d'un demi-ton ou d'un ton, pour atteindre une plus grande intensité d'expression. On ajoute surtout une foule d'ornements usuels, dont les plus importants sont les suivants : _i_ — un petit vibrato ; _furi_ — une demi-cadence brève ; _mawashi_ — une descente lente, hésitante, à la quarte inférieure, après laquelle on reprend le chant sur le son antérieur ; _nobasu_ — _ritardando_ : _iri_ — « sauter d'un triton et redescendre aussitôt d'une quinte juste ». Parmi les cadences à proprement parler, on en distingue trois sortes ; _honyuri, hanyuri_ et _mitsuyuri_ (cadence, demi-cadence et triple-cadence) : elles contiennent toutes l'élément de « tremblement

aspiré » comme chez Couperin, l'interruption abrupte, et consistent d'ailleurs en une série de « doubles-cadences », par en-dessous ; _honyuri_ et _hanyuri_ finissent avec le _mawashi_, par conséquent à la quarte inférieure ; le _mitsuyuri_ finit sur la finale : ces trois sortes de cadences sont identiques à celles que citent les sources _Roei_ du XIVe s. et sont une preuve du lien étroit entre les différents styles vocaux.

La danse _nō_ reste encore aujourd'hui un art purement japonais, absolument intact.

_La musique des guildes de l'époque Tokugawa._ L'ethnographie suscite un intérêt très vif au Japon ces derniers temps, et l'on cherche activement à sauvegarder le patrimoine musical des _ryu Tokugawa_ ; N.H.K. (Radio-Japon) notamment fait une récolte systématique à travers le pays, jusque dans les coins les plus reculés de l'empire insulaire. On s'emploie à enregistrer sur bande magnétique les dernières présentations traditionnelles des guildes et des écoles en voie de disparition. Le répertoire devenu très réduit de la guilde _Goze_, qui est près de s'éteindre, a été enregistré par l'auteur (_cf. discographie_). Là où la tradition était déjà manifestement rompue, on a même essayé de faire des reconstitutions : un exemple en serait les _komusō_, qui réapparaissent ci et là, dans leurs costumes fantastiques, et qui quelquefois mériteraient plutôt d'attirer l'attention du tourisme que du chercheur de traditions authentiques. D'autres tentatives de reconstitution de ce genre sont tout à fait sérieuses : par exemple, le descendant d'un virtuose _Heike-biwa_ essaye par la réflexion personnelle de faire ressusciter cet art disparu ; ses interprétations rencontrent la considération de la « Société pour la recherche sur la musique d'Asie orientale ».

Il n'existe encore une relation saine entre l'offre et la demande, et sans appui officiel, dans le domaine de l'art _shakuhachi, koto_ et _shamisen_ de l'époque _Tokugawa_. Les maîtres et chefs incontestés des différentes _ryū_ mènent une existence agréable, entourés de considération et de disciples. Il faut pourtant remarquer qu'un pourcentage important de ces élèves sont des amateurs, pour qui les instruments japonais représentent un « violon d'Ingres ». Quant aux musiciens de profession qui veulent consacrer leur existence exclusivement à ces formes de musique, ils sont devenus très rares. Il faut ajouter que l'art du _shamisen_, en particulier, est cultivé surtout dans le monde _geisha_ et que le Japon moderne a plutôt intérêt à s'éloigner de l'art _geisha_ extrêmement raffiné et typique de l'époque _Tokugawa_. Les écoles du _Kyomoto, Tokiwazu_ et _Naga-uta_ étaient aussi toujours en rapport avec le monde du _kabuki_ et des _geisha_ : et les transformations sociales ne peuvent donc manquer à la longue de se faire sentir sur elles. La « conservation » va finir par devenir une « mise en conserve » de curiosités : on donnera l'ordre d'étudier le chant de ces trois écoles très importantes, avant qu'il ne soit complètement pénétré par l'influence écrasante de la musique internationale, d'esprit occidental.

Le cercle de ceux que ces arts intéressent vient d'ailleurs maintenant de toutes les couches sociales, alors qu'on aurait trouvé excentrique, jusqu'à la dernière guerre, qu'une dame de la bonne société se mît à jouer du _shamisen_. L'instrument « présentable » (depuis longtemps) était le _koto_ à treize cordes, au son très harmonieux, qui convient aussi très bien à l'adaptation de genres occidentaux ; aussi le _koto_ a incité récemment plusieurs virtuoses japonais populaires à risquer des arrangements musicaux dans un style mêlé d'apports occidentaux et orientaux, de goût très douteux, qui toutefois leur ont valu un certain succès auprès d'un large public international.

Les figures qui ornent ce texte sont reproduites avec l'aimable, permission du Ministère impérial et du Musée national d'État Ueno, Tokyo.

**D. Discographie :** _Archives de la radiodif. japonaise_ ou N.H.K. (toutes les musiques traditionnelles) ; _collection E. Harich-Schneider_ (chants populaires, guildes des musiciens, musique _shintō_, liturgie bouddhique, _Gagaku, nō_) ; _Kokusai-Bunka-Shinkokai_, Tokio (« Hist. de la mus. japonaise » ; contient des exemples de toutes les traditions ; en vente) ; _Victor Recording Company of Japan_ (répertoire _Gagaku_ ; en vente).

**E. Bibl. : 1.** Transcriptions musicales : F. Eckert, _Japanisch_

*Lieder, ds Mitt. d. deutschen Gesell. f. Natur-U. Völkerkunde Ostasiens* (*MOAG*), 1887 ; *Gesamm. Werke d. Weltmusik*, « *Sekei Ongaku Zenshu*, Tokio 1931 ; E. Harich-Schneider, *Komorogae*, ds *Mon. nipp., ibid.* 1952 — *The present condition of the Jap. court music,* ds *MQ, XXXIX,* 1, N.-York 1953 — *The rythmical patterns in Gagaku and bugaku,* Leyde 1954 — *Rōei, the med. court songs of Japan, Mon. nipp., VIII,* 3-4, *IX,* 1-2, Tokio 1958 ; K. Hayashi, « *Sur les chants des débuts de la période Edo* », (en jap.), ds « *Bull. de l'univ. Nara Gakugei* », *VII,* 1, 1957 ; V. Holtz, « *Cinq mélodies jap. av. Shamisen, MOAG* 1874 ; S. Izawa, « *Coll. de mus. jap. Koto* », Tokio 1888 ; Dr. G. Kataoka, *Gagaku to Shōmyō, Sān-Jū-Ni-So,* Kyoto, août 1952 ; Dr. Müller, « *Qqs remarques sur la mus. jap.* », (avec transcr. *Gagaku*), *MOAG,* 1874–1876 ; *Nihon Min'Yo Taikan,* Ed. radiod. jap., 3 vol. ; S. Shiba, *Gagaku...,* (jap.), 2 vol., Tokio 1955 ; D. Taki — T. Yoshida, *Tendai Shōmyō Taisei,* (id.), *I,* Kyoto 1935, *II, ibid.* 1955 — **2.** Sources : Bulletins et programmes du cons. impérial de mus., Ueno, Tokio, dep. 1889 ; *Eikyoku Hifu* (ms. 1800), bibl. Ueno, *ibid.* ; *Fuken Zō-Sho* (ms. XVIIe s.), bibl. de l'*Enryaku-ji,* Hiezan, Kyoto ; *Gakkaroku* (1690), ds *Koten-Zen-Shu* ; *Hayashi-ke Monjo,* (1828–1823), ms. bibl. de l'univ. imp. de Kyoto ; *Hōgi Onritsu Kenkyu* (ms. du XIIe s. neumé), bibl. de l'*Enryaku-ji,* Hiezan, Kyoto ; *Inzei Amida Kyō* (Xe s.), *ibid.* ; *Jinchiyoroku* (ms. XVIIe s., copie de l'original du XIIe), bibl. Ueno, Tokio ; *Kagura Hisetsu* (ms. 1688), bibl. Jingu, Isé ; *Kokonchomonshu* de Tachibana-no-Narisue (XIIIe s.), ds *Koten-Zen-Shū* ; *Kyōkunshō* (v. 1231), *ibid.* ; *Miya-Hiji-Koden* (ms. daté 1362), bibl. Ueno, Tokio ; *Rōei Kyujishushō* (ms. neumé du XVIIIe s., copie de l'original, perdu, de 1448), *ibid.* ; *Kunaicho,* Ministère de la cour impériale, 1873–1879 ; *Rōei Yōshō* (mélodie neumée, copie du XIXe s. de l'original, perdu, de 1265), bibl. Ueno, Tokio et Arch. Jingu Isé ; *Id.* (ms. neumé daté 1287), propriété de l'empereur ; *Rōei Yōshu* (ms. neumé 1292), *id.,* fac-similé 1916 ; *Saibara-shō,* (ms. daté 1125), *id.,* fs. 1926 ; *Sangochūroku* de Fujiwara-no-Takataki (ms. XIXe s., copie de l'original du XVIe), bibl. de Kyoto ; *Sangoyōroku* de Fujiwara-no-Moronaga (*id.,* copie d'un original XIIe s.), bibl. de l'univ. Waseda, Tokio ; *Shinzei Kogaku-Zu* de Fujiwara-no-Tsuken (1419, rééd. ds *Koten-Zen-Shū Taigenshō,* compendium Gagaku de *Somiaki Toyohara,* 1510–1512, rééd. *Koten-Zen-Shū*). **3.** Collections japonaises : *Dai-Nippon Koki-roku,* Tokio, dep. 1952 ; *Gunsho-Ruijū,* 1779–1819, rééd. 1894–1895, 1928–1934 ; *Kokushi Taikei,* Tokio 1897, rééd. ; *Koten Zenshū,* dep. 1933 ; *Zoku-Gunsho-Ruijū,* XIXe s. ; *Zoku-Zoku-Gunsho-Ruijū,* début du XXe s. — **4.** Musicologie japonaise moderne : K. Hayashi, « *Les modes dans la musique populaire des dynasties Sui et T'ang* » (en chinois), Shanghaï 1936 — « *Le vocabulaire musical, les instr. et les danses dans les livres bouddhiques* », (en jap.), *Toyo Ongaku Kenkyū,* 1937 — *Gogen-fu,* ds « *Journal de la soc. d'acoustique du Japon* », n° 2 (en jap. et en angl.), 1940 — « *Deux essais sur Sangaku ou Sarugaku* (jap.), *Tōyō Ongaku Kenkyu,* n° 9, mars 1951 — *Gigaku,* « *un masque bouddhique* », (jap.), ds *Yamato Bunka,* n° 8, 1952 — *Gigaku...,* (jap. et angl.), ds *Journal of indian and buddhist studies, II,* 1, 1953 — « *Deux études sur le système tonal du shō* », (jap.), ds bull. de l'univ. Gakugei, Nara, III, 3, 1954 — « *Sur la tablature de biwa Tun-huang* », (jap. et angl.), *ibid., V,* 1, 1955 — « *Sur la danse des sept tambours de la période Han* », (jap.), *ibid. V,* 3, 1956 — « *Sur la* « *peinture sur écaille de tortue* » *du wagon dans la maison du trésor du Sud* », (jap.), ds Bull. de l'*Intendance* impériale des archives et des mausolées, *VII,* 1956 — « *Sur la reconstitution des mélodies populaires des débuts de l'époque Edo* », (jap.), ds Bull. de l'univ. Gakugei, Nara, *VII,* 1, 1957 ; M.K. Hayakawa, *Hanamatsuri,* (jap.), Tokio 1906 ; T. Iba, *Nihon Ongaku Gairon,* (id.), *ibid.* 1928 ; T. Iwahara, *Nanzan Shinryū Shōmyō no Kenkyū* (jap., avec exempl. et notation moderne), Kyoto 1932 ; K. Konakamura, *Kabu Ongaku Ryakushi,* 1893, rééd. I. Bunko (jap.) ; S. Kishibe, *Tōyō no Gakki to sono Rekishi,* (jap.), Tokio 1948 ; *Mikagura wo Shinobu Zadankai,* (id.), ds Archives Jingu, Isé, 1934 ; M. Nishitsunoi, *Kagura Kenkyū,* (ib.), Tokio 1934 ; T. Nogami, *Nōgaku Zensho* (jap., av. transcr. moderne), 6 vol. *ibid.* 1954–1955 ; T. Nose, *Nōgaku Genryukō,* (jap.), *ibid.* 1938 ; J. Otsuki, *Bugaku Zu-setsu* (id.), ère Meiji ; *Shō-sō-in Gakki Chosa Gaihō,* (id.), Imperial Household Agency, 1951–1953 ; M. Sugino, *Die Anfänge des jap. Theaters bis zum Nō-spiel,* ds *Mon. nipp.,* 1940 ; J. Takakusu, *Rinyu Hachigaku ni tsuite,* (jap.), Tokio 1915 ; K. Takano, *Beitrag zur Gesch. der jap. Mus.,* ds *Archiv f. Mw., II,* 1937 ; T. Takano, *Nihon Kayōshi,* (jap.), Tokio 1926, 5 rééd. — *Nihon Kayōshūshi,* (id.), 2 vol., *ibid.* 1928–1929 ; D. Taki et T. Yoshida, *Tendai Shōmyō Taisei* (id., av. transcr. moderne), 2 vol. Kyoto 1935–1955 ; H. Tanabe, *Nippon Ongaku no Kenkyu,* (jap.), Tokio 1926 — *Nippon Ongaku Kōwa,* (id.), *ibid.* 1919, 1926 — *Nippon no Ongaku,* (id.), *ibid.* 1947, 1954 ; T. Togi, *Nihon Ongaku-shi,* (id.), *ibid.* 1909 ; *Tōyō Ongaku Kenkyū,* organe de la Soc. des études de la musique d'Extrême-Orient, (jap. et angl., qqfois allem. et franç.), *ibid.* dep. 1937 ; Y. Yamada, *Gejimonogatari no Ongaku,* (jap.), *ibid.* 1934. — **5.** Musicologie occidentale : Abraham — Hornbostel, *Studium über das Tonsystem und die Musik der Japaner,* ds *SMIG, IV,* 2, 1902–1903 ; R. Dittrich, *Beitr. z. Kenntnis d. j. Mus.,* ds *MOAG, VI*[1] 1897 ; F. Du Bois, *The Gekkin musical scale,* ds *TASJ, XIX,* 1891 ; H. Eckardt, *Zur Frage der Netori,* ds *Mon. nipp.,* Tokio 1938 — *Zur Frage der Ei und Saezuri, ibid.* 1941 — *Das Kokonchomonshu des Tachibana Narisue als musik-gesch. Quelle,* ds *Göttinger Asiatische Forschungen, VI,* Wiesbaden 1956 ; J.F. Embree, *Japanese peasant songs,* ds *Am. folklore Soc.,* 38, 1944 ; E. Fenollosa — E. Pound, *Noh, or Accomplishment, a study of the classical stage of Japan,*

Londres 1916 ; E. Harich-Schneider, *Gendai no Ongaku to Nihon no Sakkyokusha* (Mus. contemporaine et compos. jap., en jap.), *I,* Tokio 1949 — *Koromagae, one of the Saibara of jap. court music,* ds *Mon. nipp., ibid.* 1952 — 3 art. ds *Musica,* Cassel 1949 : 1. *Gagaku* 2. *Bon no Jū-rokunichi* (analyse d'une danse populaire), 3. « *La musique moderne au Japon* » — *A survey of the remains of Gagaku,* ds *Ethnos,* Stockholm 1951 — *The present condition of japanese court music,* ds MQ, N.-York 1953 — *The rythmical patterns in Gagaku and Bugaku,* ds *Ethno-musicologica, III,* Leyde 1958 — *The remolding of Gagaku under the Meiji restoration,* ds *TASJ,* 1957 — *Rōei, the mediaeval court songs of Japan,* ds *Mon. nipp., XIII,* 1958 — *Die letzen Gose,* ds *Sociologus,* Berlin *id.* — *A hist. of jap, music,* (en préparation), Univ. Chicago Press ; C.G. Knott, *Remarks on jap. musical scales,* ds *TASJ, XIX,* 2, 1891 ; A. Kraus, *La mus. au Japon,* Florence 1878 ; R. Lachmann, *Mus. u. Tonschrift des Nō,* ds Kgr.-Ber. *DMG,* Leipzig 1926 ; Ch. Leroux, *La musique classique jap.,* Paris 1910 ; C. Marcel-Dubois, *Les instr. de l'Inde ancienne, ibid.* 1941 ; Dr. L. Müller. *Einige Notizen über jap. Musik,* ds *MOAG, I,* 6, 8, 9, 1854–1876 ; P.G. O'Neill, *The structure of Kusemai,* ds *BSOAS, XXI,* 1, 1958 ; N. Péri, *Cinq Nō,* Paris 1921 — *Le Nō,* Tokio 1944 — *Essai sur les gammes japonaises,* Paris 1935 ; F.T. Piggott, *The mus. of the Japanese,* ds *TASJ, XIX,* 2, 1891 — *Music and mus. instr. of Japan,* Londres 1893, 1902, 1909 ; A. Schaeffner, *Origine des instr. de mus.,* Paris 1936 ; F.Ph. von Siebold, *Mus. u. Tanz in Japan,* ds *Nipp. Arch. zur Beschreibung von Japan,* Leyde 1832–1835 ; L.M. Traynor et S. Kishibe, *On the four unknown pipes of the Shō,* ds *Tōyō Ongaku Kenkyū,* 9, 1951 ; P.V. Veeder, *Japanese musical intervals,* ds *TASJ, VII,* 1879.

E.H.-S.

**JAQUES-DALCROZE Émile.** Prof. et compos. suisse (Vienne 6.7.1865–Genève 1.7.1950). Élève de Léo Delibes à Paris, de Bruckner et de Fuchs à Vienne, séjournant à Genève, lieu de résidence de ses parents (1873), il y poursuit ses études au cons., où il sera nommé plus tard prof. d'harmonie (1892) : il débute ainsi dans cette carrière d'éducateur qui le rendra célèbre ; il veut élargir les bases classiques de l'enseignement et met au point une méthode de gymnastique rythmique, qui consiste à conférer une expression plastique à la musique ; ses premiers essais s'effectuent avec une classe de « volontaires » qu'il présente au festival de Soleure en 1905 : cinq ans plus tard, il est invité à Hellerau (près de Dresde) pour organiser un institut, mais, lorsque la guerre éclate, il est obligé de rentrer dans son pays ; entre temps, il était passé en Angleterre, où il avait expliqué les principes de sa méthode : ces explications eurent des résultats concrets, puisqu'une école fut fondée sous le nom de *London school of Dalcroze eurhythmics* ; de nombreuses villes suivirent le mouvement : Paris, Berlin, Vienne, Stockholm, New-York... après son retour en Suisse, en 1914, J.-D. fonda à Genève l'institut qui porte son nom ; sa méthode a non seulement bénéficié d'un enseignement direct mais surtout de la diffusion de nombreux livres et articles. Une partie importante de sa vie fut réservée à la composition des opéras (*Le violon maudit,* 1893, *Janie,* 1894, *Sancho Panza,* 1897, *Le bonhomme Jadis,* 1905, et *Les jumeaux de Bergame,* 1908), une pantomime (*Echo et Narcisse,* 1912), 3 quatuors à cordes, 2 concertos de violon, des suites d'orch. (*Poème alpestre, Kermesse*), des œuvres chor. (*La veillée,* 1893, *Festival vaudois,* 1903), enfin une série de volumes de chansons populaires, qui témoignent de l'intérêt que prit *J.-D.* au folklore de la Suisse romande. Voir J.-D., *Eurhythmics, art and education,* Londres 1930 — *Souvenirs, notes et critiques,* Neufchâtel-Paris 1942 — *La musique et nous : notes sur notre double vie,* Genève 1945 — *Notes bariolées,* Genève-Paris 1948 ; Driver, *Music and movement,* Oxford 1936 ; R. Hernried, *E.J.-D.,* Genève 1929 ; H. Brunet-Lecomte, *J.-D., son œuvre, ibid.* 1950.                    Cl.S.

**JARABE.** C'est une danse mexicaine, considérée comme danse nationale : elle semble être d'origine espagnole, dérivée d'une des formes du *zapateado* ; il en existe une forme à Cadix, licencieuse, qu'on range généralement parmi les *seguidillas.*

**JÁRDÁNYI Pál.** Comp. hongrois (Budapest 30.1.1920-). Docteur ès-lettres, élève de Kodály et de Zathureczky à l'Ecole des hautes-études musicales F. Liszt, critique (1943–1949), secrétaire artistique du Syndicat libre des musiciens hongrois (1945–1946), prof. de théorie mus. et de folklore à l'école des hautes-études musicales (dep. 1946), il prend une part active dans la publication scientifique du folklore hongrois que patronne l'acad. des sciences (dep. 1948) ; on lui doit *Sinfonietta* (cordes, 1940), *Sonate* (2 p., 1942), *Id.* (p. et viol., 1944), 2 quatuors à cordes (1947–1954), *Divertimento concertante* (orch., 1949), « *Mus. de danse* » (1950), « *A la Tisza* » (poème symph., 1951), « *Symph. à la mémoire du poète Vörösmarty* » (1952), « *Rhapsodie de Borsod* » (1953), « *Fantaisie et variations* » sur une mél. pop. hongr. (quintette à vent, 1955), des chœurs, des harmonisations de mélodies populaires, des pièces didactiques, des écrits : « *La musique profane des Hongrois de Kide* » (thèse, 1943), « *Modes typiques de la mus. pop. hongr.* » (1953).          J.G.

**JARECKI.** — **1. Henryk.** Compos. pol. (Varsovie 6.12. 1846–Lvov 18.12.1918). Elève de Moniuszko (Varsovie), il fut chef d'orch. au théâtre de Poznan (1872) et à l'Opéra de Lvov (1873–1900), aussi bien que maître de chapelle à la cathédrale de cette dernière ville ; on lui doit 7 opéras, de la mus. de théâtre, d'église (2 messes), de chambre, des chœurs et des mélodies. Son fils — **2. Tadeusz** (Lvov 1.1.1889–N.-York 2.5.1955), élève de S. Niewiadomski (Lvov), de Taneev (Moscou), de Jaques-Dalcroze, se fixa aux Etats-Unis en 1920, avec deux interruptions : de 1932 à 1936, de 1938 à 1946 (il fut à Londres ministre du gouvernement polonais en exil) ; il fit une carrière de chef d'orch. et composa de la mus. symph., de chambre, de piano, des mélodies ; on lui doit également des articles ds des périodiques ou ouvrages collectifs. Voir Z. Lissa et J.M. Glowacki in MGG.

**JARGY Simon.** Musicologue franç. d'origine mésopotamienne (Mardine, Turquie, 30.8.1920–). Il fit ses études (mus. savante arabe et mus. liturgique populaire) à l'Institut bénédictin de Jérusalem, à celui de Charfet [Liban] (langues arabe et syriaque anciennes), à l'école des Htes-études (sciences religieuses) et au cons. de Paris (S. Plé-Caussade) ; il est chargé de mission au C.N.R.S. (dep. 1953) ; il a publié *La mus. lit. syrienne* (Congrès intern. de mus. sacrée de Rome, mai 1950), *Les origines du monachisme en Syrie et en Mésopotamie* (ds *Le Proche-Orient chrétien*, Jérusalem 1951), *Mus. savante et chant populaire ds le Proche-Orient arabe* (ds *Orient*, Paris 1958) ; il a rédigé notamment l'art (*mus.*) *libanaise* pour le présent ouvrage.

**JARNACH Philipp.** Compos. allem. (Noisy-le-Sec 26.7. 1892–). Fils d'un architecte espagnol et d'une mère allemande, élève d'E. Risler et d'A. Lavignac (Paris), de F. Busoni (Zurich), critique au *Börsen Courier* (Berlin), prof. de composition au cons. de Cologne (1927–1949), dir. du cons. de Hambourg (1949), membre de l'acad. des arts de Berlin (1955), il eut parmi ses élèves Kurt Weill, W. Maler, A. Degen ; on lui doit de la mus. symph. (*Sinfonia brevis, op.* 14), de chambre, de piano, d'orgue, des mélodies, des arrangements de Busoni (de qui il termina l'opéra *Doktor Faust*). Voir H. Mersmann et E.G. Klussmann, *Ph. J. zum 60. Geburtstage*, Hambourg 1952 ; H. Wirth in MGG.

**JARNO Georg.** Compos. hongrois (Budapest 3.6.1868– Breslau 25.5.1920), qui fut prof. et chef d'orch. ds de nombreuses villes d'Allemagne et écrivit 3 opéras, et 8 opérettes. Voir E. Nick in MGG.

**JARNOVIĆ** (*Jarnowick, Jarnovichi, Giornovichi*) **Ivan Mane.** Mus. Croate ? (? v. 1740–St-Pétersbourg 1804). On ne connaît pas le lieu exact de sa naissance : selon certaines versions, ce serait Dubrovnik (Raguse) : auquel cas, il serait d'origine croate ; en son temps, il fut un violon. de renommée européenne ; entre 1770 et 1777, il eut beaucoup de succès (notamment à Paris) ; plus tard, il fut au service du roi de Prusse Frédéric-Guillaume II à Berlin et de l'impératrice de Russie Catherine II à St-Pétersbourg ; il composa de nombreux concertos de violon et de la mus. de chambre (dont *A rondo for pianoforte and violin, A favorite sonata with a v. composed, Fantasia e rondo per cemb. o pianoforte*). Voir A. Schneider, *I. M. J.*, ds *Sv. Cecilija*, 1944 ; B. Sirola, *Hrvatska umjetnicka glazba* ,1942 ; A. Wirsta-H. Haase in MGG ; S. Djuric-Klajn, *Un contemporain de Mozart, I. M. J.*, ds *Kongr.-Ber., Wien 1956*, 1958.          D.C.

**JAROFF** (*Zarov*) **Serge.** Chef de chœurs russe (Moscou

20.3.1896–), élève de l'académie synodale de Moscou, qui fait depuis 1923 des tournées avec le chœur des Cosaques du Don, qu'il a fondé en 1921 et qu'il dirige.

**JARRE Maurice.** Compos. franç. (Lyon 13.9.1924–). Elève de J. de la Presle, de L. Aubert, d'A. Honegger et de F. Passerone, il est depuis 1950 dir. de la mus. au Théâtre national populaire ; on lui doit, outre plusieurs musiques de scène (*Nucléa* de Pichette), une *Passacaille à la mémoire d'A. Honegger*, l'opéra-ballet *Armida* (1954), et surtout des *Mouvements en relief* (*Stroboscope, Songe, Danse*), créés au festival d'Aix-en-Provence en 1953, ds lesquels il s'est efforcé « d'établir un relief sonore à l'intérieur de l'orchestre, de créer un déplacement continuel du son et de construire en fonction de ce déplacement ».          D.Ch.

**JARZEBSKI Adam.** Compos. pol. (Warka av. 1590– Varsovie 1649 ?). En 1612, il est violon. de la cour de Jean-Sigismond, électeur de Brandebourg à Berlin, en 1615, en Italie, en 1619 à Varsovie, comme *musicus et servitor Sacrae Regiae Maiestatis et architectus S.R.M.* ; on a conservé de lui un canon à 2 v. (*Moreveterum*), ds *Xenia Apollinea — Cribrum musicum ad triticum Sifertinum* de M. Scacchi (Venise 1643), *Canzoni e concerti a due, tre e quattro voci cum b.c.* (1627, ms. Breslau), et un écrit intitulé *Gosciniec albo krotkie opisanie Warszawy...* (Varsovie 1643, ms. Kornik) ; 5 concertos de lui sont édités aux *Wydawnictwo dawnej muzyki polskiej* (t. 21. 1950). Voir R. Eitner, ds *Quellenlexikon, V* ; A. Sowinski, *Slownik muz. pol.*, 1874 ; A. Polinski, *Dzieje muz. pol.*, Lvov 1907 ; C. Sachs, *Musik u. Oper am Kurbrand*, Berlin 1910 ; Z. Jachimecki, « *Influences ital. ds la mus. pol.* », I, 1911 — *La mus. pol. ds la période 1572–1795*, 1928 ; H. Opienski, *La mus. pol.* (1918, 1929) ; H. Feicht, « *Contributions à l'hist. de l'orch. à Varsovie pendant la direction de M. Scacchi*, Varsovie 1928–1929.          K.W.C.

**JASPAR André.** Compos. belge (Liège 18.12.1794– Kinkempois 27.6.1862), qui fonda dans sa ville natale, avec Duguet et Henrard, une école de musique qui fut à l'origine du cons. de Liège, fut chef d'orch., maître de chapelle de la cath. (1840–1850) et écrivit de la mus. symph. (6 symph.), d'église, de violon., de chant.

**JASPAR Bobby.** Saxophoniste et chef d'orch. de jazz belge (Liège 1926–), autodidacte, fondateur d'un quintette, compositeur, qui fait une carrière internationale.

**JASSEME Jean.** Luthiste franç., dont l'activité se situe à Paris entre 1607 et 1646 : des œuvres de lui sont conservées dans le ms. Milleran de la bibl. du cons. de Paris.

**JATAGA.** C'est une longue cithare, à caisse plate et à sept cordes métalliques (U.R.S.S., peuples Kirghiz).          M.A.

**JAUBERT Maurice.** Compos. franç. (Nice 3.1.1900– Azerailles-s.-Moselle 19.6.1940). Il n'a commencé que tardivement sa carrière musicale, après des études au lycée de Nice et des cours de droit (il pratiqua pendant deux ans la profession d'avocat) ; *M. J.* était cependant attiré par la musique : il avait obtenu un 1er prix de piano en 1915 au cons. de Nice ; il reçut ensuite à Paris l'enseignement d'Albert Groz : il abandonna alors le droit pour la musique, s'orientant vers le domaine symphonique aussi bien que la mus. de film ; il fut à Paris dir. mus. des films Pathé, pour lesquels il a écrit plus de quarante partitions ; les films les plus célèbres auxquels il a collaboré sont *Zéro de conduite, Quai des Brumes, Drôle de Drame, Carnet de Bal, Quatorze Juillet* ; *M. J.* a longuement pensé au problème de la musique de film et résuma sa conception dans ces quelques phrases : « Nous ne venons pas au cinéma pour entendre de la musique, nous demandons à celle-ci d'approfondir en nous une impression visuelle. Nous ne lui demandons pas d'expliquer les images mais de leur ajouter une résonance de nature spécifiquement dissemblable (ou alors c'est se résigner au pléonasme perpétuel). Nous ne lui demandons pas d'être expressive et d'ajouter son sentiment à celui des personnages ou du réalisateur, mais d'être décorative ». Sa carrière fut prématurément interrompue : il fut tué en combattant en 1940 ; il nous a laissé également une œuvre symphonique et des pages de musique de chambre : sa musique est toujours claire et expressive, elle reste à l'écart des écoles ou des esprits de système ; parmi ses œuvres, citons *Le jour* (poème chorégraphique de Jules Supervielle, 1931), *Suite française* (1935), *Ballade* (1935), *Jeanne d'Arc* (d'après Péguy, 1937), *Intermède pour orch. à cordes*, *Concert flamand*, *Cantate de Pâques* (1938), *Sonata a due* (viol., vcelle et orch.), des mélodies : *L'eau vive* (Giono) et les *Chants sahariens*, des *Inventions pour p.*, enfin de la mus. d'église (*Les psaumes pour le temps de guerre*, 1940), de la mus. de scène pour *Tessa* et la *Guerre de Troie* (Giraudoux). Voir J. Bruyr, *L'écran des musiciens*, Paris 1930. 　　　　　　　　　　　　　　　　　　　Cl.S.

**JAUFRÉ RUDEL.** Troubadour franç., dont l'activité se situe dans la première moitié du XIIᵉ s. ; sa biographie est peu connue : il était originaire de Blaye en Gironde, et plusieurs auteurs lui donnent le titre de *prince de Blaia* ; sa *vida* légendaire veut qu'épris de la comtesse de Tripoli, sans la connaître, sur la foi de récits enthousiastes de pélerins d'Antioche, il se croisa pour l'aller voir : devenu malade pendant le voyage, il débarqua agonisant à Tripoli, put néanmoins voir la comtesse avant de mourir et fut enterré à la maison du Temple ; le jour même, ladite comtesse entra en religion. Nous n'avons conservé de lui que 7 chansons d'amour, dont 4 notées ; la plus célèbre, *Lanquan li jorn son lonc en mai*, dite *chanson à la princesse lointaine*, a joui au moyen-âge d'une extrême popularité : la mélodie, très souple et ornée, est d'un haut lyrisme et peut être considérée comme un chef-d'œuvre de l'art monodique. Voir A. Jeanroy, *Les chansons de J.R.*, Paris 1924 ; E. Hoepffner, *Les troubadours, ibid.* 1955 ; A. Stimming, *Der Troubadour J.R.*, Kiel 1873 ; C. Meyer, *Le troubadour sire J.R.*, Strasbourg 1913 ; F. Gennrich in MGG. 　　　　　　　　J.Md.

**JAUSIONS Paul.** Bénédictin franç. (Rennes 15.11.1834-Vincennes, U.S.A., 9.9.1870). Moine de Solesmes, disciple de dom Guéranger, il publia avec dom Pothier *Directorium chori monasterii ad usum congregationis gallicae O.S.B.* (Rennes 1864), ainsi que d'autres écrits historiques ; il mourut aux États-Unis au cours d'une mission scientifique.

**JAVANAISE** (*Musique*). Voir art. *indonésienne.*

**JAZZ.** Parce que la musique de jazz est création instantanée et parce qu'elle a évolué à une rapidité extrême, au point que les créateurs des premiers âges exécutent encore leur fraîche musique à côté des sévères chercheurs de la dernière heure, le public se trouve si totalement désorienté qu'il n'ose pas faire l'effort nécessaire pour pénétrer ce langage spécial et passionnant. Alors que des bardes qui assistèrent à la naissance du *blues* interprètent toujours leurs poèmes folkloriques des origines, les plus hardis parmi les créateurs du jazz s'aventurent, sans rien abandonner des caractères de leur langage, jusqu'aux frontières de la musique classique d'avant-garde à tendance atonale. Vingt-cinq ans au plus séparent celui qui fit totalement oublier le passé folklorique du jazz, affirma le jazz dans ses grandes lignes, Louis Armstrong, des jeunes musiciens qui sont en train de tout remettre en cause et de prouver la vitalité du jazz. En vingt-cinq ans, plusieurs chartes du jazz ont été promulguées pour être, quelques mois après leur rédaction, débordées, rendues plus ou moins caduques. Aujourd'hui, le jazz peut être défini comme une musique de formes libres, qui, au cours de ses cinquante ans d'histoire, s'est approprié la plupart des raffinements harmoniques de la musique classique, caractérisée par le fait que l'exécution est création, que cette exécution doit être « swinguée » et que le libre travail des sonorités est une nécessité expressive. Il fut longtemps admis que le jazz se résumait dans la façon de jouer des petits ensembles noirs américains, mais aujourd'hui le jazz est devenu un phénomène mondial et les noirs ne sont plus les seuls à créer cette musique. Avant d'en arriver à notre époque, dominée par la confusion des écoles,

JAUFRÉ RUDEL

étudions les apports qui ont déterminé la création du jazz.

*Les origines.* Il est convenu aujourd'hui de situer la naissance du *j.* aux environs de 1900 et à la Nouvelle-Orléans : c'est dans la capitale de la Louisiane que se rencontrèrent les principaux éléments qui lui permirent de naître : le *negro spiritual*, le *blues* et le *ragtime*. Le *negro spiritual* est l'adaptation faite par les noirs des psaumes en honneur dans les sectes protestantes. Du dialogue entre le pasteur et les fidèles, ils ont fait surgir avec leur fougue naturelle une musique chorale qui n'était pas sans rappeler les chants collectifs des tribus de l'Ouest africain par le côté imprécatif du chant, par la pulsation rythmique qui les anime et surtout par le fait que souvent, comme dans le *blues*, certaines notes sont infléchies selon les gammes pentatoniques africaines. Le *blues* est un chant mélancolique de douze mesures où le noir américain, toujours en fonction de son inaptitude première à distinguer nettement nos modes majeur et mineur, les a employées simultanément, en infléchissant les notes caractéristiques du mode majeur vers le mode mineur, ce qui a eu pour résultat de placer le *mi* et le *si* dans la gamme d'*ut*, ou le troisième et le septième degrés de toute autre gamme, dans un état d'ambiguïté d'autant plus troublant qu'ils peuvent être infléchis ou non. Le *ragtime* était une danse très syncopée (*ragged* = déchiré) qui résultait de la rencontre entre des danses européennes comme la *polka* avec le sens rythmique de tradition africaine des premiers pianistes noirs, qui étaient souvent des autodidactes. Avant d'en arriver à une musique instrumentale, dans laquelle le *j.* incarne plus spécialement son originalité, où s'est opéré le passage de la musique folklorique à l'art musical, où donc se sont révélés des créateurs originaux au lieu et place d'exécutants traditionnels, on renoua sur un canevas mélodique européen avec la transe africaine, et ce fut le *spiritual*, on transposa les gammes pentatoniques du continent noir dans les « *blue notes* » du *blues* et on appliqua au *ragtime* le déhanchement des polyrythmies congolaises. Si le *ragtime* est pratiquement oublié aujourd'hui, le *negro spiritual* et le *blues* vocal sont encore très vivaces. Les solistes et ensembles de valeur continuent à interpréter les plus belles œuvres qu'ils ont suscitées. Les *spirituals* et les *gospel songs*, ou chants évangéliques, habituellement interprétés par des solistes, ont trouvé en Mahalia Jackson, « Sister » Rosetta Tharpe, dans le *Spirit of Memphis Quartet*, le *Golden Gate Quartet*, les *Original Five Blind Boys*, dans le véhément ensemble du Révérend Kelsey, ainsi que dans Louis Armstrong, des interprètes à la foi communicative. Leurs interprétations dépassent en force, en lyrisme et en « activité » les copies édulcorées que les voix savantes et policées de Marian Anderson ou de Paul Robeson académisent et trahissent. Sur le premier plan vocal, on voit, avec le *spiritual* et plus encore avec le *blues*, que le *j.* se caractérisera d'abord par un style d'exécution dans lequel la matière sonore est traitée avec la plus grande liberté. La pureté du son ne sera pas recherchée pour elle-même ; le son se trouvera perpétuellement trituré à des fins expressives. De ce fait, l'exécution deviendra création, ce qui n'a jamais manqué de choquer l'auditeur habitué à la musique classique européenne. C'est en s'efforçant de reproduire sur leurs instruments le style vocal des chanteurs que les premiers solistes rendirent expressifs des procédés comme le *vibrato*, le *glissando*, et développèrent l'usage des sons déformés, assourdis, bouchés, grinçants, volontairement salis ou mouillés. Dans la suite, on passa de l'imitation à la recherche pure de nouvelles sonorités, et l'on recula les bornes habituelles des tessitures.

Le *blues*, dont les questions et réponses entre chanteur et accompagnateur sont à la base de la polyphonie improvisée par les orchestres de style Nouvelle-Orléans, demeure une des structures essentielles de la musique de *j.* Si la race des grands chanteurs de *blues* est malheureusement en déclin, le *blues*, sous sa forme instrumentale, reste l'un des véhicules favoris des improvisateurs. Sa forme simple, en trois phrases de quatre mesures dont les deux premières sont identiques, et son cadre harmonique à peu près immuable (quatre mesures sur la tonique avec abaissement d'un demi-ton du septième degré pendant la dernière demi-mesure, deux mesures sur la sous-dominante, deux sur la tonique, deux de septième de dominante et enfin deux mesures sur la tonique), qui a pu être enrichi mais non transformé, ont permis à une foule de *jazzmen* de créer d'authentiques chefs-d'œuvre. Le *blues* a été si étroitement mêlé à toute l'évolution du *j.* que l'on pourrait presque écrire une histoire du *j.* qui ne serait que l'histoire du *blues*. Il n'en demeure pas moins vrai que dans la première période de son existence que le *blues* vocal a connu son âge d'or et que les plus grands interprètes et poètes populaires de cette musique se sont révélés : Mamie Smith, Bessie Smith, surnommée « l'impératrice du *blues* », Leadbelly, Blind Lemon Jefferson, Tampa Red, Big Bill Broonzy, puis par la suite Sonny Boy Williamson, Sonny Terry, et plus moderne, James Rushing ou Joe Turner.

C'est à la Nouvelle-Orléans, port actif et ville de passage, que se fit, au sein de petits orchestres composés d'amateurs à peu près illettrés et qui avaient bricolé leurs instruments empruntés à des fanfares, la synthèse des divers éléments de base du jazz. C'est à un dénommé Buddy Bolden, barbier de son état, que l'on reconnaît le privilège d'avoir groupé le premier ensemble de ce qu'il est convenu d'appeler aujourd'hui le « style Nouvelle-Orléans » : une trompette ou un cornet, un trombone et une clarinette (la trompette suit d'assez près le thème, le trombone joue les basses à l'aide de larges *glissando* et la clarinette profite de sa mobilité pour tracer tout autour de vives arabesques sonores) qui constituèrent la section mélodique, et un piano, un banjo, une contrebasse (au début à vent) et une batterie, qui formèrent la section rythmique. Dans les orchestres de parade, de défilé, il n'y avait pas de piano, à moins que celui-ci soit juché sur un camion. C'est à la Nouvelle-Orléans que naquirent les plus grands musiciens du style primitif : le cornettiste King Oliver, le pianiste et compositeur Jelly Roll Morton, le tromboniste Kid Ory, le clarinettiste et saxophoniste soprano, Sidney Béchet, le plus grand d'eux tous, le trompettiste et chanteur Louis Armstrong. C'est à la Nouvelle-Orléans qu'ils firent leurs années d'apprentissage de musicien, qu'ils formèrent leur premier orchestre et

c'est de cette ville que le *j.* partit à la conquête du monde. La première formation qui introduisit le *j.* à New-York, puis en Europe, fut un orchestre d'imitateurs blanc, l'*Original Dixieland Jazzband*. Il fut aussi le premier, en 1917, à avoir les honneurs du disque. L'exécution primant la composition, l'enregistrement est le moyen indispensable pour juger et conserver le *j.* C'est au moment de la dispersion des orchestres de la Nouvelle-Orléans (que l'on peut situer en 1917), lorsque fut fermé le quartier réservé de la Nouvelle-Orléans, Storyville, où se produisaient régulièrement les principaux ensembles, que l'on peut placer la date de naissance du mot *jazz*. Lorsque les premiers orchestres noirs arrivèrent à Chicago, les musiciens du lieu, dans la crainte de voir les nouveaux venus prendre leur place, s'arrangèrent par tous les moyens pour discréditer leur musique. Ils la traitèrent de tous les noms et particulièrement de *jass music* (*jass* ou *jazz* signifiant dans l'argot des noirs le coït et toutes les variations des plaisirs sexuels). Au lieu de choquer, le mot intrigua et le premier qui s'en servit ouvertement, un blanc nommé Tom Brown, s'attira les foules.

Alors que les premiers orchestres de la Nouvelle-Orléans se contentaient principalement de jouer avec une sensibilité assez cahotique ou dans un état très chaleureux de communion instinctive, Louis Armstrong, en même temps qu'il instaura le règne du pur soliste en réaction contre le jeu contrapunctique improvisé, en honneur avant lui, amena le *j.* à son premier point de perfection formelle. Grâce à sa remarquable technique, à son sens rythmique extrêmement développé et à l'état de calme maîtrise que lui laissait son imagination très éveillée, il apporta au *j.* la plus indéfinissable mais la plus indispensable de ses qualités : le *swing*\*. (Le *swing* est une espèce d'état de grâce rythmique, qui transporte le soliste comme en avant de lui-même, qui dans la tension la plus chaleureuse du style *hot* ou dans l'attentif abandon du style *cool* contient un élément de détente, qui est apaisement tout autant que dynamisme. Nous avons ainsi une sorte de balancement qui fait rebondir les temps l'un vers l'autre et n'est pas sans rappeler le *rubato* mesuré des XVIIe et XVIIIe s. Comme les conceptions rythmiques qui le conditionnent, le *swing* a changé de forme sans changer d'essence, et seule une connaissance attentive de tous les styles de *j.* permet d'en saisir l'originalité créative.)

En étudiant l'œuvre enregistrée de Louis Armstrong, trompette exceptionnel et truculent chanteur, à la voix expressive, on trouve presque tout ce qui a caractérisé le *j.* depuis ses débuts jusque vers 1943. Il a interprété, ou plutôt créé, à travers son robuste et généreux tempérament, de nombreux *blues*, des *ragtimes* et un grand nombre de *songs* (ou chansons, en américain). Ils sont généralement bâtis sous la forme d'un couplet de seize mesures et d'un refrain, ou *chorus*, de trente-deux mesures, divisées en quatre fois huit mesures, avec une double ou une triple répétition des huit premières mesures, selon le schéma AABA ou ABAB, le premier étant le plus habituel ; c'est dans celui-ci que les huit mesures placées en B sont appelées *pont* ou *middle part*). Parti du style Nouvelle-Orléans ou *Dixieland* (du sud des U.S.A., du pays de Dixie), Armstrong y est retourné depuis plus d'une dizaine d'années, après être passé par une flamboyante période de romantisme expressionniste. Avec le concours d'orchestres quelquefois médiocres, telles la plupart de ses grandes formations, il a interprété d'admirables improvisations et gravé des disques qui resteront de très grands exemples du *j.* classique et du *solo* improvisé : *West End Blues*, *Cornet Shop Suey*, *Weather Bird* (avec son double, le grand pianiste Earl Hines), *Tight Like This*, *Dear Old Southland*, *2 : 19 Blues*, *Down In Honkey Tonk Town* (avec Sidney Béchet), *New Orleans Fonction*, *Black And Blue*, *St-Louis Blues*. Avec un lyrisme ample et généreux, une sonorité pleine, un *vibrato* ardent, Armstrong, souverain maître de son instrument, a réussi à transformer en un noble métal des mélodies souvent quelconques, montrant bien par là, ainsi que l'a justement écrit le musicien Jelly Roll Morton, que « *le jazz est un style d'exécution, non une composition* », que « *n'importe quelle musique peut*

être interprétée en jazz, du moment qu'on sait s'y prendre »,
et que « ce n'est pas ce que l'on joue qui compte, mais la
manière dont on le joue ». Ceci explique le nombre
relativement restreint de compositions de valeur que
le *j.* nous lègue, par rapport à la quantité d'exécutions
exemplaires qui ont été enregistrées.

Certes le *j.* peut justement être fier de certaines œuvres
composées par ses servants, au tout premier rang
desquels on peut classer Duke Ellington, mais, par
rapport à la musique classique, le *j.* n'a rien créé d'autre
que le *blues* dans les domaines mélodique et harmonique.
Il s'est contenté, et c'est déjà beaucoup, de faire vivre
d'une manière originale les principales acquisitions de
l'écriture dite classique. Pendant toute la durée du règne
absolu d'Armstrong, les contours mélodiques ont été
assez restreints (souvent une sixte), et l'emploi de
chromatismes des plus réservés, tandis que l'harmonie,
partie du choral protestant, lui-même issu des œuvres
de Hændel et de Mendelssohn, en est arrivée, par assi-
milations successives de modulations, d'enchaînements
et de procédés empruntés à Chopin, à Grieg, à Wagner,
à Franck, à côtoyer les dispositions sonores chères
à Delius ou Debussy. Toutes ces acquisitions se feront
entre les années 1917 et 1943, c'est-à-dire entre la date
d'enregistrement du premier morceau dénommé *jazz*
par l'orchestre d'imitateurs blancs de l'*Original
Dixieland Jazzband* et l'année de la mort du truculent
pianiste Fats Waller qui peut servir de repère pour clore
la grande période créative de l'école swing. (Il y a le
*swing*, manière de jouer, et l'époque *swing*, période de
huit ans, 1935-1943, caractérisée par l'apogée des grands
orchestres et l'accession des solistes au rang de virtuoses.)
Pendant ces vingt-six ans, les solistes prendront de plus
en plus d'importance ainsi que, fait parallèle et corollaire,
les arrangeurs feront leur apparition, suppléeront à la
carence d'invention de certains musiciens, coordon-
neront les efforts de solistes groupés au sein des grands
orchestres et offriront une parure sonore souvent riche
et subtile à leurs solos improvisés.

C'est au début des années 20 que, pour élargir leur palette
sonore et aussi pour copier certains orchestres blancs
en vogue, qui avaient très maladroitement adapté le *j.*
Dixieland à de grandes formations, les noirs commencèrent à écrire des arrangements et à monter des
orchestres d'une certaine ampleur. Un de ces pionniers
fut Jelly Roll Morton, pianiste au jeu clair et frais,
amusant orchestrateur et compositeur malicieux et
sensible. Il fut suivi par le pianiste Fletcher Henderson,
qui dirigea entre 1926 et 1937 un orchestre assez
important, qui eut le mérite de révéler de bons solistes,
tel Coleman Hawkins au saxo-ténor, et de permettre
à son chef d'écrire des arrangements qui sont parmi les
mieux venus du style *swing*. Son orchestre fut suivi
de beaucoup d'autres formations, celles de Jimmy
Lunceford, Don Redman, Benny Carter, Chick Webb
ou Cab Calloway. Le plus remarquable de ces grands
ensembles fut dirigé par Edward Kennedy « Duke »
Ellington (né à Washington en 1899).

En trente ans de travail intensif, le *Duke* a révélé
un monde sonore inouï, qu'il n'a cessé d'enrichir et
d'élargir. Parti de l'exploitation d'un répertoire expressionniste, caractérisé par l'emploi abondant de sonorités
curieuses, obtenues à l'aide de sourdines diverses (c'est
ce qu'on appelle le style *jungle*), il est arrivé à
composer des œuvres fort complexes et d'un raffinement
sonore exquis, qui doit tout autant à son goût pour des
couleurs instrumentales sophistiquées qu'à ses connaissances fragmentaires des œuvres de Ravel et de Debussy.
C'est le style *mood*. La plus grande période de Duke
Ellington se situe en 1940, alors qu'il déclarait qu'il
ne jouait plus du piano, son instrument habituel,
dont il est un fin technicien, mais de l'orchestre. Jamais
mieux qu'en cette année il n'a su aussi bien composer
pour ses solistes, jamais ses œuvres, ses orchestrations
n'ont eu autant d'ampleur et n'ont été réalisées avec
une si rare économie de moyens. Avec l'aide d'un
orchestre de seize musiciens, composé de solistes virtuoses,
dont certains comptent parmi les plus grands que le *j.*
ait connus, les saxophonistes Johnny Hodges, Ben

Webster et Harry Carney, le trompette Cootie Williams,
le trombone Tricky Sam Nanton ou le contrebassiste
Jimmy Blanton, il a fait enregistrer des œuvres qui
méritent le titre de chef-d'œuvre : *Koko, Concerto For
Cootie, Cotton Tail, Blue Serge*... De tous les compositeurs
de thèmes de *j.*, Ellington est peut-être celui qui a écrit
(la plupart du temps en collaboration avec les musiciens
de son orchestre : Hodges, Rex Stewart, Barney Bigard,
Juan Tizol...) le plus grand nombre d'œuvres de valeur :
*Black And Tan Fantasy, Creole Love Call, Solitude,
I Let A Song Go Out Of My Heart, Sophisticated Lady,
The Mooche*. Au cours de ces dernières années, Ellington
s'est laissé entraîner à composer des suites de concerts
dont certains passages sont du *j.* le plus authentique
tandis que d'autres, malgré l'habilité de l'arrangeur
Billy Strayhorn et peut-être à cause d'elle, ne sont que
des fragments bâtards et baroques, certes séduisants
au premier abord, mais où le *jazzman* a perdu de son
authenticité sans que ait fait œuvre
valable, œuvre qui en tout cas ne résiste pas à la comparaison avec les modèles classiques qu'il s'est choisis.
Il n'en demeure pas moins que c'est Ellington qui a
montré le chemin que doit suivre le *j.* moderne en grand
orchestre, s'il veut évoluer, celui du *concerto grosso* de
soliste, qu'il a esquissé dans sa composition intitulée
*Jam-A-Ditty*.

Peu de temps avant le grand triomphe d'Ellington, un
chef d'orchestre blanc, très estimable clarinettiste, Benny
Goodman, lancé par une agissante publicité, déchaîna
l'enthousiasme du public par des arrangements écrits
par les meilleurs spécialistes noirs de l'époque : Fletcher
Henderson, James Mundy, Mary Lou Williams, et
interprétés par un orchestre bien rodé, mais qui n'existe
littéralement pas à côté des grands orchestres noirs
de l'époque, particulièrement ceux d'Ellington, de
Jimmy Lunceford et de Basie, ainsi que par la présentation d'un trio puis d'un *quartett* et d'un *sextett*, où pour
la première fois, dans des Etats-Unis encore racistes,
il fit jouer ensemble des musiciens blancs et des solistes
noirs. C'est dans ces formations que se révélèrent trois
maîtres de l'école *swing*, le subtil pianiste Teddy Wilson,
le fougueux vibraphoniste Lionel Hampton et le musicien
qui, par ses audaces, laissa penser que de jeunes musiciens
que les cadres limités du *j.* classique pouvaient être
dépassés, le guitariste Charlie Christian. Benny Goodman
prit aussi une part active au lancement du grand
orchestre qui est considéré aujourd'hui comme le meilleur,
celui du Count Basie. Sur des thèmes simples, assez
souvent des *blues*, et à l'aide d'arrangements presque
stéréotypés, construits souvent sur la répétition de
nombreux *riffs* (c'est-à-dire de courts motifs mélodiques
et rythmiques), a amené le *j.* à un point de perfection
que l'on peut difficilement dépasser — dans son style, —
où chaque mesure est parfaitement découpée en quatre
battements égaux. La qualité rythmique exceptionnelle
de l'orchestre de Basie (avec Freddy Green à la guitare,
Walter Page à la basse et Jo Jones à la batterie) est un
fait mais elle n'aurait pas réussi à assurer à l'ensemble
sa célébrité, si d'excellents solistes ne s'y étaient fait
remarquer ; le chanteur James Rushing, les trompettes
Buck Clayton et Harry Edison, le trombone Dicky
Wells et les saxos-ténors Herschel Evans et (surtout)
Lester Young. L'orchestre, qui a perdu aujourd'hui
les plus inspirés de ses solistes, a néanmoins conservé
sa place. L'invention, que l'orchestre ne possède plus,
a été remplacée par une ferme architecture de masse
dont l'apparente monotonie cache une subtile et très
souple organisation du temps.

Si les noirs ont été les créateurs du *j.*, quelques solistes
blancs de valeur, pendant les vingt-six ans qui ont
précédé les premières recherches des nouveaux musiciens,
sont arrivés à créer de la bonne musique de *j.* Nous
avons parlé de Goodman qui fut un bon clarinettiste ;
il y eut aussi le sensible cornettiste Bix Beiderbecke
— dont la composition *In A Mist*, que l'on doit placer
aux frontières du jazz et de la musique impressionniste,
est un petit chef-d'œuvre d'invention et d'émotion —,
le saxo-ténor Bud Freeman, les trombones Jack
Teagarden et Tommy Dorsey et le grand guitariste gitan
Django Reinhardt qui, musicalement illettré, fut

néanmoins un soliste génial et un charmant compositeur. Pendant cette même période, des solistes noirs enregistrèrent en petite formation, souvent avec l'aide d'orchestres occasionnels, groupés pour une seule séance de studio, des disques de valeur : Lionel Hampton (ses séances pour les disques R.C.A.), Coleman Hawkins (*Body and Soul*, 1939), Fats Waller (de très bons solos de piano : *Keepin Out Of Mischief Now, Ain't Misbehavin'*), Teddy Wilson (avec la troublante chanteuse Billie Holliday), le fulgurant technicien du piano Art Tatum (*Tiger Rag, Begin The Beguine*) et Roy Eldridge, qui fut l'un des premiers à s'affranchir de l'influence que Louis Armstrong avait sur tous les trompettes (*Wabash Stomp, Fish Market*).

Au moment même où le *j.* classique, appelé aussi *middle jazz*, celui de l'école *swing*, commençait, vers 1940, à se figer dans une perfection formelle, quelques journalistes et critiques rappelèrent aux origines du *j.*; ce fut ce qu'on appela le *New Orleans Revival*. Pour répondre à l'intérêt suscité par les livres et articles écrits sur les premiers temps du *j.* à la Nouvelle-Orléans, les compagnies de disques lancèrent sur le marché de nouveaux enregistrements réalisés par les solistes marquants de la Nouvelle-Orléans encore en vie, Sidney Béchet (saxo-soprano et clarinette), Tommy Ladnier (trompette), Jelly Roll Morton (piano), Kid Ory (trombone) auxquels vinrent se joindre des musiciens bien plus vieux et beaucoup moins doués, Bunk Johnson ou Papa Mutt Carey. Leurs enregistrements apprirent à un nouveau public les mérites de l'improvisation collective traditionnelle et le charme des thèmes de l'enfance du *j.* Un certain nombre de jeunes musiciens blancs s'empressèrent de copier ces modèles, ainsi que les vieux enregistrements, lentement redécouverts. Ils arrivèrent assez facilement à faire « sonner » leurs orchestres à l'ancienne mode, offrant ainsi à un public peu exigeant une musique entraînante et facile, trop souvent jouée sans aucun sens des nuances, dont l'apport artistique est pratiquement nul : c'est pourtant ce *j.* que certains critiques considèrent comme le seul authentique.

Indifférents à ce décadent retour aux sources, quelques musiciens de la nouvelle génération, le guitariste Charlie Christian, le batteur Kenny Clarke, le pianiste Thelonious Monk, le saxophoniste-alto Charlie Parker et le trompette Dizzy Gillespie, suivant, d'une certaine manière, les précédentes recherches de Roy Eldridge, de Jimmy Blanton et de Lester Young, se mirent à chercher du nouveau. Ils créèrent le style *bop*, c'est dire qu'ils firent sortir le *j.* des étroits cadres harmonique et rythmique où il se trouvait cantonné. Le *j.* va alors s'épanouir jusqu'aux frontières du monde tonal, au moyen de substitutions, voire de superpositions d'accords. Tout en restant souvent dans la tradition réelle ou suggérée du *blues*, ce qui montre bien que les nouveaux solistes n'ont pas rompu avec la tradition, ils ont introduit des déviations et des variations harmoniques qui ont apporté d'inépuisables possibilités aux créateurs, tandis que les rythmiciens développaient une notion d'indépendance coordonnée qui devait permettre au *j.* de se mouvoir sur riche assise polyrythmique. Du jour où les nouveaux chercheurs présentèrent au public, d'une manière cohérente, le résultat de leurs recherches, mirent à jour leurs audaces, une partie de la critique ne sut pas discerner sous l'apparente nouveauté tout ce qui rattachait l'une à l'autre les deux écoles. Si la pulsation rythmique s'est modifiée, ses points d'assise essentiels, telle l'accentuation des temps impairs, renouent avec le passé. Si l'arrangement prend une place de plus en plus importante, la pratique du *chorus* improvisé reste le moyen d'expression préféré des solistes. Si la thématique, grâce aux efforts de novateurs qui désiraient utilement faire craquer le cadre habituel des douze ou trente-deux mesures, a légèrement évolué, elle a plus encore conservé d'évidentes analogies avec le matériel classique. Si la matière sonore est travaillée d'une manière toute différente de celle des premiers temps, son expression laisse toujours une place importante à de subtils systèmes de « triturations » expressives. Une seule chose n'a pratiquement pas changé, même si on la fait jaillir d'une manière nouvelle, c'est le *swing*, qui demeure toujours le premier des buts poursuivis par le *jazzman*.

Depuis quinze ans, trois courants principaux ont traversé et animé le jazz moderne : le *bop*, le *cool*, aujourd'hui le *hard-bop*. Le *bop* procède directement des recherches de Gillespie, de Parker, de Clarke et de Monk. Il semble bien que ce soit pour atteindre à une plus grande frénésie expressionniste et assumer toutes les responsabilités sonores qu'exigeait leur caractère dominateur ou revendicateur que les maîtres du style *bop* firent éclater les normes admises. Tous les musiciens de ce style, le trompette Fats Navarro, le trombone Jay Jay Johnson, le vibraphoniste Milt Jackson, le pianiste Bud Powell, les contrebassistes Ray Brown et Oscar Pettiford, les batteurs Max Roach et Art Blakey, ne firent, à de légères variantes près, que transposer sur leurs instruments les audaces des premiers nommés, et particulièrement de Charlie Parker. Ce saxophoniste alto, qui est allé chercher un nouveau monde sonore dans la prostration la plus déchirante (sa première version de *Lover man*) ou dans l'éclat le plus vibrant (*Scrapple from the apple*), dans un état d'amère contemplation (*Parker's mood*) ou de « folie musicale » (*Koko*), a dominé tout le mouvement et aujourd'hui, en dépit de sa mort survenue le 12 mars 1955, il n'est pas un musicien moderne qui ne lui soit redevable de son évolution. Qu'il s'agisse de sa sonorité, de son phrasé qui se joue du découpage rythmique tout en lui restant subtilement conditionné, ou des domaines du rythme, de l'harmonie ou de la mélodie qu'il a repensés et agrandis en *jazzman*, son style est aujourd'hui la source où les nouveaux solistes vont chercher ce que, vingt-six ans avant, on trouvait chez Armstrong : la jeunesse et l'audace. — Le trompette Dizzy Gillespie, admirable technicien, brillant soliste et fantaisiste irrésistible, après avoir gravé avec Parker les premiers grands exemples du nouveau style (*Hot house, Salt peanuts*) devait monter en 1947 un grand orchestre, où toutes les qualités dynamiques du nouveau style, grâce au travail de ses excellents arrangeurs, Tad Dameron, John Lewis, Walter Fuller, se trouvaient transposées avec éclat. — C'est un ancien membre d'une des formations dirigées par Charlie Parker, le trompette Miles Davis, qui devait, dans le cadre de l'orchestre de moyenne importance, donner ses lettres de noblesse au style qui pour un temps devait succéder aux orageuses exubérances du *bop* ; le *cool*. Cet orchestre, entièrement pensé par un groupe d'arrangeurs, Johnny Carisi, Gil Evans et Gerry Mulligan — et cela nous permet de constater quelle place de plus en plus prépondérante ceux-ci prennent dans l'évolution du *j.* — devait en 1949, et dans des morceaux intitulés *Godchild, Israël, Boplicity, Budo, Moondreams*, réaliser une heureuse liaison entre le *j.* authentique et le climat de la musique de chambre. Non seulement les arrangements faisaient parfaitement corps avec les *chorus* improvisés par les solistes Davis, J.J. Johnson, Lee Konitz (saxo alto), Gerry Mulligan (saxo-baryton), John Lewis ou Al Haig (piano) mais la pureté, la sensibilité, l'aisance des musiciens, leur manière d'entrer dans le son plutôt que de l'exprimer, leur relaxation amenaient une note de fraîcheur exquise (le *cool*) dans le cadre de la musique de *j.* jusqu'alors de caractère *hot* (brûlant). — Parallèlement aux réalisations orchestrales de Miles Davis, un petit groupe de musiciens blancs, dirigés par le talentueux saxophoniste ténor Stan Getz, devaient pousser le *j.* dans un domaine serein et détendu. C'est en marchant sur les traces du saxo-ténor noir Lester Young que ces musiciens, que l'on a appelés les *brothers*, créèrent un style qui, au cours de ces dernières années, a, consciemment ou non, influencé la plupart des *jazzmen* modernes et jusqu'à des ensembles dont le style était de prime abord inconciliable avec le leur, comme l'orchestre du « Count » Basie. C'est pourtant dans les rangs de cet orchestre que, dès 1936, Lester Young s'était employé à jouer dans un état de décontraction dont la fluidité allait de pair avec un grand sens, souvent humoristique, des nuances, et qu'il avait fait preuve d'une audacieuse fécondité dans le domaine du découpage rythmique de ses phrases. De nombreux musiciens, blancs pour la plupart, le guitariste Jimmy Raney, le saxo-alto Lee Konitz, les saxos-ténors Stan Getz et Zoot Sims, le

saxo-baryton et arrangeur Gerry Mulligan, le clarinettiste et compositeur Jimmy Giuffre, le trompette et
chef d'orchestre Shorty Rogers, le batteur Shelly Manne,
ont montré la vitalité et la diversité de cette nouvelle
école dont les meilleurs réalisations sont quand même
dues à des musiciens noirs : Miles Davis et John Lewis.
A la tête de son *Modern Jazz Quartett*, le pianiste John
Lewis a dirigé l'exécution d'œuvres suprêmement élégantes, mais dont l'esthétique baroque, fondée sur
l'exploitation de cadres classiques, est peut-être contestable. Elle a au moins le mérite de poser très clairement
un des principaux problèmes auxquels se heurte l'imagination créatrice des *jazzmen* modernes, celui du renouvellement, de l'élargissement de la forme. Les musiciens
de la toute dernière génération ont voulu réagir contre
le laisser-aller ou contre la froideur où s'étaient laissés
entraîner quelques solistes *cool*, particulièrement ceux
qui appartiennent à l'école de la côte du Pacifique, dite
*West Coast*. Ils sont en train de réaliser une synthèse
entre l'intransigeante sévérité de la musique *bop*, entre
son intensité expressive et la simplicité des moyens et
la souplesse affective de l'école *cool*. Le batteur Art
Blakey avec son ensemble des *Jazz Messengers*, le trompette Clifford Brown, les pianistes Horace Silver et
Hampton Hawes, les saxos-ténors Sonny Rollins et John
Coltrane, dans cette intention générale, mais avec des
moyens extrêmement divers, poursuivent, dans le domaine
de la petite formation, l'aventure permanente du *j.*
A leurs côtés, le pianiste Thelonious Monk, farouchement
individualiste, continue d'explorer et d'élargir d'une
manière des plus fascinantes, quoique des plus frustes,
les domaines temporels et harmoniques de la musique
de *j.*
La situation, dans le domaine orchestral, est plus
complexe. La part plus prépondérante qui est laissée
à l'arrangeur a donné à celui-ci la possibilité d'explorer
des domaines orchestraux souvent opposés, qui ne sont
malheureusement pas toujours exactement liés au style
des solistes. On arrive alors à des superpositions stylistiques des plus troublantes. Ainsi, au sein de l'orchestre
du Count Basie, de jeunes solistes de style *hard bop*
improvisent sur une rythmique traditionnelle de style
néo-classique : *middle jazz* ou *swing* — et sur un accompagnement orchestral caractérisé par un « phrasé de
masse », issu conjointement de l'école *bop* pour l'écriture
de l'école *cool* pour l'exécution. Dans ce cas, l'orchestre
ne trouve son unité que dans les moments où le soliste
est sacrifié au profit du seul travail de l'arrangeur, et
cela au détriment de l'improvisation, qui demeure le
véhicule favori du *jazzman*.
Des arrangeurs, plus audacieux que les membres de
l'équipe du Count Basie, particulièrement ceux qui ont
travaillé pour les orchestres de Stan Kenton et de
Woodie Herman, tel Bill Holman ou Shorty Rogers,
ont tenté, par une polyphonie très fournie, des contrepoints richement superposés, de noyer plus intimement
le soliste dans la mouvante masse de l'orchestre : on ne
peut dire qu'ils y soient parfaitement arrivés. Leurs
œuvres, en tout cas, peuvent laisser entendre que le
renouvellement attendu du grand orchestre de *j.* risque
de se trouver dans l'élargissement de la formule du
*concerto grosso* ou de l'ensemble de solistes dialoguant
au sein de la masse orchestrale. C'est en conditionnant
étroitement un petit orchestre au sein du grand que,
presque certainement, se trouve la voie pour les créateurs.
Certaines réalisations récentes de l'arrangeur français
Martial Solal (*Horloge parlante*) et du compositeur
Gil Evans, qui a écrit une très belle suite concertante,
où l'on retrouve quelques caractères du grand style
ellingtonien intelligemment repensé en fonction du
style *cool* et de l'art du soliste Miles Davis, nous prouvent
que l'avenir n'est pas bouché et que l'on peut encore
attendre beaucoup du grand orchestre de *j.*
Henri Michaux l'a fait remarquer « *le vrai poète crée,
puis comprend... parfois* » : c'est également la démarche
du grand *jazzman*. Cela nous montre bien ce qui différencie le *j.* du grand art classique. Il y a dans le *j.* un
caractère médiumnique qui naît de l'improvisation, de
l'exécution collective et qui ne peut être noté. Ne nous
étonnons pas après cela que tous les efforts faits par de

grands compositeurs (Milhaud, Stravinsky, Ravel,
Jolivet, pour apprivoiser le *j.* et le faire passer de l'état
somptueusement impur qui est le sien à la conscience
méticuleuse de la partition écrite, n'aient été que coquetterie vaine et embaumement inutile. Le *j.* est matière
vécue et, comme telle, sa fascination n'est pas près de
se tarir. De nouveaux solistes se révélant chaque jour,
le monde du *j.* nous réserve encore pas mal de crises de
croissance, qui, même si elles abolissent son passé, n'en
prouveront que mieux son existence.            A.Fs.

**Bibl.** : L. Feather, *The encyclopedia of j.*, N.-York 1955 ; D. Carey,
*The directory of j. and swing music*, Fordingbridge 1949 ; Ch.
Delaunay, *New hot discography*, N.-York 1948 ; R. Blesh, *Shining
trumpets ...*, N.-York 1946 ; L. Hughes, *The first book of j.*, *ibid.*
1955 ; O. Keepnews-B. Grauer, *A pictorial hist. of j.*, id. *ibid.* ;
H. Panassié, *La mus. de j. et le swing*, Paris 1945 ; *La véritable mus.
de j.*, *ibid.* 1946 ; M.W. Stearns, *The story of j.*, N.-York 1956 ;
A. Hodeir, *Hommes et problèmes du j.*, Paris 1954.

**JAZZO-FLÛTE.** C'est un sifflet à bec et à coulisse, en
métal, instrument moderne employé dans le jazz et dans
la musique de cirque : les compositeurs y ont parfois
fait appel : M. Ravel, par exemple, dans *L'enfant et les
sortilèges*.                                        M.A.

**JEAN IV**: Roi de Portugal depuis 1640 (Vila Viçosa 19.3,
1604–Lisbonne 6.11.1656). Son père, le duc de Bragance.
le força à apprendre la musique dans son enfance ; il
devait la pratiquer dans son âge mûr avec un certain
talent ; la seule composition qu'on lui attribue avec
certitude est le motet *Crux fidelis*, édité par Julio Eduardo
dos Santos dans *A polifonia classica* (Lisbonne 1937),
œuvre d'une inspiration assez courte ; on lui attribue
un autre motet, *Adjuva nos Deus* (même publication)
dont le style est tellement différent qu'on ne peut pas
le croire de la même plume, des passions selon saint Jean
et saint Matthieu, dont les mss des passions polyphoniques sont
conservés à Coimbre et à Braga : peut-être pourrait-
on y retrouver celles de Jean IV et d'autres psaumes ou
cantiques : 1 *Magnificat* à 4, le psaume *Dixit dominus*,
l'hymne *Ave maris stella*. Il est l'auteur de 2 opuscules :
*Defensa de la musica moderna contra la errada opinion
del Obispo Cyrillo Eranco* (Lisbonne, 1649) et *Respuestas
à las dudas que se pusieron a la missa : Panis quem ego
dabo* (*ibid.* 1654) : ce sont deux défenses de Palestrina,
sur le ton du pamphlet ; on lui attribue encore une
*Concordancia da musica e passos della colligidos dos
mayores professores desta arte* et *Principios de musica,
quem foram seus primeiros autores e os progressos que teve* ;
on ne sait ni le lieu ni la date d'édition de ces écrits, dont
on ne possède aucun exemplaire. Ce prince est surtout
célèbre par l'inventaire qui fut fait de sa bibliothèque :
*Primeira parte do index da livraria de musica do muito
alto e poderoso rei D. João IV, Nosso Senhor, Por ordem de
Sua Magestade por Paulo Craesbeeck. Ano de* 1649. Seul
le premier tome de ce catalogue a été réalisé, une édition
anastatique a été rédigée par J. de Vasconcelos ; la bibliothèque elle-même, conservée au palais royal de Lisbonne,
a été détruite par le tremblement de terre de 1755.
Voir L. de Freitas Branco, *J. IV, musico*, Lisbonne 1956 ;
M.A. de Lima Cruz, *D. João IV, 1604–1656*, Lisbonne,
s.d., coll. *Os grandes musicos*, nº 11.              S.C.

**JEAN XXII** (*Jacques Duèze*, pape sous le nom de). Il
régna de 1316 à 1334. On cite souvent la lettre (une
décrétale datée de 1324) qu'il adressa au clergé au sujet
de la musique ecclésiastique comme une condamnation
de la polyphonie. Or le pape se borne à réclamer
une grande modération dans le traitement du texte
liturgique, à condamner le hoquet, la trop grande
subdivision des valeurs et, comme Boèce et la plupart
des théoriciens, le *cantus lascivus* et l'usage de la langue
vulgaire à l'église. En voici le texte : *Docta sanctorum Patrum decrevit auctoritas ut in divinae laudis
officiis, quae debitae servitutis obsequio exhibentur, cuncto-
rum mens vigilet, sermo non cespitet, et modesta psallentium
gravitas placida modulatione decantet. Nam in ore eorum
dulcis resonabat sonus. Dulcis quippe omnino sonus in ore
psallentium resonat, quum Deum corde suscipiunt, suum
loquuntur verbis, in ipsum quoque cantibus devotionem
accendunt. Inde etenim in ecclesiis Dei psalmodia cantanda*

ST JEAN DAMASCÈNE ...

*... et Cosme de Majuma notant leur chant* (Basilius Menolog).

*praecipitur, ut fidelium devotio excitetur ; in hoc nocturnum diurnumque officium, et missarum celebritates assidue clero ac populo sub maturo tenore distinctaque gradatione cantantur, ut eadem distinctione collibeant et maturitate delectent. Sed nonnulli novellae scholae discipuli, dum temporibus mensurandis invigilant, novis notis intendunt fingere, suas quam antiquas cantare malunt, in semibreves et minimas ecclesiastica cantantur, notulis percutiuntur. Nam melodias hoquetis intersecant, discantibus lubricant, triplis et motetis vulgaribus nonnunquam inculcant adeo, ut interdum antiphonarii et gradualis fundamenta despiciant, ignorent super quo aedificant, tonos nesciant, quos nos discernunt, immo confondunt, quum ex earum multitudine notarum adscensiones pudicae, descensionesque temperatae, plani cantus, quibus toni ipsi secernuntur ad invicem, obfuscentur. Currunt enim et non quiescunt ; aures inebriant et non medentur, gestibus simulant quod depromunt, quibus devotio quaerenda contemnitur, vitanda lascivia propalatur. Non enim inquit frustra ipse Boetius, lascivus animus vel lascivioribus delectatur modis, vel eosdem saepe audiens emollitur et frangitur. Hoc ideo dudum nos et fratres nostri correctione indigere percepimus ; hoc relegare, prorsus immo abjicere, et ab eadem ecclesia Dei profligare efficacius properamus. Quo circa de ipsorum fratrum consilio districte praecipimus, et nullus deinceps talia vel his similia in dictis officiis, praesertim horis canonicis, vel quum missarum solemnia celebrantur, attentare praesumat. Si quis vero contra fecerit, per ordinarios locorum, ubi ista commissa fuerint, vel deputandos ab eis in non exemptis, in exemptis per 'praepositos seu praelatos suos, ad quos alias correctio et punitio culparum et excessorum hujusmodi vel similium pertinere dignoscitur, vel deputandos ab eisdem, per suspensionem ab officio per octo dies auctoritate hujus canonis puniatur. Per hoc autem non intendimus prohibere, quin interdum diebus festis praecipue, sive solennibus in missis et praefatis divinis officiis aliquae consonantiae quae melodiam sapiunt, puta octavae, quintae, quartae et hujusmodi supra cantum ecclesiasticum simplicem proferantur, sic tamen, ut ipsius cantus integritas illibata permaneat, et nihil ex hoc de bene morata musica immutetur, maxime quum hujusmodi consonantia auditum demulceant, devotionem provocent, et psallentium Deo animos torpere non sinant. Datum*

*Avenione, pontificatus nostri anno IX.* (D'après Friesberg, *Corpus juris canonici*, II, Leipzig 1881, lettre extravagante commune, livre III, I.). Elle a été aussi publiée par F.X. Haberl, *Bausteine f. Musikgesch.*, 1885, p. 22. Voir H. Harder in MMG.

**JEAN-AUBRY Georges.** Musicologue franç. (Le Havre 13.8.1882–Paris 14.11.1949). A partir de 1909, il voyagea en Europe pour y faire connaître la musique française contemporaine, notamment Debussy, avec qui il était lié ; de 1919 à 1940, il dirigea le mensuel anglais *The Chesterian*, où il publia des articles de ses contemporains ; on lui doit *La mus. franç. d'aujourd'hui* (Paris 1910, 1916), *La mus. et les nations* (ibid. 1922), *C. Debussy, lettres à deux amis* (ibid. 1942), *A. Gide et la mus.* (ibid. 1945), *Le marchand de sable qui passe* (marches, mus. de Roussel, ibid. 1917), ainsi que des art. dans des périodiques. Voir L. de Sugar in MGG.

**JEAN CHRYSOSTOME** (Saint). Père de l'Église (Antioche 345–Comana 14.9.407). Baptisé en 370, il vécut dix ans en ermite, fut diacre (381), prêtre (386), évêque de Constantinople (389) ; banni en 403 par l'impératrice Eudoxie, il fut provisoirement rappelé sous la pression du peuple, puis exilé de nouveau et définitivement (404) ; ce père de l'Eglise, à la célèbre éloquence, est le père putatif de la liturgie qui porte son nom : il ne semble pas qu'il ait composé quoi que ce soit, mais ses écrits, comme ceux de la plupart des docteurs, comportent d'importants commentaires sur la musique : citons en particulier l'homélie sur le psaume XLI ; son éthique musicale est conforme à celle des autres docteurs, tâchant en premier lieu de distinguer entre musique profane et musique sacrée. Voir A. Attié, *La divine liturgie de st J.C.*, Harissa 1926 ; A. Puech, ... *St J.C. et les mœurs de son temps*, Paris 1891 ; M. Stöhr in MGG.

**JEAN DAMASCÈNE** (Saint). C'est l'un des plus célèbres poètes-mélodes, réformateur et théologien byzantin, né à Damas, mort vers 750, au monastère de Saint-Sabas, près de Jérusalem : il naquit dans une famille noble, fit de brillantes études et occupa une haute situation politique ; mais il abandonna tout pour se retirer dans le monastère de Saint-Sabas, où il passa la plus grande

partie de sa vie avec Cosmas de Majuma, son ami d'enfance ; bien qu'il vécût hors de Byzance, la Syrie étant à cette époque sous la domination arabe, *J.D.* exerça, avec ses ouvrages dogmatiques, rhétoriques et musicaux, une très grande influence sur la vie spirituelle byzantine ; il prit part aux luttes iconoclastes qui agitèrent les Byzantins pendant 120 ans et, par sa forte personnalité, contribua beaucoup à la victoire des défenseurs des images. Mais c'est son œuvre de poète-mélode qui consacra le plus sa popularité : il composa de nombreux canons, dont les plus célèbres sont ceux de Noël, de l'Épiphanie et de la Pentecôte ; les Byzantins lui attribuèrent toutes les réformes musicales survenues au XIIᵉ s., ainsi que la création de l'*Octoèchos* et de la notation médiobyzantine (dite encore « de Damascène ») : en effet, le règlement du monastère de Saint-Sabas où il vivait au VIIIᵉ s., devint officiel à Byzance après les schismes (XIIᵉ s.) mais il est prouvé aujourd'hui que l'*Octoèchos* était antérieur au VIIIᵉ s. et que *J.D.* se borna seulement à le réformer ; quant à la notation médiobyzantine, le plus clair et le plus cohérent des systèmes musicaux byzantins, on ignore la part prise par *J.D.* à sa création : les Byzantins attribuaient souvent les réformes religieuses aux saints qui jouissaient d'un grand prestige. Voir H.J.W. Tillyard, *The hymns of the Octoechos*, ds *Mon. mus. byz.*, *III*, 1940 ; M. Stöhr in MGG.
V.P.

**JEAN l'Évangéliste** (*Frère*). Prédicateur capucin français, né à Arras vers la fin du XVIᵉ s. : il a laissé un recueil de cantiques à 2 voix, *La Philomèle séraphique... Sur les airs les plus nouveaux choisis des principaux auteurs de ce temps...* (2 vol. Tournay, 1631–1632, rééd. 1640), où sont parodiées des œuvres de Guédron, Boyer, Boësset, Signac, Moulinié, Richard, Vavasseur et Métru.
A.V.

**JEAN de CLÈVE.** Voir art. *Clève.*

**JEAN de GARLANDE** (*Johannes de Garlandia*). On connaît deux théoriciens de ce nom des XIIIᵉ–XIVᵉ s., dont la biographie est entièrement inconnue : de l'aîné, on a conservé *De musica mensurabili positio* et *De musica mensurabili* : il est l'un des plus anciens théoriciens du mensuralisme, à qui on attribue également un *De musica plana* ; du plus jeune, on a conservé une *Introductio musicae* et une *Optima introductio in contrapunctum*, œuvres dans lesquelles il se révèle près de Johannes de Muris et de l'*ars nova*. Voir Coussemaker, *Scriptores*, I - III, *Hist. de l'harmonie au moyen-âge*, Paris 1852 — *Traités inédits sur la mus. du m.-â.*, Lille 1867 ; G. Reese, *Mus. in the middle-ages*, N.-York 1940 ; A.F. Gatien-Arnoult, *J. de G. ...*, ds *Rev. de Toulouse*, 1866 ; L.J. Paetow, *The life and works of J. of G.*, ds *Mem. univ. California*, *IV*, 2, 1927 ; H. Hüschen in MGG.

**JEAN de GROUCHY** (*Johannes de Grocheo*). Théoricien méiéval de la musique, dont l'identité et l'état-civil sont inconnus ; il semble avoir été ecclésiastique et vécut à Paris aux environs de l'an 1300. A l'inverse de la plupart des théoriciens médiévaux, il procédait de façon empirique plutôt qu'en compilateur de la tradition : son *De musica* (ms. *B.M.* Londres et Darmstadt) est un ouvrage méthodique, qui passe des définitions générales aux questions de détail ; bien entendu, il se réfère souvent à Aristote ; il divise la musique en *musica simplex, civilis* ou *vulgaris, musica composita, regularis, canonica* ou *mensurata* et *musica ecclesiastica* ; il définit la musique comme *ars vel scientia de sono numerato, harmonice sumpto, ad cantandum facilius deputata* ; la musique profane est vocale ou instrumentale (il distingue les divisions dans la mus. vocale, fondées sur ses attributions sociales, distinction unique dans les annales du moyen-âge) ; il donne ensuite un aperçu historique de la musique polyph. et enfin étudie les différents genres de mus. d'église. Il ne semble pas avoir eu d'imitateurs. Voir G. Reese, *Music in the middle ages*, N.-York 1940 ; E. Rohloff, *Studien z. Musiktraktat d. J. de G.*, Leipzig 1930 — *Der Mus. tr. do J. de G.*, ibid. 1943 ; Y. Rokseth, *Les polyph. du XIIIᵉ s.*, *IV*, Paris 1939 ; H. Besseler in *Die Mf.*, 1949 ; J. Wolf, *Die Musiklehre des J. de G.*, in SIMG, 1899-1900 ; G. Reaney in MGG.

**JEAN de LIMBOURG** (*Johannes de Limburgia*). Mus. du XVᵉ s., originaire, semble-t-il, du pays de même nom près de Verviers, qui appartient à la génération qui précède immédiatement Dufay ; il fut chapelain des autels St-Laurent et St-Georges à l'église St-Jean l'Evangéliste de Liège, au début du XVᵉ s., puis succéda à Ciconia comme *bastonarius* dans la même église, ainsi qu'à St-Paul ; en 1436, il était chanoine de Notre-Dame de Huy ; la plupart de ses compositions qui nous ont été conservées font partie du célèbre ms. Q 15 de la bibl. du cons. de Bologne : un ordinaire de la messe (3-4 v.), 3 *Gloria*, 3 *Credo*, 2 *Kyrie*, 1 introït, 1 *Regina caeli*, 1 *Alleluia*, 16 motets (4 v.), 5 *laudae*, 5 *Magnificat*, 4 hymnes ; son œuvre est un témoin important de l'unification des structures de la messe. Voir H. W. Rosen, *Die liturg. Werke d. J.v.L.*, thèse, Innsbruck 192 9(dact.) ; G. de Van, *Inventory of ms. Bologna Lic. mus. Q 15* (*olim 37*), ds *Mus. disc.*, *II*, 1948 ; G. Reaney in MGG.

**JEAN de LUBLIN** (*Jan z Lublina, Johannes Lublinensis*). Org. pol. du XVIᵉ s. chanoine régulier, qui a réuni des œuvres de compositeurs polonais de son époque et en a fait un arrangement pour l'orgue sous le titre *Tabulatura Johannis de L. canonicorum regularium de Crasnyc* (v. 1540) : c'est l'une des plus importantes tablatures d'orgue de l'époque (520 p.), précédée d'un traité de composition, qui traite notamment du style en imitation. Voir A.E. Chybinski, *Tabulatura J. z l.*, ds *MQ*, 1911–1914.

**JEAN de NAMUR** (*Johannes de Mantua, J. Carthuensis, J. Gallicus*). Chanteur et théoricien belge (Namur v. 1415–Mantoue ou Parme 1473). Elève de Feltri, chartreux à Mantoue, il nous a laissé deux traités repris par Coussemaker dans ses *Scriptores* : *Libellus musicalis de ritu canendi...* et *Vera quamque facilis ad cantandum atque brevis introductio* ; c'était un adversaire de la solmisation. Voir H. Hüschen in MGG (art. *Gallicus*).

**JEAN des MURS.** Voir art. *Johannes de Muris.*

**JEAN de SALISBURY** (*Johannes Salisberiensis, Sarisberiensis*). Théoricien angl. (Salisbury v. 1115–Chartres ? 25.10.1180). Il vécut à Paris (1136–1138), Chartres (1138–1141), Paris (1141–1146), où il fut notamment l'élève d'Abélard, en Angleterre (1147) : il y fut secrétaire de l'archevêque Théobald de Cantorbéry et prit son parti contre Thomas Becket ; en 1176, après avoir été mis en disgrâce par le roi d'Angleterre, il fut élu évêque de Chartres ; on lui doit nombre de lettres, d'écrits philosophiques et historiques, dont *Polycraticus* (1159) : un chapitre de ce traité est intitulé *De musica et instrumentis et modis et fructu eorum* ; il y donne des conseils aux chanteurs et musiciens d'église, s'inspirant des règles morales des Pères de l'Eglise. Voir H. Reuter, *J. v. S. ...*, Berlin 1842 ; C. Schaarschmidt, *J.S. ...*, Leipzig 1862 ; P. Gennrich, *Zur Chronologie des Lebens J.s v. S.*, ds *Zs. f. Kirchengesch.*, *XIII*, 1892 ; C.C.J. Webb, *J. of S.*, Oxford 1932 ; H. Hüschen in MGG.

**JEANNIN Jules** (*Dom*). Bénédictin franç. (Marseille 6.2. 1866–Hautecombe 15.2.1933). Élève du cons. de Marseille, moine à Ste-Marie Madeleine de Marseille, puis à Hautecombe, où il fut organiste, il s'intéressa à la musique syrienne dès ses études de théologie qu'il fit à Rome avant son ordination (1896) ; il alla en Syrie, au séminaire de Charfé, et nota quelque 900 mélodies de la liturgie syriaque ; bien qu'il appartînt à la congrégation de France, à laquelle est rattaché le monastère d'Hautecombe, il fut un vigoureux adversaire des théories de Solesmes, disant que « l'esthétique solesmienne, au sujet des caractères de l'accent latin, est le contre-pied exact de l'esthétique du moyen-âge (ds *Études sur le rythme grég.*) ; il publia *Le chant liturgique syrien* (ds *Journal asiatique*, 1912–1913), *Remarques pratiques sur la prononciation romaine du latin* (Paris 1912), *La prononciation romaine du latin...* (Bourges 1913, Paris 1917), *L'octoèchos syrien...* (ds *Oriens christianus*, III, 1913), *Prières et chants liturgiques avec prononciation romaine figurée* (Paris 1914), *Mélodies liturgiques syriennes et chaldéennes* (2 vol., *ibid.* 1925–1928), *Sur l'importance de la tierce ds l'acc. grég.* (ibid. 1926), *Études sur le rythme grég.* (Lyon *id.*), *Rythme grég.*, réponse à Dom Mocquereau (*ibid.* 1927), *Du si bémol grégorien* (ds *Tribune de St-Gervais, XXV,* 1928), *A propos de la fractio vocis* (ds *Rev. du chant grég.,* 32, 1928), *Accent bref ou accent long en chant grég. ?* (Hérelle, Paris s.d.), *La scansion mesurée des hymnes ambrosiennes* (ds *Trib. St-Gervais, XXVI,* 1929), *Nuove osservazioni sulla ritmica greg.* (Turin 1930), *Proportionale Dauerwerte...* (ds *Greg.-Bl.,* 54, 1930), *La question rythmique grég.* (ds *RM, XI,* 1930), *Gui d'Arezzo et la liquescence* (ds *Rev. Ste-Cécile,* 22, 1930), *Rapport de l'accent latin et du rythme mus. au moyen-âge* (Paris 1931), *L'origine des modes grég.* (ds *Rev. du chant grég.,* 35, 1931), *La séquence Sancti Spiritus...* (ds *Eph. lit., LXV,* 1931), *La libertà del ritmo greg.* (ds *Mus. sacra, LVII,* 1931), *Op welk oogenblik...* (ds *Tijdschrift v. lit., XIII,* 1932), *Qu'étaient les tabulae dont parlent les liturgistes du moyen-âge ?* (ds *Rev. du chant grég., XXXVI,* 1932, *XXXVII,* 1933), *Il mensuralismo greg.* (ds *RMI, XXIX,* 1932), un art. ds l'*Encicl. italiana.* Voir L. Bonvin, *Dom Mocquereau versus Dom J.,* ds *Greg.-Bl., L,* 1926 — *Der greg. Rythmus...,* ds *KmJb, XXV,* 1930 — *Dom J.s Schrift...,* *ibid.* ; W. Irtenkauf in MGG.

**JEANS** (*Sir*) **James Hopwood.** Physicien angl. (Londres 11.9.1877–Surrey 17.11.1946), prof. d'astronomie à la *Royal Institution* de Londres, auteur d'un traité d'acoustique intitulé *Science and music* (1937) ; sa femme — (*Lady*) **Susi,** née *Hock* (Vienne 25.1.1911–), d'origine autrichienne, élève de K. Straube et de Widor, est organiste.

**JEANSON Bo Gunnar.** Musicologue suédois (Göteborg 10.10.1898–Stockholm 20.1.1939). Elève du cons. et de l'univ. de Stockholm, prof. d'hist. de la mus. au cons. de Stockholm, il publia *A. Sönderman* (*ibid.* 1926), une hist. de la mus. (av. J. Rabe, *ibid.* 1927–1931–1946), *G. Wennerberg som musiker* (*ibid.* 1929), ainsi que des articles ds *Svensk Tidskrift f. mus.*

**JEEP** (*Jepp*) **Johann(es).** Mus. allem. (Dransfeld 1582–Hanau 19.11.1644). Enfant de chœur à la maîtrise de la cour de Celle, il est ensuite (1600) à Nuremberg et à Altdorf ; il semble avoir voyagé en France et en Italie ; en 1613, il est maître de chapelle et organiste du comte de Hohenlohe à Weikersheim, en 1635, org. intérimaire, puis, en 1637, org. titulaire de la cath. de Francfort (jusqu'en 1640) ; de 1642 à sa mort, il fut maître de chapelle à Hanau, au service du dernier comte de Hanau-Münzenberg ; c'est l'un des premiers musiciens allemands qui se soit rendu en Italie, et sa grande réputation lui vient surtout de son *Studenten-Gärtlein* (3-6 v., 2 vol., Nuremberg 1605–1626 — 1614–1622, rééd. par R. Gerber en 1958) ; on lui doit en outre 2 recueils de psaumes 4 v., *ibid.* 1607, 1609–1629), un autre de *Tricinia* (*ibid.* 1610, 1611), *Andächtiges Bettbüchlein* (Ulm 1631, Nuremberg *id.*) ; le reste de ses œuvres a été perdu. Voir W. Brennecke, *Die Leichenpredigt auf J.J.,* ds *AfMw, XV,* 1958 — art. in MGG.

**JEFFRIES.** — **1. George.** Mus. angl. (?–Little Weldon... 5 ou 6.1685). *Gentleman* de la chapelle royale, org. à Oxford (1643), il fut de 1648 à sa mort chambellan de Lord Hatton of Kirbie à Little Weldon ; son œuvre, qui témoigne d'un très large contact avec les musiciens italiens de son temps, a évolué dans presque tous les genres musicaux : c'est une œuvre de transition entre l'école élisabéthaine et l'époque classique ; une seule de ses œuvres a été imprimée, motet à 2 v. avec orgue, ds les *Cantica sacra* (2e vol.) de Playford (Londres 1674) : le reste est resté ms. (*B.M., Royal College of mus., Christ Church Library, Bodleian Library*) : des *anthems,* motets, *services,* des fantaisies instrumentales avec virginal ou orgue, de la musique pour masques, des chansons profanes, des chœurs, des symphonies etc. Son père présumé — **2. Matthew,** dont l'état-civil est inconnu, apparaît pour la 1re fois en 1583 dans un document du chapitre de la cath. de Wells où il fut *master of the choristers* ; en 1593–1594, il fut gradué d'Oxford ; on suppose qu'il y fut organiste ; on a conservé de lui 9 *anthems* et 2 *services* complets. Voir M. Tilmouth et P.G. Le Huray in MGG.

**JEHAN Ier le ROUX, comte de Bretagne.** Trouvère franç.

du XIIIe s. : fils de Pierre de Dreux, dit Mauclerc, il épousa en 1236 Blanche, fille de Thibaut de Champagne, et régna en Bretagne de 1237 à 1250 ; on a conservé de lui 6 chansons (ms. Bibl. nat., fonds franç. 847), dont un jeu parti ; on le considère comme un compos. inspiré. Voir J. Bédier, *Les chansons du comte de B.,* ds *Mél. A. Jeanroy,* Paris 1928 ; F. Gennrich in MGG.

JEHAN Ier LE ROUX

*BN, ms. franç. 847.*

**JEHAN BRETEL.** Trouvère franç. du XIIIe s. (v. 1210–1272). Issu d'une famille bourgeoise d'Arras, il fut membre de la confrérie des jongleurs et prince du Pui : on lui attribue l'intensité de la vie intellectuelle et artistique d'Arras dans la 2e moitié du XIIIe s. ; il fut en relation avec une grande partie des aristocrates et des poètes de son temps ; on a conservé de lui 6 chansons (ms. Vatican) et 92 jeux-partis. Voir G. Reynaud, *Les chansons de J.B.,* ds *Bibl. de l'Ecole des chartes,* 41, 1880, et ds *Mél. de phil. romane,* Paris 1913 ; A. Långfors, *Recueil général des jeux-partis, ibid.* 1926 ; A. Guesnon, *Nouvelles recherches biogr. sur les trouvères artésiens,* ds *Le moyen-âge,* 1902 ; F. Gennrich in MGG.

**JEHAN ERART.** Trouvère franç. du XIIIe s. (v. 1205–1258 ou 1259). D'origine bourgeoise, il ne semble pas avoir participé directement aux activités du Pui d'Arras, mais semble avoir été un poète indépendant, soutenu par les bourgeois de cette ville ; on a conservé de lui 25 chansons, avec quelque 60 versions différentes, dont 59 notées (Bibl. nat., fonds franç. 844) : elles sont l'œuvre d'un très bon poète. Voir J. Beck, *La mus. des troubadours,* Paris 1910 ; Th. Gérold, *Hist. de la mus., ibid.* 1936 — *La mus. au moyen-âge, ibid.* 1932 ; F. Gennrich, *Trouvère-Lieder...,* ds *ZfMw, IX,* 1926 — art. in MGG ; A. Guesnon, *Nouvelles recherches biogr....,* ds *Le moyen-âge,* 1902.

**JEHAN de BRAINE.** Trouvère franç. du XIIIe s. (v. 1195–1240). Fils de Robert II de Dreux et de Yolande de Couci, oncle de Jean Ier le Roux, époux d'Alix de Mâcon, il succéda à Guillaume V de Mâcon en 1224 et eut de nombreuses difficultés politiques ; il mourut à la croisade en 1240 ; on a conservé de lui 3 chansons, dont une pastourelle. Voir F. Gennrich in MGG.

**JEHAN de GRIEVILER.** Trouvère franç. du XIIIe s., originaire, croit-on, de Grievillers-lès-Bapaume. D'origine bourgeoise, à la fois clerc et bigame, il fut une des personnalités les plus remarquables du Pui d'Arras, appartint à la *Confrérie des jongleurs* et fut en relations avec les principaux poètes de son temps ; on a conservé de lui 8 chansons, et il a été le partenaire de Jehan Bretel dans 24 jeux-partis : sa musique révèle un talent original. Voir M. Spaziani, *Le canzoni di J. de G. ...*, ds *Cultura neolatina, XIV*, 1954 ; A. Långfors, *Recueil général des jeux-partis*, Paris 1926 ; A. Guesnon, *Nouvelles recherches biogr. sur les trouvères artésiens*, ds *Le moyen-âge*, 1902 ; F. Gennrich in MGG.

**JEHANNOT de LESCUREL** (*L'Escurel*). Mus. franç. du XIIIe s., qui semble être mort à Paris en 1303, sur le gibet ; on a conservé de lui 34 chansons, ballades et rondeaux (1 rondeau à 3 v. et 2 pièces à refrains) : ses œuvres, d'un mélisme évolué, annoncent l'*ars nova*.

**JEHAN MONIOT de PARIS.** Trouvère franç. dont l'activité se situe dans la première moitié du XIIIe s. On ne sait rien de sa biographie ; il a été souvent confondu avec Moniot d'Arras, trouvère qui semble son aîné ; les mss qu'on a conservés de lui sont posthumes : 9 chansons, en 28 versions différentes pour la musique ; elles sont de style populaire, à refrain, traitent de la vie à Paris et à la campagne et semblent avoir eu beaucoup de succès, car elles ont été fort imitées ; elles en ont en tout cas beaucoup de caractère. Voir G. Raynaud, *J.M. de P. ...*, ds *Bull. de la soc. de l'hist. de Paris, IX*, 1882 — ds *Mél. de phil. romane*, Paris 1913 ; F. Gennrich, *Die altfrz. Rotrouenge*, Halle 1925 — art. in MGG ; H. Petersen Dyggve, *M. d'Arras et M. de Paris*, ds *Mém. soc. néophilologique, XII*, Helsinki 1938.

**JEHAN de NUEVILE** (*Jean de Neuville*). Trouvère franç. du XIIIe s. (v. 1200–v. 1250). Issu d'une famille artésienne fixée à Neuville-Vitasse près d'Arras, fils d'*Eustache de N. li iuenes*, qui prit part en 1216 à l'expédition contre l'Angleterre, il vécut avant la période de la suprématie du Pui d'Arras ; on a conservé de lui 9 chansons, dont 1 pastourelle et 1 complainte (mss Bibl. nat., fonds franç. 844), 3 seulement notées. Voir M. Richter, *Die Lieder d. altfrz. Lyrikers J. de N.*, thèse de Halle, 1904 ; A. Guesnon, *Publ. nouvelles sur les trouvères artésiens*, ds *Le moyen-âge, XIII*, 1909 ; F. Gennrich in MGG.

**JELENSPERGER Daniel.** Éditeur et théoricien franç. (Mulhouse 1797–31.5.1831), élève et collaborateur de Reicha pour sa maison d'édition, qui publia *L'harmonie au commencement du XIXe s. ...* (1830).

**JELIĆ** (*Jelich, Jelitsch, Jelicich, Jeletschitsch*) **Vinko.** Mus. croate (Rijeka 1596–?), qui fut musicien à la cour de Graz, puis à celle de l'archiduc Léopold à Saverne (Alsace) ; dès 1636, on perd toute trace de lui ; il composa selon les principes du style monodique à ses débuts : *Parnassia militia concertuum 1, 2, 3 et 4 v., tam nativis quam instrumentalibus v. ad org. concinendorum*, op. 1 (1622), *Arion primus sacrorum concentuum 1, 2, 3 et 4 v. ad org. concinendorum*, op. 2 (1628), *Arion secundus psalmorum vespertinorum tam de tempore, quam de B.M.V. 4 v., alternatim ad org. concinendorum, adiunctis Magnificat, Salve Regina et octo tonis ad omnia instrumenta accommodatis*, op. 3 (1628). Voir H. Federhofer, *V.J.*, ds *AfMw, XII*, 1955 ; A. Vidaković, *V.J. i njegova zbirka duhovnih koncerata i ricercara Parnassia militia*, 1957, H. Federhofer in MGG. **D.C.**

**JELINEK Hanns.** Compos. autr. (Vienne 5.12.1901–). Élève d'A. Schönberg et d'A. Berg, de F. Schmidt, pianiste, il est professeur à l'*Akad. f. Mus. u. darstellende Kunst* à Vienne dep. 1958 ; au cours de sa carrière de compositeur, il a évolué vers la musique sérielle : on lui doit de la mus. symph. (6 symph., *Parergon*, 1957), de chambre, de chant avec orch. et avec p., de piano, 1 cantate (1954), 1 opérette *Bubi Caligula* (1947), de la

mus. de film, des art. ds des périodiques. Voir F. Wildgans in MGG.

**JELMOLI Hans.** Pian. et compos. suisse (Zürich 17.1. 1877–6.5.1936). Élève du cons. de Francfort (Humperdinck), chef d'orch. d'opéra à Mayence et à Wurtzbourg, prof. de composition à Zurich, il a écrit 12 *canti ticinesi* (soli, ch. et p.), de la mus. de scène, de théâtre, de chambre, de piano, d'orch., des chœurs et des mélodies, il publia *Studien u. Landschaften* (Zurich 1906), *Fs. z. 50. Jubiläum d. Kons. f. Mus. in Zürich* (*ibid*. 1926), ainsi que des articles.

**JÉLYOTTE Pierre.** Chanteur franç. (Lasseube 13.4. 1713–château d'Estos, 12.9.1797). Il fit son éducation à la maîtrise de St-Etienne de Toulouse et débuta en 1733 à l'Opéra ; sa véritable carrière commença deux ans plus tard avec une création dans *Les Indes galantes* de Rameau ; peu à peu, il reprit tous les rôles du ténor Tribou, auquel il succéda définitivement en 1739 ; idole du public, il fit alors une série de créations, le plus souvent en compagnie de Marie Fel, notamment ds des œuvres de Mondonville, Rebel et Francœur, Rameau, et prit sa retraite en 1755 ; il composa lui-même un ballet avec intermèdes, *Zelisca* (1746), qui eut un certain succès ; il fut respecté dans la querelle des bouffons, même des détracteurs de l'opéra français ; Marmontel, son ami, a dit de sa voix qu'elle était « la plus rare que l'on pût entendre, soit par le volume et la plénitude, soit par l'éclat perçant et le timbre argentin ». Voir J.-G. Prod'homme, *P.J.*, ds *SIMG, III*, 1901–1902 ; A.P. Pougin, *P.J. et les chanteurs de son temps*, Paris 1905. **F.L.**

**JEMNITZ Sándor.** Compos. et musicologue hongrois (Budapest 9.8.1890–). Élève de Koessler à l'Acad. de mus. de Budapest, de Reger et de Straube à Leipzig, il a passé une partie de sa vie en Allemagne ; comme compos., il a toujours suivi une voie très personnelle qui a quelquefois des analogies avec certaines tendances de la mus. allem. contemporaine et avec celles de la jeune école hongroise ; il est également critique musical ; on lui doit notamment 1 ballet, de la mus. de chambre (3 quatuors, 3 trios, 1 sérénade, 6 sonates), des œuvres instr. (orgue, piano, violon), des mélodies, des chœurs. **J.G.**

**JENKINS Cyril.** Compos. angl. (Dunvant-Swansea 9.10. 1885–), qui fut dir. mus. du *Londoner County Council* et vécut longtemps en Australie ; on lui doit quelque 600 œuvres, symph., chorales etc.

**JENKINS David.** Compos. angl. (Trecastle 30.12.1848–Aberystwyth 10.12.1915), qui enseigna à l'univ. de Wales, écrivit 1 opéra, 1 opérette, 3 oratorios, 3 cantates, des *anthems* et publia, en collab. avec D. E. Evans, le périodique musical *The musician*.

**JENKINS John.** Mus. angl. (Maidstone 1592–Kimberley 27.10.1678). Luthiste, violiste, il fut musicien des rois Charles 1er et Charles II, précepteur de Lord North (1660–1666), de Sir Philip Wodehouse à Kimberley ; son œuvre est abondante : elle comporte des *rounds, ayres, In nomine*, suites, *fancies, fantasias*, sonates, *canzonette*, motets etc., ds des recueils de l'époque ou en mss. Voir R. North, *Memories of musick*, éd. E.F. Rimbault, Londres 1846–*Autobiography*, éd. A. Jessopp, *ibid*. 1887 — *The musical grammarian*, éd. H. Andrews, *ibid*. 1926 ; W. Griffith, *J.J.*, ds *The consort, I*, 1929 ; E.H. Meyer, *English chamber music*, Londres 1946, 1951 ; J. Sleeper, *J.J. fancies and ayres*, Wellesley 1950 ; R.A. Warner, *The fantasia in the works of J.J.*, thèse d'Ann Arbor, 1951 (micro-film) ; H.F. Redlich in MGG.

**JENKINS Newell.** Chef d'orch. amér. (New-Haven 8.2. 1915–). Élève de l'école d'orch. de Dresde, du séminaire de mus. de Fribourg-en-Brisgau, de l'univ. Yale, il eut comme prof. W. Bachmann, E. Doflein, C. Orff, P. Hindemith, R. Kirkpatrick ; il a dirigé la *Piccola accad. mus.* de Florence (1952–1957), les *Clarion Concerts* (1957–1959), enregistré plus de 65 pièces de mus. ital. inédites et édité Sammartini, Vivaldi, Brunetti, Locatelli.

**JENKO Davorin.** Compos. serbo-slovène (Dvorje 10.11. 1835–Ljubljana 25.11.1914). Il étudia la musique à Vienne et à Prague, fut chef d'orch. du Théâtre nat. de Belgrade (1871–1902), consacra ses efforts créateurs principalement à la musique serbe, à laquelle il donna les premiers exemples de mus. instrumentale : il exerça une influence immédiate sur l'époque romantique ; outre de nombreux chants pour voix et chœurs, il écrivit de nombreuses compositions scéniques, dont les plus caractéristiques sont le *Singspiel* « *Le sabre de Marko* », l'opérette « *La sorcière ou La vieille Hrka* » (1882) et le mélodrame *Pribislav i Božana* (1894), des ouvertures, dont *Kosovo* (1872), *Milan* (1888), *Djido* (1892) et *Aleksandar* (1902). Voir D. Cvetko, *D.J. i njegovo doba*, 1952 — *D.J., Doba, življenje delo*, 1955.      D.C.

**JENNER Alexander.** Pian. autr. (Vienne 4.4.1929–), élève de l'*Akad. f. Mus. u. darstellende Kunst* à Vienne, qui a débuté en 1950 et fait une carrière internationale.

**JENNER Gustav.** Compos. et critique allem. (Keitum 3.12.1865–Marbourg 29.8. 1920). Elève de Brahms et de Mandyczewsky (Vienne), il fut prof. de p., chef de chœur à Baden-Vienne (1889–1891), dir. mus., puis prof. à l'univ. de Marbourg (dep. 1895) ; il écrivit des mélodies, de la mus. d'église, de chambre ; parmi ses écrits, citons *J. Brahms als Mensch, Lehrer u. Künstler* (Marbourg 1905, 1930). Voir W. Kohleick, *G.J.*, thèse de Marbourg, Wurtzbourg 1943 ; R. Schaal in MGG.

**JENNY Albert.** Compos. suisse (Soleure 24.9. 1912–). Elève des cons. de Berne, de Francfort et de Cologne (Abendroth, Ph. Jarnach, Bachem), pian., org., vcelliste, prof. au cons. (1942) et dir. de la Soc. de concerts de Lucerne (1946), dir. du *Cäcilienverein* de Soleure (1944), maître de chapelle à l'église St-Leodegar de Lucerne (1956), il a écrit 1 symph. (1944), 2 concertos (vcelle, htb., 1939, 1941), de la mus. d'église (motets, offertoires, psaumes), de chambre (quatuors, trios, sonates), d'orgue (fantaisies, *toccate*, préludes, chorals), des mélodies (avec p. ou orch.) 1 *Te Deum* (soli, ch., orgue et orch., 1951), 1 oratorio : *Dem unbekannten Gott* (*id.*, 1956). Voir H. Ehinger in MGG.

**JENSEN. — 1. Adolf.** Compos. allem. (Königsberg 12.1. 1837–Baden-Baden 23.1.1879), qui fut élève de Liszt, exerça comme prof. ou chef d'orch. en Russie (1856) à Poznan (1857), Copenhague (1858), Königsberg (1860), Berlin (1866–1868), Dresde, Graz (1870) et Baden-Baden ; il écrivit des chœurs, de la mus. symph., de piano, 1 opéra, mais surtout qq. 160 mélodies dans un style très schumannien. Son frère — **2. Gustav** (*ibid.* 25.12.1843–Cologne 26.11.1895), élève de S. Dehn, de J. Joachim, de F. Laub, violon., prof. d'harmonie et de contrepoint au cons. de Cologne (dep. 1872), composa de la mus. symph., de chambre, de violon, des chœurs et des mélodies ; il traduisit le traité de contrepoint de Cherubini (Cologne 1896–Leipzig 1911). Voir G. Schweizer, *A.J. als Liederkompon.*, thèse de Giessen, Francfort 1933 ; R. Sietz in MGG.

**JENSEN Ludvig.** Compos. norvégien (Oslo 13.4.1894–). Elève de l'univ. d'Oslo, pianiste, il séjourna à Paris et en Allemagne et débuta comme compos. en 1920 ; on lui doit

JÉLYOTTE      coll. Meyer

de la mus. symph. (2 symph.), de chambre, de scène, des chœurs, des mélodies. Voir O. Gurvin in MGG.

**JENSEN Niels Peter.** Org. et flûtiste danois (Copenhague 23.7.1802–14.10.1846), aveugle de naissance, élève de Kuhlau, org. à l'église St-Pierre de Copenhague (1827), auteur de mus. de flûte, de cantates, d'un *Singspiel* etc. Voir S. Lunn in MGG.

**JENSEN Thomas.** Chef d'orch. danois (Copenhague 25.10. 1898–), qui fit ses études musicales au cons. de Copenhague, en France et en Allemagne ; il a exercé à Aarhus et Copenhague (notamment à la radiod. danoise, dep. 1953) et fait une carrière internationale.

**JEPPESEN Knud.** Musicologue danois (Copenhague 15.8.1892–). Elève de l'univ. de sa ville natale et de celle de Vienne (G. Adler), dont il est docteur avec *Die Dissonanzbehandlung bei Palestrina* (imprimée en danois à Copenhague en 1923, en allem. à Leipzig en 1925, en angl., à Copenhague-Londres en 1927 et 1946), il a enseigné la théorie au cons. de Copenhague de 1920 à 1947 et l'hist. de la mus. à l'univ. d'Aarhus (1946), où, depuis 1950, il est dir. de l'institut musicologique ; il a été de 1949 à 1952 président de la Société intern. de musicologie ; il a été org. à St-Stefan (1917–1932), puis à l'*Holmens Kirke* (1932–1947) de Copenhague ; il a, de 1931 à 1953, dirigé les *Acta musicologica* ; c'est un des musicologues les plus estimés de notre temps ; il a composé 1 opéra (*Rosaura*, 1950), des chœurs, des mélodies, de la mus. d'orgue, symph. (1 symph., 1946) ; il a publié, outre sa thèse, *Der kopenhagener Chansonnier* (Copenhague-Leipzig 1927), *Kontrapunkt...* (en danois, 1930, en allem., Leipzig 1935, 1956, en angl., N.-York 1939), *Dania sonans, I* (Copenhague 1933), *Die mehrst. ital. Laude um 1500* (av. V. Brøndal, Leipzig-Copenhague 1935), *Die ital. Orgelmusik am Anfang d. Cinquecento* (Copenhague 1943), *La Flora, I-III* (*ibid.* 1949), *Le messe di Mantova* (ds *Opere complete XVIII–XIX* de Palestrina, Rome 1954), et un grand nombre d'articles et des périodiques ou ouvrages collectifs. Voir art. in MGG.

**JEREMIAŠ. — 1. Bohuslav.** Compos. tchèque (Restoky 1.5.1859–České Budejovice 18.1.1918), qui fut chef de chœur à Chocen, fondateur d'une école de musique à Pisek (1887), ainsi que d'un chœur et d'un orch. d'amateur, puis dir. de l'école de mus. de České Budejovice ; il fut l'ami de Dvorak ; on lui doit de la mus. d'église, des chœurs, des mélodies, des œuvres symph. etc. Son fils — **2. Jaroslav** (Pisek 14.8.1889–České Budejovice 16.1.1916), élève du cons. de Prague et de V. Novak, fut pian., chef d'orch. à Ljubljana (1911), prof. à České Budejovice, membre du Trio de Prague et fit une carrière intern. ; on lui doit des œuvres symph., de chambre, 1 opéra, des mélodies, 1 oratorio etc. Son frère — **3. Otakar** (*ibid.* 17.8.1892–), qui fit les mêmes études que son frère, a dirigé l'école de mus. de České Budejovice (1918–1928), l'orch. de Radio-Prague (1929–1945), l'Opéra de Prague ; on lui doit 2 opéras, de la mus. de théâtre, de film, de chambre, symph., chor., des mélodies,

1 écrit : *L. Janaček* (Prague 1938). Voir B. Belohlavek, *J.J.*, *ibid.* 1935 ; J. Plavec, *O.J.*, *ibid.* 1943 ; J. Bužga in MGG.

**JERGER Alfred.** Baryton-basse autr. (Brno 9.6.1893–), élève de la *Musik Akad.* de Vienne, qui débuta à Zürich en 1914, a appartenu aux Opéras de Munich et de Vienne et créa l'*Arabella* de Strauss (1933).

**JERGER Wilhelm.** Compos. et musicologue autr. (Vienne 27.9.1902–). Élève de l'*Akad. für Mus. u. darstellende Kunst* de Vienne, de F. Schalk, de l'univ. de Vienne (G. Adler), contrebassiste aux orch. de l'Opéra et de la Philharmonique de Vienne (1922), prof. à la même acad. de Vienne (1938–1939), élève de l'univ. de Fribourg, en Suisse, dont il est docteur, avec sa thèse *C. Reindl 1738–1799* (Stans 1954–1955), il vit à Salzbourg ; on lui doit de la mus. symph. (2 symph.), de chambre, 1 oratorio, de la mus. voc. ; outre sa thèse, il a publié *Die wiener Philharmoniker...* (Vienne 1942–1943), ainsi que des art. dans des périodiques ou ouvrages collectifs ; il a également assuré des éditions savantes, notamment de la correspondance de Wagner et de Mozart. Voir art. in MGG.

**JERITZA** (*Jedlitzka*) **Maria.** Sopr. autr. (Brno 6.10.1887–), élève du cons. de Prague, qui débuta en 1908 à Munich, exerça à Vienne, N.-York, assura de nombreuses créations et fit une grande carrière ; elle vit à Hollywood depuis 1940 et a publié son autobiographie sous le titre *Sunlight and song* (Appleton 1924). Voir W. v. Wymetal, *M.J.*, Vienne 1922 ; É. Decsey, *Id.*, *ibid.* 1931 ; E. Kühner in MGG.

**JÉRÔME de MORAVIE** (*Hieronymus de Moravia*). Dominicain, originaire de Moravie, qui vécut au couvent de la rue St-Jacques à Paris dans la 2e moitié du XIIIe s. Il passe à juste titre pour être l'auteur d'un *Tractatus de musica*, écrit entre 1272 et 1304 et divisé en 28 chapitres : c'est surtout une compilation de Boèce, de Johannes Afflighemensis, de Gui d'Arezzo (à travers le précédent), de Jean de Garlande, d'Isidore de Séville, d'Al-Farabi, de Richard de St-Victor, de St-Thomas d'Aquin ; en ce qui concerne la musique polyphonique, il transcrit en entier des traités de Jean de Garlande, de Francon, de Pierre de Picardie et d'un anonyme ; toutefois, quelques pages sont de son cru : dans le chapitre 24, il est le 1er à tenter des essais d'esthétique ; dans le chapitre 28, il donne la description de 2 instr. à cordes : la *rubeba* (à 2 cordes), la *viella* (à 5) ; le traité, que S. Cserba a édité (*H. de M.*, *Tractatus de musica*, Ratisbonne 1935), nous est parvenu en ms. (Paris, ,Bibl. nat., ms. lat. 1663) ; le ms. 1531 de la réserve de la bibl. du cons. de Paris possède un graduel de la fin du XIIIe s., écrit au même couvent des frères-prêcheurs, qui contient une partie du chap. 21. Voir S. Cserba, *op. cit.* (introd.) – *Über d. Vortrag d. gregor. Chorals im Mittelalter*, ds *Km.Jb.* XXIX, 1934. S.V.W.

**JERSILD Jørgen.** Compos. danois (Copenhague 17.9.1913–). Élève de l'univ. de Copenhague, de P. Schierbeck, d'A. Roussel (Paris), d'A. Stoffregen, il a été « programmateur » musical de la radiod. danoise (1939–1943), critique au *Berlingske Tidende*, président du *Musikpoedagogisk Forening* (1949–1953) ; dep. 1953, il est prof. au cons. de Copenhague ; on lui doit de la mus. de théâtre, de chambre, vocale, des écrits : *Loerebog i solfège* (2 vol., Copenhague 1948–1951), *De gamle danske Voegtervers* (av. H. Brix, *ibid.* 1951), *Le ballet d'action ital. du XVIIIe s.*, ds *Acta mus.*, *XIV*, 1942. Voir N. Schiørring in MGG.

**JESINGHAUS Walter.** Chef d'orch. et compos. suisse (Gênes 13.7.1902–). Violon., enfant prodige, élève des cons. de Milan, de Zurich et de Bâle, il a été chef de chœur à Barmen-Elberfeld, Mannheim, chef d'orch. au théâtre de Duisbourg-Bochum (1924–1925), depuis quoi il est org. et chef de chœur à Lugano ; on lui doit 3 opéras, de la mus. symph., de chambre, des chœurs, des mélodies. Voir D. Poli, *W.J.*, Bologne 1929.

**JETÉ.** C'est un coup d'archet, qu'on appelle en italien *gettato* et qui consiste à « jeter » l'archet sur la corde, en le faisant rebondir à chaque note ; ce coup est assez semblable au *spiccato*, sinon qu'il permet de répéter quelques notes dans le même coup d'archet ; il s'indique parfois par des points inclus dans une liaison.

**JEU.** — **1.** Dans son acception la plus courante, ce mot indique l'exécution et la manière d'exécuter instrumentale. — **2.** *Jeu d'orgue* : voir art. *orgue.*

JEU-PARTI.
*BN, ms. franç. 1591.*

**JEU-PARTI.** C'est une sorte de tournoi poétique et musical, durant lequel deux ou plusieurs interlocuteurs s'opposent sur un sujet courtois, souvent oiseux, ou sur un sujet d'intérêt plus général : le nom de jeu-parti ou *parture* est particulier aux poètes de langue d'oïl des XIIe-XIIIe s. ; les Provençaux l'appellent *tenso* ou *partimen*. La tradition populaire n'ignore pas ce genre, qui subsiste de nos jours en Corse ou chez les Lapons, comme le signale l'explorateur Paul-Émile Victor. Les *j.-p.* étaient chantés ils ont une structure proche de celle de la chanson ; le questionneur propose à un partenaire le choix entre deux thèses contraires et défend lui-même celle qui est restée libre ; chaque réplique se fait sur une strophe entière. Dans la poésie provençale, le *partimen* se termine parfois par une *tornade* (sorte d'envoi), dans laquelle un arbitre clôt le débat. On peut rattacher à ce genre celui, non chanté, des *Jugements d'amour*, rapportés par André le Chapelain. Voir A. Långfors, Jeanroy et Brandin, *Recueil général des jeux-partis*, Paris 1926 ; E. Trojel, *Les cours d'amour du moyen-âge*, Copenhague 1888 ; L. Nicod, *Les jeux-partis d'Adam de la Halle*, Paris 1917 ; F. Gennrich in MGG. J.Md.

**JEU de LANGUETTES PINCÉES.** C'est l'un des types instrumentaux les plus répandus en Afrique noire ; les organologues ont coutume de le désigner sous le nom de *sanza*, pris parmi les innombrables noms dont on l'appelle en Afrique : les formes en sont d'ailleurs aussi variées que les noms. Essentiellement, l'instrument est composé d'une série plus ou moins nombreuse de languettes parallèles, végétales ou métalliques, flexibles, soustendues par deux chevalets transversaux et dont l'extrémité libre est grattée du bout des doigts, généralement des deux pouces ; les languettes sont fixées à une table de résonnance, qui peut être une simple planchette, un fragment de calebasse, une petite caisse trapézoïdale, une caisse à savon, une boîte à sardines, une série de bâtons assemblés comme un radeau etc. Le nombre des languettes varie entre trois et une vingtaine ; il y a des *sanza* doubles, dont les deux claviers sont disposés symétriquement de part et d'autre de la médiane de l'instrument, d'autres un clavier superposés à la manière du clavecin. Les languettes sont de longueurs différentes, pour donner différents sons ; en outre, chez certains peuples, on les « charge » pour les accorder, en collant sous l'extrémité de la languette une petite masse de cire. Une autre manière d'accorder consiste à déplacer la languette pour modifier la tension et la longueur vibrante. Presque toutes les *sanza* sont munies de bruiteurs qui grésillent pendant le jeu, ce sont des perles enfilées sur les languettes, de longues épines très légères, couchées sur elles et qui les effleurent quand elles vibrent ; ce sont encore des chaînettes attachées à la caisse ou des pièces de monnaie collées avec de la cire. Parfois, pour en amplifier le son, on dispose la *sanza* au centre d'un récipient qui sert de résonnateur : grande calebasse hémisphérique, cuvette émaillée etc. L'instrument est très souvent utilisé tout seul, au gré de l'humeur et pour le simple plaisir de celui qui en joue. Il peut donner lieu à de grandes manifestations de virtuosité ou au contraire ne servir qu'à accompagner le chant en le soutenant d'une ritournelle extrêmement limitée. Ce n'est jamais, semble-t-il, un instrument rituel. Parmi les noms dont on l'appelle en Afrique et dans les régions américaines d'influence africaines, citons *sanzi*, *bisanzi*, *kisanzi*, *kinditi*, *ékébé*, *marimba*, *mbira*, *quidigbo*, *koté*, *gibindji*.                                          G.R.

**JEUNE FRANCE.** C'est un groupe de quatre compositeurs français qui se réunirent sous ce nom en 1935 : Yves Baudrier eut, le premier, l'idée de ce mouvement et prit contact avec Olivier Messiaen après avoir assisté à l'exécution des *Offrandes oubliées* ; Messiaen suggéra alors de constituer le groupe avec deux de ses amis : André Jolivet et Daniel-Lesur. Le premier concert organisé par le groupe *Jeune France* se déroula à la salle Gaveau le 4 juin 1936 et suscita un vif mouvement d'intérêt ; il fut suivi par d'autres manifestations du même type, interrompues cependant pendant la durée de la dernière guerre. Les principes de la *Jeune France* sont contenus dans leur manifeste, qui déclare : « Les conditions de là vie devenant de plus en dures, mécaniques et impersonnelles, la musique se doit d'apporter sans répit à ceux qui l'aiment, sa violence spirituelle et ses réactions généreuses. La *Jeune France*, reprenant le titre que créa autrefois Berlioz, poursuit la route où, durement, chemina autrefois le maître. Groupement amical de quatre jeunes compositeurs français ; Olivier Messiaen, Daniel-Lesur, André Jolivet et Yves Baudrier, la *Jeune France* se propose la diffusion d'œuvres jeunes, libres, aussi éloignées d'un poncif révolutionnaire que d'un poncif académique ». Au sein du groupe, les quatre compositeurs ont su conserver une personnalité totalement indépendante et suivre des voies quelquefois divergentes, ne gardant comme point de rencontre qu'« un esprit de sincérité absolue et le sentiment de la nécessité d'un retour à l'*humain* ».

**JEUNESSES MUSICALES de FRANCE** (*J.M.F.*). Voir art. dans la 1ʳᵉ partie du présent ouvrage.

**JEWETT Randall** (*Randolph*). Mus. angl. ou irlandais (Dublin ou Chester 1603 ?–Winchester 3.7.1675). On sait peu de chose de sa jeunesse ; il fut enfant de la maîtrise de la cath. de Chester (1612–1615) ; il aurait été l'élève d'O. Gibbons ; il fut org. de la *Christ Church* de Dublin (1631–1639) et en même temps à St-Patrick ; après des difficultés, il fut réintégré à St-Patrick en 1641, puis installé comme org. de la cath. de Chester (jusqu'en

1646), année dans laquelle on le retrouve à Dublin comme *vicar choral* à la *Christ Church* ; en 1660, il est aumônier de St-Paul de Londres (chanoine en 1661), enfin en 1666, org., *lay vicar* et maître de chœur à la cath. de Winchester ; il composa des *anthems*, qu'il publia dans des recueils de l'époque. Voir P.G. Le Huray in MGG.

**JEŽEK Jaroslav.** Compos. tchèque (Prague 25.9.1906– N.-York 1.1.1942) qui se fixa aux Etats-Unis en 1938 ; il écrivit de la mus. symph. (2 concertos), de jazz, de chambre, de piano, etc.

**JHÂLRA.** C'est une paire de cymbales, de taille moyenne, au son vibrant, qui se continue longtemps : elles sont généralement reliées ensemble par une cordelette passée dans leur centre (Inde).                     Al.D.

**JHÂNG** (*jhânga* ou *jharjharî*). C'est une paire de cymbales qui ressemblent au *jhâlra* (voir art. précédent), mais plus grandes et plus légères : elles servent dans les temples et pour l'accompagnement de la danse (Inde).     Al.D.

**JIMÉNEZ Ciríaco.** Compos. esp. (Pampelune 5.2.1828– Tolède 1893), élève du cons. de Madrid, qui fut maître de chapelle de la cath. de Jaca (1857), de l'église métropolitaine de Valence (1861), de la primatiale de Tolède (1865) ; on lui doit de la mus. d'église polyphonique.

**JIMÉNEZ** (*Giménez*) **Jerónimo.** Compos. esp. (Séville 10.10.1854–Madrid 19.2.1923). Elève du cons. de Paris (M. Alard), il fut dir. du théâtre Apolo (1885), de l'Union art. mus. et de la Soc. de concerts de Madrid ; on lui doit des œuvres symph., des mélodies, un grand nombre de *zarzuelas*, dont *El baile de Luis Alonso* (1896), *La tempranica* (1900), *Enseñanza libre* (1901). Voir *J. Deleito y Piñuela, Origen y apogeo del género chico*, Madrid 1949.

**JIMÉNEZ MABARAK Carlos.** Compos. mexicain (Mexico 31.1.1916–) qui fit ses études à Bruxelles et a écrit de la mus. symph. (1 concerto), de piano, des ballets, un drame radioph. : *Erigona*.

**JINDAIKO** (Littéralement « tambour de campagne ») : c'est un tambour à deux peaux clouées, d'usage militaire, joué pendant les marches et utilisé au Japon jusqu'en 1870 ; le *j.* possède soit un corps en forme de tonneau (il est alors porté à dos d'homme), soit un corps circulaire, avec un cadre de bois de 10 cm. d'épaisseur et de 85 cm. de diamètre (il est alors suspendu et, porté à la main, frappé d'une mailloche).                       E.H.-S.

**JINGAÏ** (Littéralement « coquillage de campagne ») : c'est une grande conque, d'usage militaire, comportant une embouchure métallique (Japon). L'instrument, au son très puissant, se jouait en marche, accompagné de tambour ; il est inusité depuis 1870.         E.H.-S.

**JINKANE** (Littéralement «gong de campagne») : c'est un instrument militaire du Japon, un gong à mamelon, de 40 cm. de diamètre, suspendu à un cintre et frappé avec une fine baguette métallique ; l'instrument présente un décor bosselé circulaire ; le *j.* était utilisé pour transmettre les ordres au combat ; il a été supprimé en 1870.                                  E.H.-S.

**JIRÁK Karel Boleslav.** Chef d'orch. et compos. tchèque (Prague 28.1.1891–). Elève de V. Novák et de J. Foerster, chef d'orch. à l'Opéra de Hambourg (1915–1918), à Brno, Mährisch-Ostrau, chef du chœur Hlahol (Prague, 1920, 1921), prof. de composition au cons. de Prague (1920– 1930), puis dir. mus. et 1ᵉʳ chef d'orch. de la radiod. tchécoslovaque (jusqu'en 1945), il a émigré (1947) aux Etats-Unis, où il enseigne au collège Roosevelt ; on lui doit 1 opéra : *Apollonius de Thyane* (1910–1913), 5 symph. (1916–1949), entre autres œuvres symph., de la mus. de chambre, instr., chor., des mélodies, des écrits : *Nauka o hudebnich formach* (Prague 1922–1923), des biographies de Mozart, Z. Fibich, J. Herman, ainsi que des articles ds des périodiques. Voir M. Očadlik, *K.B.J.*, *ibid.* 1941 ; H. Tischler in MGG.

**JIRÁNEK Anton.** Compos. tchèque (Dresde v. 1712– 16.1.1761), qui appartint à la chapelle royale de Varsovie, puis à celle de Dresde ; on a conservé en mss. des symph. et des concertos de lui ; sa sœur était la chanteuse et danseuse *Franziska Romana*, épouse *Koch* (*ibid.* 1748–1796).

**JIRÁNEK.** — **1. Josef.** Pian. tchèque (Ledce 24.3.1855–Prague 9.1.1940). Élève de Smetana et de l'école d'orgue de Prague, harpiste au théâtre de Prague, prof. de piano à Kharkov (1877–1891), puis au cons. de Prague (1891–1923), il composa de la mus. symph., de chambre, des ouvrages didactiques, d'autres écrits, dont une étude sur la mus. de piano de Smetana (Prague 1932). Son frère — **2. Aloïs** (*ibid.* 3.9.1858–*ibid.* 24.5.1950), élève de Fibich et de l'école d'orgue de Prague, fut également prof. de piano à Kharkov (1882–1907) et composa 1 opéra, une comédie mus., des œuvres symph., de chambre, de piano, des chœurs et des mélodies.

**JITOMIRSKY** (*Zitomirskij*) **Alexandre Matveïévitch.** Compos. russe (Kherson 23.5.1881–Leningrad 16.12.1937). Il fit ses études au cons. de Vienne, puis avec Rimsky-Korsakov, Liadov et Glazounov au cons. de St-Pétersbourg ; il devint prof. de théorie musicale et de composition au même cons. et fut nommé en 1919 conseiller musical des théâtres lyriques et de la Philharmonique de Petrograd ; il écrivit de la mus. symph., de chambre, des mélodies, et harmonisa des chansons populaires hébraïques.

**JOACHIM.** Famille de mus. d'origine hongroise. — **1. Joseph.** Violon. (Kittsee, près de Presbourg, 28.6.1831–Berlin 15.8.1907). Enfant prodige, il donne son premier concert à l'âge de sept ans avec Servaczinski son maître, alors *Konzertmeister* au théâtre de Budapest ; entré au conservatoire de Vienne en 1838, il en sort en 1841 (classe de Joseph Böhm) ; de 1843 à 1849, il joue au *Gewandhaus* de Leipzig, soutenu par Mendelssohn, alors directeur de l'orchestre, et Ferdinand David, chef de file de l'école allem. de violon : le succès est tel qu'il se répand à l'étranger et que Mendelssohn peut l'envoyer jouer à Londres ; en 1844 (*J.* n'a que 13 ans), son interprétation du concerto de Beethoven lui vaut à Londres un accueil enthousiaste qui lui sera renouvelé fréquemment à partir de 1847 ; de 1849 à 1854, *J.* est *Konzertmeister* à Weimar sous la direction de Liszt ; entre les deux hommes s'établiront des liens d'une amitié parfois bouleversée par des questions de caractère autant que musicales, mais qui restera toujours vivante ; *J.* quitte Weimar pour être, de 1854 à 1866, *Konzertmeister* et soliste de la chambre du roi de Hanovre : c'est dans cette ville qu'en 1863 il épouse *Amalie Weiss*, attachée alors à l'Opéra ; en 1868, il est nommé directeur de l'« Académie royale de musique » de Berlin : par cette nomination, et cinq ans après, à la mort de Ferdinand David, Berlin prend la relève de Leipzig à la tête de l'école allem. de violon ; le succès ne cessant de croître, *J.* reçoit de multiples distinctions, en Allemagne comme en Angleterre. Ses plus beaux concerts sont ceux où il joue Bach, Beethoven, Mendelssohn, Schumann et Brahms, tant leurs œuvres de musique de chambre (en 1869, il avait créé le célèbre Quatuor Joachim) que leurs

concertos ; il s'attacha au groupe de musiciens et aux tendances musicales de l'entourage de Brahms, y tenant une place importante, parfois avec une rigueur « classique » intransigeante : c'est ainsi qu'il entre dans l'histoire de la composition des concertos pour violon de Schumann, de Dvorak, de Brahms. C'est par son importance dans l'histoire de l'école allem. de violon que *J.* retient maintenant l'attention, plus que par ses compositions (3 concertos pour viol. et orch., diverses œuvres de mus. de chambre pour viol. et pour alto, des ouvertures, des marches) ;

J. JOACHIM

*Dessin de F. Preller der Älter (1848).*

la plupart de ses mss et de ses instruments appartiennent actuellement à sa petite-cousine, la violoniste *Jelly d'Aranyi* ; sa correspondance avec Brahms a été éditée par A. Moser (3 vol., Berlin 1911–1913). Voir A. Moser, *J. J., Ein Lebensbild*, Berlin 1898. Sa femme — **2. Amalie**, née *Weiss* (*Schneeweiss*) (Marbourg a.d. Drau 10.5.1839–Berlin 3.2.1899), contralto, douée d'une voix superbe, débute à Troppau en 1853 ; sous le nom de *Weiss*, elle chante, de 1854 à 1862, au *Kärntnerthortheater* de Vienne et, à partir de 1862, à l'Opéra royal de Hanovre ; en 1863, elle épouse Joseph *J.*, dont elle se séparera en 1884 ; dès 1866, elle abandonne l'opéra pour se consacrer à l'interprétation des *Lieder* (interprète inégalée de Schumann) : cette nouvelle carrière la mène notamment en Angleterre (1870 et 1877) et en Amérique ; dans ses dernières années elle professa au conservatoire Klindworth-Scharwenka de Berlin. Voir W. Boetticher in MGG. Leur petite-fille — **3. Irène** (Paris 13.3.1913–) est également chanteuse ; sa mère était violoniste du Trio Chaigneau ; de 1936 à 1939, elle fait ses études au cons. de Paris (classe de Mme Cesbron-Viseur) ; ayant cumulé tous les premiers prix, elle demande, à son entrée à l'Opéra-Comique, à tenir le rôle de *Mélisande* : elle en sera effectivement la titulaire de 1939 à 1956 ; c'est avec elle que, durant la guerre, Roger Désormière réalisera un enregistrement célèbre de *Pelléas* ; donnant également de nombreux concerts avec toutes les grandes associations et la radiod. française, en Angleterre, en Italie, *I. J.* a voué sa carrière à la musique romantique allemande aussi bien qu'à la musique contemporaine ; à l'Opéra-Comique, elle a créé, entre autres, les rôles de *Ginevra* dans la *Ginevra* de Marcel Delannoy, d'*Azénor* dans *Le rossignol de St-Malo* de Paul Le Flem, *Le jeu de Marion* de Wissmer : les compositeurs trouvent toujours en elle une interprète sans exclusives, qu'ils soient du groupe des six ou qu'ils se réclament de la musique dodécaphonique (Berg, Dallapiccola, ou Boulez par exemple, dont elle créa *Le soleil des eaux*), ou qu'ils restent plus indépendants, comme Wiener, Claude Arrieu, Delerue, Dutilleux ou Serge Nigg ; plus que de ses succès au cons. et de son prix Osiris, *I. J.* s'enorgueillit de trois grands prix du disque ; depuis 1954, elle est professeur à la *Schola cantorum*. M.F.

**JOACHIM a BURCK** ou **BURGK.** Voir art. *Burgk*.

**JOÃO IV.** Voir art. *Jean IV*.

**JOAQUIM Manuel.** Musicologue portug. (Pinhela de Monforte 21.10.1894–). Après avoir fait carrière ds la musique militaire (jusqu'en 1938), il se consacra à la musicologie, notamment à l'édition ; on lui doit *Documentos para a hist. da mús. da sé de Elvas* (ds Jorn. de Elvas, 1928–1929), *A mús. militar através dos tempos* (ds *Arte mus.*, VII, 226–236, sép. 1937), ... *O Te-Deum do lic. Lopes Morago* (1940), *A missa de féria do P. Manuel Mendes* [1547 ?–1605[ (ds *Música*, Porto, sép. 1942), *O Asperges do P. Manuel Mendes* (ibid., n° 5, 1943, 1945), *Um enigma mus. do séc. XVII* (ibid., n° 5, 1946), *Notulas sobre a mús. na sé de Viseu* (ds *Beira Alta, I.-III*, sép. 1944), *Compos. polif. de Duarte Lobo*, I (1945), *A proposito dos livros de polif. existentes no Paço ducal de Vila Viçosa* (ds *An. mus.*, II, sép. 1947), *Em louvor do grande polif. E. Lopes Morago* (ds *Brasil cultural*, 4, sép. 1948), *Admirando o génio de eleição de P. Gamba* (ds *Beira Alta*, VIII, 1 et 2, sép. 1949), *A missa pro defunctis de M. Mendes* (sép. 1951), *Um Madrigal de V. Lusitano* (ds *Gaz. mus.*, n°s 13, 14, 16, sép. 1952), *Algumas palavras acerca de mús. antiga portug.* (ds *Douro Litoral*, sép. 1952), *Da origem do canto cristão e sua antiga prática em Portugal*, (Porto 1953), *Vinte livros de mús. polif. do Paço ducal de Vila Viçosa*, (1953), *Os concertos brandeb. de J.S. Bach* (ds *Gaz. mus.*, n°s 39 à 46, sép. 1954), *O Passionarium de F. Formoso* [Lisboa 1543] (ds *Arq. de bibl. portug.*, II, sép. 1955), *Noticia de varios documentos dos séc. XIII, XIV, XV et XVI, existentes no Museu de Grão-Vasco* (ds *Beira Alta*, XIV-XV, sép. 1955), *Os livros de coro da sé de Coimbra em 1635* (ds *Arq. de bibl. portug.*, 1957) ; l'édition des œuvres polyph. de Duarte Lobo est en cours de publication ; *M.J.* prépare *Obras a 5, 6 e 8 v. de V. Lusitano.*
S.C.

**JOBERNARDI** (*Giobernardi*) **Bartolomeo.** Harpiste ital. (en Toscane, fin XVI e s.–Madrid ? ap. 1636), qui appartint à la chapelle de Madrid de 1633 à 1636, autant que les documents l'attestent ; il rédigea un *Tratado de la música* (ms. Bibl. nat. de Madrid), dédié au roi Philippe IV, ds lequel il décrit notamment la harpe chromatique à cordes croisées et un clavecin idéal à 120 touches, 156 cordes et 3 registres de 8 pieds. Voir S. Kastner, *Le « clavecin parfait » de B. J.*, ds *An. mus., VIII*, Barcelone 1953 — art. ds *La mus. instr. de la Renaissance*, CNRS, Paris 1955 — art. in MGG.

**JOBIN Bernhard.** Luthiste et éditeur alsacien de la seconde moitié du XVI e s. : bourgeois de Strasbourg, il y a publié des livres de tablature de luth, qui comportent de ses œuvres aussi bien que celles de ses contemporains (1572–1597).

**JOCHUM.** Famille de mus. allem. — **1. Otto** (Babenhausen 18.3.1898–). Elève de l'acad. de Munich (Haas), il a succédé à Greiner comme dir. de l'école de chant d'Augsbourg (1932), fondé un chœur de même ville ; dep. 1951, il vit à Weissbach, près de Bad Reichenhall ; on lui doit plus de 160 compositions, chor. (100 motets, 16 messes, 4 oratorios), symph. (2 symph.), de chambre, des recueils de chants populaires. Son frère — **2. Eugen** (*ibid.* 1.11.1902–), a été l'élève de Munich de S. Hausegger et de H.W. Waltershausen ; il a débuté comme chef d'orch. au Grand théâtre de la même ville, a été répétiteur à Mönchen-Gladbach, puis chef d'orch. à Lubeck, Mannheim (1929), Duisbourg (1930), Berlin (Opéra et radio, 1932), Hambourg (Opéra et Philharmonie, 1934) ; il est depuis 1949 directeur-fondateur de l'orch. symph. de la radio de Munich ; c'est un des meilleurs chefs d'orch. de l'Allemagne contemporaine, qui a assuré de nombreux enregistrements. Leur frère — **3. Georg Ludwig** (*ibid.* 10.12.1909–), est également chef d'orch. : élève du cons. d'Augsbourg et de l'acad. de Munich (Pembaur, Hausegger, Haas), il a été dir. mus. à Munster (1932-1934), chef d'orch. à Francfort (Opéra, *Museumskonzerte*, 1934-1937), Plauen, Linz (1940-1945), Duisbourg (dep. 1946), où il dirige les concerts et le conservatoire. Voir W. Falcke in MGG.

**JODELN, JODLER.** Voir art. *yodler.*

**JODOCUS.** Voir art. *Josquin.*

**JODRY Annie-Marie.** Violon. franç. (Reims 4.10.1935–),

1er prix du cons. de Paris (M. Reynal), 1er grand prix au concours intern. de Genève (1954), qui a fait ses débuts la même année.

**JOEDE** (*Jöde*) **Fritz.** Prof. allem. (Hambourg 2.8.1887–). Elève de H. Abert (Leipzig), il a exercé à Berlin, Munich, Salzbourg, Hambourg, Trossingen (où il dirige l'*Intern. Institut f. Jugend - u. Volksmusik*), Stuttgart, fondé plusieurs écoles populaires de mus. et publié un grand nombre d'ouvrages pédagogiques et de recueils de chant choral. Voir E. Kraus, *F.J. zum 70. Geburtstag*, ds *Mus. im Unterricht*, XLVIII, 1957 ; R. Stapelberg, *F.J. Leben u. Werk*, Trossingen-Wolfenbüttel *id.*

**JOHANN HADLAUB.** *Minnesänger* suisse (v. 1280–1335). Bourgeois de Zurich, il séjourna en Autriche ; il nous a laissé 54 pièces (environ 240 strophes), dont 3 *Leiche* et 5 aubes, ds lesquelles il célèbre l'amour, idéal ou « inférieur » ; son chef-d'œuvre est la chanson intitulée *La dame à l'enfant*. Il a été popularisé par Gottfried Keller, qui lui a consacré une de ses nouvelles. Voir E. Stange, *J.H.*, ds *ZfdA*, LII ; G. Weydt, *Id.*, G.R.M., 1933.
J.Md.

**JOHANNES** (*Chrysostomos, Damascenos, de Garlandia, de Grocheo, de Limburgia, de Lublin, de Salisbury*). Voir art. *Jean* (etc.).

**JOHANNES AFFLIGHEMENSIS.** Voir art. *Cotton.*

**JOHANNES GALLICUS.** Voir art. *Jean de Namur.*

**JOHANNES VERULUS de ANAGNIA.** Mus. du XIVe s., originaire d'Anagni, dont la biographie et l'état-civil sont inconnus ; il a laissé un *Liber de musica*, repris par Coussemaker (*Scriptores*, *III*), dans lequel il parle du mensuralisme : notes, pause, mesure, imperfection, altération, syncope ; il dit que le jour se divise en 4 *quadrantes* principaux, le *quadrans* en 6 heures, l'heure en 4 *puncti*, le *punctus* en 10 moments, le moment en 12 *unciae*, l'*uncia* en 4 atomes, et il fait remarquer que c'est à partir de cette *uncia* que le musicien construit un temps *rectum* et *perfectum* ; il définit la musique comme une *scientia mollificans duritiem et pravitatem cordis humani ad caelestia contemplandum.* Voir H. Hüschen in MGG.

**JOHANNES de CLEVES.** Voir art. *Clève.*

**JOHANNES de ERFORDIA.** Mus. de la seconde moitié du XVe s., dont la biographie et l'état-civil sont inconnus ; on hésite entre Erfurt, Herford etc. pour son lieu de naissance ; on connaît de lui 4 compositions à 3 v. ds le codex 117 de Faenza. Voir W. Rehm in MGG.

**JOHANNES de FLORENTIA.** Voir art. *Giovanni da Cascia.*

**JOHANNES de MURIS** (*Jean de Murs, de Meurs*). Mus. franç. des XIIIe-XIVe s., originaire de Lisieux. Il était de la même génération que Philippe de Vitry (né en 1291), de cette génération qui instaura l'*ars nova* ; il fut *magister artium* de l'univ. de Paris, y enseigna, fut en relations (proches ou lointaines) avec le pape Clément VI d'Avignon pour la réforme du calendrier et surtout avec Philippe de Vitry ; on suppose qu'il mourut dans le 3e quart du XIVe s. Il ne cessa de front ses travaux de mathématiques et d'astronomie avec la théorie musicale, qu'il enseigna dans le cadre du *quadrivium* ; son œuvre la plus importante est l'*Ars novae musicae* (1319), divisée en deux parties : *musica theorica*, où il examine les sons et les intervalles, *musica practica*, où il mesure l'ordre du temps, ce qui le conduit au mensuralisme : il recherche donc le système rectal et la notation proportionnelle sur le principe du *numerus* ; ses traités de notation proportionnelle furent moins répandus ; sa dernière œuvre authentique est le *Libellus cantus mensurabilis*, dans lequel il reprend la terminologie de Philippe de Vitry et énumère les conquêtes de l'*ars nova*. En France, son enseignement devint traditionnel, et son influence se fit sentir jusqu'au XVIe s. ; à l'étranger, il fut relativement peu commenté.

**Œuvres** concernant la musique : *Ars novae musicae* (1319, Bibl. nat. Paris, *Bod. Lib.* Oxford, *Bibl. ambr.* Milan — Gerbert, *Scriptores*, *III*), *Musica speculativa secundum Boetium* (*ibid.* Oxford —

Gerbert *ibid.*), Id., *abbreviata Parisiis in Sorbona* (1323, mss Paris, Berlin, Berne, Bruxelles, Florence, Munich, Oxford, Pise, Vatican, Sienne, Vienne — paraphrase impr. sous le titre *Musica manuscripta et composita*, Leipzig 1496), *Epytoma J. de M. in Musicam Boetii* (Francfort 1508), *Quaestiones super partes musicae* (Gerbert *ibid.* — sous le titre *Accidentia music[a]e magistri J. de M. in Musica speculativa practica* — Coussemaker III, mss Genève, Vatican, Washington), *Libellus cantus mensurabilis* (mss Paris, Bruxelles, Cambridge, Einsiedeln, Londres, Munich, Naples, Pavie, Pise, Prague, St-Dié, Séville, Sienne, Washington — Coussemaker *ibid.* — partiellement reproduit comme *Ars novae musicae* ds O. Strunk, *Sources readings in music history*, N.-York 1950). — COMPOSITIONS : on conserve

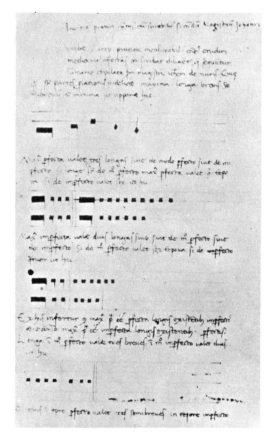

J. DE MURIS

un double-motet isorythmique avec le motet *Per grama protho paret* et le ténor *Valde honorandus est beatus Johannes* dans le fragment Mac Veagh (*B.M.*, Londres).

**Bibl. :** E. de Coussemaker, *Hist. de l'harmonie au moyen-âge*, Lille 1869 ; F. Trépier, *J. de Meurs (J. de M.) ou un Savoyard méconnu au XIVᵉ s.*, ds *Mém. de l'acad. de Savoie*, XII, Chambéry 1872 ; R. Hirschfeld, *J. de M. ...*, Leipzig 1884 ; E. Déprez, *Une tentative de réforme du calendrier sous Clément VI, J. de M. et la chronique de Jean de Venette*, ds *Mém. d'archéologie et d'hist.*, École franç. de Rome, XIX, 1899 ; W. Grossmann, *Die einl. Kap. v. Speculum musicae v. J. de M.*, Leipzig 1924 ; J. Smits van Waesberghe, *Muz. gesch. d. Mitt.*, I, Tilburg 1936-1942 ; G. Reese, *Music in the middle-ages*, N.-York 1940 ; W. Apel, *The notation of polyph. mus. 900-1600*, Cambridge, USA, 1942-1950 ; E. Werner, *The mathematical foundations of Philippe de Vitry's Ars nova*, ds *JAMS*, IX, 1956 ; H. Besseler in MGG.

**JOHANNES van AFFLIGHEM.** Voir art. *Cotton*.

**JOHANSEN David.** Compos. norvégien (Vefsn 8.11. 1888–). Élève du cons. d'Oslo et de la *Hochschule für Mus.* de Berlin, pianiste, rédacteur en chef de la *Norsk Musikerblad* (1918-1919), critique à l'*Aftenpost* (1925-1945), il a écrit de la mus. symph. chor., de chambre, de piano, des mélodies et publié *E. Grieg* (Oslo, 1934, 1943).

**JOHNER Domenicus** (*Dom*). Bénédictin allem. (Waldsee 1.12.1874–Beuron 4.1.1955). Moine de Beuron, il fut prof. de chant grégorien, notamment au cons. de Cologne (1925) ; on lui doit qqs œuvres de mus. d'église et nombre d'écrits sur le chant grégorien, dans la ligne du *Motu proprio* de Pie X. Voir F. Tack, *Der kult. Gesang. d. abendl. Kirche* Cologne 1950 ; W. Irtenkauf in MGG.

**JOHNSEN Hinrich** (*Henrik*) **Philip.** Org. allem. (? 1717–Stockholm 12.2.1779), qui fut claveciniste de la chambre d'Adolphe-Frédéric de Holstein-Gottorp, qu'il suivit en Suède (1743), où il fut organiste de Ste-Claire de Stockholm, maître de chapelle de la cour (1763) et chef d'orch. dans une troupe de théâtre franç̧aise ; il y fut également claveciniste-virtuose et prof. d'orgue ; on lui doit de la mus. de théâtre, de circonstance, vocale, instrumentale (orgue, clavecin), des mélodies et le chapitre *orgue* dans l'ouvrage d'A. Hülpher (1773). Voir H. Eppstein in MGG.

**JOHNSON Horace.** Compos. et critique amér. (Waltham 5.10.1893–), versé dans l'édition, auteur de mus. symph. et de mélodies.

**JOHNSON Hunter.** Compos. amér. (Benson 1906–). Élève de l'univ. de Caroline du Nord et de l'Ecole Eastman à Rochester, prix de Rome (1933), prof. de compos. à l'univ. de Michigan, de théorie à celle de Manitoba (Canada), il a écrit des ballets, 1 symph., 1 concerto, 1 pièce pour flûte et orch., de la mus. de chambre.

**JOHNSON. — 1. John.** Luthiste angl. (?–Londres 1594), qui fut de 1579 à sa mort luthiste à la cour de la reine Elizabeth ; on a conservé de lui des pièces pour luth en mss à la bibl. de l'univ. de Cambridge. Son fils — **2. Robert** (Londres v. 1583-1633) fut *covenant servant* chez le deuxième Lord Hunsdon, puis luthiste à la cour du roi Jacques Iᵉʳ (1604) ; il était en même temps membre de la chapelle privée du prince Henri et du prince de Galles ; on le trouve intitulé *musician in ordinary* aussi bien que *musician for the lute and voices* ; il composa de façon régulière pour les *masques* des *King's Men players* (théâtres *Globe* et *Blackfriar*) : il composa ainsi de la mus. de scène pour des pièces de Th. Middleton, Ben Jonson, Shakespeare, Beaumont et Fletcher, J. Webster, Th. May ; on lui doit une vingtaine d'airs dans des recueils de l'époque ou en mss, 3 pièces polyph. (*id.*), 14 p. de luth (*id.*), 14 de virginal (*id.*) et un certain nombre de pièces instrumentales (danses et *masque tunes, id.*). Voir J.P. Cutts, *The contribution of R.J. ... to court and theatrical entertainments...*, thèse de Reading, 1955 (dact.) — *Two jacobean theater songs* et *R.J. ...*, ds *M.L.*, 33, 36, 1952, 1955 ; V. Duckles in MGG.

**JOHNSON Robert.** Mus. écossais (Duns v. 1485–? v. 1560). On sait peu de chose de sa vie ; à la fin du XVIᵉ s., un éditeur l'intitulait maître de la chapelle de la cour d'Ecosse ; il aurait quitté l'Ecosse pour l'Angleterre, où il aurait été chapelain d'Anne Boleyn ; il est également possible qu'il ait été chanoine de Windsor ; mais il portait un nom qui prête à confusion, parce que trop porté, et sa biographie est quasi impossible à établir ; on lui doit des compositions polyphoniques de mus. d'église (15 en latin, 5 en anglais, 4 *songs* (4 v.), un *In nomine* (4 violes) et 2 pièces à 5 violes, dans des recueils de l'époque ou en mss. On s'accorde à les trouver remarquables. Voir H. Baillie in MGG.

**JOHNSON Robert.** Luthiste angl. (Londres v. 1580–v. 1634). Fils de *John J.*, luthiste de la reine Elizabeth, il fut d'abord *allowes or covenaunt servant* (1596) de Sir George Carey ; en 1604, il était luthiste de la chapelle royale ; il figure sur les registres de la cour jusqu'en 1633 ; les coïncidences de sa biographie et de celle de son homonyme, lui-même fils de John, sont trop frappantes pour qu'elles ne soient pas relevées ici ; il reste pour attribuer à ce double étrange nombre de pièces d'anthologie, une douzaine de compositions de luth en tablature etc., qui ne semblent pas pouvoir coïncider avec celles qu'on attribue à l'autre Robert. Nous avouons ne pas être capable de résoudre cette énigme. Voir W. Boetticher et D. Lumsden in MGG.

d.
JAN.16
1975

**JOHNSON Thor.** Chef d'orch. amér. (Wisconsin Rapids 10.6.1913–). Elève des univ. de Caroline du Nord et Michigan, du cons. de Leipzig et du *Mozarteum* de Salzbourg, de F. Weingartner, de S. Koussevitzky, de B. Walter, il dirige actuellement le *Cincinnati symph. orchestra* (dep. 1945).

**JOKL Georg.** Pian. autr. (Vienne 31.7.1896–). Elève de l'acad. de mus. de Vienne, il a exercé à Vienne et s'est fixé à N.-York (1939) ; on lui doit des œuvres symph. (1 symph.), de la mus. de chambre, de paino, des mélodies.

d.
Dec. 19.
1974

**JOLIVET André.** Compos. franç. (Paris 8.8.1905–). Elève de Paul Le Flem (harmonie, contrepoint et fugue), d'E. Varèse (composition et orchestration), grand prix musical de la ville de Paris (1951), grand prix international des compositeurs (1954), dir. de la mus. à la Comédie française (dep. 1945), il a écrit de la mus. symph. : *Andante* (cordes, 1943), *Trois chants des hommes* (bar. et orch., 1937), *Défilé et Soir* (harmonie, 1937), *Cosmogonie* (1938), *Cinq danses rituelles* (1939), *Symph. de danses* (1940), *Guignol et Pandore* (1943), *Psyché* (1946), *Symph.* (1953), *Suite transocéane* (1955), *Trois interludes de la vérité de Jeanne* (1956), des concertos : ondes Martenot (1947), trompette (*concertino*, 1948), flûte (1949), piano ou 2 pianos (1949–1950), harpe (1952), basson, orch. à cordes, harpe et piano (1954), 2e pour trompette (*id.*), de la mus. de chambre : *Trois temps* (p., 1930), *Air pour bercer* (p.v., *id.*), *Grave et Gigue* (*id.* 1931) quatuor à cordes (1934), *Mana* (p., 1935), *Trois poèmes* (ondes Martenot et p., *id.*), *Cinq incantations* (fl., 1936), *Incantation* (v. ou Martenot ou fl., 1937), *Cosmogonie* (p., 1938), *Cinq danses rituelles* (p., 1939), *Petite suite* (fl., alto et harpe, 1941), *Suite delphine* (fl., htb. cl. trp., tromb., 2 cors, ondes, harpe, timb. et perc., 1942), *Nocturne* (p., vcelle, 1943). *Étude sur des modes antiques* (p., not. Obouchov., 1944), *Chant de Linos* (p., fl., – fl., alto, vcelle et harpe, *id.*), *Sérénade* (htb. – quintette à vent, 1945), *Sonate* (p., *id.*), *Danse roumaine* (*id.* 1948), *Hopi snake dance* (2 p., 1948), *Fantaisie-caprice* (p. fl. 1954), *Sérénade* (2 guitares, 1957), 2e *sonate* (p. *id.*), de la mus. chor., d'église : *Kyrie* (1938), *Messe dite « pour le jour de la paix »* (1940), *La tentation dernière de Jeanne d'Arc* (1941), *Suite liturgique* (1942), *Hymne à St André* (1947), *Le chant de l'avenir* (*id.*), *Epithalame* (1953), *La vérité de Jeanne* (or., 1956), de la mus. de scène, des mélodies, des écrits : *Réponse à une enquête* (ds *Contrepoint*, n° 1, 1946), *Rameau « Les musiciens célèbres »*, (Genève *id.*), *A propos du 1er concerto pour ondes et orch.* (ds *Rev. intern. de mus.*, n° 10, 1951), *L. van Beethoven* (Paris 1955), ainsi que des commentaires sur des œuvres de Beethoven, Berlioz, Liszt, Mendelssohn, Mozart, Wagner (ds les partitions de poche des éd. Heugel, 1952–1954) et des articles (ds *Zodiaque*, VII, 1957, *RM*, juin *id.*). Voir V. Fédorov in MGG ; S. Demarquez, *A.J.*, Paris 1958, et art. *Jeune France* dans le présent ouvrage.

**JOMMELLI Niccolo,** Mus. ital. (Aversa 10.9.1714– Naples 25.8.1774). Il fit ses études à Naples au *Cons. di S. Onofrio* avec Prota et Feo (1725), à celui de la *Pietà dei Turchini* avec Fago, Sarcuni et Basso (1728) ; il subit encore l'influence de Leo et de Hasse ; il fit représenter son premier opéra (*L'errore amoroso*) au *Teatro Nuovo* de Naples en 1737 : son succès et celui de ceux qui suivirent le firent mander à Rome, Bologne et Venise ; ds cette dernière ville, il dirigea le Cons. des incurables de 1743 à 1747 ; il fit à Vienne la rencontre de Métastase ; en 1751, il devint *maestro coadiutore* de Bencini à St-Pierre de Rome ; en 1753, il accepta le poste de maître de chapelle que lui offrit le duc de Wurtemberg à Stuttgart (il y connut Mozart en 1763) ; à son retour à Naples, en 1769, son style, qui avait subi l'influence de l'école allemande, ne trouva plus la même audience près des Napolitains : son *Armida abbandonata* (1770), aux essais de laquelle Mozart assista, fut un échec malheureux, et J. se retira à Aversa, gratifié d'une pension du roi de Portugal (il avait composé pour le théâtre de Lisbonne) ; c'est à partir de cette époque qu'il se consacra à la mus. de chambre et c'est de cette période que date le célèbre *Miserere* à 2 v. et orch. qu'il termina peu avant de mourir ; son œuvre marque, parmi celles de ses contem-

porains, par la noblesse de son inspiration et son charme expressif, encore que les œuvres instr. soient plutôt arides ; au théâtre, il avait une prédilection pour l'*opera seria* ; il transforma le *recitativo secco* en déclamation accompagnée et se libéra de la forme de l'*aria* à da capo en faveur d'une plus grande liberté mélodique : souvent des ensembles et des chœurs interrompent les *soli* ; on l'appela le Gluck italien. On lui doit 69 opéras, dont *Merope* (Venise 1741), *Don Chichibio* (Rome 1742), *Tito Manlio* (Turin 1743), *Didone abbandonata* (Rome

JOMMELLI

*(d'après un dessin de P.L. Ghezzi v. 1750).*

1746), *Don Trastullo* (*ibid.* 1746), *Catone in Utica* (Vienne 1749), *L'uccellatrice* (Venise 1750), *Ifigenia in Aulide* (Rome 1751), *Fetonte* (Stuttgart 1753), *Demetrio* (Mannheim 1753), *Temistocle* (Naples 1755), *Nitteti* (Stuttgart 1759), *Olimpiade* (*ibid.* 1761), *L'amante deluso* (Prague 1762), *Vologeso* (Ludwigsburg 1766), *Ifigenia in Tauride* (Naples 1771), *Il trionfo di Clelia* (Lisbonne 1774), *L'Arcadia conservata* (Schwetzingen 1775), 4 oratorios, des messes, des cantates spirituelles ou profanes, des offertoires, psaumes, motets, hymnes, séquences, graduels, répons, de la mus. instr. : des sérénades, 9 ouvertures, 6 *sinfonie*, *Sinfonia per salterio*, *Ciaccona*, *Concerto a 10 per clv. e orch.*, 5 *Divertimenti* (cordes), 6 trios (2 fl. et b.), 6 sonates (*id.*), *Sonata per clv. a 4 m.* : on a conservé qqs-unes de ses lettres autographes au père Martini (bibl. du cons. de Bologne) et une lettre à G. Martinelli (coll. Gallini à Milan). Voir H. Abert, *N.J. als Opernkomponist*, Halle 1908. *Die stuttgarter Oper unter J.*, ds *Neue Musikzeitung*, 1926 ; M. Berio, *J.*, ds *RMI*, 1915.     C.S.

**JONÁS Albert.** Pian. esp. (Madrid 18.6.1868–Philadelphie 9.11.1943), élève des cons. de Madrid et de Bruxelles, ainsi que d'A. Rubinstein, qui enseigna à l'univ. d'Ann Arbor, dirigea le cons. de Detroit, vécut à Berlin, fut enfin prof. de piano à N.-York.

**JONAS Émile.** Compos. franç. (Paris 5.3.1827–St-Germain-en-Laye 21.5.1905). Elève du cons. de Paris, il débuta aux *Bouffes-Parisiens* en 1865 avec *Le duel de Benjamin*, première d'une quinzaine d'opérettes qui eurent beaucoup de succès en leur temps ; il fut également prof. de solfège au cons. de Paris et maître de chapelle de la synagogue portugaise, pour laquelle il écrivit un recueil de chants hébraïques (1854).

**JONAS Oswald.** Prof. amér. d'origine autr. (Vienne 10.1.1897–). Elève (droit) de l'univ. de Vienne, en mus. de H. Schenker, il a enseigné au Cons. Stern (1931–1935), au *Schenker-Institut* (1935–1938) ; dep. 1942, il est devenu prof. de théorie à l'univ. Roosevelt de Chicago ; on lui doit notamment *Das Wesen d. musikal. Kunstwerks* (Vienne 1934), *Die Bedeutung d. Zeichen Keil, Strich u. Punkt bei Mozart* (Cassel-Bâle-Londres 1956), des art. ; il a dirigé avec F. Salzer le périodique *Der Dreiklang* (Vienne 1937–1938).

**JONCIÈRES Victorin de** *(Félix Ludger Rossignol).* Compos. franç. (Paris 12.4.1839–26.10.1903). Elève du cons. de Paris, critique à *La liberté* (1871), wagnérien convaincu, il écrivit 6 opéras, de la mus. de scène pour *Hamlet*, des œuvres symph., voc., de piano.

**JONES Charles.** Compos. amér. d'origine canadienne (Tamworth 21.6.1910–). Elève de l'École Juilliard et d'A. Copland à N.-York, il a enseigné au *Mills College* en Californie et se consacre à la composition ; on lui doit 1 ballet, 1 symph. (1939), 5 mélodies (1945), *Cassation* (1948), de la mus. d'orch., de chambre, de piano, de violon.

**JONES Daniel.** Compos. angl. (Pembroke 1912–). Elève de l'univ. de Swansea et de la *Royal Acad. of mus.* à Londres (Farjeon), il a poursuivi ses études à Rome et à Vienne ; c'est l'un des 3 compos. gallois qui témoignent d'une restauration musicale au pays de Galles ; on lui doit notamment 4 symph., 3 ouvertures (*Comedy, Concert, Icuenctid*), 1 concertino de piano, *Symphonic prologue*, *The Betrothal of Branwen*, 9 quatuors à cordes, 5 trios, 1 sonate pour *timpani*, des pièces de piano. N.D.

**JONES Edward.** Barde gallois (Llanderfel 29.3.1752– Marylebone 18.4.1824). Harpiste, élève de son père, il se fixa à Londres en 1775 et devint l'un des plus grands virtuoses de son temps : en 1820, Georges IV lui décerna le titre de *King's bard* ; il réunit une remarquable bibl. qu'il vendit en 1823-1824 (ce qui n'avait pas été vendu le fut en 1825) ; on lui doit nombre de recueils folkloriques, dont *Musical and poetical relicks of the welsh bards* (Londres 1784, 1794), *The bardic museum* (*ibid.* 1802), *The cambro-british melodies* (posth., *ibid.* v. 1825), *Lyric airs* (*ibid.* 1804). Voir Ch. Humphries in MGG.

**JONES Geraint.** Org. et claveciniste angl. (Porth 16.5.1917–), élève de la *Royal Acad. of mus.* à Londres, qui, après avoir débuté en 1946, fait une carrière internationale.

**JONES John.** Org. angl. (Londres 1728-17.2.1796), qui exerça en diverses églises de Londres, notamment à St-Paul, et fut en relations avec J. Haydn ; on lui doit des œuvres de clavecin et des compos. vocales. Voir S. Sadie in MGG.

**JONES Richerd.** Violon. angl., qui vécut ds le deuxième tiers du XVIIIᵉ s. (il succéda v. 1730 à Carbonelli comme chef d'orch. du *Drury Lane* à Londres) ; on a conservé de lui 2 suites de clavecin et des airs pour violon et *b.c.* (Londres 1732–1740). Voir S. Sadie in MGG.

**JONES Robert.** Luthiste angl. (v. 1485–v. 1536). Enfant de chœur à la chapelle royale sous W. Newark, *gentleman* de la même chapelle (1513), il accompagna le roi Henri VIII en France ; on trouve son nom par intermittence ds les registres royaux jusqu'en 1536 ; on a conservé de lui 1 air à 3 v. ds le *Song Book* de W. de Worde (1530), 1 messe (ms.), 1 *Magnificat* (*id.*). Voir H.F. Redlich in MGG.

**JONES Robert.** Luthiste angl. (? v. 1577–?). Bachelier d'Oxford (1597) il fonda en 1610 une école à Londres pour les *children of the revels to the Queene within Whitefryars* et, en 1615, un théâtre pour les enfants à Blackfriars ; on lui doit 5 recueils de madrigaux, de *songes* ou d'*ayres* avec acc. de luth ou de viole de gambe (1607–1610), 4 *anthems* et 1 madrigal ds des recueils de l'époque ou

en mss. Voir E.G. Fellowes, *The text of the song-books of R.J.*, ds *ML*, *VIII*, 1927 ; N. Fortune in MGG.

**JONES William** (« *of Nayland* »). Mus. angl. (Lowick 30.7.1726–Nayland 6.1.1800). Elève d'Oxford, ecclésiastique, il publia *A treatise on the art of music...* (Colchester 1784), et composa de la mus. d'église (10 pièces d'orgue, 5 *anthems*, 1 *service*, 1 air à 3 v., publiés à Londres en 1789, 1795 et 1828) ; ses œuvres complètes ont été éditées en 6 vol. à Londres v. 1810 par W. Stevens. Voir Ch. L. Cudworth in MGG.

**JONES** (*Sir*) **William.** Magistrat et orientaliste angl. (Londres 28.9.1746–Calcutta 27.4.1794). Il vécut à Calcutta de 1783 à sa mort ; c'était un polyglotte, qui fut en relations avec Lord Spencer, Christian VII de Danemark, Rousseau, Franklin ; un seul de ses écrits concerne la mus. : *On the musical modes of the Hindus* (ds *Asiatic researches*, *III*, Calcutta 1799– ds S.M. Tagore, *Hindu Music...*, *ibid.* 1875– ds E. Rosenthal, *The story of indian music...*, Londres 1925). Voir A.J. Arberry, *Asiatic J....*, Londres-N.-York–Toronto 1946 ; J.H. Cannon, *Sir W.J. ...*, Honolulu 1952 ; A.A. Bake in MGG.

**JONG Marinus de.** Pian. et compos. belge (Oosterhout 14.8.1891–). Prof. à l'Institut Lemmens de Malines et au cons. d'Anvers (1948–1956), tout en ayant fait une carrière de pianiste-virtuose internationale, il vit à Capelle ; on lui doit de la mus. symph., 6 concertos 3 oratorios, 3 cantates, de la mus. de chambre (6 quatuors, 1 quintette à vent), de piano, 3 messes, des motets, mélodies, 2 traités (harmonie, contrepoint). Voir A. Van der Linden in MGG.

**JONGEN** — 1. **Joseph.** Compos. belge (Liège 14.12.1873– Sart-lez-Spa 12.7.1953). Elève du cons. de Liège, 1ᵉʳ grand prix de Rome (1897), il poursuivit ses études en Allemagne, en France et en Italie ; il fut org. du séminaire et de l'église St-Jacques de Liège ; il enseigna aux cons. de Liège (1903) et de Bruxelles (contrepoint et fugue, 1920, dir. 1925–1939) et dirigea les concerts spirituels ds la même ville de 1919 à 1926 ; il subit à la fois l'influence de César Franck et de Debussy et fut l'ami des mus. franç. ses contemporains (Fauré, d'Indy) ; on lui doit 1 opéra (inach., 1907), 1 ballet, de la mus. symph. (1 symph., 1899, 4 concertos), de chambre, d'orgue, de piano, des chœurs et des mélodies ; il fut membre de l'Acad. royale de Belgique et membre correspondant de l'Institut de France. Son frère — 2. **Léon** (*ibid.* 4.3.1884–), fut élève du cons. et org. à l'église St-Jacques (1898–1904) à Liège, 1ᵉʳ grand prix de Rome (1913) ; ayant fait d'abord une carrière de pianiste-virtuose, il fut chef d'orch. de l'Opéra de Hanoï (1927–1929), prof. de fugue (1934), puis dir. (1939–1949) du cons. de Bruxelles ; de 1934 à 1938, il a dirigé la Soc. de mus. de Tournai ; il est membre de l'Acad. royale de Belgique ; on lui doit de la mus. de théâtre (2 opéras, 1 opérette, 1 féerie), d'orch., de chambre, de piano, des chœurs, des mélodies etc. Voir *J.J.*, Bruxelles 1953 ; A. Van der Linden in MGG.

**JONGLEUR.** C'est un chanteur médiéval, de condition modeste, qui se déplaçait de château en château, exécutant son répertoire ds les réunions courtoises, les foires ou les fêtes religieuses populaires. Les *j.* jouaient de la vièle, de la rote, instr. qu'ils portaient en sautoir, chantaient et dansaient selon des traditions souvent populaires. Ils vivaient essentiellement de la faveur des riches, célébrant les généreux, dénigrant les pingres. Certains n'étaient que de simples bateleurs, équilibristes ou montreurs d'animaux, loin de la qualité du ménestrel, dont la situation était mieux établie. Qqs troubadours, trouvères et *Minnesänger* menèrent l'existence errante des *j.*, notamment Cercamon, dont le sobriquet est évocateur (« court-le-monde »). C'est en Espagne que le niveau des *j.* fut le plus élevé. Voir E. Faral, *Les j.* en France au m.-â., Paris 1910 ; J. Stosch, *Der Hofdienst d. Spielleute im deutschen M.A.*, Berlin 1881 ; R. Menéndez Pidal, *Poesía juglaresca y juglares*, Madrid.      J.Md.

**JONSSON Josef.** Compos. suédois (Enköping 21.6. 1887–), autodidacte, critique, fixé ds son pays natal,

JONGLEUR

BN, ms. lat. 1118.

à qui l'on doit de la mus. symph. (3 symph.), d'église (1 messe), de chambre, de piano, des chœurs, des mélodies, 2 mélodrames.

**JORA Mihaïl.** Compos. roumain (Roman 2.8.1891–). Il commence très tôt ses études de piano ; en même temps que ses études universitaires à Iassy (licence en droit), il suit les cours du cons. de cette ville ; il poursuit ses études à Leipzig (piano, harmonie, contrepoint, composition, Teichmüller, S. Krehl, Max Reger) ; rentré en Roumanie (1914), mobilisé, il prend part à la première guerre mondiale, y est grièvement blessé ; après la guerre, il déploie une très riche activité artistique à Bucarest comme pian., chef d'orch. et critique mus. : en 1928, il est nommé dir. mus. à la radiod. roumaine, en 1929, prof. de compos. au cons. nat. de Bucarest ; il a formé la plupart des compositeurs qui illustrent l'école roumaine contemporaine : Dinu Lipatti, Paul Constantinescu, Ion Dumitrescu, Alfred Mendelsohn, Constantin Silvestri, Georges Dumitrescu, Ludovic Feldman etc. ; par son œuvre, vaste et variée — sa symph., les mélodies, les pièces instr., les chœurs, les ballets (où l'humour a sa place marquée) — et dont le style original et vigoureux témoigne d'une adhésion au mélos populaire et à ses inflexions spécifiques, *M.J.* s'est imposé comme un des plus remarquables représentants de l'école roumaine contemporaine.

**Œuvres,** mus. symph. : *Suite en ré* (1915, « *Conte hindou* » (poème symph., ténor et orch., 1920), « *Paysages moldaves* » (suite symph. 1924), « *Joujoux pour ma dame* » (1926), *Symph. en ut.* (1937), *Burlesque* (1949), mus. de chambre : *Petite suite* (p. et v., 1917), « *Joujoux pour ma dame* » (p., 1925), *Marche juive (id.)*, quatuor à cordes (1926), *Sonate* (p., 1942), « *Variations sur un thème de Schumann* » (id., 1943), *Poze si Pozne* (id., 1948), *Sonate* (p. et alto,

1951) ; ballets : « *Au marché* » (1928), *Demoazela Mariuta* (1940), *Curtea Veche* (1948), « *Quand les raisins mûrissent* » (1953), *Intoarcerea din adîncuri* (« Retour des profondeurs », 1958) ; mus. voc.: mélodies sur des poèmes roumains ; chœurs : *Ballade* (M. Dumitrescu, bar., ch. et orch., 1955).

**Bibl. :** M. Dumitrescu-V. Cristian, « *M.J., l'homme et son œuvre* », Bucarest. M.F.

**JORDA Enrique.** Chef d'orch. esp. (Saint-Sébastien 1912–). Élève de Le Flem et de Dupré, il a dirigé à Paris (Pasdeloup), Bruxelles, Madrid etc. D.D.

**JORDAN Sverre.** Compos. norvégien (Oslo 25.5.1889–). Il fit ses études à Bergen, à Berlin et vit à Bergen dep. 1914 ; il a été critique au *Morgenavisen* (1917–1932), chef de chœur et d'orch. (notamment au Théâtre national, 1932–1957) ; on lui doit des œuvres symph., de théâtre, 2 concertos, de la mus. de chambre, des chœurs, des mélodies etc., 1 écrit : *E. Grieg...* (Bergen 1954). Voir O. Gurvin in MGG.

**JOROPO.** C'est une danse nationale du Venezuela, composée de nombreuses figures chorégraphiques, où se mêlent la tradition hispano-créole et l'apport des esclaves de couleur : elle a été récemment étudiée avec soin par le musicologue Luis Felipe Ramón y Ribera, qui a publié sur elle un ouvrage exhaustif (Caracas 1953). D.D.

**JOSÉ ANTONIO de S. Sebastian.** Voir art. *Donostia.*

**JOSEPH I<sup>er</sup>.** Empereur d'Autriche (Vienne 26.7.1678–17.4.1711). Cet empereur de la maison de Habsbourg eut comme maître de mus. Johann Jakob Prinner ; il fut couronné empereur le 5 mai 1705, succédant à son père Léopold I<sup>er</sup> ; il bâtit un théâtre à sa cour et fonda l'Acad. des beaux-arts de Vienne (1705) ; il eut à sa cour les musiciens Pancotti, Ziani, Bononcini, Tosi, J.J. Fux,

Badia, Thalmann, F.T. Richter, Techelmann, Draghi, Rammer. G. Reuter l'aîné, J.G. Reinhard ; il s'intéressait particulièrement au théâtre, aux livrets et aux décors des opéras ; il composa lui-même 1 *Regina caeli*, 7 airs, dont 1 pour luth, œuvres dans lesquelles l'influence d'A. Scarlatti est sensible. Voir G. Adler, *Mus. Werke d. Kaiser Ferdinand III, Leopold I. u. Joseph I.*, I, Vienne 1892 ; *Aria composée de l'empereur Josephe* (pour luth), ds *Zs. f. die Git.*, V, Vienne 1926 ; O. Wessely in MGG.

**JOSEPH Georg.** Mus. allem. dont l'activité se situe au milieu du XVIIe s., de qui on ne sait rien, sinon qu'il fut au service du prince-évêque de Breslau ; on lui doit 4 recueils de mélodies spirituelles publiées à Breslau (1657–1697) et, d'après Eitner, un *Alleluia* et un *Resurrexit* à 4 v. : les textes de ces 4 recueils étaient pris parmi les œuvres d'Angelus Silesius. Voir W. Kahl in MGG.

**JOSEPHSON Jacob.** Chef d'orch. et compos. suédois (Stockholm 27.3.1818 – Upsal 29.3.1880). Elève de l'univ. d'Upsal dont il fut docteur avec sa thèse « Quelques raisons du caractère de la musique nouvelle » (Upsal 1842), il fut prof. à l'école de la cath. de la même ville (1841), fut ensuite l'élève de J. Schneider (Dresde), de Hauptmann et de Gade (Leipzig), séjourna à Rome pour parfaire ses études, dirigea la Soc. philharm. (1847–1849) et la musique à l'université (1849) d'Upsal, y fut org. de la cath. (1864) ; on lui doit des œuvres symph. (1 symph.), des chœurs avec orch., nombre de pièces de circonstance, de la mus. d'église, de piano, de chambre, des mélodies, en tout une œuvre très abondante, à laquelle s'ajoutent des écrits. Voir S.-R. Hulten in MGG.

**JOSQUIN DES PRÉS** (*Josquin Desprez, Jodocus Pratensis, Jodocus a Prato, Josquinus*). Mus. franç. (v. 1440–27.8.1521 [?]). On ne sait pas où il naquit ; cependant, les appellations de *picardus* et de *belga veromanduus* permettent de penser qu'il est originaire des environs de St-Quentin, où, d'après une note qui ne date d'ailleurs que du XVIIe s., il fut d'abord chantre à l'église collégiale. La question de savoir s'il y a eu des relations directes avec Ockeghem n'est pas encore tranchée, en dépit de ce qu'en dit G. Crétin dans sa *Déploration d'Ockeghem*. Les dates les plus anciennement attestées montrent *J.* biscantor, c'est-à-dire chanteur adulte, au dôme de Milan de 1459 à décembre 1472 (*cf.* C. Sartori, ds *Ann. mus.*, IV, 1956) : on doit donc fixer l'année de la naissance à une époque antérieure à celle qui avait été adoptée jusqu'ici (c'était v. 1450). Vraisemblablement en 1473, il entra au service du duc Galeazzo Maria Sforza, dont la chapelle était alors la plus importante d'Italie ; il est prouvé qu'il y appartint de juillet 1474 à avril 1479. En dehors de sa fonction de *cantor de capella* (il s'y trouvait un outre un ensemble de *cantori da camera*), il était à l'occasion copiste. En 1479, il appartenait sûrement au clergé. Pour les années qui suivent, nous ne disposons d'aucun document biographique ; d'octobre 1486 à avril 1494, *J.* paraît, avec des interruptions, comme chanteur de la chapelle papale ; entre 1490 et 1493, il était en même temps au service du cardinal Ascanio Sforza, comme musicien (quelques-unes de ses œuvres nous sont parvenues sous le nom de *J. Dascanio*).

**IOSQVINVS PRATENSIS.**

JOSQUIN DES PRÉS

Entre 1494 et 1501, *J.* semble avoir quitté la chapelle papale. Des documents des années 1501–1503 témoignent de sa présence en France : en décembre 1501, *J.* séjourna à la cour du roi Louis XII ; il ne semble pourtant point y avoir été contractuel : certes, il a eu à fournir de nouvelles compositions à la chapelle de la cour, mais il n'était pas tenu d'y séjourner continûment et pouvait même accepter des engagements avec d'autres cours ; c'est ainsi qu'à l'automne 1501, il entreprit un voyage en Flandre, pour recruter des chanteurs destinés à la chapelle du duc Hercule Ier de Ferrare ; en 1502, il reçut un mandataire du même duc, avec qui il entra en pourparlers pour devenir maître de chapelle à Ferrare, poste qu'il occupa au printemps de 1503. On ne sait pas avec précision le temps qu'il y resta (à l'été 1505, après la mort d'Hercule Ier, le poste était vacant, jusqu'à l'accession d'Antoine Brumel, successeur de *J.*) ; pour l'époque qui suit immédiatement, nous n'avons que le témoignage de Pietro Aron (1516), selon lequel il fut en rapports d'amitié avec lui à Florence. La chanson *Plus nulz regretz* (déc. 1507), qui célèbre l'alliance anglo-néerlandaise, prouve que *J.* séjournait à l'époque aux Pays-Bas : il avait beaucoup d'estime pour la régente Marguerite d'Autriche, qui obtint pour lui de Maximilien Ier le prieuré de l'église Notre-Dame à Condé ; où il fut propriétaire d'une maison et termina son existence, ne cessant pas de composer jusqu'à un âge fort avancé : encore en 1520, il remettait *aucunes chansons nouvelles* à Charles-Quint, qui résidait alors aux Pays-Bas. Depuis la destruction de l'église Notre-Dame de Condé (1793), sa tombe n'est pas reconnaissable, mais l'inscription (avec la date de mort indiquée plus haut) a été transmise par un ms. remontant sans doute au XVIIe s. (Bibl. municipale de Lille, ms. 389) ; à l'encontre de ce témoignage, un exemplaire de l'*Exomologesis sive modus confitendi* d'Erasme (Bâle 1524), qui était en 1844 dans les mains de Coussemaker, aujourd'hui perdu, devait comporter une mention d'appartenance à *Joducus Pratensis* : il demeure donc une possibilité que *J.* ait été encore en vie en 1524. Jusqu'aujourd'hui, nous n'avons pas de témoignage certain sur ses élèves : certes Ronsard, dans sa préface au recueil *Mellange de chansons*, publié en 1560 et réed. en 1572, cite parmi eux Mouton, Willaert, Richafort, Janequin, Maillard, Claudin (de Sermisy), Moulu, Jaquet, Certon et Arcadelt, comme « disciples » de *J.* ; mais cette indication, comme celle de Crétin déjà dite, garde l'ambiguïté du mot « disciple ». Adrian Petit Coclico s'est clairement désigné comme élève de *J.*, tout au moins lors de ses débuts à Nuremberg ; il reste que, dans le contexte de ses autres assertions biographiques, le fait reste problématique, encore que, si l'on s'en réfère à un passage du *Compendium musices* de Johannes Lampadius (Berne 1538), cette référence esthétique à *J.*, légitime ou non, ne soit pas un cas unique : « *Non enim permitto iudicium de hac arte indoctis cantoribus, qui vulgo imitatores Josquini dici volunt, cum nullum carmen ab ipso conditum viderint* » ; cet *indoctis* ne convient nullement à Coclico.

Quand Ambros parle de *J.* comme du 1er musicien qui « donne une véritable impression de génie », c'est certes parce qu'il apprécie justement la situation historique si particulière de *J.*, mais il nous reste des témoignages qui, rendant compte de certains événements caractéristiques (d'ailleurs en dehors d'une biographie particulière), montrent *J.* comme l'un des premiers musiciens européens. Outre les documents proprement biographiques, les sources, à ce sujet, sont avant tout les récits transmis par les humanistes Glaréan (dans son *Dodecachordon*, impr. en 1547, mais composé des environs de 1519 à 1539) et Johannes Manlius (1563) ; les assertions de Coclico au sujet de son prétendu maître ne comportent rien qui soit en flagrante contradiction avec ses relations irréfutables. C'est ainsi que, au hasard d'une lettre, dont la matière concerne les pourparlers menés en 1502 entre la cour de Ferrare et *J.*, nous apprenons que l'on préférait *J.* à Isaac comme compositeur, bien que ce dernier jouît d'un préjugé favorable, pour son tempérament conciliant et sa fécondité ; *J.*, au contraire, ne composait qu'à son gré, sans tenir compte de la demande (ses exigences financières, très supérieures à celles d'Isaac, témoignent de la conscience qu'il avait de sa valeur). *J.* doit avoir mis beaucoup de soin à vérifier ses partitions, les avoir souvent et beaucoup corrigées, et ne les avoir publiées qu'après de nombreuses années. Il savait également, s'adressant à de_t hautes personnalités (Louis XII, Ascanio Sforza), exprimer avec autant d'esprit que de précision ses désirs au sujet d'un bénéfice ou d'autres récompenses (que l'on se reporte au motet *Memor esto verbi tui*, avec ses figures-*redictae*, au début et à la fin, encore à la chanson *Adieu mes amours*, avec le *Vivrai-je du vent, si l'argent du roi ne vient pas souvent ?*, si précis, encore au texte de la *frottola El grillo è bon cantore*, dont les intentions sont les mêmes). D'après Manlius, *J.* ne tolérait pas d'ornements arbitraires ajoutés au texte par les chanteurs, à la différence de Coclico, qui, avec sa doctrine de l'*ornate canere*, prétend pourtant avoir *J.* comme modèle : peut-être s'agit-il là d'un *solo* au milieu du chœur, pour lequel Hermann Finck, dans sa *Practica musicae, IV*, 1556, interdit non moins expressément l'improvisation ; que l'on se réfère a ce sujet à ce que Zacconi, dans sa *Prattica di musica, I*, 10, 1596, rapporte au sujet de l'exécution « simple » du chant, en usage autrefois, qui ne s'écartait pas de la partition, s'appuyant sur des témoignages de maîtres « anciens »). D'après Coclico, *J.* n'aurait donné à ses élèves aucune règle très détaillée, oralement ou par écrit : il n'était d'ailleurs absolument pas dans les mœurs « *in urbibus belgicis* » d'écrire des traités de musique ; cependant, il aurait fait des musiciens accomplis, avant tout grâce à des exercices et à des exemples pratiques, rehaussés de qqs commentaires, de ses élèves qui se montraient doués pour la composition. Il faut également prendre comme témoignage éloquent de la personnalité de *J.* le fait que ses œuvres lui aient survécu de manière exceptionnellement longue pour l'époque : jusqu'aux environs de 1600, elles sont citées dans les écrits théoriques, et beaucoup d'entre elles, d'ailleurs souvent d'une authenticité douteuse, bénéficièrent d'éditions posthumes ; beaucoup de ses œuvres furent prises comme modèles par les musiciens qui lui succédèrent : Brumel, Mouton, Fevin, A. Bidon, Senfl, Gombert, Créquillon, Willaert, Rore, Morales, de la Hèle, Castileti, Palestrina, Philippe de Monte, Calvisius. De ces œuvres, on sait 20 messes, plus 1 *Gloria*, 5 *Credo*, 2 *Sanctus*, 90 motets, 70 compositions profanes, 2 *Magnificat* et 2 fragments de *Magnificat* ; la *Missa de feria* est d'une authenticité douteuse, ainsi que 30 motets et 10 à 15 œuvres profanes (voir le catalogue détaillé, ds MGG, VII). En suivant la chronologie de leur création, d'après W. Osthoff (*ibid.*), on trouve les messes *La sol fa ré mi* (1490–93), *Hercules dux Ferrarie* (1501–1505), *De beata Virgine* (1505–1513), *Da pacem* et *Pange lingua* (ap. 1514) ; de l'époque 1485–1505, d'après les sonates, les messes *Faysant regretz*, *L'homme armé 6. toni* et *Ave maris stella* ; parmi les motets, on peut dater *Miserere mei Deus* (1501–1505), *Memor esto verbi tui* (v. 1500–1507), *Salve Regina* (v. 1502) et le *De profundis* à 5 v. (avec un canon triple choisi comme symbole des « 3 états »), composé pour la mort de Louis XII (1.1.1515), des compositions profanes transmises sous le nom de *J. Dascanio*, les *frottole El grillo è bon cantore* et *In te Domine speravi* (1490–1493), les chansons *Adieu mes amours* et *Vive le roy* (1498–1501,

peut-être 1503), plus tard *Cueurs desolez* (1503–1504), *Plus nulz regretz* (fin 1507), ainsi que *Nymphes des bois*, composée pour la mort d'Ockeghem (1495 ou 1496). Pour une chronologie plus ample et fondée sur des critères stylistiques, *cf.* W. Osthoff, *loc. cit.* Les messes de *J.* prolongent la tradition fondée par Dunstable et Dufay, avec les messes de l'ordinaire construites sur un *cantus firmus*, tradition selon laquelle l'usage s'était instauré, depuis ces derniers maîtres, de prendre pour thèmes des mélodies profanes, aussi bien, sinon plus souvent, que des religieuses. S'y ajoutent, d'après *J.* lui-même, des *soggetti*, qui, selon le jeu propre de son génie, se rapportent à un mot lancé par hasard par le cardinal Ascanio Sforza (*Lascia fare mi = la sol fa ré mi*) ou au nom d'un prince bienfaiteur (*Hercules dux Ferrarie*) ; les messes composées sur de tels thèmes mélodiques, à structure de canon (*Ad fugam* et *Sine nomine*), et les 2 messes sur la mélodie *L'homme armé*, déjà prise comme *cantus firmus* par Dufay, Ockeghem, Caron et Obrecht, marquent le plus haut degré de ces artifices, grâce auxquels *J.*, non seulement imite, mais encore dépasse en singularité (*raritas*) les maîtres néerlandais de l'époque précédente. On y trouve en outre une tendance sans cesse affirmée à unifier l'ensemble des voix par l'introduction de motifs d'imitation pris dans le *cantus firmus* ; cela mène, en partant de l'époque de la messe *Ave maris stella*, jusqu'aux messes *Da pacem*, *De beata Virgine* et *Pange lingua*, dans lesquelles toutes les voix sont traitées de la même façon. Le passage du *cantus firmus* fixe à l'imitation continue est par là-même accompli, comme également le type de phrase à 4 v., où les voix sont disposées ainsi : soprano et ténor d'une part, alto et basse de l'autre. Dans le domaine du motet, l'apport de *J.* est non moins important, ne serait-ce que par le nombre imposant des pièces qui nous ont été conservées. Par cela même, *J.* se distingue nettement d'Ockeghem et d'Obrecht, qui s'étaient consacrés surtout à la forme messe ; *J.* a ouvert de nouvelles voies à la forme motet. Sans doute a-t-il continué le type traditionnel d'arrangement polyphonique de mélodies du plain-chant, sans doute a-t-il suivi Obrecht lorsqu'il a accordé plus de 4 v. à la forme motet avec *cantus firmus* (par ex. *Praeter rerum seriem*, *Benedicta es cœlorum regina* ou le *Veni Sancte Spiritus*, qui comporte un canon double sur la séquence de la Pentecôte) ; mais, aux motets de ce genre ou à des arrangements du plain-chant en imitation continue à toutes les voix, il faut ajouter (et mettre au compte de l'invention créatrice de *J.*) ce type de composition en imitation *libre* de textes de plain-chant (avant tout de psaumes), qui représentera bientôt, au XVIe s., le style même du motet et qui se distingue nettement des pièces strictement liturgiques sur texte biblique. Néanmoins, comme p. ex. dans le verset *Domine, labia mea aperies* du célèbre *Miserere*, on peut trouver une citation de plain-chant.

Dans les œuvres profanes de *J.*, la chanson française l'emporte de loin ; à la différence des chansons de Dufay et d'Ockeghem, le traitement vocal de toutes les voix, de même que (sauf quelques rares pièces qu'il faut sans doute dater de ses débuts), l'utilisation de la structure à 4 v. (5 ou 6, si un canon se superpose) y sont caractéristiques. L'importance plus grande de l'imitation, l'abandon de la rigueur stricte dans la strophe, l'introduction occasionnelle d'un ténor de plain-chant sont tout autant de bonnes raisons de rapprocher, chez *J.*, la chanson du motet. (Cela vaut notamment pour une œuvre telle que *Nymphes des bois*, dont le modèle est reconnaissable : le motet funèbre *Mille quingentis* de J. Obrecht, 1488 ; on y retrouve la transposition caractéristique du *cantus firmus* d'Ockeghem du 6e au 4e ton ecclésiastique).

Le style de *J.* est caractérisé en général par une remarquable multiplicité, résultat d'une assez longue évolution, jointe à cette « *ostentatio ingenii* », déjà constatée avec admiration, mais parfois aussi avec une légère nuance de blâme, par Glaréan, dans son *Dodecachordon* (composé v. 1519–39). C'est surtout les messes de *J.* qui témoignent de cette joie de poser et de résoudre les problèmes à la fois en virtuose et en compositeur-artisan. Les ténors témoignent de tous les artifices d'augmentation, de diminution, de retournement ou de conduite du *cantus firmus* (canons à l'écrevisse). Les deux messes *L'homme armé* fournissent en outre un exemple de transposition successive ou « tonale » (au sujet de cette dernière, voir la messe *L'homme armé 6. toni,* qui adapte le ténor-*cantus firmus* authentique [toujours traité comme tel] aux exigences d'un ton plagal par une transposition occasionnelle ou par son déplacement dans des autres voix.) Il faut encore rappeler la combinaison de ténor-*cantus firmus* avec des formules d'*ostinato* ou avec des fragments du plain-chant de l'ordinaire de la messe (surtout du *Credo I*), qui se retrouvent surtout dans des parties de *Kyrie* et de *Credo*. Parmi les motets, dans des œuvres qui appartiennent sans doute à la période du début, comme « *Illibata Dei Virgo nutrix* » et « *Ut Phoebi radiis* », mais aussi dans des pièces célèbres comme « *Misere mei Deus* » et « *Huc me sydereo* » (cette dernière composée sur un texte « spirituel-humaniste » utilisé ultérieurement par Willaert, Lassus et Lechner), la formation des ténors témoigne encore de l'influence du principe d'isorythmie. Dans la (double) composition du *Liber generationis Jesu Christi* (St-Matthieu I, 1-16, et Luc, III, 21, IV, 1), Josquin fait la preuve de son art en utilisant le ton de la leçon liturgique, en choisissant un sujet qui, comme Glaréan l'avait déjà remarqué avec éloges, ne semblait prêter aucune possibilité musicale. (Il faut observer que, comme dans la composition du premier texte cité, certains noms et événements d'importance primordiale — David et Salomon, la *transmigratio Babylonis*, caractérisée par le croisement de deux voix supérieures maintenu lorsque ces mots sont prononcés, enfin l'évocation du Christ — apparaissent toujours à la fin des 3 parties). La notation du psaume-motet *Dominus regnavit* (soprano et ténor avec un *si* bémol à la clef, alto et basse avec 2 bémols à la clef) donne l'impression d'une double tonalité, tandis que la composition de la mélodie et l'imitation (intervalle-*species ut-fa,* avec réponse à la quinte inférieure) permettent de reconnaître nettement le 8ᵉ ton ecclésiastique ; l'œuvre bénéficie d'un tour de force artistique très rare, sinon unique : toutes les cadences sont sur la seule finale, et cela ne provoque ni ennui ni monotonie.

Les autres qualités de son style, ses caractères principaux, qui ont impressionné ses contemporains et les générations futures, *J.* les avait acquises pendant les dernières années de son séjour à Rome. Des théoriciens comme Lampadius (*Compendium musices,* 1537, 4 rééd. jusqu'à 1554) parlent de la maîtrise de *J.* « *in formandis clausulationibus et fugis* » ; d'autres, comme Gallus Dressler (*Praecepta musicae poeticae,* 1563) qualifient l'usage des « *fugae* » comme le propre du style de *J.* D'autre part, ils désignent ces imitations sous le nom de *fugae nudae,* en pensant déjà à l'œuvre d'un Gombert, d'un Clemens non Papa et d'un Lassus. En vérité, les œuvres de *J.,* même ses motets à *cantus firmus,* semblent surtout limiter la plénitude vocale à de courts passages, souvent interrompus par de nombreux épisodes chantés par un moins grand nombre de voix. Remarquons la préférence de *J.* pour le groupement des voix par deux, en étalant les duos : on en rencontre souvent qui servent d'introduction, différents dans leurs tessitures, mais uns par le texte et la musique. Le développement musical est groupé et subdivisé très nettement par de nombreuses cadences, dont l'effet conclusif est rarement empêché par

un « *fuggir la cadenza* », usage qui sera très courant chez les maîtres postérieurs.

L'art qu'a *J.* de faire valoir le sens figuratif et affectif d'un mot dans le texte égale sa maîtrise du phrasé. Heinrich Faber (*Musica poetica,* 1548) en témoigne, disant que *J.* l'emporte sur tous ses contemporains en cette qualité, que l'on décrit même par des clichés, comme ce sera le cas plus tard pour Lassus (voir dans *AfMw,* X, 1953, p. 22 des extraits de la préface de Johann Ott au *Secundus tomus novi operis musicae,* Nuremberg 1538). Si l'on considère la richesse des « figures » rhétoriques dans les œuvres de *J.,* il faut conclure qu'il existe déjà une tradition solide des symboles sonores et de leur usage fréquent et régulier dans certains textes. (Voir

F. Feldmann, ds *Musica Disciplina, VIII,* 1954, 141 sqq.). La *catabasis,* les *redictae* et les faux-bourdons sont de ces « figures » typiques à signification différenciée. Il est bien connu que la *catabasis* peut figurer musicalement une descente (voire la mort) : chez *J.,* elle apparaît, comme dans les œuvres de Dufay et de Busnois (« *Ave regina coelorum* » et *Par le regart,* ainsi que *C'est vous en qui j'ay espérance*), dans les parties du texte qui expriment un certain « *affectus servitutis, humilitatis, depressionis* », ainsi désigné par Athanasius Kircher : plusieurs exemples (impressionnants surtout à la fin) se trouvent dans le motet *Miserere mei Deus,* qui répète continuellement une « devise » tout au long de la composition ; on peut encore citer le « *miserere nobis* » de l'*Agnus I* (19 s.) de la messe *Sine nomine,* ainsi que la mise en musique des mots *deprecor te, deprecabuntur, quoniam ego servus tuus sum* et *Recepvez vostre amy* (ds les motets *O Domine Jesu Christe (prima pars), Vultuum tuum, Domine exaudi orationem meam* et la chanson *Je ne me puis tenir d'aimer*). Souvent *J.* introduit la *catabasis* dans les versets du *Gloria* et du *Credo,* que le célébrant doit accompagner d'une *inclinatio capitis.* Voir aussi l'*Adoramus te* de la messe *Di dadi,* le *simul adoratur* des messes *Faysant regretz, Gaudeamus,* et *L'homme armé 6. toni,* la composition (souvent avec l'introduction d'un *Noema* homophone) de la prière *Suscipe deprecationem nostram,* l'usage de la *Catabasis* (surtout lors des dernières paroles) dans dix messes différentes (voir les messes *L'ami Baudichon, Una musque de Biscaya, Gaudeamus, La sol fa ré mi, L'homme armé super voces musicales, L'homme armé 6. toni, Sine nomine, Hercules dux Ferrarie,* et *Fortuna desperata* et *De beata Virgine,* où l'on trouve en outre des faux-bourdons). La série des figures *redictae* comporte la répétition de sons isolés, d'intervalles ou de formules mélodiques à trois sons, qui, d'après Johannes Tinctoris (*CS, IV,* 150*b*-151*a*), sont permises comme *imitatio tubarum vel*

*campanarum*, mais prohibées en général dans la composition d'œuvres vocales. Les *redictae* de cette pièce se réclament de l'emploi de la trompette comme instrument de guerre ou comme attribut d'un personnage princier. Pour cette raison, une *imitatio tubarum* peut se trouver au début du motet *Domine, ne in furore tuo arguas me* (ps. 37) aussi bien que dans des textes comportant les mots *gloria, regnum, Dominus*. Le motet *Domine, Dominus noster* en fournit des exemples, avec mise en musique des mots *magnificentia, gloria et honore* et (juste avant la fin) *quam admirabile*. Mais c'est dans les messes de *J.* que les figures *redictae* sont particulièrement nombreuses : à remarquer les versets *Glorificamus te* (messes *Di dadi, Malheur me bat*), *propter magnam gloriam tuam* (messes *L'ami Baudichon, Malheur me bat*), *In gloria Dei Patris* (messe *Malheur me bat*) ; l'*imitatio tubarum* se poursuit même pendant le faux-bourdon — comme un symbole trinitaire — en frappant plusieurs fois la note seule (de la basse *do*), *Deum de Deo* (messes *L'ami Baudichon, Ave maris stella, De beata Virgine, Da pacem*), *et resurrexit* (messes *Hercules dux Ferrarie, Pange lingua*), *et exspecto resurrectionem* (messes *L'ami Baudichon, Pange lingua*), *cuius regni* (messes *De beata Virgine, Pange lingua*), et *Dominus Deus Sabaoth* (dans ce cas, les figures *redictae* ne se trouvent pas tout au long du texte, mais seulement au début ou à la fin ; pour le début, voir les deux messes *L'homme armé*, pour la fin, les messes *L'ami Baudichon, La sol fa ré mi* et *Pange lingua*). La phrase du *Credo* qui parle du retour du Christ lors du jugement dernier contient très souvent des *redictae* (*Et iterum venturus est cum gloria...*), ainsi que les messes *L'homme armé super voces musicales, L'homme armé 6. toni, Malheur me bat, Hercules dux Ferrarie* et *Da pacem*, comme les messes *Faysant regretz, Pange lingua, Sine nomine* et *De beata Virgine*, qui forment un groupe à part, car, dans les versets du *Credo*, on trouve aussi un large emploi de la mélodie du plain-chant (*Credo I*). C'est justement cette *liaison* qui permet de reconnaître le caractère spécial du passage *Et iterum*, où *J.* renonce complètement à la mélodie grégorienne (messe *Faysant regretz*), ou bien la transforme en la rendant presque méconnaissable (ainsi, dans la messe *Pange lingua*, il enchaîne presque sans cesse les répétitions de notes, tandis que, dans les messes *Sine nomine* et *De beata Virgine*, dont le *cantus firmus* coïncide presque note par note, il maintient seulement la phrase du début et de la fin de la mélodie du plain-chant). Lorsque des figures *redictae* apparaissent dans le texte *Et unam sanctam...*, il s'agit de l'imitation des cloches, attribut sonore de l'Eglise (messes *La sol fa ré mi* et *Malheur me bat*) ; lorsque les *redictae* apparaissent dans le passage *Et ascendit in caelum* (messes *Fortuna desperata, Malheur me bat, L'homme armé super voces musicales, Hercules dux Ferrarie*), il s'agit sans doute d'une allusion du texte du psaume *Ascendit Deus in jubilatione*, et *Dominus in voce tubae* (ps. 46, 6), employé comme verset de l'*Alleluia* à la fête de l'Ascension du Christ. Notons l'emploi des figures *redictae* au *Kyrie* de la messe *Hercules dux Ferrarie*, dans lequel, après le *cantus firmus*, chanté d'abord par le soprano, toutes les voix qui font contrepoint n'ont plus que le même motif ; on pourrait interpréter le *soggetto cavato dalle vocali* comme un hommage au duc de Ferrare, hommage très musicale aussi par le mot *Kyrie*. La signification de toutes les *redictae* n'est pourtant pas épuisée avec l'*imitatio tubarum ;* elles peuvent aussi apparaître de façon systématique et monotone, avec répétition de certains intervalles ou fioritures mélodiques, qui n'étaient déjà plus tolérés dans les traités de musique du moyen-âge, s'il s'agissait de chants nouveaux : il faut y voir aussi : l'idée d'une prière intense ou de longue durée (voir la musique sur les mots *Memor esto verbi tui...* au début ou à la fin des motets du même nom, ou la composition des textes *A custodia matutina usque ad noctem speret Israel in Domino* et dans *in principio, et nunc, et semper* du *De profundis* pour voix aiguës) ; dans d'autres cas, on les utilise comme symboles d'une *res tristis* : comparez la musique presque identique du mot *Miserere* dans les messes *La sol fa ré mi* (*Agnus I*, 23 *sqq.*), *Pange lingua* (*Gloria*, 78 *sqq.*) et plusieurs passages du motet *Miserere mei Deus* (183, 245 *sqq.*, 262) ; enfin l'emploi des figures *redictae* signifie un *vitium* dans

le *Qui tollis peccata mundi* du *Gloria* des messes *Fortuna desperata, Gaudeamus* (76 *sqq.*) et *Hercules dux Ferrarie*, ainsi que dans l'*ex omnibus iniquitatibus* du *De profundis* cité plus haut. La même phrase mélodique, répétée trois fois, apparaît comme symbole de la Trinité, lorsque *J.* l'introduit en final *Cum sancto Spiritu / in gloria /Dei Patri* (voir messe *Hercules dux Ferrarie, Gloria*, 88 *sqq.*, soprano et alto ; les répétitions sont notées en ce cas par des barres obliques).

Le faux-bourdon est déjà utilisé par *J.*, comme il le sera par les maîtres qui lui succéderont, dans le double sens d'une phrase sonnant « mal », ou bien d'une phrase construite à 3 v. (selon le symbole du chiffre trois). En ce qui concerne la première manière, les exemples sont très nombreux (voir par ex. le *Miserere nobis* du *Gloria* de la messe *De beata Virgine* et le motet *Vultum tuum deprecabuntur*) ; c'est avec le second sens que *J.* l'utilise pour les paroles *tertia die* et pour le *conglorificatur* attribué au Saint-Esprit (dans le *Credo* des messes *Ave maris stella* et *Pange lingua*). On remarquera que le faux-bourdon peut aussi apparaître dans des textes qui se rapportent à la troisième personne divine, sinon textuellement, du moins selon le sens (voir la musique du trope *primogenitus Mariae* dans le *Gloria* de la messe *De beata Virgine*, ainsi que le passage *Nec prolis originem novit pater* dans *Praeter rerum seriem...* ; on trouvera plus tard des exemples bien plus nombreux du symbole de la Trinité chez Roland de Lassus). *J.* emploie en outre le symbole des nombres en utilisant l'intervalle correspondant — *unigenite* et *et in unum Dominum* à l'unisson (messes *Una musque de Biscaya, Ave maris stella* ou *Sine nomine*), *tertia die* à la tierce (messes *L'ami Baudichon, Gaudeamus*) ou en *proportio tripla* (messes *Ave maris stella, De beata Virgine*). Ou bien il accumule les notes pointées sur les mots *de tribulatione* (*Domine exaudi orationem meam ;* comparer la musique de la phrase *Dominus iustus concidet cervices peccatorum* dans le motet de Thomas Stoltzer *Saepe expugnaverunt me*) ; le demi-ton est significatif dans les motets *Miserere mei Deus, Stabat Mater* (*Fac ut portem Christi mortem...*, ici comme voix supérieure d'une partie de *redictae*) et dans le premier *Agnus* de la messe *Hercules dux Ferrarie*. Dans le passage de l'*Agnus I* de la messe *L'homme armé super voces musicales*, le soprano, imitant le ténor-*cantus firmus* à la seconde, chante *miserere nobis* en une phrase mélodique formée sur la quarte *la - mi*, où l'on trouve un emploi du demi-ton très significatif. — Des figures harmoniques conditionnées par le texte, qui se rencontrent en nombre toujours plus abondant chez des maîtres comme Clemens non Papa, Willaert, Rore et Lassus, existent à peine dans l'œuvre de *J.* ; notons pourtant les retards qui interviennent simultanément avec des progressions en demi-ton de la voix supérieure dans l'*Agnus I* de la messe *Hercules dux Ferrarie* (37 *sqq.*) et dans le *Gloria* de la messe *Malheur me bat* (99 *sqq.*), chaque fois sur le mot *miserere*. — Il est enfin évident que *J.* devance son temps dans certains passages écrits en *contrapunctus simplex* (note contre note) ou une structure approchante : c'est déjà l'application de la règle d'après laquelle les effets de « joie » (mais aussi de dureté) ou de « tristesse » peuvent être obtenus grâce aux tierces, petites ou grandes. Ces accents « majeurs » ou « mineurs » se retrouvent par exemple dans les motets *Huc me sydereo* (*durae* ou *langueo*), *Stabat Mater* (*quae moerebat..., fac me tecum plangere...*), même occasionnellement, comme cette dernière œuvre (152-157), immédiatement confrontées (... *cruce hac inebriari / ob amorem Filii*). Remarquons qu'il s'agit toujours, dans ce cas, d'épisodes qui se présentent comme « figures », c'est-à-dire comme une déviation de la norme liturgique, conditionnée par le texte. Si l'on pense encore à la formation indirecte de séquences chromatiques, comme on le trouve une seule fois dans l'œuvre de *J.*, procédé qui sera encore utilisé par Lassus comme « nouveau », dans le motet *Absalon fili mi*, on comprendra pourquoi, eu égard à la richesse de ses moyens d'expression, dont j'ai seulement donné un court aperçu, on a comparé *J.* aux plus célèbres artistes de l'antiquité et de sa propre époque, à Virgile par exemple, à Michel-Ange (la première comparaison est de Glaréan, la seconde, de 1567, de Cosimo Bartoli).

Dans l'ensemble de l'époque « néerlandaise », *J.* se trouve à une limite nettement reconnaissable, qu'il a lui-même contribué à tracer : il est encore lié à la tradition musicale du XVᵉ s. et il domine tous les « arts » avec une maîtrise de virtuose. En même temps, il a ouvert la voie à cette doctrine selon laquelle la musique des maîtres anciens (en dépit du traitement symbolique de certains mots, qui ne leur était pas inconnu) paraissait un art incomplet, de *musici mathematici* ou même *theorici*. Par cette démarche, indiquée surtout, semble-t-il, dans ses œuvres tardives, de la phrase musicale, adaptée et subdivisée d'après la structure grammaticale du texte, il a montré le chemin aux maîtres néerlandais et à leurs élèves italiens et allemands, chemin qu'ils ont suivi jusque vers 1600, avec des variations de cas, mais selon un même principe, ce principe qui devait paraître aux générations suivantes comme la norme du «style ancien».

**Éditions :** 1. œuvres complètes : *Werken van J. d. P.*, éd. A. Smijers, Amsterdam (–Leipzig, jusqu'en 1942) 1921 *sqq*. (ont paru : des messes, I-III et IV, 1-4, des motets, I-III et IV, 1-3, des œuvres profanes, I) ; 2. œuvres séparées ou choix : A.W. Ambros, *Gesch. d. Mus.*, *V*, éd. O. Kade, Leipzig 1882, 1889, 1911 ; messes : *Pange lingua*, *Da pacem* et *De beata Virgine*, éd. F. Blume, ds *Das Chorwerk*, 1, 20, 42, Wolfenbüttel 1929 *sqq.* ; motets : *id. ibid.*, 18, 23, 33 — éd. Osthoff, 30, 54, 57, 64 ; œuvres profanes : *ibid.*, F. Blume, 3 — ds l'*Harmonice musices Odhecaton A*, éd. H. Hewitt et J. Pope, Cambridge (Mass.) 1946 — *Le frottole nell'edizione principe di O. Petrucci*, ds *Inst. et Mon.*, *I*, éd. G. Cesari et R. Monterosso, Crémone 1954. Catalogue ds MGG.

**Bibl. :** A.W. Ambros, *op. cit.*, III, 3ᵉ éd. 1891 ; E. Motta, *Musici alla corte degli Sforza*, ds *Arch. storico lombardo*, *XIV*, 1887 ; A. Smijers, *Een kleine bijdrage over J. en Isaac*, ds *Ged. aangeboden aan Dr. D. Scheurleer*, La Haye 1925 ; A. Pirro, *Hist. de la mus. de la fin du XIVᵉ s. à la fin du XVIᵉ*, Paris 1940 ; Ch. Van den Borren, *Gesch. v. d. muz. in de Ned.*, I, Anvers 1948 ; M. Van Crevel, *A.P. Coclico*, La Haye 1940 — *Verwante sequensmod. bij Obrecht, J. en Coclico*, ds *Tijdschrift*, *XVI*. 1940–46 ; M. Antonowytsch, *Die Motette Benedicta es von J. ...*, Utrecht 1951 ; C. Dahlhaus, *Studien zu d. Messen J.s*, thèse de Göttingen, 1952, inéd. ; H. Osthoff, *Besetzung u. Klangstruktur i. d. Werken von J.*, ds *AfMw*, IX, 1952 — *Vergils Aeneis i. d. Mus. v. J. bis O. di Lasso*, *ibid.*, XI, 1954 — *Die Psalm-Motetten von J.*, ds *Ber. über d. Intern. Mw. Kg. Wien*, *Mozartjahr 1956*, Graz–Cologne 1958 — *Das Magnificat bei J.*, ds *AfMw*, *XVI*, 1959 ; R. Dammann, *Spätformen der isor. Motette im 16. Jh.*, *ibid.*, *X*, 1953 ; F. Feldmann, *Untersuchungen zum Wort-Ton-Verhältnis ...*, ds *Mus. Disciplina*, *VIII*, 1954 ; B. Meier, *The musica reservata of A.P. Coclico and its relationship to J.*, *ibid.*, *X*, 1956 ; C. Sartori, *J. cantore del duomo di Milano*, ds *Annales mus.*, *IV*, Neuilly 1956 ; H. Osthoff in MGG. **B.M.**

**JOSTEN Werner.** Compos. amér. d'origine allem. (Elberfeld 12.6.1885–). Élève de R. Siegel et de Jaques-Dalcroze, il vécut d'abord à Munich et à Paris et se fixa aux Etats-Unis (1921), où il se consacra à l'enseignement et à la diffusion des œuvres de Monteverdi, Fux et Hændel ; on lui doit un « mystère » : *Abraham u. Isaac*, 3 ballets, de la mus. symph. (2 symph.), chœur., de chambre, des mélodies.

**JOTA.** C'est une danse espagnole, de rythme ternaire, de *tempo* assez vif (un peu plus lent lorsqu'elle est chantée), qui a des caractères propres selon les diverses régions (*jota valenciana, murciana, mahonesa*) où elle se pratique, des Baléares et des Canaries jusqu'au nord de l'Espagne ; on considère la *jota aragonesa* comme la plus pure (c'est d'ailleurs la plus connue : Glinka et Liszt l'ont utilisée dans leurs compositions d'inspiration espagnole). Il n'y a rien de sérieux dans l'histoire du Maure Abén Jot, qui l'aurait créée au moyen âge ; on sait qu'elle ne remonte pas au-delà des premières années du XVIIIᵉ s., qu'elle n'a pas d'origine arabe : il faut abandonner les théories panarabisantes de Julián Ribera (1928) au sujet de cette danse au profit des travaux plus récents de García Arista et d'Arláiz : *La j. aragonesa* (Saragosse 1919) et *Estudio histórico-filosófico de la j. a.* (ds *Anales de la Escuela de la j. a.*, I, *ibid.* 1942) ; voir également M. Schneider in MGG. **D.D.**

**JOTEYKO Tadeusz.** Chef d'orch. et compos. pol. (Poczujkij, Ukraine, 1.4.1872–Cieszyn (Teschen) 20.8. 1932). Élève des cons. de Bruxelles et de Varsovie, il fut chef de chœur et animateur musical, activité qu'il exerça dans plusieurs villes polonaises ; il se consacra également à l'enseignement ; de 1914 à 1918, il fut chef d'orch. de la Philharmonie de Varsovie ; on lui doit 5 opéras, 1 ballet,

de la mus. symph. (1 symph.), de chambre, de piano, des mélodies. Voir Z. Lissa in MGG.

**JOUAN.** C'est l'abréviation de *jouan-hien :* voir art. suivant.

**JOUAN-HIEN.** C'est un instrument à cordes pincées, de la famille du *p'i-p'a* (voir à ce mot) (Chine). Le *j.-h.* fit son apparition sous le règne de l'empereur Wou-ti, des Han (104–87 av. J.-C.). La caisse de résonnance est plate et ronde, avec un manche droit, muni de quatre cordes ; il était primitivement appelé *p'i-p'a* ; sous le règne de l'impératrice Wou Tsö-t'ien (684–704), on le nomma « *jouan-hien* », du nom d'un célèbre joueur de cet instrument (IIIᵉ s.) ; de nos jours, on l'appelle *jouan* par abréviation ; cet instrument peut être accordé de deux manières : soit comme le *p'i-p'a*, soit à un intervalle de quinte, les cordes étant groupées deux par deux à l'unisson. **M.H.T.**

**JOUBERT.** — 1. **Jérôme.** Violon. franç. du XVIIᵉ s., qui appartint à la Grande bande des violons du roi (1646) et à la corporation de St-Julien-des-ménétriers ; son fils — 2. **Pierre**, qui mourut à Paris en 1714, fut élève de Lully et succéda à son père en 1669 ; il enseigna.

**JOUBERT John.** Compos. sud-africain (Le Cap 20.3. 1927–). Élève de l'univ. du Cap, de W.H. Bell, de la *Royal acad. of mus.* de Londres, de l'univ. de Durham, il enseigne (dep. 1950) à l'univ. de Hull ; on lui doit 2 opéras (*Antigone*, 1954, *In the drought*, 1956), 1 ballet, 1 symph. (1956), de la mus. symph. (concerto de violon, 1954), chor. (1 cantate), de chambre, de piano, des mélodies. Voir J. Bouws in MGG.

**JOUEN-YU-P'AO.** C'est un instrument de musique chinois, qui est un orgue à bouche, à 13 tuyaux : son nom date de l'époque mongole. **M.H.T.**

**JOUK Alexandre.** Compos. ukrainien (Poltava 5.11.1907–). Il acheva ses études au cons. de Kharkov en 1938, sous la direction de M. Tits ; œuvres : 2 comédies mus. (1942, 1943), « Poème » (soliste, ch. et orch., 1935), 1 symph. (1938), concerto de vcelle (1952), quatuor (1935), trio (1947), suite (piano, 1950), nombreuses pièces pour piano, violon, chœurs, mélodies avec piano, mus. de théâtre. **A.W.**

**JOUKOV** (*Zukov*) **Igor.** Pian. russe (Moscou 1936–)' qui fit ses études au cons. d'Etat de Moscou, avec Guillels, second Prix du concours M. Long (1957).

**JOUKOVSKY Herman.** Compos. ukrainien (Radzyvy-lovo 13.11.1913–). Il fit ses études au cons. de Kiev (Mikhaïlov, piano, L. Revoutsky, compos.) ; œuvres, opéras : *Maryna* (Kien 1939), *Tchestj* (« Honneur », 1943), *Ot Vseho Sertsja* (« De tout son cœur », Moscou 1951), 1 ballet : *Rostyslava* (Kiev 1955), 3 cantates (*soli*, ch. et orch.), concerto de violon (1953), mus. chor., de film. **A.W.**

**JOURDAN-MORHANGE Hélène.** Violon. franç. (Paris 30.1.1892–). Élève du cons. de Paris (Nadaud), d'Enesco, de Capet ; Ravel et Florent Schmitt lui ont dédié leur sonate pour piano et violon ; elle créa d'ailleurs des œuvres de Satie et des « Six » ; une infirmité l'obligea à interrompre sa carrière de virtuose : elle s'est consacrée à la critique musicale (*Lettres françaises, Guide du concert, Guitare et musique, Revue de Paris, Journal mus. des J.M.F., Journal mus. du Canada* etc.) ; elle a publié *Ravel et nous*, *Au milieu du monde* (Genève), *Ravel d'après Ravel* (av. V. Perlemuter, Lausanne 1955), *Mes amis musiciens* (Ed. franç. réunis) ; elle est membre du jury des concours Long-Thibaud (Paris), Wieniawski (Varsovie), Tchaïkovsky (Moscou).

**JOURET.** — 1. **Léon.** Compos. belge (Ath 17.10.1828–Bruxelles 6.6.1905), élève puis prof. au cons. de Bruxelles, qui écrivit des chœurs, des cantates, de la mus. d'église, de scène, 2 opéras, des mélodies ; son frère — 2. **Théodore** (*ibid.* 11.9.1821–Bad-Kissingen 16.7.1887), prof. de chimie, composa 1 opéra-comique, des mélodies, des chœurs, et fut critique musical.

**JOURNET Marcel.** Basse franç. (Nice 25.7.1867–Vittel 5.9.1933), qui débuta en 1891, appartint à l'Opéra de Paris et fit une carrière intern., notamment à Londres, Milan et N.-York.

**JOUVE André.** Chef d'orch. franç. (Marseille 12.3.1929–). Élève du cons. de Paris, président de l'orch. des Concerts français (dep. 1955), grand prix du disque 1954, qui a publié des harmonisations de chansons françaises et de noëls anciens.

**JOY Geneviève.** Pian. franç. (Bernaville 4.10.1919–), élève du cons. de Paris (Y. Nat, L. Descaves), où elle est à présent prof. de déchiffrage ; c'est une pianiste d'une musicalité remarquable ; elle a épousé le compositeur Henri Dutilleux.

**JOZZI Giuseppe.** Mus. ital. (Rome v. 1720–Amsterdam ? v. 1770 ?). Sopraniste, loué par Burney, il aurait été l'élève de D. Alberti pour le clavecin ; en 1746, il chantait dans *La caduta de 'giganti* de Gluck à Londres, tout en étant connu dans cette ville comme claveciniste et comme compositeur ; Burney le disait vénitien, la renommée l'accusait de plagier Alberti ; il semble avoir été prof. de chant et claveciniste à Amsterdam ; il publia à Londres et à Amsterdam des *lessons* et 16 sonates pour le clavecin. Voir Ch. L. Cudworth in MGG.

**JUBILUS.** C'est le nom donné à la vocalise qui suit l'*alleluia* dans le chant grégorien et, par extension, à de très longues vocalises qu'on trouve, seules ou jointes à l'*alleluia*, dans les livres médiévaux. L'histoire du *j.* semble liée à celle de l'*alleluia* dès l'antiquité. Cependant on ignore si des vocalises sont liées à l'*alleluia* chanté en antienne à certains psaumes pendant l'antiquité chrétienne ; il semble que Tertullien fasse plutôt allusion à une forme responsoriale dans son *De Oratione* c. 27 : *Diligentiores in orando subjungere in orationibus alleluia solent et hoc genus psalmos quorum clausulis respondeant qui simul sunt.* La *Tradition apostolique* d'Hippolyte de Rome (IIIᵉ s.) fait mention de l'*alleluia* sans *j.*, en antienne de psaume. La vocalise, qui a existé dans le rituel hébreu, a pu se conserver dans le milieu monastique égyptien ; on en perd toutefois la trace jusqu'au IVᵉ s., au cours duquel saint Jérôme dit d'une de ses pénitentes que, « pour moduler le chant de l'*alleluia*, elle dépasse toutes ses compagnes » (J. Labourt, Saint Jérôme, *Lettres* à Marcella, II). Ailleurs il décrit très précisément le *j.* : *jubilus dicitur quod nec verbis nec syllabis nec litteris nec voce potest erumpere aut comprehendere quantum homo Deum debeat laudare* (*In psalm. XXXII, Pat. lat., XXVI*). La référence contemporaine de saint Augustin, qui décrit le même fait, est beaucoup plus connue. Une centaine d'années plus tard, le chantre de Regia (Afrique) qui chantait le *melos alleluiacum* au matin de Pâques, tombe, la gorge percée par la flèche d'un Vandale (*cf.* Christian Courtois, *Victor de Vite et son œuvre, étude critique*, Alger 1954, qui date le fait entre 457 et 477). Cassiodore (VIᵉ s.) décrit lui aussi le même fait : *Hoc ecclesiis votivum, hoc sanctis festivitatibus decenter accommodum. Hinc ornatur lingua cantorum : istud aula Domini laeta respondet, et tanquan insatiabile bonum tropis semper variantibus innovatur.* (*Ex. in psalm. XIV, Pat. lat., LXX*). Enfin saint Grégoire, pendant son pontificat (de 590 à 604) constate que la Grande-Bretagne, qui ne savait chanter « qu'en langue barbare », commence à chanter l'*alleluia* hébreu (*Moralia in Job, XXVII*, 2). Ensuite, le *j.* n'est plus guère nommé, mais on le retrouve aussitôt que la notation neumatique permet d'en enregistrer les vocalises, au début du Xᵉ s. : que ce soit dans le chant romain ou dans le vieux-romain, le verset et la vocalise sont réunis depuis la constitution du rituel romain. Il reste qu'on ne sait exactement d'où vient la vocalise ni par quel cheminement elle a pénétré en Occident. A. Gastoué, dans ses *Origines du chant romain*, insiste beaucoup sur les vocalises des cultes gnostiques décrites par les Grecs, lorsqu'ils arrivèrent en Égypte, au IIIᵉ s. avant l'ère chrétienne : on possède des notations de ces pièces, et Gastoué lui-même en a tenté des transcriptions, qui n'ont donné que des résultats très éloignés de la vocalise alléluiatique : il semble qu'on ait affaire à des incises de trois ou quatre notes, qui forment entre elles des intervalles allant jusqu'à la sixte et l'octave ; ces incises sont indéfiniment répétées, sans modification aucune. Il semble qu'on soit là dans un domaine tout différent de la vocalise grégorienne, dont les intervalles sont menus, mais dont la composition

quoiqu'elle procède aussi par juxtaposition d'incises identiques, les orne et les augmente de façon très différente. — D'un autre côté, on ne sait trop quand et comment la vocalise du *j.* et le psaume de l'*alleluia* ont été associés l'un à l'autre. On prétend que la vocalise est venue la première et que le verset lui a été ensuite accolé : dom Froger (ds *Musique et liturgie*, nᵒ 18, 1950) ne voit pas pourquoi il en serait ainsi ; il nous semble toutefois que, le psaume à antienne *alleluia* étant déjà familier au culte primitif, il n'a pu perdre son antienne au cours du temps, et que l'idée d'associer une clausule mélodique, déjà connue de Tertullien, peut fort bien remonter au temps du culte juif. Le développement considérable que semble avoir pris la vocalise au IVᵉ s. peut aussi provenir de coutumes comparables, qu'on rencontre chez les moines égyptiens de la même époque. Toutefois le *j.* est passé du culte du IVᵉ s., encore relativement restreint, au culte romain du VIᵉ s. A l'époque de saint Augustin, le psaume qui l'accompagnait semble encore intégralement récité ; on ne sait trop à quelle époque il cessa d'être entier, pour se voir réduit à un ou parfois deux versets : le changement en tout cas est chose faite dès le VIIᵉ s. Vocalise et verset cheminaient alors ensemble dans les livres ; plus tard c'est le *j.* lui-même qui reçut des modifications, lorsque ses incises furent dépecées une à une, puis mélodiquement remaniées pour servir de base à des proses. Alors le *j.* cessa parfois d'appartenir au seul *alleluia* : il arrive qu'on le trouve à la suite des répons de l'office de nuit : on ne sait trop si ce fait est en rapport avec la position préférentielle occupée par la vocalise, parfois longue, des offices rythmiques, à deux ou trois syllabes de la fin du répons. Voir A. Gastoué, art. *Jubilus*, ds *Dict. d'archéologie et de lit. chrétienne* : A. Pons, *Droit eccl. et mus. sacrée*, I, *des origines à la réforme de saint Grégoire le Grand*, Saint-Maurice. Suisse, 1958.

S.C.

**JUDENKÜNIG Hans.** Luthiste allem. (Schwäbisch Gmünd v. 1450–Vienne ... 3.1526). On ne sait rien de sa biographie : bien qu'il eût vécu à Vienne, il n'a laissé aucune trace dans les documents de la cour de Maximilien Iᵉʳ ; il publia *Utilis et compendiaria intro-*

JUDENKÜNIG

*ductio, qua ut fundamento iacto quam facillime musicum exercitium, instrumentorum et Lutine et quos vulgo Geygen nominant, addiscitur labore studio et impensis J.J....* (Vienne, s.d.), tablature de luth qui est l'une des plus anciennes d'Allemagne ; on suppose qu'elle a été publiée entre 1515 et 1519, par l'imprimeur viennois H. Syngriner ; parmi les pièces y incluses, on trouve des pièces d'Horace ; vingt-et-une ont été éditées par A. Koczirz (ds *DTÖ, XVIII*, 2). Voir A. Koczirz, *Der Lautenist H.J.*, ds *SIMG, VI*, 1904–1905 ; W. Boetticher in MGG.

**JUIVE** *(Musique).* Abréviations utilisées dans l'article.

| | | | |
|---|---|---|---|
| Ack., SG : | A. Ackermann, *Der synagogale Gesang...* ; | Jos. : | *Josué* ; |
| AM : | *Acta musicologica* ; | Josèphe, *Antiq.* : | *Antiquités judaïques, éd. T. Reinach* ; |
| Am. : | *Amos* ; | JRAS : | *Journal of the royal asiatic society* ; |
| b : | *Talmud de Babylone* ; | Lv. : | *Lévitique* ; |
| Ch. : | *Chroniques* ; | M. : | *Macchabées* ; |
| Dt. : | *Deutéronome* ; | m : | *Michna* ; |
| Esd. : | *Esdras* ; | MGG : | *Musik in Geschichte und Gegenwart* ; |
| Ex. : | *Exode* ; | ML : | *Music and letters* ; |
| Gn. : | *Genèse* ; | MQ : | *Musical Quarterly* ; |
| HMI : | C. Sachs, *History of musical instruments* ; | Nb. : | *Nombres* ; |
| HUCA : | *Hebrew Union College Annual* ; | Ne. : | *Néhémie* ; |
| Id. JM : | A.Z. Idelsohn, *Jewish music...* ; | NOHM : | *New Oxford history of music* ; |
| Id. Thes. : | A.Z. Idelsohn, *Hebräisch-orientalischer Melodienschatz* ; | Ps. : | *Psaumes* ; |
| | | R. : | *Rois* ; |
| Is. : | *Isaïe* ; | S. : | *Samuel* ; |
| JAMS : | *Journal of the american musicological society* ; | SIMG : | *Sammelbände der internationalen Musikgesellschaft* ; |
| Jg. : | *Juges* ; | ZfMw : | *Zeitschrift für Musikwissenschaft* |
| Jr. : | *Jérémie* ; | | |

# I. L'époque biblique

(*La musique des anciens Hébreux jusqu'au début de l'époque hellénistique ; XVIIe-IVe s. av. J.-C.*). Le tracé de la vie musicale du peuple hébreu, depuis l'époque des patriarches jusqu'au début de l'époque hellénistique, couvre une période de plus de mille ans. Les écrits bibliques, avec leurs nombreuses références musicales, constituent notre source principale pour cette époque. Nous connaissons ainsi les *noms* et parfois *l'emploi* de certains instruments, le texte et par conséquent la *forme* lyrique de nombreux chants anciens (pourvus parfois de *rubriques* donnant des indications sur l'exécution musicale : précision de l'instrument d'accompagnement ou du *nom de la mélodie*), la description de manifestations, religieuses ou profanes, contenant des précisions qui concernent la pratique musicale dans l'antiquité hébraïque. L'extrême rareté des sources archéologiques locales contemporaines rend le recours à la linguistique comparée et à l'organologie ancienne des principales civilisations avoisinantes, notamment la Mésopotamie et l'Egypte — pourvus, eux, d'importants vestiges archéologiques et littéraires — d'autant plus utile qu'il offre de précieuses illustrations et des analogies aux références bibliques au sujet de la vie musicale des anciens Hébreux. Il est évident que les renseignements obtenus à partir de ces sources ne sauraient concerner que l'histoire musicale *externe*. L'emploi des méthodes ethnomusicologiques, pour la connaissance interne de l'ancien mélos hébraïque à partir des traditions musicales liturgiques encore conservées à l'heure actuelle, semble hasardeux, tout au moins en ce qui concerne cette première tranche de l'histoire musicale juive, si l'on tient compte du fait que la gestation de la liturgie juive, essentiellement post-exilique, coïncide avec les grands bouleversements culturels et artistiques dus à la pénétration de la civilisation hellénistique.

**De l'époque nomade (les Patriarches) jusqu'à l'institution de la royauté** (*XVIIe-fin XIe s. av. J.-C.*). Relativement rares, les références bibliques concernant cette première période permettent néanmoins de discerner quelques caractères des diverses manifestations musicales des anciens Hébreux. — Le *chant du puits* (*Nb. 21*, 17-18), considéré par H.G. Farmer — en association avec une représentation picturale assyrienne — comme illustrant le genre de « chants de labour » dans l'antiquité sémitique (*cf. NOHM*, 236), est sans doute parmi les plus anciens. Il semble plutôt refléter l'exaltation de l'eau

par les nomades du désert. Ce genre de « chant de l'eau » est un phénomène connu parmi les tribus nomades encore de nos jours. Les brèves *acclamations* ponctuant le départ ou l'arrêt de l'Arche sainte (*Nb. 10*, 35-36), les *cris de ralliement* (*Jg. 7*, 20 ; I *S. 10*, 24) sont typiques de cette époque primitive. Des *chants de guerre et de triomphe* anciens nous sont parvenus quelques brèves citations (*Nb. 21*, 14-15, 27-30). L'usage d'accueillir par des chants et des danses (accompagnés parfois par des instruments) le retour victorieux du héros est également attesté (*Jg. 9*, 24 ; I *S. 18*, 6-7, etc.). Des ex. plus élaborés de ces chants de triomphe sont le cantique de Deborah (*Jg. 5*), datant du milieu du XIIe s., ou encore le cantique sur la Mer Rouge (*Ex. 15*, 1-21), célébration spontanée de victoire ou de délivrance de la main des ennemis. Mais, contrairement aux ex. précédents, de caractère profane, il s'agit ici d'abord de *cantiques à la gloire de Dieu*. Dans ces dernières manifestations musicales, il y a lieu de souligner la place prépondérante qu'y occupèrent *les femmes*. Le chant et la danse de Miriam et de ses compagnes est accompagné par le *tôf* (tambourin). Ce genre de manifestation musicale féminine, courant dans l'antiquité orientale, est admirablement illustré par un relief égyptien contemporain de l'exode (*fig. 1*). La musique tenait également une place dans les *réjouissances populaires*, soit d'ordre profane (festin d'adieu projeté par Laban, *Gn. 31*, 27) soit d'ordre paracultuel (veau d'or, *Ex. 32*, 14 ; retour de l'Arche sainte, *II S. 6*, 5, etc.).

L'emploi de certains instruments (le *šôfâr* = corne de bélier ou de bouc ; la *hásosrâh* = trompette en argent, d'emploi toujours géminé) était réservé à l'usage *cultuel* (annonce du Nouvel an, de l'année jubilaire, de la néoménie et des fêtes : *Nb. 10*, 10 ; *29*, 1 ; *Lv. 25*, 9) et servait de *signal* (rassemblement et mouvement des tribus, signaux de guerre : *Nb. 10*, 1-9 ; *31*, 6). La rude sonnerie du *šôfâr* est associée à l'effroi des forces naturelles (tonnerre, tremblement de terre : *Ex. 19*, 13) ; on lui connaît des *effets magiques* (murs de Jéricho : *Jos. 6*, 4-20) et elle est utilisée comme *stratagème de guerre* (emploi de 300 *šôfârôt* par Gédéon, *Jg. 7*). Autres accessoires du culte, les *pa'ámônîm* (= clochettes), attachés à la robe du grand-prêtre, protègent celui-ci à l'approche du sanctuaire (*Ex. 28*, 33-35). Cet emploi des clochettes comme protection contre les démons est connu dans d'autres musiques primitives. On connaît également certains *effets psychiques* et *thérapeutiques* de la musique instrumentale : effet exaltant, inspirant les « prophètes » anonymes cités dans I *S. 10*, 5 ; effet calmant, curatif de la harpe de David sur Saül (*I S. 16*, 16, etc.).

L'exécution *antiphonée* (chœurs alternés d'hommes et de femmes) est attestée dans le cantique de Miriam, déjà cité ; elle est probable également dans le cantique de Deborah. Le style responsorial (le peuple répondant « Amen » aux Lévites) est employé dans une mise en scène grandiose au mont Gerîzîm (*Dt. 27*, 12-26).

**La royauté jusqu'au début de l'époque hellénistique** (*début Xe-fin IVe s. av. J.-C.*). Antérieurement à l'institution de la royauté, on ne trouve pas de traces de *musiciens professionnels*, phénomène pourtant courant en Mésopotamie et en Egypte. L'interprétation de *Gn. 4*, 21, qui voit dans la légende sur l'origine des instruments, associée à Jubal, une allusion à l'existence de guildes de musiciens professionnels, est controversée. La plupart des manifestations musicales ont jusqu'alors un caractère spontané, populaire. Le changement de mode de vie, devenu *sédentaire*, l'établissement d'une *cour royale* et surtout, le *culte* lié au *Temple*, sont sans doute des facteurs déterminants dans l'évolution de la vie musicale du

peuple hébreu à partir du
Xᵉ s. Bien que les témoi-
gnages du Chroniqueur et
de nombreux psaumes sur
l'existence de véritables
guildes de musiciens professionnels au temps de David
(notamment les familles de
descendants de Lévi : Hé-
man, Asaph, Ethan, Jedu-
thun, Korah), soient, dans
l'ensemble trop tardifs —
reflétant sans doute les
usages contemporains de
l'époque postexilique —,
l'emploi de *musiciens professionnels*, dès la période
préexilique, n'est guère
douteux : David, consacré
par la tradition comme le
plus prestigieux des musiciens (*II S. 23*, 1) fondateur de la musique cultuelle
(*I Ch. 25*), est d'abord musicien du roi (*I S. 16*, 16).
Les témoignages bibliques
reflètent une importante
activité musicale à la cour
et dans les classes aisées,
qui ne fut d'ailleurs pas
toujours du goût des pro-
phètes (*I R. 10*, 12 ; *Am.
6*, 1-5 ; *8*, 10 ; *Is. 5*, 11-12
etc.). L'emploi de musiciens
professionnels est confirmé
par une source extra-bibli-
que : ils figurent parmi le
tribut envoyé par Ezéchias
à Sanhérib (*cf.* E. Schrader,
*Keilinschrifl. Bibl.*, II,
96-97). Mises à part les cérémonies royales (couronne-
ment, mariage, départ en
guerre et retour victorieux), nos renseignements concernant la musique *profane* se bornent à quelques têtes de
chapitres : à côté des *festins* des classes aisées, accompagnés
de musique instrumentale, déjà dits, on trouve des réjouissances musicales à l'occasion des *noces* (*Jr. 25*, 10), des
lamentations liées à un deuil, parfois exécutées par des
pleureuses professionnelles (*II S. I*, 17-27 ; *I R. 13*, 30 ;
*Jr. 9*, 17 etc.) ainsi que des références à des *chants* ou des
*acclamations de labour* (*Jr. 25*, 30 ; *48*, 33).

Nous sommes un peu mieux renseignés en ce qui concerne
la *musique du temple*. Il est vrai que la plupart des
sources bibliques la concernant (*Ch.*, *Esd.*, *Ne.*, la majeure
partie des *Ps.*) et à plus forte raison les sources extra-
bibliques (littérature talmudique, midrachique et judéo-
hellénistique) sont trop tardives pour que leurs témoignages puissent être pris à la lettre. Mais nous savons
qu'il n'y a pas eu rupture définitive entre l'époque du
1ᵉʳ et du 2ᵉ temple : *Esdras 2*, 41 et 65 nous apprend
que, parmi les revenants de l'exil, il y avait un certain
nombre de musiciens (les chiffres 128 et 200 indiquent-ils
le nombre respectif de musiciens cultuels et profanes ?),
sans doute versés dans l'usage musical du 1ᵉʳ temple,
et nous savons d'ailleurs (*Ne. 10*, 40) qu'ils avaient à
cœur de restituer le culte du 1ᵉʳ temple. D'autre part,
certains psaumes archaïques peuvent être rattachés à
l'époque du temple de Salomon.

Du récit détaillé sur l'organisation musicale du culte
(*I Ch. 15* ; *16* ; *23* ; *25*), nous retenons d'abord que celui-ci
était la charge de certaines *familles de musiciens* (déjà
nommées plus haut), descendant de la tribu de Lévi,
et que la *musique instrumentale* y fut employée : aux
cornes et trompettes, instruments propres aux prêtres,
déjà citées, s'ajoutent les instruments lévitiques : le
*nébèl* (harpe), le *kinnôr* (lyre), les *mesiltayim* (cymbales).
Les 288 lévites-musiciens mentionnés dans *I Ch. 25*,
constituent 24 « ensembles » (*mišmârôt*), groupant
12 musiciens chacun. Les sources plus tardives (*mArakîn*)

*fig. 1. Danseuses avec tambourins et baguettes battantes.*
*Relief égyptien dans un tombeau de la 19ᵉ dynastie. contemporain de l'époque de l'exode.*
cf. Penê'olam ham-micta (*Jérusalem 1958*) I, p. 146.

II, 3-6), qui reflètent l'usage de la fin de l'époque du
2ᵉ temple (détruit en 70 ap. J.-C.), donnent les nombres
respectifs de 12 chanteurs et 12 instrumentistes (harpes : 2 ;
lyres : 9 ; cymbales : 1) comme nombres minima.

La partie musicale du culte, vocale et instrumentale,
était étroitement liée à l'offrande des sacrifices (*II Ch. 29*,
*31*). De nombreuses liturgies chantées au temple nous
sont conservées dans le répertoire de la lyrique religieuse
biblique que constituent les *Psaumes*, dont certaines
catégories (ps. laudatifs, ps. d'actions de grâce, ps.
pénitentiels) semblent correspondre aux besoins des
divers actes cultuels. Au *parallélisme littéraire*, —
caractère prédominant de la structure de la poésie
biblique, laissant supposer dans l'exécution musicale
la pratique courante du style responsorial et antiphoné —
s'ajoutent, dans certains psaumes, d'autres indices (les
« *Halleluyah* », « *Amen* » etc., l'emploi de brefs refrains
comme dans le *Ps. 136*) qui semblent impliquer une
participation du peuple au culte ou encore une exécution
alternée de deux chœurs. La *terminologie musicale* des
Psaumes se montre particulièrement révélatrice en ce qui
concerne certains procédés musicaux techniques. Ainsi
le terme obscur *sèlâh* semble indiquer l'endroit précis
d'une « entrée » (interlude instrumental? réponse
chorale?). Certaines *rubriques des Psaumes*, sujet de
spéculations des exégètes de tous les temps, donnent
lieu encore à l'heure actuelle à des interprétations divergentes dont nous relevons deux, également séduisantes :
S. Langdon (*Babyl. and Hebr. mus. terms*, in *JRAS*,
1921, 161-191), se fondant sur des parallélismes frappants
avec les termes liturgiques accadiens (*alâlu*, hymne
laudatif accadien = *tehillâh*, Ps. 114: *tušgû*, psaume
pénitentiel acc. = *šiggâyôn*, Ps. 7 etc.), y voit l'indication
de *noms d'instruments*. Ceci correspondrait au système
de classement, selon le nom de l'instrument d'accompagnement, des pièces liturgiques accadiennes. Ainsi,
en assimilation avec le nom de l'instrument à 10 cordes

(cithare?) : *'āśôr* (*Ps. 92*, 4), équivalent de l'*e-šir-te*
accadien, la rubrique *'al haš-šemînît, Ps. 6*) veut dire :
sur [l'instrument de] huit [cordes] ; *'al šûšán* signifierait :
sur [l'instr. de] trois [cordes?] etc. C. Sachs (*HMI*,
124-127), au contraire, relevant de ressemblances
frappantes avec les noms de certains *maqamāt* arabes,
voit dans ces rubriques l'indication d'un « modèle »
mélodique : *'al haš-šemînît* signifierait donc « sur le
huitième ['*mode*'] » (voir plus bas dans quel sens il faut
entendre le terme « mode » dans la musique orientale).
Une telle interprétation fut d'ailleurs déjà préconisée
par Sa'adyah Ga'on (Xe s.) dans sa trad. des Psaumes
(*Ps. 6*) et par Abraham ibn Ezra (XIIe s.) dans son comm.
sur *Ps. 8*. Dans ce même sens, d'autres rubriques, comme
« *'al hag-gittît* » (*Ps. 8, 1* = dans [le '*mode*'] de [la ville
de] Gat), répondent à l'usage de dénommer les « modes »
d'après leur origine ethnologique. Aux correspondances
de ce procédé dans la musique arabe, citées par C. Sachs,
il y a lieu d'ajouter, en suivant l'interprétation récente
de J. Chailley (*cf. Le mythe des modes grecs*, in *AM*,
*XXVIII*, pp. 137-163), les *harmonies* platoniciennes
qui désigneraient les « modes » dans le sens « où l'on
emploie parfois ce mot pour désigner des types de
mélodie bien définis (*râgas* indous, *maqam[āt]* arabes...) »
et « dont on peut penser que les noms topiques correspondaient à leur origine ethnologique » (*op. cit.*, 162).
Nous avions déjà relaté l'importance qu'attachèrent les
revenants de l'exil à la restauration du culte du temple.
Parmi les réformes attribuées à Esdras (2e moitié du
Ve s. av. J.-C.), considéré traditionnellement comme
fondateur de la Synagogue, figure également l'institution
de la *lecture publique de la Bible* (*Ne 8, 5* ; 7-9). Le Talmud
(*bMegillāh*, 18ro) lui attribue, entre autres, l'interponctuation des versets bibliques — évidemment sans
l'exprimer graphiquement, le Talmud ignorant toute
tout système de notation — les *pisqê te 'âmîm* (*cf.*
E.Z. Melammed, in *Eretz Israel, IV*, 217 sqq.), sur
laquelle se greffa la cantillation biblique et qui fut
élaborée plus tard (VIIe-IXe s.) en plusieurs systèmes
de notation d'accentuation (*te 'âmîm*).

## II. De l'époque hellénistique jusqu'à l'achèvement du Talmud (*IIIe s. av. J.-C.-v. 500 ap. J.-C.*).

La pénétration
hellénistique, dès la fin du IVe s. a certainement eu une
influence sur la vie musicale : en témoignent les dérivés
des noms d'instruments grecs dans Daniel (rédigé vers
le milieu du IIe s. av. J.-C.), chapitre 3, verset 5 etc. :
*qa(y)tros* = *kithara* (lyre) ; *sabbekā* = *sambýke* (harpe
horizontale angulaire), *pesanterîn* = *psaltèrion* (harpe
verticale angulaire), *sûmponyah* = *symphoneia*

(« ensemble »)? *Cf.* C. Sachs, *HMI*, 83-85, mais voir aussi
H.G. Farmer in *NOHM*, 245, qui n'accepte l'origine
grecque que pour le dernier terme). Il est vrai que les
tentatives d'hellénisation, telles la construction de
théâtres et la participation aux jeux des gymnases (les
concours musicaux sont également attestés, dans le
cadre des jeux quinquennaux d'Hérode, *cf.* Josèphe,
*Antiq.*, *XV*, 8, 1), ne touchèrent d'abord que les classes
aisées hellénisantes (*I M. 1*, 11-15 ; *II M. 4*, 10-17 ;
Josèphe, *Antiq.*, *XII*, 5). Mais les mises en garde répétées
des autorités talmudiques contre la fréquentation des
théâtres et des cirques, d'ailleurs exprimées parfois dans
un ton relativement modéré (*cf. bAbôdáh zárâh*, 18vo)
témoignent qu'il s'agissait là de phénomènes répandus
(voir notamment *bSabbat*, 150ro).
Une influence hellénistique moins voyante, mais d'autant
plus significative qu'elle semble refléter des usages
généralement acceptés, se dégage des écrits de Ben-Sira
(v. 180 av. J.-C.), où il y a lieu de relever la place
d'honneur qu'y occupe la pratique musicale profane,
vocale et instrumentale (*Ecclésiastique, 32, 3-6* ; *40, 21* ;
*49, 1*), surtout en association avec des festins dont le
cérémonial suit de près les coutumes grecques (*cf.*
M. Z. Segal, *Bèn-Sîrâ haš-šálém*, 211). Comme témoins
d'une activité musicale profane, nous avons également
les chants d'amour recueillis dans le *Cantique des
Cantiques*, qui date du IIIe s. av. J.-C.
Notre connaissance de la production poétique *religieuse*
de la dernière période de l'existence nationale du peuple
juif en Palestine, tels l'*Ecclésiastique*, ch. 51, les *Psaumes
de Salomon* etc. a été récemment augmentée par la découverte des mss de la mer Morte, qui contiennent de nombreux hymnes d'actions de grâce. Certains de ces mss
présentent un intérêt particulier par les renseignements
musicaux techniques qu'ils contiennent : voir notamment
les importants chapitres consacrés par Y. Yadin, dans
l'introd. à son éd. de *La Guerre des Fils de lumière contre
les Fils des ténèbres* (Jérusalem 1955), à la description
minutieuse des cornes et trompettes, de leur emploi et
de la terminologie musicale révélés dans ce ms. ;
signalons également l'hypothèse hardie envisagée par
E. Werner, in *MQ, XLIII*, pp. 21-37, concernant l'attribution éventuelle d'une fonction de notation à certains
signes paléographiques marginaux du rouleau d'Isaïe
de St-Marc.
Après la destruction du 2e temple (70 ap. J.-C.), c'est
la *Synagogue*, institution déjà bien établie, aussi bien en
Palestine que dans les centres juifs en Babylonie et en
Egypte, qui deviendra le centre culturel dans les différentes communautés. Il est difficile d'établir dans quelle

*fig. 2. Le šôfar, comme symbole juif, dans une épigramme gréco-juive des IIe-IIIe s.*

mesure le chant synagogal des 1ers siècles de l'ère chrétienne était calqué sur celui du temple. Certains témoignages talmudiques qui vont dans le sens de cette filiation (notamment *bArakîn*, 11 vo), semblent contredits par l'existence de multiples usages locaux divergents, même en Palestine (voir par ex. *mPesahîm*, IV, 8) ou encore par le fait que l'on trouve chez les autorités talmudiques (*bSotah*, 30vo) des controverses sur la manière dont fut exécutée au temple une prière de base comme le *Hallél* (*Ps. 113-118*). Mais c'est surtout l'examen de l'*organisation musicale* de la Synagogue qui rend invraisemblable une filiation directe entre le chant du temple et celui de la Synagogue : Les chantres du temple étaient des *musiciens professionnels*, formés de manière à sauvegarder la tradition de génération en génération. Si cette institution avait été maintenue pendant les 1ers siècles de la Synagogue, on aurait alors pu croire

[Hébreu : image fig. 3]

*fig. 3. Notation des sonneries du šôfâr.*

*Fragment d'un siddur incunable. (Espagne ou Portugal, av. 1496), d'après A. Freiman, Thes. typ. hebr. s. XV.*

avec assez de vraisemblance à l'hypothèse d'une telle continuité. Or, l'institution du *Hazzân* comme chantre professionnel à la Synagogue est postérieure à l'achèvement du Talmud (v. 500). Il est vrai que l'on trouve le terme *hazzân* (dérivé peut-être de l'accadien *hazanu* = surveillant, gouverneur ; mais voir S. Krauss, *Synag. Alt.*, 121) dans la littérature talmudique, mais il désigne alors le « surveillant » de la synagogue, (*hazzan hak-kenèsèt*), appelé plus tard, à l'époque post-talmudique, *šammâš* (serviteur), et dont les fonctions étaient quelque peu semblables à celles du diacre de l'église (*cf.* I. Elbogen, *Der jüdische Gottesdienst...*, 486) : le *hazzân* devait assister le « chef de la synagogue » (*roš hak-kenèsèt*) dans la conduite de l'office ; il était chargé de l'entretien de la synagogue et d'annoncer par une sonnerie de trompette le début du sabbat et des fêtes ; on le trouve également comme clerc du tribunal, veilleur de la commune, maître d'école etc., mais à l'origine, ces fonctions ne comportaient pas celle de l'officiant, appelé *šelîah sibbûr* (« délégué de la communauté ») ou *ba'al tefillâh* (« préposé à la prière »), fonction qui n'était pas alors un emploi fixe et qui était assumée par les différents membres de la communauté sur l'invitation du *ro'š hak-kenèsèt*. Bien que l'on ignore le moment à partir duquel l'officiant a été dénommé *hazzân*, il semble que cela n'ait pas eu lieu avant la fin de l'époque talmudique. Les premiers témoins littéraires où l'emploi de l'officiant est inclus dans les fonctions du *hazzân* datent de l'époque géonique (VIIe-XIe s.). L'emploi du terme *hazzân* dans le Talmud de Jérusalem pour désigner l'officiant serait dû à des interpolations postérieures (*cf. Jewish Encycl.*, art. *Hazzan* : I. Elbogen, *op. cit.*, 688).

Le seul instrument cultuel qui ait survécu à la destruction du temple et soit encore en usage de nos jours, dans l'office synagogal du *Jour de l'An* et du *Grand Pardon*, est le *šôfâr* (corne dont les possibilités mélodiques se limitent à l'émission des deux premiers harmoniques), instrument conservé dans des documents iconographiques remontant aux IIe-IIIe s. ap. J.-C. (*fig. 2*; *cf.* M. Schwabe et B. Lifschitz, in *Eretz Israel*, IV, 104-110), et dont l'emploi est minutieusement décrit dans la *Michna* (*Ro'š haš-šânâh*, III, 2-7 ; *IV*, 1, 2, 5, 7-9). On trouve des *essais de notation*, spécialement adaptés

pour rendre les différentes sonneries du *šôfâr*, dans certains mss liturgiques du moyen âge, ainsi que dans les imprimés, dès la fin du XVe s. (*fig. 3* ; *ex. 1* ; *voir*

teqî'âh    šebarîm       terú'ah    teqî'ah

*ex. 1. Sonneries du šôfâr.*
(d'après S. Sulzer, *Schir Zion*, 2e éd., p. 257).

A. Ya'ari, ds *Kirjat Sepher*, XIX, pp. 264, 266, auquel il faut ajouter le ms. E.N. Adler 932, datant du XIVe s., provenant probablement de la Guenizah).

L'opposition des autorités talmudiques à l'emploi de musique instrumentale dans le culte synagogal — on retrouve d'ailleurs cette même opposition dans l'Eglise primitive (*cf.* Clément d'Alexandrie, *Paedagogus*, II, 4) — est motivée par le deuil consécutif à la destruction du temple (voir cependant sur des origines plus lointaines de cette opposition, E. Werner, ds *HUCA*, 1947, pp. 416-420, et H.G. Farmer, ds *JRAS*, 1933, p. 867). Cependant, les références talmudiques où l'on trouve des interdictions radicales contre toute manifestation musicale, instrumentale ou vocale (*bGittîn*, 7ro ; *bSôtâh*, 48ro)-ne s'appliquent sûrement pas au chant liturgique ou paraliturgique (*cf.* Isaac Alfassi et Ašér bèn Yehî'él sur *bBerâkôt*, 31ro). Dès cette époque, la *récitation chantée* des péricopes, la « cantillation biblique », est obligatoire dans la Synagogue (*bMegillâh*, 32ro) et semble déjà avoir reçu un embryon de codification : l'enseignement en est assuré par des signes chironomiques (*bBerâkôt*, 62ro). Cette méthode d'enseignement devait d'ailleurs subsister dans certaines communautés orientales bien après l'élaboration définitive du système tibérien d'accentuation, notamment en Palestine au XIe s. (*cf.* Rachi sur *bBerâkôt*, 62ro), en Babylonie au XIIe s. (*cf. Itinéraire de Petahyâh*, éd. princeps, 4ro) et au Yémen au XIXe s. (*cf.* J. Saphir, *Ebèn Sappîr*, I, 56vo). La cantillation du texte biblique n'était d'ailleurs pas uniquement réservée à la version en langue originale ; elle fut également employée pour les traductions en langues vulgaires (*cf.* S. Krauss, *Synagogale Altertümer*, 136, 140).

L'usage de chanter les prières de base comme le *šema*ʿ (=*Dt. 6*, 4-9 ; *11*, 13-21 ; *Nb. 15*, 37-41), la *tefillāh* (les « 18 bénédictions »), la récitation des Psaumes, qui furent les constituants de l'office synagogal journalier des premiers siècles, augmenté parfois de prières individuelles des docteurs talmudiques (*cf. b Berākôt*, 16ᵛᵒ-17ʳᵒ), est attesté par la recommandation, faite aux personnes douées d'une belle voix, d'assumer l'office du chantre (*voir* les sources citées chez Ack., *SG*, 487, n. 3) ainsi que par l'indication des diverses formes responsoriales et antiphonales pour certaines prières comme le *hallêl* et le *šema C* (voir H. Avenari, in *MGG*, *VI*, col. 233, qui indique les sources pour 7 différentes formes ; voir aussi *Id.*, *JM*, 20-21, qui indique les parallèles avec l'usage contemporain des juifs babyloniens). En dehors du chant liturgique propre que sont la *cantillation biblique* et le *chant des prières*, nous avons connaissance d'une 3ᵉ branche de manifestation musicale religieuse : la pratique du *chant dans l'enseignement* des écoles talmudiques (*cf. bMegillâh*, 32ʳᵒ ; *bSanhèdrîn*, 99) et dans l'enseignement biblique des enfants (*cf. bNedārîm*, 37ʳᵒ). Les exégètes talmudiques des XIᵉ-XIIIᵉ s. interprètent cette pratique comme moyen mnémotechnique (*cf.* Rachi et les *Tôsafôt*, l.c.). L'usage de la cantillation talmudique, maintenu dans les écoles rabbiniques traditionnelles encore de nos jours, est attesté à travers le m.â. par l'existence de mss de la Michna pourvus de *teʿâmîm*, à la manière du texte accentué des livres bibliques (voir les sources citées par Ack., *SG*, 488, n. 2, auxquelles il faut ajouter Simon Duran, *Māgén âbôt*, éd. Livourne, 1785, fol. 55ᵛᵒ).

Pour essayer de serrer de plus près la question de la nature du chant synagogal primitif, il faut abandonner le terrain sûr des documents historiques pour interroger la tradition orale. Il ne peut évidemment s'agir de reconstituer d'anciennes mélodies, mais de dégager certains

*Yémen* (Id. *Thes.*, I, 54)

É - lû de - ba - rîm še - ên la - hém šî - ûr ; hap - pé - ah we - hab-biq-qû-rım...

*Perse* (Id. *Thes.*, III, 49)

way - yô - šaᶜ ă - dô - nay... miy-yad miṣ-rạ    yim ; way-yarʾ yiš - râʾ él
(*Ex.*, XIV, 30)

*Perse* (Id. *Thes.*, II, 66)

Lam-nas - sé ah...    le - ʾў - sàf    ;    Har-nî - nû  le - ʾlō-hîm...
(Ps. LXXXI, 1-2)

Plain-chant romain

Lau - da - te  Do - mi - num  in  Sanctis    lau - da  te

*ex. 2.* Cantillation syllabique selon le principe de l'interponctuation primitive.

| a | b |
| --- | --- |
| *formules initiales* (suivies de formules disjonctives | *formules terminales* |

1. *Yémen.* a) Id. *Thes.*, I, 157. b) idem.

mi — še - hû    ᶜad bō    qèr
(*Ex.*, XII, 21)    (*Ex.*, XII, 22)

2. *Londres* (sefarad). a) Id. *Thes.*, II, 38. b) idem, 49.

we — kol bat    ă - šèr ᶜal rōʾ - šah
(*Nb.*, XXXVI, 8)    (Zach., IV, 2)

3. *Lithuanie.* a) Id. *Thes.*, II, 42. b) idem, 59.

yiš - šă - qé - nî mi-ne-ši - qât - pî - hû    lib - nê yiš-râ - ʾél
(*Cant.*, I, 2)    (*Jos.*, I, 2)

4. *Babylonie.* a) Id. *Thes.*, II, 33. b) idem, 47.

way - yiq - râ    mō - šèh    lib - nê    yiš-râ - ʾél
(*Ex.*, XII, 21)    (*Jos.*, I, 2)

5. *Perse.* a) Id. *Thes.*, III, 32. b) idem, II, 46.

way - yiq - râ    mō - šèh    li - šelō - môh
(*Ex.*, XII, 21)    (*Cant.*, I, 1)

6. *Syrie.* a) Id. *Thes.*, II, 34. b) idem, 48.

way - yiq - râ    mō-šèh    ên - ye - lā - dîm
(*Ex.*, XII, 21)    (*Isam.*, I, 2)

7. *France.* a) Id., *Thes.*, II, 36 (sefarad). b) idem, 49 (comtadin).

way-yarʾ    ě - lō hîm    ă - fà - râm bêt - él
(Gén. I, 4)    (II R., XXIII, 4)

\* Le 2ᵉ degré *fa* dans notre transposition, semble être à égale distance du *mi* et du *sol* ; Idelsohn, dans l'introduction p. 8, n'est pas très clair à ce sujet.

*ex. 3.*

*Babylonie*
(Id. *Thes.* II, 99)

À - dô - nay

(prière des fêtes de pénitence)

*Sefardîm orientaux* (Id. *Thes.*, IV, 137)

yi        t-gad-dal        we                    yit - gad -

(Kaddich du sabbat)

daš        še                         mêh        rab -- bâh

*ex. 4*

*Yémen* (Id. *Thes.*, I, 99)

À — mén                    ye - hê  še - mêh rab - bâh...

(Kaddich du Nouvel an)

*ex. 5*

principes et procédés, en premier lieu, celui de l'*interponctuation mélodique*, étroitement liée aux principes de l'*accentuation de la phrase hébraïque*. La lyrique hébraïque ancienne n'est rythmée ni d'après le nombre des syllabes, ni d'après le nombre des mots, ni d'après la quantité des voyelles. Si la phonétique hébraïque ne peut nous renseigner sur l'accent de la phrase dans la *langue parlée*, nous savons que le principe qui régit aussi bien la *prose* biblique — dans la lecture solennelle, la « cantillation » — que les textes poétiques (antérieurement au VIIe s. ap. J.-C.) est celui de l'*accentuation*. Ainsi la structure lyrique est caractérisée par un nombre déterminé de mots accentués dont chaque membre de vers est pourvu. La prose aussi bien que la lyrique sont généralement régis par le principe de la *dichotomie*, chaque phrase étant formée de 2 parties, ponctuées par des *accents disjonctifs*, dont le plus fort se trouve à la fin. Cette interponctuation primitive — laquelle sera élaborée plus tard selon les mêmes principes (chaque membre de phrase étant subdivisé à son tour par des *accents disjonctifs*, dont la force croît à mesure que l'on va vers la fin du verset) se traduit mélodiquement par une cantillation syllabique, généralement sur ou autour d'une même note, entrecoupée par une cadence, parfois mélismatique (*ex.* 2), procédé qui rappelle de manière frappante l'emploi du « ton de récitation » (*tenor*) dans le plain-chant de l'Eglise.

— La structure ‘ *modale* ’ est un autre caractère du chant synagogal, dont on peut également supposer qu'elle remonte à ses origines, d'abord parce qu'il s'agit d'un procédé répandu de manière générale en Asie occidentale (*cf.* C. Sachs, *Rise of music*, 83), et puis parce qu'il s'agit des éléments communs à la tradition orale des communautés juives de l'Est et de l'Ouest. Il faut entendre ici le terme « mode » non pas dans le sens courant d'une octave-type, caractérisée par les intervalles qui la composent et par la hiérarchisation de ses différents degrés par rapport à une « tonique », mais dans celui d'un *ensemble de formules mélodiques*, qui se meuvent à l'intérieur d'une certaine échelle. Ces formules ont des fonctions nettement déterminées : A.Z. Idelsohn, à qui semble devoir revenir le mérite d'avoir exposé le premier, de manière cohérente, les caractères de cette « modalité » orientale, procédé qu'il qualifie aussi de « *in Weisen singen* » (*cf.* Id., *Thes.*, I, 16 ; *IV*, 62), distingue des formules ou « motifs », initiaux et terminaux, à caractère conjonctif et disjonctif (Id. *JM*, 24-25 ; voir, pour une exposition concise de l'ensemble de ces caractères par rapport à la notion habituelle de « mode », l'étude déjà citée de J. Chailley, *Le mythe des modes grecs*, pp. 155 et 162). C'est dans les « modes » de la cantillation biblique, qui constituent sans aucun doute la partie la plus ancienne du chant synagogal, ainsi que dans ceux des « modes » des prières, qui furent calqués sur la cantillation biblique, plus particulièrement dans leurs formules disjonctives et terminales, que l'on retrouve une proche parenté entre les diverses traditions occidentales et orientales, témoin, sans doute, d'une source commune ancienne (*ex.* 3). Il se peut que l'emploi des fioritures et des longs mélismes — autre élément caractéristique du chant sémitique —, que l'on rencontre souvent dans le chant des prières (*ex.* 4), remonte également aux origines du chant syna-

gogal. Une opinion généralement admise, qui remonte à Isidore de Séville (*De offic. eccl.*, I, 13), attribue l'usage d'orner les syllabes de l'*Alleluia* par des longues mélismes à une survivance de l'ancien chant synagogal dans l'Eglise. Cependant, prise à la lettre, cette hypothèse n'est pas corroborée par les sources juives : les sources littéraires antérieures à Isidore de Séville insistent sur une exécution « allongée » (c.à d. ornée ou mélismatique, la longue tenue sur une seule note n'existant pas dans le chant sémitique-oriental) de l'*Amen* (*cf.* la Bârraytâ, *bBerâkôt*, 47ro, qui dit : « Il ne faut pas abréger l'*Amen*... Celui qui abrège l'*Amen*, ses jours seront abrégés, celui qui allonge l'*Amen*, ses jours... seront allongés »), mais sont muettes sur l'exécution de l'*Alleluia*; d'autre part, dans la tradition orale où l'on rencontre parfois ces longs *Amen* ornés dont parle la Bârraytâ (*ex.* 5), l'*Alleluia* est toujours exécuté de manière syllabique. — Nous n'avons pratiquement pas de témoins directs d'une pratique musicale profane, que nous avons vu condamnée par les docteurs talmudiques. Mais, d'une part, ces mises en garde, souvent réitérées, prouvent bel et bien l'existence de la coutume en cause ; d'autre part, nous savons aujourd'hui que, dans le domaine analogue de la peinture, la doctrine iconoclaste, dont les racines étaient bien plus profondes dans le Judaïsme, n'a guère empêché la pénétration des arts iconographiques jusque dans l'enceinte même de la synagogue, au moins à partir du milieu du IIIe s. La découverte, il y a 30 ans, de la synagogue de Doura Europos (Syrie), dont les murs sont abondamment ornés de peintures, a singulièrement enrichi l'iconographie musicale juive (*fig.* 4).

**III. Le moyen âge rabbinique jusqu'à la Renaissance** (VIe-XVIe s.). *Musique synagogale.* Les siècles qui suivront l'achèvement du Talmud (v. 500) verront l'apparition de trois faits nouveaux, qui marqueront le chant synagogal d'une empreinte durable : la cantillation biblique trouvera une expression graphique dans l'élaboration des systèmes de notation des *Te‘âmîm* (accents) ; la liturgie connaîtra une impulsion nouvelle avec l'épanouissement des *piyyûtîm* (poésies religieuses), enfin la Synagogue verra l'institution du chantre (le *hazzân*), devenir emploi professionnel.

L'élaboration de l'accentuation du texte biblique, dont l'histoire est encore assez obscure, semble avoir eu lieu, comme celle de la vocalisation du texte consonnantique de la Bible, entre le VIe et le IXe s. Le système dit « tibérien », dont la codification est attribuée à Aaron ben Ašér (Xe s.) et qui s'est imposé depuis, tout au moins dans sa forme graphique, dans pratiquement

*fig. 4. Fils d'Aaron avec*

ḥoṣôsroṯ (? · šôfârôṯ?)

*fragment des peintures murales de la synagogue
de Doura-Eurôpos (245-256 ap. J.-C.).*

toutes les communautés juives, semble être issu du système dit « palestinien », plus primitif : des groupes d'accents, représentés dans le système « tibérien » par plusieurs signes, sont représentés dans le système « palestinien » par un seul signe ; tandis que les signes « pal. » (qui ont d'ailleurs sans doute — bien qu'ils soient encore mal éclaircis — des liens de parenté avec la notation ekphonétique syrienne) se composent surtout de points (notamment tous les accents disjonctifs, sauf le *atnâh*), les signes « tib. » sont formés par des figures diverses (voir art. *Te âmîm*). Un troisième système, sans lien de parenté apparent avec les précédents (sauf l'identité graphique du *atnâh*), est le système « babylonien », dans lequel les accents sont indiqués par des lettres ou des fragments de lettres, abréviations du nom de l'accent. Tout comme la vocalisation, dont le but était de fixer graphiquement une prononciation traditionnelle déjà bien établie, l'accentuation, dans la mesure où elle se proposait de fixer la cantillation biblique, donnait une expression graphique à une tradition préexistante. Les *te âmîm* (= accents, au sing. : *ta am*) ont, en dehors de leur signification *musicale*, une double signification grammaticale : placé généralement sur la syllabe tonique, le *ta am* assume le rôle de l'accent tonique ; en indiquant la division syntaxique de la phrase, les *te âmîm* assument en quelque sorte le rôle de signes d'interponctuation. La signification musicale des *te âmîm* est étroitement liée avec ce dernier aspect grammatical, qui consiste à diviser les versets en phrases, lesquelles peuvent être subdivisées à leur tour, et ainsi de suite, par l'emploi des *te âmîm disjonctifs*, dits aussi « rois », qui ponctuent le dernier mot de chaque membre de phrase par une formule mélodique correspondant au *ta am* employé. Le système « tibérien » et, dans un moindre degré, le système « « palestinien », connaissent également des *te'âmîm conjonctifs*, dits aussi « servants », dont les rapports avec les « rois » avec lesquels ils sont accouplés, sont régis par des règles fort complexes. La fonction notationnelle des *te âmîm* paraît vague et peu efficace aux yeux d'un non initié : n'indiquant ni les intervalles ni les « modes », mais des *formules mélodiques* dont le contour dépend justement du choix du « mode », une même succession de *te âmîm* donne une interprétation fort différente, non seulement selon les divers rites et traditions, mais à l'intérieur d'une même tradition, selon qu'il s'agit du « mode » du Pentateuque, des

Prophètes, des Lamentations etc. (voir *ex. 6*). Néanmoins les *te âmîm* jouèrent un rôle considérable dans le maintien de la tradition musicale des diverses communautés. Prolongement graphique des signes chironomiques manuels dont parle le Talmud, leur emploi présuppose la connaissance des « modes » traditionnels, et leur fonction se réduit à celle d'un moyen mnémotechnique de régler la succession des formules mélodiques à l'intérieur d'un « mode » donné. En tant que tels, les *te âmîm* répondent parfaitement aux exigences d'une « modalité » caractérisée d'abord non pas par une succession d'intervalles, mais par un ensemble de formules mélodiques.

L'interdiction de l'exégèse homilétique dans la Synagogue, promulguée par Justinien Ier (553), est généralement considérée comme la cause immédiate de l'introduction de la *poésie religieuse* (*piyyût*, pl. : *piyyûtîm*), dont la forme devait camoufler le contenu homilétique, dans l'office liturgique (voir cependant la thèse récente sur l'origine du *piyyût*, d'A. Mirsky, dans *Yedî ôt hammâkôn le-ḥeqèr haš-šîrâh hâ-ibrît*, VII, 1959). Dans sa première période palestinienne (VIe-VII[e] s.), l'hymnodie hébraïque est apparentée, dans sa forme littéraire et dans sa structure métrique, à l'hymnodie syriaque et byzantine (*cf.* E. Werner, in *HUCA, XXIII* [1950-51], pp. 397-432). Mais c'est surtout au contact de la culture islamique, si fructueux dans tous les domaines de la vie culturelle juive, que l'on verra éclore l'âge d'or de la poésie hébraïque médiévale, notamment en Espagne où, à partir du Xe s., la versification quantitative sera empruntée par les *paytânîm* (=auteurs de *piyyûtîm*) à la métrique arabe. La floraison des *piyyûtîm* devait considérablement influer sur l'évolution du chant liturgique et paraliturgique. Elle devait d'abord favoriser l'introduction à la synagogue, à côté des cantillations anciennes de structure entièrement libre, de chants dont le rythme et la forme s'appuient sur la structure métrique et formelle des *piyyûtîm*. De nombreuses sources littéraires, qui s'ajoutent au témoignage du seul document noté ancien qui nous soit parvenu attestent ce phénomène. En dehors des discussions rabbiniques sur le caractère licite de l'emploi de telles mélodies « métriques », il faut mentionner ici la pratique courante d'indiquer, en tête du *piyyût*, le *nom de la mélodie* (en général l'*incipit* d'un autre *piyyût* dont le mélodie est bien connue) qu'il convient d'adopter pour le chant de ce *piyyût*. Ce procédé implique bien une structure mélodique symétrique, nettement déterminée, pouvant être répétée textuellement autant de fois qu'il y a de stances dans le *piyyût*. Ces rubriques, dont l'emploi devait se perpétuer à travers le moyen âge jusqu'à nos jours, n'indiquèrent d'ailleurs pas seulement des mélodies prises au répertoire traditionnel juif ; on trouve, à côté de l'indication des *maqamât* arabes, l'indication de mélodies espagnoles, provençales, italiennes et allemandes (*cf.* Ack., *SG*, 511-13).

Le développement de la liturgie, dû à l'épanouissement de la littérature des *piyyûtîm*, incorporés selon les rites et les occasions à l'intérieur des prières de base, le goût de plus en plus prononcé pour les parties chantées de l'office ainsi que le déclin de la connaissance de l'hébreu parmi les simples fidèles, tous ces facteurs contribuèrent à l'institution du *ḥazzân*-officiant, *employé professionnel* de la synagogue. Il est recherché pour ses qualités musicales et pour son adresse dans la récitation des *piyyûtîm*, dont il est souvent l'auteur (*cf.* L. Zunz, *Ritus*, 5-8), devenant en quelque sorte un véritable « poète-musicien ». En l'absence de documents notés anciens, c'est à travers les témoignages littéraires sur le chant liturgique et sur les divers aspects que comporte l'emploi du *ḥazzân*, contenus dans l'immense littérature rabbinique du m.â., notamment dans les recueils de « *Responsa* », de « *Décisions* », de « *Coutumes* », dans les livres de morale et de piété ainsi que dans certaines chroniques, que se reflète l'histoire de la pratique musicale des communautés juives du m.â. Il faut cependant, en attendant un dépouillement systématique de ces sources qui n'est malheureusement pas encore entrepris à ce jour, se garder de généraliser, à partir de renseignements fragmentaires et quelquefois contradictoires. Les plus précieux, parmi ces témoignages,

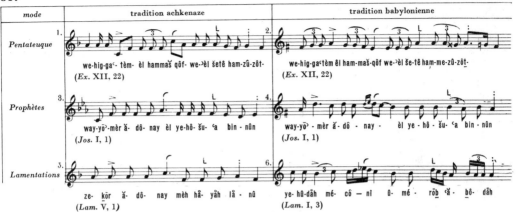

| mode | tradition achkenaze | tradition babylonienne |
|---|---|---|
| Pentateuque | we-hig-ga`-·tèm- èl hammaš qôf we-·èl šetê ham-zû-zôt- *(Ex. XII, 22)* | we-hig-ga`tèm êl ham-maš-qôf we-·èl še-tê ham-me-zû-zôt- *(Ex. XII, 22)* |
| Prophètes | way-yò·-mèr ă- dô- nay èl ye-hô-šu- `a bin-nûn *(Jos. I, 1)* | way-yò·- mèr ă-dô- nay - èl ye-hô-šu- `a bin-nûn *(Jos. I, 1)* |
| Lamentations | ze- kŏr ă-dô- nay mèh hă- yăh lă-nû *(Lam. V, 1)* | ye-hū-dăh mé-cô — nĭ Ô- mé- rŏb ă- bô- dăh *(Lam. I, 3)* |

*1. Id. Thes.*, II, 41 ; *2. id.*, II, 33 ; *3. id.*, II.50 ; *4. id.*, II, 47 ; *5. id.*, IV, 33 ; *6, id.*, II, 135.

ex. 6. *Exemple d'une succession type de te* `ā*mîm :* mahpak («servant» de :) paštă («roi»), mûnah («servant de :) zăqéf qătôn «roi» *dans divers «modes», de différentes traditions.*

concernent la *filiation traditionnelle* des mélodies employées. Pour authentifier une tradition, on se réfère volontiers aux plus illustres des autorités rabbiniques. Yehudaï Ga'on (VIIIᵉ s.), dont on fait remonter la tradition jusqu'aux docteurs talmudiques, est une telle référence (*cf. Séfèr hă-èškôl*, ch. 25, cité par E. Werner, in *HUCA, XIX*, 302-3). Au début du XIIᵉ s., le président de l'une des dix académies rabbiniques de Bagdad, El 'ăzăr bèn Sèmah, «lui et ses frères savent chanter les cantiques à la manière des chantres du temple...» (*cf.* Benjamin de Tudèle, Itinéraire, éd. M.N. Adler, 38-39). Cette même source nous apprend l'existence au Caire, v. 1160, de 2 communautés aux traditions divergentes, l'une d'origine babylonienne, l'autre d'origine palestinienne, ayant le souci de célébrer une fois par an l'office en commun. D'ailleurs, il incombait à leur guide spirituel commun, Netan'êl bèn Moïse, de former rabbins et *hazzânîm* (*op. cit.*, 63). Auparavant déjà, Haï Ga'on (c. 940-1038), chef de l'académie de Pumbedita, admet la diversité des coutumes locales (*cf. Rašbâ, Temîm dé îm*, nᵒ 119, cité par L. Zunz, *Ritus*, 11). Nătăn hab-bablî, chroniqueur du Xᵉ s., décrit l'*exécution musicale* d'un office solennel à l'occasion de l'installation d'un nouvel exilarche, où figure, fait nouveau, à côté du *hazzăn* et de l'ensemble des fidèles, une chorale (*cf. séfèr yûhăsîn*, éd. 1876, 135, cité par E. Werner, in *HUCA, XIX*, 306). Un autre témoignage sur l'exécution musicale des prières dans les communautés orientales est contenu dans *Ifham al yahūd*, ouvrage polémique du juif converti Samaw'al ibn Yahyā al-Magribī (XIIᵉ s.), d'après lequel la prière obligatoire (*salāt*) est récitée sans mélodie par l'officiant seul, tandis que les *piyyûtîm* (*al-hizana*), «pour lesquels de nombreuses mélodies furent composées», sont exécutés en chantant, simultanément par l'officiant et les fidèles (*cf.* I. Elbogen, *Der jüdische Gottesdienst...*, 283). Petahyăh de Ratisbonne, qui visita Bagdad (avant 1187), en rapporte la scène impressionnante du chant simultané de plus de 500 élèves de l'école talmudique de Samuel bèn Ali (*Itinéraire*, éd. princeps, 2ʳᵒ). Précision d'un intérêt particulier, cette même source relate que, «les jours de «demi-fête», on chante des psaumes avec l'accompagnement des *instruments de musique*» et que ces Juifs «connaissaient pour chaque psaume un nombre déterminé de mélodies traditionnelles» (*op. cit.*, 4ʳᵒ-vᵒ).
Sur le chant liturgique des juifs occidentaux, notamment en Allemagne et en France du Nord, nous avons des renseignements précieux dans le *Séfèr hăsîdîm* (Livre des pieux), qui date du milieu du XIIIᵉ s. : on y condamne un usage apparemment courant, les emprunts au répertoire des chants chrétiens (*cf.* éd. Wistinetzki-Freimann, §§ 348, 1348). Cette condamnation ne semble

pas motivée par le souci de maintenir le chant traditionnel, puisque le choix de la mélodie, pour le chant des prières, est laissé à la discrétion du fidèle : «Cherche des mélodies et, lorsque tu prieras, emploie une mélodie qui soit belle et douce à tes yeux» (*op. cit.* § 11) ; ne sont considérées comme «belles» et appropriées à la prière que les mélodies lentes, languissantes (*op. cit.* §§ 11, 839). La cantillation biblique, au contraire, doit être strictement traditionnelle, «chaque mode (= les différents «modes» du Pentateuque, des Prophètes etc.) comme il a été fixé par Moïse au mont Sinaï» (*op. cit.*, § 817). Deux siècles plus tard, lorsque la *hazzănût* (chant traditionnel des prières) des juifs occidentaux sera soumise à une sorte de codification par les soins de Jacob Lévi Molin, *dit Mahărîl* (1355-1422), qui devait devenir l'autorité par excellence dans ce domaine, on y trouvera toujours cette préférence pour les mélodies lentes et longuement «tirées» (*cf. Séfèr Mahărîl*, éd. Crémona, 1566, 38ᵛᵒ, 43ᵛᵒ, 44ʳᵒ, 49ᵛᵒ), préconisées par le *Séfèr hăsîdîm*, mais le choix de la mélodie n'est plus laissé entièrement à la discrétion du chantre. Un certain nombre de mélodies bien connues, que l'on désigne (suivant un procédé que nous avons déjà relaté) par leur *incipit* littéraire, deviendra le noyau qui servira de matériel pour la construction mélodique de l'office. On en trouve la réglementation dans le *Séfèr Mahărîl*, recueil posthume des usages liturgiques du Mahărîl (*op. cit.*, 47ᵛᵒ, 49ʳᵒ, 53ʳᵒ, 61ʳᵒ, 62ʳᵒ, 69ʳᵒ, 70ʳᵒ, 72ʳᵒ, 85ʳᵒ). Il y a lieu de noter ici que l'élaboration, dans les milieux des *hazzânîm* achkenazes, de ces modèles mélodiques ou 'modes', qu'ils nomment «Steiger», qui sont désignés par l'*incipit* de certaines prières et dont les plus connus furent l'«Adônăy mălăk», le «Măgén ăbôt» et l'«Ahăbăh rabbăh» (*ex. 7; cf.* Id., *Thes*, *VII* pp. XXI *sqq.*), semble bien être postérieure à la première moitié du XVᵉ s., puisque l'on n'en trouve aucune trace dans le *Séfèr Mahărîl*.
**Pratique musicale profane.** En dépit de l'attitude nettement défavorable des autorités rabbiniques à toute pratique musicale autre que «le chant de cantiques et d'hymnes» à la gloire de Dieu (Maïmonide, *Responsa*, éd. Freimann, § 370), domaine dans lequel furent d'ailleurs expressément inclus les manifestations paraliturgiques à l'occasion des circoncisions et des mariages, il n'y a aucun doute que les juifs, tout au long du moyen âge, ne négligèrent nullement le domaine de la musique profane. En témoignent d'abord ces condamnations rabbiniques réitérées que l'on trouve du XIᵉ au XIIᵉ s. dans les *Responsa* des Ge'ônîm babyloniens, chez Isaac Alfassi et chez Maïmonide (voir les sources citées par Freimann, *loc. cit.* et § 382). En Occident, on trouve également ce genre de témoignages «négatifs» : Au XIIᵉ s. les Tossafistes franco-allemands s'opposent

au chant des troubadours (*cf.* E.E. Urbach, *Ba'ălê hat-tôsăfôt...*, 271) ; au XIIIe s., les emprunts réciproques de chants chrétiens et de chants juifs, auxquels s'oppose le *Séfèr hăsîdîm*, ne sont sûrement pas limités au seul domaine liturgique ; l'exégète-philosophe, d'origine provençale, Jacob Anatoli (v. 1200-1250) et le cabbaliste Menahém Recanati (fin XIIIe s.), antagonistes d'ailleurs, sont d'accord pour condamner la pratique du chant profane (*cf. Malmad hat-talmîdim*, Lyck, 1846, 126vo ; *Bîûr 'al hat-tôrâh*, Venise, 1545, 214vo). Mais dès le XIIIe s., les sources rabbiniques nous apportent des témoignages plus nets, dont l'un des plus remarquables est celui du Provençal Menahém Me'îrî (1249-1315) qui relate, en protestant, l'usage qu'ont les juifs espagnols établis à Perpignan de *pratiquer la musique instrumentale le jour du sabbat*. Ce témoignage est d'autant plus significatif que ces juifs espagnols, disciples du grand talmudiste, exégète et théologien cabbaliste Nahmanide (1195-1270) sont ailleurs strictement « orthodoxes », qu'il ne s'agit nullement d'une pratique instrumentale destinée à l'office liturgique et que l'opposition de Me'îrî à la pratique de la musique instrumentale se limite au jour du sabbat (*cf. Magén abôt*, éd. I. Last, ch. 10). L'emploi des instruments de musique à l'occasion des festivités carnavalesques de *Pourîm*, — attesté au XIVe s. par le Provençal Kalonymos bèn Kalonymos (1286-ap. 1328) dans son *massèkèt Pûrîm*, ch. hè-'ăsîr — et à l'occasion des mariages (*cf. Mahărîl*, 39vo-40ro, 82ro-vo), semble avoir été toujours toléré sinon prescrit. Au XVe s., enseignement et pratique musicale sont expressément tolérés, même dans les milieux pieux du judaïsme allemand (*cf.* Moïse ben Elazar Kohen *Séfèr hăsîdîm haq-qătăn*, 14vo).
L'activité profane des *musiciens professionnels juifs*, dont l'existence est attestée du IXe au XIIe s. dans le monde musulman, notamment en Andalousie, dont on trouve la trace du XIIe au XIVe s. à la cour des rois de

| Échelle | Formules caractéristiques |
|---|---|
| 1. « Adonay mălăk » | |
| 2. « Măgén abôt » | |
| 3. « Áhăbăh rabbăh | |

○ = Finale
+ = Repos

*ex. 7. Les principaux « Steiger » achkenaz.*

l'Espagne chrétienne, qui se manifestent également en France comme jongleurs, ménestrels ou troubadours et en Allemagne (début du XIIIe s.) comme *Minnesänger*, semble devoir être considérée comme un phénomène étranger à la vie culturelle des communautés juives. En tout cas, les sources juives antérieures à la fin du XIVe s., sont muettes à leur égard. La découverte récente, parmi les mss de la Guenizah du Caire, du répertoire d'un « *Spielmann* » judéo-allemand (écrit en caractères hébraïques), datant de la fin du XIVe s., constitue le plus ancien témoignage littéraire juif qui atteste une activité de ce genre, s'adressant, sans aucun doute, à un public juif (*cf.* L. Fuks, *The oldest documents of yiddish litterature*, Leyde 1957).

**Théorie musicale.** Du Xe au XVe s., une douzaine de textes hébraïques environ, relatifs à la théorie musicale, nous sont parvenus. Aucun de ces textes ne constitue un « traité » de musique juive ou synagogale. Pratiquement tous sont des adaptations, parfois littérales, soit de théoriciens arabes, soit de traités d'origine latine. La majeure partie de ces textes est constituée non par des traités de musique indépendants, mais par des passages ou chapitres d'ouvrages de caractère éthique, encyclopédique ou médical, où la musique n'est traitée qu'accessoirement, surtout sous l'angle de spéculations ayant trait à la doctrine de l'éthos, à l'harmonie des

*fig. 5. Illustration musicale des premiers versets du Cantique des cantiques dans une bible hébraïque à miniatures (v. 1400).*

sphères ou encore à des considérations purement mathématiques concernant la mesure des intervalles : aucun ne semble destiné à la formation professionnelle de musiciens.

Deux seulement, parmi ces textes, contiennent des traités de musique indépendants, destinés, sans aucun doute, à la formation professionnelle de musiciens, comportant ainsi un intérêt certain pour l'histoire musicale juive, dans la mesure où ils témoignent d'une pratique musicale dans certaines communautés juives. Le premier de ces textes, écrit probablement vers le milieu du XVᵉ s., semble d'origine provençale : il s'agit d'une traduction hébraïque de notes prises pendant les cours par un élève d'une école de musique à Paris, très probablement celle de Jean Vaillant, dont l'enseignement musical est attesté à Paris au début du XVᵉ s. Cette source, qui contient un chapitre sur les intervalles et les consonnances, un autre sur les proportions et les prolations, suivi de règles de notation et de diverses règles supplémentaires, caractéristiques de la fin de l'époque de l'*ars nova*, ne comporte aucune autre indication que l'emploi de la langue hébraïque, qui permette d'identifier son auteur comme juif (Magl. III, 70). La 2ᵉ de ces sources, au contraire — qui forme un recueil de 3 traités, écrite probablement en Italie au début du XVIᵉ s., mais composée de matériaux originaux rédigés entre le XIIᵉ et le XIVᵉ s. — affirme son caractère juif, non point dans le contenu même de ces traités, mais dans le préambule du 2ᵉ traité, où l'adaptateur, Jehudah bèn Isaac, se défend de vouloir introduire une science étrangère parmi les juifs, en arguant : *Les chrétiens ont tort de se moquer de nous en nous disant « vous avez perdu vos chants », et en se flattant d'être les seuls dépositaires de la science de la musique. Car en vérité leur chant a été « volé » chez nos ancêtres, les Lévites du Temple. Il n'est que justice de ramener la science de la musique à son bercail juif* (Paris, B.N., Héb., 1037). On retrouve cette même argumentation chez Immanuel de Rome (1270–1330) dans son commentaire sur *Proverbes, XXVI*, 13 et dans ses *Mahbârôt, VI*, 49.

Ces sources ne sont d'ailleurs pas des témoins isolés. D'autres indices viennent confirmer que les juifs occidentaux, dans une époque comprise approximativement entre 1300 et 1500 et dans une région qui semble géographiquement délimitée par l'Espagne du Nord, la France du Sud et l'Italie du Nord, se préoccupèrent du domaine de la théorie musicale *pratique*. Notons d'abord que certaines parmi les plus grandes autorités juives provençales ou d'origine provençale des XIVᵉ et XVᵉ s., semblent avoir été en contact suivi avec l'activité musicale de leur époque : *Lévi bèn Gerson* (1288–1344) écrit, à la demande de Philippe de Vitry, son traité *De numeris harmonicis*, au contenu purement mathématique, il est vrai, mais dont l'intérêt pour l'élaboration de la notation mensurale de l'*ars nova* a été récemment démontré par E. Werner (*cf. HUCA, XVII*, 564–572 et *JAMS, IX*, 128–132) ; *Profiat Duran* (v. 1400), dans son introduction à l'étude de la langue et de la grammaire hébraïques, *Ma'âsèh éfôd* (§ 8 de la préface), et Simon bèn Sèmah Duran (1361–1444), dans son introduction aux « Chapitres des Pères », *Mâgén âbôt* (éd. Livourne, 1784–85, 52ᵛᵒ-53ᵛᵒ, 55ᵛᵒ), sont amenés à évoquer la « science » de la musique et certains caractères du chant occidental, dont ils semblent avoir eu des connaissances sommaires. Mais les témoins sans aucun doute les plus importants sont les 2 ou 3 documents notés qui nous sont parvenus de cette époque : 1° l'unique exemple déjà cité d'un *piyyût* pourvu de notation neumatique, sans doute d'une main provençale (XIIᵉ-XIVᵉ s.?), trouvé parmi les mss de la Guenizah du Caire ; 2° l'illustration musicale des premiers versets du *Cantique des cantiques*, dans une bible à miniatures (v. 1400), que les historiens de l'art considèrent d'origine espagnole, mais dont la notation, carrée noire, avec emploi de *semibreves caudatae*, semble due à une main italienne (*fig.* 5). L'existence d'un 3ᵉ document antérieur à 1500 est signalé par E. Werner (*ML*, avril 1958, p. 179), qui n'indique malheureusement pas la référence de sa source. Il s'agirait d'un ms. de la bibliothèque du *Jew's College* à Londres, comportant

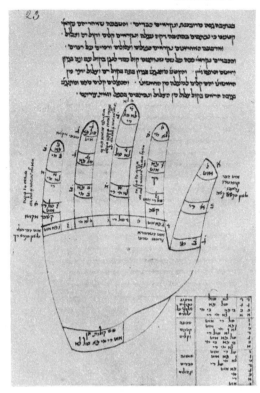

*Traité de musique adapté par
Jehudah ben Isaac (BN, ms. hébreu 1037).*

la transcription des *te'âmîm* en notation carrée par un certain Salomon Minz, datée de 1483. (Le seul document connu, conservé par le *Jew's College*, comportant une notation des *te'âmîm* — en dehors de celui qu'a vu M. Werner — est le ms. n° 479 de la collection Montefiore, fol., 147ᵛᵒ, dû à Jacob Finzi, datant des environs de 1600). Si la date indiquée par M. Werner se révélait exacte, ce document devancerait les premières notations de *te'âmîm* connues à ce jour, attribuées à J. Boeschenstein (v. 1500) ainsi que celles de J. Reuchlin (1518) et de S. Münster (1524).

**IV. Du XVIᵉ s. à nos jours.** Parmi les principaux faits nouveaux de cette dernière tranche de l'histoire musicale juive, il y a lieu de noter l'extraordinaire *expansion du chant sefarad* (« espagnol »), notamment dans les communautés juives des pays du bassin méditerranéen ; *l'assimilation de formes musicales* nouvelles empruntées à la musique *occidentale savante*, d'abord en Italie puis en Europe centrale et en Europe de l'Ouest ; enfin, tandis que le chant de la branche *achkenaze* (« allemande ») des pays de l'*Europe de l'Ouest* sera marqué de plus en plus par l'empreinte de la musique occidentale, évoluant ainsi, à de rares exceptions près, vers la perte de toute personnalité, celui de la branche *achkenaze* des communautés de l'*Europe de l'Est*, verra la création d'un style nouveau, celui de la *hazzânût*, dite « polonaise », et celle d'un chant religieux populaire, le *chant hassidique*, truffés, eux aussi, il est vrai, de nombreux éléments étrangers, slaves et notamment ukrainiens, mais doués d'une forte vitalité, où l'on trouvera l'expression, sans équivoque, d'une personnalité propre.

**L'expansion du chant sefard.** A la suite de l'expulsion des Juifs de l'Espagne et du Portugal, à la fin du XVᵉ s., on verra le développement de nombreuses communautés sefarades en Afrique du Nord, en Italie, en Roumanie, en Yougoslavie, en Grèce, en Turquie, en Syrie, en Palestine et en Égypte. Une partie des Juifs espagnols et portugais, qui essayèrent d'échapper à la terreur de l'Inquisition en embrassant la foi chrétienne pour la forme et qui sont connus dans l'historiographie juive sous le nom de « *marranos* », furent amenés à quitter la péninsule ibérique un siècle plus tard, pour s'établir notamment dans les centres juifs d'Amsterdam, de Londres, de Hambourg, et, en France, à Bordeaux et dans ses environs, dans le comtat venaissin, plus tard à Paris. Ils forment la branche *sefarade de l'Ouest*, tandis que les premiers sont généralement désignés comme *Sefardîm orientaux*. La tradition musicale des *sefardîm orientaux* (recueillie dans le vol. *IV* du *Thes*. d'Idelsohn), qui se caractérise surtout par l'adoption de nombreux éléments du chant arabe, s'imposera dans toutes ces communautés juives, où les juifs espagnols — suite logique de leur supériorité culturelle — atteindront une position prédominante. Dans certains pays de l'Afrique du Nord, des Balkans et en Turquie, on continue à pratiquer — à côté de la cantillation biblique et des prières de base, où l'on retrouve des éléments communs à la tradition musicale de toutes les communautés juives, le chant populaire judéo-espagnol (« *ladino* »), dont le répertoire mélodique est calqué sur le chant populaire castillan. Mais c'est en Palestine que l'on verra, au XVIᵉ s., l'éclosion d'une nouvelle phase créatrice du chant religieux hébraïque et araméen, dont l'influence se propagera à travers toutes les communautés juives de la diaspora, de l'Arabie du Sud jusqu'en Europe de l'Est. C'est le mouvement cabalistique de Safed, en Galilée, qui sera générateur de cette nouvelle école de poésie religieuse hébraïque, et il y a lieu de relever les noms d'Isaac Luria (1534–1572), figure centrale du mouvement, auteur d'hymnes mystiques en araméen, langue du Zohar ; Salomon Alkabez (c. 1505–1580), auteur du célèbre hymne sabbatique *lekâh dôdî*, et surtout, le plus prolifique parmi les poètes-chantres, Israel Naǧara (1555–1628), dont le *Diwan* (=recueil de poésies), publié sous le titre *Zemîrôt yisrâ'él* (Safed, 1587 ; Venise 1599 etc.), deviendra extrêmement populaire parmi les communautés orientales et sera suivi de nombreuses imitations. Naǧara adopte pour la plupart de ses cantiques des mélodies populaires connues (notamment des mélodies turques ou arabes) et classifie ses cantiques à la manière du *Diwan* arabe, selon l'ordre des *maqâmât* employés, qu'il indique en tête du texte. D'ailleurs, le système des *maqâmât arabes* semble avoir eu cours également dans la liturgie chantée officielle de certaines communautés : A Alep et à Damas, la liturgie de chaque samedi est chantée selon un *maqam* différent (cf. Id. *Thes.*, *IV*, 37-38).

**L'assimilation de la musique occidentale savante.** Aux XVIᵉ et XVIIᵉ s., c'est d'abord l'Italie qui retient l'attention de l'historien de la musique juive. Si les deux ouvrages théoriques qui datent de cette époque, le *Higgàyôn be-kînôr*, dans *Nefûsôt yehûdâh* (Venise 1589) de Jehudah Moscato (XVIᵉ s.) et les références à la musique du *šiltê hag-gibbôrîm* (Mantoue 1612) d'Abraham Portaleone (1542–1612) ne peuvent être considérés comme témoignages d'une activité musicale en tant qu'ils seraient des traités de musique destinés à la formation de musiciens — le premier est du genre « théologie musicale », le deuxième contient des spéculations sur la nature de la musique et des instruments dans l'antiquité biblique — du moins, leurs auteurs s'y révèlent au courant de l'actualité musicale, théorique et pratique, de leur époque. Dans ce même sens, une multitude de renseignements viennent confirmer que, dans une région géographique limitée, située, en Italie du Nord, autour de Mantoue, Ferrare et Venise, une activité musicale intense régnait parmi la population juive. Ce sont d'abord les noms de musiciens juifs révélés par les archives des Gonzague de Mantoue : Abramo dall'Arpa, Abramino dall'Arpa et Jacchino Massarano sont employés comme exécutants à la cour de Mantoue entre 1542 et 1599. Auparavant déjà, deux musiciens d'origine juive, Jacobo Sansecondo et Giovanni Maria étaient employés à la cour papale de Léon X. Des compositeurs juifs sont également attestés : Guiseppo Ebreo fournit une basse-danse

(*partita crudele*) à l'important *Trattato dell'arte del ballo* (éd. F. Zambrini, 1873) de son coreligionnaire Guglielmo Ebreo ; au début du XVIIᵉ s., David Civita Ebreo et Allegro Porto sont des auteurs de *canzoni* et de madrigaux, formes dans lesquelles excelle également le plus célèbre de ces musiciens juifs, Salomon Rossi, dont l'activité est attestée à la cour de Mantoue entre 1587 et 1628. Ce compositeur, dont la place dans l'histoire musicale générale de son époque n'est nullement négligeable, nous intéresse ici surtout par ses compositions hébraïques liturgiques : 33 chœurs à 3-8 voix, publiés dans un recueil intitulé *Haš-šîrîm ăšér li-šelomoh* (Venise 1622–1623). L'intérêt de ces œuvres, écrites dans le style caractéristique de l'époque, où il serait vain de chercher des réminiscences de motifs traditionnels de la synagogue, réside dans le fait qu'ils constituent le premier essai qui ait laissé des traces tangibles d'assimilation de la musique occidentale savante, à la synagogue : il ne s'agissait pas ici de l'entreprise isolée d'un compositeur juif, mais plutôt d'un mouvement concerté, au centre duquel se trouve le personnage le plus pittoresque du XVIIᵉ s. judéo-italien : Léon de Modène (1571–1648). Rabbin, auteur prolifique dans de multiples domaines littéraires, musicien lui-même, il n'a cessé d'encourager et de lutter pour l'admission de la musique savante à la synagogue. C'est lui qui préfacera chaleureusement l'ouvrage de Rossi et c'est lui que l'on trouve, en 1628, comme *maestro di capella* d'une association musicale juive du ghetto de Venise, nommée *Be-zokrénû èt siyyôn* (d'après *Ps. 137*, 1), dont il semble avoir été l'initiateur et dont nous savons qu'elle tenait deux séances musicales ou répétitions par semaine, ce qu'elle était assez importante pour mobiliser deux chœurs et des instrumentistes — l'emploi de l'orgue, qui figurait parmi ces instruments, devait d'ailleurs susciter l'appréhension de certains rabbins — pour les festivités de *Simhat tôrâh*. Leur répertoire de musique hébraïque savante devait être assez étendu, puisque ce « concert spirituel » durait plusieurs heures. Que chantaient-ils ? Sûrement, mais probablement pas exclusivement, du Rossi. En effet, le recueil de Rossi n'est pas, comme on a voulu le croire, ce témoin unique de la musique hébraïque savante du XVIIᵉ s. italien, pas plus que l'*Accademia musicale* de Léon de Modène, qui semble d'ailleurs avoir été d'assez courte durée, n'a été un phénomène isolé : parmi les mss de la très riche *collection Birnbaum* de chant synagogal (lieu de dépôt : bibliothèque du H.U.C., Cincinnati), se trouve la partie isolée d'un double chœur hébraïque, qui pourrait être selon M. Werner, de Léon de Modène (*cf.* HUCA, *XVIII*, 407 *sqq.*) et qui a bien pu appartenir au répertoire de l'une de ces nombreuses confréries, dont les juifs de cette époque étaient si friands, qui étaient plus ou moins d'inspiration cabalistique. On trouve, dans la seule ville de Mantoue, véritable fief de la pratique musicale juive, entre 1616 et 1624, deux des associations : *Sômrîm lab-boqèr* et *meʿîrê šahar*, qui semblent d'ailleurs avoir poursuivi leurs activités tout au long du XVIIᵉ s., puisque l'on en trouve de nouveau trace, vers 1720, et dont le seul but était d'organiser des réunions nocturnes consacrées au chant de cantiques. C'est surtout la première de ces associations, dont les membres se désignent comme *naʿămânîm* (« chanteurs » ou « musiciens ») qui retient notre attention ici, puisqu'une importante pièce de leur répertoire musical nous est parvenue : il s'agit d'un « dialogue » composé en l'honneur de la société, sans doute destiné à être exécuté à l'occasion de la célébration de son anniversaire, pour *ténor, chœur à 4 voix* et *continuo*. Le texte hébraïque, transcrit en caractères latins, se trouve imprimé avec la musique à la fin du recueil du compositeur italien Carlo Grossi (XVIIᵉ s.) : *Il divertimento de Grandi...* [Venise 1681] (*ex. 8*).

Ailleurs qu'en Italie, on trouve des phénomènes analogues, témoignant de l'adaptation de nouvelles formes musicales. Au XVIIᵉ s., un peu partout, surtout en Europe centrale, les chants synagogaux se multiplient, d'abord sous la forme dite des *Mešorerim* (2 chanteurs : une voix de garçon, appelé « *Singer* » et une voix de

(Fin de la 1re partie du ténor solo et début du 1er chœur)

*ex. 8. « Dialogue » pour ténor, chœur et « continu » du répertoire des « Sômrîm lab-bôgèr, »
confrérie juive italienne du XVIIe s.*

basse soutiennent le chant du *hazzân*), institution dont
on peut faire remonter les origines jusqu'au XIVe s.
La musique instrumentale n'est plus dédaignée,
notamment pour l'office de la veille du sabbat, à Prague,
Nikolsbourg, Mayence et Offenbach. A la fin du XVIIe s.,
on trouve, à Prague et à Ratisbonne, des confréries
semblables à celles d'Italie du Nord, qui se nomment
« *Mezamrê bârûk še-'âmar* » (« Chanteurs de la prière
« bârûk še- âmar »). Mais il semble que toutes ces
manifestations de musique d'ensemble n'impliquent
pas l'existence d'un répertoire de musique synagogale
« savante » dans ces communautés (sauf, peut-être,
à Prague, qui fut, à partir du XVIIe s. un centre débordant
d'activités musicales), et, dans la mesure où les exécutants furent des musiciens professionnels, il s'agissait
surtout, sans doute, de ces « musiciens ambulants »
juifs qui sillonnaient les routes de l'Europe centrale et
de l'Europe de l'Est. Toutefois les documents notés de
musique d'ensemble hébraïque sont fort rares avant le
XIXe s. Quelques essais à Amsterdam dans la 1re moitié
du XVIIIe s.: *Le‘êl êlîm*, duo pour *hautes-contre* et *continuo*
en 6 parties, écrit par Abraham de Casseres (plutôt que
*Caceres*) en 1739 (ms. 92 de la collection Birnbaum du
H.U.C., Cincinnati; un autre ms. de cette œuvre,
conservé par la bibl. *Es-Hayyîm* de la communauté
portugaise d'Amsterdam, a été publié par H. Krieg en
1951); *kol han-nešâmâh*, pour sopr., 2 violons et *continuo*,
par C.G. Lidarti (publié par E. Birnbaum en 1899,
*cf.* A. Sendrey, *Bibl. of jewish music*, nº 6256). De France,
vers le début du XVIIIe s., nous parvient une œuvre
de dimensions bien plus importantes: il s'agit d'une
œuvre, intitulée *Canticum hebraicum*, pour chœur,
solistes et orch., due à un certain Saladin, destinée
à figurer dans la célébration de la cérémonie de la
circoncision (*fig. 6*).
L'intérêt de ces œuvres se limite, nous l'avons souligné,
à un témoignage sur l'évolution de la *pratique musicale*
dans certaines communautés juives d'Europe vers
l'adoption de formes musicales empruntées à la civilisation environnante. Le danger pour la sauvegarde du
chant traditionnel juif que cette évolution porte en elle
est évident; il aura notamment des conséquences
néfastes pour le chant synagogal en Europe de l'Ouest
à partir du XVIIIe s. Mais, dans ce domaine, le contact
avec la musique occidentale était également bénéfique,
dans la mesure où, grâce à lui, se multiplient, à partir
du XVIe s., les *notations* de chants traditionnels juifs:
aux essais de notation de *te‘âmîm*, vers le début du
XVIe s., déjà dits, il y a lieu d'ajouter la cantillation
des *Psaumes* transcrits vers 1600 par Jacob Finzi,
d'après son maître Jacob Segré (voir plus haut); la
notation des *te‘âmîm* (Pentateuque et Prophètes),
publiée par J. Bartolocci en 1693 (*Bibliotheca... rabbinica*,
*IV*, 439 *sqq.*), et celle due à David de Pinna, publiée dans
la bible éditée par D.E. Jablonski (Berlin 1699). Le

chant de la *Michna* est
publié par Gerson von
Recklichhausen (*Chelec...*,
Helmstädt 1610). Des
*chants de Pâques*, des juifs
achkenazes, sont publiés
la première fois dans la
*Haggâdâh* éditée par J.S.
Rittangel (Königsberg
1644), puis par F.A.
Christian (*Hagada Zevach
Pessach...*, Leipzig 1677).
12 chants traditionnels
de rite sefarad et ach-
kenaz sont notés par le
compositeur vénitien C.B.
Marcello, dans son *Estro
poetico-armonico* (Venise
1724–1727). De la pre-
mière moitié du XVIIIe
s. nous parvient encore
un important recueil de
chants religieux domes-
tiques des juifs achke-
nazes (E.H. Kirchhan,
*Simhat han-nèfèš*, Fürth 1727), Différentes formes du
chant de la bénédiction des « prêtres » (*birkat kohǎnîm*)
sont consignées dans le recueil de *Responsa* de Mordekay
bèn Jacob Zahalon, *Mésîs û-mêlîs* (Venise 1715). Voir
A. Sendrey, *Bibliography...*, nº 2324.

**Évolutions ultérieures du chant synagogal en Europe de
l'Est et de l'Ouest.** *Europe de l'Est.* Les persécutions des
juifs en Europe de l'Ouest amenèrent, à partir du XIe s.,
des vagues successives d'immigrants, pour la plupart
d'origine allemande, vers les pays de l'Europe de l'Est.
Ces migrations auront pour conséquence, notamment
à partir des XVIe-XVIIe s., la création dans ces pays
de centres juifs qui, par leur importance et par le fait
qu'ils résisteront mieux que leurs frères achkenazes de
l'Ouest aux influences étrangères, et sauvegarderont
jalousement leurs traditions, formeront, jusqu'à leur

*fig. 6. Fragment du chœur final d'un motet
pour la circoncision, de L. Saladin (BN, Um.¹ 1307).*

extermination massive, opérée par les Allemands au cours de la 2ᵉ guerre mondiale, le centre de gravité du judaïsme mondial.

Les premiers juifs allemands trouvèrent à leur arrivée des communautés juives d'origine orientale, au sujet desquelles il y a lieu de supposer — aucune source ne nous en est parvenue — que leur chant synagogal était également de tradition orientale, mais qu'il fut vite supplanté par celui des immigrants allemands, tout comme la langue judéo-allemande devait devenir la base des différents dialectes du *yiddish*, langue courante de ces communautés. Mais le chant achkenaz de l'Est a sans doute absorbé à son tour, à côté de nombreux éléments du chant slave, des éléments caractéristiques du chant oriental, ou plutôt, comme le dit Idelsohn, « le chant achkenaz a récupéré en Europe de l'Est ses éléments orientaux » (Id. *Thes.*, *VIII*, p. VI), peut-être sous l'influence de ces premières communautés orientales. La gestation de ce chant synagogal semble avoir abouti à sa forme définitive au XVIIᵉ s. A partir de la deuxième moitié de ce siècle, lorsque l'on verra un flux d'immigrants toujours sous la contrainte de persécutions antijuives, en direction inverse : Est-Ouest, la *hazzânût* achkenaze de l'Est exercera une attraction sur le chant synagogal, plus ou moins occidentalisé, de certaines communautés de l'Europe de l'Ouest et de l'Europe centrale (Fürth, Amsterdam, Prague, Metz), où l'on verra exercer des *hazzânîm* originaires de l'Europe de l'Est.

Le chant synagogal, en Europe de l'Est, deviendra un véritable chant « populaire » : la cantillation biblique étant enseignée aux enfants dans les écoles juives, tout le monde connaissant parfaitement les modes des prières, n'importe quel membre de la communauté pourra ainsi remplir le rôle du *hazzân* ou plus exactement du *ba'al tefillâh* (« préposé à la prière »). Néanmoins, loin de subir une éclipse, l'emploi du *hazzân* professionnel connaîtra en Europe de l'Est une impulsion particulièrement vivante. Son rôle sera de donner une expression artistique, « savante », au chant synagogal traditionnel, tâche dont il s'acquittera en créant un style remarquablement personnel, dont voici les principaux caractères ; d'abord la *qualité de la voix* : une sorte de ténor lyrique, à sonorité nasale, de préférence à tout autre baryton ou ténor « héroïque ». Cette préférence de la voix « douce » — d'ailleurs propre aux Orientaux — est motivée par le fait qu'elle est plus apte à *émouvoir*, qualité particulièrement précieuse et recherchée. L'*improvisation* et une *ornementation* extrêmement poussée et raffinée constituent les autres caractères essentiels de cette *hazzânût*, au point que, pour citer Idelsohn (*Thes.*, *VIII*, 9), « la *coloratura* est à la *hazzânût* de l'Europe de l'Est ce qu'est l'âme à un corps ; sans elle, la *hazzânût* perd sa vitalité, son pouvoir d'enchantement, son charme » (*ex. 9*).

A côté du chant proprement liturgique, on verra en Europe de l'Est, vers le milieu du XVIIIᵉ s., l'épanouissement d'un chant religieux populaire, le *chant hassidique*, qui marquera la dernière étape créatrice dans le domaine de la musique juive avant la renaissance du chant populaire dans l'Israël contemporain. Le hassidisme, mouvement religieux mystique, fortement influencé par l'école des cabalistes de Safed, réserve une place de choix à la musique, aussi bien dans sa doctrine que dans sa pratique religieuse. La prescription de base du hassidisme : « Servez Dieu dans la joie », ne peut être réalisée qu'avec l'aide de la musique. Pour approcher Dieu, il faut pouvoir se défaire de toute mélancolie et atteindre une phase suprême de « joie », en passant par divers états intermédiaires. C'est le « *niggûn* » la « mélodie », qui sera le véhicule qui fera passer le *Hâsîd* (=adepte du hassidisme) par ces différentes phases. Ainsi les mélodies hassidiques, qui se passent d'ailleurs souvent de paroles, sont généralement construites selon un schéma qui représente l'évolution des différents degrés psychiques à atteindre, caractérisés par l'intensité rythmique, mélodique et, surtout, expressive, appropriée à chacune de ces phases. Notre *exemple 10* (extrait du recueil d'Idelsohn, *X*, p. 34), est un *niggûn* attribué à Shneur Zalman de Ladi (1747–1813), où l'on notera les phases suivantes : a) *hištappekût han-nèfèš*

(« épanchement de l'âme ») ; b) *hit'ôrerût* (« réveil [de l'âme] ; c) *hitpa'âlût* (« enchantement »)— *debéqût* (« conjonction [avec Dieu] »)— *hitlahăbût* (« extase »), pour aboutir au stade suprême : d (*hitpaštût hag-gašmiyyût* (« dépouillement de l'enveloppe corporelle »)).

*Europe de l'Ouest.* Le chant synagogal de l'Europe de l'Ouest, dont nous avons déjà évoqué le processus d'assimilation de la musique européenne et les principales sources de musique notée qui nous soient parvenues jusque vers le milieu du XVIIIᵉ s., sera, à partir de la seconde moitié de ce siècle, lorsqu'on verra un nombre de plus en plus important de *hazzânîm* consigner par écrit les mélodies employées par eux à l'office, le champ d'une activité intense, qu'il ne sera plus possible de suivre ici en détail et dont nous nous contenterons d'évoquer les faits saillants.

Une image assez fidèle des tendances qui prévalurent dans les cercles des *hazzânîm* à la fin du XVIIIᵉ et au début du XIXᵉ s. s'esquisse à partir d'une première tranche de *sources notées*, datant de 1765–1814, publiées par Idelsohn dans le vol. *VI* de son recueil : il s'agit de plusieurs recueils contenant des *compositions liturgiques* d'une vingtaine de *hazzânîm* de l'Europe de l'Ouest et de l'Europe centrale, dont le plus ample est celui qui fut noté par Aaron Beer (1738–1821) en 1791. A de rares exceptions près, on ne trouve dans ces recueils aucune trace des modes traditionnels du chant achkenaz. D'ailleurs, loin d'être préoccupés par le souci de noter le chant traditionnel de leurs communautés, ces *hazzânîm*, cherchent, au contraire, à introduire autant que possible de nouvelles mélodies — de leur propre cru, ou des compositions d'illustres collègues — constituant en grande majorité de lamentables imitations du style (souvent instrumental) du XVIIIᵉ s. allemand ; on a continuellement l'impression de se trouver en face d'une partition dont la conduite mélodique est condensée dans une seule partie et dont toutes les autres parties manquent. Beer expose, avec une certaine candeur, dans la brève préface de son recueil, les raisons de cette véritable fuite du chant traditionnel : « ...Mon dessein était de fournir pour chaque sabbat et chaque fête des mélodies différentes, car celui qui n'entend une mélodie qu'une fois par an, ne pourra troubler le chantre en chantant avec lui... car c'est une véritable plaie pour les *hazzânîm* lorsque les fidèles se mettent à chanter avec eux... ». Néanmoins, on trouve parmi les compositions des *hazzânîm* de l'Ouest de cette période des pièces où l'influence occidentale est moins marquante, se réduisant parfois à l'imposition de la barre de mesure régulière, comme c'est le cas notamment de certaines pièces du *hazzân* allemand Joseph Goldstein, dont le recueil date probablement de la fin du XVIIIᵉ s.

Jusqu'au début du XIXᵉ s., cette fuite vers le style musical contemporain a été surtout le fait de quelques *hazzânîm* isolés, sans répercussions notables, semble-t-il, sur le chant synagogal traditionnel dans les différentes communautés de l'Europe de l'Ouest. C'est à partir du début du XIXᵉ s. que l'on verra, dans le cadre du mouvement généralisé d'émancipation des juifs de l'Europe de l'Ouest, divers courants réformistes, tous plus ou moins imprégnés d'une teinte apologétique, qui se manifeste dans la volonté de rejeter tout ce qui pourra sembler étranger à l'entourage non juif, aboutissant en ce qui concerne le chant synagogal, à adopter aveuglément le langage musical de l'époque et à rejeter, souvent consciemment, les éléments les plus caractéristiques du chant synagogal traditionnel, incompatibles avec ce langage strictement tonal, harmonique, soumis à la rigueur de la barre de mesure.

L'institution du chœur à 4 voix sera généralisé à partir de 1822, date de l'inauguration à Paris de la synagogue de la rue N.-D.-de-Nazareth, dont la direction musicale fut confiée au chantre, originaire de l'Allemagne de l'Est, I. Lovy (1773–1832). Mais c'est surtout l'organisation musicale de la nouvelle synagogue de Vienne, inaugurée en 1826, qui deviendra le modèle par excellence de ce nouveau genre d'office synagogal, grâce à l'imposante personnalité de son « cantor », S. Sulzer (1804–1890), musicien fort habile et doué, qui devait exercer une influence considérable sur le chant synagogal en Europe

ex. 9. *Ḥăzzanût de l'Europe de l'Est.*

ex. 10. *Chant hassidique.*

tout au long du XIXᵉ s. Sulzer exprime dans la préface au 2ᵉ tome de sa collection de chants synagogaux, *Schir Zion* (I : v. 1840, II : v. 1866), la conviction d'y avoir maintenu, tout en « l'ennoblissant », le chant liturgique traditionnel. Mais dans toutes les pièces *arrangées pour chœur*, ainsi que dans ceux des *récitatifs* qui sont *arrangés avec acc. d'orgue*, qui forment la grande majorité de la collection, l'élément traditionnel est pratiquement inexistant ou plus ou moins déformé par souci tonal, harmonique ou autre « ennoblissement mélodique ». Certaines pièces pour « cantor » seul, *sans acc.*, qui font partie surtout du t. II de son recueil, essaient de rendre la tradition achkenaze de manière authentique, mais, même là, ils sont souvent modifiés quand les caractères « modaux » de ces chants heurtent le sentiment tonal ou harmonique sous-entendu de Sulzer : voir par ex. la pièce nᵒ 242, p. 205 de l'édition révisée (Leipzig 1905), qui fait partie de ce groupe de chants traditionnels achkenazes appelés — d'après un passage déjà cité du *Séfer Ḥăsîdîm* — chants « *mis-sînay* », où le mode [*tal wă-gèšem*] est complètement faussé par l'introduction du *fa ♯* (voir cette même pièce, dans la sa forme authentique, dans Id., *JM*, p. 138, nᵒ 2). Sur les traces de Sulzer, d'autres chantres essaieront, en adaptant la *hazzânût* au langage harmonique tonal, de concilier l'inconciliable : parmi les plus importants, il y a lieu de citer L. Lewandowski (1921–94), officiant à Berlin, dont les recueils, *Kol rinnah u-tefillah* (1871) et *Todah we-simrah* (1876–82), renferment, à côté d'adaptations chorales, un important fonds de récitatifs d'origine traditionnelle, qui devait exercer dans le monde du chant synagogal une influence semblable à celle de Sulzer.

L'office synagogal, ainsi réorganisé et « mis en ordre », devait s'implanter dans presque toutes les grandes synagogues de l'Europe de l'Ouest et partout où cette même influence se faisait sentir, notamment aux Etats-Unis,

et s'y maintenir sans changements notables jusqu'à nos jours. Cependant, dans quelques centres, le chant traditionnel saura se maintenir, en dépit de ces assauts de déjudaïsation, comme en témoignent les quelques recueils de chant synagogal que l'on doit à la clairvoyance des quelques rares chantres, musiciens ou amateurs éclairés qui aient eu le souci de préserver, en le notant de manière rigoureuse, ce chant traditionnel. Parmi ces recueils, dont l'existence constitue sans doute l'aspect le plus positif de l'activité musicale synagogale du XIXᵉ s. en Europe de l'Ouest, il y a lieu de citer le recueil, qui renferme la tradition de l'Allemagne du Sud, noté en 1839–1840, de la bouche de L. Sänger, par S. Naumbourg (1815–1880), publié par Idelsohn dans le vol. VII de son recueil (pp. 121–181). Naumbourg, d'origine allemande, fut chantre à Paris entre 1845 et 1880 et utilisa également ces éléments traditionnels dans son grand recueil *Zemîrôt Yiśrā'êl* (1847–1857), où ils voisineront bizarrement avec des compositions dues à ou adaptées de Halévy, Meyerbeer etc. La tradition de l'Allemagne du Sud est encore préservée dans un important recueil ms. (terminé en 1870), dû à M. Kohn (1802–1875), dont une centaine de pièces furent déjà publiées en 1839 par le même Kohn dans son recueil, *Münchener Gesänge*. Le recueil d'I. Lachmann (1838–1900), *Abodat Yiśrā'êl* (1899), contient des chants de la tradition polonaise et de celle de l'Allemagne du Sud. A. Baer (1834–1894) publie en 1877 une immense collection, *Bă'al tefillâh...*, destinée à servir comme « guide aux jeunes *hazzânîm* » et dans laquelle le matériel traditionnel (traditions allemande, polonaise, « portugaise ») voisine avec des chants adaptés, d'origine étrangère. D'une valeur bien plus importante, parce qu'ils se contentent de rendre, et de manière scrupuleuse, les traditions de leurs communautés, seront les deux recueils suivants : *Séfèr šîrê yiśrā'êl...* (1891), recueil qui conserve la tradition des juifs italiens d'origine espagnole (sefarade), noté par le violoniste F. Consolo (= Y. Nahmânî ; v. 1840-1906) ; *Zimrôt yiśrå él*..., publié vers 1887, qui conserve la tradition des communautés juives de l'ancien Comtat venaissin et occupe une place à part entre le chant sefarad et achkenaz, noté par J.S. et M. Crémieu (voir art. *Crémieu*).

Ces premiers efforts systématiques pour recueillir le chant synagogal et religieux domestique dans sa forme originale atteindront leur point culminant entre 1914 et 1932, dans le recueil monumental d'A.Z. Idelsohn (voir à ce mot), qui constituera dès lors la base de toute la recherche moderne dans le domaine de la musique juive synagogale et populaire. Les travaux d'Idelsohn, notamment dans le domaine ethnomusicologique, seront poursuivis, dans le cadre de l'université hébraïque de Jérusalem, entre 1935 et 1939, par R. Lachmann (1882-1939), puis repris en 1947 et continués jusqu'à ce jour par Mme E. Gerson-Kiwi. Auparavant déjà, au début du XXᵉ s., dans ce domaine de la musique populaire juive, un mouvement d'exploration et de propagation du chant populaire juif en Europe de l'Est avait eu lieu. La figure centrale de ce mouvement, qui devait amener la fondation à St-Pétersbourg (1908) de la « Société de musique populaire juive », sera Y. Engel (voir à ce mot), qui s'établira en 1924 à Tel-Aviv et deviendra le pionnier de l'une des premières phases de la nouvelle musique populaire hébraïque palestinienne (voir art. *israélienne* [*musique*]).

**Bibl. :** I. *Ouvrages généraux et articles de synthèse* : A. Sendrey, *Bibl. of jewish music*, New York 1951 ; A.Z. Idelsohn, *Hebräisch-oriental. Melodienschatz*, 10 vol., Jérusalem-Leipzig-Vienne 1914-1932 (titre de l'éd. anglaise : *Thesaurus of hebrew-oriental melodies*) ; A. Ackermann, *Der synag. Gesang in seiner hist. Entwicklung*, Trèves 1894 ; H. Avenary, *Gesch. der jüd. Musik*, in MGG, VII, 1958 ; F.L. Cohen, *Synagogal music*, in *Jewish Encycl.*, IX, 1905 ; E. Gerson-Kiwi, *Jewish folk music*, in *Grove's Dict.*, 5ᵉ éd., 1954 ; *Jüdische Volksmusik* in MGG, VII, 1958 ; *Musique dans la Bible*, in Pirot, éd., *Dict. de la Bible*, suppl. t. V, 1956 ; P. Gradenwitz, *The music of Israel*, New York 1949 ; H. Harris, *Toldôt han-neginah we-ha-hazzanût be-yisra él*, ibid. 1950-1951 ; Y.L. Hidèqèl, *Negines un ṭfiles baj jidn*... 4 vol., Buenos Aires 1932-1956 ; A.Z. Idelsohn, *Jewish music in its hist. development*, N. York 1929 ; *Tôldôt han-neginah ha- ibrit*, vol. I : Berlin, 1924, vol. II : ? ; C.H. Kraeling et L. Mowry, *Music in the Bible*, in NOHM, I, 1957 ; A. Machabey, *La musique des Hébreux*, ds R.M., VIII, 1912 ; M. Rothmüller, *Die Musik der Juden*, Zürich 1951 ; E. Werner, *Jewish music*, in *Grove's Dict.*, 5ᵉ éd., IV, 1954 — *The music of post-biblical judaism*, in NOHM, I, 1957.

II. *Sujets spéciaux* : A. Aguilar et D. de Sola, *The ancient melodies of the spanish and portuguese Jews*, Londres 1857 ; L. Algazi, *La musique des juifs de Russie*, in *Musique russe*, II, Paris 1953. — *La mus. relig. israélite en France*, in RM, nᵒ spécial 222, 1953-54 ; N. Allonî, *Mis-sîrat sefarad*..., in *Sinai*, XXII, 1958-59 ; Z. Ameisenowa, *Eine spanische Bilderbibel um 1400*, in *Monatsschrift für die Gesch. u. Wiss. des Judentums*, LXXXI, 1937 ; H. Avenary (H. Löwenstein, devenu H.), *Abu'l Salt's treatise on music*, in *Musica Disciplina*, VI, 1952 — *Formal structures of psalms and canticles in early Jewish and Christian chant*, in *Musica Disciplina*, VII, 1953 — *Hokmat ham-mûsiqah bi-meqôrôt yehûdiyyîm*..., in *Kirjat Sepher*, XXI, 1944 — *Magic, symbolism and allegory of the old hebrew sound instruments*, in *Collectaneae hist. mus.*, II, Florence 1956 — *Manginôt hay-yehûdîm be-tawê mûsiqah*..., in *Kirjat Sepher*, XIX, 1942 — *Mûnahê ham-mûsiqah bas-sifrût ha- ibrit sèl yemê hab- bênayim*, in *Lesônénû*, XIII, 1944 — *Eine pentatonische Bibelweise in der deutschen Synagoge*, in ZfMW, XII, 1930 ; E. Birnbaum, *Jüdische Musiker am Hofe von Mantua*, Vienne 1893 ; M. Brayer, *Identification of mus. instr. in the Bible and Talmud* (en hébreu), in *Talpioth*, V, 1952 ; F. Consolo, *Séfèr sîrê yisra'él*..., Florence 1891 ; J. et S. Crémieu, *Zimrôt yisra él*... (s.l.n.d.; impr. à Paris, v. 1887) ; R. Du Mesnil du Buisson, *Les peintures de la synagogue de Doura-Europos*, Rome 1939 ; H.G. Farmer, *Sa'adya Gaon on the influence of music*, Londres 1943 — *Maimonides on listening to music*, in JRAS 1933 ; S.B. Finesinger, *Mus. instr. in the Old Testament*, in HUCA, III, 1926 — *The Shofar*, ibid. VIII-IX, 1931-1932 ; A.M. Friedländer, *Facts and theories relating to hebrew music*, Londres 1924 ; L. Fuks, *The oldest documents of yiddish literature*, 2 vol. Leyde 1957 ; A. Gastoué, *Chant juif et chant grégorien*, in *Rev. du chant grég.*, XXXIV, 1930, XXXV, 1931 — *Les origines hébraïques de la liturgie et du chant chrétiens*, ibid. XXXIV, 1930 ; M. Geshuri, R. *Jacob Molin*... *u-teqûfatô*..., in *Sinai*, VII, 1943 — *The Nigun in R. Nachman of Breslaw's writings* (en hébreu), in *Talpioth V*, 1952 — *Music and dance in Hassidism* (id.), I : *Great Russia*, Tel-Aviv 1955 ; A.Z. Idelsohn, *Coll. of and literature on Synagogue song*, in *Studies in jewish bibl. in mem.* of A.S. Freidus, N. York 1929 — *The features of the jewish sacred folksong in Eastern Europe*, in AM, IV, 1932 — *Kantoren*, in *Encycl. Judaica*, IX (v. 1934) —

*Der Missinaigesang der deutschen Synagoge*, in ZfMW, VIII, 1926 — *The Mogen Ovos mode*, in HUCA, XIV, 1939 — *Parallelen zwischen gregor. u. hebr. oriental. Gesangsweisen*, in ZfMW, IV, 1922 — *Parallels between the old french and the jewish song*, in AM, V, 1933, VI, 1934 — *Phonographierte Gesänge und Aussspracheproben der jemenitischen, persischen und syrischen Juden*, Vienne 1917 — *Songs and singers of the Synagogue in the 18th century*, in HUCA, Jubilee vol., 1925 — *Traditional songs of the german... Jews in Italy*, in ibid., XI, 1936 ; E. Kolari, *Musikinstrumente und ihre Verwendung im Alten Testament, eine lexikal. u. kulturgesch. Untersuchung*, Helsinki 1947 (thèse) ; C.H. Kraeling, *The synagogue*, New Haven 1956 (= *Excavations at Dura-Europos. Final report*.) R. Lachmann, *Jewish cantillation and song in the isle of Djerba*, Jérusalem 1951 ; S. Langdon, *Babylonian and hebrew musical terms*, in JRAS, 1921 ; A. de Larrea-Palacin, *Cancionero judio del Norte de Marruecos, I-III*, Madrid 1952-54 ; L. Levi, *Sul rapporto tra il canto sinagogale in Italia e le origini del canto lit. crist.*, in *Scritti in mem. di Sally Mayer*, Jérusalem 1956 ; A. Machabey, *L'antiquité orientale*, in *Précis de musicologie*, Paris 1958 (« Phéniciens-Palestiniens ») ; A. Marx, *Literatur über hebräischen Inkunabeln*, in *Soncino-Blätter*, I 1925 ; S. Naumbourg, *Agûdat sirim — Recueil de chants religieux*, Paris 1874 — *Zemirôt yisra él*, ibid. 1847 ; Y.L. Nè'eman, *selilê ham-miqria*, Jérusalem 1955 ; P. Nettl, *Alte jüdische Musiker und Spielleute*, Prague 1923 — *Musicultî ebrei del Rinascimento italiano*, in *Rass. mensile di Israel*, II, 1926-1927 ; S. Rosowsky, *The cantillation of the Bible*, N. York 1957 ; C. Roth, *L'accad. mus. del ghetto veneziano*, in *Rass. mens. di Israel*, III, 1927-1928 ; E. Sabatier, *Chansons hébraïco-provençales des juifs comtadins*, Nîmes 1874 ; C. Sachs, *The hist. of mus. instr.*, N. York 1940 — *Geist und Werden der Musikinstrumente*, Berlin 1929 ; M. Schloessinger et A. Kaiser, *Hazzan*, in *Jewish Encycl.*, VI, 1905 ; M.Z. Segal, *Bèn-Sira has-salém*, Jérusalem 1952-1953 ; H. Shmueli, *Higgajon bechinnor des Jehudah Moscato*, Tel-Aviv 1953 (Thèse de Zürich) ; J. Singer, *Die Tonarten des traditionellen Synagogengesanges*, Vienne 1886 ; M. Steinschneider, *Liqqûtîm mé-hokmat ham-mûsîqah*, in *Bêt-osar hassifrût*, I, 1887 ; E.L. Sukenik, *Bêt hak-kenèsèt sèl Dura-Europos*, Jérusalem 1946-1947 ; B. Szabolcsi, *A jewish mus. document of the middle ages*..., in *Semitic studies in mem. of I. Löw*, Budapest 1947 ; N.H. Tûr-Sînay, *Hal-lasôn we-has-séfèr*, I (2ᵉ éd.), Jérusalem 1954 ; E. Werner, *Preliminary notes for a comparative study of catholic and jewish musical punctuation*, in HUCA, XV, 1940 — *The conflict between hellenism and judaism in the music of the early church*, ibid. XX, 1947 — *Doxology in Synagogue and Church*, ibid., XIX, 1946 — *Die hebr. Intonationen* in B. Marcello's *Estro Poetico-armonico*, in *Monatsschrift f. Gesch. u. Wiss. des Judentums*, LXXXI, 1937 — *Hebrew and Oriental Christian metrical hymns, a comparison*, in HUCA, XXIII, 1950-1951 — *Manuscripts of jewish music in the E. Birnbaum collection*..., ibid. XVIII, 1944 — *The mathematical foundation of Philippe de Vitry's ars nova*, in JAMS, IX, 1956 — *The oldest sources of synag. music*, in *Proceedings of the american academy for jewish research*, XVI, 1947 — *The origin of psalmody*, in HUCA, XXV, 1954 — *The philosophy and theory of music in Judeo-Arabic literature* (en collab. avec I. Sonne), in HUCA, XVI, 1941, XVII, 1942-1943 — *The sacred bridge*, N. York 1959 — *Two obscure sources of Reuchlin's « De accentibus... »*, in *Historia judaica*, XVI, 1954 ; L. Zunz, *Hebräische Hymnen nach provenzal. Melodien*, in *Hebr. Bibl.*, XV, 1874.

III. *Sujets annexes* : N. Allonî, *Tôrat ham-misqalim*... — *The scansion of med. hebrew poetry* (en hébreu), Jérusalem 1951 ; Z. Ben-Hayyim, '*Ibrit wa-aramît nûsah sômrôn*, 2 vol., Jérusalem 1957 (sur les *sidrê miqretah*, I : pp. 50 sqq., de l'introd., II : pp. 340 sqq.) ; G. Bergsträsser, *Hebr. Grammatik, I : Einleitung, Schrift-und Lautlehre*, Leipzig 1918 ; M. Burrows, *The Dead Sea scrolls*, N. York 1955 ; J. Chailley, *Le mythe des modes grecs*, in AM, XXVIII, 1956 ; M. Cohen, *Sur la notation mus. éthiopienne*, in *Studi orient. in on. di Giorgio Levi Della Vide*, I, Rome 1956 ; C.W. Dugmore, *The influence of the Synagogue on the divine office*, Oxford 1944 ; I. Elbogen, *Der jüdische Gottesdienst in seiner geschichtl. Entwicklung*, Leipzig 1913 ; C. Hoeg, *La notation ekphonétique*, Copenhague 1935 ; A.Z. Idelsohn, *Jewish liturgy and its development*, N. York 1932 — *Die Maqamen der arab. Musik*, in SIMG, XV, 1914 — *Die Vortragszeichen der Samaritaner*, in *Mon. f. Gesch. u. Wiss. d. Judentums*, LXI, 1917 ; P. Kahle, *Masoreten des Ostens*, Leipzig 1913 — *Masoreten des Westens*, Stuttgart 1927 ; S. Krauss, *Synagogale Altertümer*, Berlin-Vienne 1922, *Talmudische Archäologie*, Leipzig 1910-1912, 3 vol ; M.J. Millas Vallicrosa, *La poesia sagrada hebr.-esp.*, Madrid 1948 ; Moïse ibn Ezra, *Séfèr sirat yisra él*, éd. B. Halper, Leipzig 1924 ; C. Sachs, *The rise of music in the ancient world*, N. York 1953 ; J. Schirmann, *Has-sirah hà- ibrit bi-sefarad û-bi-problms*, 2 vol., Jérusalem 1954-1957 ; E.L. Sukenik, *Megillôt genûzôt*, ibid. 1950 ; E. Wellesz, *Eastern elements in western chant*, Oxford 1947 — *Byzantine music and hymnography*, ibid. 1949 ; E. Werner, *The origin of the eight modes of music*, in HUCA, XXI, 1948 — *Musical aspects of the dead Sea scrolls*, in MQ, XLIII, 1957 ; Y. Yadin, *Milhèmèt benê ôr*... [La guerre des fils de lumière contre les fils des ténèbres], Jérusalem 1955 ; L. Zunz, *Die Ritus des synag. Gottesdienstes*, Berlin 1859.

I.A.

**JULIEN de SPIRE** (*Teutonicus, Julian von Speyer*). Franciscain allem. qui mourut à Paris en 1285 : il fut préchantre de la chapelle royale sous Philippe-Auguste, puis maître de chœur à son couvent ; il a composé les offices rythmés de st François d'Assise et de st Antoine de Padoue (texte et mélodie), ainsi qu'une *Legenda sancti Francisci*. Voir E. d'Alençon, *Legenda S.F.*, Rome 1900 ; H. Felder, *Die lit. Reimoffizien... v. F.J. v. S.*, Fribourg, 1901 ; J.E. Weis, *J.v.S.*, Munich 1900 ; E. Bruning, *G.d.S.*, ds *Note d'arch.*, IV, 1927 — *Der mus. Wert d. Reimoffiz. ...*, ds *Greg.* — *Bl.*, LV, 1931 ; H. Dausend, *J.v.S.*, ds *Lit. Jb. d. Görres-Ges*, III, 1928 ; A. van Dijk, ds *Franzisk. Studien*, XXIII, 1936 ; E. Jammers, *Wort u. Ton bei J.v.S.*, ds *Der kult. Ges. d. abendl. Kirche*, éd. F. Tack., Cologne, 1950 ; H. Hüschen, art. *Franziskaner* in MGG.

**JULLIEN Adolphe.** Musicographe franç. (Paris 1.6.1845–30.8.1932). Collaborateur de la *Revue et gaz. mus.*, du *Ménestrel*, de la *Chronique mus.*, chroniqueur ds différents journaux (*Journal des Débats*), défenseur de Wagner, il publia *L'Opéra en 1788* (Paris 1873), *Un potentat mus. : Papillon de la Ferté...* (ibid. 1876), *Weber à Paris* (ibid. 1877), *Gœthe et la mus.* (ibid. 1880), *H. Berlioz...* (ibid. 1882), *Paris dilettante au commencement du siècle...* (ibid 1884), *Airs variés* (ibid. 1877), *R. Wagner...* (ibid. 1886), *Berlioz...* (ibid. 1888), *E. Reyer...* (ibid. 1909), *Musiciens d'hier et d'aujourd'hui* (1892–1894, 1910). Voir F. Delhasse, *A.J.*, Paris-Bruxelles 1893 ; H. Prunières, ds *RM*, sept.-oct. 1932. — Son père, *Marcel-Bernard*, était l'éditeur de la *Revue de l'instruction publique* et collaborateur de Littré pour son dictionnaire ; il avait publié notamment *De quelques points de science de l'antiquité* (ibid. 1854), *Thèse supplémentaire de métrique et de mus. ancienne...* (ibid. 1861), *Idéologie : Constitution primordiale du langage et de la mus. religieuse* (ds *Thèse de philosophie*, ibid. 1873). Voir L. de Sugar in MGG.

**JULLIEN Gilles.** Org. franc. (v. 1650–Chartres 14.9. 1703). Il fut organiste de la cath. de Chartres, en 1677, croit-on ; on suppose qu'il a été élève de Gigault ; son *Livre d'orgue... contenant les 8 tons de l'église pour les festes solennels avec un motet de Ste Cœcille à trois v. et symphonie*, gravée par Henry Lesclop, facteur d'orgue à Paris (s.d.), contient 80 pièces et fut fort répandu en son temps ; on a également conservé de lui *La crèche de Bethléem...* (N. Pellerin, Chartres s.d.). Voir N. Dufourcq, préface à la nouvelle édition du *Livre d'orgue*, Public. de la Soc. franç. de mus., Paris 1952 ; J. Bonfils, in MGG.

**JULLIEN** (*Julien*) **Louis-Antoine.** Chef d'orch. franç. (Sisteron 23.4.1812–Paris 14.3.1860). Elève du cons. de Paris (Halévy), compos. de mus. populaire et chef des conc. du *Jardin turc*, fondateur à Londres (1838) des *Promenade Concerts*, il fit carrière en Angleterre et en Amérique et fonda une boutique de mus. à Londres, ainsi qu'une entreprise d'opéra avec laquelle il fit promptement faillite ; il mourut fou. Voir A. Carse, *The life of J., adventurer, showman-conductor...*, Cambridge 1951.

**JUMENTIER Bernard.** Mus. franç. (Chavannes-Lèves 24.3.1749–St-Quentin 17.12.1829). Enfant de chœur à la maîtrise de la cath. de Chartres, maître de chapelle de la collégiale de St-Quentin (1776–1793...–1825), disciple de Rameau et de Gluck ; il fit jouer ses œuvres au Concert spirituel et à la chapelle du château de Versailles : elles sont conservées en mss à la bibl. de St-Quentin (10 messes, 1 *Requiem*, 3 *Te Deum*, 2 *Stabat Mater*, 4 *Magnificat*, 150 motets, 3 oratorios, 2 ballets, 2 symph., 1 caprice, 9 romances, qqs œuvres patriotiques). Voir F. Raugel, *B.J. ...*, ds *Kgr.* – *Ber. Bamberg* 1953, Cassel-Bâle.

**JUMIÈGES.** Cette abbaye fut fondée en 631 par saint Philibert, abbé de Rebais, sur une terre donnée par Clovis II et la reine Bathilde ; ruinée par les Normands en 841 et 851, elle fut restaurée vers 941 par le duc Guillaume Longue-épée : l'importance de cette abbaye dans l'histoire de la Normandie est soulignée par cette restauration. Le point de vue plus particulier de l'histoire de la musique est mis en valeur par deux faits : l'un est la légende du moine de Jumièges, fuyant les Normands et arrivant à Saint-Gall avec son antiphonaire truffé de séquences ; l'autre est la bibliothèque de l'abbaye conservée en très grande partie, qui contient de nombreux mss musicaux ; ces deux aspects, de valeur bien inégale,

ont été cependant considérés à l'inverse de leur importance. — La question si difficile des séquences vient d'abord : il ne reste aucun ms. ancien de Jumièges, et les tardifs contiennent une quantité infime de séquences non moins tardives, dont la forme et la musique n'ont plus aucun rapport avec les répertoires du IXe s. ; ce fait regrettable a permis d'innombrables suppositions, dont J. Chailley fait à juste titre table rase en indiquant une hypothèse de travail fort raisonnable : si le moine de Jumièges était réellement arrivé à Saint-Gall avec son répertoire et son antiphonaire, qui à cette date, aurait difficilement pu être noté, même en neumes, on retrouverait trace quelque part des anciennes séquences mélodiques de Jumièges, à l'état de vocalises, et le répertoire ancien de Saint-Gall, de son côté, témoignerait de quelque parenté avec celui de Jumièges. Ni l'une ni l'autre de ces conditions n'est réalisée. Bien qu'on connaisse assez mal le monde liturgique de Jumièges avant l'an 1000, on n'est pas sans éléments historiques qui en permettent la reconstitution ; il n'y en a pas trace dans la liturgie tardive. Les séquences de Saint-Gall sont construites sur de très longs mélismes qui sont des commentaires musicaux de la vocalise d'*alleluia* ; J. Chailley trouve à ce genre des répondants exacts dans la liturgie aquitaine, et non dans celle de Jumièges. — La question des livres conservés est tout aussi compliquée que celle des séquences. En plusieurs articles, aussi bien qu'en un volume des *Monumenta musicae sacrae* dont il est le directeur, dom Hesbert a donné le dépouillement et une admirable série de planches extraites de ces recueils. L'étude attentive de ces documents révèle une diversité assez grande dans la notation et dans la musique liturgique : comme il fallait s'y attendre, on trouve à Jumièges des livres venus de plusieurs abbayes de Normandie (de même que les livres de Jumièges ne sont actuellement pas tous conservés dans la seule bibliothèque de Rouen) ; ce seul fait explique la diversité des notations neumatiques en cause plus haut. La même diversité se remarque dans les offices propres du sanctoral : plusieurs d'entre eux appartiennent non pas au propre de l'abbaye de Jumièges, mais à celui d'églises voisines : Fécamp surtout, Chartres. Comme toutes les bibliothèques anciennes, le fonds de Jumièges doit donc être considéré comme une réunion factice de livres de toutes provenances qu'il faut déterminer, et non comme une ensemble homogène des livres de l'abbaye (qui furent d'ailleurs dispersés). Pratiquement, la voie est actuellement tracée dans toutes les publications auxquelles nous faisons allusion plus haut ; leur réunion et l'étude attentive des mss (fonds de Rouen, Saint-Pol et Paris) permettrait des attributions exactes.

**Bibl. :** Dom L.H. Cottineau, *Répertoire topo-bibliographique des abbayes et prieurés*, Mâcon 1939, au mot J. (ne recouvre pas entièrement l'ancienne *Topo-bibliographie* du chanoine Ulysse Chevallier, au même mot) ; Dom R.J. Hesbert, *Les mss musicaux de J.*, ibid. 1954, ouvrage publié avec le concours du C.N.R.S., *Monumenta musicae sacrae*, II, in-4° (on trouvera ici une luxueuse publication de cent belles planches et des analyses de mss) ; J., *congrès scientifique du XIIIe centenaire*, Rouen 1955, 2 vol. in-8° (contient les titres suivants à ne pas négliger: G. Nortier-Marchand, *La bibl. de J. au moyen-âge*, p. 599-614 ; J.F. Lemarignier, *J. et le monachisme occidental au haut moyen-âge* [VIIe-XIe s.], p. 753-765 ; Dom R.J. Hesbert, *Les mss lit. de J.*, p. 855-873 ; *Les mss mus. de J.*, p. 901-912 ; S. Corbin, *Valeur et sens de la notation alphabétique à J. et en Normandie*, p. 913-925 ; J. Chailley, *J. et les séquences aquitaines*, p. 937-943 ; Dom R.J. Hesbert, *Les tropes de J.*, p. 959-969 ; Chanoine R. Derivière, *La composition littéraire à J., les offices de saint Philibert et de saint Aycadre*, p. 969-976 ; Dom R.J. Hesbert, *La composition mus. à J., les offices de saint Philibert et de saint Aycadre*, p. 977-990 ; M. Fournié, *L'unum necessarium à J., le culte de sainte Marie-Madeleine*, p. 991-997). Le monde des offices propres du sanctoral (nommés offices rythmiques) est difficile à analyser, et il existe une méthode de travail : voir S. Corbin, Compte-rendu de *La vie lit. à J.*, dernière partie de J., *Congrès scientifique*, ds *Annales de Normandie*, 1957, p. 83-87 — *A la conquête de la mus. sacrée*, Gallimard, sous presse, chap. X (donne les premières indications de méthode nécessaires) ; on complètera avec : Id., *L'office de la Conception de la Vierge*, ds *Bull. des études portugaises*, 1949 — *L'office en vers « Gaude mater ecclesia » pour la Conception de la Vierge*, ds *Atti del congresso intern. di mus. sacra*, Rome 1950, p. 280 sqq. — *Compte-rendu d'H. Villetard, Office de saint Savinien et de saint Potentien...*, ds *Rev. de mus.*, 1956.     S.C.

**JUMILHAC Pierre-Benoît de** (*Dom*). Bénédictin franç. (Château de St-Jean de Ligourre 1611–Paris 22.3. ou

21.4.1682). Des barons de Jumilhac, il se fit bénédictin et entra dans la congrégation de St-Maur : il fut successivement prieur à Tours, supérieur à Chelles, Reims, assistant de l'abbé général, enfin moine à St-Germain des Prés de Paris, où il rédigea *La science et la pratique du plain-chant, où tout ce qui appartient à la pratique est établi par les principes de la science, et confirmé par le témoignage des anciens philosophes, des pères de l'église et des plus illustres musiciens* (Bilaine, Paris 1673), Nisard et Le Clercq, *ibid.* 1847) : il ne s'occupe pas d'histoire, mais de pratique musicale ; les théoriciens modernes le considèrent comme leur prédécesseur. Il collabora à la rédaction des *Règles communes et particulières pour la congrégation de St-Maur* (s.l. 1663). Voir Th. Nisard, *Biographie de Dom B. de J., ibid.* 1867 ; P. Aubry, *Mélanges de musicologie critique, I, ibid.* 1900 ; M. Brenet, *Additions inédites de Dom J., ibid.* 1902 ; W. Irtenkauf in MGG.

**JUNGBAUER Ferdinand** (*Pater Coelestin*). Bénédictin allem. (Grattersdorf 6.7.1747–Ingolstadt 25.3.1823). Il fut prof. à Straubing et Amberg (1781–1783), Curé à Dettingen (1785), Grossmehring (1788) et Ingolstadt (1817) ; on lui doit de la mus. d'église en allem. (6 messes) et des *Lieder* (Augsbourg 1798). Voir A. Scharnagl in MGG.

**JUNGLE.** Voir art. *jazz.*

**JUNK Victor.** Prof. allem. (Vienne 18.4.1875–Frohnleiten 5.4.1948). Il fut prof. à l'univ. de Vienne et chroniqueur mus. ds divers périodiques ; il fonda et dirigea un chœur au sein de la *Wiener Bachgemeinde* ; il publia *Goethes Fortsetzung d. Zauberflöte* (Berlin 1900), *M. Reger als Orchesterkomp.* (Berlin-Leipzig 1910), *Tannhäuser in Sage u. Dichtung* (Munich 1911). *Gralsage u. Graldichtung d. M.-A.s* (Vienne 1911), *Die Bedeutung d. Schlusskadenz im Musikdrama* (*ibid.* 1926), *Handbuch d. Tanzes* (Stuttgart), *Die taktwechselnden Volkstänze* (Leipzig 1938) ; il composa 2 opéras, de la mus. de scène, symph., de piano, des chœurs, 1 oratorio, des mélodies etc.

**JUNKER Carl Ludwig.** Ecclésiastique allem. (Kirchberg an der Jagst 12.6.1748–Ruppertshofen 30.5.1797). Elève des univ. de Giessen et de Göttingen, il vécut en Suisse (1774), exerça ensuite diverses fonctions ecclésiastiques ds la principauté de Hohenlohe, fut l'ami de Holzbauer, de G.J. Vogler, de C.F.D. Schubart ; il composa 3 concertos de clavecin, 1 cantate, 1 mélodrame, des *Lieder*, des pièces de clavecin, des quatuors, 1 concerto de flûte, 24 symph., et publia un grand nombre d'écrits sur la mus., dont *Tonkunst* (Berne 1777), *Betrachtungen über Mahlerey, Ton-u. Bildhauerkunst* (Bâle 1778), *Über den Werth d. Tonkunst* (Bayreuth-Leipzig 1786) ; il collabora notamment à la *Musicalischer Correspondenz* de Bossler et au *Musikalmanache* (1782–1784). Voir U. Siegele in MGG.

**JUON Paul.** Compos. russe d'origine suisse (Moscou 8.3. 1872–Vevey 21.8.1940). Elève du cons. de Moscou (J. Hrimaly, Arenskij, Taneev), de la *Hochschule f. Mus.* de Berlin (W. Bargiel), prof. de violon et de théorie au cons. de Bajou (1896), il se fixa à Berlin à partir de 1897 jusqu'en 1934, date à laquelle il résida à Vevey ; il enseigna la composition à la même *Hoshschule f. Mus.* de 1905 à 1934 et fut membre de l'Acad. des beaux-arts de Berlin ; il fut fort influencé par le style de Brahms ; on lui doit un grand nombre de compositions : symph., concertos, mus. de chambre (quintettes, quatuors, trios, sonates), de piano, *Lieder*, mus. de scène (1 ballet),

arrangements, 4 écrits théoriques et 2 traductions (Arenskij, M. Tchaïkovsky). Voir Th.-M. Langner in MGG.

**JUPIN Charles-François.** Violon. franç. (Chambéry 30.11.1805–Paris 12.6.1839). Elève du cons. de Paris (Baillot), il fut chef d'orch. à Strasbourg de 1826 à sa mort ; on lui doit 1 concerto de violon, 2 trios, 1 fantaisie pour p. et v., qqs pièces instr., 1 opéra : *La vengeance italienne.*

**JURINAC Sena.** Sopr. yougoslave (Travnik 24.10.1921–). Elève du cons. de Zagreb, elle débuta à l'Opéra de cette ville en 1942 et appartient à celui de Vienne depuis 1945 ; elle fait une grande carrière internationale.

**JURJANS Andrejs.** Org. et compos. letton (Erlaa 18.9. 1956–Riga 28.9.1922). Elève du cons. de St-Pétersbourg (Rimsky-Korsakov), prof. à l'école impériale de Kharkov (1882–1916), il fonda l'Opéra de Riga (1912) ; il était org. et corniste ; on lui doit de la mus. symph., 4 cantates, des chœurs et des arrangements de mélodies folkloriques.

**JUROVSKY Vladimir Mihaïlovitch.** Compos. russe (Tarachtch 20.3.1915–). Elève du cons. de Moscou (Miaskovskij), il a écrit 1 opéra : *Duma pro Opanasa* (Lvov 1940), 2 symph. (1934, 1955), 1 concerto de piano (1940), 2 quatuors à cordes (1934, 1948), des chœurs (1 oratorio), de la mus. de scène (3 ballets), de film, des mélodies.

**JUROVSKY Simon.** Compos. tchèque (Ulmanka 8.2. 1912–). Elève de l'acad. de mus. de Bratislava et de celle de Vienne (J. Marx), il est depuis 1948 dir. de la mus. à Radio-Bratislava ; on lui doit de la mus. symph., (1 symph., 1 concerto), de chambre, de piano, de scène (1 ballet), de film, des mélodies (*Muškat* 1943–1946). Voir Z. Bokešova, S.J., Bratislava 1955 ; E. Zavarsky in MGG.

**JUST Johann August.** Mus. néerl. (Groningue 1750–?). Elève de Kirnberger (Berlin), de Schwindel (La Haye), il appartint à la chapelle du prince d'Orange, séjourna à Berlin (1794) et se fixa en Angleterre à la cour de Guillaume V ; on lui doit des opéras, des œuvres de mus. de chambre, de clavecin, dont une méthode.

**JUSTE. — 1.** Cet adjectif qualifie les intervalles de quarte, de quinte et d'octave, s'ils ne sont pas altérés. — **2.** Il qualifie également une voix conforme aux exigences de l'oreille, donc en règle avec l'échelle des sons en usage (tempérament etc.) ; le substantif est *justesse* ; il s'applique également aux instruments dont l'accord est exact ; on trouve aussi l'adjectif employé adverbialement (*chanter, jouer juste*).

**JUSTINIANA.** Voir art. *giustiniana.*

**JUSTINUS** (*a desponsatiane B.M.V.*). Carmélite allem. des XVII-XVIIIᵉ s. qui mourut après 1723 ; il fut organiste et prédicateur, notamment org. à Wurtzbourg de 1711 à 1723 ; on lui doit des *Lieder*, des pièces de danse, des airs, 1 capriccio, 1 sonate, répandus dans ses écrits théoriques : *Cembalum pro duobus...* (*Leontii* 1703, dédicace), *Chirologia organico-musica...* (Nuremberg 1711), *R.P.J. Carm. Musicalische Arbeith u. Kurtz-Weil...* (Augsbourg-Dillingen 1723). Voir F.W. Riedel in MGG.

**JUUL Asger.** Compos. danois (Copenhague 9.5.1874–Roskilde 1.3.1919). Elève de H. Riemann (Leipzig), il fut prof., critique mus. à la *Kristelig Dagblad*, cantor, org. à Copenhague et à Roskilde ; on lui doit des mélodies et des pièces de piano.

**KA.** C'est le nom générique de tout instrument de musique chez les Khasis d'Assam : on distingue le *ka duitara*, luth dont les cordes de soie sont grattées avec une petite pièce de bois ; le *ka marynthing*, luth dont la corde unique est grattée avec le doigt ; le *ka ksing*, tambour cylindrique à deux peaux ; le *ka sharati* : flûte de bambou ; le *ka mieng*, guimbarde de bambou etc. M.H.

**KAA Franz Ignaz.** Mus. allem. (Offenbourg 1748–Cologne 8.5.1818). Il n'est point hollandais, comme le dit Fétis, mais allem. : il fut maître de chapelle à la cath. de La Haye, au moins à partir de 1777, poste qu'il perdit en 1805 lors de la dissolution de la mus. de la cathédrale ; on n'a aucune preuve qu'il ait été maître de chapelle à la cath. de Cologne, à partir de 1808, comme il a été dit ; on lui doit, d'après Fétis, 12 symph., 6 trios, 6 quatuors ; on connaît en outre de lui 3 messes, 2 psaumes, des répons de semaine sainte et des *soli*, en partie en mss à la cath. de Cologne. Voir P. Mies in MGG.

**KAAN z Albéstu Jindvich.** Compos. tchèque (Tarnopol 29.5.1852–Roudna 7.3.1926). Prof. de piano (à partir de 1889), puis dir. du cons. de Prague (dir. 1907–1918), il a bien mérité de la musique à Prague ; on lui doit 2 opéras, 2 ballets, de la mus. symph. (des concertos de piano), de chambre, pour piano. Z.V.

**KABALEVSKY** (*Kabalevskij*) **Dimitri Borissovitch.** Compos., prof., pian. et chef d'orch. russe (St-Pétersbourg 30.12.1904–). A la fin de ses études secondaires, il suit quelque temps les cours d'une école de peinture et de dessin ainsi que ceux d'un institut de sciences économiques et sociales ; ayant déjà travaillé le piano et la composition, il entre en 1925 au cons. de Moscou, d'où il sort en 1929 de la classe de composition de N. Miaskovski et en 1930 de la classe de piano d'A. Goldenweiser ; en 1932, il est chargé de cours, en 1938, prof. de compos. à ce même cons. ; pendant la guerre, il occupe un poste artistique à la radio ; critique musical, il est, depuis la fin de la guerre, au secrétariat de l'Union des compositeurs de l'URSS, ainsi qu'au bureau de l'Association pour les échanges culturels : il a ainsi, de même qu'à l'occasion de l'exécution de ses œuvres, voyagé aussi bien dans les pays de l'Est qu'en France et en Angleterre ; il n'y a dans sa vie, aucun événement exceptionnel : comme il le dit lui-même, « c'est la vie ordinaire d'un musicien soviétique formé après la Révolution ». *K.* a abordé presque tous les genres : 4 opéras, dont « *Colas Breugnon* » (1937, d'après Romain Rolland) et 4 symph., des suites d'orch., dont « *Les comédiens* » (1940), où se trouve le fameux « Galop des comédiens », des œuvres de mus. de chambre, un *Concerto pour violon* (1948), un autre *pour vcelle* (1948), 3 *pour piano*, des chansons et des mélodies, dont le cycle « *Dix sonnets de Shakespeare* » (1953), des mus. de scène et de film ; il a

enrichi le répertoire pédagogique du piano avec une suite de courts morceaux faciles : « Tableaux de l'enfance ». Trois prix Staline lui ont été décernés : Pour le « *quatuor Nᵒ 2* » (1945), le « *concerto pour violon* », l'opéra « *La famille Tarass* » (1950). On lui doit également qqs art. ds la *Sov. Muzyka* (Rimsky-Korsakov, Asaf'ev). Il règne dans l'œuvre de Kabalevski une atmosphère claire et radieuse ; sa musique attire par la fraîcheur de la mélodie, une harmonie simple, des formes qui s'inscrivent dans la logique classique. Voir L. Danilevitch, D.K., Moscou 1954 ; E. Crocheva, *Id.*, *ibid.* 1956 ; S. Korev, *Colas Breugnon...*, *ibid.* 1954 — « Le concerto de violon de D.K. », Moscou-Leningrad 1952 ; L. Poljakova, *Ssemja Tarassa D.K.*, *ibid.* 1953 ; B.S. Steinpress — G. Waldmann in MGG. M.F.

**KABASTA Oswald.** Chef d'orch. autr. (Mistelbach 29.12.1896–Kufstein 6.2.1946). Elève des acad. de Vienne et de Klosterneuburg, il fut prof. de chant à Vienne, chef d'orch. à Baden, Wiener-Neustadt, Graz (1926–1931), Vienne (où il dirigea également la classe d'orch. de l'acad. de mus.), Munich ; il se suicida.

**KABAYAO.** — **1. Gilópez.** Violon. philippin (Hacienda Faraón 23.12.1929–). Il fit ses études près de son père, puis à N.-York, enfin auprès de Jacques Thibaud à Paris ; il fait une carrière internationale ; sa sœur — **2. Marcelita López** (*ibid.* 10.3.1933–), a débuté à N.-York et s'est fait entendre à Paris (1953) : c'est une spécialiste de Chopin.

**KABELÁČ Miloslav.** Compos. tchèque (Prague 1.8.1908–). Après des études au cons. avec K.B. Jirák (composition) et V. Kurz (piano), il a été chef d'orch. et régisseur musical de Radio-Prague ; œuvres : *Sextuor* (*op. 8*, à vent, 1940), *Sonata quasi ballata* pour viol. et p. (*op. 27*, 1956), la cantate *Neustupujte* (« Ne reculez pas », *op. 7*, 1939), 2 ouvertures (*op. 6* et *17*, 1939, 1947), 2 symph. (op. 11 et 15, 1942, 1947), suite de mus. de scène *Elektra* (*op. 28a*, 1956), mus. de piano, chœurs et mélodies. Voir J. Bužga in MGG. Z.V.

**KABOS Ilona.** Pian. hongroise (Budapest 7.12.1902–). Elève de l'Acad. royale de mus. de Budapest (Dohnanyi, Szendy), elle y a été prof. de piano (1931–1936) et a appartenu au Trio de Budapest ; elle fait une carrière internationale.

**KACHAPI.** C'est une cithare sur caisse, particulièrement utilisée par les populations soundanaises de Java, en solo ou dans de petites formations groupant la flûte *suling*, le *tarawangsa* (voir à ce mot) et la voix humaine ; sur la table rectangulaire de l'instrument sont fixées, au moyen de chevilles, des cordes métalliques en nombre variable (entre 6 et 18) ; ces cordes, dont la longueur vibrante peut être modifiée par des chevalets mobiles, sont pincées entre le pouce et l'index. Le même terme désigne à Bornéo et à Sumatra des instr. du type luth. M.H.

**KACHIKAMO.** C'est une trompe double, plongeant dans une poterie, des Indiens Piaroa (Colombie) : deux tuyaux droits, l'un en bambou, l'autre un peu plus grand, en bois de mawi, dans lesquels deux hommes soufflent alternativement, sont plongés dans un résonnateur unique, vase en terre cuite au col large, au corps un peu aplati, au fond duquel repose un fragment de cristal de roche ; dans l'embouchure du plus grand tuyau, un fil est tendu diamétralement. C'est un instrument qui, dans la musique rituelle, donne la voix d'un esprit. Des instruments similaires se trouvent au Nicaragua (Indiens Misquito), où son mugissement sert à abuser le jaguard, dans la région du Rio Negro supérieur (bassin de l'Amazone), où il accompagne les danses masquées du jaguard, et chez les Indiens Saliva de l'Orénoque, où il participe aux cérémonies funéraires. S.D.-R.

**KACHINE** (*Kašin*) **Daniil Nikititch.** Compos. russe (Moscou 1779–1841). Serf, élève de G. Sarti, il dirigea (1790–1800) les chantres du prince Bibikov ; il fut affranchi (1798) et exerça les activités de pian., chef d'orch. et prof. ; il édita le *Churnal otetchestvennoj musyki* (1806–1809) ; il eut le titre de compos. de l'univ. de Moscou et fonda sa propre école ; on lui doit 5 opéras (*Natalija bojarskaja dotch*, 1800, *Selskij prasdnik*, 1807,

*Olga prekrasnaja*, 1809), 1 ouverture, 1 concerto de piano, 1 trio, 12 chœurs solennels, 15 chants populaires (chœur et piano), des chœurs patriotiques et militaires (*Sachtchitniki Petrova grada*), des variations sur des thèmes populaires, un recueil de chants populaires : *Russkije narodnyje pesni* (Moscou 1833–1834), des art. musicologiques : c'est un des promoteurs de la mus. russe au début du XIXe s. Voir G. Waldmann in MGG.

**KACHKINE** (*Kaškin*) **Nicolaï Dimitrievitch.** Musicologue et critique russe (Voroneje 9.12.1839–Kazan 15.4.1920). Ami de Tchaïkovsky, il enseigna l'histoire et la théorie de la mus. au cons. de Moscou de 1866 à 1896 ; il « découvrit » la valeur de compositeurs tels que Tchaïkovsky, Taneev, Kalinnikov, Rakliman ; on lui doit de nombreux écrits sur le « groupe des cinq » ; œuvres : « *Théorie élémentaire de la musique* » (1875, rééd. jusqu'en 1931), « *Essai sur l'hist. de la mus. russe* » (1908), « *Tchaïkovsky, souvenirs* » (1896) etc.

**KACHPEROV** (*Kašperov*) **Vladimir Nikititch.** Compos. russe (Simibirsk 1827–Romanzevo 8.7.1894). Il étudia à St-Pétersbourg et à Berlin, séjourna en Italie (1857–1865), où il fit représenter ses opéras *Marie Tudor*, *Rienzi*, *Consuelo* et devint en 1866 prof. de chant au cons. de Moscou ; il ouvrit (1872) un cours de chant privé ; son œuvre, surtout soumise à l'influence italienne, ne jouera pas un grand rôle dans l'histoire de la mus. russe ; œuvres, opéras : *Marie Tudor* (d'après H. Hugo, 1859), *Rienzi* (d'ap. Bulver Lytton, 1863), *Consuelo* (1865), « *La tempête* » (d'ap. Ostrovski, 1867), *Tarass Boulba* (1887) et *Le boyard Orcha* (1880) ; il a laissé des souvenirs sur Glinka (1869).

**KACHTEHENDOR.** C'est une guimbarde de métal, utilisée par les Muriahs et les Maria Gonds de l'état de Bastar (Inde). M.H.

**KACSOIH Pongrac.** Compos. et prof. hongrois (1873–1924). Elève d'Ödön Farkas (Kolozsvár), il est l'auteur de plusieurs opérettes et drames lyriques, parmi lesquels il faut citer *János Vitéz* (1904), qui a joui d'une popularité unique en Hongrie ; dans ses œuvres, il fait une large place aux éléments populistes et nationaux du XIXe s. ; on lui doit également des ouvrages théoriques. J.G.

**KADE — 1. Otto.** Musicologue allem. (Dresde 6.5.1819–Bad Doberan 19.7.1900). Elève de J. Otto, de J. Schneider, il séjourna en Italie (1848) ; il fonda le *Cäcilienverein* et fut dir. mus. de l'église des 3 rois de Neustadt (1853) ; en 1860, il est dir. mus. à la cour de Schwerin ; on lui doit de nombreuses compositions liturgiques d'inspiration grégorienne (*Cantionale f. d. Rev.-luther. Kirchen...*, 3 vol., 1867–1880, *Officielles Melodienbuch f. d. meckl. Landeskirche*, 1869) ; il publia de nombreux travaux, notamment à la *MfM*, l'*AmZ*, et à l'*Allg. Deutche Biogr.*, hist. ou biographiques, principalement sur des musiciens des XVe et XVIe s. ; sa monographie, *M. Le Maistre* (Mayence, 1862), est demeurée de même que le 5e vol. et sa révision du 3e vol. de l'Hist. de la mus. d'Ambros (1882–1881) ; citons encore *Die deutsche weltl. Liedweise...* (Mayence 1874), *Die ältere Passionskomp. bis zum Jahre 1631* (Gütersloh 1893), *Katalog. d. Mus. d. meckl.-schweriner Fürstenhauses i. d. Landes-bibl.* (2 vol.) Schwerin 1893–1899) ; il édita 4 cahiers de passions d'avant Schütz. C'est l'un des pionniers de la musicologie allemande, de la classe d'Ambros, de Chrysander, d'Eitner. Son fils — **2. Reinhard** (Dresde 25.9.1859–16.6.1936), fut prof. au lycée de Dresde et collabora avec R. Eitner ; on lui doit nombre d'études hist. et biographiques sur les musiciens et la mus. en Saxe, notamment sur la bibl. de Dresde, Ch. Demant, R. Michael, le *Kurfürst* Moritz, J.B. Pinellus, A. Practorius, A. Scandellus, Squarcialupi, J. Walther ; il était docteur de Leipzig avec sa thèse *De Brunonis Querfurtensis vita quinque fratrum Poloniae nuper reperta* (1883). Voir R. Schaal in MGG.

**KADOSA Pal.,** Pian. et compos. hongrois (Léva 6.9.1903–). Prix Kossuth 1950 « artiste émérite » de la Rép. pop. hongroise, il est l'un des comp. les plus représentatifs de la Hongrie contemporaine ; élève de Kodály (composition) et d'A. Székely (piano), il est prof. à l'Ec. des hautes études musicales F. Liszt et dir. d'études des classes de piano ; vers 1930, il était secr. gén. de la

section hongroise de la *SIMC* ; depuis 1945, il joue un rôle de premier plan dans la vie mus. de son pays ; son évolution de compositeur se divise en trois périodes : 1.1923–1948 ; écriture éclectique, influence profonde de Bartók et de Kodály, et, dans une moindre mesure, de Hindemith et de Stravinsky, grand nombre d'œuvres de piano et de mus. de chambre, qqs œuvres concertantes, recherches d'effets nouveaux ; la plupart des compositions de cette époque ont été éditées par Schott à Mayence ; 2.1948–1953 : moyens d'expression simplifiés, œuvres vocales (cantates, 1 opéra, chants de masse) ; 3. dep. 1953 : synthèse des deux premières manières : *IIIe Concerto p. piano*, (1953–1955), *IIIe Symphonie* (1954–1956) ; *IIIe Quatuor à cordes* (1957), *Trio avec piano* (1958), *Pièces p. piano* (1958), *Symph. p. cordes* etc., œuvres équilibrées, qui révèlent une forte personnalité musicale et possèdent un langage bien approprié. Autres œuvres : 3 symph., 2 *divertimenti*, *Partita* p. orch., suite p. grand orch., 3 concertos de pianos, 2 de violon, 1 d'alto, « *L'aventure de Huszt* » (opéra, créé en 1951), 4 cantates, 3 quatuors à cordes, 3 sonates de piano, pièces de piano, et de piano et violon, duos p. deux violons, *Partita* (p. et viol.), chœurs, quintette à vent (1954–1955) etc. Voir J.S. Weissmann - F. Blume in MGG. J.G.

**KAEFER** (*Käfer*) **Johann Philipp.** Mus. allem. (Römhild v. 1660–Meiningen ap. 1730). Org. de la cour du duc Heinrich (Römhild), puis maître de chapelle du duc Ernest d'Hildburgausen (*ibid.*, 1708–1713), il entra en 1715 au service du margrave Karl de Bade à Durlach, comme compos. et maître de chapelle (jusqu'en 1722) ; on lui doit 6 opéras, des cantates, 1 oratorio, 4 passions, 12 *Concerten zu kleinen Tafel Musiquen*. Voir L. Schiedermair, *Die Oper a.d. bad. Höfe d. 17.u. 18 Jh.*, ds *SIMG, XIV, 1912–1913* — *Briefe J.P.K.s*, ds *Fs. A. Sandberger*, Munich 1918 ; G. Kraft in MGG.

**KAEGI** (*Kägi*) **Walter.** Violon. et chef d'orch. suisse (Bâle 14.4.1901–). Elève de F. Hirt (Bâle), de L. Capet (Paris), violon. et alto, il a fait une carrière de virtuose et de chef d'orch. : il est depuis 1941 un des chefs de l'orch. de Berne.

**KAEHLER** (*Kähler*) **Willibald.** Chef d'orch. allem. (Berlin 2.1.1866–Klein-Machnow 17.10.1938), élève de la *Hochschule für Mus.* de Berlin, il exerça à Hanovre, Fribourg-en-Brisgau, Bâle, Ratisbonne, Rostock, Mannheim, Bayreuth, Schwerin; on lui doit des mélodies, des chœurs, de la mus. symph., de piano, des articles dans des périodiques.

**KAELIN Pierre.** Chef de chœur et compos. suisse (Estavayer 1913–). Elève de l'Institut grégorien et de l'école César Franck à Paris, maître de chapelle à Lausanne et à Fribourg, ville dans laquelle il est prof. au conservatoire (1955), il a fondé des chœurs et écrit notamment un psaume, une cantate, un ballet chanté, 4 messes, des motets.

**KAEMPF** (*Kämpf*) **Karl.** Compos. allem. (Berlin 31.8.1874–Munich 14.11.1950). Elève de F.E. Koch, il a été chef d'orch. et écrit de la mus. dans tous les genres, sauf le théâtral. Voir J. Hagemann, *K.K.*, Leipzig 1907.

**KAEMPFERT Max.** Chef d'orch. allem. (Berlin 3.1. 1871–Francfort 2.6.1941). Il a exercé à Munich, Eisenach, Francfort, Soleure (comme prof.) ; on lui doit de la mus. de théâtre, d'orch., de chambre, des mélodies.

**KAERGEL** (*Kärgel, Kargel, Kargl*) **Sixt.** Luthiste allem. du XVIe s. Il vécut sa jeunesse en Allemagne de l'Ouest ; il fut de 1569 à 1607 luthiste des princes-évêques de Strasbourg, à Saverne ; on suppose qu'il voyagea en Italie, parce qu'il connaissait la technique du luth de l'Italie du Nord ; on a conservé de lui d'importantes tablatures de luth : *Theatrum musicum...* (Louvain 1571), *Novae, elegantissimae gallicae, item et ital. cantilenae, mutetae et passomezo, adjuncti suis saltarelis...* (Strasbourg 1574), *Renovata Cythara...* (*ibid.* 1578), *Toppel Cythar...* (*ibid.* 1578), *Lautenbuch...* (*ibid.* 1586) ; son 1er livre de 1569, a été perdu ; dans ses recueils, on trouve des œuvres de Francesco da Milano, G.C. Padouano, P.P. Borrono, V. Bacfart, Arcadelt, J. Gallus etc., des transcriptions de Clemens non papa, Crecquillon, C. de Rore,

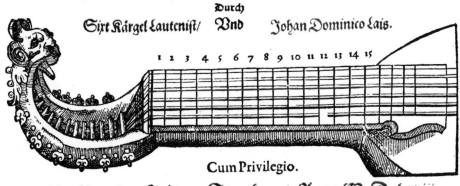

Toppel Cythar.

NOVA EAQVE ARTIFICIOSA RA-
TIO LVDENDAE CYTHARAE, QVAM COMPI
LATORES DVPLAM CYTHARAM VOCANT: ALIQVOT
ELEGANTISSIMIS, ITALICIS, GERMANICIS, ET GALLICIS
cantionibus & saltationibus, exempli vice ornata.

Neue/ Künstliche Tabulatur/ auf die Lautengemäse Toppel
Cythar mit sechs Chören/ von etlichen Italiänischen/ Teutschen vnd Fran-
zösischen Lidern vnd Tantzen: baides für sich selbs volkommenlich/ vnd auch zu andern
Instrumenten dinstlich zuspilen vnd zugebrauchen: gestellet

Durch

Sixt Kärgel Lautenist/     Vnd     Johan Dominico Lais.

Cum Privilegio.

Bei Bernhart Jobin zu Strasburg/ Anno M. D. lxxviij.

KAERGEL

Toppel Cythar *(Strasbourg 1578).*

R. de Lassus. Voir L. de la Laurencie, *Les luthistes,*
Paris 1928 ; W. Boetticher in MGG.

**KAESSMAYER** (*Kässmayer*) **Moriz.** Compos. autr.
(Vienne 20.3.1831–9.11.1884). Violon., élève du cons. de
Vienne, chef d'orch., il a exercé à l'Opéra et à la cour dans
sa ville natale ; on lui doit de la mus. symph. (1 symph.),
de chambre, d'église, 1 opéra, des chœurs, des mélodies.
Voir H. Jancik in MGG.

**KAFENDA Frico.** Prof. et compos. slovaque (Mošovce
2.11.1883–). Elève du cons. de Leipzig, il s'est consacré
à l'enseignement du piano et de la composition à Bratislava ; parmi ses élèves, citons M. Karin (piano) et E.
Suchon (composition) ; on lui doit de la mus. instr., chor.,
des mélodies. Voir E. Zavarsky in MGG.                    Z.V.

**KAFFKA** (*Kawka*) — **1. Joseph.** Mus. allem. (? v. 1730–
Ratisbonne 1796) : originaire de Bohême, il appartint
de 1748 à sa mort à la cour des Tour et Taxis à
Ratisbonne, comme violon. ; on a conservé de lui 1 messe
à 4 v., en ms ; son fils — **2. Wilhelm** (Ratisbonne 11.7.
1751–1806), élève de Touchemoulin (violon), fut un bon
virtuose ; il nous a laissé 1 *divertimento* pour 9 instr. (en
ms.) ; son frère — **3. Johann Christoph** (*ibid.* 1759–
Riga...) appartint d'abord comme violon. à la cour des
Tour et Taxis, fut dir. de mus. de théâtre à Nuremberg,
Ratisbonne, appartint à la troupe de Schikaneder à
Stuttgart, exerça encore à Breslau, à St-Pétersbourg,
Leipzig, Dessau ; il termina son existence comme libraire
et violoniste à Riga ; on lui doit une douzaine de
*Singspiele* et d'opérettes, de la mus. d'église, 2 oratorios,
des symphonies. Voir S. Färber, *Das regensburger...
Hoftheater...,* Ratisbonne 1936 ; A. Scharnagl in MGG.

**KAFKA Heinrich.** Compos. austro-tchèque (Strašovice
25.2.1844–Vienne ...4.1917), qui fut prof. à Vienne,
auteur d'opéras, de mus. symph., de chambre, des
mélodies. Voir J. Löwenbach, *Jindrich K.* ... (en tchèque),
Prague 1938.

**KAGEL Mauricio.** Compos. argentin (Buenos-Aires
24.12.1931–). L'innervation de son écriture musicale
provient, comme jadis chez Mahler, de l'expérience de
chef d'orch. ; on pourrait d'ailleurs pousser encore la
comparaison avec Mahler, car *K.* fut chef d'orch. d'opéra,
en 1956, au *Teatro Colón* et à l'*Opéra de chambre* de
Buenos-Aires ; après l'avoir été à la radiodiffusion
argentine, pour réaliser ses projets de musique électronique, *K.* a dû se rendre à Cologne où le studio du
*Westdeutscher Rundwfunk* a mis ses moyens techniques à
sa disposition. *Transicion I*, pour quatre haut-parleurs,
est une œuvre fort importante, aussi bien par ses innovations techniques que par la construction globale,
fondée sur l'opposition « de couches fixes à des couches
variables », procédé qui se trouve d'ailleurs déjà préfiguré
largement dans l'écriture instrumentale du *sextuor à
cordes* ; *K.*, qui s'était assimilé de très bonne heure les
acquisitions de Schoenberg et de Webern et collabora dès
1947 à l'« Agrupación Nueva Música », en 1956, comme
conseiller musical, à l'univ. de Buenos-Aires, compte
à l'heure actuelle parmi les compositeurs sériels les plus
hardis ; il nous est permis d'entrevoir dans son *Anagrama*
— vaste composition pour chœur parlé, 4 *soli* vocaux et
orch. de chambre — une sorte d'apogée de sa production :
l'œuvre part d'un anagramme latin de Dante, dont le
matériel phonétique et orthographique est transformé
de la même façon que le matériel musical, donnant lieu

ainsi à des « configurations » françaises, espagnoles, italiennes et allemandes ; il s'agit là de l'une des solutions les plus significatives du problème des rapports entre langage et musique à l'heure actuelle.

Œuvres : *Variations pour quatuor mixte* (1952, fl., cl., viol. et vcelle), *Sextuor à cordes* (1953-57, 2 viol., 2 altos et 2 vcelles), *Cinq chants de la Genèse* (1954, sopr. et piano), *Quatre pièces pour piano* (1954), *Musique de tour* (en 4 parties : Morceau d'orch., étude pour batterie, *ostinato* pour ensemble de chambre, essai de mus. concrète, 1954), *Drei Klangstudien* (1955), *Aphorismes d'Apollinaire* (1956, cl. et piano), *Anagrama* (1957-1958, chœur parlé, 4 *soli* et orch. de chambre), *Transicion I* (1958, œuvre électronique, avec 4 haut-parleurs), *Transicion II* (1958-1959, piano, batteur opérant dans le *piano*, magnétophone). **H.K.M.**

**KAGURABUE.** C'est une flûte traversière, en bambou, à six trous (Japon), instrument principalement utilisé dans la musique de culte ; accompagné de longue cithare à six cordes et de claquoir, le *k.* est joué dans la musique rituelle impériale et dans les sanctuaires shintoïstes.

**E.H.-S.**

**KAHL Willi.** Musicologue allem. (Saverne 18.7.1893-). Elève des univ. de Fribourg-en-Brisgau, Munich et Bonn, docteur de Bonn (1919) avec sa thèse *Das lyr. Klavierstück zu Beginn d. 19 Jh.s u. seine Vorgesch. im 17. u. 18. Jh.* (cf. *AfMw*, *III*, 1921), chroniqueur à la *Kölnische Zeitung* (1922), bibliothécaire (dep. 1923), prof. à l'univ. (dep. 1938) et au *Bibl.-Lehrinstitut* (dep. 1949), à Cologne, il a publié *Musik u. Musikleben im Rheinland* (Cologne 1923), *Herbart als Musiker* (Langensalza 1926), *Seldstbiogr. deutscher Musiker d. XVIII. Jh. s* (Cologne-Créfeld 1948), *Musik als Erbe* (*ibid.* 1949), *Studien z. kölner Musikgesch. d.* 16. *u.* 17 *Jh.s* (*ibid.* 1953), *Repertorium d. Mw.* (av. W.M. Luther, Cassel-Bâle 1953), un grand nombre d'articles, notamment sur Borodine, Schubert, Pergolèse, Beethoven, la musique de la Renaissance, dans des périodiques ou ouvrages collectifs. Voir *Festgabe z. 60. Geburtstag v. W.K.*, Cologne 18.7.1953 ; art. in MGG.

**KAHLERT August.** Prof. allem. (Breslau 5.3.1807-29.3.1864). Prof. de philosophie à l'univ. de sa ville natale, ami de Schumann, il collabora à l'*Allg. Musikzeitung*, publia *Über die Bedeutung des Romantischen i.d. Mus.* (ds le *Cäcilia* de Dehn, *Blätter aus d. Brieftasche eines Musikers*, Breslau 1832), *Tonleben, Novellen u. verm. Aufsätze* (*ibid.* 1838), *System der Aesthetik* (Leipzig 1856), nombre d'art. dans des périodiques, notamment le *Schles. Musen-almanach* de Breslau ; il composa des mélodies et des livrets et rédigea d'autres ouvrages, qui ne concernent point la musique, notamment une monographie sur Angelus Silesius (*ibid.* 1853) ; on a conservé sa correspondance avec des personnalités de son temps, notamment Schelling et Schumann. Voir W. Boetticher, *R. Schumann...*, Berlin 1941 — *R.S. in seinen Schriften u. Briefen, ibid.* 1942 — art. in MGG.

**KAHN Robert.** Compos. allem. (Mannheim 21.7.1865-Biddenden, Angleterre, 29.5.1951). Elève de V. Lachner, d'E. Paur, de la *Hochschule f. Mus.* de Berlin (Kiel), de l'*Akad. d. Tonkunst* à Munich (Rheinberger), il séjourna à Vienne et à Berlin, fut lié d'amitié avec Brahms et J. Joachim, enseigna la composition à la même *Hochschule* de Berlin de 1897 à 1930 et émigra en Angleterre en 1937 ; on lui doit de la mus. symph., de chambre, vocale (nombreux *Lieder*). Voir R. Schaal in MGG.

**KAIKO.** C'est l'ancien nom du tambour japonais *shimedaiko* (voir à ce mot).

**K'AI-KOU.** C'est un autre nom du *ta-la-kou*, tambour chinois (voir art. *ta-la-kou*).

**KAISER Alfred.** Compos. belge (Bruxelles 1.3.1872-Londres 2.10.1917). Elève d'A. Bruckner (Vienne), de J. Förster (Prague), il écrivit nombre d'opéras et d'opérettes, des ballets et de la mus. symph. de chambre, de scène.

**KAISER Emil.** Chef d'orch. et compos. allem. (Cobourg 7.2.1853-Munich 15.10.1929), qui exerça notamment à Salzbourg, Prague, Vienne, Munich ; on lui doit des opéras, une messe, de la mus. de scène, des marches militaires.

**KAISER Georg Felix.** Musicographe allem. (Hartmannsdorf b. Limbach 1.3.1883-Leipzig 16 ou 17.8.1918). C'est lui qui édita les *C.M. Webers Gesammelte Schriften* (Berlin 1908) ; critique musical (Dresde, Leipzig), il publia *Beiträge z. Charakteristik C.M. v. Webers als Musikschrifteller* (1910), *Webers Briefe a.d. Grafen K.v. Brühl.*

**KAJANUS Robert.** Chef d'orch. et compos. finlandais (Helsinki 2.12.1856-6.7.1933), qui joua un grand rôle dans la vie musicale d'Helsinki et composa pour l'orch., le piano, le violon, la harpe, ainsi que des chœurs, des cantates et des mélodies. Voir Y. Suomalainen, *R.K. ...*, (en finnois) Helsinki 1952 ; N.-E. Ringbom in MGG.

**KAJINSKY (*Kažinskij*) Victor.** Chef d'orch. et compos. polono-russe (Vilna 3.12.1812-St-Pétersbourg 1870). Elève de l'univ. de Vilna et du cons. de Varsovie, il fut chef d'orch. au théâtre Alexandre de St-Pétersbourg à partir de 1845, écrivit des opéras (*Fenella*, 1840, *Le juif errant*, 1842, *Les pages du duc de Vendôme*, 1846, *Mari et femme*, 1848), des cantates, des chœurs, des mélodies, de la mus. de scène etc. et publia « *Voyage musical en Allemagne* » (St-Pétersbourg 1845), une histoire de l'opéra italien (*ibid.* 1855) et un album de chants polonais. Voir K. Swaryczewska, art. *Kazynski*, in MGG.

**KAJONI Janos.** Moine franciscain de Transylvanie (Jegenye v. 1630-Gyergyoszarhegy 25.4.1687). Il fut prieur à Mikhaza, Szarhegy et Csiksomlyo, vicaire général (1676), *pater custodiae* (1686) de son ordre ; organier, professeur, historien, botaniste, fondateur d'une imprimerie, il réunit des recueils en tablature d'orgue : *Organo Missale* (1667), *Sacri concentus* (1669), partiellement le codex 1634-71, qui porte son nom. et publia *Cantionale catholicum* (impr. 1676) : c'est dire qu'il joua un rôle important dans l'histoire des musiques hongroise et roumaine. Voir F. Jenaki, *J.K. ...* (en hongrois), Kolozsvar 1914 ; A. Negrea, *Un compoz. roman ardelean d. s. al XVII-lea, I.C.* (en roumain), Graïova s.d. ; B. Szabolcsi in MGG.

**KAKAKI.** C'est une longue trompette métallique (Afrique, Togo et Nord-Cameroun). **M.A.**

**KAKELKULTRUN.** C'est un tambour fait d'un tronc creusé, recouvert de peau et frappé sur ses deux faces (Indiens Araucau, Chili). **S.D.-R.**

**KAKKO.** C'est un petit tambour, cylindrique, richement peint, à deux peaux (Japon) ; les peaux, montées sur deux cercles métalliques de tension d'un diamètre supérieur au corps du tambour, sont reliées par d'épais fils de soie ou de chanvre, surtendus par un laçage central ; on les accorde en tendant plus ou moins les fils. Le *k.* est frappé sur les deux peaux avec deux minces baguettes droites. Attesté depuis l'époque de Nara, il est l'instrument de percussion le plus important de la musique *gagaku*. **E.H.-S.**

**KAKOU.** C'est une grande vièle monocorde, dont le corps est constitué par une demi-calebasse recouverte d'une membrane, percée d'une ouïe, qui joue le rôle de table ; la corde est en crins de cheval ainsi que la mèche de l'archet (Afrique, Nord-Cameroun, peuple Mandara). **M.A.**

**KALABIS Viktor.** Compos. tchécoslovaque (Červený Costelec 1923-). Elève d'E. Hlobil et de J. Ridký à Prague, il y est régisseur musical à la radiod. tchécoslovaque ; œuvres : 2 sonates de piano (1947, 1948), 1 sonate de viol. et p. (1948), 1 quatuor à cordes (1949), 1 *divertimento* pour instr. à vent (1952), « Nonetto classique » (1956), concerto de vcelle (1951, joué à Paris en 1957), 1 symph. (1957), 1 suite (1950) et 1 ouverture (id.). **Z.V.**

**KALAFATY (*Kalafati*) Vassili Pavlovitch.** Compos. russe (Eupatoria 10.2.1869-Léningrad 1942). Elève de Rimsky-Korsakov, il fut prof. de composition au cons. de Léningrad (1907-1929) ; il écrivit 1 opéra : « *Les tziganes* » (Pouchkine, 1939), 1 tableau musical pour chœur mixte et orch., 1 ouverture-fantaisie, 7 fragments pour orch. à cordes, 2 quatuors, 1 trio, 1 quintette av.

piano, 2 sonates et 5 préludes pour p. *solo*, des transpositions d'œuvres symph. (Scriabine, Liadov, Spendiarov) pour piano.

**KALAŠ Julius.** Compos. tchèque (Prague 1902–). Il fit ses études avec J.B. Foerster, K. Krička et J. Suk ; dep. 1949, il enseigne à la faculté de cinéma de Prague ; œuvres, cantates : *Ve jménu Pánč* (« Au nom du Seigneur », 1939), *Kejklír* (« Le jongleur », *id.*), *Jen dále* (« En avant », 1951), 1 symph .(1927), 2 poèmes symph. : *Vzkříšení* (« Résurrection », 1944) et *Slavík a ruže* (« Le rossignol et la rose », 1956), concertos d'alto (1949), de vcelle (1950), 1 ballet : *Slavnost y Coqueville* (« Fête à Coqueville », 1955), 6 opérettes, de la mus. de film. Z.V.

**KALATCHEVSKY** *(Kalačevskij)* **Mihaïl Nikolaïevitch.** Compos. ukrainien (Varsovie 1851–1910). Avocat de profession, élève en musique de H. Richter (Leipzig), il écrivit des œuvres symph. (« *Symph. ukrainienne* », 1876), chor., de la mus. de chambre, des mélodies.

**KALAUS** *(a sancto Bartholomeo)* **Simon.** Mus. austro-tchèque (Solnice 1715–Rychnov 22.7.1786). Il entra en 1736 dans l'ordre des piaristes, enseigna la grammaire, la rhétorique, la poésie et l'hébreu au collège de son ordre, fut régent des séminaires de Mikulov et de Kromeriž ; il composa un grand nombre d'œuvres de mus. d'église polyph. avec acc. instr. (34 messes, litanies, motets, offices propres, 1 Te Deum etc.), conservées pour la plupart dans les archives archiépiscopales de Kromeriž. Voir H. Wessely in MGG.

**KALBECK Max.** Critique allem. (Breslau 4.1.1850–Vienne 4.5.1921). Poète, juriste, philosophe, critique mus. dans des périodiques de Breslau et de Vienne, ami et collaborateur de Hanslick, dont il épousa les polémiques contre Wagner, Bruckner, Hugo Wolf, il publia des recueils de ses articles sous les titres *Gereimtes u. Ungereimtes...* (Berlin 1885), *Wiener Opernabende* (Vienne *id.*), *Opernabende* (2 vol., Berlin 1898), *Humoresken u. Phantasien* (1896), des biographies de J.C. Günther (Leipzig 1879), D. Spitzer (Vienne 1894) ; son œuvre principale est sa grande biographie de Brahms (4 vol., Berlin 1904–1914) ; il publia également des volumes de correspondance de Brahms et traduisit ou écrivit des livrets.

**KALCHER Johann Nepomuk.** Mus. allem. (Freising 15.5.1764–Munich 2.2.1826). Elève de Berger (Freising), de J. Grätz (Munich), il fut org. de sa cure dans cette dernière ville (1801), enseigna (il eut Weber parmi ses élèves) ; on lui doit 2 concertos, 15 *Lieder*, 1 messe. Voir L. Hoffman-Erbrecht in MGG.

**KALDENBACH Christoph.** Poète-mus. allem. (Schwiebus 11.8.1613–Tubingen 16.7.1698). Fils d'un bourgmestre de Schwiebus, élève de l'univ. de Koenigsberg, où il se consacra à l'enseignement à partir de 1633 (latin, grec, hébreu, polonais), notamment à l'*Altstäat.-Schule* et à l'univ., en 1655, il fut nommé prof. d'éloquence, de poésie et d'histoire à Tubingen ; on lui doit un psaume XXIII (5 v., Koenigsberg 1645), *Deutsche Sappho* (78 *Lieder*, 2 vol., *ibid.* 1651), Stuttgart 1687), des odes et des *Lieder* dans des recueils de l'époque, ainsi que des œuvres poétiques et rhétoriques, notamment une *Dissertatio musica exhibens analysin harmoniae Orlandi di Lasso... « In me transierunt »* (Tubingen 1664). Voir G. Reichert in MGG.

**KALDY Gyula.** Chef d'orch. et compos. hongrois (Pest 1838–Budapest 1901). Elève de Sechter (Vienne, où il fut chanteur à la chapelle de la cour, chef d'orch. au théâtre de Kolozsvar (1858), prof. à celui de Pest (1874), chef d'orch. de la Soc. des amis de la musique (1875), régisseur du Théâtre national (1881), intendant (1884), puis dir. (1895) de l'Opéra royal de Hongrie (1884), co-dir. de l'Ecole de musique de Hongrie, prof. à l'Acad. de musique, il écrivit des opérettes, des chœurs, des mélodies, surtout des recueils de mélodies *kuruc* ; on publia de lui à Londres une histoire de la musique hongroise (1902).

**KALIK Václav.** Compos. tchèque (Opava 18.10.1891–Prague 18.11.1951). Elève de l'univ. de Prague, de Novak, de J. Suk, il fit carrière de chef de chœur et d'orch. ; on lui doit 2 opéras, des œuvres symph., chor., de mus.

de chambre, des harmonisations de chants populaires tchèques. Voir J. Bužga in MGG.                                            Z.V.

**KALINNIKOV. — 1. Vassili Sergueïevitch.** Compos. russe (Voina 13.1.1866–Yalta 11.1.1901). Basson, élève de l'école de la Philharm. de Moscou (Iljinskij, Blaramberg), où il fut prof. à partir de 1890, il fut chef d'orch. au Théâtre italien de Moscou (1884–1892) ; il participa à la fondation du cons. populaire de Moscou ; il se fixa dans le sud de la Russie pour des raisons de santé ; sa 1re symphonie (1895) a été donnée à Paris en 1900 ; on lui doit de la mus. symph. (2 symph., 2 *intermezzi*, la ballade *Russalka*, 1 cantate, 1 quatuor, des pièces de piano, de la mus. de scène, de piano, des mélodies, 1 opéra (inach.). Voir V. Pascalov, *V.S.K...* (en russe) Leningrad-Moscou 1951 ; G. Waldmann in MGG. Son frère — **2. Victor Sergueïevitch** (1870–1927) fut élève, puis prof. (dep. 1890) à l'école de la Philharm. de Moscou ; il participa à la fondation du cons. populaire de Moscou, composa des chœurs et des arrangements.

**KALISCHER Alfred.** Musicologue allem. (Thorn 4.3.1842–Berlin 8.10.1909). Elève des univ. de Berlin et de Leipzig, docteur de Leipzig, élève de K. Böhmer (compos.), précepteur à Schönebeck, Kharkov, Nice, il fut ensuite rédacteur en chef de la *Neue Berliner Musikzeitung* (1873), et fut secrétaire général de l'association des prof. de musique de Berlin (1897–1898) ; on lui doit *Observationes in poesim romanensem* (thèse, Berlin 1866), *Was uns in der Religion not tut* (pseud. A. Christlieb, *ibid.* 1879), *Spinozas Stellung z. Judentum u. Christentum* (ds *Zeit-u. Streitfragen* de Holtzendorff, *ibid.* 1884), *Musik u. Moral* (Hambourg 1888), *G.E. Lessing als Musikaesthetiker* (Dresde 1889), *H. Heines Verhältnis z. Religion* (*ibid.* 1890), *Die « Unsterbliche Geliebte » Beethovens...* (*ibid.* 1891), *Die Marcht Beethovens* (Berlin 1903), *Wagneriana* (*ibid.* 1904), *Beethoven u. seine Zeitgenossen* (4 vol., *ibid.* 1908–1910), une tragédie, et un grand nombre d'art. dans des périodiques, pour la plupart consacrés à Beethoven, dont il édita d'ailleurs des œuvres et des lettres. Voir R. Schaal in MGG.

**KALKBRENNER. — 1. Christian.** Chef d'orch. allem. (Minden 22.9.1755–Paris 10.8.1806). Fils d'un *Stadtmusikus* de Cassel, *Kapellmeister* de la reine à Berlin, du prince Henri de Prusse à Rheinsberg (1790–1796), il voyagea ensuite en Italie (Naples) et se fixa à Paris en 1799, où il fut *maître des écoles et des chœurs* à l'Opéra ; on lui doit 7 opéras, pour Rheinsberg et pour Paris, des cantates ou oratorios, des pièces de clavecin ou pianoforte et de violon, des mélodies, des écrits : *Theorie der Tonkunst* (Berlin 1789), *Kurzer Abriss d. Gesch. d. Mus.* (*ibid.* 1792), *Hist. de la mus.* (2 vol., Strasbourg 1802), *Traité d'harmonie et de composition de F.X. Richter, revu, corrigé...* (Paris 1804). Son fils — **2. Friedrich** (en voyage, entre Cassel et Berlin, début nov. 1785–Enghien 10.6.1849). Pianiste célèbre, élève de son père, du cons. de Paris (Nicodami, L. Adam, Catel), il poursuivit ses études à Vienne, où il se lia intimement avec Beethoven et fut l'ami de J. Haydn ; il débuta sa carrière de virtuose en 1805 à Munich et à Stuttgart ; à la mort de son père, il revint à Paris, où il donna des concerts et enseigna ; de 1814 à 1823, il exerça à Londres, de 1823 à 1824, il fit des tournées avec le trompette Dizi, puis revint à Paris où il s'associa à Pleyel ; il y connut Liszt, Chopin (qui fut son élève et lui dédia son 1er concerto), et joua avec lui à deux pianos ; K. enseigna au conservatoire : il était d'ailleurs un professeur très recherché ; il fut également l'ami de Schumann, de Clara Wieck etc. ; il mourut du choléra ; on lui doit un grand nombre de pièces pour le piano (4 concertos, 10 sonates, 1 sonate pour la main gauche, 1 concerto à 2 p., un grand nombre d'œuvres de salon), de la mus. de chambre, *Méthode pour apprendre le pianoforte à l'aide du guide-mains* [le chiroplaste de Logier] (Paris 1830) et *Traité d'harmonie du pianiste* (*ibid.* 1849). Son fils — **3. Arthur** (Paris v. 1830–24.1.1869), composa lui aussi de la mus. de salon. Voir L. Boivin, *Notice biogr. sur M.K.*, Paris 1842 ; A. Marmontel, *Les pianistes célèbres*, *ibid.* 1878 ; les écrits de Heine, Liszt, Hiller, Schumann ; M. Unger, *Nova Beethoveniana*, ds *Die Musik*, XII, 1, 1912–1913 ; R. Sietz in MGG.

**KALLENBACH** **Georg Ernst Gottlieb.** Mus. allem. ( ?1765?–Magdebourg 17.10.1832). Fils et élève d'un cantor à Postdam, il fut à partir de 1793 org. de l'église du St-Esprit à Magdebourg ; on ne sait rien d'autre de lui ; on lui doit des odes, des chorals, des motets, des œuvres d'orgue, de piano, des mélodies, des opéras (mss). Voir L. Hoffmann-Erbrecht in MGG.

**KALLENBERG Siegfried.** Compos. allem. (Bad Schachen 3.11.1867–Munich 9.2.1944). Élève du cons. de Stuttgart et de l'*Akad. d. Tonkunst* de Munich, il enseigna à Stettin, Koenigsberg, Hanovre, Munich ; on lui doit 4 opéras, 2 pantomimes, des œuvres symph. (3 symph.), des pièces de piano, de la mus. de chambre, des mélodies, des écrits : *Musikal. Kompositionsformen* (2 vol., Leipzig 1913), *R. Strauss* (*ibid.* 1926), *M. Reger* (*ibid.* 1930).

**KALLIWODA** — **1. Jan Václav** (*Johann Wenzel*). Violon. tchèque (Prague 21.2.1801–Carlsruhe 3.12. 1866). Élève de Pixis à Prague, il fut maître de chapelle du prince Charles Egon II de Furstemberg à Donaueschingen (1822), où il fit représenter des opéras de Mozart, Cherubini, Rossini, et invita Liszt, Schumann, Clara Wieck, Thalberg etc. ; il voyagea en Allemagne, en Hollande, en Suisse, à Prague et se retira à C a r l s r u h e (1866) ; on lui doit plus de 300 compositions : 7 symph., des concertos, des opéras, des chœurs, de la mus. de chambre, des mélodies. Son fils — **2. Wilhelm** (Donaueschingen 19.7.1827 – Carlsruhe 8.9. 1893), élève de son père et du cons. de Leipzig, pian., fut maître de chapelle de la cour à Carlsruhe (1853–1875) et composa des mélodies et des pièces de piano. Voir W. Kramolisch in MGG.

**KALLSTENIUS Edvin.** Compos. suédois (Filipstad 29.8.1881–). Élève du cons. de Leipzig, critique mus.,

cons. de Paris      **KALKBRENNER**

archiviste à la radiod. suédoise (1927–1946), il a écrit de la mus. symph. (4 symph., concerto de piano), de chambre, 1 *Requiem*, 1 cantate, des mélodies etc. Voir L. Reimers in MGG.

**KÁLMÁN.** — **1.** Imre(*Emmerich*).Compos.hongrois (Siofok 24.10.1882–Paris 30.10.1953). Il dirigea à Budapest, Vienne, aux Etats-Unis et à Paris ; on lui doit de nombreuses opérettes. Voir R. Oesterreicher, *E.K. ...*, Vienne 1954. Son fils. — **2. Charles** (Vienne 17.11.1929–), a été l'élève du cons de Paris ; il a écrit de la mus. de théâtre et d'orch. Voir E. Nick in MGG.

**KALNINCH** (*Kalnynš*) **Alfred.** Compos. letton (Tzesis 23.8.1879–Riga 23.12.1951). Il étudia d'abord à Riga, puis au cons. de St-Pétersbourg, dirigea à l'Opéra de Riga, séjourna entre 1927–1933 aux E.U., fut de 1945 à 1948 recteur au cons. de Riga, dep. 1947, prof. de piano au même cons. ; œuvres, opéras : *Banjuta* (1918, éd. en franç. et allem.), *Salinieki* (1922), mus. de chambre, mélodies, *Staburag* (ballet, 1939), 7 cantates (ch. et orch.), 3 suites d'orch., 8 poèmes symph., 6 mélodies populaires et 12 chants populaires lettons pour voix et orch., pièces d'orgue, musique de théâtre.

**KALOMIRIS Manolis.** Compos. grec (Smyrne 14.12. 1883–). Il fit ses études dans sa ville natale et au cons. de Vienne, fut prof. de piano aux cons. de Kharkov (1906–1910) et d'Athènes (1911), puis dir. du Cons. hellénique (1919–1926), et dirige, depuis cette dernière date, le conservatoire national qu'il a fondé ; il est président de la Soc. des compos. grecs ; on lui doit des opéras : *Protomastoras* (1915), « *L'anneau de la mère* » (1917), *Anatolè* (1945) « *Les eaux d'ombre* » (1951), 1 ballet, de la mus. de scène, 3 symph. (1920, 1930, 1955), 1 « concerto symph. » de piano (1935), 1 *concertino* de viol. (1956), des œuvres chorales, de la mus. de chambre, de piano, des mélodies, des arrangements de chansons populaires grecques, des écrits théoriques, pédagogiques et historiques, notamment des traités de théorie mus. et de composition, « *La mus. grecque* » (1916), *L'évolution de la mus. en Grèce* (Paris 1924), des communications à l'académie d'Athènes, son autobiographie (ds *Nea Hestia*, 1944–1945). Voir *M.K.*, Athènes 1932 ; M.E. Dounias in MGG.

**KAMANTCHÉ.** C'est le principal instrument à archet de l'Iran : il est fait d'un cylindre de bois fermé à la base et recouvert d'une membrane tendue à l'autre extrémité ; un manche rond, en forme de bâton, est fixé près de la membrane et se termine à l'autre extrémité par un chevillier en forme de S ; le chevalet est placé en biais sur la membrane, près du manche ; cet instrument a quatre cordes de boyau et se joue avec un archet droit ou très légèrement arqué, ressemblant à l'archet européen ; une pointe servant de support est fixée sous la caisse de résonnance, en face du manche.      Al.D.

**KAMBUROV Ivan.** Musicologue bulgare (Leskovac 22.10.1883–). Élève du cons. de Leipzig, il a enseigné à Plovdiv (1910–1916), Sofia (1918–1920) ; il est critique mus. ; il a rassemblé quelque 2.000 chansons populaires bulgares et publié « *La mus. bulgare* » (1926), « *L'art de l'opéra* » (id.), « *Musique et nation* » (1932), un dict. de mus. (1933) et de nombreux travaux sur la mus. populaire de son pays.

**KAMENSKY** (*Kamenskij*) **Alexandre Danilovitch.** Pian. russe (Genève 12.12.1900–Leningrad 7.11.1952). Élève du cons. (Kalafaty) et de l'univ. (philosophie) de St-Pétersbourg, il fut prof. de piano au cons. de Rostov et de 1934 à sa mort, à celui de Leningrad ; virtuose apprécié, il donna plus de 300 concerts ; on lui doit de la mus. de piano (une trentaine d'arrangements d'opéras) et des mélodies.

**KAMIENSKI Lucjan.** Compos. polonais (Gnesen 7.1. 1885–). Élève de la *Hochschule* et de l'univ. de Berlin, dont il est docteur avec sa thèse *Die Oratorien von J.A. Hasse* (Leipzig 1912), critique à l'*Allg. Zeitung* de Koenigsberg (1909–1919), dir. au cons. (1920–1921) et prof. à l'univ. (1922–1939) de Poznan, prof. à l'école de mus. de Thorn (1949–1957), il s'est fixé au Canada (1957) ; on lui doit 3 opéras, des œuvres symph., voc., de mus. de chambre, des mélodies, des recueils de chants populaires ainsi que nombre d'études sur la musique polonaise. Voir Z. Lissa in MGG.

**KAMIENSKI Maciej.** Mus. pol. (Szopron 13.12.1734–Varsovie 25.1.1821). Il fit ses études mus. à l'orch. du comte Henkel à Szopron, puis à Vienne et se fixa à Varsovie comme maître de mus., chef d'orch. et compositeur ; on lui doit 9 opéras ou vaudevilles, dont *Nedza uszczesliwiona* (« Misère mise en bonheur », W. Boguslawski, connu comme le 1er opéra polonais, 1778), *Zoska czyli wiejskie zaloty* (« Sophie ou les coquetteries paysannes », 1779), *Prostota cnotliwa* (« Simplicité vertueuse », *id.*), *Balik gospodarski*, *Sultan Wampum.*, (1794), 1 cantate dramatique (1788), des polonaises, messes, oratorios (perdus) et un écrit (également perdu). Voir A. Sowinski, *Slowolnik muz. p.*, Paris 1874 ; A. Polinski, *Dzieje muz. pol.*, Lvov 1907 ; H. Opienski, *La mus. pol.*, Paris 1918 ; Z. Jachimecki, *Muz. pol. 1572–1794*, Varsovie 1928 ; H. Dorabialska, *Polonez przed Chopinem*, *ibid.* 1938.                                               K.W.C.

**KAMINSKI Heinrich**. Compos. allem. (Tiengen 4.7.1886–Ried 21.6.1946). Fils d'un prêtre vieux-catholique d'origine polonaise d'une chanteuse d'opéra, il fit ses études à Heidelberg (Wolfrum), Berlin (Juon, Kaun, Klatte) et se fixa à Ried, en 1914, où il enseigna (il eut C. Orff parmi ses élèves) : en 1930, il fut nommé prof. de composition à l'Acad. des beaux-arts de Berlin et dir. de la Soc. des concerts de Bielefeld, postes qu'il abandonna en 1933 : ses œuvres furent interdites par les nazis ; on lui doit 2 opéras : *Jürg Jenatsch* (1927–1929), *Das Spiel vom König Aphelius*, des œuvres symph., polyph. d'église, de mus. chambre, de piano, d'orgue ; ses art. ont été rassemblés sous le titre *Gesamm. Aufsätze v. H.K.* (Berlin 1930) ; on fait communément le parallèle entre lui et André Caplet. Voir R. Schwarz-Schilling et K. Schleiter, *H.K.: Werkverz.*, Cassel 1946 ; I. Samsom, *Das Vokalschaffen v. H.K.*, thèse de Francfort, 1956–art. in MGG.

**KAMINSKY** (*Kaminskij*) **Dimitri Romanovitch**. Compos. russe (Ekaterinoslav 17.8.1907–). Élève aux écoles de mus. de Voroneje et de Minsk, il y est devenu professeur ; on lui doit 1 cantate (1950), 1 suite d'orch. (1953), 3 concertos (v. et p., 1948, 1949, 1952), des œuvres pour orch. d'instr. populaires biélorusses, 1 sonate de piano et violon.

**KAMMEL Antonin** (*Anton*). Violon. tchèque (Hanna v. 1740–Londres ? v. 1788). Élève de Tartini à Padoue, il revint dans son pays pour le quitter presque immédiatement et partir pour l'Angleterre, où il fit partie du cercle qui s'était créé autour de J.-Chr. Bach et d'Abel : c'est en 1768 qu'on le trouve pour la 1re fois dans les programmes de concerts londoniens ; il semble avoir appartenu à la chapelle royale d'Angleterre ; ses œuvres furent populaires en son temps ; on lui doit un grand nombre d'œuvres de mus. de chambre, dont beaucoup furent imprimées à Londres (1766–1785) ; d'autres sont restées en mss à Londres (*BM.*, *R.M.*), Bruxelles Darmstadt, Dresde et Vienne ; on s'accorde à leur trouver peu d'originalité et les musicologues qualifient leur auteur d'« épigone de l'école de Mannheim ». Voir Ch. L. Cudworth in MGG.

**KAMMU**. C'est une flûte oblique, à 2 trous, d'usage rituel chez les Indiens Cuna (Panama).                                M.A.

**KÂMSARA**. C'est un petit gong, plat, suspendu, utilisé au Bengale ; le même instrument est désigné en sanskrit par le terme *kâmsja*.                                               M.H.

**KANDARA**. C'est un tambour en sablier, à poignée, à une peau (de serpent) collée : l'instrument est en général orné de décorations nombreuses, sculptées ou peintes (Nouvelle-Guinée).                                            M.A.

**KANDLER Franz**. Musicographe autr. (Klosterneuburg 23.8.1792–Baden-Vienne 26.9.1831). Enfant de chœur à la chapelle de la cour de Vienne, élève d'Albrechtsberger, de Salieri, de Gyrowetz, de l'univ. de Vienne (1804), il occupa divers emplois à Venise (1817), Naples (1821), Milan, séjourna à Bologne et Rome, mourut lors d'une cure à Baden ; il avait été notamment membre d'honneur de l'*Accad. filarm.* de Bologne (1820), l'ami et le correspondant de Schubert et d'autres personnalités de son temps ; on lui doit des *Lieder*, des hymnes, des écrits : *Cenni storico-critici...* (sur A. Hasse, Venise 1820, 1821) ; *Ehrenspiegel der k.k. österr. Armee...* (Vienne 1831), un ouvrage sur Palestrina (éd. Kiesewetter, Leipzig 1834), *Cenni storico-critici...* (sur « l'état actuel de la mus. en Italie », posth., Venise 1836), nombre d'art. dans la *Wiener Musikal. Zeitung*, l'*Allg.Mus. Zeitung*, *Cäcilia*, la *R.M.* (1829). Voir L. Schiedermair, *Venezianer Briefe*

*F.K.s...*, ds *Riemann-Fs.*, Leipzig 1909 ; G. Kinsky, *Mss, Briefe, Dok. ...*, Stuttgart 1953 ; la correspondance de Schubert ; O. Wessely in MGG.

**KANE**. — 1. Ce sont des cymbales plates (diamètre maximum 12 cm.) en cuivre (Japon), instrument des danses sacrées, utilisé par les danseurs ; d'usage bouddhique et attesté à l'époque Kamakura (1190–1340), l'instrument subsiste dans des pantomimes dansées de certains sanctuaires shintoïstes. — 2. C'est également un gong de bronze, utilisé dans les temples bouddhiques, de même type, mais plus petit que l'*ogana* (Japon). — 3. C'est encore un petit gong (diamètre 20 cm.), suspendu par des brins de chanvre à un cintre de bois ; le cintre est lui-même attaché par un crochet à la ceinture du danseur ou du musicien qui le joue, il est utilisé dans les rondes des *Kagura* de village ; on connaît des *k.* des XVIIe, XVIIIe et XIXe s. de sanctuaires bouddhiques (*Izumo*), Japon.                                                    E.H.-S.

**KANG-KOU**. C'est un tambour en forme de jarre (Chine). *Cf.* art. *kou*.                                               M.H.T.

**KANITZ Ernest**. Compos. autr. (Vienne 9.4.1894–). Élève de Heuberger et de Schreker, il a enseigné à Vienne et aux Etats-Unis (notamment, dep. 1945, à l'univ. de Southern California) ; on lui doit 3 opéras, de la mus. symph., chor., de chambre, des mélodies.

**KANKA**.—1.**Johann Nepomuk**. Dilettante austro-tchèque (Prague 1743–1798). Fils d'un architecte, docteur en droit, *Appellationsrat* (1778), il fut un remarquable vcelliste et sa maison était un centre musical de haut niveau ; on lui doit *Balli tedeschi* (1787, ms. Prague), *Aria pastorale* (*ibid.*) : les *Balli* sont un arrangement des *Noces de Figaro* de Mozart. Son fils — 2. **Johann Nepomuk** (*ibid.* 10.11.1772–15.4.1865), docteur en droit, *Hofrat* (1812), fut un grand ami de Beethoven et joua un grand rôle dans l'activité musicale de Prague ; il était pianiste ; on lui doit des marches, de la mus. de théâtre, 6 cantates, 1 concerto de piano, 1 symph. (1808), des chœurs, des mélodies, de la mus. de chambre, etc. Voir J. Klapkova, *J.N. K.*, thèse de Prague, 1956 (dact.) ; P. Nettl in MGG.

**KANKAROVITCH** (*Kankarovič*) **Anatoli Issaakovitch**. Compos. russe (St-Pétersbourg 8.10.1885–Moscou 17.8. 1956). Élève du cons. de Moscou (Auer, Liadov, Rimky-Korsakov), il poursuivit ses études à Leipzig, Amsterdam et Dresde et fit une carrière de chef d'orch., à Moscou, Leningrad et en province ; on lui doit 2 opéras : « Le fils de la terre » (d'après Hofmannsthal, 1915), « Le pavot rouge », 1 ballet : *Pan* (1916), 1 cantate (*Lenin*, 1920), de la mus. de piano, de scène, des mélodies.

**KANNE Friedrich August**. Compos. allem. (Delitzsch 8.3.1778–Vienne 16.12.1833). Protégé du prince Lobkowitz, il fut dans la *Wiener Allg. musik. Zeitung*, le grand défenseur de Beethoven ; on lui doit des opéras, des *Singspiele*, des messes, des sonates, des mélodies etc. ; Beethoven voulait à tout prix obtenir de lui un livret d'opéra. Voir Th. Frimmel, *Beethoven–Handbuch*, I, Leipzig 1926.

**KANNEGIESSER Justus Jakob**. Mus. allem. (Hanovre v. 1732–Berlin 15.2.1805). Élève de Quantz, il fut musicien de la chambre du prince Frédéric-Eugène de Wurtemberg à Marbourg, puis violon. de la chapelle royale à Berlin ; il y fut également prof. de chant et il se retira en 1798 ; on lui doit des compositions vocales avec acc. de clavecin. Voir H. Becker in MGG.

**KANT Emmanuel**. Philosophe allem. (Koenigsberg 22.4.1724–12.2.1804). Sa biographie et l'analyse de sa doctrine n'intéressent pas le présent ouvrage. La seule œuvre imprimée dans laquelle il traite un peu longuement de la musique est *Kritik der Urtteilskraft* (1790), dont la traduction française a été publiée par Vrin et dont on trouve des extraits dans « Le jugement esthétique » des PUF. Dans le chapitre intitulé *Division des beaux-arts* (*op. cit.*, 51), il range la musique parmi les arts du jeu des sensations : alors que les « arts parlants » (poésie) expriment des idées que les « arts figuratifs » ne peuvent exprimer que par des intuitions sensibles, la musique n'exprime que des sensations ; aussi la range-t-il après la poésie (« *Comparaison de la valeur esthétique des beaux-arts* », *ibid.*, 53). La poésie, en dépit du jeu qui la fonde, exprime des idées, la musique « ne donne rien pour la réflexion », mais elle émeut, passagèrement, de manière plus diverse et plus intime que la poésie ; elle n'est qu'un sentiment : vis-à-vis de la raison, elle est le dernier des arts. En musique, l'idée pure est remplacée par un *Ton* qui suscite chez l'auditeur des idées esthétiques. La modulation appartient au langage universel des sensations, universel parce que compréhensible à tous. Quant aux idées esthétiques que la musique engendre, la genèse en est une combinaison de sensations quasi mathématique (harmonie et mélodie), bien que les mathématiques n'aient aucune part dans l'attrait et dans l'émotion que la musique exerce : elles ne sont que la condition *a priori* de la beauté de l'œuvre. En bref, *K.* reproche à la mus. de partir des sensations pour aboutir à des idées indéterminées : elle est condamnée à ne donner que des « impressions passagères », vite lassantes. Le vénérable philosophe reproche en outre à l'art qui est l'objet de cette encyclopédie de... « manquer d'urbanité » (traduisez : déranger les voisins) : ce reproche, tout fondé qu'il est, ressortit au sens commun et au commissaire de police plus qu'à la juridiction philosophique ; *E.K.* avait peut-être comme voisins une chanteuse et un trompettiste. Voir O. Schlapp, *Kants Lehre vom Genie...*, Göttingen 1901 ; F. Marschner, *K.s Bedeutung f.v. Musikaesth. d. Gegenwart*, *ds Kantstudien, VI*, 1901 ; H. Kretzschmar, *I. Kants Musikauffassung...*, ds *JbP*, XI, 1904 ; K. Klinkhammer, *Kants Stellung zur Mus.*, thèse de Bonn, 1926 ; G. Wieninger, *I.K.s Musikaesth.*, thèse de Munich, 1929 ; C. Dahlhaus, *Zu K.s Musikaesth.*, ds *AfMw*, X, 1953 ; K. Huber, *Musikaesth.*, éd. O. Ursprung, Ettal (1954) ; D. Henrich in MGG.     **J.P.G.**

**KANTELE.** C'est une cithare, sur caisse trapézoïdale, des pays baltes, d'usage populaire ; elle accompagne souvent les chants. Différentes variétés existent, archaïques ou perfectionnées. On trouve aussi, selon les régions, *kokle, kankles, kannel*.     **C.M.-D.**

**KANUM.** Voir art. *qanoum*.

**KAPELLMEISTER.** C'est en allemand le nom du maître de chapelle. On a parfois appelé par dérision *Kapellmeistermusik* une œuvre où le plagiat est flagrant : le maître de chapelle, pressé par les nécessités quotidiennes, faisait souvent exécuter sous son nom et au milieu de fragments de ses propres œuvres d'autres fragments dus à l'art d'autrui.

**K'API.** C'est un ensemble de trois guimbardes de bambou de différentes dimensions, jouées simultanément par un seul exécutant (Mongolie).     **M.H.**

**KAPP** — **1. Artur.** Org. et compos. esthonien (Suure-Yani 28.2.1878–14.1.1952). Élève du cons. de St-Pétersbourg (Liadov, Rimsky-Korsakov), il fut de 1904 à 1920 dir. de l'école imp. de mus. d'Astrakhan et, de 1920 à 1943, chef d'orch. au théâtre et prof. de composition au cons. de Tallin ; on lui doit notamment 5 symph., 6 concertos, des cantates, plus de 130 chœurs, 9 marches pour cuivres, de la mus. de chambre, d'orgue, des mélodies. Son fils — **2. Eugen** (Astrakhan 26.5.1908–), élève, puis prof. (1935) et enfin dir. (1947) au cons. de Tallin, a écrit 2 opéras : « *Les feux de la vengeance* » (1945), « *Le chantre de la liberté* » (1950), 1 ballet : *Kalevipoeg* (1947), 1 cantate (1949), 2 symph., 5 suites d'orch., 2 sonates de piano et violon, 1 *concertino* à 2 p. (1943), de la mus. de film, de théâtre ; il préside la Soc. des compos. esthoniens.

**KAPP Julius.** Musicographe allem. (Steinbach 1.10. 1883–). Chimiste, docteur de l'univ. de Berlin, co-dir. du *Literar. Anzeiger* (1904–1907), librettiste pour les deux grands Opéras de Berlin (1921–1945, 1948–1954), il a publié des études sur Liszt, Wagner, Paganini, Berlioz, Meyerbeer, Weber etc., des art. dans des périodiques, des traductions de livrets, des correspondances de musiciens. Voir R. Schaal im MGG.

**KAPP Willem Hansovitch.** Compos. esthonien (Suure-Yani 7.9.1913–). Élève, puis prof. (1944) au cons. de Tallin, il a écrit de la mus. symph. (2 symph., 1947, 1954), de chambre, de scène, 1 cantate, des mélodies.

**KAPR Jan.** Compos. tchécoslovaque (Prague 12.3.1914–). Élève de J. Ridky, de J. Kricka (Prague), il a débuté comme régisseur musical à Radio-Prague ; il est actuellement rédacteur en chef des éditions musicales nationales, critique, membre du comité directeur de la Soc. des compos. tchécoslovaques ; on lui doit 3 quatuors à cordes (1942–1955), *Nonetto* (1943), 2 sonates de piano (1945, 1947), 2 fantaisies (p. et v. ou alto, 1956, 1957), 1 cantate : *Pisen rodné zemi* (« Ode au pays natal », 1940) 2 concertos de piano (1938, 1953), 1 de violon (1955), 4 symph. (1943–1956), 1 *sinfonietta* (1940), 1 suite (1955–1956).     **Z.V.**

**KAPRÁL Václav.** Compos. et prof. tchèque (Urcice 26.3.1889–Brno 4.4.1947). Élève de L. Janacek, de V. Novák, d'A. Cortot, il fonda une école de mus. à Brno, ville où il fut également prof. au cons. (dep. 1936) ; il écrivit des œuvres symph., de chambre, de piano. Sa fille — **2. Vitezslava** (Brno 24.1.1915–Montpellier 16.6.1940) élève de V. Petrzelka, de Z. Chalabalá (Brno), de V. Novák (Prague), de B. Martinu et de Ch. Münch (Paris), pian., mourut dans l'exode qui suivit l'occupation de Paris ; on lui doit une trentaine de compositions (symph., de chambre, de piano, vocales) ; ses souvenirs ont été publiés par P. Pražák (Prague 1949). Voir J. Buzga in MGG.     **Z.V.**

**KAPSBERGER Johannes Hieronymus** (*Giovanni Geronimo* ou *Girolamo Tedesco della Tiorba*). Théorbiste et luthiste allem. (? v. 1575–Rome v. 1650). Il jouait également du *chitarrone* et de la trompette ; il résida à Venise (v. 1600) et à Rome (1609), où il se lia avec A. Kircher ; on trouve beaucoup d'anecdotes sur lui dans les écrits de G.B. Doni ; on lui doit, impr. : 4 livres de tablature de *chitarrone* (Venise 1604, Rome 1616, 1626, 1640), 1 livre de madrigaux à 5 v. (*ibid.* 1609), 6 livres de villanelles à 1-3 v., en tablature de *chitarrone* (Rome 1610, 1619, 1623, 1630, 1632), 2 livres de tablature de luth (*ibid.* 1611, 1623), *Maggio...* (Florence 1612), 2 livres d'*arie passeggiate* en tablature de *chitarrone* (*ibid.* 1612, 1623), 1 livre de *mottetti passeggiati* (1 v., *ibid.* 1612), *Sinfonie a 4 con il b.c.* (*ibid.* 1615), *Capricci a due strom., tiorba e tiorbino* (s.l., 1617), *Apoteosi di S. Ignazio di Lojola* (Rome 1622), 2 livres de *poematia et carmina* (*ibid.* 1624, 1633), *Coro mus. nelle nozze... T. Barberini e donna A. Colonna* (ibid. 1627), *Epitalamio...* (*ibid.* 1628), *Cantiones sacrae...* (*id. ibid.*), *Modulatus sacri...* (2 liv., *ibid.* s.d.), *Fetonte dramma recitato a più v.* (*ibid.* 1630), *Pastori di Betlemme nella nascita di N.S., dialogo recitativo a più v.* (*ibid.* 1631), *Litaniae...* 4-6-8 v. (*ibid.* 1631), *Missae Urbanae* (4-5-8 v., *id. ibid.*) — 3 livres de psaumes ont été perdus —, ds mss à Vienne et Rome. Il fut un des grands virtuoses de son temps, et les musicologues s'accordent à trouver ses tablatures remarquables par la simplicité des ornements ; quant à ses œuvres vocales. elles consacrent le triomphe du style monodique à Rome. Voir W. Boetticher – F. Giegling in MGG.

**KARA-MOURZA** (*Kara-Murza*) **Khatchatour.** Compos. et chef d'orch. arménien (Karassu-Bazar 1853–Tiflis 1902). Auteur de nombreuses recherches dans le domaine de la mus. populaire arménienne, il a fondé plus de 90 chorales et marqué le développement de la mus. arménienne par son activité scientifique et journalistique ; on lui doit *Chouchan* (opéra), 300 arrangements de chants populaires géorgiens, kurdes et arméniens, de la mus. de scène.

**KARACHVILLI** (*Karašvili*) **Andréï.** Compos. géorgien (1857–1925). Élève des cons. de Moscou et de Varsovie, violon. remarquable, il eut une grande activité de virtuose et a laissé un manuel de violon ; il est l'auteur du premier concerto de violon géorgien.

**KARAÏEV** (*Karaev*) **Kara Abdulfas Ogly.** Compos. et prof. russe (Bakou 5.2.1918–). Élève du cons. de Moscou (Chostakovitch), il est chef d'orch., prof. de compo-

sition et dir. du cons. de Bakou ; on lui doit 2 opéras (av. D. Gadchibekov) : *Ajna* (1941), *Veten* (« Patrie », 1945), des ballets : *Ssjem Krassavits* (« Les 7 belles », 1952), *Tropoju groma* (1956), 2 cantates, 2 symph. (1944–1946), 7 suites symph., des pièces pour orch. d'instr. populaires azerbaïdjanais, des mélodies, des pièces de piano (24 préludes), de la mus. de scène, de radio, de film. Voir N. Karagitcheva, *K.K.*, Bakou 1956 — art. in MGG.

**KARAJAN Herbert von.** Chef d'orch. autr. (Salzbourg 5.4.1908–). Elève du *Mozarteum* de Salzbourg et de l'*Akad. f. Mus.* de Vienne (F. Schalk), il débuta à Ulm, où il fut pendant 7 ans, directeur de l'Opéra ; de 1900 à 1934, il est dir. des cours d'orch. de Salzbourg ; en 1935, il est *Generalmusikdirektor* de l'Opéra d'Aix-la-Chapelle, en 1941, chef d'orch. à celui de Berlin (il y dirigea également les concerts symph. de la *Preuss. Staatskapelle* jusqu'en 1944) ; après la 2ᵉ guerre mondiale, il exerce à Vienne (*Gesell. d. Musikfreunde*, *Wiener Symphoniker*) ; on le trouve aussi à la tête du *London Philh. Orchestra*, de l'orch. de la *Scala* de Milan, aux festivals de Bayreuth, Salzbourg, Edimbourg, Lucerne, Vienne, Berlin, Munich ; depuis la mort de Furtwängler (1954), il dirige la Philharmonie de Berlin, dep. 1956, l'Opéra de Vienne et le festival de Salzbourg ; c'est un des plus grands chefs d'orch. contemporains, dont la renommée est mondiale. Voir B. Gavoty – R. Hauert, *K.*, Monaco-Genève (1954) ; R. Schaal in MGG. — Son arrière grand-père, *Theodor Georg, Ritter von K.* (Vienne 22.1.1810–28.4.1873), fut historien et archiviste, prof. à l'univ., président de l'Acad. des sciences à Vienne, ami de Grillparzer ; parmi ses publications, citons *J. Haydn in London, 1791 u. 1792* (Vienne 1861), *Aus Metastasios Hofleben (id. ibid.)* ; son fils, *Max*

*Theodor* (Vienne 1.7.1833–Salzbourg 20.8.1914), fut prof. à l'univ. de Graz, où il publia *Der Singverein in Graz i. d. ersten 40 Jahren seines Bestehens, 1866/1867 —1905/1906* (1909). Voir H. Jancik in MGG.

**KARASOWSKI Maurycy.** Vcelliste pol. (Varsovie 22.9.1823–Dresde 20.4.1892). Elève de W. Kratzer (Varsovie), il appartint à l'orch. de l'Opéra de cette même ville (1851–1858), poursuivit ses études à Berlin, Vienne. Paris, Cologne, Munich et Dresde, fut *Hofmusiker* à l'orch. de Dresde (1864), ville où il se fixa ; critique mus., il publia des art. ds des périodiques polonais et « *Abrégé de l'hist. de l'opéra polonais* » (Varsovie 1859), « *La jeunesse de Chopin* » (ibid. 1852), *F. Chopin, sein Leben, seine Werke u. Briefe* (Dresde 1877, nombreuses trad.) ; on lui doit également qqs œuvres pour son instrument. Voir Z. Lissa in MGG.

**KARATÂLA.** Les *k.*, ou *chittikâ*, sont des pièces de bois dur d'environ 15 cm., attachées ensemble, mais se mouvant librement : on les tient dans une main et on les fait s'entrechoquer comme des castagnettes ; quelquefois des anneaux sont fixés aux côtés : on peut alors y glisser le pouce et l'annulaire, ce qui donne un meilleur contrôle du rythme ; de petites cymbales sont fixées dans le bois, et des grelots attachés aux extrémités. Cet instrument sert surtout à l'accompagnement des chants religieux *(bhajana)* et aux chants et danses des moines errants. Al. D.

**KARATOE.** C'est un tambour vertical, à une peau, des îles Célèbes. M.H.

**KARATYGINE** *Viatcheslav Gavrilovitch.* Musicologue russe (Parlovsk 17.9.1875–Leningrad 23.12.1925), qui fut de 1906 à 1925 prof. d'hist. de la mus. au cons. de Leningrad et joua un rôle important dans la vie musicale russe de son temps ; il est considéré comme l'un des meilleurs spécialistes de Moussorgsky ; il publia *Scriabine* (St-Pétersbourg 1916), *Moussorgsky et Chaliapine* (Petrograd 1922) ; on lui doit des mélodies. Voir *V.G.K.*, « *sa vie et ses œuvres...* », (en russe) Leningrad 1927.

**KARDOŠ Dezider.** Compos. slovaque (Nadlice 23.12. 1914–). Il fit ses études à Bratislava et à Prague avec V. Novák ; il est actuellement président de l'Assoc. des compos. slovaques ; parmi ses œuvres principales, on trouve 2 symph., 3 cantates, 1 quatuor à cordes, 1 quintette p. instr. à vent, de la mus. de film. Voir Z. Nováček, *Profil D.K.*, Bratislava 1955. Z.V.

**KAREL Rudolf.** Compos. tchèque (Plzeň 9.11.1880–Terezín 5.3.1945). Elève de l'univ. et du cons. de Prague, (il fut le dernier élève de Dvořák) il enseigna à Prague et en Russie, et fut, à partir de 1927, prof. au cons. de Prague ; arrêté en 1943 par les nazis, il mourut dans un camp de concentration ; il est l'un des artistes tchèques les plus originaux, après Smetana, dont le style monothématique et la polyphonie complexe rappellent Reger ; on lui doit notamment 2 opéras : *Ilseino srdce* (« Le cœur d'Ilsea », 1909) et *Smrt kmotřička* (« Commère la mort », 1929–1932), 2 symph., « *Renaissance-symphonie* » (1910–1911), 2 poèmes symph. : *Démon* (1918–1920) et *Ideály* (1906–1909), suite d'orch. *op.* 4 (1903–1904), *Scherzo capriccio op.* 6 (1904–1905), symph. pour viol. et orch. *op.* 20 (1913–1924), sonate de piano *op.* 14 (1910) et pour piano et viol. *op.* 17 (1912–1913), 2 quatuors à cordes *op.* 3 (1902–1903) et 12 (1907–1910), de la mus. de scène, des mélodies, des chœurs. Voir O. Sourek, *R.K.*, Prague 1947 ; J. Bužga in MGG. Z.V.

**KARETNIKOV Nicolaï Nicolaïevitch.** Compos. russe (Moscou 28.6.1930–). Elève de Chebaline et de Chaporine, il est prof. de composition au Séminaire des compositeurs ; on lui doit 1 oratorio (*Julius Fučik*, 1953), des variations pour piano, « *Miniatures* », des mélodies, de la mus. radiophonique.

**KARG-ELERT Sigfrid.** Compos. allem. (Obernsdorf 21.11.1877–Leipzig 9.4.1933). Elève du cons. de Leipzig, il enseigna à Magdebourg (1902), Leipzig (1919) et fut un joueur de *Kunstharmonium*, instr. avec lequel il se produisit en Angleterre et aux E.U. et pour lequel il écrivit des manuels ; on lui doit une œuvre abondante pour cet instrument, pour l'orgue, le piano, d'autres instr., de la mus. symph. (1 symph., 1897), de chambre, des chœurs, des mélodies ; de ses écrits théoriques, retenons *Akustische Ton-, Klang-u. Funktiondbstimmung* (Leipzig 1930) et *Polaristische Klang-u. Tonalitätslehre* (*ibid.* 1931). Les musicologues s'accordent à le déclarer un « impressionniste ». Voir H. Avril, *S. K.-E., Komp.-Verz. ...*, Berlin 1908 ; P. Schenk, *S.K.-E., ibid.* 1927 ; G. Sceats, *The organ works of K.-E.*, Londres 1949, 1950 ; R. Sietz in MGG.

**KARGANOV Gennari Ossipovitch.** Pian. et compos. arménien (Kvarelia 12.5.1858-Rostov 12.4.1890). Elève des cons. de Leipzig et de St-Pétersbourg, il fut virtuose, prof. et critique à Tiflis ; on lui doit 27 compositions, dont des pièces de piano.

**KARGANOV Vassili Davidovitch.** Musicologue russe (1865–1934). Il collabora à la presse périodique de Moscou, Tiflis et St-Pétersbourg et se fixa à Erevan, après la Révolution, où il fut prof. au cons. ; on lui doit des biographies (*Verdi, Mozart, Beethoven*), et d'excellents articles sur l'hist. de la mus. caucasienne.

**KARGARETELLI** (*Kargareteli*) **Ilya.** Ténor, chef d'orch. et compos. géorgien (1867–1939). Elève de l'école de la Société philharm. de Moscou, il fit de nombreuses recherches dans le domaine de la mus. populaire géorgienne et fut l'organisateur de nombreux concerts et conférences ; il publia des recueils de chants populaires (1899–1909), des mélodies et arrangements ; pour mettre en scène à Tiflis le *Demon* de Rubinstein et *Le barbier de Séville* de Rossini, il traduisit les livrets de ces opéras en géorgien.

**KARGES Wilhelm.** Mus. allem. ( ? 1613 ou 1614–Berlin 27.11.1699). Il aurait été, d'après Sachs, *Adjunkt. d. schwed. Hofkapellm. u. Org.* ; il est en 1645 org. à la cath. de Kœnigsberg, en 1646, *Kammermusikant u. Komponist* à la cour de Berlin ; à partir de 1668, il cessa de pratiquer, sa mauvaise vue le lui interdisant ; on a conservé de lui *Capriccio G., Fantasia D., Präludium E.* (ms. *Amalienbibl.* 340) *Vater unser im Himmelreich, O Mensch bewein dein Sünde gross* (ds tabl. du comte Lynar, Lübbenau). Voir C. Sachs, *Musik u. Oper am brdbg. Hof*, Berlin 1910 ; L. Schneider, *Gesch. d. Oper u. d. kgl. Opernhauses zu Berlin, ibid.* 1852 ; M. Seiffert, *Organum, IV*, 21 Lippstadt ; H.J. Moser, *Die ev. K.M. in Deutschland*, Berlin 1954 ; M. Reimann, *W.K. ...*, ds *Mf*, XI, 1958 — art. in MGG.

**KARINDI Alfred Edouardovitch.** Compos. esthonien (Kynnu 30.5.1901–). Elève du cons. de Tallin, où il enseigne dep. 1940, il a écrit 4 cantates, de la mus. symph., de chambre, qq. 50 mélodies et chansons.

**KARLINGER Felix.** Musicologue allem. (Munich 17.3. 1920–). Elève de l'univ. et de l'*Akad. der Tonkust* de Munich, docteur (1948) avec sa thèse *Die Pyrenenäen im Spiegel des Volkslieds* (ms.), il a publié des art. sur la musique populaire dans les Alpes et les Pyrénées (ds *Der Zwiebelturm*, 10, 1952), les chansons de contrebandiers dans les pays romans et allem. (ds *Alpenland*, 1954), l'antiphonaire wisigoth mozarabe de la cath. de León (ds *Erasmus*, 1955), l'apport populaire dans la musique d'église de Sardaigne (ds *Musica sacra*, 1956), *Nicolas Lebègue* (ds *Erasmus, id.*).

**KARLOWICZ — 1. Jan.** Compos. pol. (Subortowicze 28.5.1836–Varsovie 14.6.1903). Il fit des études de philologie, d'histoire, d'ethnographie et de mus. à Moscou, Paris, Heidelberg, Bruxelles, Berlin ; vcelliste, org., il travailla notamment au cons. de Bruxelles (A. Servais, Lemmens, Fétis) ; en 1867, il fut nommé prof. d'hist. à l'univ. et à l'institut de mus. de Varsovie, ville dans laquelle il exerça un grand rayonnement ; on lui doit des mélodies, des chœurs, des pièces de piano et vcelle, de la mus. d'église, toutes œuvres restées mss ; parmi ses nombreux écrits, on distingue « *Etudes sur le contenu et la forme du chant populaire polonais* », (Varsovie 1882), « *Les systèmes de chant du peuple pol.* » (ds *Wisla III, IV, IX*), *Kobza et Skrzypce* (*ibid., IV*), «*Conseils à un collectionneur de trésors populaires* » (Varsovie 1871), « *Projet d'une nouvelle notation* » (*ibid.* 1882, en franç.

1878), des traductions (notamment des traités). Son fils — **2. Mieczyslaw** (Wisznïew 11.12.1876–Zakopane 8.2.1909). Elève de Rosenkranz (Heidelberg), de Jakowski et de Barcewicz (violon), de P. Maszynski, de G. Roguski et de Z. Noskowski (théorie et composition) à Varsovie, de H. Urban (*id.*) à Berlin, il étudia également la philosophie et l'hist. de la mus. à l'univ. de Varsovie ; à partir de 1900, il se consacra exclusivement à la composition et aux activités musicales, fondant un orch. à cordes pour la Soc. mus. de Varsovie ; en 1906, il séjourna à Dresde pour suivre le cours de direction d'orch. d'A. Nikisch ; fervent alpiniste, il mourut dans une avalanche dans les monts Tatra ; il appartient au groupe de compositeurs qui s'intitula *Mloda Polska* (« Jeune Pologne »), avec G. Fitelberg, A. Szeluto, K. Szymanowski, R. Rozycki ; on lui doit notamment 1 concerto de violon (*op.* 8, 1902), *Sérénade* (cordes, *op.* 2, 1897), *Biala Golabla* (« Blanche tourterelle », *op.* 6, 1899–1900), *Symphonie en ré min.* (*op.* 7, 1901–1902), 6 poèmes symph. (1903–1908), des chœurs, des mélodies, des pièces de piano, des art. dans des périodiques ou ouvrages collectifs. Voir A. Chybinski, *M.K.,* Cracovie 1949 ; F. Kecki, *Id., ibid.* 1934 ; *M.K. w. 25 rocznice smierci*, Poznan 1934 ; I. Belza, *M.K.*, (en russe), Moscou-Leningrad 1951 ; Z. Lissa in MGG.

K.W.C.

**KARMINSKY** (*Karminskij*) **Mark Veniaminovitch.** Compos. ukrainien (Kharkov 30.1.1930–). Elève du cons. de sa ville natale, il a écrit « *Ceux de la Bukovine* » (opéra, 1955), *Suite ukrainienne* (1952), *Ouverture « 1951 »*, 1 trio, des chœurs, des mélodies, de la mus. de scène.

**KARNA.** C'est une longue trompette métallique (Iran).
S.J.

**KARNITZKAÏA** (*Karničkaja*) **Nina Andréevna.** Compos. ukrainien (Kiev 5.5.1906–). Elève, puis prof. (1938–1948) au cons. de Bakou, elle a écrit *Symphonie*, (1942), 1 élégie et 1 poème symph., 1 poème pour viol. et orch., *Sinfonietta* (cordes, 1947), 1 quatuor (1946), 1 trio sur des scènes ossètes, 2 sonates (p., p. et v.), des mélodies, de la mus. de scène.

**KARNOVITCH** (*Karnovič*) **Yuri Lavrovitch.** Compos. russe (Kovno 23.4.1884–). Elève de l'univ. et du cons. de St-Pétersbourg (Liadov, Rimsky-Korsakov, Glazounov), il a été prof. aux cons. de Leningrad et de Kovno ; on lui doit de la mus. de chambre, de piano, des mélodies.

**KARNYX.** Voir art. *carnyx*.

**KAROLYI Julian.** Pian. hongrois (Losonc 31.1.1914–). Elève de Pembaur (Munich), de Pauer (Leipzig), d'A. Cortot (Paris), de Dohnanyi (Budapest), il fait une carrière intern., interprète habituel de Chopin ; il réside à Munich.

**KAROSSAS** (*Karosas*) **Uosas Yurguio.** Compos. lithuanien (Lelunaï 16.6.1890–). Après des études au cons. de Riga, il fut dans cette même ville chef de chœur et org., puis à Kaunas chef d'orch. de la radio (1930–1937) ; il est depuis cette dernière date, prof. à l'école de mus. de Chiaoulia et Klaïpeda ; on lui doit 1 oratorio, 2 symph., 2 ouv., *Rhapsodie lithuanienne* (1936), 1 suite sur des thèmes de chant populaire lith. (cordes), 3 concertos, 2 quatuors, 1 trio, de la mus. de chambre, d'orgue, des mélodies, des arrangements.

**KARPATI János.** Musicologue hongrois (Budapest 1932–). Formé à l'école nat. des hautes études mus. (violon, musicologie), spécialiste mus. de l'« Entreprise nat. des éd. sonores », il se consacre à la musicologie comparée ; il a fait récemment des recherches ethnomusicologiques au Maroc.

**KARPELES Maud.** Ethnomusicologue angl. (Londres 12.11.1885–). Collaboratrice de C. Sharp de 1911 à 1924, elle s'est consacrée à recueillir des chants et des danses populaires en Angleterre, aux E.-U. et au Canada ; elle participa à la fondation de l'*English folk dance and song Society*, dont elle fut secrétaire honoraire de 1922 à 1929 ; elle a pris une part non moins importante à la fondation de l'*Intern. folk mus. Council* (1947), dont elle a également été la secrétaire honoraire ; elle est membre de l'*Amer. folklore Society* ; on lui doit nombre d'art. sur le folklore ethnomusicologique, dans des périodiques ou ouvrages collectifs.

**KARPILOVSKY** (*Karpilovskij*) **Daniel.** Violon. russe (Dizmar 1895–), élève d'Auer, qui fut prof. aux cons. de Kharkov (1912) et de Moscou (1919–1924), ville dans laquelle il dirigea ; en 1925, il fut chef d'orch. à Berlin, où il a fondé le Quatuor Guarnieri.

**KARSAVINA Tamara.** Danseuse russe (1883–). Fille de *Platon Karsavine*, le célèbre maître de ballet, élève de l'école de ballet de St-Pétersbourg, elle débuta comme danseuse-étoile en 1907 et suivit Diaghilev à Paris (1909), où elle fut l'attraction des *Ballets russes* ; à la mort de ce dernier, elle exerça à Londres ; elle a publié ses mémoires : *Ballets russes, Souvenirs de T.K.*, Paris 1931. Voir V. Svetlov, *T.K.*, 1922.

**KARSTÄDT Georg.** Musicologue allem. (Berlin-Steglitz 26.10.1903–). Élève de la *Hochschule f. Mus.* et de l'univ. de Berlin, dont il est docteur avec sa thèse *Zur Gesch. d. Zinken u. seiner Verwendung i.d. Mus. d. 16.-18. Jh.s* (cf. *AfMf*, II, 1936), il a été collaborateur du *Staatl. Institut f. deutsche Mf.* à Berlin (jusqu'en 1945) ; il est depuis 1952 prof. à Ratzeburg et, dep. 1953, conservateur du département de la mus. à la bibl. et de la collection d'instr. au musée Ste-Anne de Lubeck ; après la mort de K. Taut (1939), il a publié les vol. *III* et *IV* de la *Bibliogr. d. Musikschrifttums* ; on lui doit en outre l'éd. du *Ländlicher Festtag*, de J. Aschenbrenner (Lippstadt) et des art. dans des périodiques et ouvrages collectifs.

**KARTUN** — **1. Henry.** Pian. franç. (Anvers 1.10.1889– Paris 3.9.1899). Il fut l'un des plus remarquables enfants prodiges du piano ; dès l'âge de 7 ans, il donnait des récitals à Paris (Trocadéro) ; il mourut à la veille d'accomplir le tour du monde du virtuose ; il avait été l'élève de Morpain et de Pugno. Son frère — **2. Léon** (Paris 30.6.1895–), élève de Morpain et de Diémer au cons. de Paris, est prof. de piano à celui de Versailles depuis 1927 ; il a fait une carrière intern. ; on lui doit *Exercices techniques transcendants* (1928), des œuvres de piano, notamment un *Poème rhapsodique* pour piano et orch. (1935), des transcriptions de J.-S. Bach et une édition nouvelle des sonates de Scarlatti (1954).

**KARYOTAKIS Théodore.** Compos. grec (Argos 21.6.1903–). Élève de Mitropoulos et de Varvoglis, il a écrit 1 opéra, *Chant épique* (1941), *Divertimento* (1947), *Petite symph.* (1943), *Ballade* (p. et cordes, 1939), *Sérénade* (voix et orch.), 2 sonates de piano et violon (1945–1955), des pièces de piano, des mélodies.

**KARZEV** (*Karcev*) **Alexandre Alexeïevitch.** Compos. russe (Moscou 19.7.1883–). Historien, élève (en musique) de Taneev, de Glière, de Juon, il a écrit 1 opéra, « *Ondine* » (1923), 1 sonate de piano et violon, 1 quintette avec piano (1921), 1 quatuor à cordes (1925), des mélodies.

**KASANLY Nicolaï Ivanovitch.** Chef et compos. russe (Tiraspol 17.12.1869–St-Pétersbourg 15.8.1916). Après des études au cons. d'Odessa, il fut élève de Rimsky-Korsakov et de Johanson à celui de St-Pétersbourg ; de 1897 à 1904, il dirigea les concerts symph. russes à Munich (1re de *Rousslan et Ludmilla*) et à Prague ; on lui doit *Sinfonietta* (1893), *Symph. et ballade* « *Lenore* » (1897), la fantaisie symph. « *Villa am Meeer* » et « *Concert symph. russe* » (1913), « *Une nuit de carnaval* » (« tableau mus. », *id.*), des chœurs, 1 opéra : *Miranda*, des art. dans la presse russe et allemande (1890–1905).

**KASATCHENKO** (*Kazačenko*) **Grigori Alexeïevitch.** Chef d'orch. et compos. russe (St-Pétersbourg 3.5.1858– Leningrad...), qui étudia au cons. de St-Pétersbourg (Rimsky-Korsakov), fut maître des chœurs de l'Opéra de cette ville (1883) et prof. de chant choral au cons. (1924) ; on lui doit 2 opéras (« *Prince Serebrianny* », 1892, *Pan Sotnik*, 1902), 2 suites orientales, 1 suite de ballet, 1 cantate (*Roussalska*), 1 symph., des mélodies.

**KASKI Heino.** Compos. finlandais (Piekisjärvi 21.6. 1885–). Élève de l'école des maîtres de chapelle d'Helsinki, de Juon (Berlin), il a écrit de la mus. symph. (1 symph.), de piano, des chœurs et des mélodies.

**KAŠLIK Václav.** Chef d'orch. et compos. tchèque (Poličná 1917–). Après des études avec R. Karel (composition) et V. Talich (dir. d'orch.), il a été régisseur au Théâtre national à Prague, puis 1er chef d'orch. de l'Opéra de Brno et du Théâtre Smetana à Prague ; on lui doit 2 opéras : *Zbojnická balada* (« *Ballade brigandière* », 1941-43) et *Křížová česta* (« *Le chemin de croix* », 1945–48), 1 cantate dramatique : *Morana* (1942–44), *Vesnická symfonie* (« *Symph. de village* », 1955), 2 ballets : *Don Juan* (1939) et *Jánošík* (1953), 1 quatuor à cordes.　Z.V.

**KASSERN Tadeusz.** Compos. pol. (Lvov 19.3.1904– N.-York 3.5.1957). Élève des cons. de Lvov et de Poznan, de l'univ. de Poznan, il entra dans la carrière diplomatique (N.-York, 1945–1948), se fit naturaliser américain (1948) ; il enseigna alors au *Third street music school Settlement* et à l'Institut Jaques-Dalcroze ; on lui doit 4 opéras : *The Anointed* (1949, 1951), *Sun-up* (1953–1954), *Comedy about the dumb wife* (1953), *Eros et Psyché* (inach., 1954), 2 concertos pour orch. à cordes, 11 concertos ou concertinos pour instr. solistes, d'autres œuvres symph., de la mus. de chambre, des chœurs, des mélodies (dont certaines avec orch.). Voir Z. Lissa in MGG.

**KASSIANOV** (*Kasjanov*) **Alexandre Alexandrovitch.** Compos. russe (Bolobonovo 1891–). Élève du cons. de St-Pétersbourg, il joue depuis 1918 un rôle important dans la diffusion de la musique dans les milieux populaires ; il est depuis 1951 prof. au cons. de Gorki ; on lui doit 4 opéras (hist.), de la mus. symph., de chambre, des chœurs, des mélodies, des chansons.

**KASTALSKY** (*Kastalskij*) **Alexandre Dimitriévitch.** Compos. et chef de chœurs russes (Moscou 28.11.1856– 17.12.1926). Il fut l'élève de Tchaïkovsky, d'Hubert et de Taneiev au cons. de Moscou, où il devint en 1923 prof. de chant choral ; il fut entre-temps prof. de l'École synodale et dir. des académies de chant populaire ; son œuvre est surtout importante dans les domaines de la mus. d'église russe et de la mus. chorale ; il fit également de remarquables recherches dans le domaine du chant populaire russe ; on lui doit de la mus. d'église (messes, motets, 1 *Requiem*, 1 mystère, 1 opéra (*Clara Militch*, d'après Tourgueniev), des cantates profanes, de la mus. symph., des chœurs ; ses écrits incluent « *Les particularités du système musical populaire russe* » (1923), « *Les bases de la polyphonie populaire* » (1948, posth.), « *Ma vie musicale* » (1915). Voir V.M. Beliaev, ds *ML*, X, 1929 ; D. Chitomirsky, *Idei A.D.K.*, ds *Sov. Muz.*, 1951 ; K.A. Petrova – G. Waldmann in MGG.

**KASTNER Emerich.** Musicologue autr. (Vienne 29.3.1847–5.12.1916). Il fut le rédacteur en chef de la *Wiener musik. Zeitung* et publia notamment *R. Wagner-Katalog...* (Offenbach 1878), *Verz. d. Briefe R. Wagners an seine Zeitgenossen...* (Berlin 1897), *R. Wagner-Kalender* (1881–1883), *Wagneriana* (Vienne 1885), *Biblioteca beethoveniana* (2e éd., éd. Frimmel, 1925), les correspondances de Wagner (Leipzig 1914) et de Beethoven (*ibid.* 1911) ; il mourut sans avoir achevé son dict. de musique.

**KASTNER.** — **I. Jean-Georges.** Théoricien et compos. franç. (Strasbourg 9.3.1810–Paris 19.12.1867). Élève du séminaire de théologie protestante de Strasbourg, Reicha et de Berton (Paris), chef d'orch., chroniqueur dans des périodiques musicaux français et allem., vice-président de la Soc. des artistes-musiciens, membre de l'Institut, il publia notamment *Traité général d'instrumentation* (Paris 1837, le 1er en France), *Cours d'instrumentation...* (1839, supplt 1834), *Grammaire musicale* (1837), *Théorie abrégée du contrepoint et de la fugue* (1841), *Méthode élém. d'harmonie...* (1842), *Bibliothèque chorale* (1838), *Manuel général de mus. militaire* (1848) ; on lui doit en outre 3 opéras, de la mus. symph. et dramatique. Son fils — **2. Georges** (Strasbourg 10.8.1852– Bonn 6.4.1882), physicien, inventeur d'un « pyrophone », publia notamment *Théorie des vibrations...* (Paris, 3e éd. 1876), *Le pyrophone...* (*ibid.*, 4e éd. *id.*). Voir H. Ludwig, *J.G.K. ...*, 3 vol., Leipzig 1886 ; F. Muller in MGG.

**KASTNER Macario Santiago.** Musicologue portug.

(Londres 15.10.1908–). Il fit ses études à Amsterdam, Leipzig, Barcelone (Anglès), débuta comme virtuose du clavecin et du clavicorde, instruments qu'il enseigne au cons. de Lisbonne dep. 1947, en même temps qu'il est collaborateur de l'Institut esp. nat. de musicologie à Barcelone ; on lui doit *Musica hist.* (Lisbonne 1936), *La mus. de clavier portugaise* (*RM*, févr.-mars 1940), *Contribución al estudio de la mus. esp. y portug.* (Lisbonne 1941), *Tres libros desconocidos con mús. org. en las bibl. de Oporto y Braga* (ds *An. mus.*, *I*, Barcelone 1946), *Carlos Seixas* (Coimbre 1947), *F. Mompou* (Madrid *id.*), *Los mss mus. 48 y 242 de la bibl. gen. de la univ. de Coimbra* (ds *An. mus.*, *V*, Barcelone 1950), *Portug. u. span. Clavichorde d. 18 Jh.s* (ds *Acta mus.*, *XXIV*, 1952), *Parallels and discrepancies between engl. and span. keyboard mus. of the 16th and 17th cent.* (ds *An. mus.*, *VII*, 1952), *Le « clavecin parfait » de D. Jobèrnardi* (*ibid.*, *VIII*, 1953–CNRS Paris 1955), *Rapports entre Schlick et Cabezón* (*ibid.*), *Invloed v. d. vlaamse orgelkunst op. de Spaanse i. d. 16 XVI. en XVII. eeuw* (ds *De praestant*, *III*, Tongerlo 1954), *Relations entre la mus. instr. franç. et esp. au XVIe s.*, *I* et *II* (ds *An. mus.*, *X*, 1955–1956), *Una intavolatura d'org. ital. del 1598* (ds *Coll. hist. mus.*, *II*, Florence, 1956) ; Il a édité la *Facultad org.* de F. Correa de Arauxo (2 vol., Barcelone 1948–1952), *P. Soler, 6 concertios para dos instr. de tecla* (1–3, *ibid.* 1952–1957), *Fray J. Bermudo, Declaración de los instr. mus.* (fcs., Cassel 1957), *F. Salinas: De musica* (ds *Doc. mus.*, Cassel 1958) ; *Cravistas portug.*, *I* et *II* (Mayence 1935–1950), des œuvres du P. M.R. Coelho, de Cabezón, d'A. Carreira, du P. Soler, l'*Hommage à Charles-Quint* (A. Schlick, T. de Santa Maria, Cabezón) etc.

**KATCHEN Julius.** Pian. amér. (Long Branch 15.8.1926–). Il débuta à l'âge d'onze ans avec le *Philadelphia orchestra*, à Paris, en 1946 ; il fait une carrière internationale.

**KATSKI** (*Kontski*). Famille de mus. pol. — **1. Karol** (Cracovie 6.9.1815–Paris 27.8.1867), violoniste, élève de Reicha (Paris), fut prof. et compositeur ; il jouait également de la viole d'amour ; sa sœur — **2. Maria Eugenia** (*ibid.* 22.11.1816–...) fut pian. et chanteuse ; leur frère — **3. Antoni** (*ibid.* 27.10.1817–Ivanczyce, Russie, 7.12.1899), pian., élève de Marendorf (Varsovie), de Field (Moscou), de Sechter (Vienne), se produisit à Paris avec Liszt, fit une carrière intern., résida à Varsovie, St-Pétersbourg, Londres, aux Etats-Unis et composa de la mus. de piano, des symph., ouvertures, concertos, messes, oratorios, 2 opéras ; leur frère — **4. Stanislaw** (*ibid.* 8.10.1820–?), fut pian. et compos. à Paris ; leur frère — **5. Apolinary** (Varsovie (?) 23.10.1825–29.6.1879), violon., appartint aux cours de St-Pétersbourg et de Vienne ; il eut un temps l'élève de Paganini à Paris (1838), fit une carrière intern., eut le titre de soliste de la cour à St-Pétersbourg (1853), fonda et dirigea l'Institut mus. de Varsovie ; il composa. Voir J. Ekiert in MGG.

**KATTNIGG Rudolf.** Compos. autr. (Oberdorf-Treffen 9.4.1895–Vienne 2.9.1955). Elève de l'univ. de Graz et de la *Musikakad.* de Vienne, il fut chef d'orch. à l'école d'opéra de la *Wiener Musikakad.* (1923) chef d'orch. et

prof. à Innsbruck (1928), séjourna en Suisse et en Allemagne (1934–1939), écrivit des œuvres symph., de la mus. de chambre, de scène, 1 opéra-comique, 1 ballet, des opérettes. Voir H. Jancik in MGG.

**KATZ Erich.** Compos. et musicographe allem. (Posen [Poznan] 31.7.1900–). Elève du cons. Stern et de l'univ. de Berlin, assistant de W. Gurlitt à Fribourg-en-Brisgau, *d. July. 1973*

Bibl. de Vienne

KAUER

*Dernière page du ms. autographe du Requiem en sol min.*

critique mus., org., émigré en Angleterre (1939–1943), puis aux *U.S.A.*, il vit à N.-York, où il enseigne (*College of mus.*), dirige le *Musicians' Workshop* et exerce la fonction de dir. mus. à l'*Amer. recorder Soc*; on lui doit *Toy concerto* (bois, célesta, percussion, 1950), *Concertino* (cordes, 1951), *Music for record consort and percussion* (1954), 2 cantates (1936, 1959), de la mus. de chambre, chor., de violon, de piano, des mélodies ; sa thèse (Fribourg 1926) est intitulée *Die musik. Stilbegriffe d. 17.Jh.s.*

**KATZ** (*Kač*) **Sigismond Abrahamovitch.** Compos. russe (Vienne 5.4.1908–). Elève de l'école Gnessine et du cons. de Moscou, il a écrit 1 opéra : « *La fille du capitaine* » (d'après Pouchkine, 1926), 4 opérettes, des œuvres chor., de la mus. de scène, de film, des chœurs etc.

**KAUDER Hugo.** Compos. amér. d'origine autr. (Tobitschau 9.6.1888–). Elève de l'univ. de Vienne, musicien autodidacte, il fut violon. puis altiste à l'orch. du *Konzertverein* à Vienne (1910–1919) ; il séjourna en Hollande et en Angleterre, et s'est fixé à N.-York (1940), où il est compos. et prof. ; on lui doit de la mus. symph. (3 symph., 6 concertos), 1 cantate, 1 *Requiem*, de la mus. de chambre, de piano, des mélodies etc ; il collabora aux *Musikbl. des Anbruch* et a publié *Entwurf einer neuen Melodie – u. Harmonielehre* (Vienne 1932). *d. 1972*

**KAUER Ferdinand.** Compos. autr. (Klein-Thajax 18.1.1751–Vienne 13.4.1831). Elève de l'univ. des jésuites de Tyrnau, il y fut org., comme plus tard à Vienne, où il enseigna également le piano ; il y fut 17 ans « censeur, traducteur et correcteur » chez Artaria, 1er violon, puis chef d'orch. au théâtre Leopold (sauf l'année qu'il dirigea à Graz, 1810), pour lequel il écrivit quelque 160 compositions ; en 1814, il était chef d'orch. au théâtre de Josephstadt, il semble qu'il ait gardé cet emploi jusqu'à sa mort ; du grand nombre de ses œuvres théâtrales (opéras, *Singspiele, Schauspiele*), citons *Das Donauweibchen* (1798) ; on lui doit en outre des oratorios et des cantates, de la mus. d'église, (une vingtaine de messes), 32 symph., des ouvertures, qq. 26 concertos, de la mus. de chambre, des mélodies, des manuels. Voir *F. K. gedr. Werkkat...* (s.l.n.d.) ; K. Manschinger, *F.K. ...*, thèse de Vienne, 1929 ; E. Badura-Skoda in MGG.

**KAUFFMANN — 1. Ernst Friedrich.** Compos. allem. (Ludwisburg 27.11.1803–Stuttgart 11.2.1856). Prof., musicien autodidacte, il écrivit des *Lieder*, dont 12 à 4 v., 1 cantate, des chœurs etc. ; on lui doit également des livres de mathématiques ; son fils — **2. Emil** (*ibid.* 23.11.1836–Tubingen 18.6.1809), fut violon. à la chapelle royale de Stuttgart (1853–1968), prof. de piano à Bâle (1868–1877), dir. de mus. et prof. à l'univ. de Tubingen, dont il était docteur avec sa thèse *Entwicklungsgang d. Tonkunst...* (1884) ; on lui doit de la mus. de piano, des chœurs, une biographie de *J.H. Knecht* (Tubingen 1892), *Gesamm. Aufsätze über H. Wolf* (2 vol., Berlin 1898–1899) ; la correspondance de ce dernier avec *E.K.* a été éd. par E. Hellmer (*ibid.* 1903). Voir *F.K., E.F.K. ...*, de *Schwäb. Lebensbilder, VI*, Stuttgart 1957 ; E.F. Schmid in MGG.

**KAUFFMANN Fritz.** Compos. allem. (Berlin 17.6.1855–Magdebourg 29.9.1934), qui fut chef de chœur et d'orch. et écrivit 1 symph., 4 concertos, des chœurs, 1 opéra, de la mus. de chambre, de piano, des mélodies.

**KAUFFMANN Georg Friedrich.** Mus. allem. (Ostermondra 14.2.1679–Mersebourg... 3.1735). Elève de J.F. Alberti (Mersebourg), il lui succéda (1698) à l'orgue de la cath. et de la cour de cette ville ; il fut l'un des concurrents de J.-S. Bach au cantorat de St-Thomas de Leipzig ; on lui doit 1 oratorio, des cantates d'église, 1 écrit théorique (perdu). Voir F.W. Riedel in MGG.

**KAUFFMANN Leo.** Compos. alsacien (Dammerkirch 20.9.1901–Strasbourg 25.9.1944). Elève de Mgr Moissenet à Dijon, du cons. de Strasbourg, de la *Musikhochschule* de Cologne (Abendroth, Othegraven, Jarnach), de Florent Schmitt, org. à Dornach, répétiteur au théâtre de Mulhouse, prof. à la *Rhein. Musikschule* (1929), chef de chœur et d'orch. à Düren, prof. de composition au cons. de Strasbourg (1940), ami de H. Rosbaud, il mourut dans un bombardement ; on lui doit 4 opéras : *Elsäss. Tanzspiel, Die Gesch. vom schönen Annerl, Das Perlenhemd, Agnes Bernauer* (inach.), 8 opérettes, des œuvres symph. (1 symph.), des cantates, 2 messes, des mélodies, de la mus. de chambre etc. Voir H.J. Seydel, *L.J.K.*, ds *Musica, V*, 1951 ; F. Muller in MGG.

**KAUFMANN Armin.** Compos. autr. (Itzkany, Roumanie, 30.10.1902–). Elève de B. Weigl (Brno), violon., il débuta comme violon. de quatuor, fut ensuite à Vienne élève de J. Marx ; il appartient aux *Wiener Symphoniker* (1928–1938) ; on lui doit de la mus. symph. (2 symph., 1929, 1953), 1 concerto de mandoline (1955), 1 *Schuloper*, de la mus. de chambre, de piano, des mélodies. Voir F. Grasberger in MGG.

**KAUFMANN Walter.** Chef d'orch. et compos. canadien, d'origine austro-tchèque (Karlsbad 1.4.1907–). Elève de la *Musikhochschule* de Berlin (Schreker), de l'univ. de Prague, il a été chef d'orch. à Karlsbad, Eger, Bombay, Londres, Winnipeg, enseigné le piano au cons. de Halifax (1947–1948) et, dep. 1957, l'hist. de la mus. à l'univ. de l'Indania ; pendant son séjour aux Indes, il a réuni des chants populaires du Tibet, du Ladakh, du Népal, du Sikkim, du Bhutan d'Indonésie ; on lui doit 7 opéras, 2 ballets, 4 symph., 3 concertos, de la mus. de chambre, des cantates, des mélodies, des écrits : *The art-music of Hindusthan* (ms. *Pub. Libr.* de N.-York), *Music of the Gond and Baiga* (ds *MQ*, juil. 1941), *Prehistoric mus. in India* (ds *Dalhousie Rev.*, Halifax 1948). Voir P. Nettl in MGG.

**KAUL — 1. Oskar.** Musicologue allem. (Heufeld 11.10.1885–). Elève du cons. de Cologne et de l'univ. de Bonn et de Munich (Sandberger), dont il est docteur avec sa thèse *Vokalwerke A. Rosettis* (Cologne 1911), auteur qu'il a publié ds *DTB, XII* et *XXV*, il a été prof. à l'univ. et

dir. du cons. de Wurtzbourg ; il a publié, outre sa thèse, *Gesch. d. würzburger Hofmusik im 18. Jh.* (Wurtzbourg 1924), *Zur Mg. d. ehemaligen Reichsstadt Schweinfurt* (*ibid.* 1935), *Von deutscher Tonkunst* (Munich-Berlin 1925), des art., dans des périodiques ou ouvrages collectifs, sur G.F. *Wassmuth, Walther v.d. Vogelweide, A. Kircher, V.E. Becker, G.J. Vogler, S. Breu, G.F. Daumer, Mozart, Beethoven, Brahms*, le luth, l'orgue, le théâtre à Wurtzbourg, la mus. à Bamberg, en Franconie. Son fils — **2. Alexander** (Wurtzbourg 29.7.1926–), pian., élève du cons. de sa ville natale, de Messiaen et d'Y. Loriod (Paris), fait une carrière internationale. Voir art. in MGG.

**KAUN Hugo.** Compos. allem. (Berlin 21.3.1863–2.4.1932). Elève de la *Königl. Hochschule* et de l'*Akad. d. Künste* (F. Kiel) à Berlin, il dirigea ou enseigna à Milwaukee et Berlin ; on lui doit 3 symph., des concertos, de la mus. chor., d'église, de chambre, de piano, des mélodies, 4 opéras, 1 écrit : *Aus meinem Leben* (Berlin 1932). Voir R. Schaal, *H.K.*, thèse de Marbourg 1944, Ratisbonne 1948 — art. in MGG.

**KAVAL.** C'est une longue flûte, des Balkans, renommée notamment en Bulgarie et dans certaines régions de Roumanie (Valachie méridionale et Dobroudja), où on la désigne sous le terme de « kaval bulgare » (on écrit aussi *caval*). L'instrument peut atteindre 90 cm. de long : c'est une flûte à bloc antérieur, faite en trois parties, pourvue de huit trous, et jouée verticalement ou bien tenue, du fait de sa longueur, légèrement de biais ; c'est un instrument de paysans et de bergers, à sonorité caractéristique.                                                       C.M.-D.

**KAVIATSKAS** (*Kavjackas*) **Conradas Vlado.** Compos. lithuanien (Tirkchelaï 2.11.1905–). Il fit ses études à Kaunas et à Paris (*Schola cantorum*) et a été prof. au cons. de Kaunas (1936) ; il dirige celui de Vilna (dep. 1946) ; on lui doit de la mus. symph., de vcelle et d'orgue, de piano, de scène, folklorique, des mélodies.

**KAYN Roland.** Compos. allem. (Reutlingen 3.9.1933–). Elève de la *Staatl. Musikhochschule* de Stuttgart, de la *Kirchenmusikschule* d'Esslingen, de la *Musikhochschule* de Berlin (D. Krenek, B. Blacher, J. Rufer), il vit à Hambourg ; on lui doit *Kammerkonzert* (6 instr. à vent et percussion, 1953), *Meditationen* (orch., 1954), *Tokkata* (p. et v., 1954) *Evokation u. Tokkata* (orch., 1955), *Metamorphosen* (cl. et cordes, 1955–1956), *Spektren* (quatuor, 1957), *Sequenzen* (orch., *id.*), *Quanten* (tablature de p., 1958), *Aggregate* (4 tromp., 4 cors, 4 trombones, cordes et percussion, 1959), *Impulse* (pt. orch., *id.*) ; il est édité par H. Sikorski à Hambourg.

**KAYSER Hans.** Musicologue allem. (Buchau 1.4.1891–). Elève de Humperdinck, de Schönberg, de Kretzschmar, éditeur de la collection *Der Dom, Bücher deutcher Mystik* (Insel-Verlag), il enseigne à Bolligen près de Berne en Suisse, où il est installé dep. 1933 ; on lui doit *Paracelsus* (Leipzig 1918), *Böhme* (*ibid.* 1925), *Orpheus, morph. Fragmente einer allg. Harmonik* (Berlin 1924), *Der hörende Mensch ...* (*ibid.* 1932), *Vom Klang der Welt* (Zurich 1937), *Abh. zur Ektypik harmonikaler Wertformen* (*ibid.* 1938), *Grundriss eines Systems d. harm. Wertformen* (*id. ibid.*), *Harmonia plantarum* (Bâle 1943), *Akroasis ...* (*ibid.* 1946–Stuttgart 1947), *Ein harm. Teilungskanon* (Zurich 1946), *Die Form d. Geige* (*ibid.* 1947), *Lehrbuch d. Harmonik* (*ibid.* 1950), *Bevor die Engel sangen...* (Bâle 1953), *Paestum* (Heidelberg 1958). Voir R. Haase in MGG.

**KAYSER Isfrid.** Prémontré allem. (Türckheim a.d. Wertach 13.3.1712 – abbaye de Marchtal, Obermarchtal 1.3.1771). Il fut maître de chapelle de son monastère ; il était également organiste, puisque S. Sailer dit de lui qu'il « *fuit revera I. inter phonascos Sueviae pene caesar, sive eundem ut organaedum sive ut compositorem consideres* » ; on lui doit *Cantatae sacrae...* (2 v., Munich-Augsbourg s.d.), *VI Missae...* (4 v., Augsbourg 1743), *Psalmi longiores et breves* (*id.*, *ibid.* 1746), *Concors digitorum discordia...* (*ibid.* 1746), *XII Offertoria solemnia...* (*id., ibid. I*, 1748, *II*, 1750), *III Vesperae ...* (*id., ibid.* 1754) ; ses autres œuvres ont été perdues. Voir U. Siegele in MGG.

**KAYSER Leif.** Compos. danois (Copenhague 13.6.1919–).
Pian., élève du cons. de sa ville natale, de N. Boulanger
(Paris), prêtre (1949), il est dep. cette dernière date chapelain et dir. de la chorale de la cath. de Copenhague ; il
donne des récitals de piano et d'orgue à la radiod.; on lui
doit 3 symph. (1937–1953), de la mus. de chambre, de
piano, de violon, de vcelle, d'orgue, d'église, des mélodies.
Voir N. Schiørring in MGG.

**KAYSER Philipp Christoph.** Compos. allem. (Francfort
10.3.1755–Zurich 24.12.1823). Fils d'un org. de Francfort,
ami de Gœthe, il fut prof. de piano à Zurich ; Gœthe
écrivit des textes pour lui, notamment les *Singspiele Jery
u. Bäteli* (inach. 1779) et *Scherz, List u. Rache* (1785–
1787) ; on doit en outre à K. des *Lieder*, 1 cantate,
*2 sonates en symph. pour le clavecin avec l'acc. d'un violon
et 2 cors de chasse* (Zurich v. 1784), 1 ballet (Milan 1784),
1 opéra : *Il feudetario*, 1 fugue, 1 art. (anonyme ds
*Deutsch Merkur*, 1776) : *Empfindungen eines Jüngers i.d.
Kunst vor Ritter Glucks Bildnisse*. Voir C.A. Burkhardt,
*Goethe u. ... P.C.K.*, Leipzig 1879 ; W. Schuh, *P.C.K.s
Kompositionen...*, ds *SMZ, LXXXVII*, 1947 ; E. Refardt,
*Ein Musikbericht an Goethe*, ibid., *LXXXIX*, 1949 — *Der
« Gœthe K. »*, ds *Neujharsbl. d. Allg. Mg.*, Zurich 1950 —
art. in MGG.

**KAZACSAY Tibor** (Budapest 12.3.1892–). Compos.
hongr., élève de Herzfeld et de Siklós, qui a écrit des
œuvres symph., des mélodies, cantates, des pièces de
piano, ainsi qu'un « traité d'harmonie de la mus.
moderne », le premier in Hongrie.

**KAZANSKY** (*Kazanskij*) **Serguei Pavlovitch.** Critique et
théoricien de la mus. russe (1857–1901), étudiant en
droit, élève de Klepovski et d'Arnold, prof. de théorie
mus. et d'esthétique à l'école philh. de Moscou, exilé en
Sibérie, puis à Tiflis.

**KAZASSOGLOU Georges.** Compos. grec (Athènes 13.12.
1910–), qui a écrit des œuvres symph. (1 symph., 1947),
de la mus. de chambre, de scène, de piano, des mélodies.

**KAZBIRIOUK** (*Kazbirjuk*) **Andreï Fedorovitch.** Compos.,
et chef d'orch. russe (? –1855). Elève du cons. de
St-Pétersbourg, prof. de théorie mus. à l'école de musique
de Kiev, il a écrit des manuels de solfège, d'harmonie et
de théorie musicale ; ses œuvres (pièces de piano, mus.
symph., d'église) sont restées pour la plupart inédites.

**KAZYNSKI Wiktor.** Voir art. *Kajinsky*.

**KECK** (*Keckius, von Giengen*) **Johannes.** Bénédictin
allem. (Giengen v. 1400–Rome 29.6.1450). Elève de
l'univ. de Vienne, docteur en théologie de Bâle, où il
assista au concile, moine de Tegernsee (1442), ami de
Nicolas de Cues, il mourut de la peste au cours d'un séjour
à Rome ; il publia divers ouvrages ou traités dont un
*Introductorium musicae* (ds Gerbert, *Scriptores, III*), qui
contient 5 chapitres : origine et classification de la mus.,
intervalles, notation, consonnance et dissonance, division
du ton ; on y trouve des références à Pythagore, Boèce,
Cassiodore, Aristote et st Augustin. Voir H. Hüschen in
MGG.

**KEE.** — **1. Cor.** Org. néerl. (Zaandam 24.11.1900–), qui
a été org. à l'église luthérienne d'Amsterdam et donne des
récitals à la radiod. : c'est un excellent improvisateur ;
il enseigne notamment (dep. 1957) aux cours d'été de
l'acad. de Haarlem ; on lui doit des œuvres pour son
instrument. Son fils — **2. Piet** (*ibid.* 30.8.1927–), élève de
son père et du cons. d'Amsterdam, enseigne au *Muziek-
lyceum* d'Amsterdam ; il a été org. à St-Laurent d'Alkmaar
et à Haarlem ; on lui doit de la mus. d'orgue, de chambre,
des mélodies.

**KEEBLE John.** Mus. angl. (Chichester v. 1711–Londres
24.12.1786). Elève de Pepusch à Londres, il fut org. à
St-George (1737) et à l'église de Ranelagh (1742) ; on lui
doit 2 recueils d'orgue (Londres v. 1775, v. 1787), 1 traité
d'harmonie à partir des théories grecques anciennes
(*ibid.*, 1784). Voir Ch. L. Cudworth in MGG.

**KEHL Johann Balthasar.** Mus. allem. (Cobourg, bapt.
26.8.1725–Bayreuth 7.4.1778). Il entra au service du
margrave de Brandebourg-Kulmbach en 1742, fut en
1746 vcelliste à la chapelle de la cour de Bayreuth, puis

organiste, d'abord à Bayreuth, ensuite à Erlangen ; en
1774, il réintégra Bayreuth comme cantor ; on lui doit
des chorals, des sonates et 1 concerto de clavecin,
1 oratorio, des airs. Voir R. Krautwurst in MGG.

**KEHR Günter.** Violon. allem. (Darmstadt 16.3.1920–).
Elève d'A. Moodie (Francfort), de Zitzmann (Cologne),
des univ. de Berlin et de Cologne, docteur de cette
dernière univ. avec sa thèse *Untersuchungen zur Violon-
technik um die Wende d. 18. Jh.s* (1941), il a fondé un trio
(1949) et dirige depuis 1953 le cons. P. Cornelius à
Mayence.

**KEI.** C'est un phonolithe : la pierre, en forme de V
renversé, est suspendue à un cadre ; l'instrument, de
style chinois, existe au Japon occasionnellement.E.H.-S.

**KEIFFERER Christian.** Mus. allem. (Dillingen v. 1575–
Weissenau 1636). Elève de l'univ. de sa ville natale, il
entra en 1599 à l'abbaye des prémontrés de Weissenau :
il y fut organiste ; il séjourna qq. temps à l'abbaye de
Roggenburg (1602) comme prof. de musique ; on lui doit
*Parvulus flosculus* (3 vol., Dillingen 1610–1611), *Odae
soporiferae* (4 v., Augsbourg 1612), *Sertum...* (4-5-8 v.,
Dillingen 1613), *Flores musici...* (6 v., Ingolstadt 1618),
1 *Salve Regina*. Voir G. Reichert in MGG.

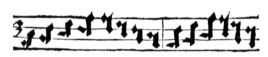

**KEIL Alfredo.** Compos. portug. (Lisbonne 1850–
Hambourg 4.10.1907). Il était musicien, peintre et collectionneur (instr. de mus.) ; on lui doit 3 opéras, 1 opérette,
2 cantates, 1 poème symph., 1 poème lyrique, des
mélodies avec piano. Voir A. Krumscheid in MGG.

**KEILBERTH Joseph.** Chef d'orch. allem. (Carlsruhe
19.4.1908–), qui a exercé à Carlsruhe, Prague, Dresde,
Berlin, Hambourg, Bamberg, Bayreuth et Munich.

**KEINSPECK Michael.** Mus. lorrain ? des XVe-XVIe s.,
qui enseigna à l'univ. de Bâle (v. 1496) : il est le premier
professeur de cette univ. dont le nom soit resté dans
l'histoire ; il publia *Lilium musice* (Bâle 1496) ; cet
ouvrage fut réédité à Ulm, Augsbourg et Strasbourg
(1506) : c'est un court fascicule de douze pages qui traite
de la théorie musicale, avec références à Gui d'Arezzo,
Jérôme de Moravie, Boèce, Isidore de Séville. Voir K.W.
Niemöller in MGG.

**KEIRU.** C'est un sistre de sonnailles, fait d'un bâton au
sommet duquel sont fixées des spirales de métal où sont

accrochées de petites plaques métalliques : en agitant ou en faisant tourner le bâton, on fait ces plaques s'entrechoquer (Japon, époque de Nara, VIIIe s., obsolète aujourd'hui). E.H.-S.

**KEISER Reinhard.** Mus. allem. (Teuchern v. Weissenfels 12.1.1674–Hambourg 12.9.1739). Fils de *Gottfried K.*, org. à Teuchern, il fut l'élève de son père, de l'école St-Thomas de Leipzig (1685) ; d'après Mattheson, il fut étudiant à l'univ. de la même ville ; il est à Brunswick en 1692 : en 1694 il y est *Cammer-Componist*, successeur de Cousser, qu'il suit d'ailleurs à Hambourg en 1695 (ce dernier y dirigeait l'Opéra), pour composer des opéras ; en 1700, il y dirige une série de *Winterkonzerte* (avec souper) ; c'est à peu près à cette date qu'il reçut du duc de Mecklembourg le titre de *Kapellmeister ;* en 1703, on lui confie la direction de l'Opéra : en 1704, pour des raisons demeurées obscures, le sénat de la ville interdit toute représentation pendant quelques mois ; c'est pendant sa direction que (*K.* eut de nombreux rapports avec Haendel) ; sa gestion aboutit à un krach financier (certains disent qu'il fut emprisonné), mais il fut sauvé en 1706 par un « généreux protecteur » ; en 1704, il est anobli par le roi de Danemark ; en 1706, il séjourne à Weissenfels ; en 1712, il épouse Barbara Oldenburg ; v. 1713, il est lié intimement avec Mattheson : ils font souvent de la musique ensemble chez les Niederbaum ; v. 1718, il quitte Hambourg ; de 1719 à 1720, il est maître de chapelle à la cour de Stuttgart ; en 1721, il est de retour à Hambourg, où Telemann règne en maître ; en 1721, il est à Copenhague comme *Kapellmeister* royal, mais il ne semble pas y avoir résidé longtemps ; en 1728, il est *canonicus minor* et *cantor* à la cath. de Hambourg (successeur de Mattheson), ce qui ne l'empêche pas d'aller souvent chez sa fille à Copenhague ; quant au séjour qu'il aurait fait à St-Pétersbourg comme directeur de l'Opéra impérial, Chrysander a démontré qu'il n'avait jamais eu lieu (ds *Jb. f. mus. Wiss.*, I, Leipzig 1863). On a conservé de lui 76 œuvres théâtrales (opéras, sérénades, prologues, *intermezzi* etc. ; certains auteurs lui en attribuent 116), depuis *Basilius* (Brunswick 1693) jusqu'à *Circé* (1734), en passant par *Der hamburger Jahrmarkt...* (1725) et *Die hamburger Schlachzeit...* (*id.*) ; beaucoup de livrets sont empruntés à la mythologie, mais une bonne part s'inspirent de thèmes populaires : c'est par là que *K.* est important dans l'histoire de l'opéra allemand, ayant contribué grandement à le faire évoluer de l'*opera seria* au *Singspiel* et à l'opéra-comique. On lui doit en outre 20 cantates profanes, 3 passions, des oratorios, des cantates d'église, des motets, des psaumes, une *missa brevis*, de la mus. instr. : 3 *sonate a tre* (1720–1721), 1 concerto pour fl., v. principal, 2 v., 2 htb., alto et *b.c.*

**Bibl. :** F. Chrysander, *Gesch. d. braunschweig-wolfenbüttelschen Capelle u. Oper*, ds *Jb. f. mus. Wiss.*, I, Leipzig 1863 ; *Gesch d. hamb. Oper*, ds *AmZ*, XIV–XV, 1879–1880 ; *Adonis ...*, *ibid.*, XIII, 1878 ; G.F. *Händel*, I, Leipzig 1919 ; T. Krogh, *R.K. in Kopenhagen*, ds *Fs. f. J. Wolf*, Berlin 1929 ; H. Kümmerling, *Fünf unbek. Kant. in R.K.s. Autograph*, ds *Fs. Max Schneider* ..., Leipzig 1955 ; H. Leichtentritt, *R.K. in seinen Opern*, thèse de Berlin, 1901 ; W. Lott, *Zur Gesch. d. Passionskompos.*, ds *Af Mw*, III, 1921 ; J. Mattheson, *Das neu-er öffnete Orch. ... m. beygefügten Anm. H. Cap. K.s*, Hambourg 1713 ; *Critica musica*, ibid. 1722 ; *Grundlage einer Ehrenpforte*, ibid. 1740 (Berlin 1910) ; Ph. Merbach, *Das Repertoire d. hamb. Oper 1718-1750*, ds *AfMw*, VI, 1924 ; P. Mies, *Ueber die Behandlung der Frage im 17. u. 18. Jh.*, ds *ZfMw*, 1921-1922 ; R. Petzolt, *Die Kirchenkompos. u. weltl. Kant. R. K.s*, Dusseldorf 1935 ; J.F. Schütze, *Hamb. Theater-Gesch.*, Hambourg 1794 ; W. Schulze, *Die Quellen d. hamb. Oper*, Hambourg-Oldenbourg 1938 ; J. Sittard, *R.K. in Württemberg*, ds *MfM*, XVIII, 1886 ; F.A. Voigt, *R.K.*, ds *VfMw*, VI, 1890 ; H.C. Wolff, *Die Barockoper in Hamburg*, Wolfenbuttel 1957 ; H. Becker in MGG.

**KEISU.** C'est un tambour de bronze, frappé avec une batte de bois entourée d'étoffe (Japon). E.H.-S.

**KEKRENG.** C'est un racleur musical utilisé par les Muriahs de l'Inde centrale : l'instrument se compose d'une tige de bambou d'1,50 m. environ de long, dans laquelle sont taillées des encoches qui sont frottées avec un morceau de bois. M.H.

**KELBETZ Ludwig.** Prof. autr. (Graz 18.6.1905–

KEISER

Der zum Tode verurtheilte u. gekreutzigte Jesus
*(Hambourg 1715).*

sur le front russe, 10.1.1943). Élève de l'univ. de Graz, il enseigna au *Musikheim* de Francfort-sur-l'Oder (1929–1934), à la *Hochschule f. Leibesübungen* de Berlin (1932–1933), à la *Hochschule f. Lehrerbildung* de Dantzig (1934–1936) ; il dirigea enfin, de 1939 à 1943, la *Horchschule f. Musikerziehung* de Graz-Eggenberg ; on lui doit notamment, outre des ouvrages pédagogiques, *Der Anteil d. volksdeutschen Musikarbeit* (éd. H.P. Gericke, Hamburg 1943), *Die Bedeutung d. Mus. J. Haydns...* (ds *Lobeda–Bl.*, VIII, 1932), *Volksliedforschung* (ds *Singen u. Spielen*, sept. 1934), *Volksmusik i. d. Steiermark*, ds *Die Musikpflege*, X, 1939. Voir G. Goetsch, *Zum Ged. an L.K.*, ds *Junge Mus.*, 1, 1953.

**KELDICH Jurij Vsevolodovitch.** Musicologue russe (St-Pétersbourg 29.8.1907–). Élève du cons. de Moscou (Ivanov-Boretzky), il y a enseigné de 1930 à 1950 ; en 1946, il est docteur avec sa thèse « Les conceptions artistiques de V.V. Stassov » ; de 1950 à 1957, il est directeur intérimaire de l'Institut de recherches musicales et théâtrales à Leningrad, en 1957, prof. d'hist. de la mus. russe au cons. de Moscou, depuis la même année, rédacteur en chef du périodique *Sovietskaïa muzyka ;* il est également, dep. 1926, membre du comité de rédaction de la « Grande encyclopédie soviétique » (musique, film) ; du grand nombre de ses publications, citons « *Hist. de la mus. russe* » (3 vol., Moscou 1948–1954, trad. allem. D. Lehmann, Leipzig 1956) ; « *La vie musicale en Russie dans les années 60 du XIXe s.* »,

« *Les hypothèses philosophiques et sociales du développement de la mus. russe du début du XVIII<sup>e</sup> à la fin du XIX<sup>e</sup> s.* » (ds *Otscherki ist. russ. mus.*, éd. M.S. Druskin-J.V.K., Leningrad 1956), *La mus. russe au XIX<sup>e</sup> s.* (ds *Cahiers d'hist. mondiale*, Unesco, Paris 1957), *Romanssovaïa lîrika Moussorgskogo* (Moscou 1933), les art. *Glazounov, Glinka, Musicologie, Moussorgsky, RSFSR. Musyka, Tchaïkowsky, SSSR. Musyka* dans la Grande encyclopédie soviétique. Voir I. Eolian in MGG.

**KELDORFER. — 1. Viktor.** Chef de chœur autr. (Salzbourg 14.4.1873-). Elève du *Mozarteum*, prof. et haut fonctionnaire, il a dirigé de 1910 à 1954 ; on lui doit de la mus. d'église, des chœurs, des *Lieder*, des éditions ou arrangements de Léopold I<sup>er</sup>, Schubert, J. Strauss, Bruckner, des écrits, dont son autobiographie en vers (Vienne 1953). Son fils — **2. Robert** (Vienne 10.8.1901-), élève de son père et de l'Akad. f. mus. de Vienne, a été organiste (1917-1925), répétiteur de chœurs à Vienne, dir. de mus. à Bielitz-Biala (1925), dir. du cons. de Linz (1930-1939), du cons. de Klagenfurt (dep. 1941) ; on lui doit 2 opéras, de la mus. chor. (1 *missa brevis*), instr., des *Lieder*, 1 écrit : *Die Aussprache im Gesang* (Vienne 1955). Voir O. Dobrowolny, *V.K.*, Vienne 1948 ; H. Jancik in MGG.

**KELEMEN Milko.** Compos. yougoslave (Podr. Slatina 30.3.1924-). Elève de l'Acad. de mus. de Zagreb, d'O. Messiaen, de T. Aubin, (Paris), il est dep. 1955 prof., assistant de composition à la même académie ; on lui doit notamment 1 sonate de piano (1954), « *Improvisations concertantes* » (1955), *Adagio et allegro* (id.), 1 concerto de basson (id.), « *Jeux* » (bar. et cordes, id.), *Concerto giocoso* (petit orch., 1956), 3 *danses* (alto et cordes, id.), « *Mus. pour violon seul* » (1957), *Mus. symphonique 57*, 1 concertino de contrebasse (id.).

**KELKEL Manfred.** Compos. allem. (Siersburg 15.1.1929-). Elève des cons. de Sarrebruck (P. Auclert, E. Stekel) et de Paris (N. Gallon, J. Rivier, D. Milhaud), 1<sup>er</sup> prix du concours intern. de Liège (1956), dir. mus. des éditions Heugel à Paris (dep. 1957), il a écrit 2 *mélodies* (op. 1, sopr. et p., 1949), *Toccata* (op. 2, p. 1951), *Divertimento* (op. 3, trio d'anches), *Concertino* (op. 4, vcelle et orch. de chambre), « *Mus. funèbre à la mémoire des victimes innocentes d'une guerre* » (op. 5, hbt. et orch.), 2 quatuors à cordes (op. 6), « *Aphorismes* » (op. 7, 5 instr. et percussion), « *Le cœur froid* » (op. 8, ballet), 1 concerto de piano (op. 9), *S.O.S.* (op. 10, poème chorégraphique, ondes et orch., 1957).

**KELLER Ginette.** Compos. franç. (Asnières 16.5.1925-). Elève du cons. de Paris (N. Boulanger, N. et J. Gallon, O. Messiaen, T. Aubin), prix de Rome (1951), prix Reine Elisabeth (1951), elle a écrit de la mus. de chambre : *Trio* (fl., cl., basson, 1951), *Sonate* (p. et trp., 1952), *Trio* (harpe, v. et vcelle, 1956), pour orch. de chambre : *Danses* (1952), *Concertino* (vcelle, 1955), *Sinfonietta* (1957), pour orch. symph. : 1 symph. (1955), *Nuances* (ballet, 1956), *Fresque* (1957), des chœurs, des cantates, « *Chant de la nuit* » (d'après Nietzsche, 1952).

**KELLER Gottfried (Godfrey).** Mus. allem. (?-Londres 1704), qui était connu à Londres dès la fin du XVII<sup>e</sup> s. comme claveciniste ; il participa à la fondation d'une acad. royale en 1695 : il y enseigna le clavecin et l'orgue ; on lui doit des manuels, 26 sonates, 1 air, 1 prélude, publ. sép. ou dans des recueils, 6 sonates, 6 suites, 6 airs et 1 solo en mss. Voir M. Tilmouth, *The royal academies of 1695*, ds *ML*, 38, Londres 1957 — art. in MGG.

**KELLER Hans.** Critique autr. (Vienne 11.3.1919-). Elève de la *Royal Acad. of mus.* à Londres, altiste, il a collaboré à *Music Survey* (1947-1952) ; il est chroniqueur au *Sunday Times*, au *Manchester Guardian*, au *Christian Science Monitor*, aux *Basler Nachrichten*, à la B.B.C., conseiller du *British Film Institute* ; on lui doit *The need for competent film music criticism* (Londres 1947), des études sur *B. Britten, Milein Cosman, Musical sketchbook*, (Oxford 1957), *The chamber music* (ds *le Mozart Companion, ibid.* 1956), un grand nombre d'articles, notamment sur l'analyse et la psychologie musicales, des traductions. Voir H.F. Redlich in MGG.

**KELLER Hermann.** Prof. et org. allem. (Stuttgart 20.11.1885-). Elève de Reger, de M. Pauer, de H. Lang, de Straube, il a enseigné à Weimar et Stuttgart, ville où il a dirigé le cons. de 1945 à 1950 ; on lui doit notamment *Reger u. die Orgel* (Munich 1923), *Die Musikal. Artikulation, insbesondere bei J.S. Bach* (Stuttgart 1925), *J.S. Bach...* (Lorch-Stuttgart 1947), *J.S. Bach u. die Säkularisation d. KM* (Universitas, 2), *Die Orgelwerke Bachs* (Leipzig 1948), *Die Klavierwerke Bachs* (ibid. 1950), *Das Tempo bei Bach* (ds *NMZ*, 4, 1950), *Studien zur Harmonik J.S. Bachs* (ds *Bach-Jb.*, 41, 1954), des éditions de J.S. et de W.F. Bach, Buxtehude, Scheidt, Lübeck, Frescobaldi. Voir art. in MGG.

**KELLER Karl.** Flûtiste allem. (Dessau 16.10.1784-Schaffhouse 19.7.1865), qui exerça à Berlin, Cassel, Stuttgart, Donaueschingen (chef d'orch. du théâtre), Schaffouse (dir. mus.) ; on lui doit des mélodies et des œuvres pour son instrument.

**KELLER Max.** Org. allem. (Trostberg 7.10.1770-Altötting 16.9.1855), qui exerça au monastère de Seeon (1788), à Burghausen (1801) et Altötting (1801-1851) ; il avait été l'élève de Michael Haydn à Salzbourg (1799) ; on lui doit un grand nombre de compositions de mus. d'église : messes, motets, pièces d'orgue. Voir A. Scharnagl in MGG.

**KELLER Otto.** Musicographe autr. (Vienne 5.6.1861-Salzbourg 25.10.1928). Elève de Hanslick et de Bruckner, il publia *Beethoven* (1885), *Goldmark* (Leipzig 1901), *Suppé* (1905), *Tchaïkovsky* (Leipzig 1914), *Illustrierte Musikgesch.* (Vienne, 5<sup>e</sup> éd. 1926), *Die Operette* (ibid. 1926), *W.A. Mozart* (2 vol., Berlin-Leipzig 1926-1927).

**KELLER Wilhelm.** Prof. allem. (Wels 8.8.1920-). Elève du *Mozarteum* de Salzbourg et du cons. de Leipzig, prof. au *Mozarteum* (1945-1949), il l'est dep. 1950 à l'Acad. de mus. de Detmold ; parmi ses nombreuses activités, citons sa participation à la fondation des *Barsbütteler Arbeitstage* ; on lui doit de nombreuses cantates, un *Tanzspiel* : *Uroboros* (1956), des mélodies, des écrits : *C. Orffs Antigonae...* (Mayence 1950), *Handbuch d. Tonsatzlehre* (Ratisbonne 1957), des art. dans des périodiques. Voir E. Valentin in MGG.

**KELLERMANN — 1. Berthold.** Pian. allem. (Nuremberg 5.3.1853-Munich 14.6.1926), élève de Liszt, prof. à Berlin et à Munich, dont le fils — **2. Hellmut** (Munich 10.2.1891-), violon., est chef d'orch. et critique ; on lui doit de la mus. de tous genres, dont 1 opéra.

**KELLEY Edgar.** Compos. amér. (Sparta 14.4.1857-N.-York 12.11.1844), qui fut prof. à l'univ. Yale, à Berlin, au cons. de Cincinnati ; on lui doit de la mus. en tous genres et 2 écrits.

**KELLIE Thomas,** *Lord Pittenweem.* Mus. irlandais (château de Kellie, 1.9.1732-Bruxelles 9.10.1781). 6<sup>e</sup> *earl of K.*, élève de Stamitz (Mannheim), violon., dir. de la Soc. mus. d'Edimbourg, il a composé des symph., sonates, ouvertures etc. Voir H.G. Farmer in MGG.

**KELLNER David.** Mus. allem. (Leipzig v. 1670-Stockholm 6.4.1748). Il fut, à partir de 1711, org. et joueur de carillon à St-Jacques de Stockholm ; il était aussi luthiste et publia 16 *auserlesene Lautenstücke* (1747) ; son traité *Treulicher Unterricht im General-Bass* (Hambourg 1732) connut un grand succès et fut 7 fois réédé., la seconde avec une préface de Telemann. Voir H. Haase in MGG, et E. A. Wienandt, *D. K.'s Lautenstücke*, in *JAMS*, 1957.

**KELLNER — 1. Johann Peter.** Org. allem. (Gräfenroda 28.9.1705-22.4.1772). Elève du cantor de son pays natal, de J. Schmitt (Zella), de H.F. Kehl (Suhl), il fut lui aussi cantor de Gräfenroda de 1732 à sa mort ; il y connut G.F. Haendel et J.-S. Bach, dont il copia des œuvres (avec des variantes intéressantes) ; on lui doit des suites (Arnstadt, 1739-1749, Amsterdam 1740), des œuvres de clavecin, des chorals, des œuvres d'orgue, des cantates. Son fils — **2. Johann Christoph** (ibid. 15.8.1736-Cassel 1803), élève de son père et de G. Benda (Gotha), séjourna à Amsterdam, La Haye, puis fut org. de la cour et cantor à Cassel ; son *Unterricht im Generalbass* le rendit célèbre ;

on lui doit des œuvres de piano, de clavecin, d'orgue, 1 *Singspiel* ; il fut un prof. réputé. Voir *J.B.K.*, autobiographie, ds *Kritischen Beytr.*, I, de Marpurg ; *Gedenkschrift anlässlich d. J.P.K. – Festwoche*, Gräfenroda 1955 ; L. Hoffmann – Erbrecht in MGG.

**KELLNER Otto.** *P. Altman.* Bénédictin autr. (Vöcklabruck 18.11.1902–). Elève du collège St-Anselme à Rome, de l'univ. et de l'*Akad. f. Mus. u. darst. Kunst* de Vienne, il a été moine au monastère de Kremsmünster, à celui de Mariastein près de Bâle (comme organiste et maître de chœur) ; on lui doit des art. sur St Agapit, P.B. Lechler, sur l'histoire de Kremsmünster etc. Voir R. Seibt in MGG.

**KELLY Michael** (*O'Kelly*, *Occhelli*). Ténor irlandais (Dublin 25.12.1762 – Margate 9.10.1826). Elève de M. Arne (Dublin-Londres), de Fenaroli et d'Aprile (Naples), il débuta en 1781 ; de 1784 à 1787, il appartint au théâtre de Vienne, où, ami de Mozart, il créa *Basilio* et *Curzio* dans *Les noces de Figaro* ; il revint à Londres en 1787, où il composa qq. 62 œuvres de mus. de théâtre, 1 ballet et des mélodies ; il fut libraire de musique, mais fit faillite ; ses *Reminiscences* (2 vol., N. - York - Londres 1826) donnent d'intéressants renseignements sur Mozart. Voir S. M. Ellis, *The life of M.K.* ..., Londres 1930 ; A. Hyatt King in MGG.

**KELWAY — 1. Joseph.** Mus. angl. (Chichester v. 1702 – Londres ? 1782). Elève de Geminiani, il fut org. à Londres, ami de Haendel, de J.-Chr. Bach, maître de mus. de la reine Charlotte ; on lui doit des sonates et des pièces de clavecin ; son frère — **2. Thomas** (*ibid.* v. 1695–21.5. 1749) fut org. à Reading ; on lui doit de la mus. de cath. Voir Ch. L. Cudworth in MGG

**KELZ Matthias.** Mus. allem. du XVIIe s., originaire de Schongau qui publia à Augsbourg *Primitiae musicales* (1658) et *Epidigma harmoniae novae* (1669), ouvrages qui sont conservés à la Bibl. nat. à Paris : ce sont des documents intéressants pour l'hist. de la mus. de chambre.

**KEMANAK.** C'est une paire de cloches, de bronze ou de cuivre, en forme de cosse de pois ouverte et prolongée par un petit manche (Indonésie). Les deux cloches sont frappées à l'aide d'un marteau de bois ; elles peuvent être aussi entrechoquées, le dos de l'une venant frapper la partie convexe de l'autre, elles produisent deux notes différentes. Un instrument à peu près semblable, mais en fer, est en usage en Afrique occidentale, et porte chez les Kissi le nom de *Kende*. Les *k.* sont utilisés à Java et à Bali comme instruments de rythme durant les représentations de théâtre d'ombres ou pour accompagner les danses.      M.H. – A.Sch.

**KEMANG.** C'est un gong à mamelon, de petite taille, suspendu verticalement à une potence, utilisé parfois à Java dans le *gamelan* (voir à ce mot) *slendro*. On dit aussi *engkuk-kemang.*      M.H.

**KEMENCE.** C'est une vièle (Turquie, Anatolie) ; elle existe aussi en Yougoslavie, sous le nom de *kemane*, et en Bulgarie, sous les noms de *kemenche* et de *gadulka* (voir à ce mot) ; elle appartient à la même famille d'instruments que la *lira* (voir à ce mot).      M.A.

**KEMP Barbara.** Sopr. allem. (Kochem 1886–). Elle débuta à Rostock, exerça à Breslau, Berlin, N.-York, Bayreuth, créa *Salomé, Elektra*, etc. et se retira de la scène en 1930 ; elle est l'épouse de Max v. Schilling.

**KEMP Joseph.** Org. angl. (Exeter 1778–Londres 22.5. 1824), qui exerça à Bristol et Londres ; on lui doit de la mus. d'église, des mélodrames, des mélodies, 2 écrits théoriques. Voir Ch. L. Cudworth in MGG.

**KEMPE Rudolph.** Chef d'orch. allem. (Niederpoyritz 14.6. 1910–), élève de l'école d'orch. de Dresde, premier htb. à Dortmund (1928), au *Gewhandhaus* de Leipzig (1929), répétiteur des chœurs au théâtre de Leipzig (1933), chef d'orch. à celui de Chemnitz (1942), *Generalmusikdirector* à Weimar (1948), Dresde (1949), Munich (1952–1954) ; il fait une carrière internationale.

KELLIE

**KEMPFF — 1. Georg.** Org. allem. (Jüterbog 22.10. 1893–). Fils de l'org. *Wilhelm K.*, il fit ses études à Berlin, où il fut pasteur (1917) ; en 1923, il est maître de chapelle à Upsal, en même temps que pasteur à Jüterbog et Wittemberg, en 1933, dir. de la mus. à l'univ. et dir. de l'*Institut f. KM* d'Erlangen ; on lui doit de la mus. d'église, l'édition du *Cantionale d. ev.-lutherischen Kirche in Bayern* (2 vol., Ansbach 1941), des écrits sur la mus. d'église. Son frère — **2. Wilhelm** (*ibid.* 25.11. 1895–), le célèbre pianiste, fit lui aussi ses études à Berlin ; il est d'ailleurs lui aussi org. ; de 1924 à 1929, il fut dir. de la *Hochschule f. Mus.* de Stuttgart ; il se fixa à Postdam, puis à Ammerland am Starnberger See ; il fait une grande carrière mondiale ; il a composé 4 opéras, 1 ballet, 1 oratorio, de la mus. symph. (2 symph., 2 concertos), de chambre, d'orgue, de piano, 1 cantate dramatique, des mélodies ; il a édité les œuvres complètes de Schumann (7 vol., Wiesbaden 1952) et rédigé ses mémoires (Stuttgart 1951), dont la trad. franç. est intitulée *Cette note grave* (Paris 1955). Voir B. Gavoty – R. Hauert, *W.K.*, Genève 1954.

**KEMPIS Nicolaus a.** Org. belge du XVIIe s. qui exerça à Bruxelles (Ste-Marie, Ste-Gudule, 1624, 1628) ; peut-être faut-il l'identifier avec le *Jean Florent a K.*, qui était org., en 1640 à Ste-Gudule, en 1657, à Ste-Marie ; on lui doit 3 livres de *Symphoniae* (1-5 v. avec acc. instr. 4 b.c., Anvers 1644, 1647, 1649) et, d'après Riemann, *Missae et mottetta* (8 v. *ibid.* 1650) et *Cantiones natalitiae* (1-5 v., *ibid.* 1657) ; le même Riemann a édité de lui une sonate de violon et alto (Londres).

**KEMPTER. — 1. Karl.** Compos. allem. (Limbach b. Burgau 17.1.1819–Augsbourg 11.3.1871), qui fut maître de chapelle à la cath. de cette dernière ville et écrivit de la mus. d'église ; son neveu — **2. Lothar** (Lauingen 5.2. 1844–Vitznau, Suisse, 14.7.1918), élève de Bulow, fut chef d'orch. à Magdebourg, Strasbourg, Zurich et composa 2 opéras, des chœurs, des mélodies, de la mus. instr. ; son fils — **3. Lothar** (1873–1948), fut chef de chœur à Zurich et composa des chœurs et des cantates.

**KEMPUL.** C'est un gong à mamelon, de taille moyenne, suspendu verticalement à une potence, utilisé à Java dans la plupart des *gamelan* (voir à ce mot). On dit aussi *genjur.*      M.H.

**KEMPYANG.** C'est un jeu de deux gongs à mamelon posés horizontalement sur une caisse en bois tendue de cordes ; utilisé à Java dans le *gamelan* (voir à ce mot) *peloq*. M.H.

**KEN.** C'est un hautbois à pavillon, en cuivre ou en bois, à anche de roseau, pourvu d'un disque de métal sur lequel reposent les lèvres du musicien ; il existe en plusieurs variétés et fait partie de l'orchestre de cérémonie populaire, de l'orchestre de théâtre traditionnel et de la grande formation de musique de cour (Viet-Nam). T.V.K.

**KEN DOI.** C'est une clarinette double, formée de deux tubes de bambou liés l'un à l'autre par des cordons en fibre de bambou ; il est utilisé dans les cortèges funèbres (Viet-Nam du Nord). T.V.K.

**KEN SONG HI.** (Littéralement : « hautbois par couple »). C'est un hautbois à pavillon en cuivre utilisé par paire (Viet-Nam). T.V.K.

**KEN TRUNG.** (Littéralement « hautbois moyen ») : c'est un hautbois à pavillon en bois, utilisé dans les orchestres de cérémonie (Viet-Nam). T.V.K.

**KENA.** C'est une flûte, à encoche, largement répandue en Amérique du Sud, depuis la côte péruvienne jusqu'aux Guyanes et à travers le bassin amazonien et le Chaco argentin ; le terme *k.* (de la langue Kechua) sous lequel elle est connue désigne l'instrument en roseau du Pérou et de la Bolivie pré et post-colombiens ; elle existait aussi (en os) dans l'ancien Pérou, et les Indiens du Rio Negro (bassin de l'Amazone) la fabriquent toujours en cette matière. D'arrondie, l'encoche de la *kena* est devenue rectangulaire, sur les instruments modernes qui ont le plus souvent sept trous, plus un trou de pouce. C'est un instrument qui accompagne les danses et les chants d'amour. S.D.-R.

**KENDANG.** C'est un tambour à deux peaux tendues par un laçage en Y et frappé à mains nues, utilisé dans le *gamelan* (voir à ce mot). On distingue 1. le *kendang gonding*, qui se rencontre sous deux formes : a. la forme ancienne, à deux troncs de cône apposés, b. la forme récente, à corps bombé ; 2. *le kendang chiblon*, plus petit que le précédent, analogue au *trong com* du Viet-Nam. M.H.

**KENDE.** C'est un des noms et une des formes de cloche de fer, oblongue, en Afrique occidentale (peuple Kissi). Voir art *Kemanak*. A.Sch.

**KENEL** (*Quesnel*) **Alexandre Alexandrovitch.** Compos. russe (St-Pétersbourg 12.11.1898-). Élève à la fois de la Fac. de droit, de l'école théâtrale et du cons. de sa ville natale, il fut de 1922 à 1939 pian. et compos. des théâtres de Leningrad, de 1930 à 1932, pian. et chef d'orch. à Tachkent et Sverdlovsk ; il fut ensuite responsable de la partie musicale dans les théâtres de Novossibirsk et Krasnoïarsk ; depuis 1951, il enseigne à Abakan ; on lui doit « *Ouverture solennelle* » (orch., 1925), « *Fantaisie dramatique* » (p. et orch., 1953), 1 quintette (1949), 1 quatuor (1933), 1 suite (p. 4 m.), des chœurs, des chansons, de la mus. de scène ; il a fait plus de 900 enregistrements de chansons populaires.

**KENESSEY Jenö.** Chef d'orch. et compos. hongrois (Budapest 23.9.1906-). Élève de l'univ. de Budapest, il a achevé ses études en Italie, en Allemagne et en Autriche ; il est depuis 1929 à l'Opéra national de Budapest (notamment comme chef d'orch.) ; prix Kossuth, « artiste émérite de la rép. pop. hongroise », il a écrit des œuvres théâtrales, symph., de la mus. de chambre, d'orgue, des chœurs et des mélodies. Voir J. Ujfalussy in MGG.

**KENGERGGE.** C'est un grand tambour sur cadre, utilisé en Mongolie : l'instrument, fixé sur un long manche, est planté verticalement dans un socle ; on en frappe la peau avec une baguette appelée *tahoor*. M.H.

**KENNAN Kent.** Compos. amér. (Milwaukee 18.4.1913-). Prix de Rome amér. (1936), élève de Pizzetti, prof. aux univ. de Kent et du Texas, il a écrit de la mus. symph. (1 symph., 1938, 1 concertino de piano (1946), de chambre, de piano, des mélodies, et publié *The technique of orchestration* (N.-York 1952).

**KENNEDY** — 1. **David.** Chanteur écossais (Perth 15.4. 1825-Stradford, Canada 12.10.1886), qui fut *precentor* dans différentes églises d'Ecosse et spécialiste du chant populaire ; sa fille — 2. **Marjorie** *K.*-**Fraser** (*ibid.* 1.10. 1857-Edimbourg 22.11.1930) était également chanteuse, élève de M. Marchesi à Paris ; on lui doit 3 recueils de chansons des Hébrides (1909-1921) et ses souvenirs : *A life of song* (Londres 1929).

**KENNIS** — 1. **Guillaume-Gommaire.** Violon. flamand (Lier 30.4.1717-Louvain 10.5.1789). Élève de son père, *Pierre K.*, enfant de chœur, puis 2e violon (1738) à l'église St-Gommaire de Lier, maître de chant à l'église St-Pierre de Louvain (1750) ; on lui doit des sonates, trios, quatuors, duos, concertos, répons et 2 vol. de *Racolta dell'harmonia* ; son fils — 2. **Guillaume-Jacques-Joseph** (Louvain 21.5.1768-Anvers 8.4.1845), fut également violoniste, maître de chant à St-Pierre de Louvain et à la cath. d'Anvers (1803-1845) ; on a conservé de lui *Rubens-cantate* (Anvers 1840). Voir Ch. Piot, *G.G.K.* et *G.J.J.K.*, ds *Biogr. nat.*, X ; W. Dehennin in MGG.

**KENONG.** C'est un gong (voir à ce mot) à mamelon, posé horizontalement sur des cordes tendues à l'intérieur d'un cadre de bois ; il joue un rôle important dans le *gamelan* (voir à ce mot) javanais, où il indique les différentes articulations de la phrase mélodique. M.H.

**KENT James.** Mus. angl. (Winchester 13.3.1700-6.5. ou 10.1776), qui fut enfant de chœur à la chapelle royale de Londres sous Croft, puis org. à Finedon (1731), Cambridge (1731-1737), Winchester (1737-1774) ; il fut le collaborateur de Boyce pour sa *Cathedral music* ; on lui doit de la mus. d'église, en impr. ou en mss. Voir Ch. L. Cudworth in MGG.

**KENTNER Louis.** Pian. angl. d'origine hongroise (Karvin 19.7.1905-). Élève de Székely, de Wiener, de Koessler, de Kodály à Budapest, il débuta à l'âge de 15 ans et se fixa à Londres en 1935 ; il fait une carrière intern., au cours de laquelle il a souvent accompagné Menuhin ; on lui doit de la mus. symph., de chambre, de piano, des mélodies.

**KENTON Stan** (*Stanley Newcomb*). Pian. et chef d'orch. amér. de jazz (Wichita 19.12.1912-). Il a dirigé son propre orch. à partir de 1941 : il était connu dans le monde entier dès 1946 ; c'est pour lui que P. Rugolo, l'élève de Milhaud, compose ses arrangements ; lui-même est un compositeur estimé, tenant de ce qu'on appelle le « *progressive jazz* ».

**K'EOU-K'IN.** C'est une guimbarde (voir à ce mot) en fer, de forme allongée, utilisée dans l'orchestre mongol (Chine) ; la languette mobile, appelée *houang*, se prolonge à l'extérieur en se recourbant ; la pointe en est entourée de cire. M.H.T.

**KEPITIS Yanis.** Pian. et compos. letton (Yankrog 2.1. 1908-), qui fit ses études au cons. de Riga, puis se perfectionna chez R. Casadesus et W. Gieseking ; de 1934 à 1950, il fut soliste de la radiod. de Riga et, dep. 1945, prof. au cons. de cette ville ; on lui doit 1 opéra, des cantates, de la mus. symph., de chambre, plus de 200 chansons, 4 arrangements pour chœurs et instruments popul. de chansons populaires lettones.

**KEPLER Johannes.** Astronome allem. (Weil 27.12.1571-Ratisbonne 15.11.1630), célèbre par la découverte qu'il fit des lois qui règlent le mouvement des planètes ; le fondement de son ouvrage *Harmonices mundi* et l'idée que l'harmonie universelle du monde sensible : la même loi universelle règle le mouvement des sons, c'est-à-dire la musique ; c'est dans le Ve livre d'*Harmonices mundi* que K. établit l'analogie des rapports harmoniques de la musique et ceux de l'astronomie. Le développement mathématique est mêlé de considérations philosophiques qui semblent aujourd'hui fabuleuses. Voir R. Haase in MGG. A.D.

**KERANTING.** C'est une cithare de bambou, avec résonnateur en feuille de palmier, utilisée en Malaisie. M.H.

**KERAR.** Voir art. *lyre*.

**KEREKES János.** Chef d'orch. et compos. hongrois (Budapest 17.4.1913-). Élève de Weiner (compos.) et de

M. Varro (piano), de la *Hochschule* de Berlin, membre de l'Opéra de Budapest, dir. artistique de l'orch. de l'armée pop. hongroise et, plus récemment, chef de la section mus. de la télévision hongr., il a écrit des opérettes, des chansons et mélodies ; il a obtenu le prix Erkel pour son film *Madame Déry* (avec T. Polgar).

**KERENYI György.** Compos. et musicologue hongrois (Csorna 9.3.1902–). Docteur ès lettres, élève de Kodály à l'Ecole nat. des hautes études mus. F. Liszt, spécialiste des questions de l'enseignement mus. et du folklore, il a écrit des œuvres vocales (chœurs), publié de nombreux ouvrages didactiques et scientifiques ; de 1933 à 1949, il a dirigé la revue *Enekszo* ; il travaille à la section folklorique de l'Académie hongroise des sciences ; c'est lui qui a publié les 2 premiers vol. du *Corpus musicae popularis hungaricae*. *Cf.* art. *hongroise (musique, mus. populaire)*.

**KERESSELIDZE** (*Kere-selidze*) **Artchil Pavlovitch.** Compos. géorgien (Gunib 22.12.1912–). Elève des cons. de Tiflis et de Moscou, prof. au cons. de Tiflis, responsable musical du théâtre dramatique et dir. mus. des films géorgiens, il a écrit de la mus. de caractère très national, fondée sur le folklore géorgien ; son œuvre comprend 1 opéra, 1 ballet, de nombreuses comédies musicales, des films, de la mus. de scène, symph., de chambre, des chansons.

**KERLE Jacobus de.** Mus. flamand (Ypres 1531 ou 1532 – Prague 7.1.1591). « *Ab ineunte fere aetate in musicis modulis confirmandis versatus* », en 1555, il est maître de chapelle à Orvieto, après y avoir été chanteur ; peu après, il il y est org. de la cath. et carillonneur ; il est ordonné prêtre en 1561 : la même année, on le trouve à Venise, où l'on donne de ses œuvres ; c'est également la même année qu'il entre au service du cardinal-évêque d'Augsbourg, dont il est maître de chapelle à Rome en 1562 : il le suivra à la cour d'Espagne, en passant par l'Italie du Nord et Barcelone ; on le vit à Trente, mais il ne prit pas part au concile ; en 1564, il est avec le cardinal à Dillingen ; en mai 1565, le cardinal dissout sa chapelle : *K.* se fait alors maître de chapelle à la cath. St-Martin d'Ypres (sa résidence n'est pas entièrement sûre) ; en 1567, il est excommunié et perd son emploi : il se rend à Rome, où son protecteur Otto Truchsess lui fournit un emploi au chapitre d'Augsbourg (1568) ; le 18 août de la même année, il y est org. à la cath. ; de 1575 à 1587, il est pourvu d'un canonicat à Cambrai ; il y réside en 1579, puis « s'enfuit » à Mons en 1582, il est maître de chapelle du prince-archevêque de Cologne, puis au service de l'empereur à Augsbourg, à Vienne, enfin à Prague (1583) où il mourut. On lui doit, impr. : *Hymni... et Magnificat* (4–5 v., Rome 1558–1560), *Liber psalmorum...* (4 v., Venise 1561), (16) *Magnificat* (*id. ibid.*), *Preces speciales pro salubri generalis concilii successu ac conclusione, populique christiani salute, atque contra ecclesiae hostium furorem* (dédié au légat du pape au concile de Trente, 10 répons, 4 v., *ibid.* 1562), *Sex missae* (4–5 v., *id. ibid.*), *Selectae quaedam*

cantiones (5–6 v., Nuremberg 1571), *Liber modulorum sacrorum...* (5–6 v., Munich 1572), *Id.* (4–6 v., *ibid.* 1573), *Liber mottetorum 4–5 v... Te Deum 6 v.* (*ibid.* 1573), *Sacrae cantiones...* (5–6 v., *ibid.* 1575), 2 recueils de *quatuor missae* (4–5 v., Anvers 1582–1583), *Selectiorum aliquot modulorum 4,5 et 8 v.* (Prague 1585, dédicace au pape Sixte-Quint), 5 motets et 3 madrigaux dans des recueils de l'époque (2 litres de madrigaux impr. ont été perdus) ; en mss : 4 motets en tablature (Altötting), 3 messes, 1 *Requiem* et 5 chants (Augsbourg), *Solemnium vespertinarum precum responsoria et hymni*

IOANNES CASPARUS KERLL ÆTATIS LXI.

KERLL

(4 et 5 v., 1577, Augsbourg), 3 chants (Breslau), 1 *Te Deum* (Brixen), 1 messe (Dantzig), 2 chants et 1 motet (Dresde), 1 *Te Deum* (Liegnitz), 1 motet en tablature (*BM* Londres), 1 messe et 2 chants (Munich), 11 chants (Ratisbonne), 2 chants (Stuttgart), 2 motets (Vienne), *id.* (Zwickau) c'est un grand musicien de cette époque, en l'œuvre de qui s'est formée une heureuse synthèse des styles italien et flamand : le succès de celles de ses œuvres qui furent exécutées au concile de Trente est communément pris comme une des raisons de la tolérance des pères du concile à l'égard de la musique à l'église. Voir O. Ursprung, *J. de K.* ..., thèse de Munich, 1913 — ds *DTB*, *XXVI*, 34 ; P. Graff, *J. de K.* ..., ds *Mus. u. Kirche*, *XX*, 1950 ; W. Brennecke in MGG.

**KERLL Johann Caspar.** Mus. allem. (Adorf, Vogtland, 9.4.1627 – Munich 13.2.1693). Fils d'un org. protestant, il se convertit plus tard au catholicisme ; enfant, il alla à Vienne et y étudia chez le maître de cour Valentini, puis plus tard, à Rome, chez Carissimi ; il eut comme protecteur l'archiduc Leopold Wilhelm, *Statthalter* des Pays-Bas : c'est dans sa chapelle que Kerll trouva son premier emploi ; en 1656, le prince-électeur de Bavière l'appela comme maître de chapelle à la cour de Munich : il y écrivit plusieurs opéras, qui comptent parmi les premiers du genre en Allemagne ; ils sont malheureusement perdus ; il se consacra aussi à la musique d'église et publia en 1669 des concerts spirituels sous le titre *Delectus sacrae cantionum* ; en dépit de ses succès et de la fortune dont il jouissait, *K.* se démit en 1673, vraisemblablement à cause des intrigues de certains musiciens italiens, et partit pour Vienne ; contrairement à ce qu'on a écrit bien souvent, il ne semble pas avéré qu'il y ait été org. de la cath. St-Etienne : il semble plutôt avoir gagné sa vie en donnant des leçons, puis avoir vécu (à partir de 1675) d'une pension de l'empereur et avoir été définitivement nommé org. de la chapelle de la cour en 1680 ; à cette époque, le 1er org. était Alessandro Poglietti, ami intime de *K.* ; c'est peut-être la raison pour laquelle on a parfois confondu les œuvres des deux maîtres ; à Vienne, *K.* écrivit ses œuvres pour orgue, dont seuls les versets de *Magnificat* (*Modulatio organica*, 1686) furent imprimés; il fit publier un catalogue thématique de ses autres compositions ; après le siège de Vienne par les Turcs (1683), il partit pour Munich, mais il semble qu'il séjourna de nouveau à Vienne, car il demeura jusqu'en

1692 membre de la chapelle impériale : c'est à l'empereur Leopold I$^{er}$ qu'il dédia sa dernière grande œuvre : *Missae Sex a IV, V, VI voci* (1689) ; d'autres messes et œuvres de mus. d'église nous sont parvenues en mss : elle se signalent par une instrumentation originale et peuvent être considérées comme les plus importantes en ce domaine, dans l'Allemagne de l'époque ; ses compositions pour orgue furent très répandues : Bach et Haendel les étudiaient encore. On lui doit 10 opéras, 1 *Jesuitendrama*, 3 cantates profanes, 12 messes, 2 *Magnificat*, des litanies, des répons et d'autres œuvres de mus. d'église, des sonates instr., 8 *Magnificat* pour orgue, 8 *Toccaten*, 6 *Canzonen*, *Capriccio sopra il cucu*, *Battaglia*, *Ciaccona*, *Passacaglia*, 4 suites, 1 *ricercare*, 1 traité de composition. Voir A. Sandberger, in *DTB*, *II*, 2 ; G. Adler, *Zur Gesch. d. wiener Messkompos. i. d. 2. Hälfte d. 17. Jh. s*, ds *St. z. Mw.*, *IV*, Leipzig-Vienne 1916 ; F. W. Riedel, *Quellenkundliche Beiträge z. Gesch. d. Mus. f. Tasteninstr. i. d. 2. Hälfte d. Jh. s. ...*, Cassel-Bâle 1959 ; O. Kaul-F.W. Riedel in MGG.       F.W.R.

**KERMAN Joseph.** Musicologue angl. (Londres 3.4.1924–). Pian., org. docteur de l'univ. de Princeton avec sa thèse *The elizabethan madrigal...* (1951), chroniqueur à la *Hudson Rev.* (1948), prof. à l'univ. de Californie (1958), on lui doit *Opera as drama* (N.-York 1956), des art. dans des périodiques ou publications spécialisées.

**KERPEN Hugo Franz Alexander von.** Mus. allem. (Engers ? 23.3.1749–Heilbronn 31.12.1802). Fils du *Reichsfreiherr* Lothar Franz v.K. zu *Illingen, Lixingen, Rollingen, Fürfeld u. Würzweiler*, il appartint aux chapitres de Mayence et de Worms et se retira à Heilbronn ; on lui doit 5 trios, 6 quatuors, 7 sonates, 1 concerto de piano (1800), 6 ariettes, 12 chansons, 1 mélodrame : *Cephalus u. Procris* (1781), 3 *Singspiele* : *Claudine v. Villabella* (Gœthe), *Die Rätsel* (1791), *Adelheid v. Ponthieu* (1798) ; il joua un grand rôle dans la vie musicale de Mayence. Voir A. Gottron in MGG.

**KERREBIJN Marius.** Pian. chef d'orch. et compos. néerl. (La Haye 1.10.1882–15.6.1930). Élève des cons. de La Haye et de Berlin, de Busoni et de Szántós (Paris), il composa des œuvres symph., chor., de la mus. de chambre, de piano (1 concerto), des mélodies.

**KERZINE (*Kerzin*) Arkadi Mihaïlovitch.** Mus. amateur russe (1855 ou 1857–1914) — auteur d'un ouvrage sur Moussorgsky (1906) — dont la femme, **Maria Semenovna** (1865–1926), était pianiste : ils organisèrent ensemble le « Cercle des amateurs de mus. russe », qui devint un organisme important pour la diffusion de la mus. russe ; ce sont ces concerts, d'ailleurs souvent gratuits, qui ont fait connaître les œuvres du « groupe des cinq. »

**KES Willem.** Chef d'orch. néerl. (Dordrecht 16.2.1856–Munich 21.2.1934). Violon., élève des cons. de Leipzig (David) et de Bruxelles (Wienawski), de J. Joachim (Berlin), il exerça à Amsterdam, Dordrecht, Glasgow, Moscou, Coblence ; on lui doit de la mus. dans presque tous les genres. Voir E. Reeser in MGG.

**KESTENBERG Leo.** Pian. et prof. israélien d'origine hongroise (Rosenberg 27.11.1882–). Élève de Kullak, de Busoni, de Draeseke, prof. et fonctionnaire au gouvernement de Prusse à Berlin, il émigra à Prague (1933), puis en Palestine (1939), où il a dirigé l'orch. national et le séminaire de mus. de Tel-Aviv ; on lui doit des écrits pédagogiques. Voir G. Braun in MGG.

**KETTING Piet.** Compos. néerl. (Haarlem 29.11.1905–). Élève de Pijper et du cons. d'Utrecht, pian., chef du *Rotterdams Kamerorkest* (dep. 1950), il a écrit une symph. (1929), des cantates, de la mus. de chambre, de piano, des mélodies.

**KETUK.** C'est un gong à mamelon, du même type que le *kenong* (voir à ce mot). [Java].       M.H.

**KEUCHENTHAL Johannes.** Mus. allem. (Ellrich v. 1522–St. Andreasberg 1583). Fils d'un prêtre défroqué converti au protestantisme, il fut lui-même diacre et prédicateur ; on lui doit 1 recueil de *Kirchen Gesenge latinisch u. deudsch* (Wittemberg 1573). Voir K. Ameln in MGG.

**KEUSSLER Gerhard von.** Compos. et musicologue allem. (Schwanenburg 5.7.1874–Niederwartha 21.8.1949). Élève du cons. et de l'univ. de Leipzig, dont il fut docteur avec sa thèse *Die Grenzen der Aesthetik* (Leipzig 1902), il fut chef de chœur et d'orch. à Prague, Hambourg, Berlin, Melbourne ; on lui doit des œuvres symph. (2 symph.), vocales, de la mus. de scène, des écrits : outre sa thèse, *Das deutsche Volkslied u. Herder* (Prague 1915), *Händels Kulturdienst u. unsere Zeit* (Hambourg 1919), *Die Berufsehre d. Musikers* (Leipzig 1927), *Memoiren* (ms.) et des art. dans des périodiques. Voir E. Siemens, *G.v. K.s Werke*, 3 vol., 1957–1958 (ms.) ; E. Kroll in MGG.

**KEYRLEBER Johann Georg.** Mus. allem. (Nürtingen 27.11.1639–? 1691). Élève de l'univ. de Tubingen, il fut précepteur dans divers lieux, chantre chez les cordeliers de Francfort, en même temps qu'il perdit *corrector supernumerarius* chez l'éditeur Wust : il perdit ces emplois pour ses mauvaises mœurs, mais en 1686 il fut récupéré par l'hospice de Stuttgart, après quoi on perd sa trace ; c'était en somme un insoumis ; il ne mourut pas avant mars 1691 ; on a conservé de lui *Aggratulatio musicopoetica auf d.... Geb.-Tag d. röm. Königs Josephi I* (1691), une autre œuvre dont le titre, *Dem Drey-Einigen wahren Gott...*, excessivement long, annonce qu'elle contient un canon perpétuel et une ariette à 8 v., *In festum Ascensionis* (v. et orch., Francfort 1679, ms.). Voir U. Siegele in MGG.

**KHAÏRAT Abu Bakr.** Compos. égyptien (Le Caire 27.4.1910–), qui fit ses études au Caire et à Paris ; il est architecte de profession ; on lui doit de la mus. symph. (2 symph., 1 concerto de piano, 1957), de chambre, de piano, de flûte.

**KHAN Hidayat.** Compos. franç. d'origine pakistanaise (Londres 6.8.1917–). Élève de l'Ecole normale de mus. de Paris (N. Boulanger, Ch. Münch, Chailley), il est chef d'orch. à Heemstede en Hollande dep. 1950 ; son éditeur est A. Bank à Amsterdam ; on lui doit *Poème en fa* (orch. et piano, 1950), *Suite en do* (orch., id.), *La monotonie* (cordes, id.), *Ballet rituel* (1952), *Cantique en cinq versets* (orch., 1954), *Symphonie en do* (orch. et orgue, 1956), *Symph. chorale* (av. orgue, 1957).

**KHANDOCHKINE (*Handoškin*) Ivan Evstafievitch.** Violon. russe (1747–1804). Il fut formé à l'orch. de la cour de St-Pétersbourg, où il a été 1$^{er}$ violon, répétiteur chef d'orch. des ballets, puis prof. à l'acad. des beaux-arts (1764) ; en 1765, il fut nommé dir. de l'univ. d'Ekaterinoslav, poste qu'il ne rejoignit pas ; fondateur de l'école de violon russe, il était célèbre par ses dons d'improvisateur et son jeu lyrique ; il a laissé de nombreuses œuvres d'orch., de piano, de violon, d'alto ; il est parmi les premiers en Russie, avec Bortniansky, à avoir élaboré les formes cycliques de la mus. instrumentale.

**KHANJARI.** C'est un tambour sur cadre rond ou octogonal, qui sert surtout aux musiciens errants et aux chanteurs populaires ; de petites cymbales de métal sont fixées sur le côté comme dans certains tambourins tziganes.       Al.D.

**KHATCHATURIAN (*Hačaturjan*) — 1. Aram Ilitch.** Compos. arménien (Tiflis 6.6.1904–). Issu d'une famille de modestes artisans, il manifeste des dons extraordinaires pour la musique, mais se trouve dans l'impossibilité d'étudier ; ce n'est qu'en 1921, grâce à un frère aîné régisseur au Théâtre d'art de Moscou, qu'il peut prendre des cours à l'école de musique de Gnessine : il y travaille le vcelle et la composition, conjointement avec des études de physique et de chimie à la faculté des sciences ; de 1929 à 1934, il se perfectionne au cons. de Moscou, sous la direction de Miaskovsky. La mus. de K. se réfère le plus souvent aux chants des « achongs », aux danses et aux instr. populaires qu'il a seuls connus durant toute son enfance et qui restent les moyens d'expression naturels de l'âme arménienne : il en utilise les modes comme la rythmique, et c'est à partir d'eux qu'il construit son harmonie ; souvent c'est l'Arménie elle-même qui lui fournit ses thèmes d'inspiration, dans son « *Chant-poème* » (1929) pour violon et piano, par exemple, ou le ballet « *Gayaneh* »

(1942) : c'est ce ballet, où figure la fameuse « *danse du sabre* », qui le rendit célèbre en Europe ; *K.* est actuellement prof. de composition à l'Institut Gnessine ainsi qu'au cons. de Moscou ; ses *Concertos* pour vcelle (1946), pour piano (1936) et pour violon (1940, dédié à D. Oïstrakh) sont des œuvres universellement jouées maintenant ; il a encore écrit de très vivantes pièces courtes pour le piano : « *Tableaux de l'enfance* » (1947), 1 *trio* pour viol., cl. et p. (1932), entre autres œuvres de mus. de chambre, 2 *symphonies*, des *mélodies*, de la mus. de film, un second ballet à grand spectacle : « *Spartacus* » (1954). Son neveu — **2. Karen Sourénovitch** (1920–), a terminé ses études au cons. de Moscou en 1947 ; il a, dans ce même conservatoire et depuis 1952, une classe d'orchestration et d'accompagnement ; il s'est fait connaître par une « *sonate pour violon et piano* » (*op.* 1), que D. Oïstrakh a mise à son répertoire, on lui doit en outre 1 cantate (1954), *Sinfonietta* (1949), *Suite* (1948), *ouverture* (1949), 2 suites enfantines (1951–1952), de la mus. de scène, de film. Voir G. Khubov, A.K., (en prép.) ; les biographies de *K.* de R. Gläser (1955), d'I. Martinov (1947, 1956), de D. Chitomirsky (1937), publiées à Moscou ; I. Eolian et G. Waldmann in MGG.

**KHEIF** (*Hejf*) **Rafaïl Borissovitch.** Compos. russe (Vitebsk 17.11.1907–), élève du cons. de Leningrad, auteur de nombreuses comédies mus., d'une suite d'orch., d'un quatuor, de mus. de piano, de théâtre et de film.

**KHÈNE.** C'est un orgue à bouche (Laos), instrument traditionnel classique de la musique purement laotienne ! il est fait de deux rangs de tuyaux de bambou portant des anches libres de métal et montés sur un réservoir de bois dans lequel souffle le musicien ; un trou latéral, dans chaque tuyau, permet d'interrompre le son. Les *k.* se font de diverses tailles, certains sont de grandes dimensions (3 m. de long). Le musicien, aspirant par saccades, par le nez, et faisant de sa bouche un premier réservoir, arrive à donner au *k.* un son ininterrompu, comme cela se pratique sur la flûte-double de l'Himalaya indien. La musique de *k.* a toujours le caractère d'une polyphonie modale, reposant sur une tonique fixe. Le *k.* est apparenté au *cheng* (voir à ce mot) chinois.                           Al.D.

**KHODJA-EINATOV** (*Hodža-Ejnatov*) **Léon Alexandrovitch.** Compos. russe (Tiflis 1904–). Élève de Spendiarov et de Riazanov, chef d'orch. et dir. mus. dans plusieurs théâtres (dep. 1931), il a écrit 4 opéras, 2 cantates, de la mus. symph. (1 symph., 1954), de chambre, de scène.

**KHOL.** C'est un tambour populaire, le plus souvent de très grande taille (Inde), en forme de double-cône, beaucoup plus renflé que le *mridanga* (voir à ce mot) et avec un système d'attache des deux peaux plus simple, fait de cordelettes ou de lanières droites ; les peaux ne portent pas de pastilles et leur son n'est pas précis ; il est utilisé de la même manière que le *dholak* ; il est surtout employé dans l'est de l'Inde : c'est l'instrument qui accompagne la danse des tribus primitives, particulièrement les Santal.                           Al.D.

**KHONG.** C'est l'instrument de base de l'orchestre cambodgien : il est formé d'une série de petits gongs de bronze, généralement seize, suspendus horizontalement par des cordelettes sur un cadre circulaire en rotin ; suivant leur taille les *k.* sont appelés *khong thom* (khong grave) ou *khong toch* (khong aigu).                           Al.D.

**KHOUBOV** (*Hubov*) **Georgij Nikitich.** Musicologue russe (Kars 9.5.1902–). Élève du cons. de Tiflis, de l'Institut Scriabine et du cons. de Moscou, il a créé la 1re école de mus. populaire au « Centre de culture et de liberté Gorki » (1930) et appartient à l'acad. des beaux-arts dep. 1931 ; il est un des collaborateurs principaux de la Grande encyclopédie soviétique, enseigne au cons. de Moscou, a été réd. en chef de *Sovietskaïa Musyka* (1952–1957) et collabore à des périodiques, notamment la *Pravda* ; il a également exercé à la radiod. russe ; il est depuis 1951 secrétaire du syndicat des compos. d'U.R.S.S. ; on lui doit des ouvrages biographiques (*Borodine*, Moscou 1933) et de nombreux articles. Voir I. Eolian in MGG.

**KHOUNG.** C'est un tambour birman, à deux peaux ; le corps de l'instrument est fait de la section d'un tronc d'arbre.                           M.H.

**KHOUY.** C'est la flûte droite classique laotienne, de bambou : elle a sept trous et se fait en différentes tailles, grave ou aiguë ; on la rencontre aussi en Birmanie et au Cambodge.                           Al.D.

**KHRENNIKOV** (*Hrenikov*) **Tikkon Nicolaïevitch.** Compos. russe (Eltz 10.6.1913–). Élève du cons. de Moscou (Gili Litinsky, V.Y. Chebaline), il a employé dans ses premières œuvres (concerto de piano et symphonie n° 1) un langage apparenté à ceux de Prokofiev et de Chostakovitch ; il a ensuite adopté un langage plus classique, un style mélodique proche de celui de la chanson populaire : typique à cet égard est l'opéra « *Dans la tempête* » (1936–1939), écrit d'après le roman « *Solitude* » de N. Virta ; il a écrit de nombreuses œuvres de mus. de scène et de film, des chants de masse, des mélodies aussi, généralement pleines d'humour et de sensibilité ; comme Chostakovitch, *K.* est député au soviet suprême de la R.S.F.S.R. ; il est secrétaire de l'Union des compos. de l'U.R.S.S. et fait partie de la section musicale de la Société pour les échanges culturels avec l'étranger.   M.F.

**KHREY BEY.** C'est un luth, à caisse plate et à long manche : l'instrument est monté de trois cordes ; douze touches sont fixées sur le manche (Cambodge).   M.H.

**KHRISTIANOVITCH** (*Hristijanovič*) **Nikolaï Filipovitch.** Compos. et musicologue russe (gouvernement de Kalouga, 1828–Poltava 1890), qui fut un des pionniers de la vie musicale russe, qu'il stimula par des concerts, des conférences, et en créant des écoles de musique ; il écrivit de la mus. de piano, de théâtre, des mélodies et publia « *Lettres sur Chopin, Schubert et Schumann* » (1875).

**KHUEN** (*Kuen*) **Johannes.** Eccl. allem. (Moosach 1606–Munich 14.11.1675). Poète et mus., il fut prof., puis bénéficia de la *Warttenbergische Kapelle* et de St-Pierre de Munich ; toutes ses œuvres ont été publiées à Munich : *Vexillum patientiae...* (1635), *Epithalameum marianum...* (1636), *Convivium marianum...* (1637), *Florilegium marianum...* (1638), *Die geistlich Turteltaub* (1639), *Cor contritum et humiliatum...* (1640), *Mausoleum Salomonis...* (1641), *Tabernacula pastorum...* (1650), *Munera pastorum...* (1651), *Gaudia pastorum...* (1655), *Fünfftzig Klaglied...* (id.), *Drey schöne newe geistl. Lieder* (1637). Voir O. Ursprung, *J.K.* ..., ds *Musica sacra*, 1921 ; B.A. Wallner, *J.K.* ..., Munich 1920 ; A. Scharnagl in MGG.

**KHUNG.** C'est une guimbarde de bambou, utilisée par les femmes Rengma Naga d'Assam.                           M.H.

**KHURDAK.** C'est une paire de très petites timbales, qui servent à accompagner les danses de certaines populations à peau noire et de basses castes du nord de l'Inde et de l'Inde centrale.                           Al.D.

**KI-LEOU-KOU.** C'est une sorte de tambour chinois, cité par le *Kieou-t'ang-chou* (*Ancien livre des T'ang*).   M.H.T.

**KI-WAN-SIE-KOU.** C'est un instrument de l'orchestre birman de la Chine ancienne : il se compose de huit petits gongs de différentes dimensions disposés en deux rangs ; on le frappe avec un marteau de corne. M.H.T.

**KIAO.** C'est une sorte de *hiuan*, instrument de musique chinois, ocarina de grande taille (voir art *hiuan*). M.H.T.

**KIDSON Frank.** Ethnomusicologue angl. (Leeds 15.11. 1855–7.11.1926). Il fonda la *Folk Song Society* et contribua largement au répertoire ethnomusicologique d'Angleterre, d'Ecosse et d'Irlande ; on lui doit *Old english country dances* (Londres 1890), *Traditional tunes* (Oxford 1891), *British music publishers and engravers* (ibid. 1900), *The minstrelsy of England...* (ibid. 1901), *75 british nursery rhymes* (ibid. 1904), *Childrens' songs of long ago* (ibid. 1905), *The golden wedding...* (Leeds 1910), *English songs of georgian period* (Londres-Glasgow 1911), *Dances of the old time* (ibid. 1912), *Songs of Britain* (Londres-N.-York 1913), *English country dances* (Londres 1914), *English folk songs and dances* (Cambridge 1915), *Old english country dance tunes* (Londres 1915), *100 singing games*

(Londres-Glasgow 1916), *The Beggar's opera*... (Cambridge 1922), *A garland of engl. folk-songs* (Londres 1926), *Folk-songs of the north countrie*... (ibid. 1927), *English peasant songs*... (ibid. 1929), *The minstrelsy of childhood* (s.l.n.d.), *Morris tunes* (Londres s.d.), des art. dans des périodiques et dans le dict. de Grove. Voir R.A. Harman in MGG.

**KIE-MANG-NIE-TEOU-POU.** Ce sont les petites cymbales de l'orchestre birman.       M.H.T.

**KIEL Friedrich.** Compos. allem. (Puderbach 7.10.1821–Berlin 13.9.1885). Mus. autodidacte, violon., il fut maître de concert et prof. à la cour de Berlebourg (1840) ; il eut ensuite l'élève de Dehn pour le contrepoint, à Berlin où il se fixa (1842), puis enseigna la composition au cons. Stern (1866) et à la *Hochschule f. Mus.* (1870) de cette ville ; son œuvre, très abondante, d'un intérêt purement historique, comporte de la mus. symph., d'église, de chambre, instr. Voir E. Frommel, *F.K.*, Berlin 1886 ; W. Altmann, *Id.*, ds *Die Musik, I*, 1901-1902 ; E. Prieger, *Id.*, Leipzig 1904 ; E. Reinecke, *Id.*, thèse de Cologne, 1936 ; R. Sietz in MGG.

**KIELLAND Olav.** Chef d'orch. et compos. norvégien (Trondjhem 16.8.1901–). Élève du cons. de Leipzig, il poursuivit ses études en France, en Angleterre, en Italie, et à Bâle (Weingartner) ; il a exercé à Oslo, Göteborg, Trondjhem, Bergen, Reykjavik ; on lui doit de la mus. symph. (1 symph., 1935), voc., chor., de piano, de violon, de scène.

**KIEN-KOU.** C'est un grand tambour chinois, placé horizontalement sur une colonne et frappé par deux baguettes : il peut être accompagné de deux très petits tambours, appelés *p'i* ou *t'o*, suspendus de chaque côté et formant comme deux oreilles ; le *p'i*, suspendu du côté de l'ouest, porte plusieurs noms différents : *souo-kou*, *t'ien-kou*, *yin* ou *hiuan-kou* (voir à ce mot). Celui qui est suspendu du côté de l'est se nomme indifféremment *ying*, *ying-p'i* ou *ying-kou* (« tambour qui répond »). Ils sont frappés avec une baguette. Le *k-k.*, selon sa dimension ou son époque, porte divers noms : le *tsin-kou* (avec oreilles), le *fen-kou* ou le *tsou-kou* (sans oreilles). M.H.T.

**KIENLE Ambrosius.** Bénédictin allem. (Laiz 8.5.1852–Beuron 18.6.1905), qui appartint à l'abbaye de Beuron et fut un des grands promoteurs de la réforme du plain-chant selon Solesmes ; on lui doit des ouvrages et articles à ce sujet. Voir W. Irtenkauf in MGG.

**KIENLEN Johann Christoph.** Mus. allem. (Ulm, bapt. 14.12.1783–Dessau 7.12.1829). Fils d'un *Stadtmusikus* d'Ulm, enfant prodige, il fut envoyé à Paris auprès de Cherubini grâce aux bons soins de protecteurs munichois qu'il s'était trouvés ; il débuta à Munich en 1810, où il eut le titre de *königl. Musikdirektor* à la cour de Bavière ; l'année d'après il est à Vienne, en 1817 à Berlin, en 1827 à Ulm, en 1828, à Poznan chez les Radziwill ; on lui doit 3 opéras et un *Singspiel*, des *Lieder*, de la mus. instr. (1 symph.) ; contrairement à une opinion courante, il n'a rien d'autre à voir avec la Pologne que son poste chez les Radziwill. Voir O. Wessely in MGG.

**KIENZL Wilhelm.** Compos. autr. (Waizenkirchen 17.1.1857–Vienne 3.10.1941). Docteur de Vienne, avec sa thèse *Die musikal. Deklamation* (Leipzig 1880), il est à Bayreuth près de Wagner en 1879 ; il fit des tournées (piano) avec le violon. R. Sahla et la chanteuse Aglaïa Orgeni (1881) ; en 1883, il est chef d'orch. à l'Opéra allem. d'Amsterdam : on le trouve ensuite dans les mêmes fonctions à Hambourg, Munich et Graz ; il vécut à Vienne à partir de 1917 ; il fut en relation avec un grand nombre de personnalités mus. de son temps, témoin sa correspondance qui, d'après H. Sittner, comporte 66.600 lettres ; il composa en trois genres ; de ses publications, retenons *Betrachtungen u. Erinnerungen* (Berlin 1909) et *Meine Lebenswanderung...* (Stuttgart 1926). Voir H. Sittner, *K.-Rosegger...*, Zurich 1953 — art. in MGG. ; K. Trambauer, *W.K.s*, thèse, Vienne 1950.

**KIEPURA Jan.** Ténor pol. (Sosnowitz 16.5.1902–). Il débuta au théâtre en 1925, à Varsovie, appartint ensuite à l'Opéra de Vienne (1926–1928) : c'était le début d'une carrière mondiale qui en fait l'un des ténors les plus populaires de notre époque.

**KIESEWETTER Karl.** Violon allem. (Augsbourg 1777–Londres 27.9.1827), qui fut maître de concert à Oldenbourg, Hanovre et Londres, où, à partir de 1821, il se produisit aux Concerts philharmoniques.

**KIESEWETTER. Raphael Georg.** Musicologue autr. (Holleschau 29.8.1773–Bade-Vienne 1.1.1850). Fonctionnaire de la cour impériale, il fut mélomane dès l'enfance, élève d'Albrechtsberger et de Hartmann, chanteur ; à partir de 1816, il organisa des concerts chez lui deux fois par semaine ; parmi ses amis, il faut citer Beethoven, J.H. Vogl, Schubert, les sœurs Fröhlich, A. Fuchs, Gyrowetz, S. Dehn, F. Rochlitz etc. ; il fut vice-président de la Soc. des amis de la musique à Vienne (1821-1843) et fut anobli sous le nom d'*Edler von Wiesenbrunn* ; notons que parmi ses nombreux titres honorifiques, il eut celui de *correspondant du ministère de l'instruction publique de France, section des travaux historiques* ; on lui doit *Gesch. der europ.-abendländ. oder unserer heutigen Mus.* (Leipzig 1834, 1846), *Über die Mus. der neueren Griechen*... (ibid. 1838), *Guido v. Arezzo...* (ibid. 1840), *Schicksale u. Beschaffenheit d. weltl. Gesangs...* (ibid. 1841), *Die Mus. der Araber* (ibid. 1842), *Über die Octave des Pythagoras...* (ibid. 1848), 2 catalogues de ses collections musicales, un grand nombre d'articles et de recensions, au sujet de la mus. dans l'antiquité, au moyen-âge et à la Renaissance, sur l'harmonie, dont un grand nombre sont restés en mss ou inachevés. *R.G.K.* représente à la fois une grande figure de la 1re moitié du XIXe s. à Vienne et un précurseur de la musicologie moderne. Son fils *Karl*, qui mourut à Milan en 1854, et sa fille *Irène* (Vienne 27.3.1811–Gratz 7.7.1872) furent également des amis de Schubert ; cette dernière épousa le baron Antoine de Prokesch-Osten. Voir *Notice nécrologique sur R.G.K. ...*, ds *Revue et gazette mus., XVII*, Paris 1850 ; les biographies de Beethoven, les travaux d'O.E. Deutsch sur Schubert ; O. Wessely in MGG.

**KIESGEN. — 1. Charles.** Imprésario franç. (Paris 26.12.1881–). Vcelliste, élève de Casals et de Gédalge, il a été secrétaire général de la Société philharm. de Paris ; il a fondé (1911) et dirige l'important Bureau international de concerts, sis dans l'immeuble Pleyel à Paris, auquel son fils — **2. Camille** (Monceaux-le-Comte 6.5.1911–). pian., élève de Chevillard, collabore depuis 1932.

**KIESLICH Leo.** Compos. allem. (Wiese 15.9.1882–Münster 10.2.1956), qui enseigna à Neisse, Breslau et Gleiwitz et écrivit des œuvres symph., 2 *Singspiele*, 1 ballet, des cantates, des chœurs, de la mus. d'église, de piano, des mélodies.

**KIESSIG Georg.** Compos. allem. (Leipzig 17.9.1885–en France, 1945), qui fut chef de chœur ou d'orch. à Leipzig, Arnstadt, Rudolstadt et écrivit 2 opéras, de la mus. d'orch., de chambre, de théâtre, de piano, des mélodies.

**KILADZE Gregori Varfoloméévitch.** Compos. géorgien (Batoum 1902–). Élève des cons. de Tiflis et de Léningrad, il a fait carrière de chef d'orch., de dir. du cons. et de l'Opéra à Tiflis ; on lui doit 2 opéras, 2 symph. (1944, 1955), 2 suites et 1 tableau symph., 1 ballet, de la mus. de film.

**KILLMAYER Wilhelm.** Compos. allem. (Munich 21.8.1927–), qui fit ses études à Munich (Waltershausen, Ficker, Orff), où, depuis 1948, il est chef d'orch. de théâtre, accompagnateur et prof. au *Trappschen Konservatorium* ; on lui doit 1 *missa brevis a cappella*, des cycles de mélodies (Lorca, pr. p. et percussion, 1954), 1 concerto de piano (1956), *Kammermusik (jazz, id.)*.

**KILPINEN Yrjö.** Compos. finlandais (Helsinki 4.2.1892–), abondant compositeur de mélodies folkloriques ou autres (700 mélodies), à qui l'on doit en outre des chœurs, de la mus. de piano, de vcelle, de viole de gambe. Voir L.E. Ringbom in MGG.

**KIM** (*dàn*). C'est un luth, à caisse de résonance en bois, de forme cylindrique, à manche long (Viêt Nam) : cet instrument a 8 touches et 2 cordes en soie ; il se joue en *solo*, fait partie des formations de mus. de chambre, de l'orch. de 8 instr. *(bát âm)*, de l'orch. du palais et de l'orch. de théâtre rénové ; on dit aussi *nquyêt (dan)*, (voir à ce mot) dans le centre et le nord du Viet-Nam ; le mot *nquyêt* signifie « lune » ; cet instr. ressemble au *tchâpei* cambodgien (voir à ce mot), type *tchâpei toch.* T.V.K.

**KIMMERLING Robert.** Bénédictin autr. (Vienne 8.12. 1737–Oberweiden 5.12.1799). Moine de Melk, il fut l'élève de J. Haydn à Vienne (v. 1755) ; il jouait de l'orgue, du piano et chantait ; comme maître de chœur et prof. de mus. dans son abbaye, il eut l'honneur de jouer en présence de l'empereur François de Lorraine-Habsbourg, de sa femme Marie-Thérèse et, plus tard, de Marie-Antoinette. reine de France ; il mourut curé d'Oberweiden ; notons qu'Albrechtsberger fut son élève ; on lui doit de nombreuses pièces de mus. d'église, dont 3 messes et 2 *Requiem*, 1 *Singspiel* : *Rebecca* (1770). Voir J.K. Keiblinger, *Gesch. d. Benediktiner-Stiftes Melk* I, Vienne 1851 O. Wessely in MGG.

**KIMOVEČ Franz.** Compos. slovène (Cerklie 21.9. 1878–), ecclésiastique, qui fit ses études à Ljubljana et à Vienne ; on lui doit de la mus. d'église (en latin et en slovène).

**KIMRI.** C'est un racleur de bambou, utilisé par les Bhils de l'Inde centrale : l'instrument est formé d'un fragment de bambou fendu en deux dans le sens de la longueur ; l'une des moitiés est entaillée sur un de ses bords par cinq ou six encoches ; elle est raclée contre la seconde moitié du fragment de bambou, découpée en dents de scie et appelée *kargaz*. M.H.

**K'IN.** C'est une longue cithare sur caisse (Chine), l'un des plus anciens instruments chinois : il comporte un corps oblong à fond plat en bois laqué (de 1 × 0,20 × 0,05 m. env.) ; sous l'une des extrémités de l'instrument sont fichées les sept chevilles qui règlent les sept cordes de soie dont est monté le *k.* ; sur la table sont incrustées treize petites marques rondes en nacre ou en ivoire, dites *houei*, qui jouent le rôle de tons. La légende attribue l'invention du *k.* à l'empereur mythique Fou Hi. L'instrument, muni à l'origine, dit-on, de cinq cordes, s'enrichit de deux autres cordes sous les Tcheou (XIe s. av. J.-C.) ; il était très en vogue à cette époque. Le joueur de *k.* attaque les cordes avec la main droite, tandis que la gauche règle la hauteur des sons par *glissando* : l'emploi des sons harmoniques est assez courant. La notation du *k.* est très complexe (signes particuliers pour chaque attaque différente des cordes etc.) ; l'accord en varie selon le système et le caractère de la musique à exécuter ; l'étendue du registre dépasse quatre octaves. Depuis plus de mille ans, la fabrication, la notation et la technique du *k.* s'améliorent : de nos jours, il reste un des plus beaux instruments traditionnels chinois, et sa musique a un caractère intime, noble et réservé. M.H.T.

**KIN-NO-KOTO.** C'est une cithare, du type *k'in* (voir à ce mot) chinois *(Japon ancien)*. On dit aussi *kingen.* E.H.–S.

**KINDERMANN August.** Basse allem. (Berlin 6.2.1817–Munich 6.3.1891), qui appartint à l'Opéra de Munich

cons. de Paris
J.E. KINDERMANN

durant toute sa carrière et créa *Titurel* dans *Parsifal* à Bayreuth (1882).

**KINDERMANN Johan Erasmus.** Mus. allem. (Nuremberg 29.3.1616–14.4.1655). Élève de J. Staden, l'organiste de St-Sebald, il poursuivit ses études à Venise (1634) et fut successivement org. en second à la *Marienkirche* (1636) et org. titulaire à St-Aegidius ; par son originalité de compositeur et la fécondité de son enseignement, il est une grande personnalité musicale de son temps ; on lui doit, impr. : *Deliciae studiosorum, I-IV* (suites, 1640–1643), *Harmonica organica...* (1645), *Neü-verstimmte Violen Lust...* (Francfort 1652), *Canzoni, sonatae...* (2 vol., violes et *b.c.*, 1653) ; voc. : *Cantiones* παθητιϰαί (3-4 v., *b.c.*, 1639), *Concentus Salomonis...* (1642), *Dialogus...* (id.), *Mus. Friedens Seufftzer...* (3-4 v., *b.c.*, id.), *Opitian. Orpheus...* (1–2 v., id.) *Dess Erlösers Christi...* (7 v., *b.c.*, 1643), *Musica catechetica...* (5 v., *b.c.*, id.), *Lobgesang...* (4 v., 1647), de la mus. de circonstance, un grand nombre de pièces dans des recueils de l'époque ; nombre d'autres, voc. ou instr., sont restées manuscrites (Nuremberg, Marbourg, Breslau, Francfort, Upsal, Koenigsberg). Voir *DTB XIII*, 1913 et *XXI-XXIV*, 1924 ; F. Schreiber, *Der nürb. Org J.E.K.*, thèse de Munich, 1913 ; H.E. Samuel in MGG.

**KING Alexander Hyatt.** Musicologue angl. (Beckenham 18.7.1911–). Élève de Cambridge, il est actuellement *superintendant of the music room au British Museum* à Londres ; il a été président de l'Assoc. intern. des bibliothèques musicales (1955–1959), membre du comité de la *Galpin Society* (1953–1955) ; de 1945 à 1951, il a édité l'*Annual accession part* ; on lui doit un grand nombre de catalogues ou d'articles dans des périodiques ou ouvrages collectifs et *Chamber music* (Londres 1948). *Mozart in retrospect (ibid.* 1955, 1956). Voir art. in MGG.

**KING Charles.** Mus. angl. (Bury St-Edmund's 1687–Londres 17.3.1748), qui fut l'élève de Blow, puis maître des enfants à St-Paul, ainsi qu'org. à St-Benet Fink de Londres ; on lui doit des *anthems* et des *services* restés mss, notamment au *B.M.* de Londres, à l'*Oxford Christ Church* et à Tenbury. Voir Ch.L. Cudworth in MGG.

**KING Matthew Peter.** Mus. angl. (Londres v. 1773–...1.1823). Bien qu'il ne soit pas un musicien éloigné dans le temps, il constitue une énigme musicologique : on ne sait rien de lui, sinon ses œuvres, et qu'il fit représenter le 1er juin 1816 son oratorio *The intercession* à *Covent Garden :* on lui doit une quinzaine d'œuvres théâtrales (1 opéra, des op. com., des mélodrames), de la mus. voc. (notamment des *glees*) des recueils de sonates pour le pianoforte ou le clavecin, de la mus. de chambre, militaire, des écrits théoriques. Voir Ch. L. Cudworth in MGG.

**KING Robert.** Mus. angl. des XVIIe-XVIIIe s., qui appartint à la *Royal band* (1680) : il y était encore en 1728 : il fut également animateur de concerts (av. J.W. Franck) et libraire ; on lui doit des airs, de la mus. de chambre, de clavecin, de violon, 1 *anthem.* Voir M. Tilmouth in MGG.

**KING William.** Mus. angl. (Winchester 1624–Oxford 17.11.1680). Fils d'un org. de la cath. de Winchester, il appartint à la cour du roi Charles Iᵉʳ et vécut à Oxford, depuis l'âge des études jusqu'à sa mort ; on lui doit des airs, *anthems* et *services*, restés mss, à l'exception de quelques airs publiés dans un recueil d'Oxford (1668). Voir M. Tilmouth in MGG.

**KING-HOU.** C'est une vièle (Chine), variété de *hou-k'in* (voir à ce mot), à caisse petite et allongée, à manche court et au timbre très aigu : c'est le principal instrument d'accompagnement du théâtre de Pékin, d'où son nom.

M.H.T.

**KINGRI.** C'est une vièle à trois cordes dont la caisse de résonnance, en bois, carrée, est recouverte d'une peau ; l'archet est formé d'une corne d'antilope à laquelle sont fixés des grelots ; l'instrument est joué par les Pardhans, musiciens traditionnels des Raj Gonds de l'Inde centrale.

M.H.

**KINKELDEY Otto.** Musicologue amér. (N.-York 27.11. 1878–). Org., chef de chœur, il fut org. de l'église américaine de Berlin (1903–1905), élève d'Egidi, de l'univ. de Berlin (Friedländer, Kretzschmar etc.) et de l'*Institut f. KM* de Breslau, docteur avec sa thèse *Orgel u. Kl. in d. mus. d. 16.Jh.s* (Leipzig 1910), prof. à l'univ. de Breslau (1910–1914), chef du département de la mus. à la *Public Library* de N.-York (1915), prof. à l'univ. Cornell (1923–1927, 1930–1946), président de la Soc. amér. de musicologie (1934–1936, 1940–1942) ; on lui doit, outre sa thèse, un grand nombre d'art. dans des périodiques ou ouvrages collectifs, notamment sur *Luzzasco Luzzaschi, Guglielmo Ebreo, Monteverdi, Beethoven, Schubert, Les incunables, L'harmonie des sphères* et des questions concernant les bibliothèques musicales. Voir R.S. Hill in MGG.

**KINNAR.** C'est un instrument comparable à la harpe de Perse : *tcheng* (voir à ce mot). elle-même apparentée au *kinnor* (voir à ce mot) hébreux (Proche-Orient arabe). On dit aussi *kinnara*.

S.J.

**KINNARI.** Le *k.* que nous rencontrons aujourd'hui dans l'Inde, particulièrement en pays Kanada, est une cithare, sur bâton, variété de *vînâ* (voir à ce mot) rustique, faite d'un bambou auquel sont fixés trois résonnateurs en courge séchée ; les touches, très hautes, sont fixées avec de la cire ; une seule corde sert pour la mélodie, une deuxième corde placée très haut au-dessus, reposant sur un sillet vertical, donne la tonique. Il semble probable que cet instrument soit l'ancien *kinnari vînâ* des textes sanscrits.

Al.D.

**KINNOR.** C'est la harpe (?) ou plutôt la lyre de l'antiquité hébraïque. Les textes bibliques enseignent que le *k.* était l'instrument de musique du roi David ; on y peut aussi relever que le *k.* était habituellement pincé avec un plectre, qu'il jouait ou accompagnait des mélodies, qu'il était considéré comme un symbole de joie et de bonheur. Le *k.* a été appelé communément et, semble-t-il, de manière erronée, « harpe » du roi David.

M.A.

**KINSHIN-RYŪ.** C'est une variété de *satsuma-biwa* (voir à ce mot), à 4 cordes et 4 chevalets.

E.H.-S.

**KINSKY Georg.** Musicologue allem. (Marienwerder 29.9.1882–Berlin 7.4.1951). Autodidacte, il gagne sa vie, dès 1898, chez des marchands de musique ; en 1908, il est le collaborateur d'A. Kopfermann à la *Preuss. Staatsbibl*, en 1909, de W. Heyer au musée d'hist. de la mus. de Cologne : il en est ensuite conservateur, puis dir. (jusqu'en 1926) : en 1921, il a une maîtrise de conférences à l'univ. de Cologne : il y passe sa thèse en 1925 : *Doppelrohrblatt-Instr. mit Windkapsel* (cf. *AfMw*, *VII*, 1925) ; il cesse de professer en 1932, mais poursuit ses travaux ; persécuté par les nazis, enrôlé de force dans une usine pendant la 2ᵉ guerre mondiale, libéré gravement malade en 1944, il se fixe à Berlin en 1945, où il mourra sans avoir achevé tout à fait la publication de son catalogue thématique des œuvres de Beethoven ; on lui doit, outre sa thèse, le catalogue du musée de Cologne (2 vol. + 1 en ms. perdu, Cologne 1910–1912), *Kleiner Kat. der Slg. alter*

*Musikinstr.* (ibid. 1913), d'autres cat. d'autographes, de livres, de lettres, d'iconographie (Mozart, Beethoven, Schubert, Gluck), *Gesch. d. Mus. in Bildern* (Leipzig 1929, trad. franç., av. H. Prunières, Paris 1929), *Die Hss. zu Beethovens Egmont-Musik* (Vienne 1933), *Erstlingdrucke d. deustchen Tonmeister...* (ibid. 1934), *Die Originalausgabe d. Werke J.S. Bachs...* (ibid. 1937), *Mss., Briefe, Dok. v. Scarlatti bis Stravinsky...* (éd. A. Souchay, Stuttgart 1953), *Das Werk Beethovens...* (éd. H. Halm, Munich-Duisbourg 1955), des éditions savantes et un grand nombre d'art. dans des périodiques ou ouvrages collectifs ; *Eine Führung durch die mg. Slg. Rück in Nürnberg (Juni 1935)* est en voie de publication par les soins de K. Dreimüller. Voir E.H. Müller, *G.K.*, ds *Mf, IV*, 1951 ; K. Dreimüller in MGG.

**KINT Cor.** Compos. néerl. (Enkhuisen 9.1.1890–Hilversum 8.7.1944), altiste, prof. de violon au cons. d'Amsterdam, à qui l'on doit de la mus. symph., de chambre, d'orgue, des mélodies.

**KIPNIS Alexandre.** Basse russo-amér. (Jitomir 1.2.1891–). Il a fait ses études au cons. de Varsovie et à Berlin, débuta en 1915 à Hambourg, exerça à Wiesbaden, Berlin, Charlottenbourg, au *Chicago Opera*, à Bayreuth, en Amérique du Sud et au *Metropolitan Opera* de New-York ; il possédait tout le répertoire (allemand, italien, français et russe).

**KIRÁLY (KÖNIG) Péter.** Compos. hongr. d'origine autrichienne (1870–1940), élève de H. Koessler à Budapest, plus tard dir. du cons. municipal de Szeged, à qui l'on doit 3 symph., 1 opéra, 1 pantomime, de la mus. de chambre, d'église.

**KIRBY Percival.** Ethnomusicologue sud-africain d'origine écossaise (Aberdeen 17.4.1887–). Elève de l'univ. d'Aberdeen et du *Royal College of mus.* à Londres, il s'est fixé en Afrique du Sud (1914) : il y a enseigné à l'univ. de Johannesbourg et présidé la *South african Ass. for the advancement of science* (1954) ; on lui doit de très nombreux articles musicologiques et ethnomusicologiques *The musical instruments of the native races of South Africa* (Londres 1934, Johannesbourg 1953), des compositions. Voir M. Schneider in MGG.

**KIRBYE George.** Mus. angl. ( ? v. 1565–Bury St-Edmund's... 10.1634), qui fut au service de Sir Robert Jermyn à Rushbrooke Hall ; on lui doit 1 liv. de madrigaux (4-6 v., Londres 1597), 1 madrigal (6 v.) dans les *Triumphs of Oriana*, une trentaine d'autres restés mss, des œuvres polyph. de mus. d'église, dans des recueils de l'époque ou en mss (Londres, Oxford, Cambridge, Tenbury). Voir E.H. Fellowes, *Engl. madr. writer* (1588–1632), Oxford 1920 ; *The engl. madr.*, ibid. 1925 – *The engl. madr. compos.*, ibid., 2ᵉ éd. 1948 ; N. Fortune in MGG.

**KIRCHER Athanasius.** Jésuite allem. (Geisa 2.5.1602–Rome 27.11.1680). Il enseigna les mathématiques, la physique, la philosophie et les langues orientales à l'univ. de Wurtzbourg (1629–1631), à Lyon, Avignon, Rome (1637), puis se consacra entièrement à ses travaux : parmi ses œuvres, citons celles qui concernent la musique : *Magnes sive De arte magnetica* (Rome 1641, 1643, 1654), *Musurgia universalis sive ars magna consoni et dissoni* (ibid. 1650, 1662, 1690), *Oedipus Aegyptiacus* (ibid. 1652 sqq.), *Phonurgia nova sive Conjugium mechanico-physicum artis et naturae* (Kempten 1673). Dans ces ouvrages, surtout dans la *Musurgia*, on trouve une synthèse intéressante, sinon de valeur absolue, des conceptions à la fois physico-musicales de son temps ; il y cite Abbatini, Agazzari, Allegri, Carissimi, Frescobaldi, Froberger, J. Gallus, Kapsberger, Kerll, Mazzocchi, Monteverdi, Morales, Valentini, Descartes, Mersenne et Zarlin ; il fait une classification des styles musicaux : le *stylus ecclesiasticus et motecticus*, le *s. canonicus*, le *s. hyporche-maticus et organicus*, le *s. recitativus*. Voir N. Seng, *Selbstbiographie des P. A.K.*, Fulda 1901 ; R. Dammann, *Die Struktur d. Musikbegriffs im deutschen Baryck*, Fribourg-en-Brisgau 1958 (dact.) ; W. Stauder in MGG.

**KIRCHHOFF Gottfried.** Mus. allem. (Mühlbeck 15.7.

1685–Halle 21.1.1746). Élève de W. Zachow en même temps que Haendel, il est en 1709, maître de chapelle du duc de Holstein-Glucksbourg, en 1711, org. à St-Benoît de Quedlimbourg, en 1714, successeur de Zachow comme org. et dir. mus. de l'église Ste-Marie de Halle ; on lui doit 10 cantates, de la mus. d'orgue, 1 livre de clavecin (dont certaines pièces ont été recueillies par Léopold Mozart à l'usage de son fils Wolfgang Amadeus), 12 sonates de violon et de clavecin, l'*A.B.C. musical...* Voir W. Serauky in MGG.

**KIRCHNER Johann Heinrich.** Mus. allem. (Bücheloh b. Ilmenau 1.1.1765–Rudolstadt 30.11.1831). Fils d'un cantor à Bücheloh, élève de l'univ. d'Iéna, cantor à Rudolstadt (1790), pasteur, il composa des cantates, des airs, 1 concerto de clavecin, 1 traité. Voir J. Krey in MGG.

**KIRCHNER Theodor.** Compos. allem. (Neukirchen b. Chemnitz 10.12.1823–Hambourg 18.9.1903). Protégé de Mendelssohn, élève de Becker et d'I. Knorr (Leipzig), de J. Schneider (Dresde), du cons. de Leipzig, org. à Winterthur, chef d'orch. et prof. à Zurich (1862–1872), puis à Meiningen (1872–1873), dir. de l'école de mus. de Wurtzbourg, prof. à Dresde (1880), il se retira à Hambourg (1890) et écrivit un grand nombre de pièces de piano, des œuvres d'orgue, de mus. de chambre, des chœurs et des mélodies. Voir sa correspondance éditée par P.O. Schneider, Zurich 1949 ; A. Niggli, *Th. K.*, Leipzig 1886 ; R. Sietz in MGG.

**KIRIAC Dumitru Georgescu.** Compos. roumain (Bucarest 18.3.1866–8.1.1928). Il étudie au cons. de Bucarest avec G. Bratianu (solfège), Eduard Wachmann (harmonie et composition), Grigore Ventura (hist. de la mus.) et George Stephanescu (chant) [1880–1889], passe sa licence de droit (1892), continue ses études musicales au cons. de Paris (1892–1899) avec Emile Pessard (harmonie), Th.

cons. de Paris          KIRCHER

Dubois et Widor (contrepoint, fugue et composition), à l'Institut libre de musique, avec Paul Vidal, et à la *Schola cantorum* (1897-1899) avec Vincent d'Indy (composition); dès l'âge de 17 ans, *K.* commence son activité musicale comme maître de chapelle à l'église *Biserica Alba* de Bucarest, devient ensuite réd. et administrateur de la revue musicale *Doïna*, à Paris, il dirige le chœur de la chapelle roumaine et donne des cours de solfège et d'harmonie, étant en même temps sous-directeur de la Société des enfants de Lutèce ; rentré en Roumanie, il est nommé prof. au cons. de Bucarest (solfège et ensemble choral, 1900) et, à la mort d'Eduard Wachmann, il devient dir. du fameux chœur de l'église *Biserica Domnitza Balassa* ; en 1901, il fonde la société chorale *Carmen*, où il exerce une activité intense pour l'éducation musicale du peuple, par les nombreux concerts publics qu'il organise, dont les programmes contiennent des pièces de mus. classique, des chœurs *a cappella*, des œuvres de mus.

voc., symph. et des chefs-d'œuvre de la musique universelle — la plupart en 1re audition en Roumanie —, de même que des chœurs roumains, des mélodies populaires harmonisées, des compositions personnelles ou dues à d'autres compositeurs, de la mus. profane et d'église. On lui doit un grand nombre de pièces populaires, religieuses ou de caractère didactique, harmonisées pour chœur, des messes, des noëls, des chansons populaires éditées à Bucarest ; après la mort du compositeur, Constantin Braïloïu, Ion Chirescu et George Breazul ont publié un choix de son œuvre (*Œuvres choisies de G.D.K.*, Edition d'Etat, Bucarest 1955). Dans son œuvre — à part les romances composées pendant sa jeunesse et dont une partie seulement est publiée, un quatuor à cordes (inach.) et de petites pièces pour piano qui n'ont pas été publiées —, *K.* a été avant tout attentif à utiliser la mus. populaire roumaine et le chant traditionnel de l'église : il en a fait un recueil de pièces caractéristiques qu'il a harmonisées conformément à leurs particularités « modales », contribuant ainsi à la constitution du style de l'école nationale de composition et à l'enrichissement du répertoire choral ; il a le mérite d'avoir été le premier à enregistrer et publier des recueils de matériel folklorique musical roumain, dont une grande partie se trouve aujourd'hui à l'Institut de folklore et à l'Académie de la République populaire roumaine ; fondateur et dir. de la société musicale *Carmen*, prof., folkloriste et compos., *K.* a contribué d'une manière considérable au progrès de la culture musicale roumaine dans le premier quart de notre siècle.         G.B.

**KIRIGIN Ivo.** Compos. croate (Zadar 1914–). Il a fait ses études à l'académie de mus. de Zagreb ; parmi ses compositions, citons *Concertino* pour piano et orch. (1947), *Symphonie* (1951), « *Poème symph.* » (1955) et la cantate « *Le chant de la terre* » (1954).     D.C.

**KIRKOR Guéorgi Vasilievitch.** Compos. russe (Moscou 12.9.1910–). Elève de Vasilenko et de Miaskovsky au cons. de cette ville, il a écrit 1 opéra, 3 symph., 1 concerto de piano et 1 de violon, 1 quatuor, 1 quintette de piano sur des thèmes tadjikes, 1 cantate, de la mus. de piano, de film.

**KIRKPATRICK Ralph.** Pian. et claveciniste amér. (Leominster 10.6.1911–). Elève de l'univ. de Harvard, de W. Landowska, de N. Boulanger (Paris), d'A. Dolmetsch (Angleterre), de G. Ramin et de H. Tiessen (Allemagne), il enseigne à l'univ. de Yale dep. 1940, fait une carrière intern. de claveciniste, est un spécialiste de Scarlatti, sur qui il a publié un ouvrage important (Princeton 1953), de qui, la même année, il a édité 60 sonates.

**KIRNBERGER Johann Philipp.** Théoricien de la mus.

allem. (Saalfeld 24.4.1721–Berlin 27.4.1783). Elève de J.P. Kellner à Gräfenroda, de H.N. Gerber à Sondershausen, de J.S. Bach à Leipzig, il se rendit ensuite en Pologne, où pendant 10 ans, il se mit au service de l'aristocratie, à Czestochowa (chez les Poninski), Ruwno (Lubomirski), en Podolie (Rzewuski), Lvov, « Podhorcah » : il était en 1751 de retour en Allemagne ; après Cobourg et Gotha, on le trouve à

KIRNBERGER

*(ms. Berlin, Amalienbibl. 396).*

Dresde, où il est élève, pour le violon, de Fickler et trouve un emploi de violon. à la chapelle royale, poste qu'il troque en 1754 contre un semblable à la cour du margrave Henri à Rheinsberg ; enfin en 1758, il devient *Hofmusikus* de la princesse Anna Amalia, sœur de Frédéric II, où il restera jusqu'à sa mort ; il fut en relations étroites avec Philippe-Emmanuel et Jean-Chrétien Bach, avec des élèves de J.-S. Bach, tels J.F. Agricola, Ch. Nichelmann ; notons qu'il fut également l'élève de composition de C.H. Graun et que, pendant la dernière partie de son existence, il eut de fréquents échanges avec Marpurg ; il réunit pour sa protectrice l'*Amalien-Bibl.* Ses compositions : pour le clavecin, l'orgue (fugues, canons etc.), cantates, motets, symph., sonates, sont d'honnêtes imitations de J.-S. Bach ; c'est par ses théories et son enseignement qu'il est resté dans l'histoire : il fondait la composition sur la basse continue et se montra un adversaire déclaré de Rameau : citons de ses disciples Schulz, Fasch, Zelter ; il publia *L'art de composer des menuets et des polonoises sur le chant* (Berlin 1757), *Construction der Gleichschwebenden Temperatur* (ibid.), *Die Kunst des reinen Satzes i. d. Mus. ...* (2 vol., Berlin 1771–Berlin-Königsberg 1776, 1777, 1779), 112 art. dans le 1er vol. de l'*Allg. Theorie d. schönen Künste* de Sulzer (Berlin 1771), *Die wahren Grundsätze zum Gebrauche d. Harm.* (Berlin-Königsberg 1773), *Grundsätze d. Gen.-Basses als erste Linien zur Composition* (Berlin 1781), *Anleitung zur Singecompos. ...* (ibid. 1782), *Gedanken über die versch. Lehrarten i. d. Kompos. ...* (id. ibid.), *Methode. Sonaten aus'm Ermel zu schüddeln* (ibid. 1783). Voir F.W. Marpurg, *Hist.-Krit. Beyträge*, I, Berlin 1754 ; M. Seiffert, *Aus dem Stammbuch J.P. K.s*, ds *AfMw*, V, 1889 ; A. Schering, *J.P.K.* ..., ds

*Bach–Jhb.*, 32, 1935 ; S. Borris-Zuckermann, *K.s Leben u. Werk...*, thèse de Berlin, Cassel 1933 ; F. Bose, *Anna Amalie v. Preussen u. J.P.K.*, in *Die Mf.*, 1957 ; G. v. Dadelsen in MGG.

**KISANGO.** C'est une cithare sur cuvette, à corde unique ; la corde est lacée d'un bord à l'autre de la cuvette à plusieurs reprises, formant ainsi huit cordes à jouer ; la cuvette est constituée par une pièce de bois rectangulaire, évidée sur presque toute sa longueur, en réservant les deux extrémités qui forment alors chevalets (Afrique équatoriale, Congo et jusqu'aux grands lacs). Voir aussi à *inanga.*                                          A. Sch.

**KISHIBE Shigeo.** Musicologue japonais (Tokio 16.6. 1912–). Elève de l'univ. imp. de Tokio, il y enseigne depuis 1950, ainsi qu'à l'acad. des beaux-arts et à la *Nippon Univ.*; il a donné des cours (1957–1958) aux univ. de Californie, de Harvard, d'Hawaï ; il collabore dep. 1937 au périodique *Tōyō-ongaku-kenkyū*, édite *Hōgaku-no-tomo* et collabore au dict. jap. *Ongaku-jiten*; on lui doit de remarquables travaux sur la mus. jap., notamment « *Les instr. d'Extrême-Orient et leur histoire* » (Tokio 1948), « *Le courant occidental dans la musique...* » (ibid. 1952). Voir H. Eckardt in MGG.

**KISIELEWSKI Stefan.** Compos. pol. (Varsovie 7.3.1911–). Elève du cons. (Lefeld, Sikorski) et de l'univ. de Varsovie, il termina ses études à Paris ; il fut de 1935 à 1937 secrétaire de rédaction de *Muzyka polska*, de 1945 à 1949, prof. au cons. de Cracovie, de 1945 à 1947 et à partir de 1953, réd. de *Ruch Muzyczny*, de 1945 à 1953, coll. de la *Tygodnik Powszechny* en même temps que de la *Polskie Wydawnictwo Muzyczne*; on lui doit de la mus. symph. (3 symph., dont la 1re, perdue), de piano, de chambre, instr., voc., radioph., de scène, de film, des publications musicales, politiques et littéraires. Voir Z. Lissa in MGG.

**KIST Florentius Cornelis.** Médecin néerl. (Arnhem 28.1.1796–Utrecht 23.3.1863) Il fonda ou dirigea à La Haye les *Concerts Diligentia*, qui existent encore, d'autres associations mus. à Delft, Utrecht, La Haye, fut le rédacteur du *Ned. muz. tijdschrift* (1842–1844), puis du périodique *Caecilia* qu'il avait fondé (1844), lequel a paru jusqu'en 1944 ; on lui doit des chœurs, une ouverture, des mélodies, des variations pour la flûte, des cantates, 2 écrits : *De toestand van het prot. kerkges. in Ned.* (Utrecht 1840) et *Levensgesch. v. O. de Lassus* (La Haye 1841).

**KISTLER Cyrill.** Compos. allem. (Gross-Aittingen 12.3. 1848–Bad Kissingen 1.1.1907), qui fit carrière dans l'enseignement à Sondershausen et Kissingen, à qui l'on doit des opéras, des chœurs, de la mus. de chambre, de piano, des mélodies, des écrits pédagogiques. Voir son autobiographie ds *Mus. Zeitfragen, XV*, 1906 ; O. Kaul in MGG.

**KISZWALTER Jan Chrzciciel** *(Johannes der Täufer).* Mus. pol. (Psarska 1787–Poznan 1843), qui enseigna le chant, le piano, le violon et la guitare chez les aristocrates et les bourgeois ses compatriotes ; on lui doit de la mus. de salon. Voir K. Swaryczewska in MGG.

**KITCHINER William.** Médecin angl. (Londres 1775–27.2.1827). Nanti d'une heureuse fortune, bon vivant, amateur de mus., il publia un certain nombre d'écrits réputés excentriques auprès des glossateurs, au milieu desquels on trouve *Observations on vocal mus.* (Londres s.d.), des collections : *The loyal and national songs of England...* (ibid. 1823), *The sea-songs of. Ch. Dibdin, with a memoir of his life and writings* (ibid. s. d.), *A coll. of the voc. mus. in Shakspere's plays...* (id.) ; on lui doit qqs compositions : *Amatory and anacreontic songs* (id.), *Love among the roses...* (opérette, 1822) et *Ivanhoe...* (drame mus., v. 1820). Voir Ch. L. Cudworth in MGG.

**KITHARA.** Voir art. *lyre.*

**KITSON Charles Herbert.** Org. et théoricien angl. (Leyburn 13.11.1874–Londres 13.5.1944), docteur d'Oxford, org. et prof. à Dublin et à Londres, à qui l'on doit des œuvres d'orgue, de piano, de la mus. voc. d'église et des traités. Voir W.F. Williamson in MGG.

**KITTEL** — **1. Kaspar.** Mus. allem. (Lauenstein 1603–Dresde 9.10.1639), théorbiste, condisciple de Schütz, avec qui il se rendit à Venise aux frais de la cour de Dresde (1624–1629), au service de laquelle il passa ses dix dernières années ; on a conservé de lui 1 recueil d'airs et de cantates (1-4 v., avec *b.c.*, Dresde 1638). Son frère et élève — **2. Jonas** (?-ap. 1656), était théorbiste et violoniste ; on trouve trace de lui à la même chapelle royale entre 1651 et 1656. Le fils présumé de Kaspar — **3. Christoph,** dont l'état civil est inconnu, fut org. de la même cour à partir, semble-t-il, de 1641 (d'après Schütz) jusqu'aux environs de 1680 ; il réunit des œuvres de Schütz, qu'il publia sous le titre *Zwölff geistl. Gesänge* (1657) ; on a conservé une seule œuvre de lui : *O süsser J.-C.* (1 v., 2 viol., *b.c.*). Son frère présumé — **4. Christian** (?-Dresde 18.11.1705), fut basse luthiste (1651), puis camérier (1662) à la même cour (jusqu'en 1780). Le fils présumé de Christoph — **5. Johann Heinrich** (*ibid.* 13.10.1652–17.7.1682), fut org. de la même cour à partir de 1666. Voir E. Müller v. Asow, *H. Schütz, Gesamm. Schriften u. Briefe,* Ratisbonne 1931 ; G. Ilgner, *Einige klär. Nachrichten über das Leben der Musikfam. K. ...,* ds *MuK,* X, 1938 ; Chr. Engelbrecht in MGG.

**KITTEL Johann Christian.** Mus. allem. (Erfurt, bapt. 18.2.1732–17.4.1809). Elève de J. Adelung (Erfurt), de J.-S. Bach (Leipzig, 1748), org. et prof. à Langensalza (1751), Erfurt (1756), où il eut de nombreux élèves ; son talent était célèbre : Gœthe, Herder et Wieland vinrent entendre son *Abendmusik* ; on lui doit de la mus. d'orgue et 6 sonates de clavecin (1787). Voir A. Dreetz, *J.C. K. ...,* Leipzig 1932 ; R. Sietz, *Die Orgel-Kompos. des Schülerkreises um J.S. Bach,* thèse de Göttingen, ds *Bach-Jhb.,* 1935 — art. in MGG.

**KITTL Jan Bedrich** (*Johann Friedrich*). Compos. tchèque (Vorlík 8.5.1809–Lešno 20.7.1868). Elève de J.V. Tomášek, il fut depuis 1843 dir. du cons. de Prague ; il écrivit 4 opéras, 3 symph., 2 ouvertures, de la mus. de chambre, 1 cantate, 1 messe, des mélodies, 1 école d'orgue. Voir W. Neumann, *J.F.K.,* Cassel 1857 ; R. Quoika in MGG.
Z.V.

**KITZLER Otto.** Vcelliste et chef d'orch. allem. (Dresde 16.3.1834–Graz 6.9.1915). Il exerça à Eutin, Strasbourg, Troyes, Linz (où il fut le prof. de Bruckner), Königsberg, Temesvár, Hermannstadt, Brno ; il composa de la mus. symph., de piano, des mélodies et publia ses souvenirs (Brno 1904).

**K'IU-TI.** C'est une grande flûte traversière (Chine), qui appartient à la famille du *ti* (voir à ce mot) ; le *k.* est actuellement le principal instrument d'accompagnement du théâtre traditionnel chinois *k'ouen-k'in*. M.H.T.

**KJELLSBY Erling.** Org., chef de chœur et compos. norvégien (Oslo 7.7.1901–), auteur de mus. symph., de chambre, d'orgue, de piano, de chœurs et de mélodies.

**KJELLSTRÖM Sven.** Violon. et compos. suédois (Lulea 30.3.1875–Stockholm 5.12.1950). Elève du cons. de Stockholm, de G. Rémy (Paris), il appartint à l'orch. Colonne, fut membre du Quatuor Viardot, de *La Chanterelle* à Paris, fit une carrière de virtuose, se fixa à Stockholm (à partir de 1909), où il fonda une école et une soc. de mus. de chambre, réorganisa le *Stockholm Konsertförening,* dirigea le cons. (1929-1940) ; on lui doit qqs écrits, dont une étude sur les quatuors de Beethoven (Stockholm 1936). Voir A.V. Sundkvist in MGG.

**KJERULF Halfdan.** Compos. norvégien (Oslo 17.9.1815–Grefsen 11.8.1868). Elève de C. Arnold, de Gade (Copenhague), du cons. de Leipzig, il fut prof. de piano et chef d'orch. dans sa ville natale ; on lui doit des chœurs, des mélodies, de la mus. de piano. Voir O. Gurvin in MGG.

**KLABON** (*Claboni, Regiomontanus*) **Krzystof.** Mus. pol. des XVIᵉ-XVIIᵉ s., qui fut *fistulator* à la cour de Piotrkow (1565), chanteur, luthiste et compos. aux cours de Cracovie et de Grodno ; il fut le maître de chapelle du roi Sigismond III ; de 1604 à 1616, on a de ses traces à Varsovie ; on n'a conservé de lui qu'*Epinicion J. Kochanovii ad Stephanum Batorum* (1 v. et luth, Cracovie 1582-1583). Voir K. Swaryczewska in MGG.

**KLAMI Uuno.** Compos. finlandais (Virolahti 20.9.1900–). Elève de l'Institut de mus. d'Helsinki, de M. Ravel (Paris), d'A. Willner (Vienne), critique du *Helsingin Sanomat* (dep. 1932), il a écrit de la mus. symph. (2 symph., 3 concertos, mus. de chœur et orch.), radioph., de film. Voir N.-E. Ringbom in MGG.

**KLAUWELL Otto.** Compos. allem. (Langensalza 7.4.1851–Cologne 11 ou 12.5.1917). Elève du cons. de Munich (Reinecke, Richter), docteur avec sa thèse *Der Canon in seiner geschichtl. Entwicklung* (Leipzig 1876), il fut prof. au cons. de Cologne à partir de 1885 ; on lui doit 2 opéras, de la mus. symph., de chambre, de piano, des mélodies, des écrits, notamment *Die Formen von Instrumentalmusik* (Berlin 1894, 1918), *Gesch. der Sonate* (Cologne 1899), *L. v. Beethoven u. die Variationform* (Langensalza 1901).

**KLEBANOV Dmitri Lvovitch.** Compos. russe (Kharkov 25.7.1907–). Elève de l'Institut de mus. dram. de sa ville natale, il devint en 1934 prof. du cons., puis chef d'orch. de différents théâtres et de la Radio de la même ville ; on lui doit 1 opéra, 1 opéra pour enfants, 2 ballets, 1 opérette, 1 cantate pour chœur mixte et orch., 1 symph. « 1945 », 1 suite « ukrainienne », 1 concertino « ukrainien », 2 concertos de viol., 1 de vcelle, des pièces pour instr. populaires, des chœurs, des mélodies, des chansons, des films.

**KLEBE Giselher.** Compos. allem. (Mannheim 28.6.1925–). Il s'est fixé à Berlin (1947), où il a été l'élève de K. v. Wolfurt, de J. Rufer et de B. Blacher ; il obtint (1952) le prix de la ville de Berlin, des prix de composition à Rome (1954) et Stockholm (SIMC, 1956) ; son œuvre, de la « *Sonate pour 2 pianos* » à la « *Symphonie pour 42 instr. à cordes* », semblait évoluer de Bartok à l'abstraction : des ouvrages lyriques, comme « *Le rêve de Raskolnikov* » (scène dram. d'après Dostoïevsky, pour sopr., cl. et orch.), des ballets (« *Signal* »), l'opéra *Die Räuber* (1957), sont venus démentir cette tendance. Voir W.E. v. Lewinsky, *G.K.,* ds *Die Reihe,* 1958.
D. Ch.

**KLEBER Leonhard.** Mus. allem. (Wiesenteig ? v. 1495–Pforzheim 4.3.1556). Il s'appelait *de Geppingen,* du nom de la plus grande ville qui fût près de son lieu de naissance, où il fut élevé ; élève de l'univ. de Heidelberg, il fut en 1516 *vicarius et organista* à Horb, en 1517, org. à Esslingen, en 1521 à Pforzheim ; on a conservé de lui une tablature d'orgue (1524), conservée à la bibl. de l'univ. de Tubingen, qui contient 112 pièces, dont beaucoup sont des transcriptions d'A. de Fulda, H. Isaac, L. Senfl., J. Barbireau, H. Finck, Josquin etc. Voir H. Loewenfeld, *L.K.,* thèse de Berlin, 1897 ; K. Kotterba, thèse de Fribourg en B., 1958 — art. in MGG.

**KLECKI** (*Kletzki*) **Paul.** Chef d'orch. pol. naturalisé suisse (Lodz 21.3.1900–). Violon. à l'Orch. philh. de Lodz (1914–1919), élève de l'univ. et du cons. de Varsovie, de la *Hochschule f. Mus.* de Berlin, il a fait une grande carrière intern. de chef d'orch. (Berlin, Milan, Suisse romande, Paris etc.) ; il est dep. 1954 chef de l'Orch. philh. de Liverpool ; on lui doit de la mus. symph. (2 symph., 1 concerto de piano), de chambre, instr., des mélodies.

*[marge : ↑ d / Mar 6 / 1973]*

**KLECZYNSKI Jan.** Pian. et critique pol. (Joniewicze 8.6.1837–Varsovie 15.9.1895). Elève du cons. de Paris (Marmontel), il fut prof. à celui de Varsovie (1887-1889), chroniqueur, notamment à l'*Echo Muz.* (dep. 1877) ; on lui doit 2 ouvrages sur Chopin, 1 lexique des termes mus. et des art. Voir Z. Lissa in MGG.

**KLECZYNSKI** (*Kletzinsky*) **Johann Baptist.** Violon. pol. (? 14.6.1756–Vienne 6.8.1828). Il fut v. 1786 violon. au service de la comtesse M.J. Breuner, à partir de 1796, à la *Wiener Tonk.-Soc.,* de 1802, à la chapelle impériale, enfin, chef d'orch. à l'*Hofburgertheater* à Vienne ; il composa pour son instrument. Voir H. Jancik in MGG.

**KLEDI.** C'est un orgue à bouche, à tuyaux divergents (Bornéo). Le même instrument est appelé aussi : *kaldei, kedire, kerunai, gordi.* M.H.

**KLEEFELD Wilhelm.** Chef d'orch. et prof. allem. (Mayence 2.4.1868–Berlin 2.4.1933), qui exerça à Mayence

Trèves, Munich, Detmold, Berlin, publia sa thèse *Das Orch. d. hamb. Oper* (SIMG, I, 1899–1900), *Landgraf L. v. Hessen-Darmstadt u. die deutsche Oper* (Berlin 1904), édita les *Bläter hess. Tonkunst*, une collection intitulée *Opernrenaissance* ; on lui doit encore des études sur Wagner (1905), des biographies de *Clara Schumann* (Bielefeld 1920) et de *Weber* (*ibid.* 1926) ; il composa 1 opéra, 1 suite d'orch., des œuvres de piano, des mélodies.

**KLEFISCH Walter.** Compos. allem. (Cologne 3.10.1910–). Elève de W. Mahler, de W. Braunfels, de G. Lederhose, des univ. de Cologne, Munich, Königsberg et Berlin, docteur de Cologne avec sa thèse *Arcadelt als Madrigalist* (Cologne 1938), il a écrit 1 op.-com. (*Napoli*), de la mus. de théâtre, d'orch., de chambre, de piano, des mélodies, édité de sœuvres d'Arcadelt, *Il Signor Bruschino* de Rossini (trad. en allem.), auteur dont il a publié des lettres (Vienne 1947) ; on lui doit encore un ouvrage (Hambourg 1949) et des art. sur Bizet.

**KLEIBER Erich.** Chef d'orch. autr. (Vienne 5.8.1890–Zurich 27.1.1956), élève du cons. de Prague, qui exerça à Prague, Darmstadt, Barmen-Elberfeld, Mannheim, Düsseldorf, Berlin (Opéra : 1re aud. de *Wozzeck* d'A. Berg, 1926), en Amérique du Sud. Voir J. Russell, *E.K.*, Londres 1957.

**KLEIN — 1. Bernhard.** Compos. allem. (Cologne 6.3.1793–Berlin 9.9.1832). Issu d'une famille de musiciens, il fut à peu près autodidacte jusqu'en 1812, année qu'il se rendit à Paris, où Cherubini l'éconduisit deux fois, mais Choron l'accepta comme élève ; à son retour à Cologne, il dirigea la mus. à la cath. et aux Concerts des amateurs ; en 1816, il alla à Vienne, dans l'espoir de devenir l'élève de Beethoven, mais il resta à Heidelberg près d'A.J.F. Thibaut ; en 1818, il fut envoyé à Berlin près de Zelter : il n'en résulta que l'inimitié entre Zelter et lui ; il resta néanmoins à Berlin, où il dirigea les *Jüng. Liedertafel* et enseigna le chant à l'Ecole de mus. d'église ; à Rome (1824), il prit des leçons chez Santini ; en 1829, il perdit sa femme et abandonna ses emplois ; Dehn fut son élève ; son enseignement marqua d'ailleurs la vie musicale de Berlin à l'époque : notons qu'il devait par Dehn et Glinka marquer toute l'école russe ; on lui doit des motets, des répons, 2 oratorios et 2 cantates (dont 1 profane), de nombreux *Lieder*, 2 opéras : *Ariadne* (1823) et *Dido* (*id.*), restés mss., qqs pièces de piano, des variations pour orch. à cordes (1832). Voir C. Koch, *B.K.*, thèse de Rostock, 1902 ; R. Sietz in MGG. Son demi-frère et élève — **2. Josef** (*ibid.* 1802–10.2.1862), fut prof. à Memel et Berlin ; ami de H. Heine, il composa des *Lieder* (notamment sur des poèmes de H. Heine), de la mus. de piano, 1 duo de p. et viol., 1 ouverture. Voir la correspondance de H. Heine.

**KLEIN Fritz Heinrich.** Compos. autr. (Budapest 2.2.1892–). Elève de Schönberg et d'A. Berg, il fut prof. et critique ; il établit la transcription pour piano du *Wozzeck* et du *Kammer-Konzert* de Berg ; dép. 1924, il est à Linz prof. au cons.-Bruckner ; il a pris le pseud. d'*Heautontimorumenos* ; on lui doit *Die Maschine-Eine extonale Selbstsatire* (p. 4 m., 1921), 3 opéras (*Gottesurteil, Nostradamus, Die St. Jakobsfahrt*), une com. mus. : *Der Joker, Er, Sie und Es* (« *Kammerspiel* » en 7 actes), de la mus. symph., de chambre, instr. (piano).

**KLEIN Johann Joseph.** Avocat allem. (Arnstadt 24.8.1740–Kahla 25.6.1823), org., qui publia *Versuch eines Lehrbuchs d. prakt. Mus. ...* (Gera 1783), *Lehrbuch d. theoret. Mus. ...* (*ibid.* 1801) et des art. Voir M. Ruhnke in MGG.

**KLEINHEINZ Franz Xaver.** Mus. allem. (Nassenbeuren b. Mindelheim, bapt. 26.6.1765–Budapest 29.1.1832). D'abord prof. et secrétaire du comte à Munich, il fut à Vienne (1799) l'élève d'Albrechtsberger et devint un prof. très recherché des milieux aristocratiques viennois (Thérèse et Joséphine Brunsvick, Giulietta Guicciardi) ; c'est alors qu'il connut Beethoven, avec qui il se lia ; pendant l'occupation de Vienne (par les troupes françaises), il fut au service des archiducs Rodolphe et Louis à Ofen, puis du comte Franz Brunsvick (il semble avoir

été maître de chapelle à Brno) ; revenu à Vienne, il composa l'opéra *Der Feenkrieg* (perdu) pour le comte Palffy ; il fut enfin maître de chapelle à Pest et à Ofen ; on lui doit 2 messes, 1 passion, 2 cantates, 1 opéra : *Harald* (1814), 1 opérette : *Der Käfig* (1816), 1 parodie : *Hamlet*, 1 concerto de piano, de la mus. de chambre, de piano. Voir E. Haraszti, *Les comp. inconnues de K.*, ds *RM*, XI, Paris 1930 ; H. Jancik in MGG.

**KLEINKNECHT.** Famille de mus. allem. des XVIIe–XVIIIe s. : **1. Martin** (Ulm, bapt. 14.10.1665–Giengen 3.6.1730) fut org. à Leipheim (1687–1695), puis cantor à Giengen ; son frère — **2. Johannes** (bapt., Ulm 7.12.1676–...6.1751), après cinq ans d'études à Venise, fut violon. (1705), *Vize-Org.* dans sa ville natale ; il eut 3 fils : — **3. Johann Wolfgang** (*ibid.*, bapt. 22.4.1715–Ansbach 20.2.1786), violon., élève de son père, puis de Brescianello à Stuttgart, débuta comme virtuose dès ses plus jeunes années, fut *Kammermusikus* de la cour de la chapelle de Stuttgart (1733), se produisit dans maintes cours en Allemagne, fut violon. au service du duc d'Eisenach, de la margravine Wilhelmine de Bayreuth (*Konzertmeister*), revint à Eisenach, appartint à la cour de Copenhague, entra à celle d'Ansbach (1769) ; il composa 2 concertos, 9 sonates, qu'on a conservés ; son frère — **4. Jakob Friedrich** (Ulm, bapt. 8.4.1722–Ansbach 11.8.1794), fut d'abord flûtiste (1743), puis violon. (1747), enfin *Vize-Kapellmeister* (1749), compos. et dir. de mus. (v. 1756) à la cour de Bayreuth ; en 1769, on le trouve à Ansbach, plus tard, maître de chapelle à la cour de Prusse ; on lui doit 1 *sinf. concertata*, 1 concerto (Paris 1776), 8 sonates de flûte, 3 de clavecin, 13 trios ; leur frère — **5. Johann Stephan** (Ulm 17.9.1731–?), élève de son père, de Döbbert et de F. Gögtzl, qui appartient à la cour de Bayreuth en 1750, est ensuite au service du prince-archevêque de Breslau, revient à Bayreuth (1754) ; il se produisit en Franconie et en Thuringe, et fut à partir de 1769 membre de la chapelle de la cour d'Ansbach ; on n'a pas conservé ses œuvres de flûte ; le fils de Jakob Friedrich, — **6. Christian Ludwig** (Bayreuth 14.8.1765–Ansbach 11.3.1794), était en 1789, violon. et virtuose de la chambre à la même cour d'Ansbach. Voir *J.S.K., Selbstbiogr.*, ds J.G. Meusel, *Misc. art. Inhalts*, 1782– ds K.F. Cramer, *Mus. Magazin*, I, 1783 ; Degen, *Biogr. J.W.K.s*, ds Meusel, *Misc.* ; C.L. Junker, *Ber. über die ansbacher Hofmusik*, *ibid.* (les 3 écrits précédents se trouvent également ds *Ueber die ansb. Mus.*, éd. R. Schaal, Cassel 1948) ; O. Kaul in MGG.

**KLEINMICHEL Richard.** Pian. allem. (Posen 31.12.1846–Charlottenbourg 18.8.1901) qui fut prof. à Hambourg et dir. de mus. à Leipzig et Magdebourg, à qui l'on doit 2 opéras, de la mus. symph. (2 symph.), de chambre, de piano, des mélodies, des transcriptions de Wagner.

**KLEMETTI Heikki.** Chef de chœur et compos. finlandais (Kuortane 14.2.1876–Helsinki 25.8.1953), auteur de mus. d'orch., d'église (5 messes), d'orgue, de chœur et de mélodies, de qqs écrits, dont *Musiikin historia* (2 vol., Porvoo 1916–1926). Voir N.-E. Ringbom in MGG.

**KLEMM** (*Klemmius*) **Johann.** Mus. allem. (Oederan b. Zwickau v. 1593–Dresde ? ap. 1651). Petit chanteur à la chapelle de l'électeur de Saxe à Dresde (1605), où il est instr. en 1612, de 1613 à 1615, il est l'élève de Ch. R. Erbach à Augsbourg : il le sera également de Schütz à Dresde, où il sera en 1625 org. de la cour ; il fut également éditeur et publia 2 recueils de Schütz (1647–1648) ; on lui doit *Teutsche geistl. Madrigalien* (4-5-6 v. et *b.c.*, 1629), *Partitura seu Tabulatura italica exhibens triginta sex fugas* 2, 3 et 4 v. (Dresde 1631) : c'est une des premières tablatures allem. où l'on trouve les lettres remplacées par les notes ; on a encore conservé en ms. *Lobe den Herren meine Seele* (6 v., ms. Zwickau). Voir F.W. Riedel in MGG.

**KLEMPERER Otto.** Chef d'orch. allem. (Breslau 14.5.1885–). Elève du cons. de Francfort, de Kwast et de Pfitzner (Berlin), protégé de Mahler, il a exercé à Prague (1907), Hambourg (1910), Barmen (1912), Strasbourg (1914), Cologne (1917), Wiesbaden (1924), à l'Opéra

Kroll (à partir de 1927) puis à l'Opéra de Berlin (1931–1933), année qu'il s'exila et dirigea à Los Angeles (jusqu'en 1940) le *Philharm. Orch.* ; il a continué depuis une grande carrière mondiale ; on lui doit 1 messe, 1 psaume, 1 opéra etc. Voir W. Bollert, *O.K.*, ds *Musica*, IX, 1955 ; M. Pahle, *Id.*, ds *Die Zeit*, XI, 1936.

**KLENAU Paul August von.** Chef d'orch. et compos. danois (Copenhague 11.2.1883–31.8.1946), qui exerça à Fribourg-en-Brisgau, Stuttgart et Copenhague ; on lui doit 6 opéras, 2 ballets, de la mus. symph. (7 symph.), des *Lieder* avec orch., de la mus. de chambre, de piano. Voir H. Rosenberg in MGG.

**KLENGEL.** Famille de mus. allem. du XIXᵉ s. : — **1. August Alexander** (Dresde 27.1.1783–22.11.1852), org. et compos., fit la majeure partie de sa carrière à Dresde, où il acquit une grande notoriété comme compos. de canons : il est l'auteur de canons et de fugues dans tous les tons, de qqs œuvres de mus. de chambre et de concertos de piano. Son parent éloigné — **2. Paul** (Leipzig 13.5.1854–24.4.1935), pian. et violon. réputé, chef d'orch. à Stuttgart, puis dir. de la *Sing Akademie* et d'autres sociétés chorales à Leipzig, fut ensuite dir. du *Liederkranz* à New-York (1898–1902), puis revint à Leipzig comme prof. : il rédigea des analyses musicales pour le *Konzertführer*. Son frère — **3. Julius** (Leipzig 24.9.1859–27.10.1933), éminent et célèbre vcelliste et compos., élève d'E. Hagar et de Jadassohn, soliste à l'orch. du *Gewandhaus* et prof. de vcelle au cons. de Leipzig, a laissé des morceaux de concert et des pièces pour vcelle *solo* et pour 2 et 4 vcelles, une suite pour 2 vcelles, une sonate et quatre concertos, ainsi que des œuvres pédagogiques, 2 quatuors à cordes, 1 trio avec piano, 1 sérénade pour orch. à cordes. Voir R. Sietz et R. Eller in MGG.                    A.G.

**KLENOVSKY** (*Klenovskij*) **Nicolaï Semenovitch.** Chef d'orch. et compos. russe (Odessa 1857–St-Pétersbourg 6.7.1915). Élève du cons. de Moscou (Hrimaly, Tchaïkovsky), il débuta en 1879, dirigea au *Bolchoï* (1883–1893), à Tiflis (1893–1902), année qu'il prit le pupitre des chantres de la chapelle de la cour (jusqu'en 1906) ; il recueillit et harmonisa des chansons populaires russes et géorgienne ; on lui doit 3 ballets, « *Mirage* » (tableau symph.), 4 cantates, de la mus. de scène pour le théâtre Maly, « *Recueil de chansons russes et étrangères* » (1895), 1 écrit : « *Le concert ethnographique* ».

**KLEPALO.** C'est un phonoxyle composé d'une plaque de bois rectangulaire suspendue par une chaîne : généralement tenu à la main et frappé avec une mailloche, le *k.* est utilisé en Yougoslavie et en Grèce, dans certains monastères orthodoxes, pour annoncer les offices.    M.A.

**KLEPPER Léon.** Compos. roumain (Jasty 24.4.1900–). Élève de l'Acad. de mus. de Vienne (J. Marx), de la *Hochschule f. Mus.* de Berlin (Schreker), de l'Ecole normale de mus. de Paris (P. Dukas), il est dep. 1949, prof. de compos. au cons. de Bucarest ; on lui doit de la mus. symph. (*Concerto grosso*, *Concertino de piano*), de piano (triple-fugue à 2 p.), de film.

**KLETZKI.** Voir art. *Klecki.*

**KLEVEN Arvid.** Flûtiste et compos. norvégien (Trondjhem 29.11.1899–Oslo 23.11.1929), qui fit ses études à Oslo, Paris et Berlin et exerça à l'orch. de l'Opéra et au *Filh. Selskaps Ork.* d'Oslo ; on lui doit de la mus. symph. (1 symph., 1928), de chambre, de piano, 6 mélodies. Voir O. Gurvin in MGG.

**KLIČKA Josef.** Org. et compos. tchèque (Klatovy 16.12.1855–28.3.1937), qui fut org., chef d'orch. et prof. à Prague, auteur de 9 messes, d'1 opéra, de mus. d'église (7 messes, oratorios, cantates, motets), de chambre, de piano, d'orgue, de harpe. Voir A. Smolak, O. Cermak, *J.K.*, Klatovy 1925 ; K. Hoffmeister, *Id.*, Prague 1944 ; R. Quoika in MGG.

**KLIEN Walter.** Pian. autr. (Graz 1928–), qui a fait ses études à Graz, Francfort et Vienne et fait une carrière internationale.

**KLIMOV Mikhaïl Guéorguïévitch.** Chef de chœur et d'orch. russe (gouvt de Moscou, 22.10.1881–Léningrad 1937). D'origine paysanne, il fit ses études à l'école synodale

puis au cons. de St-Pétersbourg (Rimsky–Korsakov, Tchérepnine) ; il dirigea la chapelle impériale, devenue « chapelle académique de Leningrad », à partir de 1913 et fut prof. au cons. de Léningrad de 1908 à sa mort.

**KLINDWORTH Karl.** Pian. et prof. allem. (Hanovre 25.9.1830–Stolpe 27.7.1916). Élève de Liszt (Weimar), il exerça, enseigna et dirigea à Londres de 1864 à 1868, se lia avec Wagner à partir de 1865, fut prof. au cons. de Moscou (1868–1884), se fixa à Berlin à partir de 1884 : il y dirigea, avec J. Joachim et F. Wüllner, les *Philharm, Konzerte* et le *Wagner-Verein*, fonda une école de piano qui fit fusion avec celle de Scharwenka (1893) ; on lui doit de la mus. de piano, des éditions, des transcriptions de Wagner, 1 écrit : *Einst u. jetzt in England* (Postdam 1898). Voir la correspondance de Bülow (*Neue Briefe*, Munich 1925), les nᵒˢ 27, 37, 43 de *AMz* ; H. Leichtentritt, *Das Kons. d. Mus. K.-Sch.*, 1881–1931, Berlin 1931 ; D. Sasse in MGG.

**KLING Henri.** Corniste, org. et chef d'orch. franç. (Paris 14.2.1842–Genève 2.5.1918), qui fut prof. au cons. de Genève fonda l'orch. *Symphonia* (1882), dirigea les soc. *Liederkantz*, *La muse* et l'*Union chorale* ; il fut également chroniqueur mus. ; on lui doit de la mus. militaire, de chambre, d'orch., 4 opéras, des manuels et des articles. Voir W. Tappolet in MGG.

**KLING-KLANG.** C'est un xylophone composé de onze tubes de bambou maintenus horizontalement à l'aide de deux cordelettes que soutiennent deux aides placés aux deux extrémités ; l'exécutant martèle les tubes de bambou au moyen de deux mailloches ; l'instrument se rencontre dans la région frontière entre Viet-Nam, Laos et Cambodge.    M.H.

**KLINGESTEIN Bernhard.** Mus. allem. (Peiting b. Schongau ? 1545–Augsbourg 1.3.1614). Élève de l'univ. d'Ingolstadt, il fut dès sa jeunesse choriste à la cath. d'Augsbourg : en 1574, il y était maître de chapelle, en même temps que (1881) à l'église des Jésuites ; il fut en relations avec nombre de personnalités de son temps, dont Roland de Lassus ; un grand nombre de ses œuvres ont été perdues ; restent *Liber primus sacrarum symphoniarum* (1-8 v., Munich 1607), *Rosetum marianum...* (Dillingen 1604), *Triodia sacra* (seulement l'*inf.*, ibid. 1605) et nombre de compositions (4-8 v.) dans des recueils de l'époque. Voir A. Singer, *B.K.*, thèse de Munich, 1921 (dact.) ; R. Schaal in MGG.

**KLOEFFLER** (*Klöppfler*) **Johann Friedrich.** Mus. allem. (Cassel 20.4.1725–Burgsteinfurt ...2.1790), qui fut dir. de mus. à la chapelle de la cour des comtes de Bentheim-Steinfurt de 1754 à 1779, y assurant un haut niveau de vie musicale ; on lui doit une œuvre abondante, des symphonies, concertos, duos, quatuors, sonates de clavecin etc., impr. ou mss. Voir E. Kruttge, *Gesch. der burgsteinfurter Hofkapelle* (1756–1817), thèse de Bonn, 1924 (dact.) ; U. Götze, *J.F.K.*, thèse de Munich (en prép.) ; F.-H. Neumann in MGG.

**KLOIBER Rudolf.** Chef d'orch. allem. (Munich 14.11.1899–). Élève de l'acad. de mus. et de l'univ. de Munich, dont il est docteur avec sa thèse *Die dramat. Ballette v. C. Cannabich* (1927), il a dirigé à Munich, Ratisbonne, Bayreuth, Reutlingen (1950–1958) et publié *Taschenbuch der Oper* (Ratisbonne 1951–1957).

**KLOPPER Fritz.** Compos. allem. (Augsbourg 29.7.1889–Hausstein b. Deggendorf 15.2.1929), à qui l'on doit de la mus. d'église, d'orch. (2 symph.), d'orgue, de chambre, de piano, de violon et de vcelle.

**KLOSE Friedrich.** Compos. germano-suisse (Carlsruhe 29.11.1862–Ruvigliana, Suisse, 24.12.1942). Élève de V. Lachner (Carlsruhe), d'A. Ruthardt (Genève), de Bruckner (Vienne), il fut prof. au cons. de Bâle (1906) et à l'*Akad. der Tonkunst* à Munich (1907–1919) ; il écrivit de la mus. symph., de chambre, d'orgue (1 messe) 1 opéra : *Ilsebill...* (1902), 1 mélodrame et publia *Meine Lehrjahre b. Bruckner* (Ratisbonne 1927), *Bayreuth* (ibid. 1929). Voir H. Knappe, *F.K.*, Munich 1921 ; *Fs. zum 80. Geburstag*, Lugano 1942 ; E. Refardt, *F.K.s komp. Nachlass*, ds *SMZ*, XCIII, 1953 ; W. Zentner in MGG.

**KLOSE Margarete.** Chanteuse allem. (Berlin 6.8.1905–), alto, élève du cons. Klindworth-Scharwenka à Berlin, qui débuta en 1928, appartient depuis 1931 à l'Opéra de Berlin et fait une carrière intern., notamment à Bayreuth.

**KLOSÉ Hyacinthe.** Clarinettiste gréco-franç. (Corfou 11.10.1808–Paris 29.8.1880), qui fut de 1839 à 1868 prof. au cons. de Paris ; il contribua à l'adoption du système de Boehm pour la clarinette : on lui doit de la mus. et une méthode (Paris 1843) pour son instrument.

**KLOTZ Hans.** Org. allem. (Offenbach 25.10.1900–). Élève des cons. de Francfort et de Leipzig, de Widor (Paris), docteur de Francfort avec sa thèse *Über die Prägnanz ak. Gestalten als Grundlage einer Theorie des Tonsystems* (1927), il a été cantor à Aix-la-Chapelle (1928), maître de chapelle à St-Nicolas de Flensbourg (1946–1954), prof. à Lübeck (1950) et à Cologne (1954) : depuis 1958, il est président de l'*Orgelbeirat d. ev. Kirche* en Rhénanie ; on lui doit des chœurs *a cappella*, des écrits : *Über die Orgelkunst d. Gotik, d. Renaissance u. d. Barock...* (Cassel 1934), *Das Buch von der Orgel* (ibid. 1938–1955), des art. dans des périodiques ou ouvrages collectifs. Voir art. in MGG.

**KLUGHARDT August.** Chef d'orch. allem. (Köthen 30.11.1847–Rosslau 3.8.1902), qui exerça à Posen, Neustrelitz, Lubeck, Weimar, Dessau, fut ami de Liszt et de Wagner ; on lui doit de la mus. symph. (4 symph., 3 concertos), de chambre, 4 oratorios, 4 opéras, des chœurs et des mélodies. Voir L. Gerlach, *A.K.*, Leipzig 1902 ; W. Pfannkuch in MGG.

**KLUSSMANN Ernst Gernot.** Compos. allem. (Hambourg 25.4.1901–). Élève de F. Woyrsch, d'A. Winternitz, d'I. Fromm Michaels, de J. Haas et de S. von Hausegger (Munich), il a été prof. au cons. de Cologne, puis dir. de la *Schule f. Mus. u. Theater* (1942–1950) de Hambourg ; il y est actuellement prof. de compos. à la *Hochschule f. Mus.* ; on lui doit de la mus. symph. (5 symph.), de chambre, des chœurs, de la mus. de piano. Voir F. Feldmann in MGG.

**KNAB Armin.** Compos. allem. (Neuschleichach 19.2.1881–Wörishofen 23.6.1951). Élève de l'univ. de Wurtzbourg, il fut d'abord fonctionnaire ; il avait été l'élève de M. Meyer-Olbersleben pour la composition ; il se fit un nom dans le monde de la musique (Schönberg) comme compos. de mus. de jeunes ou d'école ; en 1934, il fut nommé prof. de théorie et de composition à la *Hochschule f. Musikerziehung u. KM.* à Berlin-Charlottenbourg et passa les dernières années de son existence à Wurtzbourg et Kitzingen ; on lui doit un grand nombre de *Lieder* (solo ou chœurs), des cantates, des oratorios, de la mus. de scène, de film, instr., 2 œuvres symph., des arrrangements, qq. 80 articles sur l'histoire de la musique ou l'esthétique dans des périodiques ; après sa mort a paru *Denken u. Tun* (Berlin 1958). Voir O. Lang, *A.K.*, Munich 1937 ; H. Wegener, thèse et catalogue (en prép.) — art. in MGG.

**KNAPPERTSBUSCH Hans.** Chef d'orch. allem. (Elberfeld 12.3.1888–). Élève du cons. de Cologne (F. Steinbach), de l'univ. de Bonn, il fut assistant aux festivals de Bayreuth (1909–1912), dir. de l'Opéra d'Elberfeld, chef d'orch. à celui de Leipzig, *Generalmusik-direktor* à celui de Dessau (1919), chef d'orch. à ceux de Munich (1922) et de Vienne, où il se retira après 1935 ; en 1945, il revint à Munich ; il a fait une très grande carrière, notamment dans Wagner et dans Bruckner. Voir R. Betz-W. Panofsky, *K.*, Ingolstadt 1958.

**KNECHT Justin Heinrich.** Mus. allem. (Biberach 30.9.1752–1.12.1817). Élève de son père, qui était cantor à Biberach, de Doll et de Cramer (*ib. id.*), de Ch. F. Schubart (Esslingen), il succéda à Doll à l'église évangélique de Biberach (1771), où il dirigea également les théâtre et les concerts, et enseigna ; en 1806, il fut dir. de mus. à la cour de Stuttgart ; il la quitta en 1808 pour revenir chez lui ; on lui doit des opéras (*Die Entführung aus dem Serail*, 1787), des *Singspiele*, de la mus. d'église, des œuvres instr., surtout des ouvrages théoriques ; il fut un des plus célèbres org. de son temps. Voir E.

Kauffmann, *J.H. K.*, Tubingen 1892 ; A. Bopp, *Das Musikleben in der freien Reichsstadt Biberach*, Cassel 1930 ; G. Reichert in MGG.

**KNEFFEL.** Voir art. *Knöfel.*

**KNEIP Gustav.** Compos. allem. (Bening, France, 3.4.1905–). Elève du cons. de Cologne, chef d'orch. au théâtre de Bonn (1924–1927), critique, il a été à Radio-Sarrebruck (1936–1945) ; on lui doit 6 opéras, 1 oratorio, de la mus. de chambre, de scène, des mélodies.

**KNEISEL Franz.** Violon. autr. (Bucarest 26.1.1865–N.-York 26.6.1926), qui fut *Konzertmeister* à Berlin, au *Boston Symph. Orch.* (1885), puis prof. à N.-York (1905) et fonda un quatuor (1885–1917) ; on lui doit des écrits pédagogiques.

**KNELLER Andreas.** Mus. allem. (Lubeck 23.4.1649–Hambourg 24.8.1724), qui fut org. à Hanovre (1667) et Hambourg (1685–1723) ; il a laissé des préludes d'orgue en mss. Voir F.W. Riedel in MGG.

**KNEPLER Georg.** Chef d'orch. autr. (Vienne 21.12.1906–). Docteur de Vienne avec sa thèse *Die Form i.d. Instrumentalwerke J. Brahms'*, il a exercé à Mannheim, Wiesbaden, Vienne, Londres ; il dirige depuis 1949 la *Hochschule f. Mus.* de Berlin-Est ; on lui doit une *Gesch. d. Mus. v.d. franz. Revolution bis heute*, qui paraît dans des périodiques (Vienne, Berlin, Moscou, Prague).

K<small>NIGHT</small>

*Ténor de l'*Ex mortuis *(BM, add. 17804).*

**KNIGHT Thomas.** Mus. angl. dont l'activité se situe vers la moitié du XVIe s., qu'on a parfois confondu avec un autre *K., Robert*, de qui on ne sait rien : élève de l'univ. d'Oxford, il fut de 1535 à 1540 org. et *vicar choral* à la cath. de Salisbury ; on lui doit 1 *Magnificat* et des *evening canticles* dans les *Certaine Notes* de J. Day (1560), 1 messe, 1 motet en mss, 1 *Kyrie*, 3 motets dont l'attribution est incertaine (*R. ou Th. ?*). Voir E. W. Grattan

Flood, *Early Tudor Composers*, Londres 1925 ; H.F. Redlich in MGG.

**KNIPPER Lev Konstantinovitch.** Compos. et chef d'orch. russe (Tiflis 4.12.1898–). Élève de E. Gnessina, de Jiliaev et de Glière à Moscou, de Jarnach à Berlin et de Weismann à Fribourg, de 1921 à 1930, il fut conseiller musical du théâtre d'art de Stanislavski et s'occupa ensuite de folklore du Caucase et d'Asie ; à partir de 1932, il est attaché comme responsable de la mus. aux armées russes d'Extrême-Orient ; il a écrit 6 opéras ou opéras-ballets, des œuvres pour orch. (14 ouvertures symph., suites, chants militaires pour orch., symph.), 2 ballets, 3 cantates, 1 *sinfonietta* pour orch. à cordes, 5 pièces pour piano sur des thèmes tadjikes, 1 concerto de vcelle, 12 pièces pour htbois et piano, 12 préludes pour clar. et piano, plus de 50 chansons, notamment « *Plaine, ma plaine...* ».

**KNIŽE** (*Knjse*) **František Max.** Mus. tchèque (Drahelčice 7.9.1784–Prague 23.7.1840). Élève de Tomaschek, basson au *Ständetheater* de Prague (1814), ville où il fut ensuite (1833) chef de chœur à St-Ignace, puis (1834) à St-Gallus, il composa de la mus. d'église (5 messes), de piano, de guitare, des mélodies : c'était un excellent guitariste. Voir R. Quoika in MGG.

**KNOEFEL** (*Knöfel, Kneffel, Knöpflin*) **Johann.** Mus. allem. (Lauban v. 1530–Prague ap. 1592). Maître de chapelle du duc de Liegnitz, *magister chori musici* du comte palatin du Rhin Louis VI, à Heidelberg (1576–1580), il eut peut-être ensuite un poste (org. ?) à Breslau, puis fut (1592) org. et cantor à St-Henri de Prague ; après 1592, on n'a plus trace de lui ; on lui doit 32 *Dulcissimae quaedam cantiones* (5-7 v., Nuremberg 1571), *Cantus choralis...* (5 v., *ibid.* 1575), *Missa 5 v. ad imitationem cantionis Orlandi* « *In me transierunt* » (*ibid.* 1579), *Cantiones piae* (5-6 v., *ibid.* 1580), *Newe teutsche Liedlein...* (5 v., s.l. 1581), *Novae melodiae* (5-8 v., Prague 1592), nombre de motets dans des recueils ou en mss (Breslau, Brieg, dont 1 messe à 6 v. *quam imperatori Rudolpho dedicavit Vratislaviae*). Voir W. Scholz, *Zu J.K.*, ds *AfMf*, *VII*, 1942 ; L. Hübsch-Pfleger in MGG.

**KNORR Iwan.** Prof. allem. (Mewe 3.1.1853–Francfort 22.1.1916). Élève du cons. de Leipzig (Reinecke, Moscheles, Jadassohn), après avoir passé les 15 premières années de son existence en Russie, il fut prof. à Kharkov (1874), puis au cons. de Francfort (1883, sur l'intervention de Brahms) : il en fut le dir. de 1908 à sa mort ; on lui doit 3 opéras, de la mus. symph. (1 symph.), de chambre, des *Lieder*, des œuvres pédagogiques publiées sous le nom d'*I.O. Armand*, des traités. Voir M. Bauer, *I.K.*, Francfort 1916 ; H. Hartmann in MGG

**KNORR Julius.** Pian. allem. (Leipzig 22.9.1807–17.6. 1861), virtuose très apprécié de son temps, qui fut l'ami de R. Schumann (il est le *Julius* des *Davidsbündler*) et fut le rédacteur du *Neue Leipziger Zeitschrift f. Mus.* fondé par Schumann (1834) ; on lui doit de nombreux écrits pédagogiques pour son instrument. Voir G. Stieglitz in MGG.

**KNORR Ernst Lothar von.** Compos. allem. (Eitorf 2.1. 1896–). Élève du cons. de Cologne, violon., prof. à l'acad. de mus. de Heidelberg, à la *Hochschule* de Mannheim, *Konzertmeister* au *Pfalzorch.* à Ludwigshafen, dir. à l'« Ecole de mus. populaire de Berlin-Sud » (1925), prof. à la *Hochschule f. Mus.* (1937) de Berlin, à celle de Francfort (1941), il a fondé en 1945 le *Hochschul-Institut* de Trossingen, dirigé l'*Akad. f. Mus. u. Theater* de Hanovre (1952), devenue (1958) la « *Hochschule de Basse-Saxe* » ; on lui doit de la mus. symph., de chambre, vocale. Voir W. Pohl, *E.L. v.K.*, ds *Musica*, *VI*, 1953 ; H. Sievers, *Id.*, ds *Junge Musik*, *I*, 1956 ; E. Valentin in MGG.

**KNOSP Gaston.** Compos. et musicographe belge (Milan 29.5.1874–Bruxelles 6.2.1942), élève du cons. de Paris (Massenet, Lavignac), qui étudia la mus. d'Indochine et d'Amérique du Nord ; on lui doit de la mus. de théâtre, des pièces de piano, de harpe, des mélodies, des écrits : *Rapport sur une mission officielle en Indochine* (Leyde 1911), *G. Puccini* (Bruxelles 1937), *F. Lehar* (*id. ibid.*),

J. *Strauss...* (*ibid.* 1941), des art., notamment dans l'encycl. Lavignac. Voir W. Dehennin in MGG.

**KNOUCHEVITZKY** (*Knusevickij*) **Victor Nikolaïévitch.** Compos. russe (Moscou 19.1.1906–). Élève au cons. de Saratov et du technicien A. Scriabine à Moscou, depuis 1927, il dirige l'orch. de jazz, depuis 1945 l'orch. de mus. légère de la radio ; on lui doit 3 rhapsodies « russes » (1937), 1 rhapsodie « juive » (1937), 1 rhapsodie « moldave » (1945), des pièces et des orchestrations de mus. de jazz.

**KNÜPFER Sebastian.** Mus. allem. (Asch 6.9.1633–Leipzig 10.10.1676). Fils du cantor *Johann K.*, élève de l'org. A. Kradenthaler (Ratisbonne). il fut nommé en 1657 cantor à St-Thomas de Leipzig, où il eut comme élèves G. Preisensin, J. Weckmann, J.K. Horn etc. ; on lui doit des cantates, dont on trouvera le catalogue du *DTB*, *LVIII-LIX* (éd. A. Schering), *Lustige Madrigalien u. Canzonetten* (Leipzig 1663, et *Bibl. d. Allg. Musikgesch.*, *XIII*, Zurich), des motets et des cantates ms ; beaucoup de ses œuvres ont été perdues. Voir A. Schering, *Mg. Leipzigs*, II, Leipzig 1926 ; H.J. Moser, *Corydon, I* et *II*, Brunswick 1933 ; W. Serauky, *Mg. der Stadt Halle*, Halle-Berlin 1939–1940 — art. in MGG.

**KNYVETT.** Famille de mus. angl. : — **1. Charles** (Londres ? 22.2.1752–Londres 19.1.1822), chanteur et org., fut *gentleman of the royal chapel* (1786) et org. à la même chapelle (1796) ; il organisa des concerts avec S. Harrison (1791–1794) ; son fils — **2. Charles** (Londres 1773–2.11. 1859), reprit les concerts de son père en 1801 et fut org. à St-George (1802) ; chanteur, prof. de piano et d'harmonie, il composa des *glees*, de la mus. d'église, de piano ; son frère — **3. William** (*ibid.* 21.4.1779–Ryde 17.11.1876), fut chanteur et compos. à la chapelle royale, dirigea les *Concerts of ancient music* (1832–1840), les fêtes musicales de Birmingham et de York ; on lui doit également des *glees*, des *anthems* et des mélodies.

**KO-TZE.** C'est un sifflet fixé à la queue des pigeons (Chine). On connaît de trente à quarante variétés de cet instrument dont les modèles les plus courants sont triples ou quintuples. On dit aussi *ko-ling*.          A.Sch.

**KOABDES.** C'est un tambour sur cadre (Laponie), instrument du *chaman* : le cadre est ovale et la peau, peinte en couleur sanguine (sève d'écorce d'aulne), figure le monde ; la batte est exécutée en os. C.M.-D.

**KOBALD Karl.** Musicologue autr. (Brno 28.8.1876–), qui fut président de l'*Akad. f. Mus. u. darst. Kunst* à Vienne (1945–1947) ; on lui doit *Alt-wienerMusikstätten* (publ. sous le titre *Klass. Musikstätten*, 1928), *F. Schubert u. seine Zeit* (4e éd. 1945), *F. Schubert* (2e éd. 1928), *J. Strauss* (1925), *Beethoven...* (1927), *Wo unsterbliche Musik entstand* (1950), l'édition de l'*In memoriam A. Bruckner* (1924), tous ouvrages publiés à Vienne.

**KOBELIUS Johann Augustin.** Mus. allem. (Waehlitz 21 ou 22.2.1674–Weissenfels 17.8.1731). Élève de son grand-père maternel N. Brause, de J.C. Schieferdecker et de J. Ph. Krieger (Weissenfels), il voyagea beaucoup (Venise), fut *Kammermusiker* et org. (1702) à Weissenfels, *dir. chori musici* à Sangerhausen (1703), maître de chapelle à la *Heil. Kreuze* de Querfurt (1712), *Landrentmeister* (1723), puis *Kapelldir.* (1724) à Weissenfels, où il succéda à J. Ph. Krieger ; il écrivit pour cette cour un grand nombre d'opéras dont la partition ne nous est pas parvenue, pas plus que celles de ses ouvertures, sonates ou concertos. Voir H.C. Wolff in MGG.

**KOBRICH Johann Anton.** Mus. allem. (Landsberg 30.5. 1714–9.8.1791), qui fut org. dans sa ville natale, où déjà son père l'avait été ; il composa de la mus. d'église (*cf.* Eitner), des œuvres de clavecin et d'orgue, dont certaines pédagogiques. Voir A. Scharnagl in MGG.

**KOBUZ.** Voir art. *Qobuz.*

**KOBZA.** C'est en Moravie une longue cithare sur caisse, d'usage paysan, qui possède deux cordes mélodiques, de deux à huit cordes bourdons et treize à quinze tons ; toutes les cordes sont grattées simultanément avec une plume : c'est un instrument de solo ; il s'apparente aux longues cithares scandinaves et non aux instruments du type luth, de Roumanie et d'Ukraine, nommés *cobza* (voir à ce mot).  C. M.-D.

**KOCH Eduard Emil.** Pasteur allem. (Schloss Solitudeb. Stuttgart, 20.1.1809–Stuttgart 27.4.1871), qui consacra son existence à publier les 8 vol. de sa *Gesch. d. Kirchenlieds u. Kirchengsg d. christl.*, insbesondere d. *deutschen ev. Kirche* (1847– posth., 1876). Voir W. Blankenburg in MGG.

**KOCH Friedrich E.** Compos. allem. (Berlin 3.7.1862–30.1.1927), vcelliste, chef d'orch., prof., auteur dans presque tous les genres (2 symph., 4 opéras). Voir Th.-M. Langner in MGG.

**KOCH Heinrich Christoph.** Mus. allem. (Rudolstadt 10. 10.1749–18.3.1816), qui fut toute sa vie au service de la cour de sa ville natale, d'abord comme violon. (1764), puis comme mus. de la chambre (1778) ; il composa des cantates de circonstance, des solos, trios et concertos, un livre de chorals, œuvres qui n'ont pas encore été retrouvées, des symph. (ms. Rudolstadt) ; c'est par ses écrits qu'il est resté dans l'histoire, dont il faut citer *Musikal. Lexikon...* (2 vol., Francfort 1802), suivi d'un *Kurzgefasstes Handwörterbuch d. Musik...* (Leipzig 1807), *Versuch...* (Rudolstadt 1812) ; 2 numéros seulement parurent de son *Journal d. Tonkunst* (Erfurt 1795). Voir H. Riemann, *H.C.K. als Erläuterer unregelmässiger Themen aufbaues*, ds *Präludien u. Studien, II*, Leipzig (1900) ; A. Feil, *Satztechn. Fragen...*, thèse de Heidelberg, 1955 ; H.H. Eggebrecht in MGG.

**KOCH Hellmut.** Chef d'orch. allem. (Wuppertal-Barmen 5.4.1908–), élève de Scherchen, qui dirige le chœur et l'orch. de chambre du *Berliner Rundfunk* et la Soc. des solistes du *Deutschlandsender*.

**KOCH von.** — 1. **Richert Sigurd Waldemar.** Compos. suédois (Ägnö 28.6.1879–Stockholm 16.3.1919), qui écrivit de la mus. symph., de chambre, de piano, des mélodies ; son fils — 2. **Sigurd Christian Erland** (Stockholm 26.4.1910–), élève du cons. de sa ville natale, prof. et chef d'orch., a composé de la mus. symph. (4 symph., 5 concertos), de chambre, de piano, 2 opéras, 1 ballet, des chœurs, des mélodies. Voir A. Helmer in MGG.

**KOCHAN Günter.** Compos. allem. (Luckau 2.10.1930–), élève de la *Hochschule f. Mus.* (Blacher) à Berlin-Ouest et de la *Deutsche Akad. d. Künste* (Eisler) à Berlin-Est, qui a écrit 1 concerto de viol. (1952), une suite de piano (id.), 1 trio (1954), 1 *divertimento* (fl., cl., basson, 1956), des chants populaires, des chants de masse, des chœurs, de la mus. de film.

**KOCHNO Boris.** Librettiste de ballets franç. d'origine russe (1903–), qui a été secrétaire de Diaghilev, collaboré avec Massine et Balanchine, fondé et dirigé avec R. Petit les *Ballets des Champs-Elysées* (1945–1950).

**KOCIAN Jaroslav.** Violon. tchèque (Ustí nad Orlicí 22.2. 1883–Prague 7.3.1950). Il fut avec J. Kubelík un des plus célèbres élèves d'O. Ševčík et un des plus remarquables violon. tchèques ; après avoir triomphé dans le monde entier, il se consacra à l'enseignement au cons. de Prague à partir de 1924.  Z.V.

**KOCZALSKI Raoul.** Pian. et compos. polonais (Varsovie 5.1.1885–Poznan 24.11.1948). Élève de L. Marek (élève de Liszt), de K. Mikuli (élève de Chopin) et d'H. Jarecki (élève de Moniuszko), d'A. Rubinstein (St-Pétersbourg), il a commencé sa carrière de pianiste dès l'âge de 4 ans (Varsovie) : à 7 ans, il était couronné à Paris et nommé pianiste de la cour du shah de Perse, du sultan de Turquie et du roi d'Espagne ; à 11 ans, il donnait son 1.000e concert : en tout, il en a donné 4.600 ; cette brillante carrière l'a empêché de terminer ses études en Sorbonne et de se consacrer à ses travaux personnels ; il vécut longtemps à Berlin, et, après la 2e guerre mondiale, revint en Pologne pour enseigner le piano aux cons. de Poznan et de Varsovie ; on lui doit 7 opéras : *Raymond* (1902), *Mazeppa*, *Die Sühne* (1909), *Jacqueline*, *Zemroud*, *Powrot* (« Le retour »), *Hagar* (inach.), 1 ballet : *Renata*, 1 concerto de violon, 6 de piano, 1 de vcelle, 6 sonates, 6 suites et 24 préludes de piano, 4 sonates de violon,

2 sonates et 2 suites romantiques de vcelle, *Symph. Legende*, 1 symph., 2 poèmes symph., 250 mélodies, nombre de pièces de piano, 1 écrit : *F. Chopin...* (Cologne 1936). Voir B. Vogel, *R.K.*, Leipzig 1896.  K.W.C.

**KOCZIRZ Adolf.** Musicologue autr. (Wscherowan 2.4. 1870–Vienne 22.2.1941). Issu d'une famille galicienne, fonctionnaire au service de l'administration autrichienne, docteur de l'univ. de Vienne (Adler) avec sa thèse *Der Lautenist H. Judenkünig* (1903), il collabora à l'institut de musicologie de cette même univ. à partir de 1904, fut membre de la commission de l'*IMG* pour les recherches sur la musique de luth (1907), délégué en Autriche pour le catalogue bibliogr. des tablatures de luth (1908) ; il participa à la fondation de la *Wiener Gitarr. Zentralstelle* (1919), fonda *la Ges. d. Lt.-Freunde* (1932), fut le président d'honneur du *Bund deutscher Lt.-u. Git.-Spieler* (1919) ; on lui doit un grand nombre d'art. sur ces spécialités (ds *ZIMG, SIMG, ZfMw, AfMw, Adler-Fs, Mélanges La Laurencie etc.*), *Österreich. Lautenmusik zwischen 1650 u. 1720* (*DTÖ, XXV*, 2, 1919), des éditions de G. Sanz, Kremberg, D. Pisador, Fuenllana, Ferandier. Voir *Fs. A.K.*, Vienne 1930 ; E.K. Blümml, *A.K.*, ds *Zs. f. d. Git.*, IV, 5-9, Vienne 1924–1925 ; O. Wessely in MGG.

**KOCZWARA** (*Kotzwara*) **Franz.** Mus. tchèque (Prague v. 1750–Londres 2.9.1791). On sait peu de choses sur lui ; Fétis, enfant, le rencontra ; vers la fin de sa vie, il vécut en Flandre, en Irlande et à Londres, estimé des éditeurs pour ses œuvres aussi bien que pour les faux de Haydn et de Mozart qu'il leur fournissait ; il mourut à Londres, pendu dans une maison de tolérance ; c'était un musicien remarquable qui jouait de toutes sortes d'instruments ; on lui doit nombre de sérénades, trios, duos, sonates, mélodies, surtout *Grande Battaille* (*The battle of Prague*), immitée sur le clavecin ou le pianoforte avec accompagnements de violon, vcelle et tambour (Berlin-Amsterdam v. 1800 et Mayence). Voir W.T. Parke, *Mus. memories*, 2 vol., Londres 1830 ; *Modern propensities or an essay on the art of strangling... with memories of Susan Hill and a summary of her trial at the Old Bailey on friday sept. 16.1791 on the charge of hanging F.K. at her lodgings in Vine str.*, Londres s.d. ; Ch. L. Cudworth in MGG.

**KODÁLY Zoltán.** Compos., musicologue et prof. hongrois (Kecskemét 16.12.1882–). C'est l'une des figures les plus importantes de la musique contemporaine : il joue, avec Béla Bartók, un rôle de premier ordre dans la musique hongroise de notre siècle. Il est considéré comme le chef de la nouvelle école nationale de son pays, promoteur du grand renouveau de la musique hongroise. C'est un folkloriste éminent, dont les recherches ont efficacement complété son activité artistique et pédagogique. En réalité ces trois activités forment une unité indivisible : le compositeur est inséparable du folkloriste et de l'éducateur. Il est né le 16 déc. 1882 à Kecskemét, importante ville agricole au milieu de la Grande Plaine hongroise ; son père y était fonctionnaire des chemins de fer de l'Etat et fut nommé plus tard à Galánta, puis à Nagyszombat, villes qui appartiennent actuellement à la Tchécoslovaquie, où le petit Zoltán passera son enfance et son adolescence. Après de brillantes études au lycée de Nagyszombat, K., bachelier, arrive à Budapest en 1900. Pendant ses années d'études universitaires, il semble hésiter entre la carrière d'artiste et celle de savant : il s'inscrit à l'Ecole nat. des hautes études musicales (Académie F. Liszt) et devient l'élève de Hans Koessler pour la composition ; en même temps, il poursuit ses études à la faculté des lettres et devient interne au célèbre collège Eötvös, l'équivalent hongrois de l'école normale supérieure de la rue d'Ulm : il prépare le diplôme du professorat pour la langue et littérature hongroise et allemande ; il y travaille également la langue française sous la direction de Jérôme Tharaud, alors professeur au collège Eötvös. Il termine ses études à l'Académie de musique en 1904 : de cette année date son chœur mixte *Este* (« Le soir »), sa première œuvre éditée (2 ans plus tard). La même année, il fait à Bayreuth un voyage musical qui n'influera aucunement sur son évolution musicale. Il retourne à l'Académie de musique pour une année complémentaire et fréquente les salons de madame Emma Sandor, qui étaient alors le rendez-

*(note manuscrite en marge : d. Jan. 26 1975)*

vous de tous les grands musiciens hongrois du présent et de l'avenir. C'est là que K. fait la connaissance de Béla Bartók qui, comme lui, est élève de Koessler à l'Académie, mais dans une autre classe. En 1905, il obtient son diplôme à la faculté des lettres, puis, au mois d'août, retourne à Galánta, où il revoit ses amis d'enfance et part de là pour sa première enquête folklorique dans la Petite Plaine. Le 5 avril 1906, il obtient le titre de docteur ès lettres pour sa thèse « La structure strophique de la chanson populaire hongroise ». Afin de se reposer, il passe quelques semaines au bord de la mer Adriatique, où il ébauche sa première œuvre symphonique « Soir d'été ». La même année, il trouve en Béla Bartók un compagnon tout aussi musicien, savant et persévérant que lui dans les recherches folkloriques : ils partiront ensemble pour d'autres enquêtes, puis chacun travaillera sur un terrain différent suivant leur plans et leurs méthodes. En 1907, K. passe quatre mois à Paris, où il fréquente les cours de Widor au conservatoire, travaille avec assiduité à la Bibliothèque nationale et à celle du conservatoire, fait la connaissance de Romain Rolland et surtout celle de la de la musique de Debussy, dont l'influence va être déterminante pour son avenir. De la même époque date sa *Méditation sur un thème de Claude Debussy* pour piano. Rentré à Budapest, il est nommé professeur de théorie musicale à l'Académie de musique et commence son enseignement à l'automne de la même année. Son *op.* 1, *Enekszo* (16 mélodies sur paroles populaires pour chant et piano, date de 1909 et sera suivi par le « Premier quatuor à cordes » (op. 2) et les « Dix pièces pour piano » (op. 3). De la même année date la première version de sa « Sonate pour violoncelle et piano ». Le 17 mars 1910, K. et Bartók présentent leurs œuvres dans un concert public, avec le concours du jeune quatuor Waldbauer-Kerpely ; deux mois plus tard, le même ensemble présente le quatuor de K. à Zurich. Le 3 août 1910, K. épouse Emma Sandor qui, durant près d'un demi-siècle, sera pour lui une compagne et une collaboratrice idéale. Les quinze premières années de l'activité de K. dans le domaine de la composition sont dominées par la musique de chambre : les deux quatuors à cordes ; la « Sérénade pour deux violons et alto », le « Duo pour violon et violoncelle », les deux « Sonates pour violoncelle » (la première avec piano, la seconde pour l'instr. solo), deux recueils de « Pièces pour piano », de nombreuses mélodies datent de cette époque. Entre-temps, K. continue, avec Bartók, ses investigations folkloriques et sera chargé, à partir de 1912, d'une classe de composition à l'Académie de musique. Une année plus tôt, il avait fondé avec Bartók la « Société hongroise pour la musique nouvelle » (UMZE), dont l'activité ne sera pas longue, mais qui sera ressuscitée une vingtaine d'années plus tard. Vers 1910, les œuvres de mus. de chambre de K. sont présentées en Hollande et à Paris ; son nom est déjà connu parmi les musiciens français : la preuve en est que, lors d'un concert-référendum de la Société musicale indépendante, quand on présenta en 1re audition les Valses nobles et senti-

mentales de Ravel en laissant le soin à l'auditeur averti d'en deviner l'auteur, plusieurs musiciens français votèrent pour K. Durant la première guerre mondiale, K. poursuit ses activités, mais avec des moyens réduits. En 1917, il débute au théâtre avec la musique de scène pour une pièce de Moricz. Comme critique musical, il devient collaborateur de la revue Nyugat et du journal Pesti Naplo. La guerre se termine en 1918 et la Hongrie devient république : le conseil des ministres, dans sa séance du 14 fév. 1919, décide la réforme de l'Académie de musique ; le directeur Mihalovich étant mis à la retraite, sa fonction est confiée à Ernö Dohnanyi, et un poste de sous-directeur est créé, avec K. comme titulaire ; il y eut des difficultés : le régime établi en Hongrie par la contre-révolution suspend K. et le traduit devant un conseil de discipline qui, après une longue procédure, le réintègre dans ses fonctions de professeur à l'Académie. Mais les attaques contre lui de certains milieux conservateurs le poursuivront longtemps encore. Les années 1921 et 1923 seront décisives dans sa carrière. La première date signifie la publication de ses œuvres chez Universal à Vienne, qui les met désormais à la portée de tous les musiciens en Europe. 1923 verra la création du Psalmus hungaricus (op. 13), qui représente non seulement l'une des œuvres les plus grandioses du maître, mais aussi l'un des sommets de la musique contemporaine. Il a été accueilli partout avec enthousiasme, et K. connaîtra désormais la gloire en Hongrie et une autorité sans cesse croissante à l'étranger. Les années suivantes, il donnera de nombreux concerts de ses œuvres à Budapest, avec le concours du quatuor Waldbauer-Kerpely, du violoncelliste Pal Hermann (le même qui fera triompher la sonate de violoncelle seul et, avec Waldbauer, le Duo pour violon et violoncelle dans les festivals de Salzbourg) et ses œuvres figurent au programme de plusieurs pianistes (Keéri-Szántó, Kentner, Schwalb, Szatmári, Engel) et chanteurs ou cantatrices (Palló, Székelyhidi, Kálmán, Szedö, Rösler, Mária Basilides, Rózsi Marschalkó, entre autres). Parmi les concerts consacrés à ses œuvres, celui du 2 avril 1925 eut une importance particulière, à cause des deux œuvres pour chœur d'enfants (Villö et « Le tzigane mange du fromage blanc », mélodies populaires), présentées en 1re audition par les élèves de l'Ecole primaire supérieure de la rue Wesselényi : le succès en fut éclatant, et cet accueil triomphal eut certainement une part dans l'orientation future de K. Du jour au lendemain, il se révèle comme un compositeur d'œuvres chorales d'importance exceptionnelle et parfait maître du contrepoint vocal. Avant 1925, il n'avait que peu écrit pour ensembles vocaux (« Nuits sur la montagne, Soir, Deux chœurs d'hommes, Deux mélodies populaires de la région de Zobor ») ; après cette date, la composition d'œuvres vocales est l'une de ses préoccupations artistiques. Après le grand succès de ses premiers chœurs d'enfants, il compose pour la même formation 5 Tantum ergo en 1928, puis, en 1929, dix nouvelles transcriptions de mélodies populaires, parmi lesquelles se trouvent des chefs-d'œuvre aussi importants que *Lengyel László* et *Pünkösdölö*. Après d'autres œuvres de moindre importance, K. écrira, en 1936, « *Sept chants faciles* » et « *Six canons* », puis, de 1937 à 1942, les quatre cahiers des *Bicinia hungarica*, le plus parfait « *gradus ad Parnassum* » du chant à deux voix pour enfants : d'autres œuvres analogues, de caractère semi-didactique, suivront. A partir de 1930, K. compose également des grandes œuvres chorales pour toutes formations, dont les plus importantes sont 2 chœurs mixtes sur mélodies populaires (« *Compliment de Nagyszalonta* » et « *Tableaux de la région de Matra* », fresque chorale, l'une des compositions les plus grandioses de ce genre jusqu'à nos jours, 1931), *Oregek* (« *Les vieux* »), chœur mixte, thème original sur un poème de S. Weöres 1933), « *Chants de Karad* » (chœur d'hommes sur les mélodies populaires du département Somogy, œuvre comparable aux « Tableaux de Matra »), « *Qui faudrait-il épouser?* » (mélodie populaire, chœur d'hommes), « *Chanson triste sicilienne* » (mélodie populaire chœur mixte), *Akik mindig elkésnek* (« Ceux qui arrivent toujours en retard », sur un poème d'Ady, chœur mixte), « *Jésus et les marchands du temple* » (thèmes originaux, paroles bibliques, œuvre très dramatique, qui rappelle, de plusieurs points de vue, le *Psalmus*, 1934). L'année 1935 verra entre autres, *Ave Maria* pour chœur de femmes, *Justum et tenacem* d'Horace, pour chœur d'hommes, 1936, l'important chœur d'hommes *Huszt* (sur une poésie de F. Kölcsey), la traduction musicale de l'ode de Vörösmarty *F. Liszt*, dont l'accent musical est aussi pathétique que la valeur poétique, *Anna Molnar* (chœur mixte sur une ballade populaire), le célèbre canon « *Aux Hongrois* » sur les vers du poète Berzsenyi, ainsi que le « *Psaume de Genève n° 150* », pour chœur de femmes. Les autres œuvres a cappella les plus importantes sont « *Le paon s'est posé* » (poésie d'Ady, chœur d'hommes, 1937), « *Hymne à St Etienne* » (en 3 versions différentes, sur un vieux cantique hongrois, 1938), « *Les filles norvégiennes* » (poésie de S. Weöres, chœur mixte, 1940), « *La Marseillaise* » (transcriptions à 2 et à 3 voix égales, 1948), « *Psaume de Genève n° 50* » (chœur mixte, 1948), « *Vœux de paix* » (sur une poésie de Benedek Virág, chœur mixte, 1953) et finalement « *L'appel de Zrinyi* », œuvre grandiose, pour baryton solo et chœur mixte, sur des paroles de Miklos Zrinyi, homme d'état, chef militaire et poète hongrois du XVIIᵉ s., œuvre qui fut présentée en 1955 ; son importance historique (vers la création d'un récitatif hongrois) est particulièrement grande. Ces œuvres a cappella sont complétées par un grand nombre de mélodies pour chant et piano, avant tout par la série *Magyar népzene* (« Musique populaire hongroise »), 10 cahiers, 1924-32, contenant 57 ballades et mélodies populaires : cette musique sera la base musicale de l'opéra « *Soirée de fileuses siciliennes* » (1931–32), composé de chants, chœurs, danses, rondes et ritournelles ; son langage est entièrement tissé d'éléments populaires, il n'y a pas une note chantée qui ne soit du folklore. Cet opéra en un acte est plutôt une scène de la vie des paysans, avec une certaine intrigue dramatique. Auparavant K. avait déjà présenté *Háry János*, féerie sur un livret de Béla Paulini et de Zsolt Harsanyi (1925–27, *op.* 15), opéra bien connu surtout pour ses intermèdes symphoniques ; la matière chantée en est également d'origine folklorique ; une troisième œuvre théâtrale, *Cinka Panna* (1946–48) sur un livret de Béla Balázs, sera présentée en 1948.

L'auteur de *Psalmus hungaricus* a composé d'autres œuvres pour ensemble vocal et orchestre (ou avec accompagnement d'instrument) : le plus important en est le *Te Deum* du 250ᵉ anniversaire de la libération de Buda sous la domination turque, pour soli, chœur et orchestre (1936), La *Missa brevis* pour chœur mixte et orgue (1944), le pas de deux de Kallo *Kallaï kettos*, sur trois mélodies populaires, pour chœur mixte et orchestre populaire (1950) et le « *Psaume de Genève n° 114* », pour chœur mixte et orgue (1951).

« *Le soir d'été* », 1ʳᵉ œuvre symphonique de K., sera remanié en 1929, avant d'obtenir un succès mondial : c'est Toscanini qui le présentera, lui qui avait déjà donné les « *Danses de Marosszék* » bien avant leur publication [1930] (la version pour piano de la même œuvre, éditée en même temps et donnée, en 1ʳᵉ audition mondiale, par Julia Székely dans la saison précédente, compte parmi les œuvres de piano les plus représentatives de la nouvelle musique hongroise). 1927 a vu la naissance de deux grandes œuvres pour orchestre : la *Suite* tirée de *Háry János* et l'« *Ouverture de théâtre* », ajoutée au même opéra deux ans après la première ; elle a une version pour le théâtre et une autre pour le concert, avec conclusions différentes. 1933 : création des « *Danses de Galanta* », l'œuvre la plus jouée de K. à l'étranger, composées pour le 80ᵉ anniversaire de la fondation de l'Orchestre philharmonique de Budapest sur des thèmes de danses hongroises de 1800 (découvertes par Ervin Major) : toutes ces œuvres vaudront à leur auteur une réputation internationale ; elles sont dirigées par les meilleurs chefs d'orchestre (Toscanini, Mengelberg) Furtwängler etc.), et il n'est pas rare désormais de voir K. lui-même, à la tête des plus illustres formations européennes, diriger ses œuvres, surtout le *Psalmus* et la « *Suite de Háry János* ». En 1938–1939, il compose ses « *Variations* » sur un thème populaire hongrois (dédiées à l'orchestre du *Concertgebouw* d'Amsterdam) et son *Concerto* p. orchestre donné, en première mondiale, par l'Orchestre symphonique de Chicago, sous la direction de Frederick Stock, en février 1941.

La carrière de K., telle qu'elle se présente aujourd'hui, pourrait être divisée en deux périodes ou manières : la première époque, qui se termine avec le *Psalmus*, est dominée par les œuvres instrumentales et la musique de chambre ; la seconde verra les grandes réalisations : opéras, oratorios, œuvres a cappella, symphoniques, et quelques œuvres instrumentales, comme les « *Danses de Marosszék* » et les « *Danses enfantines* » (1946) pour piano, la « *Messe basse* » (1942) et autres œuvres pour orgue. L'importance historique et musicale de K. dépasse de loin les frontières de son pays ; on pourrait la résumer ainsi : 1. à une époque aussi instable que la première moitié de notre siècle, il a fait preuve d'une stabilité et d'une pondération étonnantes ; son écriture, préparée scientifiquement et confirmée par la pratique de l'enseignement, est arrivée, dès le début de sa carrière, à des résultats définitifs ; il suivra toujours le même chemin, tout en enrichissant ses moyens d'expression ; son style, apparemment conservateur, mais nullement académique, est composé d'éléments fort divers : folklore hongrois, harmonies modales, architecture et contrepoint classiques ou pré-classiques, procédés impressionnistes etc., éléments qui se fondent dans une unité indivisible. — 2. Netteté et clarté des idées musicales, esprit latin et méditerranéen, proche parent de celui de la Renaissance et du classicisme de la fin du XVIIIᵉ s. — 3. Il a réussi à intégrer tous les éléments du langage musical du peuple hongrois dans un art savant et essentiellement national, dont les répercussions dépassent les frontières de son pays. — 4. En dépit de son attachement au terroir hongrois et aux traditions ancestrales, son art est nettement occidental ; il fait partie des tendances caractéristiques de la musique européenne de notre temps ; grâce à lui et à Bartók, la musique hongroise fait aujourd'hui partie intégrante de la civilisation européenne. — 5. Recherche des traditions historiques, tant littéraires que musicales, de son pays ; il n'hésite pas le passé, toujours à base de sources réelles. Le *Concerto* nous ramène dans l'atmosphère du XVIIIᵉ s., les *Danses de Galanta* évoquent le début du XIXᵉ. Le fait que K. se tourne si souvent vers les poètes classiques et anciens de son pays traduit clairement ce souci. — 6. Il a redonné à la polyphonie vocale un éclat comparable à celui du XVIᵉ s.

Après 35 ans de professorat à l'Ecole des hautes études musicales, K. a pris sa retraite en 1942 (tout en assurant la direction de la chaire de folklore jusqu'à nos jours), mais il reste l'un des principaux animateurs de la vie musicale hongroise. Au lendemain de la dernière guerre son activité semble redoubler : il a été président de l'Académie des sciences (à laquelle il appartenait déjà depuis mai 1943), membre de la première Assemblée nationale d'après guerre ; il assumait également la présidence du Conseil national des beaux-arts et celle du Comité directeur de l'Ecole des hautes études musicales. A l'Académie des sciences, il dirige, depuis 1940, la publication intégrale de la musique populaire hongroise, dont le 1er volume a paru en 1951 (voir art. *hongroise (musique), mus. populaire*). Il a fait plusieurs voyages à l'étranger : Europe occidentale et Amérique (1946), URSS (1947), Stockholm, Paris et Londres (1948), pays occidentaux (1949), tout en continuant son travail artistique, scientifique et éducateur (investigations folkloriques, nombreux discours, conférences, interventions à l'Académie des sciences, à la Journée nationale pour les enfants, à la Semaine musicale, à la radio et ailleurs). Il est grand-croix de l'ordre « pour le mérite » de la République populaire de Hongrie (1947), 1re classe de la même distinction avec le titre d' « artiste éminent » (1952), prix Kossuth (2 fois, 1948, 1952) ; ses 70e et 75e anniversaires ont été fêtés partout avec la plus grande sympathie (des expositions *K.* ont eu lieu, fin 1958, à Rouen et à Paris). Parmi les grandes figures musicales de notre temps, *K.* est de ceux qui, de leur vivant, sont entrés dans l'histoire.

**Œuvres**, orch. : « *Ouverture* » (1897, inédite) ; musique écrite pour une réunion des élèves du Collège Eötvös (1902, inédite), musique pour une autre réunion au Collège Eötvös (1903, inédite), « *Soir d'été* » (1906, remanié en 1929, *Minuetto serio*, 1953, 4), « *Anciens chants de soldats hongrois* » (« Rondo hongrois », 1917, inédits), *Háry János* (suite, 1927, 1), « *Ouverture de théâtre* » (1927, 1), « *Danses de Marosszék* » (1930, 1), « *Danses de Galánta* » (1933, 1), « *Variations sur un thème populaire hongrois* » (1938-1939, 7), *Concerto* (1939, 7), *Sur la tombe des martyrs* (1945, inédit), « *Marche de l'armée populaire* » (orch. à vent, 1949) ; chœur, *soli* et orch. : *Assumpta est* (1902, inédit), « musique-plaisanterie musicale », p. une réunion au Collège Eötvös, 1904, inédite), *Psalmus hungaricus* (1923, 1), *Te Deum* (1936, 4), *Missa brevis* (chœur mixte et orgue ou orch., 1944, 5), « *Pas de Deux de Kallo* » (1950, 4) ; théâtre : mus. de scène pour « *Le chant d'alouette* » (pièce de Zs. Moricz, 1917, inédite), « *Mus. de ballet* » (composée primitivement pour Háry János, 1925, 1), *Háry János* (1925-1927, 1), « *Soirée de fileuses siciliennes* » (1924-1932, 1), « *Conte Kuruc* » (ballet, argument de Z. Harsányi, sur la mus. des « Danses de Marosszék et de Galanta », 1935), *Cinka Panna* (1946-1948, inédite) ; mus. de chambre : *Trio* (2 viol. et alto, œuvre de jeunesse, inédit), *Quatuor à cordes* (œuvre de jeunesse, inéd.), *Adagio* (violon et piano, 1905, nombreuses transcriptions ultérieures, 1, 3, 4), 1er *Quatuor à cordes* (1908-1909, 3-4), *Sonate* (vcelle et piano, 1909, 1), *Duo* (v. et vcelle, 1914, 1), « *Rondo hongrois* » (vcelle et p., 1917, inédit), 2e *Quatuor à cordes* (1916-1918, 1), « *Sérénade* » (2 v. et alto, 1919-1920, 1), « *Trois préludes de choral* » de J.-S. Bach (transcrits p. vcelle et p., 1924, 3, 1), « *Prélude et fugue* » en *mi bémol* mineur de J.-S. Bach (transcrits p. vcelle et p., 1951, inédit), « *Epigrammes* » (9 pièces p. chant ou instr. et p., 1954, 4) — 2 œuvres de jeunesse jusqu'ici inédites sont publiées en appendice musical du volume « Hommage à Z.K. à l'occasion de ses 75 ans». *Intermezzo* p. trio à cordes (vers 1905) et 1er mouvement de la Sonate p. vcelle et p. ; pour instr. seul : *Méditation sur un thème de Cl. Debussy* (piano, 1907, 1), « *9 morceaux p. piano* » (1909, 3, 1, 4), « *Valsette* » (piano, 1909, faisait primitivement partie du même recueil que l'œuvre précédente, avec le titre de « Musique p. piano » (3, 4 — il en existe une transcription p. viole et p., de Telmányi, 3), *Sonate* (vcelle, 1915, 1), *Capriccio* (*id.*, 1915, inédit), « *7 pièces p. piano* » (1910-1918, 1), « *Danses de Marosszék* » (piano, 1927, 1), « *Appel du feu de camp* » (cl., 1930, 1, 4 dans la « Méthode pour cl. » de Balassa-Berkes-Járdányi-Szervánszky), *Prélude* (orgue, 1931, 1), « *Messe basse* » (*id.*, 1942, 2), « *Danses enfantines* » (1945, 5, 4), « *Fantaisie chromatique* » de J.-S. Bach (transcription p. alto, 1950, 5) ; *chœur a cappella* (nous n'énumérons ici que les œuvres les plus importantes) ; a. ch. d'enfants : *Villö* (1925, 1, 2, 6, paroles hongroises, allem., franç. et angl.), « *Le tsigane mange du fromage blanc* » (1925, 1, 2, 6, hongr., allem., franç., angl.), « *La St-Grégoire* » (1926, 1, 2, 6, hongr., allem., franç., angl.), *Lengyel László* (1927, 1, 2, 6, hongr., allem., fr., angl.), « *Jésus s'annonce* » (1927. 1. 2. 6, hongr., allem.), « *La cigogne* » (1929. 2, 6, hongr., allem., franç., angl.), « *Pour la Pentecôte* » (1929, 2, 6, hongr., allem., franç., angl.), « *Compliment p. le nouvel an* » (1929, 2, 6, hongr., allem., franç., angl.), « *Chanson à danser* » (1929, 2, 6, hongr., allem., franç., angl.), « *Epiphanie* » (1933, 2, 1, hongr., allem.), « *7 chœurs faciles et 3 canons* » (1936, 2, hongr.), « *Carillon* » (1937, 2, hongr.), « *Jardin des anges* » (5 chansons enfantines, 1937, 2, hongr.), « *Hue, mon cheval* » (1938, 2, hongr.), « *Soleil trompeur* » (sur une poésie de J. Arany, 1938, 2, hongr.) — *b.* ch. d'hommes : *2 chœurs* (1913-1917, 1, 2, hongr., allem., angl.), *Canti cum nuptiale* (1928, inédit), « *Chants de Karád* » (1934, 2, hongr.), « *Qui faudrait-il épouser?* » (1934, 2, 5, hongr., angl.), *Justum et tenacem* (Horace, 1935, 7, hongr., lat.), *Huszt* (poésie de Kölcsey, 1936, 2, 1, hongr., allem.), « *Le paon s'est posé* » (poésie d'Ady, 1937, 2, 5) ; *c.* ch. de femmes : « *Deux mélodies de la région de Zobor* » (1908, 1, hongr., allem., angl.), « *Nuits sur la montagne* » (1923, inédit, sans paroles), « *4 madrigaux italiens* » (1932, 7, 2) ; d. ch. mixte : *Soir* (poésie de P. Guylai, 1904, 1, 2, hongr., allem., angl.), « *Tableaux de Matra* » (1931, 2, 1, 6, hongr., allem., angl.), « *Les vieux* » (poésie de S. Weöres, 1933, 2, 1, 6, hongr., allem., angl.), « *Chanson triste sicilienne* » (1934, 2, 1, 6, hongr., allem., angl.), « *Jésus et les marchands du temple* » (1934, 2, 1, 6), hongr., allem., angl.), « *Ceux qui sont toujours en retard* » (poésie d'Ady, 1934, 2, 1, hongr., allem., angl.), « *Ode à F. Liszt* » (Vörösmarty, 1936, 2, 1, 6, hongr., allem., angl.), *Anna Molnar* (1936, 2, 1, 6, hongr., allem., angl.), « *Les filles norvégiennes* » (S. Weöres, 1940, 2, 5), « *Le chant oublié de Bálint Balassa* » (E. Gazdag, 1942, 2, hongr.), « *Prière* » (Balassi, 1943, 2, hongr.), « *Aux Siciliens* » (Petöfi, 1943, 2, hongr.), « *Chant d'avent* » (il en existe aussi une version de chant et orgue, 1943, 2, hongr.), « *Chant de bataille* » (Petöfi, 1943, 2, hongr.), « *Psaume n° 50 de Genève* » (1948, 2, hongr.), « *Oiseau triste* » (1953, inédit), « *Vœux de paix* » (B. Virág, 1953, 4, hongr.), « *L'appel de Zrinyi* » (avec solo de baryton, paroles de Zrinyi, 1954, 4, hongr.) ; *e.* ch. à plusieurs versions : « *Psaume n° 150 de Genève* » (1936, 2, hongr., franç.), « *Cantique à St-Etienne* » (1938-1952, 6), « *La Marseillaise* » (1948, 2, hongr., franç.), « *Chant de soir* » (1938-1939, 2, hongr.) ; ch. avec acc. : *Ave Maria* (av. orgue, inédit), *5 Tantum ergo* (ch. d'enfants, orgue, 1928, 2, 1), *Pange lingua* (ch. m., orgue, 1929, 1), « *Chant de soldat* » (ch. d'hommes, tr., tambour, 1934, 2, 1, 5, hongr., allem., ang .), « *Chant 44 de la Kalevala* » (ch. à v. égales, orgue ou piano, 1944, 2, *Missa brevis* (ch. m., orgue ou orch., 1944, 5), « *Psaume n° 114 de Genève* » (ch. m., orgue, 1951, 4) ; chant (avec acc.) : « Mélodie sur une poésie de Petöfi » (1902, inédit), « Mélodies pop. hongr. » (en collab. av. B. Bartók, 1906, 8, 4), « *4 Mélodies* » (1907, 1), *Enekszó* (paroles pop.) 1907-1909, 3, 4), « *2 Chants* » (poésies de Berzsenyi et d'Ady, 1912-1916, il en existe une version chant-orch.), « *Chant de Himfy* » (poésie de S. Kisfaludy, 1914, inédit, 7), « *Mélodies attardées* » (sur des poésies de Berzsenyi, Kölcsey et Csokonai, 1912-1916, 1), « *5 Mélodies* » (poésies de Balázs et d'Ady, 1915-1918, 1), « *3 chants* » (poésies de B. Balassi et de deux auteurs inconnus du XVIIe s, 1924-1929, 1 — les nos 1 et 3 existent également pour chant orch.), *Magyar népzene* (« Musique pop. hongr. », *I-X*, cahiers contenant 57 ballades et mél. pop., 1924-1932 — le n° 37 est de 1917 — 3, 1, 6 et en partie 4), « *Pas de deux de Kallo* » (1937, ds *Gyöngyösbokréta*, éd. Vajna, Budapest), *Admonicionis diacodi* (1941, 2), « *Première communion* » (D. Szedo, 1942, 7 — il en existe une version p. ch. m., 2), *Kádár Kata*, mezzo-sopr. et petit orch., p. le film de même nom, 1943, 7, 1, paroles hongr., allem., angl.), « *8 petits duos* » (d'après *Bicinia hungarica*, sopr., ténor et p., 1953, 4), « *Epigrammes* » (cf. mus. de chambre) ; œuvres didactiques : *15 exercices de chant à 2 v.* (1941, 7), « *Chantons juste* » (chœur à 2 v., 1941, 7, 2, 5), *Bicinia hungarica*, *I-IV* (1937-1942, 7, 2, 4), « *Etude de musique de chambre* » (ds « *Méthode de violon* » de Vásárhelyi-Gabriel, 1942, 2), *333 exercices de lecture* (1943, 2, 4), « *24 petits canons sur les touches noires* » (1945, 3, 4), « *Musique pentatonique, I-IV* (1945-1948, 2, 4), « *33 exercices de chant à 2 v.* » (1954, 4), « *44 exercices de chant à 2 v.* » (1954, 4), « *55 exercices de chant à 2 v.* » (1954, 4), *Tricinia* (28 exercices à 3 v., 1954, 4), divers recueils de chants (choisis et publiés en collab. avec Jeno Adám) à l'usage de l'enseignement de la mus. ds les écoles.

*N.B.* 1 = Universal Edition, Vienne ; 2 = éd. Magyar Kórus, Budapest ; 3 = éd. Rózsavölgyi, *ibid.* ; 4 = éd. Nat. (Musica hung.), *ibid.* ; 5 = éd. Boosey and Hawkes, Londres ; 6 = Oxford University Press ; 7 = éd. de l'auteur ; 8 = éd. Rozsnyai, Budapest.

Écrits et publications scientifiques (les plus importants) : « *Recherches folkloriques à Matyus-föld* » (en hongr., 1905, ds *Ethnographia*), « *La structure strophique de la chanson pop. hongr.* (*id.*, 1906, ds *Nyelvtudományi Közlemények*), « *Coutumes pop. dans la région de Zobor* » (*id.*, 1909, ds *Ethnographia*), « *L'échelle pentatonique dans la mus. pop. hongr.* » (*id.*, 1917, ds *Zenei zemle*), « *Le chant d'Argirus* » (*id.*, 1920, ds *Ethnographia* et, plus récemment, ds *Zenetudományi Tanulmáyok, IV*, 1955), « *Hongrois de Transylvanie* » (mélodies pop., av. B. Bartók, 1923, *cf.* art. *hongroise, mus. pop.*), *Béla Bartók* (1921, ds *RM*), *Les sonates de Béla Bartók* (1923, *ibid.*), « *Ethnographie et hist. de la mus.* » (en hongr., 1933, ds *Ethnographia*), « *Structure mél. particulière dans le folklore des Tchérémisses* » (1934, *id.*, ds « Hommage à J. Balassa »), « *La mus. pop. hongr.* » (Budapest, 1936, *cf. hongroise, loc. cit.*), trad. allem. éd. Corvina, Budapest — ouvrage destiné primitivement au tome IV de « L'ethnographie du peuple hongrois » ; le 1er chap. figure dans le cahier publié en fr., en allem., en angl. et en russe, par l'Institut des relations culturelles de Budapest, à l'occasion du 70e anniversaire de K.), « *La chanson paysanne* » (ds *Visage de la Hongrie*, Plon, Paris 1938), « *Qu'est-ce que le caractère hongrois dans la musique?* » (1939, en hongr., ds *Apollo*, en angl. ds *Hungarian Quarterly*, en allem. ds *Pester Lloyd*.), « *La mus. a l'école maternelle* » (en hongr., ds *Magyar Zenei Szemle*, 1941), « *Musique pop. et mus. savante* (*id.*, 1941, contribution au recueil d'études intitulé « Seigneurs et paysans dans l'unité de la vie hongroise » ; publié, en trad. fr., allem., angl. et russe, dans le cahier commémoratif de l'Institut des relations culturelles), *Die ungarische Volksmusik* (ds Bartha-Kodaly, *Die ung. Musik*, éd. Danubia, 1943), *Della musica popolare* (1947, ds *Musica*), « *Béla Bartók, l'homme* » (en hongr., 1947, ds *Zenei Szemle*), « *Bartók, le folkloriste* » (*id.*, 1950, ds *Uj Senei Szemle*, en fr., *RM*, 1952), préfaces des 1er et 2e vol. du *Corpus musicae popularis hung.* (en hongr., 1951, 1952), « *Danses hongroises de 1729* » (*id.*, 1952, ds *Uj Zenei Szemle* et Communications de la section littéraire et linguistique de l'Académie hongr. des sciences), « *Le recueil de chants pop. de J. Arany* » (*id.*, 1952, éd. de texte mus. avec

A. Guylai, Budapest, Acad. des sciences), « *La musique est à tout le monde* » (recueil des écrits de K. sur la mus., publié par A. Szöllssöy, Budapest 1954, en hongr.).
**Bibl.** : M.T. Chiesa, *K.*, ds *L'Ambrosiana*, Milan 9.6.1937, L. Nediani, *id. ibid.* 17.6.1937 ; A. Toth, *Z.K.*, ds *Anbruch*, Vienne, Universal éd. 1932, nᵒˢ 9-10 ; G. Pannain, *id.*, *Modern Composers*, Londres 1932 ; F. Haraszti, *Z.K.*, ds « Nouvelle Revue de Hongrie », 1933 ; M.D. Calvocoressi, *Choral music of Z.K.*, ds *The Listener*, 8.1.1936, Londres ; R.A. Molnar, *K.Z.* (en hongr.), Budapest 1936 ; M.D. Calvocoressi, *K.'s ballet music*, ds *The Listener*, *XVIII*, 449, Londres 1937 ; S. Failoni, *K. nel sessantesimo anniversario della nascita*, Corvina, Budapest 1942 ; L. Vargyas, *Z.K.* (en allem.) ds *Ungarn*, II, 12, Budapest 1942 ; S. Veress, *K.Z. hatvan éves* (« Z.K. a 60 ans », en hongr.), ds *Magyar Senei Szemle*, Budapest 1943 ; « *Mélanges offerts à Z.K. à l'occasion de son soixantième anniversaire* (rédigés par B. Gunda), Budapest, 1943 (en hongr. avec résumés en allem., en franç., en angl. ou en it.) ; A. Szöllösy, *Kodaly müvészete* (« L'art de K. », en hongr.), Budapest 1943 ; I. Sonkoly, *K. az ember, a Müvész, a nevelö* (« K. l'homme, l'artiste, l'éducateur », en hongr.), Nyiregyháza 1948 ; A.E.F. Dickinson, *K's Choral Music*, ds *Tempo*, nᵒ 15, Londres, juin 1946 ; E. Haraszti, *Z.K. et la musique hongroise*, ds *RM*, févr. 1947 ; M Seiber, *Kodaly :. Missa brevis*, ds *Tempo*, nᵒ 4, Londres 1947 ; W.H. Mellers, *K. and the christian epic*, ds *Studies in contemporary music*, Londres 1947 ; J.S. Weissmann, *K's later orchestral music*, ds *Tempo*, nᵒ 17, Londres 1950 ; *Le 70ᵉ anniversaire de Z.K.*, Budapest 1952 (Inst. des rel. cult. en 4 langues), « *Hommage à Z.K. pour ses 70 ans* » (en hongr., Budapest 1952, études de Vargyas, Szabolcsi, Szöllösy et Toth.) ; art. de J.S. Weissmann, ds *Grove's Dict. of music*, Londres 1954 ; J. Gergery, *Z.K. Música Húngaro e Mestre universal*, ds *Gaz. mus.* nᵒˢ 49-51, Lisbonne 1954 ; L. Eösze, *K.Z. élete és munkássága* (« La vie et l'activité de Z.K. » en hongr.) Moscou 1954 ; « *Etudes musicologiques pour le 75ᵉ anniversaire de Z.K.* (en hongr., publié par B. Szabolcsi et D. Bartha, textes de Molnar, Szabolcsi, Weissmann, Kovács, Eösze) ; J.S. Weissmann, *Notes to K.'s recent setting of hungarian dances*, ds *Tempo*, nᵒ 32, Londres 1954 ; L. Eösze, *K.Z. élete reépkében* (« La vie de Z.K. en images »), Budapest 1957. J.G.

**KHODZA-EJNATOV Léon Alexandrovitch.** Compos russe d'origine arménienne (Tiflis 1904-Leningrad 1955). Elève de Spendiarov et de Rjazanov. il écrivit des opéras : *Mjatež* (1938), *Tri vstreči*, *Namus*, de la mus. symph. et voc. et publia des art. dans divers périodiques.

**KÖ-EUL-NAI.** C'est une cithare sur caisse, de l'orchestre musulman dans la Chine ancienne ; l'instrument, de même famille que le *qanoun* (voir à ce mot) possède dix-sept doubles cordes et une corde simple, la plus longue ; les cordes sont, soit grattées avec des onglets ou un plectre, soit frappées. M.H.T.

**KOECHEL** (*Köchel*) **Ludwig**, *Ritter von.* Musicologue autr. (Stein a. d. Donau 14.1.1800-Vienne 3.6.1877). Etudiant de l'univ. de Vienne (droit), précepteur du prince impérial (1827-1842), anobli en 1842, prof. à Vienne (1842-1847), il était passionné de botanique et de minéralogie et fit de nombreux voyages en Sicile, en France, en Suisse, à ce sujet ; en 1848, il présida le *Landgericht* de Teschen et fut *Landeshauptmann* ; en 1850, il était *Schulrat* à Salzbourg, poste qu'il conserva deux ans ; en 1853, il reprenait ses voyages botaniques (Berlin, Stettin, St-Pétersbourg, Moscou, Copenhague, Christiania, le cap Nord) : après quoi, il vécut dix ans à Salzbourg, continuant à se consacrer à la botanique et à la minéralogie ; ce n'est qu'en 1856 qu'il s'intéressa à Mozart ; en 1863, après des voyages d'études mozartiennes en Allemagne, en Angleterre et en France, il revint à Vienne comme président du *Landgericht ;* en 1874, il voyageait encore en Italie et en Sicile ; on lui doit *Mozart. Zu seiner Säcular feier im Jh. 1856. Canzonen* (Salzbourg [1856]), *Über den Umfang der musical. Produktivität W.A. Mozarts* (ibid. 1862), *Chronologisch-thematisches Verz. sämtl. Tonwerke W.A. Mozarts* (Leipzig 1862, 1905, 1937, 1947), *Mozarts Requiem* (ds *Rez. u. Mitt. über Theater u. Musik*, X, Vienne 1864), *Drei u. achtzig neu aufgef. Orig.-Briefe L. van Beethovens an den Erzherzog Rudolf* (ibid. 1865), *Die Pflege d. Mus. am österr. Hofe vom Schlusse d. XV. bis zur Mitte d. XVIII Jh.* (ibid. 1866), *Nachruf an J. Freiherrn v. Spaun* (ibid. 1866), *Vier Briefe Beethovens a.d. Grafen Brunswick* (ds *Zellners Bl. f. Th., Mus. u. bild. Kunst*, XIII, 34, ibid. 1867), *Zur Biogr. W.A. Mozarts* (ds *Jb. f. Landeskunde v. Nieder-Öst.*, I, ibid. 1868), *Die kais. Hof-Musikkapelle in Wien* n: 1543-1867 (ibid. 1869), *J.J. Fux...* (ibid. 1872) ; on lui doit d'autres travaux scientifiques ou biographiques, mais son meilleur titre de gloire est le

célèbre catalogue thématique des œuvres de Mozart qu'on trouvera d'ailleurs inséré à l'art. *Mozart* dans la présente encyclopédie ; une réédition en est en cours. Voir E.F. Schmid in MGG.

**KOECHLIN Charles.** Compos. franç. (Paris 27.11.1867-Le Canadel 4.1.1951). Il appartenait à la famille des industriels d'Alsace bien connue et entra à Polytechnique, qu'il quitta au bout de deux ans pour se consacrer à la musique : il entra à 23 ans au cons. de Paris (Taudou, Massenet, Gédalge, Bourgault du Coudray, G. Fauré) : ce dernier lui confia l'orchestration de *Pelléas et Mélisande* ; sa vie fut celle d'un théoricien et d'un compositeur indépendant, dont l'influence était grande sur ses confrères : il n'avait aucun souci de la publicité et avait su retrouver, sans doute grâce à ses origines alsaciennes, un style de vie tout à fait original (voire déconcertant, ne serait-ce que sous l'aspect vestimentaire) ; notons qu'en 1928 il enseigna l'harmonie à l'univ. de Californie, plus tard à San Diego, en 1937 à la *Schola cantorum* ; en 1932, l'orch. symph. de Paris donna un festival de ses œuvres à la salle Pleyel, et on fêta son 80ᵉ anniversaire ; en 1949, il fut « *grand prix de la musique française* » ; de ses nombreux élèves, citons Poulenc et Sauguet.

**Œuvres,** mus. vocale, piano et chant : *22 Rondels* (1890-1900), 4 recueils de *Mélodies* (id.), *Chansons de Bilitis* (1898-1908), *Chanson d'amour* (1894), *Colibri* (1899), *Juin* (1900), *Menuet* (1897), *Midi* (1900), *La prière du mort* (1896), « *Si tu le veux* » (1894), *Moisson prochaine* (1893), *4 Poèmes* (1890-1895), *Les clairs de lune* (1893)., *Vocalises, études, Shéhérazade* (1ᵉʳ recueil 1914-1916, op. 56-2ᵉ recueil 1922-1923, op. 84), « *J'ai rêvé cette nuit* » (1906, op. 35 nᵒ 1 ), *Le paysage dans le cadre des portières, Des roses sur la mer, Chœur des voleurs* (op. 44, 1910-1911), *Dissolution, Hymne à Vénus* (op. 68, 1918), *Poème* (1927), « *Je suis jaloux, Psyché* » (op. 104, 1928), *Vocalise* (op. 108, 1929), *L'album de Lilian* (op.` 139, 1934-1935), *Sept chansons pour Gladys* (op. 151, 1935), *15 vocalises dans tous les tons majeurs* (op. 152, id.), *15 vocalises dans tous les tons mineurs* (op. 154, id.), *4 vocalises pour le cons. de St-Étienne* (op. 212, 1947), *Dans le ciel clair* (1894), *Sous bois* (1897), *La nuit* (1893), *Le renouveau* (id.), *Promenade galante* (id.), *La vérandah* (id.), « *Libérons Thaelmann* » (1934), *Cantique nᵒ 31* (1911), *La fin de l'homme* (op. 11, 1895), *La lampe du ciel* (op. 12, 1896), *L'abbaye* (op. 16, 1899-1902 - op. 42, 1906-1908), *La chute des étoiles* (op. 40, 1905-1909), *15 motets de style archaïque* (op. 225, 1949), *Chant des bateliers de la Volga*, mus. chor. d'église a cappella, *Jacob chez Laban* (« pastorale biblique », op. 36, 1896-1908) ; mus. instr., piano : *L'ancienne maison de campagne* (1932-1933), *L'école du jeu lié* (1919-1920), *24 esquisses* (1905-1915), *10 petites pièces faciles* (1919-1920), *12 petites pièces* (id.), *4 nouvelles sonatines* op. 87, 1923-1924), *12 préludes* (1946), *64 exercices à deux parties* (1919-1920), *12 petites pièces faciles* 1946), *La chemin des oiseaux* (op. 65, 1916-1919), *Le portrait de Daisy* (op. 140, 1934), *Les chants de Kervelean* (op. 197, 1943), *Suite* (op. 19, 1900), *4 sonatines franç.* (1919), *Suite* (op. 9, 1896) ; orgue : 1ʳᵉ *sonatine* (1929), *Choral* (1924), *Six chorals pour les cérémonies funèbres, 24 petits chorals, 4 chorals pour orgue sur une même basse donnée de Renée Philippart, 10 chorals, 4 chorals en canons, Prélude nᵒ XIV en canons* (op. 209), *Fugue* (op. 126, 1933), *Adagio* (op. 201, 1944), *id.* (op. 201 b, id.), *2 sonatines* (op. 107, 1929), *Cent thèmes pour improvisations à l'orgue* (op. 192, 1943), *Adagio d'orgue* (op. 211, 1947) ; pour divers instr. : *14 pièces* (op. 179, 1942), *Suite* (op. 185, id.), *Duos* (op. 195, 1943), *Les chants de Nectaire* (op. 198, 1944), *Stèle funéraire* (1950), *Monodies* (op. 216, 1948), *Pièce de flûte* (op. 218, id.), *Pièce* (op. 218, id.), *Monodie pour lame sonore* (op. 220, id.), *Trois sonatines* (1942) ; piano et instr. : *Sonate* (v. et p., 1916), *Id.* (alto et p.), 1915), *Id.*, (vcelle et p., 1917), *Chansons bretonnes* (1931-1934), *Sonate* (htb. et p., op. 58, 1916), *Id.* (cor et p., op. 70, 1918-1925), *Id.* (basson et p., op. 71, 1919), *14 Pièces* (cl. et p. ; op. 178, 1942), *14 Pièces* (cor et p., op. 180, id.), *15 Études* (sax., alto et p., op. 188, 1943), *Sonate* (fl. et p., 1913), *14 pièces* (id., 1942), *Première sonate* (cl. et p., 1923), *Deuxième sonate* (id.), *Pièce* (cor et p.) , mus. de chambre : *Suite en quatuor* (op. 55, 1915), *Quintette* (op. 80, 1921), *Quatuor à cordes nᵒ 1* (1913), *nᵒ 3* (1917-1921), *Trio* (1924), *Sonate* (2 fl., 1920), *Divertissement* (1924), *Trio* (1945), *Septuor* (1937), *Primavera* (1936), *Idylle* (1944), *2 quatuors à cordes* (op. 57, 1915-1916), *Sonatine modale* (fl. et cl., op. 155, 1936), *Deux sonatines* (op. 194, 1943), *Deux duos* (1949), *Sonate à sept* (op. 221, 1949), *2 quintettes* (op. 223, 1950) ; mus. symph. : *4 sonatines franç.* (op. 60 b, 1919), *Les heures persanes* (op. 65, 1919), *5 chorals* (op. 76 nᵒ 2, 1919), *En mer, la nuit* (op. 26, 1904), *Chant funèbre à la mémoire des jeunes femmes défuntes* (op. 37, 1907), *Nocturne vers la plage lointaine* (op. 43 nᵒ 2, 1909), *Vers la voûte étoilée* (op. 129, 1933), *Nuit de Walpurgis classique* (op. 38, 1907), *Première symph.* (op. 57b, 1927), *Symph. d'hymnes : Hymne au soleil* (op. 127, 1933), *Hymne au jour* (op. 110, 1929), *Hymne à la nuit* (op. 48 nᵒ 1, 1912), *Hymne à la jeunesse* (op. 148, 1934), *Hymne à la vie* (op. 69, 1918), *Suite légendaire* (op. 54, 1915), *The bride of a god* (op. 106, 1929), *Fugue symph.* (op. 121, 1932), *Rhapsodie sur des chansons franç.* (op. 62, 1916), *Le livre de la jungle : la course de printemps* (op. 95, 1925), *la méditation de Purun Baghat* (op. 159, 1936), *la loi de la jungle* (op. 175, 1939), *les Bandar-log* (op. 176, 1939), *3 Chorals* (op. 76 nᵒ 1, 1919), *The seven stars' symph.* (op. 132, 1933), *5 Chorals dans les modes du moyen-âge* (1931–1932), *Fugue* (id.), *L'offrande musicale sur le nom de Bach* (1942), *Les saisons* : *l'automne* (op. 30, 1896–1906), *Deux poèmes symph.* (op. 47, 1910–1912), *L'été* (op. 48, id.), *Choral, finale* (op. 69, 1918), *Études antiques* (op. 46, 1908–1914), *La cité nouvelle, rêve d'avenir* (op. 170, 1937–1938), *Le buisson ardent* (1 : op. 203, 1945, 2 : op. 171, 1938), *Seconde symph.* (op. 196, 1943), *Le docteur Fabricius* (op. 202, 1941–1944), *Victoire de la vie* (op. 167, 1938), *Fantaisie de Schubert* (instr. de K.), *Sur les flots lointains* (op. 130, 1933), *Le jeu de la Nativité, mystère du moyen-âge* (op. 177, 1941), *Partita* (1945), *Choral sur le nom de Fauré* (1945), *Paysages et marines* (1916), *20 sonneries pour trompes de chasse* (op. 142, 1935), *Id.* (2ᵉ série, op. 142, 1935), *Choral pour une fête de plein air* (1935–1936), *Prélude à une fête populaire* (id.), *La victoire* (id.), *Jeux* (id.), mus. de scène pour *14 juillet* de R. Rolland (1936), *Les eaux vives* (id.), *Hymne au jour* (op. 110, 1929), *Poème* (op. 70 b, 1927), *Trois chorals* (op. 49, 1920–1921), *Silhouettes comiques* (op. 193, 1943), *Ballade* (1913), *20 chansons bretonnes* (1931–1934) ; mus. de film : *L'Andalouse dans Barcelone* (op. 134, 1933), *Victoire de la vie* (op. 167, 1938), *Les confidences d'un joueur de clarinette* (op. 141, 1934), mus. de ballet : *La divine vesprée* (op. 67, 1917), *La forêt païenne* (op. 45, 1916) ; (écrits tous publiés à Paris) : *Traité de l'harmonie, Étude sur la fugue d'école, Etude sur les notes de passage, Solfège progressif à deux voix, Solfège progressif à trois voix, Basse et chant du concours d'harmonie de 1942* (cons. de Paris), *Traité de l'orchestration, Précis des règles du contrepoint, Théorie de la musique, Les instruments à vent, Etude sur le choral d'école, Traité de la polyphonie modale, Gabriel Fauré, Debussy, Hist. de la mus. franç. depuis Berlioz et Gounod*, des art. dans div. périodiques et revues.

Voir D. Calvocoressi, *C.K.*, Paris 1920 ; P. Renaudin, *C.K.*, Paris 1952 — art. in MGG.

**KOECKERT Rudolf.** Violon. allem. (Grosspriesen 27.6. 1913–). Elève du cons. de Prague, il a exercé à la radiod. tchèque, à l'orch. philharm. allem. de Prague (1939–1945), à l'orch. symph. de Bamberg (1936–1947), est dep. 1949 *Konzertmeister* à l'orch. symph. de Radio-Munich, ainsi que, dep. 1952, prof. au cons. Léopold-Mozart d'Augsbourg ; il a fondé en 1939 le quatuor qui porte son nom, à la tête duquel il fait une carrière internationale.

**KOEHLER** (*Köhler*) **Christian Louis Heinrich.** Pian. allem. (Brunswick 5.1.1820–Kœnigsberg 16.2.1886), élève de Czerny, qui fut également chef d'orch., critique, prof., composa notamment 3 opéras, 2 ballets, et publia nombre d'ouvrages pédagogiques. Voir E. Kroll in MGG.

**KOEHLER** (*Köhler*) **Ernesto.** Flûtiste autr. (Modène 4.12.1849–St-Pétersbourg 17.5.1907). Elève de son père à Modène, 1ʳᵉ flûte du *Carltheater* à Vienne, puis au Théâtre impérial, enfin soliste de la cour de St-Pétersbourg, il a laissé un grand nombre d'œuvres pour son instr., parmi lesquelles 1 concerto (op. 97) ; il est aussi l'auteur de ballets et d'1 opéra : *Ben Achmed.* A.G.

**KOEHLER** (*Köhler*) **Gottlieb Heinrich.** Mus. allem. (Dresde 6.7.1765–Leipzig 29.1.1833), qui fut prof. de piano et de flûte à Dresde, puis flûtiste au *Gewandhaus* de Leipzig : il fut le dernier des *Ratsmusiker* de Leipzig ; il composa un grand nombre d'œuvres de flûte, de piano, de guitare, de mus. de chambre et mélodies. Voir R. Eller in MGG.

**KOEHLER** (*Köhler*) **Wolfgang.** Compos. allem. (Brunswick 12.6.1923–). Elève de Fortner, de Gress, de Heiss, de Leibowitz, il est dep. 1951 prof. au cons. de Göttingen ; on lui doit 2 trios (1940), 1 quatuor (id.), 2 sonates de violon (1946, 1950), 1 quintette à vent (1949), 1 concerto d'orch. (1951), 1 symph. (1953), 1 sérénade (cordes, 2 p. et timbales, 1953), des pièces de piano.

**KOELER** (*Köler, Colerus, Koler*) **David.** Mus. allem. (Zwickau v. 1532–25.7.1565). Elève de l'univ. d'Ingolstadt, cantor à Schönfeld (1554–1555), St-Joachimsthal (1556–1557), Altenburg (1557–1563), maître de chapelle à la cour de Schverin, enfin cantor à Zwickau (1565), on a conservé de lui un livre de psaumes (4-5-6 v., Leipzig 1554), un *Lied* à 4 v. (1553), 1 messe à 7 v. sur un thème de Fasquin (bibl. de Zwickau), 1 canon, 1 psaume, 1 *Te sanctum* etc., dans des recueils de l'époque ou en mss ; on a perdu ses sonates. Voir G. Eismann, *D.K.*, thèse d'Erlangen, 1942 — *Id.* ..., Berlin 1956 — art. in MGG.

**KOELER** (*Köler, Colerus*) **Martin.** Mus. allem. (Dantzig v. 1620–Hambourg 1703 ou 1704). En 1663, il est maître de chapelle à la cour de Wolfenbuttel, en 1671 à Bayreuth,

en 1675 à la cour de Gottorp ; il passa les dernières années de son existence à Hambourg ; on a conservé de lui une cantate de mariage (Hambourg 1661), *Brandanus Lange Janus...* (id. ibid.), *Sulamithische Seelen Harmoni...* (ibid. 1662), 2 cantates, des *Lieder* et des concertos dans des recueils de l'époque ou en mss. Voir F. Chrysander, *Gesch. d. braunschweig-wolfenbüttelschen Capelle u. Oper*, ds *Jb. f. m. W.*, I, Leipzig 1863 ; B. Engelke, *Die gotterfer Hofkapelle unter J. Theile u. M. Colerus*, ds *Kieler Bl.*, 1943 ; M. Runhke in MGG.

**KOELLREUTTER Hans Joachim.** Compos. et flûtiste allem. (Fribourg-en-Brisgau 2.9.1915–). Elève de Scherchen et de Marcel Moyse, il s'établit en 1937 au Brésil, où il a déployé une intense activité comme prof., compos. et comme interprète ; avec quelques-uns de ses élèves, il a fondé en 1948 le *Grupo Música Viva*, qui rassemblait tout ce que le pays comprenait de plus intéressant en matière de musique moderne, et qui fut pendant assez longtemps le seul groupement homogène de musique contemporaine dans toute l'Amérique latine ; la plupart des œuvres de K. sont des compositions de mus. de chambre, d'une écriture très soignée et très intéressante, par la recherche des sonorités.               D.D.

**KOELTZSCH** (*Költzsch*) **Hans.** Musicologue allem. (Gössnitz 17.8.1920–). Elève des univ. de Halle, Leipzig, Berlin, Erlangen, docteur avec sa thèse *F. Schubert in seinen Klaviersonaten* (Leipzig 1927), il a été régisseur et « Dramaturg » dans des théâtres à Essen, Bielefeld et aux postes radioph. de Sarrebruck, Prague, Berlin, Riga, Hambourg.

**KOENIG Gottfried Michael.** Compos. allem. (Madgebourg 1926–). Fils d'un pasteur dont il semble avoir hérité le goût de l'exégèse, K. a interprété les matériaux de provenance électronique, fournis par les appareils qu'il avait à sa disposition, dans ses *Klangfiguren, II*, dont la conception identifie parfaitement les procédés de réalisation technique et l'acte de composer ; il est axé sur les rapports entre grammaire musicale et technologie ; la désagrégation d'un élément compositionnel est susceptible de se traduire par la destruction des matériaux rassemblés. Cette œuvre a attiré l'attention des milieux d'avant-garde sur ce compositeur formé en marge de l'enseignement officiel. Il a pu alimenter ses recherches au studio de musique électronique de la radiodiffusion de Cologne, où il a collaboré avec Stockhausen (1953) ; sa dernière composition électronique, *Essay*, voudrait en finir avec toute sonorité à durée délimitée, comprise entre l'attaque et la cessation du son, mais, faute de possibilités d'une meilleure différenciation technique, leur « liquidation » (visée) n'y est pas encore mise au point ; [l'œuvre, qui pose et expose parfaitement le problème, prépare un nouvel effort, qui parachèvera la suspension de l'isolationnisme traditionnel, physique et phénoménologique, de l'événement sonore.] Les œuvres instrumentales de Koenig, dont le *Quintette* pour bois et un cycle pour piano sont les plus récentes et explorent certaines données spécifiques des instruments. Son orchestration de *l'art de la fugue* de J.-S. Bach et ses *Morphotische Studien* pour orchestre, d'après la pièce *For David Tudor* (1952) d'Earle Brown, sont en quelque sorte des exégèses. Œuvres : *Diagonalen* (orch.), *Klangfiguren I* (mus. électronique), *Klangfiguren II* (mus. électronique stéréophonique, 4 haut-parleurs), *Quintette* (bois), *Pièces pour piano, Essay* (mus. électronique), *Morphotische Studien* (orch.).               H.K.M.

**KOENIG** (*König*) **Johann Balthasar.** Mus. allem. (Waltershausen fin janv. 1691–Francfort, fin mars 1758). Enfant de chœur à la maîtrise, membre de la chapelle, dir. de mus. à Sta-Katharina (1721), il fut dir. de la mus. de Francfort, d'abord en second (id.), puis 1ᵉʳ (1727) ; on lui doit 26 cantates avec acc. instr. (18 autres n'ont pas été retrouvées), une marche instr. à 3 v., *Harmonischer Lieder-Schatz oder Allg. ev. Choral-buch...* (Francfort 1738–1767). Voir A. Adrio, éd. de la cantate *Ach, Jesus geht zu seiner Pein*, Berlin 1947 (av. préface) ; *Kirchl. Musikhss. d. 17. u. 18 Jh. d. Stadtbibl. Frankfurt*, cat. de C. Süss, éd. P. Epstein, Francfort 1926 ; W. Blankenburg in MGG.

**KOENIG** (*König*) **Johann Mattheus** (*Matthias*). Mus. allem., dont l'état civil est inconnu, de qui on sait seulement qu'il fut greffier de la chambre à Ellrich et qu'il fut l'ami du poète L.F. Günther von Göckingk ; on lui doit des *Lieder*, des suites de clavecin, 2 *Singspiele*, publiés pour la plupart à Berlin entre 1778 et 1790. Voir H. Becker in MGG.

**KOENIGSLÖW** (*Königslöw*) **Johann Wilhelm Cornelius von.** Org. allem. (Hambourg 16.3.1745–Lubeck 14.5.1833). Élève de son père et de Kuntzen, il fut de 1773 à 1832 org. à la *Marienkirche* de Lubeck et chef d'orch. des *Liebhaberkonzerte* (à partir de 1791) ; ses *Abendmusiken* furent célèbres ; il en publia une quinzaine, ainsi que des cantates, des œuvres symph., d'orgue, 1 concerto de clavecin et 1 livre de chorals. Voir G. Karstädt in MGG.

**KOENIGSPERGER** (*Königsperger*) **Marianus** (*Johann Erhard*). Bénédictin allem. (Roding 4.12.1708–Prüfening près Ratisbonne 9.10.1769). Il appartint à l'abbaye de Prüfening depuis son enfance et y fut maître de chapelle et organiste ; on lui doit une quantité innombrable d'œuvres de mus. d'église, publiées à Augsbourg, et nombre d'œuvres instr. : sonates, symph., *praeambula* etc. (on a d'ailleurs perdu une grande partie, ainsi que des *Singspiele*). Voir F. Zwickler, *M.K.*, thèse de Mayence (en préparation) ; A. Scharnagl in MGG.

**KOERLING** (*Körling*). —
**1. Sven August.** Compos. suédois (Kristdala 14.4.1842–Ystad 21.10.1919), prof. et org., auteur de chœurs et de mélodies ; son fils — **2. Felix A.** (*ibid.* 17.12.1864–Halmstad 8.1.1937), prof., chef de chœur, org., auteur d'opérettes, de chœurs et de mélodies, de même que son frère — **3. Sven Holger,** org., cantor et prof. à Göteborg ; le fils de Felix — **4. Einar** (Halmstad 26.1.1897–), éditeur, dirige le *K. Förlag* à Stockholm.

**KOERNER** (*Körner*) **Christian Gottfried.** Mus. allem. (Leipzig 2.8.1756–Berlin 13.5.1831). Ami de Schiller, avocat consistorial, il entretint chez lui à Dresde (1783–1795) une société de chant et composa des *Lieder* sur des poèmes de Gœthe et de Schiller ; on lui doit également *Ästh. Ansichten* (Leipzig 1808) ; dans ses *Gesamm. Schriften* (*ibid.* 1881), on trouve *Über Charakterdarstellung i. d. mus.,* qu'il écrivit pour les *Horen* de Schiller en 1795 — Son fils, *Theodor* (Dresde 23.11.1791–Gadebusch 26.8.1813), fut poète, dramaturge, ami de Beethoven. Voir K. Goedeke, *Schillers Briefwechsel m. K.,* 2 vol., Leipzig-Berlin 1874 ; A. Weldler-Steinberg, *Th. K.s Briefwechsel m. d. Seinen,* Leipzig 1910 ; F. Jonas, *C.G.K. ...,* Berlin 1882 ; M. Braeker, *G.K.s ästh. Anschauungen,* thèse de Munster, 1928 ; K. Heim in MGG.

**KOERNER** (*Körner*) **Gotthilf Wilhelm.** Org. allem. (Teicha 3.6.1809–Erfurt 3.1.1865), qui exerça à Köthen, Hettstädt, Halle etc. Erfurt, comme org., prof., éditeur : il composa ou publia nombre de recueils de mus. d'orgue. Voir Th.-M. Langner in MGG.

**KOERPPEN Alfred.** Compos. allem. (Wiesbaden 16.12.1926–). Élève du *Mus. Gymnasium* de Francfort (K. Thomas, O.A. Graef), org. à Francfort, puis (1948) prof. de compos. à l'Acad. de mus. de Hanovre, il a écrit *Sinfonietta* (1946), *Concerto grosso* (1947), *Sinfonie* (*id.*), *Orpheus in Thrazien* (piano, 1950), *Serenade* (*id.* 1952), *Jahrmarkt* (*id.* 1958), *Sonate* (p. et fl., *id.*), de la mus. voc. : *Das hohe Lied Salomonis* (1945), *Vier Madrigalien* (1946), *Es sungen drei Engel* (motet, 1947), *Lieder d. jungen Reiters* (1948), *Vagantenballade* (*id.*), *Acht Zeitlieder* (*id.*), *Drei Lieder* (*id.*), *Fünf Balladen* (1949), *Zwei Sängersprüche* (1951), *Der Turmbau zu Babel* (or., *id.*), *Zwei Hymnen* (1952), *Missa pro fidei propagatione* (*id.*), *Scholaria* (cantate, 1954), *Das Feuer d. Prometheus* (or. 1956), 1 opéra : *Virgilius, der Magier v. Rom* (1953). Voir A.K., *Zur Missa pro fid. prop.,* ds *ZfM*, 114.

J.B. Koenig

*Harmonischer Lieder-Schatz. Page de titre (Francfort 1738).*

**KOESSLER** (*Kössler*) **Hans.** Compos. allem. (Waldeck 1.1.1853–Ansbach 23.5.1926). Cousin de M. Reger, il a été org., chef de chœur et d'orch., prof. à Dresde, Cologne, Budapest ; on lui doit de la mus. symph., voc., 1 opéra : *Der Münzenfranz* (Strasbourg 1902) ; beaucoup de ses œuvres sont restées manuscrites ou ont été perdues. Voir R. Sietz in MGG.

**KOESTLIN** (*Köstlin*) **Heinrich Adolph.** Ecclésiastique allem. (Tübingen 4.9.1846–Cannstatt 4.6.1907). Pasteur, prof., théologien, il a publié *Gesch. d. Mus. im Umriss f. d. Gebildeten aller Stände* (Tübingen 1875), *C.M. v. Weber u. F. Silcher* (Stuttgart 1877), *Die Tonkunst, Einführung i. d. Ästh. d. Mus.* (*ibid.* 1879), ainsi que des art. dans des périodiques ou ouvrages collectifs. Voir Chr. Mahrenholz in MGG.

**KOESTLIN** (*Köstlin*) **Karl Reinhold von.** Philosophe allem. (Urach 28.9.1819–Tübingen 12.4.1894). Prof. à l'univ. de Tübingen, il a rédigé le 5e vol., intitulé *Die Musik,* de l'*Ästh. oder Wissenschaft des Schönen* de F. Th. Vischer (Munich 1856), publié *Ästhetik* (Tübingen 1863), *Hegel... (ibid.* 1870), *R. Wagners Tondrama : Der Ring des Nibelungen (ibid.* 1877), *Über dem Schönheitsbegriff (ibid.* 1878), *Prolegomena zur Ästh. ... (ibid.* 1889). Voir C. Dahlhaus in MGG.

**KOETEV Philip.** Compos. bulgare (Aitos 1903–). Élève de l'acad. de mus. de Sofia, il est secrétaire de la Soc. des compos. bulgares et dir. art. de l'Ensemble nat. de chant et de danse populaire bulgare ; on lui doit de la mus. symph. (1 symph., les suites *Lazarka*, chœur et orch., et *Sacharska*), de film.

**KOETSIER Jan.** Chef d'orch. et compos. néerl. (Amsterdam 14.8.1911–). Il a fait ses études à Berlin, puis a été chef d'orch. à Lubeck, Berlin, Amsterdam (*Concertgebouw*, 1942–1949), La Haye (orch. de la Résidence, 1949–1950) ; depuis 1950, il est chef d'orch. à Radio-Munich et vit à Starnberg ; on lui doit de la mus. symph. (3 symph., 1945, 1946, 1953, *Musique pour 4 orch.*, op. 28, concertos), 1 ballet : *Demeter* (1943), 1 opéra : *Frans Hals* (1951), de la mus. de chambre, d'orgue, de piano, des chœurs, des mélodies.

**KOFFLER Jozef.** Compos. et musicologue polonais (Stryj 28.11.1896–Ojcow 1943 ou 1944). Elève de Schönberg, de l'univ. de Vienne (G. Adler), dont il fut docteur avec sa thèse *Über orch. Koloristik i.d. symph. Werken v. Mendelssohn-Bartholdy* (1923), il fut de 1928 à 1941 prof. de compos. et d'hist. de la mus. à Lvov, de 1930 à 1937, rédacteur en chef d'*Orkiestra*, en 1936–1937, d'*Echo* ; il était également chroniqueur dans différents périodiques ou journaux ; il a été tué avec sa femme et son fils à Ojcow, comme juif ; on lui doit 3 symph., « 15 *variations sur une série de douze sons* » (cordes, 1933), de la mus. de chambre, 1 cantate, de piano, 1 ballet, des mélodies. Voir Z. Lissa in MGG.

**KOGAN Alexandre Lazarévitch.** Compos. russe (Odessa 3.12.1895–). Elève du cons. de cette ville, il y sera prof. de 1932 à 1941 ; de 1941 à 1944, il est prof. et responsable pédagogique à l'école musicale de Kouybychev, puis de nouveau prof. au cons. d'Odessa ; on lui doit de la mus. symph., de chambre, des chœurs, plusieurs manuels de théorie musicale.

**KOGAN Léonide.** Violon. russe (1926–), prix reine Elisabeth (1953), qui fait une carrière internationale.

**KOGAN Nicolaï Semenovitch.** Compos. russe (Kreslava 6.1.1911–). Elève du cons. de Leningrad, de 1933 à 1936, il dirige des chorales d'amateurs et travaille comme pian. accompagnateur ; chef d'orch. dans l'Ouzbekistan (pendant la guerre), responsable mus. du théâtre russe à Tachkent, il est fixé à Leningrad depuis 1948 ; on lui doit 1 opéra (« *La forêt* » 1954), 1 ballet (« *Vakoula et le diable* », 1953), des opérettes, de la mus. de scène (16), de film (2), de spectacles et variétés, des arrangements, 1 concerto de piano, 1 suite de piano (1951), des chœurs, des mélodies, des chansons.

**KOGOJ Marij.** Compos. slovène (Trieste 27.8.1895–Ljubljana 25.2.1956). Elève de F. Schreker et d'A. Schoenberg, maître de chœur et chef d'orch. à l'Opéra du Théâtre national de Ljubljana (1922–1932), expressionniste d'une puissance et d'une originalité rares, il est une des personnalités les plus marquantes de la musique slovène moderne ; son œuvre n'est pas très abondante, car, dès 1932, il fut terrassé par une cruelle maladie mentale ; de ses œuvres, citons l'opéra « *Les masques noirs* » (1929, sur le texte de Leonid Andrejev), l'*Andante* (v. et p., 1925), *Istrski motiv* (« Motif istrien », 1919) et *Requiem* (1922) ; ses idées sur la création artistique eurent un retentissement profond dans la production musicale slovène.                                                          D.C.

**KOHAUT** (*Kohault*) **Wenzel Josef Thomas.** Mus. tchèque (Zatec (Saaz) 4.5.1738–Paris ? 1793), qui fut trompettiste militaire dans son pays : il déserta et gagna la France, où il se mit au service du prince de Conti : il y fut luthiste et compositeur : il s'intitulait *ordinaire de la mus. de S.A.S. Mgr. le prince de Conti* ; on perd sa trace après 1770 ; il publia à Paris 4 opéras-comiques : *Le serrurier* (1764), *La bergère des Alpes* (1766), *Sophie...* (1768), *La closière...* (1770), *Sonates pour clavecin, harpe ou luth* ; on a en outre conservé de lui 1 *Salve Regina* à grand orch. et 2 motets (mss bibl. du cons. de Paris). Voir R. Quoika in MGG.

**KOHS Ellis.** Compos. amér. (Chicago 12.5.1916–). Il a fait ses études à N.-York, Chicago et Harvard (Bricken, Piston, Waagenar), dep. 1950, il enseigne à l'univ. de la Californie du Sud ; on lui doit de la mus. symph.

(2 symph., 1950, 1956, 1 concerto de vcelle 1947, concerto de chambre pour alto et cordes, 1949), chor., de chambre, de scène, d'orgue, de piano, des mélodies.

**KOKAÏ Rezsö.** Compos. et musicologue hongrois (Budapest 15.1.1906–). Elève de H. Koessler à l'Ecole des hautes études mus. de Budapest, de l'univ. de Fribourg-en-Brisgau, docteur ès-lettres (1933), il a été de 1926 à 1933 prof. à l'Ecole nat. de mus., depuis 1929 à l'Ecole des hautes études mus. de Budapest (composition, hist. de la mus., musicologie) ; de 1945 à 1948, il a été dir. de mus. à la radiodiffusion hongroise ; on lui doit notamment *Sérénade* (trio à cordes, 1949), *Verbunkos* (suite d'orch., 1950), *Concerto* (viol., 1952), « *Danses de Szék* » (orch. 1952), *Concerto all'ungherese* (*id.*, 1957, éd. Mills and Co Londres, les autres aux Ed. nat., Budapest), de la mus. de film, radiophonique, des ouvrages théoriques : *F. Liszt in seiner frühen Klavierwerken* (Leipzig 1933, thèse), « *Principes fondamentaux de l'esthétique mus. scientifique* » (en hongr.), Budapest 1938 etc.          J.G.

**KOKYU.** C'est une petite vièle à caisse rectangulaire et plate et au long manche, munie de quatre cordes (Japon) ; la mèche de l'archet est en crins de cheval ; elle est tendue avec le doigt, pendant le jeu ; c'est un instrument du XIXe s. importé de Chine, très populaire v. 1890.
E.H.-S.

**KOLAR Victor.** Chef d'orch. et compos. amér. d'origine tchèque (Budapest 12.2.1888–). Elève de Dvorak, il a fait carrière aux Etats-Unis, comme violon. et chef d'orch., à Chicago, Pittsburgh, N.-York, Detroit ; on lui doit de la mus. symph. (1 symph., 1916), de violon, des mélodies.

**KOLASSI Irma.** Chanteuse grecque (Athènes 28.5.1918–). Elève de M. Karadja, d'E. Gibhando, de Casella (Rome), 1er prix de piano et de chant du cons. d'Athènes, diplômée de l'Acad. Ste-Cécile de Rome, prof. au cons. hellénique d'Athènes (1940–1949), elle a débuté en France en 1949 : elle a été fort remarquée dans son interprétation de l'*Erwartung* de Schönberg lors du festival du XXe s. (1952) ; elle fait une carrière internationale.

**KOLB Carlmann.** Bénédictin allem. (Kösslarn, bapt. 29.1.1703–Munich 15.1.1765). Il appartint depuis sa jeunesse à l'abbaye d'Asbach et apprit l'orgue, mais passa une grande partie de son existence chez son protecteur et ami le comte Max de Tattenbach-Reinstein, comme précepteur de ses fils ; on a conservé de lui *Certamen aonium, id est Lusus vocum inter se innocue concertantium, continens preambula, Versett atque cadentias, ab octo tonis* (Augsbourg 1733). Voir U. Siegele in MGG.

**KOLB Simon.** Mus. autr. ( ? v. 1556–Hall 1.9.1614). Dès 1564, il est petit chanteur à la chapelle de l'archiduc Ferdinand II d'Autriche, à Prague puis à Innsbruck ; il est ensuite l'élève de W. Bruneau et d'A. Utendal ; de 1577 à 1585, il est ténor, ensuite il est compos. à la chapelle de la même cour ; en 1591, il est maître de chapelle au *Damenstift* royal de Hall, en Tyrol ; on a conservé de lui *Rosetum marianum* (5 v., du s un recueil de Klingenstein, Dillingen 1604), 3 motets, 1 messe (6 v.), *Antiphonen zu den Ps. auf die hoche Fest, durch Contrapuncten gestellt* (en mss, Augsbourg, Breslau, Lubeck, Hall). Voir W. Senn in MGG.

**KOLBERG Henryk Oskar.** Ethnographe pol. (Przysucha 22.2.1814–Cracovie 3.6.1890). Il fit ses études (piano, composition) à Varsovie et Berlin ; Chopin n'appréciait guère ses œuvres (il était l'ami du frère de K.) ; sa grande œuvre, pour laquelle il reste dans l'histoire, est l'édition de *Lud* (3 vol., Cracovie 1877, 1882) : c'est un recueil qui contient aussi bien les mélodies, la musique et les danses populaires de Pologne que la description des mœurs, légendes, cérémonies etc. du domaine ethnologique polonais ; il publia en tout, de 1865 à 1890, 10.300 mélodies (23 séries, 24 volumes), le reste, inédit, étant conservé au musée ethnographique de Cracovie. Voir I. Koperniki, *O.K.*, *ibid.* 1889 ; H. Lopacinski, *O.K. ...*, Varsovie 1901 ; S. Lam, *Id.*, Lemberg 1914 ; K. Hlawiczka, *Nie wydane zbiory O.K.* « *Pion* », Varsovie

1936 ; les nombreuses études publiées dans *Lud*, organe de la Société de recherches folkloriques de Pologne ; M. Sobieski in MGG.                                K.W.C.

**KOLESOVSKY Zikmund Michael.** Compos. tchèque (Prague 1.5.1817–22.7.1868). Fils d'un organiste, élève du cons. et de l'école d'orgue de Prague, il succéda à son père comme maître de chapelle à l'église St-Étienne de la même ville (il le fut en même temps à l'église des jésuites, St-Ignace); il enseigna également ; on lui doit de nombreuses œuvres polyph. de mus. d'église (2 messes, 1 *Requiem*) et de la mus. d'orgue. Voir R. Quoika in MGG.

**KOLESSA.** Famille de mus. ukrainiens. — **1. Philaret** (Tarasko 17.7.1871–Lvov 1947) : élève d'Adler et de Bruckner (Vienne), d'Abraham et de Hornbostel (Berlin), il enseigna à Berlin et à Lvov ; on lui doit un recueil de chansons populaires ukrainiennes (3 vol., Lvov 1910, 1912, 1929) et des *Ukrainski narodni doumy* (*ibid.* 1920) ; son frère — **2. Ivan** (Sopot 1864–Lvov 1898), était médecin de campagne ; il recueillit également des chansons populaires de Galicie, qu'on publia à Lvov (1902) ; — **3. Lioubka** (Prague 1904–), est pian. : élève de Sauer (Vienne), elle fait une carrière intern. et enseigne aux cons. de Toronto et de Montréal ; sa sœur — **4. Chrystia** (Vienne 1915–), est vcelliste et prof. à Toronto. Quant à — **5. Mykola** (Sambor 1.1.1904–), il est chef d'orch. et compos. : élève de Novak au cons. de Prague, dir. de celui de Lvov (1953), il dirige l'orch. philharm. et des chœurs dans cette dernière ville ; on lui doit de la mus. symph. (symph., 1950, suite, 1928, « *Variations* », 1931, « *Dans les montagnes* », 1935), instr. (quatuor, 1930, pièces de piano), chorale.                    A.W.

**KOLIADA** (*Koljada*) **Nicolas Terentiévitch.** Compos. russe (Berezovka 4.4.1907–tué dans une ascension au mont Oujba, Caucase, 30.7.1935), élève du cons. de Kharkov (Bohaterev), auteur de mus. symph. : « *Poème* » (v. et orch., 1932) d'*Suite symph.* » sur des thèmes ukrainiens (1927), d'un quintette (av. p.), d'une ouverture (2 p., 1925), de mélodies, d'arrangements de chœurs populaires ukrainiens, de mus. de film.

**KOLISCH Rudolf.** Violon. autr. (Klamm am Semmering 20.7.1896–). Elève de l'acad. de mus. (Sevcik, Schreker) et de l'univ. (Adler), de Schönberg (il fut son beau-frère) à Vienne, il fonda un quatuor qui portait son nom (1922–1939), à la tête duquel il fit une carrière intern., avec un répertoire qui faisait une large part aux maîtres de l'école de Vienne, dont ils créèrent des compositions, il vit actuellement à Madison aux Etats-Unis : il enseigne la mus. de chambre à l'univ. du Wisconsin ; il est également prof. aux cours d'été de Darmstadt ; il est remarquable qu'une blessure l'oblige depuis longtemps à être un violoniste gaucher.

**KOLLER Oswald.** Musicologue autr. (Brno 30.7.1852–Klagenfurt 10.6.1910). Autodidacte, il collabora avec G. Adler pour la bibliographie des *DTÖ* et enseigna à Kromeriz, puis à Vienne, où, de 1898 à 1902, il fut bibliothécaire à l'institut d'hist. de la mus. de l'univ. de Vienne ; il édita avec Adler les codices de Trente (ds *DTÖ*) ; on lui doit des études sur le codex de Montpellier, sur Klopstock, Francon de Cologne, Oswald v. Wolkenstein etc. (dans divers périodiques ou dans les *DTÖ*). Voir G. Adler, *O.K.*, ds *ZIMG*, XI, 1910–1911 ; U. Aarburg in MGG.

**KOLLMANN.** — **1. August Friedrich Christoph** (Engelbostel 21.3.1756–Londres 21.3.1829). Elevé dans la tradition de J.-S. Bach par l'org. J.C. Böttner à Hanovre, il y fréquenta l'acad. mus. ; en 1781, il était org. au monastère de Lüne près de Luneburg, en 1782, cantor à la *Royal german chapel* de St-James à Londres ; ami de Burney, il fut à Londres l'un des promoteurs de J.-S. Bach ; on lui doit des œuvres de clavecin, de piano, d'orgue, des ouvrages théoriques et didactiques. Son fils — **2. George August** (Londres v. 1780–19.2.1845), lui succéda, ainsi que sa fille — **3. Johanna Sophia** ( ? 1789–Londres... 5. 1849) ; il avait un frère — **4. Georg Christoph,** qui fut de 1789 à 1829 org. à Ste-Catherine de Hambourg. Voir E.R. Jacobi, *A.F.C.K.* ..., ds *AfMw*, XIII, 1956 – *Harmonic theory in England after the time*

of *Rameau*, ds *Journal of mus. theory*, I, nov. 1957 ; H. F. Redlich in MGG.

**KOLLO** — **1. Walter** (*Elimar W. Kollowzieyski*). Chef d'orch. et compos. allem. (Neidenburg 28.1.1878–Berlin 30.9.1940), auteur d'opérettes, de vaudevilles, revues etc. ; son fils — **2. Willy** (Kœnigsberg 28.4.1904–), écrit dans la même ligne que son père. Voir E. Nick in MGG.

**KOLNEDER Walter.** Musicologue autr. (Wels 1.7.1910–). Elève du *Mozarteum* de Salzbourg, prof. au cons. de Gratz (1936–1939), altiste à l'orch. d'Innsbruck (1947–1953), élève de l'univ. d'Innsbruck (W. Fischer), dont il est docteur (1949) avec sa thèse *Die vok. Mehrstimmigkeit i.d. Volksmusik d. österr. Alpenländer*, il est depuis 1953 dir. et chef d'orch. du cons. de Luxembourg, et, dep. 1956, *Privat-dozent* à l'univ. de la Sarre ; on lui doit, outre sa thèse, des art. (Vivaldi) et des éditions savantes. Voir art. in MGG.

**KOLOMIETZ Anatolij.** Compos. ukrainien (Syvyntsi 4.10.1918–). Elève de l'institut de mus. de Poltava et du cons. de Kiev (Revoutsky), il a écrit 1 ballet pour enfants (1947), 1 cantate (*id.*), des variations symph. (1954), 1 poème symph. (1945), 1 sonate de piano (1941), des pièces de piano, des mélodies, des arrangements.  A.W.

**KOMABUE.** C'est une flûte traversière, en bambou et à six trous (japon). Le *k.*, d'origine coréenne, est attesté depuis l'époque de Nara ; il est utilisé comme instrument mélodique conducteur dans la musique de cour de style *komagaku*.                            E.H.-S.

**KOMAROVSKY** (*Komarovskij*) **Anatolij Serguéïévitch.** Violon. et compos. russe (Moscou 7.11.1907–23.6.1955). Elève de Chébaline au cons. de Moscou, il fut responsable mus. de théâtres de province (Novossibirsk, 1931–1933, Toula, 1936–1939, Moscou 1946–1948) ; pendant la guerre, il organisa le loisir musical dans l'armée ; on lui doit des mus. de scène (40 env.), 1 comédie mus., des pièces symph. pour diverses formations, de la mus. de chambre.

**KOMITAS Sogomon** (*S. Gevorkovitch Sogomonian*). Compos. et musicologue arménien (Koutnia 8.10.1869–Paris 22.10.1935). Il fit des études de théologie à Etchmiadzine, de musique à Tiflis (Ekmalian) et Berlin ; il dirigea ensuite le chœur et les classes musicales de l'académie de théologie d'Etchmiadzine, jusqu'en 1910, année qu'il émigra à Constantinople ; il témoigna d'une activité inlassable en faveur de la mus. arménienne, par ses conférences (dans toute l'Europe), ses activités de chanteur et de chef de chœur, ses recueils de chansons populaires caucasiennes ; poursuivi par les autorités turques, témoin de nombreux drames des milieux arméniens, il mourut à Paris dans un asile de fous. Son œuvre a créé les fondements de l'ethnographie musicale arménienne ; certaines de ses recherches sont consacrées à la mus. sacrée de son pays, mais il a recueilli plus de 3.000 chansons populaires, dont près de 500 ont été conservées ; on lui doit encore une « liturgie sur des thèmes arméniens anciens », 1 opéra : *Anouch* (Japon), 1 opéra-comique : « *Les inconvénients de la courtoisie* » (*id.*), 6 danses populaires (p.) et surtout des arrangements.

**KOMMA Karl Michael** Compos. et musicologue allem. (Asch 24.12.1913–). Elève de l'acad. de mus. et de l'univ. allem. de Prague, de l'univ. de Heidelberg (Besseler), dont il est docteur (1936) avec sa thèse *J. Zach u. die tschech. Musiker im deutschen Umbruch d. 18. Jh.* (Cassel 1938), il est ensuite (1939) assistant de son prof. au séminaire de musicologie de la même univ., en 1940, dir. de l'école de mus. de Reichenberg, en 1954, archiviste chez le prince d'Oettingen-Wallerstein, dep. 1954, prof. à la *Hochschule f. Mus.* de Stuttgart ; on lui doit des *Lieder*, de la mus. symph. (concerto de piano, 1958), de chambre, des écrits (les compositeurs sudètes, la mus. en Bohême, Moravie, Silésie, Hölderlin), ainsi que des éditions. Voir art. in MGG.

**KOMOROWSKI Ignacy Marceli.** Compos. pol. (Varsovie 13.1.1824–14.10.1858). Il fut prof., puis vcelliste à l'orch. du théâtre Wiehki de Varsovie ; élève de l'org. A. Freyer, il voyagea en Italie (1856) et mourut prématurément :

on lui doit des mélodies et des pièces de piano. Voir J. Morawski in MGG.

**KOMORZYNSKI Egon,** *Ritter* **von.** Musicographe autr. (Vienne 7.5.1878–). Elève des univ. de Vienne, Berlin, Munich, Leipzig, Breslau et Wurtzbourg, il a publié *E. Schikaneder* (Berlin 1901–Vienne 1951), *Mozarts Kunst der Instrumentation* (Stuttgart 1906), *Mozart* (Berlin 1941, 1955), des romans sur Mozart et Schubert.

**KOMPANEEZ** (*Konpaneec*) **Grigori Isaakovitch.** Chef d'orch. et compos. russe (Poltava 16.3.1881–). Il a fait ses études à l'Ecole de mus. de Rostov-sur-le-Don (Pressmann), au cons. de Pétrograd (Sokolov et Vital) et à Milan ; il a dirigé (depuis 1900) des orch. d'opéra et des orch. symph. ; en 1932–1934, il est responsable mus. du théâtre juif de Kharkov et prof. au cons. de la ville ; depuis 1934, il est prof. au cons. de Kiev, depuis 1941, dir. mus. du théâtre à Noukons (République Rasa-Kalpak) ; on lui doit 4 opéras, 1 oratorio, de la mus. symph., de piano, des mélodies.

**KOMPANEEZ Zinovi Lvovitch.** Pian. et compos. russe (Rostov 22.6.1902–). Elève des cons. de Bakou et de Moscou, il a écrit 1 cantate (1949), « *Fantaisie sur des thèmes bachkirs* (1936), « *Rhapsodie sur des thèmes juifs* » (1939), 1 concerto de viol. (1946), 1 concerto de vcelle (1955), *Sinfonietta Kazakhstan*, « *Danses moldaves* » (p., orch., 1949–1950), 3 pièces (fl. et orch. de variétés), 1 trio (cordes, 1955), des pièces de piano, 3 duos (voc.), des chansons.

**KOMPANEÏSKY** (*Kompanejskij*) **Nicolaï Ivanovitch.** Compos. et musicologue russe (Priutino 1848–1910). Autodidacte, spécialiste de la mus. liturgique russe médiévale, dont il étudia les rapports avec la mus. lit. bulgare du X$^e$ s., il écrivit « *Liturgie de st Jean Chrysostome* », « *Dogmatique de la Vierge* », des études d'archéologie musicale et composa des chœurs.

**KOMUS.** C'est un luth, à long manche et à corps ovale utilisé par les Kirghizes d'Asie centrale ; il est connu également sous le nom de *domra*.                                   **M.H.**

**KONDRACKI Michal.** Compos. pol. (Poltawa 4.10. 1902–). Elève du cons. de Varsovie (Statkowski, Szymanowski, H. Melcer), de l'Ecole normale de mus. de Paris (P. Vidal, P. Dukas, N. Boulanger), membre de la Soc. des jeunes musiciens polonais de Paris, de la Soc. des compos. pol. de Varsovie, il a émigré à Rio de Janeiro (1940), puis (1948) à N.-York, où il enseigne ; on lui doit 1 opéra : *Popieliny* (1934), 2 ballets, *Cantata ecclesiastica*, de la mus. symph. : 2 concertos (p., 1935, 1944), *Partita* (1928), « *Image sur le verre* » (16 instr., 1930), « *Soldats* » (1932), *Suite kourpienne* (1933, 1946–1947), *Match* (1937), *Toccata et fugue* (1938, 1946–1947), *Epitaphes* (1940–1946), *Symphonie de victoire* (1940–1942), 2 *danses brésiliennes* (1943), *Epitaphes* (1950), *Nocturne* (harpe et cordes, 1951), *Grotesque* (1952), *Noël* (fl. et cordes, 1955), *Hymne à Aphrodite* (cordes, 1957).                        **K.W.C.**

**KONDRATIEV** (*Kondrat'ev*) **Sergueï Alexandrovitch.** Compos. et ethnomusicologue russe (St-Pétersbourg 9.4.1896–). De formation scientifique et musicale à la fois, il participe, entre 1923 et 1930, puis préside lui-même à des expéditions pour l'étude du folklore mus. mongol en Asie centrale ; en 1930, il s'établit à Moscou, où il est responsable mus. du Théâtre dram. ; on lui doit 1 opéra (« *Courage* », 1942), 1 ballet (*Yag-Mort*, 1946), 2 cantates, de la mus. de chambre, 23 chœurs, des chansons, une centaine de mélodies, des recueils de mus. populaire komi, russe, mongole.

**K'ONG-HEOU. —** 1. C'est une petite harpe importée en Chine sous les Han et utilisée fréquemment sous les T'ang (VII$^e$–X$^e$ s.), devenue peu à peu désuète. — 2. Voir art. *sö*.                                           **M.H.T.**

**KONING Servaas van de.** Voir art. *Van de Koning.*

**KONIUS** (*Conus, Konjus*) **Georgui Edouardovitch.** Compos. russe (Moscou 1.10.1862–29.8.1934). Elève du cons. de Moscou (Tchaïkovsky, Taneev, Arensky), il y enseigna de 1891 à 1899, puis passa à l'école de mus. dram. de la même ville (1901), au cons. de Saratov (1912) et revint au cons. de Moscou en 1920 ; on lui doit 1 ballet

(1896), de la mus. symph. (1 symph.), de piano, des mélodies, des manuels, des écrits : « *Recueil de problèmes, exercices et questions* » (1892), « *Recueil de problèmes sur l'instrumentation* » (1906). Son frère, *Julius Edouardovitch* (1859–1942), est l'auteur d'un concerto de violon inscrit au répertoire de cet instrument. Voir D. Rogal–Levitzkij et G. Waldmann in MGG.

**KONJOVIĆ Petar.** Compos. et musicologue serbe (Curug 5.5.1883–). Il fit ses études à Prague, fut prof. de compos. à l'Académie de mus. de Belgrade : par ses conceptions, il est apparenté à M. Moussorgsky et à L. Janáček, le représentant le plus marquant du nationalisme musical moderne serbe ; d'une expression originale et puissante, il est surtout remarquable dans le domaine de l'opéra ; ses monographies de compos. serbes et ses autres travaux sur la musique excellent par l'originalité de ses vues sur les caractères de l'évolution de la mus. serbe.

*Œuvres,* opéras : « *Le mariage de Milos* » (1917), « *Le prince de la Zeta* » (1929), *Kostana* (1931), « *Les paysans* » (1952), « *La patrie* » (1958) ; mus. symph. : *Serbia liberata* (poème symph., 1906), *Symphonie en do mineur* (1908), variations symph. « *Au village* » (1914), *Makar Cudra,* (poème symph., 1944), *Capriccio adriatique* (v. et orch., 1937) ; mus. de chambre : *Quatuor pour archets, I* (1906) et *II* (1935), *Sonate* (v. et p., 1944) ; voix et instr. : *Ballade* (bar., orgue et chœur d'hommes, 1907) ; mélodies : « *Lyrique* » (1920, 1948), « *Mon pays* » (*I-III,* 1922-1924, *IV,* 1954, *V,* 1956) ; mus. de piano, chœurs ; ouvrages théoriques : *Licnosti* (« Personnalités », 1919), *Knjiga o muzici* (« Le livre sur la musique », 1947), *Miloje Milojevic-Kompozitor i muzicki pisac* (*MM.,* compos. et auteur musical, 1954), *Stevan St. Mokranjac* (1956).
**Bibl. :** P. Milosevic, *P.K.,* ds *Zvuk, II* ; P. Bingulac, *Kostana Petra Konjovica u novoj obradi,* ds *Muzika,* 2, 1949 ; D. Cvetko, *Operna tvorba Petra Konjovica,* ds *Nasa scéna,* 1953 *Osebnost in delo Petra Konjovica,* ds *Slovenska glasbena revija, II,* 1953.            **D.C.**

**KONOYE Hidemaro.** Chef d'orch. et compos. japonais (Tokio 18.11.1898–), chef de l'Orch. Nya et dir. de l'Acad. impériale de mus. à Tokio, qui fait une carrière internationale.

**KONTA Robert.** Compos. autr. (Vienne 12.10.1880– Zurich 19.10.1953). Elève de Novak, prof. au cons. de Vienne (1911–1938), critique dans des périodiques viennois, exilé à Zurich (1938), il écrivit 3 opéras, 1 pantomime, 1 symph. (1909), 1 concerto de violon, des mélodies.

**KONTAKARI** ou *kondakari.* C'est le nom russe des recueils de chants liturgiques les plus archaïques, qui contiennent principalement des *kontakia.* Le *kontakion* est une grande forme poétique et musicale, créée au VI$^e$ s. par Romanus le Mélode, le plus célèbre poète de Byzance ; employé dans la liturgie jusqu'au XII$^e$ s., ce poème, qui comprenait de 18 à 24 strophes (tropaires), fut alors réduit à 2, cédant la place à une nouvelle forme poétique et musicale, le *canon.* La plus ancienne rédaction de *kontakia* byzantins se trouve dans les mss slavons conservés dans les bibliothèques russes : bien qu'ils datent des XI$^e$, XII$^e$ ou XIII$^e$ s., les *k.* slavons emploient la notation kontakarienne du IX$^e$ s., époque de la traduction des livres liturgiques du grec en slavon (cette notation, modifiée par les Byzantins au X$^e$ s., disparut de leurs livres liturgiques au XI$^e$). Les *k.* slavons connus sont 1. le ms. 142 de la bibl. typographique du St-Synode de Moscou, appelé en russe *Typografskij Ustav* (XI$^e$ s.) ; 2. le ms. Q.I. 32 de la bibl. publ. russe, *Blago-veščenskij Kondakar* (XII$^e$ s.) ; 3. le ms. 9 de la bibl. du St-Synode, *Kondakar Uspenskago sobora* (1207) ; 4. le ms. 777 de la bibl. du St-Synode, *Synodal'nyj Kondakar* (fin du XII$^e$ ou début du XIII$^e$ s.) ; 5. le ms. 23 de la bibl. de la Laura du monastère Troice-Sergevskij, *Lavrskij Kondakar* (XII$^e$ s.). Les plus anciens *k.* byzantins conservés emploient la même notation kontakarienne, légèrement modifiée ; ils datent du X$^e$ s. : 1. catalogue du mus. Laura γ 67 (Mont-Athos) ; 2. mss 1753–1754 de la bibl. de Chartres. Les neumes kontakariens sont de deux sortes : les premiers, de grande dimension, dits *grandes hypostases* (au-dessus), les seconds, plus petits (au-dessous des premiers). Les petits signes kontakariens sont remplacés par des signes paléo-byzantins dans les mss byzantins, plus tardifs que les slavons. Les *k.* byzantins postérieurs au XII$^e$ s. emploient les notations médio-byzantine et néo-byzantine ; les *k.* russes, postérieurs au XIIIe s., transcrits en notation paléo-byzantine et plus tard en notation de Mezenec, sont probablement ces chants que les Russes nomment *ananeiki* et *chabuvi*. Tous ces *k.* sont très mélismatiques. On rencontre encore des signes de notation kontakarienne (notamment plusieurs grandes hypostases) dans les plus anciens mss arméniens conservés (XIIIe s.) et dans les mss mozarabes d'Espagne (Xe s.). Cf *l'antifonario visigotico-mozarabe* de la cath. de Leon (M.H.S., série lit., vol. V2). Voir aussi art. *liturgie russe* dans le supplément du présent ouvrage.                     V.P.

**KONWITSCHNY Franz.** Chef d'orch. allem. (Fulnek 14.8.1901–). Elève du cons. de Leipzig, violon. et alto au *Gewandhaus*, membre du Quatuor Fitzner (Vienne), prof. au cons. populaire de Vienne, il a débuté comme chef d'orch. à Stuttgart (1927) ; il a ensuite exercé à Fribourg-en-Brisgau (1933), Francfort (1938), Hanovre (1946), Hambourg, Leipzig (*Gewandhaus*, 1949), Dresde (1953), Berlin (Opéra, 1955).

**KONZERTMEISTER.** Ce mot allem. (littéral[t] « maître de concert ») désigne la fonction de 1er violon dans un orchestre allem. : il peut être appelé à diriger l'ensemble dont il fait partie.

**KOOLE Arend Johannes Christiaan.** Musicologue néerl. (Amsterdam 22.4.1908–). Pian., chef d'orch., élève du cons. d'Amsterdam et de l'univ. d'Utrecht (Smijers), prof. aux cons. de Rotterdam (1938–1941), d'Utrecht (1941–1944) et d'Amsterdam (1946–1949), docteur avec sa thèse *Leven en werken v. P.A. Locatelli da Bergamo.* (Amsterdam 1949), il est dep. 1949 prof. d'hist. de la mus. à l'univ. de Bloemfontein ; on lui doit *Bach's geestel. voc. muz.* (ibid. 1949), *F. Mendelssohn-Bartholdy* (Bloemendaal 1951), des chœurs, des mélodies, de la mus. de scène.

**KO'OLO.** C'est un arc musical des Indiens Tehuelche (Patagonie), fait en bois de hêtre et sous-tendu par une corde en crin de cheval ou de bovidé ; l'arc est frotté par un archet d'os de condor ; certains auteurs écrivent *koh-lo*.                     S.D.-R.

**KOPOSSOV** (*Koposov*) **Alexeï Pavlovitch.** Compos. et chef de chœurs russe (Zizdra 12.3.1902–). Elève de Gnessine au cons. de Moscou, il dirige, de 1938 à 1941, le chœur russe fondé par Jarkov, organise le loisir musical des troupes pendant la guerre, est chargé depuis 1952 des chœurs populaires d'Omsk ; il est actuellement le responsable musical de l'ensemble « Berezka » ; on lui doit des chansons de masse, d'autres (chœur et accordéon, chœur et piano), des arrangements de toutes sortes.

**KOPP Georg.** Mus. allem. (Passau ? v. 1600–Passau 24.8.1666), qui fut org. de la cath. de cette ville ; on a conservé de lui des messes (5-6 v., Passau 1642), 1 *Magnificat* (ibid. 1659), des mélodies (v. et b.c., ibid. 1661), 1 ps. (8 v., ms. Breslau), 1 *Requiem* (10 v.), 1 *sonata a 6* et 2 *bracciae* (mss Kremsier). Voir R. Quoika in MGG.

**KOPPEL Hermann David.** Pian. et compos. danois (Copenhague 1.10.1908–). Elève du cons. de Copenhague, où il enseigne dep. 1949, il fait une carrière intern. ; on lui doit de la mus. symph. (5 symph., 3 concertos de piano, 1 de vcelle, 1 de viol. et alto, 1 de clarinette), de chambre, de piano, de scène, de film, des chœurs, des mélodies. Voir N. Schiørring in MGG.

**KOPRIVA** (*Kopriva*) — **1. Vaclav Jan**, dit *Urtica*. Mus. tchèque (Brloh 9.2.1708–Citoliby 7.6.1789) : élève de son parrain, M.A. Gallina (cantor à Citoliby), de F.J. Dollhopf (org. à St-François de Prague); il succéda à son parrain en 1730 et fut secrétaire du comte A.K. Pachta ; on lui doit 3 messes, 2 litanies et 4 motets (mss). Son fils — **2. Jan Tachym** (Citoliby 17.3.1754–17.8.1792), auteur d'une messe et de qqs œuvres de mus. d'église, lui succéda. Son frère — **3. Karel Blazij** (Citoliby 9.2.1756–15.5.1785), élève de son père et de J. Scheger, composa 4 messes, 1 *Requiem*, des offices et motets (avec acc. d'orgue et instr.), nombre d'œuvres d'orgue, dont une grande partie ont été perdues. Voir R. Quoika in MGG.

**KOPSCH Julius.** Chef d'orch. et compos. allem. (Berlin 6.2.1887–), qui a exercé dans des théâtres à Berlin,

Crefeld, Lubeck, Lodz, Varsovie, Oldenbourg, auteur de mus. symph. (1 symph., 1922, 2 concertos), instr. (*Rondo amabile*, viol. *solo*, 1950).

**KOPTIAÏEV** (*Koptjajev*) **Alexandre Pétrovitch.** Compos. russe (St-Pétersbourg 12.10.1868– ? 1941). Autodidacte. il publia « C. Cui, compos. pour le piano » (1895), « *Glazounov* » (1897), « *Wagner et les Russes* » (1897), « *d'Albert* » (1898), « *A. Scriabine* » (1899), « *Musique et culture* » (Moscou 1903), « *Euterpe* » (St-Pétersbourg 1908), « *Vers un idéal musical* » (ibid. 1916) ; on lui doit des œuvres symph. (« *Danses orientales* », « *Poème élégiaque* »,« *Cortège de la vie* », « *Elégie* »,« *Polonaises* ») chor. (« *Psaumes* »), de piano, des mélodies.

**KOPYLOV Alexandre Alexandrovitch.** Compos. russe (St-Pétersbourg 1854–1911). Elève de Liadov et de Rimsky-Korsakov, il écrivit des œuvres symph. (1 symph. 1 concert-ouverture, 1 *scherzo*), de la mus. de chambre, de piano.

**KORA.** C'est une harpe-luth à vingt et une cordes (Guinée, peuple Malinké).                     G.R.

**KORECHTCHENKO** (*Koreščenko*) **Arseni Nicolaïévitch.** Compos. russe (Moscou 18.12.1870–Kharkov 3.1.1921). Elève (Taneev, Arensky), puis prof. au cons. de Moscou, il fut chef d'orch., organisateur de concerts et spécialiste des musiques arménienne et caucasienne ; on lui doit 3 opéras (« *La maison de feu* », 1900, « *Le festin de Balthazar* », « *L'ange de mort* »), 1 ballet, 1 symph., 1 quatuor à cordes, 1 suite « arménienne », 1 cantate (« *Don Juan* »), de la mus. de scène, de piano, des chœurs, des mélodies.

**KORÉH Endre.** Chanteur austro-hongrois (Sepsiszentgyörgy 13.10.1906–). Elève de l'Acad. de mus. de Budapest, il a appartenu aux Opéras de Budapest (1930–1947), de N.-York (1952–1953), est attaché dep. 1946 à celui de Vienne ; il fait une carrière internationale.

**KORENEV Joanniki Trofimovitch.** Théoricien russe ( ?–1681), qui rédigea des écrits sur le chant polyphonique, notamment *Musikia* (éd. en 1910) : il était le défenseur de la mus. profane, de la polyphonie et du système de notation moderne dans l'église russe.

**KORNAUTH Egon.** Compos. autr. (Olmütz 14.5.1891–). Elève de l'Acad. de mus. et de l'univ. de Vienne, docteur avec sa thèse *Die thematische Arbeit in J. Haydns Streichquartette seit 1780*, il fut répétiteur à l'Opéra (1916) et enseigna à l'univ. de Vienne, dirigea à Sumatra (1926-1927), se produisit avec le *Wiener-Trio* en Extrême-Orient ; il a été prof. à la *Musikhochschule* de Vienne (1940) et au *Mozarteum* de Salzbourg (1945) ; on lui doit des œuvres symph. (3 symph.), de la mus. instr., de chambre, des chœurs, des mélodies. Voir E.H. Müller v. Asow. *E.K. …*, Vienne 1941–*Verz d. Werke v. E.K.* ibid. 1937–1958 ; E.K., *Versuch eines Selbstbildnisses* (ms.), 1944 ; F. Racek in MGG.

**KORNGOLD** — **1. Julius Leopold.** Critique autr. (Brno 24.12.1860–Hollywood 25.9.1945): élève du univ. et du cons. de Vienne, chroniqueur à la *Neue Freie Presse* (1904–1934), il émigra aux Etats-Unis (1934) et publia *Deutsches Opernschaffen d. Gegenwart* (Leipzig-Vienne 1921), *Die roman. Oper d. Gegenwart* (Vienne 1922). Son fils — **2. Erich Wolfgang** (Brno 29.5.1897–Hollywood 29.11.1957), élève de R. Fuchs, d'A. v. Zemlinsky, de H. Grädener (Vienne), composa dès l'âge de 11 ans (*Der Schneeman*, 1908) ; il était en 1921 chef d'orch. à l'Opéra de Hambourg, où il avait obtenu un grand succès (1920) avec son opéra : *Die tote Stadt*; il enseigna ensuite à l'Acad. de mus. de Vienne (1931), émigra avec son père aux U.S.A. (1934), où il se mit au service de la firme de cinéma *Warner brothers;* on lui doit, outre le déjà cité, les opéras *Der Ring d. Polykrates* (1916), *Violanta* (id.), *Das Wunder d. Heliane* (1927), *Kathrin* (1937), *The silent serenade* (1946), de la mus. symph. (3 concertos, 1 symph., op. 40), de chambre (sonates de piano, quatuors, 1 quintette, 1 sextuor), de la mus. de film, des arrangements d'opérettes (J. Strauss, J. Offenbach, Mendelssohn). Voir R.S. Hoffmann, *E.W. K.*, Vienne 1922 ; W. Pfannkuch in MGG.

**KORNMÜLLER** Utto (*Joseph*). Bénédictin allem. (Straubing 5.1.1824–Metten 13.2.1907). Il fut *regens chori* au monastère de Metten et présida le *Cäcilienverein* du diocèse ; on lui doit des messes et des motets, des cantates et des *Singspiele*, des publications : *Der kath. Kirchenchor* (Landshut 1868), *Lexikon d. kirchl. Tonkust* (Ratisbonne 1870, 1891–1895), *Die Mus. beim lit. Hochamte* (ibid. 1871), *Die Pflege d. Mus. im Benediktinerorden* (ds *Studien u. Mitt. Ben., I, II, VI*), des articles (ds *KmJb, MfM*).

**KORÓDI** András. Chef d'orch. hongrois (Budapest 24.5.1922–), élève de Ferencsik, de Lajtha, deux fois prix Liszt, qui exerce à l'Opéra de Budapest dep. 1945 et enseigne à l'école des hautes études mus. F. Liszt dep. 1957.

**KORTCHMAREV** (*Korčmarev*) **Klimentii Arkadiévitch.** Compos. russe (Verchnedneprovsk 3.7.1899–). Il fit au cons. d'Odessa des études de piano (Biber) et de compodition (Malychevski) ; il s'est fait un nom surtout par ses chansons révolutionnaires ; on lui doit 4 opéras, 20 opérettes, 5 ballets, des œuvres pour chœur avec ou sans orch., dont la cantate « *Chine libre* » (1950), de la mus. symph., de chambre, des mélodies, des films, de la mus. de scène.

**KORTE Oldrich František.** Compos. tchèque (Sal 1926–). L'un des meilleurs de sa génération, il a écrit notamment une fantaisie et une sonate pour piano, une *sinfonietta* et le ballet *Orbis*.

**KORTE Werner.** Musicologue allem. (Münster 29.5.1906-) Elève des univ. de Münster, de Fribourg-en-Brisgau et de Berlin (J. Wolf), dont il est docteur avec sa thèse *Die Harmonik des frühen XV. Jh. in ihrem Zusammenhang m. d. Formtechlik* (Munster 1929), il a été prof. assistant à l'univ. de Heidelberg (1928–1931) et enseigne dep. 1932 à celle de Munster ; outre sa thèse, on lui doit *Deutsche Musikerziehung in Vergangenheit u. Gegenwart* (Dantzig 1932), *Studien z. Gesch. d. mus. in Italien im ersten Viertel d. 15. Jh.* (Cassel 1933), *J.S. Bach* (Berlin s.d.), *L. v. Beethoven...* (id. 1936), *R. Schumann* (Potsdam 1937), *Musik u. Weltbild* (Leipzig 1940), des art. dans des périodiques ou ouvrages collectifs.

**KORTKAMP — 1. Jakob.** Mus. allem. du XVIIe s., qui fut le condisciple et ami intime de M. Weckmann chez J. Praetorius le jeune et fut maître de chant et d'orgue à Kiel ; on a conservé de lui 4 *Lieder* dans un recueil de Lunebourg de 1651, 9 versets d'orgue en tablature (Lunebourg, *KN* 209). Son fils — **2. Johann** (Kiel 1643 ?–Hambourg 20.5.1721), est dès 1660 loué par Mattheson, dans son *Ehrenpforte*, comme un « jeune et brave organiste » : il avait été l'élève de M. Weckmann ; il fut lié avec Chr. Bernhard et fut de 1669 à sa mort org. au couvent de Ste-Marie Madeleine ; on n'a conservé de lui qu'une seule *Jigg* (ds *Misc.* 3, 924, bibl. du cons. de Bruxelles, datée 1678). Voir M. Reimann in MGG.

**KÓSA György** Pian. et compos. hongrois (Budapest 24.4.1897-). Fils d'un avocat de Budapest, il est enfant quand Bartók le prend comme élève pour le piano et — ce qui était unique alors — pour la composition ; comme autres prof., il aura Dohnanyi, Herzfeld, Kodály ; au début de sa carrière, *K.* est connu, avant tout, comme un pian. de grande classe et accompagnateur des meilleurs solistes ; il enseigne le piano à l'Ecole des hautes études mus. F. Liszt depuis 1927 et a souvent remplacé Bartók lors des déplacements de ce dernier à l'étranger ; comme compos., *K.* est parmi les plus fertiles de notre temps : ses moyens d'expression sont riches et éclectiques, toujours originaux, et reflètent souvent des conceptions spiritualistes ; on lui doit des opéras et ballets (*Laterna magica*, « *Le manteau royal* », « *Les trois miracles de Joseph l'Orphelin* », « *Les deux chevaliers* », « *Le roi David* », *Cenodoxus*, « *L'étudiant Anselme* », « *Tartuffe* » etc., trois ont été représentés à l'Opéra de Budapest, des oratorios et cantates (« *La mort d'Adam Kincses* », *Laodameia*, *Jonas*, « *Oratorio de Pâques* », « *Cantate de Job* », *Joseph*, « *Le Christ* », *Saül, Elie, Dies irae, Messe* etc.), des œuvres symph.

(6 pièces d'orch., présentées en 1925 à Berlin par Kleiber et, la même année, au Fest. int. de Prague par Talich, *Suites, 2 poèmes symph., 5 symphonies* etc.), de la mus. de chambre (*duos, trios* p. ensembles divers, *quatuors* à cordes, *sonatine* p. vcelle seul, « *Musique de chambre* » p. 17 instr. *solis, 6 portraits* p. 6 cors et harpe, *quintette* p. instr. à vent et harpe etc.), de piano, des chœurs et des mélodies ; la plupart sont inédites, quelques-unes éditées chez Universal (Vienne) et tout récemment aux Ed. nat. de Budapest.                                      J.G.

**KOSHAKUHACHI.** C'est une flûte à encoche, « classique », du Japon : l'instrument, muni de six trous, est en bambou, cependant des spécimens anciens en pierre, jade, ivoire, sont conservés au Shosoin. Autre type de la famille *shakuhachi* (voir aussi à *fuke shakuhachi*).
                                                        E.H.-S.

**KOSCH Franz.** Ecclésiastique autr. (Steyr 19.11.1894–). Elève de l'univ. de Vienne (G. Adler, R. Lach) dont il est docteur avec sa thèse *Fl. L. Gassmann als Kirchenkomp.* (1924), élève de dom Gajard à Solesmes, il a dirigé la section de mus. d'église de l'*Akad. f. Mus.* de Vienne (1931) et fondé la commission diocésaine de mus. d'église de l'archidiocèse de Vienne, à la tête de laquelle il est depuis sa fondation ; on lui doit des art. dans des périodiques et ouvrages collectifs. Voir H. Federhofer in MGG.

**KOSCHAT Thomas.** Compos. autr. (Viktring 8.8.1845– Vienne 19.5.1914), qui fut chanteur, notamment à la chapelle impériale (1878–1913), et fonda un quintette vocal qui porta son nom (1877–1906), dont le répertoire faisait une large part aux mélodies populaires carinthiennes et à la langue de l'instrument in. ; on lui doit 2 opéras (*Am Wörther See*) et des chœurs, en tout qq. 150 numéros d'œuvres, des publications : *Hadrich* (Vienne 1877), *Dorfbilder aus Kärnten* (Leipzig 1878), *Erinnerungs-Bilder* (Klagenfurt 1889). Voir K.Krobath, *T.K.*, Leipzig 1912 ; M. Morold, *Das kärntner Volkslied u. T.K.*, ibid. 1895 ; H. Jancik in MGG.

**KOSCHMIEDER Erwin.** Prof. allem. (Liegnitz 1895–), qui enseigne à l'univ. de Munich ; c'est un spécialiste des mus. byzantine et slavonne, sur lesquelles il a publié d'importants travaux.

**KOSCHOVITZ Joseph.** Mus. hongrois, qui fut en 1794, maître de mus. de la famille Szulyovzki à Rakocz : c'est là qu'il composa un *12 danses hongroises* dont Liszt s'inspira dans sa 5e rhapsodie ; de 1804 à 1819, il est cité comme maître de mus. de la comtesse Andrassy à Kassa ; il composa nombre d'autres danses hongroises et fut un violoniste réputé. Voir Z. Gardonyi in MGG.

**KOSMA Joseph.** Compos. fr. d'origine hongroise (Budapest 22.10.1905-). Après ses études de composition à l'Ecole des hautes études mus. F. Liszt, il devient assistant chef d'orch. à l'Opéra de Budapest, puis obtient (1929) une bourse d'études pour Berlin où il fait la connaissance de Hans Eisler et de la mus. d'avant-garde ; en 1933, il se fixe en France où, après des débuts difficiles, il obtient le succès avec ses mus. de film (*Les enfants du paradis, Les portes de la nuit, Les amants de Vérone, Sans laisser d'adresse, Juliette ou la clef des songes* etc.), ses chansons (paroles de Prévert, Aragon, Appollinaire, Carco, Desnos, Queneau, Sartre etc.) et ses ballets (*Baptiste, L'écuyère, Hôtel de l'espérance*) ; autres compositions : mus. de scène (*Les mouches, Les chansons de Bilitis*), œuvres instr. (*Sonatines* p. vl et p. *Suite languedocienne* pour piano etc.), cantates et oratorios (*Les ponts de Paris*, 1947, *A l'assaut du ciel*, 1951, *Ballade de celui qui chanta dans les supplices, Les canuts*, 1958, créés à Budapest le 2 avril 1959).     J.G.

**KOSPOTH Otto Carl Erdmann.** *Freiherr von.* Mus. allem. (Mühltroff 25.11.1753–23.6.1817). Officier de cavalerie au service de l'électeur de Saxe, il fut choisi par Frédéric le Grand comme *maître des plaisiers* à la cour de Prusse ; il jouait du violon et du vcelle dans les concerts de Frédéric ; il était également claveciniste, et ses *Singspiele* étaient goûtés ; en 1783, il séjourna quelques mois à Venise et y apprit le cor anglais ; un peu plus tard, il était nanti d'un canonicat à Magdebourg ; en 1789, il rentra dans ses terres et y organisa de nombreux concerts : c'était un homme remarquable, original, bon écrivain, bon poète, mais son « penchant au mysticisme » lui valut de nombreux déboires, surtout financiers : il est le type même de ces aristocrates dilettantes du XVIII<sup>e</sup> s. qui firent tant pour la vitalité intellectuelle et artistique de l'époque ; on lui doit une dizaine de *Singspiele*, une douzaine de symph., de la mus. de chambre, des sonates de clavecin, des *Lieder*, 2 oratorios, 3 cantates, un article nécrologique dans le *Teutsche Mercur* de juin 1787. Voir C.H. Richter, *Die Herrschaft Mühltroff u. ihre Besitzer*, Leipzig 1857 ; Th.-M. Langner in MGG.

**KOSS-ANATOLSKY** *(Kos-Anatolskij)* **Anatoli Iossi-fovitch.** Compos. et prof. ukrainien (Kolomya 1.12.1909-). Il étudia à la faculté de droit, puis au cons. de Lvov, où il est prof. depuis 1950 ; depuis 1939, il est chef d'orch. et compos. du théâtre de marionnettes de Lvov ; on lui doit 1 opéra (1955), 1 ballet (1950), 1 suite symph. (1955), 1 concerto de harpe (1954), 12 préludes pour piano (1955), 20 chœurs, 3 mélodies, 50 chansons, des mus. de scène.

**KOSSENKO Victor Stépanovitch.** Pian. et compos. russe (St-Pétersbourg 23.11.1896-Kiev 3.10.1938). Elève de L. Sokolov, d'A. Glazounov, et d'I. Mykhtchevskaïa au cons. de St-Pétersbourg, il avait une ouv. symph. (1932), « *Poème moldave* » (1934), 1 concerto de piano (1928), 1 trio (1927), 3 sonates, 31 études et autres pièces de piano, 1 concerto de violon (1919), 1 sonate de piano et violon (1927), 1 sonate de piano et vcelle (1923), des mélodies, de la mus. de théâtre, de film.     A.W.

**KOSSMALY Karl.** Compos. allem. (Breslau 27.7.1812-Stettin 1.12.1893). Elève de Zelter et de B. Klein à Berlin, chef d'orch. de théâtre à Wiesbaden, Mayence, Amsterdam, Brême et Stettin, il termina son existence comme prof. et chef d'orch. dans cette dernière ville ; on lui doit des mélodies et des écrits : *Schles.Tonkünstler-Lex. ...* (4 vol., Breslau 1846-1847), *Über die Anwendung d. Progr. z. Eklärung mus. Compositionen* (Stettin 1858), *Über R. Wagner* (3 fascicules, Leipzig 1873-il était anti-wagnérien) ; il traduisit les *Mozart's Opern* d'Ulibichev (*ibid.* 1848) et donna des articles à des périodiques, notamment à la *N.M.Z.* : il était l'ami de Schumann. Voir la correspondance de ce dernier et W. Boetticher in MGG.

**KOSTAKOWSKY Jacobo,** Violon. et compos. mexicain d'origine russe (Odessa 5.2.1893-). Elève de Schönberg et de d'Indy, il s'est fixé à Mexico en 1925 ; il écrit dans un style néo-romantique teinté de folklore mexicain ; on lui doit de la mus. symph., de chambre, de piano, des ballets et des mélodies.

**KOSTELANETZ André.** Chef d'orch. amér. d'origine russe (St-Pétersbourg 22.12.1901-). Elève du cons. de sa ville natale, il y a fait carrière jusqu'en 1922, date à laquelle il s'est fixé aux *USA* pour exercer au *Columbia Broadcasting* ; il a fait une carrière intern., collaborant notamment avec sa femme, la célèbre Lily Pons.

**KOSWICK Michael.** Mus. allem. du XVI<sup>e</sup> s., originaire de Finsterwalde ou des environs (Lusace), élève de l'univ. de Francfort-sur-l'Oder : c'est en 1516 qu'il composa ses *Compendiaria musice...* (Leipzig) qu'il dédia à son cousin Balthasar, abbé de Doberlug : après quoi on perd sa trace ; son traité ne s'écarte pas de la ligne de ces nombreux abrégés du XVI<sup>e</sup> s. qui traitent de la mus. à partir de l'*ars canendi*. Voir M. Ruhnke in MGG.

**KOTCHARIAN** *(Kočarjan)* **Aram Karapétovitch.** Compos. arménien (Etchmiadzine 1903-). Elève des cons. de Moscou et d'Erevan, il a été prof. dans ce dernier cons. de 1934 à 1948 ; il dirige l'Institut d'hist. et de théorie de la mus. à Erevan ; on lui doit de la mus. symph., de chambre, des mélodies, des chansons, des enregistrements de mus. populaire, une « *Anthologie de la chanson populaire* » (1934-1939), « *Mélodies et contes khurdes* », « *Musique populaire arménienne* » (1939), « *Instruments populaires arméniens* » (1934-1939).

**KOTCHETOV** *(Kočetov)*. — **1. Nicolaï Rasoumnikovitch.** Chef d'orch., compos. et musicologue russe (Oranienbaum 8.7.1864- ?1925). Il fit d'abord ses études de droit, puis débuta comme compos. chef d'orch. et critique mus. en 1886 ; en 1906, il enseignait l'hist. de la mus. à l'univ. et

dans diverses écoles de Moscou ; après la révolution, il participa activement à la fondation (1921) de l'Institut national de musicologie ; on lui doit 1 opéra : « *La terrible vengeance* » (1901), 2 symph., de la mus. de piano, des mélodies, des opéras pour enfants, des écrits : « *Essai sur l'hist. de la mus.* » (Moscou 1904), « *La technique vocale et son importance* » (posth., 1930). Son fils — **2. Vadim Nicolaïévitch** (Moscou 22.11.1898-31.7.1951), élève du cons. de Moscou, composa 2 opéras pour enfants, 1 poème symph. (1930), 2 suites de ballets (1937), 3 suites de danses (1936-1947), de la mus. de scène, de film, radiophonique etc.

**KOTCHOUROV** *(Kočurov)* **Youri Vladimirovitch.** Compos. russe (Saratov 11.6.1907-Leningrad 22.5.1952). Il fit ses études aux cons. de Saratov (Preis et Rudolph) et de Leningrad (Chtcherbatolov) ; on lui doit plusieurs ballets, 1 opéra, des mus. de scène (16) et de film (7), des cantates, de la mus. symph., de chambre, des mélodies, des chansons, la rédaction du *Voïevoda* de Tchaïkovsky, des 6 *études pour chant* de Glinka, de l'*Esmeralda* de Puni.

**KOTHE Bernhard.** Compos. allem. (Gröbnig 12.5.1821-Breslau 25.7.1897), qui fut dir. de mus. d'église et prof. de chant à Oppeln et Breslau ; il milita dans le *Caecilienverein* et écrivit de nombreuses œuvres chor., d'orgue ; il publia deux livres sur sa spécialité et un abrégé d'hist. de la musique.

**KOTILKO Arkadi Arkadiévitch.** Compos. russe (Mikhaïlov 16.5.1909-). Il fit des études d'ingénieur-agronome à Moscou et étudia la mus. au cons. de Saratov ; de 1942 à 1944, il dirigea la mus. du théâtre aux armées ; de 1944 à 1945, la Philharmonie de Moscou ; depuis 1947, il enseigne la théorie musicale au cons. de la même ville ; on lui doit 2 opéras, 4 ballets, 1 symph., 1 ouverture « ukrainienne » pour orch. d'instr. populaires, 1 rhapsodie, 2 suites pour vcelle, viol. et piano (1939-1940), 1 suite « patriotique » pour piano (1942), 3 suites vocales, des chansons, de la mus. de scène, des arrangements.

**KOTO.** Au Japon, c'est le nom commun des cithares sur caisse, oblongues, avec table bombée et chevalets mobiles; les cordes (de 6 à 25 environ selon les types) sont en soie cirée et également tendues : elles sont toujours accordées individuellement à l'aide du chevalet mobile que l'on fait glisser sous la corde. Ces instruments, placés sur le sol et reposant sur des pieds bas vissés aux quatre coins de la caisse, sont joués tantôt avec un plectre, tantôt avec les doigts. *Cf.* art. *izumo-koto, shiragi-koto, shitsu, sono-koto* ou *Wagon*.     E.H.-S.

**KOTO-ITA.** Voir art. *tataki-ita.*

**KOTTER Hans** *(Johannes).* Mus. alsacien (Strasbourg v. 1480-Berne 1541). «Junge von Strassburg», il vécut d'abord à Fribourg-en-Brisgau et entra en 1498 à la chapelle impériale ; le figure de 1498 à 1508 sur les livres de comptes de Torgau ; il y fut l'élève de Hofhaimer ; en 1513, il était de retour à Fribourg : en 1514, il y était organiste à St-Nicolas ; en 1520, il est l'élève de Luther et correspondant de Zwingli : revenu à Fribourg, il dut le quitter définitivement en 1530 ; après avoir séjourné à Strasbourg, Bâle et Constance, il finit son existence comme maître d'école à Berne ; ses tablatures d'orgue ou de clavecin (bibl. de l'univ. de Bâle) sont parmi les plus anciennes que l'on ait conservées. Voir W. Merian, *Die Tabulaturen der Org. H.K.*, thèse de Bâle, Leipzig 1916 — *Bonifacius Amerbach u. H.K.* — *Der Tanz i.d. deutschen Tabulaturenbüchern, ibid.* 1927 ; W. Gurlitt, *J.K. u. sein freiburger Tabulaturbuch v.* 1513, ds *Els.-lothr. Jb., XIX,* Francfort 1946 ; K. Kotterba in MGG.

**KOU.** C'est un nom commun à divers tambours (Chine). Le *k.* serait apparu sous la dynastie des Yin (XV<sup>e</sup>-XII<sup>e</sup> s. av. J.-C.). On distingue plusieurs formes ou emplois différents du *k.* (cf. art. *kang-kou, yao-kou, chou kou, pan-kou, tien-kou, pa-kio-kou, siang-kiao-kou*). Le *t'ang-kou*, tambour à deux membranes, est le plus courant : il possède un corps en bois muni latéralement de deux anneaux. Il est frappé avec deux bâtons et s'emploie aussi bien dans les ensembles instrumentaux que dans l'orchestre de théâtre traditionnel.     M.H.-T.

**KOUAN.** C'est un hautbois en bambou, roseau, bois ou

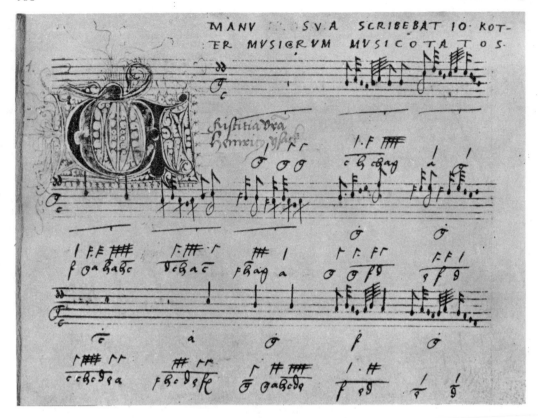

MANV... SVA SCRIBEBAT IO. KOTTER MVSICORVM MVSICOTATOS.

KOTTER

*Motet d'H. Isaac transcrit pour orgue par K. (bibl. de Bâle).*

étain, à sept trous antérieurs et un trou dorsal (Chine). Le *k.*, appelé autrefois également *pi-li*, *pei-li* ou *kia-kouan*, fut employé dans l'orchestre de cour des Souei (vers 581). C'est aujourd'hui un instrument populaire. Il existe deux tailles de *k.*, déterminant un registre différent, à une quarte de distance. M.H.-T.

**KOUBOV** (*Kubov*) **Georgij Nikititch.** Musicologue russe (? 1920–). Membre de l'Acad. russe des Beaux-Arts, collaborateur de la *Bolchaïa Sovietskaïa Enciklopedija*, prof. de mus. au cons. de Moscou, dir. de la *SoMuz* (1952), secrétaire du syndicat des compos. d'U.R.S.S. (1951), il est l'auteur d'ouvrages biographiques (*Borodine*, Moscou 1933) et de nombre d'articles, publiés dans la *SoMuz*.

**KOUCHNAREV** (*Kušnarev*) **Christofor Stépanovitch.** Compos. et prof. russe (Simféropol 4.6.1890–). Il fit d'abord des études de biologie à la faculté des sciences de Pétrograd, puis devint l'élève de Kalafaty et de Jitomirsky au cons. de cette ville ; prof. au cons. de Tiflis (1921–1923), puis à celui de Léningrad, il enseigna l'harmonie, la polyph., l'analyse et la composition ; on lui doit des œuvres d'orgue : *Sonate* (1925), *Passacaille et fugue* (1924), *Sonate* pour vcelle seul (1932), 10 chœurs, de la mus. de scène, des écrits : « *Les problèmes de forme et de contenu dans la musique* », « *Méthodes d'enseignement de la polyphonie* » (1936), « *Théorie et histoire de la mélodie arménienne* ».

**KOUDRYK Boris.** Compos. et musicologue ukrainien (1897–v. 1946, dans un camp de concentration soviétique). Prof. à l'Institut M. Lyssenko à Lvov, il est l'auteur de plusieurs études musicologiques, ainsi que de nombreuses pièces de piano, d'une sonate en *la* mineur de piano et violon, de chœurs *a cappella* et de diverses mélodies.
A.W.

**KOULIEV** (*Kuliev*) **Kourban.** Compos. et violon. turkmène (Kechi 1920–). Elève du cons. de Moscou, prof. de violon et soliste à Achkabad, il est depuis 1948 dir. de la philharmonie de la capitale turkmène et chef d'un orch. d'instr. populaires, on lui doit « *Fantaisie turkmène* » pour piano et orch. (1950), « *Fantaisie sur des thèmes turkmènes* » (1955), « *Danse de fête* » pour orch. d'instr. populaires (1955), de la mus. de danse pour piano, piano et violon, des arrangements de chants populaires.

**KOULKOV** (*Kulkov*) **Dmitri Nikolaïevtch.** Compos. russe (Odessa 4.10.1906–). Elève pour le violon, la dir. d'orch. et la composition (Vitol) du cons. de Riga, il y sera prof. à partir de 1944 ; de 1944 à 1950, il sera également chef d'orch. de la radio de Riga ; on lui doit 1 *symphonie* avec chœurs, 1 concerto pour alto et orch. d'instruments populaires lettons, *Sonate* et « *Fantaisie* » pour viol. et piano, « *Poème* » pour vcelle et piano, des chœurs, 10 mélodies, 5 chansons, de la mus. pour enfants, de film, de scène.

**KOUSSÉVITZKY** (*Kusevickij*) **Serguéï** (*Serge*) **Alexandrovitch.** Chef d'orch. amér. d'origine russe (Vychnij-Voloček 13.6.1874–Boston 4.6.1951). Elève de l'école mus. et dram. de la Soc. philharm. de Moscou, où il fut ensuite prof. (1900), il était contrebassiste : en 1894, il entra à l'Orch. impérial et fit carrière de virtuose en Russie et aux Etats-Unis ; en 1909, il fonda l'*Orch. symph. K.*, et les *Editions musicales russes* : il y édita Scriabine, Prokofiev, Stravinsky (*Pétrouchka*, *Le sacre du printemps*) ; pendant la Révolution, il s'expatria, vécut un temps à Paris, puis se fixa aux Etats-Unis, où il dirigea de 1924 à 1949 le *Boston symphony orchestra* ; il fonda en 1938 le *Berkshire music Center* et en 1942 la *K. music Foundation* : c'était un grand tempérament, qui aurait réussi dans toutes professions où l'apparence commande la gloire.

**KOUTZEN Boris.** Violon. et compos. amér. d'origine russe (Uman 1.4.1901–). Elève du cons. de Moscou (Glière), il fut engagé au *Philadelphia symph. Orchestra* : depuis 1924, il est prof. au cons. de Philadelphie et, depuis 1944, il enseigne au *Vassar College* à N.-York ; on lui doit des œuvres symph., de la mus. de chambre, de violon.

**KOUZNETZOFF** (*Kuznečova*) **Maria Nicolaïevna.** Chanteuse russe (Odessa 1884–). Soprano, danseuse, elle débuta en 1905 et fit une carrière triomphale en Russie, en Espagne, à Paris, Londres et Chicago ; elle resta en Suède pendant la première guerre mondiale et dirigea l'Opéra russe de Paris de 1925 à 1940.

**KOUZNETZOV** (*Kuznečov*) **Constantin Alekséévitch.** Musicologue russe (Novotcherkassk 21.9.1883–Moscou 8.7.1953). Docteur en philosophie (Heidelberg, 1906), en droit constitutionnel (Kharkov, 1916), en hist. de l'art (Moscou, 1943), il fut président de l'Institut de musicologie et prof. au cons. de Moscou ; il fit de nombreuses recherches sur l'hist. de la mus. russe, occidentale et orientale ; on lui doit notamment « *Hist. de la mus. russe-Documents et matériaux* » (1924–1927), « *Glinka et ses contemporains* » (1926), « *La culture mus. de la Russie de Kiev* » (ms.), « *Portraits musicologiques* » (1937), « *Essais sur le passé historique de Moscou* » (1947).

**KOVÁCS Dénes.** Violon. hongrois (Budapest 1930–), élève de Zathureczky, prof. à l'Ecole nat. des hautes études mus. F. Liszt (dep. 1957), 1ᵉʳ prix C. Flesch (Londres, 1955), qui fait une carrière internationale.

**KOVÁCS János.** Musicologue hongrois (Budapest 1930–), prof. au cons. B. Bartók, qui a publié « *Les opéras de Mozart* » (1956, en partie), « *Les œuvres symph. de Z. Kodály* » (ds *Zenetudomanyi tanulmanyok, VI*).

**KOVÁCS Sándor.** Musicologue hongrois (Budapest 26.1.1886–24.2.1918). Elève du cons. et de l'univ. de Budapest, dont il fut docteur (1907) avec sa thèse « *Prolégomènes à une histoire de l'évolution de la musique* », il enseigna à partir de 1910 et prit part, auprès de Bartók et de Kodály, à la fondation de l'*UMZE* ; il mourut prématurément, ne laissant que des articles dans des périodiques. Voir J. Ujfalussy in MGG.

**KOVAL Marian Victorovitch.** Compos. russe (Pristan' Voznesenia 17.8.1907–). Elève de Bichter au cons. de Leningrad, de Gnessine et de Miaskovsky à celui de Moscou, il fut un membre actif des *Prokoll* et du *Ramp*, devint en 1948 secrétaire et membre de la dir. de l'Union des compositeurs soviétiques, assuma de 1948 à 1952 la rédaction de la revue « *La musique soviétique* » ; on lui doit 5 opéras (*Pougatchev*, 1942), des mus. de scène et de film, 2 oratorios, de la mus. de chambre, de piano, des chœurs.

**KOVAROVIČ Karel.** Chef d'orch. et compos. tchèque (Prague 9.12.1862–6.12.1920). Elève de Z. Fibich (composition), il fut à partir de 1900 chef d'orch. de l'Opéra de Prague, où il dirigea des opéras de Smetana, Dvořák, Fibich etc. ; il fut le plus grand chef d'orch. tchèque de

son temps et dirigea aussi des concerts à l'étranger avec beaucoup de succès (Paris, Londres) ; ses compositions sont aujourd'hui presque oubliées, à l'exception de 2 opéras : *Psohlavci* (« *Têtes-de-chien* ») et *Na starem bělidle* (« *Le vieux blanchissage* »), et de quelques petites pièces symphoniques. Voir R. Quoika in MGG.     Z.V.

**KOVNER Iosif Naoumovitch.** Compos. russe (Vilnó 29.12.1895–). Elève de l'Ecole de mus. de Vilnó, puis de Kalafaty et de Glosonna au cons. de Moscou, il a été de 1923 à 1942, responsable mus., compos. et chef d'orch. du Théâtre de la jeunesse à Vilnó ; on lui doit 4 comédies mus. (1944, 1948, 1953, 1955), 1 poème symph., 1 suite

L.A. KOZELUCH

symph., des mus. de scène (plus de 50) et de film, des mélodies.

**KOWALSKY Alfred.** Compos. luxembourgeois d'origine pol. (Luxembourg 17.2.1879–Metz 1941). Elève des cons. de Paris et de Berlin, de l'univ. de Heidelberg, org., il fut à partir de 1926, dir. du cons. nat. du Luxembourg à Esch ; on lui doit 4 messes, de la mus. symph. (1 symph.), de chambre, 3 opéras, des mélodies.

**KOX Hans.** Compos. néerl. (Arnhem 19.5.1930–), élève de H. Badings, auteur d'une sonate de piano (1954), de « *Mus. concertante* » (3 instr. à vent et orch., 1956), d'un ballet : *Diabolus feriatus* (*id.*) etc.

**KOYOLI.** C'est une cloche, de cuivre ou d'or, des Indiens Aztèques (Mexique ancien).     S.D.-R.

**KOZELUCH** (*Koželuh*) — **1. Jan Antonin.** Mus. tchèque (Velvary 13.12.1738–Prague 3.2.1814). Maître de chapelle à St-Veit à Prague, il écrivit des opéras, des oratorios, des messes, des concertos etc. Son neveu — **2. Leopold Antonin** (Velvary 9.12.1752–Vienne 7.5.1818), fit ses études à Prague avec F.X. Dušek et partit ensuite pour Vienne, où il succéda à Mozart comme maître de chapelle à la cour : il y fonda aussi une maison d'éditions musicales ; on lui doit des opéras, des ballets, des oratorios, des cantates, des messes, des symph., des concertos, des sonates etc. Voir R. Firkle, *J.A.K.*, Prague 1944 ; A. Weinmann, *K.-Bibliogr. 1784–1802*, Vienne 1950 ; O. Wessely in MGG.     Z.V.

**KOZENKO Victor Stépanovitch.** Pian. et compos. russe (St-Pétersbourg 1895–Kiev 1938). Il fit ses études au cons. de St-Pétersbourg avec Miklachevskaia (piano), Sokolov et Steinberg (composition) et fut prof. au cons. de Kiev de 1929 à 1938 ; on lui doit « *Ouverture héroïque* » (1932), « *Poème moldave* » (1939), 1 concerto de piano (1928–37), « *Trio classique* » (1927), 3 *Sonates* et 7 *Préludes* de piano, concerto pour piano et viol. (1919), *Sonate* pour vcelle et piano (1923), 36 mélodies, 37 chansons, mus. de scène (3), de film.

**KOZINA Marjan.** Compos. slovène (Novo Mesto 4.6. 1907–). Elève de J. Marx et de J. Suk, prof. agrégé de composition à l'Académie de musique à Ljubljana, auteur très fécond, il a écrit notamment l'opéra « *L'équinoxe* » (1946), sur un texte d'I. Vojnović, *Symphonie* (1947–1950), la cantate *Lepa vida* (1939, ch. mixte et 3 soli) et « *La ballade de Petrica Kerempuh* » (1939, b. et orch.).                                                        D.C.

**KOZIOL.** C'est une grande musette (voir à ce mot, sens 2), d'usage populaire (Pologne) : cette cornemuse à soufflet, dont le sac est constitué par une peau de chèvre non tondue, possède un tuyau mélodique percé de sept ou huit trous et un bourdon, terminés l'un et l'autre par un pavillon recourbé en corne ; sa sonorité est puissante et son timbre, coloré. Le *k.* est souvent très orné ; les cornes des pavillons sont gravées et montées sur des éléments en cuivre travaillé ; le barillet du tuyau mélodique, sculpté et incrusté, figure une tête de chèvre. Une variété plus petite, le *k. slubny*, est réservé au rituel nuptial. On dit aussi *koza*.                                                        M.A.

**KOZITSKY** (*Kozičkij*) **Filip Emélianovitch.** Compos. ukrainien (Letichevka 23.9.1893–). Elève du cons. de Kiev, il enseigne au cons. de cette ville dep. 1895, après y avoir dirigé la Philharmonie ; on lui doit 3 opéras, 1 cantate, 1 suite symph., des chœurs, des mélodies, des arrangements etc.

**KOZLOVSKY** (*Kozlovskij*) **Alexeï Fédorovitch.** Compos. russe (Kiev 15.10.1905–). Elève de Miaskovsky au cons. de Moscou, il fut de 1931 à 1938 chef d'orch. du théâtre Stanislavsky ; en 1938, il s'établit à Tachkent, où il dirigea l'orch. de l'Opéra, la philharmonie et fut, depuis 1949, prof. au cons. ; on lui doit 5 opéras (*Khamza khakim Zade Niazi*, 1936, *Ougloubek*, 1942, « *La mère* », 1942, « *L'exploit de Bektech* », 1942, *Afdal*, 1942), 2 drames musicaux (*Davron ota*, 1941, *Cherali*, 1942), 1 ballet, 5 cantates, 2 symph. (1933, 1935), 5 suites, poèmes et autres pièces symph., 232 fugues pour piano, des mélodies, des chansons, 3 mus. de scène, des mus. de film, des arrangements.

**KOZLOVSKY** (*Kozlovslij*) **Ivan Séménovitch.** Chef d'orch. ukrainien (Marianovka-Kiev 24.3.1900–). Elève de l'institut Lysenko à Kiev, il a exercé aux Opéras de Kharkov (1925), de Sverdlovsk (1926), au *Bolchoï* (dep. 1926) et à l'Opéra nat. (1938–1940) à Moscou ; il est, dep. 1940, « artiste du peuple soviétique ».

**KOZLOWSKI Jozef.** Compos. pol. (Varsovie 1757– St-Pétersbourg 21.3.1831). Dès l'âge de 18 ans, il était maître de musique chez le prince A.T. Oginski, à Guzow (1873), puis à Troki (jusqu'en 1786) : cette dernière année, il est aide de camp du prince Dolgoruki dans l'armée russe et prend part à la guerre russo-turque ; en 1790, on le trouve au service de Potemkine à la cour de Russie, en 1791, chef d'orch., compos. et inspecteur de la mus., de 1803 à 1819, dir. de la mus. de la cour : il se retire en 1819 ; on lui doit de la mus. de théâtre, d'église (6 messes, 7 cantates), symph. (70 polonaises), de piano. Voir W.A. Prokofiev, *O.A.K.* ..., ds *Muz. i Muzykalnij byt staroj Rosii*, Léningrad 1926 ; Z. Lissa in MGG.

**KOZOLOUPOV** (*Kozolupov*) **Semen Matveevitch.** Vcelliste et musicologue russe (Krasnokholmskoïé 1884–), élève du cons. de St-Pétersbourg, qui a été soliste au *Bolchoï*, prof. aux cons. de Saratov, Kiev et Moscou (dep. 1922) ; c'est un grand virtuose et un excellent professeur.

**KRABBE Wilhelm Carl.** Musicologue allem. (Widdert 13. 6.1882–). Docteur de Berlin avec sa thèse *J. Rist u. das deutsche Lied* (1910), il est entré à la bibl. de Berlin en 1913 et l'a quittée en 1945 ; il vit depuis à Göttingen ; on lui doit, outre sa thèse, *Bibliographie...* (Hambourg, 6e éd.), 1951), *Kurzgefasstes Lehrbuch d. Bibl.-Verwaltung*

(Stuttgart, 3e éd. 1953, av. W.M. Luther), des art. dans des périodiques, ouvrages collectifs, des éditions. Voir art. in MGG.

**KRACHER Joseph Matthias.** Mus. allem. (Mattighofen 30.1.1752–? v. 1830), qui fut org. et prof. (1765) à Lochen, Kastendorf, Teisendorf, Michelbeuern (1771), où il fut également *Kammerdiener* au monastère des bénédictins, en 1772, org. à Seekirchen, enfin, de 1816 à sa mort cantor à Kuchl ; il fut l'ami de M. Haydn ; on lui doit de la mus. d'église : 22 messes, 4 *Requiem*, 4 litanies, des vêpres, 24 graduels, 15 offertoires, 2 *Te Deum*, 6 offices de ténèbres, 20 hymnes de vêpres et des *Lieder*. Voir O. Wessely in MGG.

**KRADENTHALLER.** Voir art. *Gradenthaler*.

**KRAF Michael.** Mus. allem. (Neustadt, en Franconie, v. 1590–Altdorf-Weingarten 15.3.1662). En 1616, il était org. et compos. à l'abbaye de Weingarten : cette abbaye connut son apogée musical entre 1600 et 1630, avec C. Hänlin, A. Bendel et K. ; à partir de 1639, il se mit au service de l'archiduc Léopold ; on lui doit *Musae novae* (8 v. et double *b.c.*, Dillingen 1616), *Sacrorum concentuum* (2-8 v., *b.c.*, 2 vol., Roschach 1620, Ravensburg 1624), *Canticum Deiparae Virginis* (2 vol., 18 *Magnificat*, 6-10 v., *ibid.* 1620, Ravensburg 1623), *Missae* (6-12 v., *b.c.*, *ibid.* 1623), *Motectae...* (6-8 v., *b.c.*, *ibid.* 1624), *Sacri litaniarum...* (4-6 v., *b.c.*, *ibid.* 1627), *Camoenopaedia sacra...* (2-8 v., *b.c.*, *id. ibid.*), Αγαλλιαμα *vespertinum* (6-12 v., *b.c.*, Rottweil 1627), *Opus XI musicum...* (16 v., *b.c.*, 4 messes, 1 *Requiem*, Innsbruck 1622). Voir G. Reichert in MGG.

**KRAFFT.** Famille de mus. belges. — **1. Jean-Laurent** vécut à Bruxelles dans la 1re partie du XVIIIe s. et semble avoir été maître de chant à l'*Onze-Lieve-Vrouwe-ter-Zavele-Kerk* ; on lui doit une passion ; son fils — **2. François-Joseph** (Bruxelles 27.7.1721–Gand 13.1.1795), fut petit chanteur à la cath. St-Bavon de Gand et étudia en Italie ; selon certains, il aurait succédé à son père ; en 1766, il était connu comme compos., org. et prof. de clavecin à Bruxelles, en 1769, comme maître de chant à la cath. de Gand (jusqu'en 1793) ; on lui doit des œuvres polyph. de mus. d'église, dont des messes, avec acc. instr. ou d'orgue. Son cousin — **3. François** (Bruxelles 3.10.1733–v. 1800), semble avoir été élevé à Liège ; d'après Fétis, il était en 1750 maître de chant à Bruxelles : il y fut maître de la chapelle royale de 1770 à 1783 ; on lui doit également de la mus. polyph. d'église, des airs et des chœurs, des pièces instr. Voir R. Vannes, *Dict. des musiciens belges*, Bruxelles s.d. ; W. Dehennin in MGG.

**KRAFT.** Famille de mus. austro-tchèques. — **1. Anton** (Rokitzan 30.12.1749–Vienne 28.8.1820) : vcelliste, élève de J. Haydn, il appartint aux chapelles des princes Esterhazy (1778–1790), des princes Grassalkovitz (1790) et des princes Lobkowitz (1796–1820) ; on lui doit de la mus. pour son instrument (1 concerto, 3 sonates) et de la mus. de chambre. Son fils et élève — **2. Nikolaus** [*Mikulas*] (Esterhaza 14.12.1778–Eger 18.5.1853), débuta comme virtuose en 1789 : le 14 avril 1789 il eut l'honneur de jouer avec Mozart à la cour de Dresde ; en 1796, il était musicien de la chambre du prince Lobkowitz et jouait dans le quatuor Schuppanzigh ; en 1809, il était soliste au Kärntnertor-Theater de Vienne (où il créa l'*op.* 69 de Beethoven), de 1814 à 1834, musicien de la chambre à la cour de Stuttgart ; on lui doit également des œuvres pour son instrument (5 concertos). Son fils et élève — **3. Friedrich Anton** (Vienne 3.2.1807–Stuttgart 4.12.1874), fut vcelliste à la chapelle de Stuttgart à partir de 1824. Voir O. Wessely in MGG.

**KRAFT** (*Crafft*) **Georg Andreas.** Mus. allem. (Nuremberg v. 1660–Kaster a.d. Erft 1.12.1726). Il aurait été l'élève de Corelli à Rome et fut d'abord *Konzertmeister* à la chapelle de Dusseldorf, puis, avant 1700, *Hofkammerer* à Kaster ; on lui doit des ouvertures, des ballets et des *sonate da camera*. Voir G. Croll in MGG.

**KRAFT Günther.** Musicologue allem. (Suhl 2.4.1907–). Elève de la *Hochschule f. Mus.* de Berlin-Charlottenbourg et des univ. de Berlin et d'Iéna, docteur d'Iéna avec sa thèse *J. Steuerlein, Leben u. Werke*, il est depuis 1949 prof. au cons. de Weimar, où il dirige également les archives de chant populaire qu'il y a créées ; on lui doit, outre sa thèse, *Die thüringer Musikkultur um 1660* (3 vol., Wurtzbourg 1939 *sqq.*), *Musikgeschichtl. Beziehungen zwinchen Thüringen u. Russland im 18. u. 19. Jh.* (Weimar 1855), *Von Spielmännern, Volkssängern u. Wandermusikanten* (*ibid.* 1957) et des art. dans des périodiques ou ouvrages collectifs ; il est l'éditeur de *J.S. Bach in Thüringen* (av. H. Besseler, *ibid.* 1950) et des *Fs. H. Albert* et *H. Schütz* (*ibid.* 1954).

**KRAFT Karl.** Org. allem. (Munich 9.2.1903–), titulaire depuis 1923 de l'orgue de la cath. d'Augsbourg ; on lui doit un grand nombre d'œuvres de mus. symph., d'orgue, de piano, de chambre, chor. (des messes), de mélodies, de ballet. Voir E.F. Schmid in MGG.

**KRAFT Walter.** Org. et compos. allem. (Cologne 9.6. 1905–), qui a exercé à Hambourg et Altona, Lubeck, Flensburg, Fribourg-en-Brisgau ; il est dep. 1958 prof. d'orgue à la *Musikakad.* de Lubeck ; on lui doit des oratorios, des cantates, des motets, des chœurs, des mélodies, de la mus. instr. (p., orgue, fl.), symph., de chambre. Voir W. Brennecke in MGG.

**KRAINSKI** (*Crainscius*) **Krzysztof.** Mus. pol. (? 1556–Laszczow 21.1.1618), qui fut prédicateur calviniste à Lublin, Oppeln et Laszczow (dep. 1578) ; en 1598, il était président synodal à Malopolska ; on lui doit un *Kancional* (Rakow 1603), *Katechizm* (avec des mélodies relig. pol., 1596–1624), *Postylla...* (Laszczow 1611–1617), *Forma odprawowania...* (*ibid.* 1602), *Parzadek nabozenstwa...* (Thorn 1599–1614), *Dzienik...* (*ibid.* 1605, 1717), *Dawid Jesuicki z Belsebuba harpa* (1615) : c'est par son recueil de 210 *Lieder* protestants, dont il est l'introducteur en Pologne, qu'il est resté dans l'histoire de la mus. Voir K. Swaryczewska in MGG.

**KRAKOWIAK.** Voir art. *cracovienne.*

**KRANNHALS Alexander.** Chef d'orch. suisse (Francfort 16.2.1908–), élève du cons. de Bâle (F. Weingartner), qui a exercé à Lucerne, Bâle, St-Gall, Amsterdam et Carlsruhe, où il dirige actuellement la *Musikhochschule.*

**KRANZ Johann Friedrich.** Violon. allem. (Weimar 6.4. 1752–Stuttgart 20.2.1810). Il fut à partir de 1766 à la chapelle ducale de Weimar : en 1778, il y était violon. et musicien de la chambre, en 1787, 2e *Konzertmeister* et dir. de l'Opéra ; il voyagea en Italie (Milan, Naples et Rome), à Mannheim, Munich, Esterhaza : à son retour, il s'intitulait « élève de J. Haydn » ; en 1799, il était maître de chapelle à Weimar, mais il dut quitter son poste après des démêlés avec le personnel lyrique : le duc et Gœthe s'en mêlèrent, et *K.* partit pour la cour de Stuttgart où, le 1er mars 1803, il exerçait les mêmes fonctions ; on lui doit de la mus. de théâtre, de chambre, d'orch. Voir J.W. Goethe, *Tag-u. Jahreshefte*, 1791 ; G. Kraft in MGG.

**KRASNER Louis.** Violon. amér. d'origine russe (Cherkasny 21.6.1903–) qui débuta à Vienne (c'est pour lui qu'Alban Berg composa son concerto de violon) : il fait une carrière internationale.

**KRASNOPEROV Sergueï Mikhaïlovitch.** Compos. et chef d'orch. russe (Riga 14.12.1900–). Elève, puis prof. au cons. de Riga, chef d'orch. de plusieurs orch. symph. et de la radio lettone, il a dirigé de 1947 à 1950 l'« Ensemble chorégraphique et musical letton » ; on lui doit 1 oratorio (1939), 1 poème symph. (1943), des chœurs et des ensembles instrumentaux pour instr. populaires russes et lettons sur des thèmes folkloriques.

**KRASSEV** (*Krasev*) **Mikhaïl Ivanovitch.** Compos. russe (Moscou 16.3.1897–24.1.1954). Il étudia la théorie mus. avec Gretchaninov, Dovrovein et Jiliaev, s'occupa de l'éducation musicale de l'enfance et de l'étude et de la transcription des mélodies populaires du Caucase, de la Crimée et de la Lithuanie ; on lui doit 1 opéra (1937), 10 opéras pour enfants, de nombreuses opérettes, 2 cantates (1947), des mélodies pour enfants, de la mus. pour spectacles de marionnettes, des arrangements.

**KRAUS Egon.** Prof. allem. (Cologne 15.5.1912–). Elève de l'univ. et du cons. de sa ville natale, docteur de philo-

logie d'Innsbruck (1957), il a enseigné à la *Musikhochschule* de Cologne ; il est président-fondateur de l'Union des prof. de mus. allem., secrétaire général de la Soc. internat. pour l'éducation musicale et représentant de sa patrie au Conseil internat. de la mus. à l'Unesco ; on lui doit *Der Musikunterricht...* (*Wolfenbuttel* 1954–1955), *Wege der Erneuerung d. Schulmusikerziehung seit 1900* (thèse d'Innsbruck, 1957), des articles dans des périodiques ou ouvrages collectifs, des directions de publications. Voir F. Oberborbeck in MGG.

**KRAUS Joseph Martin.** Mus. allem. (Miltenberg am Main 20.6.1756–Stockholm 15.12.1792). Elève des jésuites et du séminaire de musique de Mannheim, étudiant en droit et en philosophie des univ. de Mayence, Erfurt et Göttingen, il partit pour la Suède en 1778 : l'année d'après, il était membre de l'Acad. de mus. de Stockholm, en 1788, 1er maître de chapelle de la cour (grâce aux bons soins du comte Fersen) ; de 1782 à 1788, il voyagea à Rome, Florence, Naples, Paris, Londres, Vienne (où il connut Haydn, Gluck et Albrechtsberger) ; à son retour, il eut de grandes difficultés avec les partisans de l'abbé Vogler ; il mourut prématurément et tomba rapidement dans l'oubli ; son œuvre, abondante, inclut 3 opéras : *Proserpin* (1781), *Soliman II* (1789), *Aeneas i Carthago...* (1799), 4 *intermèdes et divertissements* pour l'*Amphitryon* de Molière (1787), de la mus. de scène, d'église, des cantates, des mélodies, des symph., 1 concerto de violon, de la mus. de chambre, des œuvres littéraires ; ses œuvres, en partie imprimées, sont pour la plupart conservées en mss à Upsal et à Stockholm. Voir Anonyme, *Biografi av. K. ...*, Stockholm 1833 ; B. Anrep-Nordin, *Studier över J.M.K.*, *ibid.* 1924 ; K.F. Schreiber, *Biogr. ... J.M.K.*, Buchen 1928 ; R. Engländer, *J.M.K. ...*, Upsal 1943, art. in MGG.

**KRAUS Philipp Josef Anton** (*Pater Lambert*). Bénédictin allem. (Pfreimd 27.9.1729–Metten 27.11.1790), qui fut *regens chori* au monastère de Metten auquel il était entré en 1747 ; il eut d'ailleurs l'abbé en 1770 : on lui doit 8 messes à 4 v. avec acc. instr. et double b.c. (Augsbourg 1762), *12 symphoniae... (id. ibid.), 8 Lytaniae lauretanae...* (4 v., *id. ibid.* 1764), 2 vêpres (ms. Munich), *Ceremoniale monastico-benedictinum in usum monasterii mettensis* (Straubing 1765) ; le reste de ses œuvres a été perdu. Voir A. Scharnagl in MGG.

**KRAUSE Christian Gottfried.** Écrivain et mus. allem. (Winzig, bapt. 17.4.1719–Berlin 4.5.1770). Elève de son père (viol., clavecin), étudiant en droit de l'univ. de Francfort, il fut le secrétaire du général de Rothenbourg (1746) à Berlin, où il se lia avec Kleist ; il fonda un club de « libre et sereine conversation » (1749) dont les membres étaient des artistes et des écrivains ; en 1753, il était avocat à Berlin : il y tenait table ouverte et son salon était le centre de la vie musicale de Berlin (Quantz, C.P.E. Bach, Benda, Graun) ; on lui doit des cantates, un *Singspiel*, surtout les importantes publications : *Oden m. Melodien* (1-2, Berlin 1753–1755, et 1761) et *Lieder d. Deutschen m. Melodien* (4 vol., Berlin 1767–1768), des écrits : *Lettre à Monsieur le Marquis de B. sur la différence entre la musique italienne et française* (Berlin 1748), *Von der mus. Poesie* (ibid. 1752), *Vermischte Gedanken* (ds Marpurg, *Hist.-krit Beytr.*, III, ibid. 1758), des lettres. Voir J. Beaujean, *C.G.K.*, Dillingen 1930 ; A. Schering, *C.G.K.*, ds *Z.f. Ästh*, II, 1907 ; H. Becker in MGG.

**KRAUSE Karl Christian Friedrich.** Philosophe allem. (Eisenberg 6.5.1781–Munich 27.9.1832). Prof. aux univ. d'Iéna et de Göttingen, il publia des travaux sur l'hist. de la franc-maçonnerie, des ouvrages philosophiques, notamment *Darstellungen aus d. Gesch. d. Mus.* (Göttingen 1827, rééd. Leipzig 1911), *Abriss d. Ästh.* (posth., Göttingen 1837), *Anfangsgründe d. allg. Theorie d. Mus.* (*id. ibid.* 1838), *System d. Ästh.* (*id.*, Leipzig 1882). Voir W. Serauky, *Die mus. Nachahmungsästh.*, Munster 1929.

**KRAUSS Clemens.** Chef d'orch. autr. (Vienne 31.3.1893–Mexico 16.5.1954). Fils naturel de l'archiduc Johann Salvator d'Autriche, selon les uns, selon les autres d'H. Baltazzi et de la chanteuse Clémentine *K.*, élève du cons. de Vienne, il exerça à Brno, Riga, Stettin, Graz,

Vienne, Francfort, Munich, Salzbourg, fit une carrière internationale et mourut au cours d'une tournée en Amérique du Nord ; il était l'ami et le collaborateur de R. Strauss (*Capriccio*). Voir A. Berger, *C.K.*, Graz 1929, J. Gregor, *Id.*, Vienne-Zurich 1953 ; O. v. Pander, *C.K. in München*, Munich 1955 ; H. Jancik in MGG.

**KRAUT Johann** (*Johannes Brassicanus*). Mus. autr. (Murau v.˙1570–Ratisbonne... 9.1634), qui fut cantor et prof. au *Gymnasium* de Ratisbonne en 1603, puis à Linz (1609–1627), enfin à Ratisbonne (1628), de nouveau au *Gymnasium* ; on lui doit *Similia davidica* (4 v., Ratisbonne 1615), 1 *Klagelied* (*ibid.* 1610), 1 motet à 7 v. (Augsbourg), 76 *Lieder* (ds les *Mus. fig. Melodien*, Strasbourg 1634), 5 autres dans un recueil d'Erhardi (Francfort 1659), 2 autres pièces (4-5 v.) en mss. (Ratisbonne). Voir O. Wessely in MGG.

**KRAUTWURST Franz.** Musicologue allem. (Munich 7.8. 1923-). Élève du cons. Trapp et de R. von Mojsisovics à Munich, élève des univ. de Munich et d'Erlangen, docteur d'Erlangen avec sa thèse *Unters. zum Son.-Satztypus Beethovens...* (1950, dact.), il est dep. 1956 prof. à la même université ; on lui doit, outre sa thèse, des éditions savantes et nombre d'articles dans des périodiques ou ouvrages collectifs. Voir art. in MGG.

**KREBS.** Famille de mus. allem. — **1. Johann Tobias** (Heichelheim 7.7.1690–Buttstädt 11.2.1762) : élève de son père *Hans Christoph*, de J.G. Walther et de J.-S. Bach à Weimar (entre 1711 et 1716), cantor et org. à Buttelstedt (1710) et à Buttstädt (1721), il mourut quasi aveugle ; on a conservé de lui des œuvres d'orgue (chorals) : le reste a été perdu ; c'était un excellent musicien. Son fils — **2. Johann Ludwig** (Buttelstedt, bapt. 7.12.1713–Altenbourg 1.1.1780), élève de son père, de J.-S. Bach à St-Thomas et de l'univ. de Leipzig, fut org. à Zwickau (1737), puis à Zeitz (1744), enfin à la cour d'Altenbourg (1756) : il était très aimé et apprécié de J.-S. Bach pour qui il avait d'ailleurs une grande vénération ; son œuvre est très abondante : elle comporte quantité d'œuvres d'orgue (préludes et fugues, *toccate* et fugues, fantaisies et fugues, préludes et fantaisies, sonates en trio, 2 fantaisies d'orgue et hautbois, un grand nombre de chorals), de clavecin (suites, sonates, partitas), de mus. de chambre (trios, sonates, *sinfonie*, 2 concertos de clavecin, 2 de luth), 2 *Magnificat*, 1 messe, 1 oratorio funèbre, 1 *drama per musica*, des motets et cantates (av. acc. instr.). C'est un musicien de 1er ordre, tel que le problème de l'attribution des 8 *petits préludes et fugues* d'orgue de J.-S. Bach inclut l'hypothèse qu'ils soient de lui (on hésite entre son père et lui). Son fils — **3. Johann Gottfried** (Zwickau, bapt. 29.5.1741–Altenbourg 5.1.1814), fut *Mittelorg.* à Altenbourg (1758), puis *Stadtcantor* d'Altenbourg (1771) ; son œuvre est également nombreuse : sonates de clavecin ou de pianoforte, *Lieder*, *divertimenti*, 71 cantates d'église, 2 psaumes, 1 oratorio, 1 cantate profane, 1 drame musical etc.. pour la plupart restés en mss. Son frère — **4. Carl Heinrich Gottlieb** (Zeitz 22.1.1747–Eisenberg 7.9.1793), fut org. de la cour d'Eisenberg : ses œuvres ont été perdues. Leur frère — **5. Ehrenfried Christian Traugott** (Zeitz 15.2.1753–Altenbourg 17.4.1804), succéda à son père en 1780. Son fils — **6. Ferdinand Traugott**, fut également organiste. Voir la bibliographie de J.-S. Bach ; A. Franke, *J.L.K...*, ds *Weimarer Landszeitung*, *LXV*, 278 ; B. Klein, *J.L.K...*, ds *Altenb. Nachrichten*, 22.10.1950 ; M. Kreisig, *...J.L.K.*, Alt.-Zwickau 1921 ; H. Löffler, ds *Bach-Jb.*, 1930 et 1940–1948 ; W. Niemeyer, *J.L.K.*, (ms), archives de Zwickau ; R. Sietz, *Die Orgelkompos.* des *Schülerkreises um J.S. Bach*, thèse de Göttingen, ds *Bach-Jb.*, 1935 – art. ds *Das Musikleben*, *XVI*, 1953 ; H. Volkmann, *Neues über J.L.K.*, ds *Altenb. Heimatbl.*, *VII*, 10 ; K. Tittel, *Die mus. Vertreter d. familie K.*, thèse (en prép.) — art in MGG.

**KREBS Carl.** Musicologue allem. (Hanseberg 5.2.1857–Berlin 9.2.1937). Élève du cons. Klindworth-Scharw., de la *Hochschule f. Mus.* et de l'univ. de Berlin, docteur de Rostock avec sa thèse *G. Diruta's Transilvano* (*cf. Vf Mw*, *VIII*, 1892), il succéda à Spitta comme prof.

d'hist. de la mus. à la royale *Musikhochschule* de Berlin (1895–1923) ; il fut également critique et secrétaire de l'Acad. des beaux-arts ; on lui doit, outre sa thèse, *Die Frauen i. d. Musik* (Berlin 1895), *Deutsche Mus. im 19.Jh.* (*ibid.* 1900), *Dittersdorfiana* (av. cat. thém., *ibid.* 1902), *Mozart* (*ibid.* 1906), *Haydn, Mozart, Beethoven* (Leipzig 1906, rééd.), *Die Zauberflöte im Wandel d. Zeiten* (en collab., Berlin 1911), *Krieg u. Mus.* (*ibid.* 1917), *Meister d. Taktstocks* (*ibid.* s.d.) et des art dans des périodiques, ainsi que des éditions savantes. Voir R. Schaal in MGG.

**KREBS Karl August.** Chef d'orch. allem. (Nuremberg 16.1.1804–Dresde 16.5.1880), qui exerça à Vienne, Hambourg, Dresde (successeur de R. Wagner), auteur d'opéras, de mus. d'église, de piano, de mélodies. Voir R. Schaal in MGG.

**KREHBIEL Henry Edward.** Critique amér. (Ann Arbor 10.3.1854–N.-York 20.3.1923), chroniqueur dans divers périodiques dont la *N.-York Tribune* (1880–1923), auteur de divers écrits, dont une trad. du *Beethoven* de Thayer (N.-York 1921). Voir N. Broder in MGG.

**KREHL Stephan.** Compos. allem. (Leipzig 5.7.1864–9.4.1924), qui enseigna aux cons. de Leipzig, Dresde, Carlsruhe et écrivit des mélodies, 1 cantate, de la mus. de chambre, un traité d'harmonie (entre autres ouvrages théoriques). Voir F. Reuter, *S.K.*, Leipzig 1921 ; R. Schaal in MGG.

**KREIDLER Walter.** Musicologue allem. (Stuttgart 13.8.1902-). Élève de l'univ. de Vienne, docteur de Berne avec sa thèse *H. Schütz u. d. stile concitato d. C. Monteverdi* (Cassel 1934), il a collaboré à l'*Atlas d. deutschen Volkskunde* et enseigne à l'univ. de Francfort dep. 1941 ; on lui doit, outre sa thèse, *Die volkstüml. Tanzmusikkapellen d. deutschen Sprachgebietes*, *Die Tonleiter als Tonspektrum* (ds *Kg.-Ber. Lüneburg 1950*) et *Der Wert des Atlas d. deutschen Volkskunde f.d. Mg.* (*id.*, *Bamberg 1953*).

**KREIN** (*Krejn*). — **1. Grigori Abramovitch.** Compos. russe (Nijni-Novgorod 18.3.1880–Komarovo 6.1.1955). Il fit ses études aux cons. de Moscou (Hrsimali et Glière) et de Leipzig (Reger), fut prof. de violon et de théorie mus. à Moscou ; de 1926 à 1934, il accompagna son fils Julian en France et, à son retour en U.R.S.S., dirigea une soc. de concerts ; gravement malade, il abandonna toute activité en 1948 ; il a fortement subi dans ses œuvres l'influence de la chanson juive ; on lui doit *Symphonie* (1946), 2 poèmes symph. (1928, 1929), « Ballade » (1947), 1 concerto de violon (1934), « Rhapsodie juive » (quatuor, p. et cl., 1947), 2 sonates de piano (1906, 1924), 1 de piano et violon (1913), des mélodies. Son frère — **2. Alexandre Abramovitch**, vcelliste (Nijni-Novgorod 20.10.1883–Staraïa Ronsa 21.4.1951) fut élève du cons. de Moscou puis prof. (1912–1917) du cons. populaire de la même ville ; il fut lui aussi fortement inspiré par l'art populaire juif ; on lui doit 1 opéra, *Zagmuk* (1930), des ballets (*Laurencia*, 1939, *Tatiana* (1940–1943), « La fille du peuple, 1947, « Ode funèbre » (chœur et orch., 1926), « Requiem hébreu », 2 symph. (1926 et 1945), 7 suites et 3 poèmes symph., « Poème » (vcelle et orch., 1910), 2 suites (quatuor à cordes et cl.), « Esquisses juives » (1909–1910), des cycles de mélodies : « La rose et la croix » (1912), « Le chant des chants » (1918), « Gazelles et chants » (1918–1920), « 10 chansons juives » (1937), « Chants de colère » (1944), depuis 1924 surtout de la mus. de scène et la mus. de 3 films. Le fils de Grigori — **3. Julian Grigorievitch** (Moscou 5.3.1913-), élève de son père, composa dès l'âge de 13 ans sa 1re symphonie ; il fut encore l'élève de Paul Dukas à l'Ecole normale de musique de Paris, où il séjourna de 1928 à 1934, tout en donnant des concerts ; il enseigna de 1934 à 1938 au cons. de Moscou ; on lui doit « Symphonie de printemps » (1935), « Poème arctique » (symph., 1937), 2 ballades (orch., 1932, 1942), 3 concertos de piano « Suite yakoute » (1948), « Petite suite » (1950), « Tableaux de printemps » (1952), 1 quintette (1943), 4 quatuors (1925, 1927, 1936, 1944), « Sonate-fantaisie » (vcelle et p., 1955), 1 concerto de vcelle (1929).

**KREIN** (*Krejn*) **Mikhaïl Fédorovitch.** Violon. et compos.

russe (Nicolaïev 24.6.1903–). Élève du cons. de Moscou (D. et A. Krein, Gnessine et Chebaline), soliste de l'orch. *Bolchoï* depuis 1929, il a écrit « *Suite de danses* » (symph., 1948), 4 poèmes symph. (1937, 1945, 1950, 1957), 1 quatuor (1927), 1 quatuor pour 4 vcelles (1930), des pièces de piano et violon, de piano et clarinette.

**KREIS Otto.** Compos. suisse (Frauenfeld 9.6.1890–), qui a été chef de chœur et org., notamment à Berne ; il dirige actuellement la Société de concerts de Burgdorf ; on lui doit de la mus. de chambre, d'église, des chœurs et des mélodies.

**KREISING. — 1. H.C.,** *der Älter* et **— 2. Johann Georg,** *d. Junger :* mus. allem. du XVIIIe s. dont l'état civil et la biographie sont inconnus ; ils semblent avoir vécu en Allemagne du Nord et relèvent tous deux du style baroque, l'un par ses œuvres d'orgue et de clavecin (mss Berlin, Marbourg), l'autre par ses œuvres de chant, de clavecin, de vcelle, de violon. Voir J. Mattheson, *Grundlagen einer Ehren-Pforte*, rééd. Berlin 1910 ; A.E. Choron..., *Manuel complet de musique...*, Paris 1836–1838 ; K. Stephenson in MGG.

**KREISLER Fritz.** Violon. autr. (Vienne 2.2.1875–). Ses premières notions de violon lui ont été inculquées par son père ; à l'âge de sept ans, il est admis au cons. de Vienne dans la classe de violon de J. Hellmesberger junior et la classe d'écriture d'A. Bruckner ; en 1885, il reçoit la médaille d'or du cons. ; il poursuit ses études au cons. de Paris, de 1885 à 1887, dans la classe de Joseph L. Massart et, pour la composition, chez L. Delibes ; en 1887, il reçoit le 1er grand prix du cons. ; il entreprend ensuite une tournée en Amérique ; de retour à Vienne, il complète ses études secondaires et recommence (1898) ses tournées à travers l'Europe ; de 1925 à 1932, il habite Berlin, de 1933 à 1939, Paris : c'est là qu'il obtient (1938) la nationalité française et devient commandeur de la légion d'honneur ; en 1939, il se rend aux Etats-Unis, où il habite depuis lors ; il ne fut jamais pédagogue : doué d'un talent exceptionnel (facilités techniques et musicalité naturelle), il est vite devenu l'un des meilleurs violonistes de son temps, par son interprétation à la fois instinctive, musicale et intelligente, qui laisse deviner l'influence d'Eugène Ysaye ; ses nombreuses compositions montrent une âme romantique, bien qu'il s'inspire des anciens maîtres italiens et français ; philanthrope, il aida généreusement les artistes nécessiteux. Voir M. Pincherle, *Feuillets d'hist. du violon*, Paris 1927 ; L.O. Lochner, *F. K.*, Londres 1950 ; H. Jancik in MGG.
A.W.

**KREISSLE von HELLBORN Heinrich.** Musicographe autr. (Vienne 19.1.1822–6.4.1869). Musicien amateur, en fait fonctionnaire du ministère des finances, il fut le premier biographe de Schubert : il publia *F. Schubert. Eine biogr. Skizze* (Vienne 1861), *F. Schubert* (ibid. 1865) ; le 2e de ces ouvrages fut maintes fois traduit. Voir J. v. Spaun, *Einige Bemerkungen...*, ds V. Kolderfer, *Neues um F. Schubert*, Vienne 1934 ; *Schubert. Die Erinnerungen seiner Freunde*, éd. O.E. Deutsch, Leipzig 1957.

**KREITNER** (*Krejtner*) **Guéórgui Gustavovitch.** Compos. russe (Libava 30.12.1903–). Ayant fait des études au *Technicum* musical *Scriabine* à Moscou, il a travaillé la composition avec Kabalevsky, Miaskovsky et Chebaline, débuté comme spécialiste des questions économiques et orientales et n'a abordé la carrière musicale qu'en 1939, d'abord comme conseiller musical de la philharmonique de Moscou, puis comme chef de la section musicale du comité des arts auprès du conseil des ministres, puis comme rédacteur en chef des éditions musicales de l'Etat.

**KREJČÍ Iša.** Chef d'orch. et compos. tchèque (Prague 10.7.1904–). Elève de K.B. Jirák, de V. Novák (composition) et de V. Talich (dir. d'orch.). il fut successivement maître de chapelle au Théâtre national de Bratislava et chef d'orch. de la radiod. tchécoslovaque ; depuis 1945, il est chef d'orch. à Olomouc ; on lui doit 2 opéras, dont *Pozdvižení v Efezu* (« Le soulèvement d'Ephèse », 1939–43), 4 cantates, 1 symph. (1955), 1 *sinfonietta* (1929), 1 *sinfonietta-divertimento* (1939), 2 variations pour orch.

(1946, 1955), *Concertino* (vcelle, 1940), 2 trios (1935, 1936), *Nonetto* (1938), 1 quatuor à cordes (1954). Voir J. Bužga in MGG.
Z.V.

**KREJČÍ Josef.** Org., prof. et čompos. tchèque (Milostín 7.12.1821–Prague 19.10.1881). Il fut dir. du cons. de Prague, où il fonda aussi le 1er journal musical tchèque, *Cecilia* ; il est l'auteur de plusieurs œuvres d'orgue. Voir R. Quoika in MGG.
Z.V.

**KREJČÍ Miroslav.** Compos. tchèque (Rychnov 4.11.1891–). Il fit ses études de composition avec V. Novák à Prague, où il professa au cons. jusqu'en 1953 ; on lui doit 2 opéras : *Léto* (« L'été », 1937) et *Mária* (1944), 2 symph. (1946, 1955), 2 concertos (alto, 1947, cl., 1949), « *Danses tchèques* » (2 séries, 1948–1953), *Jaro ve vlasti* (« Le printemps dans la patrie », 1955), « *4 Compositions d'après les peintures de Max Svabinsky* » (1955), 7 quatuors à cordes (1913–1956), 5 trios, 5 quintettes, 1 sextuor, 1 septuor, 2 octuors, 2 *nonetti*, 4 quatuors, 10 sonates (tous pour les instruments les plus divers). Voir J. Bužga in MGG.
Z.V.

**KREMBERG Jacob.** Mus. allem. (Varsovie v. 1650– ? ap. 1718). Fils d'un violon., élève de l'univ. de Leipzig, il fut *Hofmusicus* à Halle, au service de la cour de Suède à Stockholm (1678), haute-contre et musicien à celle de l'électeur de Saxe Johann Georg III, qui le mena avec lui à Varsovie en 1689 ; de 1693 à 1695, il était à l'Opéra de Hambourg ; en 1708, il est fait mention de lui dans les registres de la chapelle royale d'Angleterre, où on

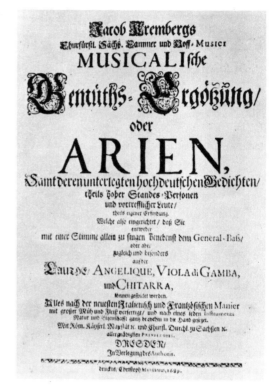

KREMBERG

*Page de titre (Dresde 1689).*

conserve des traces de lui jusqu'en 1718 ; on lui doit *Musical. Gemüths-Ergötzung...* (Dresde 1689), *A coll. of easy and familiar aires for two flutes...* (Londres s.d.), en mss. : *England's Glory* (mus. de scène, bibl. du cons. de Paris), *Aurelia...* (b., viol. ou htb. clav. ou bass., *Christ*

Church, Oxford), *Since I have seen* (flûtes et clav., *ibid.*), *Concerto a tre viol. senza b.c.* (Upsal), *Entertainment* (*Royal college of mus.*, Londres). Voir M. Friedländer, *Das deutsche Lied im 18.Jh.*, I, 2, Stuttgart-Berlin 1902 ; W Boetticher in MGG.

**KREMENLIEV Boris Angélov.** Compos. bulgare (Razlog 23.5.1911–). Il dirigeait un orchestre dès l'âge de 17 ans et, l'année d'après, émigra aux *USA*, où il vit actuellement : docteur de l'univ. de Rochester, il enseigne dep. 1947 à celle de Californie à Los Angeles ; il est également ethnomusicologue : on lui doit *Bulgarian-macedonian folk music* (Berkeley 1958), ainsi qu'un exposé sur le folklore slave (Philadelphie 1956) ; il a écrit de la mus. symph. (1 symph., 1941), de chambre, de film, radioph., 1 concerto de piano, des chœurs, des transcriptions de chants populaires ; il a publié des art. dans divers périodiques américains. Voir art. in MGG.

**KREMIJEV Julij Anatoliévitch.** Musicologue russe (Jessentuki 19.6.1908–). Elève du cons. et de l'univ. de Leningrad, il collabore dep. 1937 à l'Institut nat. « de recherches pour le théâtre et la musique » de Leningrad, dont il dirige la section musicale dep. 1957 ; il est également membre du çomité-directeur du syndicat des compos. soviétiques et du comité de rédaction de la revue *Sovietskaïa musyka* ; il est docteur, avec une thèse sur l'« évolution de la philosophie de la musique en Russie dans la 1<sup>re</sup> moitié du XIX<sup>e</sup> s.» (Leningrad 1954) ; on lui doit en outre *F. Chopin* (Leningrad 1944), « *Problèmes d'esthétique musicale* » (Moscou 1953), « *Les sonates de piano de Beethoven* » (*id. ibid.*), « *Les symph. de Tchaïkovsky* » (*ibid.* 1955), d'autres « *Problèmes d'esth. mus.* » (*ibid.* 1957), des articles dans des périodiques ou ouvrages collectifs.

**KRENEK Ernst.** Compos. amér. d'origine autr. (Vienne 23.8.1900–). Il fait ses études avec F. Schreker, puis à l'Acad. de mus. de Vienne, enfin à Berlin ; il est dès lors lié avec Busoni, Scherchen, Schnabel, K. Kraus, l'éditeur de *Die Fackel* (Vienne) ; il voyage en Suisse et en France, assiste P. Bekker à Cassel : il remporte son premier grand succès avec son opéra *Jonny spielt auf* (1928) ; il revient à Vienne, où il est en relation avec A. Berg et A. Webern, se convertit au catholicisme ; lors de l'*Anschluss*, il se fixe aux Etats-Unis (1938), enseigne au *Vassar College*, se consacre à l'étude de la mus. polyphonique de la Renaissance et du chant grégorien ; en 1942, il dirige le département de la musique de l'univ. Hamline à St-Paul ; il vit dep. 1947 à Los Angeles, d'où il revient souvent en Europe, notamment à Darmstadt (cours d'été).

Œuvres, opéras : *Zwingburg* (1922), *Der Sprung über d. Schatten* (1923), *Orpheus u. Eurydike* (1924–1925, inach.), *Jonny spielt auf* (1925–1926), *Schwergewicht...* (1927), *Leben des Orest* (1928–1929), op. 66 (sans titre, 1930), *Karl V* (1930–1933), *Cefalo e Procri* (1933–1934), *Tarquin* (1940), *What price confidence?* (1945–1946), *Dark Waters* (1950), *Pallas Athene weint* (1952–1955), *The belltower* (1955–1956), Ballets : *Mammon* (1925), *Der vertrauschte Cupido* (*id.*), *Eight column line* (1939) ; mus. symph. : 1<sup>re</sup> symph. (1921), 2<sup>e</sup> (1922), 3<sup>e</sup> (*id.*), 4<sup>e</sup> (1947), 5<sup>e</sup> (1947–1949), symph. pour instr. à vent et batterie (1924–1925), *Kleine Symph.* (1928), *Symph. Stück* (cordes, 1939), *I wonder as I wander* (1942), *Sinfonietta* (1952), *Pallas Athene* (1953–1954), *Kette, Kreis u. Spiegel* (1956–1957), *Concerto grosso* (1921), *Symph. Musik* (1922), *Conc. grosso* (1924), 7 *Orch. Stücke* (*id.*),*<sup>e</sup> Concertino* (*id.*), 3 *Märsche* (1926), *Intrade* (cuivre, 1927), *Potpourri* (*id.*), la suite *Der Triumph der Empfindsamkeit* (*id.*), *Thema u. 13 Var.* (1931), *Campo Marzio* (1937), *Tricks and trifles* (1945), *Symph. Elegie* (1946), *Five pieces for strings* (1948), *Scenes of the West* (1952–1953), 7 *leichte Stücke* (cordes, 1955), *Elf Transparente* (1954), *Tanzstudien* (1956), *Divertimento* (*id.*), *Marginal sounds* (percussion, 1957), 4 concertos de piano (1923, 1937, 1946, 1950), 1 à 2 pianos (1951), « petit concerto » (p. et orch. de chambre, 1939–1940), 2 concertos de violon (1924, 1953), *Doppelkonz.* (p. v. 1950), 1 de vcelle (1953), 1 de harpe (orch. de chambre, 1951), *Capriccio* (vcelle et orch., 1955), nombre de pièces (sonates) de piano, d'orgue, de divers instr. avec p., 2 trios (1948–1950), 7 quatuors (1921–1944), des mélodies, des chœurs a cappella (mus. d'église, messes etc...), mus. de scène, écrits : *Über neue Musik* (Vienne 1937), *Music here and now* (N.-York 1939), *Studies in counterpoint* (ibid. 1940), *Hamline studies in musicology* (2 vol., St-Paul 1945–1947), *Selbstdarstellung* (Zurich 1948), *Musik im goldenen Westen* (Vienne 1949), *J. Ockeghem* (N.-York 1953), *De rebus prius factis* (Francfort 1956), *Essays* (Munich 1958), qq. 500 art. publiés dans des revues de langue allemande ou anglaise.

Voir R. Erickson, *K.'s later music, 1930-1947*, ds *Mus. review*, 1948 ; F. Saathen, *E.K.*, Munich 1959 ; K.H. Wörner in MGG.

**KRENGEL Gregor.** Luthiste allem. du XVI<sup>e</sup> s., originaire de Silésie, qui fut élève de l'univ. de Francfort-sur-l'Oder, où, en 1584, il publia sa *Tabulatura nova...*, qui contient des madrigaux, des motets, des pavanes et des villanelles, de J. Regnard, R. de Lassus, G. Lange etc., ainsi que des œuvres de sa composition ; c'est une des dernières tablatures allem. sur textes latins. Voir W. Boetticher, *Studien zur sol. Lt.-Praxis d. 16 u. 17 Jh.*, Berlin 1943 — art. in MGG.

**KRENNIKOV.** Voir art. *Krennikov.*

**KRENTZLIN Richard.** Pian. allem. (Magdebourg 27.11. 1864–Hessisch-Oldendorf 27.11.1956), élève de l'acad. Kullak, qui fut un professeur recherché et un compos. abondant : il publia des manuels. Voir G. Stieglitz in MGG.

**KRENZ Jan.** Chef d'orch. et compos. pol. (Wloclawek 14.7.1926–). Elève des cons. de Varsovie et de Lodz (Sikorski, Drzewiecki, Wilkomirski), il a dirigé les orch. de la Philharmonie de l'Opéra de Poznan ; dep. 1953, il est à la tête de l'orch. symph. de Radio-Katowice et fait une carrière intern. ; il appartient au « Groupe 49 » (avec T. Bard et K. Serocki) ; on lui doit notamment « *Tryptique* » (v. et p., 1946), *Sonate* (p. et htb., 1947), « *Sérénade classique* » (orch., 1950), 1 cantate (1 ch. et orch., 1950), « *Danse symph.* » (1951), « *Rhapsodie* » (cordes et percussion, 1952).　　　K.W.C.

**KRESANEK Josef.** Musicologue et compos. slovaque (Čičmany 20.12.1913–). Elève du cons. et de l'univ. de Prague (V. Novák, R. Karel), dont il est docteur avec sa thèse « *Les rapports entre les motifs comme principe de la forme musicale* » (1936), il enseigne dep. 1944 à l'institut de musicologie de l'univ. de Bratislava ; on lui doit de la mus. symph., de chambre, 1 cantate ; des mélodies, des écrits : « *Hist. de la mus.* » (1942), *Zuzka Selecka spieva* (1943), « *Le chant populaire slovaque...* » (Bratislava 1953).

**KRESS — 1. Johann Albrecht** (Nuremberg ? 1644–Stuttgart 23.7.1684) et son frère — **2. Paul** (? 1635–ibid. 16.5.1694). Mus. allem., connus à Stuttgart en 1660, ce dernier comme instrumentiste, *J.A.* comme *Musikant u. Discantist*, à la chapelle de la cour ; *J.A.* était en 1669 maître de chapelle en second ; *P.* voyagea (Angleterre), apprit la viole de gambe, le basson français et l'orgue ; on doit à *J.A.* des *Lieder*, des *Concerten*, 1 méthode de basse chiffrée (Stuttgart 1701), des chorals (mss). Voir U. Siegele in MGG.

**KRESS Johann Jakob.** Mus. allem., qui mourut avant juin 1730 à Darmstadt, après avoir été (1719) *Konzertmeister* à la cour ; on lui doit nombre de pièces de mus. de chambre, dont 1 *concerto* à 5 et 1 *sonata da camera a v. e b. o cembalo*, imprimés à Darmstadt. Voir F. Noack in MGG.

**KRETSCHMER Edmund.** Compos. allem. (Ostritz 31.8. 1830–Dresde 13.9.1908), qui fut org. et chef de chœur à Dresde et écrivit 4 opéras, de la mus. symph., de chambre, des chœurs et des mélodies. Voir O. Schmidt, *E.K.*, Dresde 1890 ; L.K. Mayer in MGG.

**KRETZSCHMAR Hermann.** Musicologue allem. (Olbernhau 19.1.1848–Berlin 12.5.1924). Elève de la *Kreuzschule* et du cantor J. Otto à Dresde, de l'univ. de Leipzig (O. Paul), docteur avec sa thèse *De signis musicis quae scriptores per priman medii aevi partem usque ad Guidonis Aretini tempora florentes tradierint* (Leipzig 1871), du cons. de la même ville (Reinecke), où, dès 1871, il était prof., tout en étant chef de chœur, il fut un bref moment chef d'orch. au théâtre de Metz, puis, en 1877, dir. de la mus. à l'univ. de Rostock, en 1887, dans les mêmes fonctions, à Leipzig ; en 1904, il était nommé à l'univ. de Berlin : il y dirigea également l'Institut de mus. d'église (1907) et la *Hochschule* (1909) ; il est un des grands ouvriers de la musicologie allemande, l'égal en influence de H. Riemann, à qui l'on doit, outre sa thèse, *G.F. Händel* (ds Waldersee, Ges. Aufsätze, Leipzig 1884), *Führer durch den Konz.-Saal* (3 vol., ibid. 1888–1890), *Die venet. Oper u. die Werke Cavallis u. Cestis* (ds *VfMw*, VIII, 1892), *Monteverdis Incoronazion di Poppea* (ibid., X, 1894), *Mus. Zeitfragen* (Leipzig 1903), *Ges. Aufsätze ...* (ibid. 1910), *Gesch. d. neuen deutschen*

*Liedẹs... (id. ibid.), Ein Bach-Konz. in Kamenz* (ds *Bach-Jb.*; X, 1913), *Gesch. der Oper* (Leipzig 1919), *Einführung in die Mg.* (ibid. 1920), *Bach-Kolleg...* (ibid. 1922). Voir H. Abert, *Zum Ged. H.K.s.*, ds *JbP*, 1924 ; A. Einstein, *H.K.*, ds *ZfMw*, VI, 1924 ; *Fs. H.K. zum 70. Geburtstag*, Leipzig 1918 ; W. Vetter in MGG.

**KREUBÉ Charles-Frédéric.** Violon., chef d'orch. et compos. franç. (Lunéville 5.11.1777–St-Denis, printemps 1846). C'est à Lunéville qu'il se forma (dès l'enfance) comme violoniste ; il fut chef d'orch. du théâtre de Metz, puis (1800) s'installa à Paris, où il devint l'élève de R. Kreutzer : un an plus tard, il était membre de l'orch. de l'Opéra-Comique, en 1805, chef d'orch.-adjoint, en 1828, titulaire ; de 1814 à 1830, date sa dissolution, il fut membre de la chapelle royale ; nanti d'une pension, il se retira de la vie musicale à St-Denis. Ses nombreuses compositions instrumentales et lyriques, qui obéissaient au goût de son époque, sont tombées aujourd'hui dans l'oubli. **A.W.**

**KREUSSER Georg Anton.** Violon. allem. (Heidingsfeld 31.12.1743–Aschaffenburg 3.11.1810). Elève de son frère aîné *Johann Adam* (1732–1791), il voyagea en Italie et en France et rencontra Mozart à Amsterdam (1766), Bologne, Rome, Naples (1770), Mayence (1790) : Léopold Mozart l'estimait et suggérait à Wolfgang d'en suivre les conseils ; *G.A. K.* était également altiste et contre-bassiste : il fut *Konzertmeister* à la cour de Mayence, qu'il suivit à Aschaffenbourg pendant l'occupation française ; on lui doit des sonates, trios, divertissements, quatuors, quintettes, symphonies, *Lieder*, 1 cantate. 6 messes etc. Voir A. Gottron, *Mozart u. Mainz*, Baden-Baden 1951– art. in MGG.

**KREUTZER.** Famille de mus. franç. — **1. Rodolphe** (Versailles 6.11.1766–Genève 6.1.1831). Il reçut son premier enseignement (violon) de son père, musicien de la chapelle royale et garde suisse ; c'est A. Stamitz qui fut son vrai maître ; à 13 ans, il participe déjà au Concert spirituel ; à la mort de son père, il lui succède comme membre de la chapelle royale (1783–1792) ; en 1795, il est promu prof. au cons. de Paris ; il devient membre de l'orch. des Tuileries en 1804 et chef de l'orch. royal de 1815 à 1827, tout en étant chef d'orch. auxiliaire à l'Opéra ; de 1824 jusqu'à sa retraite (1826), il dirigera l'Opéra ; en dépit de cette activité de fonctionnaire et de compos., il fait des tournées, en 1796 et 1801, à travers l'Italie, en 1798, en Allemagne et en Europe centrale ; à son passage à Vienne, Beethoven lui dédie son *op.* 47 (dont d'ailleurs *K.* mésestime la valeur) ; il forma tout un groupe d'élèves : J.N.A. Kreutzer, L.J. Massart, A.J. Artol, Ch. Lafont, P. Rovelli. Tandis que Baillot, dans son *Art du violon*, souligne avant tout l'audace et la chaleur, la sincérité et l'imagination de *K.*, Gerber s'exprime ainsi à son sujet : « La manière de Viotti est aussi la sienne. Son Allegro est caractérisé par un son fortement rendu et un long coup d'archet, ce qui lui permet d'exécuter avec limpidité les passages les plus difficiles. Dans l'Adagio, il se montre le maître absolu de son instrument ». Comme compos., *K.* suivait surtout la mode du temps, et la plupart de ses compositions de

cons. de Paris      R. KREUTZER

théâtre sont tombées dans l'oubli ; ses compositions instr. ont plus de valeur, notamment sa *Symphonie concertante en fa*, les concertos de violon n⁰ˢ 13, 14, 18 et 19 (plutôt pédagogiques) ; ses *Quarante études ou caprices pour un violon seul*, publiés pour la 1ʳᵉ fois en 1807, sont parmi les meilleurs exercices techniques (jusqu'à nos jours). Il est l'auteur de nombreux opéras, dont *Jeanne d'Arc d'Orléans, Paul et Virginie, Lodoïska, Astianax, Aristippe, L'homme sans façons, Carnaval de Venise ou La constance à l'épreuve* (ballet-pantomime), *La servante justifiée* (ballet villageois), *Clari ou La promesse de mariage* (ballet-pantomime), *Symphonie concertante* (2 viol. et vcelle ou alto avec orch.), 19 concertos de violon, 2 symph. concertantes, 15 quatuors à cordes. 15 trios (2 viol. et vcelle). Son frère — **2. Jean-Nicolas-Auguste** (ibid. 3.9.1778–Paris 31.8.1832), entra au conservatoire, où il fut l'élève de son frère (1ᵉʳ prix, 1801) ; membre des orch. de l'Opéra-Comique (depⁱ. 1798), de l'Opéra (1801–1820), il fit également partie de l'Orch. impérial puis royal (1804–1830); en 1826, il succèda à son frère au cons. ; ses œuvres n'eurent aucun succès et sombrèrent dans l'oubli ; quant à son activité de violon., L. Spohr s'exprime en ces termes, dans son autobiographie : « Le jeune *K.* me fit entendre un nouveau trio, gracieux et brillant à la fois, composé par son frère. La façon dont il l'exécuta me rappela quelque peu celle de son aîné et me donna la conviction que c'était le plus accompli des violonistes parisiens. C'est la force physique qui manque au jeune *K.*, il est maladif et ne peut souvent jouer pendant des mois. Son timbre est par conséquent mat, mais, pour le reste, son jeu reste pur, fougueux et plein d'expression » ; il est l'auteur de 2 concertos de violon, de duos pour 2 viol., de 3 sonates pour v. et basse. Son fils — **3. Léon-Charles-François** (Paris 23.9.1817–Vichy 6.10.1868), après une culture générale très soignée, se consacra à la composition et à la musicologie ; ses travaux comme critique musical (*L'union, Rev. et gaz. mus. de Paris, Rev. contemporaine, La quotidienne*) et avant tout ses art. rédigés en collab. avec Edouard Fournier sur l'Opéra et l'Opéra-Comique pour l'*Encyclopédie du XIXᵉ s.* ont une grande valeur documentaire ; ses œuvres sont pour la plupart inédites : 2 opéras, symphonies, quatuors, sonates, de nombreuses mélodies. Voir F.J. Fétis, *L.K.*, Paris 1868 ; H. Kling, *R.K.*, Bruxelles 1898 ; A. Moser, *Gesch. des V.-Spiels*, Berlin 1923 ; J. Hardy, *R.K.*, Paris 1910 ; J.W. v. Wasielewski, *Die V. u. ihre Meister*, Leipzig 1927 ; E. Van der Straeten, *The hist. of the violin*, Londres 1933. **A.W.**

**KREUTZER Conradin** (*Konrad*). Compos. allem. (Messkirch 22.11.1780–Riga 14.12.1849). Étudiant en droit de l'univ. de Fribourg-en-Brisgau, il fut à Vienne l'élève d'Albrechtsberger ; chef d'orch. à la cour de Stuttgart (1812), à celle de Donaueschingen (1817), au *Kärntnertor-Theater* (1822–1827, 1829–1832, 1837–1840, 1846–1848) et au *Josefstädter Th.* (1833–1839) à Vienne, à Cologne (1842–1846), il mourut à Riga au cours d'un voyage auprès de sa sœur, qui y était chanteuse ; on lui doit une œuvre très abondante : qq. 30 opéras, de la mus. de théâtre, 2 oratorios, des messes, des motets, des cantates de circonstance, des concertos, de la mus. de chambre, des *Lieder*. La postérité ne lui a pas conservé la popularité qu'il avait su le gagner. Voir H. Giehne, *K.K.*, Heidelberg 1875 ; R. Krauss, *Das stuttgarter Hoftheater...*, Stuttgart 1908 ; H.Burkhard, *K.K.s Ausgang*, Tubingen 1920 ; R. Rossmayer, *K.K. ...*, thèse de Vienne, 1928 ; A. Landau, *Das einst. Kunstlied C.K.s...*, Leipzig 1930– *Die Kl.-Mus. C.K.s*, ds *ZfMw*, XIII, 1930–1931 ; K.S. Bader, *Zum 100. Todestag v. C.K.*, ds *Zs. Baden*, I, 4–*C.K.s heimatl. Wirken*, ds *Zs. Gesch. Oberrh.*, 99, Carlsruhe 1951 ; W. Rehm in MGG.

**KREUTZER Leonid.** Pian. russe d'origine allem. (St-Pétersbourg 13.3.1884–Tokio 30.10.1953). Élève du cons. impérial de mus. dans sa ville natale (Annette Essipov, Glazounov), il débuta comme virtuose en 1905, fut prof. à Leipzig et Berlin, émigra aux *U.S.A.* (1933) puis au Japon (1938) ; on lui doit de la mus. de théâtre et 2 écrits théoriques sur la technique du piano. Voir G. Stieglitz in MGG.

**KRICHTOUL** (*Krištul*) **Mikhaïl Samoïlovitch.** Compos. russe (Bakou 25.1.1902–). Élève des écoles de mus. d'Ekaterinoslav et de Bakou, il s'occupe d'abord des loisirs musicaux de l'Armée rouge, assume la responsabilité musicale du théâtre juif à Moscou (1935–40), devient en 1944 chef d'orch. et compos. du « Théâtre du drame » ; on lui doit 3 opéras : « Sulamith » (1937), « Le signal » (1941), « Micha, Macha et le loup-garou » (1943), 1 oratorio (1940), 1 suite symph., 1 suite « fantastique » pour piano (1930), 2 cantates, des mélodies, des chansons, de la mus. de scène.

**KRIČKA Jaroslav.** Compos. tchèque (Kelč 27.8.1882–). Après 3 ans passés en Russie, il est revenu à Prague, où depuis 1921, il est prof. de composition au conservatoire ; on lui doit des opéras et opérettes, des cantates, 2 symph. : *Mládí* (« La jeunesse », 1905–1906) et *Letní* (« Symph. d'été », 1907), *Sinfonietta* (1940–1941), *Horácká suita* (« Suite montagnarde », 1935), *Adventus* (1920–1921), « Scherzo idyllique » (1909), l'ouverture *Modrý pták* (« L'oiseau bleu », 1911), des concertos de violon (1944), de cor (1951), 3 quatuors à cordes (1907, 1938–1939, 1949), 2 trios (1923–1924, 1934), 1 sonate de violon (1925), 3 quintettes (1940–1952), de nombreuses pièces de piano, des mélodies, des chœurs, de la mus. de scène, de film etc. Voir J. Dostal, *J.K.*, Prague 1944 ; J. Bužga in MGG.           Z.V.

**KRIEGER Adam.** Mus. allem. (Driesen 7.1.1634–Dresde 30.6.1666). Élève de S. Scheidt, de l'univ. de Leipzig, il y fonda, d'après Mattheson, une société musicale intitulée « Cymbalische Reich » ; en 1655, il y succédait à J. Rosenmüller, comme org. de St-Nicolas ; en 1657, il est maître de clavicorde à la cour ; en 1658, il quitte Leipzig pour devenir à Dresde org. de la chambre et de la cour avec laquelle il séjourna à Bayreuth en 1663 ; il mourut prématurément ; on n'a aucun document sur ses éventuelles relations avec Schütz ; on a gardé de lui des *Lieder* (chorals ou *soli*), dont J.-S. Bach utilisa un certain nombre pour ses chorals, des *Arien* (éd. M. Seiffert), 1 *canon a tre* (ds *Mél. de mus. La Laurencie*, Paris 1933). Voir R. Eitner, *A.K.*, ds *MfM*, 29, 1897 ; N. Schiørring, *Det 16. og 17. arch. verdsl. danske visesang*, 2 vol., Copenhague 1950 ; H. Osthoff, *A.K.*, Leipzig 1929 — *Neue Quellen zu A.K.*, ds *AfMf*, VII, 1942 ; art. in MGG.

**KRIEGER Edino.** Compos. brésilien (Brusque [Santa Catarina] 1928–). Élève de Koellreutter, il appartient au *Grupo Música viva* ; on lui doit notamment une *Sonatine canonique* pour 2 flûtes, un *trio* pour instr. à vent, une « *Pièce lente* » pour flûte et trois instr. à cordes.     D.D.

**KRIEGER** — 1. **Johann Philipp.** Mus. allem. (Nuremberg 1649–Weissenfels 1725). Après avoir d'abord étudié près de l'élève de Froberger, Johann Drechsel, il travailla plusieurs années à Copenhague chez l'organiste du roi Johann Schröder ; en 1670–1671, il est au service de la cour de Zeitz ; en 1673, il est cité comme org. de la cour de Bayreuth : le margrave Christian Ernst lui

offre la somme nécessaire pour un séjour de deux ans en Italie ; il visite Venise, Rome, Bologne, Ferrare, Florence, Naples et connaît les compositeurs italiens les plus importants de son époque ; il travaille surtout auprès d'Abbatini et de B. Pasquini ; sur le chemin du

J.P. KRIEGER
Musicalischer Seelen-Friede.
*Page de titre (Nuremberg 1697).*

retour, il joue (1675) devant l'empereur Léopold Ier à Vienne, qui l'anoblit, lui et ses frères et sœurs ; il est ensuite maître de chapelle à Bayreuth et, à partir de 1677, musicien de la chambre, org., plus tard vice-maître de chapelle à Halle ; en 1680, la cour ducale de Saxe émigre à Weissenfels, où K. dirigera durant 45 ans la vie musicale de la cour comme maître de chapelle ; une nomenclature écrite de sa propre main de la mus. d'église jouée les dimanches et jours de fêtes inclut environ 2.000 de ses compositions, dont il ne subsiste que qq. 80 ; on n'a conservé aucun de ses nombreux opéras complet. Le mélange, caractéristique de la mus. allem. de la fin du baroque, d'éléments franç., ital. et allem., se révèle surtout dans ses œuvres instrumentales ; la *Lustige Feldmusik* (1704) contient 6 parties d'instr. à vent sur le modèle des suites de ballet de J.-B. Lully, mais l'influence de Corelli est sensible dans ses sonates en trio ; beaucoup de ses œuvres de mus. d'église sont écrites sur des textes d'Erdmann Neumeister, poète que J.-S. Bach mit également en musique. K. n'atteint certes pas la profondeur d'expression de Bach, bien qu'il mérite d'être considéré comme l'un des compositeurs allem. les plus importants et les plus variés des années 1700 ; on lui doit des sonates en trio, des suites pour instr. à vent, des opéras, des cantates d'église, des airs, des

pièces de clavecin ; un choix de ses œuvres a été édité ds *DDT, XXI,* 53-54, *DTB, VI,* 1, *XVIII.* Son frère —
**2. Johann** (Nuremberg 1651–Zittau 1735), fut, dans son enfance, soprano à la chapelle de la ville de Nuremberg et apprit le clavecin chez G.C. Schwemmer, puis avec son frère à Zeitz : il le suivit à Bayreuth, où il semble avoir été durant cinq ans org. de la cour ; après de courts séjours à Nuremberg et Halle, il fut en 1678 maître de chapelle à Greiz, en 1680, à Eisenberg et fut appelé à Littau en 1681 pour occuper les postes de *director chori musici* et d'org. à l'église St-Jean, postes qu'il tint jusqu'à sa mort ; il fut toujours très lié avec son frère, qui fit jouer nombre de ses œuvres de mus. d'église. Ses compositions se signalent par de savants passages fugués ; il fut estimé de ses contemporains, surtout pour sa musique de clavier ; G.F. Hændel et J. Mattheson ont compté l'*Anmuthige Clavier-Übung* (1699) au nombre des meilleures œuvres du genre et s'en sont parfois inspirés ; on s'est aperçu de la perte de grand nombre de compositions mss quand on découvrit, il y a quelque temps, dans un ms. de l'univ. de Yale (E.U.), des pièces pour clavier (réimpr. par F.W. Riedel, Kistner et Siegel, Lippstadt i.W. 1957) ; si les « 6 *parties*» de 1697 sont de moindre valeur, il n'en reste pas moins que *K.* l'emporte, en tant que compositeur de fugues, sur la plupart de ses contemporains de l'Allemagne centrale. On lui doit *Sechs musicalische Partien* (1697), *Anmuthige Clavier-Übung* (1699), des préludes et fugues mss, des cantates, des airs, des *Lieder,* des opéras et des *Singspiele* (loc. cit.). Voir R. Wagner, *Beitr. zur Lebengesch. J.P.Ks,* ds *ZfMw, VIII,* 1925 ; M. Seiffert, préface aux *DDT,* 53-54, et *DTB, XVIII — Gesch. der Klaviermusik,* Leipzig 1899 ; H. Samuel, art. in MGG.

F.W.R.

**KRIEGK Johann Jacob.** Mus. allem. (Bibra b. Meiningen 23.6.1750–Meiningen 24.12.1814). Dès l'âge de 12 ans il est chanteur et violon. à la chapelle de la cour de Meiningen ; en 1769, il fait de fréquents séjours en Hollande, au service du landgrave de Hesse-Philippsthal ; en 1773, il est 1er violon à l'Opéra hollandais d'Amsterdam et suit le marquis de Taillefer à Paris, où il est l'élève de Duport pour le vcelle et entre au service du prince de Montmorency-Laval : il est fort apprécié des mélomanes parisiens ; en 1777, il devient *Kammermusiker,* en 1800, *Konzertmeister,* à Meiningen ; on lui doit 6 concertos et 4 sonates de vcelle. Voir G. Kraft in MGG

**KRIOUKI** (*Krjuki*). C'est ainsi que les Russes appellent leurs neumes.

**KRIPS Henry.** Chef d'orch. et compos. austr. (Vienne 10.2.1914–). Elève du cons. de l'univ. de Vienne, il a exercé à Innsbruck, Salzbourg, Vienne et s'est fixé en Australie en 1939 où, il est, dep. 1949, chef de l'Orch. symph. d'Adélaïde ; on lui doit 1 opéra, 2 ballets, de la mus. instr., de film, des mélodies.

**KRIPS Josef.** Chef d'orch. autr. (Vienne 8.4.1902–). Elève de l'Acad. de mus. de Vienne (Mandyczewski, Weingartner), il a débuté en 1918 comme violon., puis (1921) comme chef de chœur, enfin comme chef d'orch. du *Volksoper* de Vienne ; on le trouve ensuite à Dortmund, Carlsruhe (1926–1933), à l'Opéra de Vienne (jusqu'en 1938), à Belgrade (1938–1939) ; à la fin de la guerre (1945), il dirige de nouveau l'Opéra de Vienne (il est fréquemment à Salzbourg) ; de 1950 à 1954, il a été le chef du *Symph. orch.* de Londres ; il fait une carrière intern. (notamment avec l'Orch. philharm. de Buffalo).

**KRIOUKOV** (*Krjukov*) — **1. Vladimir Nicolaïévitch**. Compos. russe (Moscou 22.6.1902–). Il fit ses études au cons. de Moscou (Gretchaninov et Miaskovsky), composa à 15 ans son 1er opéra (« *Le chevalier avare* »), a été tour à tour rédacteur à la radiod. (1930–1931, 1950–1951), responsable de la mus. au « Théâtre de la Révolution » (1933–1935), dir. de la Philharmonie (1949–1950). Son frère — **2. Nicolaï Nicolaïévitch** (Moscou 2.2.1908–), fit des études de composition avec Vassilenko et Alexandrov au *Technicum* mus. de Moscou ; depuis 1930, il est rédacteur mus. à la radiod., puis responsable mus. de « *Mosfilm* » ; il a écrit de la mus. pour environ 50 grands

films, dont « *Amiral Nakhimov* » (1947), « *La cigale* » (1950), « *Un homme véritable* » (1951) ; son art est fortement influencé par la mus. populaire caucasienne ; parmi ses autres œuvres, citons 1 cantate (1949), 3 symph. (1936, 1941, 1955), 1 *Sinfonietta* « sur des thèmes kasakhs », 1 suite « sur des thèmes biélorusses » (1933), 1 quatuor (1940), des mélodies.

**KRIVINKA Gustav.** Compos. tchèque (Doubravice 1928–). Elève de V. Kaprál, de V. Petrželka et de J. Kvapil, il a écrit 1 quatuor à cordes (1954), 2 symph. (1951, 1954–1955), 1 *concerto grosso* de piano (1949), 2 concertos de violon (1950, 1952).

**KRIŽKOVSKY Pavel** (*Paul*). Compos. tchèque (Holasovice 9.1.1820–Brno 8.5.1885). Il entra en 1845 au monastère des augustins de Brno, où il fut l'élève de G. Rieger ; en 1848, il était maître de chœur dans son monastère : c'est l'année qu'il écrivit son célèbre chœur *Utonula* ; il fut ensuite au centre de la vie musicale de Brno et d'Olmütz (1872, où il fut maître de chapelle de la cath.) ; il se retira dans son monastère en 1883 ; ses compatriotes le considèrent comme le plus grand compositeur de mus. chorale après Smetana ; on lui doit 3 messes, 1 *Requiem,* 2 cantates (entre autres œuvres de mus. d'église), des mélodies et des chœurs : outre *Utonula* déjà dit, *Odvedeneho prosba* (1862), *Odpadly od srdce, Dar za laska, Zahrade boži, Žaloba, Vesna.* Voir J. Geisler, *P.K.,* Prague 1883 ; K. Eichler, *Id.,* Brno 1904 ; P.K. Mach, *K. ...., ibid.* 1936 ; R. Quoika in MGG.

**KROGH Torben.** Musicologue danois (Copenhague 21.4.1895–). Elève du cons. de sa ville natale, docteur de Berlin avec sa thèse *Zur Gesch. des dän. Singspiels im 18. Jh.* (Copenhague 1924), il est dep. 1923 prof. à l'univ. et fut de 1924 à 1929 régisseur à l'Opéra de Copenhague (dont il est également le bibliothécaire dep. 1940) ; on lui doit notamment *Studier over harlekinaden* (*ibid.* 1931), *Bellman som musik Digter* (*ibid.* 1945), *Fra Hofballetten...*

J. KRIPS

*Caricature de M. Pincherle.*

(ds *Den kong. danske Ballet*, en collab., *ibid.* 1952), *Musik og teater* (ds *Fs. K.*, *ibid.* 1955). Boir N. Schiørring in MGG.

**KROGULSKI Jozef Wladyslaw.** Pian. et compos. pol. (Tarnow 4.10.1815–Varsovie 9.1.1842). Fils de *Michal K.* (compos. de mus. d'église, mort en 1859), il se produisit depuis sa 17ᵉ année en Pologne et en Allemagne, fut ensuite à Varsovie l'élève d'Elsner et de Kurpinski, et, de 1838 à sa mort, maître de chapelle des pianistes à Varsovie ; on lui doit de la mus. symph. (2 concertos de p.), d'église (10 messes), 1 opéra-comique : *Oj zonezcko* (1833, ms. bibl. Jagellon de Cracovie), des chœurs et des mélodies. Voir J.M. Wislicki, *J.K...*, Varsovie 1843 ; J. Morawski in MGG.

**KROHN** — 1. **Ilmari.** Compos. et musicologue finlandais (Helsinki 8.11.1867–) : élève du cons. de Leipzig, docteur de l'univ. d'Helsinki, avec sa thèse « *L'art et l'origine des mélodies populaires religieuses en Finlande* » (ds *Journal de la soc. finno-ougrienne, XVI*, 1, 1899), org., prof. à Helsinki, notamment à l'univ. (de 1918 à 1925), académicien finlandais, il a exercé des activités mus. de tous ordres dans son pays ; de ses très nombreuses publications, citons, outre sa thèse, *La chanson populaire en Finlande* (ds *Proc. intern. folklore Congress*, 1891) et ses mémoires (1951) ; on lui doit également un recueil des mélodies populaires finlandaises (3 vol. Jyväskylä-Helsinki 1888-1933), des œuvres symph., instr., voc., 1 opéra, de la mus. de scène. Son fils — 2. **Felix** (Tampere 20.5.1898–), élève de la *Hochschule f. Mus.* de Berlin, de l'Institut de mus. et de l'univ. d'Helsinki, est chef de chœur et d'orch. et prof. ; on lui doit de la mus. symph., de théâtre, de film, des œuvres chorales, instr., des mélodies. Voir *Fs. I.K.*, Helsinki 1927 ; N.-E. Ringbom in MGG.

**KROLL Erwin.** Critique allem. (Deutsch-Eylau 3.2.1886–). Elève des univ. de Munich et de Königsberg, docteur de Königsberg avec sa thèse *E.T.A. Hoffmanns mus. Anschauungen* (1909), élève en mus. de H. Pfitzner (Munich), il a été critique à Königsberg et à Berlin ; on lui doit notamment *E.T.A. Hoffmann* (Leipzig 1923), *H. Pfitzner* (Munich 1924), *C.M. v. Weber* (Postdam 1934), et des compositions. Voir art. in MGG.

**KROMBHOLČ Jaroslav.** Chef d'orch. tchèque (Prague 1918–). Elève de V. Novák (composition) et de V. Talich (dir. d'orch.), il est l'un des plus remarquables chefs d'orch. tchèques contemporains ; il a assuré d'importantes premières auditions au Théâtre national de Prague.                                                    Z.V.

**KROMMER** (*Kramar*) — 1. **Anton Matthias.** Mus. tchèque (Pirnice 6.1.1742–Turas 18.2.1804), qui fut org. violon. et joueur de psaltérion au monastère des cisterciens de Welehrad, org. à Ostrau (1764), prof. et chef de chœur à Turas (1766) ; il composa une énorme quantité d'œuvres de mus. d'église, dont le peu qui reste est aux archives du Brno et de l'archevêché de Kremsier. Son neveu — 2. **František Vincenc** [*Franz Vinzenz*] (Kamenice 27.11.1759–Vienne 8.1.1831), fut violon. à Simonthurm, maître de chapelle à la cath. de Fünfkirchen chef de mus. militaire, se mit ensuite au service de différents aristocrates, fut enfin *Kapellmeister* de la cour de Vienne (1810) ; il fut fort célèbre en Europe ; on lui doit plus de 300 compositions (mus. d'église, symph., concertos, mus. pour instr. à vent, quatuors, trios, duos, sonates de piano). Son fils — 3. **August** (Vienne 1807–Dornbach-Vienne 27.3.1842), fut pian. et violoniste. Voir H. Walter, *H.K. ...*, thèse de Vienne, 1932 ; K. Padrta, *Id.*, thèse de Brno, 1949 ; O. Wessely in MGG.

**KROMOLICKI Joseph.** Compos. pol. (Poznan 16.1.1182–). Docteur de Berlin avec sa thèse *Die Practica artis musicae des Amerus* (1909), élève de Pfitzner, chef de chœur, auteur de mus. d'église (10 messes) chor., de chant, à qui l'on doit notamment *Florilegium cantuum sacrorum* (Augsbourg 1922-1954). Voir art. in MGG.

**KRONG CHUI.** C'est l'ensemble de deux guimbardes jouées simultanément par un seul exécutant, chez les Mikkirs d'Assam.                                              M.H.

**KROPSTEIN Nicolaus.** Mus. allem. (Zwickau ?–Schneeberg ?), dont l'état-civil n'est pas précisé à ce jour : il fut étudiant des univ. de Leipzig (1512) et de Wittemberg (1513), diacre à Ste-Catherine de Zwickau, pasteur à Geyer (1539) ; il vivait encore en 1549 ; on lui doit qqs pièces polyph. en latin, 1 en allem., conservées dans des recueils ou en mss. Voir H. Albrecht in MGG.

**KROUGLIKOV** (*Kruglikov*) **Semen Nicolaïevitch.** Musicologue russe (Moscou 1851–1910). Disciple de Rimsky-Korsakov (il avait d'abord reçu une formation d'ingénieur), il enseigna la théorie mus. à l'école de la Soc. philharm. de Moscou (1888–1895), institution dont il fut le dir. de 1898 à 1901 ; Kalinnikov est son disciple. Ses jugements sur Tchaïkovsky et sur les mus. russes modernes sont sujets à caution, mais il a joué un rôle important pour la diffusion de la mus. russe ; il appartenait au « Cercle des amateurs de mus. russe » fondé par les Kerzine.

**KROUPALON.** C'est un instrument de rythme de la Grèce antique, composé d'une épaisse sandale de bois, fixée au pied droit, dont la semelle était formée de deux planchettes — munies elles-mêmes de castagnettes — réunies au talon : la percussion de ces deux planchettes produisait un son très sec ; on utilisait le *k.* pour marquer les temps.                                                    M.A.

**KROUTCHININE** (*Kručinin*) **Valentin Jakovlévitch.** Pian. et compos. russe (Rostov 26.6.1892–). Elève de Zolotarev, de Gvozdkov, de Glière et d'Ivanov-Radkevitch au cons. de St-Pétersbourg, il est pian. accompagnateur depuis 1912 ; comme compos., il s'est spécialisé dans des mus. de circonstance (notamment militaires) ; on lui doit 4 opérettes (1936, 1938, 1939, 1941), 6 suites (pour cuivres), de nombreuses pièces pour chœur et piano, des chœurs *a cappella*, des chansons « de masse », de la mus. de film (6).

**KROYER Theodor.** Musicologue allem. (Munich 9.9.1873–Wiesbaden 12.1.1945). Elève de l'univ. et de l'*Akad. der Tonkunst* de Munich, docteur avec sa thèse *Die Anfänge d. Chromatik im ital. Madr. v. 16 Jh. ...* (Leipzig 1901), critique mus. et prof. d'hist. de la mus. à l'Institut Kaim, prof. aux univ. de Munich (1902), de Heidelberg (1920), de Leipzig (1923–1932) et de Cologne, il publia, outre sa thèse, *L. Senfl...* (Munich 1902), *J. Rheinberger* (Ratisbonne-Rome 1913), *W. Courvoisier* (Munich-Berlin 1929) et un grand nombre d'études, notamment sur la mus. du moyen-âge et de la Renaissance, dans des périodiques ou ouvrages collectifs, ainsi que des éditions savantes (Senfl, Aichinger) ; il était également compositeur. Voir *Th. K. Fs...*, Ratisbonne 1933 ; W. Gerstenberg in MGG.

**KRSTIĆ Petar.** Compos. serbe (Belgrade 18.2.1877–21.1.1957). Il étudia à Vienne chez R. Fuchs ; ses efforts créateurs étaient dirigés surtout vers la musique de théâtre : il écrivit de nombreux mélodrames et notamment l'opéra *Zulumćar* (« Le tyran », 1928) ; il est un des compositeurs qui, à l'époque contemporaine, ont continué à composer dans le style romantique ; il a contribué à élever le niveau du mélodrame en Serbie. Voir S. Djurić-Klajn in MGG.                                              D.C.

**KRUEGER** (*Krüger*) **Eduard.** Musicologue allem. (Lunebourg 9.12.1807–Göttingen 8.11.1885). Elève des univ. de Berlin et de Göttingen, docteur avec sa thèse *Dissertatio inauguralis philosophica de musicis Graecorum organis circa Pindari tempora florentibus* (Göttingen 1830), il enseigna à Emden et Aurich, collabora à des périodiques (il fut le rédacteur de la *Neue Hannoversche Zeitung*, 1848–1849), fut prof. et bibliothécaire à l'univ. de Göttingen (1875) ; on lui doit, outre sa thèse, *Grundriss d. Metrik antiker u. moderner Sprachen* (Emden 1838), *Zeittafeln d. neuesten Gesch. 1830–1838...* (*ibid.* 1839), *Beitr. f. Leben u. Wiss. d. Tonkunst* (Leipzig 1847), *Ev. Choralbuch...* (Aurich 1855), *System d. Tonkunst* (Leipzig 1866), *Mus. Psychologie...* (*ibid.* 1868), *Mus. Briefe aus d. neuesten Zeit* (Münster 1870), nombre d'articles (Graun, Hændel, J.-S. Bach, Rossini, Schumann, Hegel, esthétique etc.) dans des périodiques

(*NZM, AMz*). Voir A. Prüfer, *Briefwechsel zw. C.v. Winterfeld u. E.K.*, Leipzig 1898 ; W. Boetticher, *R. Schumann...*, Berlin 1941—art. in MGG.

**KRUEGER Felix.** Psychologue allem. (Posen 10.8.1874–Bâle 25.2.1948). Docteur de l'univ. de Munich, il succéda à Wundt comme prof. à l'univ. de Leipzig (1917–1938) ; parmi ses nombreuses publications psychologiques, citons *Theorie d. Konsonanz* (ds *Viert. f. wiss. Phil.*, XXIII, 1899), *Beobachtungen an Zweiklängen* (ds *Phil. Stud., XVI*, 1900), *Zur theorie d. Kombinationstöne* (*ibid., XVII*, 1901), *Differenztöne u. Kons.* (ds *Arch. ges. Psych., I-II*, 1903–1904), *Die Theorie d. Kons.* (ds *Psych. Stud., I, II, IV, V*, 1906–1910) *Beziehungen d. exp. Phonetik zur Psych.* (Leipzig 1907), *Mitbewegungen beim Singen, Sprechen u. Hören* (*ibid.* 1910) ; on trouve nombre d'observations qui concernent la musique dans ses autres travaux plus purement psychologiques, desquels nous citerons celui qui a paru, après sa mort, sous le titre *Zur Philosophie u. Psychologie der Ganzheit* (Berlin-Heidelberg 1953). Voir R. Odebrecht, *Gefühl u. Ganzheit...*, Berlin 1929 ; O. Buss, *Die Ganzheitpsychologie F.K.s*, Munich 1934 ; T.T. ten Have, *Totaliteit...*, Groningue 1940 ; A. Wellek, *Das Problem d. seel. Seins...*, Leipzig 1941, Meisenheim-Vienne 1953 — *Die Wiederherstellung d. Seelenwiss...*, Hambourg 1950 — art. in MGG.

**KRUEGER** (*Krüger*) **Walther.** Musicologue allem. (Hambourg 25.9.1902–). Elève des univ. de Berlin et de Bonn, prof. à la *Volkshochschule* (1934–1941) et au cons. de Hambourg (1935–1941), il est dep. 1947 org. et cantor à Scharbeutz, dep. 1956 prof. à l'univ. de Halle ; on lui doit *Das concerto grosso in Deutschland* (Wolfenbüttel-Berlin 1932), *Musikgesch. Grundbegriffe* (thèse de Halle, 1956, dact.), *Die authentische Klangform des primitiven Organum* (Cassel 1958), des art. dans des périodiques ou ouvrages collectifs (J.-S. Bach, l'*Abendmusik*, l'école de St-Martial de Limoges, les *organa* de N.-Dame etc.).

**KRUFET Nikolaus,** *Freiherr* **von.** Homme d'état autr. (Vienne 1.2.1779–16.4.1818). Il appartint à partir de 1801 au service secret de la chancellerie autrichienne, prit part en 1814 à la dernière campagne contre Napoléon et suivit Metternich à Paris, en Italie et en Styrie (1815–1817) ; il était pianiste et avait étudié la composition avec Albrechtsberger ; on lui doit un grand nombre de *Lieder*, de la mus. symph., de chambre, de piano ; on le considère comme un précurseur de Schubert. Voir O. Wessely in MGG.

**KRUG Arnold.** Compos. allem. (Hambourg 16.10.1849–4.8.1904), fils du pianiste *Diederich K.* (1821–1880), prof. au cons. Stern, chef de chœur, enfin dir. de la *Singakad.* d'Altona, auteur d'une œuvre abondante : mus. vocale (chœur et mélodies), symph., de chambre, de piano. Voir K. Stephenson in MGG.

**KRUMPHOLZ Johann Baptist** (*Jan Krtitel*). Harpiste autr. (Zlonice 1745–Paris 19.2.1790). Elève de J. Haydn pour la composition, il débuta grâce à lui à la chapelle du prince Esterhazy (1773–1776) et vécut à Paris à partir de 1777, où il acquit une grande réputation de prof. et de virtuose ; il a laissé une œuvre importante de sonates, duos, concertos, parmi les plus intéressants de l'école de harpe du XVIIIe s. ; désespéré des infidélités de sa femme, la brillante harpiste *Anne-Marie Steckler*, il termina ses jours en se précipitant dans la Seine du haut du Pont-Neuf ; il avait été le premier à conseiller à Sébastien Erard de chercher à perfectionner la harpe. F.V. Son frère — **Wenzel** (*Václav*) ( ? v. 1750–Vienne 2.5.1817), violon., vécut à Vienne, où il fut l'ami intime de Beethoven, lequel, à la mort de *V.K.*, composa *Der Gesang der Mönche*. Z.V. Voir la bibliogr. de Beethoven et H. J. Zingel in MGG.

**KRUPA Gene.** Batteur et chef d'orch. de jazz amér. (Chicago 15.1.1909–), qui appartint notamment à l'orch. de Benny Goodman, fonda lui-même son propre orch. (1956) et une école de batterie (av. Gozy Cole, 1954) ; on lui doit *The science of drumming* (N.-York 1956).

**KRUSE Georg Richard.** Musicographe allem. (Greiffenberg 17.1.1856–Berlin 23.2.1944) qui fut chef d'orch. et dir. de théâtre en Allemagne, en Suisse et en Amérique, à qui l'on doit la 1re édition des lettres de Lortzing (Leipzig 1901, Ratisbonne 1913) : il édita d'ailleurs des œuvres de ce dernier ; on lui doit également une biographie d'O. Nicolaï (Berlin 1911) et un recueil de ses propres articles musicaux (Ratisbonne s.d.) ; ses œuvres de théâtre sont restées manuscrites.

**KRYLOV Pavel Dimitriévitch.** Compos. russe (Tvier 3.3.1885–Moscou 21.4.1935). Elève de l'école de la Soc. philharm. de Moscou, il fut prof. au cons. de cette même ville (1920) ; on lui doit 1 opéra, de la mus. symph. (1 symph.), de chambre, de piano, des chœurs, des mélodies.

**KRYZIANOVSKY** (*Kryzanovskij*) **Ivan Ivanovitch.** Médecin et compos. russe (Kiev 8.3.1867–Leningrad 9.12.1924). Elève en musique de Sevčik, de Ryb et de Rimsky-Korsakov, interné en Allemagne pendant la 1re guerre mondiale, il fut prof. au cons. de Leningrad (1923), collabora à des périodiques russes et écrivit de la mus. symph. (2 concertos, p. viol.), de chambre, d'orgue, de piano, 1 cantate ; il publia à N.-York *The biological bases of the revolution of music* (1928).

**KTESIBIOS.** Voir art. *Ctésibius.*

**KUBA Ludvik.** Peintre et folkloriste tchèque (Podebrady 16.4.1863–Prague 30.11.1956). Peintre de profession, il rassembla dans ses voyages une collection unique d'environ 4.000 chansons populaires slaves, qu'il publia dans une œuvre monumentale intitulée *Slovanstvo ve svých žpevech* (« Les Slaves à travers leurs chansons ») ; 15 volumes édités à Pardubia et à Prague (1884–1929). Voir J. Páta, *L.K.*, Prague 1926 ; J. Bužga in MGG.                                                                Z.V.

**KUBELIK** — **1. Jan.** Violon. tchèque (Michle 5.7.1880–Prague 5.12.1940). Il est le plus célèbre élève de Sevčik ; il joua, au cours d'une carrière de 42 ans, dans le monde entier et fut appelé « *Paganini redivivus* » pour sa technique parfaite et éblouissante ; il écrivit pour son instr. (notamment 6 concertos), 1 symph., des cadences de concertos et des accompagnements de piano pour diverses œuvres de Paganini. Son fils — **2. Rafael** (Bychory 29.6.1914–) est chef d'orch. ; élève d'O. Sín (composition), de J. Feld (violon) et de P. Dedeček (dir. d'orch.), il est bientôt devenu l'un des meilleurs chefs d'orch. tchèques ; depuis la 2e guerre mondiale, il vit à l'étranger, obtenant le même succès à l'opéra (*Covent Garden*) qu'au concert ; il a composé 1 opéra : *Veronika* (1944), 1 symph. (1932), 1 symph. (piano et orch., 1936) etc. Voir J. Celeda, *J.K.*, Prague 1930 ; B. Voldan, *Seznam del J.K.*, *ibid.* 1933 ; J. Dostál, *J.K.*, *ibid.* 1942 ; K. Hoffmeister, *J.K.*, *ibid.* 1941.                                                                Z.V.

**KUBIK Gail.** Compos. amér. (Coffeyville 5.9.1914–). Violon., élève de l'école Eastman à Rochester, il y a été prof., ainsi qu'à l'univ. de Columbia ; on lui doit de la mus. de théâtre, symph., (3 symph.), de chambre, d'orgue, de mus. radioph., des chœurs, des mélodies. Voir H. Broder in MGG.

**KUBIN Rudolf.** Compos. tchèque (Ostrava 10.1.1909–). Elève d'A. Hába (mus. à quarts et à sixièmes de ton), il enseigna quelques années à la radio d'Ostrava ; il a écrit plusieurs œuvres de mus. à quarts de ton, ainsi que des cantates, 3 opérettes, 2 opéras radiophoniques, un cycle symph., *Ostrava*, et de la mus. de film.          Z.V.

**KUCHAR** (*Kucharž*) **Jan Krtitel** (*Johann Baptist*). Mus. tchèque (Choteč 5.3.1751–Prague 18.2.1829). Elève de Seeger (Prague), il y fut org. à l'église St-Henri et au monastère de Strahov ; il était en même temps maître de chapelle à l'Opéra (jusqu'en 1797) ; il fut un grand ami de Mozart; on lui doit de la mus. d'église, d'orgue, de clavecin, des arrangements d'opéras de Mozart. Voir la bibliographie de Mozart et J. Bužga in MGG.

**KUCHIBUE.** Voir art. *vezobue.*

**KUECKEN** (*Kücken*) **Friedrich Wilhelm.** Compos. allem. (Blecke de 16.11.1810–Schwerin 3.4.1882). Il fut d'abord instrumentiste à la cour de Schwerin (il y fut le maître de mus. du prince) ; en 1832, il est à Berlin, où il donne son opéra *Die Flucht nach der Schweiz* ; on le trouve ensuite à Vienne près de Sechter (1841) et à Paris près d'Halévy (1843) ; il fut enfin maître de chapelle à la cour de Stuttgart (1851–1861) ; on lui doit 116 opéras (*Der Prätendent*, 1847), un grand nombre de *Lieder*, des chœurs, des sonates pour divers instruments. La postérité n'a pas cru devoir lui conserver la popularité qu'il s'était acquise. Voir O.H. Mies in MGG.

**KUEFFNER** (*Küffner, Kiefner*). Famille de mus. bavarois du XVIIIe s. dont le plus connu est Joseph (Wurtzbourg 17.3.1777–9.9.1856) : élève de son père (*Wilhelm*, 1727–1797, maître de chapelle à la cath. de Wurtzbourg) et de L. Schmitt, il appartint lui aussi à la cour de Wurtzbourg : il y fut violon. et org., réorganisa la musique militaire ; les œuvres qu'il composa en ce genre eurent beaucoup de succès, notamment aux Pays-Bas et en France : il y fut honoré en conséquence ; on lui doit en outre de la mus. symph. (7 symph.), de chambre (6 quatuors, 3 quintettes), de piano, de guitare, qqs publications pédagogiques. Voir O. Kaul in MGG.

**KUEHNAU** (**Kühnau**). — **1. Johann Christoph.** Mus. allem. (Volkstädt b. Eisleben 10.2.1735–Berlin 13.10. 1805). Elève de l'org. M. Grosse à Klosterbergen, org. et claveciniste, il fut nommé en 1763 prof. à la *Königliche Realschule* de Berlin et y fonda une chorale qu'il dirigea jusqu'à sa mort ; il semble que, de 1773 à 1779, il ait été l'élève de Kirnberger ; on croit également qu'il fut, à partir de 1753, prof. à l'école de la Ste-Trinité où, en 1788, il était cantor ; ses *Vierstimm. alte u. neue Choralgesänge...* (Berlin 1786) furent neuf fois réédités (jusqu'en 1885) ; on lui doit en outre *26 Choräle f. eine Harfen-Uhr aufgesetz* (1775, ms.), *Das Weltgericht..,* (ibid. 1784), *1 Te Deum* (ms.), Chorarien... (ibid. 1773. 1795–1806), 2 « odes à l'armée prussienne » (1 v. et p., ibid. 1778, 1790), 1 recueil de *Choralvorspiele f. die Orgel u. das Klavier...* (ibid., s.d., dont qqs-uns de sa composition), 1 ouvrage théorique: *Die Anfangslehren d. Tonkunst...* (1767, ms.), des chœurs, des chorals et des *Liedes* mss ; on trouve également de ses œuvres dans son recueil intitulé *Praeludia f. die Orgel* (1772, ms.) ; les mss sont à la Bibl. nat. de Berlin, nombre de ses cantates (d'église ou profanes) et ses oratorios ont été perdus. Son fils — **2. Johann Friedrich Wilhelm** (Berlin 29.6.1780–1.1.1848), fut comme son père org. à l'église de la Trinité (1814) ; il fut l'ennemi de G.J. Vogler (pour la facture d'orgue) ; on lui doit des chorals et des œuvres pour son instrument. Voir G. Feder in MGG.

**KUEHNEL** (*Kühnel*) **August.** Mus. allem. (Delmenhorst 3.8.1645–? v. 1700). Fils du mus. de la chambre à la cour de Mecklembourg *Samuel K.*, il jouait de la basse de viole : de 1661 à 1681, il est à la chapelle du duc Maurice de Saxe à Zeitz, poste qui fut interrompu quelque temps par un voyage d'études en France (1665) ; en 1682, il est à la cour de Munich, chez le prince Max, et se convertit au catholicisme ; à la fin de l'année, il est en Angleterre, en 1683, en Allemagne, en 1685, de nouveau à Londres, puis maître de chapelle à Cassel ; en 1686, il est gambiste et dir. de la mus. instr. à Darmstadt ; on le trouve ensuite musicien de la chambre à Dresde et vice-maître de chapelle à Weimar ; de 1695 à 1699, maître de chapelle à la cour du landgrave Charles de Hesse à Cassel ; après quoi on ne sait plus rien de lui ; on a conservé ses *Sonate o Partite ad una o due viole da gamba con il b.c.* (Cassel 1698). Voir A. Einstein, *Zur deutschen Lit. f. va da Gamba*, ds *Beih. IMG, II*, Leipzig 1901 ; K.H. Pauls et C. Engelbrecht in MGG.

**KUEHNER** (*Kühner*) **Hans.** Musicologue allem. (Eisenach 16.4.1912–). Elève de l'univ. de Munich, dont il est docteur (1938) avec sa thèse *Dokumentar. zur Mg. v. Florenz im 14. oder 15. Jh.*, il fit des séjours d'étude à Rome et surtout Florence ; en 1943, il est à Rome où, après la libération de la ville, il résidera au Vatican, collaborant à l'*Encicl. d. spettacolo* auprès de S. d'Amico ; il s'est installé en Suisse dep. 1946, collabore à Radio-Stuttgart, à *MGG* et à divers périodiques ; il traduit, s'occupe de questions religieuses et exerce les fonctions

de secrétaire du *Schutzverband d. Schriftsteller deutscher Sprache* (Zurich) ; on lui doit *Neues M. Reger-Brevier* (Bâle 1948), la trad. du *F. Chopin de Liszt* (id. ibid.), *Vinzenz v. Paul...* (Einsiedeln–Cologne 1951), *Genien des Gsg. aus dem Zeitalter d. Klassik u. Romantik* (Bâle id.), *H. Berlioz...* (Olten-Fribourg 1952), *E. Duse* (*Erlenbach-Zurich, id.*), *Das Universum d. Liebe in Mozarts Meisteropern* (Olten-Fribourg 1956), *Lex. d. Päpste v. Petrus bis Pius XII* (Zurich-Stuttgart 1956, trad. franç., Paris 1958), *Caterina Sforza...* (ibid. 1957), des art. (Verdi, Dufay, Mozart, B. Walter) dans des périodiques.

**KUEHNER** (*Kühner*) **Vassili Vassilievitch.** Compos. russe d'origine allem. (Stuttgart 1.4.1840–Vilna... 8.1911). élève du cons. de sa ville natale, qui poursuivit ses études à Paris et à St-Pétersbourg, où il fonda une école (1892), après y avoir déjà enseigné, ainsi qu'à Tiflis ; on lui doit notamment 2 symph., 1 quintette, 1 suite de p. et vcelle, des pièces de piano, 1 opéra : *Tarass Boulba* (1880).

**KUEHNHAUSEN** (*Kühnhausen*) **Johann Georg.** Mus. allem. ( ?–Celle 23 ou 24.8.1714), qui fit toute sa carrière à Celle à partir de 1660 (successivement *Hofmusicus*, chanteur, cantor) ; on n'a conservé de lui qu'une passion selon st Matthieu (ms. autographe bibl. de Berlin, éd. A. Adrio ds *Das Chorwerk* de F. Blume, Wolfenbuttel 1938). Voir A. Adrio, *Die Matthäus – Passion v. J.G.K. ...,* ds *Fs. A. Schering*, Berlin 1937 – art. in MGG.

**KUEMMERLE** (*Kümmerle*) **Salomon.** Compos. allem. (Malsheim 8.2.1832–Samaden 28.8.1896), qui fut org. ou prof. à Nice, Ludwigsburg, Schorndorf, Samaden (Suisse), et publia des recueils et une encycl. de mus. d'église (évangélique), un dict. de mus. Voir W. Blankenburg in MGG.

**KUEN.** Voir art. *Khuen*.

**KUENNEKE** (*Künneke*) **Eduard.** Compos. allem. (Emmerich 27.1.1885–Berlin 27.10.1953), qui fut chef d'orch. à Berlin (1907–1911) et écrivit nombre d'opéras et d'opérettes (dont la mus. symph. (1 concerto de piano), 1 quatuor, des mélodies, de la mus. de film. Voir E. Nick in MGG.

**KUENTZ Paul.** Chef d'orch. franç. (Mulhouse 4.5.1930–), qui a fondé l'orch. de chambre *P.K.*, avec lequel il a fait récemment ses débuts.

**KUERENBERG** (*Kürenberg*). *Minnesänger* autr. du début du XIIe s., dont l'existence est problématique : de petite noblesse, il aurait vécu dans la région de Lunz ; 15 strophes lui sont attribuées, dans lesquelles on trouve encore des archaïsmes semblables à ceux des *Nibelungen* : la plus connue est celle qui est intitulée « la chanson du faucon ». Voir G. Ehrismann, *Dir K. Lit. ...,* *G.R.M.*, XV, 1927.
                                                    J.Md.

**KUERZINGER** (*Kürzinger*). De nombreux musiciens bavarois des XVIIe–XVIIIe s. portèrent ce nom, dont — **1. Johann.** originaire de Geisenfeld, org. à St-Nicolas-de-Passau en 1624, publia *Lesbij Modi* (1-4 v., Passau 1624) et 1 motet à 4 v. dans la *Philomela* de G. Victorinus (Munich *id.*). — **2. Fortunatus** (?–Freising 31.3.1805) fit sa carrière à la chapelle de l'évêque de Freising. — **3. Franz Xaver** (Rosenheim 30.1.1724–Wurtzbourg 12.8.1797) était en 1740 trompette dans un régiment de cuirassiers hongrois : fait prisonnier en Prusse, il y fut l'élève de C.H. Graun ; libéré, il se rendit à Bonn : le prince-électeur Clément-Auguste de Cologne le mena en Italie et lui procura un poste à la chapelle de l'ordre teutonique à Mergentheim: il y fut 10 ans *Kapellmeister* (1751–1761) ; en 1763, on le trouve à Wurtzbourg comme violon. à la cour du prince-évêque, puis dir. de mus. au *Studentenmusäum du Juliusspital*: il y fut le maître de l'abbé Vogler ; on lui doit 1 opéra, 1 oratorio, des pièces vocales, de violon, de guitare, 1 *Missa solemnis* (4 v.),.1 cantate, *David et Apollo...* (Augsbourg 1750), des ouvrages pédagogiques. Son fils — **4. Paul Ignaz** (Mergentheim 28.4.1750–Vienne ap. 1820), appartint à la cour de Bavière (1775), à celle des Tour et Taxis à Ratisbonne (1780–1783) comme dir. du théâtre de la cour, après quoi il enseigna à Vienne ; on lui doit des *Singspiele* et des ballets, 4 symph., de la mus. de chant etc. Voir O. Kaul in MGG.

**KUFFERATH.** — **1. Johann Hermann.** Violon. allem. (Mülheim 12.5.1797–Wiesbaden 28.7.1864). Elève de L. Scheffer (lui-même élève de Spohr) à Dortmund, puis de Spohr lui-même et de M. Hauptmann à Cassel, il exerça comme dir. de mus. à Bielefeld, Utrecht (1830–1862) et Wiesbaden ; on lui doit de la mus. chor., de piano. Son frère — **2. Louis** (*ibid.* 10.11.1811–Bruxelles 2.3.1882), fut son élève, puis celui de F. Schneider, fit une carrière de virtuose, dirigea une école à Leeuwarden, fut chef de chœur à Gand et termina ses jours à Bruxelles ; on lui doit de nombreuses compositions de mus. d'église, quelque 250 canons etc. Leur frère — **3. Hubert-Ferdinand** (*ibid.* 10.6.1818–Bruxelles 23.6.1896), élève de son frère J. Hermann (Utrecht), puis de F. Hartmann (Cologne), de F. Schneider (Dessau), de Mendelssohn et de F. David, pian., violon. et flûtiste, fut chef de chœur à Cologne (1841) et prof. à Bruxelles (notamment au cons., 1872) ; il joua un rôle important dans la vie musicale de cette ville ; on lui doit 1 symph., de la mus. de chambre, de piano voc., 1 écrit théorique. Son fils — **4. Maurice** (Bruxelles 8.1.1852–8.12.1919), vcelliste, critique (*Guide musical*, 1875–1914), fut un défenseur acharné de Wagner ; en 1901, il fut co-dir. du théâtre de la Monnaie, poste qu'il conserva jusqu'à sa mort, sauf la durée de la 1re guerre mondiale pendant laquelle il résida en Suisse ; on lui doit un opéra-comique, nombre d'écrits, d'articles et de traductions. Voir A. Van der Linden in MGG.

**KUGELMANN.** Ce sont 5 frères originaires d'Augsbourg, dont 4 appartinrent à la chapelle du duc Albrecht de Prusse et de ses successeurs à Königsberg. — **1. Hans** est cité pour la 1re fois en 1518 à la chapelle de l'empereur Maximilien Ier ; il servit ensuite les Fugger à Augsbourg et fut de 1524 à 1542 trompettiste, maître de chapelle et compos. à la cour du duc Albrecht de Prusse ; on lui doit *Concentus novi...* (3-8 v., Augsbourg 1540). — **2. Christoph** fut également trompette et suivit son frère à Königsberg. — **3. Melchior** fut l'élève de son frère ou de V. Königswieser et fut compos. à la même cour de Königsberg de 1540 à 1548 ; on a conservé de ses pièces (dans le recueil de son frère Paul et dans un ms. de Copenhague). — **4. Paul** fut trompettiste à la même cour, à partir de 1542 : il publia *Etliche teutsche Liedlein..* (3-6 v., Königsberg 1558 ou 1560). — **5. Balthasar** est le seul de la famille qui soit resté en Bavière : à Nuremberg (1542). Voir F. Spitta, *Die Liederslg.*, ds *Fs. Riemann*, Leipzig 1909 ; H. Engel, *Etl. t. Liedlein...*, ds *Ostpreuss. Mus.*, Königsberg 1934 — art. in MGG.

**KUHAC** (*Koch*) **Franjo.** Musicologue et mus. croate (Osijek 20.11.1834–Zagreb 18.6.1911). Il étudia à Budapest : idéologue, nationaliste, fondateur de l'ethnomusicologie croate, il recueillit le folklore national ; auteur fécond (théorie musicale et l'hist. de la mus. croate), il publia *Prilog za povijest glazbe južnoslavjenske* (« Contribution à l'hist. de la mus. », 1877–1882), *Vatroslav Lisinski i njegovo doba* (« V.L. et son temps », 1877), *Josip Haydn i hrvatske narodne popijevke* (« Joseph Haydn et les chansons populaires croates », 1880), *Ilirski glazbenici* (« Musiciens illyriens », 1893), *Beethoven i hrvatske narodne popijevke* (« Beethoven et les chansons populaires croates », 1894), *Turski živalj u pučkoj glazbi Hrvata, Srba i Bugara* (« L'élément turc dans la mus. populaire des Croates, des Serbes et des Bulgares » 1898), *Osobine pučke glazbe, naročito hrvatske* (« Les qualités caractéristiques de la mus. populaire, notamment de la croate », 1909). Voir A. Kassowitz-Cvijic, *F.K.*, 1924 ; B. Sirola, *Hrvatska umjetnička glazba*, 1942.    D.C.

**KUHLAU Friedrich.** Compos. danois d'origine allem. (Uelzen 11.9.1786–Copenhague 12.3.1836). Flûtiste, pian., élève de C.G. Schwencke (élève de Ph. E. Bach, Hambourg), il débuta comme virtuose et compos. en 1804, mais quitta Hambourg en 1810 pour fuir l'armée allem. et se fit naturaliser danois : il fut à Copenhague prof. de chant, compos. de théâtre et musicien de la chambre : il s'y montra un fervent défenseur de Beethoven, qu'il connut d'ailleurs à Vienne en 1825, lors d'une de ses tournées de pianiste virtuose ; on lui doit 8 opéras, des *Lieder*, de la mus. de chambre, une grande quantité d'œuvres instrumentales, dont celles de piano (sonates, concertos) et de flûte sont restées au répertoire : ses œuvres de flûte (18 solos, 18 duos, 24 sonates de p. et fl., 7 trios, 3 quintettes av. fl.) constituent le trésor des flûtistes. Voir P.O. Broendstedt, *Til K.s Ihukommelse*, 1835 ; K. Graupner, *F.K.*, thèse de Munich 1930 ; K. Thrane, *Id.*, Leipzig 1886 ; R. Sietz in MGG.

**KUHNAU Johann.** Mus. allem. (Geising [Erzgebirge] 1660–Leipzig 1722). Il fréquente d'abord la célèbre *Kreuzschule* de Dresde, puis, à partir de 1680, le collège de Zittau : c'est là qu'il écrit ses premières œuvres, en tant que *praefectus chori* et org. intérimaire à l'église St-Jean ; en 1682, il va à Leipzig : il étudie la jurisprudence à l'université ; en 1684, il devient org. à St-Thomas, tout en étant avocat ; c'est de cette époque que datent ses 4 livres pour clavecin, qui eurent un grand succès ; on commençait alors, dans l'enseignement musical, à préférer le clavecin au luth : aussi les publications de *K.* inaugurèrent-elles la vaste production de pièces de clavecin à l'usage des dilettantes. Il est inexact, malgré qu'on en ait, que *K.* ait inventé la sonate de clavier : la *Sonate aus dem B*, imprimée en appendice de la 2e partie de la *Clavier-Übung*, semble être un assemblage de quelques pièces composées séparément, car la 2e pièce existe déjà (dans un autre ms. antérieur à 1690 ; de plus, la forme des sonates de *K.* est à peine différente des *toccate, capricci* et *canzone* à plusieurs parties de ses contemporains. En revanche, les *Biblische Historien* (représentations musicales tirées des Stes Ecritures, p. ex. le combat de David et de Goliath) constituent un apport intéressant à l'hist. de la mus. à programme. En 1701, *K.* fut nommé *director chori musici* et cantor à l'école St-Thomas ; comme son successeur J.-S. Bach, il eut beaucoup de difficultés à surmonter, mais il fut très estimé de ses contemporains, qui appréciaient sa science (musicale et universelle). Malheureusement, on n'a conservé qu'une petite partie de ses nombreuses œuvres de mus. d'église ; ses œuvres pour clavier ont été rééditées longtemps après sa mort ; elles ont gardé tout leur intérêt ; *K.* n'était pas seulement un musicien, c'était encore un savant : il possédait plusieurs langues, était versé dans la théologie, les mathématiques, la jurisprudence, la rhétorique et la poésie ; son roman *Der musicalische Quacksalber* (« Le charlatan musical ») est toujours amusant à lire. Il est donc non seulement l'un des compos. allem. les plus importants de la génération immédiatement antérieure à Bach, mais aussi un des grands humanistes de la fin du baroque.

**Œuvres :** *Neue Clavier Übung* (I, 1689, II, 1692), *Frische Clavier Früchte* (1696), *Musical. Vorstellung einiger bibl. Historien* (1700), 1 messe, 1 *Magnificat*, 5 motets lat., 2 motets allem., 1 passion, 26 cantates (beaucoup d'autres ont été perdues) ; écrits : *Jura circa musicos ecclesiasticos* (1688), *Fundamenta compositionis* (1703), *Tractatus de tetrachordo, De musical. Quacksalber* (1700). (Editions : *Le trésor des pianistes*, III, DDT, 4 et 58/59).

**Bibl. :** I. Faisst, *Beiträge zur Gesch. der Claviersonate*, ds *Caecilia*, 25, 1846 ; R. Münnich, *J. K.s Leben*, ds *SIMG*, III, 1901–1902 ; A. Schering, *Musikgesch. Leipzigs*, II, Leipzig 1926 ; M. Seiffert, *Gesch. der Klaviermusik*, Leipzig 1899 ; F.W. Riedel, *Quellenkundliche Beiträge zur Gesch. der Mus. f. Tasteninstrumente in der 2 Hälfte des 17 Jh.*, Cassel-Bâle 1959 — art in MGG.

**KUKUZÉLÈS Johannes.** Musicien grec dont l'activité se situe dans le 2e moitié du XIVe s. : il était bulgare (Durazzo) : sa mère l'envoya à Constantinople où sa « voix angélique » lui valut des triomphes, notamment près de l'empereur ; mais il s'enfuit de Constantinople pour le mont Athos d'abord comme berger, ensuite comme moine au monastère St-Athanase ; on lui doit la notation qui porta son nom (voir art. *byzantine* [*mus.*]), le *Polyeléios* de Bulgarie et 6 autres compositions, toutes œuvres où le mélisme est très orné et l'écriture fort raffinée. Voir F. Krumbacher, *Gesch. d. byz. Lit.*, Munich 1897 ; P. Syrku, « *La biographie de J.K.* ... » (en russe), ds *Jurnal minist. narodnava prasviechtchenia*, VI, St-Pétersbourg 1892 ; J. Thibaut, *Etude de mus. byz.*, ds *Bull. de l'Inst. arch. russe de Constantinople*, VI, 1900 ; E. Wellesz, *Byz. Mus.*, Breslau 1927 ; S. Eustratiadès, *J.K...*, (en grec), ds *Epétèris étairéïas byz. spondôn, XIV,*

Athènes 1938 ; P. Dinev, « *Les compos. de K.* » (en bulgare), Sofia 1938 ; R. Verdeil-Polikarova, *La mus. byz. chez les Bulgares et chez les Russes*, Copenhague-Boston 1953 ; L. Stantcheva-Brachovanova in MGG.

**KULKUL.** C'est un tambour de bois, fait de la section évidée d'un tronc d'arbre (Bali) : l'instrument, souvent décoré de sculptures, est utilisé pour donner l'alarme (en cas de vol, incendie, meurtre, etc.).                M.H.

**KULLAK.** — **1. Theodor.** Pian. allem. (Krotochine 12.9.1818–Berlin 1.3.1882). Enfant prodige (chez les Radziwill), il débuta comme virtuose à 11 ans (Berlin), où il fut ensuite l'élève de Dehn, avant de l'être de Czerny, de Sechter et de Nicolaï à Vienne ; il fut ensuite (1843) maître de musique des princes et des princesses Hohenzollern à Berlin, puis (1846) pian. de la cour ; il fonda, avec Stern et Marx, le cons. Stern de Berlin (1850), puis la *Neue Akad. der Tonkunst* (1855) : ce fut un pian. et un prof. de 1er ordre ; il composa un grand nombre de pièces pour son instrument, y compris des exercices techniques, de la mus. de chambre et qqs *Lieder*. Son frère — **2. Adolph.** (Meseritz 23.2.1823–Berlin 25.12.1862), fut critique mus. et prof. à Berlin : il publia quelques ouvrages pédagogiques (piano). Le fils de Theodor — **3. Franz** (Berlin 12.4.1844–9.12.1913), pian., dirigea l'acad. fondée par son père de 1882 à 1890, publia lui aussi des écrits pédagogiques et composa 1 opéra, de la mus. symph. et de chambre. Le fils d'Adolph — **4. Ernst** (*ibid.* 22.1.1855–1914), fut prof. de composition et de piano à Berlin, auteur de mus. de salon et de mélodies. Voir H. Bischoff, *Zur Erinnerung an Th. K.*, *ibid.* 1883 ; R. Sietz in MGG.

**KULTRUN.** C'est une timbale des Indiens Araucans (Chili), d'environ 40 cm. de diamètre et 16 cm. de hauteur, recouverte de peau de cheval et frappée avec une longue baguette de bois (45 cm.) ; la cavité de la timbale contient des pierres qui s'entrechoquent au moment du jeu ; certaines de ces timbales sont faites en calebasse et la baguette est alors elle-même une calebasse plus petite ; le *k.* est un instrument de guérisseur. Le même instrument est appelé aussi *Rali kultrun*.                S.D.-R.

**KUMMER.** Famille de mus. allem. — **1. Johann Gottfried** (Krummenhennersdorf b. Freiberg 5.11.1730–Dresde 17.3.1812) fut hautboïste à la cour de Dresde ; son fils — **2. Carl Gottfried Salomon** (Dresde 7.9.1766–1850) y fut bassoniste et contrebassiste ; son frère — **3. Friedrich August** (*ibid.* 7.9.1770–22.6.1849) fut hautboïste à Meiningen et à Dresde ; leur frère — **4. Gotthelf Heinrich** (Neustadt 23.1.1774–Dresde 28.1.1857) y fut bassoniste ; le fils de Friedrich August — **5. Friedrich August** (Meiningen 5.8.1797–Dresde 22.8.1879), élève de Dotzauer, appartint à la cour de Dresde de 1814 à 1864, d'abord comme hautboïste, ensuite comme vcelliste ; il fut également prof. au cons. de Dresde ; on lui doit de la mus. pour son instr. (concertos) et de la mus. de chambre ; son frère — **6. Carl Gotthelf** (Dresde 9.12.1799–9.4.1865), y fut hautboïste ; leur frère — **7. Ferdinand Wilhelm** (*ibid.* 15.10.1802–21.6.1834), y fut vcelliste de 1820 à sa mort ; le fils de Gotthelf Heinrich — **8. Heinrich** (*ibid.* 8.5.1809–?) y fut bassoniste (1824–1832), appartint à l'Opéra de St-Pétersbourg (1837–1847), fit une carrière de pianiste virtuose et enseigna en Pologne, en Russie et en Suisse ; les fils de Carl Gotthelf — **9. Ernst** (1824–1860), — **10. Otto** (1826–?) et — **11. Max** (1842–1871) furent respectivement vcelliste, violon. et vcelliste ; le fils de Ferdinand Wilhelm — **12. Moritz** (1827–1864) fut hautboïste ; quant au fils d'Otto — **13. Alexander** (1850–?), il fut violon. à Londres. Voir K. Stephenson in MGG.

**KUMMER Caspar.** Mus. allem. (Erlau b. Schleusingen 10.12.1795–Cobourg 21.5.1870), qui fut flûtiste et dir. de mus. à la cour de Cobourg ; on lui doit de la mus. de flûte, de chambre et une méthode (flûte).

**KUNC** (*Cunq*) — **1. Aloys.** Compos. franç. (Cintegabelle 1832–Toulouse 1896), maître de chapelle à la cath. et prof. au cons. de Toulouse, auteur de mus. d'église ; son fils — **2. Pierre** (Toulouse 1865–1941), org., fut maître de chapelle à St-Sulpice de Paris ; on lui doit de la mus. en tous genres ; son frère — **3. Aymé** (*ibid.*

1877–Paris 1958), prix de Rome (1902), dirigea le cons. et la Soc. de cons. de Toulouse (1914–1944) : on lui doit de la mus. symph., de chambre, voc., 1 tragédie lyrique : *Les esclaves* (1909).

**KUNC Božidar.** Pian. et compos. croate (Zagreb 18.7.1904–). Il étudia à l'Académie de mus. à Zagreb, où il est actuellement prof. ; impressionniste, il a écrit notamment d'excellentes compositions de piano — nocturnes, préludes et sonates — et un *Concerto pour p. et orch. en si mineur*.                D.C.

**KUNC Jan.** Compos. tchèque (Doubravice 27.3.1883–). Élève de L. Janaček et de V. Novák, il a enseigné au cons. de Brno ; parmi ses œuvres, citons le poème symph. *Pisen mládí* (« *Chant de la jeunesse* »), 1 quatuor à cordes, 1 sonate de piano et violon, des mélodies, des chœurs. Voir J. Bužga in MGG.                Z.V.

**KUNDERA Ludvik.** Pian. et prof. slovaque (Brno 17.8.1891–). Élève des univ. de Prague et de Brno, docteur avec sa thèse *Von der Aesth. d. künstlerischen, besonders der Kl.-Interpretation* (1925), élève de Cortot à l'Ecole normale de mus. de Paris, il a enseigné jusqu'en 1941 au cons. de Brno ; dep. 1948, il est recteur de l'« Acad. des arts musicaux » dans sa ville natale ; outre sa thèse, on lui doit des ouvrages théoriques sur la technique pianistique, des art. d'esthétique et d'hist. de la musique.

**KUNST Jaap.** Ethnomusicologue néerl. (Groningue 12.8.1891–). Docteur en droit, c'est en 1919 qu'il commença ses travaux ethnomusicologiques à Java : il a réuni (jusqu'en 1934) un important matériel (instruments, photographies, phonogrammes etc.) qu'il a réuni au musée du *Bataviaasch Genootschap* ; il a fait un grand nombre de conférences (plus de 1.000) sur sa spécialité dans le monde entier ; il est dep. 1936 conservateur du département d'anthropologie du *Tropeninstitut*, et, depuis 1942, il enseigne à l'univ. d'Amsterdam ; on lui doit notamment, outre une énorme quantité d'articles ethnomusicologiques, *Terschellinger Volksleven* (Vithuizen 1915, 3e éd. La Haye 1951), *Het levende lied van Nederland* (Amsterdam 1918, 4e éd. 1947), *De toonkunst van Bali* (Weltevreden 1925), *De toonkunst van Java* (2 vol., La Haye 1934), *Music in Nias* (Leyde 1938), *Music in Flores* (1942), *Metre, rhythm and multipart music* (Leyde 1950), *Cultural relations between the Balkans and Indonesia* (1954), *Ethnomusicology* (La Haye 1955) ; notons qu'il a publié en franç. *De l'origine des échelles musicales javano-balinaises* (ds *Journal of the Siam Soc.*, *XXIII*, 1929). Voir art. in MGG.

**KUNZ Ernst.** Compos. suisse (Zimmerwald 2.6.1891–). Élève de l'univ. et de l'acad. de Munich, il a été dir. de mus. à Lenzbourg, chef d'orch. aux Opéras de Rostock et de Munich (1917), dir. de mus. à Olten ; on lui doit de la mus. symph. (3 symph.), 1 oratorio de Noël (1924), 1 *Requiem* (1941), des cantates, 3 opéras.

**KUNZ Lucas.** Bénédictin allem. (Crimmitschau 16.5.1903–). Élève de l'univ. de Munster, dont il est docteur avec sa thèse *Die Tonartenlehre d. röm. Theoretikers u. Komp. P.F. Valentini* (Cassel 1937), élève en outre de la *Folkwangschule* d'Essen, il est dep. 1930 org. à l'abbaye de Gerleve ; il a écrit des aticles sur le chant grégorien et publié *Aus der Formenwelt des greg. Chorals* (4 vol., Munster 1946–1950).

**KUNZEN** (*Kuntzen*) — **1. Johann Paul.** Mus. allem. (Leisnig 31.8.1696–Lubeck 20.3.1757). Fils d'un marchand drapier, il est le fondateur d'une lignée de musiciens : à 7 ans, il fait partie du chœur paroissial dans sa ville natale et remplace parfois l'organiste ; vers 1705, son père le mène à Torgau puis à Freiberg, où il poursuit ses études et travaille le violon ; en 1716, il s'inscrit à l'univ. de Leipzig et se voit engager à l'Opéra comme chanteur et 1er viol. à l'orch. ; il refuse le poste d'org. suppléant à St-Nicolas, donne des concerts à Gera, Gotha, Mersebourg et Weissenfels ; maître de chapelle à Zerbst (1718) puis à Wittemberg (1719), il fonde dans cette ville un concert public et se marie ; il passe qqs années à Dresde, où il se lie avec Heinichen (compos. de la mus. d'église à la cour), Schmidt (maître de chapelle dep. 1698) et Volumier (violon. et compos. de ballets), qui l'aident à faire jouer ses œuvres ; de 1723 à 1732, il est attaché à l'Opéra de Hambourg comme compos., y fait représenter *Romulus u. Remus*, « bergers héroïques » (d'après un texte ital. de G. Porta, 1724), un *Cadmus* (1725) ; en 1728, il fait aux Pays-Bas une tournée de concerts avec son fils Karl-Adolf, enfant prodige sur les instr. à clavier ; nommé org. de l'église Ste-Marie de Lubeck (1732), il restera dans cette ville jusqu'à sa mort : reprenant la tradition des *Abendmusiken* donnés par Buxtehude pendant l'avent, il organise des concerts réguliers pour lesquels il écrit des cantates, une passion, des oratorios (*Belsatzar*) ; en 1747, il devient membre de la soc. mus. de Mizler, dont J.-S. Bach fait partie dep. l'année précédente. Mattheson en parle comme de l'un des meilleurs org. et compos. de son temps. — Ses œuvres, restées pour la plupart manuscrites, sont dispersées dans diverses bibliothèques : Dresde (« *Concerts pour le clavecin* »), Lubeck (sérénades et mus. de circonstance), Berlin (duo pour sopr. et basse et *b.c.* « *Laissez-vous embrasser...* », *Serenade* pour 4 chanteurs, cl. princ., 2 cl., 2 viol., alto, b. et timbales, *Sinfonia* en *ré maj.* pour 2 cl. et viol. princ., htb., basson, 2 viol., vcelle. b. et timbale, 2 *Ouvertures* pour 11 instr. dont 4 cors, *Suite* en *sol maj.*), Bruxelles (« *Recueil factice d'oratorios de J. P. K. et de son fils K. A. exécutés de 1749 à 1780 à l'égl. Ste-Marie de Lubeck* » [impr.], 2 sérénades pour ch. et orch., 1 oratorio « *L'enfant prodigue* »), à quoi il faut ajouter un ouvrage théorique intitulé « *Principes élémentaires de la b.c.* ». Son fils — **2. Adolph Carl** (Wittemberg 20 ou 22.9.1720–Lubeck... 7.1781), élève de W. Lustig (Hambourg), débute comme virtuose. en 1727 (Allemagne, Hollande et Angleterre, 1728–1729) ; en 1749, il est *Konzertmeister*, en 1752 *Kapellmeister* du duc Christian-Louis II de Mecklembourg à Schwerin (1752–1753) ; de 1754 à 1757, il est à Londres, enfin, la même année, il succède à son père à l'église Ste-Marie de Lubeck : en 1772, il a la main droite paralysée, et J.W.C. de Königslöw est son second ; on lui doit des passions, cantates, sérénades, *intermezzi*, de la mus. de circonstance, 16 symph., 5 ouvertures, 40 concertos, des airs, 17 sonates de clavecin et violon, des *Lieder* et des canons, de la mus. de clavecin. Son fils — **3. Friedrich Ludwig Aemilius** (Lubeck 4.9.1761–Copenhague 28.1.1817), élève de l'univ. de Kiel, débute à Copenhague en 1784 comme pianiste, l'année d'après comme compos. ; en 1787, il y est prof. de chant au théâtre royal ; il gagne Berlin en 1789, où il éditera le *Musikal. Wochenblatt* (1791) ; en 1792, il est maître de chapelle à Francfort, en 1796 à Copenhague, où il aura une grande activité de chef d'orch. ; on lui doit des opéras ou *Singspiele* (*Holger Danske*, 1789, *Erik Ejegod*, 1798, *Husarerne paa Frieri*, 1813), des oratorios, chœurs, chorales et cantates, 1 symph., des ouvertures, de la mus. de piano, des *Lieder*, des recueils : *Compositionen der in dem ersten Theile der Gedichte meines Vaters enthaltenen Oden u. Lieder* (Leipzig 1784), *Viser* (Copenhague 1786, Flensbourg-Leipzig 1788), *Zerstreute Compos.* (Copenhague-Altona 1789). Voir Mattheson, *Kern melod. Wiss.*, Hambourg 1737 — *Grundlage einer Ehren-Pforte*, rééd. Berlin 1910 ; H. Rentzow, *Die meckl. Liederkomp. d. 18. Jh.*, thèse de Berlin, 1938 ; B. Friis, *F.L.Ae.K.* ..., id. 1943 ; G. Karstädt et S. Lunn in MGG.

**KURANRAJAN.** C'est une cithare sur bâton, utilisée par les chamans Saora (Inde du Sud) : l'instrument, long de 60 cm. env., est muni d'un résonnateur de calebasse, que l'exécutant appuie contre sa poitrine, et comporte deux cordes de fibre. M.H.

**KURPINSKI Karol Kazimierz.** Compos. pol. (Wloszakowice 6.3.1785–Varsovie 18.9.1857). Élève de son père, *Martin K.* (org.), il fut org. à Sarnow (1797), puis membre d'un quatuor et prof. de piano à Moscou (1800), chef d'orch. au Théâtre nat. (1810) et dir. de l'Opéra de Varsovie (1824–1840), en même temps que prof. de théorie et fondateur d'une école de chant ; il créa et dirigea la 1re revue mus. pol. : *Tygodnik Muzyczny* (1820–1821) ; on lui doit 16 opéras (pol.), 2 opérettes, 7 mélodrames, des ballets, de la mus. de chambre, de piano, des cantates, des écrits théoriques. Voir

H. Pomorska, *K.K.*, Lodz 1948 ; K. Swaryczewska in MGG.

**KURTH Ernst.** Musicologue autr. (Vienne 1.6.1886–Berne 2.4.1946). Élève de l'univ. de sa ville natale (Adler), dont il fut docteur (1908) avec sa thèse *Der Stil der opera seria...* (cf. *StMw*, I, 1913), chef d'orch., il a enseigné à l'univ. de Berne de 1912 à 1946 ; on lui doit, outre sa thèse, *Die Voraussetzungen d. theor. Harmonik...* (Berne 1913), *Zur Motivbildung Bachs* (ds *Bach-Jb.*, XIV, 1917), *Grundlagen d. lin. Kp. Bachs melod. Polyph.* (Berne 1917, Berlin 1922–1956), *Romant. Harm. ...* (*ibid.* 1920), *Bruckner* (2 vol., *ibid.* 1925), *Musikpsychologie* (Berlin 1931, Berne 1947), des art. dans des périodiques ou ouvrages collectifs. Voir W. Schuh, *E.K.* ..., ds *SMZ*, 86, 1946 ; K.v. Fischer, *In memoriam E.K.*, ds *Der Musikalmanach*, Munich s.d. — art. in MGG.

**KURTHEN Wilhelm.** Compos. allem. (Elsen 4.2.1882–Weidesheim 22.6.1957), docteur de l'univ. de Bonn, qui fut curé de Weidesheim, prof. au cons. de Cologne (1925–1935), rédacteur en chef de la *Gregoriusblatte*, auteur de mus. d'église, de mélodies et d'art. musicologiques. Voir L. Schiedermair, *W.K. als Musikforscher*, ds *Zs. f. KM*, LXXII, 1952.

**KURZ Vilém.** Prof. tchèque (Havlíčkuv Brod 1872–Prague 1945). Après Lvov et Brno, il enseigna au cons. de Prague, où il a formé un nombre considérable de pianistes, notamment Rudolf Firkušný, qui a atteint aujourd'hui une renommée mondiale.

**KUSABUE.** C'est littéralement une « flûte d'herbe » : d'usage populaire, c'est une flûte traversière en roseau ou en bambou, dont on se sert comme signal (les marchands ambulants par ex.) : il existe de nombreux modèles de différentes dimensions (Japon). E.H.-S.

**KUSSER** (*Cousser*) **Johann Sigismund** (*Jean-Sigismond*). Mus. autr. (Presbourg 13.2.1660–Dublin... 11.1727). Fils d'un cantor de Presbourg, *Johann K.*, qui fut dir. de mus. à Stuttgart (1674), J.S. partit de Stuttgart pour Paris, où il passe six ans auprès de Lully (1674–1682) ; à son retour, il se met au service de la cour d'Ansbach, puis il voyage dans toute l'Allemagne (1683) ; en 1690, il est *Oberkapell-meister* à l'Opéra de la cour de Brunswick-Wolfenbüttel, en 1694, à Hambourg, où il s'associe avec Kremberg (à l'Opéra, en 1697–1698), à Nuremberg et Augsbourg, en 1699 à Stuttgart, toujours pour l'opéra : vers 1701, il fait un voyage à Bologne et à Venise ; fin 1704 ou début 1705, il part pour Londres, en 1710 pour Dublin, comme *composer of the state musick*, *master of the choristers*, maître de chapelle du vice-roi d'Irlande, *chappel-master of Trinity College* etc. ; il est un de ceux qui ont le plus contribué à la formation et au prestige de l'opéra allemand ; on lui doit 13 opéras : *Julia* (1690), *Cleopatra* (1691), *La grotta di Salzdahl* (*id.*), *Ariadne* (1692), *Jason* (*id.*), *Narcissus* (*id.*), *Porus* (1693), *Andromeda* (1692), *Erindomeda...* (*id.*), *Gensericus...*, *Pyramus u. Thisbe*, *Der grossmütige*, *Scipio Africanus* (1694), *Der verliebte Wald*, de la mus instr. : *Compos. de mus. suivant la méthode françoise, contenant 6 ouvertures de théâtre...* (Stuttgart 1682), *Apollon enjoüé...* (*ibid.* 1700), *Festin des muses...* (*id. ibid.*), *La cicala della cetra d'Eunomio* (*id. ibid.*), des sérénades. Voir F. Chrysander, *Gesch der braunschw.- wolf. Capelle u. Oper*, ds *Jb. f. mus. Wiss.*, I, Leipzig 1863 – *Eine engl. Serenata v. J.S.K. um 1710*, ds *AmZ*, 1879 ; C. Sachs, *Die ansbacher Hofkapelle...*, ds *SIMG*, XI, 1909 ; H. Scholz, *J.S.K. ...*, thèse de Leipzig, 1911 ; W. Schulze, *Die Quellen der hamburger Oper*, Hambourg-Oldenbourg 1938 ; H.C. Wolff, *Die Barockoper in Hamburg*, 2 vol., Wolfenbuttel 1957 ; H. Becker in MGG.

**KUSTERER Arthur.** Compos. allem. (Carlsruhe 14.6. 1898–). Élève du cons. de sa ville natale, chef d'orch., prof., puis dir. du studio d'opéra à l'Opéra-comique de Berlin (1950), il a écrit 3 opéras, de la mus. symph. (2 symph.), de chambre, des cantates, des mélodies etc.

**KUULA Toivo.** Chef d'orch. et compos. finlandais (Wasa 7.7.1883–Viipuri 18.5.1918), qui fut notamment chef de l'orch. nat. de Viipuri et écrivit de la mus. symph., de chambre, d'église, instr., vocale. Voir T. Elmgren-Heinonen, *T.K.*, *Elämäkerta*, Porboo 1938 ; T. Elmgren-Heinonen et E. Roiha, *T.K.* ..., Helsinki 1952 ; J. Kokkonen, *T.K.*, *Sävellysluettelo*, Helsinki 1953 ; N.-E. Ringbom in MGG.

**KUUSISTO Taneli.** Compos. finlandais (Helsinki 19.6.1905–). Pian., org., chef de chœur à l'Opéra d'Helsinki (1942–1946), dir. du *Viipurin Lauluveikot* (1945–1951), prof. d'orgue à l'Acad. Sibelius d'Helsinki (1946–1955), dont il est pro-recteur dep. 1956, critique, président de la Société des compos. finlandais (dep. 1953), il a écrit de la mus. symph., de chambre, de piano, d'église, de film, des mélodies et publié qqs écrits, dans son autobiographie (ds *Musiikiin tietokirja*, Helsinki 1948). Voir N.-E. Ringbom in MGG.

**KVAPIL Jaroslav.** Compos. tchèque (Frystát 21.4.1892–Brno 18.2.1958). Elève de L. Janáček à Brno et de M. Reger à Leipzig, il enseigna au cons. de Brno le piano et la composition et fit carrière de pian. et de chef d'orch. ; on lui doit 1 opéra : *Pohádka máje* (« *Le conte du mai* »), 1 poème symph. : *Svítání* (« *L'aube* »), 4 symph. (1914, 1922, 1937, 1945), des concertos de violon (1912, 1952), htb. (1953), piano (1954), 1 trio (1912), 6 quatuors à cordes (1914–1950), des sonates de piano (1913, 1946), de vcelle (*id.*), de violon (1914), 2 quintettes à vent (1925, 1935). Voir L. Kundera, *J.K.*, Prague 1944, et J. Bužga in MGG.                    Z.V.

**KVITKA Kliment Vassiliévitch.** Musicologue ukrainien (Kiev 4.2.1880–19.9.1953). Membre de l'Acad. des sciences d'Ukraine, prof. au cons. de Moscou (1933), il publia un recueil de chansons populaires en 2 vol. (Kiev 1917–1918), de nombreuses études ethnologiques et musicales sur le folklore ukrainien, dont une en français : « *Système anhémitonique, pentatonique, chez les peuples slaves* » (Cracovie 1927). Voir T.V. Popova in MGG.
                                                                    A.W

**KWAST James.** Pian. néerl. (Nijkerk 23.11.1852–Berlin 31.10.1927). Il fit ses études à Leipzig, Berlin et Bruxelles, enseigna à Cologne, Francfort et Berlin ; on lui doit de nombreuses œuvres de piano (1 concerto), des arrangements, des éditions. Voir K. Hahn in MGG.

**KYI WAING.** C'est un jeu de gongs disposés horizontalement sur un cadre circulaire (Birmanie).        M.H.

**KYREYKO Vitalij.** Compos. ukrainien (Cheroke 23.12.1926–). Elève du cons. de Kiev (L. Revoutsky), il a écrit 1 opéra : *Lisova Pisnya* (1955), 2 poèmes symph. (1949), 1 cantate (*id.*), 2 symph. (1947–1948, 1953), 2 ouvertures (1949, 1953), 1 quatuor (1946–1947), de la mus. de piano, des chœurs.                                                    A.W.

**KYRIALE.** Voir au supplément du présent ouvrage.

**KYRVER Boris Voldémarovitch.** Compos. esthonien (Reval 30.3.1917–). Elève du cons. de sa ville natale, il est de 1950 à 1952 prof. lui-même de théorie musicale, puis de 1952 à 1953, chef de l'orch. à vent de la Philharmonie esthonienne ; il est l'auteur de 2 opérettes (« *Sur la piste d'Hermès* », 1946, « *Rien qu'un rêve* », 1955), de diverses mus. de scène, de cantates, de mus. de chambre, de piano, de film, de chansons.

# TABLE DES ARTICLES SIGNÉS

**A.C.** André BATAILLE
grecque (musique).

**A.D.** André DALMAS
Fourier, Helmholtz, Huygens, Kepler.

**A.F.** Aloys FLEISCHMANN
irlandaise (musique).

**A.Fs.** André FRANCIS
jazz.

**A.G.** André GIRARD
Florio Grassi, flûte, Galeotti (Stefano), Gruetzmacher, Gunn (John), Jacquard, Klengel.

**A.S.** André SOURIS
figure, forme.

**A.Sch.** André SCHAEFFNER
file, gong, harpe-luth, idiophone, kemanak, kende, kisango, ko-tze.

**A.V.** André VERCHALY
Fleury (Nicolas), Gallot, Gouy, Guédron, Henry, intermède, intonation.

**A.v.L.** Albert VAN DER LINDEN
Grétry.

**A.W.** Aristide WIRSTA
Femelidi, Fomenko, Fylypenko, Gomoliaka, Hnatyschyn, Janovsky, Jansa, Jouk, Joukovsky, Kolessa, Kolomietz, Kossenko, Koudryk, Kreisler, Kreubé, Kreutzer (Rodolphe), Kvitka, Kyreyko.

**Al.D.** Alain DANIÉLOU
gamme, ghanta, ghatam, ghunghura, gopi-yantra, gottuvadyam, harpe du Nouristan, indienne (musique), iranienne (musique), jâla-târanga, jhâlra, jhâng, kamantché, karatâla, khanjari, khène, khol, khong, khouy, khurdak, kinnari.

**B.B.** Bernard BARDET
d'Indy.

**B.L.K.** B.L. KULLBERG
finlandaise (musique).

**B.M.** Bernhard MEIER
Josquin des Prés.

**B.S.B.** Barry S. BROOK
Fakaerti.

**C.B.** Constantin BRAÏLOÏU
folklore musical, giusto, Hornbostel.

**C.L.C.** Charles Louis CUDWORTH
Haendel.

**C.M.D.** Mlle Claudie MARCEL-DUBOIS
fagot, fagotcontra, farandole, fidula, fifre, flageolet, flauste, flicorno, flûte, forlane, française (musique populaire), française, frette, gaillarde, gaïta, galoubet, Gambenwerk, gandi, gavotte, gensle, gigue, gingara, glass harmonica, Glockenspiel, go-phong, grande, grelle, grelot, grosbois, grosse-caisse, guimbarde, guiterne, guiterron, gusli, gwerz, hackbrett, halhallatu, halil, halling, Handbassl, hapetan, hardingfela, harmonicon, harmoniphon, harmonetta, harpe, harpe-luth, hautbois, hautbois du Poitou, hochet, hornpipe, Hummel, huruk, idioglottique, imbubu, inanga, instrument, jabadao, kantele, kaval, koabdes, kobza. — Coordination de la partie organologique du présent volume.

**C.R.** Claude ROSTAND
Fauré, Ferroud, Février (Henry).

**C.S.** Claudio SARTORI
Fogliano, Frescobaldi, Gabrieli (Andrea et Giovanni), Gaffurio, Gardane, Ghedini, d'India, Jommelli.

**Cl.S.** Claude SAMUEL
Ibert, Ingegneri (Marc'Antonio), Inghelbrecht, Jacob (Maxime), Janáček, Jannaconi, Jaques-Dalcroze, Jaubert.

**D.C.** Dragotin CVETKO
Gerbič, Gotovac, Grgosevic, Hristič, Ipavec, Jarnovič, Jelič, Jenko, Kirigin, Kogoj, Konjovič, Kozina, Kuhac, Kunc (Bozidar).

**D.Cd.** Doda CONRAD
Freund (Marya).

**D.Ch.** Daniel CHARLES
Fano (Michel), Goehr (Alexander), Hambraues, Henry (Pierre), Jarre, Klebe.

**D.D.** Daniel DEVOTO
Fabini, Falla, fandango, Fernandez (Oscar Lorenzo), Fernandez Caballero, folía, Forte (Vicente), Gaito (Constantino), Galindo, Garay, García (Constantino), García (Juan Francisco), García Caturla, García Morillo (Roberto), Garrido, gato, Gayarre, Gaztambide, Ginés Pérez, Giraldilla, glosa, Gomes, Gramatjes, Granados, guajira, guaracha, guaté-maltèque (musique), Guerra Peixe, Güiro, habanera, Halffter, Hernandez (Gisela), Hernandez (Julio Alberto), Hernandez Moncada, Hernando, Herrera y Chumacero, Holzmann, Huizar, Hurtado (Leopoldo), Iberê de Lemos, Ildefonso de Toledo, Inzenga, Iradier, Isamitt, Isidore de Séville, jacara, Jorda, joropo, jota, Koellreutter, Krieger (Edino).

**D.H.** Dorel HANDMAN
impressionnisme.

**E.C.** Edmond COSTÈRE
fonction, gamme, grave, harmonie, harmoniques, instabilité, intervalle.

**E.H.** Émile HARASZTI
Gounod, Grieg.

**E.H.S.** Mme Eta HARICH-SCHNEIDER
gakubiwa, gekkin, gogen-biwa, han, hichiriki, hitoyagiri, hodoku, ho-kio, ichi-gen-kin, ichi-no-tsuzumi, ishibue, izumo-koto, japonaise (musique), jindaïko, jingaï, jinkane, kagurabue, kakko, kane, kei, keiru, keisu, kin-no-koto, kinshin-ryū, komabue, koshakuhachi, koto, kusabue.

**E.T.F.** Ernest T. FERAND
improvisation.

**F.B.** Frédéric BRIDGMAN
incantation.

**F.H.** Frank HOWES
Grande-Bretagne (musique populaire), hornpipe.

**F.H.N.** Friedrich-Heinrich NEUMANN
Gluck.

**F.L.** François LESURE
Fanton, Festa (Costanzo), Foliot, Fouchier, fragments, Francesco da Milano, franco-flamande (école), Frémart, Fresneau (Jean), fricassée, Fugère (Lucien), Garnier, Gaultier (Denis), Gaultier (Ennemond), Gero, Gervaise, Ghiselin, Godard (Robert), Gorlier, Gostena, Goudimel, Grandrue, Granjon, Grouzy, Guéroult, Hardel, Hellinck, d'Helpher, Hotman, Huberty, Huyn, Jacquesson, Jagu, Jambe de Fer, Janequin, Jélyotte.

**F.M.** François MICHEL
Gershwin, hétérophonie, inspiration.

**F.V.** France VERNILLAT
Gatayes, Genlis, Grandjany, harpe, Hinner.

**F.W.R.** Friedrich W. RIEDEL
Kerll, Krieger (Johann Philipp).

**G.A.** Gilbert AMY
glee, glissando, imitation, intermédiaire, introduction, invention, irrationnel.

**G.B.** George BREAZUL
Feldman (Ludovic), Flechtenmacher, Kiriac.

**G.R.** Gilbert ROUGET
gan, godié, gora, gpété, guembri, harpe (-cithare, fourchue, -luth), hayé, hun, jeu de languettes pincées, kora.

**G.Ry.** Gilbert REANEY
Grande-Bretagne, gymel, hoquet.

**G.T.** G. THIBAULT
ficta (musica).

**G.V.P.** Georges VAN PARYS
film (musique de).

**H.B.** Hugh BAILLIE
Grande-Bretagne.

**H.C.R.L.** H.C. Robbins LANDON
Haydn (Joseph).

**H.G.** Herbert GÜNTHER
Glazounov.

**H.K.M.** Heinz Klaus METZGER
Feldmann (Morton), Kagel, Kœnig
(Gottfried Michael).

**H.S.** Henri SAUGUET
groupe des Six.

**I.A.** Israël ADLER
Gerson-Kiwi, Goldfaden, Idelsohn,
juive (musique).

**J.B.** José BERGAMIN
flamenco.

**J.Bs.** Jean BONFILS
Gigout, Grigny.

**J.Bt.** Jacques BURDET
Gindron.

**J.G.** Jean GERGELY
Farkas (Ferenc), Farkas (Odön),
Fenyes, Frid, Goldmark, Gyulai,
Hajdu, Harmat, Hernadi, Hidas,
hongroise (musique), Horusitzky,
Hubay, Jardanyi, Jemnitz, Kac-
soih, Kadosa, Kodály, Kokai,
Kósa, Kosma.

**J.J.** Jean JACQUOT
Grande-Bretagne.

**J.M.** Jean MATRAS
fidélité, formant, fréquence, gamme
(théorie physique), Givelet, haut-
parleur, hauteur, infra-son, intensité, interférence, ionophone, isosonie.

**J.M.G.** James MAC GILLIVRAY
hautbois.

**J.Md.** Jean MAILLARD
Fauvel (roman de), Fiévet, Frau-
enlob, Gautier de Coinci, gnomique,
Gottfried de Strasbourg, Guillaume,
Guillem Augier Novella, Guillém
de Cervera, Guiraut de Bornelh,
Hervé (st), Huon d'Oisi, Jaufré
Rudel, jeu-parti, Johann Hadlaub,
jongleur, Kuerenberg.

**J.P.** Jean PERROT
Héron d'Alexandrie, hydraule.

**J.P.B.** Jean-Paul BOYER
Goethe, Hoffmann (E.T.A.), Hofmannsthal.

**J.P.G.** Jean-Philippe GUINLE
fantaisie, Hegel, Herder, Honegger
(Arthur), Kant.

**J.V.** Jean VIGUÉ
Harsanyi, hongroise (musique).

**Js.P.** Jacques PERRET
formes linguistiques.

**K.W.C.** Mme Krystyna WILKOWSKA-
CHOMINSKA
Feicht, Felsztyn, Fitelberg, Gomolka, Gorczycki, Jarzebski, Kamienski (Maciej), Karlowicz, Koczalski, Kolberg, Kondracki, Krenz.

**M.A.** Mlle Maguy ANDRAL
fabiol, fakurst, fala, falahuita, fandur, farara, faray, fèle, felo, fidla,
fieould, fiscorn, fistola Pani, flutat,
flabiol, flahoute, flahutet, Flatsche,
flex à tone, floyera, fluier, flûte, flûtiau, fololitsy, fontomfrom, fornke,
forte campano, fortebien, fotuto,
fouet, frestel, friscalettu, frula, fujara, fujarka, gadulka, gaïde, gakaki,
gangana, ganka, gankogui, gatamboria, gbindo, gedegwu, gesaka,
giembe, ginjiru, glicibarifono, glingbu, godié, gomboy, gravicembalo,
gudok, gumla, gusla, guslice, harib,
harmonica, harmonium, harpe (à
clavier, ditale, éolienne, d'harmonie),
hélicon, hustrum, ikouma, iminana,
ingomba, ixilongo, jataga, jazzo-
flûte, kakaki, kakou, kammu, kandara, kemense, kinnor, klepalo,
koziol, kroupalon.

**M.C.** Maur COCHERIL
gallican (néo-), Gui de Cherlieu,
Gui de Longpont, hymne.

**M.D.** Marcel DUPRÉ
Institut de France.

**M.D.P.** Miljenko DABO-PERANIC
Gaudence, Glaucos, harmonia, harmonique, hémiolios, hendécacorde,
heptacorde, Hermès, hexacorde, hexatone, histiée, Homère, Hyagnis,
hymne, hypatè, hyperbolée, hyperdorien, hyperéolien, hyperhypatè,
hyperionien, hyperlydien, hyper-
mése, hypermexolydien, hypephry-
gien, hypodorien, hypoéolien, hypo-
ionien, hypolydier, hypophrygien,
Ion, Ibycos, ionien.

**M.F.** Marcel FRÉMIOT
Glière, Gnessine, Goleminov, Gret-
chaninov, guitare, Janigro, Joachim,
Jora, Kabalevsky, Khrennikov.

**M.H.** Mme Mireille HELFFER
faritia, fekor, fifi, fodrahi, fulu,
gambang gangsa, gambang kayu,
gambus, gamelan, gangling, gender,
gogerajan, gojia bana, gong ageng,
gong ring, goshem, gu, gubgubi,
hne, hoi, hokiokio, hur, ka, kachtehendor, kachapi, kâmsara, k'api,
karatote, kekreng, kemanak, kemang,
kempul, kempyang, kendang, kengergge, kenong, keranting, ketuk,
khoung, khreybey, khung, kimri,
kingri, kledi, kling-klang, komus,
krong chui, kulkul, kuranrajan,
kyi waing.

**M.Hd.** Mantle HOOD
indonésienne (musique).

**M.H.T.** MA HIAO TS'IUN
fang-hiang, fen-kou, feou, fong-
cheng, fong-cheou, fong-siao, fou, ha-
eul-tcha-k'ô, hai-ti, hao-t'ong, heng-
tch-ouei, hie-t'ao, hien-tseu, hi-k'in,
hing-hou, hiuan, hiuan-kou, ho-
cheng, ho-kou, houa-kio, houen-
pou-sseu, houï-kia, hou-k'in, hou-
lou-cheng, houo-pou-sseu, hou-po-
sseu, hou-ti, jouan-hien, jouen-yu-
p'ao, kang-kou, k'eou-k'in, ki-leou-
kou, ki-wan-sie-kou, kiao, kie-
mang-nie-teou-pou, kien-kou, k'in,
king-hou, k'iu-ti, kö-eul-nai, k'ong-
heou, kou, kouan.

**M.P.** Marc PINCHERLE
interprétation.

**M.S.** Marius SCHNEIDER
flamenco, improvisation.

**N.B.** Mme Nanie BRIDGMAN
française (musique), frottola, giustiniana, Giustiniani (Leonardo).

**N.D.** Norman DEMUTH
Ireland (John), Jones (Daniel).

**P.C.** Paul COLLAER
finlandaise (musique populaire),
Hindemith (Paul), islandaise (musique).

**P.S.** Pierre SOUVTCHINSKY
Glinka.

**R.C.** Robert CRAFT
Gesualdo.

**R.M.** René MÉNARD
g'bau, g'bolou, gooli.

**R.S.** Robert SIOHAN
harmonie, instrumentation.

**R.W.** Robert WANGERMÉE
Fétis, Franck (César).

**S.B.B.** Samuel BAUD-BOVY
grecque (musique).

**S.C.** Mlle Solange CORBIN
fado, Faron(cantilène de saint), Fleury-sur-Loire, flexe, Florus, formule,
Fortunat, Foy (chanson de sainte),
franciscaine (musique), Fulbert de
Chartres, Fulda, Gautier de Châtillon, Gerbert d'Aurillac, Gloria in
excelsis Deo, Gloria laus, Goes,
goliards, gothique (notation), Gottschalk, graduel, Grégoire Ier, grégorien, Guillaume de Fécamp, Hilaire
de Poitiers, Hildegarde, hispanique,
Hisperica famina, historia, homéliaire, Hucbald, Hugues d'Orléans,
hymnaire, ictus, introït, invitatoire,
Jean IV, Jean XXII, Joaquim,
jubilus, Jumièges.

**S.D.R.** Mme Simone DREYFUS-ROCHE
griot, gualambo, ilu, Indiens d'Amérique, kachikamo, kakelkultrun,
kéna, ko'olo, koyoli, kultrun.

**S.J.** Simon JARGY
halile, iklighi, karna, kinnar.

**S.P.** Mme Simone PLÉ-CAUSSADE
fugue.

**S.V.W.** SMITS VAN WAESBERGHE
Heinrich Monachus, Hermannus
Contractus, Jérôme de Moravie.

**T.V.K.** Tran VAN KHÉ
ho, ken, ken doi, ken song hi, ken
trung, kim.

**V.F.** Vladimir FÉDOROV
Famintsyne, Fomine.

**V.P.** Mme VERDEIL-PALIKAROVA
Glykys, Jean Damascène, kontakari.

**X.D.** Xavier DARASSE
faux-bourdon.

**Z.V.** Zdenek VIBORNY
Kaan, Kabelac, Kafenda, Kalaa,
Kalabis, Kalaš, Kálik, Kapr, Kaprál,
Kardoš, Karel, Kåslik, Kittl, Kocian,
Kovarovič, Kozeluch, Krejči (Isa,
Josef, Miroslav), Krička, Kromb-
holŭ, Kuba, Kubelik, Kubin, Kunc
(Jan), Kvapil.

Imprimerie
Les Petits-Fils de Léonard DANEL
LOOS (Nord)

Dépôt légal n° 3.028
N° éditeur 656

*Cet ouvrage a été mis en page par André Rigade.*